1 MONTH OF
FREE
READING

at
www.ForgottenBooks.com

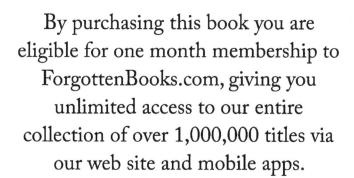

By purchasing this book you are eligible for one month membership to ForgottenBooks.com, giving you unlimited access to our entire collection of over 1,000,000 titles via our web site and mobile apps.

To claim your free month visit:
www.forgottenbooks.com/free1013487

ISBN 978-0-332-24334-4
PIBN 11013487

DEUTSCHE
REICHSTAGSAKTEN

UNTER

KÖNIG RUPRECHT

ZWEITE ABTHEILUNG

1401-1405

HERAUSGEGEBEN VON

JULIUS WEIZSÄCKER

AUF VERANLASSUNG
SEINER MAJESTÄT DES KÖNIGS VON BAYERN
HERAUSGEGEBEN
DURCH DIE HISTORISCHE COMMISSION
BEI DER
KÖNIGLICHEN ACADEMIE DER WISSENSCHAFTEN

GOTHA
FRIEDRICH ANDREAS PERTHES
1885

Inhaltsübersicht.

Vorwort.

I. Bearbeitung des vorliegenden Bandes . . . . I-III
II. Einige Ergebnisse daraus . . . . III-IV

Tag zu Augsburg: Vorbereitung der Italienischen Unternehmung; im September 1401.

Einleitung 1-20
A. Anordnungen für das Reich nr. 1-9 21-39
B. Anerkennungen K. Ruprechts durch Deutsche Reichsstände nr. 10-24 . . 39-55
C. Anordnungen für die Kriegführung nr. 25-26 55-57
D. Verhältnis zu Florenz nr. 27-36 57-80
E. Verhältnis zu Venedig nr. 37-84 81-141
F. Verhältnis zu Franz von Carrara und anderen Italienischen Herren und Städten nr. 85-140 141-176
G. Verhältnis K. Ruprechts zu K. Wenzel und K. Wenzels zu Italien nr. 141-152 177-194
H. Verhältnis zu Frankreich nr. 153-157 194-200
J. Verhältnis zu England nr. 158-163 200-205
K. Verhältnis zu Aragonien nr. 164-167 205-212
L. Finanzielles zum Italienischen Zuge nr. 168-181 212-243
M. Briefe vom Hof aus Italien nr. 182-189 244-249
N. Der Straßburger Haufen und sein Briefwechsel nr. 190-206 249-267

Königlicher Kurfürstentag, mit Städten, zu Mainz im Juni 1402.

Einleitung 268-281
A. Königliche Einladung und Vorbereitung, Verhältnis zur Kurie, nr. 207-214 282-294
B. Städtische Vorbereitung nr. 215-221 294-300
C. Münzwesen nr. 222-227 300-310
D. Verhandlungen wegen der Tödtung Herzogs Friderich von Braunschweig nr. 228-233 310-317
E. Bemühung um Anerkennung durch Kurf. Rudolf III von Sachsen nr. 234-235 317-318
F. Widerstand Achens und des Herzogs von Geldern nr. 236-239 318-323
G. Verhältnis zu Italien nr. 240-248 324-330
H. Verhältnis zu K. Wenzel nr. 249-254 330-336
J. Verhältnis zu Frankreich nr. 255 337-338

K. Verhältnis zu England nr. 256-258 338-342
L. Städtische Kosten nr. 259 343
M. Erster Anhang: königliche Tage zu Bacherach im Juli 1402 nr. 260-262   344-345
N. Zweiter Anhang: städtischer Münztag zu Mainz auf 13 Juli 1402 nr. 263-269   345-351
O. Dritter Anhang: städtischer Münztag zu Worms vom 21 Aug. 1402
   nr. 270-274 352-355

Königlicher Fürsten- und Städtetag zu Nürnberg im Aug. und Sept. 1402.

Einleitung 356-378
A. Ausschreiben nr. 275-277 379-382
B. Städtebriefe über Besuch des Tags nr. 278-281 382-385
C. Zumuthungen P. Bonifacius IX an K. Ruprecht nr. 282 385-386
D. Forderungen des Königs an die Städte nr. 283-286 . . . . . . , . 386-390
E. Verhältnis zu Frankreich nr. 287-293 390-398
F. Verhältnis zu England nr. 294-295 399-406
G. Verhältnis zu Italien nr. 296-304 406-413
H. Verhältnis zu K. Wenzel, K. Sigmund, Mf. Jost, nr. 305-322 413-427
J. Städtische Kosten nr. 323-326 428-440
K. Erster Anhang: Verhandlungen wegen der Tödtung Herzogs Friderich von
   Braunschweig, Tag zu Nürnberg 1403 Jan. Febr. nr. 327-341 440-483
L. Zweiter Anhang: nachfolgende Verhandlungen mit den Rheinischen Städten
   über die Forderungen K. Ruprechts nr. 342-352 483-493
M. Dritter Anhang: nachfolgendes Verhältnis K. Ruprechts zu mehreren Reichs-
   fürsten und dieser zum Herzog von Orléans nr. 353-376 493-521
N. Vierter Anhang: nachfolgendes Verhältnis K. Ruprechts zu den Schwäbi-
   schen Städten nr. 377-378 522-523
O. Fünfter Anhang: Vorbereitung eines zweiten Romzuges, Verhältnis zu Italien,
   1403-1404, nr. 379-407 524-557

Königlicher Kurfürstentag, mit Städten, zu Boppard im Merz 1404.

Einleitung 558-564
A. Vorbereitung des Tags nr. 408-409 565-566
B. Städtische Münzproben nr. 410-413 566-568
C. Münzvertrag der vier Rheinischen Kurfürsten nr. 414 569-571
D. Anerkennung K. Ruprechts durch Deutsche Reichsstände nr. 415-417 . . 571-573
E. Kosten Frankfurts nr. 418 573
F. Anhang: kön. Münze zu Frankfurt nr. 419-422 573-577

K. Ruprechts Landfriedensthätigkeit in Franken und der Wetterau 1403-1407.

Einleitung 578-597
A. Mergentheimer Landfriede für Franken 1403 August 26 und Zugehöriges
   nr. 423-425 598-608
B. Heidelberger Landfriede für Franken 1404 Juli 11 und 12 und Zugehöriges
   nr. 426-430 609-624
C. Heidelberger Landfriede für die Wetterau 1405 Juni 16 und Zugehöriges
   nr. 431-449 624-648

Reichstag zu Mainz im December 1404.

Einleitung 649-655
A. Besuch des Tages nr. 450 655
B. K. Ruprechts Muthung an die Städte wegen Hilfsgeldes von 150 000 Gulden, nebst nachfolgender Haltung der letzteren dazu, nr. 451-457 . . . 656-664
C. Erster Anhang: nachfolgende Besteuerung der Kurpfälzischen Lande 1405, nr. 458-462 665-671
D. Zweiter Anhang: vorhergehende und nachfolgende Verhandlungen wegen Österreichischer Heirat 1404-1406, nr. 463-466 671-677
E. Dritter Anhang: nachfolgende Verhandlung mit K. Wenzel 1405, nr. 467-468 677-679
F. Vierter Anhang: nachfolgendes Verhältnis zu P. Innocenz VII und zu Italien, 1405, nr. 469-474 679-688
G. Fünfter Anhang: Versöhnung über die Tödtung Hzgs. Friderich von Braunschweig, mit Friedberger Landfrieden, 1405, nr. 475-480 689-710

Reichstag zu Mainz im Oktober 1405.

Einleitung 711-730
A. Vorläufiges: Marbacher Bund 1405 Sept. 14 und seine Entstehung nr. 481-490 731-761
B. Ausschreiben des Mainzer Reichstages auf 21 Okt. 1405 nr. 491 . . . 762
C. Vorversammlung des Marbacher Bundes zu Vaihingen auf 12 Okt. 1405 nr. 492-494 763-765
D. Protokolle vom Mainzer Reichstag, 1405 Okt. 23, nr. 495-496 765-766
E. Städtische Kosten nr. 497 767
F. Anhang: Bund K. Ruprechts und Bisch. Wilhelms II von Straßburg 1405 Dec. 3. 4 nr. 498-499 767-770
Chronologisches Verzeichnis der Urkunden und Akten . . . 771-797
Alfabetisches Register der Orts- und Personen-Namen . . . 799-853
Zusätze und Verbesserungen 854

Vorwort.

Im Jahr 1882 erschien der vierte Band der Deutschen Reichstagsakten, die Anfänge König Ruprecht's enthaltend; 1883 folgte die erste Fortsetzung König Sigmund's mit dem achten Bande. Jetzt nach zwei Jahren legen wir die erste Fortsetzung König Ruprecht's vor, den fünften Band der ganzen Reihe. Der Druck war nicht leichter als sonst, das Manuskript etwas größer als sonst, so mag der Verbrauch der zwei Jahre entschuldigt sein. Man darf uns dazu noch anrechnen, daß ein weiterer Band bereits unter der Presse ist, und eine Anzahl Aushängebogen von ihm fertig sind.

I. Bearbeitung des vorliegenden Bandes.

Die Leitung des Unternehmens ruht wie bisher in der Hand H. von Sybel's. Von früheren Mitarbeitern des Bandes, welche bei den Vorarbeiten überhaupt sowie insbesondere bei der Anfertigung von Regesten Auszügen und Abschriften thätig waren, sind zu nennen Kerler, Menzel, Schäffler. Dazu kommt die neuere Mitarbeiterschaft Friedensburg's in Göttingen, der inzwischen in Marburg die akademische Laufbahn betreten hat. Endlich hatten wir uns zu erfreuen der gelegentlichen Unterstützung durch Coudre in Mülhausen im Elsaß, Ebrard in Straßburg i. E. (jetzt in Frankfurt am Main), Neudegger in München, von Schmidt-Phiseldeck in Braunschweig, Wackernagel in Basel, Zimerman in Wien für Arbeiten in den Archiven der betreffenden Orte, sowie auch durch den verewigten Pauli und durch Dr. Liebermann für London, nicht zu gedenken kleinerer Auskunftsertheilungen seitens verschiedener Archivsverwaltungen. Die Hauptsache aber haben wir selber gethan, und von keiner Art der Arbeit blieb Einer von uns ganz ausgeschlossen, wenn auch der Eine mehr an dieser, der Andere mehr an jener betheiligt war. Der Antheil eines Jeden der Drei, welche so als die Hersteller des Bandes zu betrachten sind, ist eigentlich der Art, daß sie alle drei auf dem Titelblatt in gleicher Linie stehen sollten. Da dieß nicht erlaubt ist, stelle ich hiermit die beiden anderen Herren als meine gleichberechtigten und gleichverantwortlichen Genossen vor: sie sind Prof. Ernst Bernheim in Greifswald und Dr. Ludwig Quidde in Frankfurt a. M. Die Italienischen Sachen sind die Frucht der schon im Vorwort des vierten Bandes erwähnten Reise Bernheim's. Die Korrektur des Bandes hat Quidde besorgt mit gelegentlicher Heranziehung Dr. Froning's in Frankfurt a..M. und Dr. Jung's ebenda zur Mitwirkung. Quidde ist auch der Verfasser des Chronologischen Verzeichnisses der Urkunden und Akten sowie des Alfabetischen Registers der Orts- und Personen-Namen.

Indem wir der Verlagshandlung von Friedrich Andreas Perthes in Gotha unsere verbindlichste Anerkennung aussprechen wie früher, gedenken wir dießmal auch noch insbesondere der Verdienste eines anderen wichtigen Gönners. Nicht länger darf nämlich unerwähnt bleiben, welchen ganz ungemeinen Dank die Unternehmung der Deutschen Reichstagsakten dem Herrn Dr. H. Grotefend Stadtarchivar in Frankfurt a. M. schuldig geworden. Es ist nicht etwa bloß der Reichthum des dortigen Archivs sondern es ist auch die ganz außerordentliche Güte und Fürsorge des Vorstehers dieser Anstalt, was noch auf längere Zeit es als zweckmäßig erscheinen läßt, daß die alte Reichsstadt der Mittelpunkt unserer Arbeiten bleibe.

    Das eigentliche Aktenmaterial steht auch jetzt noch zurück hinter der Gesammt-zahl von Urkunden und Briefen, hat aber doch sichtlich zugenommen. Es finden sich Protokolle oder Protokollartiges und Abschiede oder Beschlüsse, Venetianische Provenienzen mitgerechnet, 71 an der Zahl (nr. 3. 12. 35. 37-47. 50-54. 56-79. 81-86. 98. 111. 112. 117. 120. 122. 152. 223. 296. 306. 310. 314. 343. 347. 349. 378. 381. 436. 441. 444. 446. 473), Denkschriften Gutachten Meinungsäußerungen u. dgl. 5 (nr. 145. 222. 268. 374. 442), Gesandtschaftsanweisungen 32 (nr. 8. 30. 32. 89. 157. 161. 207-210. 231. 232. 234. 236. 249. 252. 253. 289. 290. 294. 295. 308. 312. 350. 384. 385. 394. 395. 405. 407. 465. 470), Ansprache Deutscher Gesandtschaft am fremden Hofe 1 (sub nr. 119), Antworten an Deutsche Gesandtschaften am fremden Hofe 2 (sub nr. 119. 165), Aufzeichnungen über die Antworten an fremde Gesandtschaften beim Deutschen Hofe 2 (nr. 156. 353), Aufzeichnungen von Gesandten über ihre Sendung und Ähnliches 7 (nr. 27. 33. 34. 36. 282. 332. 420), Berichte von Florentiner Gesandten 2 (nr. 298. 386), Glaubs- und Vollmachtsbriefe 46 (nr. 11. 19. 29. 87. 92-95. 141. 148. 149. 153. 154. 158. 160. 230. 241. 256. 287. 288. 304. 307. 311. 319. 320. 322. 380. 382. 383. 387. 389. 390. 396-399. 401-404. 406. 464. 466-468. 474), Tagsausschreiben und Ein-ladungen zu Tagen 21 (nr. 212. 215. 260. 275-277. 279. 345. 348. 351. 355. 409. 430. 433. 443. 445. 447-449. 451. 472), Landfrieden und Zugehöriges oder dgl. 13 (nr. 4. 328. 423. 425. 426. 428. 429. 431. 434. 437. 438. 476. 479), Präsenz- und andere Listen 5 (sub nr. 190. 191. 224. 338. 440), Münzgesetze und -Verträge 2 (nr. 225. 414), Münzproben 8 (nr. 264-267. 410-413), Korrespondenzen überhaupt in bedeutender Zahl, Huldigungen, Abmachungen Versprechungen Verabredungen Vereinbarungen Sühnen, Verträge Bünde Einungen, königliche Kammereinnahmen, Mandate Privilegien Edikte Ernennungen Entscheidungen Vorschriften, Geleite.

    Die Zahl der Stücknumern ist größer als in irgend einem der bisherigen Bände, sie beträgt 499; dabei sind natürlich nicht gerechnet die zahlreichen urkundlichen Mittheilungen in den Einleitungen und Noten. Unter jenen fortlaufend numerierten Stücken waren bisher, wenn ich recht zähle, 233 völlig unbekannt, 89 waren ungedruckt und nur durch Regest oder Auszug oder Erwähnung oder Benützung bekannt, 15 theilweise oder zum größten Theil oder fast ganz oder in Übersetzung bereits gedruckt, 155 vollständig gedruckt und hier aus den Handschriften neu widergegeben, und endlich 7, die handschriftlich nicht wider aufgefunden wurden, sind aus früheren Drucken widerholt. Also im ganzen sind 322 Numern ungedruckt gewesen, 177 ganz oder theilweise gedruckt. Bei dieser Aufzählung ist kein Unterschied gemacht zwischen solchen Stücken, deren vollen Text wir mittheilen, und denjenigen, die wir bloß als Regest oder Auszug oder theilweise geben.

    Daß auch dießmal manche Kürzungen der Stücke vorgenommen sind, daß man öfter sich auf Mittheilung von Regesten beschränkte, ist leicht ersichtlich. Ein großer Stoff ist in den Einleitungen und in den Anmerkungen untergebracht, meist auch in bloßer Auszugsform. Ich möchte alle Herausgeber von Urkunden darauf aufmerksam machen, daß wesentlich am Raum gespart werden kann, wenn man größere Urkunden, für welche ihre Entwürfe und Ausfertigungen und ihre Reverse oder auch nur verwandte Diplome vorliegen, wenn man namentlich die umfangreichen Landfrieden einer Kürzung untersicht. Was insbesondere die Landfrieden betrifft, so schließt sich ihr Inhalt gewöhnlich mehr oder weniger an andere gleichartige Urkunden an, auf welche dann verwiesen werden kann. Oft sind freilich die Abweichungen doch zu bedeutend, auch wenn man das Vorbild erkennt. Oft aber läßt sich ein solches unendlich langathmiges Stück auf wenige Zeilen zusammenziehen, wenn man eine sorgfältige und zweckmäßige Artikel-

Eintheilung vornimmt, und dann bei den einzelnen Artikeln auf den gleichlautenden Artikel des verwandten Stückes verweist, womit es ja genug ist. Bei kleineren Abweichungen sonst gleichlautender Artikel reicht man aus, wenn man diese Abweichungen angibt. Ist die Abweichung von dem erkannten Vorbilde zu bedeutend, so wird der Artikel vollständig gegeben; natürlich ebenso, wenn er überhaupt neu hinzukommt. Für den Herausgeber ist freilich die Mühe kaum geringer, fast größer, als wenn er einfach abdruckt was dasteht. Es muß mit großer Sorgfalt verfahren werden, damit von den aufgefundenen Abweichungen nichts verloren geht. Aber dem Benützer ist die Sache sehr erleichtert, weil er sofort auf den ersten Blick die Weiterentwicklung des Institutes oder ihr Gegentheil erkennt, und ihm die Mühe und der Zeitverlust der Vergleichung erspart bleibt. Vgl. Bd. 1 Vorwort S. LX.

Für Vieles, was hier mitgetheilt ist, gelten auch wider die Nachrichten, welche über die Quellen zum vierten Band in dessen Vorwort S. III-XXII niedergelegt sind, und wir haben einfach auf diese frühere Stelle zu verweisen.

Mit Bogen 89 ist ein kleiner Unfall begegnet. Das Manuskript zu nr. 478-480 sowie zu S. 711 und 712 gieng, nachdem die Korrektur durch Dr. Jung gelesen war, in Frankfurt auf der Post verloren, konnte also von den übrigen bei der Korrektur betheiligten Mitarbeitern und bei der Revision nicht mehr verglichen werden. Doch wird ein Fehler dadurch kaum verursacht sein, wir wollten die Sache nur nicht verschweigen.

II. Einige Ergebnisse daraus.

Was über die Schwierigkeit einer Sammlung von Reichstagsakten unter König Ruprecht im Vorworte zu Bd. 4 S. XXII lin. 16-24 gesagt ist, gilt natürlich auch für vorliegenden Band. Gleich der erste Versammlungstag, der zu Augsburg vom September 1401, macht solche Schwierigkeit. Wer dann nicht damit einverstanden ist, daß dieser Tag in den Reichstagsakten berücksichtigt wurde, der muß sich eben damit trösten, daß ihm dabei doch einiges geboten wird, was er wol nicht gern missen möchte, wenn es einmal da ist. Ich rechne dahin vor allem die bisher nur zum Theil bekannten Venetianischen Dinge aus dortigen Quellen unter lit. E, unbekannte Briefe unter lit. F welche die zweite Hälfte von K. Ruprecht's Aufenthalt in Italien im Jahr 1402 aufklären, die ebenfalls unbekannten Berichte des Straßburger Heereskontingents unter lit. N, sie sind sehr merkwürdig und eine unschätzbare Quelle des Kriegsbildes.

Dazu kommen die neuen Münzkorrespondenzen, die beim Mainzer Tag vom Juni 1402 lit. B und O mitgetheilt sind. Venetianische Quellen fließen auch bei diesem Tag, wie an verschiedenen anderen Stellen des Bandes, großentheils neu, meist von bedeutendem Interesse.

Beim Nürnberger Tag vom Aug. und Sept. 1402 ist besonders nr. 282 ein Gewinn gewesen: die Aufzeichnung über die von der Kurie an den König gestellten Zumuthungen in drei Artikeln, die den Städten dort mündlich vorgetragen waren (s. nr. 284). Ebenso der wichtige Straßburger Brief über die Französische Haltung in der großen Kirchenfrage und die Pläne des Herzogs von Orléans gegen K. Ruprecht, nr. 293; die Nachrichten über Ruprecht's Verhältnis zum Luxemburgischen Haus und die Italienischen Pläne des letzteren, nr. 306. 303. 313-315. 317. 318. 321; die Verhandlungen mit den Rheinischen Städten über die Forderungen K. Ruprecht's, nr. 342-352; die Korrespondensen über die Beziehungen dieses Königs zu Markgraf Bernhard I von Baden, nr. 355. 357. 361-363. 368; die Venetianischen und Florentinischen Aufzeichnungen betr. Vorbereitung eines zweiten Romzuges Ruprecht's, nr. 381. 384-386.

Im Jahr 1404 wird die Münzfrage wider aufgenommen auf einem königlichen Kurfürstentag zu Boppard, zu dem auch die Städte ihre Sachverständigen schicken, und es gibt über diese Vorgänge die Auffindung der nrr. 408-412 die erwünschtesten Aufschlüsse.

Bei der Zusammenstellung der Landfriedens-Sachen unter Ruprecht in Franken und der Wetterau 1403-1407 ist in der Bearbeitung der Landfriedensurkunden selbst mit der Kürzung und Verweisung verfahren, von der ich S. II-III gesprochen, und ist in der zugehörigen Einleitung auf die Entwicklung dieser Dinge besonderes Gewicht gelegt. Auch hier finden sich eine Anzahl von Stücken, die bisher nicht zugänglich waren: nr. 423. 424. 427. 430. 431. 433-442 (der Landfriede nr. 438 war wenigstens nur im Regest schon bekannt). 445-449. Der geographische Kreis der Einwirkung des Königs ist recht beschränkt, aber er arbeitet fleißig auf diesem Gebiet.

Seine Finanznoth findet einige werthvolle wenn auch nicht ausführliche Beleuchtung durch die zweimalige Forderung eines bedeutenden Hilfsgeldes, die an die Städte ergieng. Das gefundene Material ist zusammengestellt beim Nürnberger Tage von 1402 lit. D nr. 283. 285. 286 und beim Mainzer Reichstag vom Dec. 1404 lit. B nr. 451-455. 457. Es ist deshalb von weitergreifender Wichtigkeit, weil man hier eine der Wurzeln des Marbacher Bundes von 1405 zu erkennen hat, s. Einl. zu diesem Tag S. 651, 17 f. 652, 28 bis 653, 6.

Mit diesem Marbacher Bund vom 14 Sept. 1405, der in Ruprecht's Regierungszeit eine so große Rolle gespielt hat, beschäftigt sich der Schluß unseres Bandes. Mitten in die Zeit der Entstehung dieses Bundes führen uns zum erstenmal die Briefe nr. 482. 484. 485 ein. Deren Inhalt aber erhält seine volle Beleuchtung erst durch die unbekannt gebliebenen drei Entwürfe der Bundesurkunde selbst, nr. 481. 483. 488, sowie durch die Randbemerkungen, welche zu zweien derselben im Straßburger Stadtarchiv gemacht sind, und die wir als besondere nrr. 486 und 487 für sich abgedruckt haben. Die dazu gehörigen kritischen Erörterungen in der Einleitung zum Mainzer Reichstag vom Oktober 1405 lit. A suchen diese undatierten Stücke chronologisch zu fixieren und in die richtige Verbindung unter einander und mit der definitiven Bundesurkunde zu stellen. Wenn die aufgestellten Beziehungen die richtigen sind, so ist damit eine Entwicklung hergestellt, welche den Marbacher Bund selbst erst recht verstehen lehrt, wie auch die Vorgänge zwischen dessen Abschluß und dem Mainzer Reichstag vom Oktober 1405 durch die nrr. 492-494 ins Licht treten. Da die Mitgliedschaft Straßburgs nur durch den Streit mit dem dortigen Bischof und weiterhin auch mit dem König verständlich wird, so ist dafür gesorgt, daß auch dieser Punkt nicht unerläutert bleibe, und es dienen dazu auch noch unbekannte Materialien, die in der Einleitung S. 728-729 verwerthet sind, sowie die beiden ebenfalls hier zum erstenmal veröffentlichten nrr. 498 und 499. Ein Sonderprotokoll der Mitglieder des Marbacher Bundes bei Gelegenheit des Mainzer Reichstags vom Oktober 1405 nr. 496, aus dem Straßburger Stadtarchiv, setzt uns in erwünschte Kenntnis, auf welche Weise diese Mitglieder die Zwischenzeit zwischen jenem Reichstag und dem andern vom Januar 1406 auszunutzen gedachten.

Der Stand des Quellenmaterials hat uns vielleicht einmal verführt, etwas als Reichstag zu taufen was keiner ist, oder auch umgekehrt. Ich kann nur sagen, daß wir darin wie in der Auswahl und Eintheilung des Stoffes recht bedachtsam zu Werke gegangen sind. Wenn diese Fragen nicht immer ganz glatt zu beantworten waren, so haben wir ihre Lösung doch ernstlich versucht. Und vielleicht ist es uns wenigstens gelungen, das, was wir nun einmal in unserer Anordnung bieten, so zu bearbeiten, daß es in möglichst echter Gestalt wider aufersteht, daß einige Ergebnisse der Forschung schon jetzt hervorgetreten sind, und daß es dem Benützer des Werkes bequem gemacht ist darin fortzufahren.

Berlin 25 Juli 1885.   Julius Weizsäcker.

Tag zu Augsburg: Vorbereitung der Italienischen Unternehmung;
im September 1401.

Die Versammlung zu Augsburg kann man nicht wol im eigentlichen Sinn einen
5 *Reichstag nennen. Statt sonstiger Einladungsschreiben haben wir die Aufforderungen*
des Königs vom 8 Juli 1401 Bd. 4 nr. 348-350, welche zu dem bestimmten Zweck des
Romzuges auf 8 September nach Augsburg laden. Wer sich in Augsburg versammelte,
ersehen wir ungefähr aus den Verzeichnissen in Band 4 nr. 388. 389 sowie im vor-
liegenden Bande aus nr. 169 und nr. 194 mit Anm. *Es war eine durch Zahl und*
10 *Würde hochansehnliche Reihe von Fürsten und Herren; auch die städtischen Kontin-*
gente von Mainz und Speier werden dort (s. über die Betheiligung der Städte am Ita-
lienischen Zug im allgemeinen die Einleitung zu lit. L) gewesen sein, von den Straß-
burgern wissen wir es bestimmt aus nr. 194 ff., jedoch erfahren wir aus denselben nrr.
194 ff., daß keine Städteboten diese begleiteten; auch im übrigen erfahren wir nichts von
15 *der Anwesenheit städtischer Gesandtschaften; freilich fehlen uns zur Kontrole die Augs-*
burger Stadtrechnungen dieser Zeit, indessen ist überhaupt garnicht anzunehmen, daß
die Städte wie zu einem Reichstage nach Augsburg schickten, da dieser von vorne herein
zur Heeresversammlung bestimmte Tag nicht besonders zu friedlichen Geschäften geeignet
erscheinen konnte. Dafür spricht z. B. das Verfahren der Regensburger, die kurz vor-
20 *her, am 25 August (s. nr. 16 art. 2), nach Amberg zum Könige giengen und in deren*
Bericht nr. 16 nicht die geringste Erwähnung eines Tages zu Augsburg geschieht. Auch
der Straßburger Hauptmann redet in nr. 194 f. nicht von einem dortigen „Tag", ebenso-
wenig bezeichnen die Chronisten welche die Augsburger Versammlung erwähnen dieselbe
so (s. Ulman Stromer St.Chr. 1, 55, 3, Augsburger Chronik ibid. 4, 229).

25 *Trotzdem sind zu Augsburg höchst wichtige das ganze Reich betreffende Verhand-*
lungen geführt und Beschlüsse gefaßt, nur betrafen dieselben ausschließlich den bevor-
stehenden Italienischen Zug und damit zusammenhängendes, und wurden dieselben vom
König und den anwesenden Fürsten allein betrieben. K. Ruprecht selbst begab sich am
2 September von Amberg nach Augsburg und brach am 15 September von dort auf (s.
30 *nr. 33), doch hatte er sich schon vorher einige Zeit daselbst aufgehalten; nach Chmel's*
Regesten urkundete er dort vom 12-17 August, dann vom 8-15 September. Sehr bald
nach dem König traf der Florentinische Geschäftsführer Buonaccorso Pitti ein, mit der
höchst unwillkommenen Botschaft, daß er die erwarteten Subsidiengelder nicht mitbringe.
Dadurch gerieth das ganze Unternehmen des Romzugs ins Schwanken: in nr. 27 wird
35 *uns berichtet, daß der König einen ganzen Tag Rath hielt, ob er nun überhaupt auf-*
brechen sollte, und aus nr. 41 art. 1 ersehen wir, daß er den erneuten Beschluß des
Romzugs von diesem Augsburger Tage datierte. Auch wurde der definitive Subsidien-
vertrag mit Florenz nr. 28 erst jetzt am 13 September geschlossen, die Ernennung Her-

zog Ludwigs zum Reichsvikar und Stellvertreter des Königs während dessen Abwesen-
heit fand hier in Augsburg am 13 September statt consilio electorum principum comitum
et nobilium nostrorum et imperii sacri fidelium, *nr. 2, u. a. m.*

    So steht dieser Augsburger Tag, wenn er auch aus formalen Gründen nicht als
Reichstag auftreten kann, einem solchen an sachlicher Bedeutung nicht nach, und durfte 5
daher in dieser Sammlung durchaus nicht fehlen. Ebensowenig die sich daran schließen-
den Akten des Italienischen Zuges. Denn dieser Zug ist mit dem Augsburger Tage
zusammen nichts anderes als die Vorbereitung eines beabsichtigten nur vereitelten Krö-
nungstages in Rom; und wie der letztere, wäre er zu Stande gekommen, in diese
Sammlung gehören würde, so kann auch der Versuch dazu hier nicht übergangen wer- 10
den, indem nur die rein militärischen Einzelheiten ausgeschlossen bleiben. Ist dieser
Zug doch ausdrücklich geplant und unternommen, in erster Linie um die Kaiserkrönung
in Rom zu empfangen, in zweiter um das entfremdete Reichsgut zurückzugewinnen, wozu
sich K. Ruprecht in der sogenannten Wahlkapitulation Band 3 nr. 200 art. 3 ver-
bindlich gemacht hatte: schon in den Aufforderungen vom 8 und 18 Juli Bd. 4 nr. 15
348 f. wird als Zweck des Zuges angegeben unser keiserlich cronunge zu empfahen; *die*
städtischen Kontingente hat der König, wie wir aus seinem Munde in nr. 201 vorliegen-
den Bandes erfahren, entboten die krone zů holen *und er verlangt deren fortdauernde*
Hilfe untz daz er sine krone enpfohe; *auch seine Gesandtschaft an die Venetianer nr.*
41 bezeichnet den Zug als unternommen pro coronatione sua et pro acquirendis juribus 20
imperii in Italia, *ähnlich nr. 166 art. 1. 2; und so wird es überall wo davon die Rede*
ist aufgefaßt, z. B. auch in der Kölner Chronik St.Chr. 13, 91 dat keiser Ropert van
Beigeren ind min here van Collen genant here Frederich van Sarwarden zusamende
zu Rome wart voren denselven keiser Roprecht zu kronen.

    Die Verhandlungen mit dem Pabste wegen Approbation und Krönung in Rom 25
gehen dem entsprechend unausgesetzt in der ganzen Zeit des Italienischen Zuges auf
das ernstlichste fort, s. RTA. 4 nr. 14 ff., und man hat dieselben hier überall nicht aus
den Augen zu verlieren.

A. Anordnungen für das Reich nr. 1-9.

    Zwei Anordnungen von allgemeinerer Bedeutung traf K. Ruprecht vor seinem 30
Aufbruch für die Zeit seiner Abwesenheit aus Deutschland. Erstens nahm er die
Unterthanen und Besitzungen der Theilnehmer des Zuges in seinen besonderen Schutz
und bedrohte Angriffe auf dieselben mit der Reichsacht, s. nr. 1, zweitens aber ernannte
er seinen Sohn Pfalzgraf Ludwig zum Reichsvikar, s. nr. 2. Von Italien aus griff er
dann im Sinn der ersteren Anordnung, auf die auch ausdrücklich Bezug genommen 35
wird, zu Gunsten des Herzogs Ludwig von Baiern ein, der über Feindseligkeiten des
Herzogs Ernst zu klagen hatte, s. nr. 5. 6. 7. 8 art. 15 und 16. Das letzte dieser
Stücke, eine Instruktion für den Landschreiber von Amberg, der von Padua aus nach
Deutschland geschickt wurde, umfaßt noch eine Reihe anderer Punkte, wichtig ist es
besonders auch für die finanziellen Verhältnisse, vgl. lit. L. — Über die Einsetzung 40
eines Reichsvikars hat Johannes von Posilge die offenbar unrichtige Notiz und machte
die wile zu Romischim voyte den herzogen von Lotringen (SS. rer. Pruss. 3, 247).
Die Ernennung zum Reichsvikar datiert vom 13 Sept., 4 Tage früher schon hatte K.
Ruprecht seinem Sohne die Verwesung der Erblande für die Zeit des Zuges übertragen
(München St.A. Urkunden betr. die Verhältnisse des kurpfälz. Hauses gegen das Deutsche 45
Reich ${}^{121}_{b\,18}$ *or. mb. lit. pat. c. sig. pend., Karlsruhe G.L.A. Pfälz. Kop.B. 4 fol. 106*^b*-107*^a
cop. ch. coaev., ibid. Pfälz. Kop.B. 46 fol. 132^b*-134*^b *cop. ch. sacc. 15 med., Wien H.II.*
St.A. Registraturbuch C fol. 92^{ab} *cop. ch. coaev.; Regest Chmel nr. 930 aus Wien l. c.).*

Da dies eine reine Territorialsache ist, haben wir das Stück nicht aufgenommen. Zu den Anweisungen die dem Pfalzgrafen als Reichsvikar vom Könige zukamen ist nr. 21 zu vergleichen. Über seine Thätigkeit ist nicht viel zu berichten, einige von ihm ausgehende Briefe wird man in diesem Bande mitgetheilt finden. Von Wichtigkeit ist das
5 *Abkommen das er mit den Städten Mainz Worms Speier und Frankfurt zur Sicherung der Straßen traf, es ist ausdrücklich für die Zeit der Abwesenheit des Königs bestimmt und war deshalb an dieser Stelle aufzunehmen. Der endgültige Vertrag vom 15 Okt. nr. 4 schließt sich zwar an die Aufzeichnung vom 7 Okt. nr. 3 sehr nahe an, aber die kleinen redaktionellen Abweichungen sind doch so zahlreich, daß wir nicht gut das eine*
10 *Stück durch Verweisung auf das andere kürzen konnten. Längere Zeit weilte der Pfalzgraf anscheinend in Nürnberg. Wir lassen hier einen Auszug aus dem Nürnberger Schenkbuch (Nürnberg Kr.A. cod. msc. nr. 489 Schenkbuch 1393-1422 ch. coaev.) für die Zeit des Italienischen Zuges folgen. In der 11 Bürgermeisterperiode des Jahres 1401 feria 4 in die Mathei [Sept. 21] bis feria 4 post Galli [Okt. 19] fol. 67ᵇ-68ᵃ*
15 *Schenkungen im Gesammtbetrage von 40 lb. 13 sh. hl., unter andern: denen von Halle, dem Bf. von Wirtzpurg, denen von Weissemburg, denen von Sweinfurt, Hansen von Hohenloch, denen von Rotenburg, dem Bisch. von Eysteten, dem Bisch. von Bamberg und zwein von Wertheim und dem von Hennemberg, Hzg. Ludwig Pfalzgrafen etc. und Hzg. Steffan juniori, dem von Haidegk Domprobst, Hzg. Steffan seniori, dem von Oetingen,*
20 *dem Töter von Nördlingen, Graf Ludwig von Rieneck, Graf Gunther von Swartzburg, denen von Esslingen, denen von Ulm und von Nordlingen, denen von Dinkelspuhel, denen von Halle, denen von Winsheim, dem Burggrafen Johan, denen von Rotemburg, dem Bisch. von Eysteten, dem Domprobst von Augspurg, des Königs Schützen die vom Rhein herauf gesandt wurden (vgl. RTA. 4 nr. 403). In der 12 Bürgermeisterperiode*
25 *feria 4 post Galli [Okt. 19] bis feria 4 post Martini [Nov. 16] anno 1400 primo fol. 68ᵃᵇ Schenkungen im Gesammtbetrage von 17 lb. 11 sh. 4 hl., s. den Auszug RTA. 4 nr. 403, zu dem noch nachzutragen ist, daß auch der Bischof von Eysteten beschenkt wurde. In der 13 Bürgermeisterperiode feria 4 post Martini [Nov. 16] anno 1400 primo bis feria 4 post Lucie [Dec. 14] fol. 68ᵇ-69ᵃ Schenkungen im Gesammtbetrage*
30 *von 12 lb. 12 sh. 4 hl., unter andern: Hzg. Ludwig Vikar, dem Bisch. von Wirtzpurg (vgl. RTA. 4 nr. 403). Von der 14 Periode des Rechnungsjahres 1401 bis zur 4 des folgenden nur wenig Schenkungen und keine von Interesse für uns. In der 5 Periode 1402 feria 4 ante Ambrosii [Merz 29] bis feria 4 post Marci ewangeliste [April 27] fol. 70ᵇ-71ᵃ Schenkungen im Gesammtbetrage von 13 lb. 9 sh. 8 hl., unter andern:*
35 *denen von Weissembург, Hzg. Ludwig's Vikars Rath und dem Landschreiber von Amberg, dem Bisch. von Wirtzburg, denen von Augspurg, denen von Rotemburg, dem Bisch. von Eysteten. Die Anwesenheit nicht nur des Pfalzgrafen sondern auch einer stattlichen Anzahl Fränkischer Reichsstände in Nürnberg während der 11 Bürgermeisterperiode 1401 hängt sicher mit der Rotenburger Angelegenheit zusammen, über die im 4 Bande*
40 *beim Nürnberger Reichstage 1401 Febr. bis Merz die Einleitung lit. A zu vergleichen ist. Weshalb 1401 Okt. bis Nov. Söldner Schwäbischer Städte in Nürnberg waren, sieht man aus einer Aufzeichnung die wir beim Mainzer Tage vom Jan. 1406 mittheilen, ohne Zweifel waren es die dort erwähnten Hilfstruppen für den Böhmischen Krieg.*

45 **B. Anerkennungen K. Ruprechts durch Deutsche Reichsstände nr. 10-24.**

Es handelt sich hier vornehmlich um die Anerkennung durch die Schwäbischen Städte und die Schweizer Eidgenossen, dann auch durch Regensburg und verschiedene Bischöfe. Mit den Verhandlungen über Huldigung und Privilegienbestätigung gehen

1*

auch wol solche über Hilfe zum Italienischen Zuge Hand in Hand, die wir im vorigen Bande beim Mainzer Reichstage unter lit. J gebracht haben. Die verschiedenen von K. Ruprecht im August 1401 erlassenen Anweisungen seinen Bevollmächtigten zu huldigen haben wir in nr. 13 zusammengestellt und durch Verweisung auf RTA. 4 nr. 183 erledigt. — Von besonderem Interesse ist die Regensburger Aufzeichnung nr. 16, die ⁵ *sich in art. 1 über die Motive der städtischen Politik in der Thronfrage mit seltener Offenheit ausspricht. — Wegen der Verbindung mit Deutschland mußte Ruprecht bei Antritt des Italienischen Zuges an der Anerkennung der Bischöfe von Salzburg Passau Augsburg Brixen und Chur (vgl. nr. 20-24, auch Anm. zu nr. 23), besonders der beiden letztgenannten, viel gelegen sein. Auch dem Bischof von Trient ertheilte er am* ¹⁰ *15 Okt. ein Zollprivileg, s. Chmel nr. 1009. — Herzog Ernst von Baiern, der bis dahin sich zur Huldigung nicht hatte verstehen wollen, leistete diese in Schongau, wo Ruprecht sich um den 18 Sept. aufhielt, s. St.Chr. 15, 494. — Ziemlich isoliert steht folgendes Schreiben. Pf. Ludwig als Reichsvikar, dieweil K. Ruprecht über Berg ist, fordert von der Stadt Nordhausen Huldigung, als ihm (K. Ruprecht) andere des Reichs Städte in* ¹⁵ *Deutschen Landen gethan haben, und Zahlung der gewöhnlichen jährlichen Steuer auf nächsten Martinstag [Nov. 11]; dat. Amberg Mo. n. Allerheiligen [Nov. 7] 1401; Karlsr. G.L.A. Pfälz. Kop.B. 149ᵇ fol. 199ᵇ cop. ch. coaev. Vgl. dazu RTA. 4 nr. 321.*

C. Anordnungen für die Kriegführung nr. 25-26.   ²⁰

Wir geben hier nur zwei Stücke, welche allgemeinere Bedeutung haben. Die Fehdebriefe, die zwischen Johann Galeazzo und K. Ruprecht gewechselt wurden, haben wir keinen Anlaß aufzunehmen. Doch geben wir hier wenigstens die Regesten. 1) Am 25 Sept. 1401 verlangt K. Ruprecht von Johann Galeazzo Grafen von Virtù, da er ²⁵ *beabsichtigt zur Unterwerfung alles Reichsgutes nach Italien zu ziehen, unverzüglich alles was er von Reichsgut innehat ihm zu unterstellen, die Bewohner zum Treueide anzuhalten und seine Hand davon zurückzuziehen; thue er es nicht, so werde er in schwere Ungnade fallen und der König werde solche Beleidigung seiner und des heiligen Reichs mit allen Kräften verfolgen und das Reichsgut ihm entreißen; unter kgl. Maje-* ³⁰ *stätsigel datum Innsbruck 25 die mensis septembris anno 1401 r. v. n. anno secundo; aus Karlsr. G.L.A. Pfälz. Kop.B. 146 fol. 103ᵇ cop. ch. coaev.; gedruckt Lünig cod. Ital. dipl. 1, 431 nr. 20, Martène thesaur. nov. anecd. 1, 1677-1678 nr. 43, Janssen Frankf. R.K. 1, 626 nr. 1037 aus eigenem Kodex Acta et Pacta 303; Regest Georgisch 2, 861 nr. 103 und Chmel nr. 971 aus Lünig und Martène l. c. 2) Unter demselben Datum schreibt Bischof Raban von Speier regalis aule cancellarius an denselben, daß* ³⁵ *er K. Ruprecht auf seinem Zuge begleite und ihm in der Eroberung und Behauptung der von Johann besetzten kön. oder Reichsgüter helfen werde, weswegen er hiermit seine und der Seinen Ehre bewahrt haben will; aus Martène thes. nov. anecd. 1, 1679-1680 nr. 45; daraus Regest Georgisch 2, 861 nr. 106 und Chmel pag. 182 nr. 19, Janssen Frankf. R.K. 1, 626 nr. 1038 aus Kodex eigenen Besitzes Acta et Pacta 303 (steht* ⁴⁰ *nicht in Karlsr. l. c.). 3) Ein anderer, undatierter Fehdebrief K. Ruprechts fällt der Form und dem Tone desselben nach später: tibi Johanni Galeaz militi Mediolanensi redet der König den Herzog an und verlangt peremptorisch, daß er die ungehörig besetzten Reichsgüter herausgebe, sonst widersage er ihm als Rebellen. 4) Wir haben wahrscheinlich nur die Antwort Johann Galeazzos auf den letzteren Fehdebrief, dem* ⁴⁵ *Tone und der Provenienz derselben nach zu schließen: der Herzog redet den König auch nur an tibi Roberto de Bavaria und erklärt ihm als Herzog Mailands u. s. w. von K. Wenzels Gnaden, daß er alle seine Lande in Italien von K. Wenzel habe und sie gegen ihn, den Eindringling ins Reich und Feind von Wenzel wie von ihm, zu vertheidigen beabsichtige, als welchem er ihm widersagt, wenn er in sein Gebiet einzudringen unternehme. Beide Schreiben ohne Datum, gedruckt Corio storia di Milano ed. 1554 pag. 284, ed. 1856 pag. 429f., Lünig cod. It. dipl. 1, 431-434 nr. 21 und 22, Bzovius* 5 *annal. eccles. sub anno 1401 § 2 wol aus Corio l. c., woher auch bei Verci storia di Milano 1, 425f.; Regesten bei Georgisch 2, 863 nr. 122. 125 und bei Chmel nr. 1105 (beide zusammen) aus Lünig l. c.*

Die am 25 Sept. und später nach Italien abgeordneten Gesandtschaften und Aufforderungen zur Kriegshilfe findet man unter lit. F dieses Tages. Über die Vertheidigungsmaßregeln Johann Galeazzos berichtet ausführlich Minerbetti in Rerum Ital. 10 *scriptores ed. Tartini pag. 441 sub anno 1401 cap. 9. Von der Vereinigung der Heere in Trient, deren Aufstellung und der Schlacht bei Brescia am 21 Okt. 1401 (oder genauer bei Nave s. nr. 33) geben mehr oder weniger ausführliche Nachrichten Minerbetti l. c. pag. 442f., Cavitelli annal. Cremonenses in Graevii et Burmanni thes. antiq. et* 15 *hist. Italiae 3, 2 pag. 1394, Gataro bei Muratori script. rer. Ital. 17, 840ff., Poggi hist. Florent. bei Muratori l. c. 20, 282f., Bonincontri bei Muratori 21, 84 A, J. ser Cambii bei Muratori 18, 826f., Sozomenus bei Muratori 16, 1173 E, Annal. Mediolan. bei Muratori 16, 834 B, Annal. Foroliviensis bei Muratori 22, 200 DE; Notizen über den Italienischen Zug im allgemeinen s. auch bei Königshofen nebst Fortsetzungen in Mone's* 20 *Quellensammlung 1, 254; 260; 265; 287. 3, 514, Gobelinus Persona bei Meibom SS. rer. Germ. 1, 288, Ulman Stromer in St.Chr. 1, 55, Antoninus archiep. Florent. chronicon pars 3 tit. 22 cap. 3 § 34f., Veit Arnpeck bei Pez thes. anecd. 3, 2 pag. 299 cap. 31 u. s. w.*

K. Ruprecht suchte den Gegner auch auf Deutschem Boden zu treffen: nachdem 25 schon am 5 December 1401 Pf. Ludwig gelegentlich die Stadt Köln aufgefordert hatte, das Gut, welches vor kurzem einem Mailändischen Kaufmann in Köln durch den Grafen Konstantin[1] abgenommen worden, dem Könige auszuliefern (s. das ausführliche Regest beim Mainzer Tage in Anm. zu nr. 239), schreibt K. Ruprecht am 8 Merz 1402 an die Kölner: daß Costin greve zu Collen das Gut eines Kaufmanns aus Mai- 30 land angehalten und bekümmert habe, sei auf seinen Befehl geschehen, es sei dies nicht wider sie, sie sollten ihm darin beistehen, da der Herzog von Mailand auch viel Gut, das etlichen Reichsstädten namentlich den Schwäbischen gehörte, in den Reichsstädten die er ihm vorenthalte in Beschlag genommen und die Kaufleute ins Gefängnis geworfen habe, dat. Padue in civitate nostra imperiali marcii die 8 a. 1402, aus Köln St.A. 35 Kaiserbriefe or. ch. lit. cl. c. sig. in verso impr.; und abermals schreibt der König denselben am 21 Merz 1402: sie haben ihm geschrieben von des Mailändischen Kaufmanns wegen, den sein lieber getreuer Costin greve von Collen mit seiner Kaufmannschaft und Habe von des Königs wegen zu Köln mit Gerichte gefangen und aufgehalten hat, er solle ihn und seine Kaufmannschaft und Habe freigeben etc.; der König habe ihnen 40 vor geschrieben, daz der von Meilan unser wiedersache und offener fyent ist und daz er auch unsere und des heiligen richs lannde und lute frevelichen mit unrecht und gewalt innehat und uns die vorbehalten und daz er auch darczu etwievile kaufflute von unsern des heiligen richs stedten in Swaben und von Nurenberg mit yre kauffmanschafft und habe gefangen hat und dieselben auch noch hute des tages in gefengniß 45 heldet und meynet sie zu schetzen; und darumbe so wolten wir daz wir der synen die under yme sin und ez mit yme halten auch wiederumbe haben und begriffen mochten und so der ye me weren so uns lieber were; und hat auch allen seinen Amtleuten

---

[1] Vgl. St.Chr. 12, 432 Costin und ib. 435 Lyskirchen; ib. 259 wird mit Recht vermuthet zu Costin Greve, daß letzteres Wort Amts- und nicht Personen-Name sei.

befohlen, wo sie die ankommen mögen daß sie derselben Leib und Gut angreifen und behalten sollen von seinetwegen; und was Costyn greve *in den Sachen gethan hat, das hat er von des Königs wegen und auf desselben Geheiß gethan, und er der König getraut ihnen wol, daß das nicht wider sie sein solle, sondern daß sie 'ihm und dem Grafen auch dazu getreulich beholfen sein sollen nach dem als sie ihm gewant sind, als er ihnen auch vor eigentlich verschrieben hat; datum* Padue in civitate nostra imperiali *21 martii regni 2 a. d. 1402, Unterschrift* Ad mandatum domini regis || Johannes Winheim; *aus* Köln St.A. Kaiserbriefe or. chart. lit. cl. c. sig. in verso impr. satis servato, auf der Rückseite von gleichzeitiger Hand Litera domini regis ultima negans se restituturum bona Mediolanensium arrestata.

Über den Alpenweg K. Ruprechts s. die treffliche Erörterung J. Ficker's in Mittheilungen des Instituts für Österreichische Geschichtsforschung 1, 301f.

Als der König nach der Niederlage bei Brescia sich wider rückwärts wandte, schloß er mit den Grafen von Görz und Tirol einen Vertrag wegen Durchzuges, wie folgendes Regest in Karlsruhe G.L.A. Pfälzer Kop.-Buch 44 fol. 171ᵃ *saec. 15 angibt:* Ein brief, wie Heinrich und Johanns Meynhartt, pfalzgraven zu Kernden graven zu Görcz und zu Tyrol vogte der gotßhußer zu Agley zu Triendt und zu Brichssen, konig Ruprechtten auch herzog Karlen zu Luthringen und pfalzgrave Ludwigen bi Rin etc. mit burggrave Friderichen von Nůrenberg, diewile sie sich mit etlichen iren graven frien herren ritter und knechten durch ir land und sloß hinin gein Lamperten zu ziehen vertragen, versprochen haben sie durch ir land und sloß ziehen zu laßen onschadhaft und ungehindert, und ob inen icht treffenlicher schade zugefügt würde in dem zuk den schaden wollen sie bekeren; zu urkunde ir beider anhangenden ingesigeln geben zu Lincz an sant Lenharts dag *[Nov. 6]* anno 1400 und eins.

Manche neue Einzeldaten für das Itinerar des Italienischen Zuges überhaupt findet man in den Abtheilungen E. F. L. M. N.

D. Verhältnis zu Florenz nr. 27-36.

Als der Florentinische Gesandte Buonaccorso Pitti den Mainzer Reichstag verließ (s. Band 4 nr. 359 f.), nahm er als Resultate der Verhandlungen außer dem Privileg für die Stadt Florenz auch einen Vertragsentwurf mit, der bestimmter als der vom Mai Bd. 4 nr. 307 formuliert war. Wir haben denselben nicht; aber wir lernen dessen Inhalt ziemlich genau kennen aus der Inhaltsangabe, die Pitti in nr. 33 hier gibt, und wir ersehen daraus, daß derselbe formell und sachlich dem Definitivvertrag vom 13 Sept. 1401 nr. 28 viel näher stand als jener vom Mai 1401 (wodurch zugleich die Vermuthung ausgeschlossen wird, auf die man gerathen könnte, jenen von uns so datierten Maivertrag für diesen Julivertrag halten zu wollen, was auch aus andern leicht erkennbaren Gründen nicht angeht). Als Termin des Einmarsches in Italien war der 29 Sept. in Aussicht genommen, wie aus Bd. 4 nr. 363 art. 5 und nr. 367 art. 5 hervorgeht, und zwar in der Voraussetzung, daß die erste Zahlung der Florentinischen Subsidiengelder schon im August stattfinden würde, da jener Termin davon abhängig gemacht war (Bd. 4 nr. 307 art. 5) und eo ipso davon abhieng. Indes diese Voraussetzung traf nicht ein. Das Privileg für Florenz nr. 358 hatte K. Ruprecht freilich schon am 4 Juli endgültig ausgestellt, allein der Subsidienvertrag war noch erst Entwurf, und wenngleich der König darauf hin auch bereits am 20 Juli 1401 Vollmachten ausstellte (Bd. 4 nr. 361) und andere Maßregeln traf die erste Rate der Subsidien in Venedig zu erheben (ibid. nr. 357), so war doch noch fraglich, ob das so von den Florentinern bestätigt werden und namentlich ob das Geld beschafft werden würde. In der That

geschah letzteres nicht: die königliche Gesandtschaft vom 20 Juli sollte am 3 August in Venedig sein und von Buonaccorso Pitti die 110000 Dukaten dort entgegennehmen (s. nr. 357 art. 10); letzterer war ihr vorausgeeilt (s. in vorliegendem Band nr. 27); doch erledigte er die Angelegenheit nicht so unmittelbar wie gehofft: die Florentiner
5 *hatten die nöthige Summe nicht zur Verfügung (s. nr. 39 Ergänzungsbeschluß zu art. 2) und verlangten zuvor die Ratifizierung des Vertrages seitens des Königs (s. nr. 27 art. 2), erst am 15 August reiste Pitti wider von Florenz ab. Die königliche Gesandtschaft wartete inzwischen ohne Zweifel in Venedig auf ihn; dieselbe war am 16 August, wo sie vom Venetianischen Rath Antwort erhielt (nr. 37), jedenfalls noch dort; ob sie*
10 *zurückkehrte, als nun Pitti dort eintraf ohne die erwartete sofortige Geldanweisung zu bringen, oder ob sie noch dortblieb, wissen wir nicht; die Zahlungsbefehle nr. 169 vom 31 August können ebenso wol in ihrer Abwesenheit ausgestellt worden sein, und zwar spricht dafür, daß der König als er diese ausstellte selbst noch über die zu erwartende Summe ungewiss war, denn er sagt dort in art. 2 ob ez anders si daz den obgenanten —*
15 *zû Venedige achezigtusent gulden oder me werden, auch nr. 27 art. 3 Ende spricht dafür. Also kehrten sie vielleicht mit Pitti nach Deutschland zurück. Dieser kam jedenfalls erst anfangs September beim Könige an, denn er traf denselben bereits in Augsburg, wohin derselbe am 2 Sept. aufbrach (s. nr. 33 und Chmels Regesten), und überbrachte die missliche Antwort. Am 14 Sept. läßt nun der König andere Zahlungs-*
20 *befehle ausstellen (nr. 169 art. 5 ff.), und da heißt es nr. 169 art. 5 solche funfund- fünfzigdusent ducaten als ir uns yeczunt zu der ersten bezalung von Venedien heruß- brengen werdent, jetzt also, nach dem Eintreffen Pittis, nach dem Abschluß des Definitivvertrages macht er sich nur auf 55000 Dukaten gefaßt. Übrigens erzählt Pitti in nr. 27 nur daß er Anweisung auf 50000 Dukaten mitgebracht habe, und in den*
25 *Kämmereirechnungen nr. 168 art. 30 wird die erste Rate auf 55000 Gulden angegeben, was auch nur etwa 50000 Dukaten sein würden, da in diesen Rechnungen Gulden von Dukaten gewöhnlich unterschieden werden (s. die Einleitung zu lit. L gegen Ende), da- gegen in nr. 39 heißt es wider 55000 Dukaten, also scheint eine der Angaben irrig zu sein. Wie es mit dieser Differenz von 55000 und 50000 nun aber auch sein mag,*
30 *jedenfalls ist nicht die vom König zuerst erwartete Summe von 110000 Dukaten gleich als erste Rate zur Anweisung und Auszahlung gekommen. Wie ist das zu erklären? Wol so. Pitti erzählt in Bd. 4 nr. 302, er sei im Juli vom Könige mit der Überein- kunft geschieden, es sollten die 200000 Dukaten in 4 Raten à 50000 Dukaten gezahlt werden; dies ist insofern unrichtig, als die Theilung in 2 Raten à 110000 und 90000*
35 *Dukaten ohne Zweifel in den Abmachungen vom Juli gestanden hat, wie oben bemerkt; sehr wahrscheinlich aber enthält diese Angabe Pitti's doch den Vorschlag, der von den Florentinern als der ihnen genehmere gemacht war, und indem die Gesandten sich der widerholten Forderung des Königs fügten, werden sie sich die eventuelle Nichtgenehmigung derselben seitens ihrer Stadt bzw. die Aufrechthaltung jenes ihres Vorschlages vorbehalten*
40 *haben. Nun willigten allerdings die Florentiner in die Forderung des Königs, allein bei der Erschöpfung ihrer Finanzen (s. nr. 32 art. 3. 6) wurde es ihnen wirklich schwer, die erste Rate von 110000 Dukaten auf einmal flüssig zu machen (s. nr. 39. 42), und so nahmen sie sich die Freiheit, zunächst erst nur 55000 bzw. 50000 Dukaten zur Auszahlung zu bringen. In Pitti's Erzählung ist also, abgesehen von der Differenz*
45 *um jene 5000 Dukaten, unrichtig, daß er als Resultat der Abmachungen vom Juli hin- stellt, was höchstens dem noch nicht ganz fallen gelassenen Vorschlag der Florentiner zu der Zeit entsprach, es mag ihn in dieser später abgefaßten Chronik sein Gedächtnis getäuscht haben, in seinem offiziellen Bericht nr. 33 hat er die richtige mit unseren Akten übereinstimmende Angabe.*
50 *Über die weiteren Zahlungen der Florentiner, namentlich die zu so langwierigen*

Verhandlungen führende Zahlung der 90000 Dukaten, s. nr. 34. 35. 70. 77. 168 art.
52. 169 art. 5ff., überall mit den betreffenden Noten.
    Die durch die Verpflichtungen gegen K. Ruprecht herbeigeführten finansiellen
Schwierigkeiten der Florentiner werden noch illustriert durch einige Maßregeln, die wir
hier aus Florenz St.A. Classe II, distinzione 6, num. 45, Deliberazioni dei signori e   5
collegj fol. 72 f. *bzw.* 78 f. *bzw.* 100 f. conc. ch. coaev. *mittheilen: 1401 Aug. 2 die Signorie*
erläßt eine neue Anleihe- und Zinsordnung, volentes pro opportunitatibus dicti comunis
et maxime pro novo adventu illustrissimi principis et domini domini Ruperti novi regis
Romanorum ad partes Ytalie et pro gentibus et capitaneis gentium armorum de pecunia
providere; *1401 Aug 12 die Signorie ernennt eine Finanzkommission von 8 Mitgliedern*   10
wegen der augenblicklichen schwierigen Geldverhältnisse Ausgaben u. s. w. et quod in
rei veritate fuerunt facte pro adventu novi imperatoris ad partes Ytalie et pro causis
inde dependentibus et pro defensione presentis status et regiminis civitatis Flor*entine;*
1401 Sept. 13 erläßt die Signorie eine ähnliche Verordnung wie am 2 Aug., namentlich
auch wegen der Ankunft K. Ruprechts. Im Chronicon Lucense des scr Cambii bei   15
Muratori 18, 820 D wird behauptet, die Florentiner hätten eine Auflage von 400000
Gulden in ihrem Gebiete gemacht, um ihre Absichten erreichen zu können.
    Die Gesandtschaftsakten nrr. 32 f., welche hier zum erstenmale ans Licht treten,
gewähren tieferen Einblick in die Politik der Florentiner gegen K. Ruprecht, nament-
lich nr. 32, das in höchst interessanter Weise den unmittelbaren Rückschlag der Nieder-   20
lage bei Brescia auf die Stimmung der Italiener zeigt.
    Über die Orthographie der Italienisch geschriebenen Stücke s. im Vorwort zu Bd. 4
pag. XX-XXI die Bemerkung bei Beschreibung des Kopialbuches von Franz von
Carrara.

E. Verhältnis zu Venedig nr. 37-84.   25

    Die Beziehungen K. Ruprechts zu Venedig gewinnen um so größere Wichtigkeit,
je mehr er in die Italienischen Verhältnisse verwickelt wird. Es war vielleicht der
verhängnisvollste Fehler des Königs, nicht zeitig genug eingesehen zu haben, daß von
Venedig in letzter Linie alles abhieng, wie das der Gesandte Herzog Johann Galeazzos
mit vollem Rechte in nr. 72 art. 2 ausgesprochen hat, und die Ereignisse es zeigen.   30
Denn schon von Anfang an konnten die Florentiner ihren Verpflichtungen ohne Beihilfe
der Venetianer garnicht nachkommen, wie aus nr. 39 (Ergänzungsbeschluß zu art. 2
daselbst) und weiterhin erhellt, und es war die reiche Handelsrepublik die einzige
Macht, welche es damals mit den Hilfsquellen Galeazzos aufnehmen konnte. Daher
machten sowol der Pabst, s. Bd. 4 nr. 62 S. 69, 9 ff., wie die Florentiner, s. nr. 75 in   35
Band 5, schließlich ihr Eintreten für K. Ruprecht von der offenen Parteinahme der
Venetianer für denselben abhängig, d. h. mit andern Worten: die Anerkennung K. Ru-
prechts als echten Königes und Kaisers in Rom und die Erfüllung der bei seiner Wahl
von ihm übernommenen Verpflichtungen, der ganze Erfolg des Romzuges, war von eben
den genannten abhängig. Die Erkenntnis, daß dem so war, und weshalb Venedig K.   40
Ruprecht im Stiche ließ, erhält man in vollem Maße erst durch die hier von uns ge-
gebenen Akten, deren größter Theil aus den Venetianischen Rathsbüchern entnommen
ist. Mone hat in Bd. 5 der Zeitschrift für die Geschichte des Oberrheins zum ersten-
male einiges daraus veröffentlicht, aber in sehr lückenhafter Weise. Einen wirklich
genügenden Einblick in die fraglichen Verhältnisse erhält man erst durch die vollstän-   45
dige Widergabe dieser merkwürdigen Protokolle, die deshalb bei der eben berührten
Wichtigkeit der Stellung Venedigs zum Könige hier nicht fehlen und nicht verkürzt
werden durften. Die schlimme Wirkung von K. Ruprechts Niederlage bei Brescia

zeigt sich auch hier unmittelbar in der Verschiebung der bereits an den König beschlossenen Gesandtschaft, s. nr. 47, sowie in der unendlich vorsichtigen Hinhaltung, mit der man die Hilfsgesuche desselben beantwortete oder vielmehr zu beantworten vermied. Besonders interessant sind in dieser Beziehung die Berathungen vom 24-28 No-
5 *vember 1401 nr. 58 ff., welche zeigen, wie sorglich man nach einem möglichst neutralen Standpunkt suchte. Zur Erläuterung derselben mögen folgende Bemerkungen dienen.*

Es stehen sich 3 wesentlich unterschiedene Vorschläge gegenüber: I nr. 58 des P. Aymo und L. Bembo vom 24 Nov.: die Gesandten sollen auf das Verlangen K. Ruprechts nach consilium auxilium et favorem ihm Frieden mit Johann Galeazzo an-
10 *rathen, wozu Venedig seine Vermittelung anbietet; Verständigung mit dem Pabst sei außerdem sehr empfehlenswerth. Falls Ruprecht darauf eingeht, sollen sie seine Bedingungen erfragen und nach Hause berichten; falls nicht und falls er noch auxilium et favorem begehrt, sollen sie neue Instruktionen holen. II nr. 59 des B. Superancio, K. Zeno, J. Contareno, vom 24 Nov.: wenn K. Ruprecht Antwort auf die 2 bestimmten*
15 *Forderungen seiner früheren Gesandtschaft begehrt, nemlich daß Venedig mit Johann Galeazzo breche und dem König bewaffnete Hilfe leiste, so sollen die Gesandten sagen, sie hätten dafür keine Instruktion, sondern nur für sein zuletzt ausgesprochenes Verlangen nach consilium auxilium et favorem im allgemeinen. III nr. 63 des Dogen vom 28 Nov.: die Gesandten sollen sagen, consilium habe der König bei seiner Weisheit*
20 *nicht nöthig, auxilium et favorem, worunter er erklärtermaßen Bruch mit Joh. Galeazzo und bewaffnete Hilfe verstehe, könne Venedig nicht leisten, da es durch den Frieden mit Mailand gebunden sei, auch die Türkengefahr die Stadt zu schwer in Anspruch nehme und endlich der Po ganz in Joh. Galeazzos Hand stehe. — I und II sind gegen einander und gegen die gleich zu erwähnenden anderen Vorschläge selbständig, nur daß*
25 *II den formellen Einleitungsartikel 1 aus I entnimmt; III hat einiges aus den anderen Vorschlägen aufgenommen, nemlich seinen art. 1 aus nr. 62 art. 1, art. 2 aus nr. 62 art. 2, art. 2ª aus nr. 62 art. 3 und nr. 61 art. 2ª, art. 3 aus nr. 61 art. 2ᵇ, art. 4 aus nr. 61 art. 3.*

An diese 3 Hauptvorschläge schließen sich die übrigen dem Inhalte nach an, wie
30 *es die folgenden Zusammenstellungen übersichtlich zeigen [1].*

An I nr. 58 schließen sich an:

I a nr. 60 Vorschlag des R. Quirino vom 24 November.

art.	1	=	nr. 58	art.	1
	2	=	nr. 59		2
	2ª	*entspricht*	nr. 58		2ª
	2ᵇ		nr. 58		3
	2ᶜ		nr. 58		7
	3	*tritt neu auf*			
	4	*entspricht*	nr. 58		6
	5		nr. 58		5
	6		nr. 58		7
	7		nr. 58		4.

I b nr. 61 Vorschlag des P. Aymo und L. Bembo vom 25 November.

art.	1	=	nr. 58	art.	1
	2	=	nr. 58		2
	2ª	*entspricht*	nr. 59 .		2ª
	2ᵇ		nr. 58		2ª
	2ᶜ		nr. 59		2ᵈ

[1] *Das Zeichen = ist angewandt, wo in den Vorlagen selbst der ganze Artikel links durch Ver-*
50 *weisung auf den Artikel rechts erledigt ist.*

art. 3   *tritt neu auf*
    3ᵃ *entspricht nr. 58 art. 3*
    4   *tritt neu auf*
    5   *entspricht nr. 60   3*
    6   *nr. 59   5.*
   An II nr. 59 schließt sich an:
IIᵃ *nr. 62 Vorschlag des R. Quirino vom 25 November.*
   art. 1   *hat selbständige Fassung*
    2   *ebenso.*
    3   *entspricht nr. 59 art. 2ᶜ*
    4   *nr. 60   2ᵃ*
    4ᵃ   *nr. 59   2ᵈ*
    5   *nr. 59   4*
    6   *nr. 59   3.*
   An III nr. 63 schließen sich an:
IIIᵃ *nr. 64 Vorschlag des J. Cornario vom 28 November.*
   art. 1   *hat selbständige Fassung*
    2   *ebenso.*
    3   *entspricht nr. 63 art. 4*
    4   *nr. 62   4*
    4ᵃ   *nr. 62   4ᵃ*
    5   *nr. 62   5*
    6-7   *nr. 63   8.*
IIIᵇ *nr. 65 Vorschlag des L. Bembo vom 28 November.*
   art. 1   *entspricht nr. 63 art. 1*
    2   *nr. 63   2*
    3   *nr. 63   2ᵃ*
    3ᵃ   *nr. 64   4*
    3ᵇ   *nr. 64   4ᵃ*
    4   *nr. 63   4*
    5   *nr. 64   5*
    6-7   *nr. 63   8.*

Aus allen diesen Vorschlägen geht der endliche Beschluß nr. 66 am 28 November hervor, und zwar folgendermaßen:
   art. 1   *entspricht nr. 63 art. 1*
    2   *nr. 63   2*
    2ᵃ   *nr. 63   2ᵘ*
    2ᵇ   *nr. 59   2ᵇᶜ*
    2ᶜ   *nr. 59   2ᵈ*
    3   *nr. 59   4*
    4   *nr. 59   5*
    5   *nr. 65   6*
    6 ist rein formell, tritt daher nur in dem Beschluß auf.

   Die sachlich wesentlichen Artikel sind, wie man sieht, aus nr. 59 entnommen, d. h. demjenigen Vorschlag, welcher der am meisten hinhaltende hinterhaltige unbestimmte ist; unsere Zusammenstellungen hier machen es leicht, zu verfolgen, wie derselbe mehr und mehr durchdrang, bis er in der Hauptsache angenommen wurde.

   Die in den verschiedenen Vorschlägen einander oft bis zu wörtlicher Übereinstimmung entsprechenden Artikel sind durch Verweisung auf einander nur an wenigen Stellen im Abdruck gekürzt worden, weil meist, bei aller sachlichen Gleichheit, der Aus-

druck doch charakteristisch verschieden ist; man scheint etwas in der Variierung des Ausdrucks gesucht zu haben.

Was die in allen diesen Venetianischen Stücken übliche Datierung Schreibweise u. dergl. betrifft, s. in den Bemerkungen über die Venetianischen Rathsbücher in dem Vorwort zu Band 4 pag. XIX-XX.

F. Verhältnis zu Franz von Carrara und anderen Italienischen Herren und Städten nr. 85-140.

Die hier folgenden Stücke zeigen erst recht, wie weit und tief K. Ruprecht in die Italienischen Verhältnisse verwickelt wurde. Dieselben ergänzen vielfach die beiden
¹⁰ *vorhergehenden Abtheilungen D und E. Namentlich erhalten wir aus bisher unbekannten Briefen Aufklärung über die zweite Hälfte von K. Ruprechts Aufenthalt in Italien im Jahre 1402 und sehen, wie ernstlich er selbst noch zuletzt an ein Durchbrechen nach Rom dachte. Der Italienische Zug erscheint so in der That bis zuletzt wie ein vereitelter Krönungstag in Rom. Im Mittelpunkte der weitverzweigten Beziehungen K. Ruprechts*
¹⁵ *steht hier Franz von Carrara, der einzige der aus wolverstandenem eigenen Interesse opferbereit für denselben eintrat. Der Epistolarkodex aus der Kanzlei Franz' bot hier reiche Ausbeute. Was diesen Kodex und die Behandlung der in Italienischer Sprache geschriebenen Stücke betrifft, findet man in dem Vorwort zu Band 4 pag. XX-XXI.*

G. Verhältnis K. Ruprechts zu K. Wenzel und K. Wenzels zu Italien
²⁰ nr. 141-152.

Bisher handelte es sich in den Beziehungen K. Ruprechts zu Wenzel meist um das Zustandekommen eines Ausgleichs, s. Band 4 nr. 392ff.; auch jetzt kurz vor dem Aufbruch nach Italien stellt K. Ruprecht in nr. 141 eine den früheren analoge Vollmacht zu etwaigen Unterhandlungen aus. Doch treten durch den unternommenen Rom-
²⁵ *zug diese Verhältnisse in eine wesentlich andere Phase. Man erkennt auf der Luxemburgischen Seite nicht mit Unrecht, daß dadurch die augenblickliche Entscheidung des Thronstreites nach Italien verlegt ist und beginnt seine Blicke dorthin zu richten. Namentlich betreibt K. Sigismund, dessen eigenste Interessen dabei vorwiegend im Spiele waren, energisch ein persönliches Einschreiten gegen K. Ruprecht in Italien. Die*
³⁰ *inneren Zwistigkeiten in Böhmen und Ungarn vereitelten freilich alle diese Pläne. Aus den hier gegebenen Stücken ersieht man dieß alles.*

H. Verhältnis zu Frankreich nr. 153-157.

Seit dem Frühjahr 1401 hatte K. Ruprecht mit Frankreich Unterhandlungen hauptsächlich über eine Verständigung in der Kirchenfrage und über ein Bündnis gegen
³⁵ *Mailand gepflogen, s. RTA. 4 nr. 294-300; als er den Italienischen Zug antrat, schickte er eine neue Gesandtschaft ab, die angewiesen war, über eine Heirath zwischen seinem zweiten Sohn Johann und einer Tochter K. Karls VI zu verhandeln, s. nr. 153-157 hier. Am Französischen Hof wird diese Gesandtschaft damals vermuthlich wenig Entgegenkommen gefunden haben; denn eben damals gieng von dort eine Gesandtschaft nach*
⁴⁰ *Mailand, um eine Heirath zwischen dem ältesten Sohn Johann Galeazzos und einer Tochter K. Karls VI zu vermitteln und um die Kircheneinigung zu betreiben. K. Karl ließ den Herzog auch wissen, daß er auf den 1 Sept. seine Boten nach Metz schicken*

2*

werde [1], *um sich über die Kircheneinigung mit einigen Fürsten und Herren des [Deutschen] Reiches zu besprechen. Die Instruktion dieser Gesandtschaft, vom 14 August 1401 aus Paris datiert, ist gedruckt bei Douet d'Arcq Choix de pièces inédites rel. au règne de Charles VI Bd. 1, 204 nr. 97. Während des Italienischen Feldzuges trat dann in der Haltung Frankreichs eine für K. Ruprecht günstige Wendung ein. Um* [5] *die wechselnden Beziehungen dieses Landes zu Deutschland zu verstehen, muß man stets seine inneren Verhältnisse im Auge behalten. In dem Parteigetriebe am Hof des geisteskranken Königs Karl VI spielten der Herzog Ludwig von Orléans der Bruder und der Herzog Philipp von Burgund der Oheim des Königs besonders hervorragende Rollen. Der Herzog von Orléans war von Anfang an K. Ruprechts entschiedener* [10] *Gegner, s. RTA. 4 pag. 205, 17ff., ibid. nr. 296 art. 3, und nr. 298, und in Folge des Italienischen Zuges mußte sich diese Gegnerschaft noch schärfer zuspitzen; denn der Herzog hätte als Schwiegersohn Johann Galeazzo's das Unternehmen K. Ruprechts am liebsten mit Waffengewalt bekämpft. Franz von Carrara berichtet in einem Brief vom 11 Febr. 1402 nr. 116 ausdrücklich, daß der Herzog von Orléans den Versuch* [15] *machte, die Französische Politik in diese Bahnen zu leiten; und in jener Instruktion vom 14 August haben wir sicherlich seinen Einfluß zu erkennen. Es lag in der Natur der Dinge, daß sein Gegner der Herzog von Burgund sich freundschaftlich zu K. Ruprecht stellte; über eine Gesandtschaft, die er im September 1401 an denselben schickte, geben unsere nrr. 154-156 Auskunft. Im Januar 1402 fand, wie die Chronica Caroli* [20] *VI lib. 22 cap. 4 (Documents inédits sur l'hist. de France) berichtet, eine Aussöhnung der beiden Herzöge von Burgund und Orléans statt. Das Original des Friedensvertrages, in dem die Königin Isabelle, Ludwig König von Jerusalem und Sicilien, Johann Herzog von Berry, und Ludwig Herzog von Bourbon als Vermittler genannt sind, dat. Paris 1402 Jan. 14, liegt im Pariser Staatsarchiv K. 55 nr. 16 (Mon. hist.). Es* [25] *scheint, daß dieser Vertrag den Einfluß des Herzogs von Orléans auf die Regierung für einige Zeit ziemlich lahm legte; denn Anfang April traf eine Französische Gesandtschaft bei K. Ruprecht ein, die Vorschläge über Beilegung des Schisma's machte und Aussicht auf ein politisches Bündnis eröffnete, s. nr. 81. Auch der Umstand, daß K. Karl VI zu Anfang des Jahres 1402 einige Monate lang selbst regierungsfähig war,* [30] *ist wol zur Erklärung dieser Phase der Französischen Politik zu beachten; vgl. nr. 116.*

J. Verhältnis zu England nr. 158-163.

In den Beziehungen K. Ruprechts zu England spielen zunächst die Verhandlungen über eine Heirath zwischen seinem ältesten Sohne Ludwig und K. Heinrichs IV ältester Tochter Blanka die Hauptrolle. Wie in Bd. 4 am Schluß der Einleitung zum Nürn- [35] *berger Reichstage vom Febr. bis Merz 1401 versprochen, geben wir hier eine Übersicht der bezüglichen bekannt gewordenen Aktenstücke. — K. Ruprecht und sein Sohn Ludwig bevollmächtigen Johann Kemmerer gen. von Dalburg, Tham Knobel, und Thilmann von Smalenborch zu Verhandlung und Abschließung über eine Ehe zwischen Ludwig und Blanka der ältesten Tochter K. Heinrichs; dat. Köln etc. 1401 etc. Jan. 9, in Gegen-* [40] *wart genannter Zeugen (Karlsruhe G.L.A. Pfälz. Kop.-Buch 149* [b] *fol. 283* [a] *-284* [a] *cop. ch. coaev., und ibid. fol. 25* [a] *cop. ch. coaev. unvollständig und durchstrichen; gedruckt Rymer Foedera* [2] *8, 170-172). — K. Ruprecht und sein Sohn Ludwig erklären, daß*

---

[1] *Ein Tag zu Metz, der zu Verhandlungen über die Kirchenfrage bestimmt war, sollte am 24 Juni 1401 stattfinden, s. RTA. 4 nr. 299 und Anm. dort.* [45]

[2] *Wir citieren nach der ersten Ausgabe London 1704 ff. Regesten von mehreren der bei Rymer gedruckten Urkunden finden sich l. c. 249-250, sie sind von uns nicht im einzelnen aufgeführt.*

sie mit K. Heinrich von England unter näher bezeichneten Bedingungen über eine Ehe zwischen Ludwig und K. Heinrichs Tochter Blanka übereingekommen sind; Entwurf von Deutscher Seite; dat. 1401 (gedruckt Würdtwein in Acta acad. Theod.-Pal. tom. 6 hist. 358-362 ex cod. msc. bibl. Palat. in Vaticano Romae num. 701)[1]. — K. Hein-
5 rich IV von England bevollmächtigt Johannes episc. Herefordensis, Johannes episc. Roffensis, Henricus comes Northumbrie, Radulphus comes Westmerlandiae zu Verhand-lung und Abschließung einer Ehe zwischen seiner Tochter Blanka und Ludwig ältestem Sohne K. Ruprechts; dat. Westminster 13 Febr. 1401 (gedruckt Rymer Foedera 8, 176-177). — Die genannten Bevollmächtigten beider Herscher schließen den Vertrag
10 über die Heirath ab, setzen darin unter anderm fest daß K. Heinrich für Blanka eine Mitgift von 40000 Nobeln zahlen und diese dafür ein Witthum am Rhein oder in Baiern von 4000 Nobeln jährlicher Einkünfte erhalten soll, und bestimmen, da sie über die Raten in denen die Mitgift zu zahlen ist sich nicht haben einigen können, daß K. Ruprecht und K. Heinrich deshalb auf Pfingsten [Mai 22] Bevollmächtigte nach Dort-
15 recht schicken sollen; dat. London 1401 Merz 7 (gedruckt Rymer Foedera 8, 179, und daher Dumont Corps 2, 1, 281-282; Regest Georgisch 2, 853 nr. 21 und Chmel 182 Anhang 1 nr. 15 aus Rymer; Insertion in den Urkunden K. Ruprechts vom 1 Aug. und K. Heinrichs vom 12 Aug. s. unten). — Joffrid Graf von Leiningen, Tilmann von Smalenburg, und Nicolaus Burgmann von Seiten K. Ruprechts und seines Sohnes
20 Ludwig, und Willielmus Esturmy, Johannes Kington, und Robertus Waterton von Seiten K. Heinrichs und seiner Tochter Blanka erklären, daß sie den Ehevertrag erneuern und daß sie wegen der Mitgift von 40000 Nobeln vereinbart haben, 16000 Nobeln sollten 1402 So. jubilate [April 16] oder spätestens So. cantate [April 23] bei der Ankunft der Braut in Köln, 16000 im Jahre 1403 So. cantate [Mai 13] an einem bis Marie
25 assu. [1401 Aug. 15] zu vereinbarenden Orte, 8000 Martini desselben Jahres [1403 Nov. 11] am gleichen Orte ausgezahlt werden, kommen ferner überein, daß K. Ruprecht und K. Heinrich über den Londoner und diesen Dortrechter Vertrag Urkunden aus-stellen und genannte Fürsten und Herren zu Bürgen setzen sollen; dat. Dortrecht 1401 Juni 7 (gedruckt Rymer Foedera 8, 200-202; Insertion in den Urkunden K. Ruprechts
30 vom 1 Aug. und K. Heinrichs vom 12 Aug. s. unten). — Genannte Fürsten und Her-ren erklären, daß sie sich für die Erfüllung der von K. Ruprecht betr. Ehe zwischen Ludwig und Blanka gemachten Versprechungen verbürgen; dat. Mainz 2 Juli 1401 (Karlsruhe G.L.A. Pfälz. Kop.-B. 149ᵇ fol. 284ᵃ-285ᵇ cop. ch. coaev.; gedruckt Rymer Foedera 8, 205-207). — K. Ruprecht verspricht die von seinen Gesandten behufs Ab-
35 schluß einer Ehe zwischen Ludwig und Blanka gemachten Zusicherungen zu erfüllen, und läßt dieses Versprechen bekräftigen durch Unterschrift und Sigel genannter Fürsten und Herren; dat. Heidelberg 1401 Aug. 1 a. r. 1 (Karlsruhe G.L.A. Pfälz. Kop.-B. 143 pag. 84-85 cop. ch. coaev.; gedruckt Rymer Foedera 8, 215-216; Regest Janssen R.K. 1, 613 nr. 1025 aus Karlsr. l. c.). — K. Ruprecht bestätigt die beiden inserierten Ver-
40 träge von 1401 Merz 7 London und 1401 Juni 7 Dortrecht; dat. Heidelberg 1401 Aug. 1 r. 1 (Karlsruhe l. c. pag. 76-83 cop. ch. coaev.; gedruckt Lünig R.A. 6, 1, 573-578 nr. 239 und verkürzt Rymer Foedera 8, 214-215; Regest Janssen R.K. 1, 613 nr. 1024 aus Karlsr. l. c., und Chmel 182 Anhang 1 nr. 17 aus Lünig l. c.). — Ge-nannte Herren erklären, daß sie sich für die Erfüllung der von K. Heinrich betr. Ehe
45 zwischen Blanka und Ludwig gemachten Versprechungen verbürgen; dat. London 1 Aug.

---

[1] Chmel 182 Anhang 1 nr. 17 identificiert dieses Stück fälschlich mit einer später zu erwähnenden Urkunde vom 1 August. Daß es ein von Deutscher Seite ausgegangener Entwurf ist, geht aus der Bestimmung hervor, daß die Zahlung der Mitgift gleich bei Ankunft der Braut auf einmal erfolgen soll; es wird zu datieren sein 1401 [vor Merz 7] oder [ad Jan. 9].

1401 (gedruckt als Transsumpt in einer Beglaubigungsurkunde K. Heinrichs von 1402 Febr. 4 bei Rymer Foedera 8, 240-241). — K. Heinrich bevollmächtigt Willielmus Esturmy und Johannes Kington zu Vereinbarung über den Ort, an dem die 40000 Nobeln Mitgift für Blanka zu zahlen sind; dat. Westminster [1401] Aug. 1 (London St.A. Cal. Rotul. patent. French Roll ann. 2 H. IV m. 8; gedruckt Rymer Foedera 8, 5 *215). — K. Ruprecht und sein Sohn Ludwig ertheilen Nicolaus Burgmann und Tilmann von Smalenburg die gleiche Vollmacht; dat. Heydelberg 5 Aug. 1401 r. 1 (Karlsruhe G.L.A. Pfälz. Kop.-B. 5 fol. 32* b *cop. ch. coaev., und ibid. Pfälz. Kop.-B. 143 pag. 88-89 cop. ch. coaev.; Wien H.H. St.A. Registraturbuch A fol. 32* a *cop. ch. coaev.; gedruckt Rymer Foedera 8, 220; Regest Chmel nr. 695 aus Wien l. c.). — K. Hein-* 10 *rich bestätigt die inserierte Urkunde von 1401 Merz 7 London; dat. London 12 Aug. 1401 (London St.A. Calend. Rotul. patent. French Roll ann. 2 H. IV m. 3). — K. Heinrich bestätigt die inserierte Urkunde von 1401 Juni 7 Dortrecht; dat. London 12 Aug. 1401 (London l. c.). — Genannte Bevollmächtigte (s. oben) K. Ruprechts und K. Heinrichs kommen überein, daß die auf So. cantate [Mai 13] und Martini [Nov.* 15 *11] 1403 fälligen Raten der Mitgift Blankas von 16000 bzw. 8000 Nobeln in Köln ausgezahlt werden sollen; dat. Dortrecht 1401 Aug. 16 (gedruckt Rymer Foedera 8, 221-222). — Damit waren die Verhandlungen über die Heirath in der Hauptsache abgeschlossen, es folgten nun noch Anordnungen K. Ruprechts und des Pfalzgrafen wegen der an Blanka als Witthum anzuweisenden Schlösser, ebenso K. Heinrichs wegen der* 20 *Mitgift Blankas und ihrer Überführung nach Köln, später auch noch Verhandlungen über die Zahlung der zweiten und der dritten Rate der Mitgift. Diese nahm K. Ruprecht für Befriedigung seiner Gläubiger in Anspruch und verpfändete seinem Sohne dafür Reichsgut. Die betreffenden Aktenstücke an diesem Orte alle zusammenzustellen würde zu weit führen, manches wird weiterhin noch mitgetheilt werden.* 25

Mit den Verhandlungen über die Heirath verband sich schon früh ein Versuch K. Heinrichs auch zu einem politischen Bündnis mit K. Ruprecht zu gelangen. Vom 13 Februar 1401 haben wir außer der oben erwähnten noch eine zweite Vollmacht K. Heinrichs für dieselben Herren und außer ihnen Johannis Cheyne chivaler, Mgr. Johannis Profes, und Johannis Curson zu Verhandlungen über Ehe und Abschluß eines 30 Bündnisses mit K. Ruprecht; in der Arenga heißt es quod nos dum intra mentis nostre precordia diligencius tractaremus, cum nobili et potenti principe Ruperto rege Romanorum nedum hujusmodi amoris federa stringere sed affinitatem et parentelam contrahere ligasque firmas speciales et perpetuas prae ceteris optabamus inire; dat. Westminster 13 Febr. 1401 (London St.A. l. c. m. 8). Von Verhandlungen dieser Art erfahren wir 35 dann aber zunächst weiter nichts, bis aus Veranlassung des Italienischen Zuges K. Ruprechts die eigentlich politischen Beziehungen in den Vordergrund treten. K. Ruprecht begehrt militärische Unterstützung und erhält sie, trotzdem er sich dem Abschluß eines dauernden Bündnisses wenig geneigt zeigt. Ob von K. Heinrich damals Vorschläge in dieser Richtung gemacht worden sind, läßt unser Material im unklaren; einen Ver- 40 tragsentwurf, der wahrscheinlich in den April 1402 gehört, bringen wir beim nächsten Tage.

K. Verhältnis zu Aragonien nr. 164-167.

Bei dem Verhältnis zu Aragonien haben wir es mit der unmittelbaren Fortsetzung früher begonnener Verhandlungen (vgl. die entsprechenden Abtheilungen bei den drei 45 letzten Reichstagen im 4 Bande) zu thun, und diese betreffen in erster Linie K. Ruprechts Verlangen nach Unterstützung bei seinem Unternehmen gegen Mailand und eines der vielen Heirathsprojekte mit denen er sich trug. Eine Schwester K. Martins

von Aragonien, vermuthlich Isabelle mit Namen, sollte mit einem der Söhne Ruprechts verheirathet werden, und zwar war, seit die Verhandlungen mit England (vgl. lit. J) zum Abschluß gekommen waren, Pfalzgraf Johann hier wie Frankreich gegenüber (vgl. lit. H) der Ehekandidat. — Die Briefe K. Ruprechts vom 14 Februar nr. 166. 167
5 *geben auch Nachrichten über die militärische Lage. — Über die weiteren Beziehungen zu Aragonien vgl. beim Nürnberger Tage von 1402 nr. 292 und nr. 405 art. 6.*

L. Finanzielles zum Italienischen Zuge nr. 168-181.

Wir haben versucht das Material für die finanzielle Geschichte des Italienischen Zuges zusammenzustellen und geben hier noch einige Notizen zur Erläuterung und Er-
10 *gänzung des unter nr. 168-181 gebotenen.*

K. Ruprechts Finanzkräfte waren schon durch den Krieg gegen K. Wenzel nicht unbedeutend in Anspruch genommen. Es liegen uns in den Pfälzischen Kopialbüchern
8¼ *und 149ᵇ des Karlsruher Archivs, besonders in letzterem, eine Reihe von Schuldverschreibungen aus der ersten Hälfte des Jahres 1401 vor, sie gewähren uns gewiss*
15 *nur ein sehr unvollständiges Bild der Ausgaben und der Verschuldung des Königs, aber wir zählen hier doch über 12000 fl., die er für Leistungen zum Böhmischen Kriege, Korn- und Weinlieferungen sowie Kriegsdienste schuldig blieb. Dazu kommen ebendort noch mehrere Schuldbriefe aus den Monaten Merz und April über mehr als 4000 fl., die allem Anschein nach aus derselben Veranlassung gegeben sind, obschon der Böh-*
20 *mische Krieg in ihnen nicht geradezu erwähnt ist. Kleinere Anleihen finden wir in der Zeit vom 8 Febr. bis 14 April nach dem erwähnten Kopialbuch 149ᵇ im Betrage von etwa 13000 fl. aufgenommen, und darunter reichlich 5000 fl. ausdrücklich für den Böhmischen Krieg. Charakteristisch dürfte auch sein, daß K. Ruprecht sich von Frankfurt im Januar 1401 die beiden nächstfälligen Reichssteuern vorausbezahlen ließ. Er*
25 *bekennt, daß ihm die Stadt Frankfurt ihre am nächsten Martinstag [Nov. 11] fällige Reichssteuer im Betrage von 1114 lb. minner 4½ sh. schon bezahlt hat und quittiert darüber; dat. Sa. n. Agnes [Jan. 22] 1401 r. 1 o. O.; ad mand. d. r. Mathias Sobernheim; Frankf. St.A. Reichssteuern 1400-1469 (früher Uglb. D 68) or. mb. lit. pat. c. sig. pend. Derselbe desgleichen betr. der Martini 1402 fälligen Reichssteuer in gleichem*
30 *Betrage; dat. Franckenfurd Sa. n. Agnes [Jan. 22] 1401 r. 1; ad m. d. r. Math. Sobernheim; Frankf. l. c. or. mb. lit. pat. c. sig. pend. Weiter sind hier folgende Urkunden zu erwähnen, die K. Ruprecht am 7 Februar 1401 zur Vorbereitung von Anleihen ausstellte. K. Ruprecht gibt dem Diether von Hentschuchßheim, Herman von Rodenstein Rittern, Contze Munichen von Rosenberg seinen Räthen, und Mathis seinem*
35 *Schreiber vollen gewalt, uns gelte ußzugewinnen wo mogen und darumbe zu tedingen etc. und dasselbe gelte zu versichern mit unsern sloßen dienern und brieven oder anders wie sie dunket gut sin etc.; dat. Nuremberg fer. 2 p. purif. Marie [Febr. 7] 1401 r. 1; Karlsr. G.L.A. Pfälz. Kop.-B. 8¼ fol. 32ᵃ cop. ch. coaev. K. Ruprecht theilt unter gleichem Datum dem Eberhard Gabel dem Vogte zu Oberkeim mit, daß er den 4*
40 *genannten die obige Vollmacht ertheilt habe; Karlsr. l. c. fol. 31ᵇ. Ebenso wurde dem jungen Wyprecht von Helmstad dem Vogte zu Bretheim geschrieben; Notiz Karlsr. l. c. K. Ruprecht theilt unter gleichem Datum dem Reinhard von Sickingen dem jungen dem Vogte zu Heidelberg mit, daß er Diether von Hentschußheim seinem Marschalk und Contz Lantschaden obige Vollmacht gegeben habe; Karlsr. l. c. fol. 31ᵇ. Ebenso wurde*
45 *dem Hanman von Sickingen Vitztum zur Nuwenstad und Arnolt von Rosenberg dem ältern Amtmann zu Luden geschrieben; Notiz Karlsr. l. c. K. Ruprecht bevollmächtigt unter gleichem Datum die beiden genannten mit Diether Lantschaden und Wernher Winter wegen zu leihenden Geldes zu unterhandeln; Karlsr. l. c. fol. 31ᵃ. K. Ruprecht*

bevollmächtigt unter gleichem Datum die 4 oben in der ersterwähnten Urkunde genannten mit der Markgräfin Mechtild von Baden wegen der 14000 fl. zu unterhandeln die sie bereit liegen hat ihm zu leihen; Karlsr. l. c. fol. 31ᵃ. An diese letzte Urkunde schließt sich dann folgende an. Markgraf Bernhard von Baden bekennet, daß er alles halten will, was K. Ruprecht in seinem inserierten Brief vom gleichen Datum verfügt hat über Sicherheit der 14000 fl., welche Mechtild von Spanheim Markgräfin von Baden Bernhards Mutter dem König geliehen hat auf Mosbach und Oberkeim, wofür Bretheim und Wissenloch zum Unterpfand gesetzt worden sind, dat. Heidelberg 1401 Barthol. [Aug. 24] (Karlsr. G.L.A. Pfälz. Kop.-B. 46 fol. 189ᵇ-199ᵇ cop. ch. saec. 15 med.). — Auch anderweitig suchte K. Ruprecht sich damals Geld zu verschaffen. Am 19 Mai 1401 verkaufte er an Herdegen Falcuer Markt und Amt zu Altdorf nämlich die Hofmark und alle Zehnten und Dörfer die zu dem Markt und der Hofmark gehören, dat. Nureinberg Do. v. Pfingsten 1401 r. 1 (Karlsr. G.L.A. Pfälz. Kop.-B. 149ᵇ fol. 41ᵇ-43ᵇ). Der undatierte Schuldbrief, den K. Ruprecht Hansen von Mittelburg über ein Darlehen von 5900 Goldgulden wahrscheinlich im Sommer 1401 ausstellte, ist schon RTA. 4 Note zu nr. 384 erwähnt. Erzbischof Johann von Mainz soll dem König zur Zeit seines Romzuges 2000 fl. für den Zoll zu Höchst gegeben haben (s. Janssen Frankf. R.K. 1 nr. 263 nt. *). Am 2 Sept. 1401 bevollmächtigte K. Ruprecht Friderich von Nürnberg und den Ritter Ulrich Lantschaden mit der Stadt Nürnberg über eine Summe Geldes uns zu lihen of einen wehsel zu Venedigen zu bezaln zu unterhandeln und in auch darvor unser sloße lande und lute zu versiegeln und zu versetzen, dat. Lengenfelt Fr. n. Egidii 1401 r. 2 (Karlsr. G.L.A. Pfälz. Kop.-B. 4 fol. 105ᵃ cop. ch. coaev., Wien H.H. St.A. Registraturbuch C fol. 90ᵇ, Regest Chmel nr. 915 aus Wien l. c. und Mon. Zoll. 6, 115 nr. 120 aus Chmel). Die finanziellen Maßregeln für die Rüstungen gegen Böhmen und die für den Romzug gehen in einander über und sind nicht überall klar auseinanderzuhalten, doch sehen wir so viel, daß die Finanzen Ruprechts schon durch jene in Unordnung geraten waren, und daß seine Verlegenheiten nicht allein vom Romzug herrührten. Wie tief er in Deutschland verschuldet war und welche Noth es während seiner Abwesenheit dem Pfalzgrafen machte die Deutschen Gläubiger zufrieden zu stellen, zeigen uns die Instruktionen des Landschreibers von Amberg, s. nr. 8 art. 4.

Den außerordentlichen Ansprüchen, die die Rüstungen an die königliche Kasse erhoben, wurde zum Theil, wie man sieht, durch Anleihen Verpfändungen Veräußerungen etc. genügt, aber es kamen doch auch reine Einnahmen außerordentlicher Art zu Hilfe. Von großer Wichtigkeit waren die Subsidien die K. Ruprecht von Florenz erhielt. In den Noten zu nr. 168 und 169, ferner in der Einleitung zu lit. D, findet man die nöthigen Hinweisungen, um die Verhandlungen zwischen K. Ruprecht und den Florentinern, die zum Abschluß des Vertrages vom 13 September 1401 nr. 28 führten, dann die Ausführung dieses Vertrages, die Verwendung der Subsidien etc. zu verfolgen, so weit es eben das Material gestattet. Es ist noch nicht alles klargelegt, und wir müssen dem Benutzer überlassen angedeutete Hypothesen zu prüfen. Unter anderm haben wir in der Anmerkung zu nr. 168 art. 31 auf die Möglichkeit hingewiesen, daß K. Ruprecht in Ausführung des Vertrages vom 13 Sept. einen bedeutenden Theil der Subsidien durch Anleihen bei Deutschen Kaufleuten, die der Florentiner Bürgschaft leisteten, erhielt. Dazu sind nr. 170 und nr. 169 art. 14 zu vergleichen, vielleicht gehört aber auch die lin. 18ff. angeführte Vollmacht für Burggraf Friderich vom 2 Sept. und die Schuldverschreibung für zwei Amberger Bürger (s. nr. 168 art. 16 Anm.) hierher; denn Ruprecht kann sehr wol auch schon vor dem 13 Sept. in sicherer Voraussicht der Florentinischen Subsidien Gelder aufgenommen haben, die in dieser Weise bezahlt werden sollten; weshalb sonst der Zahlungsort Venedig?

Es kommen nun weiter die Beiträge in Betracht, die die Reichsstädte zum Romzuge zahlten. Janssen hat Frankf. R.K. 1, 86 nr. 225 eine Aufzeichnung mitgetheilt,
die er betitelt „Angabe der Pfund Heller die benannte Städte für den Römerzug liefern
sollen". Diese Bezeichnung ist durchaus unzutreffend. Eine sehr ähnliche Zusammen-
5 stellung hat Chmel schon Reg. Rup. 231f. Anhang 3 nr. 33 aus dem Wiener Registraturbuch C abgedruckt und richtiger „Jahressteuer einiger Reichsstädte" benannt. Wie man
sich durch Vergleichung mit den jährlichen Quittungen leicht überzeugen kann, stimmen
die einzelnen Summen mit den gewöhnlichen Reichssteuern überein, nicht aber mit den
Beiträgen zum Romzug, so weit wir sie kennen. Janssens Vorlage war das Diarium
10 Ruperti in Gießen, und dieses ist eine späte Abschrift aus dem Pfälz. Kopialbuch 111
im Karlsr. G.L.A.[1]. Hier steht das Verzeichnis pag. 14-15, und ihm folgt pag. 15
unmittelbar eine Aufzeichnung über Anweisung der 1401 fälligen Reichssteuer mehrerer
Städte an 4 genannte Nürnberger. Von diesem letzteren Stück hat Janssen 1, 103 nr.
253 ein Regest gegeben, und wir würden es hier ebenfalls aufgenommen haben, wenn
15 nicht aus Schuldbriefen vom Frühjahr 1401 sich ergäbe, daß diese Anweisungen wahrscheinlich nicht bezweckten Geld zum Romzug zu erhalten sondern Schulden zu bezahlen,
die für den Böhmischen Krieg gemacht waren[2]. Das Verzeichnis wurde wol aus Anlaß dieser Steuerüberweisungen angelegt. Über die wirklichen städtischen Romzugsgelder
findet man einiges schon im vorigen Bande beim letzten Mainzer Reichstag unter lit. I,
20 wir tragen hier nr. 179 den Vertrag mit Basel nach und verweisen auch noch auf die
Verhandlungen mit Regensburg in nr. 16 art. 4. Diese Stadt behauptete zu gar keiner
Leistung verpflichtet zu sein, während die übrigen Freistädte der Forderung des Königs,
so viel wir wissen, unweigerlich nachkamen. Mainz Speier und Straßburg stellten
Truppen (vgl. lit. N), Basel zahlte 3000 fl. (vgl. nr. 179), Worms 2500 fl.[3], Köln
25 9000 fl. (vgl. RTA. 4 nr. 371 und 372). Außerdem kennen wir noch die Beiträge
von Frankfurt 4000 resp. nominell 1000 fl. (vgl. nr. 168 art. 4 und Anm. dazu), von

---

[1] Nach dieser Vorlage geben wir hier einige Berichtigungen des Drucks bei Janssen. Die Reihenfolge ist nicht, wie man nach Janssen annehmen könnte, Augspurg Ulm Uberlingen sondern Augspurg
Nuremberg Ulm Costnicze Uberlingen etc. (vgl. die ähnliche Ordnung in nr. 174); statt Nurnberg
30 2000 lb. lies Nuremberg 2000 gulden; statt Lydaw 400 lb. lies Lyndaw 350 lb., ebenso Dinckelspohel
150 lb. und Winsperg 150 lb. statt 200; nach Wympfen 200 lb. fehlt bei Janssen Winsheim 200 lb.
[2] Schuldverschreibungen K. Ruprechts an drei von jenen vier Nürnbergern für Lieferungen etc. zum
Böhmischen Kriege, nemlich an Heinrich Harßdorffer vom 17 Mai, an Claus Parfuß vom 11 Merz,
an Erhart Schorstab vom 17 Merz 1401, stehen Karlsr. G.L.A. Pfälz. Kop.-B. 149b fol. 44a. 13ab.
35 14b-15a. Für die Forderung des vierten, Ott Heides, können wir den Ursprung nicht nachweisen,
vermuthlich war er ähnlicher Art. — Übrigens findet sich Karlsr. G.L.A. Pfälz. Kop.B. 8¼ fol. 156b
eine Notiz über Ausstellung von Quittungen an Konstanz und Überlingen für die Martini [Nov. 11]
fällige Steuer, die den Brüdern Albrecht und Heinrich von Homburg zu geben ist, dat. Inspruck
Mich. [Sept. 29] 1401 r. 2.
40 [3] K. Ruprecht quittiert der Stadt Worms über 2500 fl., die sie ihm zum Zuge nach Lombardien
geschenkt statt persönliche Dienste zu leisten; geht der Zug nicht von statten, so will K. Ruprecht,
wenn er später nach Italien zieht, keine persönlichen Dienste mehr von Worms verlangen ohne der
Stadt zuvor die 2500 fl. zurückgezahlt zu haben; dat. Fr. v. Barthol. [Aug. 26] 1401; Worms St.A.
Urk. 1a Gef. 1 Kart. 6 nr. 92 or. mb. c. sig. Eine Notiz über Quittung K. Ruprechts an Worms
45 über 2500 fl., die die Stadt ihm zum Zuge nach Lombardien geschenkt, steht Karlsr. G.L.A. Pfälz.
Kop.-B. 8¼ fol. 37a und ibid. Pfälz. Kop.-B. 149 pag. 126, aber an beiden Stellen mit dem Datum
Sinßheim Sixti [Aug. 6] 1401. Trotzdem ist es ganz gewiss, daß Worms nicht 5000 sondern 2500 fl.
im ganzen bezahlt hat. Das zeigt auch folgende Urkunde. K. Ruprecht quittiert der Stadt Worms
über 1200 fl. von den 2500 fl. die sie mit ihm überkommen ist für ihren Dienst über Berg zu zahlen;
50 dat. dom. p. Petri ad vinc. [Aug. 7] 1401 r. 1; Worms St.A. Urk. 1a Gef. 1 Kart. 6 nr. 91 or. mb.
c. sig. pend. laeso.

Friedberg 500 fl. [1], von Wetzlar 250 fl. [2]; über die Fränkischen und Schwäbischen Städte aber wissen wir nichts sicheres; denn, ob die in nr. 168 art. 5-7 verrechneten Schenkungen von Eßlingen Ulm und Augsburg für den Romzug oder für Privilegienbestätigung etc. gegeben wurden, muß dahingestellt bleiben. Nicht unwahrscheinlich ist, daß ein Theil der Schwäbischen (und vielleicht auch der Fränkischen) Städte sich dadurch 5
von der Romzugsverpflichtung befreite, daß sie Truppen zum Krieg gegen Böhmen stellten, s. beim Mainzer RT. vom Jan. 1406 Bd. 6 nr. 13 und Anm. dort.

Wesentlich anders als die Stellung der Reichsstädte war die der Fürsten und Herren. Sie wurden zwar zum Dienst auf dem Romzuge persönlich herangezogen, erhielten aber vom Könige Geld zur Ausrüstung und Sold für sich und die von ihnen 10
gestellten Truppen (vgl. RTA. 4 Mainzer Reichstag von 1401 Juni bis Juli lit. I-N). Davon, daß Fürsten oder Herren die am Zuge nicht Theil nahmen Geld gezahlt hätten, wissen wir nichts; das einzige, was wir in dieser Richtung beibringen können, ist eine Quittung K. Ruprechts für Hessen Siegelholcz Meister St. Johanns Ordens in Deutschen Landen über 2000 fl., die er ihm zum Zuge nach Italien geschenkt hat, er sagt ihn 15
dafür der Pflicht los mit einer zale folkes zu dinste zu kommen, dat. Heidelberg Barthol. [Aug. 24] 1401 (Karlsr. G.L.A. Pfälz. Kop.-B. 8½ fol. 37ᵃ cop. ch. coaev. und ibid. Pfälz. Kop.-B. 149 pag. 26-27 cop. ch. coaev.). Aus den Dienstverträgen also, die K. Ruprecht mit Fürsten und Herren abschloß, können wir nicht die Einnahmen der königlichen Kasse sondern die ihr bevorstehenden Ausgaben kennen lernen. Das bezügliche 20
Material ist in der Hauptsache schon beim letzten Reichstage des vorigen Bandes zusammengestellt und wird hier noch durch den Vertrag mit dem Bischof von Chur nr. 171 und 172 ergänzt. Auch Verträge, die K. Ruprecht selbst direkt mit Söldnerhauptleuten abschloß, haben wir in nr. 173 und 177 mitgetheilt.

Die weitere Frage aber ist, wie der König all diesen Verpflichtungen gerecht 25
wurde; man wird darüber Auskunft suchen und wir verweisen hauptsächlich auf nr. 168 in mehreren Artikeln, nr. 169. 176. 180. 181. Vielfach erst nach Jahren hat Ruprecht seine Schuld getilgt. Daraus entstanden naturgemäß auch den Fürsten wider Verlegenheiten; auch sie mußten in Italien Anleihen machen, Sold schuldig bleiben etc.; wir theilen in dieser Beziehung nr. 175 mit, haben aber sonst diese Dinge unberück- 30
sichtigt gelassen. In Regesta Boica Bd. 11 und Mon. Zollerana Bd. 6 findet man z. B. eine Anzahl von Quittungen über Sold, den Burggraf Friderich schuldig geblieben war, verzeichnet. Über die finanzielle Bedrängnis, in die K. Ruprecht in Italien gerieth, haben wir Nachrichten von allen Seiten her: K. Ruprecht selbst (s. nr. 8), der Straßburger Hauptmann Heinrich von Mülnheim (s. nr. 201), Venetianische Floren- 35
tinische und andere Italienische Quellen (vgl. lit. D. E. F) geben davon Kunde. Besonders aber sind auch die schon mehrmals von uns citierten königlichen Kämmereirechnungen nr. 168 zu beachten.

Wir besitzen nemlich ein auch schon von Janssen veröffentlichtes Verzeichnis der Einnahmen der königlichen Kammer, das vom Juli 1401 bis zum August 1407 reicht. 40
Manche schätzenswerthe Auskunft erhalten wir aus demselben; aber es würde eine Quelle von unvergleichlich viel höherem Werthe sein, wenn nicht die königliche Finanzverwaltung eine so traurige gewesen wäre. Ein sehr großer Theil der Einkünfte wurde gar

---

[1] *K. Ruprecht quittiert der Stadt Friedberg über 500 fl., die sie ihm zum Zuge nach Lombardien geschenkt; dat. Heidelberg fer. 4 ante Mar. Magd. [Jul. 20] 1401; Karlsr. G.L.A. Pfälz. Kop.-B. 8½* 45
fol. 36ᵇ und ibid. Pfälz. Kop.-B. 149 fol. 25-26.

[2] *K. Ruprecht quittiert der Stadt Wetzlar über 250 fl., die sie ihm zum Zuge nach Lombardien geschenkt; dat. Augsburg fer. 6 post. Marie [Sept. 9] 1401 r. 2; Notiz Karlsr. G.L.A. Pfälz. Kop.-B. 8½ fol. 37ᵃ und ibid. Pfälz. Kop.-B. 149 pag. 26.*

nicht in die Kammer eingeliefert, sondern war entweder auf längere Zeit hinaus verpfändet oder wurde doch einzelnen Gläubigern im einzelnen Falle angewiesen und von diesen direkt erhoben, kam also auch in der Kammer gar nicht zur Verrechnung. Diese Thatsache, die auch in anderer Beziehung sehr zu beachten sein dürfte, ist bei der
5 *Benutzung unseres Einnahmeregisters stets im Auge zu behalten. Mit gleichzeitigen städtischen Rechenbüchern, die uns ermöglichen die städtische Verwaltung fast bei Heller und Pfennig zu kontrolieren, hält dasselbe keinen Vergleich aus, aber unsere Kenntnis der finanziellen Verhältnisse erfährt trotzdem daraus eine wesentliche Bereicherung. Es ist unsere Absicht, das ganze uns erhaltene vom Juli 1401 bis zum August 1407*
10 *reichende Register am Schluß des 6 Bandes abzudrucken; wir glaubten aber, den Anfang bis zur Rückkehr K. Ruprechts aus Italien hier vorwegnehmen zu sollen. Der weitaus größte Theil der Einnahmeposten dieser Zeit steht mit dem Italienischen Zuge in Zusammenhang, bei andern ist dieß zweifelhaft, und nur wenige haben sicher nichts mit ihm zu thun. Um den Eindruck des ganzen nicht zu stören, schien es besser auch*
15 *diese hier mit aufzunehmen. Über die eben bezeichnete zeitliche Grenze ist dann noch ein wenig hinausgegangen, da art. 65 und 66 sachlich hierher gehören und art. 68 durch die Art der Eintragung von besonderem Interesse ist. Ein zweites Bruchstück des Registers bringen wir als nr. 283 beim Nürnberger Tage.*

Als K. Ruprecht aus Italien zurückkehrte, war er ganz von Geldmitteln entblößt,
20 *s. nr. 209 art. 10. Drängende Gläubiger wollten befriedigt werden, und dabei erforderte der Krieg gegen Böhmen weitere Ausgaben. Deshalb mußte K. Ruprecht suchen, auf außergewöhnlichem Wege neue Mittel zu beschaffen, und an die finanzielle Geschichte des Italienischen Zuges schließt sich so im Herbst 1402 die Muthung des Königs an die Städte mit den nachfolgenden Verhandlungen an, s. Tag zu Nürnberg 1402 Aug.*
25 *bis Sept. lit. D. L. Die Schulden aber, die Ruprecht in Venedig gemacht hatte, blieben noch längere Zeit unbezahlt; das zeigt eine Verschreibung, die K. Ruprecht seinem Kanzler dem Bischof Raban von Speier am 30 Dec. 1403 (dom. infra oct. nativ. Chr. 1403 r. 4) zu Heidelberg ausstellte, als dieser von Kaufleuten zu Nürnberg und anders viel Geld aufnahm um damit des Königs Briefe zu Venedig einzulösen und heraus-*
30 *zubringen (Karlsr. G.L.A. Kop.-B. 53 pag. 184-185 cop. ch. coaev., durchstrichen mit der Bemerkung redempta est).*

Zur Erläuterung des hier gebotenen Materials ist noch nothwendig auf Münz- und Werthverhältnisse hinzuweisen. Als Münzen kommen hier besonders Gulden und Dukaten in Betracht. Die königliche Kammer sowol wie die Florentiner Finanzver-
35 *waltung unterschieden beide Geldsorten, erstere rechnete 10 Dukaten gleich 11 Gulden (vgl. die Anmerkungen zu nr. 168 art. 22 und art. 30), letztere etwas darunter, zu 10 Gulden 19 sh. 2 dn. (vgl. nr. 35 art. 2ª). In den Kämmereirechnungen sind dabei sicher, wenn nichts weiter bemerkt ist, rheinische Gulden gemeint. Von diesen muß man die ungarischen Gulden, die auch nicht selten vorkommen, unterscheiden, sie haben einen*
40 *höheren Werth (vgl. Hegel in St.Chr. 1, 229ff. 250. 254; 5, 429; 9, 1002) und stehen damals anscheinend den Dukaten ungefähr gleich (vgl. nr. 175). Es wird aber auch das Wort Gulden als das umfassendere gebraucht, so daß Dukaten als eine Art Gulden miteinbegriffen sind; so kommen dukatengulden vor, und Minerbetti in seiner Chronik z. B. spricht von fiorini wo er Dukaten meint und auch eben vorher ducati gesagt hat.*
45 *Man wird sich also etwas vorzusehen haben. All die Geldsummen bleiben ziemlich todte Zahlen, wenn man nicht eine Anschauung von den Werthverhältnissen überhaupt hat; wir verweisen deshalb auf Hegel in St.Chr. 1, 255ff.; 5, 434ff.; 9, 1007ff., und auf Hanauer Études économiques sur l'Alsace ancienne et moderne Bd. 2, besonders pag. 604. Einen für unsere Zwecke sehr brauchbaren Maßstab bietet neben den Vor-*
50 *anschlägen für den Feldzug RTA. 4 nr. 390. 391 K. Ruprechts Angabe in einer An-*

3*

weisung zu Unterhandlungen mit Pabst Innocenz VII 1405 c. Merz 7 (s. Reichstag zu Mainz 1404 Dec. nr. 470), für einen Zug nach Italien sei ein Heer von 2000 guten Rittern und Knechten (d. h. wol 2000 Glefnern [1]) erforderlich, das seien mit dem Gezuge das dazu gehöre 10000 Pferde, und die Kosten betrügen monatlich 50000 fl. Mit einer ähnlichen Macht war' Ruprecht im Herbst 1401 aufgebrochen (s. nr. 27 und Bd. 4 nr.   5
390 f.), dieselbe schwand freilich nach der Niederlage bei Brescia unaufhaltsam schließlich bis auf ein kleines Häuflein zusammen, aber wir haben in jener Angabe doch einen Anhalt um zu beurtheilen, welche Summen ungefähr ein wirksames Auftreten erforderte.

Man findet hier auch ein Stück eingereiht, das streng genommen nicht hierher   10
gehört, nr. 174. Um seines interessanten Inhalts willen wird man ihm aber den Platz wol gönnen, es wäre sonst ganz verloren gegangen.

M. Briefe vom Hof aus Italien nr. 182-189.

Vorzugsweise sind es Berichte, die Frankfurt vom Hofe über den Romzug erhielt, die wir hier zusammenstellen. Die ersten drei Briefe erzählen von der Wendung des   15
Unternehmens durch die Niederlage bei Brescia, die andern vier von den Aussichten K. Ruprechts im Januar 1402 als er sich mit den Florentinern in Venedig verständigt hatte. Anderweitige Nachrichten über diese Ereignisse, auf die wir im einzelnen nicht noch verwiesen haben, findet man unter lit. D. E. F. N und in der Einleitung zu lit. C.   20

N. Der Strassburger Haufen und sein Briefwechsel nr. 190-206.

Die bisher unbekannten sehr merkwürdigen Berichte des Straßburger Hauptmanns treten den mehr oder minder officiellen der vorigen Abtheilung, die von Schönfärberei nicht immer frei zu sprechen sind, als erwünschte Ergänzung zur Seite. Über den Rückzug nach der Niederlage bei Brescia erhalten wir neue Nachrichten (s. nr. 196   25
und 198), dann über das Zusammenschmelzen des Heeres (s. nr. 201 und 203) und über die im Januar 1402 von K. Ruprecht beabsichtigte Heimkehr (s. nr. 202 und 203). Zu diesen Berichten treten die Instruktionen die der Hauptmann vom Rathe seiner Stadt erhielt, und besonders die freilich schon bekannten Vorschriften der Glefen-ordnung nr. 190 beanspruchen selbständiges Interesse. Die Kontingente von Mainz und   30
Speier werden öfter erwähnt, der Straßburger Hauptmann suchte sich mit ihnen über gemeinsame Haltung den Ansprüchen des Königs gegenüber zu verständigen.

Das letzte Stück nr. 206 handelt zwar nicht mehr vom Straßburger sondern vom Mainzer Haufen, konnte aber hier schicklich seinen Platz finden.

---

[1] *1401 war der normale Sold für die Glefe 25 fl. monatlich; das würde mit obiger Berechnung K.*   35
Ruprechts stimmen, wenn man die 2000 als Glefenführer nimmt; der Vergleich mit Pittis Angaben in nr. 27 und den Nachrichten, die wir über die Stärke der verschiedenen Kontingente im Jahre 1401 haben, spricht ganz entschieden dafür, daß wir 10000 Pferde nicht auf 2000 Bewaffnete sondern auf 2000 Glefen zu rechnen haben.

A. Anordnungen für das Reich nr. 1-9.

1. *K. Ruprecht, welcher mit den Fürsten zu Mainz den Zug nach Italien beschlossen* [1401]
hat, verbietet allen Reichsangehörigen, Leute Güter und Habe der Theilnehmer dieses [Spt. 9]
Zuges während der Zeit ihres Dienstes anzutasten, bei Strafe der Reichsacht und
schweren Ungnade sowie des Verfalls ihrer Reichslehen. 1401 Sept. 9 Augsburg.

> *M aus München St.A.* Urkunden betr. äußere Verhh. der Kurpfalz $\frac{191}{177}$ *or. mb. c. sig.*
> *pend. del., der Pressel noch daran, auf der Rückseite steht von gleichzeitiger Hand*
> Als die in der acht sin sollen etc. die die angriffen die mit mime herren dem kouige
> iezunt uber berg gezogen sint *und ebenfalls auf der Rückseite von späterer Hand*
> [g]ebott vom rich. *Die Unterschrift auf dem Bug* Ad — Winheim *ist eigenhändig.*
> *K coll. Karlsruhe G.L.A.* Pfälz. Kop.-B. 4 fol. 107ᵇ *cop. ch. coaev. Überschrift* Ein brief
> als min herre der kunig dut in die achte alle die die der lute oder gutter beswerent
> die mit im uber berg gein Lamparthen ziehen werden.
> *Steht auch Wien H.H. St.A.* Registraturbuch C fol. 98ᵃ *cop. ch. coaev. und als aus-*
> *führliches Regest Karlsruhe G.L.A.* Pfälz. Kop.-B. 44 fol. 239ᵇ *ch. saec. 15 ex.*
> *Regest Chmel nr. 933 aus Wien l. c.*

†ᵃ Wir Ruprecht von gots gnaden Romischer kunig zu allen zijten merer des
richs enbieten allen fursten graven frien-herren rittern knechten stedten und gemein-
schefften, die zů dem heiligen riche gehoren und den dieser geinwertige unser brieff
vorkůmpt, unser gnade und allez gůt. und laßen uch wißen, daz wir mit unsern
kurfursten und etlichen andern unsern und des heiligen richs fursten, die nehst bij uns
off eyme tage zů Mencze gewest sin, zů rat worden sin mit der gots hulffe uber berg
gein Lamperthen zu ziehen unser keyßerlich cronunge zu enphahen und auch den von
Meilan und andere, die des heiligen richs gut innhan und uns und dem rich vorbehalten, daran zu wisen daz sie uns und dem riche die laßen volgen; und ob sie des
nit dun wollen, so wollen wir sie understen darczu zů dringen nach allem unserm vermogen. und wannt wir nů ᵇ unser und des heiligen richs fursten graven herren rittere
knechte und stedtefrunde etwievile mit uns hininne gein Lamperthen furen werden,
herumbe so wollen setzen und gebieten wir von Romischer kuniglicher mechte, daz derselben fursten graven herren rittere knechte und stedte, die also mit uns hininne gein
Lamperthen ziehen und ir ᶜ dienere zu dinst schicken werden, lute gute und habe die
zijt, als lange sie by uns und in unserm vorgenanten dinst sin, sicher sin sollen vor
allermenclichen, also daz dieselben yre lute gutere und habe nymand, wer der sij,
bynnen der czijt, als sie also in unserm und des heiligen richs dinst sind, beschedigen
oder darczů griffen solle in dhein wise ane alle geverde. und wer darwieder dete, der
sal alsdann zu stůnd in unser und des heiligen richs achte und swere ungnade vervallen sin; und waz auch dieselben lehen haben die von uns und dem riche ruren, die
sollen auch alsdann zu stunt uns und dem heiligen riche ledig und verfallen sin, und
wollen denselben lehen dann nachvolgen als unser und des richs vervallen lehen und
sich darczu heischet. orkunde dißs brieves versigelt mit unser koniglichen majestat ingesigel, geben zů ᵈ Aůgspurg uff den nehsten fritag nach unser frauwen tag als sie [1401]
geborn ward, nativitas zu latine, in dem jare da man zalte nach Cristi geburte vier- [Spt. 9]
czehenhundert und ein jare unsers richs in dem andern jare.

[*in verso*] R. Johannes de Landauwen.

Ad mandatum domini regis
Johannes Winheim.

ᵃ) *Das Kreuz steht über von.* ᵇ) *M Punkt über u.* ᶜ) *add. K.* ᵈ) *M Punkt über u.*

2. *K. Ruprecht ernennt seinen Sohn Pf. Ludwig zum Reichsverweser in Germanien Gallien und dem Arelatensischen Königreich* [1] *für die Zeit seiner eignen Abwesenheit auf dem Italienischen Zuge. 1401 Sept. 13 Augsburg.*

> *M aus München Staatsarchiv Urkk. betr. äußere Verhh. der Kurpfalz* $\frac{126}{55}$ *or. mb. c. sig.*
> *pend. (an blau und gelber Seide), die Unterschrift auf dem Bug von anderer Hand;* 5
> *auf Rückseite von gleichzeitiger Hand littera vicariatus und wol auch nicht viel später*
> *konig Ruprechts brieff das herczog Ludwig sin sone ein vicarie des richs sin solle*
> *und später befelhe vom rich. Im Abdruck c durchgeführt.*
>
> *A coll. Karlsr. G.L.A. Pfälz. Kop.-B. 5 (jetzt 460 bei der Durchnumerierung aller Kopial-*
> *bücher) fol. 43*b*-45*a *cop. ch. coaev., wo aber die Unterschrift lautet Ad mandatum domini* 10
> *regis ‖ Johannes Winheim; Überschrift Constitucio illustris principis domini Ludowici*
> *comitis Palatini etc. in vicarium generalem sacri imperii in partibus Alamanie etc.*
>
> *B coll. ibid. Pfälz. Kop.-B. 143 (jetzt 592 bei der Durchnumerierung aller Kopialbücher)*
> *pag. 113-117 cop. ch. saec. 15 in; Unterschrift und Überschrift wie bei A.*
>
> *C München Staatsarchiv l. c.* $\frac{126}{55}$ *Schaltbrief in einem Vidimus des Bischofs Reinhart von* 15
> *Worms von 1520 Sept. 14 (Fr. n. nat. Mar.) s. l.; dieses Vidimus selbst ist or. mb.*
> *c. sig. pend. episcopi, ausgestellt von Letzterem, der, weil dem Kurfürsten Ludwig*
> *das rechte Original über Land zu führen sorglich und pfendtlich, von diesem gebeten*
> *worden ist ein Vidimus zu machen, das derselbe zu seiner Nothdurft haben und ge-*
> *brauchen möge. An einzelnen Stellen von uns nachgesehen, s. Var.* 20
>
> *W coll. Wien H.H. St.A. Registraturb. A fol. 41*a*-42*a *cop. ch. coaev., mit derselben*
> *Über- und Unterschrift wie A, rechts am Rande neben der ersten Textzeile gleich-*
> *zeitiges Vermerkzeichen.*
>
> *Gedruckt Freher Orig. Palat. comment. (ed. 3) 1, 133 (fehlt noch in ed. 1, steht in ed. 2*
> *vielleicht 1, 115-118) mit der Unterschrift wie A, Petrus de Andlo ed. Freher 191,* 25
> *Conring Vicariatus imp. Palat. def. 64-70 (Opera ed. W. Goebel 1, 830), Goldast*
> *Const. imp. 1, 381-383, Thulemarius Octoviratus (ed. 3) 382, Leibnitz Cod. jur. gent.*
> *dipl. 1, 263-265, Tolner Cod. dipl. Palat. 144-146, Lünig R.A. 5, 594-596 nr. 227,*
> *Ludewig Vollst. Erläuterung d. gold. Bulle 1, 553-556, Dumont Corps universel 2, 1,*
> *280f., Finsterwald Germania princeps lib. 5 (tom. 2), 145-149. — Erwähnt, meist,* 30
> *mit wörtlicher Widergabe einzelner Stellen, Kurtzer Bericht v. d. Pfälz. Vik. Ger.*
> *8, Carpzovius Inaugurat. in legem regiam 320, Datt Vol. rer. Germ. nov. 727, Werlhoff*
> *Jur. enucl. spec. 1, 102, Pfeffinger Vitriarius ill. (ed. 3) 1, 686, Struve Syntagma 955,*
> *Oertel Diss. de Ruperto rege 46 nt. r, Spener Teutsches jus publ. 1, 2, 27 nt. e,*
> *(Harpprecht) Des Kl. u. R.R. Cammergerichts Staatsarchiv 4, 40, Sammlung ver-* 35
> *mischter Nachrichten z. Sächs. Gesch. 9, 26; Regest Chmel nr. 953 aus W, Wiener*
> *Regesten z. Gesch. d. Juden 1, 56 nr. 22. — Alle Drucke und Erwähnungen außer*
> *dem Regest bei Chmel gehen wol direkt oder indirekt auf Freher zurück.*

Rupertus dei gracia Romanorum rex semper augustus universis nostris et sacri imperii fidelibus ad quos presentes pervenerint graciam nostram et omne bonum. 40 regiam decet majestatem illis precipue exquisitis intendere laboribus, illis eciam jugibus pervigilis mentis vacare consideracionibus [a], per que et sacrum Romanum imperium nostris precipue temporibus optata suscipiat incrementa, res ipsa publica debitis foveatur subsidiis et divorum nostrorum more predecessorum regie majestatis gladius cunctos vibrantibus terreat aciebus persecutores et per legittimos tramites calumpniancium iniqui- 45 tates expellat atque resectis vepribus sub sacro militantes imperio desiderata pace fruantur. sane cum disponente altissimo pro corona imperialis dyadematis suscipienda ad

---

a) *M consideraconibus.*

---

[1] *Man kann hiezu vergleichen die Vikariats-urkunde von 1396 RTA. 2, 427 nr. 247; die Gebiete sind dort näher angegeben, so daß man genauer sieht was damals zum Deutschen Reich gerechnet wurde.* 50

presens partes Italie simus ingressuri, et ut sacri Romani imperii status salubris tran- *1401*
quillitas et res publica interim in Germania Gallia et regno Arelatensi in absencia nostri *Spt. 18*
copiosius atque fructuosius procurentur, de illustris et magnifici principis Ludowici comitis Palatini Reni et Bavarie ducis filii nostri carissimi legalitatis et grate circumspec-
5 cionis industria presumpcionem et fiduciam utique habentes indubiam, precipue eciam
advertentes a divis Romanis imperatoribus et regibus predecessoribus nostris hactenus
extitisse observatum ac eciam de jure comitatus Palatinatus Reni fuisse et esse, quod [1],
cum Romanus imperator vel rex ultra montes Italiam ingressus, fuerit, in ipsius absencia
vicariatum imperii in Germania Gallia et regno Arelatensi ad comitem Palatinum Reni
10 pertinuisse et pertinere, eundem dilectum filium nostrum Ludowicum, animo deliberato
non per errorem aut inprovide sed sano et maturo electorum et aliorum principum
comitum et nobilium nostrorum et imperii sacri fidelium freti consilio et consensu de
certa nostra sciencia et regie plenitudine potestatis, per sacri Romani imperii in Germania Gallia et regno Arelatensi provincias principatus dominia districtus civitates oppida
15 castra villas et eorundem pertinencias qualitercumque nominatas, omnibus jure via modo
et forma quibus melius et efficacius possumus et debemus, facimus constituimus et ordinamus nostrum et sacri Romani imperii in Germania Gallia et regno Arelatensi vicarium
generalem, dantes exnunc et tenore presencium concedentes ̇ eidem plenam liberam et
omnimodam auctoritatem — temporalem [a] et generalem jurisdiccionem, et gladii, nutu et
20 providencia altissimi nobis retraditi [b], potestatem, merum et mixtum imperium ac eciam
amministracionem et jurisdiccionem omnimodam contenciosam et voluntariam vice et
auctoritate atque nomine nostris in prefatis sacri Romani imperii provinciis principatibus
dominiis et districtibus civitatibus opidis castris villis et eorundem pertinenciis qualitercumque eciam nominatis per se vel alium seu alios exercendi —, animadvertendi exequendi
25 in facinorosos et delinquentes et reos homines, eosque et rebelles quoscumque puniendi
relegandi deportandi ultimo supplicio addicendi [c] et deputandi et alias coherecndi racione
previa et mediante justicia prout criminis qualitas exegerit et delicti ac culpa rebellium
et excessus, et ut eciam aput et per eum, per se [d] ac suum seu suos commissarios et
ad hoc per eum deputandos, merum et mixtum imperium administracio et jurisdiccio
30 hujusmodi contenciosa sive voluntaria in loca et homines, cujuscumque status preeminencie vel condicionis existant, infra terminos et limites supradictos consistentes vel
consistencia, salva tamen semper sacrosancta ecclesiastica libertate, libere exerceantur,
secundum quod jus [e] seu racio persuadebunt; concedentes nichilominus eidem et illi seu
illis quibus hoc commiserit et in ipsum illum vel illos jure plenario transferentes aucto-
35 ritatem potestatem et licenciam generalem, ne suis [2] quis militet stipendiis, collectas et
dacias consueta onera realia et personalia ac mixta quocumque nomine censeantur nobis
et nostro imperio debitas seu debita debendas seu debenda necnon omnes census redditus jura proventus emolimenta oblaciones conductus theolonia et pedagia principatuum
et dominiorum monasteriorum civitatum terrarum territoriorum districtuum opidorum
40 castrorum villarum et locorum ad nos racione imperii et ipsum sacrum Romanum imperium in Germania Gallia et regno Arelatensi de jure consuetudine aut alias pertinentes
et pertinencia exigendi levandi et recipiendi et ad usus suos pro defensione sacri imperii
et pro ipso imperio ac evidenti expensarum necessitate subportandi et applicandi, penas

---

45 a) *M* temperalem. b) *A* retraditi *oder* retrediti *korr. aus* retraditi, *WB* retraditi, *M* retrediti, *C mit offenbarer*
    Emendation crediti. c) *M* addiciendi. d) *M* e *ziemlich zerstört.* e) *MC add.* et.

---

[1] *Hier* quod — vicariatum — pertinuisse et   *weiter unten die Worte* evidenti expensarum ne-
pertinere *Anakoluth.*   cessitate.
[2] *Wol auf den Pfalzgrafen zu beziehen, vgl.*

1401
Spt. 18 et mulctas racione previa inponendi levandi et ex causis racionabilibus augmentandi
minuendi remittendi in judicio et extra, Judeos camere nostre servos acceptandi et defen-
dendi, bona dampnatorum rebellium et reorum justicia exigente confiscandi et publicandi,
officiales quoscumque et presertim nostri imperialis judicii judicem sine [a] eorum juris
prejudicio ipsis in suis officiis competentis et usque ad presens in eisdem habiti et que-   5
siti instituendi et destituendi [1], necnon de omnibus criminibus ordinariis extraordinariis
enormibus levibus publicis et privatis congnoscendi puniendi et execucionem faciendi
tam secundum jura municipalia quam communia, seu legis congnicionem et decisionem [b]
hujusmodi committendi, in integrum restituendi, bannum imperiale pronuncciandi, absolu-
cionem concedendi, infamia tam juris quam facti notatos publicandi, eamque juris infa-   10
miam tollendi et super ea dispensandi, de causis principalibus et appellacionum ad nos
et sacrum imperium interpositarum seu interponendarum quibuslibet tamquam noster et
imperii sacri vicarius generalis congnoscendi examinandi decidendi et diffiniendi, et alia
que causarum merita requirunt exercendi et exequendi, ferias et nundinas instituendi
imponendi collocandi et concedendi, rebelles sacri Romani imperii persequendi et puniendi   15
privandi et exuendi feodis graciis libertatibus emunitatibus indultis juribus quibuscumque
temporalibus, infames et inhabiles reddendi pronuncciandi et declarandi, atque destitutos
privatos vel exutos per se vel alium seu alios eciam per judicium dictum stillegeriechte
aut alia quecumque judicia dampnatos et extra jus ut moris est sentencialiter constitutos
et depositos ad honores status officia jura pristina in integrum libere restituendi, decreta   20
statuta ac provisiones in predictis omnibus et quolibet faciendi de novo, corrigendi facta
et in totum tollendi semel pluries et tociens quociens oportunum fuerit et ordo dictaverit
racionis, omnia et singula feoda sacri imperii vacancia vel cum vacaverint committendi
et conferendi ac de illis infeodandi et investiendi, exceptis dumtaxat feodis insigniis
archiepiscoporum ducum et marchionum et que cum vexillis seu gladiis recipi consue-   25
verunt et de quibus officialibus imperialis curie de more servitur, et ab illis sic recipien-
tibus feoda, dum et quociens se casus obtulerit, homagii fidelitatis obediencie et devocionis
debita juramenta nostro et sacri imperii nomine et vice postulandi et recipiendi, ad cano-
nicatus et prebendas ac dignitates, eciam si curate et elective et majores post pontifi-
cales in metropolitanis et cathedralibus ac principales in collegiatis existant, personatus   30
ecclesias parrochias [c] et beneficia [d] et officia ecclesiastica seu temporalia, dum et quociens vacaverint, personas aptas et ydoneas presentandi et eas et ea conferendi, dotes
dotalicia sponsaliciorum largitates ac donaciones propter nupcias admittendi et confirmandi, mente captis furiosis et aliis personis que sui juris non existunt curatores, orphanis
pupillis et viduis tutores et defensores preficiendi, ac tutores et defensores minus legittime   35
datos confirmandi, devoluciones fiscales quorumcumque dominiorum [e] prediorum et
agrorum aut hereditatum seu eciam rerum mobilium, dummodo jus et racio illud exegerit, nostri et imperii nomine exigendi, tenutam et possessionem talium capiendi; dantes
eciam et regia concedentes auctoritate et de certa sciencia nostro ac sacri imperii Romani vicario generali supradicto potestatem plenissimam notarios publicos et tabelliones   40
cum auctoritate et potestate plenariis creandi faciendi et de tabellionatus officio instituendi
seu investiendi ut moris est per pennam et calamarium recepto ab ipsis prius et eorum
quolibet pro nobis et sacro imperio debite fidelitatis solito juramento, hoc ipsum eciam

---

a) *M deutlich* sine.   b) *MCW* desclsionem.   c) *W* parrochiales.   d) *M* bneficia.   e) *M* dmiorum *oder* daliorum
mit Überstrich.   45

---

[1] *Im Kurtzen Bericht von der Pfälz. Vik. Ge-
rechtigkeit p. 8 heißt es* officiales ac judices prae-
sertim imperialis judicii instituendi et destituendi   *in der Inhaltsangabe der Urkunde, und liegt sicher
nur obige Stelle zu Grunde.*

eadem auctoritate aliis concedendi et committendi eosque eorum exigentibus demeritis
privandi et destituendi, ac eciam naturales manseres spurios bastardos et quoslibet de
dampnato sive illicito coitu procreatos viventibus seu mortuis eorum parentibus rite
legittimandi, eciam si forent filii illustrium principum ducum comitum et baronum, et
5 eos natalibus et omnibus legittimis juribus restituendi omnemque geniture maculam et
natalium defectum abolendi, ad omnia et singula jura successionum eciam ab intestato
congnatorum et agnatorum honores dignitates officia et ad singulos actus legittimos admittendi et admitti mandandi, sine tamen legittimorum heredum prejudicio, acsi · essent
de legittimo matrimonio procreati; et generaliter omnia et singula libere faciendi et exer-
10 cendi que ad verum sacri imperii vicarium generalem pertinent, eciam si qua ex eis
jure et consuetudine speciale ᵃ exegerint mandatum, eciam si majora fuerint supra et
infra expressis, et que ad nos et sacrum imperium facienda et agenda ᵇ pertinere dinos-
cuntur de jure consuetudine seu plenitudine regie potestatis, non obstantibus quibuscumque litteris datis vel dandis legibus constitucionibus consuetudinibus statutis et juribus ·
15 municipalibus et localibus generalibus et specialibus contrariis quacumque firmitate robo-
ratis, quibus omnibus et singulis, in quantum presentibus obviare seu eis derogare possunt,
acsi talia specifice in suis capitulis et punctis de verbo ad verbum hic forent inserta
et nominatim expressa, de certa nostra sciencia et de plenitudine regie potestatis specialiter derogamus ac viribus carere decernimus et declaramus; mandantes nichilominus
20 firmiter et districte precipientes universis et singulis ecclesiasticis et secularibus principibus, eciamsi pontificali prefulgeant dignitate, marchionibus comitibus baronibus nobilibus
ministerialibus militibus clientibus vasallis civitatibus opidis et eorum universitatibus locorum
rectoribus et eorum communitatibus castris villis subditis terrigenis incolis habitatoribus castellanis custodibus officialibus et hominibus quibuscumque, cujuscumque eciam preeminencie
25 dignitatis status gradus seu condicionis existant, presentibus et futuris, quatenus predictum
ducem Ludowicum filium nostrum carissimum nostrum et imperii vicariuin generalem taliter
ut predicitur a nobis constitutum et personam nostram figurantem benigne et absque
difficultate qualibet recipiant et admittant ᶜ, et sibi ac officialibus suis, quos constituet
loco sui, omnibus et singulis nostri et imperii nomine fideliter et effectualiter tamquam
30 nobis in omnibus obediant pareant et intendant realiter et ᵈ cum effectu, ut exinde
eorum sincera devocio per operum efficaciam elucescat, sub penis per prefatum nostrum
et imperii vicarium constituendis infligendis necnon sub penis nostre indignacionis gravissime et mille marcarum auri purissimi, quas ab ipsis, qui secus attemptare presump-
cerint ausu temerario, tociens quociens contra factum fuerit, irrevocabiliter per ipsum
35 seu substituendos ab eodem exigi volumus et ᵉ suis usibus prout sibi videbitur applicari.
harum sub nostre regie majestatis sigilli appensione testimonio litterarum, datum Augspurg tercia feria post festum nativitatis beate Marie virginis gloriose anno domini millesimo quadringentesimo primo regni vero nostri anno secundo.

[in verso]   Per dominum *Rabanum* episcopum Spirensem cancellarium
40 R. Johannes de Landauwen.   Ulricus de Albeck licenciatus in decretis.

a) *MABW* specialibus. b) *MAWB* faciendi et agendi. c) et admittant *om. A.* d) *M* t *theilweise zerstört.* e) *om.*
MAWBC.

[1401
Okt. 7] **3.** *Städtische Aufzeichnung über eine Zusammenkunft königlicher Hauptleute und Räthe*
mit den Boten von Mainz Worms Speier Frankfurt zu Speier behufs Beredung
eines Landfriedens während der Abwesenheit des Königs von Reichs wegen, und
über ferneren Tag zu Worms. [1401 Okt. 7 Speier [1].*]*

Aus Frankfurt St.A. Reichs-Angelegenh. conc. ch. coaev.

Úmbe den gemeinen friden in disem lande zů schirmende und zu behaltende von
dez riches wegen sit unser gnediger herre der Romische kŏnig ußlendig ist, hant sin
heubtlute und rete etc. mit der von Meintze Wormß Spire und Franckfurt frunden uf
disen dag zů Spire geredt und gerotslagt uf der vorgenanten stede rete wolgefallen:
also, ob ieman in unsers gnedigen herren dez kŏniges landen und gebieten uf beide   10
siten Rijnes hie zů lande deheinen angriff dete[a] wider in und die sinen oder wider die
·vorgenanten stede oder die iren, oder sust uf dez riches strassen hie zů lande den
koufman bilgerin oder ander erber lúde schedigete und angriffe, oder daz ieman dezselben unsers herren dez kŏniges der sinen oder der vorgenanten stede sunder oder
samet fient wurde und sie kriegen wolte wider reht, daz danne die drie stede Meintze   15
Wormß und Spire funfzehen reisiger mit gleven iecliche stat ir anzal und die von
Franckfurt auch darzů ir anzal, die sie ietzunt daruf bestellen und halten soltent, darzů
furderlichen ane verzog[b] eime heubtmanne, der darzu von unsers herren dez koniges
wegen bestalt wurde, zůschicken soltent, den angriff zů frischer gedat mit un*sers herren*
des[c] kŏnigs und der die sinen siner gebiet sint landen[d] und lúten in derselben gegen,   20
da das geschehe, *zu*[e] werende, und obe also zů frischer gedat darzů nit getan mohte
werden, daz danne den*selben*[f] angriffern und andern, die also fient werent, mit unsers
herren des koniges amptlúten reisigen dienern und den sinen ußer sinen landen und
sloßen allenthalben in disem lande und wider darin mit volleist der vorgenanten summe
gleven von den steden, wo daz danne allermeist not und eben were, zů widerlegende   25
von dez riches wegen und mit dez riches venlin, daz daz lant und die strassen geschirmet wurden. und solte man mit solichem schirme und húlfe unsers herren dez
kŏnigs lant den sinen und ouch den vorgenanten steden und den iren gemeine und
gelich sin ane geverde gegen denselben die sie geschediget hetten oder schedigen wolten,
doch daz der vorgenanten stede húlfe nit gein Beyern noch anderswohin ußer disem   30
lande solte geschehen oder gefürt werden. und waz sich in derselben húlfe verliefe und
uferstúnde, darzů solte man uf beide siten nů und hernach getruwelich ane abelassen
einander beholfen sin bis daz genzlich hingeleit wŭrde. und diser schirm des friden

a) korr. aus deten.   b) Vorl. versogt.   c) Lücke von etwa zwei Worten durch Zerstörung des Papiers.   d) Haken
über a.   e) Lücke von etwa 9 Buchstaben, deren erster g zu sein scheint.   f) Lücke von etwa 8 Buchstaben.   35

[1] *Das Datum geht aus der Aufzeichnung selbst
hervor, die Ort und Tag der Verhandlungen angibt. Folgende Notizen im Frankfurter Rechnungsbuch von 1401 unter der Rubrik uzgebin zerunge*
fol. 63[a b] *geben noch weiteren Aufschluß über diese
Verhandlungen: Sabbato post Michaelis [Okt. 1]:
s. RTA. 4 nr. 404 art. 5. — Sabbato post Luce
[Okt. 22]:* 28 gulden virzerten Junge Frosch Johan Erwin meister Heinrich Welder und Heinrich
schriber mit 8 pherden siebin tage gein Heidelberg
zů unsers herren des kuniges reden in heimlichkeit
von der stede ernstlichen sachin zů ratslagin und
vorter gein Spire zů unsers herren des kuniges

und der stede frŭnden umb die were und bestellunge des friden zů ratslagen. — item 12½ gulden
virzerte Johan Erwin und Heinrich schriber mit
5 pherden 5 tage gein Wormß zů unsers herren
des kuniges und der stede frŭnden, als man umb   40
bestellunge der were und des frides uberqwam
diewile unser herre der kŭnig uzlendig ist. *Auch
unter uzgebin pherdegeld* wurden an denselben
drei Samstagen Ausgaben verrechnet, aus denen
zu ersehen ist, daß bei der zweiten Gesandtschaft   45
die Pferde nach 5 Tagen von Heidelberg zurückkamen.

solte weren und gehalten werden von sante Michels dag nehstvergangen uber ein jar. [1402]
und obe unser herre der konig dozwuschen e zu lande keme, so solte man uf beide [Spt. 29]
siten herzů nimme verbunden sin [1]. hievon ist also geredt uf den fritag vor sant Dyo- [1401]
nisius dag; und wellent unsers herren dez königes heubtlûte und rete darumbe wider- [Okt. 7]
₅ zu tage gein Wormß kommen uf den nehsten donrestag darnach ze abende. und daz [Okt. 13]
die vorgenanten stetde ouch ire frûnde uffe denselben dag dahin schicken uf den fritag [Okt. 14]
darnach, von der vorgeschriben sachen wegen nach ieglicher stetde ratez meinunge
fûrbaßer zů redende.

4. *Pf. Ludwig als Reichsvikar verkündet, daß er mit den Städten Mainz Worms Speier* [1401]
[Okt. 15]
₁₀   *und Frankfurt zu gegenseitigem Schutz ihrer und des Reichs Lande und Straßen*
an beiden Seiten des Rheines einen Landfrieden bis zum 29 Sept. 1402 oder bis zu
K. Ruprechts früherer Rückkehr nach Deutschland eingegangen sei. 1401 *Okt. 15*
[Worms [2]].

₁₅   *Aus Karlsr. G.L.A.* Pfälz. Kop.-B. 149ᵇ fol. 68ᵇ-69ᵇ *cop. chart. coaev.; Überschrift*
Von ᵃ dem friden, als min herre herzog Lodowig mit den steten Menczen Wormßen
Spire und Franckfort uberkomen ist. *Das e ist in diesem Stücke über* i *und am*
Ende des Worts öfter kolumniert.
Erwähnt bei Lehman Speyr. Chr. 775, ohne Tagesdatum und ohne Quellenangabe, daraus
bei Lersner Franckf. Chr. 1, 368.

₂₀   Wir Ludewig von gots gnaden phalgrave ᵇ bi Ryne und herzog in Beiern, des
allerdurchluchtigsten fursten und herren hern Ruprechtz Romischin konigs zů allen
ziten merer des riches unsers lieben herren und vatters und des heiligen richs vicarie
bekennen offenbar mit diesem brief: als unser lieber her urd vatter vorgenant uns
die zeite als er itzûnt uslendig ist des heiligen riches lande und straßen in freiden zů
₂₅ beschirmen und zů behalten befolhen hait, darumbe wir von des egenanten unsers lieben
herren und vatters und des heiligen richs wegen mit den ersamen wisen bûrgermeistern ᶜ
und reten der stete Mentze Wormeße Spire und Franckfûrt des heiligen richs lieben
getruwen hant dûn reden, daz sie dem heiligen rich zů eren und zů gemeinem fride
und nutze der lande ir hilfe und dienst den friden in diesem lande zů behalten und
₃₀ von des richs wegen als beschirmende schicken wollen, darzů sich die egenanten stete
dem rich zů eren willeclich ergeben und hilflich bewiset haint, also, ob iemant in unsers
lieben herren und vatters und des richs lande und gebieten uf beider site Rines hie zů
lande dheinen reublichen angrif dede wieder in und die sinen oder wieder die vorgnanten stete oder die iren, oder sůst uf des riches strasse hie zů lande den kaufman
₃₅ pilgerinen oder ander erber lute schedigeten oder angriffen, oder daz iemant desselben
unsers lieben herren und vaters oder der sinen oder der vorgnanten stete oder der iren
besunder oder samment fiende ᵈ wurden oder sie kriegen wolten wieder recht uner-

ₐ) cod. vom. b) sic. c) cod. bûrgermeinstern. d) cod. fende.

[1] *Mit manchen kleinen Veränderungen, die in*
₄₀ *der Hauptsache nur redaktioneller Natur sind,*
ist der ganze Inhalt dieser Aufzeichnung von also
ob ieman bis verbunden sin in die Urkunde des
Pfalzgrafen vom 15 Okt. nr. 4 übergegangen.
[2] *Die Aufzeichnung vom 7 Oktober nr. 3 sagt,*
₄₅ *es sei beschlossen, die Hauptleute und Räthe des*
Königs sowie die Städtegesandten sollten sich in
Worms am Abend des 13 zur weiteren Berathung

einfinden. Aus dem Frankfurter Rechenbuch ist
zu ersehen, daß in Worms der Vertrag zu Stande
kam (s. die Anm. zu nr. 3), er liegt hier in der
Urkunde des Pfalzgrafen vor und ist vom 15 Ok-
tober datiert; für die Zeitangabe war offenbar
der Abschluß der Verhandlungen maßgebend, wir
ergänzen dem entsprechend die fehlende Ortsangabe
durch Worms, mag immerhin die Beurkundung
später an einem andern Orte geschehen sein.

4 *

fulgeter und unussertraginer dinge vor uns oder unsern heuptluden ob wir nicht inwendig lande weren, daz dann die dri stete Mentze Wormeße und Spire funfzehen
reiseger mane mit gleven igliche[a] der vorgnanten drier stete ir anzal und die von Franckfurt auch ir anzal darzů, die sie itzunt bestellen und halten sullen, darzů furderlich an
verzog eime heubtman [1], den wir von des egenanten unsers lieben herren und vatters   5
und des richs wegen darzů geben und bestellen werden, zůschicken und senden sullen,
den angriffe zů gefrischer tate mit unsers herren und vatters egenant und der die under
siner gebiete sind landen und luten in derselben gegen, do das geschehe, zů werende,
und ob also zů frischer getate darzů nit getan mocht werden, daz danne denselben angriffern und andern, die also vinde wurden weren, mit unsers herren und vatters und 10
des richs amptlude reisigen dienern und den sinen us sinen landen und schloßen allent-
halp in diesem lande und wieder[b] dorein ane geverde mit follaist der vorgenanten
summe gleven von den egenanten steten darzů gesant, wo daz danne allermeinst noit
und eben were, zů widerlegende von des riches wegen und mit des richs venlein, daz
daz lant und die strasse beschirmet werden.   und sol man mit solichem schirme und 15
hilf unsers herren und vatters vorgenant lande den sinen und auch den vorgenanten
steten und den iren gemein und gelich sin ane geverde gen denselben die sie geschediget hetten oder schedigen wůlten, doch daz die vorgenanten stete mit der vorgenanten
zale lute von diß friedens und schirmens wegen, als dieser brief inheldet, nicht gein
Beyern noch anderswohin uß diesem lande dienen oder helfen sollen ane geverde.   und 20
waz sich in derselben hilfe und dienst erlaufen und ufersten wirdet, darzů sal man uf
beide siten nů und hernach getrůlich ane ablaßen einander beholfen sin bit daz daz
genzlichen hingeleget wirt.   und dieser schirme des vorgenanten frieden sal weren und
gehalten werden von sante Michels dag nehestvergangen uber ein jare.   und ob unser
lieber herre und vatter[c] dozwissen e zů lande qweme, so sal man ůf beide site herzů 25
numme[d] verbůnden sin [2], mit beheltenisse doch ob dheine vintschaft oder angriffe entstanden were, daz man von beiden siten einander getrůlich beholfen[e] sol sin, als vor
geschriben steit.   und sollen auch die vorgenanten stete noch die iren umb dheine sachen,
die sich von des vorgenanten dienstes und hilf wegen ergeen oder ersten mogen, gein
nimande pfandber noch angriffig sein und aůch niemant darumbe dheine karunge 30
schuldig sin zů tund ane geverde; und wanne unser lieber herre und vatter vorgenant
zum nechsten wieder zů lande kummet, so wollen wir bestellen daz in des siner besigelt
majestat brief in vorgeschriben er maße werden solle.   und in allen diesen sachen hand
die von Mentze usgenomen den erwirdigen in got vatter und hern hern Johan erzbischof
zů Mentze unsern oheim sinen stifte und diegene mit den si in alten verbuntnusse nach 35
lute der brief daruber gegeben und versigelt herkommen sin.   und des zu orkunde
so geben wir den egnanten stetten diesen brief versigelt mit unserm anhangenden ingesiegel, das wir mit rechter wißen an diesen brief hain důn henken, der gegeben wart

---

a) cod. iglicher. b) cod. vieder. c) cod. vatter. d) cod. mumme. e) cod. behoffen.

---

[1] *Hauptmann wurde Hennel Streuffe, dem man
in Worms schon einen Sold von 500 fl. bewilligte,
er verlangte dann aber 600. fl.; darauf beziehen
sich 5 Briefe von Worms und Mainz 1401 Okt.
19-22 Frankfurt St.A. Reichssachen Akten fasc.
XI nr. 679[a-e]. Zahlungen an Hennel Streuffe sind
im Frankfurter Rechenbuch unter der Rubrik
uzgebin suldenern und die der stad virbůnden
sin eingetragen 1401 sabb. post Martini [Nov. 12]*
*1402 sabb. ante Perpetue [Mers 4] und sabb. 40
post Albani [Juni 24]. Er erhielt darnach 400 fl.
Gehalt und 50 fl. überher, vgl. auch Lehmann
Speyr. Chr. ed. Fuchs pag. 775 und daraus Lersner Franckf. Chr. 1, 368.*
[2] *Bis hierher stimmt die Urkunde von unwesent- 45
lichen Abweichungen abgesehen mit der Aufzeichnung vom 7 Oktober nr. 3 überein.*

an dem nehesten sampstag vor sante Gallen dage in dem jare ·do man zalt nach Cristi [1401 Okt. 15]
geburt vierzehenhundert a und ein jare.

5. *K. Ruprecht befiehlt dem Herzog Ernst von Baiern, die Bürger von München als* [1401 Dec. 16]
Unterthanen des auf dem Italienischen Feldzug befindlichen Herzogs Ludwig VII
von Baiern nicht ferner zu belästigen und den ihnen zugefügten Schaden zu er-
setzen. 1401 Dec. 16 Venedig.

> *Aus Karlsr. G.L.A. Pfälz. Kop.-Buch 146 fol. 16ᵇ-17ª cop. chart. coaev., das ganze*
> *Stück mit Null und Klammer versehen, wie das folgende nr. 6.*
> *Coll. Janssen R.K. 1, 637-639 nr. 1063 aus einem in seinem Privatbesitz befindlichen*
> *Kodex Acta et Pacta 202-205.*
> *Moderne latein. Übersetzung gedruckt bei Martène et Durand Ampl. coll. 4, 83-84 nr.*
> *56. — Regest Georgisch 2, 862 nr. 115 und Chmel nr. 1060, beide aus Martène l. c.*

Hochgeborner lieber vetter und furste. als din liebe wol weiß, daz wir allen
fursten graven b frien herren rittern knechten und stedten in Dutschen landen unser
uffen versigelten briefe [1] gesand und ine verkundet han, daz wir etwievile unser und
des heiligen richs fursten graven herren rittere knechte und der stedte frûnde mit uns
herin gein Lamparthen furen wolten, und satzten und geboten von Romischer kuniglicher mechte, daz derselben die also mit uns gein Lamparthen ziehen worden lute gute
und habe alle die zit und als lange sie bi uns und in unserm dinst weren nimand wer
der were angriffen oder beschedigen solte in dhein wise, und wer dawieder dete der
solte zu stund in unser und des heiligen richs achte und swere ungnade vervallen
sin etc., als dann dieselben briefe daz clerlich ußwisent, und wan der hochgeborn unser
lieber vetter und furste herzog Ludwig [2] uns vorbracht hat, wie daz du itzûnt, sither
daz er in unserm dinst gewesen und bi uns ist, den von Munichen [3] etwievile wins
zu Tollz ufgehalten habest, und mûsten den auch in allen dinen sloßen und gerichten gebodten daz man in
ußnemen, und habest auch in allen dinen sloßen und gerichten gebodten daz man in
alle ire gutere darniederlegen solle, und daz habest dû getan, als er habe verstanden,
von eins ungelts wegin den du von in haben wollest, als er uns auch gesagit hat, und
er auch meinet daz des nit sin solte, und daz etliche der ußgetriben burger zû Munichen an dinem landgerichte zu Lanndsperg und an etlichen andern dinen gerichten uf
der burgere von Munichen gutere clagen und sich der underwinden, daz uns doch
etwaz fremde nimpt, daz dû daz gestadest, diewile du wol weist daz der obgenant unser
vetter itzûnt bi uns hie-inne zu Lamparthen und in unserm dinst ist, und wir auch
meinen daz wir daz anders zuschen uch bedersit bestalt haben: herumbe so begern und
bidten wir dine liebe fruntliche mit ganzem ernst, daz du bestellen wollest, daz soliche
clage, als die ußgetriben burgere von Munichen uf der von Munichen gutere an dem
gerichte zu Lanndsperg und an andern dinen gerichten getan haben, unverzogelich und
genzlichen abgetan werden, als wir dir darumbe vor auch ofter geschriben haben, und
daz dieselben clage auch den von Munichen dheinen schaden bringen, sunder auch daz

a) *cod. hudert.*   b) *cod. grave.*

---

[1] *nr. 1.*
[2] *Herzog Ludwig Sohn Herzog Stefans von*
Baiern setzt für die Zeit des Lombardischen Zuges
3 Landesverweser für sein Land und Erbe zu
Baiern ein; dat. München 1401 Mich. [Sept. 29];
München R.A. modernes Regest nach dem Original
ibid. Regensb. Hochstift fasc. 4 (VIII 4/5).
[3] *Wegen der München betreffenden Streitigkeiten*

der Bairischen Herzöge vgl. Jörg Kazmair's Denk-
schrift in den Chroniken D. Städte 15, 411ff. hera.
v. Muffat; insbesondere s. dort pag. 494 f. und
pag. 543 ff. § 133 mit Anm. dazu. — Eine ältere
Darstellung dieser Wirren ist die von Suiner
Berichtigungen der Unruhen bei dem Regierungs-
antritte der Herzoge und Brüder Ernst und
Wilhelm von Baiern-München.

1401
Dec. 16 dieselben von Munichen des gelts, darumbe sie ire wine von dir ußgenomen haben, genzlich ledig sin, und umbe alle sache zůschen dem obgenanten unserm vettern herzog Ludwig dir und den von Munichen gůtlich gehalten werden und in aller maß besten, als da sich der obgenant unser vetter herzog Ludwig daheim erhůbe herinne mit uns zu riten, so lange biß daz wir mit der gots hulfe wieder hinuß gein Dutschen landen 5 kommen. waz ir dann stoße und zweiůnge mit einander habent, die wollen wir gein einander verhoren und uch darumbe entscheiden. wann uns nit lieb were und horten auch gar ungerne besůnder, daz du oder die dinen uch in dheinen weg verkurzen oder nit achten soltent unsere brieve und gebodte, als wir die allen fursten herren unde andern gesant verkundet und gebodten haben, wann daz uns in vile wege infelle und 10 schaden und auch dir verwißen bringen mochte, als din liebe selbs wol versten mag. so gestedten wir auch suhst ungerne, daz unser vetter herzog Ludwig und dů oder die uwern von beiden siten einander unwillen oder anders, daz sich zu unfruntscheften treffen mochte, erzeugen und erbieten soltent, und getrůwen diner liebe wol, du sist davor, daz daz abgetan werde, und begern heruf din beschriben entwert mit diesem 15
1401 bodten.   datum Veneciis 16 die mensis decembris anno domini millesimo 401 regni
Dec. 16 vero nostri anno secundo.

Dem hochgebornen Ernsten pfalzgraven bi   Ad mandatum domini regis
Rine · und herzogen in Beyern unserm lieben   *Johannes* Winheim.
vettern und fursten.   20

1401 6. *K. Ruprecht weist seinen Sohn den Reichsvikar Pf. Ludwig an, Sorge zu tragen*
Dec. 16   *daß Herzog Ernst von Baiern die Münchner als Unterthanen des auf dem Ita-*
lienischen Feldzug befindlichen Herzogs Ludwig VII von Baiern nicht beschädige.
1401 Dec. 16 Venedig.

> *Aus Karlsr. G.L.A. Pfälz. Kop.-Buch 146 fol. 17* ab *cop. ch. coaev., das ganze Stück, wie* 25
>   *nr. 5 und 7, am Rande mit Null und Klammern versehen, die jedesmal die ganze*
>   *Seite am äußeren Rande umfassen.*
> *Coll. Janssen R.K. 1, 639-640 nr. 1064 aus einem in seinem Privatbesitz befindlichen*
>   *Kodex* Acta et Pacta *202-205.*
> *Moderne lateinische Übersetzung gedruckt bei Martène et Durand Ampl. coll. 4, 84-85* 30
>   *nr. 57. — Regest Georgisch 2, 862 nr. 116 und Chmel nr. 1061, beide aus Mar-*
>   *tène l. c.*

Hochgeborner lieber sone und furste   uns hat der hochgeborne Ludwig pfalzgrave bi Rine und herzog in Beyern unser lieber vetter und furste gesagt, wie daz
etliche ußgetriben von Munichen uf der burgere daselben gutere in dem landgericht zu 35
Lanndsperg und in andern unsers vettern herzog Ernsten gerichten clagen und sich der
underziehen, und daz auch derselbe unser vetter herzog Ernste und sin bruder herzog
Wilhelm den egenanten vön Munichen ire wine haben zu Wöllffertshusen ufgehalten,
und auch geschaft daz man in alle ire gutere in iren gerichten solle niederlegen. haben
wir unserm vettern herzog Ernsten darumbe verschriben[1] als wir dir abeschrifte herinne 40
versloßen senden. herumbe begern wir mit ernste, daz du nicht laßest du schickest
unverzugelich etswen[a] unsers rats zu dem obgenanten unserm vettern herzog Ernsten,
der von unsern und dinen wegin im sage und an in werbe, daz er schaffen und bestellen wolle, daz dieselben clage genzlich und unverzugelich abgetan werden, als wir
ime daz vormals auch verschriben haben, und daz die von Munichen des geltes, darumbe 45
sie ire wine ußgenomen habend, ledig gesagt werden, als wir ime des sunderlich wol
getruwen. und laß dir daz ernstlich enpholen sin, und schaffe wie du macht daz alle

____
a) *cod.* etswann, *so auch Janssen.*

[1] *S. nr. 5.*

sachen zuschen in besten und bliben wie die verlaßen sin zu dem male als unser vetter ₁₄₀₁ _{Dec. 16}
herzog Ludwig von Munichen schiede mit uns herinnezukommen. wann, wo des nit
beschee, daz brecht uns vast infelle gein andern luten, nach dem als wir fursten herren
und andern mit unsern uffen brieven [1] verkundet und gebodten haben bi pene der achte
5 und andern unsern ungnaden, daz uns schaden und ime ungelimph brechte, daz uns
nit lieb were. und waz unser vetter herzog Ernste darinne du oder dun wolle, des laß ₁₄₀₁
uns allzit din entwert herwieder wißen. datum ut immediate supra [2]. _{Dec. 16}

Dem hochgebornen unserm lieben sone und
fursten Ludwigen pfalzgraven bi Rine und Ad mandatum domini regis
10 herzogen in Beyern und unserm und des richs Johannes Winheim.
vicarien in Dutschen landen.

7. K. Ruprechts Anweisung an den Landschreiber von Amberg für die Verhandlungen _{[1402}
mit Herzog Ernst von Baiern, gegen den er die Unterthanen des auf dem Italie- _{Fbr. 28]}
nischen Feldzug befindlichen Herzogs Ludwig VII von Baiern in Schutz nimmt.
15 *[1402 Febr. 28 Padua [3].]*

Aus Karlsr. G.L.A. Pfälz. Kop.-Buch 146 fol. 17 b-18 b cop. ch. coaev., das ganze Stück
mit Null und Klammern versehen, wie das vorhergehende nr. 6.
Coll. Janssen R.K. 1, 669-672 nr. 1098 aus einem in seinem Privatbesitz befindlichen
Kodex Acta et Pacta 202-205.
Moderne lateinische Übersetzung gedruckt bei Martène et Durand Ampl. coll. 4, 85-87
nr. 58.

Werbunge an herzog Ernsten von Beyern.

[1] Item sollent ir imme mins herren dez kunigs briefe zum ersten antwerten und
daruf sagen, daz imme min herre der kunig sine liebe und fruntschaft enbodten habe,
und daz er und mine frauwe die kuniginne und alle die sinen von gots gnaden gesunt
25 und starke sin, dezglichen er allzit von imme begere zu vernemen, als billichen ist.

[2] Item und daz mine herre der kunig sin erbere botschaft sit sant Michels tage _[1401]
her bi unserm heiligen vatter dem babste zu Rome gehabt habe [4], und unser heiliger _{Spt. 29}
vatter der babst habe auch sin botschaft itzunt kurzlichen bi mine herren dem kunige
zu Venedigen gehabt [5]. und uf dieselben unsers heiligen vatters des babists botschaft
30 habe min herre der kunig iezunt aber sine erbere botschaft mit namen den von Falkenstein und siner prothonotarien einen [6] zu siner botschaft, die vor zu Rome ist [7], zu
unserm heiligen vatter dem babst gesant und weiß auch nit anders dann daz unser
heiliger vatter der babst genzlichen bi imme verliben und auch getruwelichen bigestendig
und beholfen sin wolle zu allen sinen und dez richs sachen und gescheften. und mine
35 herre der kunig stelle sich auch genzlichen darzů mit der gots hilfe ietzunt kurzlich
gen Rome zu riten sine keiserlich cronunge zu enphahen etc. und erzelent imme also
von mins herren leufen als uch dann daz beste und bequemlichst dunket sin.

---

[1] nr. 1.
[2] Vorher geht das Stück nr. 5 vom 16 Dec.
40 1401.
[3] Dieses Stück gehört mit der Instruktion für
den Landschreiber von Amberg nr. 8 aufs engste
zusammen (vgl. art. 15. 16. 17 dort) und ist augenscheinlich entweder am gleichen Tage oder nur
45 um weniges früher entstanden.
[4] RTA. 4 nr. 17 ff. Gesandtschaft F, Konrad
von Verden und Nikolaus Buman; Michelstag ist
etwas ungenau.

[5] Ib. nr. 23 ff. Gesandtschaft G, Franciscus von
Montepulciano, den Nikolaus Buman nach Venedig von Rom aus begleitete.
[6] Ib. nr. 28 ff. Gesandtschaft H, Philipp von
Falkenstein und Nikolaus Buman, der somit jetzt
wider nach Rome zurückkehrte.
[7] Konrad von Verden war in Rom zurückge-
blieben, s. RTA. 4 nr. 23 ff.

[1402
Por. 23]

[3] Item und darnach so sprechent: lieber gnediger herre. min herre der kunig hat mich uwern gnaden heißen sagen: als er uch vor etwie dicke geschriben und gebeten habe, daz ir alle sache und zweiunge zuschen mime herren herzog Ludewig und uch und auch mit namen von der von Munchen wegin [1] gutlichen woltent laßen besten, biß daz mine herre herzog Ludewig wieder hinuß gein Dutschen landen queme, in aller der maße und wise als es stunde da derselbe min herre herzog Ludewig nehst daheim ußreit, und daz auch mit namen soliche clage, als die ußgetriben burgere von Monchen uf der von Munichen gutere an dem lantgericht zu Lantsperg und an andern uwern gerichten getan haben, genzlichen abegetan worden, und daz die von Mûnichen auch solichs gelts, darvor sie gesprochen haben als von etlicher wine wegen die in ufgehalten sin, genzlichen ledig gelaßen worden etc.

[4] Item daruf si mime herren dem kunige kein folliclich antwert von imme worden; und mine herre herzog Ludewig habe mim herren dem kunige furbraht, die von Munchen haben im verschriben, daz min herre herzog Ernste und die sinen sie von tage zu tage hoher und verrer understen zu tringen, und sie nit dabi verliben laßen alz sie waren da mine herre herzog Ludewig nehst daheim ußreit.

[5] Item nû wisse er wol, daz mine herre der kunig da er dannoch in Dutschen landen waz allen fursten und stetden verschriben habe in sinen offen briefen [2], daz nimand aller und iglicher fursten graven herren rittere knechte und stetde, die mit imme gein Lamparthen zuhen und ir dienere zu dinste schickten, lute gûte und habe die zit als lange sie bi imme in sim dinste sin bescedigen oder angriffen solle in dehein wise, sunder daz sie die zit sicher sin sollen vor allermenglich etc., als dann dieselben briefe clerlich ußwisen.

[6] Item und derselben briefe habe min herre herzog Ludewig minen herren den kûnig ermanet. und ob dez nit were, so si doch derselbe min herre herzog Ludewig itzunt bi mim herren dem kunige hie-inn in Welschen landen und sie imme auch getruweliche bigestendig und beholfen zu allen sinen gescheften und sachen, also daz er im wol schuldig si zu helfen und zu raten, daz er und die sinen nit verunrechte werden etc.

[7] Item und darumbe so bidte in mine herre der kunig aber mit ganzem ernste so er allerfruntlichste moge, daz er alle spenne und zweiunge zuschen mime herren herzog Ludewigen und imme und auch mit namen von der von Munchen wegen gutlichen wolle laßen besteen, biß daz min herre herzog Ludewig wieder hinuß gein Dutschen landen kome, in aller der maße und wise alz ez zu der zit zwuschen in stunde da sich der obgenant min herre herzog Ludewig daheim erhube mit mime herren dem kunige herinne gein Welschen landen zu riten. und daz auch mit namen soliche clage, als die ußgetriben burgere von Monichen uf der von Munichen guter an dem lantgerichte zu Landsperg und an andern mine gerichten getan haben, genzlich abegetan werden, und daz auch die von Munichen solichs gelts, darvor sie gesprochen haben als von etlicher wine wegen die in ufgehalten sin, genzlich ledig gelaßen werden.

[8] Item und mine herre der kunig getruwe imme auch genzlichen wol, daz er ansehe wie sin und dez richs sachen zu dieser zit gestalt sin, und bestelle und [a] dû daz alles also in der maße als vor geschriben stet umbe sinen willen und imme zu liebe [b], als er imme auch sunderlichen und genzlichen wol getruwe; wann wo er dez nit dete, daz mehte mimme herren dem kunige groß infelle in sinen und dez richs sachen als von mins herren herzog Ludewigs wegen, daz imme der nit als willig were als sust

a) cod. daz; *Janssen* daz, om. dû. b) *Janssen fügt hier ein* [geschehe].

[1] S. pag. 29 Anm. 3.   [2] nr. 1.

oder licht zumale von imme hinuß gein Dutschen landen riten wurde, daz imme gar *[1402 Fbr. 28]*
schedelichen were. und min herre der kunig getruwe imme wol, er si davor wann
imme daz doch keinen schaden bringen möge.

[9] Item und min herre der kunig wolle daz auch ane allen zwifel gein imme bedenken und sich in allen sinen sachen und gescheften als gnediclich und fruntlichen
gein im bewisen, daz ez imme auch wol zu danke sin solle.

[10] Item und sagent imme auch, ob daz were daz die von München dehein anderunge oder nuwunge angehaben hetten sit der zit daz mine herre herzog Ludewig
nehst daheim ußreit, daz er das mim herren dem kunige eigentliche wolle verschriben
und an welichen stucken; so habe min herre der kunig mit mim herren herzog Ludewig
geredt, daz er mit in schaffen und bestellen wolle, daz sie daz auch unverzugenlich
abetün sollen.

[11] Item und uf die vorgeschriben werbunge vordernt, daz er mim herren dem
kunige ein fruntliche antwert geben wolle, und, wil er daz also tün und bestellen in
der maße alz fur geschriben stet, daz er daz mim herren dem kunige in sinen briefen
auch verschriben wolle. und schickent die dann auch mim herren dem kunige furbaz.

[12] Item wer' ez aber daz er dez ie nit tün wolte, so sagent im: „gnediger herre.
diewile ir dann nit anders und dez umbe mins herren dez kunigs willen nit tün wollent,
so hat mich min herre der kunig uch heißen sagen, er wolle mins herren herzog Ludewigs ie nit laßen und auch nit gestatten daz er und die sinen verunrechte werden.
und hat auch mime herren herzog Ludewig sinem süne dez richs vicarien in Dutschen
landen geschriben und in geheißen den von Munichen von sinen wegen gein uch beholfen zu sin, daz sie von uch und den uwern nit hoher und verrer gedrongen werden
und dabi verliben als sie waren da min herre herzog Ludewig nehst daheim ußreide,
biß daz derselbe min herre herzog Ludewig wieder hinuß gein Dutschen landen kompt".

8. *K. Ruprechts Anweisung für den Landschreiber von Amberg, der auf die Anfragen* 1402
   des Reichsvikars Pf. Ludwig betreffend Geldangelegenheiten, Schuldentilgung, Über- *Fbr. 28*
   griffe des Burggrafen Johann von Nürnberg etc. antworten und mit anderen ge-
   nannten Fürsten verhandeln soll. 1402 Febr. 28 Padua.

   Aus Karler. G.L.A. Pfälz. Kop.-Buch 146 fol. 19ᵃ-21ᵃ cop. ch. coaev.
   *Coll. Janssen R.K. 1, 663-668 nr. 1096 aus einem in seinem Privatbesitz befindlichen
   Kodex Acta et Pacta 208-209.*
   *Moderne lateinische Übersetzung gedruckt Martène et Durand Ampliss. Coll. 4, 87-92
   nr. 59. — Regest dorther Chmel nr. 1145.*

Werbunge des lantschribers von Amberg an min herren herzog Ludewigen feria 3 post 1402
oculi Padue etc. *Fbr. 28*

[1] Item mime herren herzog Ludewigen zu sagen, daz ez von gots gnaden mime
herren dem kunige miner frauwen der kuniginne minem herren herzogᵃ Hansen und
herzog Otten wol gee und gesunt sin, dezglichen sie auch allzit von imme und sinen
geswisterden bi imme allzit begerndeᵇ sin zu vernemen.

[2] Item und als mine herre herzog Ludewig mime herren dem kunige geschriben
und enbotten hat daz imme dri wochen nach sant Martins tag¹ ein brief von mim 1401
herren dem kunige kommen si, dez datum stunde zu der Müteᶜ under dem Crutzeberge *Dec. 2*

---

a) *unlesbar wegen Beschmutzung.* b) *cod. und Janssen begerne.* c) *Janssen Murte.*

---

¹ *Genauer am 1 December, s. Brief des Pfalzgrafen an Frankfurt vom 4 December nr. 183.*

1401
Nov. 9
uf den mitwoch vor sant Martins tag [1], und sither si mim herren herzog Ludewigen von mim herren dem kunige oder von miner frauwen oder von iemand der bi mim herren dem kunige si wol in achte ganzer wochen nie kein brief oder botschaft kommen, darumbe verlange minen herren herzog Ludewigen und mins herren dez konigs rete da-uß usser maßen sere etc.: item daruf sollent ir mime herren herzog Lude- 5 wigen sagen, daz, alz min herre gein Padaw keme, da meinte er daz imme die Florentzer die 90000 ducaten bezalt und auch follenfurten und gehalten solten [a] han nach ußwisunge der capitel alz sie sich dann verschriben haben [2]. daz verzogen sie imme allez. und mine herre der konig stunde also mit in in tedingen mee dann 8 ganzer wochen, also daz er kein ende mit in treffen kunde. und also verzoge ez sich daz min herre der 10 kunig mime herren herzog Ludewig die zit nichts geschriben kunde, wann er alle tage ein ende meinte mit den Florentzern zu han, daz er imme dann ein ganze eigenschaft geschriben mochte. und alsbalde min herre der konig ein ende mit den Florentzern hatte und sich darzu gab hie-inne in Welschen landen zu verliben, da verschreib er ez zu stund mim herren herzog Ludewigen und auch andern eigentlich, und er hat im 15 auch sither etwie dicke von sinen leufen hie-inne geschriben, alz er daz auch selber wol wiß etc.

[3] Item und als mine herre herzog Ludewig mim herren dem kunige enbodten hat von miner frauwen von Cleve wegen [3], dez hat min herre der kunig ire cleinod die zu Nuremberg vor den von [b] Swartzpurg stunden geloset, alz er daz auch mim herren 20 herzog Ludewig vor geschriben hat. und mins herren dez kunigs meinunge ist, daz min herre herzog Ludewig du wie er möge, und sie dem graven von Cleve nach diesen
1402
Mrz. 26
ostern heimvertige, wann min herre der kunig dem graven von Cleve geschriben und mit sime schriber enbodten hat, er wolle mit mim herren herzog Ludewigen be-stellen daz er imme sin husfrauwe nach diesen ostern unverzugenlich heimvertigen und 25 schicken solle. und were auch nit gut daz ez lenger verzogen worde, wann anders unrad darin fallen mochte, alz daz mine herre herzog Ludewig und die rede da-uß auch selber wol versten etc.

[4] Item und als min herre herzog Ludewig mime herren dem konige enbodten hat von den großen schulden die er da-uß schuldig ist, daz er darzu wolle gedenken und 30 gelt hinuß schicken daz man dieselbe schulde damit bezalen und ußgerichten möge, wann, wo daz nit geschee, so werde man großen schaden uf minen herren triben mit angriffen und pfenden und auch mit leistungen, davon mim herren groß schade und schande komme etc., item daruf ist mine herre der konig mit sinen reten geseßen und hat daz alleß gewieget [c], und er weiß und versteet auch wol daz ez mime herren herzog 35 Ludewig kummerlich und herte ist von der obgenanten schulde wegen. so sint auch sin sache bi imme in Welschen landen zu dieser zit also gestalt, daz er itzund kein gelt hinuß geschicken kan oder mag, als er daz mim herren herzog Ludewig*en* vor auch geschriben hat. und min herre der kunig meint, si ez daz die vierzigtusent guldin
1402
Apr. 16
zugelts, die itzunt dri wochen nach ostern mit dez kunigs von Engelland dochter 40 kommen und gefallen sollent [4], gevallen werden, daz dann min herre herzog Ludewig die

---

a) *Janssen wollen.* b) *cod. korr. v aus f; am linken Rande der Zeile die — auch ein Vermerkungszeichen in Form eines Sternchens.* c) *cod. gewieget mit übergeschriebenem e.*

[1] *Vgl. ibid. und nr. 184.*
[2] *Vgl. lit. D und wegen der 90000 Dukaten insbesondere nr. 32 art. 6. 16. 21 und nr. 35 art. 2 nebst Noten.*
[3] *Hier ist sicherlich die Tochter des Königs*

Agnes Gemahlin Adolfs II von Kleve gemeint. Bei Voigtel-Cohn 50. 214 ist dieselbe fälschlich als 45 schon 1401 gestorben bezeichnet. Das Verzeichnis der Kleinodien folgt als Beilage, nr. 9.
[4] *Vgl. Einleitung zu diesem Tage lit. J.*

angriffe und davon bezale[a], wo ez dann allernodest ist; so wolle mine herre der[b] konig imme dez richs gut darvor verschriben[1] und das wol gliche machen als er uch dem lantschriber eigentlich davon gesagt hat etc.

[5] Item were ez aber daz infelle darinne kemen[c] und daz die 40000 guldin nit gefielen, dez min herre der konig doch nit meinet, so ist mins herren dez konigs meinunge, daz man mit den schuldenern zu Beyern, wer sie dann sin, rede daz sie mim herren dem konige frist geben umbe ire schulde biß hinuß zu sant Michels tage oder, ob sie dez nit tůn wolten, doch biß zu sant Johanns tage, so wil mine herre der kunig auch hie-inne in Lamparthen, alsbalde ime botschaft kompt daz in unser heiliger vatter der babste approbieret habe, an die Venediger Florentzer und ander, daruf er dann vertrost[d] ist, versuchen wie er gelte ußbringe[2], davon er auch mime herren herzog Ludewig zehen oder zwolf tůsent gulden, ob er daz anders mit icht getůn mag, meinet zu schicken, daz man die schuldener, die ie kein ziele geben wollen, doch damit gestillen moge.

[6] Item und were ez daz die schuldener mim herren herzog Ludewig kein ziele geben wolten, so hat mine herre der konig allen sinen stetden zu Beyern glaubsbriefe geschriben uf hern Ulrich Lantschaden den vitztům und den lantschriber zu Amberg, und ist mins herren dez konigs[e] meinunge, daz sie zwene dann mit denselben stetden allen von mins herren dez konigs wegin reden und sie bitden, daz sie sich der schulde gein den schuldenern verfahen wollen und in darvor sprechen die uf ein zit zu bezalen. so meinte min herre der konig, wann sie daz důn, daz sie dann wol lenger frist darumbe gewinnen sollen und daz min herre herzog Ludewig auch den stetden verspreche und in dez sin briefe gebe, daz man sie umbe solich schult gutlich ußrichten und entheben solle.

[7] Item und min herre der kunig begert auch, das man in unverzogenlich, so ez dann allererste gesin mag, laß wißen ob daz gelt von Engelland gevalle oder nit und wie ez darumbe gelegen si, wann er ie[f] meint daz dasselbe gelt sicher gevallen und daz kein stoße daran sin solle, diewile er doch alle brieve von derselben sache wegen genzlichen gevertiget und hinußgeschickt habe.

[8] Item und als mine herre herzog Ludewig mime herren dem konige enbotden hat, das burggrave Hanns den Beheimstein ingenommen habe[3] und daz er den Holenberg auch innemen wolle und daz er auch Begenitze und andere dorfere und zugehorunge haben wolle die min herre der kunig vor jare und tag in der fientschaft gewonnen und bißher ingehabt habe und auch noch innehabe etc., und daz er auch meine von derselben sloße wegen rechte in die welde zu han die gein Urbach gehorent etc., item daruf hat min herre der konig mime herren burggrave Hansen glaubsbriefe ge-

---

a) aus bezalen *korrigiert.* b) aus *herr korrigiert.* c) Janssen komen. d) cod. *und* Janssen verstrost. e) cod und Janssen konig. f) cod. y *mit übergeschriebenem* e.

---

[1] *So geschah es dann auch, vgl. unsere Einleitung zum Nürnberger Tage von 1402 lit. F.*
[2] *Am 2 Jan. 1402 hatte der Rath von Venedig beschlossen, K. Ruprecht, wenn der Pabst ihn konfirmiere, 30000 Dukaten zu leihen, s. nr. 73. Anfang April machte Ruprecht den Versuch von Venedig 12000 Dukaten zu erhalten, bekam aber eine ablehnende Antwort, s. nr. 82.*
[3] *S. Mon. Zoll. 6 nr. 133. 141. 142. 143. Das Einverständnis zwischen Burggraf Johann und K. Wenzel machte den Vorgang zu einem für* Ruprecht besonders unangenehmen. — An Beziehungen zu K. Wenzel hat man vielleicht auch bei folgender Urkunde zu denken. K. Ruprecht bekennt, daß die Herzöge Friderich und Ulrich zu Teck, die während seines Aufenthalts in Lombardien etliche Sachen geworben haben sollen, die wider ihn und das Reich waren, vor ihm gewesen sind und sich genügend entschuldigt haben; dat. Nuremberg fer. 4 p. Agnet. [Jan. 24] 1403; Karlsr. G.L.A. Pfälz. Kop.-B. 8¼ fol. 59^b cop. ch. coaev.

1402
Fbr. 28
sant uf herr Hartung Egloffsteiner den alten und uf den lantschriber zu Amberg, die
sollent von mins herren dez konigs wegen mit im reden, daz mine herre burggrave
Hans mim herren dem konige oder mim herren herzog Lûdewig und sinen amptluten
von mins herren des konigs wegen die obgenanten sloße den Behemstein und den Holenberg innegebe, und daz er minen herren den konig in den kauf laß treden in aller der   5
maße als der an in kommen ist, umbe dez willen daz man ane haderunge an dem ende
verliben moge.

[*9*] Item und were ez daz burggrave Hans dez nit tûn wolte, so ist mins herren
dez kunigs meinunge, daz min herre herzog Ludewig sich eines tages mit imme ver-
eine, und den vitztûm von Amberg herr Hartung Egloffsteiner den alten und andere   10
amptlute zu Beyern, die in dann gût darzû dunkent sin und die allermeiste umbe die
sache wißen, zu demselben tag schicke, und daz man an der kuntschaft verhore, warzû
burggrave Hans rechte habe daz man in auch dabi laß verliben, warzu auch min herre
der konig rehte habe daz er auch dabi verlibe. und so daz also geschiehte[a], wolte
dann burggrave Hans verrer griffen darzû er kein rehte hette, so ist mins *herren*[b] dez   15
konigs meinunge daz man imme das were und nit gestatte.

[*10*] Item und als[c] min herre herzog Ludewig mim herren dem konige auch enboten hat, daz er burggrave Hansen daz Blech laße volgen, als imme min herre der
kunig geschriben hat, und daz burggrave Hans die armen lute zum Bleche die zinse
nit laßen reichen zum Hertenstein, die allwegen darzû gehort haben und die sie vor vil   20
jaren dahin geben und gereicht haben etc., daruf ist mins herren dez kunigs meinunge:
was gulte und zinse von rechts wegen zu dem Hertenstein gehören und vor darzû gedient haben, ee mine herre der konig den Hertenstein kauft, daz die auch noch darzû
gehoren und dienen sollen; und wer' ez daz sich die armen lute zum Bleche oder andere,
wer die weren, die soliche zinse geben sollen, darwieder setzten und der niet[d] geben   25
wolten, daz man die dann darzu halten und dringen solle dieselben zinse zu geben in
aller der maßen als sie die vor geben haben; wann, wiewol min herre der konig burggrave Hannsen daz Blech hat laßen volgen, so ist doch nit siner meinunge, daz die
armen lute zûm Bleche darumbe der zinse die sie jerlich zum Hertenstein pflichtig sin
zu geben ledig sin sollen.   30

[*11*] Item die tedinge zwuschen der Pflugynn und Ulrich Kagerer als von der
sloß und der 1600 guldin wegen, daz gevellet mim herren dem konige wol daz man
dem also nachgee und zu ende bringe.

[*12*] Item und als min herre herzog *Ludewig* mim herren dem konige enbotden
hat von dez herzogen von Gelre wegen, daruf hat er mim herren herzog Ludewig vor   35
geschriben und ist auch noch sin meinunge: ob daz were daz der herzog von Gelre
von dots wegen abegangen were oder noch[e] abegienge[1], daz dann min herre herzog
Ludewig sich dann zu stûnt selber zu dem bischof von Colne[2] fuge und dez rat darinne
habe, waz darinne zu tunde si und wie man dem nachgen môge. und mohte der grave
von Cleve irgent zu imme kommen, daz er dann auch selber mit imme davon rede und   40
sinen rate darinne habe; mag er aber nit selber zu imme kommen, daz dann min herre
herzog Ludewig sine erbere rete zu im schicke und daz die sinen rat auch in den
sachen haben. und weß sie also zu rate werden, daz min herre herzog Ludewig daz

a) *verbessert aus geschiekte.* b) *om. cod. und Janssens Vorlage.* c) *verbessert aus das.* d) *cod. nit mit über-*   45
geschriebenem e. e) *Janssen nach.*

[1] *Wilhelm von Jül.-Geld. stirbt 16 Febr. 1402,*   [2] *Vgl. Gedechtniß von des tages wegen zu Cleve*
dann folgt sein Bruder Reinald, Voigtel-Cohn   *beim Mainzer Reichstage vom Juni 1402 nr. 236.*
212.

allez mime herren dem konige unverzogenlich verschribe, so wolle er mit sinen reten ^{1409 Fbr. 28} hie-inne auch daruf zu rade werden etc.

[13] Item herr lantschriber ir sollent an dem ußriden zu dem bischof von Saltz-burg riten und imme mins herren dez konigs glaubsbrief uf uch sprechend antwerten 5 und daruf werben als ir dann von mim herren dem konige gescheiden sint.

[14] Item darnach sollent ir riten zu herzog Heinrich und imme und sinem vitz-tûm und lantschaft mins herren des konigs glaubsbrief auch antwerten, und daruf werben von der 12000 guldin wegen zugelts [1], die mim herre burggrave Friderich von Nurem-berg itzunt zu unser frauwen tag liechtmeß nehstvergangen gevallen solten sin, daz die ^{1409 Fbr. 2} 10 noch unverzogenlich gevallen, und manent auch daran und tribent die sache so ir beste mogent daz das gelte ie gevalle, daz min herre der konig siner eigen sloße mim herren burggrave Friederich darfur nit dorf innegeben etc., als er daz vor herzog Heinrich vor eigentlich verschriben hat.

[15] Item darnach sollent ir riten zu herzog Ernsten und dem mins herren dez 15 konigs glaubsbrief antwerten und daruf an in werben als von der sache wegen zuschen mim herren herzog Ludewig und im und den von Munchen, als dann die zeicheniße daruber gemaht [2] clerlich ußwiset, und daz er auch den brief uber Hersprucke etc. be-·siegeln wolle.

[16] Item und darnach sollent ir riden zu den von Munichen und sollent in eigent-20 lich erzelen, wie ir von mins herren dez konigs wegin an herzog Ernsten geworben habent und wie ir von im gescheiden sint.

[17] Item darnach sollent ir riten zu mim herren herzog Ludewig mins herren dez konigs sone und sollent dem uwer werbunge von mins herren dez konigs wegen sagen als vor geschriben stet und imme darnach auch eigentlich erzelen, wie ir von mins herren 25 dez konigs wegen an herzog Ernsten geworben habent und wie er uch auch daruf ge-antwert habe. und ob daz were daz herzog Ernste die von Munchen umbe mins herren dez konigs bete willen ie nit dabi wolte laßen verliben, als sie waren da min herre herzog Ludewig nehst daheim ußreit, biß daz derselbe min herre herzog Ludewig wieder hinuß gein Dutschen landen kommet, so si mins herren dez konigs meinunge, daz in 30 min herre herzog Ludewig der vicarie wieder herzog Ernsten beholfen si daz sie dabi verliben mogen als dann in der zeicheniß eigentlich begriffen ist.

---

[1] Als Mitgift der Burggräfin Elisabeth. — K. Ruprecht setzt auf Wunsch der Betheiligten den Heirathsvertrag zwischen Burggraf Friderich von 35 Nürnberg und Elisabeth Schwester Herzog Heinrichs von Baiern fest: von der Mitgift der Elisabeth im Betrage von 25000 ung. fl. sollen 12000 sofort bezahlt und 13000 auf genannte Pfandschaften gegeben werden die Friderich widerum verpfänden 40 darf vorbehaltlich des Einlösungsrechtes Herzog Heinrichs oder seiner Erben; Friderich verzichtet für sich und seine Erben auf die Erbschaft in Baiern; Friderich soll seiner Gattin Heirathsgut und Morgengabe geben nach des Königs Rath; 45 dat. Augspurg Do. n. Kreuzes Tag als es erhöhet ward [Sept. 15] 1401 r. 2; Karlsr. G.L.A. Pfälz. Kop.-B. 8¼ fol. 38ᵇ-39ᵃ cop. ch. coaev. — König Ruprecht sein Sohn Ludwig und die Herzöge Stefan Ludwig und Heinrich von Baiern setzen 50 den Heirathsvertrag zwischen Elisabeth von Baiern und Burggraf Friderich fest, im wesentlichen wie oben, doch verpflichtet sich K. Ruprecht für sich und seinen Sohn, falls Herzog Heinrich die ver-sprochenen 12000 fl. nicht in der festgesetzten Frist bezahlen könne, dem Burggrafen genannte Schlösser zu verpfänden; dat. Sa. vor Mathei [Sept. 17] 1401; Karlsr. l. c. fol. 39ᵇ-40ᵃ cop. ch. coaev., durchstrichen. — K. Ruprecht bekennt, daß Herzog Ludwig von Baiern sein Vetter ihn von der Bürgschaft, die er bei Vermählung des Burggrafen Friderich von Nürnberg mit Elisabeth von Baiern geleistet hat, gelöst und ihm seinen (des Königs) Bürgschaftsbrief vom Burggrafen widergeschafft hat; der zur Zeit verlorene Brief, den Herzog Ludwig ihm in dieser Angelegenheit ausgestellt hat, soll diesem keinen Schaden mehr bringen; dat. Heidelberg fer. 4 post Mathei [Sept. 23] 1405 r. 6; Karlsr. l. c. fol. 96ᵇ-97ᵃ cop. ch. coaev.; diese Urkunde ist auch aufgeführt am Schluß des von Höfler Geschichtschreiber d. Hussit. Bew. 2, 464f. gedruckten Verzeichnisses.

[2] nr. 7.

[ad
1402
Fbr. 28]
9. *Beilage zu nr. 8. Verzeichnis der Kleinodien der Gräfin Anna von Cleve* [1]*. [ad
1402 Febr. 28.]*

Aus Karlsruhe Pfälz. Kop.-Buch 149[b] *fol. 314*[a b] *cop. ch. coaev.; die Absätze des Kodex
sind bei uns analog widergegeben.
Coll. Janssen Frankf. R.K. 1, 668-669 nr. 1097 aus Kodex eigenen Besitzes Acta et   5
Pacta 208-209.
Gedruckt früher schon bei Mone Anzeiger f. K. d. T. V. 6, 248 aus unserer Vorlage,
die irrig als Kop-Buch 146*[b] *bezeichnet ist, mit sprachlichen und sachlichen Erläu-
terungen ibid. 248 f.*

Nota. minr frauwen von Cleve kleinod.   10
Zum ersten zwo silberin kannen, die sint uberguldit.
Item zwo silberin kannen.
Item 4 ubergult kopfe [2], die nuwe sint.
Item ein ubergulten kopfe, der alte ist.
Item ein ubergulten pecher [a], der alt ist.   15
Item 2 silberin kophe.
Item ein ubergulte mischekanne.
Item ein ubergulte schal.
Item 10 grosse silberin schußeln.
Item 10 cleine silberin schusseln [b].   20
Item zwei silberin wasserbecken.
Item 20 silberin becher.
Item ein horn [3], mit silber beslagen.
Item ein silberin krutfaße [4].
Item ein loffel darzu.   25
Item ein barillen [5]-kopfel, beslagen.
Item ein fledrin [6] beslagen kopflin.
Summa 61 stücke.
Item ein schappel [7] mit einem großen wißen hirze und swanen.
Item ein schappel mit einem cleinen wißen hirze.   30
Item ein perlin-halspant mit spengelchin [c 8].
Item ein gulden kranze mit den rosen.
Item ein halspant mit gulden spengelchin.

a) cod. pether. b) dieses Alinea mit anderer Tinte von derselben Hand hinzugefügt neben dem vorhergehenden.
c) Janssen spengelchin.   35

---

[1] *Das Stück steht nach einem von sabb. ante
Simon et Jude ap. [Okt. 25] 1404 und vor einem
von vig. purif. [Febr. 1] 1408, gehört der Tinte
nach eher zu dem vorhergehenden; in Janssens
Vorlage (s. Quellenangabe) folgt es anscheinend
unmittelbar auf die Anweisung an den Landschreiber von Amberg 1402 Febr. 28 nr. 8, und
über die Zusammengehörigkeit kann kein Zweifel
bestehen, da in nr. 8 art. 3 von den Kleinodien
die Rede ist.*
[2] *Trinkgefäß, s. Mone Anzeiger 249 und Lexer
mhd. HWB.*

[3] *Ebenfalls Trinkgefäß, s. Mone l. c. und Lexer.*
[4] *Lexer: „Büchse für Eingemachtes?" — Ich
vermuthe hier: Gemüse-Schüssel zum Auftischen;
so meint auch wol Mone l. c. „Krautgefäße für
Gemüse".*   40
[5] *Lexer: berille, barille, berillus, Name eines
Edelsteines.*
[6] *Lexer: vlederin, von vlader, fraxineus; fladrin
holz, maser, murra; vgl. Mone l. c.*
[7] *Lexer: schäpel, schäppel, von Lexer näher   45
beschriebener Kopfschmuck; vgl. Mone l. c.*
[8] *Deminutiv zu Spange, vgl. Lexer spengelin.*

[ad
1402
Fbr. 26]

Item ein weich gurtel mit gulden schellen.

Item ein weiche gurtel mit schellen.

Item ein perlin-hornfessel [1].

Item ein prûne dapphart [2] mit perlin-ermel.

  5   Item ein rode scharlach-rock mit einer perlin-bruste.

Item ein grûn rock mit perlin-ermeln.

Item ein rode samant-mantel mit perlin-listen [3].

Item ein swarz samat-dapphart mit perlin-listen.

Item ein musierte [4] samat-rock mit perlin-listen.

  10   Item ein gulden dapphart.

Item ein rode gulden mantel.

Item ein gulden enge rock und ein mantel.

Item ein siden daphart von damasch.

Item ein blaw par rock und mantel, mit punde [5] gefutert.

  15   Item ein rode dapphart, mit siden gefutert.

Item ein enge prûn und swarz rock mit gulden borten.

Item ein siden kamer [6].

Item ein arraßin [7] kamer.

Item 11 samet pfulwen [8].

  20   Item ein siden heuptpfulwe.

Item 4 siden heuptkussen.

B. Anerkennungen K. Ruprechts durch Deutsche Reichsstände nr. 10-24.

10. *K. Ruprecht verspricht den Elsäßischen Reichsstädten Kaisersberg Münster und* [1401 Juli 11] *Türkheim daß er sie nie versetzen oder verpfänden oder dem Reiche entfremden wolle. 1401 Juli 11 Heidelberg.*

> *A aus Karlsr. G.L.A. Pfälz. Kop.-B. 4 fol. 58ᵇ-59ᵃ cop. chart. coaev., mit der gleichzeitigen Überschrift* Daz min herre die stette Keysersperg Munster und Dorenckeym nit versetze noch entfremde von dem riche.
> *C coll. Wien H.H. St.A. Registr.-Buch C fol. 50ᵇ cop. ch. coaev., mit derselben Überschrift.*
> *Regest bei Chmel Reg. Rup. nr. 538 aus C.*

Wir Ruprecht etc. bekennen und dun kunt offenbar mit diesem briefe allen den die in sehen oder horen lesen: daz wir haben angesehen stete truwe und gneme dinste, als uns und dem heiligen riche unsere lieben getruwen burgermeister rate und burger gemeinlich unsere und des richs stette zu Keysersperg zu Munster und zu Dorenkeim in Elsaße gelegen oft und dicke erzeiget und getan haben und noch dun sollen und mogen in kunftigen ziten, und haben in darumbe mit wolbedachtem mude gutem rade und rechter wißen die besunder gnade getan und dun in auch die in craft diß briefs und Romscher kuniglicher mechte, daß wir sie nicht versetzen noch verpfenden oder von dem riche in dheinen wege entfremden sollen und wollen, sunder sie dabi

---

[1] *Lexer: der Riemen woran das Hifthorn hängt.*

[2] *Lexer: Art Mantel, mit näheren Angaben; nach Mone l. c. ein Unterkleid.*

[3] *Lexer: bandförmiger Streifen, Leiste, Saum, Borte; Mone l. c.: Litzen.*

[4] *Lexer: muosieren, mûsieren, muosen, mûsen, als Mosaik einlegen, musivisch verzieren.*

[5] *Mone l. c. erklärt: buntes Futter ist Hermelinfutter.*

[6] *Lexer nach Mone l. c.: „ein Kleidungsstück, Kamisol?"*

[7] *Mone l. c.: Tuch von Arras.*

[8] *Lexer: Federküssen, Pfûhl, plumarium, pulvinar, pulvinus; ebenso Mone l. c.*

und [a] unser lantvogtien in Elsaße und zu unsern henden unzertrennet laßen bliben,
ane geverde. und wer' ez daß wir hernach von vergeßenheit von ungestummer bete
wegen oder anders, wie daß keme, dheine briefe geben, die wider diese unsere gnade
weren oder gesin mochten, wollen setzen und lutern wir mit rechter wißen in craft diß
briefs und Romscher kuniglicher mechte, daz die [b] kein craft oder macht haben sollen, [5]
sunder dote unmechtig und craftloiß sin. orkunt diß briefs versiegelt mit unserm
kuniglichen majestad-ingesiegel, geben zu Heydelberg of den mentag vor sent Margrethen
tag der heiligen jungfrauwen nach Crists geburte dusent vierhundert und ein jare unsers
1401
Juli 11 richs in dem ersten jare.

Ad mandatum domini regis [10]
Nycolaus Buman.

---

11. *K. Ruprecht bevollmächtigt Schwarz Reinhard von Sickingen Landvogt im Elsaß,*
Johann von Preußen Deutschordenskomthur zu Straßburg, Volmar von Wickersheim
Schultheiß zu Hagenau und andere, mit Bischof Humbert von Basel den Städten
Basel Zürich Bern Solothurn und den Eidgenossen von Schwyz über seine Aner- [15]
kennung als König und die Erneuerung ihrer Freiheitsbriefe zu verhandeln [1].   •
1401 Juli 29 Heidelberg.

> *A aus Karlsr. G.L.A.* Pfälz Kop.-B. 8¼ fol. 17[b] *cop. chart. coaev.; Überschrift Ein ge-*
> *waltsbrief uf hern Swartz Reinhart von Sickingen den commenture zu Straßpurg etc.*
> *mit dem bischof zu Basel und der stat zu Basel und den andern stetten zu tedingen.* [20]
> *B coll. ibidem Pfälz. Kop.-B. 149 pag. 14 cop. chart. coaev., mit derselben Überschrift.*

    Wir Ruprecht etc. bekennen und dun kunt offenbar mit diesem briefe: daz
wir Swartz Reinharten von Sickingen ritter unserm lantvogt in Elsaße, Johan von
Prußen commentur des Dutschen huses zu Straßpurg Dutsch ordens, Volmar von
Wickersheim unserm schultheißen zu Hagenow und etlichen andern unsern frůnden und [25]
lieben getruwen unser volle gewalt und maht geben han und geben in crafte diß briefs,
mit dem erwirdigen unserm und des richs fursten dem bischof zu Basel [2] und den ersamen unser und des richs lieben getruwen burgermeistern und rate der stad Basel und
der stette Berne Zurich Solottern und der eitgenoßen von Switzen frunden zu tedingen
zu uberkommen und zu besließen von ir gehorsamkeit wegen, die sie uns als eime [30]
Romschen konige dun sollen, und auch von unser bestetigunge uber ire friheid von dem
riche. und waz die obgenanten unser rete von unsern wegen in den sachen handeln
und besließent und ir besiegelte briefe daruber gebent, daz wollen wir also tun und
stete halten ane alle geverde und argeliste [c]. orkund diß briefs versiegelt mit unserm
anhangenden insiegel, geben zu Heidelberg uf den fritag nach sant Jacobs tag dez [35]
heiligen zwolfbotten nach Cristi geburt dusent vierhundert und ein jare unsers richs in
1401
Juli 29 dem ersten jare.

Ad mandatum domini regis
Mathias Sobernheim.

---

[1] *Vgl. die Anweisung nr. 382 in Bd. 4.*
[2] *In des Königs Auftrag nahm erst 1403 Ritter*
Schwarz Reinhard von Sickingen dem Bischof den
Huldigungseid ab, s. Tag zu Boppard 1404 Ein-
leitung lit. D. Ochs Gesch. der Stadt und Land-
schaft Basel 3, 19 behauptet irrthümlich, Seckingen
[sic] habe im Namen des Bischofs geschworen.

12. *Erzählung von einem Tag der Bodenseestädte mit 2 gen. Gesandten K. Ruprechts*   ¹⁴⁰¹
  zu Konstanz 1401 Juli 31 und von darauf erfolgter Huldigung 1401 nach ^{Juli 31}
  Aug. 27.   ^{und}
  ^{Aug. 27}
  ^{und}

    Aus Konst. St.A. Christof Schultheiß historische Collectaneen tom. 1 fol. 20-20½ ms. saec. ^{nachher}
    16; im Druck die Zeichen über u besser weggelassen. Es ist der zweite Abschnitt
    der früher mitgetheilten Erzählung RTA. 4 nr. 125.

Uf suntag nach Jacobi im 1401 jar sind vor den gesanten der stetten umb den ¹⁴⁰¹
Sew erschinen kunig Ruprechts gesandten her Cunrat vom Stain ritter genant von ^{Juli 31}
Mondspurg und her Albrecht von Berwangen hushoffmaister zu Haidelberg, und habend
¹⁰ den stetten furtragen: nachdem kunig Ruprecht vor etwas ziten sine gesanten bi inen
hie zu Costentz hab gehabt [1], die von inen huldigung begert habent, daruf sie inen
domalen zu antwurt worden, das si deshalb nit bevelch habent, aber si wellen es hinder
sich bringen und hinach daruf antwurt geben; uf sollichs habe si der kunig her ver-
ordnet und bitte si ernstlich als er sol, das ir im huldent und tugend als ainem Römi-
¹⁵ schen kunig, das wil er gen uch erkennen und tun was euch lieb ist. daruf antwurtent
der stett botten: lieben herren, sind ir hie mit sollichem gewalt das ir uns confirmieren
und bestäten wellen von unsers herren des kunigs wegen alle unsere privilei freihait
gnad brief und recht? antwurten si, das man si die brief lies hören. das geschach.
daruf begerten si der brief abgeschrift. das ward in abgeschlagen. daruf begerten des
²⁰ kunig gesanten, das man inen ein biderman oder zwen welt zugeben, so welten si die
sach an des kunigs hoff gern furdern. uf das wurdent gemaine gesandten der stett ze
rat, das si Clausen Schulthaissen mit in schicken welten an den hoff. der kam zu dem
kunig zu Ulm [2] und verhandlet die sach wie hernach volget.
    Also koment uf samstag nach Bartlomei her gen Costentz her Johans von Zimer ¹⁴⁰¹
²⁵ amptman zu Wildenstain, her Cunrat vom Stain ritter genant von Monspurg, und Ul- ^{Aug. 27}
rich von Albeck canzler. die brachtent den stetten confirmation irer freihaiten und
privilegien [3]. daruf bewilgeten die stett dem kunig ze schweren als ainem Römischen
kunig. und schwur man zu Costentz zum ersten, darnach zu Santgallen zu Lindaw zu
Wangen zu Ravenspurg zu Buchorn, und ze Uberlingen an dem letsten. dis was der
³⁰ aid [folgt der Huldigungseid RTA. 4 nr. 228].

13. *K. Ruprecht weist verschiedene Städte in derselben Form mut. mut. wie RTA. 4* ¹⁴⁰¹
  nr. 183 an, gen. Bevollmächtigten an seiner Statt zu huldigen. 1401 Aug. 7 bis ^{Aug. 7}
  Aug. 28 an verschiedenen Orten.   ^{bis}
  ^{Aug. 28}

    K. Ruprecht an die Stadt Heilbronn: weist dieselbe an, seinem lieben Getreuen Hans vom ¹⁴⁰¹
³⁵ *Hirschhorn Ritter Huldigung und Eide zu thun [4]; dat. Bönnigheim So. vor s. Laurentius 1401.* ^{Aug. 7}
Unterschrift Nycolaus Bumann. Aus Karlsruhe G.L.A. Pfälz. Kop.-B. 4 fol. 66ᵃᵇ cop. ch. coaev.
und Wien H.H. St.A. Registr.-Buch C fol. 57ᵃ cop. ch. coaev. — Regest aus letzterem bei Chmel
nr. 707.

¹ *Wegen der vorangegangenen Verhandlungen*   *745-748). Wegen Ertheilung der Reichslehen an*
⁴⁰ *vgl. RTA. 4 nr. 125.*   *die Bürger der Städte am Bodensee und im All-*
  ² *Dort urkundet K. Ruprecht am 10 und 11*   *gäu und ihre Verbündeten vgl. die Vollmacht für*
August, s. Chmel nr. 730-748.   *den Grafen Hugo von Werdenberg Landvogt in*
  ³ *Die beiden erstgenannten Herren waren am*   *Oberschwaben 1402 Aug. 30 (Chmel nr. 1287,*
14 Aug. von Ruprecht bevollmächtigt (s. unter   *Stälin Wirt. Gesch. 3, 381f.).*
⁴⁵ *nr. 13), die Privilegien der Städte am selben Tage*   ⁴ *Vgl. hierzu und zu den folgenden Vollmachten*
bestätigt (s. Chmel nr. 783, vgl. auch dort nr.   *nr. 14.*

1401
Aug. 10	*Derselbe an die Städte Reutlingen und Weil: weist dieselben ebenso an Ritter Eberhard vom Hirschhorn; dat. Ulm an s. Laurentius 1401, ohne Unterschrift, weil nur Regest mit Verweis auf die vorhergehende Vollmacht. Aus Karlsruhe ib. fol. 66ᵇ und Wien ib. fol. 57ᵃ.*

Derselbe an die Städte Konstanz Überlingen Buchhorn Ravensburg Sankt-Gallen Lindau und Wangen: weist dieselben an, dem edeln Hans Herrn von Zymmern seinem Amtmann zu Wildenstein 5
1401
Aug. 14	*und lieben Getreuen dasselbe zu thun; dat. Augsburg So. vor Mariae assumptio 1401. Unterschrift Ad mandatum domini regis || Nicolaus Bumann. Aus Karlsruhe l. c. fol. 84ᵃ cop. ch. coaev. und Wien H. H. St.A. Registr.-Buch C fol. 82ᵃ. — Regest aus letzterem bei Chmel nr. 786.*

Derselbe an die Städte Isny Kempten Biberach Leutkirch Memmingen Buchau Kaufbeuren Rottweil: weist dieselben ebenso an denselben wie in der zuletzt genannten Vollmacht, ohne Datum und 10
Unterschrift, weil nur Regest mit Verweis auf die vorhergehende Vollmacht, der sich wahrscheinlich auch auf das Datum bezieht. Aus Karlsruhe ib. fol. 84ᵃ und Wien ib. fol. 82ᵃ. — Regest aus letzterem bei Chmel nr. 785.

Derselbe an die Städte Dinkelsbühl Bopfingen Gmünd Aalen und Giengen: weist dieselben ebenso an den edlen Friderich Grafen zu Oettingen; dat. Werde 1401 o. T. und Unterschrift, weil 15
nur Regest mit Verweis auf die zweitvorhergehende Vollmacht. Aus Karlsruhe l. c. fol. 84ᵃ und Wien l. c. fol. 82ᵃ. — Regest aus letzterem bei Chmel nr. 784.

Derselbe an die Städte Basel Zürich und Solothurn: weist dieselben ebenso an seinen Landvogt
1401
Aug. 28	*im Elsaß Ritter Schwarz Reinhard von Sickingen [1]; dat. Amberg, So. n. Bartholomei 1401, Regest mit Verweis auf die Vollmacht für Weißenburg vom 8 Merz. Aus Karlsr. l. c. fol. 37ᵃ und Wien* 20
l. c. fol. 32ᵃ. — Regest aus letzterem bei Chmel nr. 880, wo auch noch Bern genannt ist.

1401
Aug. 10	**14. K. Ruprecht nimmt 18 gen. Schwäbische Reichsstädte in Huld und Schutz, sie sollen nie versetzt verkauft verkümmert verpfändet werden, die verfallenen Reichssteuern und etwa erhobene Judengelder behalten und sich gegen Beeinträchtigung dieser Artikel gegenseitig beistehen dürfen [2]. 1401 Aug. 10 Ulm.**	25

S aus Stuttgart Geh. H. u. St.A. Reichsstädte insgemein Bündel kaiserl. Urkunden 1346-1493 or. mb. lit. pat. c. sig. pend.
Auch in Stuttgart Geh. H. u. St.A. in zwei Vidimierungen des Abts Johann von Blaubeuren vom 24 Aug. (Barthol.) 1409; Abschriften in Karlsruhe G.L.A. Pfälz. Kop.-B. 4 fol. 70ᵃᵇ (coll.; und gnade om.), Wien H.H. St.A. Registr.-B. C fol. 60ᵇ-61ᵃ, Nürn- 30
berg Kr.A. Rotenb. Repert. tit. I Generalia C Urkunden Büchernummer 6 cod. mb. fol. 213ᵃ-214ᵃ cop. saec. 15, Stuttgart l. c. Ulmer Kopialbuch fol. 2ᵇ cop. mb. saec. 15 med., Bamberg Kr.A. Acta über Rotenb. s. T. wegen des Landfriedens cod. ch. saec. 15 fol. 16ᵇ; als Insertion in Bündnisurkunden Schwäbischer Städte aus der Zeit K. Ruprechts, so in der vom 4 Febr. 1402 (s. Anm. S. 43 lin. 26ª), noch 35
öfters im Stuttgarter Archiv und in Nördlingen St.A. Kopialbuch 1 fol. 25ᵇ-26ᵃ. 29ᵃᵇ. 34ᵃᵇ. 49ᵃ.
Regest Chmel nr. 725, Jäger Heilbronn 1, 168, Pfaff Eßlingen 335, Stälin 3, 378.

Wir Ruprecht von gots gnaden Romischer künig zů allen zijten merer des richs bekennen und dun kunt offinbar mit dissem brieffe allen den die yn sehen oder horen	40

---

[1] *Vgl. nr. 17ff., Bd. 4 nr. 379ff.*

[2] *Weshalb die Urkunde gerade für diese 18 Schwäbischen Städte gemeinsam ausgestellt ist, können wir nicht angeben. Es fehlen außer den Bodenseestädten noch manche andere, unter ihnen Augsburg, auch solche die damals von Ruprecht ihre Privilegien bestätigt erhielten. Die Städte die damals den Bund in Schwaben hielten waren Ulm Eßlingen Reutlingen Nördlingen Gmünd Biberach Weil Dinkelsbühl Kaufbeuren Bopfingen Aalen und Giengen (s. Stälin Wirtemb. Gesch. 3, 368 und Anm. 3 ebend.). Wie man sieht, hat unsere Urkunde 8 mehr, während Kaufbeuren*

und Aalen in ihr nicht genannt sind. Wegen letztgenannter Stadt vgl. nr. 15. — Zwölf genannte Schwäbische Reichsstädte [die eben genannten außer Eßlingen und Weil mit Zutritt von Heilbronn und Pfullendorf] verbünden sich auf Grund der Freiheiten, die Karl IV den Städten Augsburg u. s. w. gegeben hat [Insertion der Urkunde Karls IV vom 8 Jan. 1348, RTA. 2, 261, 1-10 und nr. 1] und die K. Ruprecht jeder Stadt einzeln bestätigt hat [Insertion einer Urkunde K. Ruprechts dat. Ulme Laurencien [Aug. 10] 1401 r. 1, in der er einer nicht genannten Stadt alle ihr von K. Karl IV und dessen Vorgängern Rö-

lesen: daz wir die stedte Ulme Eßlingen Rutlingen Heylprûn Gemûnde Wile Alun *1401*
Nordelingen [1] Byberach Pfullendorff Dinckelspohel Memmyñgen Kempten Kauffburen *Aug. 10*
Ysiny Lutkirch Bopfingen und Gyengen unser und des richs lieben getruwen umbe alle
widersecze und waß sich bißher darynne verlauffen hat und auch umbe alle andere er-
5 gangen sache in unser und des richs hulde und gnade entphangen haben und entphahen
sie auch darynn in crafft dijs brieffs, und wollen sie getruwelich hanthaben schuczen
und schirmen und yr gnediger herre sin.   wir haben auch denselben steten die besunder gnade getann, daz wir yr deheine durch keine unser noch des richs noit [*weiter
wie RTA. 1, 191 f. nr. 106 bis zum Schluß*]. orkunde dijs brieffs versiegelt mit unser
10 kûniglichen majestad ingesiegel, geben zû Ulme uff sant Laurencien tag des heiligen
merteler in dem jare als mann zalte nach Crists geburte vierzehenhundert und ein jare *1401*
unsers richs in dem ersten jare. *Aug. 10*

[*in verso*] R. Johannes de Landauwen.

Ad mandatum domini regis
Nicolaus Buman.

---

15 *mischen Kaisern und Königen ertheilte nicht näher
bezeichnete Freiheiten bestätigt, der Städtename
ist durch etc. vertreten] und die derselbe den
Städten gemeinsam abermals verliehen hat [Inser-
tion unserer Urkunde nr. 14], von neuem bis
20 St. Georgstag nächstkommend [April 23] und
durnach 3 Jahre, doch mit behaltnûß dem vorgnanten unserm gnädigsten herren kûnig Rüprech-
ten zûkûnfftigem kaiser [und weiter in wörtlicher
Übereinstimmung mit RTA. 2 nr. 145 bis art. 15
25 einschließlich]; dat. Sa. n. U. Frauen Tag Lichtmess 1402 [Febr. 4]; Stuttgart Geh. H. u. St.A.
Reichsstädte insgemein Bündel 7 or. mb. c. 12
sig. pend. del., nur die 12 Sigelstreifen erhalten;
Nördlingen St.A. Kopialbuch 1 fol. 29ᵃ-30ᵇ cop.
30 ch. prope coaev.; offenbar dasselbe was unter 9
Febr. 1402 anführt Stälin 3, 384 Anm. 3. — Für
die Stadt Weinsberg hatte K. Ruprecht schon am
12 Dec. 1400 eine ähnliche Urkunde wie unsere
nr. 14 ausgestellt; mit den durch die Einzahl der
35 Stadt gebotenen Änderungen und einigen unbedeutenden die Sache nicht betreffenden Abweichungen lautet dieselbe wörtlich wie RTA. 1 nr. 106,
bemerkenswerth ist unter den Abweichungen die
Stelle, welche sich auf das Privileg der andern
40 Städte bezieht daz dann dieselbe stad und die
andern stetd alle, den wir auch diese gnade mit*

*unsern briefen getan haben, einander sollen und
mogen beholfen sin, des wir ien gunnen und her-
lauben von unserm kuniglichen gewalt; dat. Heydelberg So. v. Lucie 1400 r. 1. Ad mandatum do-
mini regis || Mathias Sobernheim. (So aus Karls-
ruhe G.L.A. Pfälz. Kop.-B. 4 fol. 8ᵃ cop. ch.
coaev.; auch in Wien H.H. St.A. Registr.-B. C
fol. 7ᵃ cop. ch. coaev.; Regest daher Chmel nr. 34,
aus ihm Wiener Regg. z. Gesch. der Juden 1, 53
nr. 3.) — Die um diese Zeit Schwäbischen Städten
ertheilten Gunstbriefe hat zusammengestellt Stälin
3, 378-381, wozu vgl. die Regesten bei Chmel. —
Vollmachten zur Huldigung vgl. unter nr. 13 im
vorliegenden Bande.*

[1] *Nördlingen hatte damals, scheint es, einen Gesandten in Ulm und ebenso nachher in Augsburg
wo Ruprecht die Privilegien der Stadt bestätigte.
Im Nördlinger Rechenbuch von 1401 (Nördlingen
St.A.) unter botenlon heißt es: Item Wilhalm gen
Ulm 8 fl. auf Egidii [Sept. 1]. — Item Wilhalm
von Hall und Mangolt zû Auspurg 18 fl. — Das
Rechnungjahr beginnt um Georgii, diese Rubrik
hat 52 Posten, und unsere sind der 19 und der
21. Die Bemerkung auf Egidii soll wol sagen,
daß damals bezahlt oder die Ausgabe verrechnet
wurde.*

15. *K. Ruprecht bestimmt daß Aalen nie vom Reiche versetzt noch entfremdet werden soll, nimmt die Stadt um alles Vergangene in seinen und des Reichs Schirm und ertheilt ihr mehrere Privilegien*[1]. *1401 Aug. 16. Augsburg.*

> *A aus Karlsr. G.L.A.* Pfälz. Kop.-Buch 4 fol. 98 **ª b** *cop. chart. coaev., mit der gleich-*
> *zeitigen Überschrift* Als die von Alun furbaß bi dem riche bliben sullen und als in   5
> min herre 3 jaremerkte erlaubet hat und sie umb alle vergangen sache in sinen schirme
> genommen.
>
> *C coll. Wien H.H. St.A.* Registr.-Buch C fol. 85ª *cop. ch. coaev., mit derselben Über-*
> *schrift.*
>
> *Gedruckt Lünig R.A. 13, 81 nr. 5. — Regest Chmel nr. 845 aus C.*   10

Wir Ruprecht etc. bekennen etc.:   wann wir die burgermeister rate und burger
gemeinlich der stad zu Alun unser und des richs besunder lieben und getruwen, nach
dem als sie seliger gedechtnibe keiser Karle unser furfare an dem riche an daz heilige
riche erkaufet hat, so undertenig so getruwe und auch so bistendig an uns und an dem
heiligen riche funden haben, umb daz mit wolbedachtem mute gutem rate und Romscher 15
kuniglicher mechte volkommenheit haben wir in die nachgeschrieben friheit und gnade
gegeben erleubt und getan, geben und dun in auch die mit rechter wißen und craft
diß briefs: [*1*] bei dem ersten, daz wir setzen und wollen, daz sie bi uns und bi
dem heiligen ª riche furbaß ewiclich beliben und davon nummer versetzt verkummert
noch keineswegs davon enpfrumet werden sollen [b]. und ob daz gein iemant geschehen 20
were oder noch furbaß geschehe, setzen und erkennen wir, daz das weder [c] macht noch
craft haben solle [d] und in und [e] ir stad zu keime schaden kummen in dheinen weg.
[*2*] darzu haben wir die vorgenanten von Alun mit sunderlichen gnaden begabt, darumbe
daz sie ir stad deste baz gebeßern mogen, daz wir in dri jaremerkte erleubet und ge-
gunnet haben, mit namen einen of sant Walpurg dage [f], den andern of den nechsten 25
suntag nach [f] sant Mertins dag [g], den dritten of den nechsten suntag fur unser frauwen
tag liechtmesse [h]. und frihen und begnaden in auch die dri jaremerkte mit allen friheiten gewonheiten und rechten, als den von Nordelingen ire jaermerkt [g] gefrihet und
begabet ist.   [*3*] wir tun in auch die gnade, daz wir nit wollen, daz iemand vor ir
stad in irem felde oder of iren graben kein huß stadel oder solicher buwe machen oder 30
haben solle wider iren [h] willen in keinen weg.   [*4*] darzu nemen wir die vorgenanten
von Aulun umb alle vergangen geschichte und sache in unsere und des richs besunder
hulde und gnade, und wollen sie bi uns und dem heiligen riche getruwelichen hanthaben
schutzen und schirmen als ir gnediger herre.   [*5*] auch bestetigen und confirmieren
wir in die vogtie uber daz wiler Grossen-Himlingen, daß ir stad zugehoret hat, daz sie 35
von menglichem daran ungehindert und unbekummert verliben sollen.   und darumbe
so gebieten wir allen fursten, geistlichen und wertlichen, graven frihen dinstlutten rittern
und knechten stetten merkten amptluten und allen andern unsern und des richs undertanen ernstlichen [i] und festiclichen mit diesem briefe, daz sie die egenanten burger und

a) om. A. b) A solle. c) A wider. d) C sol. e) A über dem ersten in gleichzeitig zugefügt in, om. und. f) C 40
vor. g) C ir jarmarkt. h) C irem. i) A ernstlichen.

stad zu Aulun an den vorgenanten unsern friheiten und gnaden nit hindern noch be- *1401*
sweren, sunder sie dabi getruwelichen bliben laßen und auch hanthaben schutzen und *Aug. 16*
schirmen, als liebe in si unsere und des heiligen [a] richs swere ungnade zu vermiden.
und sol in dannoch darzu ein iglicher, der in der vorgeschrieben friheit und gnaden
5 ein oder mer uberfure, als ofte daz beschee, einer [b] genanten pene mit namen funfzig
marke [c] lotiges goldes, als dicke daz uberfaren wurde, verfallen sin, die halbe in unser
und des heiligen richs camer und der [d] ander halbteil den vorgenanten von Aulun oder
den iren, den also uberfaren were, on minnerniße gefallen sollen. mit orkunt diß briefs
versiegelt mit unserm kuniglichen majestad-ingesiegel, geben zu Augspurg of den nech-
10 sten dinstag nach unser frauwen tag als sie zu himmel fure, assumpcio zu latin, in dem
jare als man zalte nach Cristi geburte vierzehenhundert und ein jare. unsers richs in *1401*
dem ersten jare. *Aug. 16*

Ad mandatum domini regis
Nycolaus Buman.

15 **16.** *Aufzeichnung über die Anerkennung K. Ruprechts durch Regensburg und zuge-* *1401*
höriges, namentlich die von der Stadt aufgewendeten Geschenke. 1401 Aug. 25 ff. *Aug.*
[Regensburg]. *25 f.*

> *Aus Münch. R.A. großes Regensburger Urkunden- und Briefbuch des 14-15 Jahrh. mit*
> *gleichzeitigen Einträgen, in schwerem braunem Lederumschlag, mit Riemen und Schnalle*
> *geschlossen, von Gemeiner Regensb. Chr. 2, 352 nt. [a] schwarzes Buch genannt, fol.*
> *75ᵇ-76ᵇ gleichzeitige Aufzeichnung durch den Stadtschreiber (s. art. 2 des Stücks).*
> *Ausführlicher Auszug bei Gemeiner Regensb. Chr. 2, 351-354, vgl. 345 f.*

[1] Nota. ez ist zu merckhen, do herzog Rupprecht' zu künig erwelt ward, do
schraib er meinen herren von Regenspurg oft und dikch, und tet in auch sust sein er-
25 werg potschaft bei seinem lantschreiber und bei andern seinen räten [1], wie daz er in
wol getrawet, si hielten in für Römischen kunig und taten im dez si dem reich schuldig
warn und alz si einem andern Römischen kunig getan hieten und alz ander stet täten.
dez ward im di antwurt mit füg und mit gelimpf verzogen unz in daz ander jar, also
daz man seinen lantschreibärn [e] und räten nur mäntlich antwurt [f] gab so man allerpest
30 und gelimpfleichest macht, also daz man im chainen brief in derselben zeit nie gesant;
wan, hiet man in Römischen kunig geschriben, so müst man in auch für Romischen
kunig gehalden haben; hiet man in aber nicht Romischen kunig geschriben, daz wär
im ein grozzew smäch [g] gewesen und hiet in vast erzurnt. davon ward ez also mit
fuegen verzogen, wan ez waz dannoch in grozzem zweivel ob er oder kunikch Wenczla
35 von Behaym bei dem reich belib. doch gab man chunikch Rüpprechten zu Regenspurg
aus wein und traid und wez er bedorft und verporgen mocht [2]. dezgeleichs furt man
auch gein Behaym wälisch wein und ander chaufmanschaft wer ez wagen wolt. di

---

a) om. *A.* b) *C* einzen. c) *C* markt. d) *C* den. e) *cod. om. t.* f) *cod. bis.* g) *smäch ?*

---

[1] *K. Ruprecht an Regensburg, sendet Ulrich*
Stawffer Ritter seinen Rath und lieben Getreuen,
etwas mit ihnen zu reden, ihn als einen Röm.
König und das Reich antreffend, bittet demselben
zu glauben und sich darin so freundlich zu be-
weisen als er des ein besunder Getrauen zu ihnen
hat; dat. Nürnb. fer. 5 a. invoc. [Febr. 17] 1401
r. 1. Aus dem Regensburger buntpuch in der
Donaueschinger Hofbibliothek fol. 13ᵇ nr. 15 cop.

ch. coaev. Daraus Reg. schon bei Gemeiner
Regensb. Chr. 2, 346, und aus ihm bei Chmel reg.
Rup. nr. 166. Erwähnt in Lehmann Speir. Chr.
ed. Fuchs 1698 pag. 736 ᵃ m.

[2] *K. Ruprecht gab auch den auf die Frank-*
furter Messe ziehenden Regensburger Kaufleuten
schon am 19 Merz 1401 Geleit, Regest Chmel nach
*Gemeiner 2, 351 nt. **

1401
Aug.
25 ff. antwurt ward auch allermaist mit dem gelimpfen verzogen, daz er ez dester minner
verubel möcht haben; wan ez sprachen mein herren, si und ir chauflāwt hieten grozz
gut und gelt in Behaym und in Polan[1], und wārn auch ettleich mit ir leib und gût
dinn, daz wolden si zu in pringen alz si schierst möchten. in der zeit gehuldigten di
von Nûrnberkch kunikch Rupprechten und liezzen in ein mit den[a] ersten. darnach 5
gehuldigten im maist tail all stet in Frankchen und an dem Reyn. di Swābischen stet
Ulm und Auspurkch und all ander stet in Swaben heten verzogen daz jar herumb unz
1401
Juli 25 auf sand Jacobs tag; da di sachen[2], daz kunikch Wenczlaw von Behaym nicht end-
leich darzu tet, da gehuldigten si auch kunikch Rupprechten und liezzen in ein.

[2] Do sich daz allez vergie[b], da waz mein[3] herren von Regenspurg nicht lenger 10
zu verziehen, und riten auch gein hof: her Ulreich der probst an der zeit der stat
kamrer, her Chunrat der Enikchel, her Matheus der Rantingār, her Chunrat der Durensteter, her Ulreich der Gumpprecht, und ich L.[4] statschreiber. ez namen auch mein
herren mit in hern Hadmar von Laber, der di zeit ir burgermaister waz. also chomen
1401
Aug. 25 wir gein Amberg dez nachsten tagez nach sand Bartholomeus tag wol mit 66 pfarden, 15
und gingen dannoch dezselben tagez gein hof und wûnsten dem kunig und der kunigin
gelukchez und wurden wol enpfangen.

1401
Aug. 26 [3] Darnach an dem andern tag gingen mein herren wider gein hof[5], und prachten
mit in di guldein bull von chaiser Ludweigen und ettleich ander brief von chaiser Lud-
weygen und von chaiser Charel, und paten[c] in di zu vernewen und zu bestāten. da 20
waz nicht vil widerred wider, dann daz di rāt langgraf Johanns von Lewtenberg und
her Chûnrat von Eglofstain maister dez Tāwtzen ordens und der graf von Leyningen
dez kunigs hofmaister und her *Rudolf*[d] von Zaytzchaym sein marschalkch heraus wûrben
aus dez kunigs rat, er wolt uns unser brief und freihait gern vernewen und bestātten,
daz wir auch tāten dez wir[e] dem reich schuldig wārn. do sprachen wir, wir westen 25
nicht anders daz wir dem reich schuldig wārn dann daz wir in gern für einen Romischen kûnig wolten haben; und wann er zu uns in unser stat reiten wolt, so solten
und wolten wir in willikchleich und wirdikchleich enpfahen alz einen Rômischen kunig,
wan wir ein freiew stat wārn und warn im anders nicht schuldig etc.

[4] Daz wûrben di vorgenanten herrn hinwider ein an den kunikch, und chomen 30
do herwider auz und sprachen: ez war ir herre der kûnig geweist worden, wir solten
im[a] helfen und dienen uber die Perg, daz wolten di von Chôln und ander stet di auch
frei wārn gern tûn. antwurt: wir gûnnen userm herren wol wez im ander stet schuldig sind und gern tûn wellen, und trawen auch seinen genaden wol daz er uns chain
newung mach; wann niemant so alter[f] lebt, der gedenkch oder mit warhait gesprechen 35
mûg, daz wir oder unser stat uber die Perg ie gedient haben oder gelt dafûr geben
haben; wer ez daruber seinen genaden fûrtragen hiet, der gund uns nicht pessers. wan
uns ward wol gesagt, ez hieten di von Nurenberg of enleich geret und vingerzaig damit
auf uns geben. darzu sas auch dez mals an dez kunigs rat herzog Stephan und sein
sun herzog Ludweyg und der vorgenant langgraf Johanns, di uns all drei lieber dahaim 40
gewesen wārn, wan si warn uns nicht wāg[g] und wārn gern under den sachen tedingār[g]
gewesen, da chund ir chainer nie hinder pringen.

---

a) sic. b) *Dialekt für vergieng.* c) *cod. patem.* d) *Lücke im Text statt dieses Vornamens.* e) *cod. in.* f) sic.
g) *nur das n könnte zweifelhaft scheinen, ist aber wol auch sicher.*

---

[1] *Handelsverhältnisse Regensburgs s. Gemeiner*
Regensb. Chr. 2, 351 nt. **
[2] *Cum viderent.*
[3] *Statt meinen: da hatten sie nicht länger zu*
zögern.

[4] *Auch Gemeiner Regensb. Chr. 2, 352 weiß* 45
den Namen nicht.
[5] *Nicht etwa die Stadt Hof, es ist die curia*
regis gemeint.
[6] *Gewogen, geneigt, mhd. WB. 3, 648[b].*

[5] Also wert daz dringen ganzer tag drei, unz daz uns geraten ward wir solten ez pringen an seinen peichtigår maister Niclasen Probin, wan, wez er iemant volget, dez volget er im alz auch. daz[a] geschach [1]. wan wir nomen vast auf uns, daz wir im und dem reich solicher hilf nicht schuldig wårn, und wir wårn doch alz gar unweis nicht, westen wir solich sach darhinder, wir wolden ez ungern auf uns nemen, wan er uns allzeit wol darumb fünd.

[6] Dannach ward mit red allzeit darein getragen, wann er gein Regenspurg chåm, daz doch di erung und di schankung dester grozzer würd[b]. und man hiet auch gern gesehen daz wir dem einen nam[c] gesetzet hieten. damit wår dez dringens nür dester mer worden[c]. und sprachen, wir hieten sein nicht gewalt chainen namen ze setzen; wann under[d] herre der kunig zu uns chåm, so wolten wir tůn nach unsern eren.

[7] Nota. darnach in vierzehen tagen chom kunig Rupprecht her gen Regenspurg [3]. do schankcht man im 1300 guldein[e] und der kunigin 500 guldein, alles reinisch, damit man si paide eret und besunderlich darumb daz man allzeit ein genadige herschaft vorher an in gehabt hab[e] und auch[f] furbaz hofft zu haben, wann wir in und irem land als nohent ligen daz man si und ir ambtlaůt oft můet und anrůffet. darzu so haben wir dem kunig und der kunigin und irer[g] kinden sechsen herren und fraw- lein besunderlich geeret mit trinkchfazzen und andern klaineiden nach unserer stat gewonhait. item so schankcht man dem kunig einen vergulten pawm mit naterzungen. den chawft man von dem Ranntinger umb 100 und 40 guldein. item so schankcht man der kunigin ainen chopf. chost 80 guldein. item so chostent di andern sechs chlaineid, di man iren sechs kinden schankcht, 200 und 83 guldein, alles ungerisch guldein. item so schankcht man seinem cappelan und ratmaister Nicla Probin ainen chopf. chost 50 guldein. item darzu rais [5] man uns in der chanzlei umb 600 und 6 guldein, daz man der stat zwelf brif [6] nur abschraib und vernewet mit dem sigill. item den turhůttern und kamrern 50 guldein. item so hat der kunig den Juden zu Regens- purg iren brif und ire recht vernewet [7]. darumb musten si dem kunig und kunigin geben sibenhundert guldein [8] und den chanzlarn 60 guldein, und ist gar ein chlainer brif, und ich must in dannoch selb machen und allen zewg darzu geben.

a) cod. doch. b) würde? c) cod. warden. d) sic. e) cod. habt. f) cod. auf. g) sic.

[1] Die Regensburger kamen anscheinend, was der Bericht nicht sagt, in Amberg zu ihrem Ziel, wenigstens sind die Privilegienbestätigungen dort am 30 August ausgestellt, s. Chmel Reg. Rup. nr. 890-891.
[2] Wesen, Beschaffenheit, mhd. WB. 3, 306. Sie sollten sich näher über das Geschenk äußern.
[3] S. Veit Arnpek bei Pez thes. anecdot. 3, 2 pag. 299 cap. 31, Chmel nr. 918-920.
[4] Vgl. Einnahmen der kgl. Kammer nr. 168 art. 17.
[5] Wol: man riß uns; wir würden sagen: man riß sich mit uns; oder aber: man brachte uns um 606 fl.
[6] Vgl. Chmel reg. Rup. nr. 890-899 und Ge- meiner l. c. 353 nt. * und nt. ** und Reg. Boic. 11, 221-223. Bei Chmel bleibt unklar wie sich nr. 890 und nr. 891 unterscheiden, und wir kön- nen bei ihm nur 10 Urkunden zählen. In dem

Regensburger Briefbuch (s. Quellenbeschr. zu nr. 16) gehen fol. 69ª-75ª Abschriften der Urkunden unserer Aufzeichnung voran, und es sind dort wirklich 12, wenn wir die mitten unter ihnen stehende am 4 September den Regensburger Juden ertheilte Urkunde (Chmel nr. 920) mitzählen. Eine von ihnen ist durch die Notiz ersetzt, die Stadt habe einen zweiten solchen Brief (wie im Kodex vorhergeht) erhalten, in dem statt der Könige Al- brecht Heinrich und Konrad die Könige und Kaiser Ludwig und Karl stünden (fol. 70ª). Neben diesen beiden Bestätigungen der von früheren Königen und Kaisern ertheilten Privilegien finden wir noch eine ganz allgemein gehaltene Urkunde (fol. 73b) und ferner die Chmel nr. 892-899 rege- stierten. Das sind zusammen 12.
[7] S. Gemeiner 2, 354.
[8] Der König erhielt 500 fl. s. nr. 168 art. 18, 200 also wol die Königin.

1401 **17.** *K. Ruprecht nimmt Basel (ebenso einzeln Bern Solothurn Zürich, s. Quellenangabe)*
Aug. 28   *in seinen Schutz und bestätigt alle Privilegien [1]. 1401 Aug. 28 Amberg.*

Für Basel: B aus Basel St.A. geh. Reg. C. A. or. mb. lit. pat. c. sig. pend., in verso gleich-
zeitig Confirmacio Ruperti regis super privilegiis, *auf dem Pergamentstreifen des Sigels Basel. Unsere*
Abschrift[1] verdanken wir der Güte des Herrn Staatsarchivars Dr. Wackernagel. — K. coll. Karlsr. [5]
G.L.A. Pfälz. Kop.-B. 4 fol. 100b-101a cop. chart. coaev., mit der Überschrift Ein gemeine bestetigunge
der stad zu Basel etc., *unter dem Text die Notizen* In der obgenanten forme von wort zu wort und
of dieselbe zit ist geben ein bestetigunge der stat zu Bern in Ochtelant, item in der obgenanten forme
von wort zu wort und of dieselbe zit ist geben ein bestetigunge der stad zu Salottern, item in der
obgenanten forme von wort zů wort und of dieselbe zit ist geben ein bestetigunge der stad zu Zurche. — [10]
Auch in Wien H.H. St.A. Registr.-Buch K. Ruprechts C fol. 87a cop. chart. coaev., ebenfalls mit der
Notiz daß an Bern Solothurn Zürich Briefe in derselben Form gegeben sind; und in Basel St.A.
gwB. fol. 110a gleichzeitig: Kopie mit dem irrigen Datum Ougspurg und Sa. n. Barthol. [Aug. 27]
1401, dazu ist bemerkt orig. liegt in caps. C sub litera A d. h. *unsere Vorlage B. — Gedruckt Tschudi*
chron. Helvet. ed. 1734 Iselin 1, 611 nt., ohne Quellenangabe, doch ohne Zweifel aus gwB. in Basel [15]
l. c. wegen Oegspurg und Sa. n. Barthol. im Datum. — Regest Chmel nr. 881 aus Wien l. c., Amtl.
Samml. d. ält. eidgen. Abschiede 1 (2 Aufl. 1874), 99 nr. 234 aus Staatsarchiv Zürich und mit An-
führung von Wien l. c.; Erwähnung bei Ochs Gesch. der Stadt und Landschaft Basel 3, 18, ohne
Quellenangabe, aber auch ohne Zweifel aus gwB. in Basel l. c. wegen Augspurg und Sonnabend n.
Barthol. in der Zeitbestimmung. [20]

Für Zürich: Zürich St.-Biblioth. MS. H 151, Abschrift aus dem 18 Jahrhundert, datiert Am-
berg So. n. Barthol. [Aug. 28] 1401. — Gedruckt Büttinghausen, Ergötzlichkeiten aus der Pfälz. und
Schweiz. Geschichte und Literatur, Stück 2 Seit[?] 61, aus einer Kopie des Originals des Züricher
St.-Archivs, datiert ebenso. — Regest Chmel nr. 882, und Amtl. Samml. wie oben für Basel, Quellen
beider wie ebendort. [25]

Für Bern: Regest Chmel nr. 883, und Amtl. Samml. wie oben für Basel, Quellen beider wie
ebendort.

Für Solothurn: Regest Chmel nr. 884, und Amtl. Samml. wie oben für Basel, Quellen beider
wie ebendort.

Wir Ruprecht von gots gnaden Romischer kunig zu allen zijten merer des richs [30]
bekennen und dun kunt allermenglich mit diesem brieff die yn ansehent oder horent
lesen nu oder hernach: daz wir durch der truwe und manigfaltiger dienste wegin,
so unsere und des heiligen richs lieben getruwen der burgermeister[a] der rat und die
burgere gemeinlich der stat zu Basel unsern forfaren an dem heiligen Romischen riche
keysern und kunigen offte nuczlichen und willichlichen erczeuget habent und auch uns [35]
selber teglichen erczeugent und noch dun sollent und mogent in kunfftigen czijten, und
auch darumb daz wir dieselben unser und des richs lieben getruwen die burgere und
stat gemeinlich zu Basel in unsern und des richs diensten und truwe dester williger
und bereiter machen mogen, so nemen wir sie und die yren in unser und des heiligen
richs schirme und gnade.   und haben auch mit wolbedachtem mute und mit gutem rat [40]
unserr kurfursten und viel andere unsere und des richs fursten edeln und getruwen
denselben unsern lieben getruwen burgern iren nachkomen der vorgenanten stat zu Basel

a) *K* schultheiß.

[1] *Vollmacht zur Huldigung vom gleichen Tage*
s. unter nr. 13, Basels Anerkennungsurkunde s.
nr. 18. Zürich schwur nach Tschudi Chr. Helv.
ed. Iselin 1, 611 am 22 Sept. 1401. Am 29 Aug.
1401 (dat. Amberg Joh. bapt. als er entheupt wart
1401 r. 2) bestätigte Ruprecht der Stadt Basel
zwei ihr von K. Wenzel verliehene Privilegien
(Basel St.A. geh. Reg. C. c. or. mb. lit. pat. c.

sig. pend., Karlsruhe G.L.A. Pfälz. Kop.-B. 4 fol.
101b-102b, Wien H.H. St.A. Registr.-B. C fol. [45]
87b-88a, Regest ebendaher Chmel nr. 887). Ochs
Gesch. von Basel 3, 18 nennt als Gesandte Basels
den Bürgermeister Günter Marschalk und den
Achtbürger Frömeler von Ehrenfels, gibt die
Kosten der Gesandtschaft mit 150 fl. an. [50]

1401
Aug. 28

und allen den iren bestetiget bevestnet ernuwet und confirmiret, besteten vestenen er-
nuwen und confirmiren yn mit crafft diß brieffs[a] rechter wißen und Romischer kunigklicher mechte alle und igliche ire und der stat zu Basel und der yren rechte gnade
frijheite und gute gewonheit, die sie und die yren von unsern forfaren an dem Romischen riche keysern und kunigen bizher herbracht und erworben habent, und auch alle
ire privilegien hantfesten frijheide und brieve, die sie daruber habent, also daz sie ire
nachkomen die stat von Basel und alle die iren bij denselben iren rechten gnaden frij-
heiden und guten gewonheiten nach lutde und wijsunge derselben irer[b] privilegien hantfesten und brieve ewiclichen bliben sollent von uns unsern nachkomen an dem riche
und allermenglichen ungehindert, als dieselben frijheite nach yren punckten artikeln
meynungen und stucken von wort zu wort begriffen sint und glicher wijse[c] als ob alle
semlich hantfesten und brieve von wort zu wort in diesem genwertigen brieff begriffen
weren.   orkunt[d] diß brieffs versiegelt mit unserr kunigklichen majestat ingesigel, geben
zu Amberg off den nehsten sontag nach sant Bartholomeus des heiligen zwolffbotten tag
in dem jare als man zalte nach Christi geburte dusent vierhundert und ein jare unsers
richs in dem andern jare.

1401
Aug. 28

[*in verso*] R. Johannes de Landauwen.

Ad mandatum domini regis
Johannes Winheim.

---

18. *Basel verspricht dem König Ruprecht Gehorsam zu leisten* [1]. *1401 Sept. 26*
[*Basel*].

1401
Spt. 26

M aus Münch. Staatsarchiv äußere Verhh. der Kurpfalz $\frac{120}{133}$ or. mb. lit. pat. c. sig. pend.,
auf Rückseite gleichzeitig verbuntniss betreffend.
B coll. Basel. St.A. Großes weißes Buch fol. 111 b cop. coaev.
Handschriftliches Regest Karlsr. G.L.A. Pfälz. Kop.-B. 44 fol. 190 a chart. saec. 15 ex.
Gedruckt Tschudi chron. Helvet. ed. 1734 Iselin 1, 611 nt., ohne Quellenangabe. — Aus-
zug Ochs Geschichte der Stadt und Landschaft Basel 3, 19, ohne Quellenangabe;
daraus Regest Chmel pag. 182 Anhang III nr. 20.

Wir Gúnther Marschalk ritter burgermeister und der rat der stat Basel bekennent
úns und tůnd kund menlichem mit disem briefe: als der allerdurlúchtigost hochgebor-
nester fúrste únser genedigoster horr . . herr[e] Rúprecht, der da waz phallentzgraffe by
dem Rine und hertzog in Peyern[f], núwlingen got und únser lieben fröwen ze lob und
ze eren der heyligen kirchen und crystenheit und dem heyligen Römschen riche ze troste
und ze helffe ze einem Römschen kúnig an daz riche erkoren und erwellet ist worden,
daz wir einhelleklichen und mit gůtem willen, wie doch wir nút eins richs stat sint,

---

a) B add rechten.   b) B ire, K iren.   c) B vijse.   d) K des zu orkund so han wir in geben diesen brief versiegelt etc.   e) MB hern.   f) M Pheyern, B Peyern.

[1] *Am selben Tage wurde zwischen Basel und*
Reinhard von Sickingen der Vertrag über Hilfe
zum Italienischen Zuge abgeschlossen, s. nr. 179
im vorliegenden Bande; vgl. ferner nr. 11. 13. 17;
Bd. 4 nr. 379 ff. — Am 6 Okt. 1401 schreiben
Günther Marschalk Ritter Bürgermeister und der
Rath zu Basel ihren besonder lieben guten Freun-
den und Eidgenossen dem Meister und dem Rathe
der Stadt Straßburg: wand wir kein spiesse noch
niemand bi unserm gnädigen herren dem Röm.
künige habent, davon wissen wir niemand ze ver-
schribende dem wir als wol getrüwent uns alle

gerehte ware löuffe und maren von des egen. unsers
herren des künigs gezogs über berg und ander
sach wegen lassen ze wissende als uwere frünt-
schaft. davon so begeren wir und bittent úch als
unser guten fründ daz ir uns bi disem botten
verschriben wellent, was der gezog so lange wende,
waz rede tägeding oder irrung darzwüschent sie
oder louffe, als vil ir davon wissent und uns ze
verschribende sie durch unsers dienstes willen und
als wir úch wol getrüwent; aus Straßburg St.A.
An der Saul 1 Partie Lad. B fasc. X nr. 22 or.
mb. lit. cl. c. sig.

1401,
Spt. 26 umb sōlich sach vorgeschrieben únsern egenanten genådigen herren den kúng für einen
Rōmschen kúnig und zûkúnftigem keyser haben wellent und ime gehorsam sin ze tûnde
als einem Rōmschen kúnig und zûkúnftigem keyser als únser vordren und wir Rōmschen keysern und kúnigen dahar getan hand und bi úns harkomen ist. dis wir ouch
versprechent stâtte ze hande ungeverlichen.   und des alles ze urkúnd so habent wir   5
únser stette grosse ingesigel gehenket an disen briefe, der geben ist an dem nechsten
1401
Spt. 26 mentage vor sant Michels tage des heyligen erczengels do man zalte von Cristy gebúrte
vierzehenhundert und ein jare.

1401
Spt. 28 **19.** *K. Ruprechts Vollmacht wegen Huldigung von Schwyz Uri Unterwalden*[1]. *1401
Sept. 28 Innsbruck.*   10

> *Aus Karlsruhe G.L.A. Pfälz. Kop.-Buch 4 fol. 113*ᵃ *cop. ch. coaev., läßt den Wochentag
> im Datum aus, so daß es heißt nehst vor.*
> *In Wien H.H. St.A. Registraturbuch C fol. 97*ᵇ *cop. ch. coaev., coll. für das Datum.*
> *Regest Chmel nr. 982 aus Wien l. c., und Amtl. Sammlung d. ält. eidgn. Abschiede 1
> (2 Aufl.) nr. 235 pag. 100 ebendaher.*   15

> *K. Ruprecht bekennt, daß er seinem Landvogt in Elsaß Ritter Schwarz Reinhard von Sickingen
> seinem lieben Getreuen Vollmacht gegeben hat, von seinet- und des Reichs wegen zu teidingen und zu
> überkommen mit den Eidgenossen der Thäler Schwyz Urn und Unterwalden seinen und des Reichs
> lieben Getreuen um Gehorsamkeit und Huldigung ihm als Römischem König zu thun, und auch solche
> Gehorsamkeit und Huldigung an seiner Statt aufzunehmen und zu empfangen; und was der genannte*   20
> *an Privilegien Freiheiten und Briefen, die sie von den Vorfahren am Reiche haben, die zu bestätigen
> oder anders in diesen Sachen teidingt überkommt aufnimmt oder ihnen verspricht von seinetwegen,*
> *will er halten und vollführen; dat. Insprucke Mi. vor Michaelis 1401. Unterschrift Ad* mandatum
> domini regis ‖ Nycolaus Buman.

1401
Spt. 28 **20.** *K. Ruprechts Versprechungen an Erzbischof Gregor von Salzburg, der ihn als*   25
König anerkennen will[2]. *1401 Sept. 28 Innsbruck.*   •

> *S aus Wien H.H. St.A. Repert. VIII Kasten 306 or. mb. lit. pat. c. sig. pend.*
> *W coll. ibid. Registraturbuch C fol. 96*ᵇ *cop. ch. coaev., mit der Überschrift Als min
> herre mit dem bischof von Salczpurg etlicher stucke uberkommen ist.*
> *K coll. Karlsruhe G.L.A. Pfälz. Kop.-B. 4 fol. 111*ᵇ*-112*ᵃ *cop. ch. coaev., mit gleicher*   30
> *Überschrift.*
> *Regest Chmel nr. 977 aus W.*

Wir Ruprecht von gots gnaden Romischer kunig zû allen zijten merer des richs
bekennen und dun kûnt offenbare mit dissem briefe: als zuschen uns und dem
hochwirdigen Gregorien erczbijsschoff zû Salczpurg legaten des stules zû Rome unserm   35
lieben fursten beret und betedinget ist, daz derselbe unser furste Gregorie uns fur einen

[1] *Vgl. Vollmacht vom gleichen Tage zu Verhandlungen mit den Eidgenossen über Hülfe gegen
Mailand RTA. 4 nr. 380. — Tschudi chron.
Helvet. ed. 1734 Iselin 1, 611 läßt Zürich (woraus
die Amtliche Sammlung der ält. eidg. Absch. 1
(2. Aufl.), 100 nr. 235 Anm. Zug gemacht hat)
1401 Mauritii, also Sept. 22, schwören, und die
Huldigung der übrigen Eidgenossen scheint auf
denselben Tag gesetzt zu werden, die von Schwyz
allein wollten ihm nicht schwören u. s. w. Urkundliches darüber fehle, sagt die Amtl. Samml.
l. c.*

[2] *K. Ruprecht bestätigt Erzbischof und Klerus
von Salzburg ihre Privilegien Freiheiten Briefe
Rechte u. s. w., besonders die über das Gotteshaus
zu Berchtesgaden, dat. Insprucke Mi. v. Mich.*   40
*[Sept. 28] 1401; Wien H.H. St.A. Registraturb.
C fol. 96*ᵃᵇ *cop. ch. coaev., Karlsruhe G.L.A.
Pfälz. Kop.-B. 4 fol. 111*ᵃᵇ*; gedruckt Lünig R.A.
16, 984 nr. 41; Regest Georgisch 2, 861 nr. 107
aus Lünig, und Chmel nr. 779 aus Wien l. c. —*   45
*Eine andere Urkunde K. Ruprechts für Erz-
bischof Gregor vom gleichen Datum s. in Anm.
zu nr. 23.*

Romischen kunig halten sine lehen von uns entphahen und uns auch unser lebtage *1401 Spt. 28* getruwelichen gehorsam sin dienen und gewarthen sal, als ein getruwer furste eime Romischen kunige simo rechten herren schuldig ist zu tune und billich dun sal, als dann der brieff, den uns der obgnant erczbysschoff Gregorie daruber geben hat [1], cler-
5 lichen ußwiset: des bekennen wir, daz wir darumbe dem obgnanten erczbysschoff Gregorion disse nachgeschrieben stücke auch halten dun und vollenforen sollen und wollen ane geverde. [1] czům ersten sollen und wollen wir desselben erczbysschoffs Gregorien[a] und sins stiffts zů Salczpurg gnediger herre sin und sie getruwelichen hant-haben schuczen schirmen und verentwerten zu irme rechten und nicht gestaten daz im
10 yemand deheinerley yrrunge infelle oder beswerunge tů wider recht, als andern unsern und des richs geistlichen fursten, ane geverde. [2] wer' auch daz yemant, er wer' furste herre wie er genant oder wer der were, denselben erczbysschoff Gregorien und sinen stifft land und lute mit gewalt uberziehen oder beschedigen wolte von solicher gehor-samkeid und bijstands wegen, die er uns rechtlich důt als eime Romischen kunige, so
15 sollen wir ymme des[b] helffen weren und dafur sin mit libe und mit gute und unser ganczer macht getruwelich, als ein Romischer kunig eime erczbysschoff von Salczpurg billich dun sal, so daz von demselben erczbysschoff Gregorien oder von sinen wegen an uns oder wer von unserntwegen in Dutschen landen gewaltig ist gefurdert wirt, ane geverde, dem wir auch daz iczůnd besunder wollen und sollen entpheln. [3] auch sollen
20 und wollen[c] wir desselben erczbysschoffs Gregorien mannen dienern und andern den sinen yr ieglichem besunder soliche ir[d] friheid gnade brieffe und lehen, die sie hant von seliger gedechtnisse Romischen keysern und kunigen unsern furfarn an dem riche und von dem heiligen Romischen riche, gnediclichen bestetigen und verlihen, waß wir als ein Romischer kunig yn[e] billich und von rechts wegen daran bestetigen und ver-
25 lihen sollen und mogen, so sie daz an uns furdern und gesynnen, ane geverde. doch sollen und wollen wir an denselben verlihungen ußnemen unser des richs und eins yeglichen recht[f].   orkunde dijs brieffs versiegelt mit unser küniglichen majestad in-gesiegel, geben zu Insprůck uff den mitwochen vor sant Michahels tag des heiligen erczengels in dem jare als mann zalte nach Cristi geburte vierzehenhundert und ein *1401 Spt. 28*
30 jare, unsers richs in dem andern jare.

[in verso] R. Bertholdus Důrlach.   Ad mandatum domini regis
                                             Nicolaus Buman.

21. *K. Ruprecht weist seinen Sohn Pf. Ludwig als Reichsvikar und die kön. Amtleute* *1401 Spt. 28*
     und Unterthanen an, dem Erzb. Gregor von Salzburg beizustehen, falls derselbe
35   *wegen Gehorsams und Beistandes, den er ihm als Römischem Könige pflichtgemäß*
     leistet, von jemandem geschädigt würde. 1401 Sept. 28 Innsbruck.

     W aus Wien H.H. St.A. Repertor. 8 Kasten 286 Lade 26 or. mb. lit. pat. c. sig. in
     verso impr.
     A coll. Karlsr. G.L.A. Pfälz. Kop.-B. 8¼ fol. 18ᵇ-19ᵃ cop. ch. coaev., mit der Überschrift
40   Als mine herre Gregorien erzbischof zu Saltzburg sal bigestendig sin.
     B coll. ibidem Pfälz. Kop.-B. 149 pag. 16 cop. ch. coaev., mit derselben Überschrift.

Wir Ruprecht von gots gnaden Romischer kunig zu allen zijten merer des richs enbieten dem hochgebornen unserm lieben son und fursten Ludwigen pfaltzgraven by Rine und herczogen in Beyern unserm und des heiligen richs vicarien und allen und

a) W Gregoren. b) K das. c) om. K. d) om. K. e) om. KW. f) B rechte f mit Schleifs, KW rechte.

   [1] Dieser Brief nr. 23 ist erst vom 9 Nov. datiert.

1401
Spt. 28 iglichen unsern lantvogten pflegern amptluten und undertanen in Dutschen lannden unser gnade und alles gut.   lieben getrûwen.   wir gebiethen und heißen uch ernstlich und vesticlich mit diesem brieffe by unsern und des richs hulden: ob daz were daz ymand, er were furste herre wie er genant oder wer der were, der den hochwirdigen Gregorien erczbischoff zu Saltzpûrg unsern lieben fursten und getrûwen und sin stiffte lannde und lute mit gewalt uberziehen oder beschedigen wolte von solicher gehorsamkeid und bijstandes wegin die er uns als eym Romischen kunige rechtlich tut[a], daz ir dann yme des von unsern wegin sollent helffen weren und davor sin mit libe mit gut und unser gantzer macht getruwelichen als ein Romischer kunig[b] einem erczbischoff von Saltzpûrg billich tun sal, wann daz von demselben erczbischoff Gregorien oder von sinen wegin an uch gevordert wirt ane geverde.   orkunde dißß brieves versigelt mit unserm uffgedrucktem ingesigel, geben zu Insprûcke uff den nehsten mitwochen vor[c] *1401*
Spt. 28 sand Michels des heiligen erczengels tag in dem jare da man zalte nach Cristi gebûrte vierczehenhundert und ein jare unsers richs in dem andern jare.

Ad mandatum domini regis
Nicolaus Buman.

1401
Okt. 27 **22.** *Bischof Georg von Passau gelobt K. Ruprecht Gehorsam und will nach dessen Rückkehr aus der Lombardei sich von ihm belehnen lassen und ihm huldigen; nebst einem Entwurf derselben Urkunde ohne Datum (s. die Quellenangabe). 1401 Okt. 27 Passau.*

A aus Münch. St.A. Urkk. betr. äußere Verhh. der Kurpfalz $\frac{120}{55}$ or. mb. lit. pat. c. sig. pend. laeso; das kolumnierte a ist nicht sicher, aber sonst diesem Dialektgebiete eigen. B coll. Karlsr. G.L.A. Pfälz. Kop.-B. 8¼ fol. 154ᵇ cop. chart. coaev. — Regest ib. Pfälz. Kop.-B. 44 fol. 188ᵃ.
Wol Entwurf derselben Urkunde Karlsr. ibid. Pfälz. Kop.-Buch 8¼ fol. 158ᵇ cop. ch. coaev., durchstrichen, ohne Datum: Wir Jorge von gots gnaden bischof zu Passauwe bekennen und tun kunt offinbar mit diesem briefe: daz wir dem allerdurchluchtigistem hochgebornen fursten und herren hern Ruprecht Romischem kunige zu allen ziten merer des richs unsern lieben herren und einen Romischen kunig unsern rechten herren haben und halten sullen und wollen, und auch unser lehen von ime enphahen und huldunge darubir tun als gewonlichen ist alsbalde er mit der gotshulfe wieder heruß gein Dutschen landen kumpt.   wir sollen und wollen ime auch sin lebetage getruwlichen bigestendig und gehorsam sin dienen und gewarten als ander des heiligen richs fursten, die itzunt in siner gehorsam sin, als eime bischof von Passauwe zugehoret und als ein getruwer furste sime rechten herren eime Romischen kunige schuldig ist zû tûn und billichen dûn sal, ane alle geverde.   orkunde etc.

Ich Jorg von gotes genaden bisschoff ze Passaw bekenn offenleich mit dem brief: daz ich dem allerdurchleuchtigisten fursten und herren hern Rupprechten Romisschem kûnig ze allen zeiten merer des reichs meinem genedigen herren gehorsam sein wil und sol iecz und hinfur als einem Rômisschen kûnig und meinem genedigen herren. und sol und wil auch meine lehen von dem obgenanten meinem genedigen herren empfahen und im huldigen als einem Rômisschen kûnig, wann er wider iecz seins geverts mit den hilfen gots von Lamparten kumt ze Dêutschen lannden, an alles gevêr.   mit urkunt des[d] briefs mit unserm anhangunden insigl besigelt, geben ze Passaw an sant Symonis und Jude abent nach Christi gepûrt vierczehenhundert jar darnach in dem *1401*
Okt. 27 ersten jare.

a) *W tût? ein Punkt über dem u.*   b) *om. A.*   c) *B nach.*   d) *B diß.*

23. *Erzbischof Gregor von Salzburg schließt mit K. Ruprecht eine Abmachung wegen* ¹⁴⁰¹ *Huldigung und Belehnung* [1]. *1401 Nov. 9 Salzburg.*

Aus Münch. St.A. Urkk. betr. äußere Verhh. der Kurpfalz $\frac{120}{b\,57}$ or. mb. lit. pat. c. sig. pend., auf Rückseite von Hand des 15 Jahrh. büntniß richs; im Abdruck ist tz durchgeführt.
In Karlsruhe G.L.A. Pfälz. Kop.-B. 44 fol. 109ᵃ ausführliches Regest saec. 15 ex.
Regest Janssen Frankf. R.K. 1, 636 nr. 1060 aus Karlsr. l. c.

Ich Gregori von gotes gnaden ertzbischof ze Saltzburg legat des stůls ze Rôm bekenne mit dem brief und tůn kunt allen den die in sehent oder hôrent lesen: daz
10 zwischen dem allerdurchlêuchtigistem hochgeboren fürsten und herren hern Rûprechten Romischen kunige zu allen zeiten merêr des reiches meines gnêdigen herren und mir beredt und getaydingt ist in der masse als hernach geschriben stet. [1] zu dem ersten daz ich denselben meinen gnêdigen herren kunig Rûprechten fur ainen Romischen kunig meinen rechten herren haben und halten sol, meine regalia und lehen von im emphahen,
15 und im auch getrewlich gehôrsam sein dienen und gewartten sein lebetâge als ainer getrewr fürste ainem Romischen kunige seinem rechten herren schuldig ist ze tůn und pillich tun sol. [2] auch sol ich in disem nâchstem moneid nach datum dits briefes mein ayd und verpuntnûsse, als ich kunig Wentzeslawen von Beheim getan hab, demselben kůnig Wentzeslawen gêntzlich absagen, und ze stânde nach demselben moneyd ᵃ
20 dem edeln meinem besunder lieben Hadmaren herren ze Laber meines obgenanten herren rat und haimlichen, dem er das besunder an seinen briefen empholhen hat an seiner stat und in seinem namen aufzenemen ² : [3] der auch an dem heutigen tag mit voller macht her zu mir komen ist, und hat mir mitsampt Johann von Kirchaim des egenanten meines gnêdigen herren des kuniges hofschreibêr geantwurt brief und hant-
25 vesten von der obgenanten meiner regalia und lehen wegen mit desselben meines herren des kuniges insigel versigelt, damit er mir dieselbe regalia und lehen gesenndet hat; und davon han ich dem obgenanten Hadmaren an des obgenanten meines gnêdigen herren stat in gegenwûrtikeit meiner prelaten meines capitels râte und lantlêute gewônd-liche huldigung getan mit gelubden und ayden als gewôndlich und recht ist und ander
30 des heiligen reiches gaistliche fürsten ainem Romischen kunig pflichtig sein ze tůn an gevêrde. [4] und wann derselb mein gnêdiger herr kunig Rûprecht von Ytalien, da-hin er yetzund auf dem wege ist ze ziehen, herwider aus in Dêwtsche lande kůmet, so sol ich als schirist ich mage ungevêrlich mich mit mein selbs leibe zu ime fügen und

a) hier fehlt etwa darunber brief geben oder davon kuntschaft tun.

---

35 ¹ Gegenbrief K. Ruprechts vom 28 Sept. 1401 s. nr. 20.
² K. Ruprecht leiht dem Erzbischof Gregor von Salzburg, der wegen ehafter Noth nicht zu ihm kommen kann, nachdem derselbe an seiner Statt
40 Hadamar zu Laber oder Ulrich Staufer oder Hartung Eglofstein dem Alten gehuldigt haben wird, die Regalien seines Stifts, doch unter der Bedingung daß nach Ruprechts Rückkehr aus Italien der Erzbischof die Regalien noch einmal
45 persönlich empfängt und huldigt, dat. Insprucke Mi. v. Mich. [Sept. 28] 1401 r. 2; Wien H.H. St.A. Salzburg 306/1 or. mb. lit. pat. c. sig. pend., ibid. Registraturb. C fol. 97ᵃᵇ cop. ch. coaev.,

Karlsruhe G.L.A. Pfälz. Kop.-B. 4 fol. 112ᵃᵇ cop. ch. coaev.; Regest Chmel nr. 978 aus Wien C. — Verleihung der Regalien an Bischof Hartmann von Chur vom 7 Okt. s. Anm. zu nr. 171. Daß in derselben Form wie diesem dem Bischof von Brixen am 2 Okt. (dat. Brixen So. n. Michaelis 1401 r. 2) seine Regalien verliehen wurden, sagt eine Notiz Karlsr. G.L.A. Pfälz. Kop.-B. 4 fol. 114ᵃ und Wien H.H. St.A. Registraturb. C fol. 98ᵇ; aber an letzterer Stelle ist dazu bemerkt non transivit, vgl. Chmel nr. 987. — Regalienverleihung an den Bischof Burkhard von Augsburg von 1401 Aug. 17 s. Chmel nr. 858.

die egenanten mein regalia und lehen von im emphahen und im leiplich huldigunge
darûber tûn mit gelubden und ayden als gewôndlich und recht ist und des reiches
geistliche fursten ainem Romischen kunige pflichtig sind ze tûn an gevêrde.   [5] wêre
auch daz yemand, er wêre fûrste herre oder wie er genant wêre, der ᵃ den obgenanten
meinen gnêdigen herren kunig Ruprechten oder sein lande und lêute mit gwalt uber- 5
zichen oder beschedigen wolte, so sol und wil ich das getrewlich helffen weren und
dafûr sein mit leib und mit gût und mit meiner gantzêr macht als ain ertzbischof ze
Saltzburg ainem Romischen kûnig pillich tûn sol, wann das von dem obgenanten meinem
gnêdigen herren kunig Rûprechten oder von seinen wegen an mich gevordert und ge-
sunen wirdet, alle argeliste und gevêrde ausgeschaiden, doch vorbehebt an disem artikel 10
von der hilffe wegen des hawses von Osterriche was ich dem von puntnuss wegen
pflichtig und schuldig bin.   alle und ygliche vorgeschriben stukche punte und artikel
gelob ich vorgenanter Gregori ertzbischof ze Saltzburg legat des stuls ze Rom bei meinen
furstlichen trewn und eren gêntzlich und getrewlich stêt ze haben ze tûn und ze vol-
fûren und dawider nicht ze sein ze sûchen oder ze tûn noch schaffen getan werden 15
in dhaine weis an alle gevêrde.   und des ze urkunde gib ich den brief versigelten
mit meinem grossêrn ᵇ anhangundem insigel, geschriben ze Saltzburg an mitwochen vor
sand Marteins tag nach Christi gepurde virtzehenhundert jar und darnach in dem
ersten jare.

24. K. Ruprecht erklärt, Bischof Georg von Passau, der ihm urkundlich Gehorsam 20
gelobt hat, in seinen und des Reichs Schirm genommen zu haben und verspricht
ihm nach seiner Rückkehr aus der Lombardei die Regalien zu ertheilen, ihn auch
für geleisteten Beistand nach Ausspruch Genannter zu entschädigen; nebst einem
Entwurf von demselben Datum (s. die Quellenangabe unter C). 1401 Nov. 24
Padua. 25

A aus Karlsr. G.L.A. Pfälz. Kop.-Buch 8¼ fol. 41ᵇ *cop. chart. coaev.*, mit der Überschrift
Als mine herre hern Jorgen bischof zu Passaw in sinen schirme hat genommen.
B coll. ibidem Pfälz. Kop.-Buch 149 p. 29-30 *cop. ch. coaev.*, mit gleicher Überschrift.
C coll. Entwurf derselben Urkunde ibid. Pfälz. Kop.-Buch 8¼ fol. 41ᵃ *cop. ch. coaev.*,
ausgestrichen, mit der Überschrift non transivit in illa forma; *von demselben Datum* 30
und im übrigen gleichlautend (s. die Variante), nur fehlt der ganze Passus wegen
der Entschädigung für geleisteten Beistand, von den Worten wer' es auch daz an
bis billichen tun sollen.
Gedruckt Mon. Boica 31, 2, 16-17, Quelle unbekannt.

Wir Ruprecht etc. bekennen und dun kunt offenbar mit diesem brief: als der 35
erwirdige unser lieber andechtiger Jorge bischof zu Passaw uns sinen brief mit sinem
anhangendem ingesiegel versiegelt geben hat, das er uns als eim Romischen kunig gehorsam sin wil und sal und daz er auch sin lehen von uns enphahen und huldunge
dûn solle wann wir mit der gots hilf wieder hinuß in Dutsche lande kommen etc. als
derselbe sin brief das clerlich ußwiset, darumbe so haben wir denselben Jorgen bischof 40
zu Bassaw und sinen stiefte in unser und dez heiligen richs besunder schirme und gnade
genommen und enphangen und wollen in auch als andere unsere und dez heiligen richs
fursten getruwelich verantwurten und versprechen ᶜ und bi sinen rechten behalten ane
alle geverde.   und wann wir mit der gotshulf wieder hinuß gein Dutschen landen kommen, so wollen wir dem obgenanten Jeorgen bischof zu Passaw sin und sins stiefts 45
regalia und herlicheit guediclichen verlihen und imme unser besiegelten briefe daruber

a) *ist überflüssig.* b) or. grassêrn. c) C hier wo im die des noit geschlecht ausgestrichen, om. und bi sinen rechten
behalten, das ane allerlei geverde einseschrieben über das ausgestrichene.

geben, als danne gewonlich ist [1]. und daz er dieselben sin regalia und herlichkeit biß- ¹⁴⁰¹ ^{Nov. 24}
her von uns nit enphangen hat oder enphaen mag biß das wir wieder gen Dutschen
landen kommen, daz sal imme und sime stiefte unschedelichen sin und auch keinen
schaden brengen ane alle geverde. wer' ez auch daz der vorgenant Jorge bischof zu
5 Passaw von solichs bistands wegen deste mee und grosser koste haben müste sin sloße
zu besetzen und zu behuten, darumbe sollen wir imme auch tûn waz der erwirdige
Rafann bischof zu Spire unser canzler und der edel Albrecht von Hohenloche des vorgenanten Jorgen bruder sprechen, daz wir imme darumbe billichen tûn sollen.   orkunde
diß briefs versiegelt mit unserm kuniglichem anhangendem ingesiegel, geben zu Padaw
10 uf den donrstag vor sant Kathern tag nach Cristi gebûrt vierzehenhundert und ein ¹⁴⁰¹ ^{Nov. 24}
jare unsers richs in dem andern jare.

Ad mandatum domini regis
Johannes Winheim.

C. Anordnungen für die Kriegführung nr. 25-26.

15 **25.** *K. Ruprecht, welcher mit den Fürsten zu Mainz den Zug nach Italien be-* ¹⁴⁰¹ ^{Spt. 9}
schlossen hat, verbietet allen Reichsangehörigen, den Johann Galeazzo von Mailand
und andere, die ihm und dem Reiche Reichsgut vorenthalten, zu unterstützen, bei
Strafe der Reichsacht und schweren Ungnade sowie des Verfalls ihrer Reichslehen.
1401 Sept. 9 Augsburg.

20 *M aus München K. Staatsarchiv Urkunden betr. die äußern Verhh. von Churpfals* ¹²¹⁄₁₅
or. membr. c. sig. pend.; auf der Rückseite steht von gleichzeitiger Hand daz nieman
dem von Meylan und andern desgleichen etc. bigestendig si und ebenfalls auf der
Rückseite weiter unten von späterer Hand gebott des richs. Die Unterschrift auf
dem Bug Ad — Winheim ist eigenhändig.
25 *K coll. Karlsruhe G.L.A. Pfälz. Kop.-B. 4 fol. 108ᵃ cop. ch. coaev., mit der gleichzeitigen*
Überschrift Ein brief als min herre der kunig verkundet allen den die dem von Mey-
lan sture oder hulfe dunt oder solt von ime nement daz sie daz abetun unverzogenlichen
bi der pene der achte.
Steht auch Wien H.H. St.A. R.-Registr.-Buch C fol. 93ᵃᵇ cop. ch. coaev.
30 *Regest in Karlsr. G.L.A. Pfälz. Kop.-B. 44 fol. 239ᵇ·240ᵃ saec. 15 zweite Hälfte.*
Gedrucktes Regest Chmel_reg. Rup. nr. 934 aus Wien l. c.

Wir Ruprecht von gots gnaden Romischer kunig zu allen zijten merer des richs ᵃ
enbieten allen fürsten graven frien-herren rittern knechten und stedten, die zu dem
heiligen riche gehören und den dieser geinwertig unser brieff fürkumet, unser gnade
35 und alles gut.   und lassen úch wißen, daz wir mit unsern kurfürsten und etlichen
andern unsern und des heiligen richs fürsten, die nehste off eyme tage zû Mentze bij
uns gewest sin, zu rate sin worden, daz wir ob got wil kúrtzlichen uber berg hininne
gein Lamparten wollen ziehen unser keyserliche kronunge zu enphaen und auch den
von Meylan und ander, die des heiligen richs gut innehan und uns und dem riche fur-
40 behalten, daran zu wisen daz sie uns und dem riche die laßen folgen; und ob sie des
nit tûn wollen, so wollen wir sie understoen darzû zû dringen nach allem unserm vermogen.   und herumb so begeren und gesynnen wir an úch alle den dieser geinwertige
unser brieff fürkomet ûnd ᵇ auch an uwer iglichen besunder, daz ir deheinerley bunt-

a) K etc. statt von — richs. b) M sic.

45 [1] *Die Regalienverleihung erfolgte erst am 11   nr. 2035. 2041.*
August 1405, s. Chmel nr. 2039; vgl. dort auch

1401
Spt. 9 nisse oder vereynunge mit dem obgenanten dem von Meylan oder andern, die des richs
gut innehan und sich damyede wieder uns wolten setzen, nit machent, und, ob ir soliche
buntniße oder eynunge mit yn habent, daz ir die, alsbald uch dieser unser brieff fur-
komet, darnach in den nehsten vierzehen tagen gentzlichen und unverzogenlichen abetûnd
und auch uwer iglicher besunder den daz antriffet gentzlichen und unverzogenlichen   5
abetúw.ᵃ, und das ir auch alle und uwer iglicher besunder von dem von Meylan oder
andern die sich also wider uns setzen wolten keinen solt nemen yme wieder uns beholffen zu sin noch auch sust yme oder einchem syme helffer oder bystendere rade
helffe stûre oder zulegunge wieder uns und das rich dunt in deheinerley wise ane alle
geverde und argelist, und, ob etliche weren die itzund in des von Meylan oder ander, 10
die sich widder uns meynen zû setzen, solde sin, daz sich die auch hie zuschen und
1401
Spt. 29 sant Michels tag nebstkumpt uß demselben solde ziehen und fûrbaß nit me darynne
verliben. und welcher der obgenanten stúcke eyns oder me úberfúre und uns und dem
heiligen riche nit darinne gehorsam sin und sich frevenlichen darwidder setzen wolte,
er were fûrste grave herre frij ritter knecht stad oder in welchem wesen oder state er 15
were, den oder dieselben alle und auch ir iglichem besunder verkunden wir itzund in
krafft diß brieffs, daz sie alsdann zu stund in unser und des heiligen richs achte und
swere ungnade verfallen sin sollen; und waz auch dieselben lehen haben die von uns
und dem riche rûren, die sollen auch alsdann zu stund uns und dem heiligen riche
ledig und verfallen sin, und wollen denselben lehen dann nachfolgen als unser und des 20
richs verfallen lehen und als sich dartzû heischet.   orkund diß brieves versigelt mit
unser kuniglichen majestad ingesigel, geben zû Augspurg uff den nehsten frijtag nach
1401
Spt. 9 unser frauwen tag als sie geborn wart in dem jare als man zalte nach Cristi gebúrte
viertzehenhundert und ein jare unsers richs in dem andern jare.

[*in verso*] R. Jòhannes de Landauwen.   Ad mandatum domini regis   25
                                              Johannes Winheim.

1401
Spt. 29 **26.** *K. Ruprecht verkündet, daß er für alle die dem Heere Proviant zuführen einen
freien Markt hat ausrufen lassen, und verbietet unter bestimmten Strafen jegliche
Beschädigung beim Durchzug durch befreundete Gebiete.   1401 Sept. 29 Innsbruck.*

A *aus Karlsr. G.L.A. Pfälz. Kop.-Buch 8¼ fol.* 19 ᵃᵇ *cop. ch. coaev., mit der gleichzeitigen* 30
Überschrift Als mine herre einen frien marck hat laßen verkunden zu sinem zûge
gein Lamparthen.
B *coll. ibid. Pfälz. Kop.-Buch 149 pag.* 17 *cop. ch. coaev., mit gleicher Überschrift.*
Gedruckt Janssen Frankf. R.K. 1, 629 nr. 1046 aus A.

Wir Ruprecht etc. enbieten allen fursten graven herren heuptluden rittern knechten   35
und sust allermenglichen, die uns zu diesem geinwurtigen unserme zuge uber berge in
Italien zu dinste sin und kommen, unser gnade und alles gût.   wir laßen uch alle
und uwer iglichen wißen, daz wir einen frien markt han dûn offenlichen schrien und
berûffen, daz alle und igliche, wer die sin, niemant ußgenommen, die uns und allen den
die in diesem unserm zoge uns zu dinste sin koste zufurend sin, friede trostunge und 40
geleite zu uns und demselben unserme volke und wieder von dannen haben sollen fur
allermenglichen, also daz denselben niemant wer der si icht frevelichen nemen solle,
sunder in dieselben koste ein iglicher, der ir bedarf und sie nimmet, gutlichen bezalen,
und daz auch niemand in demselben zuge den frunden deheinen schaden dûn noch zufugen sôlle weder uf dem velde in wingarten oder anders noch in stetten merkten oder 45
dorfern. were aber daz iemand daz uberfûre, wer' der ein herre, der solte unser hulde

---

ᵃ) *M* sic, *K'* abtûw.

verlorn han und in unsern und dez richs swer ungnaden sin; wer' er aber ein ritter 1401
Spt. 29
oder edelman, der solte hengste und harnesche verloren han; wer' er aber ein arme
knechte, der solte die rechte hand verlorn han. dieselben pene man auch eime iglichen
abnemen solte ane alle gnade.   herumb so begeren wir und bitten alle fursten mit
⁵ ernste und enphelhen und gebieten auch allen graven herren heuptluten rittern knechten
und allermenglichen obgenant, daz sie in furgeschribener maße bescheidenlich zuchtlich
und unschedelich ziehen und daz auch in solcher maße mit allen iren undertanen und
den iren bestellen uns und dem heiligen riche zu nutze und zu eren, alse liebe in und
ir iglichem unser swer ungnade und die obgenant pene si zu vermiden.   orkunde diß
¹⁰ briefs versiegelt mit unserm ufgetruckten ingesiegel, geben zu Insprucke uf sant Michels
dez heiligen erzengels tag in dem jare als man zalte nach Christi gebürte vierzehen- 1401
Spt. 29
hundert und ein jare unsers richs in dem andern jare.

Ad mandatum domini regis
Nicolaus Buman.

¹⁵ D. Verhältnis zu Florenz nr. 27-36.

27. *Erzählung des Florentinischen Gesandten Buonaccorso Pitti von seinen Verhand-* 1401
Juli 18
   lungen mit K. Ruprecht und zwischen demselben und Florenz in Betreff des Rom- bis
   zuges [1]. *1401 Juli 18 bis 1402 April.* 1402
April

   P *aus Cronica di Buonaccorso Pitti, ed. G. Manni, Firenze 1720, p. 64-70. Die zum*
²⁰ *Theil modernisierte Orthographie mußte natürlich beibehalten werden.*
   S *coll. Florenz Bibliotheca Magliabecchiana Classe XXV nr. 695 alter Signatur, neuer*
   II, V, 151 cod. ch. saec. 18 pag. 69-102. Konnte, obwol dem Drucke gegenüber selb-
   ständig, unserem Texte nicht zu Grunde gelegt werden, weil durchweg die Formen
   modernisiert sind.
²⁵ *Gedruckt auch Janssen Frankf. R.K. 1, 644-648 nr. 1067 aus P.*

[1] Partimi da Adilberghi a dì 18 di luglio, e giunsi a Padova in 12 dì, che sono 1401
Juli 18
più di miglia 5 ciento, e grande amirazione n'ebbe il signore [2], che così presto io fossi
potuto venire, e nollo [3] arebbe creduto se non fosse per una lettera gli portai delompe-
radore [4]. partimi di Padova colla febre che ben quattro dì innanzi m'era cominciata, e
³⁰ arrivando a Ruico [5] vi stetti uno dì nel letto con sì gran febre ch'io non pote' caval-
care. il sicondo dì entrai innuna barca e per cierti canali arivai in Pò e poi a Francolino [6] e ivi rimontai a cavallo e vennine a dormire al poggio di messer Eghano [a][7], e
di là venni qui in due dì e mezo, tuttavia colla febre. e referito ch'io ebbi a' nostri
signori e a' loro collegj e a uno consiglio di richesti [8], mi tornai a casa e in pochi dì
³⁵ fu' libero da la febre.   [2] e ritornato sano e frescho, diliberarono i signori e [b] dieci
della balia, che Andrea di Neri Vettori [9] (che poi fu cavaliere) e io andassimo a

a) S Erhano. b) S add. i.

---

[1] *Es ist die Fortsetzung von nr. 302 in Bd. 4.*
[2] *Der Herr von Padua Franz von Carrara.*
⁴⁰ [3] *Non lo.*
[4] *Diesen Brief haben wir nicht; derselbe wird*
ähnlich gelautet haben wie nr. 311 in Band 4.
[5] *Rovigo.*
[6] *Nördlich von Ferrara.*
⁴⁵ [7] *Vielleicht Poggio zwischen Bologna und Imola,*
südl. von Medicina.

[8] *Ein außerordentlicher Rath, der zusammen-*
berufen wurde, um die Berichte der Gesandten
mit entgegenzunehmen.
[9] *Dieser muß eine ziemlich untergeordnete Rolle*
gespielt haben, da er weder bei der Abschließung
des Vertrages vom 13 Sept. 1401 nr. 28 noch in
dem offiziellen Gesandtschaftsbericht Pitti's nr. 33
erwähnt wird; dagegen kommt er hier weiter unten
noch vor und nr. 32 art. 21ᵃ.

1401
Juli 18
bis
1402
April
1401
Aug. 15

Usperco [1] e diciessimo a lomperadore che, fatto ch'egli ci avesse carta pubblica de' capitoli e patti che noi faciemo con lui [2], che mandasse a Vinegia per ducati 50 mila [3]
che là erano nelle mani di Giovanni di Bicci de' Medici [4], loro commessario.   [*3*] partimo di Firenze a dì 15 d'aghosto, e venne con noi il detto Giovanni de' Medici insino
a Vinegia, e là lo lasciamo e andamo al nostro viaggio. e a gran giornate arivamo a 5
Usperc, dov' era il nuovo eletto con circha 15 milia cavalli di bella giente. sponemo
la nostra ambasciata, alla quale prestamente rispose con grande dolore, vegiendo che
non portamo alcun danaio, diciendo „a me conviene lasciare il fiore della nostra
brighata [5], che sono circha chavalli 5 milia di giente usa innarme, e non anno da loro
danaio". tenne tutto dì consiglio, praticando se era da venire più innanzi o tornarsi a 10
dietro. e in fine diliberò lasciare i detti 5000 cavalli per lo mancamento del danaio, e
cogl' altri tirarsi innanzi a piccole giornate, attendendo poi a Trento ch'io fossi tornato
co' fiorini overo ducati 50 milia. diedemi le carte e capitoli con suoi sugielli [6] e volle
ch'io tornassi a Vinegia con uno suo cavaliere e con suo tesoriere [7]. e così feci.   [*4*] e
arrivati a Vinegia subito gli feci dare i detti 50 milia ducati e andamone con essi a 15
Trento, dove lo trovamo forte sbighottito per il[a] tempo che avea perduto innaspettarci,
il quale tempo perduto fu circha di[b] 22 dì che più tosto sarebe[b] entrato in Lombardia,
se a Usperc gli fossono stati mandati[c] 25 milia ducati, come ci richiese, e menata tutta
la sua giente; che gliene adivenne dipoi quello ch'egli dubitava, ciò è che nel penare [8]
a entrare il duca di Melano avesse più agio a provedersi e farsi forte a lancontra[d][9] di 20
lui. e così fecie; il perchè gran danno e verghogna ne seghuì a la sua maiestà e al
nostro comune, come innanzi farò menzione. e rapresentati i detti ducati 50 migliaia,
egli subito gli distrebuì, e me preghò e strinse ch'io tornassi a Vinegia a fare presta la
siconda pagha, la quale volea verso Verona. feci risistenzia di non partire da lui, diciendo, non essere di bisogno la mia andata e che nell' andare portava gran pericolo di 25
morte o di prigionia etc., e che io sarei più contento morire innarme al suo servigio
che morire come mandato per danari etc., però che molto migliore fama ne rimarrebbe
di me e onore a quelli di casa mia. e in fine esso mi strinse a quella andata diciendo
„tu mi farai più servigio a l'andare che tu non faresti servendomi con ciento lancie",
diciendo „domanda a me quello che vuogli ch'io possa, e sarà fatto". risposi diciendo 30
„sacra etc., dipoi che così vi piace, sono contento d'andare; ma se. io ne sono morto o
preso, che segno rimarrà a'miei che possano mostrare ch'io sia morto al vostro servigio?".
alora disse „voglioti donare segno di mia arme, il quale sia il lione d'oro insu le tue
antiche armi, e anobilischo te e tuoi fratelli e vostri disciendenti" [10]. e così comandò
al suo cancelliere, che in su lo suo ligistro[e] ne faciesse ricordo, diciendo „va lietamente, 35
Bonacorso, però che idio t'acompagnerà per l'opere e efetti che di me debono uscire, e

a) om. P. b) om. S. c) S add. i. d) S all' incontro, P a la' ncontra. e) S registro.

[1] Augsburg.
[2] Die Artikel vom 13 Sept. 1401 nr. 28.
[3] Gemäß den Artikeln des Vertragsentwurfes
vom Mai, die dann am 13 Sept. 1401 in nr. 28
auch ratifiziert wurden, sollte die erste Rate
110000 Dukaten betragen; doch irrt sich Pitti
nicht; vgl. die Einleitung lit. D.
[4] Nach dem Herausgeber der Cronica l. c. pag.
65 Note 5 Giovanni d'Averardo, detto Bicci, de'
Medici, Vater Cosimos von Medici.
[5] Dieß wird sehr drastisch bestätigt durch die
Zahlungsbefehle nr. 169.
[6] Das ist der Vertrag vom 13 Sept. nr. 28.
[7] Konrad von Freiberg und Johannes Winheim,

s. die Zahlungsbefehle vom 14 Sept. 1401 art. 5
nr. 169 und die Vollmacht nr. 29.
[8] Zögern, dauern, s. Tommaseo e Bellini Dizio- 40
nario s. v. § 4.
[9] All' incontra, s. ib. s. v. incontra.
[10] K. Ruprecht nimmt B. Pitti und dessen 4
genannte Brüder wegen des ersteren Verdienste
um das Reich unter seine Familiares auf und 45
verleiht denselben nebst ihren Descendenten das
näher beschriebene Wappen; Zeugen: Erzbischof
Friderich von Köln, Bischof Raban von Speier,
Konrad von Soltau Bischof von Verden, Graf
Emicho von Leiningen, Graf Günther von Schwarz- 50
burg, Friderich der ältere Graf von Mörs und

se idio ne ª conciede, ch'io ghastighi il gran tiranno di Melano, questo segno che io ti do sia l'arra ᵇ di grandissimo honore e profitto che per a tempo da me ricieverai". e innefetto io lo vidi partire di Trento innanzi ch'io mi volessi partire, e accompangnolo alquanto fuori della città e lasciai con lui Andrea Vettori e ser Pero da Samminiato [1], 5 a'quali accomandai due de' miei chavalli e il più di mie armadure, ecietto che le panziere che con meco continovo le voleva. [5] partimi e ripresi il camino per Alamangna e arivai a Venzone [2]. e su per lo camino feci uno de' miei materiali [3] sonetti, il quale ora scrivo:

401 e mille l'an corant
10 nella città di Trento rè Rupert
volle lo scudo mio esser copert
de l'arme suo lion d'oro rampant.
e volle e comandò, in quello stant ᶜ [4]
nel suo ligistro ᵈ fosse scritto apert
15 il nome di noi cinque, sicchè ciert
ciascun l'avesse nello scudo ondant [5].
donocci brivilegio e fecci dengni
di nobiltà co' nostri disciendenti,
possian portare innarme nostri sengni,
20 co l'altre preminenzie concorrenti
ch'anno gientil che son per tutt'i rengni,
possian tenere il fio da' rè possenti.
adunche, diligienti
fratelli e figli, fate e dite bene
25 con quel ch'a gientileza si conviene.

e arivato ch'io fu'a Venzone in Frioli, la sera venne a me uno Sanese, col quale io avea auto nel passare ch'io avea fatto più volte dimesticheza alla sua bottegha di spezieria che faciea; il quale mi disse, com'egli avea veduto e inteso uno trattato ordinato per farmi pigliare in sul camino ch'io dovea arrivare il dì seghuente, e il trattato era 30 stato menato e conchiuso per uno segreto commessario del duca di Melano, che avea nome Fra Giovanni Dechani, il quale avea promesso al signore di Pranpergh, che s'egli mi desse nelle sue mani, che gli darebbe ducati 4 milia d'oro, e che il detto di Pranpergh l'avea promesso di fare, e che lo farebbe sotto colore d'una ripresaglia ch'egli avea sopra i Fiorentini. domandalo ᵉ [6] s'io mi poteva fidare del mio oste. disse di sì 35 larghamente. e inneffetto la notte in su le 4 ore montai a chavallo e menai con meco

---

a) *S* non. b) *S* caparra. c) *S* instant. d) *S* registro. e) *S* li domandai.

Saarwerden, Heinrich Probst zu S. Severin Colon., Albert Golerer und Colbo de Buchart milites, Nic. Buman, Jo. de Stamensdorff und Jo. de Empache 40 canonici eccl. Trident., Bertholdus de Novadomo, Rabanus de Helmstat und Diethericus Betendorffer; dat. Tridenti 15 die mens. octob. 1401. Karlsruhe G.L.A. Pfälz. Kop.-B. 148 fol. 130-131, ibid. Kop.-B. 5 fol. 50ª, doch fehlt hier der An-45 fang der Urkunde, Wien H. H. u. St.A. R.-Registr.-Buch A fol. 47ª, überall cop. ch. coaev. Gedruckt Cronica di B. Pitti l. c. Vorrede pag. XXXIII-XXXV aus or. im Besitz der Erben des Senators Andrea Pitti. Regest Chmel Reg. Rup. nr. 1010 50 aus Wien l. c. und Janssen Frankf. R.K. 1, 634 nr. 1052 aus Karlsr. l. c.

[1] Derselbe unterschreibt als Florentinischer Notar den Vertrag vom 13 Sept. 1401 nr. 28 und auch den Gesandtschaftsbericht Pittis nr. 33.
[2] Venzone südöstl. von Paluzza, derselbe Weg, den K. Ruprecht im November hinunterzog, s. Ficker in Mittheilungen des Instituts für österr. Geschichtsforsch. 1, 301.
[3] Bescheidenheitswendung.
[4] Augenblick, s. Tommaseo e Bellini Dizionario s. v. stante.
[5] Funkelnd, s. ib. s. v. ondeggiare § 6 Contin.
[6] Domanda abgekürzte Form für domandai, welche sich bei den Grammatikern nicht findet, doch hier öfter vorkommt, so gleich andane.

8 *

1401
Juli 18
bis
1402
April

l'oste e uno suo famiglio per none errare il camino, che fuori del diritto chamino tenni, il quale fu diritto a Porto-Ghruaro, che sanza mangiare o bere là arivai, che sono miglia 40. e quivi montai in mare e andane a Vinegia, e i miei chavalli mandai a Padova. e dipoi che'l duca di Melano fu morto [1], trovai il detto fra Giovanni a Bolongna, il quale mi confessò essere stato vero etc.   [6] arivato ch'io fu' a Vinegia o *5* stato circha a tre dì, venne la novella che lomperadore era stato sconfitto dinanzi a Brescia [2] e che la sua persona s'era tornata a Trento. e di là chiamato e confortato dal nostro comune e da' Viniziani e dal signore di Padova ne venne a Padova [3] per la via da Venzone [a]. e arivato a Padova vi venne nuova ambasciata da Firenze, ciò fu messer Filippo de' Corsini, messer Rinaldo Gianfigliazi, messer Maso degli Albizi e *10* messer Tomaso de' Sacchetti [4]. e i detti cavalieri e Andrea de' Vettori e io tenemo molte pratiche e ragionamenti collo imperadore e col signore di Padova, e non sendo bene d'accordo con lui, diliberò d'esser a Vinegia, e che noi v'andassimo per adoperare

1401
Dec. 1

la signoria di Vinegia alla nostra concordia. e questo fu in calendi di diciembre l'anno detto.   [7] andamo a Vinegia e là dopo molte pratiche e consigli tenuti nella presenzia *15* del duca di Vinegia noi non fumo d'acordo [5]. il perchè lomperadore montò in mare con ghalee che i Viniziani gli prestarono per andare a Porto-Gruaro. e partito che fu [6], subito il duca mandò per noi dolendosi per lo bene di noi e di tutta Italia della partita dello imperadore, diciendo „se voi lo [b] lasciate tornare inn Alamagna, sanza dubio il duca di Melano si farà signore di tutta Italia" etc. e inneffetto egli ci confortò e *20* preghò, che noi gl'andassimo dietro uno o due di noi, e ch' egli ancora vi manderebbe a pregharlo che tornasse a Vinegia, in caso che noi acordassimo di dargli la quantità che ci avea domandata. rispondemo di farlo, e tornamo a chasa. e innefetto niuno di loro si volle mettere al pericolo d'andargli dietro. andavi io con comesione di tutti a pregharlo, che tornasse, e che noi gli daremo quello ci avea domandato. giunsilo il dì *25* seghuente a uno porto presso a Vinegia a [c] miglia 50. fecili la mia ambasciata; il perchè si ristrinse a consiglio co' suoi. e perch'io gli dissi che il duca ci mandava a lui per detta cagione, stette nel consiglio da la matina a [d] levare del sole insino a mezo dì, aspettando il mandato del duca, i quali [e] arrivarono in su la [f] terza [g] e entrarono in quello consiglio. e poco stati, io fui chiamato; dove lomperadore mi disse, che volea *30* tornare in quanto io gli promettessi la fede per me e per gli altri miei compagni, che arivato ch'egli fosse a Vinegia, noi gli daremo ducati 60 milia [i] i quali egli ci avea domandati per rimettersi in punto etc. e così gli promisi. rimenalo a Vinegia e fugli atenuta [h] la mia promessa. e poi ne venimo a Padova e ivi lo lasciai in pratiche cogl' altri ambasciadori e venine a Firenze a referire quello che per insino a la partita fe' *35* di là [i] s'era fatto [8]. e dipoi tornarono gl' altri ambasciadori, e veneci il duca Lodovico di Baviera [8], nipote dello imperadore, a cierchare altre nuove convegne [k] e patti per aiuto del passare a Roma o dello stare in Lombardia a fare ghuerra al duca di Melano. e dopo molti consigli e pratiche tenute quì non s'ottenne fare più alcuna spesa a man-

a) S di Venzone, P d'Avensone.   b) om. S.   c) S circa.   d) S al.   e) S che statt i quali.   f) om. S.   g) S 10000.   *40*
h) S mantenuta.   i) fe' di la om. S.   k) S convenzioni.

[1] *Herzog Johann Galeazzo starb am 3 Sept.*
1402.
[2] *Am 21 Okt. 1401.*
[3] *Am 18 November 1401.*
[4] *S. nr. 32 und 34.*
[5] *Vgl. hier und weiterhin die Unterhandlungen*
K. Ruprechts mit Venedig nr. 70 ff.

[6] *Am 9 Januar 1402, s. nr. 76 Note.*
[7] *Nach nr. 76 brachen sie am 11 Januar morgens von Venedig auf.*
[8] *S. die Relation Pitti's nr. 83, wonach er am* *45*
12 Febr. 1402 nach Florenz zurückkam.

tenere di quà il detto imperadore; che fu quella diliberazione che ci arebbe fatto perdere la nostra libertà, se non fosse la morte che sopragiunse il duca di Melano poco
tempo apresso ch'egli avea presa Bolongna [1], che la prese a l'uscita di giugno nel detto
anno, e poi si morì del mese di settembre [2].

1402
Juni ex.

1402
Spt.

28. *Vertrag zwischen K. Ruprecht und dem Florentinischen Geschäftsführer Buonaccorso*   1401
Pitti, hauptsächlich wegen Bekämpfung des Grafen von Virtù durch den König,   Spt. 13
wozu Florenz ihm 200000 Dukaten schenkt und sich außerdem für den Nothfall
zu einer Anleihe von gleichem Betrage bereit erklärt. 1401 Sept. 13 Augsburg.

> *M aus Münch. Staatsarchiv Äußere Verhh. der Kurpfalz $\frac{190}{23}$ or. mb. lit. pat. c. sig.*
> *pend., auf Rückseite von Hand des 15 Jahrhunderts Vertrag zwischen konig Ruprecht*
> *und den Florentinern ir fryheit betreffend.*
> *A coll. Karlsr. G.L.A. Pfälz. Kop.-B. 143 p. 126-129 cop. ch. coaev., Überschrift Capitula*
> *convencionum inter dominum nostrum regem et ambasiatores Florentinorum super*
> *introitu predicti domini regis in Italiam.*
> *B coll. ib. Pfälz. Kop.-B. 115 p. 1-3 cop. ch. coaev.*
> *W coll. Wien H.H. St.A. Registraturbuch A fol. 45ᵇ-46ᵇ cop. ch. coaev., mit gleich-*
> *zeitiger Überschrift wie in A; links am Rande der Überschriftzeilen ein gleichzeitiges*
> *Vermerkzeichen ⌇.*
> *Z coll. Florenz St.A. Riformagioni Atti pubblici or. mb. lit. pat. c. sig. pend. delapso;*
> *man sieht beide Einschnitte, durch die der ebenfalls verlorene Pergamentstreif des*
> *Sigels gieng; oder nur zum Original bestimmt, aber nicht zur Vollziehung gelangt?*
> *Auf der Rückseite die spätere Notiz saec. 15 Instrumentum continens conventiones et*
> *pacta inter Rupertum Romanorum regem et Bonacursum Nerij de Pietis pro comuni*
> *Florentino de mense septembris 1400 primo. — Ibid. Libri dei Capitoli XIV fol.*
> *187ᵃ-188ᵃ. cop. mb. coaev., ohne Abweichungen, zu Anfang links am Rande Scriptura*
> *pactorum factorum inter dominum regem et comune Florentie gleichzeitig.*
> *Gedruckt Mone Zeitschrift für die Gesch. des Oberrheins 5, 306-310 aus A; Janssen*
> *Frankf. R.K. 1, 618-622 nr. 1030 aus A und B. — Regest Chmel Reg. Rup. nr. 954*
> *aus W.*

In eterni et omnipotentis dei nomine amen.   ad honorem gloriam et laudem et
reverenciam ejusdem omnipotentis dei, et beate Marie virginis gloriosissime matris ejus,
et beatorum sanctorum Johannis baptiste martiris gloriosi patroni et defensoris civitatis
Florencie, et beati confessoris Heinrici de Bavaria quondam Romanorum imperatoris
plante et radicis sanctissime illustrium principum et dominorum inclite stirpis Bavarie
patroni et defensoris ejusdem stirpis atque domus, et tocius curie paradisi, et ad gloriam
exaltacionem et sublimitatem invictissimi atque serenissimi principis et metuendissimi
domini domini Ruperti dei favente clemencia regis Romanorum semper augusti et deo
propicio futuri imperatoris et monarche nati quondam felicis et gloriose memorie illustris
principis et domini domini Ruperti ducis Bavarie et comitis Palatini Reni, et ad magnificenciam et perpetuam libertatem pacem et tranquillitatem civitatis populi et conmunis
Florencie, infra scripta sunt quedam pacta convenciones et federa, facta et firmata inter
dictum serenissimum principem et metuendissimum dominum dominum Rupertum Romanorum regem prefatum ex una parte, et Bonacursum quondam Nerii de Pictis [a] civem
egregium et honorabilem Florentinum sindicum et procuratorem conmunis Florencie ad
hec specialiter constitutum, ut de sindicatu et mandato constat manu ser Peri quondam
ser Peri de sancto Miniate civis et notarii Florentini sub anno domini millesimo quadrin-

a) M doch nicht Pittis.

---

[1] *Am 28 Juni 1402.*   [2] *Am 3 Sept. 1402.*

1401
Fbr. 21 gentesimo, indicione nona die vicesima prima mensis februarii [1], ex alia; videlicet [2]:
[*1*] inprimis quod dictus dominus rex teneatur et debeat conservare manutenere defendere
et tueri civitatem et conmune Florencie in sua libertate statu et dominio in^a quibus
dicta civitas et conmune Florencie presencialiter est, et de dictis libertate statu et dominio nichil adimere auferre vel subtrahere quoquomodo, sed ipsam libertatem statum   5
et dominium dicte civitatis et conmunis Florencie in quantum poterit ampliare custodire
et salvare, et ipsam civitatem et conmunitatem Florentinam non relinquere indefensam.
[*2*] item quod dictus dominus rex teneatur et debeat, mox cum fuerit imperialibus in-
1401 fulis insignitus, concessum privilegium sua gracia et benignitate dicto conmuni Florencie
Juli 4 die quarta mensis julii proxime preteriti in civitate Maguncie [3], bulla aurea facere robo- 10
rari; quod quidem privilegium durare voluit toto tempore vite sue et ad beneplacitum
imperii et donec per successores suos legittime intrantes expresse et specialiter fuerit
revocatum. et quod conmunitas Florentina teneatur solvere in civitate Florenc*ie* singulis
annis, donec ipse rex vixerit, eidem domino regi illum censum, de quo dictus dominus
rex et conmune Florencie insimul concordabunt, quia sic pactum exstitit et conventum. 15
[*3*] item quod dictus dominus rex teneatur et debeat intrare Italiam, specialiter Lombardiam,
cum potenti exercitu et brachio militari super territorium comitis Virtutum in ejus comitis
Virtutum et status ejus ruinam exterminium exicium et jacturam hinc ad per totum presen-
1401 tem mensem septembris vel ad tardius usque ad per totam diem quintam decimam mensis
Spt.
Okt. 15 octobris proxime futuri.   [*4*] item teneatur et debeat dictus dominus rex totis sue majestatis 20
viribus et conatibus dictum comitem Virtutum tamquam hostem et rebellem imperii et
publicum inimicum indesinenter deponere perdere et delere, ipsumque comitem Virtutum
de statu et dominacione sua possetenus proicere expellere et fugare, et hoc pro honore
imperii et sue regie majestatis, maxime eciam quia jura imperii occupavit et occupat et
offendit Florentinos injuste et civitatem Florencie et ejus libertatem nititur occupare. 25
[*5*] item quod dicta conmunitas Florentina teneatur et debeat donare et dono et nomine
doni et muneris dare et solvere et dari et solvi facere dicto domino regi, pro conductu
et retencione ducum principum militum et baronum secum ducendorum in Italiam in
exterminium comitis Virtutum ut supra dicitur et pro honore imperii et favore sue fide-
lissime civitatis Florencie et pro reconpensacione laboris et omnium predictorum, ducatos 30
ducenta milia auri et seu equivalenciam vel valorem dictorum ducatorum in civitate
Veneciarum aut Padue vel Ferrarie vel in una ex dictis civitatibus, ubi vel in qua so-
lucio dictorum ducatorum habilior fuerit dicto conmuni et magis congrua dicto domino
regi, in duabus pagis vel solucionibus, videlicet centum decem milia per totum presentem
1401 mensem septembris et nonaginta milia per totum mensem octobris proxime secuturum; 35
Spt.
Okt. cum ista condicione et pacto, si et in quantum dictus dominus rex transeat sive transi-
verit in Lombardiam ad dictum terminum super territorium comitis Virtutum et seu
super territorium, quod tenet et occupat de imperio ipse comes Virtutum, hostiliter et
potenter; salvo semper tamen, quod infra dicetur in sequenti capitulo.   [*6*] item, si
dictus dominus rex egeret pecunia supradicta in Almania et mutuo acquireret a merca- 40
toribus Almannis vel ab aliis, quod tunc et eo casu dicta conmunitas teneatur et debeat,
sive ejus sindicus, promittere dictis mercatoribus solvere dictam primam pagam centum
decem milium ducatorum in dicta civitate Veneciarum per totum dictum mensem sep-
1401 tembris vel dictorum ducatorum equivalenciam vel valorem, cum condicione predicta, in
Spt.

a) om. *MABWZ.*   45

---

[1] *S. das Vollmachtsinstrument, welches nach*
dem Calculus Florentinus datiert ist, Bd. 4 nr.
258.

[2] *Vgl. die im wesentlichen übereinstimmenden*
Abmachungen vom Mai 1401 Bd. 4 nr. 307.
[3] *S. Bd. 4 nr. 358.*

quantum transeat, ut supra dicitur, per totum dictum mensem septembris vel ad tardius *1401 Okt. 15* usque ad per totam quintam decimam diem octobris proxime futuri in Lombardiam; salvo et excepto, quod, si dictus dominus rex foret in via vel in itinere preparatus cum dicto exercitu, in cujus congregacione magnas expensas fecerit, et mors, quod absit, 5 eum invaderet, quod tunc et eo casu promissio libera et absoluta sit, et teneatur et debeat ipsa conmunitas Florentina solucionem facere dictis mercatoribus de dictis centum decem milibus ducatorum vel eorum equivalencia vel valore in dicta civitate Veneciarum ad terminum antedictum, quia per pactum extitit, quod periculum mortis regie in itinere solum cum dicto exercitu totum immineat Florentinis. [7] item quod in casu necessi- 10 tatis dicti domini regis, quo dictus dominus rex, cum foret in Italia contra ipsum comitem Virtutum, egeret pecunia pro nutriendo manutenendo et conservando miliciam suam principes duces et dominos secum ducendos et dictum suum exercitum, ut prefertur, conmunitas Florentina teneatur et debeat mutuare et mutuo dare dicto domino regi in Florencia usque in summam ducentorum milium florenorum in sex mensibus tunc proxime 15 secuturis, incipiendis in kalendis novembris, et in sex vicibus seu solucionibus, scilicet *1401 Nov. 1* quolibet mense dictorum sex mensium ut pro rata contingit. de qua quidem quantitate et summa florenorum ducentorum milium in dicto casu sic mutuandorum dictus dominus rex teneatur et debeat dare facere et prestare bonam sufficientem et ydoneam caucionem et securitatem de restituendo dictam pecuniam dicto conmuni Florencie ad illud tempus 20 et terminum, de quo dictus dominus rex et dicta conmunitas Florencie simul pepegerint et concordes fuerint, vel dare et assignare pro dicta quantitate pecunie sic mutuanda dicto conmuni Florencie rem, de qua ipsum conmune dicat et vocet se bene contentum et tacitum ac sibi fore de dicto mutuo a dicto domino rege integre satisfactum. [8] item quod facta solucione dictorum ducentorum milium ducatorum nomine doni prout supra 25 dicitur vel eorum valoris in casibus antedictis, idem dominus rex teneatur et debeat finem et quietacionem facere dicto conmuni Florencie ad requisicionem et voluntatem dicti conmunis per publicum instrumentum de quantitate predicta [1]. que omnia et singula suprascripta in dictis capitulis conprehensa et annexa et quodlibet eorum prefatus gloriosissimus dominus rex et invictissimus princeps ex una parte, et egregius civis 30 Bonacursus Nerii predictus sindicus conmunis Florencie antedictus cum omni reverencia ad regiam majestatem dicto nomine ex alia, scilicet unus alteri et alter alteri, invicem et vicissim, promiserunt et convenerunt solempni stipulacione attendere observare facere et adimplere bona fide et sine dolo vel fraude, omni excepcione vel cavillacione juris vel facti remotis penitus et rejectis, et contra non facere vel venire per se vel per alium 35 aliquo quesito colore aut aliqua racione vel causa de jure vel de facto, rogantes nos Emericum de Mosscheln et Perum de sancto Miniate notarios infrascriptos, ut de pre- dictis conficiamus publica instrumenta. demum ad majorem fidem et roboris firmitatem prefatus invictissimus princeps et metuendissimus dominus jussit hec capitula contractum paginam et scripturam sue majestatis sigilli appensione muniri. acta fuerunt omnia 40 et singula suprascripta in civitate Auguste presentibus reverendissimis in Christo patribus ac dominis domino Friderico archiepiscopo Coloniensi per Italiam archicancellario, domino Rabano episcopo Spirensi regalis aule cancellario, domino Heinrico Sticher preposito ecclesie sancti Severini Coloniensis, magistro Dielmanno Attendern licenciato in legibus, egregio milite domino Michahele de Rabacta [a], domino Heinrico de Gallis de Padua 45 legum doctore, et Dordeo de Ganbertis de Civitate Austrie, testibus ad [b] hec vocatis et

---

a) *M nicht* Rabatta. b) *em. aus* ac.

---

[1] *Den wesentlichen Inhalt des Vertrages gibt entsprechend an Minerbetti in seiner Chronik in*   *Rerum Ital. Scriptores, ed. Florent. 1770, 2,* 440.

1401
Spt. 13 rogatis, sub anno domini millesimo quadringentesimo primo indicione nona die tercia decima mensis septembris regni vero prefati domini regis anno secundo.

[*Notariatszeichen*] Et ego Emericus de Mosscheln publicus imperiali auctoritate necnon serenissimi atque invictissimi principis et domini domini Ruperti Romanorum regis prescripti notarius, quia premissis omnibus et singulis una cum infrascripto Pero notario   5 publico et cum prenominatis testibus, dum sic ut premittitur agerentur et fierent, presens interfui, ideo presentes litteras seu presens publicum instrumentum manu mea propria scriptum et cum predicto Pero notario bene et diligenter collatum publicavi et in hanc publicam formam redegi, signoque et nomine meis solitis et consuetis una cum appensione sigilli majestatis regie prefati serenissimi principis et domini domini Ruperti Ro- 10 manorum regis et de ejus mandato signavi atque roboravi, requisitus in fidem et testimonium omnium et singulorum premissorum.

[*Notariatszeichen*] Ego Perus quondam ser Peri de sancto Miniate Florentino imperiali auctoritate judex ordinarius et notarius publicus predictis omnibus et singulis scriptis et publicatis per suprascriptum Emericum notarium, dum agerentur et fierent, 15 interfui, et ea omnia rogatus et requisitus scribere una cum dicto Emerico ac secum bene et diligenter collata et revisa scripsi et in protocollis meis fideliter annotavi, ideoque me subscripsi et signum meum consuetum apposui ad fidem et testimonium premissorum.

1401 **29.** *K. Ruprecht bevollmächtigt 2 Genannte zur Erhebung der Summe von 200000* 20
Spt. 13   *Dukaten von Florenz* [1]. *1401 Sept. 13 Augsburg.*

     Aus Karlsruhe G.L.A. Pfälz. Kop.-B. 5 fol. 30 b *not. ch. coaev.; ibid. Pfälz. Kop.-B. 143 pag. 75; Wien H.H. St.Arch. R.-Registr.-Buch A fol. 29* a*; überall nur Notis. — Regest Chmel nr. 955 aus Wien l. c.*

Item in prescripta forma [*d. h. wie die Vollmacht vom 20 Juli 1401 Bd. 4 nr.* 25 *361, welche im Kodex l. c. vorausgeht*] et sub data 13 die mensis septembris Auguste
1401 anno domini millesimo quadringentesimo primo regni vero anno secundo datum est pro-
Spt. 13 curatorium predicto Conrado de Friberg militi et Johanni de Winheim super summa ducentorum milium ducatorum a predictis Florentinis levanda etc.

[1401 **30.** *K. Ruprechts Werbung an die Florentiner, den Krieg gegen Mailand und die* 30
ca.   *Unterwerfung von Lucca betreffend. [1401 ca. Sept. 25 Innsbruck* [2]*.]*
Spt. 25]

     Aus Karlsruhe G.L.A. Pfälz. Kop.-B. 146 fol. 50 a *cop. ch. coaev.*
     coll. der Abdruck bei Janssen Frankf. R.K. 1, 628-629 nr. 1044 aus Kodex in eigenem Besitz Acta et Pacta 200-201.
     Moderne lateinische Übersetzung bei Martène ampl. coll. 4, 72 nr. 50. — Daraus erwähnt 35 *Chmel Reg. Rup. unter nr. 955.*

Werbunge an die Florenczer.

[*1*] Zum ersten sollent ir an sie werben von unser zukunft und von dem kriege wieder den von Meilan und die sinen zu stunde anzuheben, wie uch dan der von Padauwe redet daz das allertreffelichest an sie zu bringen si.   40

---

[1] *Es ist dieß eine Generalvollmacht für die ganze Summe, die gemäß art. 5 des Vertrages vom 13 Sept. 1401 nr. 28 in verschiedenen Raten von den Florentinern zu erheben war; vgl. die Zahlungsbefehle nr. 169 art. 5.*
[2] *Das Stück steht im Kodex nach der Instruk-*

tion vom Sept. 1401 nr. 89 und vor der Werbung an die Kurfürsten [1402 zw. Apr. 14 u. Mai 2] nr. 207; es gehört ohne Zweifel zu der Gesandtschaft vom 25 Sept. 1401, s. nr. 87 und nr. 92, mit der Ulrich von Albeck und Johann von Mittel- 45 *burg betraut wurden.*

[2] Item sollent ir sie bitten von unsers herren wegen, daz sie etwas bequeme [1401
wege wollen gedenken und versuchen, wie daz commune und die stat zu Lucke, die _ca._
an daz rich gehoret, unserm herren dem kunig auch gehorsam werde. wan unser herre
meint, daz sie die kuntschaft wol haben sullen und allerbaste[a] wißen und wege darinne
5 mogent finden die bequeme sint zu diesen sachen etc.

31. *Der [junge Herzog von Mailand[1]] theilt seinem Bruder die Niederlage K. Ru-* [1401
prechts bei Brescia mit. [1401 zwischen Okt. 21 und 24[2]] o. O. ____ns.
                                                                      Okt. 21
Aus Mailand Archivio municipale storico Registro delle lettere ducali 1385-1409 fol. 94[a] [u 24]
cop. chart. coaev., am Rande links gleichzeitig prima rupta data gentibus novi ellecti, [1401]
zu Ende des Briefes die gleichzeitige Notiz 24 octobris presentata. Okt. 24
Gedruckt Giulini Memorie spettanti alla storia . . . di Milano, nuova edizione 6, 40
ebendaher. — Das Regest bei Giulini l. c. pag. 271 aus derselben Quelle bezieht sich
ohne Zweifel auch auf diesen Brief, da a. a. O. kein anderer der Art sich findet.

Carissime frater. ut et tu sencias de bonis novis que hodie hic habemus, noti-
15 fico tibi, quod, dum gentes novi ellecti descendissent in satis magna quantitate pro
victualibus habendis, ecce dominus Otto[b] et Facinus[a] hoc presencientes forte cum equis
800 posuerunt se ad manus et tandem positis in fugam gentibus novi ellecti[a] ipsos
persecuti fuerunt[c] acriter usque ad campum dicti novi ellecti, unde adduxerunt Brixiam
mile equos duos astendardos et mereschalcum domini ducis de Loredo cum multis et
20 pluribus captivis. valle! quod bonum signum est, et, quando bonum principium habemus, et meliorem finem speramus.

32. *Instruktionen der Stadt Florenz für ihre 4 gen. Gesandten an K. Ruprecht:* 1401
1) art. 1-5, denselben zu seinen Erfolgen zu beglückwünschen und gegen Johann [vor
Galeazzo aufzustacheln, vor Okt. 21, 2) Nachtragsinstruktion I art. 6-15, denselben Okt. 21
25 *zur Fortführung des Krieges zu ermuthigen, doch keine Verpflichtungen einzugehen,* bis
nach Okt. 21 vor Nov. 3, 3) Nachtragsinstruktion II art. 16-23, denselben unter Nov. 13]
allen möglichen Hilfsanerbietungen zum Bleiben in Italien und zur Wiederaufnahme
des Krieges zu veranlassen, nach Nov. 3 vor Nov. 13.   1401 [vor Okt. 21 bis
Nov. 13[5]] Florenz.

30 *Aus Florenz St.A. Classe X, distinzione 1, num. 14, Instruzioni della signoria n. s. 10.*
fol. 7[a]-11[a] cop. (oder conc.?) ch. coaev. Das ganze Stück zerfällt in 3 Theile:
1) art. 1-5, 2) art. 6-15, 3) art. 16-23, zunächst äußerlich, indem der ganze zwei
Quartseiten füllende Theil von art. 6-15, der im Kodex das Stück beschließt, durch
die darunter stehenden Worte von gleichzeitiger Hand Seghuita a questo segno [?] vor
35 *den Theil art. 16-23 verwiesen wird, der von einer anderen sorgfältigeren Hand als*
das übrige geschrieben ist, in engerer Schrift, auch mit etwas anderer Orthographie,

a) cod. korrigiert aus beste. b) cod. Octo c) cod. add. et.

[1] *Daß der ungenannte Schreiber einer der jun-*
gen Herzöge von Mailand sei, ist deshalb sehr
40 *wahrscheinlich, weil in dem Registro delle lettere*
ducali, worin dieses Stück steht, sonst nur Erlasse
des Herzogs und seiner Familie an die Kommune
aufgenommen sind und dieser Brief so ganz ver-
einzelt darin vorkommt; auch die darunter ste-
45 *hende Notiz, welche das Datum der Überreichung*
(presentata) mittheilt, spricht dafür.

[2] *Das Datum muß nach der Schlacht von Brescia*
und vor Überreichung des Briefes fallen, also
Okt. 21-24.
[3] *Ottobon Terzo und Facino Cane.*
[4] *K. Ruprecht.*
[5] *Die angeführten Daten ergeben sich aus der*
Darlegung in der Quellenbeschreibung des Stückes,
sowie aus der Angabe in nr. 34, daß die Ge-
sandten am 13 November von Florenz abgiengen.

s. B. meist e statt et, majesta statt maesta u. s. w. Auch inhaltlich sind die 3 Theile verschieden: der letzte Theil art. 16-23 ist, wie art. 16 am Anfange angibt, nach dem 3 November, nach Bekanntwerden vom Rückzug K. Ruprechts auf Trient, verfaßt, und obwol dieser Theil zuerst im Kodex auf art. 5 folgte und erst nachträglich hinter art. 15 verwiesen ist, wie eben bemerkt, kann kein Zweifel sein, daß er zeitlich und **5** *sachlich die letzten Instruktionen enthält, denn es wird auf die äußerste Eventualität, des Königs völligen Abzug aus Italien, Rücksicht genommen und die Gesandten werden beauftragt, um dieses Äußerste zu verhüten, weitgehende Hilfserbietungen zu machen. Der zweite Theil art. 6-15 ist verfaßt auch bereits als man von K. Ruprechts Miserfolg vor Brescia Kunde erlangt hatte, wie die Worte am Anfang von art. 6* **10** *veduta la grande mutatione e suta ne fatti dellomperadore zeigen, also nach 21 Oktober, und die Gesandten werden daher angewiesen, eine durchaus abwartende Haltung ein-zunehmen, keine Anerbietungen zu machen, auf nichts einzugehen; doch sollen sie in jeder Weise zur Fortführung des Feldzuges rathen, also kann die grande mutatione nicht etwa die in art. 16-23 ins Auge gefaßten äußersten Eventualitäten betreffen,* **15** *denen gegenüber man zu allem bereit ist, sondern eine vorhergehende Situation, so daß dieser Theil zwar nach Okt. 21 aber vor Nov. 3 verfaßt sein muß. Der erste Theil art. 1-5 endlich weiß nur von glücklichen Fortschritten des kön. Unternehmens, ist also vor der Kunde von der Niederlage am 21 Okt. verfaßt, und war eine für sich abgeschlossene Instruktion, wie das wiederholte ultimamente art. 3 und 5 zeigt;* **20** *als die Nachrichten ungünstiger Ereignisse eintrafen, wurden jene veränderten Nach-tragsinstruktionen nöthig. Durch diese ruckweise Abfassung erklären sich die mehr-fachen Wiederholungen derselben Punkte.*

Ricordança et informatione a voi messer Tomaso Sacchetti messer Filippo Corsini messer Rinaldo Gianfigliaçi et messer Maso degl' Albiçi [1] ambasciadori al imperadore **25** *1401* fatta etc. 1401 ind. 10 die[a] . . .

[1] Farete di ridurvi alla presentia dellomperadore salvamente, et, quando serete nel conspecto della sua maestà insieme chon gl'altri nostri ambasciadori che vi seranno [2], fatta debita riverença quanta et quale si richiede fare per divoto subdito a tanta maestà et celsitudine, racchomandarete alla clementia sua tutto questo popolo et la divotione **30** della nostra signoria come veri et divoti figluoli della sua excellentia et grandeça, mo-strando la vera et filiale riverençia et divotione nostra inverso della sua santa corona. et in questo usarete tutte quelle parole si richeggiono a simile materia quanto piu hono-revolemente si puote [3]. fatto questo, proferete ogni nostra potentia ad ogni honore stato et gloria del sacrosanto imperio et della alteça del suo throno, come et quanto e debito **35** di veri servidori subditi et figluoli. _ [2] da poi direte, chella signoria di questi suoi figluoli et servidori tutto'l reggimento et popolo di questa sua fedelissima città nella prima novella di sua sanctissima giusta et legitima elettione prese tanta sperança et conforto, quanta si puote in simigliante materia, vedendo quanto miracolosamente era proceduta et chon quanta ragione prudentia et maturità dei sanctissimi electori; e che, **40** come allora tutto'l nostro popolo si rallegrò di questo, cosi al presente per meço di voi ci rallegriamo a piedi della maestà sua di quella et di tutte l'altre cose felicemente da poi seguite in honore exaltatione et grandeça della sua persona et signoria; ma singular-mente di cinque cose. [2a] la prima: che, essendo la sua electione sanctissima chon

a) cod. om. die Tagesangabe.   **45**

---

[1] *Alle 4 werden zu verschiedenen Zeiten im Jahre 1402 von K. Ruprecht zu Pfalzgrafen er-nannt, s. Chmel Reg. Rup. nr. 1134. 1148. 1380 (wo der Name verdruckt oder verlesen). 1144. Über den letztgenannten vgl. Documenti di storia Italiana, Commissioni di Rinaldo degli Albizzi Firenze 1867.*

[2] *Sie trafen dort die Gesandtschaft des B. Pitti, was auch dieser in seiner Erzählung nr. 27 er-wähnt; vgl. unten art. 21a.*

[3] *= può.*

50

privatione di chi lungamente avea posseduto el titolo augustale e del rè de Romani [1], *1401*
preambulo et ordinato grade all' alteça imperiale, la qual cosa doveva dare ragionevol- *[vor Okt. 21*
mente grande impedimento alla sua maestà, per la gratia di dio sença adoperare la *bis Nov. 12]*
spada[a] o spargere sangue tutti li baroni et comunità dello imperio sono unitamente venuti
5 alla sua ubidiença ricognoscerlo per vero augusto legitimo rè e futuro imperadore de
Romani. la qual cosa chi la riguarda bene, è di tanto affare[2] che avere avuto nella
contradictione del vivo et anticho re de Romani el felice et presto spaccio, che si vede,
non è cosa humana, imperò che per huomo non è possibile sia fatta, ma chiaramente è
cosa fatta immediate da dio. [2 b] la seconda si è, ch'avendo el crudelo et ingiustis-
10 simo tyranno Jovan Galeaç (non conte di Vertù, come s'intitola, ma fonte d'ogni vicio
et di tradimento) venuto tanto avanti chon sua malitia[b] ch'esso aveva dato ordine fare
morire lui et la sacratissima augusta donna sua et suoi gloriosi figliuoli chon crudel
veleno[3] per modo non doveva poter fallare, la dextera dell' omnipotente[c] dio lo difese ·
da tanto tradimento et così coverto et occulto trattato, che veramente le cose erano
15 ordinate per modo che solo dio, come fecie, vi poteva porre rimedio. et aggravando
questo perfido et crudelissimo tractato quanto si puote, venite in nome della nostra
signoria a rallegrarvi chon la sua clementia et ringratiare dio di tanto grande et meravigliosa protectione et conservatione della sua persona in tanto· et così inevitabile periglio.
et qui venite a dolervi degli avēlenatori[4] dell' aque ch'esso[5] aveva mandato[d] a Trento
20 et mostrarli chon ogni largheça la modi chelli à tenuti in tutti suoi servidori et gentili
huomini, li quali per lo suo medico sotto specie di clementia mandando a curarli gli a
fatti morire; nominando messer Beltrando Rosso[e] messer Giuglelmo Bivilaqua ·messer
Nicholò Palavisino[6] messer Andrea Gio Caulcabo[7] et ogni altro che sentiste essere morto
per simile malitia et crudeltà; supplicando la sua maestà, che per dio a queste insidie
25 si degni avere buono et cauto provedimento. et ben che ponga ogni sua sperança in
dio, come è debito di ciascuno fedel Christiano, nondimeno voglia ancora elli in cio
diligentissimamente provedere et guardarsi da lui in ogni atto et conversatione, ne dare
fede a sue lettere overo[f] ambasciate, ne volere udire di lui alcuna cosa, se non fare
et trarre a capo suo disfacimento; dandoli[g] in cio sperança et accendendolo a questo
30 quanto piu et meglio potrete et saprete. e qui direte, come maestro *Piero*[g] da Tosignano[9] a posta[10] del nimico vielenò messer Antonio della Scala[11], e che poi sempre à
avuto provisione fiori*ni* 100·el mese e per le sue mani fatto morire infiniti huomini di
capo et di chui el tyranno dubitava; siche tenga di certo essere verissimo, quanto contra
lui esso aveva ordinato. [2 c] e vegnendo alle cose fatte per lui tertiò vi rallegrerete
35 chon la vertuosa et meravigliosa benignità et grandeça d'animo suo d'avere impreso
l'onore dellomperio e della sua maestà sença indugio, che quello, gli altri doppo molti
anni, sença avere adversario, come à avuto et à elli, anno fatto, esso si puote dire l'abbi

---

a) cod. spida. b) cod. maltia. c) cod. om. *Überstrich über* onl. d) cod. mandate. e) *so und wol nicht* Bosso.
f) *das erste* o *ist im Kodex ausdrücklich durch zwei Striche abgetrennt.* g) cod. Joero *oder* Joiaro.

---

40 [1] *D. h. K. Wensel.*
[2] *Hier = importanza, gravità s. Tommaseo e Bellini Disionario s. v. § 6.*
[3] *Vgl. über diesen Mordversuch Bd. 4 nrr. 302 art. 7, 303 ff.*
45 [4] *= avvelenatori, Vergifter.*
[5] *Johann Galeazzo.* ·
[6] *Räthe des Herzogs, s. Corio Storia di Milano ed. 1856 Bd. 2 pag. 346. 452.*
[7] *Ein Giovanni Cavalcabue kommt vor Corio*

l. c. pag. 395, ist aber wol kaum der hier gemeinte.
[8] *D. h. dem K. Ruprecht.*
[9] *Doch wol der in der Vergiftungsgeschichte Bd. 4 nr. 303 ff. vorkommende Arzt des Herzogs, vgl. Corio l. c. pag. 451.*
[10] *a posta = a riquisizione s. Tommaseo e Bellini Disionario s. v. posta § 36.*
[11] *Derselbe starb, nach dem Verlust von Verona, im August 1388 s. Corio l. c. pag. 345.*

1401
[vor
Okt. 2]
bis
Nov. 18]

fatto in uno dì, et disceso in Italia chon tanta baronia e chon così potente exercito, et in un tratto avere assaglito lo suo nimico [1], usurpatore delle ragioni dellomperio consumatore de popoli e venenario homicida de gentili huomini. e qui comendando la sua sancta et honorevole intentione et confortandolo alla prosecutione rallegratevi chon lui, chelli abbi avuta tanta et così presta ubidiença da tutta Alamagna, faccendo qui fondamento, quanto esso è obligato a seguire sua impresa, vedendo la dispositione de baroni.   5
[*2*ᵈ] rallegratevi ancora della quarta cosa: che così feliciemente et sença impedimento o contasto [2] sia giunto in Italia sano et salvo elli et la sua sacratissima augusta et tutta sua gloriosa progenie et entrati felicemente a dosso al nimico.   [*2*ᵉ] la quinta cosa, di che vi rallegrerete ᵃ chon lui, si sia segondo che le cose sieno procedute inançi alla vostra   10 giunta, et in questa parte d'ogni prosperità avesse avuta rallegraretevi sommamente, confortandolo et dandoli sperança per lo innançi.   [*3*] ultimamente fate narratione di tutti gl' inganni et tradimenti che ci a fatti el nimico: incominciando dalla prima lega facemmo chon lui, preso chegli ebbe el çio et suorerio suo messer Bernabo [3]; e della concordia fatta a Pisa ⁴, et come rompendo sua fede ci mosse guerra in Toscana a noi   15 et in Lombardia contra e Bolognesi ⁵, e che in quella guerra oltra l'arsioni et ruberie noi spendemo due milioni di fiorini et piu; da poi ⁶ ci mosse la seconda rompendo la pacie et ogni patto fatto chon noi, et dieci ᵇ⁷ di spesa piu che nella prima. e che questi denari escono tutti non di nostre rendite, che sono ad altro ⁸ obligate, ma di punta delle borse de nostri cittadini. et che se non fussono queste spese l'una su l'altra ch'anno si   20 vote ⁹ le borse di tutti i ᶜ Fiorentini, noi averemmo fatto molto piu largo subsidio alla sua venuta, come che la quantità gli doniamo sia tale che mai di memoria da huomo non si ricorda farsi a principe ᵈ alcuno per signore o comune d'Italia.   [*3*ᵃ] e conchiudendo fate confortarlo allampresa, mostrandoli essere di suo debito et di suo honore et exaltatione sua et dellomperio. et a questo chon quello che detto abbiamo et chon ogni   25 altra ragione londucete et confortate per ogni modo. et a questo s'addiriçino tutti li vostri ragionamenti.   [*4*] e non falli ¹⁰, che della risposta fatta al nimico di non volere udire suo ambasciadore conmendiate el buono savio et sicuro partito ¹¹ preso in ciò per la sua maiestà, mostrandoli quanti inconvenienti seguirebbeno di questo e per adietro sono seguiti, imperò che questo sarebbe raffrenare li popoli et ciascuno ch'avesse animo   30 a fare novità contra lui ¹² et farli stare a vedere sença muoversi ad alcuna cosa. la qual cosa non serebbe se non in tutto guastare la sua impresa. seguirebbe anche, ch'e baroni sono chon lui vedendo ricevere ambasciata del nimico e tenere chon loro ragionamento, ciascuno s'ingegnerebbe valerne di meglio, e per le speranço date loro muterebbeno animo et proposito; si ᵉ che per dio tengasi mano ferma, che inconveniente non   35

---

a) *cod.* rallegrete.   b) *cod* diecci?   c) *cod.* cher oi; *oder* ei? ci?   d) *cod.* pricipe.   e) *cod.* se.

---

[1] *So reden sie, weil sie noch nicht von K. Ruprechts Rückzug wissen, anders in den Nachtragsinstruktionen.*

[2] *= contrasto, Widerstand s. Manuzzi Vocabolario.*

[3] *Gefangennahme Bernabos 6 Mai 1385, Ligue mit Florenz Bologna Pisa u. s. w. im November 1385, s. Giulini Memorie 1 ed. pag. 377 ff. 409.*

⁴ *Im Juli 1389 mit Florenz und Bologna, s. Corio Storia di Milano ed. 1856 Bd. 2 p. 348.*

⁵ *Im April 1390, s. Corio l. c. pag. 356.*

⁶ *Der im Jan. 1392 geschlossene Friede (s. Corio l. c. pag. 367) wurde im Juni 1396 nicht ohne*

Schuld der Florentiner gebrochen, s. Corio l. c. pag. 402.

⁷ *= die ci, verursachte uns.*

⁸ *= altra cosa, s. G. Moise Grammatica, seconda ed., pag. 339 Note 294, oder für den Plural altri, s. Blanc Grammatik pag. 323.*

⁹ *Synkopiert für votate, geleert.*

¹⁰ *Unpersönlich: es fehle, unterbleibe nicht, s. Tommaseo e Bellini s. v. fallare.*

¹¹ *Hier in der Bedeutung Beschluß, s. Tommaseo e Bellini s. v. § 6.*

¹² *Johann Galeazzo.*

possa seguire.   [5] ultimamente confortatelo per nostra parte ad unità favore et divo- *1401*
tione del santo padre messer Bonifatio nono per ogni ragione, si perche a lui è debito *[vor Okt. 21*
si perche avendolo seco gli gittarebbe [1] buona ragione e del contrario ogni mala; offe- *bis Nov. 18]*
rendo el comune, si fusse bisogno per alcuno dibattito, s'interporra come sia di suo
5 piacere a ridurre le cose a sue [a] termine.   [5 [a]] confortatelo anchora, non abbi a beffe [2]
ritenersi chol rè Ladislao; et sappiate da Bonaccorso et ser Pero [3], ch' ebbeno di cio
singular commessione, quello feceno di questo, et che risposta n'ebbeno. e seguitando
se niente n'e fatto o incominciando se non n'avesseno mosso alcuna cosa, dato opera,
la sua benignità lo [4] richeggia a questa sua impresa. che posto [5] nonne seguisse altro,
10 almeno l'averrà amico et torrallo [6] al nimico.

[*Nachtragsinstruktion I*] [6] Non obstante quanto detto n'abbiavamo di sopra, veduta la grande mutatione e suta ne fatti dellomperadore, non vogliamo che ad alcuna
proferta particulare per voi si venga d'alcuna cosa; ma fate di confortare la maestà sua
et a stare fermo et a proseguire la sua impresa contra'l tyranno, mostrandoglelo chon
15 le ragioni di sopra et altre che bene saprete assegnare, sempre offerendo questa signoria
devotissimamente disposta ad ogni stato favore et ajuto della sua maestà in tutte le cose
sieno possibili et ragionevoli. · et altra particular proferta non fate in niuno modo, ne del
resto delle novanta migliaja [7] ne dell' altro detto e di sopra. ma solla sua maesta venisse ad alcuna particularità, allora non mostrando avere di cio commessione ma come
20 private persone entrate in pratica chon lui. et voi sapete nostra possibilità et anche
quanto ci bisogna et al rispiarmo della spesa et anche al seguitàr dellampresa; siche
ridute le cose basse quanto si puote a spesa et alte allampresa. e quello in che rima-
nete sença [b] fermare alcuna cosa, rescriveteci chiaro et disteso, et attendete nostra
risposta. siche quanto essere puote le cose sieno libere et sença alcuna [c] obligatione. et
25 abbiate buon riguarde alla gente chelli h, che sperasse d'avere, siche secondo el fatto
cosi v' [8] allarghiate et restrignate.   [7] fra l'altre cose stiavi a mente, ricordare alla
sua maestà, prenda accordo chol papa et di mandare e richiedere el re Ladislao e tutti
comuni signori et gentili huomini d'Alamagna et d'Italia contra'l tiranno et ora et a
tempo nuovo; et in spetialta lo conte di Savoja [9] e'l marchese di Monferrato. e che
30 ricordate, chel re ordini lo vescovo di Trento messer Piero da Lodrone [10], el vescovo di
Curia, cho confina chon Milano [11], et quelli di Suiçer [12] faccino guerra al tyranno continuamente, si chelli abbi che fare [13] da piu parti.   [8] a Bologna e a Ferrara confor-
tategli si dispongano indettar in fatti a danni del nimico et al favore dellomperadore,
mostrando bene la sicurtà et l'utile in seguire questo, el pericolo del contrario; dichia-
35 randoli questa signoria esser disposta usque ad mortem non abbandonar lampresa.

---

a) *cod. cher suo.*   b) *cod. seça.*   c) *cod. alcuno.*

---

[1] *S. Manuzzi Vocabolario s. v.* gettare § 67.

[2] *Avere a beffe, im Scherz nehmen, leicht neh-*
men.

[3] *Diese beiden trafen sie, wie oben art. 1 be-*
merkt, in Padua beim K. Ruprecht.

[4] *K. Ladislaus.*

[5] *Mit Weglassung des folgenden* che, *gesetzt*
daß.

[6] Torra *synkopiertes Futurum von* togliere.

[7] *Das ist die nach dem Vertrage vom 13 Sept.*
1401 von den Florentinern zu zahlende zweite
Rate der 200000 Dukaten Subsidien, vgl. nr. 8
art. 2 und hier art. 16. 21.

[8] = vi.

[9] *Vgl. die Verhandlungen mit demselben, RTA.*
4 nr. 368.

[10] *Vgl. die Verhandlungen mit diesem, Bd. 4*
nr. 366. 367.

[11] *S. den Vertrag mit Bischof Hartman von*
Chur vom 14 Okt. 1401 nr. 171 und 172 in diesem
Bande.

[12] *Vgl. die Verhandlungen mit denselben, Bd. 4*
nr. 382.

[13] *S. Tommaseo e Bellini Dizionario s. v.* avere
§ 29.

1401
[vor
Okt. 21
bis
Nov. 18] [9] quando serete suti chon lomperadore, avuta informatione sella sua maestà avesse chon
Vinitiani fatto o cercho alcuna cosa, fate che tutti e quattro andiate a quella signoria
per nostra parte mostrando loro ch'ora si coglie lo stato d'Italia et la nostra dispositione
al favore dellomperadore et contra el tyranno, fate d'indurli a questo medesimo per ogni
modo et a unità della lega e che voglino ben considerare el fino et non aspettare l'ultimo   5
bisogno, inperò che forsi vorebbeno *non* adora o serebbe malaggievole o forsi non grato
ne accetto; mostrando per loro singularmente faccia [1] disfare quel tyranno, et ogni altra
cosa vedete buona alla materia.   [9 a] fate d'impetrare per Bartolomeo di Nicholo di
Taldo uno rescritto contra el duca et signore di Mantoa et tutti sottoposti loro per
restitutione della sua presura et de danni et del riscatto in forma favorevole et buona   10
secondo la copia averete [2].   [10] quando serete a Ferrara, gravate el marchese di
provedere a [b] Reccho di Filippo Capponi della podestaria di Modena, facciendo ne ogni
possibile operatione chon honesta della nostra signoria.   [11] raccomandarete anchora
allomperadore efficacemente et notantemente il signore di Cortona come nostro singular
figliuolo [3]. e si vi fusse suo ambasciadore, in quello vi richiedesse [4] adoperate chon   15
honestà della nostra signoria quanto vi sia possibile, siche lomperadore vegga et ancora
elli, quanto l'abbiamo caro.   [12] sappiate ancora, che fu fatto del consiglio dato per
noi, che richiedesse [5] el conte di Savoja e'l marchese di Monferrato, suoi huomini et
dellomperio. e confortatelo a l'uno et a l'altro, et maximamente se se potesse fare, chel
conte movesse guerra da l'altra parte.   [13] voi averete copia della lettera del signor   20
di Mantova risposta a' dieci sopra'l passo richesto per mandar gente; fate lomperadore
la vegga e che cognosca la fede del tirannello di Mantova. e se gli poteste far dare
qualche stregghiata, fatelo, però che lo merita da lui e da noi.   [14] a Bologna a
Ferrara a Vinegia e a Padova nel passare visitarete quelli signori per nostra parte et
dopo le salute confortateli allampresa contra el tyranno quanto piu saprete et potrete.   25
[15] se cose anno subite mutationi et effetti, si [c] fate che in ogni avenimento et chon
ciascuno parliate a bene et utile del fatto, et come vederete si richeggia a nostro stato
et honore. et in questo la prudentia deliberatione et ditterminatione vostra sia la vostra
commessione, che tutto rimettiamo in voi. e non guardate all' ordine o tenore di questo
ricordo, ma voi ordinate el vostro dire e riserbate come vederete ben sia. che tutto   30
riputeremo ben fatto; addiriçando sempre ogni vostro detto et fatto allantentione princi-
pale di disfare el tyranno. e scriveteci spesso cio che segue et tutto quello che sentite.

1401
Nov. 3   [*Nachtragsinstruktion II*] [16] Ancora direte alla reale majestà, come a di 3 del ·
presente mese noi ricevemmo lettere de nostri ambasciadori scripte in Trento, per le
quali significavano la partita della sua serenita e del suo exercito del terreno del nimico   35
per ritornare a Trento [6], allegando esserne cagione il tornare in drieto che fare volevano
l'arcivescovo di Cologna e il duca Leopoldo d'Austria colle loro genti, e che col rima-
nente gli pareva essere dorrete [7] colla sua majestà. della quale partita vi colla sua majestà cordialmente, con honesto modo nondimeno mostrandogli, se a cio non pone presto remedio,
la vergogna e infamia e abassamento che ne seguita alla sua serenita e allo imperio e   40
a tutti gli Alamanni. e conforterete ferventemente la sua majesta, che per suo honore
e debito si degni col suo exercito tornare sança indugio nel terreno del nimico, o vuole

a) *om. cod.* b) *links am Rande* Abbiate a mente etc. c) *cod. add.* che.

¹ *Es mache etwas aus, sei von Werth für sie.*
² *Das verlangte Reskript hat K. Ruprecht am
19 Jan. 1402 ausgestellt, s. Chmel Reg. Rup. nr.
1124.*
³ *Vgl. in diesem Bande nr. 99.*
⁴ *D. h. der Gesandte des Herrn von Cortona.*
⁵ *D. h. K. Ruprecht, vgl. art. 7.*   ⁴⁵
⁶ *In Folge der Niederlage bei Brescia am 21
Oktober.*
⁷ *Von dolersi.*

dalla parte di la verso Brescia o Milano o dalla parte di Padova o Modena, cioe dalla ^[1401]
quella parte delle predette dove si diliberasse esser piu utile e meglio, e rompere a dosso ^[[vor Okt. 91]]
al nimico e a suoi sequaci e fare la guerra. e noi dalla parte di qua in questi casi ^[bis]
siamo apparecchiati di rompere e fare guerra contro alle terre che ci tiene il tiranno ^[Nov. 18]
5 Melanese. e gia alla richiesta de suoi ambasciadori abbiavamo dato ordine di rompere
e messo in punto di pigliare parecchi castella de nimici e rompere publicamente la
guerra, se non che ci giunse la soprascripta lettera da nostri ambasciadori, per la qual
cagione siamo soprastati et mandammo subito a chi abbiavamo mandato a fare il fatto
che soprastesse a quatro di di questo ci scopravamo [1] in palese; chiarificandolo che
10 della gente del nimico non e da dubitare, perche la maggiore parte e gente cattiva e
non pratica, e oltre a cio non sono la meta gente che le sue condotte in fama contengono, delle quali l'aviserete. e in caso chegli sia cosi disposto, direte che il resto delle
novantamiglia di ducati o la valuta noi siamo apparecchiati di pagare secondo i patti
fatti [2], vegnendo egli e cavalcando a dosso al nimico da qualcheuna delle dette parti
15 con intentione et modo d'attendere alla sua destructione. e similemente gli direte, come
a Padova avrete lasciate le quatrocento lance le quali di suo mandato condotte abbiavamo per lo illustre principe duca Lodovico di Baviera [3]. [17] anche v' ingegnerete
di parlare co principi e signori che fossono colla reale majesta, confortandogli e indu-
cendogli colle ragioni che saprete a tornare contro al nimico come di sopra si dice.
20 [17^a] e singularmente sarete coll' arcivescovo di Cologna et col duca Leopoldo, se sono
in luogo, da potervi con loro accoçare dogliendovi honestamente della partita del terreno
del nimico, mostrando loro, quanto carico e vergogna seguita di questo alle loro persone
e alla lingua Tedesca e quanto abassamento dello imperio, pregandogli e confortandogli
con ogni modo che potrete a fargli contenti del tornare e del seguitare il re come aveano
25 principiato. ma prima v' ingegnate di sapere la verita delle cagioni della partita de
detti signori. [18] e se il detto arcivescovo e duca colle loro genti fossono partiti o
volessono pure partirsi e non seguire il re, e al detto re non paresse essere tanto forte
a andare a Brescia o Milano e volesse pigliare la via di venire a Padova o avesse
presa, secondo la força che vedete chegli abbia cosi il confortate e sollicitate del tornare
30 a Brescia et Milano o dello andare a Padova, mostrandogli che, segli fosse proceduto a
Milano, prestamente avea quella citta. e informatelo bene del numero delle genti che
a il nimico che non e quello che si dice, e non e da farne grande stima [4], perche la
maggiore parte sono gente non usa al arme e molti delle dette genti sono terraçani di
Lombardia che desiderano la destructione del tiranno. e in caso che il re diliberasse
35 di venire a Padova col resto del suo exercito per nimicare il tiranno e essendo lo exercito in numero di cavalli diecimilia o piu, noi gli daremo in prestança le dugentomigliaja
di fiorini, avendone necessita e richieggendocene le quali ne patti si contengono [5], dan-
doce la cautione o lad [6] arrata che ne patti si dice, e daremogli ogni mese co-
minciando il presente ^a mese fiorini quindicimilia per sostenere la detta gente. e segli
40 paresse piccola somma, venite in ultimo a allargarvi infino in ventimilia fiorini il mese,
faccendogli egli continuamente guerra al nimico e cercando il suo disfacimento con fatti
evidenti. e si con lui non rimanessi d'accordo in questi modi, non vi rompete pero,
ma tenetelo confortato e avisateci particolarmente d'ogni cosa. et noi vi risponderemo

---

a) cod. p mit übergeschriebenem o, also primo, besser presente s. den Vertrag vom 18 Sept. art. 7.

45 [1] Wegen der Form vgl. Moise Grammatica pag.   [4] Ähnlich schon in art. 16.
488 Note 15.   [5] Im Vertrage vom 13 Sept. 1401 nr. 28 art. 7.
[2] Vgl. oben art. 6 und weiterhin art. 21.   [6] Sic! arrata das lat. arrha.
[3] S. nr. 35 art. 2 nebst Noten.

1401
[vor
Okt. 21
bis
Nov. 18]
quello che avrete a seguitare.   ma abbiate a mente di non fare la detta offerta delle
200000 di fiorini, se prima il re non la chiedesse o movessene parole.   [*19*] oltre a
cio parlerete al signore di Padova, dogliendovi sommamente della partita del terreno
del nimico, e conforteretelo, chegli voglia con ogni industria e ingegno adoperare e col
re e con gli altri signori e principi, e per ogni modo che potra a tornare nel terreno   5
del nimico e alla sua destructione a Brescia o Milano o il meno a Padova, e chegli da
se voglia fare ultimo di potentia per suo honore e stato e per schifare i pericoli et gravi
danni ne quali egli incorrerebbe partendosi il re, e chegli non voglia stare pure a nostra
sperança, ma spendere del suo, perche a noi soli non e possibile portare tanto gravose
spese.   [*20*] se caso venisse che al re non paresse essere forte da sperare la finale   10
destructione del tiranno e alla sua majesta fosse messo inançi [1] di ricevere a concordia
il detto tiranno, per tali meçani che si vedesse non essere huomini malitiati, ma chel
tiranno venisse per necessita o paura a volere realmente la concordia honorevole al re,
e che il re di questo vi movesse parole e principiasse a ragionarvene, risponderete per
modo che non paja pero che noi siamo inviliti [2] o che noi ci vogliamo tirare adrieto   15
della impresa et dalla destructione del tiranno, e direte che voi pensate che quello paresse
alla sua majesta paresse a noi, ma che, se a concordia si venisse, non vi parebbe, se
non lasciasse alla sua majesta liberamente tutte le terre e luoghi chegli tiene in Toscana
e nel paese di qua e alla sua serenita desse una grande somma di pecunia, ricognos-
cendolo e tegnendolo per suo signore naturale e per vero re de Romani e futuro impera-   20
dore, e vegnendo con noi a pace ferma e sicura sança gli usati inganni; mostrando che
tale vostro parere sia piu tosto per benificio della sua serenita et per avere la detta
pecunia et [a] per lasciare libere le terre di Toscana che per contentamento di nostra
singularita.   [*21*] [b] se il re dicesse, che noi avessimo penato troppo a conducere le
400 lance o che non volesse scontare nelle novanta migliaja [3], o dicesse, che noi aves- 25
simo tolti de nostri soldati, risponderete che noi non volemmo fare la condotta, se prima
non abbiavamo il passo dal marchese, che avendola altrimenti fatta era indarno [4] per
non potere passare.   e avendo noi sopra cio scripto al marchese [5], egli era in Lombardia
et non potemmo avere risposta, ançi quando fu tornato rescrivemmo e avemmo il passo;
e così subito attendemmo alla condotta.   e del contare nelle novantamilia il soldo loro   30
abbiamo per lettera della sua majesta che siamo certi ne sia contento di fare lo sconto
che cosi e ragionevole.   e de nostri soldati abbiamo tolti parte, perche altrimenti non
si potea trovare gente buona et fidata alla detta condotta; e nondimeno abbiamo ritenuti
per questo rispetto alcuni de nostri che avremmo lasciati ire e anche a degli altri
nostri [6] cresciuta condotta, che non l'avremmo fatto se non per questo rispetto.   [*21ᵃ*] e   35
alla expositione e pratiche di queste cose abbiate con voi Andrea Vectorj Bonaccorso
Pitti et ser Pero [7].   [*22*] se il re volesse pure partirsi e tornarsi in suo paese, e pro-

---

a) *om. cod.* b) *art. 21 ist durch einen Strich und ein gleichzeitiges* hie an diese Stelle gewiesen, *er steht im Kodex nach art. 23.*

[1] Mettere inanzi = *vorschlagen.*
[2] = *deterriti, labefacti.*
[3] *D. h. wenn der König den Soldbetrag nicht in die 90000 Dukaten einbegriffen anrechnen wolle, welche die Florentiner ihm als zweite Rate der Subsidien nach art. 5 des Vertrages vom 13 Sept. 1401 schuldig waren zu zahlen. Der König mußte sich das gefallen lassen, s. art. 2 in nr. 35, obwol er sich noch in Venedig dagegen sträubte, s. letzte Note zu nr. 70.*
[4] = *frustra, incassum.*

[5] *Der Markgraf von Este wird gemeint sein;* 40
der Herr von Mantua scheint nach art. 13 den Durchzug verweigert zu haben.
[6] *Zu ergänzen abbiamo, wir haben den Sold* (condotta *in dieser Bedeutung s. Tommaseo e Bellini s. v. § 10) erhöht.*   45
[7] *Weil diese die Verhandlungen bei Abschluß des Vertrages vom 13 Sept. 1401 geführt hatten, sollen sie zu diesen den Vertrag betreffenden Punkten zugezogen werden.*

_50

vato e riprovato ogni rimedio e modo per ritenerlo di qua, et egli pure si volesse par- *1401*
tire, non vi rompete pero dalla majesta sua, ma supplicate et pregatelo devotissimamente, *[vor Okt. 21*
che a tempo nuovo voglia ritornare in Italia con potente exercito e signori et gente *bis Nov. 18]*
fidata a fare suo honore e a disfacimento del tiranno e a ricoverare la sua fama e lo
5 stato dello imperio, offerendovi sotto generali parole, che noi saremo apparecchiati a fare
pienamente il debito nostro. e ricorderete gli in quanti pericoli affanni e spese la sua
majesta ci lascia per essere stati i primi in Italia a ricognoscerlo e seguire le sue volunta. [23] nel detto caso chel re si volesse tornare in suo paese o che si fosse
partito e tornato, che con lui non vi potessi abboccare, andrete alla illustre signoria di
10 Vinegia, e dopo le fraternali e cordiali salutationi vi dorrete della partita del predetto
re, dichiarando quanto di pericolo puo seguitare a quella signoria e alla nostra e agli
stati di ciascuno per la detta partita, avendo rispetto alla malignita et insatiabile appe-
tito e inganni del tiranno di Milano; avegna dio che[1] noi pensiamo che di principio
non cercherebbe d'offendere[a] la loro signoria, ma offendendo noi essi possono considerare
15 nel pericolo che rimarebbono eglino ove le nostre cose non andassono felici. e per tanto
gli richiederete di nuova lega comune tra loro e noi a difesa degli stati et liberta nostra
et loro e a offesa di chi offendesse, sperando, che faccendo questa lega, il detto tiranno
starebbe a termini suoi, e ove non stesse, colla potentia loro et colla nostra si prove-
derebbe per forma che ci lascerebbe stare a suo mal grado. e questa sarebbe la salute
20 loro e nostra. e in cio usate quelle parole piacevoli et utili che vi parranno. e avuta
supra cio risposta dalla detta signoria, tre di voi se ne vengano qua prestamente e gli
altri rimangano a aspettare quello che di qua si fara loro di risposta.

33. *Bericht gen. Florentinischer Gesandten über ihre Gesandtschaften an K. Ruprecht,* *1402*
    namentlich über die Abmachungen mit demselben am 4 Juli und 13 Sept. 1401 in *Fbr. 13*
25 *Deutschland[2].   1402 Febr. 13 Florenz.*

Aus Florenz St.A. Classe X, distinzione 2, num. 7. Relazioni di ambasciatori fol. 40[a]
cop. ch. coaev.

Relatione facta per noi Bonacorso Pitti et Pero ser Peri not*arium* a di 13[b] di
febrajo 1401[3], amb*asciadori* mandati al serenissimo principe et signore messere Ruperto *1402*
30 per la gratia diddio re de Romanj. *Fbr. 13*
Et prima partimo di Firençe addi 22 di febrajo 1400[c] et giugnemo nella Magna *1401*
al detto re 18 di março 1401. et spostogli l'ambasciata diligentemente, le recomandigie *Fbr. 22 Mrs. 18*
oferte, l'allegreçça fatta per questo popolo della sua eletione, et la scusa della inbasciata
ricevette graçiosamente, e la risposta fatta alle parti[4] expuoseno e suoi amb*asciadori*
35 alla vestra magnificentia[5] benignamente udi. poi venendosi nelle pratiche secondo la
vestra commissione et de dieci, a di 4 di luglio conchiudendo conlui in Magança in *1401 Juli 4*

a) cod. deffendere! b) cod. 12, em. 13, vgl. die Unterschriften, wo wiederholt 13 steht. c) cod. eine erst hingeschrie-
bene 1 wegradiert; hätte auch im gleich folgenden Datum geschehen müssen.

[1] Avegnadioche = licet, s. Tommaseo e Bellini
40 s. v. avegnachè.
[2] Vgl. Bd. 4 nr. 302, Bd. 5 nr. 27. Hier werden die einzelnen Reisen nicht erwähnt, nur
summarisch berichtet.
[3] Nach dem Calculus Florentinus, hier und
45 weiterhin.

[4] Zu ergänzen ist che, wie häufig in diesen
Stücken.
[5] S. die Gesandtschaft K. Ruprechts Bd. 4 nr.
1-3, die auch nach Florenz gieng, s. Bd. 4 nr. 260
Note 2.

1402
Fbr. 18
1401
Juli 4
1401
Spt.
Okt. 15

questa forma [1]: che prima e fusse tenuto et dovesse conservarvi in vostra liberta stato et signoria che al presente siete; item che e fusse tenuto il conceduto privilegio detto di 4 di luglio [2] quando fusse coronato in Roma farvi porre la bolla dell'oro e confermarlo in quella forma che concieduto e, et che del censo si dovesse pagare ciascuno anno ne rimanessi d'acordo insieme; et cosi rimane in voi et in lui; item dovesse passare in Ytalia et spetialemente in Lombardia come nimico del conte di Vertu per tutto il mese di septembre, e poi ne[a] rogare de capitoli in Auspergo [3] vi sara[b] se[c][4] al piu tardi per infino addi 15 d'ottobre con[d] conpetente esercito[e] et bracci d'arme; item fusse tenuto et dovesse il detto re con tutte le forçe della sua maesta il detto conte di Vertu diporre e difare sença restare mai infino alla fine; item per recompensatione di queste chose che la comunita di Firençe gli donasse ducati 200000 alla volta cio e 110000 per tutto septembre et 90000 per tutto ottobre seguente; item che in caso di sue necessita la detta comunita di Firençe gli dovesse prestare *fiorini* 200000 in sei mesi et sei pache chome tocca [5] per rata, della quale prestança il detto re fusse tenuto farne alla detta comunita di Firençe et suficiente cautione di ristituirli al termine, di che si sarranno d'acordo insieme il detto re et la comunita di Firençe; et altre chose secondo che in essi capitoli scripti et publicati et suggiellati col suggiello della maesta[f] si contiene, rogeronsi [6] i detti capitoli a di 13 di septembre in Auspergo. partissi il re predetto da Amberga sua terra a di 2 di septembre detto, a di 15 si parti[g] da Auspergo col suo exercito, addi 10 d'ottobre giunse in Trento, 21 d'ottobre entro in campo in una villa che si chiama Navj [7] presso a Brescia a 4 miglia.

1401
Spt. 13
Spt. 2
Spt. 15
Okt. 10
Okt. 21

1401
Nov. 18
1402
Fb. 12

Questo e il[h] sumario delle chose fatte col detto imperadore per infino a Padova, che v'intro, addi 18 di novembre [8]. tornamo in Firença a di 12 di febrajo predetto.

1402
Fbr. 18

Io Bonacorso sopradetto fo la[i] relatione che e di sopra scripta e pero mi sono scripto di mia propria mano a di 13 di febrajo 1401.

1402
Fbr. 18

Io Pero ser Peri no*tarius* fo la relatione che di sopra e[k] scripta e pero mi sono soscripto di mia propria mano a di 13 di febrajo 1401.

1402
Fbr. 18

*Rela*ta fuit per supradictos die 13 februarii 1401 [9].

a) *sic! = in.* b) *cod. saro.* c) *cod. add.* o. d) *om. cod.* e) *cod. esercitio.* f) *cod. mesta.* g) *cod. part.* h) *cod. al.* i) *cod. lo.* k) *om. cod.*

[1] *Diese Abmachungen vom Juli besitzen wir nicht, aber vgl. die vom Mai 1401 Bd. 4 nr. 307 und den folgenden Vertrag vom 13 Sept. 1401 Bd. 5 nr. 28 in seinen einzelnen Artikeln, sowie die Einleitung zu dieser lit.*

[2] *Das Privileg vom 4 Juli 1401 Bd. 4 nr. 258.*

[3] *Das ist der Vertrag vom 13 September 1401; rogare ist substantivisch gebraucht: beim Bestätigen.*

[4] *Se pleonastisches Reflexivpron., s. Blanc Grammatik pag. 261.*

[5] *Come tocca, secondo che tocca nach Gebühr, s. Tommaseo e Bellini s. v. toccare § 28.*

[6] *= rogaronsi von rogare unterzeichnen, bestätigen.*

[7] *Nördlich von Brescia, früher Navis, jetzt Nave.*

[8] *Ausführliche Beschreibung von K. Ruprechts Einzug in Padua bei Gataro in Muratori Script. 17, 843 ff.; vgl. Minerbetti's Chronik in Rer. Ital. Script. ed. Florent. 1770, 2, 444; Sozomenus bei* Muratori *l. c. 16, 1174 B; Poggi Hist. Florent. bei Muratori l. c. 20, 283; Chron. Lucense bei Muratori l. c. 18, 831 B; Delayto bei Muratori l. c. 18, 946 E. Am 20 November hielt ihm dort Petrus de Alvarotis eine pomphafte Begrüßungsrede, die uns nicht angeht, da sie nur Phrasen enthält, die jedoch damals sehr gefallen haben muß, da sie sich viel kopiert findet: Wien K.K. Hofbibl. cod. ms. nr. 3160 fol. 152[b]-155[a] cop. ch. saec. 15; Pommersfelden Gräfl. Schönborn'sche Bibl. cod. ms. 2685 vol. 2; Venedig Markusbibl. mss. lat. cl. 14 cod. 127 pag. 197-203 ch. saec. 15; London Brit. Mus. Bibl. Arundel nr. 70 fol. 3 ff. u. s. w.*

[9] *Am 5 April 1402 befiehlt die Zehnerbalei zu Florenz auszuzahlen: dem Bonacursio Nerii de Pictis, Gesandten zum König der Römer und zu andern Herren und Fürsten, für 8 Tage ab 5 Febr. 1402, 3½ fl. täglich, 28 fl.; dem ser Pero ser Peri de Sancto-Miniate, commissario zum König der Römer und andern Herren und Für-*

34. *Bericht gen. Gesandten der Stadt Florenz über ihre Gesandtschaft vom Nov. 1401* *1402*
Fbr. 23
zu K. Ruprecht [1]. *1402 Febr. 23 bzw. Merz 20 Florenz.* *bzw.*
Mrz. 20

Aus Florenz St.A. Classe X, distinzione 2, num. 7. Relazioni di ambasciatori fol. 40[b] *cop. ch. coaev.*

Addi 13 di novembre prossimo passato io Rinaldo Gianfigliaçi chavaliere andai [1401] *Nov. 13*
per abasciadore insieme con messere Filippo Corsinj e messer Maso degli Albiçi e messer
Tommaso Sacchetti mandati per i signori priori, che allora erano, al serenissimo re de
Romani; onde tornai a di ventuno di febrajo presente, e mentre sono stato chol sopra- [1402] *Fbr. 21*
detto serenissimo re, in ogni parte per mese observato e satisfatto a tutto quanto mi
fu commesso e poi comandato per gli signori predetti e per li loro successori. e al
presente sono tornato con certa ambasciata a me [a] inposta dal sopradetto re, a miei
magnifici signori.

E chosi fatto e pero mi sono scripto qui di mia propria mano a di 23 di febrajo *1402*
anno 1401. *Fbr. 23*

Relata die 23 februarii 1400 primo. *1402*
Fbr. 23

Io Filippo Corsinj chavaliere et dottore, il quale andai ambasciadore al soprascripto
re de Romanj co soprascripti messer Rinaldo messer Maso et messer Tommaso, tornai
addi 19 di março 1401 in Firençe e raporto quello medesimo che di sopra e scripto *1402* *Mrz. 19*
per lo detto messer Rinaldo, salvo che alla mia partita da Padova dal detto re de Romanj 'gli non mi puose altra inbasciata se non che io salutassi e priori e dieci dicendo
che avea mandato alloro il duca Lodovico di Baviera e il veschovo da Spira suoi ambasciatori pienamente informati [b] di sua intençione.

Et pero mi sono qui soscripto di mia propria mano a di 20 di março sopra- *1402*
detto [2]. *Mrz. 20*

a) cod. überflüssiger Überstrich über me. b) cod. informato.

sten, für 8 Tage, 2 fl. täglich, 16 fl.; außerdem
Beiden Entschädigungen für Schiffgeld, abgegan-
gene Pferde u. a.; aus Florenz St.A. Classe 13,
distinzione 2, num. 18 fol. 7[a-b] conc. ch. coaev.
Darnach sind die beiden wol von Venedig vorher
schon einmal nach Florenz zurückgekehrt, nach-
dem sie von Padua sich mit K. Ruprecht nach
Venedig begeben hatten (s. nr. 27 und nr. 70
Note), und sind am 5 Febr. dann wider nach
Padua zum Könige geschickt.

[1] Vgl. die Instruktion zu dieser Gesandtschaft
nr. 32.

[2] Ausführlicher Bericht über die Verhandlungen
in Padua in der Chronik von Minerbetti in Rerum
Ital. scriptores ed. Florent. 1770, 2, 445; vgl.
auch Antoninus' Chronicon s. Summa historialis
pars 3 tit. 22 cap. 3 § 35 und Bonincontri Annal.
bei Muratori Scriptores 21, 84 B. Das Resultat
ist, daß die Florentiner die zweite Rate der nach
art. 5 des Vertrages vom 13 Sept. 1401 auszuzah-
lenden 200000 Dukaten, nemlich 90000, nicht
geben wollen, weil der König die Bedingungen des

Vertrages seinerseits nicht erfüllt habe; vgl. die
Instruktion nr. 32 art. 6 und 16. Darauf begibt
sich K. Ruprecht am 10 December nach Venedig,
die Florentinischen Gesandten folgen dahin, und
die Verhandlungen werden dort fortgesetzt, s. nr.
70 ff. — Am 5 April 1402 befiehlt die Zehnerbalei
zu Florenz auszuzahlen: Dom. Raynaldo Jannoçii
de Gianfigliaçis militi, Gesandten zum Könige der
Römer zum Dogen von Venedig und andern, für
71 Tage ab 13 Dec. 1401, 6 Gulden täglich,
426 fl., außerdem für Schiffgeld u. a. 13 fl. 2 lb.
10 sold.; dom. Filippo domini Tome de Corsinis
militi et legum doctori, Gesandten zum Dogen
zum Dogen von Venedig und andern, für 43 Tage ab 5 Febr.
1402, 6 Gulden täglich, 258 fl., außerdem Schiffgeld u. a. 7 fl.; dem ser Paulo ser Landi Fortini,
commissario ad partes Venetiarum Alamanie et
alias und mit den Florent. Gesandten zum König
der Römer zu geben, für 43 Tage ab 5 Febr. 1402,
1½ fl. täglich, 64 fl. 38 sold.; aus Florenz St.A.
Classe 13, distinzione 2, num. 18 fol. 7[a-b] conc.
ch. coaev.

1402   **35.** *Aufzeichnung der Zehnerbalei in Florenz über K. Ruprechts Anleihe von 4000*
Apr. 5   *Goldgulden durch Herzog Ludwig VII von Baiern und Bischof Raban von Speier,*
     sowie über Auszahlung bzw. Verwendung des Restes der 90000 Dukaten Subsidien.
     1402 April 5 [1] *Florenz.*

> *Aus Florenz St.A.* Classe XIII, distinzione 2, num. 18. Deliberazioni e condotte de dieci   [5]
> della balia fol. 6 [ab] *ch. coaev., links am Rande zu Anfang jedes der beiden Posten*
> *(s. pag. 78 Note 1) solutum* [a].

Dominico Cambii vocato Ceccherello nuntio camere comunis Florentie   [1] quos dari
et solvi fecit de mandato dictorum decem illustri principi et magnifico domino domino
Ludovico dei gratia duci Bavarie florenos duo milia quingentos auri, et reverendo patri   [10]
et domino domino Rabano dei gratia episcopo Spirensi [2] aule imperialis cancellario florenos mille quingentos auri, ambaxiatoribus et consiliariis serenissimi principis et domini
domini Ruperti dei gratia Romanorum regis semper augusti pro serviciis per ipsos illustrem principem et dominum dominum Ludovicum et reverendum patrem et dominum
dominum Rabanum factis et faciendis comuni Florentie pro defensione securitate et con-   [15]
servatione libertatis et status civitatis Florentie et pro resistentia et offensa inimicorum [3]
dicti comunis; ita tamen quod ipsi debeant scribi debitores in camera comunis Florentie
in libro Stelle in quantitatibus supradictis per provisores camere supradicte, et quod
ipsi domini teneantur et debeant reddere et restituere pecunias supradictas dicto comuni
Florentie infra duos menses proximos postquam ipsi requisiti fuerint de restitutione pre-   [20]
dicta per literas nuntium vel ambaxiatorem magnificorum dominorum dominorum priorum
artium et vexilliferi justicie populi et comunis Florentie;   [2] et quos dari et solvi
fecit et partim pro dando et solvendo de mandato dictorum decem serenissimo principi
et domino domino regi Ruperto prefato et pro eo infrascriptis stipendiariis de summa
nonaginta milium ducatorum promissa per sindicum et seu [b] ambaxiatorem comunis   [25]
1401   Florentie [4] dicto domino regi de mense septembris proxime preterito [5] occasione promis-
Spt.   sionum factarum per dictum regem pro defensione securitate et conservatione libertatis
et status civitatis Florentie et pro resistentia et offensa inimicorum dicti comunis, videlicet: domino Baldassari domini Johannis de Valdo Theutonico conducto per dictos decem
ad stipendia illustris principis et domini domini Ludovici ducis Bavarie [6] ex commissione   [30]

> a) *langes s mit Strich durch den oberen Theil des Schaftes oder ein* t; *sonst steht in dem Buche meist am Rande*
> *confess mit Abkürzungshaken.* b) *so hier und weiter unten, Pleonasmus.*

[1] *Als Datum steht über den gesammten Posten,*
zu denen unser Stück gehört, die quinto mensis
aprilis, *das Jahr läuft in dem ganzen Rechnungs-*
buche regelmäßig fort.

[2] *Das Schreiben an den Herrn von Lucca,*
welches die beiden gen. zu übermitteln hatten, nr.
118, ist vom 16 Febr. 1402 datiert, um die Zeit
werden sie also wol abgegangen sein; Anfang Merz
trafen sie in Florenz ein, vgl. Minerbetti in Rer.
Ital. script., ed. Florent. 1770, 2, 450, wo auch
ausführlicheres über ihre Verhandlungen in Florenz;
vgl. Sozomenus bei Muratori scriptores 16, 1174 E,
sowie im vorliegenden Bande nr. 123.

[3] *Pro defensione — inimicorum, scheint eine*
stehende Redensart, die zur Begründung ähnlicher
Ausgaben für Söldneranwerbungen in dem Rech-

nungsbuche öfter widerkehrt. Darnach wäre die
Anschauung Italienischer Chronisten der Zeit, daß
K. Ruprecht von den Florentinern conductus *sei,*   [35]
nicht so unberechtigt, s. Sozomenus bei Muratori
scriptores rer. Ital. 16, 1173 D. Selbst die an-
scheinend ehrerbietige Bezeichnung imperator, *welche*
die Italiener durchweg dem Könige geben, begün-
stigte diese Auffassung, vgl. die Vita Sforzae bei   [40]
Muratori l. c. 19, 639 C, wo über den damaligen
Gebrauch des Wortes imperator *gehandelt ist.*

[4] *Buonaccorso Pitti.*

[5] *In dem Vertrag vom 13 Sept. 1401 nr. 28*
als zweite Rate der Subsidien; vgl. nr. 32 art. 21.   [45]
16. 6.

[6] *Diese Söldneranwerbung geht zurück auf die*
Verabredung des K. Ruprecht mit Herzog Ludwig

eis facta per dictum dominum regem cum centum lanceis trium hominum et equorum *1402 Apr. 5*
pro qualibet, pro ejus et dictarum lancearum solutione unius mensis incepti die primo *1402*
februarii proxime elapsi ad rationem florenorum quatuordecim auri cum dimidio pro *Fbr. 1*
stipendio cujuslibet dictarum lancearum, et florenorum centum quinquaginta pro provi-
5 sione sue persone, detractis pro defectibus florenis septuaginta tribus sol. novem et den.
quatuor ad aurum, in summa pro residuo florenos mille sexcentos [1] viginti sex sol. decem
et den. octo ad aurum; Sforçe Johannis de Cotignuola conducto per dictos decem ut
supra cum centum lanceis, pro ejus et dictarum lancearum solutione unius mensis incepti *1402*
die sexto februarii proxime elapsi ad rationem predictam, detractis florenis trecentis *Fbr. 6*
10 viginti septem auri pro defectibus, in summa pro residuo florenos mille ducentos [a] septuaginta tres auri; Tomasio de Bonchilch et Anisi Recchenbach conductis per dictos
decem ut supra cum lanceis sexaginta quinque, pro eorum et dictarum lancearum solutione unius mensis incepti die primo mensis februarii proxime elapsi ad rationem stipendii *1402*
supradicti, et florenorum nonaginta septem cum dimidio pro provisione suarum persona- *Fbr. 1*
15 rum, detractis florenis decem octo et sol. uno ad aurum pro defectibus, in summa pro
residuo florenos mille viginti unum et sol. decem novem ad aurum; Corrado Vienhart
et Elighierio de Renum conductis per dictos decem ut supra cum lanceis viginti quinque, pro eorum et dictarum lancearum solutione unius mensis incepti die primo februarii *1402*
proxime elapsi ad rationem stipendii supradicti, et cum provisione florenorum triginta *Fbr. 1*
20 septem cum dimidio pro eorum personis, detractis floreno uno sol. decem octo et den.
tribus ad aurum pro defectibus, in summa pro residuo florenos trecentos nonaginta octo
sol. unum et den. novem ad aurum; Bartolomeo Petri de Orto et Grasso Guernerii
de Venosa conductis per dictos decem ut supra cum quinquaginta lanceis, pro ipsorum
et dictarum lancearum solutione unius mensis incepti die sexto februarii proxime prete- *1402*
25 riti ad rationem florenorum quatuordecim auri cum dimidio pro stipendio cujuslibet *Fbr. 6*
dictarum lancearum, et florenorum septuaginta quinque pro provisione duarum personarum, detractis pro defectibus florenis centum decem septem sol. sedecim et den. sex
ad aurum, in summa pro residuo florenos sexcentos octoginta [b] duos sol. tres et den.
sex ad aurum; et Rogerio de Rayneriis de Perusia conducto per dictos decem ut supra
30 cum lanceis septuaginta, pro ipsius et dictarum lancearum solutione duorum mensium
initiatorum die primo februarii proxime elapsi ad rationem dicti stipendii pro quolibet *1402 Fbr. 1*
mense, et florenorum centum quinque pro provisione sue persone pro quolibet mense,
detractis florenis octo sol. septem et den. quatuor ad aurum pro defectibus, in summa
pro residuo florenos duomilia ducentos triginta unum sol. duodecim et den. octo ad
35 aurum; in totum integros et sine aliqua solutione vel retentione alicujus diricture oneris
vel gabelle et sine aliqua diminutione detractione vel defalcatione florenos in auro unde-

a) *cod.* dugentos. b) *cod.* ottoginta.

*vom Juli 1401 Bd. 4 nr. 376 art. 3; von derselben
ist auch die Rede hier Bd. 5 in nr. 32 art. 16 und*
40 *21. Es sind hier im ganzen 410 Lanzen. Doch
werden die Florentiner denselben bereits früher
Soldzahlungen für frühere Monate gemacht haben,
die nicht in diesem Kodex verzeichnet sind und
sich sonst nicht erhalten haben, da in nr. 32 l. c.*
45 *bereits im November von 400 für Herzog Ludwig
angeworbenen Lanzen die Rede ist. Wenn Minerbetti's Angabe in Rer. Ital. script., ed. Florenz
1770, 2, 447 richtig ist, daß die Florentiner dem
König für diese Soldzahlungen 25000 Dukaten*

*anrechneten, so würde das ungefähr dem Solde
für 4½ Monate entsprechen, da, wenn man die
Posten hier in art. 2 summiert, wobei der letzte
Posten nur zur Hälfte zu rechnen ist, für die 410
Lanzen auf einen Monat die Summe von 6017
Gulden 11 sh. 3 dn. herauskommt.*

[1] *Dieß ist ein Schreibfehler, es muß quingentos
heißen, wie sich aus den hier angeführten Daten
selbst ergibt und auch daraus ersichtlich ist, daß
sonst die Totalsumme, die am Schluß von art. 2
gezogen ist, um 100 fl. zu niedrig sein würde.*

1402
Apr. 5 cim milia centum triginta tres soldos septem et denarios septem ad aurum [1].   [2ᵃ] Dominico Cambii vocato Ceccherello nuntio camere comunis Florentie pro ducatis triginta
duobus milibus quingentis auri quos dari et solvi fecit de mandato dictorum decem per
1402 manus Johannis Biccii de Medicis [2] et quorundam aliorum in civitate Venetiarum de
Jan.
Fbr. mensibus januarii februarii et martii proxime elapsorum serenissimo principi et domino   5
Mrz. domino Ruperto dei gratia regi Romanorum pro parte et seu quasi pro residuo nonaginta milium ducatorum olim promissorum dicto regi nomine comunis Florentie, et occa
1402 sione promissionum factarum per ipsum regem dicto comuni Florentie de dicto mense
Jan. januarii Venetiis [3] et etiam primo in aliis locis [4] pro defensione securitate et conservatione
libertatis et status civitatis Florentie et pro resistentia et offensa inimicorum dicti co   10
munis et pro expeditione et executione predictorum, in summa integros et sine aliqua
solutione vel retentione alicujus diricture oneris vel gabelle et sine aliqua alia detractatione diminutione vel defalcatione et in auro florenos triginta quinque milia sexcentos
triginta unum soldos quatuordecim et denarios octo ad aurum [5].   [3] [6] Tomasio Nicolai
de Castello Johanni Francisci de Malvicinis et Tomasino Beltramini de Crivellis pro   15
1402 ipsorum provisione et remuneratione duorum mensium initiatorum die primo februarii
Fbr. 1 proxime elapsi, quibus cum ducentis lanceis trium hominum et equorum pro qualibet
eorum lanceis in dicto numero computatis serviverunt comuni Florentie absque conducta
pro defensione securitate et conservatione libertatis et status civitatis Florentie et pro
resistentia inimicorum dicti comunis ad rationem florenorum sedecim auri integrorum   20
pro qualibet dictarum lancearum, et florenorum quadringentorum auri similiter integrorum
pro provisione suarum personarum per mensem et ad rationem mensis, integros et sine
aliqua solutione vel retentione gabelle vel diricture florenos septem milia ducentos auri;
Nicholao de Loyliano pro ejus provisione et remuneratione duorum mensium initiatorum
1402 die primo mensis februarii proxime preteriti, quibus cum decem lanceis trium hominum   25
Fbr. 1 et equorum pro qualibet ejus lancea in dicto numero computata servivit comuni Florentie
absque conducta pro defensione etc. ut supra proxime ad rationem florenorum sedecim
auri integrorum pro qualibet dictarum lancearum per mensem et ad rationem mensis,
in summa integros et sine aliqua solutione vel retentione gabelle vel diricture florenos
trecentos viginti auri; Bartolomeo Petri de Orto et Grasso Gualterii de Venosa pro   30
1402 ipsorum provisione et remuneratione unius mensis incepti die sexto martii proxime pre
Mrz. 6 teriti, quo cum quadraginta octo lanceis trium hominum et equorum pro qualibet eorum
lanceis in dicto numero computatis serviverunt comuni Florentie absque conducta pro
defensione securitate et conservatione libertatis et status civitatis Florentie et pro resi

---

[1] *Im Kodex ist hier ein Absatz, weil darauf
ein neuer Rechnungsposten beginnt; alles vorhergehende bildet zusammen einen Posten und ist
daher hier summiert; für unsere Artikeleintheilung
ist natürlich ein anderer sachlicher Gesichtspunkt
maßgebend: bei art. 2 beginnen die von den Florentinern im Namen K. Ruprechts gemachten
Soldzahlungen, die ihm auf die 90000 Dukaten
der restierenden Subsidien angerechnet werden;
damit hat die Anleihe von 4000 fl. in art. 1 nichts
zu thun; dagegen enthält art. 2ᵃ die ebenfalls auf
die 90000 Dukaten angerechnete Baarzahlung.*

[2] *Derselbe ist in nr. 27 genannt.*

[3] *Also bei der durch die Venetianer im Januar
1402 vermittelten Übereinkunft mit K. Ruprecht,
s. nr. 70 ff., speziell nr. 77; über den Betrag der
Zahlung s. nr. 168 art. 52.*

[4] *Jedenfalls in Augsburg 13 Sept. 1401 im Vertrage nr. 28; will man den Ausdruck genau nehmen, mag man an die vorherigen Abmachungen
vom Mai und Juli und an die Verhandlungen
nachher in Padua denken.*

[5] *Diese Summe ist gleich den oben angeführten
32500 Dukaten; daraus ergibt sich daß ein Dukaten gleich 1 fl. 19 sh. 2 dn. in Florens gerechnet
wurde; vgl. die Einleitung zu lit. L gegen Ende.*

[6] *Die in art. 3 folgenden Anwerbungen sind
ohne Zweifel solche die von den Florentinern für
sich und auf ihre eigenen Kosten gemacht sind,
wie namentlich wol der letzte Posten zeigt, und
haben mit dem Unternehmen K. Ruprechts wol
keinen direkten Zusammenhang; indess wäre es
doch möglich, und wir geben dieselben aus Vorsicht
lieber hier mit.*

stentia inimicorum dicti comunis ad rationem florenorum sedecim auri integrorum pro *1402 Apr. 5* qualibet dictarum lancearum, et florenorum triginta auri similiter integrorum pro provisione suarum personarum pro quolibet mense, in summa integros et sine aliqua solutione vel retentione gabelle vel diricture florenos septingentos nonaginta octo auri; Sforze Johannis de Cotignuola pro ejus provisione- et remuneratione unius mensis incepti die sexto martii proxime preteriti, quo cum centum lanceis trium hominum et equorum pro qua- *1402 Mrz. 6* libet ejus lancea in dicto numero computata servivit comuni Florentie absque conducta pro defensione securitate et conservatione libertatis et status civitatis Florentie et pro resistentia inimicorum dicti comunis ad rationem florenorum sedecim auri integrorum

[10] pro qualibet dictarum lancearum, et florenorum centum similiter integrorum pro provisione sue persone pro quolibet mense, in summa integros et sine aliqua solutione vel retentione gabelle vel diricture florenos mille septingentos auri; Ceccho et Cristoforo Vannis de Chianciano et Francuccio Morozij de Montepolitiano pro eorum solutione et provisione duorum mensium intratorum die primo mensis januarii proxime elapsi, quibus *1402 Jan. 1*

[15] serviverunt comuni Florentie absque conducta ad custodiam Montispolitiani pro defensione etc. ut supra proxime ad rationem florenorum trium sol. tredecim et den. quatuor ad aurum pro quolibet ipsorum pro quolibet mense et ad rationem mensis, in summa integros et sine aliqua retentione gabelle vel diricture florenos viginti duos auri [1].

36. *Bericht der gen. Gesandten der Stadt Florenz über ihre Botschaft im April 1402* *1402 Okt. 16* [20] *an K. Ruprecht Franz von Padua und Venedig* [2]. *1402 Okt. 16 Florenz.*

Aus Florenz St.A. Classe X, distinzione 2, num. 7. Relazioni di ambasciatori fol. 43 ab cop. ch. coaev.

Raporto facto per messer Tommaso Sacchetti e me Lorenço Ridolfi, mandati ambasciadori per lo nostro magnificho et excelso comune al serenissimo re de Romani et

[25] alla illustra signoria di Vinegia e al magnifico signore di Padova, a nostri magnifici *1402 Okt. 16* signori e dieci della balia a di 16 d'ottobre 1402.

[1] Diciamo adunque in prima che ci partimmo nel nome di dio da Firençe a di *1402 Apr. 5* 5 d'aprile proximo passato. et conferito a Padova, ove era el detto serenissimo re, trovammo che era per partirsi et cosi ave al tutto col suo consiglio diliberato. et di

[30] subito fummo a suoi piedi e sponemmo quanto ci fu commesso. e in effetto mai non si potette [3] svolgere e al tutto si volle partire, facciendoci dire al duca di Baviera e al signore di Padova, e poi ancora esso stessi cielo [4] disse, che si teneva esser dal nostro comune servito, e che sempre [a] il terebbe per suo divoto figluolo, e che altra volta e

[35] a) cod. semper.

[1] *Unter den Ausgaben der Zehnerbalei in Florenz finden sich folgende auf die obige Gesandtschaft bezügliche Posten: 1402 Aug. 3 Pro vino confectionibus cera blado piscibus velluto et aliis rebus datis illustri principi domino domino Ludo-*[40]*vico dei gratia duci Bavarie et reverendo patri et domino domino Rabano dei gratia episcopo Spirensi ambaxiatoribus serenissimi principis et domini domini Ruperti dei gratia regis Romanorum et pro lectis mensis pannis masseritiis et rebus* [45] *aliis eis comodatis quando steterunt Florentie de mensibus martii et aprilis proxime elapsorum* fl. 584 et libras 1820 soldos 11 et denarios 8, *aus Florenz St.A.* Classe 13, distinzione 2, num. 18. X della balia fol. 37 a *conc. coaev.; 1402 Okt. 28 Bonacursio Nerii de Pictis für Begleitung Herzogs Ludwig bis Bologna im April 1402 Gulden 10, ibid.* fol. 54 a. [2] *Vgl. Salviati's Bericht RTA. 4 nr. 62 pag. 68, 29 f.; in diesem Bande nr. 129 ff.* [3] = *potè s. Moise Grammatica pag. 550.* [4] *D. h. und hernach sagte er selbst uns es, stessi = stesso s. Blanc Grammatik pag. 331.*

¹⁴⁰²
^{Okt. 16} tosto tornebbe di qua per modo che potrebbe fare che sia salvamento e acrescimento del detto comune e abassamento di chi ci era in contrario et exaltatione del santo imperio e di tutti i suoi fideli. e così si parti e tornossi nella Magna, come pienamente per nostre lettere furono avisati i dieci della balìa.   [2] fummo ancora col magnifico signore de Padova, a cui sponemmo quanto nella nostra commessione si contiene. da cui avemmo graçiosa risposta. e quanto potette opero chol detto re perche venisse alle chose che noi chiedavamo. ma della lega, di che fu richiesto, rispose quanto allora scrivemmo a dieci della balìa. sopra che niente di poi si seguito, perche s'ebbe a trattare di poi legha colla signoria di Vinegia con lui et col marchese d'Esti, chome di sotto diremo [1].   [3] partito el detto re, et tutto significatosi per noi a dieci della balìa, avemmo risposta che dovessemo esser a Vinegia e alla detta signoria, mostrando^a (dopo il giustificare il nostro comune avere observato et facto al detto re tutto quello che era tenuta) in che grievi pericoli rimaneva tutta Italia, et che per dio accio no volessimo dare buono pensero^{b 2} e vedere de modi a riparare al conte di Vertu, et offerire il detto comune a quelle cose che alla detta signoria parra esser possibili e ragionevoli etc.

¹⁴⁰²
^{Apr. 27} andammo a di 27 d'aprile detto a Vinegia e così sponemmo. da cui avemmo per risposta, che il migliore modo a riparare allo appetito del detto conte pareva loro, che fusse riformata^c la pace altra volta fatta [3] [u. s. w.; die mit Johann Galeazzo dem Markgrafen und dem Herren von Padua angeknüpften Verhandlungen werden durch den Tod des ersteren unterbrochen]. partimmoci adunque, e qui in Firençe giugnemmo

¹⁴⁰²
^{Okt. 16} a di 16 d'ottobre 1402. [Folgt noch die Notiz, daß über die Ligue viel verhandelt sei, aber im Grunde die Venetianer sich nicht darauf einlassen wollten, et nel vero sono tutti cordiali nimici de Bisconti [4], ma fugono briga spesso quanto possono.]

Io Lorenço Ridolfi detto cosi raporto chome di sopra o scripto di volonta di messer Tomasso detto et infrascripto. e pero qui mi sono subscripto questo di 16 d'ottobre

¹⁴⁰²
^{Okt. 16} 1402.

Io Tommaso Sachetti sopradetto chosi raporto chome di sopra di mia volunta a scripto il^e sopradetto messer Lorenço. e pero qui mi soscrivo di mia propria mano il

¹⁴⁰²
^{Okt. 16} detto di 16 d'ottobre 1402.

¹⁴⁰²
^{Okt. 17}   Relata die 17 ottobris ind. 11 1402 [4].

---

a) cod. mostrano mit Überstrich über no.   b) cod. persero.   c) cod. riformare.   d) cod. Bisconto.   e) cod. i.

---

[1] S. nr. 136 ff.; die Florentiner wollten eine Ligue gegen Joh. Galeazzo, zu der sie schon nr. 32 art. 23 Venedig zu bewegen suchten. Am 17 Febr. 1402 ermächtigt die Signorie nebst Kollegien die Zehn der Balei, Ligue Conföderation und Union zu schließen einzeln oder zugleich mit folgenden: Pabst Bonifacius IX, K. Ruprecht, K. Ladislaus, Venedig, Johann von Bentivoglio Herrn von Bologna, Markgraf Nikolaus von Este und Ferrara, Franz von Carrara, Franz von Gonzaga; Florens St.A. Classe 2, dist. 6, num. 46. Deliberazioni dei signori e collegj fol. 9ᵃᵇ conc. ch. coaev.

[2] = pensiero.

[3] Der Frieden vom 21 Merz 1400, auf den die Venetianer immer zurückkamen, Bd. 4 nr. 260 nt. 4.

[4] Auf diese Gesandtschaft beziehen sich folgende

Posten in Florens St.A. Classe 13, distinzione 2, num. 18. Deliberazioni e condotte di dieci della balìa fol. 5ᵇ conc. ch. coaev.: 1402 Merz 29 Domino Laurentio Antonii de Ridolfis decretorum doctori et domino Tomasio domini Jacobi de Sacchettis militi, gewählten Gesandten zum K. Ruprecht, vom Tage ihres Abgehens 5 fl. täglich für jeden, auf 30 Tage, 300 Goldgulden; 1402 Merz 30 Ser Paulo ser Landi Fortini de Florentia in commissarium comunis Florentie ad partes Padue Venetiarum et Lombardie ad eundum cum ambaxiatoribus ituris ad regem Romanorum 1½ fl. täglich, auf 30 Tage, 45 Goldgulden. — Pfalzgrafendiplom für Lorenzo de Ridolfis (die beiden andern hatten schon ein solches erhalten Chmel nr. 1134 und 1143) Chmel nr. 1162.

E. Verhältnis zu Venedig nr. 37-84.

37. *Beschluß des Raths zu Venedig: höflich ausweichende Antwort an die Gesandt-* *1401*
schaft K. Ruprechts [vom 20 Juli 1401], welche dessen Einmarsch zum 1 Okt. in *Aug. 16*
Aussicht stellt und um wirksame Unterstützung ersucht. 1401 Aug. 16 Venedig.

*Aus Venedig St.A. Deliberazioni, secreta, senato 1, registro 1 fol. 11 ᵃᵇ mb. coaev.; zu
Anfang links am Rande: Ser Benedictus Soperancio procurator, ser Karolus Geno
procurator, ser Leonardus Bembo, ser Justus Contareno, ser Antonius Mauro sapientes
consilii¹. Betr. die Datierung s. RTA. Bd. 4 pag. XIX.*
Gedruckt bis auf den letzten Absatz bei Mone Zeitschr. für die Gesch. des Oberrheins 5,
10   *292-294 ebendaher.*

Die 16 augusti.

Capta.   quod respondeatur oratoribus serenissimi domini Romanorum regis ad
ambassiatam nobis expositam per eosdem².   [1] et primo ad primam partem, per
quam ipsi tetigerunt et mentionem fecerunt de ambassiata ipsius domini sui regis alias
15 nobis missa³ ad notificandum nobis electionem suam et causas propter quas ad illam
consenserat, et de eo. quod ipsa ambassiata sibi reportaverat fuisse a nobis gratanter et
honorifice susceptam et nostram bonam dispositionem et affectionem ad suas complacentias, de quibus ipse dominus rex letatus valde fuerat in nobis et nostro dominio magnam
spem et fiduciam assumendo, et de hoc regraciabatur nobis satis etc.: quod non erat
20 expediens suam regiam majestatem regraciari nobis de gratiisᵃ receptis et honoribus impensis oratoribus suis predictis, quia inveteratus et cordialis amor, quem semper gessimus
ad illustrem et excelsam Bavarie domum et ad cunctos ejus illustres principes et notanter ad suam serenitatem propter immensas virtutes et singularissimas dotes suas et gerere
constantis propositi nostri est, nos induxit et semper induceret ad videndum quoscunque
25 legatos suos mente illari atque vultu et retribuendum illos honores quos requirit subli-
mitasᵇ sue regie majestatis.
    Capta.   [2] ad secundam partem tactam per eos, in qua dixerunt, quod ipse
dominus rex, volens continuare nobiscum notificationem et communicationem suorum
successuum, significabat nobis, quod divina favente gratia cum baronibus et proceribus
30 sibi faventibus in partibus Alemanie usque in diem presentem fuerat taliter operatus,
quod quasi omnes partes deinde preter paucas, de quibus tamen non erat dubitandum,
sue dominationi supposite erant, quod tamen non fecerat sine magnis laboribus et expensis, et non tantum haverisᵈ sed liberorum, faciendo mentionem de filia sua, quam
dederat duci Federico Austrie in uxorem, ut ipsam domum secum uniret, et de duce
35 Leopoldo, qui venit secum ad serviendum sibi cum mille lanceis; propter quas disposi-
tiones partium Alemanie deliberatum fuerat in decreto consilio electorum principum et
baronum, quod converteret oculos ad Italiam, propter quod proposuerat disponere se ad
iter, quod propositum et quam deliberationem suam volebat nobis principaliter mani-
festamᶜ, tamquam amatoribus precipuis sacri imperii amantibus justitiam et manutenen-
40 tibus bonos, pravos piratas et iniquos quoslibet insequendo, magnificando multum domi-

---

a) cod. gratis?   b) cod. sublimatas?   c) em. manifestari? oder suppl. esse?

---

¹ *Über die Bedeutung der Savj, deren eine*   ² *S. Band 4 nr. 260 art. 2ᶜ mit Note und nr.*
Hauptaufgabe war, die dem Rathe zu unterbrei-   *309f.*
tenden Vorschläge vorzubereiten, s. Le Bret Staats-
45 *geschichte der Republik Venedig 1773 Theil 2*   ⁴ *= averis s. Du Cange s. v. averium, avere,*
Abth. 1 pag. 373.   *Habe, es ist Genitiv.*
³ *Die Gesandtschaft vom 20 Juli 1401 Bd. 4*
nr. 362 und 363.

1401
Spt. 4

1401
Okt. 1

nium nostrum, et propterea significabat nobis, quod quarto mensis septembris erectis vexillis imperialibus esset in campis prope Augustam et ibi suas gentes armigeras congregaret, illisque congregatis versus Italiam dirigeret [a] gressus suos, sperans domino concedente, cujus res agitur, in kallendis mensis octubris attingere solum Italie et cetera: respondeatur, quod nos videmus et cognoscimus satis clare istam benignam et 5 caritativam participationem, quam nobiscum facit ille serenissimus princeps dominus suus dominus Romanorum rex, procedere ab immensa clementia et benignitate sua, quia servat et ostendit in hoc humanitatem et sapientiam suam, sicut facit in omnibus factis suis, et propter ea consideramus, ymo firmiter credere possumus et debemus, quod gratia creatoris secum fuerit et sit, qui voluit ut in tam brevissimo tempore tot prosperitates 10 et exaltationes sibi successerint omnesque civitates et terram [b] Alemanie reduxerit ad unitatem et obedientiam serenitatis sue et sacri imperii, de quo tamquam devotissimi zelatores sue glorie et honoris remanemus maxime consolati, laudantes modum et provisionem, quam servavit in contrahendo parentelam, quam contraxit cum domino duce Federico Austrie, quia cognoscimus eam utilem et fructuosam, ac supplicantes humiliter 15 ipsi creatori, qui hucusque tantam gratiam sibi concedere dignatus est, cum de tali et tam glorioso principio decoravit, quod sua immensa pietate ad illum finem perducat, qui sit ad laudem et reverentiam suam, sue serenitatis famam perpetuam gloriam et honorem, consolationem nostram et omnium aliorum sacri imperii devotorum.

Capta. [3] ad tertiam partem continentem quod, quam semper auditum et visum 20 est quod nostrum dominium quorumcunque magnorum agendorum in partibus quibuscunque dispositorum voluerit esse particeps, sperat idem dominus rex Romanorum quod in tam glorioso itinere et impresia nolemus esse expertes, et propterea disponit uti consilio auxilio et favore talium participum principaliorum in facto, unde confidit quod cum attigerit ad partes Italie concurramus cum sua majestate et velimus esse sibi propicii et 25 favorabiles auxilio consilio et favore, et si quispiam vellet insurgere et obstare ei in tam glorioso opere tales velimus habere pro inimicis, declarando quod auxilium quod petebat a nobis erat de navigiis pro suo passagio et quod portus passus et flumina nostra sibi pateant ita quod victualia portari sibi possint, et concludendo quod sicut erimus participes laborum ita intendit quod simus participes glorie et honoris, ac offerendo ultra 30 hoc se plene et omnimode retributurum nec unquam oblivioni traditurum quin ymo pro tutela nostri dominii totum posse suum exponere leto corde paratum et cetera: respondeatur, quod nos cognoscimus et videmus operum per experientiam tantam virtutem et sapientiam vigere in excellentissima persona ipsius domini regis, scimus etiam quod in tanto et tam magnifico opere veniet ita fultus solemni et maturo consilio auxilioque 35 potenti principum baronum et nobilium et procerum partium suarum, quod nostrum non erit ei necessarium, ymo cum favore divine gratie omnia salubriter disponet reget et gubernabit ac ad optatum finem perducet. nichilominus, cum fuerit ad partes predictas, inveniet nos dispositos et paratos parte nostra in dei reverentiam pro bono reipublice Christiane ob [c] suamque contemplationem ad illa que cum honore nostro vide- 40 bimus posse facere concernentia honorem sue serenitatis et felicem conclusionem tam laudabilis impresie et operis gloriosi; tenentes pro constanti, quod ipse dominus rex in omni causa habebit et tenebit nos et dominium nostrum in singulares et devotos amicos sui imperii, quia ita sumus et esse intendimus in futurum.   De parte 87.

45

[*Minoritätsvotum*] Ser Rambertus Quirino sapiens consilii vult, quod dicatur: quod ipse dominus rex, cum fuerit ad partes predictas Italie, inveniet nos dispositos ad faciendum et operandum parte nostra in dei reverentiam bonum reipublice Christiane et ob

a) cod. diriget. b) cod. terra. c) om. cod.

suam contemplationem illa que cum honore nostro videbimus posse facere pro exaltatione glorie et honoris sui et felici conclusione tam laudabilis impresie et operis, quia certi sumus quod ipse dominus rex nollet aliquid a nobis quod cum honore nostro facere non possemus.

1401 Aug. 16

De parte 5, non 14, non sinceri 24.

38. *Beschluß des Raths zu Venedig: Antwort auf die Gesandtschaften des Herzogs Leopold IV von Österreich und Herzogs Ludwig von Baiern, welche das Vorhaben des Königs dem Rathe empfohlen haben.* 1401 Aug. 16 [1] *Venedig.*

1401 Aug. 16

Aus Venedig St.A. Deliberazioni, secreta, senato 1, registro 1 fol. 11[b] *mb. coaev.; folgt unmittelbar unter demselben Datum nach dem Beschluß vom 16 August nr. 37.*

Capta. oratori autem domini ducis Leopoldi Austrie et similiter uni ex istis oratoribus domini Romanorum regis, qui etiam portavit nobis ambassiatam pro parte domini ducis Lodovici Bavarie recomendando nobis facta ipsius domini regis circa istum suum descensum, responderi debeat, quod, apud devotionem et caritatem quam gerimus ad sacram regiam majestatem et ad sacrum imperium, sincerus amor qui viguit et viget inter eos et nos semper nos induceret ad faciendum illa que videremus facere posse cum nostro honore. et propterea dedimus oratoribus ipsius domini Romanorum regis nostram responsionem, de qua ab eis plene poterunt informari et de illa si libuerit suos dominos reddere avisatos.

39. *Beschlüsse des Raths zu Venedig: ausweichende Antwort auf eine Gesandtschaft der Florentiner [2] betreffs deren Abmachungen mit K. Ruprecht.* 1401 Aug. 23 *bzw.* 30 *Venedig.*

1401 Aug. 23 bzw. 30

Aus Venedig St.A. Deliberazioni, secreta, senato 1, registro 1 fol. 12[b]-13[a] *mb. coaev.; zu Anfang links am Rande* Ser Benedictus Superancio procurator, ser Leonardus Bembo, ser Anthonius Mauro; *zu Anfang des Beschlusses vom 30 August* 6 sapientes consilii.

Die 23 augusti.

Capta. [1] quod respondeatur istis oratoribus magnifice comunitatis Florentie ad ambassiatam quam reportarunt nobis, continentem bonos et domesticos receptus ac humanam participationem factam per serenissimum dominum novum Romanorum regem cum oratoribus suis [3] de factis imperii et de descensu suo in Italiam et liberalem remissionem comunitati sue factam de pecuniis in quibus pro preterito tempore imperio tenebantur ac benignam concessionem sibi factam pro toto suo tempore de his que tenent ab imperio et cetera [4], propter quam liberalem remissionem et benignam concessionem et gratiam visum sibi fuit esse debitores de conplacendo majestati sue et de faciendo sibi aliquod in isto suo descensu et deliberaverunt donare sibi 110000 ducatorum et cetera [5]: quod nos regraciamur magnificis dominis suis nostris carissimis fratribus, quibus placuit omnia supradicta comunicare nobiscum et nobis facere manifesta, que si cognoscunt concernere bonum et augmentum honoris et status sui (quem teste deo

---

[1] *S. die Quellenangabe.*

[2] *Es ist ohne Zweifel die Gesandtschaft Buonaccorso Pittis nebst Genossen, welche am 15 Aug. von Florenz aufbrach, um zu K. Ruprecht nach Augsburg zu gehen, und erst in Venedig vorsprach, wie Pitti in nr. 27 erzählt.*

[3] *Die Verhandlungen mit Pitti vom Merz bis Juli 1401 in Deutschland.*

[4] *Vgl. das Privileg vom 4 Juli 1401 Bd. 4 nr. 358.*

[5] *Vgl. den Vertrag vom 13 Sept. 1401 nr. 28 und die Einleitung zu lit. D.*

11*

1401
Aug. 28
baw. 30 optamus ut proprium) gratissima nobis sunt, sperantes in illo cujus res agitur principaliter [1] et in summa sapientia et virtute ac bona dispositione ipsius novi Romanorum
regis, quod descensus suus in Italiam erit ad dei laudem reformationem ecclesie sancte
dei sacrique imperii quietem et libertatem Italie honorem et exaltationem glorie et fame
sue.   [2] ad alteram partem continentem, quod ipsa sua comunitas nos ortatur et   5
rogat quod debeamus ipsi domino imperatori in ipso suo descensu in Italiam esse favorabiles consilio et facto, respondeatur, quod sicut sue sapientie scire possunt dominus
imperator predictus super ista sua intentione et dispositione ac suo descensu in Italiam
novissime suam ambassiatam ad nos misit, cui ambassiate responsum dedimus [2] per illum
modum qui nobis apparuit justus et rationabilis, ita quod superinde non videtur nobis   10
quod aliquid dicere habeamus.   De parte 48. 52.

[*Minoritätsvotum I*] Ser Karolus Geno procurator vult, quod dicatur: cui ambassiate dedimus nostram responsionem, ita quod non videmus quod aliud sit expediens.
                                                            De parte 34. 31.   15
[*Minoritätsvotum II*] Ser Rambertus Quirino vult, quod dicatur: cui ambassiate
dedimus responsionem per illum modum qui nobis apparuit justus et rationabilis et
secundum nostrum honorem, ita quod non expedit ut dicamus aliud superinde.
                                                    De parte 9, non 10, non sinceri 9. 10.
[*3*] [*Es folgt die Antwort auf einen weiteren Punkt derselben Gesandtschaft, be-*   20
treffend Unterstützung des Herrn von Bologna gegen die Bedrohung durch den Herzog
von Mailand; wozu die Venetianer im allgemeinen bereit sind, doch so, daß der Herr
von Bologna der bestehenden Oberitalischen Ligue beitrete. Dann:]
1401
Aug. 30   Die 30 augusti.
[*Ergänzungsbeschluß zu art. 2*] Capta.   quod respondeatur ad istam secundam   25
requisitionem quam nobis fecerunt oratores magnifice comunitatis Florentie continentem
in effectu, quod conplaceamus et serviamus eisdem vel conplacere et servire faciamus
per banchos nostros vel alios nostros cives de pleçaria seu securitate ducatorum 55000,
quos dare promiserunt novo Romanorum regi cum fuerit in partibus Italie [3], vel de illa
majori parte qua poterimus, cum de reliquis 55000 sint secum bene in ordine et cetera: 30
quod magnifici domini sui debent esse certissimi, quod in omnibus nobis possibilibus
conplaceremus eisdem tamquam carissimis fratribus, sed propter aliquas honestas et rationabiles causas [4] non videmus posse eis conplacere, et propterea rogamus quatenus placeat
habere nos merito excusatos.   De parte 105, non 5, non sinceri 12.
                                                                                          35

[*3ᵃ*] [*Es folgt der Beschluß, auf das nochmalige Ersuchen um Unterstützung für*
Bologna mit dem Hinweis auf die Antwort vom vorigen Datum zu antworten.]

---

[1] *Scil. in deo.*
[2] *nr. 37.*
[3] *Vgl. die Einleitung zu lit. D.*

[4] *Ohne Zweifel das Verhältnis zu Johann Ga-*
leazzo ist gemeint, s. dessen Beschwerden nr. 40.
                                                                                          40

40. *Beschluß des Raths zu Venedig: begütigende Antwort auf die Beschwerden des* ¹⁴⁰¹ *Herzogs Johann Galeazzo über Florenz, Franz von Carrara und Venedig wegen ihres vertragswidrigen Verhaltens zu K. Ruprecht. 1401 Sept. 20 Venedig.*

Aus Venedig St.A. Deliberazioni, secreta, senato 1, registro 1 fol. 19ᵇ-21ª *mb. coaev.; zu Anfang links am Rande* Quinque sapientes consilii.

Die 20 septembris.

Capta.   quod respondeatur reverendo patri domino episcopo Novariensi [1] oratori illustris domini ducis Mediolani ad ambassiatam quam nobis portavit parte sua: post declarationem aliquorum verborum que dicit oratores nostros ad ipsum missos pro tractatu

10 pacis alias sibi dixisse, scilicet quod, si per aliquem ex colligatis aliqua sibi fierent de quibus videretur sibi habere causam querele, quod illa deberet de presenti alteri parti facere manifesta, quia fortasse fieret talis responsio et talis emenda, ut haberet causam remanendi contentus, ut per istum modum purgarentur omnes errores et non nutrirentur et cumularentur odia et malivolentie in tantum quod postea tolerari non possent sed

15 foret expediens pervenire ad guerram et novitatem; post etiam retractationem[a] substantie duorum capitulorum, quorum unum dixit esse in liga veteri alias celebrata inter dominum suum et nos et alterum in pace Venetiis conclusa[2], quasi unius importantie, scilicet de passu non dando nec subventione victualium aut pecunie gentibus armorum que transire vellent ad damna alicujus partis vel aliquorum in pace inclusorum (ipse sub-

20 junxit aliquas querelas de comunitate Florentie de domino Padue et de nobis, dicendo, quod ipse dominus suus bene videbat et cognoscebat modos et vias qui et que serva-bantur per ipsam comunitatem Florentie in mittendo et solicitando per ambassiatores eorum et per nuncios novum electum regem Romanorum ad descendendum in Italiam ad damna sua et in dando eidem de suis pecuniis ut istud sequatur; et quod istud

25 foret verum, evidenter apparebat; nam non erat necesse illi comunitati, que nunquam fuit amica imperii, nisi ita foret, ponere in uno tractu 15 prestançones solvendos per totum mensem presentem qui capiebant sumam 375000 ducatorum, nam non habent talem expensam nec talem guerram quod ista quantitas sit eis ad presens necessaria; et considerabat dictus dominus suus, quia imperatores non sunt assueti tali tempore

30 descendere, quando descendunt in Italiam, sed tempore primi veris ((quod ipsi Florentini considerent et dicant: procuremus quod ipse presto veniat et isto tempore, nam non poterit ita celeriter se fulcire et pecuniam comparare[b] et per istum modum melius ob-tinebuntur et procurabuntur damna sua)); etiam addendo quod, per illa que considerabat dominus suus considerando de se ad dictos Florentinos et ad expensas factas per eos,

35 et per illa etiam que intellexerat, ipsi Florentini non potuissent ita promptam habuisse pecuniam et quantitatem quam habuisse dicuntur, nisi habuissent subventionem a nobis et nostris; nam per illa que sentit omnes isti tractatus descensus novi electi fiunt hic, et solutiones et pecunie facte et recepte in bona parte sunt hic, quod est contra formam dictorum capitulorum treugue et pacis[3]; de quibus recipiebat maximam admirationem

40 et displicentiam, maxime reducendo sibi ad memoriam nonnulla verba que dicta fuerunt in conclusione pacis; nam dicit, quod, dum diceret quod non dubitabat de nobis quin bene observaremus dictam pacem sed dificile foret facere quod Florentini et dominus

---

a) *cod.* retrationem.   b) *om. cod.*

---

[1] *Jacopo Rossi 1388-1406 Bischof von Novara,*   [2] *Der Frieden von 1400 Merz 21 art. 11, s.*
45 *s. G. Biancolini Notizie storiche delle chiese di*   *Bd. 4 Note zu nr. 260.*
N. 1, 214.   [3] *D. h. wider der Friede vom 21 Merz 1400.*

1401
Spt. 20
Padue ipsam observarent, per nos seu nostros responsum fuit, quod nos procuraremus
et teneremus modum quod servarent illam, et, quando non facerent, ipsi haberent damnum, quia nostra dispositio erat stare et vivere secum in pace etiam si deberemus esse
contra eos. et addidit dictus orator, quod volebat quod nos sciremus et de hoc essemus
certi, quod dominus suus dominus dux intendebat omnino defendere se et statum suum,   5
et cognoscebat bene sibi fore necessarias multas armorum gentes, sed dolebat, quod,
quando nollet eas amplius [1], non videbat quomodo disperdi possent, et cognoscebat quod
pur [a] vellent vivere et spargerentur hac et illac per Italiam cum damno et jactura omnium, cum multis aliis verbis circa istam partem tangentem comunitatem Florentie,
((postea ivit ad dominum Padue)) et, sicut dixerat de Florentinis qui quesiverant et pro   10
curaverant descensum novi electi in Italiam et ad damna sua et nunciis et ambassiatoribus, ita fecerat et faciebat dictus dominus Padue, addendo etiam quod faciebat multa
paramenta multas fortificationes multas gentes, nec conprehendebat aliam rationem vel
causam nisi illam. dixit etiam, quod, sicut alias dici fecerat nobis in tractatu pacis,
dominus Padue predictus ad Castrum Baldum [2] contra id quod facere potest fecerat fieri   15
in Attice unam palatam et unam catenam, quas requirebat removeri debere, et quod
tunc responsum sibi fuit quod dominatio nostra bene teneret modum quod removerentur;
sed quia hoc factum non fuerat, imo senciebat quod ipse dominus Padue de novo volebat facere ibi fieri unum pontem, propterea nos requirebat quod teneremus modum,
quod non fieret et quod obstacula predicta removerentur, ita quod flumen esset liberum   20
ut esse debet; concludendo, quod, propter verba premissa per eum, dicta per nostros
in conclusione pacis, dominus suus dominus dux eum miserat ad presentiam nostram,
quia multum affectabat velle declarari a nobis de predictis et velle sentire intentionem
nostram. et propterea instanter nos rogabat, quod istud faceremus presto, quia dominus
suus habebat maximam affectionem ad volendum hoc scire, cum pluribus aliis verbis   25
intervenientibus et cadentibus ad materiam et ad factum, et cetera): [1] quod [3] nos
recepimus magnum placere, quod illustris dominus suus dominus dux Mediolani noster
frater carissimus miserit eum ad nos propter causam quam dicit, quia nos speramus in
gratia Jesu Christi, cum veritas non habeat angulos nec latere possit, quod declarabimus
ita mentem suam, quod habebit causam remanendi contentus de nobis, et ipse etiam   30
servabit tales modos quod de eo similiter habebimus contentari, et per istum modum
conservabitur fraternitas et amicicia hinc inde, quod nobis quando sibi placeat placebit
immense, cum dispositio nostra semper fuerit et sit velle pro parte nostra secum in pace
vivere et cum omnibus circavicinis nostris. [1ᵃ] sed descendendo ad partes tactas
per suam paternitatem nos volumus primo respondere ad illam partem, per quam gra   35
vari dominus suus videtur de Florentinis et de nobis, tangendo de tractatibus [b] qui
tenentur hic de descensu novi electi et de subventionibus pecuniarum quas considerat
Florentinos a nobis habuisse et de solutionibus hic factis et cetera: quod nos sincere
possumus deum in testem dare, quod in nostram noticiam numquam fuit [4], quod per
aliquos Florentinos vel alios fierent vel tenerentur hic aliqui tractatus qui possent esse   40
molesti magnifico domino suo nec contra suum statum. illud autem quod de istis factis

---

a) *cod. pur ohne Überstrich, ist ein Italianismus, der hier in den lat. Text hereinschneit; ohne Zweifel, da es an
einer anderm Stelle im Kodex noch einmal vorkommt, = tamen.* b) *cod. tractibus; gleich unten folgt tractatibus, früher oben war von tractus die Rede.*

---

[1] *D. h. wenn er sie nicht mehr wollte, brauchte.*
[2] *Castro-Baldo südwestlich von Este am linken
Ufer der Etsch, s. A. Zuccagni-Orlandini Atlante
geografico degli stati Ital. Vol. 1, VI, 9.*
[3] *Dieß* quod *ist abhängig von dem* respondeatur

*am Anfang des Stückes gedacht, alles vorhergehende   45
ist gewissermaßen Ein Satz; im Kodex ist hier
ein Absatz.*
[4] *Es fehlt kein Verbum, es heißt: es war nicht
zu unserer Kenntnis.*

habueramus et senseramus, quando reverendus pater dominus episcopus Feltrensis cum [1401 Spt. 20]
suo socio fuit ad nos, effectualiter diximus et declaravimus [1], quod fuit, quod comunitas
Florentie de per se et successive postea dominus Padue post dies aliquos de per se nobis
notificari fecerant, qualiter fuerant requisiti ab ipso domino Romanorum rege novo de
5 mittendo suam ambassiatam ad eum [2], et quod non poterant aliter facere quam eam
mittere; et subjunximus sibi, quod nos responsum prebueramus unicuique eorum, quod
mittere poterant si libebat, sed reducebamus eis ad memoriam, quod habere deberent
bonam advertentiam ad observantiam pacis celebrate per nos, et quod sui oratores non
intrarent in rem propter quam contrafieret dicte paci, cum intentio nostra foret eam
10 inviolabiliter observare, et ita suadebamus eisdem quod deberent facere [3]. et sicut tunc
diximus sibi, ita nunc dicimus sue reverende paternitati: fundamentum nostrum et omnes
nostri motus facti a principio quo contraximus ligam cum colligatis nostris usque ad
pacis conclusionem fuerunt, teste deo, puri sinceri et boni, tendentes solum ad pacem
quietem et unitatem Italie et omnium dominorum et comunitatum ejus et non ad alium
15 finem, quia contentissimi sumus de statu nostro et quiescente Italia videmus et cognoscimus quod stare possumus inter alios dominos et comunitates ejus, et una de majoribus
consolationibus quas diebus nostris habere possemus foret quod ipsam quiescere videremus et quod omnes contenti forent stare in terminis suis; et ab hoc proposito et intentione non sumus certe disposisti recedere parte nostra, nisi pro conservatione status nostri
20 manifestissima necessitas nos urgeret [4]. est bene verum, quod ab aliquibus diebus citra
intelleximus, quod ambassiata sua quam miserant ad ipsum dominum regem Romanorum
reversa erat [5], et quod ipse usus fuerat multa benignitate versus illam comunitatem tam
in remittendo sibi unam bonam sumam pecunie, quam de censibus aliquibus preteritis
dare imperio tenebantur, quam in dando et investiendo eos libere de omnibus terris,
25 quas tenent de ratione imperii predicti, ac relaxando eis totum [a] quod dare debebunt
toto suo tempore et imperii sui [6]. [1[a]] super facto vero 200000 florenorum, quos sua
paternitas dicit fore solutos in civitate ista, ex quo conprehendimus quod tacite illustris
dominus dux gravare se videatur de nobis, quasi quod comunitati predicte de dicta
summa vel parte sibi subveneramus, dici debeat, quod pura et mera veritas est, quod
30 per nos aliqua quantitas pecuniarum nec soluta nec mutuata est nomine dicte comunitatis, nec scimus nec credimus aliquam solutionem fuisse per ipsam comunitatem factam
in civitate ista [7]. et istud est in effectu totum quod scimus et dicere possumus de factis
dicte comunitatis. [2] ad partem autem domini Padue dicatur dicto oratori domini
ducis, quod ultra missionem sue ambassiate, de qua superius [8] facta est mentio, non
35 sentimus, quod per ipsum fiant aliqui apparatus aliqueque [b] provisiones pro dicto descensu,
quia si aliquid foret sentiremus. sentimus bene, quod ipse facit fieri aliquas fortificationes
et reparationes territorii sui, facit etiam aliquas gentes ad suam defensionem et suorum
locorum securitatemque suam et status sui. et dum vellemus sentire causam, habemus [9]
quod istud facit propter apparatus, quos sentit et videt fieri in partibus circumstantibus

40   a) cod. *widerholt* totam. b) cod. aliqua.

[1] *Vgl. Bd. 4 die Antwort vom 7 Merz 1401*
nr. 262.
[2] *S. RTA. Bd. 4 nr. 260 mit den Noten.*
[3] *Vgl. die Antwort an die Florentinische Ge-*
45 *sandtschaft 1 Merz 1401 Bd. 4 nr. 260.*
[4] *Echte Städtepolitik; hieran hielt Venedig auch*
gegen K. Ruprecht fest.

[5] *S. vorhin nr. 39.*
[6] *Vgl. das Privileg vom 4 Juli 1401 Bd. 4 nr.*
358.
[7] *Vgl. art. 5 von nr. 46.*
[8] *In art. 1[a] unseres Stückes, s. oben lin. 3ff.*
[9] *Im Sinne von compertum habemus; vgl. die*
Gesandtschaft an Franz von Carrara nr. 86.

1401
Spt. 20 Verone Vicentie Bassiani et aliis terris domini ducis in partibus Hostilie et Lignagi [1],
et propter etiam multa que dicuntur et audisse dicit de voluntate dicti domini ducis
ad nocendum sibi et territorio suo. quod laudandum putamus, et de hoc non debet
gravari, cum unicuique liceat hoc posse facere pro sua defensione et sua securitate.
consideramus enim, quod dictus dominus Padue velit stare in pace pacemque celebratam   5
per nos servare, quod declarat satis solutio quam modo nuper sibi fieri fecit de 7000
ducatorum [2]; nam si non haberet talem intentionem, certissime non solvisset. et istud
semper suademus et suadebimus sibi et aliis colligatis nostris, ita quod a parte nostra
non deficiet quin ab omnibus inviolabiliter observetur.   [2ª] [Das Verlangen, bei dem
Herrn von Padua die Entfernung der palata et catena auf der Etsch zu betreiben [3],   10
lehnen sie ab, da es zu Niemandes Schaden gereiche, und lediglich die Sicherheit des
Gebietes bezwecke; schließt:] faciendo sibi istam conclusionem, quod illa, que superius
dicta sunt, sunt pure et proprie ea que habemus et sentimus de factis predictis, et quod
intentio et dispositio nostra est sicut semper fuit ad observantiam pacis vigentis hinc
inde, cui, deo teste, non contrafecimus usque nunc nec sumus dispositi contrafacere parte   15
nostra, nisi, quod non credimus, magna nobis causa data foret.   [3] et ut hoc non
sequatur, sicut diximus sibi in principio verborum nostrorum et nostre responsionis, nos
remanemus valde contenti, quod dominus suus ad nos miserit causa nobis tacta, et multo
magis, quod miserit reverentiam suam [4], quem scimus esse prelatum magne virtutis et
intellectus, diligentem honestatem et equitatem, cognoscentem veritatem, et cui dominus   20
suus predictus multum credit, quia loquemur amplius et magis domestice secum quam
faceremus cum uno alio. [Sie beklagen sich darüber, daß der Herzog ihre Verbündeten,
den Herrn von Ravenna den Markgrafen und den Herrn von Padua, die er doch als
zu ihnen gehörig zu betrachten versprochen habe, an sich zu ziehen suche, daß er das
ihnen verbündete Bologna durch Ottobonus Tercius und durch den Grafen Albricus [5]   25
belästigen lasse, ihren Verbündeten den Herrn von Mantua [6] an sich gezogen habe u. s. w.,
was alles ihnen höchst unangenehm und beschwerlich sei und sie ihm mittheilen; schließt:]
non dubitantes, quod sua [7] virtus ac sapientia tanta est (et ita instanter rogamus eundem),
quod, in manifestando et declarando domino suo omnia suprascripta in illa plena forma
qua sibi diximus et in apperiendo sibi bene mentem nostram ut possimus vivere et   30
perseverare simul in bona benivolentia et sincera fraternitate secundum quod nostre
firme intentionis est nisi deficiat parte sua, servabit illos modos [a] et illas vias per quos
et quas sequi valeat effectus intentionis nostre predicte, quod gratissimum nobis erit,
cognoscentes quod cedet etiam ad paternitatis sue gloriam et honorem.

De parte 103, non 8, non sinceri 19 [8].   35

a) om. cod.

[1] Legnago westlich von Este an der Etsch,
Ostiglia südwestlich davon am Po; vgl. über diese
Befestigungswerke Corio Storia di Milano ed. 1856
Bd. 2, 42f.
[2] S. den Frieden vom 21 Merz 1400 art. 2 Bd.
4 Note zu nr. 260.
[3] Vgl. oben vor art. 1.
[4] Der Überbringer der Gesandtschaft ist, wie
oben angeführt, der Bischof von Novara.
[5] Ottobon Terzo und Alberigo da Barbiano, die
Feldherren des Herzogs.
[6] Giov. Francesco Gonzaga 1382-1407.
[7] Die Beziehung des Pronomens wechselt in diesem Satze fortwährend zwischen dem Gesandten
(dem Bischof von Novara) und Johann Galeazzo.
[8] An demselben Tage beschließt der Rath, diese
Antwort, soweit sich dieselbe auf Franz von Car-   40
rara bezieht, diesem, und soweit sie sich auf
Florenz bezieht, den Florentinischen Gesandten
mitzutheilen, Venedig St.A. l. c. fol. 21ª. — Am
10 Okt. 1401 schreibt der Herzog Joh. Galeazzo
an den Dogen Michael Steno: er drückt seine Be-   45
friedigung aus über die durch den Bischof von
Novara zurückgebrachte Antwort des Venetianischen Rathes betreffs Festhaltens an der Ligue,
und versichert, daß die Erwiderungen desselben

41. *Beschluß des Raths zu Venedig: Antwort auf die Gesandtschaft K. Ruprechts* [1] *1401 betreffend den auf dem Tag zu Augsburg beschlossenen Zug nach Italien.* 1401 *Spt. 27 Sept. 27 Venedig.*

Aus Venedig St.A. Deliberazioni, secreta, senato 1, registro 1 fol. 22ᵃ *mb. coaev.; links oben am Rande* 6 sapientes consilii.
Ganz kurzer Auszug bei Mone Ztschr. f. d. Gesch. des Oberrheins 5, 294 ebendaher.

1401 inditione decima die 27 mensis septembris.

Capta.   quod respondeatur ad istam ambassiatam quam noviter portarunt nobis oratores serenissimi domini regis novi Romanorum: [1] et primo ad primam partem,
continentem deliberationem factam in festo beate virginis [2] per eum prelatos principes *1401 Spt. 8* et barones imperii, quod ipse omnino debeat descendere in Italiam ᵃ, et causas propter quas, scilicet pro coronatione sua et pro acquirendis juribus imperii in Italia et non ad alium finem et cetera: quod nos regraciamur quantum plus possumus serenitati sue, cui placuit et placet comunicare nobiscum istum suum descensum et istam deliberationem suam, quem descensum (sicut alias diximus [3] oratoribus suis) velut devotissimi zellatores glorie et honoris sui optamus esse prosperum et felicem in dei laudem, famam et exaltationem suam et excellentissime domus sue quietumque ac pacificum statum Italie jam tanto tempore guerris et oppressionibus flagelate.   [2] ad alteram partem, per quam fecerunt mentionem, quod dominus rex predictus optat, cum se ponat in manibus nostris hoc est Italicorum, quod dirigamus eum auxilio et favore, et propterea rogat, quod placeat mittere aliquos nostros nobiles de nostro consilio ad eum, ut possit conferre et habere consilium eorum providere et disponere de via et aliis que facere habebit, respondeatur: quod nos videntus satis clare operum per experientiam quod in excellentis-, sima persona sua viget tanta. sapientia et tanta virtus, scimus etiam quod in tanto et tam magnifico opere venit ᵇ ita fultus solemni et maturo consilio principum baronum et nobilium quod nostrum non est ei necessarium. propter quod firmiter speramus quod interveniente favore et illuminatione divine gratie omnia salubriter disponet reget et gubernabit ac ad optatum finem perducet. nichilominus nos notificamus eidem, quod, cum fuerit ad partes Italie, intentio nostra est mittere nostram ambassiatam ad visitandum et honorandum suam serenissimam majestatem tamquam veri et perfecti cultores honoris et status sui sueque serenitatis [4].

De parte 107, non 4, non sinceri 16.

ᵃ) cod. Italia.   ᵇ) em. veniet?

---

auf die Antwort des Rathes wahr seien, dat. Sancti-Angeli die decimo oct. 1400 primo; an demselben Tage schreibt der Bischof von Novara auch an Michael Steno: er habe die Antwort des Raths dem Herzoge überbracht, der darüber sehr befriedigt sei; was ihm noch mündlich aufgetragen, besonders den Besuch des Markgrafen von Este beim Herzog betreffend, habe er auch ausgerichtet, und der Herzoglasse versichern, daß er mit dem Markgrafen nichts zum Nachtheil Venedigs verhandelt habe, dat. in castro Sancti-Angeli die decimo oct. 1401; beide Schreiben aus Venedig St.A. Commemoriale IX fol. 127ᵃ cop. mb. coaev.
[1] *Das ist die Gesandtschaft Konrads von Freiberg und Johanns von Winheim vom 13 bzw. 14*

September, s. nr. 29 und nr. 169; denn die vom 20 Juli ist bereits in nr. 39 beantwortet, und die vom 25 Sept. nrr. 87 ff. wird in nr. 43 erst beantwortet und konnte ja am 27 Sept. unmöglich schon in Venedig ihre Aufträge vorgebracht haben; außerdem wissen wir von keiner weiteren Gesandtschaft in der Zwischenzeit.
[2] Man wird dies mit Mone l. c. auf nativitas Mariae deuten, da die Abmachungen mit Florenz und der Augsburger Tag in die Zeit fallen.
[3] S. den Beschluß vom 23 August nr. 39.
[4] An demselben Tage beschließt der Rath, auf das Verlangen der Gesandtschaft König Ruprechts, zu ihrer Rückkehr 2 Barken und 20 Reiter als Bedeckung zu erhalten, daß man erstere bewilligen

... ... versäumte Gesandtschaft.

... ... no. later., unter
... ... Dorn.

... ... Dukaten auf 5
... ... sie neulich
... ... non es nicht

... X. Ruprechts [3],
... Lorenzo 10
... Okt. 14

... no. ... links
... ser
... marimo sapientes 15
... erst in
... curie: über

... comuber.

... 20
... rum ad am-
... ... rex nunc
... merit in par-
... ... et favorem
... et inimicari 25
... fuerisse nec
... aliis maioribus
... lev tissimi
... magnam leticiam
... ramus in divina 30
... uma et perfecta
... sterebient. quod
... gram et honorem
... et ponet in
... maxime con- 35
... meit majestas sua
... oribus suis quos
... nostra erat, cum sen-

... vom 30 Aug.
... 40
... Die Reihenfolge

tiremus eum ad ipsas partes Italie advenisse, mittere nostram solemnem ambassiatam ad *1401 Okt. 14*
presentiam suam ad visitandum et honorandum suam sublimitatem secundum decentiam
sue serenitatis, in quo proposito et intenfione nostra perseverantes, sencientes nunc per
eos quod ipse dominus rex est in partibus Italie antedictis, sumus dispositi quanto pre-
5 stius poterimus eam mittere ad presentiam suam, de mente et intentione nostra super
requisitione nobis facta plenissime informatam, sperantes quod per illam faciemus sibi
fieri talem responsionem que erit rationabilis et honesta et secundum honorem majestatis
sue et nostram.   [*2ᵃ*] et ut ipsam ambassiatam securius propter discrimina viarum
mittere valeamus, supplicamus serenissime regie majestati, quatenus dignetur facere pro-
10 videre quod quanto prestius esse poterit habeamus literas suas salvi conductus et domini
ducis Leopoldi et aliorum dominorum quorum erit necessarius pro ipsa ambasiata, ut
sine impedimento ad presentiam suam transire possint.

De parte 40.

[*Zusatzbeschlüsse*] Capta.   dominus dux, ser Philippus Corario, ser Ludovicus
15 Mauroceno, ser Franciscus Juliano, ser Leonardus Mocenigo, ser Jacobus Civŕano consiliarii, ser Bernardus Bembo caput [1] loco consili*arii*, ser Andre*as* Mauroceno, ser Fantinus Marcello capita de 40 volunt partem sapientum [2] per totum cum istis additionibus,
quod, ut tantus dominus quantus est dominus rex Romanorum non teneat responsionem
nostram aliter quam rationabilem et honestam et quod plene teneat voluntatem nostram
20 esse sinceram erga majestatem suam, exnunc sit captum: [*3*] quod statim in isto
consilio eligantur tres nostri solemnes ambassiatores per scrutinium ad prefatum dominum
regem Romanorum, qui possint accipi de omni loco et officio de corpore Venet*iarum* de
judicatu peticionum et de auditoribus sententiarum [3], ducendo secum quatuor famulos pro
quolibet, unum expensatorem et unum cochum inter omnes, duos ragacios a stalla pro
25 quolibet, et unum notarium cum uno famulo, unum interpetrem [a]. et habeant pro faciendo [4] unam pulcram pellanam veluti [5] carmesi ducatos centum pro quolibet. et possint
expendere in omnibus expensis quomodocumque occurrentibus duc*atos* quinque pro quolibet in die, non intelligendo nabula [6] et agocia [7]. et non possint refutare, cum pena
ducat*orum* centum pro quolibet. postea autem venietur ad istud consilium [8] quando
30 videbitur, et providebitur de conmissione eorum et recessu suo sicut videbitur pro honore
et bono nostri dominii. respondeant de qua fuerint electi vel altera ad terciam [9], et
non accipiantur [b] de sapientibus consilii [10] pro non impediendo facta terre.   [*4*] etiam
respondeatur istis ambassiatoribus prefati domini regis Romanorum, quod pro honorando
majestatem suam jam elegimus tres nostros solemnes ambassiatores, qui ad ea que ex-
35 plicarunt parte sua responsionem plenissimam exhibebunt. et propterea, quando libuerit
prefato domino regi Romanorum mittere nobis salvum conductum pro dictis nostris
ambassiatoribus ut possint ad suam presentiam se conferre, nos habebimus ambassiatam

---

a) *cod. sic; ebenso in der Instruktion vom 12 Nov. nr. 52.* b) *cod.* accipiatur.

---

[1] *Scil. der 40; dieß und die folgende Auflösung*
40 *erhellt aus sonstigem Vorkommen in den betreffen-*
den Büchern, z. B. Libri misti 46 fol. 45ᵃ, wo
ausgeschrieben steht caput 40 loco consiliarii.

[2] *D. h. den vorhergehenden Theil, der von den*
Sapientes consilii beantragt ist, wie in der Quellen-
45 *angabe bemerkt ist.*

[3] *Beides Venetianische Gerichtskollegien, s. Le*
Bret Staatsgesch. der Republik Venedig ed. 1769.
1, 509 und 538.

[4] *D. h. um sich machen zu lassen.*

[5] *D. i. Velours, s. Du Cange s. v. villosa.*

[6] *Nabulum Schiffgeld, s. Du Cange.*

[7] *Vgl. nr. 52 art. 9; Mone l. c. pag. 297 Note*
4 erklärt es als Beipferde, ohne daß man sieht,
woher er das hat.

[8] *D. h. zu diesem Rathskörper, vgl. hier art. 3*
im Anfang und weiter unten den Vertagungsan-
trag in der vorletzten Zeile.

[9] *Scil. diem oder horam?*

[10] *D. h. sie sollen nicht aus dem Kolleg der*
Sapientes genommen werden.

¹⁴⁰¹
^{Okt. 14} nostram ita paratam et in puncto quod illam ilico transmittemus ad conspectum sue
regie majestatis.   [5] et statim scribatur per unum nostrum bonum caballarium magnifico domino Pad*ue* de responsione facta ambassiatoribus prefati domini regis Romanorum,
scilicet qualiter respondebimus prefato domino regi per ambassiatam nostram, quam jam
elegimus, et quod libeat ei procurare apud prefatum dominum, quod mittatur nobis salvus   5
conductus pro dictis ambassiatoribus nostris, qui erunt parati et in ordine, sicut salvus
conductus presentabitur nobis.   De parte 71.

[*Vertagungsantrag*] Ser Rambertus Quirino sapiens consilii: quia ista negocia sunt
ardua et ponderosa et requirunt bonam deliberationem, que captari potest ex nocturnis   10
cogitationibus, cum nox sit consilii mater, vadit pars, quod ista responsio suspendatur
usque diem crastinam, qua vocetur istud consilium et deliberabitur sicut utilius et melius
apparebit.
                                        De parte 1, non 1, non sinceri 9.

¹⁴⁰¹
^{Okt. 15} **44. *Beschluß des Raths zu Venedig: Amendierung von art. 3 der Beschlüsse des vorigen*   15
Tages nr. 43, die Wahl und Ausrüstung der Gesandtschaft an K. Ruprecht be-
*treffend. 1401 Okt. 15 Venedig.***

Aus Venedig St.A. Deliberazioni, secreta, senato 1, registro 1 fol. 26^b *mb. coaev.; links
am Rande* Dominus dux consiliarii et capita de 40.

1401 inditione decima die 15 mensis octobris.   20
Capta.   quod ambasiatores eligendi eligantur de oṁni loco et officio et judicatu
peticionum et de corpore Venetiarum et a Grado ad caput aggeris ac de Tervisana.
¹⁴⁰¹
^{Okt. 15} et teneantur respondere, si erunt in civitate, hodie per diem, et si essent extra, per
nuncium qui ad eos mittetur, et quod statim notificetur talibus, nec posse refutare sub
pena duc*atorum* 200 pro quolibet. et habeant ultra familiam limitatam heri unum   25
^{Okt. 14} meraschalcum et quatuor saumas inter omnes, unum ragacium plus pro quolibet; possint
expendere duc*atos* 20 in die inter omnes in omnibus expensis quomodocumque occur-
^{Okt. 14} rentibus sicut heri captum fuit de quindecim; habeant duc*atos* 100 pro faciendo sibi
unam pulcram pelandam de carmesi vel de grana ut eis videbitur, cum aliis omnibus
conditionibus heri captis ¹.   30
                                        De parte 73, non 6, non sinceri 0.

---

¹ *Hierher gehören noch folgende Beschlüsse aus
Venedig St.A.* Deliberazioni miste *l. c.* registro 45
fol. 116^a: 1401 die 15 octobris ind. 10. Capta.
cum nobilis vir ser Zacharias Trivisano miles
ellectus ambasiator ad dominum imperatorem novum prima vice reffutaverat et incurerit penam
ducatorum 100 et secunda vice ellectus accepta-
verit, vadit pars, quod absolvatur a pena in quam
primo incurrit, sicut alias subventum est in simili
casu. *[am Rande links]* Consiliarii. — Capta.
Cum nobilis vir ser Petrus Pisani ellectus fuerit
ambasiator ad dominum imperatorem novum et
reffutaverit deffectu persone, vadit pars, quod jurante ipso, sic esse verum, absolvatur a pena ducatorum 200 in quam incurrit causa supradicta.
[am Rande links] Consiliarii. — Capta. cum nobilis vir ser Ludovicus Mauroceno consiliarius
ellectus fuerit ambasiator ad dominum imperatorem
novum et reffutaverit deffectu persone, vadit pars

quod jurante ipso, sic esse verum, absolvatur a
pena ducatorum 200 in quam incurrit causa supradicta. *[am Rande links]* Consiliarii.
   *Ferner: Beschluß des Raths zu Venedig vom   35
21 Okt. 1401 l. c.* Deliberazioni, secreta, senato 1
fol. 27^b *mb. coaev.: da eine Gesandtschaft an K.
Ruprecht geschickt werden soll, so soll dieselbe,
um sie würdig auszustatten mit Rücksicht auf die
von anderen abgeordneten Gesandtschaften und   40
auf die Zufriedenheit der Gesandten selbst, die
viel zusetzen müssen, anstatt der saumae die sie
miethen sollten, 3 caretae mit 4 Pferden und 1
caratonus für jede und statt 4 domicelli 5 für
jeden haben, und sie sollen um honorabiliter auf-   45
zutreten jedem famulus 5 Dukaten geben ut sint
omnes induti ad unam asisiam, und sie sollen
statt 20 in allem 25 Dukaten pr. Tag ausgeben
dürfen.*   50

45. *Berathung* [1] *des Raths zu Venedig über die K. Ruprechts Gesandten* [2] *zu erthei-* *lende Antwort. 1401 Okt. 27 Venedig.*

Aus Venedig St.A. Deliberazioni, secreta, senato 1, registro 1 fol. 27[a][b] *mb. cooev., zu Anfang des ersten Vorschlages links am Rande* Ser Leonardus Dandulo miles, ser Petrus Aymo miles, ser Benedictus Superancio procurator, ser Karolus Geno procurator, ser Justus Contareno sapientes consilii.

Die 27 octobris.

Capta. quod respondeatur istis oratoribus domini regis Romanorum ad requisitiones nobis factas per eos pro parte dicti domini regis: [1] et primo ad primam
10 partem quam nobis tetigerunt, scilicet quod rumpere [3] debeamus inimicari et guericare hostiliter Johannem Galeaç et suos sequaces et quod nos prebere debeamus ipsi domino imperatori favorem gentium armorum et navigiorum per terram et per aquam: quod, sicut istis diebus in responso dedimus [4] aliis oratoribus regie majestatis qui ad presens sunt in partibus Lombardie et qui in parte fecerunt nobis similem requisitionem, nos
15 paravimus nostram solemnem ambassiatam mittendam ad presentiam regie majestatis pro honorando suam serenitatem. que nostra ambassiata nil aliud prestolatur quam literas salvi conductus requisitas per nos, quas de die in diem expectamus a sua regia majestate. et per illam faciemus super dictis duabus partibus de mente nostra, cum fuerint ad suam presentiam, plenarie responderi. [2] ad illam partem, in qua ipsi fecerunt
20 mentionem, quod nos provideamus de galeis navibus et aliis navigiis nostris que conducant victualia ad exercitum suum in illo loco qui erit magis propinquus eidem, quia dominus imperator faciet ipsa solvi cum integritate, et notificari nobis faciet quando erunt necessaria et cetera, respondeatur: quod, ut majestas sua senciat et informata sit quomodo situata est civitas nostra in facto Padi, veritas est quod nos parum habemus
25 agere in Pado, quia termini nostri sunt confinantes cum Pado qui totus est in potestate et sub potestate et bailia magnifici domini marchionis domini Mantue et postea domini ducis Mediolani, ita quod serenitas regia bene conprehendere potest, quomodo possemus si aliud non esset adimplere intentum suum. [3] ad alteram autem partem, per quam requisiverunt quod debeamus mittere per aquam quam propius mitti potest ad exercitum
30 suum quatuor vel quinque ex nostris bombardis fulcitis lapidibus et pulvere et aliis rebus necessariis, respondeatur: quod nos non videmus aliquem modum vel aliquam viam per quam possimus facere in hoc illud quod vellet ipse dominus rex et propter conditionem dicti fluminis Padi et etiam propter loca in quibus ad presens se reperit cum exercitu suo P [5], sed si ipsi haberent aliquam viam et aliquem modum per quem ipsas mittere
35 vellent, nos faciemus eas sibi hic assignari et usque ad nostros terminos, ut possint disponere de eis et mittere ad beneplacitum suum. [4] ad aliam autem partem, per quam ipsi nos rogant quod scribamus magnifico domino Mantue quod velit esse favorabilis ipsi domino imperatori contra Johannem Galeaç et inimicari sibi et cetera, respon-

---

[1] *Berathung, denn es wurde an diesem Tage*
10 *kein Beschluß darüber gefaßt; der vorliegende Antrag erlangte nicht die gehörige Stimmenzahl, und es steht nur* Capta *darüber, weil derselbe Antrag am folgenden Tage zum Beschluß erhoben*
ward, s. nr. 46, und dort nur hierauf verwiesen
45 *ist, anstatt das Ganze nochmals hinzuschreiben.*
[2] *Es ist die Gesandtschaft, welche am 16 Okt. von Trient abgieng, s. RTA. 4 nr. 17ff., denn aus unserem Stück art. 5 ersehen wir, daß 2 der Ge-*

sandten weiter nach Rom giengen, und das waren in der Zeit Bischof Konrad von Verden und Nikolaus Buman. Wer in Venedig blieb, wissen wir nicht.
[3] *Absolut gebraucht: brechen mit.*
[4] *Am 14 Oktober in nr. 43; die Gesandtschaft gieng von dort an den Markgrafen von Este, bei dem sie am 19 Okt. eintraf, s. nr. 96.*
[5] *Auf dieses Zeichen, das hier im Kodex steht, wird später in nr. 46 Bezug genommen.*

deatur: quod, ut dominus imperator senciat illud quod nos fecimus cum dicto domino, nos notificamus sibi, quod perducto ad nostram noticiam quod dictus dominus Mantue acceperat conductam gentium lancearum 130 ut dicitur a dicto domino duce Mediolani et quod volebat ire ad servicia sua, displicente hoc nobis quantum plus poterat, nos misimus ad eum cum illis bonis utilibus et pertinentibus verbis que nobis expedientia   5
visa sunt pro removendo eum ab isto proposito et intentione sua et pro faciendo ipsum restare, ostendendo sibi omnia dubia et pericula quibus sumittebat se et statum suum, et quantam displicentiam faciebat nobis et omnibus amicis suis, in tantum quod dictum fuit id quod honeste dici potuit. et in effectu nil profuit, quia stetit constans in proposito suo de volendo ire. et per ea que habuimus sumus certi quod jam iverit, unde 10
concludimus, quod cognoscimus quod super hoc per nos nil ulterius fieri posset.   [5] ad partem autem quam postea tetigerunt, quod recomendabant nobis duos ex eis qui remanebant hic (cum duo vadant Romam [1]), ut possint mittere executioni aliqua specialiter
sibi comissa et specialiter factum 90000 ducatorum quos dominus imperator per istum mensem debet habere a Florentinis [2] ut possint conduci ad eum, dando eis ad hoc fa- 15
vorem ut alias fecimus, respondeatur: quod ipsi et quicunque alii oratores et nuncii regii forent nobis semper favorabiliter recomissi, et in dicto facto, quando tempus erit, parati erimus dare eis subventionem per modum quem alias eis dedimus, quando aliam pecuniam conduxerunt, ut possint intentionem dicti domini imperatoris celeriter adimplere.   [6] ad alteram autem partem tactam per eos, de 200000 ducatis quos ultra istos 90000 Flo- 20
rentini debent dare ipsi domino imperatori per tempus sex mensium tantum per ratam quolibet mense [3], de quibus rogant quod nos debeamus procurare cum Florentinis et favores impendere ipsi domino imperatori, quod illos habeat per tempus trium mensium propter maximam et excessivam expensam quam habiturus est propter multas gentes que omni die ad eum confluunt et cetera, respondeatur: quod propter aliquas rationabiles 25
et licitas causas non videtur nobis honestum querere [a] istud cum ipsis Florentinis [4], quia cognoscimus illam comunitatem ita dispositam ad beneplacita regia, quod conplacebunt sue majestati in omnibus que facere poterunt.   [7] ad partem autem quam tetigerunt, quod nos debeamus scribere domino marchioni [5] et inducere eum ad essendum cum ipso domino imperatore, sicut tetigerunt de domino Mantuano [6], respondeatur: quod nos scimus, 30
majestatem regiam misisse suam solemnem legationem ad ipsum dominum marchionem ad faciendum sibi similem requisitionem - et ampliorem; et per illa que intellexivus, ut ipsi etiam sentire potuerunt, habuerunt ab eo bonum et gratum responsum [7], unde non est nobis necessarium querere illud, quod ipsi oratores regii obtinuerunt ab ipso domino marchione.   [8] ad partem vero, per quam nos rogant, quod consulamus eis et avise- 35
mus, si secure illi duo, qui debent ire Romam [8], possunt ire per territorium dicti domini marchionis et territorium Bononie, respondeatur: quod omnibus consideratis nos habemus, quod secure et sine dubio ire possunt et quod bene videbuntur et honorabuntur sicut decebit excellentiam principis eos mittentis et venerabiles personas suas. nichilominus

---

[1] *Bischof Konrad von Verden und Nikolaus Buman, s. Bd. 4 nr. 17 ff.*

[2] *Die zweite Rate der Subsidien gemäß dem Vertrage vom 13 Sept. 1401.*

[3] *Die Anleihe, welche die Florentiner gemäß dem Vertrage vom 13 Sept. 1401 dem Könige in Italien zu eröffnen versprochen hatten.*

[4] *Vgl. nr. 39 den Ergänzungsbeschluß zu art. 2 daselbst.*

[5] *Markgraf Nikolaus von Este.*

[6] *S. art. 4.*

[7] *S. nr. 96.*   45

[8] *Vgl. art. 5.*

si pro sua cautela videretur et placeret eis, possent premittere ad accipiendum literas *1401 Okt. 27* salvi conductus a dominis terrarum predictarum, ut animi sui forent magis quieti.

De parte 17.

[*Abänderungsvorschlag*] Ser Rambertus Quirino sapiens consilii vult, [*1*] quod
5 fiat responsio istis oratoribus ad omnia capitula et omnes requisitiones quas nobis fecerunt sicut notatum est per socios suos [1], salvo quod, ubi ipsi respondent ad primum capitulum [2] quod debeamus inimicari et guericare dominum Johannem Galeaç et suos sequaces et quod debeamus dare sibi favorem gentium armorum et navigiorum per terram et per aquam, quod respondebimus per nostram ambassiatam. [*2*] vult, quod etiam
10 ad alia duo capitula [3], de victualibus sibi dandis et suo exercitui cum galeis navibus et navigiis nostris et de bombardis quas requirit, respondeatur sicut dicunt socii sui, sed [a] [4] quod elegimus nostram solemnem ambassiatam que debet ire ad honorandum suam majestatem, per quam ambassiatam faciemus sibi super istis suis requisitionibus de mente nostra plenarie responderi.

De parte 27.

15 [*Vertagungsbeschluß*] Dominus et consiliarii excepto ser Caroso de Pesaro:
Capta. quod ista negocia que sunt valde ponderosa inducientur usque diem crastinam.

De parte 79, non 2, non sinceri 2.

20 **46.** *Berathung des Rathes zu Venedig über die K. Ruprechts Gesandten zu ertheilende* *1401 Okt. 28* *Antwort und Beschluß desselben, den Antrag vom vorigen Tage nr. 45 zu genehmigen. 1401 Okt. 28 Venedig.*

Aus Venedig St.A. Deliberazioni, secreta, senato 1, registro 1 fol. 28ᵇ mb. coaev.; zu
Anfang links am Rande Ser Leonardus Dandulo miles, ser Petrus Aymo miles, ser
25 *Benedictus Superancio procurator, ser Justus Contareno sapientes consilii.*

[*Vorschlag*] Nota, quod iterum fuerunt posite dicte partes [5] die vigesimo octavo *1401 Okt. 28* octobris, et fuit prima pars quatuor sapientum [6] per totum ut supra notatum est, tacendo illo verba que sunt in fine tercie partis responsionis suprascripte [7] seu tercii capituli a simili paragrafo *P* usque ad finem capituli. et fuerunt de dicta parte 37. 51. 49. 50.
30 [*Beschluß*] Ser Karolus Geno sapiens consilii voluit partem suorum sociorum suprascriptorum [8] per totum, dicendo etiam illa verba que ipsi volebant tacere, scilicet a paragrafo usque ad finem. et fuerunt de parte 54. 65. 65. 70.

[*Minoritätsvotum*] Ser Rambertus Quirino sapiens consilii volebat partem quam posuerat die vigesima septima [9]. et habuit tot ballotas quot habuit ipsa die, scilicet 27. *Okt. 27*
35 Non 7.

Non sinceri 9. 18. 17. 14.

a) *cod. ein langes s zwischen zwei Punkten, was sonst im cod. scilicet bedeutet.*

---

[1] *D. h. die anderen Sapientes consilii, von denen der Antrag ausging, s. Quellenangabe.*
[2] *S. oben art. 1.*
[3] *S. oben art. 2 und 3.*
[4] *Sed quod prägnant: aber außerdem (will der Antragsteller) daß geantwortet werde. u. s. w.*
[5] *S. nr. 45 nebst Note 1 daselbst.*

[6] *Die in unserer Quellenangabe genannten.*
[7] *nr. 45 art. 3.*
[8] *Der 4 gen. Sapientes consilii, mit denen zusammen er am 27 Okt. den Antrag nr. 45 gestellt hat, s. dort die Quellenangabe.*
[9] *S. dessen Abänderungsvorschlag sub 27 Okt. nr. 45.*

47. *Beschluß des Raths zu Venedig: Antwort an den Herrn von Bologna Giovanni de Bentivoglio in Betreff K. Ruprechts. 1401 Nov. 8 Venedig.*

Aus Venedig St.A. Deliberazioni, secreta, senato 1, registro 1 fol. 29[a][b] *mb. coaev.*

Die 8 nov. ‖ *Zu antworten: auf seinen Wunsch, daß die Venetianer ihn und seinen Staat durch ihre demnächst zum Römischen Könige gehende Gesandtschaft, von der er gehört habe, dem* [5] *Könige empfehlen möchten: sie haben allerdings zur Begrüßung und Ehrung des Königs eine Gesandtschaft zu senden beschlossen,* sed audientes nunc ea que audimus de eo et exercitu[a] suo deliberavimus ipsam in suspenso tenere, donec senciamus, quid facturus sit; et si casus dabit, quod mittamus eandem, *so werden sie seinem Wunsche entsprechen. Des weiteren Lokalangelegenheiten.*

48. *K. Ruprecht an den Dogen Michael Steno von Venedig: wird durch Friaul nach* [10] *Italien ziehen, und bittet bei seinem Durchzug durch Venetianisches Gebiet um Aufnahme und Verpflegung für sich und das Heer in Conegliano und Treviso. 1401 Nov. 8 Liens.*

K aus Karlsruhe G.L.A. Pfälz. Kop.-B. 146 fol. 105[a] *cop. ch. coaev.*
J coll. Janssen Frankf. R.K. 1, 635 nr. 1058 aus Kodex in seinem Privatbesitz Acta et [15] Pacta 314-319.
Gedruckt auch Martène et Durand *Thes. nov. anecd. 1, 1682-1683 nr. 50. — Daraus Regest bei* Georgisch *2, 862 nr. 110 und* Chmel *nr. 1039, und erwähnt bei* Mone *Zeitschrift für die Gesch. des Oberrheins 5, 296.*

Magnifice ac potens princeps amice predilecte.   dilectioni tue presentibus noti- [20] ficamus, nos cum nonnullis nostris et sacri Romani imperii principibus comitibus baronibus nilitibus nobilibus et aliis gentibus nostris, in itinere constitutos ad[b] Italie partes, per Forum-Julii partes illas ingressuros[c], decrevimusque in terris et locis Konigliani et Tervis dominii tui subjectis pernoctare, confidentes nos et nostros locis in eisdem tamquam apud amicos fidelissimos persistere. quocirca desideramus, quatenus dilacionibus [25] remotis officialibus terrarum predictarum Konigliani et Tervis patentibus tuis literis intimare et mandare volueris, ut nobis et gentibus nostris prenarratis sumptus et victualia apud se et in locis et terris pretactis pro pecunia congrua et condecenti ordinare nosque et dictas gentes nostras in dictis terris et locis securari non desistant. et nos vice versa decrevimus, nos et dictas gentes nostras per prefatas terras et loca absque in eisdem [30] commorantium[d] notabili damno pertransituros, de quo te et ipsos certificamus ac nos
pro eisdem literis nostris cum presentibus obligamus.   datum Luntze 8 die mensis novembris anno domini etc. 400[e] primo regni vero nostri anno secundo.

Magnifico et potenti principi[f] Michaeli Stieno[g]   Ad mandatum domini regis
Venetorum duci amico nostro sincere dilecto.   Johannes Winheim.   [35]

---

a) cod. exercitui. b) om. *KJ und* Martène *l. c., der auch* partes *wegläßt.* c) *KJ* ingressuri. d) *KJ* commorantibus. e) *J* domini 1400. f) *K so korr. aus* viro. g) *K* Scieno.

49. *K. Ruprecht ersucht die Stadt Conegliano um Aufnahme und Verpflegung für sich* 1401₈ *und das Heer bei seinem Durchzug, und um schleunige Bestellung des mitgesandten* Nov. *Briefes nr. 48 an den Dogen Michael Steno. 1401 Nov. 8 Lienz.*

> *K aus Karlsruhe G.L.A. Pfälz. Kop.B. 146 fol. 105* b *cop. ch. coaev.*
> *J coll. Janssen Frankf. R.K. 1, 636 nr. 1059 aus Kodex in seinem Privatbesitz Acta et Pacta 314-319.*
> *Gedruckt auch Martène et Durand Thes. nov. anecd. 1, 1683-1684 nr. 51. — Daraus Regest bei Georgisch 2, 862 nr. 111 und Chmel nr. 1039.*

Rupertus dei gracia etc.   honorandi dilecti.   noveritis nos cum nonnullis nostris
10 et sacri Romani imperii principibus comitibus baronibus militibus nobilibus et aliis gentibus nostris altissimo dirigente partes Italie ingressuros^a.   et quia de magnifico et
potenti principe ^b Michaeli Stieno^c Venetorum duci amico nostro sincere dilecto fiduciam
gerimus pleniorem, transitum nostrum eundem cum gentibus nostris per territorium et
opida sua disponere decrevimus, intendimusque ut speramus in opido vestro Koniglian
15 cum pretactis nostris gentibus pernoctare.   quocirca presentibus vos requirimus et hortamur, quatenus victualia et sumptus nobis et sepefatis gentibus nostris pro pecuniis
congruis et condecentibus ordinare nosque et easdem gentes nostras in loco vestro Kuniglan quamdiu ibidem steterimus securari velitis, attendentes nobis in hujusmodi conde-
center complacere, vosque et vestros nichilominus certificantes absque notabili dampno
20 nos et gentes nostras prefatas pertransituros^d, de quo vobis fidem facimus per presentes.
scripsimus eciam pro hujusmodi apud vos introitu illustri principi Michaeli Stieno Venetorum duci amico nostro sincere dilecto pretacto [1], quam quidem literam ordinavimus
una cum presentibus vobis presentandam, desiderantes vos literam eandem per velocem
currerium vestrum prefato duci Venetorum die noctuque absque medio presentare^e, con-
25 fidentes eciam sibi in hoc complacere.   desideramusque super premissis vestris scriptis
nos reddere cerciores, ut de transitu nostro prenarrato nos regere valeamus.   datum
Luntze 8 die mensis novembris anno domini etc. 400 primo regni vero nostri anno 1401
secundo.   Nov. 8

                                   Ad mandatum domini regis
                                   Johannes Winheim^f.

50. *Beschluß des Raths zu Venedig betreffend Verpflegung des Heeres bei K. Ruprechts* 1401 *vermuthlichem Durchzug durch Venetianisches Gebiet nach Padua. 1401 Nov. 11* Nov. 11 *Venedig.*

> *Aus Venedig St.A. Deliberazioni, secreta, senato 1, registro 1 fol. 30* a *mb. coaev.; links zu Anfang am Rande Ser Petrus Aymo miles, ser Benedictus Superancio procurator, ser Karolus Geno procurator, ser Leonardus Bembo, ser Justus Contareno sapientes consilii.*
> *Gedruckt bei Mone Zeitschrift für die Gesch. des Oberrheins 5, 295 f. ebendaher.*

1401 inditione decima die 11 mensis novembris.
40   Capta.   cum per ea, que hucusque habita sunt, serenissimus Romanorum rex
de brevi, ut dicitur [2], facturus est transitum per territorium nostrum Tarvisinum et

---

a) *KJ* ingressuri. b) *K* principi. c) *K* Scieno *f* d) *KJ* pertransituri. e) *KJ* —l, Martène —e. f) *J* add. etc., und Martène.

---

[1] *nr. 48.*

[2] *Demnach war der Brief K. Ruprechts nr. 48 noch nicht eingetroffen, vgl. pag. 98 nt. 2.*

Cenetense [1] pro eundo Paduam, et, sicut considerandum est, erunt sibi necessaria victualia in bona copia, que paranda sunt, ut non habeant causam accipiendi de illis sine solutione, vadit pars: quod per nostras literas informentur nostri rectores, per quorum partes conprehendi potest eos rationabiliter debere transire, de transitu ipsius domini regis Romanorum et gentium suarum, mandando eisdem, quod exnunc taliter regulare debeant   5 suos subditos et ordinem imponere per talem modum, quod de blado victualibus et aliis necessariis fiant debita paramenta et in illa majori copia qua poterunt, ita quod, cum transitum facient per partes sibi commissas, possint de illis habere pro suis pecuniis, ut non, valentibus eis habere pro suis pecuniis, ponerent se ad accipiendum contra voluntatem illorum qui de ipsis haberent; gerendo se taliter in executione istius nostre inten-   10 tionis, quod possint merito comendari.

51. *Beschlüsse des Raths zu Venedig betreffend K. Ruprechts in nr. 48 angemeldeten Durchzug, und Quartier in Venetianischem Gebiet, besonders in Conegliano und Treviso. 1401 November 12 Venedig.*

> *Aus Venedig St.A. Deliberazioni, secreta, senato 1, registro 1 fol. 30* a b *mb. coaev.; zu* 15
> *Anfang links am Rande Ser Petrus Aymo, ser Benedictus Superancio procurator, ser Karolus Geno procurator, ser Leonardus Bembo, ser Rambertus Quirino, ser Justus Contareno; am Beginn der Capta II ebenso links am Rande 6 sapientes consilii.*
> *Unvollständiger Auszug bei Mone Zeitschrift für die Gesch. des Oberrheins 5, 296 ebendaher.*   20

[*I*]
Die 12 novembris.

Capta.   quia serenissimus dominus Romanorum rex nobis scripsit per literas suas [2], quod deliberavit per Forojulium venire ad partes Italie et ingredi in terris et locis nostris, specificando Coneglanum et Tarvisium, et propterea requirit, quod mandemus   25 officialibus et rectoribus terrarum nostrarum predictarum per nostras literas quod velint ipsum recipere in eis et ordinare ac parare sibi victualia, scribit etiam in dicta forma potestati nostro Tarvisii requirendo ipsum in speciali, quod reddat ipsum suis literis certum de hoc, ut de ipso suo transitu possit se regere [3]: vadit pars, quod mandetur potestati nostro predicto et potestati et capitaneo Tarvisii ac aliis nostris rectoribus per   30 loca quorum transitum facerent, quod ipsi domino imperatori et gentibus suis debeant dare liberum transitum per terras et loca sibi commissa, honorando personam suam et serenissime consortis sue ac natorum suorum quantum decens cognoverint honori sue majestatis et nostri dominii.   verum in speciali comittatur dicto nostro potestati et capitaneo Tarvisii [a], quod recepto presenti nostro mandato respondere debeat literis ipsius   35 domini imperatoris cum illis honorabilibus verbis que sue sapientie videbuntur, quod receptis literis sue majestatis sibi directis de presenti scripsit nostro dominio mittendo nobis literas sue serenitatis, ut de intentione et mandato nostro circa intentionem sue sublimitatis in illis literis contentam se possit plenarie informare et majestati sue respon-

---

[a]   *hier und weiterhin oft abgekürzt in der ersten Silbe Tv mit dem Abkürzungshaken, der gewöhnlich für er re ir*   40 *gilt, hier jedoch wol nur die Abkürzung überhaupt bedeutet, da aufgelöst im Bereich dieser Quellen nur Tarv. vorkommt, mit Ausnahme des Namens Zacharias Trivisano, der sich auch einmal mit demselben Abkürzungshaken in der ersten Silbe findet. Wir lösen daher der herschenden Form gemäß auf Tarv.*

---

[1] *Ceneda südöstl. von Belluno.*
[2] *nr. 48; der Brief ist erst nach dem Beschluß vom 11 Nov. nr. 50 eingegangen, vgl. pag. 100 nt. 1.*

[3] *Diesen Brief haben wir nicht, er wird aber ähnlich gelautet haben, wie der an Conegliano* 45 *nr. 49. Podestà von Treviso war Ludovico Mauroceno, s. nr. 55.*

dere, a quo habuit responsivam cum expresso et efficaci mandato, quod serenissima ¹⁴⁰¹ majestas sua et in civitate Tarvisii et in aliis opidis et locis suis Tarvisanis deberet ^{Nov. 12} honorabiliter acceptari et videri et tractari sicut honorem sue sublimitatis decet, ut per illas possit cum gentibus suis transire et ire ad partes dispositas per eundem, et quod
5 propterea potest ad beneplacitum suum venire et transire, quia per eum et alios rectores nostros acceptabitur et honorabitur sicut decet excellentiam tanti principis quantus est. sed cum senserit, ipsum esse in via, volumus, dimisso castro nostro Tarvisii sub bona custodia, quod cum illa brigata cum qua poterit rationabiliter exire vadat sibi obviam usque ad illas partes que sibi videbuntur. et cum ipsius presentiam adiverit, facta sibi
10 reverentia debita debeat reiterare oretenus id quod sibi scripserit, scilicet mandatum quod habuit a nobis de recipiendo suam sublimitatem et gentes suas in terris et locis nostris, ita quod libere intrare stare et transire possint prout serenitati sue videbitur et placebit, et propterea de ipso suo introitu et illius partis principum et baronum suorum qui majestati sue videbuntur et placebunt intra civitatem potest disponere et ordinare
15 ac mandare prout sibi videbitur et placebit, quia omnes illi qui acceptari et recipi poterunt (cum propter civitatem, que parva est, et etiam habitationem civium non multa pars gentium suarum recipi posset) acceptabuntur et recipientur alacri et bono vultu, et reliqui postea locabuntur per burgos et villas quanto melius poterunt; dando operam cum predictis et aliis verbis, quod ipse dominus rex disponat et ordinet de illa parte
20 gentium suarum que recipi debebit intra civitatem. que sit in quam minori numero poterit, et nichilominus relinquat^a in deliberatione et terminatione ejus quod videbitur ordinandum domino regi predicto; faciendo sibi illas complacentias quas poterit donec ibi stabit, et providendo quod de victualibus habeant ad sufficientiam pro suis pecuniis. et ita mandetur potestati nostro Coneglani, quod respondeat literis domini regis; redu-
25 cendo ad memoriam potestatis Tarvisii de loco episcopatus ut ibi paretur pro ipso domino imperatore et domina imperatrice.

De parte 82, non 5, non sinceri 12.

[*II*]

1401 inditione 10 die 12 novembris. ¹⁴⁰¹ ^{Nov. 12}

30 Capta. quia pro honore nostri dominii rectores nostri per loca, quorum dominus rex Romanorum habebit facere transitum, non poterunt facere cum minori quam presentare ipsum de rebus necessariis pro victu suo et suorum equorum, vadit pars, quod detur libertas potestati nostro Coneglani et omnibus aliis nostris rectoribus in locis quorum ipse dominus rex pernoctaret vel pranderet, possit expendere in faciendo ei
35 presentari in victulis pullis et aliis carnibus vino blado pane et aliis rebus que sibi viderentur usque ad summam librarum sexcentarum perperarum ^{b 1} pro quolibet eorum. potestati autem et capitaneo nostro Tarvisii concedatur, quod in predictis ipse habeat libertatem expendendi usque ad summam librarum mille perperarum ^c ultra id quod mittetur sibi de Venetiis. de Venetiis autem mitti debeant ipsi potestati et capitaneo
40 nostro Tarvisii amphore tres malvasie et vini Atici ^d, librae 300 confectionum, et medium milliare cere laborate.

De parte 90, non 3, non sinceri 5 ².

a) cod. reliquat. b) p mit Unter- und Überstrich und folgendem Zeichen für rum. c) ebenso, nur ohne den Unterstrich. d) cod. atiri.

45 ¹ Perpera, perpara, hyperpera *byzantinische Münze*, damals in Venedig gangbar, s. Du Cange und Le Bret Staatsgesch. der Republik Venedig, ed. 1769, 1, 764.
² Am 13 Nov. beschließt der Rath, auf die An-

frage des Podestà von Anoale [Noale zwischen Treviso und Padua], der schreibt, er könne den dominus imperator und dessen comitiva in burgo Anoalis nicht aufnehmen, wie es die Ehre desselben verlange, ob er denselben in rocha dicti

13 *

¹⁴⁰¹ **52.** *Beschluß des Raths zu Venedig: Instruktion für 3 gen. Gesandte an K. Ruprecht* [1].
Nov. 12   *1401 Nov. 12 Venedig.*

> *Aus Venedig St.A.* Deliberazioni, secreta, senato 1, registro 1 fol. 30^b-31^a *mb. coaer.;*
> *zu Anfang links am Rande* Ser Petrus Aymo miles, ser Benedictus Superancio pro-
> curator, ser Karolus Geno procurator, ser Leonardus Bembo, ser Rambertus Quirino,   5
> ser Justus Contareno; *bei Beginn von art. 6 ebenso links am Rande* Ser Petrus Aymo
> miles, ser Benedictus Superancio procurator, ser Leonardus Bembo sapientes consilii.
> *Auszug bei Mone Zeitschrift für die Gesch. des Oberrheins 5, 296-297 ebendaher.*

Die 12 novembris.

Quod fiat comissio nobilibus viris ser Gabrieli Aymo militi ser Leonardo Mocenigo   10
et ser Zacharie Trivisano militi, oratoribus nostris ad dominum Rubertum novum Romanorum regem.

Capta.   nos Michael Steno dei gratia dux Venetiarum et cetera comittimus vobis
nobilibus viris Gabrieli Aymo militi Leonardo Mocenigo et Zacharie Trivisano militi
dilectis civibus nostris, quod de nostro mandato ire debeatis nostri solemnes oratores ad   15
serenissimum dominum Rupertum novum Romanorum regem venturum per territoria
nostra Tarvisana et Cenetensia pro eundo Paduam; eundo primo Tarvisium, ubi sen-
ciatis de adventu suo et per quam viam, et si per viam Sacili [2] sentiretis ipsum debere
venire, vadatis versus illas partes, et si per viam Portus-Buffoleti [3] vel Mothe [4], usque
ad utrumque dictorum locorum, et tantum plus ante quantum secundum quod sentiretis   20
de ejus appropinquacione vobis bonum et utile videretur pro honore dominii nostri, non
transeundo terminos nostros vel circa.   [1] et cum applicueritis ad presentiam suam,
dabitis operam habendi audientiam a sua serenitate, qua vobis data, presentatis literis
nostris credentialibus quas vobis fecimus exhiberi, facietis sue serenitati illam reverentiam
et recomendationem de nobis et statu nostro que sapientie vestre debita et utilis vide-   25
bitur, utendo illis pertinentibus verbis et accomodis que cognoscetis bene cadere in
proposito antedicto.   [2] subsequenter exponetis eidem, quod receptis novissime literis
sue serenitatis nobis missis per viam civitatis et rectoris nostri Tarvisii, per quas notificabat nobis felicem adventum suum et gentium suarum ad partes Forojulii ad partes
Italicas et transitum quem per terras et loca nostra Tarvisina facere intendebat, delibe-   30
ravimus de presenti ad ostendendum devotionem nostram et caritatem quam habemus
versus eum et suam imperialem majestatem, consolationem, quam de isto suo adventu
sentimus, et pro honorando suam serenitatem mittere vos sibi obviam, comittentes et
tradentes efficaciter in mandatis, quod deberetis nos et comune nostrum offerre sincera
mente ad honores et beneplacita sua, associando personam suam per territoria nostra et   35
providendo quod in omni parte et loco nostro acceptetur et videatur prout decet honorem sue excellentissime majestatis, quod adimplere parati estis illari animo et leta mente.
[3] ultra predicta volumus, quod sibi dicere debeatis, quod quamprimum ad nostram

---

*loci empfangen dürfe, zu antworten: der Rath
sei damit einverstanden, daß der imperator und
sua consors et filii cum illa comitiva que dicto
nostro rectori habilis videbitur in dicta rocha
Anoalis aufgenommen werde.* || Die 13 novembris.
Venedig l. c. fol. 31^b.

> [1] *Der Brief K. Ruprechts nr. 48 scheint bei
> Abfassung dieses Beschlusses noch nicht dem Rathe
> vorgelegen zu haben, da man über die Route des
> königlichen Zuges im ungewissen ist, während der*

König in nr. 48 angibt, daß er durch Conegliano   40
ziehen werde, was den hier noch als ev. zu erwar-
ten erwähnten Weg über Porto-Buffole und Motta
doch wol ausschließen würde, da dieser stark
östlich davon geht.
> [2] *Sacile stark südöstlich von Belluno zwischen*
> *Ceneda und Pordenone.*   45
> [3] *Porto-Buffole südöstlich von Sacile.*
> [4] *Motta südöstlich von Sacile südlich von Por-*
> *denone.*

noticiam per ejus regales literas et honorabilem suam legationem perducta fuit [1] creatio
sue serenitatis ad apicem imperialis majestatis, nos, devotissimi sacri imperii et singulares
çelatores honoris et exaltationis sue excellentie et omnium aliorum principum domus sue
sicut clarissime notum est, de ipsa creatione maximam leticiam et consolationem sensi-
5 mus, sicut tunc diximus, et sentimus, quia, considerata sua immensa clementia sapientia
et virtute, considerata sua perfecta intentione et dispositione et aliis singularibus dotibus
quibus sua majestas multipliciter decoratur, tenuimus et tenemus, quod, mediante intercessione divine gratie que illuminavit corda electorum ad electionem persone sue tamquam utilis et necessarie ad reformationem ecclesie sancte dei bonum statum et quietum
10 Christianitatis ac specialiter partium Italie, sua majestas in isto adventu suo, quem
optamus et supplicamus altissimo secundum optatum sui cordis prosperum et felicem,
omnes partes predictas taliter reformabit et regulabit, quod exaltabitur ipsa ecclesia
sancta dei, crescet et augmentabitur fides nostra, et omnes optantes bene pacifice et
libere vivere poterunt in gloria et honore sui nominis sine dubitatione ducere vitam
15 suam. et cum predictis et aliis similibus verbis ostendetis leticiam et consolationem
nostram de sua creatione et de descensu suo, ut superius dictum est.   [4] expositis
predictis dabitis operam de conparendo similiter cum literis credentialibus coram serenissima domina regina illamque facta reverentia debita et illa recomendatione que vestre
sapientie apparebit visitabitis parte nostra, offerendo nos ad honores sue sublimitatis et
20 ad sibi placita cum illis amicabilibus et placibilibus verbis que vestre sapientie videbuntur. et similiter etiam visitare debeatis illustres natos suos cum nostris literis et
credentialibus vobis datis.   [5] facta autem ipsa visitatione eritis continuo quantum
poteritis cum ipso domino rege informando vos de hora in horam et de tempore in
tempus de viis et locis nostris per que volet facere transitum, ut possitis scribere et
25 premittere de nostris caballariis quos habebitis vobiscum, quia scribemus potestati et
capitaneo nostro Tarvisii et aliis rectoribus nostris, quod de illis vobis mittant ad partes
et loca necessaria, ita quod transitus et receptus parati sint et alia necessaria sicut fuerit
expediens, associando ipsum dominum imperatorem per illam viam quam facere volet
usque ad confinia nostri territorii. et cum ibi fueritis, dicere debeatis, quod vos adim-
30 plevistis mandata nostra, que erant de associando suam sublimitatem usque ad terminos
et confines nostros et postea repatriando, et propterea, si sue serenitati placet aliquid
mandare vobis, vos parati estis illariter adimplere. et accepta licentia et comeatu debito
ab eo Venetias veniatis. et si dominus imperator vos requireret, quod associaretis eum
usque Paduam, sumus contenti, non obstante quod superius dictum est, quod possitis [a]
35 ire secum usque illum locum. et cum ibi eritis, si hora erit conpetens, etsi non quanto
prestius poteritis, accepto comeatu ut dictum est de presenti Venetias veniatis.   [6] et
si dominus imperator tangeret vobis, facta ambassiata suprascripta vobis conmissa per
nos, si habetis in mandatis de dando sibi responsionem ad illa que alias requisivit a
nobis et super quibus diximus quod faceremus sibi responderi per nostram ambassiatam
40 ituram ad presentiam suam [2], volumus quod vos dicere debeatis, quod super dictis partibus non possetis sibi aliquid respondere, quia nichil vobis dedimus in mandatis, et
causa est, quia magnificus dominus Padue nobis significaverat, quod de mandato sue
majestatis dominus episcopus Spirensis cancellarius suus et magister ordinis de domo
Teotonicorum ac ipse venturi erant ad nostram presentiam et debebant esse nobiscum,
45 ita quod propter istam causam nil vobis comisimus ymo cum magna frequentia fecimus

1401
Nov. 12

a) cod. possit.

[1] *Bd. 4 nr. 187.*   [2] *S. nr. 45 art. 1 am Ende.*

recedere vos a nobis. [7] insuper fecimus vobis fieri aliquas literas credulitatis ad cortisaniam a, cum quibus est nostra intentio, quod, facta superscriptione illis principibus qui vobis viderentur ex his qui forent cum ipso domino imperatore, vos debeatis captato tempore visitare eos parte nostra et offerre nos ad beneplacita sua cum illis verbis que vobis utilia et expedientia videbuntur. [8] preterea quia, ut debetis scire, magnificus 5 dominus Bononie fecit nos rogari per suum oratorem, quod eunte nostra ambassiata ad dominum imperatorem nos deberemus per illam recomendare ipsum sibi et statum suum, et nos hoc sibi promisimus [1], comittimus vobis, quod facta expositione ambassiate nostre vobis conmisse vos dicere debeatis serenissimo domino regi predicto, quod magnificus dominus Bononie predictus amicus nostri dominii nos rogari fecit, quatenus placeret 10 adveniente majestate sua ad partes Italie recomendare ipsum sibi et statum suum, cum foret et esse intenderet devotus servitor sacri imperii sui, et propterea nos supplicamus sue excellentie, quatenus ex sua clementia et benignitate habeat ipsum et ut devotum sue serenitatis teneat benignius recomissum. [9] [2] potestis expendere in omnibus expensis quomodocumque vobis occurrentibus (non intelligendo de nabulis navigiorum et 15 agoçiis equorum, si equos ad agoçium haberetis) ducatos viginti quinque in die inter omnes pro vobis et familia vestra, ducendo vobiscum unum notarium cum uno famulo, quinque domicellos pro quolibet, tres ragacios pro quolibet, unum expensatorem, unum interpetrem b, unum meraschalcum et unum coquum, tres caretas cum quatuor equis et uno caratono [3] pro qualibet. verum ut ambassiata vestra sit magis honorabilis, fecimus 20 vobis et cuilibet vestrum dari ducatos centum de pecunia nostri comunis, ut possitis vobis facere unam pellandam de veluto de grana vel carmesi, ut vobis videbitur, et ultra hoc volumus, quod donare debeatis cuilibet famulorum dicte ambassiate ducatos quinque de dicta pecunia, ut omnes se induant ad unam asisiam.

Jurastis honorem et proficuum Venetiarum eundo stando et redeundo et de expensis 25 omni die vel omni tercia die ad minus c videndis et examinandis et de scripturis in vestro reditu nostre curie presentandis.

Data in nostro ducali palacio die 13 d novembris inditione 10.

53. *Beschluß des Raths zu Venedig: an Stelle des einen gen. erkrankten der 3 an K. Ruprecht bestimmten Gesandten [5] einen andern zu wählen. 1401 November 13* 30 *Venedig.*

Aus Venedig St.A. Deliberazioni, secreta, senato 1, registro 1 fol. 31 a b mb. coaev.; zu Anfang links am Rande Sapientes consilii, *zu Anfang des Zusatzbeschlusses* Consiliarii *et capita excepto* ser Francisco Juliano consiliario.

Die 13 novembris. 35

Capta. cum veridice senciatur per unum nostrum caballarium qui nuncnunc
venit, quod serenissimus dominus imperator applicuit die veneris de sero in Vençono, et omnino sit necessarium pro honore nostro, quod nostra ambassiata solemniter se presentet

---

a) *cod.* cortisana *mit Strich über* na. b) *sic hier und öfter.* c) *scheint so; verwischt.*

---

[1] *nr. 47.*
[2] *Vgl. zu diesem Artikel die entsprechenden Beschlüsse vom 14 Okt. nr. 43 art. 3, sowie die Beschlüsse vom 15 Okt. nr. 44, speziell den Beschluß vom 21 Okt. in der Note zu nr. 44.*
[3] *Sonst* caretonus, *s. Du Cange.*
[4] *Das Schreiben als erst auszufertigendes ist vorausdatiert; am 14 Nov. waren die Gesandten*

außer dem erkrankten Zacharias Trivisano schon 40 *aufgebrochen, denn der an Stelle des erkrankten gewählte, der am 14 Nov. abgehen sollte, erhielt den Auftrag, dieselben einzuholen, wie sich aus nr. 53 ergibt; also giengen die beiden anderen ohne Zweifel am 13 Nov. ab und erhielten an dem Tage* 45 *ihre Instruktion.*
[5] *S. die Noten zu nr. 44.*

coram presentia sua super territorio nostro, et captum fuerit heri [1] quod nostri ambas-   1401 Nov. 12
siatores recederent de Venetiis et irent cum conmissione eis facta, et sic fecerint duo de
dictis nostris ambassiatoribus, sed occurrerit quod ser Zacharias Trivisano miles gravatus
inconvalescentia persone nullo modo potuit nec ire potest ad dictam ambassiatam, et
5 considerata maxima eminentia dicti domini imperatoris et quod non posset sibi fieri
honor qui non foret sue majestati condignus, ac etiam ut captemus quantum plus fieri
potest benivolentiam et amorem suum, et quod videat quod apreciamus honorem serenitatis sue: vadit pars, considerato quod nemo in tam arduo et necessario casu debet se
excusare, quod de presenti in hoc consilio per scruptinium debeat eligi unus ·tercius
10 ambassiator loco dicti ser Zacharie Trivisano. qui possit accipi sicut potest accipi ad
testam coronatam, non accipiendo tamen nisi de corpore Rivoalti [2] tantum nec de sapientibus consilii pro non impediendo negotia terre et non perdendo officium nec utilitatem officii. et respondere debeat statim nec possit refutare sub pena ducatorum
ducentorum, sicut tenebantur alii [3]. dictus vero ambassiator qui eligetur accipere debeat
15 vestem de veluto dicti ser Zacharie Trivisano que vestis sit sua, refundendo dicto ser
Zacharie Trivisano illud plus quod dicta roba constitisset dicto ser Zacharie ultra ducatos
centum habitos a comuni. et similiter accipere debeat de familia et equis dicti ser
Zacharie usque ad conplementum numeri quem habere debebat dictus ser Zacharias,
secundum quod dicto ambassiatori eligendo erit necessarium, cum aliis conditionibus
20 dictorum aliorum duorum ambassiatorum. et teneatur omnino dictus ambassiator qui
eligetur recedere de Venetiis die crastina ante tercias, sub pena predicta, et continuare   1401 Nov. 14
et prosequi iter suum taliter, quod per totam diem crastinam sit in Tarvisio, ita quod
possit et debeat ire simul cum sociis suis ad exequendum sibi conmissa.

[*Zusatzbeschluß*] Capta.   quod in casu quo nobilis vir ser Franciscus Cornario
25 electus ambassiator ad dominum imperatorem renunciet, dictus ambassiator debeat eligi
per scrutinium inter dominum [4] consil*iarios* et capita de 40 et sapientes consilii cum
conditionibus modis stricturis et penis contentis in parte superius capta.

---

54. *Beschluß des Raths zu Venedig: vorsichtige Antwort auf die Anfrage des Pabstes*   1401 Nov. 17
betreffs der Bewegungen und Absichten des K. Ruprecht. 1401 Nov. 17 Venedig.

Aus Venedig St.A. Deliberazioni, secreta, senato 1, registro 1 fol. 31ᵇ *mb. coaev.; zu*
Anfang links am Rande 6 sapientes consilii.

Die 17 mensis novembris.

Capta.   quod respondeatur domino Johanni de Bononia oratori et secretario
domini nostri pape super facto requisitionis nobis ipsius parte facte, videlicet quod placeat
35 nobis de motibus et progressibus domini imperatoris ac de mente et intentione sua in
quantum nobis sit possibile sibi dare noticiam, ut de ipsis possit reddere avisatum ipsum
dominum papam pro bono et utilitate ipsius et ecclesie sancte dei et cetera. quod de [5]
motibus et progressibus suis, que usque nunc secuta sunt, sunt adeo manifesta, quod ab
omnibus satis conprehendi possunt. nam idem serenissimus dominus imperator cum suo
40 exercitu descendit ad partes Brisie ibidemque moratus per aliquot dies inde castra leva-

---

[1] *nr. 52.*
[2] *S. Du Cange s. v. Rivaltus.*
[3] *Vgl. nr. 43 art. 3 und nr. 44.*
[4] *D. h. der Doge; es ist die formelhafte Be-*
45 *zeichnung des Gesammtraths, zu der auch der*

Doge gehört, wenngleich dieser selbst wol kaum zu
solcher Gesandtschaft gewählt werden dürfte.
[5] *Quod de scheint im Sinne von quod attinet*
ad zu stehen oder es ist Anakoluthie.

vit [1], ut dicitur inopia victualium. deinde descendit ad partes Tarvisii, iturus, ut fertur, Paduam cum suarum gentium comitiva. de mente autem et intentione sua dicimus, quod hic fuerunt oratores serenissimi domini imperatoris predicti [2], qui una cum oratoribus domini nostri pape ad ipsum dominum imperatorem, ut novit, transmissis se transtulerunt ad Romanam curiam certificati, ut credimus, de mente et intentione ipsius domini im- 5 peratoris in factis concernentibus summum pontificem et ecclesiam Romanam, nobis certe tamen incognita, et per illos, non dubitamus, sua sanctitas fuerit de omnibus plenissime informata. reddat tamen se certum summus pontifex, quod in omnibus statum suum et honorem sancte matris ecclesie concernentibus nos promptos et paratos inveniet tanquam devotissimos filios sue apostolice sanctitatis. 10

De parte 90, non 5, non sinceri 2.

55. *Doge Mich. Steno an den gen. Podestà von Treviso, im Namen des Venetianischen Raths: die Truppen können in ihre Wohnungen zurückkehren, da beim Durchzug K. Ruprechts die befürchteten Ruhestörungen durch den Herzog von Mailand nicht stattgefunden haben. 1401 Nov. 19 Venedig.* 15

Aus Treviso Bibliotheca civ. Sammlung Scotti Tom. X p. 81 saec. 18, mit der Notiz Da una ducal originale della cancellaria del commune. Das Original fand sich nicht.
Gedruckt Verci Storia della marca Trivigiana Tom. 18 Documenti p. 34 nr. 2001 ohne Zweifel ebendaher. 20

Michael Steno dei gratia dux Venetiarum etc. nobili et sapienti viro Ludovico Mauroceno etc. alias vobis scripsimus, quod propter transitum domini Romanorum regis et propter illa que divulgabantur de gentibus domini ducis Mediolani, que venerant ad fronterias et dicebant velle ipsum insultare, deberetis fideles nostros reduci facere ad fortalicia cum rebus suis. nunc autem, postquam ipse dominus rex cum suis genti- 25 bus transivit et nihil innovatum est de dictis gentibus dicti domini ducis, volumus et fidelitati vestre cum nostris consiliis rogatorum et additionis [3] mandamus, quatenus debeatis ipsos nostros fideles reduci facere ad loca et habitationes suas et ad laborandum et faciendum eorum negotia ut primo faciebant. data in nostro ducali palatio die 19 novembris ind. 10 [4]. 30

---

[1] *Meisterhafte Umschreibung der Niederlage bei Brescia am 21 Oktober.*
[2] *Die Gesandtschaft des Bischofs Konrad von Verden und Nikolaus Buman, s. oben pag. 89 nt. 1.*
[3] *Über diesen regelmäßigen Zusatz zu den Pregadi s. Le Bret Staatsgesch. der Republik Venedig 1773 Theil 2 Abth. 1 pag. 49.*
[4] *Am 20 Nov. 1401 beschließt der Rath zu Venedig, dem Podestà zu Treviso, der meldet daß täglich Truppen nach Padua durchmarschieren und daß nächstens die Truppen des Herzogs von Österreich über 300 Lanzen stark kommen werden, die schon in Marani [Maron südlich von Sacile?] sind, und anfragt, ob er diesen den Durchzug gestatten solle, zu antworten: es sollen alle Truppen nach Padua zum imperator ein- und durchziehen dürfen; er soll aber ja dafür sorgen, daß an den geeigneten Orten genug Lebensmittel für*

Geld zu haben sind, damit die Truppen keinen Anlaß zu Schädigungen haben. Ähnlich soll an die anderen Rektoren geschrieben werden, daß sie die Truppen durchziehen lassen, aber nicht in die Befestigungen aufnehmen sollen. || Die 20 nov. Venedig St.A. l. c. fol. 32 a. — Ferner beschließt der Rath am 24 November, dem Podestà Portus-Buffoleti et Mothe [Porto-Buffole und Motta], der schreibt, er könne nicht nach dem Auftrage [vom 20 Nov., s. die Schlußworte des eben gegebenen Regestes], die Truppen des Herzogs von Österreich u. a. bei ihrem Durchzug nicht in die Befestigungen einsulassen, handeln, zu antworten: er solle die Truppen über seine Brücken und durch seine Orte ziehen lassen, wie es denselben gut dünke, aber er solle gute Wacht und Obhut in seinen Orten halten. Unter dem Datum des vorhergehenden Beschlusses vom 24 Nov. 1401, Venedig St.A. l. c. fol. 32 b.

56. *Beschluß des Raths zu Venedig: 2 Gesandte zur Beantwortung von K. Ruprechts* 1401 Nov. 22 *Hilfsgesuch zu wählen. 1401 Nov. 22 Venedig.*

Aus Venedig St.A. Deliberazioni, secreta, senato 1, registro 1 fol. 32ᵃ *mb. coaev.; zu Anfang links am Rande* Ser Petrus Aymo miles, ser Benedictus Superancio procurator, ser Karolus Geno procurator, ser Leonardus Bembo, ser Rambertus Quirino, ser Justus Contareno *sapientes consilii.*
Erwähnt bei Mone Zeitschrift für die Gesch. des Oberrheins 5, 297 ebendaher.

Die 22 novembris.

Capta. quia oratores nostri, qui reversi sunt a serenissimo domino Romanorum rege [1], in relatione facta per eos habuere dicere nostro dominio, quod ipse dominus rex requirebat, ut mittere deberemus ad suam presentiam nostram ambassiatam cum libertate ad plenum ad dandum sibi responsionem super eo quod a nobis petit, scilicet quod in istis factis suis debeamus sibi dare consilium auxilium et favorem nostrum, propter quam causam est omnino necessarium pro honore nostro mittere ad suam presentiam ipsam nostram ambassiatam cum nostra intentione super ipsa responsione sibi danda: vadit pars, quod in bona gratia eligi debeant de presenti in hoc consilio per scrutinium duo nostri solemnes oratores ad ipsum dominum Romanorum regem, qui possint accipi de omni loco et officio et judicatu peticionum et de officio continuo non perdendo officium nec ejus utilitatem aut aliquid aliud quod haberent. respondeant de presenti, non possendo refutare sub pena librarum centum pro quolibet. possint expendere ducatos sex in die inter ambos in omnibus expensis sibi quomodocumque occurrentibus, non intelligendo de nabulis barcharum. ducant ad ipsas expensas unum notarium cum uno famulo, unum expensatorem et quatuor domicelos pro quolibet. recedant quanto prestius esse poterit cum ista conmissione.

57. *Beschluß des Raths zu Venedig betreffs Ausrüstung der in nr. 56 beschlossenen* 1401 Nov. 24 *Gesandtschaft an K. Ruprecht. 1401 Nov. 24 Venedig.*

Aus Venedig St.A. Deliberazioni, secreta, senato 1, registro 1 fol. 32ᵇ *mb. coaev.*

Die 24 novembris.

Capta. quia oratores nostri, qui ituri sunt ad dominum regem Romanorum, non poterunt facere facta nostra sine uno interpetre [a] et etiam sine uno coquo, quia non poterunt ire ad hospicia, ymo necesse erit quod vadant et stent in aliquo loco de per se: vadit pars, quod concedatur eisdem, quod ipsum interpetrem et coquum conducere debeant ad expensas nostri comunis, possendo expendere ducatos septem in die. et similiter concedatur eisdem, quod in dando et donando senatoribus dicti domini regis et aliorum principum qui secum sunt possint expendere illud quod eis videbitur pro honore nostri dominii, faciendo quam minorem expensam poterunt, sicut de virtutibus suis confidimus, non transeundo numerum ducatorum quinquaginta.

a) *sic hier und öfter.*

[1] *Die Gesandtschaft 3 genannter, die am 13 bzw. 14 Nov. von Venedig abgieng, s. nr. 52 und nr. 53.*

1401
Nov. 24 **58.** *Berathung des Raths zu Venedig über die Instruktion der 2 gen. Gesandten an*
K. Ruprecht: I[1] *Vorschlag des Petrus Aymo und Leonardus Bembo*[2]*. 1401*
Nov. 24 Venedig.

Aus Venedig St.A. Deliberazioni, secreta, senato 1, registro 1 fol. 32*b*-33*b* *mb. coaev.;*
zu Anfang links am Rande Ser Petrus Aymo miles, ser Leonardus Bembo **sapientes** *a*
consilii. *Den einzelnen Artikeln bei uns entsprechen hier und in den folgenden Stücken*
bis nr. 66 Absätze im Kodex; die Unterabtheilungen der Artikel sind bei uns mit
Rücksicht auf die abschnittsweis geschehende Benutzung durch andere Antragsteller
gemacht, besonders um darnach bequemer citieren zu können.

Die 24 novembris.   *10*

Quod fiat comissio nobilibus viris ser Petro Aymo militi et ser Karolo Geno procuratori ecclesie sancti Marci ambassiatoribus nostris ad serenissimum dominum Rupertum
Romanorum regem apud Paduam.

[*1*] Nos Michael Steno dei gratia dux Venetiarum et cetera comittimus vobis nobilibus viris Petro Aymo militi et Karolo Geno procuratori ecclesie sancti Marci dilectis *15*
civibus nostris, quod debeatis in bona gratia ire Paduam in nostros solemnes oratores ad
presentiam serenissimi domini Romanorum regis qui ibi est. et dum ibi eritis, procurabitis conparere ad suam presentiam cum nostris literis credentialibus vobis exhibitis,
illisque presentatis facietis majestati sue illam reverentiam et recomendationem de nobis
et statu nostro quam utilem et fructuosam cognoveritis ac convenientem honori sue *20*
sublimitatis et nostri dominii, supplicando creatori nostro quod dignetur conservare et
felicitare suam serenitatem quemadmodum animus suus optat, quia de omni felicitate
et exaltatione sua et status sui participabimus et consolationem assumemus velut devotissimi sui et imperii sui sacri. [*2*] subsequenter exponere debeatis, quod per nostros
oratores missos ad honorandum et associandum suam sublimitatem in transitu, quem *25*
fecit per terras et loca nostra [3], fuimus informati effectualiter de convalescentia*a* et bono
statu sue serenitatis serenissime domine regine consortis sue et illustrium natorum ejus
ac aliorum principum et dominorum qui secum sunt, de quo mens nostra remansit
maxime consolata, cum omnem prosperitatem et bonum statum suum et suorum devotissimi sui sacri imperii proprium reputemus. *𝒫*[b] [*2ª*] sed quia in conclusione verborum *30*
suorum habuerunt dicere nobis parte sua, quod sue majestati placebit et ita nos rogabat,
quod vellemus ad presentiam suam mittere nostram ambassiatam ad dandum sibi responsionem super requisitione quam nobis facit, scilicet consilii auxilii et favoris quem
vult a nobis habere [4], pro tanto nos misimus vos ad presentiam suam et dicendum in
mandatis, quod parte nostra excellentie sue dicere debeatis, quod talem requisitionem *35*
nobis per majestatem suam et alias [5] per suos oratores ejus nomine nobis factam de
volendo in istis factis suis habere nostrum consilium et parere nostrum nos manifeste
cognoscimus processisse et procedere ab immensa clementia et benignitate sue serenitatis

---

a) sic. b) solches Zeichen im cod., auf das später Bezug genommen wird.

---

[1] *Die römische Zahl hier und in den folgenden*
Stücken bezieht sich auf die verschiedenen Gruppen
der Vorschläge, vgl. die Einleitung zu dieser
lit. E.
[2] *Siehe die Quellenbeschreibung.*
[3] *Die Gesandtschaft vom 13 bzw. 14 Nov. nrr.*
52. 53.

[4] *Die Gesandtschaft, welche am 27-28 Oktober* *40*
Antwort erhielt, s. nrr. 45. 46, überbrachte zuletzt
diese Forderung.
[5] *Vgl. die früheren Antworten auf K. Ruprechts*
Gesandtschaften nrr. 37. 41. 43. 45.
45

et a fide et bono conceptu facto de nobis et nostro dominio, et non quia sit sibi modo
aliquo necessarium, quia nos cognoscimus clare et manifeste et ita unusquisque potest
et debet per experientiam (rerum omnium magistram optimam) clarissime judicare, in
sua excellentia de dei gratia vigere et esse tantam sapientiam et virtutem, scimus etiam
⁵ et videmus in tanto et tam magnanimo opere, in quo agitur de reformatione et honore
sancte matris ecclesie et generaliter tocius Christianitatis, reformatione etiam imperii sui
sacri, quiete et pacifico statu Italie, gloria et fama perpetua sue sublimitatis et excellentissime domus sue, ipsum venisse ita fultum solemni et maturo consilio principum et
dominorum partium suarum, quod nostrum non esset ei, nisi foret sua benignitas, modo
¹⁰ aliquo oportunum.   [2 ᵇ] nichilominus postquam sibi placet habere consilium et parere
nostrum, quando sit de beneplacito et voluntate sue serenitatis, velletis ab eo particularius
declarari, super quibus in specie vellet ipsum nostrum consilium sibi dari, quia habita
particularius et clarius mente sua, postquam sibi placet ut dicimus parere nostrum, nos
seu vos nostro nomine sibi dicetis pure et cum sincero animo et sincera fide illa que
¹⁵ vobis bona utilia et fructuosa videbuntur pro bono et exaltatione sua et sue serenitatis,
ac si diceretis super his que concernerent honorem et statum comunitatis Venetiarum.
[3] et si ipse dominus rex vel sui, sicut credendum est, condescenderent ad declarandum
et dicendum vobis particularius mentem ᵃ suam et illa super quibus vellet habere consilium nostrum, que conprehendimus non posse esse alterius nature quam super facto
²⁰ istius sui descensus et istius sue impresie et de modo et forma quibus debet in illa
procedere et inimicari domino duci Mediolani pro veniendo ad suam intentionem et his
similia: tunc, quia nos, examinatis omnibus et consideratis que examinari et considerari
possunt, per quemcumque et tam a parte domini regis quam domini ducis Mediolani
conprehendimus, quod nulla melior via nullus melior modus haberi nec servari posset in
²⁵ his factis, quam via et modus concordii et pacis, volumus et comittimus vobis, quod
cum illis accomodis verbis que vestre sapientie videbuntur vos dicere debeatis, quod,
novit deus quem nil latet, nos a pluribus diebus citra fecimus plures cogitatus super
istis factis sue serenitatis et multum ac multum examinavimus in mente nostra multa
que examinanda ponderanda et consideranda sunt.   consideravimus enim primo finem ad
³⁰ quem in Italiam principaliter serenitas ᵇ sua venit, scilicet coronationis sue et pro adquirendis juribus imperii bono ecclesie sancte dei et quiete istarum partium; consideravimus etiam et consideramus tempus, quod ad presens est nullo modo aptum nec dispositum ad guerricandum et multo pejus ad campiçandum, terminos et conditiones ac
locum in quo se reperit cum exercitu suo, terminos etiam et conditiones situs et loca
³⁵ partis alterius et quomodo disposuit gentes suas; videmus etiam et cognoscimus, quod
una de sapientibus rebus, que fieri possit, est, nolle ferro vincere que possint haberi
per concordiam atque pacem, nam bellorum et guerrarum dubii sunt eventus; et multa
et multa alia, que non expedit sue excellentie declarari, cum omnia notissima sibi sint.
quibus omnibus non semel sed pluries discussis, ut diximus, inter nos, loquendo cum
⁴⁰ illa supportatione ¹ que decens est auderemus satis ample suadere sue serenitati, quod,
in casu quo ipsa posset per concordium ᶜ et pacem habere ab ipso domino comite Virtutum illa que forent cum honore et exaltatione ecclesie sancte dei et sue serenitatis,
bono et pacifico statu et securitate Italie, et per que possit adimplere suam intentionem,
quod ipse debeat illam semitam imitari et per illum modum facere facta sua et non
⁴⁵ supponere se et statum suum dubiis et periculis guerrarum. et quando istud sibi placeat

---

a) cod. aus *Versehen widerholt*. b) cod. serenitatis. c) sic! öfter.

---

¹ *Außer* Unterstützung *bedeutet* supportatio *auch*   *hier wol zu verstehen, also* Zurückhaltung *etwa*
Zögerung, *s. Du Cange; in letzterem Sinne ist es*   *zu übersetzen.*

et deliberet hanc nostram suasionem et istud parere nostrum utile atque bonum, nos
exnunc volentes sequi vestigia progenitorum nostrorum, qui semper fuerunt pacis amatores et illam[a] querere et procurare illariter quesiverunt, nos offerimus ad mittendum
nostram solemnem ambassiatam ad ipsum dominum Johannem Galeaç per modum et in
forma honorabili pro sua serenitate, que cum illis efficacibus verbis modis et rationibus 5
que videbuntur tractabit et procurabit, quod condescendat ad faciendum versus eum et
imperium suum de his que honorem et famam suam habeant conservare et per que
possit ad optatum finem ducere suum intentum; et cohoperante divina gratia taliter
operari loqui cum eodem facere et procurare [1], quod provenietur ad bonam conclusionem.
et cum predictis et aliis verbis et rationibus, que vestre sapientie videbuntur et quas 10
cognoscetis posse honeste dicere et allegare pro inducendo ipsum dominum imperatorem
ad condescendendum ad ipsam nostram intentionem, debeatis facere posse vestrum, quod
sit de hoc contentum et quod velit quod nos queramus per illam viam[b] ponere finem
factis predictis.   [4] insuper quia cognoscimus esse non tantum utile sed necessarium
in omni casu, quod dominus imperator se intelligat cum summo pontifice et quod sum- 15
mus pontifex faveat sibi et favere videatur opere et sermone, pro tanto comittimus vobis,
quod suo loco et tempore quando vobis videbitur debeatis cum illis verbis que vobis
expedientia videbuntur reducere istud ad memoriam ipsius domini regis vel suorum, et
quod inter cetera credimus esse utile, quod ipse dominus papa provideat per editum[c]
generale vel aliter, ut serenitati sue videbitur, quod nullus ex censualibus vel obligatis 20
sancte matris ecclesie audeat ire ad servicium alicujus persone que esset contra novum
Romanorum regem, et quod, si aliqui forent, debeant infra tale tempus penitus recessisse,
sub illis penis que videbuntur serenitati sue; quia certissime talis prohibitio et talis fama
erit multum utilis proposito et intentioni regie.   [5] sed quia cognoscimus, quod istud
facilius sequetur faventibus domino Padue et Florentinis ipsam nostram intentionem et 25
eam laudantibus, volumus et comittimus vobis, quod quando vobis videbitur suo loco et
tempore vos detis operam de essendo cum eis, simul vel separate, ut vobis utilius apparebit. et facta salutatione et oblatione solitis, quia vobis fieri fecimus literas credulitatis ad predictos, informare eos debeatis de hoc motivo nostro et de ista nostra intentione et opinione, apperiendo eis satis ample omnes terminos et conditiones rerum, 30
ostendendo dubia et pericula et breviter omnia alia que cognosceretis expedientia et de
essentia materie, ut sint propicii et procurent apud ipsum dominum et suos, quod acceptet
et condescendat ad istam viam reconciliationis et pacis per nostram interpositionem.
[6] et si obtinere poteritis nostram intentionem, quod dominus imperator sit contentus de
dicta via et quod possimus procurare cum domino duce Mediolani ea que superius dicta 35
sunt, tunc in hoc casu, ut possimus dare principium facto, volumus quod procurare
debeatis de habendo et senciendo ab eo vel a suis intentionem et dispositionem suam
et ea que vellet sibi fieri per dominum ducem Mediolani predictum pro habendo concordium secum, dando operam toto posse vestro, quod reducat se ad res justas rationabiles et honestas et non ita difformes a debito et honesto quod rationabiliter non sit 40
habenda spes de possendo ipsa obtinere ab eo. et cum habueritis ipsam suam intentionem et suas peticiones in scriptis, cum licentia et comeatu ipsius domini regis Venetias
veniatis de omnibus informati.   [7] si vero dominus imperator, factis per vos ex-
perientiis illis que vobis honeste et honorabiles apparerent, nollet consentire ad illam
viam nec placeret sibi procedere per illam, quia deliberaret sequi viam guerre et armo- 45
rum vel aliam viam, et faceret vobis requisitionem, quod responderetis ad alias partes

a) *cod. illas.* b) *cod. sicsimal.* c) *sic!*

¹ *Anakoluth oder von dem vorhergehenden* offerimus *abhängig gedacht.*

quas tetigit oratoribus nostris, auxilii scilicet et favoris nostri sibi dandi, vel alia de ¹⁴⁰¹
novo diceret et requireret a nobis seu vobis nostro nomine: volumus quod respondere ^(Nov. 24)
sibi debeatis, quod dominatio nostra, considerans illam viam utilem et bonam et debere
majestati sue placere ac velle quod reduceretur ad actum, nullam aliam comissionem
5 nec aliud mandatum vobis dedit nisi ut occurrente casu, secundum naturam et conditionem dictorum et propositorum vobis per suam serenitatem, scriberetis nobis ordinate
vel veniretis ambo vel unus vestrum ad informandum nos, ut possemus postea plenius
respondere; et quod ita estis dispositi facere, scilicet scribere vel venire ambos vel unum
vestrum (quia hoc in libertate vestra relinquimus, cum eritis de natura et importantia
10 rerum plenissime informati, secundum quod per vos fuerit terminatum ¹).

De parte 19.

59. *Berathung des Raths zu Venedig über die Instruktion der 2 gen. Gesandten an* ¹⁴⁰¹
K. Ruprecht: Il Vorschlag des Benedictus Superancio, Karolus Zeno, Justus ^(Nov. 24)
Contareno. 1401 Nov. 24 Venedig.

15 *Aus Venedig St.A.* Deliberazioni, secreta, senato 1, registro 1 fol. 33ᵇ-34ᵃ *mb. coaev.*

Die 24 novembris.

Ser Benedictus Superancio procurator, ser Karolus Geno procurator, ser Justus
Contareno sapientes consilii volunt, quod fiat comissio dictis ambassiatoribus [1] cum
primo capitulo comissionis suprascripte ² duorum sociorum suorum, et postea continuando
20 ut infra: [2] subsequenter exponetis eidem, quod, auditis novissime per nos oratoribus
nostris, quos misimus ad honorandum et associandum suam serenitatem in nostris terris
et partibus Tarvisinis et Cenetensibus, a quibus effectualiter habuimus de bona convalescentia excellentissime persone, serenissime domine regine et illustrium natorum suorum
et aliorum principum et dominorum qui in comitiva sua erant, nos recepimus magnam
25 leticiam et consolationem. [2 ᵃ] sed quia in conclusione verborum suorum habuerunt
nobis dicere parte sua, quod sua majestas requirebat et rogabat quatenus placeret ad
presentiam sue majestatis mittere nostram ambassiatam ad dandum sibi responsionem ad
consilium auxilium et favorem quem requirebat a nobis: pro tanto nos volentes istud
suum beneplacitum adimplere misimus vos ad presentiam sue majestatis et comisimus
30 ac mandavimus vobis, quod ad ipsam suam requisitionem deberetis parte ᵃ nostra effectualiter respondere: **P** [2 ᵇ] quod (deus est nobis testis) de creatione sua de prosperis
successibus suis in partibus Alemanie ac de suo adventu in partibus Italie immensas
consolationes et leticias habuimus et habemus, sperantes in sua maxima providentia,
quod cum dei auxilio, cujus principaliter res agitur, adventus sue serenitatis erit utilis
35 et fructuosus tam universali bono tocius Christianitatis quam reformationi ᶜ sancte matris
ecclesie, paci et quieti tocius Italie et sui nominis glorie et exaltationi ³. [2 ᶜ] quibus
omnibus in animis nostris consideratis nos, sicut alias diximus oratoribus suis qui similem
requisitionem fecerunt nobis sua ᵈ parte, iterato et de novo dicimus sue serenitati, quod
ipsa reddere potest se certam quod existente eo in partibus Italie inveniret nos semper
40 dispositos et paratos in dei reverentiam bonum reipublice Christiane et contemplationem
sue serenitatis ad illa que cum honore nostro videremus posse facere concernentia

---

ᵃ) cod. *zweimal.* ᵇ) *Zeichen so im cod., worauf später Bezug genommen wird.* ᶜ) cod. *reformatione.* ᵈ) *om. cod.*

---

¹ *Vgl. art. 7 nr. 63.* ³ *Vgl. die ganz ähnlichen Worte in der In-*
² *Ist der Vorschlag des Petrus Aymo und Leon.* *struktion vom 12 Nov. nr. 52 art. 3.*
45 *Bembo vom selben Tage nr. 58.*

1401
Nov. 24 honorem sue sublimitatis et pro bono operis tam laudabilis atque pii;   [*2 d*] subjun-
gendo ulterius, quod, si sue majestati super dictis requisitionibus placet particulariter
aliquid exprimere vel declarare, vos habetis in mandatis a nobis audire et intelligere
omnia, que vobis dicere voluerit in predictis, et nostro dominio cum omni celeritate facere manifesta, ut possimus sue regie majestati facere responderi.   [*3*] et si ipse domi-   5
nus imperator vobis diceret, quod per duos suos ambassiatores nos alias de duobus
principaliter requisivit (primum fuit, quod deberemus inimicari dominum Johannem
Galeaç et omnes suos conplices et sequaces [1], alterum, quod deberemus sibi prestare
subventionem gentium armigerarum tam per terram quam per aquam [2]) et quod super
istis duabus partibus fuit responsum per nos oratoribus suis, qualiter creaveramus oratores   10
nostros ituros ad presentiam suam qui super ipsis duabus partibus sibi deberent nostram
intentionem dicere, unde miratur quod nec per ambassiatores nostros qui fuerunt ad
presentiam suam in partibus Tarvisinis neque per vos aliquid sibi de ipsa materia respondetur: tunc in isto casu volumus [a], quod sibi respondere et dicere debeatis, quod
ita est rei veritas sicut sua serenitas dicit, sed attento quod modo ultimate [3] imposuit   15
solummodo nostris oratoribus antedictis quod mitteretur ambassiata ad eum per quam
responderetur ad requisitionem solummodo consilii auxilii et favoris, omissis et non expressis illis aliis duabus requisitionibus alias suo nomine nobis factis, nos facto fundamento
nostro super dicta ultima requisitione solummodo nichil vobis imposuimus vel diximus
de predictis, sed sicut supra dictum est super predictis et aliquibuscumque potest dicere   20
sua majestas ut videtur et placet, quia tenebitis modum de illis nos celeriter informare,
ut possimus ad quelibet respondere.   [*4*] et ut istud facere et adimplere valeatis [*weiter* .
wörtlich wie nachher art. 3 in dem Beschluß nr. 66 vom 28 Nov. bis unus vestrum
veniret, *dann weiter:*] vos semper reddatis avisatum dominum imperatorem, ita quod
non miraretur, quia istud fit solummodo ut habeat celerem responsivam.   [*5*] insuper   25
volumus et comittimus vobis, quod, postquam exposueritis ambassiatam nostram domino
imperatori, vos debeatis esse [b] cum magnifico domino Padue et persentire [c] ab eo de
potentia domini imperatoris, de mente et intentione sua, de motibus et progressibus suis
et de omnibus aliis istam materiam spectantibus et concernentibus. et cum senseritis
predicta, postea, si et quando vobis videbitur, ostendendo a vobis dicere [d], sibi dicere   30
debeatis, quod, considerata potentia utriusque partis importunitate maximis expensis quibus dominus imperator succumbit, vobis via melior et salubrior videretur pro
bono agendorum domini imperatoris, quod pax tractaretur inter partes, procurando super
ista materia cum illis melioribus et efficacioribus verbis que vestre sapientie videbuntur
persentire intentionem dicti domini Padue. et si per illa que habebitis et conprehendetis,   35
senseritis [d] ipsum bene dispositum ad hoc, tunc procurare debeatis sentire ulterius ab
ipso, si in isto facto ipse aliquid persentit de intentione domini imperatoris, rogantes
ipsum parte nostra, quod quicquid ipse persentit vobis debeat intimare, ut superinde
dominatio nostra existens informata possit querere et procurare ea que pro bono et
honore domini imperatoris viderit convenire. et totum id quod habebitis ab ipso domino   40
Padue, debeatis nobis presto vel literis vel oretenus secundum quod deliberabitis facere
manifesta.   De parte 53. 59. 61. 59. 59 [5].

---

a) *om. cod.* b) *om. cod.* c) *sic hier und die folgenden male.* d) *om. cod.*

---

[1] *S. nr. 45 art. 1.*
[2] *S. ib. art. 1 und 2.*
[3] *In dem letzten Hilfsgesuch, das in nr. 56
zu beantworten beschlossen wird;* ultimate = ultimo s. *Du Cange s. v.*

[4] *D. h. scheinbar nur von Euch aus, ohne Auftrag redend.*   45
[5] *Am 25 November ward derselbe Vorschlag von
denselben noch einmal wörtlich so wider einge-
bracht: Venedig l. c. fol.* 35 a *mb. coaev.: dicto*

60. *Berathung des Raths zu Venedig über die Instruktion der 2 gen. Gesandten an* 1401
Nov. 24
K. Ruprecht: Ia Vorschlag des Rambertus Quirino. 1401 Nov. 24 Venedig.

Aus Venedig St.A. Deliberazioni, secreta, senato 1, registro 1 fol. 34 ᵃ ᵇ mb. coaev.

Die 24 novembris.

Ser Rambertus Quirino sapiens consilii vult, quod fiat comissio dictis ambassiatoribus [1] cum primo capitulo comissionis suprascripte, videlicet ser Petri Aymo militis et ser Leonardi Bembo sociorum ejus [1], [2] et cum secundo capitulo comissionis trium sociorum suorum, videlicet ser Benedicti Superancio procuratoris ser Karoli Geno procuratoris et ser Justi Contareno, usque ad $\boldsymbol{P}$ [2], et postea continuando ut infra: . [2 ᵃ] quod nos cognoscimus et videmus per experientiam operum, et ita per universum est publica vox et fama, tantam sapientiam et virtutem ac tantam praticam agibilium mundi esse in sua serenitate, scimus etiam ipsum in tanto et tam magnanimo opere et impresia concernente bonum et honorem sancte matris ecclesie et generaliter tocius Christianitatis reformationem sacri imperii quietem et pacificum statum Italie honorem et famam perpetuam sue sublimitatis venisse ita fultum solemni et maturo consilio, quod nostrum non est nec esset ei necessarium. [2 ᵇ] sed quia sua sublimitas non semel sed pluries nobis dixit et dici fecit sua benignitate quod ipsum audire et habere vult: pro tanto, ut adimpleamus beneplacitum et voluntatem regiam, dicimus sibi puro et sincero animo et cum illa fide et caritate qua diceremus in factis statum comunitatis nostre concernentibus illud quod sentimus et conprehendimus de factis suis. est enim veritas, quod nos et principaliter notamus et consideramus in his factis principalem finem sui descensus in Italiam fore ad finem sue coronationis et pro bono ecclesie sancte et pro reformatione et quiete ᵃ imperii in partibus Italie; consideramus etiam et notamus tempus iemale quod ad presens est et terminos et conditiones in quibus se reperit cum exercitu suo et similiter altera pars domini comitis Virtutum, et multa alia que considerari possunt; scimus etiam et videmus quod proprium imperatorum et principum esse debet et sui non dubitamus fore, velle primo sequi viam concordii atque pacis; nam omnia primo tentanda quam ferrum et medici volunt et cesares didicerunt. et propterea respondendo ad primam ᵇ partem consilii concludendo dicimus, quod consilium et parere nostrum esset, quod, si serenitas posset per concordium et pacem habere et obtinere ab ipso domino comite Virtutum ea que forent cum honore et exaltatione ecclesie sancte dei et sue serenitatis bono et pacifico statu Italie et per que posset adimplere suam intentionem, quod ipsa deberet illa velle accipere et habere. et quia progenitores nostri semper fuerunt amatores et procuratores ac tractatores pacis et concordie, nos sequentes illorum vestigia offerimus nos, in casu quo istud sibi placeat, mittere cum honore sue sublimitatis ad ipsum dominum Johannem Galeaç nostram solemnem ambassiatam cum illis efficacibus verbis modis et rationibus que nobis videbuntur ad tractandum et procurandum, quod ipse condescendat ad faciendum sue serenitati ᶜ de his que honorem suum et suam famam

---

a) *cod.* quieti. b) *cod.* prima. c) *cod.* suam serenitatem.

---

[40] die [*d. h. am 25 Nov., welches Datum vorhergeht*]. || Ser Benedictus Superancio procurator, ser Karolus Geno procurator, ser Justus Contareno sapientes consilii, posuerunt partem per eos positam die 24 hujus de verbo ad verbum ut supra [45] notata est. || De parte 49. 60. 60. 60. 60.

[1] *Ist der Vorschlag vom selben Tage nr. 58 art. 1.*

[2] *S. den Vorschlag vom selben Tage nr. 59 art. 2 und 2 ᵃ.*

1401
Nov. 24 habeant conservare et per que possit ad optatum finem ducere intentum suum, sperantes
in gratia Jesu Christi taliter operari loqui et facere cum eodem, quod cum dei auxilio
pervenietur ad istam conclusionem. et quando istud sequatur, nos remanebimus pro
omni bona causa maxime consolati;   [*2 ᶜ*] quando autem sequi non posset, tunc, re-
versis oratoribus nostris, super aliis duabus partibus requisitionis quam nobis facit, scilicet ⁵
favoris et auxilii quod a nobis petit, melius clarius et lucidius poterimus sibi dare illam
responsionem que erit secundum deum et honorem nostrum. et cum suprascriptis et
aliis bonis et utilibus verbis et rationibus, quas cum honore nostro et cum honestate
videbitis dicere posse pro inducendo ipsum dominum imperatorem ad istam nostram
intentionem, debeatis hoc procurare et facere quod istud sequi possit.   [*3*] verum quia ¹⁰
dominus imperator, quando adhuc foret dispositus ad condescendendum ad interpositionem
pacis, posset vobis dicere, quod est ibi cum multis gentibus et cum maxima expensa
sua et Florentinorum, et quod tales tractatus semper longissimi sunt, et si deberet sic
frustra stare et attendere ad videndum finem dicti tractatus: vos poteritis dicere, quod
sua majestas bene scit terminos in quibus est, et si videbit bene posse guerriçare et ¹⁵
facere facta sua, istud poterit facere ad beneplacitum suum, quia per hoc non restabit
quin procedatur ad tractatum predictum quanto prestius esse poterit.   [*4*] et si obtinere
poteritis nostram intentionem predictam ab ipso domino imperatore, ita quod sit contentus
de ista nostra interpositione quod possimus procurare cum domino comite Virtutum ea
que superius dicta sunt, tunc volumus, quod vos tenere debeatis modum de essendo vel ²⁰
secum vel cum ex suis baronibus et principibus quos vobis deputaret, ad habendum in
scriptis intentionem et voluntatem suam (scilicet ipsius domini regis) et illa que ipse
vellet requiri et procurari debere per nos seu per nostram ambassiatam ab ipso domino
comite Virtutum pro veniendo ad istam viam concordii et conpositionis; dando operam
toto posse vestro cum illis verbis et rationibus que vobis videbuntur honeste posse dicere ²⁵
et allegare, quod ipse dominus rex seu sui ponant se ad faciendum tales et sic rationa-
· biles requisitiones, quod possit sperari de inducendo ad illas alteram partem, et quod
non fiant ita excessive peticiones, quod non possit ullo modo de pace haberi spes. et
cum illas habueritis, conferendo etiam si vobis videbitur utile de modo et forma servan-
dis in mittendo nostram ambassiatam, sumpto amicabili comeatu Venetias redeatis de ³⁰
omnibus informati.   [*5*] et quia cognoscimus posse esse non solum utile sed necessarium ad istam nostram intentionem obtinendam habere propicios et favorabiles magnificum dominum Paduanum et etiam oratores Florentinorum, comittimus vobis, quod cum
eritis Padue suo loco et tempore quando vobis videbitur procuretis esse cum nostris
literis credentialibus tam cum ipso domino Padue quam cum dictis oratoribus, et, factis ³⁵
eis illis salutationibus et oblationibus que vobis convenientes videbuntur, cum illis sapientibus et dextris modis ac verbis que vestre sapientie videbuntur detis operam de apperiendo eis istam mentem et intentionem nostram, rationes et causas omnes nos moventes
(que omnes sunt ad finem bonum ᵃ quietis et pacis Italie et notanter suarum ᵇ terrarum
et locorum suorum), dubia et pericula que videmus, bona et mala que ex utraque parte ⁴⁰
sequi possunt; inducendo eos toto posse vestro, quod sint propicii et favorabiles apud
ipsum dominum regem et suos, quod condescendat ad volendum quod nos introducamus
et queramus tamquam saniorem et utiliorem in presenti istam viam reconciliationis et
pacis.   [*6*] si vero non possetis obtinere ab ipso domino rege vel a suis istam nostram
intentionem, quod essent contenti quod nos quereremus istam viam ᶜ pacificam pacis et ⁴⁵
concordie, tunc est nostra intentio, quod in isto casu vos debeatis audire et intelligere
omnia illa que vobis ipse dominus rex vel sui dicere vellent de mente et intentione sua,
per quemcumque modum trahere et sentire totum quod poteritis, et dicere quod super

a) *cod.* bom.* b) *cod.* sua. c) *cod.* via.

illis non possetis sibi dare deliberatam responsionem, sed quod habetis in mandatis scribendi nobis et non recedendi deinde, sed expectandi nostrum mandatum. et ita facere
debeatis, quia dabimus vobis presto nostram responsionem. verum quia res possent esse
talis importantie, quod vos[a] fortasse, qui eritis presentes factis, judicaretis et cognosceretis
5 utilius et salubrius quod unus vestrum et fortasse ambo veniretis ad nostram presentiam
ad informandum nos oretenus et districtius de omnibus factis deinde et de omnibus que
habuissetis, in isto casu confidentes de vestris virtutibus reliquimus in libertate vestra
veniendi ambos vel unum vestrum secundum quod vobis videbitur, faciendo semper
illam excusationem que vobis videbitur pro informando dominum imperatorem de presto
10 reditu vestro vel illius ex vobis qui ad nos veniret.   [7] insuper, quia cognoscimus
posse esse non solum utile sed necessarium, quod dominus imperator se intelligat cum
summo pontifice et quod summus pontifex sibi faveat, volumus et comittimus vobis,
quod, si dominus imperator predictus erit contentus de nostra interpositione, vos suo
loco et tempore debeatis cum illis verbis que vobis expedientia videbuntur reducere sibi
15 ad memoriam, quod procuret quod ipse dominus papa provideat per editum generale
vel aliter ut sue sanctitati videbitur, quod nullus ex censualibus et obligatis sancte matris
ecclesie audeat ire ad servitium alicujus persone que foret contra eum et statum suum,
et quod, si aliqui forent, infra illud tempus et sub illis penis que videbuntur sanctitati
sue ipsi recedere debeant, cum talis prohibicio et talis fama erit multum utilis proposito
20 et intentioni regie.

De parte 6.

Non 32. 45. 46. 50. 53.

Non sinceri 20. 26. 23. 21. 17.

61. *Berathung des Raths zu Venedig über die Instruktion für die 2 gen. Gesandten* *1401*
25   *an K. Ruprecht: 1b Vorschlag des Petrus Aymo und Leonardus Bembo. 1401* *Nov. 25*
    Nov. 25 Venedig [1].

Aus Venedig St.A. Deliberazioni, secreta, senato 1, registro 1 fol. 35[a] *mb. coaev.*

1401 inditione decima die 25 mensis novembris.

Ser Petrus Aymo miles ser Leonardus Bembo sapientes consilii volunt, quod fiat
30 commissio dictis ambassiatoribus   [1] cum primo capitulo comissionis posite per eos die
24 mensis hujus [2]   [2] et cum principio secundi capituli usque ad $\boldsymbol{P}$[3], et continuando
postea: [2a] sed quia ipsi oratores nostri in ipsa relatione nobis facta per eos dicere
habuerunt, quod serenitas sua eis dixerat, quod ipsa sperabat per eos habere responsum
ad requisitiones nobis factas per suos oratores, et quod, postquam talis responsio eis comissa
35 non fuerat, propterea requirebat quatenus placeret nostro dominio mittere ad suam
presentiam suos oratores cum mandato ad plenum per quos haberet responsionem ad
consilium auxilium et favorem quem requirit a nobis: pro tanto nos misimus vos et
comisimus vobis, quod ad illas partes deberetis sibi particulariter respondere.   [2b] et
primo ad primam partem consilii nos dicimus, quod talem requisitionem consilii nostri,
40 nunc per serenitatem suam factam et alias etiam per ejus oratores, nos cognoscimus
processisse et procedere ab immensa clementia et benignitate sua et a fide concepta de
nobis et nostro dominio, non quia sit sibi necessarium, cum, sicut toti mundo est

a) *cod.* vobis.

[1] *Am 25 Nov. wurde auch nr. 59 wider einge-*
45 *bracht, s. S. 110 nt. 5.*
[2] *S. bei uns nr. 58.*

[3] *S. das Zeichen nach art. 2 des genannten*
Vorschlages nr. 58.

1401
Nov. 25 publicum et manifestum, in sua excellentia viget tanta sapientia et tanta virtus et
magna experientia rerum mundi, venit etiam in tanto et tam glorioso opere, in quo
agitur de honore sancte matris ecclesie et generaliter totius Christianitatis, reformatione
imperii, quiete et pacifico statu Italie, fama et gloria perpetua sue sublimitatis et domus
sue, ita munitus solemni et maturo consilio, quod nostrum non est sibi modo aliquo 5
opportunum.   [*3 c*] sed quando placeret sue serenitati velle omnino audire opinionem
et parere nostrum, ipsa si libet potest singulariter vobis exprimere illud quod intentionis
et beneplaciti sui foret, quia habetis in mandatis a nobis, notificandi nobis celeriter, ut
possimus particulariter respondere; et reddat se certam sua serenitas, quod ipse habebit
a nobis parere nostrum et nostram responsionem cum illa puritate et sinceritate cum 10
qua diceremus in factis spectantibus proprie et principaliter ad nostrum comune.   [*3*] ad
alias partes auxilii et favoris nostri nos dicimus et respondemus sue serenitati, quod,
sicut majestati sue notorium esse potest, dominatio nostra pro se et colligatis suis jam
duobus annis vel circa firmavit pacem cum domino comite Virtutum et colligatis suis,
hic ad nostram presentiam validatam [a] et firmatam [b] solemnibus juramentis et maximis 15
penis 100 000 ducatorum cuicumque contrafacienti tociens quociens contrafieret [1], que
pax ratificata fuit et approbata per omnes colligatos utriusque partis, ita quod neque
secundum deum neque secundum nostrum honorem non videretur nobis posse rumpere
dictam pacem, si volet [2] facere de his que sint cum honore sancte matris ecclesie
honore et exaltatione imperialis majestatis sue quiete [c] et securitate [d] Italie et habi- 20
tatorum ejus.   [*3 a*] et propterea videretur nobis de mittendo ad eum nostram solemnem ambassiatam ad inducendum et procurandum, quod velit facere ut superius dictum
est [3], sperantes quod mediante divina gratia et his que cum veritate dici et allegari
poterunt contradicere non deberet. et quando istud obtineri posset, non dubitamus ymo
certi sumus, quod clementia sua esset magis contenta habere intentionem suam per istum 25
modum, quam vi armorum et subjacere periculis guerrarum.   [*4*] et si dicto domino
imperatori esset consonans ista nostra opinio, tunc volumus, quod presto scribatis nobis
sotum quod habebitis ab eodem vel veniatis unus vestrum ad informandum nos, ut pos-
timus sicut fuerit expediens providere; et similiter volumus quod facere debeatis in casu
quo non consonaret sibi, quia tunc tamquam plenius informati nos poterimus lucidius 30
respondere ad illud quod erit honoris sue serenitatis.   [*5*] verum si diceret de non
volendo perdere tantum tempus quantum esset missio et tractatus istius ambassiate, tunc
poteritis dicere sue serenitati, quod istud non haberet impedire aliquam suam intentionem,
quia potest disponere et facere ut faceret sine dicto tractatu, nam ita semper fit in factis
armorum, ymo in talibus tractatibus solet virilius guerriçari pro veniendo ad meliorem 35
pacis conclusionem.   [*6*] ceterum comittimus vobis, quod, exposita ambassiata nostra
vobis comissa domino imperatori supradicto, suo loco et tempore quando vobis videbitur
vos debeatis esse cum magnifico domino Padue et ab eo persentire de potentia domini
imperatoris de motibus et progressibus suis de mente et intentione sua et de omnibus
aliis ad istam materiam spectantibus et pertinentibus, procurando trahere ab eo et 40
sentire suam intentionem circa istam materiam, et si aliquid habet vel sentit de intentione domini imperatoris circa hoc, et totum quod habueritis nobis particulariter
denotetis.   De parte 21.

a) cod. — a.   b) cod. — a.   c) cod. — tem.   d) cod. — tem.

---

[1] *Der Friede zu Venedig vom 21 Merz 1400*   [2] *D. h. Johann Galeazzo.*
art. 14, s. Note zu nr. 260 Bd. 4.   [3] *D. h. eben vorher in art. 3.*

62. *Berathung des Raths zu Venedig über die Instruktion für die 2 gen. Gesandten* ¹⁴⁰¹
an K. Ruprecht: IIa Vorschlag des Rambertus Quirino. 1401 Nov. 25 Venedig. ^{Nov. 25}

Aus Venedig St.A. Deliberazioni, secreta, senato 1, registro 1 fol. 35 b mb. coaev.

1401 inditione decima die 25 novembris.

Ser Rambertus Quirino vult, quod fiat comissio dictis ambassiatoribus in hac forma,
videlicet: [*1*] nos Michael Steno dei gratia dux Venetiarum et cetera comittimus vobis
nobilibus viris Petro Aymo militi et Karolo Geno procuratori ecclesie sancti Marci, quod
debeatis ire *in* nostros solemnes oratores ad serenissimum dominum Romanorum regem
Padue existentem. cui presentatis literis nostris credentialibus vobis exhibitis facietis
reverentiam debitam et recomendationem de nobis et statu nostro secundum quod sapientie vestre videbitur, supplicando creatori nostro, quatenus dignetur conservare et
felicibus successibus exaltare suam serenitatem quemadmodum animus suus optat, quia
de omni exaltatione et prospero statu suo semper consolationem maximam assumemus
velut devoti sue majestatis et imperii sui. [*2*] subsequenter exponetis eidem, quod,
sencientes per oratores nostros, quos misimus ad honorandum suam sublimitatem in
transitu quem fecit per terras nostras Tarvisinas et Cenetenses, de bona convalescentia
excellentissime persone sue, serenissime domine regine et illustrium natorum ejus ac
aliorum principum et dominorum qui secum sunt, nos remansimus maxime consolati,
cum timentes viarum dubia et pericula et multa alia que sepe accidunt exercitantibus
armorum exercitium stetissemus maxime in dubio et suspenso. [*3*] et quia ipsi oratores dixerunt nobis, quod fuerunt requisiti a sua serenitate, si dabant sibi responsum
ad illa que alias requiri a nobis fecerat per oratores suos, et quod responsum dederant
quod non, et causam propter quam: nos comisimus vobis, quod deberetis sibi dicere
parte nostra quod dominatio nostra dixit alias suis oratoribus qui fuerunt ad nostram
presentiam, quod, quocienscumque sua serenitas foret in partibus Italie, ipsa inveniret
nos semper dispositos et paratos in dei reverentiam bonum reipublice Christiane et contemplationem sue sublimitatis ad illa que cum honore nostro videremus posse facere
concernentia honorem suum et bonum tam pii et laudabilis operis. [*4*] insuper comisimus vobis, quod, quia modo de novo majestas sua eisdem oratoribus nostris dixerat
quod per dictam ambassiatam ad presentiam suam mittendam faceremus sibi responderi
ad consilium auxilium et favorem quem requirit et a nobis vellet habere, quod ad istam
partem vos deberetis sue excellentie respondere, *quod* nos videmus et cognoscimus clare
et manifeste, et istud generaliter predicat totus orbis, quod excellentissima regia majestas
est per dei gratiam dotata tanta sapientia et virtute, habet etiam tantam praticam et experientiam rerum mundi, preterea venit ita fultus solemni et maturo consilio principum
et baronum suarum partium, quod nostrum non est necessarium. [*4 a*] nichilominus
habetis in mandatis a nobis, si serenitati sue placet super dictis requisitionibus consilii
auxilii et favoris requisiti a nobis apperire vobis et exprimere mentem suam, audire et
intelligere quecumque dicere voluerit et de illis nos celeriter informare, ut majestati sue
postea possimus facere responderi. [*5*] et si ipse dominus rex erit contentus apperire
nobis et declarare particularius et clarius mentem et intentionem suam, ut de illa possimus presto per vos esse informati et respondere, sumus contenti, quod audiatis et in-
telligatis totum illud quod ipse dicere voluerit et declarare de mente et intentione sua,
et quod presto per literas vel per unum vestrum teneatis modum quod simus de omnibus informati, ut possimus vobis dare illam responsionem que nobis videbitur et placebit,
procurando toto posse vestro, quod super predictis habeamus totam illam declarationem
quam nobis dare poteritis et parere vestrum, ut possimus superinde melius et salubrius

15 *

1401
Nov. 25 deliberare et terminare.   [6] si autem diceret, quod alias per suos oratores ipse declaravit intentionem suam, que est quod deberemus inimicari dominum Johannem Galeaç et conplices et sequaces suos et secundario quod debeamus sibi prebere subventionem gentium armigerarum et navigiorum per aquam et per terram, et quod ad istas partes promiseramus et dixeramus oratoribus suis de dando responsionem per nostram ambas-   5 siatam jam creatam: ad istud volumus, quod vos dicere debeatis, quod, quia sua majestas modo ultimate nobis fecit et facit istam suam requisitionem ita generalem de volendo habere consilium auxilium et favorem nostrum, non apparuit nostro dominio necessarium dare vobis mandatum aliquod ᵃ superinde nec comittere aliud quam illa que sibi superius dicta sunt.   10

De parte 13.

Non 33. 62. 61. 61. 62.

Non sinceri 20. 14. 14. 14. 12.

1401
Nov. 28 **63.** *Berathung des Raths zu Venedig über die Instruktion für die 2 gen. Gesandten an K. Ruprecht: III Vorschlag des Dogen. 1401 Nov. 28 Venedig.*   15

Aus Venedig St.A. Deliberazioni, secreta, senato 1, registro 1 fol. 36ᵃ-37ᵃ *mb. coaev.*

1401 inditione decima die 28 novembris.

Dominus dux vult, quod fiat comissio nobilibus viris ser Petro Aymo militi et ser Karolo Geno procuratori ecclesie sancti Marci oratoribus nostris ad serenissimum dominum Romanorum regem in hac forma, videlicet: 20

[1] Nos Michael Steno [*weiter wörtlich, bis auf ganz unbedeutende kleine formelle Abweichungen, wie nachher art. 1 in dem Beschluß nr. 66 vom 28 Nov.*].   [2] subsequenter exponetis [*weiter ebenso wie art. 2 in demselben Beschluß, doch endend mit den Worten* stetisset multum dubius et perplexus, *dann weiter:*]   [2ᵃ] sed quia in conclusione suorum verborum nobis dicere habuerunt, quod fuerant a sua excellentia 25 requisiti, si dabant responsum ad illa que per suos oratores alias a nobis requiri fecerat, super quibus per nostram legationem respondere promiseramus eidem, et dum respondissent nil superinde a nobis in mandatis habuisse, dicendo causam propter quam, sua serenitas sibi dixit quod deberent nobis dicere parte sua quod vellemus nostram ambassiatam ad presentiam suam mittere que sibi preberet responsum super requisitione quam 30 nobis facit consilii auxilii et favoris quem requirit a nobis: pro tanto nos misimus vos ad suam presentiam juxta suam requisitionem, ut possetis sue excellentie super dictis requisitionibus nomine nostro respondere.   [3] et primo ad primam partem consilii, quod a nobis sua majestas in istis suis factis habere vult, nos respondemus et dicimus in hac forma, videlicet quod nos cognoscimus clare ᵇ et manifeste, quod talis requisitio 35 nostri consilii procedit ab innata et solita sua clementia et benignitate, et non quia sibi aliqualiter oportunum est ᶜ, quia clarissime videri et conprehendi potest per experientiam, optimam cunctarum rerum magistram, et ita predicat universus orbis ᵈ, quod in sua serenitate viget tanta sapientia tanta virtus estque tanta pratica agibilium mundanorum, scimus etiam in ista sua impresia (in qua agitur de exaltatione ecclesie sancte dei refor- 40 matione imperii quiete Italie fama et gloria perpetua sue sublimitatis et domus sue) ipsum venisse munitum ita solemni et maturo consilio, quod nostrum non est eidem aliqualiter oportunum, cum sine illo coadjuvante divina gratia cuncta sua opera sapienter et mature disponet salubriter gubernabit et optato fine concludet. referimus tamen ex hoc sublimitati sue si non debitas gratiarum quantas possumus actiones.   [4] ad 45

---

a) cod. aliquid.   b) cod. *widerholt* clare.   c) om. cod.   d) om. cod.

secundam partem auxilii et favoris quem requirit a nobis et quem alias per suos ora- *1401*
tores hoc modo declarari fecit, scilicet de inimicando dominum Johannem Galeaç comitem *Nov. 28*
Virtutum conplices et sequaces suos et de dando sibi auxilium gentium armigerarum et
navigiorum per terram et per aquam, respondemus, quod (deus qui corda omnium videt
5 et noscit est nobis testis et scit quod vera loquimur) intentio et dispositio nostri dominii
ad honores et beneplacita sua regia est sincera et bona quantum esse posset in his que
cum honore nostro facere valeamus. sed ut nota sibi sint omnia utque sciat terminos
et conditiones in quibus nos reperimus cum supradicto domino Johanne Galeaç Virtutum comite: alias guerra atroci et discordia inter ipsum et colligatos suos ex una parte,
10 magnificam civitatem Florentie et colligatos ejus ex altera, in partibus Lombardie et
Tuscie seviente in tantum quod secuturam ruinam maximam videbamus, volentes
nostrorum antecessorum vestigia imitari, per nostras solemnes ambassiatas ad utramque
partium missas procuravimus velle inter eas pacem ponere et comodum sibi dare et,
dum contente forent de interpositione nostra apud interpositionem summi pontificis qui
15 obtulerat se ad idem providendum, cum oratore apostolico qui huc venit statuto die
legationes omnes ad nostram presentiam convocare [1]. quibus advenientibus [a] intravimus
in praticam dicte pacis, in qua per plures [b] dies septimanas et menses stetimus, teste
deo non sine maximis laboribus et persepe cum mentis nostre maxima passione, videntes
fore impossibile ut sperabamus concludere dictam pacem. et dum tractatus rupti et
20 imperfecti remansissent et partes repatriandi jam licentiam assumpsissent [c], nos, revolventes
in animo infinita mala, que secutura erant, incendia depopulationes hominum strages
furta et rapinas [d] et his similia que oriuntur ex guerris, et, si modus foret, optantes his
erroribus et inconvenientiis obviare, multis et diversis cogitationibus et considerationibus
superinde factis et nullam aliam factibilem viam vel possibilem nisi hanc finaliter co-
25 gnoscentes, rebus spectantibus in terminis in quibus erant, deliberavimus intrare in unionem et ligam colligatorum predictorum, vel, ut proprius loquamur, de novo ligam contrahere cum eisdem, cum conditione, quod per expressum nobis potestas et arbitrium
preberetur possendi durante dicta liga facere cum ipso domino comite Virtutum pacem
et treuguam atque guerram, sicut quando et qualiter videretur et placeret nobis, et quod,
30 secundum quod per nos deliberaretur, et fieret, ita quod per ipsos colligatos deberet
inviolabiliter observari, considerantes quod conclusa ipsa liga possemus melius postea
intentum nostrum pacis ducere ad effectum. conclusa autem liga et atributa nobis per
illam libertate predicta, de presente providimus mittere ad ipsum dominum comitem
Virtutum nostram ambassiatam solemnem, per quam distincte dici fecimus de contractu
35 ipsius lige facto per nos cum collegatis antedictis et de causa principali, que fuerat et
erat ad finem solum possendi dare sibi et eis ac toti Italie quietem et pacem, et non,
quia dispositio nostra foret velle intrare in guerram secum nec cum colligatis suis, nisi
ex toto se retraheret a rebus licitis et honestis, quia tunc clarissime videremus ipsum
velle omnino a via pacis discedere, rogantes eundem in conclusione, quatenus sincere ad
40 pacem suum animum inclinaret et quod vellet quod per [e] interpositionem nostram, qui
nil aliud querebamus quam pacem rationabilem et honestam, ad illam posset effectualiter
deveniri. verum quia totalis conclusio dicte pacis videbatur pro tunc valde difficilis et
velle longum temporis intervalum, ut haberetur medium ac suspensio in offensis et ne
multiplicaretur in majores inconvenientias et errores, proposuimus viam treuguarum et

a) cod. advenientimus. b) cod. pluries. c) cod. assupsissent. d) cod. rapine. e) cod. add. et.

[1] *Die Verhandlungen begannen im December 1397 und führten erst im Mai bzw. am 6 Juni 1398 zu einem Waffenstillstand, der dann am 21 Merz 1400 in einen Friedensschluß überging, s. Sozomenus bei Muratori Script. rer. Ital. 16 pag. 1165-1169.*

1401
Nov. 28 sufferentiarum, qua per longum tempus discussa et [a] subtiliter agita finaliter sicut domino placuit conclusimus in treuguas annorum decem, promittentes tamen domino comiti ante-dicto, quod ipso tempore non obstante, quanto prestius et celerius valeremus, studeremus partes ad bonam pacem reducere, ut earum mentes et animi forent et remanerent magis taciti et contenti. post lapsum autem alicujus temporis et non magni, solicitati sepe ab [5] eodem de veniendo ad tractatum pacis, ut promissa per nos adimplere valeremus, nostros solemnes oratores pro tractatu et pratica dicte pacis ad presentiam suam misimus, qui post satis longum temporis spacium formam et capitula dicte pacis in termino conclusio-nis vel prope conclusionis terminum reduxerunt et, novit deus, non sine magnis labori-bus displicentiis et rancoribus. quibus in dicto termino reductis et [b] positis [c], pro majori [10] validatione et meliori observantia promissorum fuimus contenti, quod conclusio dicte pacis per nos fieret et quod contractus foret in nostra presentia stipulatus. unde rede-untibus oratoribus nostris predictis Venetias et cum illis seu immediate post illos ora-toribus dicti domini comitis cum plenaria libertate, posito contractu in ordine et in forma, dono dei qui dignatus fuit nobis tantam gratiam manifestare, conclusimus pacem [15] secum. in qua ipse seu oratores sui suo nomine stipularunt pro eo colligatis conplicibus et sequacibus suis, nos et comune nostrum pro nobis colligatis conplicibus et sequacibus nostris, promittentes ad invicem juramento solemni super sacris evangeliis prestito per utramque partem omnia et singula in dicta pace et in ejus capitulis contenta [d] inviola-biliter observare sub pena 100 000 ducatorum tociens comittenda et exigenda quociens [20] fuisset in aliquo contrafactum [1]. qua pace, per nos celebrata, mature et diligenter exa-minata, examinatis etiam omnibus et singulis in quibus per capitula ejus obligati sumus juramentis solemnibus per nos factis obligationibus et penis quibus contrafacientes in-currimus, notantes etiam et in animo revolventes quod una de singularibus virtutibus de quibus [e] civitas nostra a fundatione sua citra inter orbis alias potest singulariter [25] gloriari est quod promissa per antecessores nostros quoslibet et per nos voluimus semper ad unguem omnibus inviolabiliter observare, considerantes etiam quod jam pluribus annis pro honore sancte matris ecclesie conservatione fidei catolice et imperii Constantinopoli-tani ac aliarum partium deinde nos sumus in guerra cum Turchis, in qua usque in presentem diem ultra amissiones hominum nostrorum damna et interesse mercatorum [30] nostrorum expendimus ducenta millia florenorum et ultra, et expedit ut similiter quotidie expendamus et omni die plus, cum facti sint multum vicini [f] terris nostris et per terram et per mare damnificent loca nostra, ita quod expensa nobis erit multo major quam ipsa fuerit usque nunc et in tantum quod intrando etiam in guerram et novitatem terrestrem gravissima nobis foret, et multis aliis [g] ad que expedit ut habeamus respectum: [35] non videmus posse intentionem suam regiam de inimicando dictum dominum Johannem Galeaç conplices et sequaces suos sine denigratione honoris et fame nostre nobis per antecessores nostros adquisite et per nos hucusque de dei gratia conservate aliquatenus adimplere, quod, sumus certi [g], serenitas sua regia, quam scimus singulariter diligere justiciam et honestatem, per nos fieri nolet. et propterea supplicamus, ut rationibus [40] omnibus predictis consideratis tamquam justissimus princeps dignetur nos habere merito excusatos. [5] ad alteram autem partem auxilii sibi dandi de gentibus armigeris et de navigiis per terram et per aquam respondemus, quod, sicut excellentia sua vidisse potuit, nos in locis nostris nullas gentes armorum habemus nec tenemus, de quibus

---

a) *cod.* sweimal *et.* b) *cod.* sweimal *et.* c) *cod.* possitis. d) *cod.* capitula contentis. e) *cod. add.* habet. f) *cod.* [45]
vicinis. g) *dieß oder ein ähnliches Wort om. cod.*

[1] *Der Friede zu Venedig am 21 Merz 1400 art.*   [2] *sc.* examinatis.
14, s. Note zu nr. 260 Bd. 4; publiziert wurde
derselbe in Florenz am 11 April, s. Sozomenus bei
Muratori Script. rer. Ital. 16, 1169.

possemus subventionem ullam sibi dare; nam in dictis locis non tenemus nisi tot[a] *1401 Nov. 28*
famulos pedestres quot sufficiunt ad elevationum positionem[b] et custodiam hostiorum[1].
de facto autem navigiorum rei veritas est per ea que clare habemus: dominus comes
Virtutum, informatus de suo adventu ad partes Italie, intelligendo se · cum domino
5 Mantue qui secum est, in Pado inter duo castra que sunt sibi opposita de directo
(unum dicti domini comitis quod dicitur Hostilia, alterum dicti domini Mantue quod
nominatur Revere[2]) fecit fieri ob dubium navigiorum que vellent ire in territorium
suum unam fortissimam çatam[3] cum aliquibus bastionis bastitis pallatis catenis et aliis
edificiis et cum multis bombardis[4]; et secundum informationem, quam habemus ab illis
10 per quos fecimus videri et examinari opera antedicta, difficillimum ymo impossibile foret
quibuscumque vincere et transire dictum locum; ita quod bene considerare potest sua
serenitas, quam subventionem per illam viam possemus de navigiis sibi dare. nichilominus reddat se certam, quod nos sumus devoti çelatores, deus novit, glorie et honoris
sui et quod sua majestas inveniet nos paratos ad omnia illa que de tempore in ipsis
15 videbimus posse facere cum honore nostro et exaltatione sua et sui imperii.   [6] et
cum predictis et aliis rationibus verbis et modis qui cum honore nostro vobis caderent
in proposito justificabitis et fortificabitis dictam nostram responsionem tamquam justam
rationabilem et honestam, ita quod toto posse vestro ipse dominus imperator sicut
speramus tamquam justus princeps de illa remaneat contentus. et si istud pototeritis
20 obtinere, sicut considerandum est, mediantibus sapientibus allegationibus et rationibus
que dicentur per vos, sumpta a sua ˉserenitate licentia cum illis benivolis verbis que
vestre sapientie videbuntur Venetias veniatis de omnibus novis motibus et conditionibus
deinde plenissime informati.   [7] si vero ipse dominus imperator non remaneret contentus de dicta nostra responsione et vobis aliquid diceret vel replicaret super illa aut
25 de novo proponeretis et requireret, ad quod videretis non posse dare responsionem sine
nostra licentia et mandato, in his casibus, quia eritis presentes factis et videbitis et
cognoscetis bene naturam et importantiam omnium que dicta vobis fuerint et proposita,
relinquimus in libertate vestra scribendi nobis totum et parere vestrum vel veniendi
unum vestrum secundum quod deliberabitis fore utilius et melius.   [8] ceterum comit-
30 timus vobis, quod suo loco et tempore visitare debeatis parte nostra sub literis nostris
credentialibus quas vobis fecimus exhiberi excellentissimam dominam reginam illustres
natos suos et illos alios principes de his qui sunt cum domino imperatore, qui vobis
videbuntur, ac magnificum dominum Padue, utendo cum unoquoque eorum illis amicabilibus et pertinentibus verbis que vestre sapientie videbuntur; reducendo vobis ad
35 memoriam quod de die in diem et quanto sepius poteritis simus a vobis de omnibus
occurrentibus vestris literis informati.

De parte 32. 40.

---

a) *cod.* toto. b) *cod.* ponem *oder* ponem *mit Überstrich.*

---

[1] *D. h.* ostiorum.
[2] *Ostiglia und Revere zwischen Mantua und*
[a] *Ferrara.*

[3] *S. Du Cange s. v.* gatus *bezw.* gata, machina
bellica.
[4] *Vgl.* nr. 45 art. 2. 3.

64. *Berathung des Raths zu Venedig über die Instruktion der 2 gen. Gesandten an K. Ruprecht: III a Vorschlag des Johannes Cornario. 1401 Nov. 28 Venedig.*

Aus Venedig St.A. Deliberazioni, secreta, senato 1, registro 1 fol. 37 ᵃᵇ *mb. coaev.*

Die 28 novembris.

Ser Johannes Cornario caput de 40 vult, quod fiat comissio dictis ambaxiatoribus   5
in hac forma, videlicet:

[1] Nos Michael Steno dei gratia dux Venetiarum et cetera comittimus vobis nobilibus viris Petro Aymo militi et Karolo Geno procuratori ecclesie sancti Marci dilectis
et honorabilibus civibus nostris, quod debeatis ire Paduam nostri solemnes ambassiatores
et comparere coram presentia serenissimi domini regis Romanorum. cui facta debita   10
reverentia et presentatis nostris literis credentialibus debeatis recomendare nos et statum
nostrum sue serenitati cum illis reverentibus modis et verbis que vestre sapientie videbuntur convenientia excellentie sue regalis majestatis.   [2] subsequenter exponere
debeatis, quod misimus vos ad presentiam sue serenitatis responsuros parte nostra ad
illas partes et requisitiones nobis alias factas per oratores sue excellentie et nunc repli-   15
catas nobis de suo mandato per nostros oratores a sua presentia redeuntes, super quibus
diximus suis oratoribus quod per nostros faceremus responsionem sue majestati.   [3] et
primo ad partem inimicandi domino comiti Virtutum et ad auxilia petita contra ipsum
et cetera nos respondemus, quod, considerantes quantum illustrissima persona sue serenitatis semper fuit et est catolica justissima et sapientissima, deliberavimus pure et sincere   20
declarare sub conpendio sue excellentie aliqua secuta ab aliquo tempore citra inter dominum comitem Virtutum et nostrum dominium, cum plena spe quod sua clementia
benigne audiet et graciose acceptabit responsiones et verba nostra que sunt in hac
forma: videlicet quod pluribus annis elapsis, cognoscentes guerras et discordias existentes
inter magnificam comunitatem Florentie et dominum comitem Virtutum cedere ad dam-   25
num maximum tocius Italie, non cessavimus mittere nostros oratores non semel sed
pluries ad querendum et procurandum pacem et concordium inter partes, et ultra hoc
nostra dominatio convocatis ambassiatis partium in Venetias cum omni solicitudine et
diligentia laboravit et procuravit circa dictam pacem et concordium. denique, videndo
hanc nostram procurationem et interpositionem nullum bonum effectum producere, con-   30
clusimus ligam cum dominis Florentinis et colligatis suis solum ad finem pacis, quod
evidenter demonstratur quia voluimus habere libertatem faciendi pacem et guerram quando
et sicut videretur nobis. ex quo secuta fuit inter partes per nostram procurationem
primo treuga et postea pax firmata et promissa Venetiis ¹ sub pena 100000 florenorum
ac ratificata et jurata ad sancta dei evangelia, tactis sacrosanctis scripturis tam per   35
ipsum dominum comitem Virtutum pro se et colligatis suis ex una parte quam per nos
et comunitatem et alios colligatos nostros ex altera. et propterea supplicamus sue immense intelligentie, quatenus dignetur considerare predicta, quia videbit et conprehendet
responsionem quam possumus facere dictis suis requisitionibus, volendo servare sacramentum nostre dominationis, que non dubitat ᵃ ymo reddit se certam quod tamquam   40
catolicus justissimus et sapientissimus rex amat et ᵇ volet conservationem honoris et fame
nostre. nichilominus habeat pro constanti sua excellentia, quod nostra dominatio sequens
vestigia suorum progenitorum, qui semper fuerunt devoti sacri imperii, est et erit parata

a) *cod.* dubita.   b) *om. cod.*

¹ *Der Friede von 1400 Merz 21.*   44

in dei reverentiam pro bono Christianitatis et sua contemplatione ad illa que cum honore
nostro poterimus facere in honorem et exaltationem sue serenitatis et pro felici conclusione sancti sui propositi, tenentes pro constanti quod sua majestas in omni casu habebit
et tenebit nos et dominium nostrum in singulares devotos sui imperii, quia ita sumus et
5 intendimus esse continue temporibus in futuris.   [*4*] ad partem consilii a nobis requisiti respondemus, quod sua excellentissima serenitas est tantum sapientissima et fulcita
solemni et maturo consilio tot sapientum principum dominorum et procerum, quod nos
conprehendimus, peticionem hujus consilii procedere a sua maxima clementia et huma-
nitate pocius quam sit sibi necessarium.   [*4ᵃ*] sed nichilominus propter confidentiam
10 et fidem quam sua benignitas dignatur capere et facere de nobis, de quo referimus sue
excellentie quam humilimas gratiarum actiones possumus, quando sua majestas totaliter
se disponet velle audire et habere consilium et parere nostrum super istis factis, nos
fideliter dicemus opinionem et parere nostrum cum illa puritate et sinceritate cordis cum
qua consulimus nobis propriis et comunitati Venetiarum.   [*5*] et dictis his verbis
15 debeatis attente audire et intelligere diligenter responsionem dicti domini regis, et per
illos modos et cum illis verbis que vobis videbuntur util*ia* et neces*saria*, nullo modo
recedendo a substantia et effectu dictarum responsionum, debeatis dare vobis operam de
senciendo tam cum ipso domino rege quam cum aliis de suo consilio quam clarius
poteritis intentionem et voluntatem dicti domini regis super omnibus super quibus vobis
20 videbitur esse nobis necessariam informationem, sicut de prudentia vestra plene confidimus. et habita responsione a dicto domino rege et accepta illa pleniori informatione
quam poteritis et quam cicius poteritis, debeatis dicere dicto domino regi, quod habuistis
in mandatis a nobis revertendi ad nostram presentiam unus ex vobis ad referendum et
informandum nos de responsione et intentione ipsius domini regis nostrum dominium,
25 quod prestissime dabit responsionem ad illa que egebunt responsionem. et sic facere et
observare debeatis, videlicet venire unum vestrum ad nostram presentiam et alterum
non discedere de Padua sine nostro mandato.   [*6*] volumus etiam et vobis conmittimus, quod debeatis esse cum magnifico domino Padue, postquam fueritis cum domino
rege predicto, et facta salutatione et oblatione ac visitatione amicabilibus et convenien-
30 tibus parte nostra debeatis cum illis sapientibus et dextris modis et verbis que vobis
videbuntur procurare de senciendo ab ipso de quantitate et conditione potentie et gentium
dicti domini regis et de intentione voluntate et proposito ipsius domini regis et similiter
Florentinorum et etiam sue magnificentie, ut possitis plenarie nos informare.   [*6ᵃ*] si
vero casus daret, quod reperiretis vos cum ambassiatoribus Florentinis, volumus etiam,
35 quod cum illis sapientibus et cautis modis et verbis que vestre prudentie videbuntur per-
quiratis quam honestius poteritis sentire etiam ab eis de intentione dicti domini imperatoris et comunitatis Florentie.   [*6ᵇ*] sed avisamus vos, quod volumus, quod nec domino
Padue nec Florentinis nec alicui alteri nisi domino regi et suo consilio dicatis nec ape-
riatis vos de responsionibus per vos factis domino imperatori, salvo quod pro dando
40 predictis causam informandi vos de suis intentionibus bene potestis, sicut et quando vobis
videbitur utile et necessarium, dicere cum verbis generalibus, quantum nostrum dominium
est bene dispositum ad faciendum illa que cum honore nostro videbimus posse facere
concernentia honorem et exaltationem dicti domini regis et sacri imperii.   [*7*] insuper
debeatis quando vobis videbitur visitare nostra ᵃ parte serenissimam dominam reginam
45 et natos et dominum ducem Bavarie et alios principes et barones qui vobis videbuntur
cum illis amicabilibus verbis et condecentibus modis quos sciet bene observare et dicere
vestra prudentia, de qua plene confidimus.

  Et circa omnia predicta fecimus vobis assignari illas literas credentiales que sunt
vobis necessarie.   De parte 12.

50   a) *cod.* nostri.

¹⁴⁰¹ **65.** *Berathung des Raths zu Venedig über die Instruktion der 2 gen. Gesandten an*
^{Nov. 28}   *K. Ruprecht: IIIb Vorschlag des Leonardus Bembo. 1401 Nov. 28 Venedig.*

Aus Venedig St.A. Deliberazioni, secreta, senato 1, registro 1 fol. 38^b - 39^a *mb. coaev.*

Die 28 novembris inditione 10.

Ser Leonardus Bembo sapiens consilii vult, quod fiat comissio predictis oratoribus
in hac forma, videlicet:

[1] Nos Michael Steno [*weiter im wesentlichen mit geringen formellen Abweichungen
wie der Beschluß nr. 66 vom 28 Nov. art. 1.*]   [2] subsequenter exponetis [*ebenso im
wesentlichen wie nr. 66 art. 2, aber schließend* sepe fuerit dubius et perplexus, *weiter
dann:*]   [3] insuper exponetis, quod, quia nostri oratores nobis inter cetera in sua
relatione dixerunt, quod ab ipsa sua serenitate fuerunt requisiti, si dabant sibi responsum
ad requisitiones alias per suos oratores nobis factas, et, dum dicerent, quod de hoc nil
sibi comissum fuerat, ostendendo causam propter quam, sua serenitas requirebat quatenus placeret nostro dominio mittere ad suam presentiam nostros oratores cum mandato
nostro ad plenum, per quos faceremus majestati sue responderi ad consilium auxilium
et favorem quem vellet a nobis habere: pro tanto nos misimus vos ad presentiam suam
et dedimus^a, quod ad istam suam requisitionem sit nostro nomine respondere: [3 ^a] quod ⁀requisitionem istam, quam nobis facit sua serenitas, habendi nostrum
consilium, nos cognoscimus procedere ab immensa clementia et benignitate sua et a fide
et confidentia quam facit et sumit^b de nobis et nostro dominio, et non, quia sit sibi
necessarium, cum in sua serenitate vigeat tanta sapientia tanta virtus magnaque pratica
et experientia rerum mundi, est ita munitus solemni et maturo consilio procerum et
magnatum partium suarum, quod nostrum non est sibi modo aliquo oportunum.   [3 ^b] sed
quando placeret sue serenitati velle omnino audire opinionem et parere nostrum, ipsa si
libet potest particularius exprimere illud quod intentionis et beneplaciti sui foret, ut
possitis sibi particularius respondere. et reddat se certam sua serenitas, quod habebit
a vobis nostro nomine parere nostrum et intentionem nostram cum illa puritate et sinceritate qua diceretur in factis principaliter concernentibus nos et comune nostrum.
[4] et si ipse dominus rex, sicut credendum est propter illa que alias
peti per suos oratores fecit a nobis, diceret^c, quod consilium quod vellet a nobis est in
istis factis suis, et quod favor et auxilium esset quod nos deberemus inimicari domino
Johanni Galeaç conplicibus et sequacibus suis et prebere sibi auxilium gentium^d et
navigiorum per terram et per aquam vel alia similia: tunc in isto casu est nostra intentio, quod debeatis trahere ad partem, et ostendendo ac conferendo insimul, quantum
vobis videbitur, postea redeatis, et, ostendendo a vobis dicere, ipsi domino regi cum
illis benivolis pertinentibus et dextris verbis que vobis videbuntur dicere debeatis,
quod illa, que vos dicitis sue majestati, vos dicitis a vobis puro et sincero animo
uti diceretis nostro dominio: est verum, quod propter requisitionem, quam sua serenitas vobis fecit, de volendo quod debeamus inimicari dominum Johannem Galeaç
conplices et sequaces suos ac prebere sibi auxilium gentium et cetera (vel aliorum
similium que dixisset vobis quia proprie conprehendere vel scire non possumus formam
verborum suorum), vos consideratis hec que sua serenitas poterit audire, videlicet: quod
non est multum tempus (nam non sunt adhuc duo anni ¹), ex quo dominatio nostra pro

^a) *om. cod.* in mandatis? ^b) *mit Überstrich im cod.* ^c) *om. cod.* ^d) *om. cod.*

¹ *Seit 1400 Merz 21.*

se colligatis conplicibus et sequacibus suis firmavit bonam et solemnem pacem cum ipso ^{1401 Nov. 28} domino comite Virtutum conplicibus et sequacibus suis. qua pace[a] tractata per nos et in nostra presentia stipulata ac solemnibus sacramentis validata et penis, consideratis etiam et examinatis quod numquam fuit a seculo auditum quod nostra comunitas voluerit

5 aliquo modo promissionibus suis contravenire, ymo semper voluit eas omnibus indifferenter quibuslibet postpositis inviolabiliter observare in tantum quod hec comunitas inter alias orbis[b] ex hoc potest singulariter gloriari, onsiderantes etiam et videntes, quod pluribus annis (pro honore sancte matris ecclesie conservatione fidei[c] et ne civitas Constantinopolitana et alie partes Romanie in manus infidelium pervenirent cum evidentissimo periculo

10 tocius Christianitatis) ista civitas fuit in maxima expensa et quotidie expedit ut major sit, nam Turchi facti sunt potentes multum in mari et in terra, et in[d] partes predictas et etiam terras nostras vadunt quotidie damnificando in tantum quod, si sine nostro auxilio et defensione relinquerentur[e], faciliter perderentur cum manifestissimo periculo tocius Christianitatis: quibus omnibus et pluribus aliis que circa istam materiam dici et

15 considerari possunt consideratis[f] vobis difficile videretur, quod nostra dominatio vellet intrare in guerram cum dicto domino Johanne Galeaç et rumpere[g] dictam pacem, quia esset contra deum honorem et famam suam. [4[a]] nichilominus, si sublimitati sue placeret aliud vobis dicere vel proponere particularius super hoc vel super aliud, vos audietis ad beneplacitum suum, ut declarata vobis bene sua intentione ipse possit postea

20 clarius audire et habere nostram responsionem. [5] et quia non dubitamus sed sumus certi, quod dictus dominus imperator, auditis supraescriptis verbis dictis sibi per vos, se apperiet ulterius vobis et magis declarabit mentem suam, volumus et comittimus vobis, quod cum illis sapientibus modis qui vestro sapiente videbuntur studeatis sentire et trahere ab eo quantum clarius poteritis de mente et intentione sua circa istas suas requisi-

25 tiones et circa illud quod vellet a nobis; faciendo tamen hoc cum illa honestate que vestre sapientie apparebit. et cum habueritis et senseritis illud quod honeste videbitis posse ab eo sentire, quando etiam non haberetis ulterius quam ea que dicta sunt supra, volumus quod respondere sibi et dicere debeatis, quod certissime talia videntur vobis maxime importantie et ultra illa que conprehendebat dominatio nostra quod deberetis ab

30 eo habere, ita quod determinatam responsionem sue serenitati dare nullo modo possetis, nisi aliud haberetis in mandatis; et propterea, quia via brevissima est, deliberassetis quod de presenti unus vestrum veniat ad nos[h] ad informandum plene et distincte nos de omnibus que a sua excellentia habuistis et de eo quod foret de mente et intentione sua, ut data nobis informatione predicta possitis cum intentione et deliberatione nostra redire

35 et sibi clarius respondere. et ita volumus quod facere debeatis, veniendo cum plena informatione omnium et etiam sue conditionis et sue deliberationis et quorumcumque aliorum que possent nobis super ista materia aliquam dare lucem. [6] ceterum comittimus vobis, quod suo loco et tempore visitare debeatis parte nostra sub nostris literis credentialibus, quas vobis fecimus exhiberi, excellentissimam dominam reginam illustres

40 natos ejus et alios principes et dominos de his qui sunt cum ipso domino rege, utendo cum unoquoque eorum illis pertinentibus et benivolis verbis que vestre sapientie videbuntur. verum reducimus vobis ad memoriam, quod soliciti sitis ad significandum nobis de die in diem et de hora in horam omnia que habebitis et sencietis quomodocumque, ut semper simus a vobis de omnibus occurrentibus informati. [7] sed quia non est

45 dubitandum, quod dominus Padue per viam domini imperatoris senciet et erit informatus de ista nostra responsione et de omnibus factis predictis, quo considerato, considerato etiam quod de tempore in tempus comunicat nobiscum et informat nos de cunctis que

---

a) cod. que pax *und aus Versehen underholt*. b) cod. alios urbis. c) cod. fide. d) om. cod. e) cod. reliquerentur. f) om. cod. g) cod. rupere. h) cod. vos.

tractantur et fiunt, est tenendus modus de confirmando ipsum in dicto suo proposito et comunicare etiam secum de nostris responsionibus: comittimus vobis, quod, exposita vestra ambassiata domino imperatori, cum nostris literis credentialibus vobis exhibitis conpareatis coram eo et facta salutatione et oblatione generali cum illis verbis et modis qui vobis et vestre sapientie videbuntur informetis ipsum de responsione nostra data   5 dicto domino regi, procurando sentire ab ipso (et ita de tempore in tempus, licet non dubitemus quod a se faciet) de omnibus que sequentur et fient pro majori luce et informatione nostra et vestra ad illa que habebunt fieri et tractari per vos.

De parte 5.

Non 9.   10

Non sinceri 15. 24.

66. *Beschluß des Raths zu Venedig: Instruktion für die 2 gen. Gesandten nach Padua an K. Ruprecht. 1401 Nov. 28 Venedig.*

Aus Venedig St.A. Deliberazioni, secreta, senato 1, registro 1 fol. 38ᵃᵇ *mb. coaev.*
Erwähnt sind die Verhandlungen vom 24-28 Nov. summarisch kurz bei Mone Zeitschrift 15
für die Gesch. des Oberrheins 5, 298 ebendaher.

1401 inditione decima die 28 novembris.

Capta.   ser Benedictus Superancio procurator, ser Karolus Geno procurator, ser Justus Contareno sapientes consilii voluerunt, quod fiat comissio dictis ambaxiatoribus in hac forma, videlicet: 20

[*1*] Nos Michael Steno dei gratia dux Venetiarum et cetera comittimus vobis nobilibus viris Petro Aymo militi et Karolo Geno procuratori ecclesie sancti Marci dilectis nostris civibus, quod debeatis ire Paduam in nostros solemnes oratores ad conspectum serenissimi domini Romanorum regis. cui presentatis nostris literis credentialibus vobis exhibitis facietis parte nostra illam reverentiam et recomendationem de nobis et statu 25 nostro quam cognoscetis utilem et convenientem honori sue serenitatis et nostri dominii, supplicando creatori nostro quatenus dignetur conservare et felicibus successibus exaltare suam sublimitatem quemadmodum animus suus optat, quia de omni exaltatione sua et sui status nos semper participes erimus et velut devotissimi çelatores nominis sui et sue glorie consolationem maximam assumemus.   [*2*] subsequenter exponetis eidem, quod, 30 auditis novissime oratoribus nostris, quos misimus ad partes Tarvisinas et Cenetenses ad honorandum in transitu quem deinde fecit suam regiam majestatem, et nobis principaliter referentibus de bona et optima convalescentia excellentissime persone sue, serenissime domine regine et illustrium natorum ejus ac aliorum principum et dominorum qui secum sunt, nostra dominatio remansit maxime consolata, cum noster animus considerans peri- 35 cula incomoda et labores qui et que in armorum exercicio sepe portantur stetisset in magno dubio et perplexitate.   [*2ᵃ*] sed quia in conclusione verborum suorum nobis dicere habuerunt, quod fuerant a sua excellentia requisiti, si dabant sibi responsum ad illa que alias requiri a nobis fecerat per oratores suos et quibus per nostram ambaxiatam respondere promiseramus, et, dum dixissent quod non, dicendo causam propter quam 40 nil sibi tradideramus in mandatis, sua serenitas sibi imposuit ac dixit, quod deberent nobis dicere parte sua quod vellemus nostram legationem ad conspectum suum mittere, que sibi responsum daret ad consilium auxilium et favorem quem requirebat a nobis: pro tanto nos volentes suum beneplacitum adimplere misimus vos ad suam presentiam et dedimus in mandatis, quod ad ipsam requisitionem in hac forma respondere sue 45 majestati nostro nomine deberetis: [*2ᵇ*] quod (deus est nobis testis) de sua creatione, de prosperis successibus quos habuit in partibus Alemanie, de adventu suo ad partes Italicas imensas consolationes et leticias habuimus et habemus, sperantes in maximam

providentiam sue serenitatis, quod interveniente auxilio divino, cujus principaliter res
agitur, adventus suus erit utilis et fructuosus tam universali bono Christianitatis quam
reformationi sancte matris ecclesie paci et quieti tocius Italie et sui nominis glorie et
exaltationi. quibus omnibus in animis nostris consideratis nos alias oratoribus suis dixi-
5 mus, qui similem requisitionem nobis fecerunt formaliter parte sua, quod sua excellentia
certam se reddere poterat, quod, cum foret in partibus Italie, inveniret nos semper
dispositos et paratos in dei reverentiam bonum reipublice Christiane et contemplaíionem
sue serenitatis ad illa que cum honore nostro videremus posse facere concernentia honorem sue sublimitatis et pro bono operis tam laudabilis atque pii.   [2 *e*] sed si majestati
10 sue super predictis requisitionibus et aliis nobis factis placet particulariter aliquid exprimere vel declarare, vos habetis in mandatis a nobis, audire et intelligere omnia que
vobis dicere voluerit in predictis et nostro dominio cum omni celeritate facere manifesta,
ut possimus sue regie majestati facere responderi.   [3] et ut istud facere et implere
valeatis, scilicet de informando nos celeriter de omnibus que haberetis ab ipso domino
15 imperatore, relinquimus in libertate vestra, qui eritis presentes factis et melius videbitis
et cognoscetis gravitatem et importantiam eorum que habebitis quam nunc conprehendere
valeamus, secundum ea que habebitis et importantiam suam scribendi nobis omnia ordinate vel veniendi unum vestrum, secundum quod vobis utile videretur; reducentes vobis
ad memoriam, quod, si deliberaretis quod unus vestrum veniret, dominus imperator sit
20 de adventu suo informatus, ne sumeret admirationem, quia istud fit solummodo pro
celeriori expeditione agendorum.   [4] insuper volumus et comittimus vobis, quod, postquam exposueritis ambassiatam nostram domino imperatori predicto, vos debeatis esse
cum magnifico domino Padue et presentatis nostris literis credentialibus vobis exhibitis
facietis sibi salutationes et oblationes solitas, dicendo sibi quod habetis in mandatis a
25 nobis visitandi suam magnificentiam, utendo in ista visitatione illis amicabilibus verbis
que vestre sapientie videbuntur, et dando operam de senciendo ab eo de potentia dicti
domini imperatoris de mente et intentione sua de motibus et progressibus suis et de
omnibus aliis istam materiam spectantibus et concernentibus. et quicquid ab eo habere
et sentire poteritis, debeatis nobis presto per literas vel oretenus, secundum quod in
30 factis domini imperatoris deliberabitis, facere manifestum.   [5] comittimus insuper et
mandamus, quod suo loco et tempore visitare debeatis parte nostra sub nostris literis
credentialibus quas portatis excellentissimam dominam reginam illustres natos ejus et
illos alios principes et dominos qui sunt cum domino imperatore et ad quos portatis
dictas nostras literas, utendo cum unoquoque eorum illis amicabilibus verbis et pertinen-
35 tibus que vestre sapientie videbuntur; reducentes vobis ad memoriam, quod de die in
diem et quanto sepius poteritis simus a vobis de omnibus occurrentibus vestris literis
informati.   [6] potestis expendere in omnibus expensis quomodocumque vobis occurrentibus exceptis nabulis barcharum ducatos septem in die, ducendo ad dictas expensas
unum notarium cum uno famulo unum interpetrem quatuor domicellos pro quolibet et
40 unum coquum.

    Jurastis honorem et proficuum Venetiarum eundo stando et redeundo, et de ex-
pensis omni die vel omni tercia die ad minus videndis et examinandis, et de scripturis
per vos habitis in vestro reditu nostre curie juxta ordinem presentandis.

De parte 69. 73.

*D̲ec̲.̲*D̲ **67.** *Beschluß des Raths zu Venedig: Antwort auf K. Ruprechts Gesandtschaft betreffs*
Vorkehrungen zu seinem Rückzuge. 1401 December 9 Venedig.

Aus Venedig St.A. Deliberazioni, secreta, senato 1, registro 1 fol. 43 ᵃᵇ mb. *coaer.; zu*
Anfang links am Rande Ser Petrus Cornario procurator, ser Ludovicus Lauredano
procurator, ser Benedictus Superancio procurator, ser Karolus Geno procurator, ser ⁵
Donatus Mauro, ser Leonardus Bembo, ser Rambertus Quirino, ser Justus Contareno.
Auszug bei Mone Zeitschrift für die Gesch. des Oberrheins 5, 298 ebendaher.

Die 9 decembris.

Capta.   quod respondeatur istis oratoribus serenissimi domini Romanorum regis
ad illas partes sue ambassiate quibus non est data responsio.   [*1*] et primo ad primam, ¹⁰
quod placeat dare ordinem et mandare nostris rectoribus, quod dent sue serenitati et
gentibus suis transitum et receptum per terras et loca nostra in isto suo reditu, sicut
fecerunt in adventu ¹, et victualia pro suis pecuniis et precio conpetenti et cetera: quod
serenitas regia debet esse certissima, quod in nobis possibilibus sumus dispositi sue excellentie conplacere, et propterea potestati et capitaneo nostro Tarvisii et aliis nostris ¹⁵
rectoribus Tarvisanis et Ceneten*sibus* dabimus in mandatis, quod sue excellentie et gentibus suis prebere debeant per loca sibi conmissa transitum et receptum parando et
parari faciendo eisdem de victualibus quantum plus poterunt, ita quod de illis possint
habere pro suis pecuniis. sed quia sua majestas vidit pridie in suo adventu parvitatem
civitatis Tarvisine et quomodo gentes sue locari non potuerunt, ex quo secutum est ²⁰
quod major pars eorum passa est incomodum et sinistrum quod certe displicuit et graviter ᵃ nobis, pro tanto eidem supplicamus, quatenus dignetur, si habebit in illa moram
facere, quod provideat quod apud personam suam et suorum non intret major numerus
quam equorum trecentorum, quia potestas noster providebit, quod tales bene guberna-
buntur et locabuntur ibidem, et plures si videbit plures locari posse, alios vero faciet ᵇ ²⁵
stare intra burgos civitatis, qui sunt in tanta fortitudine ᶜ quod secure et sine dubitatione
stare poterunt, et per loca circumstantia, quia per istum modum omnes melius stabunt
et melius habebunt comodum suum. et ita etiam ordinabimus caballariis et gentibus
nostris, habentes carissimam securitatem persone serenissimi domini regis et suorum, quod
fiant ita bene custodie et advertentie quod erit de hora in horam de omnibus que ³⁰
occurrerent plenarie informatus. et sic mandetur dicto potestati et capitaneo nostro
Tarvisii. aliis autem rectoribus, per loca quorum ² rationabiliter transire possit, mandetur,
quod debeant ipsi domino imperatori et gentibus suis dare transitum et receptum per
loca et in locis sibi conmissis, providendo quod habeant de victualibus pro suis pecuniis
in quam majori copia poterunt.   [*2*] ad factum autem faciendi fieri pontem in Plavi ³, ³⁵
ut alias fecimus, respondeatur, quod nos mittemus de presenti illas personas, que alium ⁴
construxerunt, ad faciendum ipsum fieri facere, ut dominus rex requirit, si lignamina
reperientur ibi sicut alias reperta sunt; et si non reperientur ibi, quia dicta lignamina
faciunt transitum per ipsum locum nec stant continue ibi, ipse pons nullo modo fieri
posset. nichilominus et, si fieri poterit aut non, nos citissime faciemus majestati sue ᵈ ⁴⁰
fieri manifestum, declarantes quod, quando pons fieri non posset, sunt ibi guada satis
bona que guadari possunt.

.   De parte 70, non 35, non sinceri 20.

a) cod. gravit.   b) cod. faciat.   c) cod. fortidine.   d) cod. widerholt sue.

¹ *Vgl. nrr. 48-51.*
² *D. h. durch deren Orte.*
³ *Der Fluß Piave, lat. Plavis, den man auf*
dem Wege von Treviso nach Conegliano passieren
muß.

⁴ *D. h. die andere, früher beim Hinmarsch ge-* ⁴⁵
machte Brücke.

68. *Beschluß des Raths zu Venedig: ihrem gen. Gesandten in Padua soll mitgetheilt* 1401 *werden, was sie auf K. Ruprechts Gesandtschaft antworten, und daß er bis läng-* Dec. 9 *stens December 11 weitere Informationen erhalten wird; nebst Minoritätsvoten.* 1401 Dec. 9 Venedig[1].

> *Aus Venedig St.A.* Deliberazioni, secreta, senato 1, registro 1 fol. 43ᵇ *mb. coaev.; zu* Anfang des Beschlusses links am Rande Ser Petrus Cornario procurator, ser Ludovicus Lauredano procurator, ser Benedictus Superancio procurator, ser Donatus Mauro, ser Justus Contareno sapientes consilii.

Capta.   nobili autem viro ser Petro Aymo militi nostro oratori qui est Padue
10 notificetur ista ambassiata nobis portata pro parte domini imperatoris et responsio nostra 1401
sibi facta, concludendo eidem, quod speramus cum dei gratia quod crastina die vel die Dec. 10
dominico sequenti ipse erit plene informatus de mente et intentione nostra, et quod re- Dec. 11
linquimus in libertate sua possendi illas personas que sibi viderentur informare de eo
quod sibi scripsimus de mittendo sibi die dominico ad longius intentionem nostram.   Dec. 11
15   De parte 61. 77.

[*Minoritätsvotum I*] Dominus dux, ser Ludovicus Mauroceno, ser Jacobus Civrano
consiliarii, capita de 40 volunt, quod concludatur dictis oratoribus[2], quod nichilominus Dec. 10
die crastina nos expediemus oratorem nostrum qui est hic, per quem cum dei gratia die
dominico sequenti et socium[3] dici faciemus sue majestati fideliter et sincere ea que Dec. 11
20 cognoscimus redundare ad honorem et statum sue serenitatis, et ita etiam scribatur nostro
oratori.   De parte 38. 38.

[*Minoritätsvotum II*] Ser Phylippus Corrario consiliarius vult partem sapientum[4]
cum isto fine: et operari toto posse, quod dominus imperator predictus ante non recedat.
                            De parte 3, non 11, non sinceri 11. 11.

25 **69.** *Beschlüsse des Raths zu Venedig, betreffend Geschenke der Stadt Venedig an K.* 1401 *Ruprecht bei dessen Ankunft und Rückzug. 1401 Dec. 13 bis 1402[5] April 23* Dec. 13 *Venedig[6].* 1402 Apr. 23

> *Aus Venedig St.A.* Maggior consiglio, deliberazioni, 16 Leona.[7] fol. 122ᵇ. 123ᵃ. 125ᵃ *mb. coaev.*

[*I*]
Die 13 decembris.

[*1*] Capta.   quod pro honorando serenissimum dominum Rupertum inclitum Romanorum regem possit expendi pro honore nostri dominii ducatos mille quingentos de pecunia nostri comuni in illis rebus, prout sicut[a] et quando videbitur nostro dominio.
30 Et est capta per consiliarios et capita ac 40 de 40.

a) cod. sic.

---

[1] *Folgt unter derselben Datumüberschrift unmittelbar auf die Antwort vom 9 Dec. nr. 67.*
[2] *D. h. den Gesandten K. Ruprechts.*
[3] *Es ist wol das vorhergehende per in Gedanken
zu wiederholen, so daß es heißt: durch welchen
und seinen (in Padua gebliebenen) Kollegen. Dieser
ist Petrus Aymo (s. oben), jener Karolus Geno;
vgl. nr. 66.*
[4] *S. Quellenangabe.*
[5] *Die Jahreszahlen ergeben sich aus der Einrichtung dieser Rathsbücher wie bei den Libri secreti.*

[6] *Am 10 December brach K. Ruprecht von Padua auf, s. Gataro bei Muratori Scriptores 17,
845, und kam über Treviso (Bayerische Chronik
ed. Freyberg 1, 73) am 11 December nach Venedig,
Sanuto bei Muratori l. c. 21, 787 E; Chron.
Lucense ib. 18, 831 B.*
[7] *So der Name dieses Bandes der Deliberazioni
del maggior consiglio, deren verschiedene Bände
je verschiedene Namen führen, zum Theil nach
den Schreibern, zum Theil unbekannten Ursprun-
ges.*

1401
Dec. 18
bis
1402
Apr. 23 [2] Quod similiter pro honorando adventum excellentissime domine regine possint expendi de pecunia nostri comunis ducatos mille, prout et sicut videbitur dominio.

Et est capta ut supra.

[3] Quod similiter possit expendi de pecunia nostri comunis pro honorando dominum ducem Lothoringie et dominum comitem de Varceburgo [1] ducatos centum in illis 5 rebus et sicut dominio pro honore ejusdem videbitur.

Et est capta ut supra.

[II]

1402
Fbr. 9 ### Die 9 februarii.

Capta.   quod pro recessu serenissimi domini regis Romanorum de Venetiis ituri 10 ad partes Alemanie per viam Caprolarum [2], ut possit de nobis semper remanere contentus, possint expendi ducati ducenti auri in illis rebus et honoribus, qui et que videbuntur dominio.

Et est capta per sex consiliarios, tria capita de 40, 30 de 40, et duas partes majoris consilii.   15

[III]

1402
Apr. 23 ### Die 23 aprilis.

Capta.   quod pro honorando serenissimum dominum imperatorem Romanorum transiturum de Padua per aquam usque Latisanam [3] possint expendi de pecunia nostri comunis usque ad summam ducatorum trecentorum auri in illis rebus, que videbuntur 20 dominio.

Et est capta per 6 consiliarios, tria capita de 40, et 40 de 40.

1401
Dec. 17 **70.** *Beschluß des Raths zu Venedig: auf die Hilfsgesuche K. Ruprechts zu antworten, daß sie erst dessen bevorstehende Verständigung mit Florenz abwarten wollen; sowie: Genannten Vollmacht zur Vermittlung hierbei zu ertheilen. 1401 Dec. 17* 25 *Venedig.*

Aus Venedig St.A. Deliberazioni, secreta, senato 1, registro 1 fol. 44ᵃ mb. coaev.; am Rande links Ser Ludovicus Lauredano procurator, ser Petrus Aymo miles, ser Benedictus Superancio procurator, ser Donatus Mauro, ser Karolus Geno procurator, ser Rambertus Quirino, ser Leonardus Bembo, ser Justus Contareno sapientes consilii.   30
Gedruckt Mone Zeitschrift für die Gesch. des Oberrheins 5, 298-299 ebendaher.

1401 inditione decima die 17 decembris.

Capta.   quia serenissimus dominus imperator per suos solicitari facit omni die viros nobiles ser Petrum Aymo militem et ser Karolum Geno procuratorem [4] de habendo responsionem ad requisitionem, quam nobis fecit de volendo habere consilium et 35 favorem nostrum super factis sui imperii et reintegratione istorum agendorum suorum cum Florentinis: vadit pars, quod dicti nostri nobiles dicant, quod veritas est, quod nos habuimus plures respectus et plures considerationes et cogitationes super istis factis serenissimi domini sui domini regis, ut possimus dicere solide et sincere illud, quod redundare putemus ad famam gloriam et honorem sue serenitatis et bonam executionem 40 principalis propositi et intentionis sue; dum consideramus hanc differentiam ortam inter suam serenitatem et comunitatem Florentie, videmus non posse ita bene deliberare et dicere parere nostrum, sicut si dicta differentia remota foret, et propterea quod magni-

---

[1] *Ohne Zweifel der Graf von Schwarzburg.*
[2] *Caorle nordöstlich von Venedig an der Mündung der Livenza.*
[3] *Latisana am Tagliamento.*

[4] *Diese beiden waren am 22 Nov. zu Gesandten an K. Ruprecht nach Padua gewählt, s. nr. 56 ff. 45 Aymo blieb in Padua, Geno gieng inzwischen nach Venedig, s. nr. 68, und ist dann offenbar wieder nach Padua zurückgekehrt.*

ficus dominus Padue huc venit et deliberavit velle interponere se ob reverentiam sue 1401
serenitatis ad aptandum differentiam antedictam, quam speramus concedente domino bono *Dec. 17*
fine concludi, pro tanto apparet utilius, videre dictam conclusionem, qua visa postea
sincerius et cum meliori deliberatione poterimus sue excellentie respondere.

5 Et exnunc sit captum, quod, ut non deficiat quin possit sequi et sequatur dicta
conpositio inter ipsum dominum imperatorem et Florentinos ad quam querendam dominus
Padue se disposuit, collegium domini [1] consiliariorum capitum et sapientum consilii habeat
libertatem, in casu quo dominus Padue videret sibi difficile fore facere ipsum concordium, interponendi se cum illis verbis et rationibus ac modis qui utiles videbuntur, et
10 cum eo et sine eo, ut compositio ipsa sequatur inter eos, in qua consistunt quasi omnia
facta predicta, non possendo modo dicere verba que nostram dominationem haberent
in aliquo obligare [2].

De parte 73, non 22, non sinceri 9.

71. Beschluß des Raths zu Venedig: da die Verständigung mit Florenz wegen der 1401
15 *90000 Dukaten nicht gelungen ist,* dem K. Ruprecht auf seine Hilfsgesuche hin- *Dec. 23*
haltende Antwort zu geben. 1401 Dec. 23 Venedig.

Aus Venedig St.A. Deliberazioni, secreta, senato 1, registro 1 fol. 46[a] mb. coaev.; links
am Rande Sapientes consilii.
Gedruckt Mone Zeitschrift für die Gesch. des Oberrheins 5, 299-300 ebendaher.

1401 inditione decima die 23 decembris.

Capta. cum, prout ordinate et distincte relatum et expositum fuit huic consilio
per excellentissimum dominum ducem [3], per praticam interpositionis facte per nos inter
serenissimum dominum regem Romanorum et ambassiatores Florentinorum super solutione
90000 florenorum partes non potuerunt reduci ad concordium, ymo prefatus excellentis-
15 simus dominus rex instantissime solicitat et solicitari facit nostrum dominium rogando,
quod non velimus amplius difere occaxione Florentinorum sed sine ulteriori dilatione
dare sibi responsionem ad requisitiones alias nobis factas per suam majestatem, et cum
honore nostro non possimus plus difere: vadit pars, quod responsio fiat in hac forma,
videlicet: „serenissime et excellentissime domine rex. ad requisitiones nobis factas per
20 serenitatem vestram super consilio favore et auxilio nostro petitis per excellentiam vestram
super factis imperii reverenter respondemus, primo ad partem consilii, quod teste deo
nos tamquam devoti zellatores honoris et exaltationis sacri imperii et conservationis fame
glorie et nominis illustrissime persone vestre majestatis, examinatis et bene discursis
omnibus que cognovimus examinanda fore, cum sincera pura et fideli mente his diebus
25 proximis preteritis hortati fuimus vestram majestatem, quatenus dignaretur inclinare ad

---

[1] D. h. des Dogen.
[2] Nach den vergeblichen Verhandlungen mit
Florenz in Padua (s. nr. 34 Note) begaben sich
die Florentinischen Gesandten dem Könige folgend
nach Venedig, auch Buonaccorso Pitti und Andrea
de' Vettori gingen mit, s. nr. 27. Über den Gang
der dortigen Unterhandlungen berichtet ausführlich
Minerbetti in Rerum Ital. scriptores, ed. Florent.
1770 Bd. 2, 446 f.: K. Ruprecht verlangt die zweite
Rate der Subsidienzahlung, 90000 Dukaten, gemäß art. 5 des Vertrages vom 13 Sept. 1401; die
Florentiner wollen diese erst garnicht geben, weil
Ruprecht nicht, wie er nach demselben Vertrage
verpflichtet gewesen wäre, mit mächtigem Heer

(nr. 28 art. 3) gekommen und nicht in feindlichem
Gebiete (nr. 28 art. 5) geblieben sei; dann wollen
sie nur 65000 Dukaten geben, und zwar in 4
Raten, weil sie 25000 Dukaten bereits für 410
im Namen K. Ruprechts und Herzog Ludwigs von
Baiern angeworbene Lanzen ausgegeben hätten;
vgl. Antoninus' Chronicon pars 3 tit. 22 cap. 3
§ 35-36; bei uns vgl. nr. 32 besonders art. 6.
16. 21, auch nr. 35 art. 2; die Zahlenangaben
variieren, über das Resultat der Unterhandlungen
s. pag. 134 Note 4.
[3] Vgl. nr. 70 vom 17 December, wo der Doge
nebst anderen Vollmacht zur Vermittlung bei den
Unterhandlungen mit den Florentinern erhält.

1401
Dec. 28 concordium cum dominis Florentinis [1], quia secundum quod possumus comprehendere per intellectum nostrum nobis videtur, quod sine auxilio et favore dominorum Florentinorum intentio vestre regalis majestatis non bene possit habere et consequi illum honorabilem bonum et perfectum effectum quem querit et cupit vestra serenitas, et propterea similiter hortamur ad presens, sed nichilominus vestra excellentia, que est sapientissima et habet solemne et maturum consilium, potest deliberare super hoc, sicut sibi videtur et placet. ad partes favoris et auxilii requisiti a nobis reverenter respondemus, quod, quando excellentia vestra dignabitur exprimere declarare et apperire nobis mentem et voluntatem suam, nos quanto celerius poterimus erimus cum nostris consiliis et vestre majestati dabimus prestam responsionem". De parte 72, de non 20, non sinceri 19 [2].

1401
Dec. 29 **72.** *Beschluß des Raths zu Venedig: Antwort an den Gesandten Herzog Johann Galeazzo's, den Bischof [Jacopo] von Novara [3]. 1401 Dec. 29 Venedig.*

Aus Venedig St.A. Deliberazioni, secreta, senato 1, registro 1 fol. 46 [a b] *mb. coaev.*

Die 29 decembris. || *Zu antworten: [1] betreffs des Punktes, daß die Florentiner und der Herr von Padua wegen Zuwiderhandelns gegen den bestehenden durch die Venetianer geschlossenen Frieden je in die Strafe von 100000 Dukaten gefallen seien [4] und daß die Stadt Venedig als Haupt jenes Theiles der Ligue für die Zahlung zu sorgen habe: es stehe nicht in dem Friedensschluß, daß die Venetianer wegen der Beobachtung desselben Bürgschaft für irgend wen haben; jedoch misfalle es ihnen sehr, wenn etwas wider den Frieden geschehe wie der Herzog sage, weil sie denselben zum Heile Italiens unverletzt halten wollen; wenn der Herzog ihnen mittheilen wolle, was geschehen sei, werden sie es daher an die genannten bringen und ihn deren Antwort wissen lassen.   [2] Betreffs dessen, was der Gesandte hinzugefügt habe quod nos eramus illi qui poteramus dare pacem Italie, de qua plus indigebat quam unquam fecerit, et quod in nobis pendebant omnia ista negocia, soll man denselben fragen, ob er das im Namen des Herzogs sage oder nur von sich; nur im ersteren Falle könne ihm der Rath darauf Antwort ertheilen.* || De parte 101, non 3, non sinceri 4.

1402
Jan. 2 **73.** *Beschluß des Raths zu Venedig: dem K. Ruprecht statt der verlangten 60000 Dukaten zu seiner Krönung 30000 zu leihen, sobald der Pabst ihn konfirmiert habe, doch Vermittlung bei den Florentinern zur Erlangung von Garantien für deren Versprechungen abzulehnen; nebst Minoritätsvotum, dem König außerdem sofort 10000 Dukaten zu leihen. 1402 Januar 2 Venedig.*

Aus Venedig St.A. Deliberazioni, secreta, senato 1, registro 1 fol. 47 [a] *mb. coaev.; zu Anfang des Beschlusses links am Rande* Ser Petrus Cornario procurator, ser Petrus

---

[1] *Vgl. nr. 70.*
[2] *Am 20 Dec. 1401 beschließt der Rath, auf Ersuchen des Herzogs von Baiern mit 150 Rittern in Treviso quartieren zu dürfen, dem Podestà von Treviso zu schreiben, daß er diese in den burgi des Ortes, nicht im Orte selbst, unterbringen solle. Ähnlich soll auf Ersuchen eines andern ungen. Fürsten aus der Umgebung des Königs wegen Quartier mit 60 Rittern in Conegliano an den dortigen Podestà geschrieben werden, Venedig St.A. l. c. fol. 45 [b] unter dem Datum die 20 decembris. — Am 5 Januar 1402 beschließt der Rath, auf Ersuchen des gener serenissimi domini Roman. regis*

Herzogs von Baiern, der nach Hause kehren will, daß er in Treviso und anderen Orten durchziehen und übernachten dürfe: dieß zu gestatten, und den Podestà und Rektoren Weisung zu geben, daß sie bis zu 100 Personen in ihre Orte aufnehmen, die übrigen in die burgi einquartieren sollen, auch für Lebensmittel gegen entsprechendes Geld sorgen und gute Wacht halten sollen, Venedig St.A. l. c. fol. 47 [b] unter dem Datum die 5 januarii.
[3] *Vgl. die Gesandtschaft desselben in ähnlicher Angelegenheit nr. 40.*
[4] *S. RTA. 4, 307 lin. 38 [a] den Frieden von Venedig vom 21 Merz 1400 art. 14.*

Aymo miles, ser Benedictus Superancio procurator, ser Donatus Mauro, ser Justus 1402
Contareno sapientes consilii. Jan. 2

*Gedruckt nur der Beschluß bei Mone Zeitschrift für die Gesch. des Oberrheins 5, 300-301
ebendaher.*

1401 inditione decima die secundo januarii.

Capta. quod respondeatur serenissimo domino Romanorum regi [1] ad illud,
quod ipse requirit a nobis, scilicet quod debeamus sibi servire mutuo de ducatis 60000,
ut possit ire ad incoronandum se et cetera: quod novit deus, nos essemus semper avidi
facere versus majestatem suam de rebus que videremus abiliter facere posse pro honore
10 suo et sua exaltatione, sed, sicut sibi et toti mundo notorium esse potest, nos jam annis
quinque elapsis et ultra fecimus et in presenti sumus in maximis et excessivis expensis
et specialiter in partibus Levantis occaxione Turchorum pro possendo ad honorem fidei
sancti dei et utilitatem totius Christianitatis conservare ab eis imperium Constantinopoli-
tanum et partes deinde. que expense certissime non sunt defecture nobis ad presens,
15 sed maxime aucture, cum ipsi Turchi modo de novo venerint ad multa loca nostra
Levantis, damna notabilissima inferendo, ob quam causam expedit, ut de presenti solde-
mus multas gentes armemus galeas et faciamus multas alias expensas pro dando subventionem locis predictis, que sine illa subjacerent periculo manifesto. et ob hoc non
possumus facere versus suam regiam majestatem ea que facere vellemus, sed, stringentes
20 nos quantum possumus et volentes sue serenitati in nobis possibilibus complacere, parati
sumus, cum constabit nobis quod dominus papa confirmaverit electionem suam velitque
ipsum habere in verum et rectum imperatorem Romanorum, servire sibi mutuo de 30000
ducatis, ut possit ire ad accipiendum coronas suas et signa imperialia, cum conditione
quod sua majestas promittat nobis per bona et publica instrumenta seu suas patentes
25 literas sigillo regio sigillatas, quod non recedet de partibus Italie, nisi primo restituat
nobis predicta 30000 ducatorum vel det aut concedat nobis aliquid in recompensationem
et satisfationem dicte quantitatis spectans ad dationem sue regie majestatis de quo rema-
neamus bene contenti. [2] ad alteram partem, quam dixit et per quam requisivit
interpositionem nostram, ut possit habere aliquam cautionem a Florentinis de his que
30 sibi promitterent per futura tempora, ita quod de promissionibus suis possit esse bene
cautus et securus, respondeatur, quod, considerantes quantum et quam potens membrum
est in partibus Italie comunitas Florentina et quanta fecerunt per elapsa tempora et
certissime sunt potentes facere in presenti quod facere nequivissent nisi bene servassent
que promiserunt, non videretur nobis cum honore nostri dominii neque dicte comunitatis
35 dicere eis aliqua verba per que comprehenderent quod sua majestas nolet amplius capere
de eis fidem, cum speremus, omnibus consideratis que in hoc facto considerari debent
(nam sentimus, quod sint ad hoc optime et bene dispositi), quod plene sibi attendent
omnia que promittent.

De parte 66.

40 [*Minoritätsvotum*] Ser Ludovicus Lauredano procurator, ser Karolus Geno procurator, ser Leonardus Bembo sapientes consilii: quia facit pro statu nostro pro statu
domini Padue pro statu Florentinorum pro statu domini Bononie pro statu domini marchionis et generaliter tocius Italie, quod dominus imperator non recedat de istis partibus,
infinitis rationibus et causis, et quod possit adimplere suam intentionem de incoronando
45 se de imperio, ita quod dare sibi ad hoc auxilium aliquod per consequens est non solum
utile sed necessarium, quia sine aliquali auxilio istud clarissime sequi non posset, volunt
partem sociorum suorum per totum in omnibus, salvo quod, ubi volunt ipsi quod mu-
tuentur sibi duc*atorum* 30000 quando constabit nobis de confirmatione sue electionis et
depositionis primi Romanorum regis et quod dominus papa velit ipsum habere in verum
50 et rectum imperatorem ut possit ire ad incoronandum se, predicti volunt, quod de pre-

17*

1401
Jan. 2
senti conplaceatur sibi de mutuo 10000 ducatorum, ut cum ipso domino papa possit disponere facta sua, et quod postea, quando constabit nobis de confirmatione electionis sue predicte et depositionis alterius et quod velit ipsum habere in verum imperatorem, servire sibi de aliis 30000 ducat*orum* mutuo cum conditionibus suprascriptis in totum.

De parte 14ᵃ, non 20, non sinceri 11.   5

1402
Jan. 3
74. *Beschluß des Raths zu Venedig, auf Andringen K. Ruprechts behufs Ausgleichung desselben mit den Florentinern ein gen. Kollegium zur Vermittlung zu ermächtigen* [1]. *1402 Jan. 3 Venedig.*

Aus Venedig St.A. Deliberazioni, secreta, senato 1, registro 1 fol. 47ᵇ *mb. coaev.; zu Anfang links am Rande* Sapientes consilii excepto ser Ramberto Quirino et ser Justo   10 Contareno absente.

Die 3 januarii.

Capta.   quia, ut audivistis per relationem factam per nobilem virum ser Karolum Geno procuratorem, serenissimus dominus rex Romanorum cum maxima instantia petit, quod per dominium detur et deputetur sibi dies ordinarius, et quod placeat mittere pro   15 oratoribus Florentinorum, quia ipse mittet suos ad conspectum nostrum, et audire utramque partem ac differentias in quibus sunt, et procurare quod dicte differentie concordentur, procurando quod dicti Florentini se reducant ad res rationabiles et debitas, et a parte sua contentus est stare ad omnem determinationem nostram: vadit pars, quod, considerato quante importantie est agendis dicti domini imperatoris esse in concordio   20 cum dictis Florentinis, quod auctoritate istius consilii collegium domini consiliariorum capitum et sapientum consilii habeat libertatem audiendi utramque partem predictam et cum illis placabilibus modis et verbis que videbuntur inducere ipsas ad concordium et conpositionem, non utendo verbis nec faciendo aliquem actum per quem nostrum dominium foret in aliquo obligatum.   25

De parte 51, non 25, non sinceri 12.

1402
Jan. 7
75. *Beschluß des Raths zu Venedig: Ablehnung des von Florenz angebotenen Bundes mit K. Ruprecht trotz der Erklärung der Florentiner, in dem Falle dem König soviel zahlen zu wollen als Venedig bestimmt. 1402 Jan. 7 Venedig.*

Aus Venedig St.A. Deliberazioni, secreta, senato 1, registro 1 fol. 47ᵇ *mb. coaev.; links*   30 *am Rande* Ser Petrus Cornario procurator, ser Ludovicus Lauredano procurator, ser Benedictus Superancio procurator, ser Donatus Mauro, ser Karolus Geno procurator, ser Leonardus Bembo, ser Rambertus Quirino, ser Justus Contareno.

Die septimo januarii.

1402
Jan. 7
Jan. 6
Capta.   cum oratores Florentinorum hodie de mane conparuerint ad presentiam   35 dominii, et dixerint, quod receperunt heri unum breve a dominis suis, per quod habent quod ipsi domini sui essent contenti, in casu quo nos vellemus contrahere unam ligam cum domino imperatore et cum eis, dare sibi omnem illam quantitatem pecunie quam diceremus: vadit pars, quod respondeatur eisdem, quod propter aliquas honestas causas [2] non videtur nobis de volendo intrare in istis factis.   40

De parte alii, non 6, non sinceri 4.

a) *die zweite Ziffer verwischt.*

----

[1] *Vgl. nr. 70.*
[2] *Die Gründe sind das Verhältnis zum Herzog*   *von Mailand, vgl. nrr. 72. 40, und die allgemeine städtische Friedensliebe.*

76. *Beschlüsse des Raths zu Venedig: K. Ruprecht womöglich zum Bleiben in Italien* ¹⁴⁰²
behufs seiner Krönung zu bereden, ohne jedoch Venedig noch zu weiterem zu ver- ^{Jan. 7}
pflichten (ein dahin zielendes Minoritätsvotum wird abgelehnt), sowie eintretenden
Falles für seinen Heimzug zu sorgen und ihm und den Seinen 4000 Dukaten dazu
5 *zu schenken. 1402 Jan. 7 Venedig.*

> *Aus Venedig St.A.* Deliberazioni, secreta, senato 1, registro 1 fol. 48ª *mb. coaev.; zu*
> *Anfang links am Rande* Ser Petrus Cornario procurator, ser Benedictus Superancio
> procurator, ser Donatus Mauro, ser Karolus Geno procurator, ser Leonardus Bembo,
> ser Justus Contareno sapientes consilii.
10 *Gedruckt Mone Zeitschrift für die Gesch. des Oberrheins 5, 301-302, bis auf das Mino-*
> *ritätsvotum 1ª, ebendaher.*

1401 inditione decima die septimo mensis januarii.

[*1*] **Capta.**   cum serenissimus dominus Romanorum rex nobis heri dici fecerit, ^{Jan. 6}
quod ipse videbat non posse amplius stare in istis partibus et propterea deliberaverat
15 velle redire in Alemaniam ¹, rogando nos, quatenus placeret nobis concedere sibi de
nostris navigiis que eum conducerent cum 150 personis usque portum Latisane dando
sibi de nostris nobilibus in sua comitiva, et cognitum fuerit pluries per istud consilium,
quod mora sua in istis partibus esset multum utilis pro statu nostro et omnium optantium
in pace vivere: vadit pars, quod collegium domini ² consiliariorum capitum et sapientum
20 consilii habeat libertatem essendi cum oratoribus Florentinorum et etiam cum ipso domino
imperatore vel suis et uti illis utilibus et pertinentibus verbis cum utraque partium que
sibi videbuntur pro possendo tenere modum cum eis, quod dictus dominus imperator pro
accipiendo coronas suas remaneat in istis partibus et non recedat, non utendo aliquibus
per que comune nostrum remanente ipso domino imperatore vel non remanente esset
25 in aliquo obligatum ultra id quod pridie captum fuit per istud consilium de 30000
ducatis ³.   De parte 53.

[*1ª Minoritätsvotum*] Ser Ludovicus Lauredano procurator sapiens consilii vult
partem sociorum suorum per totum usque illa verba ª „non utendo" et cetera, cum
ista additione: verum si dictum collegium videret, quod Florentini vellent dare domino
30 imperatori quantitatem 65000 ducatorum, et dominus imperator cum predictis non esset
contentus remanere pro accipiendo coronas suas, et quod differentia staret in termino,
quod, facientibus nobis sibi aliquam promissionem alicujus quantitatis pecunie, ipse remaneret, tunc habeant libertatem promittendi sibi de presenti mutuo ob dictam causam
30000 ducatos, et alia 30000, cum constiterit nobis quod dominus papa confirmaverit
35 electionem suam et velit ipsum habere in verum imperatorem; cum omnibus aliis conditionibus pridie captis ⁴.   De parte 13, non 26, non sinceri 8.

[*2*] **Capta.**   et si poterit obtineri modus, quod istud sequatur, scilicet quod dictus
dominus imperator sit contentus remanere, bene quidem; quando autem finaliter staret
constans et diceret quod omnino vellet recedere, tunc pro habendo et retinendo ipsum
40 benivolum nostro dominio, collegium domini ⁵ consiliarorum capitum et sapientum predictorum habeat libertatem faciendi armari et parari sibi paraschelmos decem vigenti
barchas et duos burclos ᵇ ⁶ pro conducendo ipsum ad dictas partes vel alias, si ad alias

---

a) cod. *widerholt verba.*   b) oder *barclos, nicht deutlich.*

---

¹ *Vgl. nr. 202.*   ⁴ *Am 2 Januar nr. 73.*
² *D. h. des Dogen.*   ⁵ *D. h. des Dogen.*
³ *nr. 73 der Beschluß vom 2 Januar.*   ⁶ Burclus = burchia = barca, s. Du Cange.

1402
Jan. 7 ire velet [1], ad expensas nostri comunis. verum ut dicta navigia vadant et sint sub bona
regula et obedientia, eligi debeat unus capitaneus dictorum navigiorum per scrutinium
in dicto collegio, qui non possit refutare sub pena librarum 50, et sit in paraschelmo
dicti domini regis, si cum paraschelmo iret, ad suam obedientiam, et, si iret in barcha
vel burclo, ascendat super illo qui sibi videbitur, et sit semper apud dictum dominum   5
regem, secundum quod ordinabit, tenendo tamen modum, quod omnia alia navigia se-
quantur et vadant cum bona regula et securitate, ut bene serviatur ipsi domino regi.
insuper eligi debeant per dictum modum et sub dicta pena alii octo nostri nobiles, qui
sint in sua societate donec positus fuerit in terram et donec ascendet equum, si sibi
placuerit, stando omnes cum ipso domino imperatore vel dividendo se, sicut cognoverint   10
oportunum. verum quia rationabiliter et honeste aliter fieri non posset, dictum collegium
habeat libertatem providendi, quod fiant tam ipsi domino imperatori quam gentibus suis
et dictis nostris nobilibus ac capitaneo expense necessarie, possendo expendere illud quod
propter hoc fuerit oportunum, et providendo de illis personis que sint sufficientes et apte
ad dictas expensas faciendas, sicut eis necessarium apparebit. et si deliberaret ire per   15
terram, committatur et detur nostris rectoribus libertas possendi expendere medietatem
ejus de quo sibi data fuit libertas quando venit ad istas partes, ut habeat causam
recedendi contentus a nobis.   De parte alii, non 5, non sinceri 5.

[*3*] Capta.   sed quia cum honore nostri dominii, omnibus consideratis et maxime
magna necessitate ymo extremitate in qua ad presens dictus dominus imperator se reperit   20
in isto suo recessu, non possumus aliter facere quam presentare sibi et serenissime domine regine et aliis qui cum eo sunt aliquam quantitatem pecunie, cum qua per aliquos
dies habeant ad repatriandum: ipsum collegium faciendo hoc cum ordinibus terre habeat
libertatem possendi presentari facere tam domino regi quam domine regine et suis usque
ad summam 4000 ducatorum auri [2], dividendo eos inter ipsos, secundum quod delibera-   25
verint honestius et honorabilius pro nostro comuni.

De parte alii, non 13, non sinceri 1.

1402
Jan. 10 **77.** *Beschlüsse des Raths zu Venedig betreffs Gesandtschaft an K. Ruprecht über den
Stand der Verhandlungen mit den Florentinern; nebst Minoritätsvotum, event. um
den König zum Bleiben zu veranlassen bis zu 30000 Dukaten Darlehen von Seiten   30
Venedigs zu versprechen. 1402 Jan. 10 Venedig* [3].

Aus Venedig St.A. Deliberazioni, secreta, senato 1, registro 1 fol. 48 [b] *mb. coaev.; zu
Anfang links am Rande Ser Ludovicus Lauredano procurator, ser Benedictus Supe-
rancio procurator, ser Karolus Geno procurator, ser Leonardus Bembo, ser Justus
Contareno sapientes consilii.*   35
*Kurzer Auszug von art. 1 und 2 bei Mone Zeitschrift für die Gesch. des Oberrheins 5,
303 ebendaher.*

1401 inditione decima die decimo mensis januarii.
[*1*] Capta.   quia, ut audivistis, dominus dux Bavarie et isti alii domini qui remanserunt [4] pro domino rege Romanorum pro tractando concordium cum Florentinis   40

---

[1] = vellet.
[2] *Unter dem 9 Januar 1402 verzeichnet die
Kämmereirechnung nr. 168 die Summe von 2000
Dukaten als Geschenk Venedigs an den König.*
[3] *Die Venetianischen Rathsbeschlüsse vom 20
Jan. 1402 s. Band 4 nr. 46 und 46* [a], *vom 23
ib. nr. 46* [b].

[4] *Am 9 Januar war K. Ruprecht schon von
Venedig abgereist; Buonaccorso Pitti u. a. eilten
ihm dann nach und bewogen ihn zur Umkehr
durch das Versprechen, daß Florenz nun zahlen
werde. Vgl. nr. 27 gegen Ende; Gataro bei Mu-   45
ratori Scriptores 17, 845; Delayto ibid. 18, 947;
Sanuto ibid. 22, 765 C; Sozomenus ib. 16, 1174 C;*

requisiverunt, quod mittamus de nostris cum eis et cum oratoribus Florentinorum ad *1402*
dicendum illa que nunc discussa et tractata sunt, et ipsi Florentini contenti sint quod *Jan. 10*
unus eorum vadat cum uno ex cancellariis suis dummodo nos mittamus de nostris: vadit
pars, quod eligi debeant de presenti per scrutinium in hoc consilio de corpore Rivoalti
5 duo nostri nobiles qui possint accipi de omni loco et officio et judicatu peticionum et
de officio continuo, non perdendo officium nec utilitatem ejus aut aliud quod haberent;
respondeant de presenti, non possendo refutare sub pena duca*torum* 100 pro quolibet; *1402*
recedant omnino cras de mane et vadant cum ipsis Florentinis ad dictum dominum *Jan. 11*
imperatorem ad explicandum et dicendum terminos, in quibus hodie cum suis remanse- *Jan. 10*
10 runt Florentini, et ad procurandum cum illis verbis que utilia videbuntur, quod sint et
remaneant in concordio, ita quod ipse dominus rex sit contentus redire et stare in Italia.
verum si ambo non remanerent seu refutarent, pro non occupando istud consilium,
collegium domini consiliariorum capitum et sapientum habeat libertatem eligendi de aliis,
ut impleatur intentio terre; ducendo unum notarium cum uno famulo et illam familiam
15 que eis videbitur, et possendo facere expensam necéssariam pro isto pauco tempore.

De parte 52, non 27, non sinceri 15.

[2] Capta. quod ad cautelam detur libertas duobus nostris nobilibus ituris ad
dominum imperatorem Latisanam et ita mandetur capitaneo paraschelmorum et barcharum, quod, in casu quo dominus imperator predictus sit in concordio et velit reduci
20 Venecias, quod debeat ipsum et suos levare et conducere ut superius dictum est [1].

[2a *Minoritätsvotum*] Ser Ludovicus Lauredano procurator, ser Leonardus Bembo sapientes consilii: quia per ea, que diversimode senciuntur de factis Bononie, illa civitas sub-
jacet periculo manifesto et, nisi provisio fieret, infalibiliter iret ad manus domini ducis
Mediolani (quod quantum foret periculosum pro statu Florentinorum domini marchionis
25 et omnium volentium in pace vivere manifestum est [a]) et propterea sit non solum utile
sed omnino necessarium adhibere superinde remedium, quo nullum posset esse prestius
et forte melius quam reditus et mansio domini regis Romanorum in istis partibus: vadit
pars, quia sequente hoc nos exibimus de multis laboribus et dubiis, quod comittatur
istis duobus nostris nobilibus, qui ituri sunt cum Florentinis ad dominum regem predictum
30 ad explicandum et dicendum terminos in quibus ipsi remanserunt hodie cum suis hic *1402*
Jan. 10
dimissis et ad procurandum quod sint simul in concordio, quod, si ipsi videbunt [b] quod
dicti Florentini sint in concordio et in ordine cum ipso domino rege, nil sibi dicere vel
apperire debeant de ista mente et intentione nostra. si vero viderent, quod nullo modo
possent esse in concordio, et cognoscerent, quod difficultas staret et foret in quantitate
35 pecunie, quia quantitas quam Florentini dare vellent non videretur esse sufficiens ipsi
domino regi, et cognoscerent, quod; si foret major et si ipse videret posse de .presenti

---

a) man. est om. cod.   b) cod. videbuntur.

Bonincontri Annal. ib. 21, 85 AB; Antoninus
40 *Chron. pars 3 tit. 22 cap. 3 § 36; Minerbetti*
Chron. in Rer. Ital. script. 2, 447; Salviati RTA.
1 nr. 62 pag. 69, 34 ff. Vgl. auch in diesem
Band 5 nr. 202. Die Angaben über die Ab-
machungen in Venedig differieren an den ange-
45 *führten Stellen; was wir darüber sagen können,*
s. nr. 168 in der Note zu art. 52. — K. Ruprecht
blieb bis zum 29 Januar in Venedig, dann kehrte
er nach Padua zurück, s. Gataro l. c.
[1] Die Zahl der für diesen Beschluß abgegebenen
50 *Stimmen steht ausnahmsweise nicht hier darunter:*

es sind ebensoviel wie gegen das folgende Mino-
ritätsvotum mit non abgegeben sind, und dieß ist
im Kodex auch daselbst angegeben, s. die Abstim-
mungszahlen am Schlusse des Minoritätsvotums
2a, das gleich folgt. — Hierher gehört noch der
Beschluß vom 12 Januar l. c. fol. 49a: Capta.
quod mandetur capitaneo nostro paraschelmorum
et barcharum que iverunt cum domino rege Romanorum, quod, non obstante alio nostro mandato
quod habet a nobis, posito in terram ipso domino
rege et suis, in casu quo redire nollet, sumpto
comeatu honorabili debeat Venetias remeare.*

o habere majorem summam, ipse contentaretur remanere: tunc volumus et sumus contenti, quod, ut concordium predictum sequatur, quod ipsi possint promittere ipsi domino imperatori de mutuando sibi ad partem^a per totum mensem presentem de pecunia nostri comunis usque sumam duc*atorum* 30000, que quantitas sit in totum ad conditionem primorum 20000 sibi pridie promissorum.   5

De parte 12, non (capta)^b [1] 66, non sinceri 14.

78. *Beschluß des Raths zu Venedig: Antwort an die Gesandtschaft Herzog Johann Galeazzo's durch Bischof [Jacopo] von Novara. 1402 Febr. 14 Venedig.*

Aus Venedig St.A. Deliberazioni, secreta, senato 1, registro 1 fol. 52^{ab} *mb. coaev.*

1401 ind. 10 die 14 mensis febr. || *Zu antworten:*   [1] *Betreffs der Gegenschrift gegen die*   10 *Erwiderung der Florentiner und des Herrn von Padua auf die Vorwürfe und Behauptungen des Herzogs, daß sie zuwider dem Frieden vom 21 Merz 1400 gehandelt und deshalb die festgesetzte Strafe von 100000 Dukaten verwirkt hätten, sowie gegen die von denselben über den Herzog vorgebrachten Klagen* ²: *man wolle die Gegenschrift zur Kenntnis der genannten gelangen lassen und deren Rückantwort seiner Zeit mittheilen.*   [2] *Betreffs der Angelegenheit Bologna's wisse man wol, woher*   15 *die Truppen und Gelder des Großkonstabel* ³ *kommen, und ersuche den Herzog dringend, dafür zu sorgen daß Ruhe in Italien bleibe.*   [3] *Betreffs des Markgrafen von Ferrara des Herrn von Mantua und des von Ravenna wolle man sich mit des Herzogs Worten begnügen; jene seien Glieder des Venetianischen Körpers, und der Herzog werde künftig hoffentlich allen Grund zu Verdacht entfernen.*   [4] *Betreffs des Antrages, die alte Ligue* ⁴ *zu verstärken oder zu erweitern oder eine neue mit dem*   20 *Herzog zu schließen, wiederhole man die an die Gesandtschaft des Bischofs [Johann] von Feltre und Petrus de Curte gegebene Antwort* ⁵, *daß solange die Ligue bestehe, die sie mit ihren Mitverbündeten haben, es nicht honestum scheine, über diese Materie zu reden.*

79. *Beschluß des Raths zu Venedig: Antwort auf einen Brief des Herzogs Johann Galeazzo, den dessen Gesandter Bischof [Jacopo] von Novara an demselben Tage*   25 *vorlesen ließ. 1402 Febr. 16* ⁶ *Venedig.*

Aus Venedig St.A. Deliberazioni, secreta, senato 1, registro 1 fol. 53^a *mb. coaev.*

Zu antworten: [1] *Betreffs der Angelegenheit Bolognas sei keine andere Antwort erforderlich, als die neulich gegebene* ⁷; *et si dominus episcopus replicaret plus de eo, quod in fine tangitur, de facto faciendo novum regem Romanorum exire de Italia et redire ad partes suas, ad istud dicatur,*   30 *quod nos non sumus hi ad quos talia spectent, sicut sua paternitas bene conprehendit et videt.* [2] *Betreffs der 300 Lanzen, welche die Venetianer dem Herrn von Padua zur Unterstützung stellen: sie wollen damit in keiner Weise den Frieden stören, sondern nur das Gebiet ihres carissimi filii schützen, der gerechte Zweifel gegen den Herzog hege* ⁸.

a) ad partem *wiederholt im cod.* b) oder capta (non), *das* capta *steht zwischen den Zeilen.*   35

¹ *S. die Note vorhin am Schlusse der Capta 2.*
² *Nach dem Beschluß vom 29 Dec. 1401 nr. 72 art. 1 haben die Venetianer den genannten die damals an Venedig gebrachten Beschwerden des Herzogs mitgetheilt; die Antwort derselben werden sie inzwischen dem Herzog übermittelt haben. Hierauf repliziert jetzt der Herzog.*
³ *Alberigo da Barbiano, der Hauptfeldherr des Herzogs; vgl. nr. 40 art. 3.*

⁴ *Der Friede von Venedig 21 Merz 1400 p. 130 nt. 4.*
⁵ *Das ist wol noch eine andere Antwort und auf eine andere Gesandtschaft als nr. 262 in Band 4.*   40
⁶ *Das Stück steht unter Beschlüssen von diesem Datum.*
⁷ *S. nr. 78 art. 2.*
⁸ *Vgl. nr. 40 art 2.*

80. *Franz von Carrara an den Dogen von Venedig Michael Steno. 1402 April 2* 1402
Padua. Apr. 2

Aus Venedig Markusbibl. mss. lat. cl. 14 cod. 93 fol. 18ᵇ *cop. ch. coaev.*

Theilt mit, daß K. Ruprecht *beschlossen habe, sofort an das dominium ducale zu senden* do-
5 minum purecravium Nurimburgensem et magistrum fratrum Alemanorum de Prusia, ut aliqua negotia
ipsius domini regis et incumbentes etiam sibi quasdam necessitates illustri dominio vestro debeant
explicare, *und um 12000 Dukaten von demselben zu leihen.* Franz *will dieß dem dominium ducale*
hiermit avisieren. datum ut supra [*vorhergeht ein Brief vom 2 April 1402*].

81. *Beschluß des Raths zu Venedig: ausweichende Antwort auf die Gesandtschaft K.* 1402
10 *Ruprechts betreffend seine Zerwürfnisse mit den Florentinern und dem Pabst sowie* Apr. 6
die ihm durch eine französische Gesandtschaft gemachten bedingten Hilfsanerbie-
tungen. 1402 April 6 ¹ *Venedig.*

Aus Venedig St.A. Deliberazioni, secreta, senato 1, registro 1 fol. 55ᵃ *mb. coaev.; zu*
Anfang links am Rande Sapientes suprascripti, *was sich auf den im Kodex vorher-*
15 *gehenden Beschluß (s. unten nt. 1) bezieht, bei welchem links am Rande steht* Ser Petrus
Cornario, ser Ludovicus Lauredano, ser Benedictus Superancio procuratores, ser Donatus Mauro, ser Ludovicus Mauroceno, ser Rambertus Quirino, ser Zacharia Trivisano miles.
Auszug bei Mone *Zeitschrift für die Gesch. des Oberrheins 5, 304 ebendaher.*

20 Capta. quod respondeatur istis oratoribus serenissimi domini novi Romanorum
regis ad ambassiatam per eos expositam, continentem partes tres: primam, quod non
potest esse in concordio cum Florentinis, quia nec dare voluerunt sibi ducatorum 25000,
quos dare tenentur juxta conventiones alias in presencia nostra conclusas, nec volunt
contentari de aliqua fidejussione quam sibi dare velit pro 200000 ducatis, quos sibi
25 mutuare debent; secundam, quod similiter non potest convenire cum papa secundum illa
que alias sibi dicendo misit per suum oratorem dominum Franciscum de Montepoliciano ²,
ymo videt quod ducit eum in longum; tertiam de ambassiata sibi missa per dominum
regem Francie et alios principes deinde super facto volendi favere sibi auxilio gentium
armorum et pecunie, ita quod possit habere intentum suum in casu quo velit attendere
30 ad reducendum ecclesiam dei ad unionem ³, super qua parte petit consilium nostrum,
quia dicit quod esset expediens redire ad partes Alemanie et convocare electores imperii
et alios principes et barones Alemanie pro declarando super ista parte et cetera: quod
nos regraciamur majestati regie, que dignata est comunicare nobiscum devotis sacri imperii negocia antedicta et terminos in quibus se reperit et cum Florentinis et cum ipso
35 domino papa, respondentes in hac forma: quod molestum nobis est, si est in aliqua
differentia cum dominis Florentinis vel cum sanctissimo domino papa supradictis, ita
quod non possit intentionem suam regiam prout animus suus optaret ducere ad effectum,
quia, teste deo, inducente nos ad hoc sincera devotione et affectione quam habemus et
habere intendimus ad conservationem et augmentum honoris et fame sue regie, nos vi-
40 dissemus et videremus libentissime semper quod intentionem suam regiam posset ad
optatum finem perducere. sed quia nobis tangi fecit de illa ambassiata, quam sibi

---

¹ *Der Beschluß steht unmittelbar nach einem* | ² *S. im Band 4 nrr. 23-27. 39. 48 u. s. w.*
anderen mit der Überschrift 1402 inditione decima | ³ *Vgl. die geheime Instruktion K.* Ruprechts
die sexto mensis aprilis. *Die Gesandten waren* | *zwischen 1402 April 14 und Mai 2 in diesem*
45 Friderich *Burggraf von Nürnberg und der Deutsch-* | *Band nr. 208.*
ordensmeister, s. nr. 80 und 127 ff.

1402
Apr. 6 miserunt serenissimus dominus rex Francie et alii regales deinde, et super illa dicit velle
habere nostrum consilium, ad istud nos dicimus, quod negocia illa sunt maxime importantie et nobis precipue forent dificilis cognitionis et judicii, sed majestas regia, que est
per dei gratiam sapientissima habetque et habere poterit solemnissimum consilium penes
se, cui omnes circumstantie necessarie notissime erunt, superinde deliberare et terminare   5
poterit sicut sibi melius utilius et salubrius apparebit.

De parte alii, non 3, non sinceri 6.

1402
Apr. 9 **82.** *Beschluß des Raths zu Venedig: ablehnende Antwort auf K. Ruprechts Gesandt-*
schaft, welche Venedig ersucht, bis zur geplanten Rückkehr des Königs nach Italien
im Sommer 1403 keine Verträge mit Johann Galeazzo zu schließen, und ihm zum   10
Rückzuge 12000 Dukaten zu leihen.   *1402 April 9 Venedig.*

> *Aus Venedig St.A.* Deliberazioni, secreta, senato 1, registo 1 fol. 55ᵃᵇ *mb. coaev.; zu*
> *Anfang links am Rande Ser Petrus Cornario, ser Ludovicus Lauredano, ser Benedictus*
> *Superancio procuratores, ser Donatus Mauro, ser Ludovicus Mauroceno, ser Rambertus*
> *Quirino sapientes consilii. Die Artikel bei uns entsprechen den Absätzen im Kodex*   15
> *außer art. 1, wobei kein Absatz im Kodex ist.*
> *Auszug bei Mone Zeitschrift für die Gesch. des Oberrheins 5, 304-305 ebendaher.*

Die 9 aprilis.

Capta.   quia oratores serenissimi domini Romanorum regis, audita responsione
pridie eis data secundum quod in isto consilio deliberatum extiterat [1], dicere habuerunt,   20
quod ipse dominus rex videbat nullo modo cum honore suo posse amplius stare in istis
partibus, et propterea intentio sua erat redire ad partes Alemanie et ibi estate proxima
disponere et ponere finem his que habet agere cum rege Boemie, et postea futura [2] cum
dei auxilio et in potenti brachio redire ad istas partes Italie et esse contra ducem Mediolani et totis viribus anichilare potentiam suam et procurare jura imperii, unde roga-   25
bat nos, quod interim saltem per bienium nos nollemus facere cum ipso duce Mediolani
aliquod concordium et aliquam conpositionem, et procurare quod domini Padue et Ferrarie
istud iddem facerent, addendo postes unam aliam particulam, quod, quia non videbat
bene modum quomodo sine pecunia redire posset cum principibus et gentibus suis, rogabat quod vellemus servire sibi mutuo de 12000 ducatorum, de quibus daret nobis   30
sufficientem cautionem, ita quod illam pecuniam haberemus ad terminos nobis promissos,
ad quas duas partes est necesse dare responsionem, quia solicitant cum instantia et requirunt expeditionem: vadit pars, quod respondeatur eisdem: [1] et primo ad primam
partem de non volendo saltem per bienium facere aliquam conpositionem nec concordium
cum duce Mediolani et cetera, quod, stantibus rebus in terminis et conditionibus in   35
quibus ad presens sunt, non videmus nec consideramus quod habeamus ad tractandum
vel faciendum aliquod concordium vel aliam conpositionem de novo secum, quia nos
sumus in pace cum ipso domino duce. sed sicut majestas sua regia clare videre et
considerare potest, conditiones mundi sunt instabiles et possent taliter variari, quod pro
conservatione status nostri foret nobis expediens facere novam provisionem, et hanc si   40
faceremus certi reddimur quod serenitas sua regia laudaret.   [1ᵃ] ad partem autem
procurandi quod dominus Padue et dominus Ferrarie istud etiam non faciant, respondeatur et dicatur, quod non videretur nobis honestum tangere eis aliquid de tali materia,
expediens etiam non putamus, nam ipsi domini sunt sapientes et habent penes se maturum et solemne consilium, cum quo super hac parte et super aliis sibi occurrentibus   45
scient bene deliberare illud quod redundabit ad debitum et honorem suum et ad con-

---

[1] *nr. 81 vom 6 April.*   [2] *scil. aestate.*

servationem suorum statuum.   [2] ad partem mutui ducatorum 12000 quod requirit, *1402* respondeatur, quod dominus rex fuit tanto tempore in istis partibus, quod bene et veri- *Apr. 9* dice potuit informari de terminis et conditionibus in quibus sunt partes imperii Constan- tinopolis et Romanie et omnes insule et loca nostra, et quomodo quotidie per terram et
5 per mare molestantur a Turchis, et magnam ac excessivam imo incredibilem expensam quam jam multis annis fecimus et facimus pro conservatione dicti imperii, bono et honore Christianita*ti*s; et si umquam magnam fecimus nunc facimus maximam, nam armavimus hoc anno et habemus galeas decem in mari que vigilant ad hoc opus, et ultra illas misimus multas gentes armorum et ballistarios pro observatione et defensione terrarum
10 et locorum, ne vadant ad manus Turchorum; habemus etiam in istis partibus expensam lancearum 300 et multorum peditum et ballistariorum ultra solitum, et diverse alie magne expense occurrerunt et occurrunt nobis, propter quas est necesse ut pecuniam innume- rabilem expendamus; quibus omnibus in unum concurrentibus nullo modo videmus posse servire ipsi domino regi de mutuo requisito. et propterea majestatem suam rogamus
15 devotissime quantum possumus, quatenus placeat habere nos merito excusatos.   [2ᵃ] et si dicti oratores.facerent mentionem et dicerent de mutuo minoris quantitatis vel de pleçaria ¹ fienda ipsi domino regi de aliqua pecunia que daretur sibi per alios, collegium domini consiliariorum capitum et sapientum habeat libertatem lutandi ᵃ ² et excusandi se de hoc cum illis bonis verbis et rationibus que sibi videbuntur, ut non gravetur omni
20 die istud consilium.

83. *Beschluß des Raths zu Venedig: Antwort auf die Gesandtschaft K. Ruprechts* *1402* *betreffs Vorkehrungen zu seinem Rückzuge. 1402 April 13 Venedig.*   *Apr. 13*

Aus Venedig St.A. Deliberazioni, secreta, senato 1, registro 1 fol. 55ᵇ *mb. coaev.; zu Anfang links am Rande* Ser Benedictus Superancio procurator, ser Donatus Mauro, ser Ludovicus Mauroceno, ser Rambertus Quirino, ser Zacharias Trivisano miles. *Auszug bei Mone Zeitschrift für die Gesch. des Oberrheins 5, 305 ebendaher.*

Die 13 aprilis.

Capta.   quod respondeatur ad istam ambaxiatam noviter portatam nobis pro parte serenissimi domini regis Romanorum, per quam, significato nobis recessu suo quem
30 dicunt ipsum velle facere hodie vel cras, rogat, quod velimus mandare nostris rectoribus *Apr. 13* Tarvisii et Tarvisanis, quod dent [*weiter fast wörtlich mit unbedeutenden formellen Ab-* *Apr. 14* *weichungen wie art. 1 des Beschlusses vom 9 Dec. 1401 nr. 67, nur mit Weglassung der Worte* et plures si videbit plures·locari posse, *bis* commodum suum, *dann weiter:*] et ita mandetur dicto potestati et capitaneo nostro Tarvisii, comittendo eidem, quod
35 ad cautelam teneat modum, quod ultra custodiam ordinatam castri Tarvisii ᵇ aliqui boni homines ponantur in dicto castro, ut illud sit semper sub bona custodia. aliis autem rectoribus, per quorum regimina rationabiliter habebit transitum facere, mandetur [*schließt wörtlich wie der oben gen. art. 1 des Beschlusses vom 9 Dec., nur* quantitate *statt* copia].
40   De parte 112, non 3, non sinceri 3.

a) *cod.* lutanandi. b) *cod. add.* teneat modum quod.

¹ Plegaria = *fidejussio s. Du Cange.*   ² Lutare = *luere, solvere s. Du Cange.*

1402
Mai 20

84. *Beschluß des Raths zu Venedig: Instruktion für 3 gen.* Gesandte an Herzog Johann
Geleazzo, Vorstellungen wegen dessen Verhalten, und Entschuldigung des Verhaltens
der Florentiner und des Franz von Carrara zu K. Ruprecht. *1402 Mai 20
Venedig.*

> *Aus Venedig St.A.* Deliberazioni, secreta, senato 1, registro 1 fol. 61ᵇ-62ᵇ *mb. coaev.;* 5
> *zu Anfang links am Rande* Ser Petrus Cornario, ser Ludovicus Lauredano procura-
> tores, ser Donatus Mauro, ser Ludovicus Mauroceno, ser Rambertus Quirino, ser Justus
> Contareno, ser Zacharias Trivisano miles sapientes consilii.

Die 20 maji.

Capta.   quod fiat comissio nobilibus viris ser Benedicto Superancio procuratori 10
sancti Marci et ser Thome Mocenigo nostris oratoribus ad dominum ducem Mediolani
in hac forma, videlicet:

Nos Michael Steno dei gratia dux Venetiarum [*u. s. w., Auftrag an die gen.*,
*im
Interesse des bestehenden Friedens beim Herzog wegen einer Reihe von Punkten vor-
stellig zu werden, in mehreren Artikeln: [1] die Arbeiten zur Ableitung der Brenta* 15
*einzustellen; [2] sich in seinen Grenzen ruhig zu halten, namentlich von Bologna ab-
zulassen; [3] unter ihrer Vermittlung Ausgleich der Zerwürfnisse mit Bologna und
anderen Nachbarstaaten zu bewerkstelligen; [4] wenn der Herzog auf die vorherigen
Punkte eingeht, einen Waffenstillstand auf möglichst lange Zeit zwischen demselben und
dem Herrn von Bologna zu schließen, was letzterem hoffentlich auch recht sein wird;* 20
*wenn der Herzog nicht darauf eingeht, sollen die Gesandten zurückkommen; [5] falls
der Herzog einstweilen die Arbeiten an der Brenta einstellen will und wegen der Sache
das Recht bietet, sollen sie erst neue Instruktion erbitten; wenn er dieselben nicht einstellen will, ehe er versichert ist, daß die Venetianer mit dem Rechtbieten zufrieden
seien, sollen sie zurückkehren; weiter:*] [6] sed quia non dubitamus, sed certi sumus, 25
quod dictus dominus dux, audita ambassiata vestra, in responsione quam vobis dabit
inter alia multas querelas faciet de Florentinis et de domino Padue, dicens, quod frege-
runt sibi pacem propter illa que fecerunt et tractaverunt cum novo Romanorum rege,
et quod ceciderunt ad penam 100000 ducatorum pro quolibet, et quod illam habere
vult, faciet etiam vobis multas excusaciones de factis Bononie, ut alias fieri fecit: fecimus 30
vobis dari in scriptis responsionem factam per ipsos Florentinos, quando eis dici fecimus
de ipsa requisicione domini ducis; responsionem autem domini Padue vos scitis, quia se
excusat et dicit, quod tamquam subjectus novo regi Romanorum oportuit obedire sibi
et ire ad suam presentiam, nec poterat contradicere, et quod veritas erat quod dictus
dominus dux multa fecerat et tractaverat ac tractat continue contra eum.   fecimus etiam 35
vobis dari nonnullas responsiones factas alias ¹ per nostra consilia diversis temporibus
circa ista facta, in quibus satis clare apparet intentio nostra; et apud illas formam pacis
et treugue ² et aliquas alias scripturas ad ista facta et ad informationem vestram facientes, ut illas videre et examinare possitis, et suo loco et tempore dicere et respondere
ad ea que ipse dominus dux vobis diceret, secundum quod vobis caderet in proposito 40
et prout sapientia vestra cognosceret fore utilius et fructuosius ad intentionem nostram
predictam obtinendam secundum quod superius dictum est.   [*weiter: [7] im allgemeinen
sollen sie die Freiheit haben, wenn irgend etwas das zur Erhaltung des Friedens dienen
kann vom Herzog vorgebracht wird, sofort nach Venedig darüber zu schreiben und Instruktion abzuwarten. [8] Sie sollen mit den betreffenden Glaubsbriefen auch die* 45

---

¹ *Bd. 4 nr. 262, in diesem Band nrr. 40. 72.*   ² *Der Friede von Venedig vom 21 Merz 1400*
78. 79.   *ohne Zweifel.*

Herzogin, ihren älteren Sohn Johann Maria, und Franciscus Barbavara [1]*, der viel*   *1402*
beim Herzog gilt, besuchen. [9] Sie sollen in Padua den Franz von Carrara besuchen   *Mai 20*
und ihm den bekannten Zweck ihrer Gesandtschaft mittheilen. [10 und 11] Verwendung
für Einzelne. [12] Kurzes Budget, und Ausstattung der Gesandtschaft.]

Jurastis proficuum et honorem Venetiarum eundo stando et redeundo, et de expensis
videndis et examinandis omni die vel saltem omni tercio die ad minus, ac de scripturis
in vestro reditu nostre curie presentandis.

Data in nostro ducali palacio die 20 mensis maji inditione decima.   *1402*
   Mai 20

F. Verhältnis zu Franz von Carrara und anderen Italienischen Herren und Städten nr. 85-140.

85. *Beschluß des Raths zu Venedig: Gesandtschaftsinstruktion für Johannes Plumacius* *1401*
an Franz von Carrara. 1401 Sept. 16 Venedig.   *Sept. 16*

Aus Venedig St.A. Deliberazioni, secreta, senato 1, registro 1 fol. 18 [b] *mb. coaev.*

1401 ind. 10 die 16 mensis sept. || *Zu melden: [1] Betreffs der Ligue in Friaul, von der
Franz von Carrara den Venetianern gesagt hat, die sich zwischen Udine und Cividale und vielleicht
noch anderen vorbereite, ohne Zweifel um hernach in einen Bund mit dem Herzog von Mailand zu
treten: so haben sie gemäß seinem Rath einen Gesandten dorthin geschickt, um die Ligue zu hinter-
treiben; doch hat sich herausgestellt, wie die beifolgende Kopie der Ligue selbst zeige es, daß dieselbe
nur die Sicherheit der Städte und die Einheit der Kirche von Aquileja bezwecke* [2]*. Indes da der
Herzog von Mailand überall alle Herren und Städte, mit Venedig verbündete wie nicht verbündete, an
sich zu ziehen suche, scheine es gut, wenn man versuche ihm hier zuvorzukommen und sich mit den
genannten in Verbindung zu setzen, wobei sich dann auch zeigen würde, ob die Ligue wirklich harmlos
sei oder ob ein Vorwand dabei sei* [3]*. Franz soll seine Meinung hierüber sagen lassen. [2] Außerdem soll der Gesandte dem gen. berichten, was die Gesandten des Königs von Böhmen* [3] *den Venetianern
gemeldet haben, die jedoch ohne Glaubsbriefe erschienen seien, und wie dieselben ohne eine Antwort
abgegangen sind. [3] Auch soll der Gesandte die Ankunft des Bischofs von Novara* [4] *melden.*

---

[1] *Bei Corio Storia di Milano ed. 1856. 2, 452
unter den Räthen des Herzogs aufgeführt.*

[2] *Die Ligue, am 3 Sept. geschlossen, s. bei De
Rubeis Monumenta eccl. Aquil. 988-989, vgl. daselbst im allgemeinen über die Verhältnisse in
Friaul. Begreiflicherweise war man dort auch
sehr gespannt auf K. Ruprechts Romzug und verfolgte dessen Etappen mit Antheil, vgl. u. a. folgende Notizen aus Udine Bibl. civica Excerpta ad
hist. Forojul. spectantia ex codicibus accepti et
expensi quaestorum civitatis Utini cop. ch. saec.
18, deren Originale von 1404 an noch erhalten
sind: 1401 Sept. 30 die ultimo septembris expendidi quos dedi Nanio de Mulargis qui missus
fuit ambasiator Cividatum pro adventu imperatoris
cum duobus equis et uno famulo sold. 40; dicta
die [Sept. 30] expendidi quos dedi Gotardo qui
ivit in Alemaniam dicta de causa ducatos quinque; 1401 Okt. 16 die 16 octobris habuit Gutardus*

qui missus fuit Tridentum ad sciendum de imperatore ducatos auri sex; 1401 Nov. 11 die 11 nov.
expendidi quando Gotardus fuit missus Sazilum
ad investigandum de gentibus que debebant venire
de Padua obviam imperatori pro naulo pro se et
equo et expensis per eum factis in duobus diebus
soldos centum quinque parvulos quatuor; *endlich
[1402] Merz 9* item expendit die nono martii pro
libris de confectionibus duodecim ac libris 19
unciis duabus cere laborate ad belantiam que
fuerunt donata . . domine imperatoris in summa
marchas solidorum tres et soldos decem novem.
*Anderes aus Udine s. Note unter nr. 131; auch
s. Valentinelli in Abhandlungen der hist. Klasse
der königl. Bair. Akademie der Wissenschaften
1866 Bd. 9 p. 478 nr. 334.*

[3] *S. lit. G dieses Tages, speziell nr. 143.*

[4] *Des Gesandten vom Herzog Johann Galeazzo,
s. nr. 40.*

86. *Beschluß des Raths zu Venedig: Gesandtschaft an Franz von Carrara* [1]. *1401
Sept. 17 Venedig.*

> *Aus Venedig St.A.* Deliberazioni, secreta, senato 1, registro 1 fol. 19ᵃ *mb. coaev.*
>
> 1401 ind. 10 die 17 sept. || *[1] Franz soll Maßregeln zur besseren Sicherung von Policinum,
> wohin die Venetianer schon Truppen und Geschütz gesandt haben, angeben.   [2] Der Gesandte des* 5
> *Herzogs von Mailand, Bischof [Jacopo] von Novara, hat Klage über die Florentiner geführt, weil sie
> den Romzug K. Ruprechts zu des Herzogs Schaden betreiben, weswegen sie viel Geld in ihrer Stadt
> aufnehmen, bis zu 375000 Dukaten, wovon schon 200000 bezahlt seien; das könnten sie nicht ohne
> Venedigs Unterstützung gethan haben, und deshalb beschwert der Herzog sich auch über die Vene-
> tianer; ferner klagt er über die vertragswidrigen Befestigungen die Franz bei Castrum Baldum an* 10
> *der Etsch anlegen läßt u. s. w.* [2]. *Der Herzog verlangt Venedigs Gesinnung zu erfahren.   Antwort sei
> dem Gesandten noch nicht gegeben.*

1401
Sept. 25 **87.** *K. Ruprecht an die Reichsangehörigen in Italien besonders Toskana und der Lom-
bardei: er habe Ulrich von Albeck und Johann von Mittelburg bevollmächtigt, mit
Rath des Franz von Carrara Reichsvikars in Padua mit allen, die ihm und dem* 15
Reiche gehorsam und unterwürfig sein wollen, Verträge abzuschließen [3]. *1401
Sept. 25 Innsbruck.*

> *A aus Karlsr. G.L.A.* Pfälz. Kop.-B. 5 fol. 45ᵇ-46ᵃ *cop. ch. coaev.; Überschrift* Litera
> potestatis sive mandati data Ulrico de Albeck licenciato in decretis et Johanni de
> Mittelburg, ut possint cum consilio domini Paduani convenire et pacisci cum omnibus 20
> volentibusᵃ pervenire ad obedienciam et subjectionem domini nostri regis et sacri
> imperii etc.ᵇ.
> *B coll. ibidem* Pfälz. Kop.-B. 143 pag. 119-120 *cop. ch. coaev., mit derselben Überschrift.*
> *C coll.* Wien H.H. u. St.Arch. R.-Registr.-Buch A fol. 43ᵇ *cop. ch. coaev., mit derselben
> Überschrift.* 25
> *Regest bei Chmel Reg. Rup. nr. 972 aus C, Janssen Frankf. R.K. 1, 627 nr. 1042
> aus B.*

Rupertus etc. universis et singulis communitatibus dominis nobilibus magnatibus
proceribus officialibus rectoribus et gubernatoribus civitatum terrarum et castrorum ac
villarum Italie et maxime Thuscie et Lombardie, quos nostrum regit imperium, necnon 30
ipsorum et ipsarum singularibus personis et privatis presentes literas inspecturis graciam
regiam et omne bonum.   ad vestram et cujuslibet vestrum noticiam deduci volumus
per presentes, quod ad presens impediti circa plurima et varia negocia nostri sacri imperii non valemus de presenti attendere ad reformacionem civitatum terrarum castrorum
et villarum Italie et provinciarum suprascriptarum.   ne igitur propter occupaciones nostras 35
predictas ipse civitates terre ipsa castra et ville suprascripte et suprascripta ipsorum
ipsarumque habitatores et incole suo debito jure remaneant inculte ac sua necessaria
careant reformacione, optantes omnia que ad nostrum Romanum pertinent imperium
longis temporibus suo patrocinio defraudata in bonum prosperum ac quietum reformare
statum et spoliatos in suis juribus restituere: idcirco, de circumspectione Ulrici de Albecke 40

> ᵃ) *C* volencium   ᵇ) *om. C.*

---

[1] *Die Gesandtschaft des Herzogs Johann Galeazzo, deren Ankunft die Venetianer am 16 Sept.
an Franz melden (nr. 85 art. 3), überbrachte die
Beschwerden, welche wir aus nr. 40 eingehend
kennen. Ehe der Rath darauf antwortete, was*

*am 20 Sept. eben in nr. 40 geschah, setzte er
durch obige Gesandtschaft Franz in Kenntnis.*
[2] *Vgl. überall zu diesem Artikel das nähere in
nr. 40.* 45
[3] *Vgl. nr. 30 und die gleich hier folgenden nrr.*

licentiati in decretis prothonotar*ii* nostri ac Johannis de Mittelburg oratorum ac fidelium *1401 Spt. 25*
nostrorum dilectorum plenarie confidentes, deliberavimus eisdem plenum liberum ac ᵃ
purum per has nostras patentes literas mandatum facere, et sic facimus, necnon potestatem eisdem dare, et sic damus, quod possint cum consilio magnifici Francisci de Carraria
5 pro nostro imperio in Padua vicarii vel suorum, quibus ipse vices suas in hac parte
commiserit, cum universis et singulis locorum pretactorum convenire pacisci et promittere
pro nobis et nostro sacro imperio, prout eisdem conveniens et condecens esse videbitur,
ad hoc tamen et in eum finem quod communitates domini nobiles magnates proceres
officiales rectores et gubernatores necnon singulares et privâte persone locorum predicto-
10 rum ad nostram et imperii sacri obedienciam subjectionemque perveniant ᵇ, promittentes
omnia et singula per ipsos Ulricum et Johannem fideles nostros predictos sic ut premittitur promissa conventa et pacto firmata cum suprascriptis vel altero ᶜ ipsorum habere
firma rata et grata et contra ipsa non venire quovis modo.   harum sub nostre regie
majestatis sigilli appensione testimonio literarum usque ad nostrum in Italiam adventum
15 proximum seu ad revocacionem nostram duraturarum, datum Inßspruck ᵈ 25 die mensis *1401*
septembris anno domini millesimo 400 primo regni vero nostri anno secundo.   *Spt. 25*

Ad mandatum domini regis
Nicolaus Buman.

88. *K. Ruprecht an Franz von Carrara Reichsvikar zu Padua, befiehlt ihm Johann* *1401*
Galeazzo Grafen von Virtù und dessen Anhänger als Feinde des Reichs zu ver- *Spt. 25*
folgen und zu bekriegen. *1401 Sept. 25* [1] *Innsbruck.*

A aus Karlsr. G.L.A. Pfälz. Kop.-B. 5 fol. 45ᵃᵇ *cop. chart. coaev.; Überschrift* Litera
mandati ut dominus Paduanus tenetur et habere debet Johannem Galeacium et alios
inobedientes in hostes et inimicos etc.
B coll. ibidem Pfälz. Kop.-B. 143 pag. 117-119 *cop. chart. coaev., mit gleichlautender
Überschrift, in der Unterschrift fehlt* Ad — regis.
C coll. Wien ·H.H. u. St.-Arch. R.-Registr.-Buch A fol. 43ᵃ *cop. ch. coaev., mit derselben
Überschrift.*
Regest Chmel Reg. Rup. nr. 973 aus C, Janssen Frankf. R.K. 1, 626 nr. 1039 aus B.

30 Rupertus etc. magnifico viro Francisco de Carraria nostro et imperii sacri in Padua
vicario ac fideli dilecto graciam regiam et omne bonum.   nostrum Romanum decet
imperium, cunctarum que nostre ᵉ obediunt jussioni provinciarum paci providere, humiles
et bene viventes exaltare, bonos premiare, iniquos punire, et jus suum unicuique tribuere,
juraque nostri sacri imperii temeraria aliquorum spoliatorum audacia temporibus retroactis
35 occupata in suum pristinum restituere statum, celsitudinique nostre honorem querere
collatum. et cum plurimi in superbia honore qui principum bonitate eis collatus est
abutuntur, et non solum subjectos regibus conantur ᶠ opprimere, set, datam sibi gloriam
non ferentes, in ipsos qui dederunt moliuntur insidias, et in tantum vesanie ᵍ prorumpunt,
ut principes eciam, qui credita sibi officia diligenter observant et ita cuncta agunt ut
40 omni laude digni sint, mendaciorum funiculis conantur subvertere, estimantes eorum
pravis suggestionibus sua callida fraude honesta principum studia depravare, nec contenti

a) C atque. b) A proveniant. c) zu em. alterum ᶠ d) C Inßepurk. e) A nostri. f) A add. sic, C dasselbe ausgestrichen. g) A mit Überstrich über den letzten Silben, BC mit Haken über e.

---

[1] *Die Richtigkeit der Datierung im* Pfälz.
45 Kop.-B. 143 *und im Wiener* Reichsregistraturbuch
A *gegen die Lesart des* Pfälz. Kop.-B. 5 (30 Sept.)
wird dadurch erwiesen, daß K. Ruprecht bereits
*am 25 Sept. 1401 einem Schreiben an Franz von
Gonzaga (unsere nr. 91) eine Abschrift des obigen
Briefes an Franz von Carrara beigibt.*

sunt non gracias beneficiis agere et humanitatis in se jura violare, sed dei quoque cuncta cernentis [a] arbitrantur se fugere posse sententiam: de quorum numero Johannes Galleacius comes Virtutum nominatus non solum describi set primus pocius nominari meretur, qui nostram nostrique sacri imperii majestatem non semel verum magis que vix vicibus proferri possent lesit ledereque innixus est, cujus delicta ante justi judicii thronum [5] deducta vindicte sententiam receperunt, cujus executorem nos esse fatemur dum deus ultionum dominus nos ad culmen imperii vocare dignatus est: cogimur itaque, officium Romani imperii exercendo, contra ejus Johannis Galleacii predicti dei et humani generis hostis operaciones pravas conspectui dei inolentes inobedienciam ipsius iniquitates malicias fraudes calliditates injusticias dolos spoliaciones predas ecclesiasticorum publicorum im- [10] perii et privatorum bonorum incendia ruinas rapinas homicidia stupra incesta et adulteria per ipsum suorumque viciorum causa commissa, diviniique judicii exequendo sententiam, manu armata agere, et eum [b], nostri imperii viribus exequendo, punire, sicque per ipsum perpetratum crimen lese majestatis inultum non dimittere. nec solum contra ipsum hoc facere conabimur, verum et contra quoscumque qui auxilium consilium et favorem palam [15] vel occulte sponte vel coacte prebere presumpserint; et, si qui nostro subjecti imperio, per nos literas vel nuncios nostros requisiti, contra ipsum Johannem Galleacium ejusque complices auctores fautores auxiliatores vel eidem favorem prebentes non hostiliter fece- rint et omni sua potencia egerint, necnon passus suos nobis nostris gentibus et favorem nobis dantibus vel dare volentibus non apperuerint et appertos tenuerint, victualia quo- [20] que favores commoda consilia et auxilia (ipsorum tamen transeuncium sumptibus debitis et licitis) non prebuerint, armaque in nostros et [c] nostrorum favores non receperint et contra hostem prefatum Johannem Galleacium et alios suprascriptos sibi complices non assumpserint et in bonis et personis ipsorum hostiliter omni suo conatu egerint: rebelles nostros esse ac nostri sacri imperii habebimus et sic ipsos fore reputabimus. fidelitatem- [25] que tuam latere predicta nolumus, et tibi districte mandamus, quod predictum Johannem Galeacium hostem nostrum et nostri imperii et sic tuum fore habeas teneas reputes et tractes cum tibi subjectis et toto tibi commisso districtu, cunctoque posse tuo contra predictum Johannem Galleacium et contra omnes suprascriptos quovis modo palam vel occulte sponte vel coacte favorem sibi prestantes hostiliter agendo debeas intendere, et [30] contra terras civitates castra villas et loca munita, in quibus habitabunt, et contra ipsorum bona hostiliter insultando omni sollicita cura vigilanter insistere, illosque [d] illaque tuo et tuorum beneplacito voluntatis pro nobis et nostro imperio subicere diripiendo capiendo et in servitutem redigendo, cum nostro imperio rebelles existentes tale mercantur audire edictum et rebellionis ipsorum perferre [e] vindictam. sic namque provinciis, quas [35] nostrum regit imperium, pacem optatam ac provisam prestabimus, quietemque [f] earum angustiis ac [g] sorti [h] prebere non ambigimus, quia justicie racio persuadet excedentes reprimere ut ad cunctos possit quietis suavitas pervenire.   harum sub nostre regie majestatis sigilli appensione testimonio literarum, datum Insprucke 25 [i] die mensis sep-

tembris anno domini millesimo quadringentesimo primo regni vero nostri anno secundo. [40]

                    Ad mandatum domini regis
                    Nicolaus Buman etc. [k].

---

a) *A* cernentes. b) *B* tam, *A* eam, *C* eum c) *em. add* d) *C* illos. e) *em. aus* proferre. f) *A* quietem que petierunt. g) *C* hac. h) *em. aus* sorte. i) *A* 30; *C* Insprucke — secundo *von derselben Hand mit dunklerer Dinte hinzugefügt.*   k) *om. C*   45

89. *K. Ruprechts Anweisung für Ulrich von Albeck und Johann von Mittelburg zu* [1401
Verhandlungen mit Franz von Carrara Reichsvikar von Padua über Bündnisse c. Spt.
mit Italienischen Herren und Städten und Hilfe zum Italienischen Zuge. [1401 25]
c. Sept. 25 Innsbruck [1].*]*

Aus Karlsruhe G.L.A. Pfälz. Kop.-B. 146 fol. 49[b]*-50*[a] *cop. ch. coaev.*
*coll. Janssen Frankf. R.K. 1, 627-628 nr. 1043 aus Kodex in eigenem Besitz Acta et
Pacta 200.*
*Moderne lateinische Übersetzung Martène et Durand ampl. coll. 4, 71-72 nr. 49; daraus
erwähnt bei Chmel Reg. Rup. unter nr. 972.*

10 Werbunge die unser herre der kunig enpholhen hat hern Ulrich von Albeck und
Hansen von Mittelburg als er sie itzunt gein Lamparten schicket.

[1] Zum ersten sollent ir riden zu mim herren von Padauw und dem unsers herren
glaubsbriff antwurten und im herzelen unsers herren des kunigs und sines zoges stat
und wesen of daz drostlichst als ir mogent.

15 [2] Item darnach sollent ir im antwurten unsers herren des kunigs briff mit sinem
majestat versigelt [2], darinne er im gebutet den von Meylan anzugriffen und zu beschedigen etc.; und sollent im damit herzelen, das unser herre an in beger und im auch
das genzlich getruwe, daz er daz wolle bestellen zum besten und sich darin getrulich
bewisen.

20 [3] Item sollent ir im sagen, wie unser herre geschriben hat [a] dem marggisen von
Este und dem herren von Mantauwe von derselben sach wegen [3], und in bitten von
unsers herren wegen darin zu raten, ob man in dieselben briff solle schicken, und waz
er darinne ret, daz sollent ir also dûn.

[4] Item sagent im auch, daz ir credenzbriff habent an die vieztum [b] zu Friule
25 an die Venediger an den herren zu Bononie und an die Florenczer [4], und daz uch unser
herre enpholhen habe an dieselben zu werben von siner zukunft und umb hulf im zu
tûn wieder den von Meilan und die an im sint, nach sinem rad und underwisunge, und
bittent in von unsers herren wegen euch [c] zu raten und zu underwisen, was und wie ir
an die obgenanten sollen werben. und wie er uch dan underwiset, dem geent also
30 nach.

[5] Item sagent im auch, das uch unser herre habe geben einen gewaltesbriff [5] zu
teidingen mit herren stetten oder andern, daz sie zu unsers herren gehorsamkeit kummen, nach sinem oder deren [d], der er daz enphelhen wurde, rat und underwisunge, als
daz in demselben briff begriffen ist, den ir in auch sullent laßen horen. und bittent in,
35 daz er an etliche der sinen wolle. stellen daz sie uch herinnen radent und underwisent
zum besten.

[6] Item sollent ir im sagen, wie unser herre der kunig mit sinen fursten herren 1401
und ritterschaft werde zukummen umb Tryente von durstag oder fritag nehstkumpt Okt. 6,7

40 a) cod. und Janssen stat. b) cod. zwei Punkte über i, die wir als o auf die Zeile heruntergesetzt haben. c) cod.
und Janssen auch. d) cod. und Janssen denen.

---

[1] *Das undatierte Stück gehört ohne Zweifel zu
dem Briefe Ruprechts an Franz von Carrara nr.
88 vom 25 September 1401, zumal da aus art. 6
des Stückes als Zeitbestimmung etwa die letzte
Woche des September gewonnen wird; es steht im
Kodex zwischen dem Brief K. Ruprechts gegen
Aachen vom 20 Juli 1401 (RTA. 4 nr. 256) und*

*der Werbung an die Florentiner von ca. 25 Sept.
1401 (RTA. 5 nr. 30).*
[2] *nr. 88.*
[3] *nr. 90 und 91.*
[4] *Diese Glaubsbriefe fehlen uns, dagegen haben
wir einen an den Herrn von Lucca nr. 92.*
[b] *nr. 87.*

uber aht tage, und begere und bitte in zumale fruntlich mit ganzem ernst, daz er sich
wolle zu stunt rusten mit sinem volk zu roß und zu fuße schutzen und provizoner als
vil er des gehaben mag, und auch mit sinem gezuge der in zu diesen ziten dunket
bequeme und nutze sin, und also zu unserm herren dem kunige kummen an die obgenante stat so er allererste moge, wan unser herre in besunder gerne wolte bi im han   5
und mit imme und andern sinen fursten herren und frunden zu rade werden, welche
straße und wie [a] im allerbequemelichst were of sine finde zu zihen.

    [7] Item sagent imme, als er etlich capitel [1], die her Aczo Francisci an in begert
hat, sinen frunden heruß habe geschickt, die sie forbas an unsern herren den kunig
haben braht, darof hab uch unser herre enpholhen mit dem egenanten hern Aczo zu   10
teidingen und von der capitel wegen mit [b] im zu beslißen nach sinem rade, und das
unsers herren ere und dez richs nûcz darinne versorget werden. derselben capitel abgeschrift furent ir auch mit uch.

90. *K. Ruprecht an Markgraf Nikolaus von Este Reichsvikar zu Modena: hat ver-*
nommen daß der Markgraf ihm geneigt und ergeben sei, bittet ihn in dieser Ge-   15
sinnung zu verharren und übersendet Abschrift von nr. 88, wonach auch der Mf.
sich richten soll. 1401 Sept. 25 Innsbruck.

    K aus Karlsr. G.L.A. Pfälz. Kop.-B. 146 fol. 104ᵃ cop. chart. coaev.; Adresse als Über-
    schrift.
    M coll. der Druck in Martène thesaur. nov. anecd. 1, 1678-79 nr. 44.   • 20
    Gedruckt Lünig cod. Ital. dipl. 1, 1633 nr. 53. — Regest Georgisch 2, 861 nr. 104 und
    Chmel nr. 974 aus Martène l. c.; Janssen Frankf. R.K. 1, 627 nr. 1040 aus Kodex
    seines Privatbesitzes Acta et Pacta 304.

    Rupertus etc.   magnifice fidelis precare.   audivimus relacionibus oratorum
nostrorum et aliorum tue sane intencionis erga majestatem nostram perfeccionem, tuam   25
eciam nostri honoris conservandi tibi eciam fructuosam disposicionem, teque [c] paratum
fore in omnibus et contra omnes nostris obtemperare velle mandatis, que non minus
tuarum literarum descripcione nobis destinatarum sic fore cognovimus. quam quidem
tuam deliberacionem cernimus tibi innatam fore, cum novimus tuorum majorum nostris
predecessoribus fideliter et constanter prestitas similes [d] fuisse operaciones [e]. quam tuam   30
fidelitatem sanamque deliberacionem commendamus, et te hortamur, ut in ipsis constans
et perpetuus esse velis, ut honor et laus a [f] tuis majoribus in similibus acquisiti tue. non
deficiant successioni. et ut tibi nostra pateat intencio, patentis [g] mandati nostri per
literas nostras patentes [g] magnifico Francisco de Carraria pro sacro imperio nostro in
civitate Padue vicario destinati copiam tibi mittimus presentibus interclusam [h], tibi di-   35
stricte mandantes, ut ea que in ipso mandato dicta copia contento describuntur [i] exequi
effectualiter debeas, ut ipse Franciscus facere et parere tenetur. quod te et ultra facturum non ambigimus, cum fidem promissis te observare velle existimemus [k] penasque
mandati te non velle luere animadvertamus [l].   datum Insprucke 25 die mensis septembris anno domini 1400 primo regni vero nostri anno secundo.   40

Magnifico et potenti viro Nicolao marchioni   Ad mandatum domini regis
Estensi nostro et sacri imperii in Mutina vicario.   *Nicolaus Buman* [m].

    a) cod. und wie zweimal. b) cod. mit zwei Überpunkten über i. c) M add. etiam. d) M fideles. e) M operatores.
f) om. KM. g) M patentis, K patent mit Schleife. h) M inclusam. i) M distribuuntur. k) KM existimamus.
l) M animadvertimus. m) M add. etc.   45

    [1] *Haben wir nicht.*   [2] *nr. 88.*

91. *K. Ruprecht an Franz von Gonzaga Reichsvikar in Mantua, schilt daß derselbe* 1401 *ihn noch nicht anerkannt, und schickt ihm Abschrift von nr. 88, um die Strafe* Sept. 25 *für Rebellion kennen zu lehren.* *1401 Sept. 25 Innsbruck.*

K aus Karlsr. G.L.A. Pfälz. Kop.-B. 146 fol. 104ᵃ *cop. ch. coaev., die Adresse voran.*
M coll. der Druck Martène thesaur. novus 1, 1679 nr. 45. — Regest Janssen Frankf.
R.K. 1, 627 nr. 1041 aus eigenem Kodex Acta et Pacta 305.

Rupertus.

Magnifice Francisce.   nosti, pro sacro nostro Romanorum imperio tuos majores
jam pluribus annis elapsis civitatem nostram Mantue tamquam vicarios ᵃ et te quandoque
pro nostro imperio gubernasse.   te non eciam latuit, nos juridice et debite post justam
debitam et oportunam quondam regis Romanorum privacionem in regem Romanorum
electum fuisse, hoc ᵇ quoque Allemanie principes duces marchiones comites imperii civitates et alios in Almania nostro subjectos imperio multosque Italicos a nobis vero rege
Romanorum recognovisse.   tu autem continuo contumax et pertinax debitum tuum in
recognoscendo nos regem Romanorum neglexisti et ᶜ usque nunc in tua perseverasti desidia, ita quod noster et imperii nostri non mereris vicarius nominari.   et ut scias quales
esse nostris intendimus rebellibus et in contumacia existentibus, tibi mittimus copiam
mandati per nostras literas patentes ¹ magnifico Francisco de Carraria pro nostro sacro
imperio in civitate Padue vicario destinati ᵈ presentibus interclusam, ex cujus tenore
comprehendere poteris quam penam merito rebelles nostri et ᵉ imperii nostri luere debeant, quam vires nostri imperii exigere ᶠ non ambigant.   datum Insprucke etc. ut 1401
supra ².   Sept. 25

Magnifico Francisco de Gonczaga in Mantua.

92. *K. Ruprecht beglaubigt 2 genannte Gesandte bei dem Herrn von Lucca Paul* 1401 *Guinigi* ³. *1401 Sept. 25 Innsbruck.* Sept. 25

Aus Lucca Pubblica Biblioteca ms. nr. 112 Lettere di vari a Paolo Guinigi nr. 221 or
ch. lit. clausa.

Rupertus dei gracia Romanorum rex semper augustus.

Magnifice sincere dilecte.   mittimus ad legalitatem tuam Ulricum de Albeck
licenciatum in decretis prothonotarium nostrum et Johannem de Mittelburg, oratores
nostros fideles et dilectos presencium exhibitores, super certis nos et imperium sacrum
concernentibus, desiderantes affectanter, quatenus eisdem in referendis parte nostri fidem
credulam adhibere nostramque personam et sacrum imperium favoribus oportunis prosequi placeat, prout de legalitate tua fiduciam gerimus pleniorem.   datum Inspruck 25 1401
die mensis septembris anno domini millesimo quadringentesimo primo regni vero nostri Sept. 25
anno secundo ⁴.

[in verso] Magnifico Paulo de Guinigiis   Ad mandatum domini regis
nostro et imperii sacri fideli dilecto debet dari.   Nicolaus Buman.

a) KM vicarius. b) M nos, und dann statt a nobis — recognovisse vol aus eigener Konjektur vobis verum regem
Romanorum cognovisse; es soll aber heißen: das haben sie von uns als R. K. anerkannt. c) z. e. om. KM.
d) KM destinatus. e) KM haben et nach penam statt vor imperii. f) M exigere, K exegere.

¹ Dat. 25 Sept. 1401 nr. 88.   schrift die gleiche mit nr. 90 Ad mandatum domini
² D. h. wie in nr. 90 25 die mensis septembris   regis ‖ Nicolaus Buman.
anno domini 1400 primo, regni vero nostri anno   ³ Vgl. nr. 30 art. 2.
secundo. Wahrscheinlich war auch die Unter-   ⁴ Am 30 Okt. 1401 schreibt der Herr von Lucca

19 *

1401
Sept. 29 **93.** *K. Ruprecht an die Reichsangehörigen in Italien, besonders Toskana und der Lombardei: er habe Reinhard von Sickingen bevollmächtigt u. s. w. wie in nr. 87 und außerdem zur Entgegennahme von Treueiden. 1401 Sept. 29 Innsbruck.*

A aus Karlsruhe G.L.A. Pfälz. Kop.-B. nr. 5 fol. 46ᵃᵇ *cop. ch. coaev., mit der Überschrift* Litera potestatis Reinhardo de Sickingen data ut possit cum omnibus in Italia   5
existentibus pacisci et convenire volentibus [*em. aus* volencium] pervenire ad subjectionem et obedienciam domini nostri regis.

C coll. Wien H.H. St.A. R.-Registr.-Buch A fol. 43ᵇ-44ᵃ *cop. ch. coaev., mit derselben
Überschrift.*

Steht auch Karlsr. G.L.A. Pfälzer Kop.-Buch 143 pag. 121-123 *cop. ch. coaev.*   10

*Regest Chmel reg. Rup. nr. 985 aus C, irrig Bernhard von Sickingen, und Janssen
Frankf. R.K. 1, 629 nr. 1045 aus Karlsr. 143.*

Rupertus etc. universis [*und weiter wie in der Vollmacht von 1401 Sept. 25 nr.
87, mit folgenden Abweichungen: a) vor* singularibus personis *ist hinzugefügt* inhabitatoribus incolis, *b) statt* Ulrici de Albecke — dilectorum *heißt es* strennui militis Reinhardiᵃ de Sickingen nostri in Alsacia presidis ac fidelis dilecti *und dem entsprechend   15
tritt auch sonst der Singular statt des Plural ein, c) ausgelassen ist* cum consilio —
parte commiserit; *nach* subjectionemque perveniant *wird hier fortgefahren*] necnon ipsiusᵇ
sit ad nostram et imperii obedienciam subjectionemque pervenire volentium obediencie
ac fidelitatis juramenta nostro nomine recipiendi et omnia et singula alia faciendi que   20
in hiis et circa ea fuerint quomodolibet oportuna, promittentes omnia et singula per
ipsum Reinhardum fidelem nostrum predictum ut premittitur promissa conventa et pacto
firmata habere firma rata et grata et contra ipsa non venire quovismodo.   harum sub
nostre regie majestatis sigilli appensione testimonio literarum usque ad specialem necnon
expressam revocacionem nostram duraturarum datum Insprückeᶜ in die beati Michaelis   25
1401
Sept. 29 archangeli anno domini millesimo quadringentesimo primo regni vero nostri anno secundo.

Ad mandatúm domini regis
Nicolaus Buman.

a) *C* Rehardi *mit Bogen über* e. b) *AC* ipsorum. c) *A* Inspruicke *oder* Inspriucke, *über dem ersten Schaft der
fraglichen Buchstaben übergeschriebenes* e *durch ein Kreuzchen ausgestrichen, und ein gleiches Kreuzchen am   30
Rande, über dem letzten Schaft derselben* 2 *schräge Punkte; C* Insprucke.

*Paul de Guinigis an D. Guarzano: u. a. derselbe
solle erkunden, ob es wahr sei, was ihm zu Ohren
gekommen ist, daß concordia tractabatur inter
illustrissimum dominum ducem et novum electum,
dat.* Luce die 30 oct. 1401; *am 5 Nov. 1401 derselbe an denselben: er habe dessen Brief mit wunderbaren großen Nachrichten erhalten, ersucht
ihn, weitere Mittheilungen de* processibus novi*

electi *zu machen, dat.* Luce die 5 nov. 1401; *am
10 Nov. 1401 derselbe an denselben: ersucht ihn,
de recessu novi electi a Tridento et retrocessu
suo in Alamaniam wahre Nachrichten zu verschaffen; alle 3 Schreiben aus Lucca St.A.* Kopialbuch des Paul de Guinigis fol. 29ᵃᵇ *cop. ch.
coaev.*   35

94. *K. Ruprecht an die Reichsangehörigen in Italien, besonders in der Lombardei: er* 1401
sende Franz von Carrara und Konrad von Eglofstein nach Italien als seine Weg- Okt. 7
bereiter voraus, und habe denselben Vollmacht gegeben, gegen alle Reichsrebellen,
besonders Johann Galeazzo, Krieg zu erregen, das Reichsbanner aufzupflanzen,
5 *dieselben zur Unterwerfung zu bringen (ähnlich wie in nr. 88), ferner Vollmacht,*
Verträge mit denselben abzuschließen (ähnlich wie in nr. 87) und Treueide ent-
gegenzunehmen, besonders auch Versöhnung zwischen den Guelfen und Ghibellinen
zu stiften, wobei in allem er befiehlt, die gen. mit Rath und That zu unterstützen.
1401 Okt. 7 Botzen.

10 *A aus Karlsruhe G.L.A. Pfälz. Kop.-Buch 5 fol. 46ᵇ-47ᵃ cop. ch. coaev., mit der Über-*
schrift Litera mandati sive potestatis ut Franciscus de Carraria in Padua vicarius et
Conradus de Egloffstein magister ordinis Theutunicorum possint litem et gwerram
movere contra inobedientes domino et imperiale banderium erigere et specialiter contra
Johannem Galeacii.
C coll. Wien H. H. St.A. R.-Registr.-Buch A fol. 44ᵃᵇ cop. ch. coaev., mit derselben
Überschrift.
Steht auch Karlsr. G.L.A. Pfälz. Kop.-B. 143 pag. 121-123 cop. ch. coaev.
Regest Chmel reg. Rup. nr. 994 aus C, Janssen Frankf. R.K. 1, 634 nr. 1049 aus Karlsr.
l. c. 143.

20 Rupertus dei gracia Romanorum rex semper augustus universis et singulis principibus ecclesiasticis et secularibus comitibus vicecomitibus potestatibus gubernatoribus
baronibus nobilibus vasallis feodatariis subditis castellanis custodibus officialibus universitatibus comunitatibus civitatum castrorum opidorum villarum districtuum et territoriorum
rusticis et plebeis Italie et maxime Lombardie, quos nostrum regit imperium, necnon
25 ipsorum et ipsarum inhabitatoribus incolis singularibus personis et privatis ceterisque
nobis et sacro Romano imperio quomodolibet subjectis et subiciendis graciam regiam et
omne bonum. ad vestram et cujuslibet vestrum noticiam deduci volumus per presentes, quod, incumbentibus nobis assidue negociorum varietatibus innumeris, dum pro felici
statu rei publice animus noster hincinde distrahitur, dignum estimamus existere et ne-
30 cessarium arbitramur ad illorum reformacionem specialiter attendere, qui longis temporibus sub gravi tyrannide passi suisque juribus spoliati necnon suo patrocinio defraudati
sibi necessaria caruerunt reformacione. sane considerantes, hec omnia in supradictis
Italie partibus et hominibus prochdolor longis temporibus graviter durasse et cottidie
gravius vigere, decrevit nostra majestas regia pro reformando felici statu sacri imperii
35 ipsiusque subditorum partibus in eisdem versus Italiam proficisci. [1] nunc quoque
in ipso itinere constituti et easdem partes ad proximum applicaturi ᵃ disposuimus ante
faciem regiam parare viam partibus in eisdem premittere viros fide et circumspectione
probatos, videlicet magnificum Franciscum de Carraria nostrum et imperii sacri in Padua
vicarium et venerabilem Conradum de Egloffstein ordinis Theutunicorum per Germaniam ᵇ
40 et Ytaliam magistrum consiliarios et fideles nostros dilectos. [2] de ipsorumque circumspectione industria ac fidelitate plenarie confidentes, deliberavimus eisdem plenum
liberum atque purum per has nostras patentes literas mandatum facere, et sic facimus,
necnon potestatem eisdem dare, et sic damus, quod possint ac ᶜ debeant contra quoscunque nobis et imperio sacro rebelles seu inobedientes et specialiter contra Johannem
45 Galleacium comitem Virtutum nominatim nostrum et imperii sacri hostem et contra
quoscunque quovismodo palam vel occulte sponte ᵈ vel coacte favorem sibi prestantes
gwerram et litem movere, imperiale nostrum vexillum seu banderium erigere, necnon

a) A applicati. b) C Almaniam. c) C et. d) om. A.

1401
Okt. 7 contra terras civitates castra villas et loca munita in quibus habitabunt et contra ipsorum bona hostiliter insultando intendere, dictosque nostros et imperii sacri rebelles et inobedientes ad nostram et ipsius imperii obedienciam et subjectionem reducere dictis seu aliis modis et viis quibus poterunt.   [3] insuper quod possint cum universis et singulis locorum pretactorum tractare convenire pacisci et promittere pro nobis et nostro sacro ₅ imperio, prout eisdem conveniens et condecens esse videbitur, necnon nostro nomine quorumcunque ad nostram ᵃ et imperii sacri obedienciam subjectionemque pervenire volencium obediencie ac fidelitatis juramenta recipere.   [3ᵃ] et ut hec ad debitum ac votivum eo commodosius valeant perducere effectum, quo suffragio ampliori viderint se communitos, committimus et ᵇ mandamus dictis Francisco et Conrado, quod possint et ₁₀ debeant inter parthias illarum partium que ·dicuntur Gibelini et Gwelphi placitare tractare ac treugas pacem seu concordiam procurare vel eas alio modo comparare ᶜ, prout ipsis conveniens seu oportunum videbitur, necnon omnia et singula alia facere que in · premissis et circa ea fuerint quomodolibet oportuna, promittentes omnia et singula per ipsos Franciscum et Conradum fideles nostros predictos ut premittitur acta promissa ₁₅ conventa tractata pacta ᵈ firmata vel alias quomodolibet facta habere firma rata et grata et contra ipsa non venire quovismodo.   quocirca vobis omnibus et singulis supradictis firmiter et districte precipiendo mandamus, quatenus Francisco et·Conrado consiliariis et fidelibus nostris prefatis in premissis omnibus et singulis obediatis pareatis et fideliter intendatis, ipsisque cum gentibus equestribus et pedestribus et cum omni vestra potencia ₂₀ assistatis consiliis et auxiliis oportunis, necnon eisdem ac gentibus ac comitive ᵉ eorum prestetis victualia et alia necessaria et oportuna, quociens per eos aut ᶠ eorum alterum vel ipsorum nuncium seu nuncios fueritis requisiti, sub pena indignacionis nostre gravissime.   harum sub nostre regie majestatis sigilli appensione testimonio literarum 1401
Okt. 7 datum Potzen septima die mensis octobris anno domini millesimo quadringentesimo primo ₂₅ regni vero nostri anno secundo.

Ad mandatum domini regis
Nicolaus Buman.

1401
Okt. 7 **95.** *K. Ruprecht an die Reichsangehörigen in Italien, besonders in der Lombardei: er habe Bischof Hartmann von Chur Vollmacht gegeben, gegen alle Reichsrebellen* ₃₀ *Krieg zu erregen, besonders gegen Johann Galeazzo, das Reichsbanner aufzupflanzen, dieselben zur Unterwerfung zu bringen (ganz wie in nr. 94), ferner Vollmacht, Verträge mit denselben abzuschließen und Treueide entgegenzunehmen (ähnlich wie in nr. 94), wobei in allem er namentlich den Guelfen und Ghibellinen befiehlt, den gen. mit Rath und That zu unterstützen. 1401 Okt. 7 Botzen.* ₃₅

> *A aus Karlsruhe G.L.A.* Pfälz. Kop.-B. nr. 5 fol. 47ᵃᵇ *cop. ch. coaev., mit der Überschrift* Litera ut episcopus Curiensis possit litem et gwerram ᵍ movere contra. inobedientes et banderium sive vexillum imperiale erigere et specialiter contra Johannem Galleacii comitem Virtutum.
>
> *C coll.* Wien H.H. St.A. R.-Registr.-Buch A fol. 44ᵇ *cop. ch. coaev., mit derselben* ₄₀ *Überschrift.*
>
> *Auch Karlsr. G.L.A.* Pfälz. Kop.-B. 143 pag. 123-124 *cop. ch. coaev.*
>
> *Regest Chmel reg. Rup. nr. 995 aus C, Janssen Frankf. R.K. 1, 634 nr. 1050 aus Karlsr. l. c. 143.*

Rupertus dei ʰ etc. universis [*weiter wie in der andern Vollmacht vom gleichen* ₄₅ *Datum nr. 94 bis* omne bonum].   quoniam nostram simul in diversis partibus quas

---

a) AC nostrum abgekürzt, nr. 87 nostram. b) C ac. c) A conptare mit Strich unten durch das p (wie per) und Rasur nach p. d) C pacto. e) AC comitiva. f) A et. g) C gwarram. h) om. C.

sacri imperii ambitus continet non possumus exhibere presenciam, ne aliquibus nostra ^{1401 Okt. 7}
desit vigilancia ad recuperandum et reformandum eas in quibus non assumus, personas
idoneas fide et circumspeccione probatas nostra consuevit majestas eligere et in partem
sue solicitudinis advocare. ne igitur propter absenciam nostram hujusmodi ipse civitates
5 terre [und weiter wie in der Vollmacht von 1401 Sept. 25 nr. 87 bis juribus restituere],
nostros quoque et imperii sacri rebelles ad nostram et ejusdem imperii obedienciam ac
subjectionem debitas reducere, de circumspeccione venerabilis Hartmanni episcopi Curiensis
principis ac devoti nostri dilecti plenarie confidentes, [weiter wie in nr. 94, mit den
durch die Einzahl des Gesandten gebotenen Abweichungen, bis condecens esse videbitur,
10 nur heißt es statt pacisci et promittere hier et pacisci; dann ist fortgefahren] ad hoc
tamen et in eum finem quod ad nostram et imperii sacri obedienciam subjectionemque
perveniant. necnon ipsius^a sit ad nostram et imperii obedienciam et subjectionem pervenire volencium obediencie ac fidelitatis juramenta nostro nomine recipere et omnia
alia et singula facere que in hiis et circa ea fuerint quomodolibet oportuna. quocirca
15 vobis omnibus et singulis supradictis et specialiter^b dictarum partium habitatoribus et
incolis qui dicuntur Gibelini et Gwelphi firmiter et districte precipiendo mandamus,
quatenus prefato Hartmanno episcopo Curiensi in premissis omnibus et singulis obediatis
pareatis et fideliter intendatis, et nichilominus sibi in premissis et quolibet eorum cum
gentibus equestribus et pedestribus et cum omni vestra potentia assistatis consiliis et
20 auxiliis oportunis, sibique prestetis victualia et alia necessaria et oportuna quociens per
eum vel ejus nuncium seu nuncios fueritis requisiti, sub pena indignacionis nostre gravissime. harum sub nostre regie majestatis sigilli appensione testimonio literarum
datum Botzen septima die mensis octobris anno domini millesimo quadringentesimo primo ^{1401 Okt. 7}
regni vero nostri anno secundo.
25

> Ad mandatum domini regis
> Nicolaus Buman.

96. *Markgraf Nikolaus von Este an Michael Steno Dogen von Venedig: sendet im* ^{1401 Okt. 21}
Einschluß die Forderungen der Gesandtschaft K. Ruprechts ¹ *und seine Antwort*
auf dieselben. 1401 Okt. 21 Ferrara.

Aus Venedig St.A. Commemoriale IX fol. 129^a cop. mb. coaev., mit der gleichzeitigen
Überschrift Copia literarum missarum ducali dominio a magnifico domino marchione
Ferarie.

Illustris et excelse domine, pater noster karissime. oratores serenissimi domini
nostri domini . . regis Romanorum die decimo nono presentis mensis ad nostram presen- ^{Okt. 19}
35 tiam profecti sunt et nobis pro parte sua effectualiter retulerunt et exposuerunt ambassiatam, cujus copiam vestre celsitudini in incluso folio destinamus. ad quam ambassiatam
ipsis oratoribus respondimus, prout post dictam ambassiatam in eodem folio continetur.
hec siquidem dominationi vestre reserare solito more decrevimus, ut sciatis omnia facta
nostra, eandem dominationem certam reddentes, quod, sicut verbo respondimus, sic opere
40 prosequemur et erunt facta verbis sine dubitatione conformia. Ferrarie 21 octobris ^{1401 Okt. 21}
1400 primo.

a tergo: Illustri et excelso domino domino
Michaeli Steno inclito duci Venetiarum etc. patri
nostro carissimo.

in subscriptione: Nicolaus
marchio Estensis etc.

---

a) AC ipsorum. b) A add. dictarum ausgestrichen.

---

¹ Es ist die Gesandtschaft des Ulrich von Al-   die vorher in Venedig war, s. nr. 43 und nr. 45
beck und Johann von Mittelburg (vgl. nr. 87 ff.),   Note 4.

1401
Okt. 21   Effectus ambassiate 'exposite domino marchioni per oratores serenissimi domini regis
Romanorum et responsi eisdem oratoribus dati per ipsum dominum marchionem:

[*1*] Primo ipsi oratores salutaverunt dictum dominum marchionem pro parte dicti
domini regis. [*2*] secundo exposuerunt sibi, qualiter pro firmamento sacri Romani
imperii dictus dominus rex decreverat ad partes Italicas proficisci, pro quo obtinendo   5
requirebat a dicto domino marchione auxilia et favores suos.   [*3*] tercio petebat a dicto
domino marchione liberum transitum per territoria et loca sua pro gentibus suis et
amicis ac fidelibus suis cum prestacione sufficienti victualium.   [*4*] quarto petebat,
quod, cum ipse dominus rex omnino decreverit inimicari duci Mediolani et ad ejus exterminium totis viribus intendere, requirebat ipsum dominum marchionem, ut ipse etiam   10
inimicaretur dicto duci et ejus amicis complicibus et subditis, et eisdem transitum denegaret et victualium prestacionem, concludendo, quod, ubi ipse dominus marchio hec
facere denegaret, haberet ipsum suum[a] et sui sacri imperii rebellem.

Ad que ipse dominus marchio respondit:

[*1*] Primo ad salutes, quod eas acceptabat cum debita reverencia tamquam a suo   15
domino singulari, cujus erat filius et servitor devotissimus.   [*2*] ad secundum respondit, quod de accessu suo ad partes Italicas sumebat ingentem exultacionem et leticiam,
cum manifeste cerneret, accessum suum profuturum nedum toti Italie sed toti Christia-
nitati, et nedum futurum firmamentum imperii sed permaximum augmentum, et quod
erat paratus et se offerebat ea de causa ad omnia sibi possibilia.   [*3*] ad tercium re-   20
spondit, quod paratus erat transitum petitum concedere animo libentissimo cum opportuna
copia victualium; verumtamen notificabat, quod anno instanti redditus tenues et modici
percepti sunt in territoriis suis, sed de perceptis quanticumque sint faciet sibi portionem
possibilem. [*4*] ad quartum respondit, quod libentissime faceret quicquid sua serenitas
postulabat, sed non videbat sibi adesse possibilitatem guereçandi cum dicto duce nec   25
cum aliqua altera persona, quum ab exordio sui dominii citra tot et tantis bellis impensis et oppressionibus vexatus fuit ipse et subditi sui, quod inhabilis totaliter ad guerram
reddebatur. nam cum guerre fieri non possent absque pecuniis, ipse nedum ullas non
habebat sed debitor et obligatus erat nonnullis comunitatibus et dominis, et potissime
inclite comunitati Venetiarum in magna quantitate pecunie, pro qua penes eandem pigne-   30
raverat quandam ejus contratam que non parva pars sui dominii est, et quod obnoxius
est etiam et obligatus magnifico patri suo domino Paduano in bona summa pecunie, necnon etiam magnifico domino Mantue, qui etiam pro securitate sui ab ipso domino marchione partem sui territorii Ferrarie sub pignore[b] habet. ex quibus omnibus et aliis hic
brevitatis causa non insertis impotentem se ad guerram omnino reddebat. sed nullatenus   35
transitum nec victualia dicto duci suis gentibus subditis vel amicis quovismodo prestaret. verum ut dictus dominus rex bonam voluntatem ipsius domini marchionis perciperet,
offerebat sibi et gentibus suis et amicis et adherentibus receptum in territoriis castris et
terris suis cum prestacione possibili victualium, ut ipse dominus rex guerram suam peragere posset; subjungens dictus dominus marchio, quod totus erat et esse intendebat filius   40
et servitor fidelis dicti domini regis et sacri imperii Romanorum, quod ejus serenitas
cognosceret per effectum. quibus omnibus consideratis supplicabat dicto serenissimo domino, quatenus ejus excusationem, utpote legitimam, ejus impotenciam et bonam mentem
acceptaret, sicut sperabat firmiter in serenitate sua.

Quo dato responso dicti oratores valde contenti a dicto domino marchione dis-   45
cesserunt.

---

a) *om. cod.* b) *em. aus* pignore.

97. *K. Ruprecht fordert die Stadt Tolmezzo [1] auf, einem Theile seines Heeres freien Durchzug und Verpflegung zu gewähren. 1401 November 11 Peuschldorf [2].*

1401
Nov. 11

B *aus Udine Bibliot. civica Abschrift der Chronik des Fab. Quint. Hermagoras De antiquitatibus Carneae libri 4 saec. 15 ex. in Anecdota Forojul., von Joh. Jos. Liruti de Villa-Fredda gesammelt um 1730, pag. 279. Das ae in der Abschrift ist bei uns durch e ersetzt.*

A *coll. Udine Kapitulararchiv Sammlung Bini Tom. XI nr. 14 aus derselben Chronik.*

W *coll. Abschrift derselben Chronik durch Jos. Cyllenius de Angelis 1722, im Privatbesitz des Prof. Alex. Wolf in Udine.*

Rubertus dei gratia Romanorum rex semper augustus.

Honorandi dilecti. quia nonnulli de gentibus nostris adhuc retro existentibus sequi nos cupientes iter suum per terram et dominium vestrum arripere[a] decreverunt: quocirca vos rogamus et attente desideramus, quatenus prefatas gentes nostras per terram et dominium vestrum equitare permittatis, eisdem etiam victualia et sumptus apud vos
15 pro pecunia ordinando; in quo nobis complacentiam singularem ostendetis[b], scituri[c], nos[d] predictis nostris gentibus ordinasse[e], predictas terras et dominium vestrum absque aliquo notabili damno pertransituras[f]. datum Paicheldorf[g] in die beati[h] Martini
episcopi anno domini 1401 regni vero nostri[i] 2.

1401
Nov. 11

98. *Beschluß des Raths zu Venedig: Antwort auf Anfrage des Podestà von Treviso.*
20 *1401 Nov. 13 [3] Venedig.*

1401
Nov. 13

Aus Venedig St.A. Deliberazioni, secreta, senato 1, registro 1 fol. 31[b] mb. coaev., unter dem vorhergehenden Datum die 13 novembris.

Auf die Anfrage des Podestà, ob er das Gesuch der Gesandten des Herrn von Padua, ihnen die Neuigkeiten que sentiret de facto gentium armigerarum que possent cedere ad damnum domini impe-
25 *ratoris mitzutheilen, erfüllen solle, zu antworten: solange K. Ruprecht außerhalb Venetianischen Gebietes sei, ja; sobald derselbe jedoch auf Venetianischem Gebiete ist, soll der Podestà nur den Gesandten Venedigs, die den König begleiten, Mittheilung machen; fernerhin soll er [überhaupt] alles was er an die Gesandten des von Padua schreibt erst den Venetianischen Gesandten pro sua informatione zu Händen kommen lassen, und diese sollen es an die ersteren befördern.*

a) A *suscipere.* b) AW *ostenditis.* c) AW *add. et.* d) A *vos,* AW *add. cum.* e) A *ordinate.* f) AW *—os.*
· g) A *Raicheldorf,* W *Paicheldoph.* h) AW *sancti.* i) *em. für regno vero nostro.*

[1] Vorher heißt es in der Chronik, worin dieser Brief steht: Dum igitur rex esset in itinere ac per superiores Alpes copiarum partem ducere consti-
35 tuisset audivissetque Tulmentinos, metuentes, ne ad eorum damna exercitus ille descenderet, montem Crucis [Kreuzberg] ceterasque Carneae Alpes qua in eorum provinciam iter patet valido militum presidio munisse, premisso tabellario per literas
40 a Tulmentinis ut iter per Carnicam provinciam exercitui suo — — pateret enixe precatur, quas ad fidem faciendam hic quoque inserere voluimus.

[2] Peuschldorf ist der deutsche Name für Venzone, s. Ficker in Mittheilungen des Instituts für österr. Geschichtsforschung 1, 302; dort urkundet Ruprecht am 11 und 13 Nov., Chmel nr. 1041. 1042.

[3] S. die Quellenangabe.

1401 **99.** *Franciscus und Aloysius Baptista de Casalibus Reichs-Generalvikare in Cortona*
Nov. 27   *bestätigen den von ihren gen. zwei Gesandten in ihrem Namen dem K. Ruprecht*
geleisteten und hier eingeschalteten Treue- und Lehens-Eid. 1401 Nov. 27 Padua.

> *Aus Münch. Staatsarchiv Urkk. betr. die äußeren Verhh. der Kurpfalz $\frac{120}{b\,38}$ or. mb. lit.*
> *pat. c. 2 sig. pend. in filo serico rubro, auf Rückseite von Hand des 15 Jahrhunderts* 5
> *verbuntniß richs. Ist p. 155 lin. 49 statt exspectabitur zu setzen exceptabitur?*
> *Regest in Karlsruhe G.L.A. Pfälz. Kop.-B. nr. 44 fol. 190ᵇ saec. 15 zweite Hälfte.*
> *Gedruckt Regest bei Janssen Frankf. R.K. 1, 637 nr. 1062 aus Karlsr. l. c.*

Nos Franciscus natus bone memorie nobilis militis domini Francisci de Casalibus
et Aloysius Baptista ejus nepos et natus dudum bone memorie Nicolai Johannis de Ca- 10
salibus, pro regia majestate serenissimi principis domini nostri domini Ruperti divina
favente clemencia Romanorum regis semper augusti et ejus sacri Romani imperii in
civitate Cortonensi vicarii generales [1], tenore presencium recongnoscimus et fatemur:
quod reverendum in Christo patrem et dominum fratrem Bartholomeum Simonis de Troia
dei et apostolice sedis gracia episcopum Cortonensem et nobilem et prudentem virum 15
1401 ser Matheum Andree de sancto Severino nostrum cancellarium pridem de anno domini
Nov. 8 millesimo quadringentesimo primo die tercia mensis novembris indicione nona [2] fecimus
constituimus et ordinavimus nostros veros et legitimos ambasiatores procuratores actores
factores et nuncios speciales, ad comparendum et se ipsos representandum vice et nominibus nostris humiliter et devote coram serenissimo et victoriosissimo principe et domino 20
nostro domino Ruperto divina favente clemencia Romanorum rege dingnissimo et semper
augusto, ad recongnoscendum eundem serenissimum principem in verum et naturalem
nostrum dominum, et ad promittendum sollempniter atque jurandum in animas nostras
fidelitatis et homagii [3] debita juramenta, prout ex procuracionis instrumento per Uguicio-
nem olim Land quondam Pepi Uguicionis de Perusio civem Cortonensem publicum 25
imperialis auctoritatis notarium et judicem ordinarium desuper confecto plenius continetur.
in cujus manus, prout ex eodem apparet instrumento, ad sancta dei ewangelia corporaliter manibus tactis sacrosanctis scripturis prestavimus juramenta, ratum gratum et
firmum ᵃ habere atque tenere attendere et observare omne id totum et quidquid per 30
dictos nostros procuratores et oratores fuerit gestum factum et ordinatum. et quia predictus reverendus pater dominus Bartholomeus episcopus Cortonensis et ser Matheus
ambasiatores et procuratores ac nuncii nostri ut predicitur speciales in manibus serenissimi principis et domini nostri domini Ruperti Romanorum regis semper augusti
prelibati nostris nominibus in animas nostras jurarunt sacrosanctis corporaliter manibus
tactis ewangeliis juramentum, docta per omnia verborum normola, prout de verbo ad 35
verbum hic subscribitur:
　　Nos Bartholomeus Simonis de Troia episcopus Cortonensis et Matheus Andree de
sancto Severino procuratores et nuncii magnificorum dominorum Francisci et Aloysii de
Casalibus ad hoc specialiter constituti juramus in predictorum dominorum constituencium

---

ᵃ) *or. ratos gratos et firmos.* 40

---

[1] *Vgl. Chmel Reg. Rup. nr. 1049. 1050. 1051.*
[2] *Von diesem Tag ist die Vollmacht datiert,*
welche im wesentlichen den angegebenen Inhalt
hat (auch Privilegien sich vom König geben zu
lassen) und im Münch. St.A. Urkk. betr. äußere
Verhh. der Kurpfalz $\frac{120}{b\,38}$ als sigelloses Notariats-

instrument auf Pergament im Original erhalten
ist.
[3] *Dieses Wort speciell ist in der gen. Vollmacht*
nicht gebraucht, wol aber fidelitatis debite et de-
vote juramentum quodlibet. 45

et nostras animas: quod prelibati domini nostri Franciscus et Aloysius ab hac hora in- *1401*
antea usque ad ultimum diem vite eorum continue firmiter et constanter fideles et legales *Nov. 27*
erunt serenissimo principi domino Ruperto Romanorum regi semper augusto pro sacro
imperio Romanorum et suis successoribus; et erunt amici amicorum et inimici inimicorum
5 ipsius domini nostri regis, et facient contra omnes personas de mundo pro ipso domino
rege omnibus viribus suis et tota possibilitate eorum cum civitate Cortone districtu et
hominibus ipsorum bona fide et absque dolo et fraude, et specialiter contra dominum
Johannem Galeacz comitem Virtutum ac suos complices et adherentes ipsius domini regis
et sacri imperii inimicos; et quod numquam erunt in consilio vel facto, quod dominus
10 rex amittat vitam vel membrum aliquod vel quod recipiat in persona aliquam lesionem
injuriam vel contumeliam aut quod mala capcione capiatur seu quod amittat aliquem
honorem quem nunc habet vel in futurum habebit; et, si sciverint vel audierint de aliquo
qui velit aliquod predictorum contra ipsum dominum regem facere, prestabunt toto suo
posse cum sollicita cura operam et impedimentum ne illud fiat; quodsi impedimentum
15 prestare non possent, statim, cum cicius poterunt, illud ipsi domino regi nunciabunt, et
contra talem attemptantem aliquod predictorum contra ipsum dominum regem prout eis
possibile erit prestabunt domino regi auxilium consilium et favorem; et, si aliquid in
secreto per dominum regem ipsius litteras vel nuncios eis fuerit significatum, illud sine
licencia domini regis prelibati nemini pandent neque facient ut pandatur; et quod obe-
20 dient litteris domini regis et ipsas litteras sive contenta in eis toto eorum posse bona
fide et sine fraude execucioni mandabunt; et quod eidem domino regi et divis ipsius in
imperio successoribus inpendiis annuisque et aliis solitis et debitis prestationibus, prout
vicarii ipsius civitatis Cortone facere tenentur et astricti sunt, obedient et obtemperabunt
realiter et cum effectu; et, si consilium dominus rex per se vel litteras suas sive per
25 nuncium suum pecierit vel postulaverit ab eis vel altero eorum super aliquo facto, quod
dabunt consilium quod videbitur ipsi domino regi et honori ejus expedire; et, si dominus
rex quidquam perderet quoquo modo, quod ipsi juvabunt et juvare debebunt omni eorum
posse illud perditum recuperare; et quod nunquam aliquid scienter cum persona sua
facient, quod pertineat vel pertinere possit ad injuriam vel contumeliam ipsius domini
30 regis; et semper in memoria habebunt, circa auxilia favores et consilia ad ipsum dominum
regem spectancia et eidem prestanda id agere consulere prestare et operari, quod sit
incolume tutum honestum utile facile et possibile; et apperient pontes portas passus
civitatis castrorum et fortaliciorum omnium presencium et futurorum ipsi domino regi et
gentibus suis et omnibus quibus per suas litteras mandaverit; ac dabunt et dari facient
35 victualia ipsi domino regi et gentibus suis, seu quibus dari mandaverit, pro foro et precio
competenti solvendo per predictos seu predictos dicta victualia habere volentes, tam pro personis suis
quam pro familiis et equis ipsorum; et similiter claudent passus suos portas civitatem
terras et castra predictos omnibus inimicis ipsius domini regis presentibus et futuris et
gentibus eorundem vel prestancium predictis favorem et auxilium quos sciverint inimicos
40 regie majestatis esse per specialem vel generalem ammonicionem vel requisicionem; ac
legatos seu oratores et nuncios ejusdem domini regis in eundo stando et redeundo honorifice tractabunt et in necessitatibus suis adjuvabunt; et ipsi vel alter eorum ab ipso
domino rege vocati ad locum ydoneum accedent; nisi prepediti fuerint prepedicione legitima; et quod nullum pactum convencionem subjectionem unionem ligam contractum
45 sive amiciciam aliquam facient cum aliqua persona, cujuscumque condicionis existat,
ecclesiastica vel seculari, aut cum aliquo domino seu principe vel cum aliqua communitate seu universitate, per quod vel per quam possit huic juramento in toto vel in parte
derogari, ymmo in omnibus et per omnia fiendis vel fienda per ipsos constituentes semper
exspectabitur ipse dominus rex et successores ejus; et quod defendent et conservabunt
50 civitatem predictam Cortone terras castra villas et districtus ejusdem ad honorem ipsius

20*

1401
Nov. 27 domini regis et successorum ejus pro sacro Romano imperio; et quod civibus et districtualibus ac habitatoribus et incolis dicte civitatis et districtus ejus et eciam transeuntibus per dictam civitatem et districtum et omnibus personis ibidem jus postulantibus et impetrantibus ad complementum jus et justiciam facient per se aut officiales seu rectores, quos constituent juxta et secundum ordines eis in concessione eorum vicariatus constitutos ⁵ et statutos ac descriptos; et quod prelatos et ceteros clericos ecclesias et monasteria ac eorum bona in sua debita et juridica conservabunt libertate; et quod gazeros paterinos leonistas speronistas almadistas et omnes hereticos utriusque sexus ac eorum fautores auxiliatores et receptores per judices competentes accusatos ᵃ de heresi inquirent et inquisitos dampnabunt et dampnatos punient juxta juris ordinem, juvando in hoc ecclesiam ¹⁰ et ecclesiasticos judices fideliter et efficaciter juxta officium et posse eorum prout juris est, nemini parcendo, ne inpunita divina remaneat offensa. sic ipsos constituentes et nos deus adjuvet et hec sancta dei ewangelia.

idcirca nos Franciscus et Aloysius de Casalibus predicti fatemur de novo et recongnoscimus tenore presencium predictum fidelitatis et homagii juramentum per prelibatos ¹⁵ ambassiatores nostros vice et nominibus nostris prestitum ac omnia et singula in premissis acta dicta et facta atque gesta per eos rata inconcussa et firma in omnibus et per omnia realiter et cum effectu tenere servare exequi et adimplere sine dolo et fraude ac numquam contrarium facere vel contra venire dicere vel allegare per nos vel alios de jure vel de facto directe vel indirecte tacite vel expresse quocumque quesito colore.   et in ²⁰ hujus rei fidem et testimonium sepefato serenissimo principi domino nostro domino Ruperto Romanorum regi et semper augusto presentes litteras tradidimus nostrorumque *1401* fecimus sigillorum appensione communiri.   datum Padue vicesima septima die mensis *Nov. 27* novembris anno domini millesimo quadringentesimo primo.

1402
Jan. 7 **100.** *Franz von Carrara an Michael Steno Dogen von Venedig: hat die Nachricht* ²⁵ *von K. Ruprechts bevorstehendem Rückzug mit großem Leidwesen erhalten, möchte alles ihm mögliche thun um den König in Italien zu halten* ¹. *1402 Jan. 7 Padua.*

> *Aus Venedig Markusbibl. mss. lat. cl. 14 cod. 93 fol.* 1ᵇ *cop. ch. coaev., mit der Notiz Zilius scripsit, dominus Michael comisit.*
> *Gedruckt in der Hochzeitswidmung von Brandolini Padua 1859 pag. 1.*

Illustris etc.   que michi excellentia vestra scripsit super expositis sibi ք tarios serenissimi domini Romanorum regis, vestris literis declarata ᵇ, de facta jestatem regiam deliberatione ad propria remeandi et requisitione navigiorum a dominio vestro facta ac responsione ejus per dominationem vestram data etc. ²

---

a) *or.* dampnatos. b) *cod.* declaratos.   ³⁵

¹ *Vgl. den Beschluß des Raths vom 7 Januar nr. 76.*
² *Am 7 Dec. 1401 bestätigt K. Ruprecht auf Bitte Franz' von Carrara Reichsvikars in Padua demselben alle Privilegien Gnaden u. s. w., die von Karl IV [am 23 Juni 1370, s. Böhmer-Huber reg. Karoli nr. 4853] und anderen Vorgängern Kaisern und Königen der Römer verliehen sind, wie solche ihm vorgelegt worden sind [ohne Insertionen], dat. Padue in civitate nostra imperiali predicta septima die mensis decembris anno dom. 1401, r. vero n. anno 2. || Per dominum Rabanum*
episcopum Spirensem cancellarium Ulricus de Albecke licent. in decretis; aus Karlsr. G.L.A. Pfälz. Kop.-B. 5 fol. 54ᵇ cop. ch. coaev., steht auch Karlsr. ib. Kop.-B. 143 pag. 144-145 und Wien H.H. St.A. R.-Registr.-Buch A fol. 51ᵇ cop. ⁴⁰ ch. coaev., an den beiden letzten Orten mit der gleichzeitigen Randbemerkung non transivit, die in Kop.-B. 5 l. c. nicht steht; Regest bei Chmel nr. 1053 aus Wien l. c.; erwähnt von Gataro in Muratori scriptores rer. Ital. 17, 843 B gelegent- ⁴⁵ lich K. Ruprechts Einzugs in Padua, und daraus von Gloria dipl. Carraresi pag. 16.

et intellexi pleno conceptu. ad que illustri dominio vestro respondeo, quod sui discessus admodum me tedet et piget et ex illo^a gravem animo gero molestiam. voluissem namque ipsum et pro honore bono et statu sue regie majestatis et totius Italie remanere debere. et si quid vestra inclita dominatio super hoc videret me posse, ad ea ero
5 dispositus et paratus, de hujusmodi participatione mecum facta affectione paterna excelentie vestre agens plenitudinem gratiarum.   datum Padue 7 januarii.
Duci Venetorum.

1402
Jan. 7

1402
Jan. 7

101. *Franz von Carrara an Bischof Georg I von Trient: K. Ruprecht, da er mit den Florentinern nicht einig werden könne, wolle heimkehren. 1402 Jan. 8 Padua.*

1402
Jan. 8

10   *Aus Venedig Markusbibl.* mss. lat. cl. 14 cod. 93 fol. 1ª *cop. ch. coaev.*
Gedruckt im Archiv für Kunde österr. Geschichtsquellen 26, 370 von Valentinelli ebendaher.

Reverende pater etc.   recepi nuper paternitatis vestre breve, et continentiam ejus plenius intellexi. ad quod respondeo, quia de serenissimo domino Romanorum rege nova
15 vobis cupitis indicari, quod ipse dominus rex propter differentias inter ipsum et Florentinos vigentes, que terminari et tolli non poterunt, disponit ad propria remeare.   datum Padue 8 januarii ut supra [1].
Domino Georgio episcopo Tridentino.

1402
Jan. 8

102. *Franz von Carrara an den Herrn von Bologna Giovanni Bentivoglio: kann ihm*
20   *die versprochenen Hilfstruppen nicht schicken, da durch den Abzug K. Ruprechts sein eigenes Gebiet von Truppen entblößt ist. 1402 Jan. 10 Padua.*

1402
Jan. 10

Aus Venedig Markusbibl. mss. lat. cl. 14 cod. 93 fol. 1ᵇ *cop. ch. coaev., mit der Notiz Zilius scripsit,* dominus Henricus *comisit.*

Magnifice etc.   receptis magnifice fraternitatis vestre literis, quibus provisiona-
25 torum meorum subsidium postulatis mox parari et in ordine poni, mandavi ducentos provisionatos quos magnificentie vestre conceperam destinare, cum interea repens supervenit novum: Romanorum regis discessus in Germaniam ad propria redeuntis. propter quod omnes gentes sue hic existentes subito discesserunt nec remanserunt hic equi 25. ob quarum abscessum ego, ducis Mediolani mentem ignorans et territorium meum ad
30 fronterias sui undique gentium multitudine circumdatum considerans, michi ipsi cavere et gentes meas pro mei defensione sum retinere coactus. dolens itaque, quod propositum meum missionis dictorum provisionatorum meorum nequeam adimplere, fraternitatem vestram precor, quatenus, si votis vestris non annuo ut optabam, me placeat merito supportare.   datum Padue 10 januarii.
35 Domino Bononie.

1402
Jan. 10

a) cod. illa.

---

[1] *Es gehen vorher im Kodex Briefe des Jahres 1402; außerdem steht über dem Blatte oben groß als Überschrift* Januarii 1402, *wie auch weiterhin die Monatsangaben übergeschrieben sind, vgl. die Kodexbeschreibung in dem Vorwort zu Band 4 pag. XX.*

1402
Jan. 14

103. *Franz von Carrara an seinen Bruder den Grafen von Carrara, theilt ihm sein Schreiben an den päbstlichen Gesandten Franciscus de Montepulciano mit, welches er, falls der Bote den gen. nicht trifft, entgegennehmen und eröffnen soll. 1402 Jan. 14 Padua.*

Aus Venedig Markusbibl. mss. lat. cl. 14 cod. 93 fol. 2ᵇ *cop. ch. coaev.*

Magnifice frater karissime.   scribo venerando viro domino Francisco domino Policiano, oratori sanctissimi domini nostri pape ad Romanorum regem ᵃ destinato n̆unc Romam redeunti [1], et ei mitto duas literas, nuper ab oratoribus dominorum Florentinorum unam qui sunt Venetiis [2], alteram a famulo meo Hermano receptas, per quas effectualiter scribunt michi, ipsum dominum regem herino sero debuisse vel isto mane infalibiliter reverti et esse debere Venetiis, de omnibus diferentiis quas cum Florentinis habebat plene concordem [3]. qui de Venetiis discesserat [3] cum dispositione ad propria remeandi ob differentias antedictas. ordinavique nuntio exhibitori presentium, quod, si ipsum dominum Franciscum in via inveniret, sibi literam ipsam cum interclusis debeat presentare, ut illas ostendat domino nostro pape; si vero ipsum non invenerit, ipsam literam vobis tradat, quam aperire velitis, si vestras ad manus pervenerit, et exequi que continentur in ea.   datum ut supra [4].

Domino comiti de Carraria [5].

1402
Jan.
13|14

1402
Jan. 14

1402
Jan. 14

104. *Franz von Carrara an den päbstlichen Gesandten Franciscus de Montepulciano, sendet 2 Briefe [6] mit Nachrichten von K. Ruprechts Rückkehr nach Venedig, um dieselben dem Pabste zu zeigen. 1402 Jan. 14 Padua.*

Aus Venedig Markusbibl. mss. lat. cl. 14 cod. 93 fol. 2ᵇ *cop. ch. coaev.*, *mit der Notiz Zilius scripsit,* dominus Henricus comisit, Rossignolus cursor portavit.

Venerande et sapiens amice karissime.   recepi nuperime duas literas quas vestre prudentie mitto presentibus interclusas, ut videatis dominum imperatorem licet de Veneciis discessisset illuc reverti et esse totaliter in concordia cum dominis Florentinis, et ipsas sanctissimo domino nostro ᵇ pape ostendere valeatis.   datum Padue 14 januarii.

Domino Francisco de Poliçano oratori pape.

a) *cod. regi.* b) *scheint so und nicht vestro.*

[1] *Der päbstliche Gesandte Franciscus de Montepulciano war im December 1401 bei K. Ruprecht eingetroffen und kehrte anfangs Januar 1402 nach Rom zurück, s. RTA. 4 nrr. 23-27. 39. 40; der hier erwähnte Brief an denselben ist nr. 104 hier.*
[2] *Vgl. nr. 77; die oben angeführten 2 Briefe haben wir nicht; auf den einen antwortet Franz in nr. 106.*
[3] *Am 9 Januar.*

[4] *Vorhergehen im Kodex Briefe vom 14 Jan. 1402.*
[5] *Es ist ein natürlicher Bruder von Franz, ein anderer als Jakob von Carrara; in den zeitgenössischen Quellen wird er soviel wir sehen immer nur il conte da Carrara genannt, und es scheint sein Vorname nicht bekannt zu sein.*
[6] *Es sind die in nr. 103 näher bezeichneten Briefe.*

105. *Franz von Carrara an seinen Bruder den Grafen von Carrara, theilt ihm die* 1402
bevorstehende Rückkehr K. Ruprechts nach Venedig mit; nebst Nachschrift, diesen Jan. 14
Brief unter der Hand dem Pabste zu zeigen. 1402 Jan. 14 Padua.

Aus Venedig Markusbibl. mss. lat. cl. 14 cod.·93 fol. 2ᵇ cop. ch. coaev.

5 Magnifice frater karissime. misser lo re di Romani e per esser questa matina 1402
o fo heri sera a Venesia. el quale e in acordo pienamente cum li Fiorentini e cum Jan. 15/14
ogni homo, et e rimaso le cosse in bon ponto e in bon ordene. e si se pratica cosse
per le quale no po manchare chel ne ᵃ siegua la destructione del duca de Milano. e sel
nostro signore misser lo papa vora fare come ᵇ io spero chel debia fare, la seguela ᶜ dara
10 si redonda chel stado so e de la chiesa se recovrera integramente sença nessuno fallo in 1402
Italia. datum ut supra ¹. Jan. 14
[*Nachschrift*] Misser lo conte. lo brieve, in lo quale questo e incluso, prego lo
mostrati a misser lo papa, fençando mostrarlo pur da voj, e chio no ve habia scripto
che gel ² mostrati. datum ut supra. 1402
15 Domino comiti de Carraria. Jan. 14

106. *Franz von Carrara an die Florentinischen Gesandten in Venedig Philipus de* 1402
Cursinis, Raynaldus de Ganfiglaciis milites ³, Bonacursius de Pittis, ser Petrus Jan. 14
Petri ⁴. 1402 Jan. 14 Padua.

Aus Venedig Markusbibl. mss. lat. cl. 14 cod. 93 fol. 2ᵃ cop. ch. coaev.

20 *Er dankt ihnen für den heut morgens erhaltenen Brief, worin sie ihm mittheilen, daß K. Ru-*
precht nach Venedig zurückkehre e come rimaso de accordo de tuto quello che ha a fare con lo vostro
comune; es sei für ihn das liebste auf der Welt und sie hätten ihm nichts wertheres mittheilen kön-
nen. Er wird den misser Michele de Rebatha⁵ nach Venedig senden, um mit ihnen zu sein. datum
ut supra⁶.

25 **107.** *Franz von Carrara an Bischof Georg I von Trient: hat durch einen Brief K.* 1402
Ruprechts dessen Rückkehr nach Venedig erfahren und begibt sich auf Verlangen Jan. 15
dorthin. 1402 Jan. 15 Padua.

Aus Venedig Markusbibl. mss. lat. cl. 14 cod. 93 fol. 2ᵇ; mit der Notiz Zilius scripsit,
dominus Henricus comisit, Menatus de Levigo portavit.
Gedruckt im Archiv für Kunde österr. Geschichtsquellen 26, 370 von Valentinelli ebendaher.

Reverende etc. significo vestre paternitati per aliud breve, qualiter serenissimus
dominus Romanorum rex ob aliquas differentias, de quibus cum Florentinis non potuerat
habere concordiam, de Venetiis discesserat, ut in Alemancam remearet. nunc vero isto
35 mane recepi literas regie majestatis, quarum copiam, ut occurrentium ᵈ plenam et inte- 1402
Jan. 15

a) cod. no. b) cod. como. c) cod. sege. d) cod. occurrentiam.

¹ Vorhergeht im Kodex der Brief vom 14 Jan.
1402 nr. 103.
² Wol für gli.
³ Diese beiden gehören zu der Gesandtschaft
nrr. 32. 34.
⁴ Diese beiden gehören zu der Gesandtschaft
nr. 33, vgl. nr. 27.

⁵ Sic, meist Rabatha, doch kommt öfter auch
diese Form vor.
⁶ Vorhergehen im Kodex Briefe vom 14 Jan.
1402. Am 15 Januar schreibt Franz an dieselben,
daß er andern Tages [am 16 Januar] des K. Ruprecht wegen in Venedig sein werde, Venedig
Markusbibl. l. c. fol. 3ᵃ.

1402 gram noticiam teneatis, vestre paternitati mitto presentibus interclusam ᵃ. quorum causa
Jan. 15 requisitus presentialiter vado Venetias.   datum Padue 15 januarii 1402.

Domino *Georgio* episcopo Tridentino.

1402 **108.** *Frans von Carrara an Bischof Georg I von Trient: K. Ruprecht ist mit den*
Jan. 22   *Florentinern einig geworden, das beste steht davon zu hoffen, der Bischof soll gen.* ⁵
Edle von Brescia zu treuem Ausharren ermuthigen. 1402 Jan. 22 Padua.

    Aus Venedig Markusbibliothek mss. lat. cl. 14 cod. 93 fol. 4ᵃ cop. ch. coaev., mit der
    Notiz Zilius scripsit, dominus Henricus comisit.

    Gedruckt im Archiv für Kunde österr. Geschichtsquellen 26, 370 - 371 von Valentinelli
    ebendaher.   10

Reverende etc.   paternitati vestre significo, me septem diebus fuisse et stetisse
Venetiis et interfuisse his que acta sunt inter serenissimam regiam majestatem specta-
bilesque oratores comunis ᵇ Florentie et illustre ducale dominium Venetorum. quorum
ut vestra paternitas noscat effectum, notifico, diferentiam que vigebat inter regiam celsitudinem et Florentinos fore ex toto sublatam, et denariorum solutionem, cujus cessatio 15
erat causa suborte discordie, domino regi factam esse, et dari nunc bonum principium
salubriter agendorum. spero quod res tali debea*t* exitu terminari, quod autore deo res
prospere et votive succedent vosque et sacri imperii ac reipublice zelatores suscipietis
leticiam et solamen. verum paternitatem vestram amicabili precor affectu, quatenus
Petrum de Ladrono ¹ Zaninum de Roçonibus Zaninum del Montino Franciscum de Me- 20
dicis et alios nobiles Brexanos ² placeat instanter precari et exhortari, quod sint constantes bonique et fortes animi nec deserant inchoata sed ea viriliter persequantur, cum
in tali dispositione et terminis res existant, quod in brevi videbunt et audient que
placebunt, congratulabuntur quoque et in intimis letabuntur. super quibus intentum
1402 ejus dominus rex debuit paternitati vestre scripsisse vel scribet.   datum Padue 22 25
Jan. 22 jan*u*arii.

Domino *Georgio* episcopo Tridentino.

1402 **109.** *Frans von Carrara an Petrus von Lodrone ³, schreibt über K. Ruprechts Ange-*
Jan. 22   *legenheiten ähnlich wie in nr. 108, ermahnt ihn zu treuem Ausharren und Er-*
muthigung gen. Freunde, versichert ihn seiner und des Königs Gunst, sie beide 30
werden nächstens mit Gefolge zu ihm kommen. 1402 Jan. 22 Padua.

    Aus Venedig Markusbibl. mss. lat. cl. 14 cod. 93 fol. 4ᵇ cop. ch. coaev., mit der Notiz
    Zilius scripsit, dominus Henricus comisit.

Egregie amice karissime.   hactenus nobilitati vestre scribere supersedi, ut aliquid
vobis possim certius explicare. nunc autem notifico, me fuisse Venetiis et dierum septem 35
spatio stetisse cum serenissima Romanorum regia majestate, et his que acta sunt inter
ipsum dominum regem spectabiles oratores dominorum Florentinorum et illustre ducale
dominium Venetorum fuisse presentem. quorum effectus est breviter, quod diferentia
que inter regiam celsitudinem vigebat et Florentinos sublata est, et sunt bene concordes,
solutioque denariorum, a cujus cessatione diferentia tota processerat, facta est, datumque 40

---

a) *cod.* interclusum. b) *Val.* comitis, *cod.* coms. abgek.

¹ *Vgl. nr. 109.*   ² *Vgl. Odorici storie Bresciane 7, 230ff. und*
² *Vgl. nr. 110.*   *RTA. 4 nr. 366f.*

bonum et salubre principium pratice horum que agenda sunt. ex quibus, spero, egregietas vestra colletabitur et gaudebit. estote itaque, precor et hortor, bono et constanti animo, nec cepta deseratis, sed in eis animosius et virilius procedatis, Zaninumque de Roçonibus Bertholinum del Montino et ceteros amicos vestros consimiliter placeat exhor-
5 tari, quod sint viriles atque constantes et ab inceptis nulla timiditate deficiant. ceterum, amice karissime, me ejus quod pro vestri subsidio a *regia majestate* velletis habere et eorum que cupitis obtinere non putetis inmemorem. ego enim ero libens et continuus intercessor, licet penes m*ajestatem regiam* intercessione modica egere vos putem (vos enim profecto admodum diligit[a] vivacis igniculo caritatis et per vos reputat[b] fuisse
10 sibi bene et cum magna fide servitum, ex quo premiare vos optat), postremo vos latere non volens, quod brevi forte tempore regia majestas vos videbit et ego cum comitiva que nobilitati vestre placebit. super quibus dominus rex intentionem ejus debuit scripsisse vobis vel scribet. datum Padue 22 januarii 1402.

Petro de Ladrono.

1402
Jan. 22

1402
Jan. 22

15 **110.** *Frans von Carrara an Zaninus de Roçonibus und Bertholinus del Montino* [1]. *1402 Jan. 22 Padua.*

1402
Jan. 22

Aus Venedig Markusbibl. mss. lat. cl. 14 cod. 93 fol. 4ᵃ cop. ch. coaev.

Schreibt über K. Rupr. Angelegenheiten ähnlich, wie in nr. 108 und 109, und ermahnt sie zu treuem Ausharren. Der König selbst hat ihnen darüber geschrieben oder wird es thun. datum ut supra[2].

20 **111.** *Beschlüsse des Raths zu Venedig betreffend K. Ruprechts beabsichtigten Zug nach Rom. 1402 Jan. 23 Venedig.*

1402
Jan. 23

Aus Venedig St.A. Deliberazioni, secreta, senato 1, registro 1 fol. 50ᵃ *mb. coaev.*

1401 indit. 10 die 23 jan. [1] *Da K. Ruprecht in Folge der Antworten der Venetianer [s. die Gutachten vom 20 Januar RTA. 4 nr. 46 art. 4 und nr. 46ᵃ art. 3] inständig gebeten hat, an*
25 *den Markgrafen [von Este] Gesandte wegen Gestattung des Durchzuges zu schicken: so sollen zu diesem Zwecke 2 Gesandte gewählt werden; dieselben können aus allen* officiis de corpore Rivoalti *genommen werden, und dürfen bei Strafe von 100 lb. nicht ablehnen. Diäten für die Gesandten 6 Dukaten täglich für jeden.* || De parte 64, non 25, non sinceri 11. [2 *Zusatsbeschluß*] *Der Doge will, daß die Gesandten auch aus dem* judicatus peticionum *genommen werden können.* || De parte 57,
30 non 23, non sinceri 2. [*Darunter die Notiz*] Electi ambassiatores: ser Petrus Pisani, ser Gabriel Aymo miles.

112. *Beschluß des Raths zu Venedig: Instruktion für Petrus Pisani und Gabriel Aymo zu ihrer Gesandtschaft an den Markgrafen Nikolaus von Este. 1402 Jan. 23*[3] *Venedig.*

1402
Jan. 23

Aus Venedig St.A. Deliberazioni, secreta, senato 1, registro 1 fol. 50ᵃ *mb. coaev.; darüber steht* Die predicto, *was sich auf das vorherstehende Datum von nr. 111 bezieht.*

[1] *Ohne das Gebiet von Ferrara zu überschreiten, falls der Markgraf nicht dort sein sollte, sondern ihn daselbst erwartend, sollen sie sagen: obgleich die Venetianer, eingedenk seines früheren Schreibens als K. Ruprecht seine Gesandtschaft an ihn geschickt hatte*[4], *nicht zweifeln, daß es un-*

---

a) cod. abgekürzt dilig mit Überstrich. b) cod. reputas.

[1] *Vgl. Odorici storie Bresciane 7, 237 ff.*
[2] *Vorhergehen im Kodex die Briefe vom 22 Jan. 1402 aus Padua nr. 108. 109 ähnlichen Inhalts.*
[3] *S. Quellenangabe.*
[4] *S. nr. 96.*

1402
Jan. 23
nöthig sei, da er seine früheren Versprechungen erfüllen werde, so ersuchen sie ihn doch noch besonders auf dringendes Verlangen des Königs, demselben freien Durchzug zu seinem Krönungszug nach Rom und die nöthigen Lebensmittel für sein Geld zu gewähren, sowie andern feindlichen Truppen den Durchzug zu verbieten. [2] Wenn der Markgraf dazu bereit ist, sollen sie nach Venedig zurück-kommen; wenn nicht, sollen sie möglichst in ihn dringen, und schließlich nachdem sie ihr möglichstes gethan zurückkehren. [3] Sie dürfen täglich 6 Dukaten jeder ausgeben, und sollen einen Notar nebst einem Diener, einen Expensator, und jeder vier Diener mit sich führen. || De parte alii, non 9, non sinceri 1.

1402
Jan. 27
113. *Franz von Carrara an K. Elisabeth von Frankreich und ähnlich an den Mar-*
schall Boucicaut in Genua. 1402 Jan. 27 Padua.   10

Aus Venedig Markusbibl. mss. lat. cl. 14 cod. 93 fol. 5ᵃ cop. ch. coaev.

An die Königin: Ihr Ersuchen vom 20 Januar um die Sendung der versprochenen 4 Pferde kann er nicht erfüllen, da er die Salviconductus nicht rechtzeitig von ihr erhalten, und daher die Pferde dem unerwartet eingetroffenen König und Herzog Ludwig (germanus noster) zur Verfügung gestellt habe; andere hat er nicht zur Verfügung. Aber zu Ende des nächsten Juni [sic!] wird er 15
unter den besten Pferden die vorhanden sind vier aussuchen lassen, und bittet dann vorher um Salvi-conductus auf beliebige Frist.   datum Padue 27 jan.

An Marschall Boucicaut: Nachdem er dasselbe wie oben der Königin mitgetheilt, fügt er hinzu: Neuigkeiten gebe es nicht, nisi quod ipse dominus Romanorum rex presentialiter est Venetiis, et Paduam vel in Paduanum territorium venire velle se diceret, asserens futuro novo tempore se magna facturum. 20
datum ut supra.

1402
Fbr. 5
114. *Franz von Carrara an Markgraf Nikolaus von Este. 1402 Febr. 5 Padua.*

Aus Venedig Markusbibl. mss. lat. cl. 14 cod. 93 fol. 6ᵇ cop. ch. coaev.

Da K. Ruprecht von seiner ersten Ankunft an gewünscht hat, ihn zu sehen, und da ein Besuch bei demselben wie er glaubt ihnen beiden zu Ehre und Vortheil gereichen wird, ersucht Franz den 25
Markgrafen zum Könige zu kommen¹.   datum Padue quinto feb.

1402
Fbr. 8
115. *K. Ruprecht an den Dogen Michael Steno, über die Haltung des Markgrafen*
Nikolaus von Este, worüber ihm ein gen. Venetianischer Gesandter berichtet hat,
und von der Gesandtschaft K. Heinrichs IV von England. 1402 Febr. 8 Padua.

Aus Karlsr. G.L.A. Pfälz. Kop.-B. 146 fol. 109ᵃ cop. chart. coaev. 30
Gedruckt Martène thesaur. nov. anecd. 1, 1687f. nr. 55. — Regest Georgisch 2, 864
nr. 10 und Chmel nr. 1136 aus Martène, Janssen Frankf. R.K. 1, 660 nr. 1091 aus
Kodex eigenen Besitzes Acta et Pacta 327.

Illustris et magnifice princeps amice sincere dilecte.   Bernhardum de Argonosis ᵃ
secretarium tuum de presenti ad nos missum, qui nobis seriem ambaxiate erga magni- 35
ficum Nicolaum marchionem Estensem per solempnes tuos ambassiatores facte ² exposuerat,
intelleximus confidenter, considerantes in hoc plenam et integram affeccionem quam ad

a) cod. Argenosis? undeutlich.

¹ *Unter demselben Datum ersucht Franz den*   *vicecomitibus de Mediolano auf deren Gesuch einen*
Ugutio de Contrariis, die obige Angelegenheit beim   *Geleitsbrief zu jederzeitigem Besuche des Königs* 40
Markgrafen zu betreiben, und ebenso zwei andere   *und zur Rückkehr aus, dat. Padue prima die*
gen. Edle in zwei anderen Briefen von demselben   *mens. febr. 1402, aus Karleruhe G.L.A. Pfälz.*
Tage, alle Venedig l. c. fol. 6ᵇ. — Am 1 Febr.   *Kop.-B. 8¼ fol. 159ᵇ cop. ch. coaev.*
1402 stellt K. Ruprecht Karolo et Mastino ex   ² *S. nrr. 111. 112.*

nos et sacrum Romanum imperium habere dinosceris.   pro quibus eciam magnificencie *1402*
tue graciarum referemus acciones non modicas, offerentes nos vice versa ad quevis tibi *Fbr. 8*
grata. ceterum, princeps magnifice, cum prefatus marchio Estensis juvenis sit et de
facili flecti potest, timemus ne postea per informacionem sinistram ab hujusmodi viis et
5 responsionibus declinet. sed quia prefatus Bernhardus secretarius tuus nobis retulit, responsionem prefati marchionis Estensis tibi tuisque consiliariis sufficientem apparere, quare
eciam pro nunc in responsione pretacta deliberavimus contentari, nisi tibi eisdemque
tuis consiliariis aliud videretur oportunum super certitudine pleniori, quod magnificencie
tue conmittimus disponendum.   preterea⁎ prefato Bernhardo injunximus aliqua tibi de
10 et super ambassiata per serenissimum principem dominum Heinricum regem Anglie et
dominum Hibernie fratrem nostrum carissimum nobis missa ¹ propalare.   datum Padue
8 die februarii anno 402 regni secundo.   *1402*
                                                                Fbr. 8
[*Überschrift*] Illustri et magnifico principi Michaeli Steno
             duci Veneciarum amico nostro sincere dilecto.

15 **116.** *Franz von Carrara an seine Schwester Katharina* ² *: Neuigkeiten von K. Ruprecht* *1402,*
und dessen Verhältnis zum Pabst, zu K. Ladislaus, Florenz, K. Heinrich IV von *Fbr. 11*
England, K. Karl VI von Frankreich und K. Martin III von Aragonien ³. *1402*
Febr. 11 Padua.

Aus Venedig Markusbibl. mss. lat. cl. 14 cod. 93 fol. 7ᵇ-8ᵃ cop. ch. coaev., mit der
Notiz Zilius scripsit, dominus Michael comisit.

Magnifica soror karissima.   [*Der Anfang des Briefes handelt von der Hochzeit*
der Tochter Katharinas, zu deren Feier Franz' Söhne nicht wie gewünscht kommen
können, weil der Herzog von Mailand rings sein Gebiet bedroht; dann heißt es weiter:]
de significatis autem michi novis sororitati vestre regratior. que ex hac parte occurunt,
25 sunt prescripta et que sequuntur.   dominus papa est huncᵇ regem Romanorum coronare dispositus et sibi favere ac guerram contra dominum ducem Mediolani incipere.
rex Ladislaus, ut habetur, est consimiliter contra ipsum ducem male dispositus et contra
ipsum ducem aperta vi facere velle ⁴.   rex Romanorum et Florentini maximos faciunt
apparatus.   rex Anglie misit Romam ambax*iatores* solemnes supplicatum domino nostro
30 pape, quod regem hunc coronare dignetur, et sibi assistere auxilio et favore. misit quoque idem rex oblatum serenissimo Romanorum regi prefatoᶜ 4000 lancearum et 4000
arçeriorum, quas gentes ipse rex Anglie suis expensis omnibus sibi mittet presto quando-
cunque voluerit et ad finite usque tempus guerre tenebit ⁵. paratque se ad dandum
quandam ejus natam uni ex filiis dicti regis ⁶. ita quod utraque partium satis ad geren-
35 dum habebit.   habetur quoque, quod, serenissimo rege Francie ex insania mentis
compote facto ⁷, illustris dux Aurelianus adivit ejus presentiam et sibi retulit, esse ipsi

a) cod. pretera. b) sic! c) em. aus prelato.

¹ Vgl. nr. 158. 159.
² Gemahlin des Grafen Stefan von Veglia an
40 der Dalmatinischen Küste, s. Muratori SS. rer.
Ital. 17, 85 A ff.
³ Vgl. im allgemeinen die Verhandlungen mit
Rom Bd. 4 nrr. 47 ff., sowie die litt. D. E. H.
J. K unter diesem Augsb. Tage.
45 ⁴ Es ist wol kein Verbum ausgelassen, sondern
nicht ganz korrekt von dispositus abhängig gedacht.
⁵ Man wird zweifeln dürfen, ob diese Angaben
des Franz von Carrara ganz wahrheitsgetreu sind;

vgl. nr. 161 art. 4, wo K. Ruprecht nur um 2000
Bogenschützen bittet, was doch sehr auffallend
wäre, wenn K. Heinrich so viel mehr Truppen
angeboten hätte. Die Gesandtschaft K. Heinrichs
an den Pabst ist in nr. 161 art. 2 auch erwähnt.
⁶ Vgl. Einleitung zu diesem Tage lit. J.
⁷ Nach dem Bericht des Mönches von St. Denis
Chronica Caroli VI lib. 22 cap. 2 (Doc. inédits
sur l'hist. de France) geschah dieß bald nach dem
14 Jan. 1402.

1402
Fbr. 11 regi sanguine proximiorem quem haberet, et se esse affinem pro parte uxoris ducis Mediolani, quodque tenebatur vinculo parentele ipsum debere juvare. cui rex in hec verba respondit: „verum dicitis, quod estis michi conjunctior a aliquo alio, quia frater meus estis; dicitis, quod estis affinis pro parte vestre uxoris ducis Mediolani, et quod equum et congruum est vos ipsum ducem debere juvare; ego autem istorum de Bavaria etiam sum 5 affinis pro parte uxoris mee, et sicut videtur vobis equum et justum ratione dicte parentele affinem vestrum debere juvare, eadem ratione michi videtur equum et conveniens his meis affinibus conferre subsidia". alia pro nunc non occurrunt scribenda. ego cum magnificis natis et omnibus meis dei gratia corporea perfruor sospitate, qua vos et magnificam natam vestram vigere peropto. hoc etiam scribendum restat, quod rex 10 Aragonum, affinis hujus novi regis Romanorum, optulit ei magnam armigerorum gentium quantitatem in ejus subsidium transmisurum et decem aut duodecim galeas contra ducem
1402
Fbr. 11 predictum. datum Padue 11 februarii.

Domine Catarine de Cararia comitisse Vegle.

1402
Fbr. 14 **117.** *Beschluß des Raths zu Venedig: Antwort an die Gesandtschaft Frans' von Carrara* 15
durch dessen Sohn und Michael Rabatha. 1402 Febr. 14 Venedig.

Aus Venedig St.A. Deliberazioni, secreta, senato 1, registro 1 fol. 52b mb. coaev.

Die 14 feb. || *Zu antworten:* [1] *Auf die Anfrage des Franz, ob er gegen die Werke, welche Herzog Johann Galeazzo zu seinem Schaden errichtet, vorgehen und dieselben zerstören solle, rathe man dringend, keinen solchen Schritt zu thun, sondern nur zu wachen und alle Vorkehrungen zur* 20 *Vertheidigung zu treffen. [2] Was die Unterstützung von Seiten Venedigs mit 300 Lanzen betreffe, so werde man dieselben schleunig zu seiner Vertheidigung soldari facere. || [Minoritätsantrag zu art. 2] Man solle nur 200 Lanzen bewilligen.*

1402
Fbr. 16 **118.** *K. Ruprecht an den Herrn von Lucca Paul Guinigi: fordert ihn auf, sich nach Florens zu begeben, um daselbst die Aufträge gen. königlicher Gesandten entgegen-* 25 *zunehmen. 1402 Febr. 16 Padua.*

Aus Lucca Pubblica Biblioteca mss. nr. 112 Lettere di vari a Paolo Guinigi nr. 222 or. ch. lit. clausa c. sig. deperd.

Rupertus dei gracia Romanorum rex semper augustus.

Magnifice fidelis dilecte. noveris nos illustrem Ludwicum comitem Palatinum 30 Reni ac ducem Bavarie patruum nostrum necnon venerabilem Rabanum episcopum Spirensem nostre regalis aule cancellarium, nostros principes et consiliarios ac fideles dilectos, ad civitatem nostram imperialem Florentinam super certis nostris et imperii sacri negotiis ibidem tractandis destinasse. verum eisdem principibus nostris dilectis conmisimus aliqua tue magnificencie nostri parte explicanda. desideramus igitur attente, 35 quatenus, cum illuc declinaverint, omnibus postergatis negociis gressus tuos dirigas, auditurus ab eisdem que a nobis receperunt in conmissis. datum Padue in civitate nostra
1402
Fbr. 16 imperiali mensis februarii die sextadecima, anno domini millesimo quadringentesimo secundo regni vero nostri anno secundo.

[*in verso*] Magnifico Paulo de Guinigiis   40
nostro et sacri imperii in civitate Lucana   Ad mandatum domini regis Ulricus
fideli dilecto *detur*.   de Albeck licenciatus in decretis.

a) *sic!*

119. *Markgraf Nikolaus von Este an Michael Steno Dogen von Venedig: sendet im* ¹⁴⁰² *Einschluß die Forderungen gen. Gesandten K. Ruprechts und seine Antwort darauf.* ^{Fbr. 23} *1402 Febr. 23 Fossadalbero* [1].

Aus Venedig St.A. Commemoriale IX fol. 129 ᵃ ᵇ cop. mb. coaev., mit der Überschrift Copia literarum prefati [2] domini marchionis missarum ducali dominio super materia suprascripta [3] in simili.

Illustris et excelse domine pater noster karissime.   ut cum inclita paternitate vestra ceu filium decet comunicationis officium exolvamus, significamus eidem, illustrem dominum Lodovicum ducem Bavarie et reverendum patrem dominum . . episcopum
¹⁰ Sperensem [a], oratores serenissimi domini Romanorum regis [b], parte ipsius certam nobis oretenus ambassiatam explicasse, cujus et responsi per nos dati ad illam paternitati vestre copiam dirigimus in his inclusam, ut omnem hujus pratice seriem [4] sicut convenit vestra ⟨1402⟩
excelsa dominacio non ignoret.   Fossedalberg 23 februarii 1400 secundo.   ^{Fbr. 28}

a tergo: Illustri et excelso domino domino
¹⁵ Michaeli Steno dei gratia inclito duci Venetia-   in subscriptione: Nicolaus marchio
rum etc. patri suo karissimo.   Estensis etc. cum recomendacione.

Effectus ambassiate exposite domino marchioni per illustrem dominum Lodovicum ducem Bavarie et reverendum dominum . . episcopum Spirensem, oratores serenissimi domini Romanorum regis et cetera:
²⁰ [1] Primo salutaverunt dictum dominum marchionem pro parte dicti domini regis et eum rogaverunt, quatenus placeret sibi visitare ipsum dominum regem, qui grandi affectu cupiebat eum videre [5].   [2] secundario exposuerunt sibi et pecierunt ab eo liberum transitum per territoria et loca sua pro gentibus suis et amicis ac fidelibus suis cum prestacione sufficienti victualium.   [3] tercio pecierunt, quod, cum ipse dominus
²⁵ rex omnino decreverit inimicari duci Mediolani et ad ejus exterminium totis viribus intendere, requirebat ipsum dominum marchionem, ut ipse etiam inimicaretur dicto duci et ejus amicis complicibus et subditis et eisdem transitum denegaret et victualium presta-cionem.   [4] quarto, quod ipse dominus marchio eidem domino regi concederet, quod ipse posset tenere ad fronterias in terris castris et territoriis ipsius domini marchionis
³⁰ omnem quantitatem gentium quam ipse dominus rex vellet mittere ad injurias et offenssas [b] ipsius ducis.   [5] quinto, quod, quando ipse dominus rex ibit Romam pro regio dya-demate, ipse dominus marchio vellet ipsum committari.

Ad que ipse dominus marchio respondit:
[1] Primo, quod salutes acceptabat cum debita reverencia tamquam a suo domino
³⁵ singulari, cujus erat filius et servitor devotissimus, et quod non minus desiderabat idem dominus marchio regiam celsitudinem visitare quam illa cuperet eum videre, quum cognoscebat id debito suo cedere.   verum, ut alias responderat, non videbat id secure posse facere consideratis innumeris gentibus que in Bononiensi et Mutinensi territorio nunc persistunt et novis que in dies audiuntur, sed vere, ubi ista cessarent et terrorem
⁴⁰ suo statui non afferent, hoc plus quam libenter faceret.   [2] secundo, quod erat para-

a) sic. b) sic.

¹ *Nicht weit von Ferrara, s. Amati l'Italia Dizionario corografico.*
² *Mit Bezug auf den unmittelbar im Kodex*
⁴⁵ *vorhergehenden Brief des Markgrafen vom 21 Okt. 1401 nr. 96.*

³ *Vgl. nrr. 118. 123.*
⁴ *Vgl. nrr. 96. 111. 112. 114.*
⁵ *Vgl. nr. 114.*

1402
Fbr. 28 tus, ut alias etiam responderat, petitum transitum concedere libentissime cum oportuna copia victualium; verumtamen notificabat, quod anno instanti redditus tenues et modici percepti sunt in territoriis suis, sed de perceptis, quanticumque sint, possibilem sibi faciet portionem.   [3] tercio, quod libentissime faceret quidquid sua serenitas postulabat, sed non videbat sibi adesse [*u. s. w. wörtlich mit ganz unbedeutenden kleinen Abweichungen* 5 *wie art. 4 der Antwort pag. 152 lin. 25 ff. nr. 96 bis prestaret, dann:*] subjungens idem dominus marchio, quod totus erat et esse intendebat filius et servitor fidelis dicti domini regis et sacri imperii Romanorum, quod ejus serenitas cognosceret per effectum.   [4] quarto, quod alias, quando obtulit se paratum prestare dicto domino regi et suis gentibus et amicis et adherentibus receptum in territoriis castris et terris suis cum prestacione pos- 10 sibili victualium, ut ipse dominus rex guerram suam peragere posset, dictus dominus rex gentibus potens erat et dux Mediolani gentibus quasi nudus, et tunc si ipse dominus marchio gentibus dicti domini regis receptum prebuisset id sine suo periculo faciebat; at nunc, cum ipse dominus rex modicas gentes habeat et contra idem dominus dux gentibus plenus sit et magnam partem in *Bononiensi* et *Mutinensi* habeat, non videt 15 ipse dominus marchio hunc receptum sine magno suo periculo posse nunc prestare.   sed cum viderit res in tali statu esse, ut possit secure concedere sine jactura sui dominii, quam certissimus est ipse dominus marchio non vellet ipse dominus rex nisi ut sui proprii, illum receptum concedet promptissime sicut alias se obtulit.   [5] quinto, quod gratulanti animo committaretur regiam majestatem Romam, ut deberet; sed cum solus 20 sit ipse dominus marchio sine filiis fratribus et aliis personis cognationis sue, non videt id posse facere sine magno dubio status sui. et certum se reddit idem dominus marchio, quod, quando ipse vellet hoc facere, cives sui nullatenus paterentur. quibus omnibus consideratis supplicabat dicto serenissimo domino, quatenus ejus excusationem utpote legitimam, ejus impotenciam et bonam mentem acceptaret, sicut sperabat firmiter in 25 serenitate sua.

1402
Fbr. 27 **120.** *Beschluß des Raths zu Venedig: Antwort auf zwei Briefe des Markgrafen Niko-laus von Este. 1402 Febr. 27 Venedig.*

Aus Venedig St.A. Deliberazioni, secreta, senato 1, registro 1 fol. 53b mb. coaev.

Die 27 feb. || *Zu antworten: [1] auf seinen Brief*[1]*, worin er um Rath bittet, was er auf* 30 *ein Schreiben des Großkonstabel antworten solle: er möge demselben schreiben: was den Durchzug betreffe, so habe der König zu Beginn seines descensus nach Italien eine Gesandtschaft an ihn geschickt*[1]*, durch die er von ihm als Lehnsträger und Getreuen des Reichs während seines Aufenthaltes in Italien freien Durchzug nebst Verabfolgung der Lebensmittel für entsprechenden Preis gefordert habe, was er auch wegen der erwähnten Verpflichtungen dem Könige versprochen habe; und da er nun kürzlich* 35 *ersucht sei*[2]*, etlichen Truppen des Königs den Durchzug zu gestatten, so habe er seinem Versprechen gemäß denselben gewährt.   [2] Betreffend die Antwort, die der Markgraf dem Herzog von Baiern und dem Bischof von Speier auf deren capitula et requisitiones pro parte ipsius domini regis gegeben hat*[4]*, so scheine ihnen dieselbe cum sapienti deliberatione et maturo consilio verfaßt.*

---

[1] *Diesen Brief haben wir nicht, noch den des Großkonstabel, d. i. Alberigo da Barbiano, der Hauptfeldherr Johann Galeazzos. Der Inhalt ist aber leicht zu vermuthen: ohne Zweifel hatte der Großkonstabel sich beschwert, daß der Markgraf den Truppen Ruprechts Durchzug gestatte.*

[2] *S. nr. 96.*
[3] *S. nr. 119.*
[4] *S. nr. 119.*

121. *Franz von Carrara an Markgraf Nikolaus von Este: dankt ihm für seinen Brief[1], in dem eingeschlossen war Kopie der Forderungen K. Ruprechts durch gen. Gesandte und des Markgrafen Antwort darauf. 1402 Merz 1 Padua.* *1402 Mrz. 1*

> *Aus Venedig Markusbibl. mss. lat. cl. 14 cod. 93 fol. 12[a] cop. ch. coaev., mit der Notiz Zilius scripsit, dominus Michael comisit.*

Magnifice etc. magnifice fraternitatis vestre literas nuper accepi cum inclusa copia ambaxiate vobis exposite per illustrem principem dominum Lodovicum Bavarie ducem et reverendum patrem dominum episcopum Spirensem, oratores serenissimi domini Romanorum regis, et responsione illis per vos data[a] etc. de quorum comunicatione mecum
10 facta fraternitati vestre plenitudinem gratiarum exolvo. datum Padue primo martii. *1402 Mrz. 1*
Domino Nicolao marchioni Ferarie.

122. *Notiz über die von Franciscus de Casalibus Herrn von Cortona in Florenz eingegangene Verpflichtung mit K. Ruprecht nach Rom zu ziehen. 1402 Merz 14 Florenz.* *1402 Mrz. 14*

15 > *K aus Karlsr. G.L.A. Pfälz. KopB. 5 fol. 150[b] cop. ch. coaev.*
> *A coll. Wien H.H. St.A. Registraturbuch K. Ruprechts A letztes unnumeriertes Blatt cop. ch. coaev.*
> *Gedruckt Chmel Reg. Rup. nr. 1157 aus A.*

Ez ist zu wißen, daz des jars do man zalte nach Cristus[b] geburt dusent vier-
20 hundert und zwie jare des vierzehenden tages des merzen in[c] Florentze der herre von *1402 Mrz. 14*
Corthůn bi minem herren herzog Ludewig und herr Ravann bischof zu Spire waz, und
in da liplich an mins gnedigen herren hern Ruprechts des Romischen konigs stat einen
eit swore als der von worte zu worte in sinem privilegio[a] geschriben stat. und er wil
auch selber von Florentze mit mime gnedigen herren dem Romischen kunige obgeschriben
25 gein Rome zu minsten mit 100 pferden riten, und wil sich doch selber angriffen so er
beste mag ob er me erzugen und ufbringen moge. auch wil er bestellen durch sin
lant koste umbe einen gemeinen pfennig. und erbut sich in allen andern sachen mit
mim gnedigen herren dem Romischen kunig egenant liebe und leide zu liden etc.

123. *Herzog Ludwig VII von Baiern und Bischof Raban von Speier als Gesandte K. Ruprechts an den Herrn von Lucca Paul Guinigi: senden ihm den Brief des* *1402 Mrz. 20*
30 *Königs [vom 16 Febr. 1402 nr. 118[1]], und fordern dasselbe von ihm wie der König. 1402 Merz 20 Florenz.*

> *Aus Lucca Biblioteca pubblica ms. nr. 112 Lettere di vari a Paolo Guinigi nr. 180 or. ch. lit. cl. c. sig. in verso impr.*

Magnifice et potens domine, amice nobis dilecte. mittimus vobis cum presentibus
35 literas serenissimi domini nostri regis Romanorum. et quia juxta dictarum continenciam

---

a) cod. date. b) A Christi. c) A zu.

[1] *Einen ähnlichen Brief erhielten die Venetia-ner, s. nr. 119.*
[2] *S. nr. 99.*
[3] *Wie sich aus dem hier angegebenen Inhalt des königlichen Briefes ergibt, ist es ohne Zweifel der Brief vom 16 Febr. 1402 nr. 118; aber einge-schlossen war derselbe nicht im obigen Schreiben, da die Schnitte nicht zu einander passen, auch obiges Schreiben viel kleiner ist als der Brief des Königs; derselbe ist nur mit übersandt, wie oben die Wendung* mittimus cum presentibus *andeutet und wie es auch der Form desselben entspricht.*

literarum huc deo duce applicuimus, magnificenciam vestram attente rogamus, quatenus, prout eciam dictus dominus noster desiderat, gressus vestros ad nos huc dirigere velitis. multa namque pro parte regie majestatis vobiscum conferre et tractare habemus, que cartis conmendare pro meliori obmittimus et congrue non valemus, gratum vestrum responsum super hiis per exhibitorem presencium prestolantes.   datum Florencie 20 [5]
die mensis marcii anno domini 1402.

[*in verso*] Magnifico et potenti   Lodowicus dei gracia comes Palatinus
viro domino Paulo de Guinigiis   Reni Bavarieque dux.
cesaree majesta*tis* in civitate Lu-   Rabanus eadem gracia Spirensis episcopus
cana vicario amico nostro dilecto.   regalis aule cancellarius. [10]

---

124. *Franz von Carrara an Bischof Georg I von Trient, theilt mit, er habe einen Brief des Bischofs dem König übermittelt, den derselbe gütig aufgenommen habe, berichtet günstiges über den Stand der Verhandlungen zwischen König und Pabst. 1402 Merz 25 Padua.*

> *Aus Venedig Markusbibl. mss. lat. cl. 14 cod. 93 fol. 17ᵃ cop. ch. coaer., mit der Notiz* [15]
> *Cilius scripsit, dominus Michael comisit.*
> *Gedruckt im Archiv für Kunde österr. Geschichtsquellen 26, 371 von Valentinelli eben-
> daher.*

Reverende pater et domine, amice carissime.   quod michi gratiarum actiones agat vestra paternitas propter directionem et curam penes serenissimam regiam majestatem [20] oratoribus vestris exhibitam, non est opus, cum tanto nexu et vinculo hinc inde ᵃ bene-yolentie conjunctio et caritas sit astricta, quod nedum ad hec, que sunt exigua nec consimilia, sed longe majora, que vestre paternitatis tenderent ad honorem bonum et statum, me cernam fraternis vobis affectibus obligatum.   significans respondeo, quod die
Jovis sancta [1] hora tarda huc appulit nuntius vester cum literis vestre paternitatis ma- [25] jestati regie presentandis.   quas propter diei sanctitatem et reverentiam non personaliter sed per manus spectabilis militis domini Michaelis de Rabatha dilecti mei feci celsitudini regie presentari.   qui missionem earum per vos ᵇ factam habuit quippe gratissimam et aceptam.   posteaque ᶜ, licet et ᵈ ante fecissem, paternitatem vestram culmini suo regio impensius recommisi ᵉ.   qui recommendationem vestram benigniter acceptavit.   et revera [30] vos sincero zelo et flagrantissima diligit caritate, quemadmodum bene vestra paternitas promeretur.   et ut que habeo veridice sentiat, reverentie vestre significo, Rome con-clusionem adhuc inter dominos papam et regem factam nondum esse, sed, ut habeo ab oratoribus meis ibi existentibus ᶠ, res practicate hactenus ad conclusionem tendunt, quam sperant prosperam et felicem, et quod erit dominus papa cum domino rege unanimis et [35] conformis, quum non minus faciat pro domino papa quam pro ipso domino nostro rege.
datum Padue 25 martii 1402.

Domino Georgio episcopo Tridentino.

---

a) *Valent.* michi, *cod. abgek. in mit l'berstrich, und wol nicht* m.   b) *cod. und Val.* nos.   c) que *mit der Abkürzung* [40]
für das Pronomen im cod., nicht für die Konjunktion.   d) *anscheinend das Zeichen für et im cod.*   e) *cod.*
recommisit.

---

[1] *Gründonnerstag.*   [2] *S. Bd. 4 nr. 63 ff.*

125. *Franz von Carrara an Johaninus de Roconibus, Franciscus de Medicis u. a.* [1] 1402
1402 Merz 26 Padua. Mrz. 26

Aus Venedig Markusbibl. mss. lat. cl. 14 cod. 93 fol. 16ᵇ cop. ch. coaev.

Auf ihre Bitte um Subsidien erwidert er, daß er alles für sie thun wolle. Rex de proximo
5 certum de Roma responsum expectat[a] et aliud de Florentia, ubi est illustris dux Lodovicus Bavarie,
quibus habitis super agendis melius poterit deliberari. et tunc in facto hujus subsidii clarum vos
faciam habere responsum. nam et ego propter expectationem responsionum predictarum michi ipsi
fui dubius, qualiter debeam providere. *Er dankt ihnen für die Sendung der Privilegien*[2], *die er dem
König gezeigt hat, der gleichfalls dankt.* datum Padue 26 martii 1402.

10 **126.** *Franz von Carrara an den Venetianer Petrus Pisani*[3]: *K. Ruprecht beabsichtige* 1402
Italien zu verlassen und sich deshalb durch eine Gesandtschaft an Venedig zu Mrz. 31
wenden. 1402 Merz 31 Padua.

*Aus Venedig Markusbibl. mss. lat. cl. 14 cod. 93 fol. 20ᵃ cop. ch. coaev., mit der Notiz
Zilius scripsit, dominus Michael comisit.*

15 Egregie amice karissime. post discessum vestrum ab hinc serenissimus princeps
dominus Rupertus Romanorum rex michi multa et plurima de factis suis locutus est.
per cujus dicta clare concipio, quod, si non fuerit in concordia cum domino papa et
Florentinis, ipse disposuit in his Italicis partibus pro nunc ulterius non morari, sed ad
propria remeare. et de facto pecunie, de quo locutus vobis fui, michi mentionem ullam
20 non fecit, verum exposuit, quod, cum oratores sui de Roma[4] et Florentia[5] fuerint re-
gressi, intendit per oratores ejus solemnes illustrem ducalem dominationem informatum
mittere de negotiis suis et ejus intentu ac omnibus incumbentibus[6]. hoc autem egregie-
tati vestre significare decrevi, tam ut eorum noticiam habeatis quam ut ipsi possitis 1402
ducali dominio reserare. datum Padue ultimo martii. Mrz. 31
25 Domino Petro Pisani de Venetiis.

127. *Franz von Carrara an seinen Gesandten Paulus de Leone. 1402 April 8 Padua.* 1402
Apr. 8

Aus Venedig Markusbibl. mss. lat. cl. 14 cod. 93 fol. 21ᵃ cop. ch. coaev.

*K. Ruprecht hat ihn wissen lassen, daß er nach den vom Burggrafen [Friderich von Nürnberg]
30 und dem Deutschordensmeister [Konrad von Eglofstein] aus Venedig erhaltenen Nachrichten wenig
Hoffnung habe*[7], *Geld von der Signorie zu bekommen*[7][,] *er werde daher dem Franz die 3000 Dukaten,
die er von ihm geliehen hat, und die 2000, die Franz für ihn auf 3 Monate in Venedig geliehen
hat*[8], *nicht zahlen können. Wegen der ersteren Summe will Franz sich auf eine neue Frist zufrieden*

a) cod. expectatur.

[1] *Vgl. nr. 110.*
35 [2] *Vielleicht die Belehnungsurkunden an die gen.,
Chmel Reg. Rup. nrr. 1032 ff., die der König wol
aus irgend einem Grunde einsehen wollte.*
[3] *Er ist einer der beiden Gesandten, die im
Interesse K. Ruprechts an Markgraf Nikolaus von
40 Este geschickt wurden, s. nrr. 111. 112.*
[4] *Die Gesandtschaft des Grafen Philipp von
Falkenstein und Nikolaus Buman nrr. 69-73 in
Band 4.*
[5] *Die Gesandtschaft des Herzogs Ludwig von
45 Baiern und Bischof Raban von Speier nrr. 35.
118. 123 in diesem Bande.*

[6] *Die Gesandtschaft, welcher der Venetianische
Rath in nr. 81 und 82 Antwort ertheilt. Über
die Gründe von K. Ruprechts Heimzug s. auch
Lod. Cavitelli annal. Cremon. in Graevii et Burmanni thes. antiquit. et hist. Ital. tom. 3 pars 2
pag. 1394 f., und Cronica di P. Minerbetti in
Rerum Ital. scriptores ed. Florent. 1770 Bd. 2,
454.*
[7] *Vgl. nrr. 80-82.*
[8] *Vgl. nr. 168 art. 61 und Franz' Brief vom
17 Sept. 1402 nr. 302.*

1402
Apr. 8 *geben; die andere müsse er eigentlich haben, weil sonst sein Kredit größten Schaden leide, allein der König sei nicht im Stande, auch nur diese zu zahlen, und sie sind daher auf einen Termin von ferner 3 Monaten übereingekommen. Paul soll alles thun, um den Darleiher zu vermögen, daß er mit dieser Frist einverstanden sei* [1]. datum Padue 8 apr.

1402
Apr. 10 **128.** *Franz von Carrara an Petrus de Lodrone* [2].   *1402 April 10 [Padua].*

Aus Venedig Markusbibl. mss. lat. cl. 14 cod. 93 fol. 22ᵃ cop. ch. coaev.

Auf seine dringende Hilfsbitte antwortet er, daß er Nachricht über den Abschluß der Verhandlungen in Rom von seinen Gesandten Lucas de Leone und Henricus de Galis erwartet habe; diese seien aber in Ravenna angehalten worden, und so habe er nichts von ihnen erfahren können. Allein nach dem, was sie ihm früher geschrieben haben, meint er geringe Hoffnung in dieser Sache zu [10] *haben* [3]. *Trotzdem ermuthigt er ihn alles aufzubieten und auszuharren, denn* paratur et in ordine ponitur quedam res magna [4], que vix posset deficere quin succedat, qua succedente tanta est, quod status ducis Mediolani proculdubio excidet in ruinam; *und falls der Herzog sich auch halten sollte, werden er und sein Territorium durch die Anstrengung aller Kräfte völlig erschöpft und ohnmächtig werden.* datum 10 apr.   [15]

1402
Apr. 13 **129.** *Franz von Carrara an Michael Steno Dogen von Venedig.   1402 April 13 [Padua].*

Aus Venedig Markusbibl. mss. lat. cl. 14 cod. 93 fol. 22ᵃ secundo cop. ch. coaev.
Gedruckt in der Hochzeitswidmung Brandolini Padua 1859.

Er dankt für die Nachrichten über das Eintreffen des Galeazzo de Mantua und des Jakob de [20] *Verme mit großer Truppenmacht vor Vicenza; macht Mittheilungen über die Arbeiten des Herzogs* *1402*
Apr. 12 *von Mailand zur Ableitung der Brenta.* Significo insuper dominationi vestre, quod herina die huc applicuerunt[a] egregii et honorabiles viri dominus Laurentius de Rudolfis decretorum doctor unus ex decem offitialibus balie comunis Florencie et dominus Tomasius de Sacetis, oratores comunis Florencie [5], qui ipsa die post vesperos cum serenissimo domino rege Romanorum in coloquio[b] fuerunt. in quibus [25] autem terminis secum mansserint, adhuc sentire non potui; quamprimum enim id[c] contingeret me sentire, vestro dominio reservabo.   datum 13 aprilis.

a) cod. appluerunt.   b) cod. coloqui.   c) cod. is?

---

[1] *Am 10 April 1402 schreibt Franz wol an den oben erwähnten Darleiher selbst, an Francisco Martini Kaufmann in Lucca: der imperatore wird die 2000 Dukaten im anderen Monat zahlen, wenn er Geld bekomme, denn er suche in der That welches zu bekommen; falls es aber nicht geschieht, bittet er ihn um seiner Liebe willen,* ne vogliati adoprare ni tegnire modo, *ihm dieselben ferner 3 Monate unter denselben Bedingungen zur Verfügung zu stellen; aus Venedig l. c. fol. 21ᵇ. — Daß der Aufenthalt K. Ruprechts Franz nicht geringe Ungelegenheiten machte, zeigt auch ein Brief desselben vom 11 Mai 1402 an die Behörden der Stadt Ciridale, worin er dieselben ersucht,* *geliehene 1000 Dukaten zur rechten Zeit zu zahlen,* da der Römische König aliquamdiu moram [30] protraxisse Padue, pro cujus mansione et temporum qualitate considerare potestis, me sumptus multiplices necessario subivisse, *Venedig l. c.* fol. 41ᵃ.

[2] *Vgl. nr. 108 ff.* [35]

[3] *Die letzten Briefe der genannten, die wir haben, Band 4 nrr. 67. 68, lauten noch günstig.*

[4] *Franz hat wol hier bereits die von Florenz geplante Ligue im Auge, s. nr. 138 ff. im vorliegenden Bande.* [40]

[5] *Vgl. nr. 36.*

130. *Franz von Carrara an Bischof Georg I von Trient: K. Ruprecht werde heim-* [1402] *kehren, aber derselbe stehe in wichtigen Unterhandlungen, welche sichere Aussicht* [Apr. 14] *eröffneten das diesmal in Italien etwa Versäumte völlig nachzuholen. 1402 April 14 Padua.*

Aus Venedig Markusbibl. mss. lat. cl. 14 cod. 93 fol. 22ᵇ cop. ch. coaev.; mit der Bemerkung Zilius scripsit, dominus Michael comisit, cursor domini Petri de Ladrone [sonst Lodrone] portavit.
Gedruckt von Valentinelli im Arch. f. K. österr. Geschichtsqu. 26, 371-372 ebendaher.

Reverende etc.   hinc alia nova scribenda non sunt, nisi quod serenissimus do-
10 minus Romanorum rex deliberavit pro agendorum bono ad propria remeare. et, ut
habeo, ipse dominus rex habet circamentum quoddam et tractatum [1], quem tenet effectum
debere sortiri. et si sortietur, ut speratur, res est tanta tamque honorabilis, quod, si qua
ista vice omissa sunt fieri, habebit profecto nedum reformare, sed cuncta operari prospere
et feliciter expediri.   datum Padue 14 aprilis.   [1402]
                                                                                                        [Apr. 14]
15 Domino Georgio episcopo Tridentino.

                                    •

131. *Franz von Carrara an Michael Steno Dogen von Venedig: meldet den am selben* [1402] *Tage erfolgten Abzug K. Ruprechts, der beabsichtige, in Deutschland mit den* [Apr. 15] *Fürsten Rath zu halten, und Franz von allem in Kenntnis setzen wolle; Franz wird dem Dogen alles wie bisher mittheilen. 1402 April 15 Padua.*

Aus Venedig Markusbibl. mss. lat. cl. 14 cod. 93 fol. 24ᵃ cop. ch. coaev., mit der Notiz Florius scripsit, dominus Henricus comisit.
Gedruckt in der Hochzeitswidmung Brandolini Padua 1859 pag. 21.

Illustris et cetera.   hodie [2] serenissimum dominum Romanorum regem usque ad [Apr. 15]
Oriacum [3] sociavi, per quam viam pergere velit ignorans.   unde vobis denoto, quod in

5 [1] *Franz meint die von Florenz angebotene Ligue, s. nr. 129, oder die von K. Ruprecht in Aussicht genommene Verbindung mit Frankreich, s. nr. 132.*
[2] *So auch Minerbetti Chron. in Rer. Ital. Scriptores, ed. Florent. 1770 Bd. 2, 453; Gataro*
10 *bei Muratori 16, 846 gibt den 13 April an.*
[3] *Oriago, östlich von Padua. Wie wir aus nr. 69 ersehen, gieng der König über Latisana; dann scheint ein Theil des Heeres durch Udine gezogen zu sein, wie folgende Notizen aus Udine St.A.*
15 *Annal. civit. tom. 14 fol. 312ᵃ bzw. 315ᵃ conc. ch. coaev. zeigen: 1402 April 15 beschließt der Rath zu Udine mit Bezug auf den Brief des imperator, worin derselbe ersucht, daß die Truppen des Burggrafen von Nürnberg, que hic permanserunt, sine*
40 *solutione dacii pro blado empto abziehen dürfen: daß dieselben davon exempte sein sollen; ob das dacium dem daciarius Maninus bezahlt werden solle oder nicht, soll in größerer Versammlung beschlossen werden; am 29 April 1402 beschließt*
45 *eine außerordentliche Rathsversammlung auf Vorbringen des gen. Maninus, der sich beklagt, daß die Stadt Udine die familia imperatoris von Zahlung der ihm zukommenden Dacia für eine gewisse Menge Hafer befreit hat: daß der camerarius der*

Stadt mit Manin unterhandeln solle. Schon vorher, am 29 Merz 1402 findet sich Udine l. c. fol. 309ᵇ ein Beschluß des Raths, wegen des rumor, den es am Tage vorher [28 Merz] zwischen quosdam terrigenas de burgo superiori et quosdam Theotonicos de gente domini imperatoris gegeben, weil letztere gewaltsam Pferde aus den Ställen nehmen wollten, Maßregeln zu treffen. Dann weist eine Spur nach Tolmezzo als Etappe des Rückzuges: wenigstens fand sich in Udine im Stadtarchiv eingeheftet in die gleichzeitigen Annal. civit. tom. 17 fol. 398 eine Urkunde dat. Tulmecy sexta feria ante b. Georgi mart. anno 1402 regn. 2 [22 April 1402], worin K. Ruprecht verkündet, daß er dem Niculino de la Turri für 284 Dukaten Gold wegen geleisteten Dienstes als er jetzt in Italien war verpflichtet ist, die er bzw. seine Erben bis nächste Weihnachten in Luoncz [Liens, oder Luincis am Gartokanal] in domo hospitis Stanpech ibidem zahlen wollen; ohne Sigelspur oder sonstige Vollziehungszeichen, in Form und Sprache nicht aus königlicher Kanzlei, sondern Italienischer Abfassung, vielleicht nur ein Entwurf oder eine Vorlage, aber keine Fälschung, vgl. das Formular vom 20 April 1402 sub nr. 176.

1402
Apr. 15 recessu suo ab illinc michi̇ dicere dignatus est, videlicet quod, antequam domum suam attingat, dispositus est cum[a] ellectoribus imperii et cum principibus suis in colloquiis esse deliberationemque capere, omnium que deliberaverit facturus me conscium. hec vobis que habeo facio manifesta, similiter in futuris quecunque acciderint *vestre magni-*
1402
Apr. 15 *ficentie* apperturus.   datum Padue ut supra [1].   5
Duci Venetiarum.

1402 **132.** *Franz von Carrara an Michael Steno Dogen von Venedig: die Florentinischen*
Apr. 15   *Gesandten haben ihm gemeldet, daß Herzog Johann Galeazzo Krieg mit Florenz*
   angefangen habe; K. Ruprecht hat ihm unterwegs noch mitgetheilt, daß er Herzog
   Ludwig VII von Baiern zum Abschluß einer Ligue gegen Johann Galeazzo nach 10
   Frankreich sende. 1402 April 15 Padua.

   Aus Venedig Markusbibl. mss. lat. cl. 14 cod. 93 fol. 24[a] cop. ch. coaev.*, mit der Notis*
   Zilius scripsit, dominus Henricus[b] *comisit,* Rodulphus eques portavit.

1402   Illustris et cetera.   postquam hodie ducali ͏dominio vestro scripsi [2] de domini
Apr. 15 imperatoris discessu et qualiter eum fueram comitatus etc., oratores dominorum Floren- 15
tinorum ad me fuerunt et dixerunt michi, se a suis dominis habuisse per literas datas
Apr. 11 Florencie 11 mensis presentis et per me visas, quod dux Mediolani expresse per dies
antecedentes guerram ruperat contra eos, arrestando et accipiendo omnia mercimonia
civium Florentinorum, que erant Pisis, [*folgen weitere Angaben über Gewaltthaten des*
Herzogs gegen die Florentiner, schließlich:] minando quod se contra eos magna facturum, 20
et multa turpia de eis et isto imperatore et totius lingue Alemanice[c] proferendo in eorum
ignominiam et contemptum.   insuper *dominationi vestre* significo, quod ultra alia
scripta vobis dominus imperator michi dixit eundo secum, quod mittebat ducem Lodovicum in Franciam [3], cui comiserat quod ligam cum Francigenis firmaret, si secum
expresse contra ducem Mediolani esse volebant sine aliquo verborum involucro, et quod, 25
si hoc facere volebant, res faceret ita claras quod non possent aliqualiter cavilari. sed
si contra ducem Mediolani facere non vellent, quod nullo modo secum ligam habere
volebat. intellexi etiam, quod inter dominum imperatorem et ducem Lodovicum multa
1402
Apr. 15 gravia verba fuerunt, sed qualia scire non potui.   datum Padue 15 aprilis.
Duci Venetorum.   30

1402 **133.** *Franz von Carrara an K. Ruprecht: hat einen Brief desselben nebst der Abschrift*
Apr. 17   *eines Schreibens der Nürnberger [4] an den König erhalten, und ist über dessen*
   Inhalt hoch erfreut. 1402 April 17 Padua.

   Aus Venedig Markusbibl. mss. lat. cl. 14 cod. 93 fol. 25[a] cop. ch. coaev.
   Gedruckt von Valentinelli im Arch. f. Kunde österr. Geschichtsqu. 26, 358 ebendaher.   35

Gloriosissime rex.   literas vestre regie majestatis cum inclusa copia literarum
vestro regio culmini transmissarum per fideles vestros magistrum civium aliosque cives
vestre civitatis imperialis Nurimbergensis ea qua decuit reverentia nuper accepi.   de

a) *cod.* cun. b) *den Namen om. cod.* c) *sic, abhängig von einem zu widerholenden* els *gedacht.*

[1] *Vorhergeht im Kodex ein Brief vom 15 April*   *eine bedeutende Verzögerung, s. beim Mainzer Tage* 40
1402.   *vom Juni 1402 Einleitung lit. J, beim Nürnberger*
[2] *nr. 131.*   *vom Aug. bis Sept. 1402 Einleitung lit. E.*
[3] *Die Gesandtschaft Herzog Ludwigs erlitt noch*   [4] *Das Schreiben haben wir nicht.*

cujus copie continentia admodum letor et gaudeo tanquam is qui de quibusvis regie ^{1402 Apr. 17}
majestatis vestre successibus ad vota et beneplacita vestra fluentibus continue letaretur,
referens de dignatione partecipationis hujusmodi celsitudini vestre gratias quantas possum.
datum Padue ut supra [1]. ^{1402 Apr. 17}

4 Domino Ruperto Romanorum regi.

184. *Franz von Carrara an Nikolaus de Rubertis und Gerardus de Boiardis, macht* ^{1402 Apr. 20}
Mittheilung über K. Ruprechts Absichten und Pläne zur Rückkehr nach Italien,
sendet einen beim König eingelaufenen Brief und einen [des Königs] an den Burg-
grafen von Nürnberg und den Deutschordensmeister in Abschriften, ermuthigt zu
10 *festem Ausharren, da aussichtsvolle Unterhandlungen mit Florenz im Gange seien.*
1402 April 20 Padua.

*Aus Venedig Markusbibl. mss. lat. cl. 14 cod. 93 fol. 26*ᵃ *cop. ch. coaev., mit der Notiz*
Zilius scripsit, dominus Henricus comisit.

Spectabilis etc.   optantibus vobis de factis regie majestatis nova sentire, ad vos
15 Robertum de Arçignano famili*arem*ᵃ meum misi summarie de singulis informatum. quo
non obstante denuo significo ultra vobis reserata per dictum Robertum, quod dominus
rex discessit ad bonum finem, Italiam rursus quantocius poterit infallibiliter petiturus
cum serenissimi regis Francie subsidio, si secum convenerit et concors fuerit, ut speratur, vel cum alio exfortio ita potens et fortis, quod Florentinorum aut aliquorum Itali-
20 corum subsidiis non egebit. ceterum decrevit, cum fuerit in Alemanie partibus, electores
imperii et alios principes multos ad colloquium convenire, de factis imperii tractaturus
et daturus ordinem quo in Alemania obedientia non fiat domino nostro pape. ceterum,
ut noscatis Alemanie facta non posse ejus redditum celerem in Italiam impedire, copiam
quarundam literarum per ipsum dominum regem post ejus discessum de Padua recepta-
25 rum michi per ipsum missam cum copia unius misse magnifico domino purcravio de
Nurimbergh et magistro fratrum Alemanorum de Prusia inclusam presentibus vobis mitto.
insuper vos decrevi presentibus exhortari, quatenus bono et leto animo esse velitis nec
deici vos sinatis; nam a stantibusᵇ hic dominis . . oratoribus Floren*tinis* aliqua pertrac-
tantur, que, si sortientur effectum ut spero, cor vestrum summe gaudebit. qualia autem
30 sint, nisi conclusionem eorum videro, vobis detegere non possum, sed cum ea ad
conclusionem tendere videro, ea vestre nobilitati reserare curabo.   datum Padue ^{1402 Apr. 20}
20 aprilis.

Domino Nicolao de Rubertis et Gerardo Boiardo.

185. *Franz von Carrara an Rudolf von Camerino, macht ähnliche Mittheilungen über* ^{1402 Apr. 20}
35 *K. Ruprechts Vorhaben wie in nr. 134 von demselben Tage. 1402 April 20*
Padua.

*Aus Venedig Markusbibl. mss. lat. cl. 14 cod. 93 fol. 25*ᵇ *cop. ch. coaev.*

Magnifice etc.   hinc alia *fraternitati vestre* scribenda non habeo, nisi quod ego
cum magnificis natis et omnibus meis per dei gratiam incolumi vigeo sospitate, optans
40 de vobis de vestris consimiliter recreari, et presertim qualiter se habuit et habet magnifica comunis filia nostra Bellafiore [2].   ceterum, sicuti pridie scripsi dominum imperatorem

---

a) *cod. abgek. fam mit Überstrich.* b) *cod. astantibus in Einem Wort.*

[1] *Vorhergeht im Kodex ein Brief vom 17 April*   [2] *Gemahlin Jakobs von Carrara, Franzens Sohn.*
1402.

1402
Apr. 15
debere discedere [1], ita nunc scribo denuo, quod discessit ab hinc die 15 mensis presentis, ad propria remeans, et in Italiam quanto poterit citius redditurus cum auxilio serenissimi regis Francie, si secum in concordia fuerit, ut speratur, quemadmodum alias scripsi vobis [1], vel fortis gentibus aliter, adeo quod Florentinorum aut aliorum subsidio non egebit. et ultra ea habeo, quod, cum fuerit in Alemania, intendat dominos ellectores [5] imperii et alios principes ad colloquium convocare de factis imperii tractaturus. et inter cetera vult ordinem adhibere, quod per ecclesias Alemanie obedientia domino pape non

1402
Apr. 20
fiat.   datum Padue ut supra [2].

Domino Rodulpho de Camerino.

1402
Apr. 21
136. *Frans von Carrara an K. Ruprecht, beglaubigt und empfiehlt einen gen. bzw.* [10] *zwei gen. Gesandte Römischer Herren, welche sich mit Beschwerden gegen den Pabst an den König in Padua wenden wollten, und von denen auf Anrathen Franz' jedenfalls der eine oder auch beide zu ihm nach Deutschland gehen werden; Franz sendet einen gen. Boten mit; meldet von Verhandlung über eine Ligue mit den Florentinern. 1402 April 21 Padua.* [15]

Aus Venedig Markusbibl. mss. lat. cl. XIV cod. 93 fol. 26[a+b] *cop. ch. coaev., mit der Notiz Zilius scripsit, dominus Henricus comisit.*

Gedruckt von Valentinelli im Archiv für Kunde österr. Geschichtsquellen 26, 358 ebendaher.

1402
Apr. 20
Gloriosissime ac invictissime princeps et mi domine singularissime.   hesterna die [20] venit huc Rencius Bucinatulus de Roma, hujus exhibitor, sperans hic vestram *celsitudinem* reperire, et michi quandam literam presentavit, que tamen dirigitur Jacobo de Carraria nato meo, quam majestati vestre mitto presentibus interclusam. et michi retulit quedam, que vestro regio culmini oretenus explicabit, exponens [a], quemdam alium nobilem Paulum Capocium de Roma et se insimul ut serenitati vestre dominorum suorum parte [25] commissa eis exponerent convenisse. sed scito Venetiis, quod in his partibus non eratis et ad patriam vestra serenitas remeabat, ipse Paulus Venetiis remansit ut de equis et aliquibus sibi necessariis se fulciret, ipse vero Rencius ad me venit. auditis autem his que retulit michi vestre majestati regie referendis, ego, ex dicte incluse litere tenore et per alios informatus ipsos Rencium et Paulum esse familiares dominorum illorum, quorum [30] parte ipse Rencius se et socium mitti ad serenitatem vestram exposuit, et insuper informatus per dominum Henricum de Gallis consiliarium meum et alios, dominos eorum a domino papa injurias quas referrunt accepisse, et considerans ea, que dixit michi ipse Rencius vestre celsitudini referenda, posse tendere ad honorem et commodum vestre regie majestatis, ipsum Rencium fui mixtis precibus exhortatus, quatenus ipse et dominus Paulus [35] venirent ad conspectum celsitudinis vestre eis commissa verbotenus relaturi. ob quam causam ipse Rencius venire disposuit, de socio non firmavit, sed ad eum Venetias reverti se velle dixit et quod forte Paulus secum veniet aut [b] forsitan [c] ad suos dominos revertetur rei processum et discessum serenitatis vestre ab his partibus relaturus. sive autem ambo sive unus tantum (potest enim serenitas vestra ipsis duobus simul et utrique per [40] se quo dicent credere plena fide), supplico vestre regie majestati, quatenus dignetur eis

a) *Val.* exponens, *und so ist wol zu lesen, es ist korrigiert und heißt jetzt* expolens *oder* expinens. b) *cod.* et. c) *cod.* forsitam.

[1] *In den Briefen an den gen. vom 14 und 9 April im Kodex s. l. steht nichts davon, es sind nur Familienangelegenheiten darin berührt; dem Dogen von Venedig hat Franz darüber geschrieben, nr. 131, er verwechselt das wol, oder der betr. Brief ist in das Kopialbuch nicht aufgenommen.* [45]
[2] *Vorhergeht ein Brief vom 20 April 1402 im Kodex.*

aut eorum alteri benignam audientiam dare, et prebere quam congruam et equam puta- *1402*
verit vestra serenitas responsivam, ac in expeditione suscipere recomissos favorabiliter *Apr. 21*
atque propicie et in agendis ut viderit vestra majestas regia convenire. ego autem cum
ipso Rencio mitto Aecardum fam*iliar*em meum, ut eum vestro debeat conspectui presentare, et ut ipse Rencius tutius veniat, et in via de causa sui itineris et ejus persona
perquisitio non fiat. alia abhinc nova post vestre majestatis abscessum et ei per me
scripta scribenda non extant, nisi quod oratores Florentinorum hic existentes me requisi-
vere de liga [1]; propter quod Venetias destinavi, illud dominium, an ligam ipsam attendere debeam, consulturus [2]. quid succedet ignoro, sed rei finis vestram celsitudinem non
10 latebit.   datum Padue 21 aprilis. *1402*
Apr. 21

Domino Ruperto Romanorum regi.

137. *Franz von Carrara an Herzog Albrecht IV von Österreich, dankt für übersandtes* *1402*
Geschenk und für Nachrichten über den König von Böhmen, meldet den Abzug *Apr. 26*
K. Ruprechts aus Italien, der jedoch mit größerer Macht zurückzukehren gedenke,
15 *und von bevorstehendem großem Kampfe um Bologna. 1402 April 26 Padua.*

Aus Venedig Markusbibl. mss. lat. cl. XIV cod. 93 fol. 31[a] cop. ch. coaev.
Gedruckt von Valentinelli im Archiv f. Kunde österr. Geschichtsqu. 26, 368 ebendaher.

Illustris et excelse princeps et domine karissime. accepi quidem libens et gau-
dens ex vestre *magnificentie* continentia literarum illustris excellencie vestre personam
20 illustrem conthoralem ac liberos vestros incolumi perfrui sospitate, salutis autorem [a] sup-
pliciter orans quatenus vos ac ipsos vestros cum status prosperitate ad vota fluente
dignetur diutius conservare. ceterum recepi munus egregium illarum sex imaginum
lapidcarum miro decore nitentium, quas michi dignata vestra excellentia destinare, hilariter et jocunde tum et potissimum sinceritatis caritatisque et zeli erga me tanti conside-
25 ratione mittentis tum expensa elegantis muneris qualitate viro quolibet magno digni. de
cujus missionis dignatione et significationis premisse ac novorum regis Boemie referre
magnificentie vestre gratiarum actiones uberes non omitto.   nova autem hinc occur-
rentia scriptu digna, quorum dominatio vestra cupit tenere noticiam, hec sunt: quod
serenissimus dominus Romanorum rex de partibus istis abscessit ad propria, tendens
30 animo et intentione ordinem adhibendi quo fortis et potens per se et alieni subsidii non
egens Italiam repetat. dux Mediolani equitum et peditum multitudinem numerosam contra
dominum Bononie destinavit. ex adverso domini Florentini suum fecerunt exforitum
sane grande et in subsidium domini Bononie pro sui status conservatione miserunt; ego
quoque eidem domino provisionatos meos et illud quod potui subsidium destinavi; resque
35 in terminis exiat, quod creditur partes sive partis utriusque gentes debere simul certa-
mine et patentis campi confligere. quod si fuerit, erit profecto pulcrior res armorum
quam in Italia jam diu visa fuerit et facta, quoniam utraque pars magnis strenuarum
et probarum gentium copiis est fortis et potens et tot manus a magno tempore citra
bello simul minime conflixerunt. qualiter autem res successerint, vestram magnificentiam
40 non latebit.   datum ut supra [3]. *1402*
Apr. 26

Domino Alberto duci Austrie.

a) *cod.* autores.

---

[1] *Vgl. nr. 36.*
[2] *Am 18 April 1402 berieth man in Venedig*
45 *im Rath über eine Antwort an Franz, der um*
die Meinung desselben wegen einer Ligue mit
Florenz, wozu ihn letztere Stadt hat auffordern

lassen, fragte, Venedig St.A. Deliberazioni, secreta,
senato 1, registro 1 fol. 56[a]-57[b] mb. coaev.
[3] *Vorhergeht im Kodex ein Brief vom 26 April*
1402.

1402
Apr. 27 **138.** *Franz von Carrara an Bischof Georg I von Trient. 1402 April 27 Padua.*

Aus Venedig Markusbibl. mss. lat. cl. 14 cod. 93 fol. 31 b *cop. ch. coaev.*

*Er hat des Bischofs Brief, worin derselbe von der Heimreise K. Ruprechts berichtet und von
der Fehde gegen Azo de Dosso-Majori und Petrus de Ladrone* [sonst Lodrone], *erhalten und bedauert
diese Nachrichten. Zu seinem Trost will er ihm mittheilen,* in his partibus per aliquas comunitates et   5
dominos Italie quedam magna et ardua pertractari, que, si sortientur effectum ut spero, paternitati vestre
placebunt [1]. *Er kann ihm aus Vorsicht das nähere noch nicht schreiben, da es noch nicht abgeschlossen
ist; sed* talia sunt, quod ea, quum in presentia regie majestatis fieri nequiverunt, spero per dictos
comunitates et dominos viriliter supplebuntur. *Er schlägt zur weiteren Führung ihrer Korrespondenz*
1402
Apr. 27 *eine Chiffreschrift vor, die er beisendet.* datum ut supra [d. h. *wie der vorhergehende Brief vom*   10
27 April 1402].

1402
Apr. 28 **139.** *Franz von Carrara an P. Bonifacius IX. 1402 April 28 Padua.*

Aus Venedig Markusbibl. mss. lat. cl. 14 cod. 93 fol. 32 a *cop. ch. coaev.*

*Seit dem Abzuge K. Ruprechts hat er nicht geschrieben, weil er immer gehofft, es werde irgend
etwas gutes und nützliches für die Kirche zur Verhandlung und Ausführung kommen. Jetzt theilt er*   15
*mit, daß Gesandte von Florenz und vom Herrn von Bologna in Venedig sein werden, um dort etwas
zu verhandeln, das, wenn es verwirklicht wird, für den Pabst das beste hoffen läßt. Wenn es be-*
1402
Apr. 28 *stimmte Form gewonnen hat, wird er es mittheilen* [2]. datum ut supra [d. h. *wie ein vorhergehender
Brief vom 28 April*] [3].

1402
Mai 1 **140.** *Franz von Carrara an Bischof Georg I von Trient. 1402 Mai 1 Padua.*   20

Aus Venedig Markusbibl. mss. lat. cl. 14 cod. 93 fol. 35 b *cop. ch. coaev.
Gedruckt von Valentinelli im Archiv f. Kunde österr. Geschichtsqu. 26, 372 ebendaher.*

Er kann ihm noch keine bestimmte Auskunft über die mitgetheilte Angelegenheit geben [4], *aber
in wenigen Tagen hofft er ihm erfreuliches berichten zu können, so daß er sehen werde,* domini imperatoris discessum bonum et utilem extitisse, et ad bonum finem et pro agendorum bono fuisse rever-   25
1402
Mai 1 sum. *Der Bischof soll daher guten Muthes sein, auch soll er die Edeln von Brescia ermuthigen* [5].
datum ut supra [*vorhergeht ein Brief vom 1 Mai 1402*].

---

[1] *Ohne Zweifel die geplante Ligue gegen Johann
Galeazzo, welche Florenz betrieb, s. nr. 136 und
36.*

[2] *Es handelt sich hier ohne Zweifel wider um
die projektierte Ligue, von der noch verschiedene
Briefe aus dieser Zeit hier in ähnlicher Weise
berichten. Vgl. nr. 36.*

[3] *Am 30 April 1402 schreibt Franz an K. Ruprecht: dankt ihm für seinen aus Latisana datierten Brief mit Kopien einiger dem Könige de
partibus superioribus zugegangener Schreiben, die
Neuigkeiten von den Königen von Böhmen und
Ungarn enthalten; freut sich über des Königs
Wolbefinden und versichert das seine; sendet ihm
aus Rom für denselben eingelaufene Briefe; nichts
neues, als daß die beiderseitigen Heere sich vor
Bologna lagern, ferner daß über eine Ligue zwischen Venedig Florenz dem Herrn von Bologna
Franz u. a. verhandelt werde, weshalb Gesandte
der Florentiner und des Herrn von Bologna in
Venedig sind; sendet Kopien des Fehdebriefes
vom Herrn von Mantua an den von Bologna und*

dessen Antwort [s. *beide in der letzten Note zu
nr.* 152] *im Einschluß; dat.* Padue 30 apr. 1402;
aus Venedig l. c. fol. 34 b, *gedruckt ebendaher
durch Valentinelli im Archiv für Kunde österr.
Geschichtsquellen 26, 359-360.*

[4] *Wider die geplante Ligue.*

[5] *Weniger zuversichtlich lautet ein Brief des
Franz an D. F. Bembo bajulus und capitaneus
von Negroponte vom 19 Mai 1402, worin er auf
das Gerücht, es gehe ihm seit dem Abzug K. Ruprechts schlecht, antwortet:* quod ob imperatoris
recessum nullum [sic] fui, nec sum passus nisi
angustie detrimentum eo quod non conplevi quod
per ejus ad partes Italie adventum pro Italie pace
conplere speravi; *dankt für den Wunsch ihm beizustehen; Venedig l. c. fol.* 44 a. — *An K. Ruprecht
schreibt Franz am 22 Mai 1402 aus Padua, es
gebe nichts neues, außer daß* per aliquos fertur,
dominum papam cum duce Mediolani vel esse
concordiam vel esse facturum; *der Herzog führe
seine ganze Macht gegen den Herrn von Bologna,
zu dessen Hilfe die Florentiner und er Truppen*

G. Verhältnis K. Ruprechts zu K. Wenzel und K. Wenzels zu Italien nr. 141-152.

141. *K. Ruprecht bevollmächtigt seinen Sohn Pf. Ludwig zu Unterhandlungen mit K.* *1401* *Wenzel oder dessen Räthen* [1]. *1401 Sept. 1 Amberg.* *Spt. 1*

> *Aus Karlsruhe G.L.A.* Pfälzer Kop.-B. 4 fol. 104ᵇ *cop. ch. coaev., mit der gleichzeitigen*
> *Überschrift* Ein brief daz herzog Ludewig mins herren son mag und macht hat zu
> concordiern von mins herren wegen mit dem kunige von Beheim.
> *coll. Wien H.H. St.A.* R.-Registr.-Buch C fol. 90ᵃ *cop. ch. coaev., mit derselben Über-*
> *schrift.*
> *Regest Pelzel Wenzel 2, 448 aus reg. Ruperti, d. h. wol Wien l. c., und Chmel nr. 910*
> *aus Wien l. c. und Pelzel l. c.*

Wir Ruprecht [*u. s. w., gibt Vollmacht*] dem hochgebornen Ludewig pfalzgraven
bi Rine und herzogen in Beyern unserm lieben son und fursten [*wörtlich, nur mit den*
durch die Einzahl des Bevollm. bedingten Abweichungen und bis auf die Worte hier
15 mit dem dorchluchtigen fursten Wentzlauw kunig zu Beheim oder sinen fründen oder
retten die er gein im zu tagen wirdet schicken, *wie die Vollmacht vom 15 Juli 1401*
RTA. 4 nr. 395]. geben zu Amberg of sant Egidien tag des heiligen bichters in dem
jare als man zalte nach Cristi geburte vierzehenhundert und ein jare unsers richs in *1401*
dem andern jare. *Spt. 1*
20   Ad mandatum domini regis
                                                    Johannes Winheim.

142. *K. Wenzel an seinen Bruder K. Sigmund: hat zur größsten Freude die Botschaft* [*1401* *von dessen Befreiung erhalten, ersucht ihn einen Ort zur Zusammenkunft zu be-* *ca.* *stimmen, um über die Reichsangelegenheiten u. a. zu berathen. [1401 ca. Sept.* *Spt. in.]* 25 *in.* [2] *] o. O.*

> *P aus Prag Domkapitelbibl.* cod. H III fol. 43ᵇ-44ᵃ *cop. ch. coaev. Wol von gleichzeitiger*
> *Hand die Überschrift* Congratulatur de liberacione fratris et petit terminum et locum
> statui ubi possint mutuo negocia eorum pertractari, *und bald nach dem Anfang die*
> *Randbemerkung* Congratulatur liberacioni fratris.
> 30 *W coll. Palacky Über Formelbücher in Abhandlungen der kgl. Böhmischen Gesellschaft*
> *der Wissenschaften 5 Folge 5 Band pag. 76-77 nr. 72 aus P und Wittingau fürstl.*
> *Schwarzenberg. Archiv cod. C nr. 3 fol. 34 cop. ch. coaev., welche letztere Quelle von*
> *uns nicht mehr verglichen werden konnte.*
> *Auszugsweise auch gedruckt Palacky Geschichte von Böhmen 3, 1 pag. 135 Note 156*
> 35 *aus W.*

gesandt haben; die Heere liegen vor Bologna;
Venedig l. c. fol. 49ᵇ, *gedruckt im Archiv für*
Kunde österr. Geschichtsquellen 26, 361 ebendaher.
Der Vollständigkeit wegen ist noch ein Schreiben
[1] *von Franz an K. Ruprecht vom 6 Mai 1402 zu*
erwähnen, worin er von einem siegreichen Vor-
dringen des Bologneser Führers Bernardonus be-
richtet, Padue 6 maji, aus Venedig l. c. fol. 39ᵃ,
gedruckt im Archiv für Kunde österr. Geschichts-
[15] *quellen 26, 360 ebendaher.*
[1] *Aus diesen Unterhandlungen ist wol nichts*
geworden, s. die folgenden nrr. Am 7 Nov. 1401
verbietet Pfalzgraf Ludwig als Reichsvikar den
Bürgern der Stadt Nordhausen, da K. Ruprecht

und er mit dem Könige und dem Lande zu Böh-
men von des Reichs wegen in offenem Kriege und
Feindschaft seien, salz oder eincherlei ander
kaufmanschacz oder spisunge in das Land zu
Böhmen zu führen, dat. Amberg Mo. nach Aller-
heiligen 1401, aus Karler. G.L.A. Kop.-Buch der
Pfalz nr. 149ᵇ fol. 199ᵇ-200ᵃ *cop. ch. coaev.*
[2] *Der Brief ist bald nach der Befreiung K.*
Sigmunds geschrieben; dieselbe scheint nach Pelzel
Wenzel 2, 448-449 vor 19 August 1401 statt-
gefunden zu haben, was auch Aschbach K. Sigmund
1, 163 annimmt, während Palacky Gesch. von
Böhmen 3, 1 pag. 134 sie auf Anfang September
setzt.

[1401
ca.
Spt. in.]   Wenceslaus etc. serenissimo principi domino Sigismundo etc.

Missum ad nostre majestatis presenciam *Johannem* [1] . . vestre serenitatis nunccium gratanter suscepimus hilariter vidimus et proposicionis ipsius verba pleno collegimus intellectu. qualem vero visceribus cordis nostri vestra liberacio fecerit leticiam quantamque nobis gaudiorum cumulaverit habundanciam, novit scrutator cordium et secretorum [5] cunctorum indagator, cui omnia cognita sunt secreta presencia preterita pariter et futura. et quia [a] nobis deo propicio simul convenientibus ab experto mutuo cognoscemus, qui nostri fraterni amoris fuerint veri zelatores (timemus enim et experiencia docente [b] cognoscimus, quod multi inter nos utrimque tractatores fuerint, qui inter alios homines perdiderunt anhelitum veritatis), velit igitur fraterna vestra dileccio terminum placitorum [10] in metis [2] vel ubi placuerit statuere, ad quem per dei graciam lota mente et jocundis occursibus aliis obmissis [c] negociis omnino veniemus, factum sacri Romani imperii et singula alia negocia nostra pertractando adversariisque nostris de vestris consiliis et auxiliis altissimo concedente viriliter et potenter resistendo etc. [d].

[1401
ca. Spt.]   **143.** *K. Wenzel an [Herzog Johann Galeazzo* [3] *], will demnächst eine Fürstenversamm-* [15] *lung in Breslau halten und an Pabst Bonifacius IX und den Angeredeten Gesandte schicken, und bittet um Beistand gegen seine Feinde. [1401 ca. Sept.* [4] *] o. O.*

> *P aus Prag Domkapitelbibl. cod. H III fol. 43 cop. ch. coaev. Von wol gleichzeitiger*
> *Hand die Überschrift* Gratatur de fide sua et petit ut se opponat contra inimicos
> suos fideliter et constanter, *und bald nach dem Anfang die Randbemerkung* Fidei [20]
> incitacio
> *W coll. Pulacky Über Formelbücher 2 Lieferung in den Abhandlungen der kgl. Böhmi-*
> *schen Gesellschaft der Wissenschaften 5 Folge 5 Band pag. 39-40 nr. 29 aus P und*
> *Wittingau fürstl. Schwarzenberg. Archiv cod. ms. C nr. 3 fol. 33*[b]*, welche letztere*
> *Quelle von uns nicht mehr verglichen werden konnte.* [25]

Illustris princeps, sincere dilecte.   exuberans et pregrandis est in conspectu nostro fidei tue constancia, quam erga majestatem nostram clara semper operum exhibicione

---

a) *Pulacky in Geschichte von Böhmen em.* jam, *unnöthig, wenn man richtig interpungiert.* b) *om. P.* c) *P eher*
abmissis. d) *om. P.*

---

[1] *Nach Pelzel Wenzel 2, 448-449 brachte wahrscheinlich Nicolaus von Gara, der mit seinem Bruder Johannes die Befreiung K. Sigmunds bewerkstelligt hatte, die erste Nachricht davon nach Prag.*
[2] *D. h. innerhalb der Grenzen, scil. Böhmens.*
[3] *Daß der Adressat ein Italienischer Reichsfürst ist, folgt aus dem Inhalt des Stückes und der Anrede; daß es Johann Galeazzo sei, ist mindestens höchst wahrscheinlich wegen des ganzen Verhältnisses zwischen diesem und Wenzel. Bereits am 18 Dec. 1400 dankt Galeazzo dem Erzbischof von Prag [Wolfram, der Kodex hat irrig P.] für den Eifer womit er seine Angelegenheiten befördere, wie er durch seinen zurückkehrenden Gesandten Greg. de Canalis [Georg. de Cavalis?] Grafen von S. Ursii erfahren, Palacky in den Abhandlungen der kgl. Böhm. Gesellschaft d. Wissensch. 5 Folge 5 Band pag. 48 nr. 33 c; also wol vor 1400 Dec. 18 ersucht K. Wenzel den Herzog um Absendung der ihm angemeldeten Botschaft durch*

Georgius Grafen von Ursii oder durch einen an- [30] *dern qui inter nos et te confidenter tractare et finire valeat, volumus enim cum effectu complere omnia que fuerint facienda juxta tuum consilium, und empfiehlt zugleich seinen consiliarius B. de X. [Benesch von Chaustnik?], aus Palacky l. c. p. 46-47* [35] *nr. 32 e undatiert; vgl. Palacky ibid. p. 47-48 nr. 33 b, p. 46 nr. 32 d, nr. 32 c, die vielleicht hierher gehören, aber nicht mit Bestimmtheit zu datieren sind. Ebenso ib. p. 47 nr. 33 a, wo von einem Boten Johannes die Rede ist, den Herzog Johann* [40] *Galeazzo abgesandt hat, Abt vom Kloster S. Benedikt in Piacenza.*
[4] *Der Brief berichtet von der Befreiung K. Sigmunds, die im August oder Anfangs Septem-* [45] *ber stattfand; derselbe ist aber jedenfalls etwas später als der vorhergehende nr. 142 geschrieben, weil dort der Ort der Zusammenkunft, der hier bestimmt ist, noch unbestimmt erscheint.*

Eine Gesandtschaft K. Wenzels mit besonderen Nachrichten erwähnen die Venetianer am 16 Sept. [50]

pretendisti et prompta fidelitatis alacritate frequenter ostendisti, prout hoc providus Jo- [1401
hannes .. a* te ad nostri culminis presenciam nunccius transmissus nostre magnificencie *ca. Spt.]*
lucide et aperte declaravit, quem gratanter recepimus hilariter vidimus et [b] proposicionis
ipsius verba pleno collegimus intellectu.   quibus eciam tenore presencium respondemus
5 pro singulari consolacione significantes, quod serenissimus princeps et [e] dominus dominus
Sigismundus rex Ungarie etc. frater noster carissimus cum omnibus suis [d] baronibus
plene concordatus et totaliter unitus pristina gaudet libertate. qui eciam major et po-
tencior quam umquam prius fuerit rex potentissimus [e] exstitit [f] deo disponente, prout hoc
idem experiencia nos docente et literis suis lucidius cognovimus ab experto.   cum quo
10 unacum illustribus Jodoco et Procopio Moravie et Brandenburgensi [g] marchionibus et
quampluribus aliis principibus [h] patruis et consanguineis nostris carissimis in civitate
Wratislaviensi pretermissis aliis nostris agendis et negociis statim convenire proponimus
et abinde ad sanctissimum in Christo patrem et [i] *dominum dominum Bonifacium* summum
pontificem et [k] ad tuam dileccionem solempnes nostros ambasiatores volumus destinare.
15 quapropter sinceritatem tuam *affectuose requirimus* et rogamus [l], ex animo desiderantes [m]
sincere fidei tue puritatem, quam ad nos continue et constanter gessisti, nobis pro [n]
inimicorum et rebellium nostrorum repulsione fideliter et incessanter astare velis modis
et viis quibus tibi visum fuerit opportunis, prout de sinceritate et amicicia tua plenam
confidenciam gerimus et indubiam tenemus presumpcionem.

20   a) *P Punkt und Lücke nach* a, *W zwei Punkte vor* a. b) *W* ac. c) *P* etc., *om.* dominus — carissimus. d) *om.*
W. e) rex p. *om. W.* f) *om. P;* em. exstitit *?* g) *W* Brandenburgensibus. h) *P add.* et, *om.* et cons. i) *om.*
W. k) *W* ac. l) *W* hortamur. m) *P add.* et. n) *P* per.

1401, s. nr. 85 art. 2; vielleicht meldete dieselbe
auch ähnliches wie dieser Brief. Schon früher,
25 am 22 Febr. 1401 hatten die Venetianer Anlaß,
sich mit K. Wenzels Angelegenheiten zu beschäftigen: ein Beschluß des Raths vom gen. Tage
bestimmt: zu antworten auf das Vorbringen des
Conradus Beheim, eines Böhmen, der angeblich
30 von Wenzel dem König der Römer und Böhmens
kommt und einen Salvus conductus vorzeigt, den
ihm Wenzel ausgestellt hat, um eine Botschaft an
die Herzöge von Österreich auszurichten, und der
im Namen Wenzels meldet, daß dieser und K.
35 Sigmund attendebant ad providendum et susti-
nendum honorem prefati domini regis Romanorum,
qui libentius se intelligeret cum dominatione nostra
quam cum domino duce Mediolani, und daß sie
deshalb eine Gesandtschaft an Venedig senden wür-
40 den, für die sie um geneigtes Gehör bitten lassen:

es stehe in dem Salvusconductus nichts von der
Gesandtschaft, von der Conrad ihnen sage, daher
könnten sie nicht Antwort darauf geben; nebst
Minoritätsvoten, welche den Mangel eines Glaubs-
briefes, oder sonstigen direkten Schreibens von
Wenzel, betonen; aus Venedig St.A. Deliberazioni
miste, secreta, senato 1, registro 45 mb. coaev.
fol. 57[b].

An die Getreuen in Friaul schreibt Wenzel am
10 Juni 1401, sie möchten wie bisher dem Friderich von Ortenburg als ihrem Gubernator gehorchen; parati enim sumus, vobis in brevi temporis
spacio sic succurrere et contra emulos vestros de
tali providere remedio, quod in constancia et fidelitate vestris gaudebitis perstitisse, dat. Prage die
10 junii regni nostri ann. Boem. 47 Rom. vero 34,
aus Cividale Stiftsbibliothek Urkk. nr. 85 or. ch.
c. sig. in verso impr.

[1401
ca. Spt.] **144. K. Wenzel an K. Karl VI von Frankreich (bzw. an Herzog Albrecht I von Baiern-Holland [1]): theilt die glückliche Befreiung K. Sigmunds und die Aussöhnung mit den Markgrafen von Mähren mit und bittet ihn (bzw. ersucht ihn die Bitte beim König zu unterstützen), daß er ihm gegen seine Feinde im Reiche helfe, namentlich auch sich in Italien bei Johann Galeazzo u. a. gen. verwende, damit** 5 **diese dem Gegner keinen Durchzug gestatten. [1401 ca. Sept. [2]] o. O.**

An K. Karl VI von Frankreich: P aus Prag Domkapitel-Biblioth. H III fol. 42[b]-43[a] cop. ch. coaev., mit gleichzeitiger Überschrift Intimat regi Francorum successus et gaudia et petit[a] eum juvet contra suos hostes etc.

An Herzog Albrecht I von Baiern-Holland: W coll. Wittingau fürstl. Schwarzenberg. Archiv 10 *C nr. 3 fol. 35[a][b] cop. ch. saec. 15. Die Abweichungen von P s. in den Varianten.*

Gedruckt Palacky Über Formelbücher in den Abhandlungen der kgl. Böhmischen Gesellschaft der Wissenschaften fünfte Folge 5 Band vom Jahre 1847 pag. 90-91 nr. 93, aus W und P ohne Unterscheidung, daß es 2 verschiedene Briefe sind, abwechselnd zusammengeschweißt.

Wenceslaus etc. serenissimo principi domino Karolo regi Francorum etc. salu- 15 tem etc.

Serenissime etc.[b]   qualiter divine benignitatis gracia[c] nos quamvis immeritos sue providencie cura generose respexit, vestre sinceritati[d] presentibus[e] significat nostra serenitas[f], ut, quia alias de fraterna compassione[g] vestra dolebat[h] excellencia, nunc[i] de tanta nostra consolacione merito posset sinceritas[k] vestra exultare.   ecce enim sub unius 20 instantis spacio[l] momenti[m] multiplicis fortune gaudio nos perfudit omnipotentis dei clemencia, qua[n] regna regit et regibus ac principibus dat salutem, ut cum[o] illustribus marchionibus Morawie[p] patruis nostris carissimis et[q] nobilibus regni nostri[r] Boemie baronibus totalem primo concordiam tribueret et statim postea[s] serenissimi principis et domini regis *Hungarie* etc.[t] liberacionem disponeret et regie mentis mesticiam in magnam 25 leticiam[u] et exultacionem mutaret.   et quia cum prefato rege *Hungarie* ac[v] aliis principibus et consangwineis nostris pro unione sancte Romane ecclesie fienda[w] et adversariis nostris in sacro Romano imperio serenitati nostre[x] opponentibus potencialiter resistendo terminos recepimus placitorum, idcirco sinceritatem[y] vestram requirimus attente rogamus et a vestra celsitudine speciali hortamur studio deposcentes[z], quatenus[aa] ad resistendum 30 inimicis nostris tum propter generosi et alti nostri sanguinis conjunccionem[bb] tum eciam propter ligas fortissimas inter nos utrimque[cc] factas et initas nobis vestra[dd] celsitudo velit assistere consiliis et auxiliis realibus ac nobiscum cum effectu permanere, prout id ipsum nostra faceret serenitas, si (quod absit) vestre[ee] magnificencie talis casus infortunii eveniret[ff].   dignetur igitur[gg] regia excellencia[hh] illustri Johanni *Galeas*[ii] Januensibus[kk] 35

---

a) *Palacky add.* ut. b) *W hat als Anfang nur* socero suo salutem etc. c) *P add.* que. *W add.* qui, *beides über-flüssig.* d) *W* dileccioni. e) *om. P.* f) *W* significamus. g) *P* conpcione? h) *W add.* fidelitas. i) *P* tunc. k) *W* dileccio. l) *om. P.* m) *PW* momento. n) *Palacky* quae. o) *W* hec etiam *statt* cum. p) *W add.* P., *om.* patruis — carissimis. q) *W add.* dominis nostris generosissimis. r) *om. W.* s) *W* estaim ex post facto *statt* et statim postea. t) et — etc. *om. W.* u) *W add.* verteret. v) *om. W.* w) *P* fiende. x) *Palacky* 40 *add.* se. y) *Palacky* serenitatem. z) *W* affectuose petimus et rogamus ex animo desiderante *statt* requirimus — deposcentes. aa) *W add.* consagwineum nostrum regem FF. ad hoc vestris exhortacionibus tenere velitis et inducere ut. bb) *W* commiccionem. cc) *W* utrumque. dd) *W* sua. ee) *W* sue. ff) *W* immineret. gg) *W* et quod eciam *statt* dignetur igitur. hh) *W add.* sua dignetur et velit. ii) *om. W.* kk) *P* Ja., *W* 45 *add.* et.

---

[1] Wie sich aus der ersten Variante W ergibt, ist der betreffende Brief also an K. Wenzels gerichtet; der Vater der damals lebenden Gemahlin Wenzels Sophia, Johann I von München, ist schon 1391 verstorben, also muß der Vater der ersten Gemahlin Johanna, Herzog Albrecht I von Holland, gemeint sein.

[2] Das Schreiben fällt in dieselbe Zeit wie das vorhergehende nr. 143, s. daselbst Note 2; auch hier scheint die Zusammenkunft mit K. Sigmund u. a. schon festgesetzt zu sein. 50

Florentinis[a] et lige Ytalie et Lombardie[b] scribere ac proprios nunccios destinare, ne [1401 adversarium nostrum per territoria civitates et passus ipsorum quovismodo[c] permittant[d] ca. Spt.] pertransire. [e]quamcito eciam[f] cum prefato rege[g] fratre nostro ac[h] principibus et consiliariis nostris[i] convenerimus, extunc ad serenitatem vestram et totam domum Francie

5 solempnem nostram ambassiatam de intencionibus[k] omnium nostrum informatam plenius dirigemus.   datum etc.[l].

145. *Der Veroneser Leonhard Therunda fordert unter Darlegung der Italienischen Ver-* [1401] *hältnisse König Wenzel auf, zur Vernichtung K. Ruprechts nach Italien zu kommen.* Nov. 16 *[1401[1]] Nov. 16 Verona.*

P aus Prag K. Universitätsbibl. cod. ms. X H 18[v]fol. 16[a]-18[b] cop. ch. saec. 15.
T coll. Wittingau fürstl. Schwarzenberg. Archiv cod. C nr. 3 cop. ch. saec. 15 fol. 36[a]-39[b].
Gedruckt Palacky Über Formelbücher 2 Lieferung in Abhandlungen der kgl. Böhmischen
Gesellschaft der Wissenschaften 5, 5 p. 40-44 nr. 30 aus TP. — Auszüge bei Palacky
Geschichte von Böhmen 3, 1 pag. 125 Note 143 und pag. 136 f. Note 158.

15   Non quis ego te verbis adoriar, dive cesar, nostra[m] omnium tutela spesque, summe principum princeps, instar divine magestatis in terris, et quanti sim, tua nichil intersit[n]; modo ex veritate sit que ex me non est verbis auctoritas. nec enim tutum est summis viris, minorum verba spernere, cum possit exiguus scire que magnus ignoret. et cum[o] constet plerosque magnos fortuna homines nullos esse virtutibus, prudentis est non opibus

20 homines estimare, sed moribus. ceterum sacius est quid ad te quam quid ad me sermo pertineat scisciteris. modicum fateor exiguum hominem res magne contingunt[p]. possum verba[q] perdere cui nichil perdendum est majus, tu multa cui sunt omnia. et siquidem aures tuas modeste minus offendere, stimulis doloris acto indulge quaeso, humanissime princeps: irascimur homunculi fex terrea justissimo deo, erumpunt in illum plerumque

25 non pensata convicia, cum apparet bonis mala contingere, cum adversi aliquid sentimus. esset fateor melius moderari nobis, sed possumus facilius penitere. irasci liceat precor, non odisse. es alter mundo deus: irascor deo, irascor et tibi, de utriusque confisus misericordia et mea conscius puritate, usque adeo certus, quod, si mala nostra videris, si iminencia animadverteris, non quod ego unus sed quod omnes ad te una voce non

30 clament miraberis, quorum in te uno salus sita est. discidium[r] sancte matris ecclesie animarum nostrarum periculum annos 26 in tua et omnium mundi principum negligencia tulimus; nunc et huic simile malum subimus, ne quid malis nostris deesset[s], ut Romanum scilicet discissum sit imperium, ut, qui sine consilio dubii errabamus in tenebris, vobis-cum[t] irruemus in gladios. querebamur de te, quod execrabile scisma in ecclesia dei

35 diu adeo vigere quasi cum possis tollere patereris; tollerabile tamen fuerat, quod non totum tibi videbatur incumbere, quia Gallorum presertim errores corrigere tui juris (nescio quo jure) non sit; quod vero Romanum imperium discissum paciare tibi uni incumbens, tollerare non possumus, quod segnis antimperatorem[u] Bavarum arreptis cesareis signis tuam invadere Italiam passus sis, cum possis obstare, quod eum[v] caput

40 erigere, cum possis deprimere, quod in te tantum ordiri nephas perfidos oblocutores nedum implere ab ipsis primordiis non prohibuisti. tuo satis exemplo doces, quod res tanta imperii ubique tremendi male gesta sit, et non nisi suorum principum negligencia

a) P Flo. b) W Lugubardie. c) P non. d) PW mittant. e) W add. quia. f) om. W, Palacky enim. g) om. W. h) om. W. i) W consanguineis statt consiliariis nostris. k) om. W. l) datum etc. om. P. m) T nostrum. n) P intersint. o) om. P. p) P contingentis. q) P verbo. r) T dissidium. s) P subesset. t) T nobiscum. u) P ante imperatorem. v) om. T.

45

¹ *Das Jahr ergibt sich mit Sicherheit aus den in dem Stücke berührten Begebenheiten.*

[1401]
Nov. 16
ad hanc usque parvitatem decreverit[a]. et quid obstat quominus id credatur? cum imperialis nominis inimicos Gelfos[b], scilicet Florentinos precipue, qui se faccionis ejus principes faciunt, qui divinas aquillas et victricia mundi signa patibulis obprobrio dedere, qui semper persecuti fideles[c] imperii omni martirii genere pecierunt et detestabili crude- litate necarunt, intra Italie fines[d] degere et a debilibus iniciis[e] eam pestem[f] in tantas [5] vires excrescere majores tui tulerint[g]! quid vetera queror? sentis in te murmura et taces, sentis hostiles conatus et non prohibes, immo et vides periculum nec moveris. sensisti primum idque dudum, ab Florencia oratores ad hos scilicet quibus eligendi cesaris jus est frequentare, nec clam te fuit, quas in te callidi oblocutores fingerent querelas, quod honorem illum negligeres[h], quod imperii rem nedum diminui piger sustu- [10] leris sed quod imprudens ipse destrueres et quod propterea deponendus sis, eligendus dignior humano generi utilior, quasi male geste rei condolentes et salutis omnium curiosi. o dolosam machinacionem! fingunt odisse quod diligunt, optare quod nolunt, postulare quod fugiunt! tuorum enim[i], dive cesar, tuaque stant eciam negligencia. ve sibi ab[k] optimi principis diligencia! non esset illis locus super faciem terre. nostrum erat[l] hoc [15] queri, qui illos in paciencia tua tot annos[m] tulimus. utuntur in te[n] causa nostra, ut quod oderant[o] sacrum imperium amare videantur, ut figmento inicum contegentes pro- positum facilius ledant, adicientes maledictis eorum, quod[p] ducem Mediolani crescere nedum passus sis, sed eum rebus imperii donans in illud armaveris; sed testis est deus et tu non ignoras[q], quantis periculis laboribus sumptibus ipse et majores sui imperio [20] perpetua fide se gesserunt[r]. nisi constantissimus iste dux vestri[s] nominis cultor eis ob- stitisset, conatus eorum irritasset, esset jam nullum, esset jam Italia mater paricidarum solicitudine barbarorum hostium sub turpi servitute possessio, constatque nichil sibi am- plius[t] in Italia habere imperium nisi quantum fidelis ipse servarit. ideo illis molestum est quod illum aput te carum habeas, quod titulis quod honoribus efferas, quibus hostis [25] est quicumque Romano fidelis imperio. non segniciem tuam oderunt bilingues detrectores, sed defensoris solicitudinem. et quid non moliti sunt in illum pertinaces inimici insidiis dolis conjuracionibus sedicionibus? non est numerus! quanto putas studio in eum totam Italiam convertere conati sunt? summum pontificem, Ladislaum regem sibi sepe sed frustra advocaverunt, et quondam male suasas[u] Ferrariam Bonnoniam Mantuam Paduam [30] sibi confederaverunt[1], invaserunt Lambardos. contigitque ut deo previo modico minus Mantuam caperemus[2]; nunc usque eorum effrenatis ausibus conjuga objecimus lora[v]. nonne et olim, sibi visi nil proficere, omnes Galias omnem barbariem in ducem Medio- lani trahere orditi[w] sunt, sue reipublice possessionem si in eum irruant eis daturos se polliciti[3]? nichil intemptatum relictum est. cum autem eorum ubique notissimi mores [35] sint, susceperunt ab omnibus[x] quas prebent aliis nugas, cautis scilicet sibi eventus Mantue accipientibus[y] documentum. sic illos paulatim omnes deserunt. sola Padua illis nunc palam socia est. dubia est utrinque[z] Bononia, ad partes nostras facile convertenda. in

a) *P* decrevit. b) *P* Bwelfos *mit durchstrichenem* w, *T oben am Rande dazu die Glosse von anderer Hand* Due
secte perniciose fuerunt in Ytalia malorum et perfidorum homiuum scilicet Guelfi et Gybellini sese mutuo [40]
destruencium etc. c) *P* fidelis. d) *T von anderer Hand verbessert aus* finges e) *P* deliciis. f) *om. P.* g) *P*
tulerunt. h) *P* negligis. i) *P* ergo. k) *om. T.* l) *P* sciat. m) *T* annis. n) *T in te;* *P* vite, *vice ?* o) *T*
oderunt. p) *T add.* Verehrungspunkte. q) *P* ignores. r) *T* gesserint. s) *T* nostri. t) *om. P.* u) *T* suasas
v) *P* obiciemus loca. w) *T* adorati. x) *P* hominibus. y) *P* arripientibus. z) *P* utrum *mit Abkürzung.*

[1] *Im September 1392, s. Corio storie di Milano, ed. 1856, 2, 369.*
[2] *Im April 1391 gelang es fast Johann Galeazzo und dessen Freunden, Mantua zu nehmen, s. Corio l. c. pag. 406 f.*
[3] *Hier ist wol das Bündnis zwischen Frankreich und Florenz 1396 gemeint, s. Corio l. c. 403.*

exiguum decreverunt vires eorum, ut palam nichil auderent, defecerantque[a] viribus [1401]
prorsus, nisi obtinuissent, quod, unde sibi conscii timent, Romanum discinderetur imperium, non aliter funditus destruendum, ut alterius mox herentes partibus presidio *Nor. 16*
destituti non sint. sed miranda nimis est tantorum, electorum[b] scilicet, hominum in-
5 prudencia, quibus tante rei auctoritas fuit, non modo quod illos audierint, sed quod non
contumeliis armatos[c] objecerint, quos tociens magestatis reos, quos inimicos scirent[d]; cum
nulla malivoli hominis sit non suspecta petitio. et tamen non dubitaverunt eorum favere
garrulitati et accusatoribus lupis neglecto[e] grege dampnare pastorem et contra jus
fasque in verum cesarem destitucionis fulminare sentenciam, alium te stante imperatorem
10 eligere. sed numquam credidero, eos[f] te obstante fecisse nec jure nisi te volente potuisse; sed *de* hiis disputare locus non est. causa tua in judicio bene tenenda fuit, sed
bello[g] judice nisi illam nisi[h] te ipsum deseras clarius discerni poterit. justicia dei equa
est, et jam electo suo futuros belli eventus sinistris satis[i] iniciis[k] indicavit. et quid
putas hosti primis auspiciis obtigit, dive cesar? descendit imprudens Bavarus cum Flo-
15 rentinorum cum Francisci de Cararia Paduani sedulitate accitus[l] cum non parva ut[m]
fertur acie per vallem Sabiam, ut inde Lombardiam prope Brixie[n] vicina[o] contingeret.
cui indigene[p] quidam quampauci scilicet faccionis ejus ruricole, furtis quam milicie
apciores, sine impedimento viam illinc se daturos eumque mox Brixia proxima, in qua
conjuracionem secum esse dicebant, potiturum pollicebantur. sed mirum dictu[q]. quam
20 primum sui moncium fauces in planum exibant, mox ab[r] obviis nostris quemadmodum
a lupis pecudes sternebantur; magna pars eorum manu quidem modica aut cesa aut
capta, sed eorum nemo ad suos sine verbere aut vulnere rediit. denique cum nichil
proficeret magno cum dedecore Tridentum repeciit. sed quid referre opus est? ab re-
deuntibus suis, quid illis contigerit, sciscitari potuisti. perfuge nostri dignis crucibus
25 penas dederunt suntque aliis terribilis mortis exemplum. Brixiensium et nemo, nec
quisquam alius minimo motu fidelitatem[a] violavit. hostis vero, sua illusus credulitate,
expertus suorum tum suadencium figmenta tum militum debilitatem tum nostrorum virtutem, percipiens locorum angustias munimentorum tutelas viarum difficultates exercitus
nostri numerum, ad arripienda imperii•dyademata inaccessibiles vias, Padwam cum co-
30 horte modica[t] adivit ibique aplicitus pauper suorum Gwelforum frustra mendicat ad-
minicula. a, quantum potest penitere si sapiat male suasus Bavarus, quod rem tantam
sine consilio sine viribus contra jus fasque sit aggressus! quid agat, eligere[u] nescit, sibi
omnia sunt dubia, fertur tamen nuper misisse[v] Venecias, desperans nostrorum ·obice
terra Romam posse contingere, quo mari vehatur postulare navigium. quod si impetret,
35 eciam nunc incertum est; vulgare tamen est[w] quod vectores ejus equos[x] tum personetis[y] [1]
instantibus tum sub hasta venundans mari profecturo superfluos Padue nundinas indixit[z]
insolitas. palam hactenus[aa] non fuit, quales sibi intendant[bb] Veneti. sed certum est
quod trepidat hostis, trepidant partes ejus. non redit[cc] ille per dedecoris turpitudinem,
non redeunt illi sceleris conscii[dd] per misericordie desperacionem, verum ultima ex-
40 periri volunt. quibus nulla spes est quam in negligencia tua et fortune miraculo.
nunc igitur, principum princeps vere auguste, sanctissima signa felices[ee] aquillas terra
marique tremendas erige, segniciem illam ignominiosam exue! gloriosum illud caput tuum
coronas imperiales anticipet[ff], quibus nemo sine magno sangwine[gg] sine tocius mundi

---

a) P defecerant. b) T electorum tantorum. c) P ornatos. d) P sterni? e) T deneglecto. f) T eis. g) P
velle. h) P si. i) P satis. k) P iudiciis. l) P occitus. m) om. P. n) T Orixie. o) T menia. p) P in-
digne. q) P dictum. r) om. T. s) P fidelitate. t) om. P. u) P elicere. v) P in lisse. w) om. T
vulgare — est. x) P aquas. y) *Palacky* conj.: proxenetis, T prosonetis z) P advenumdinas luduxit.
aa) P attend. *abgekürzt.* bb) T intendat, *Palacky add.* non; *em.* quale? cc) P rediit. dd) PT consciencia.
ee) om. P. ff) P anticipe. gg) T sanguine.

40   [1] *Mittelalterliche Form für proxenetis s. Du Cange s. v.*

turbine potitus est nisi tu, que, ut [a] tamen [b] velis non, tue esse non possunt. modico
prelio [c] modico sangwine tyrannum fundes, vel forte presenti tibi sine bello cedet qui
nequit sine [d] inexhaustis sumptibus inexuperabilibus laboribus innumeris mortibus coro-
nari. nec magnopere necesse est quod magno sumptu advehendam tecum in Italiam
miliciam compares, cum hic tibi satis milicie sit. sunt enim huic fidelissimo duci tuo,   5
qui tanto te spectat affectu, Lombardorum equitum circiter viginti quinque millia, plura-
que si res exigat erunt, peditum innumera bellorum quippe artibus docta milicia, labores
et pericula non fugiens, incommodorum paciens, militari disciplina conposita, magnis
stipata ducibus triumphis victoriisque conspicuis. utique qualem credas qui redierunt
hostes interroga. qui, verberibus timorique cedentes, eorum virtutem tollerare non po-   10
tuerunt. quid opus est longe a patriis sedibus ab suis milites tecum trahas, tuos huc [e]
fatiges? cum simus hic tui omnes plena acie, quibus, quantumcumque fideles ibi habeas,
fideliores habere non potes. te alii sibi regem gaudeant! qui [f] [1] te nostrum gaudemus
habemusque non alienigenam sed [g] Italicum [h] sed [g] Romanum regem, Romanum principem,
Romanum cesarem; jocundumque nobis erit, res filiosque[i] nostros et nosmet ipsos cunctis   15
exposituros periculis, ut pociare victoria, cum hoste manus conserere [k]. tua tamen presencia nobis opus est ad laudem jusque fovendum, ut non modo tyranni hostes, sed
cesaris milites videamur. nam etsi sine te vincere sufficiamus, multum de victorie nostre
decore tua detruncabit absencia. cum enim nisi venias cesar esse non possis, non hostem
percussisse videbimur, sed rei [l] magestatis cesarem [2]. pugnabimusne insuper pro habendo   20
cesare et careamus [m] victores, sit inanis victorie nostre fructus? an cum esse nolis te
principem faciemus invitum? esset hic ridiculosus nimium [n] conatus noster. si autem
deposita mollicie veneris, crede michi, preficiendus [o] eris [p]. etsi forte qui mari Romam ire
parat dyadema preoccupet, te jubente deponet et magestatis reus tibi sue temeritatis
penas dabit, manus tuas numquam nisi volatu alter Dedalus per aerem evasurus. festina   25
igitur (jam omnis mora pestifera est), et, ut ad divum Julium in Lucano oravit Curio,
dum trepidant nullo firmate [q] robore partes moras, semper nocuit differre paratis [r] [3].
quid enim hosti sit cum summo pontifice, nescitur eciam, sed non ambigo, omnia preve-
nienti facile concessurum. siquidem diligencior hostis (quod deus avertat) dyadema
preoccupet, major tibi injuncta sit difficultas, majori periculo majori sangwine majori   30
labore reparabis quod alter rapuit, quam careas quod utrique vacaret. coronatus enim
jam non tyrannus videbitur esse, sed cesar. odioque desidie tue, que nunc vituperio
digna est, iniqua ejus sollicitudo laudabitur colleturque. esse enim illum principem constat, si ipse non sis. non es quod esse non velis; quia cum [s] potes et non es, non nisi
nolle est. sic igitur tua causa nostraque in te simul periclitabit: partes ejus, que nunc   35
trepidant que desperant, in nos audaciam spemque resument [t]. et tam aput Almannos
quam alibi ubique qui nutant suis herebunt partibus. et qui tibi nunc herent, te de-
serti deserent. namque qui te colunt, principem colunt; qui te timent, principem timent.
non princeps, non timendus non collendus es. sed animadverte [u], quanto obprobrio sis
obnoxius, illud clarissimum genus tuum quantis ignominie tenebris obruas, si non bello [v]   40
sed vicio tuo vincendus sis. ceterum nec sine magno periculo tuum est dedecus: in
medio ocio sine viribus desertus omnibus ab hoste eciam petendus es. deus omnibus

---

a) *P scheint* nec. b) *PT abgekürzt, Palacky* tantum. c) *P* periculo. d) *om. P.* e) *P* hic *(das vorherg.* timori *ist
em. aus* timore). f) *PT* quod. g) *om. P.* h) *T* Italem, *über dem o ein* l; *man wird* Italicum *setzen dürfen.*
i) que *om. P.* k) *P* conferre. l) *P* regi. m) *T* careamus. n) *om. P.* o) *T* preferendus. p) *T* es. q) *PT*   45
firmitate. r) *T* partis. s) *T* omnium. t) *P* resumunt. u) *T* animadvertere. v) *P om.* si — bello.

---

[1] *Während wir dich.*   [2] *Lucani Pharsalia lb. 1, 280-281.*
[3] *D. h. wir werden als Majestätsverbrecher scheinen
einen Kaiser (Ruprecht) geschlagen zu haben.*

equus est. nisi vicio tuo superari non poteris ᵃ. vale felix, dive cesar, tui gregis tuorum *[1401]*
tuimet memor.   datum Verone decimo 6 kal. decembris.   *Nov. 16*

.   Altissime magestatis tue quam minimus
sed fidelis servulus Leonardus Therunda Weronensis ᵇ.

₅ **146.** *K. Sigmund von Ungarn an Venedig* [1]*, theilt seine Befreiung und Widereinsetzung* 1401
mit, warnt sie Ruprecht Unterstützung zu gewähren, besonders da Sigmund selbst *Dec. 12*
von Wenzel zum Reichsvikar ernannt sei und als solcher Maßregeln treffen werde.
1401 Dec. 12 Tyrnau.

> *Aus Venedig St.A.* Commemoriale IX fol 128ᵇ *cop. mb. coaer.*, *mit der Überschrift* Copia
> literarum domini Sygismundi Hungarie regis missarum ducali dominio, ut favores non
> prestet novo Romanorum regi contra fratrem regem Boemie, *und mit der darunter* *1402*
> *stehenden Notiz* Recepta fuit millesimo suprascripto die vigesimo septimo januarii. *Jan 27*
> *Erwähnt Palacky Literarische Reise nach Italien in Abhandlungen der kgl. Böhmischen*
> *Gesellschaft der Wissenschaften 5, 1 pag. 76 ebendaher.*

₁₅   Sigismundus dei gratia rex Hungarie etc. inclito et excelso domino domino Michaeli
Steno amico suo carissimo dei gratia duci Venetiarum etc. salutem et prosperitatis augmentum.   inclite et excelse domine, amice karissime.   non ambigimus, prosperos majestatis
nostre successus semper dominacioni vestre placituros, ideoque de liberacione majestatis
nostre, quam post dire captivitatis sortem divino munere feliciter adepti sumus, grata
₂₀ nova pro singulari gaudio vestre amicitie reseramus.   neque enim solummodo libertatem
recepimus, sed etiam ad regnum nostrum sumus laudabiliter restituti.   verum unum in
memoriam excellentie vestre revocare non omittimus, quod, sicut hactenus bonam amicitiam et singularem dilectionem cum vestro dominio semper habuimus, ita et de cetero
volumus perenniter habere, dummodo vestra dominatio nobis causam rationabilem non
₂₅ prebeat aliter faciendi.   hoc enim ideo dicimus, quia sentimus, quod ille dux Ropertus
emulus noster, qui contra jus fasque contraque literas promissiones et obligaciones suas
honorem ac dignitatem non tantum serenissimi germani nostri Romanorum regis sed
etiam clarissime domus nostre ausu temerario sibi vendicare presumpsit, vult a vobis
accomodare navigia, super quibus ad urbem pro accipiendis coronis imperii valeat se
₃₀ transferre.   vult enim modo per dolum dignitatem adquirere, quam per vim, sicuti
sperabat, sibi deus adquirere non concessit.   quapropter vestram attento studio amicitiam
rogitamus, quatenus eidem duci Roperto premissa navigia minime accomodare velitis nec
in aliquo sibi favores vestros seu auxilia conferre, facturi utique prelibato germano nostro
nobisque in hac re majorem quam scribi aut dici posset conplacentiam, cujus utique
₃₅ immemores non erimus nec ingrati.   nos quidem ab ipso germano nostro solemniter constituti sumus generalis totius sacri imperii vicarius [2]; eapropter de conservatione ipsius
imperii de proximo providere decrevimus [3], sicuti largitante ᶜ domino in brevi videre
poteritis operum per effectum, parati semper affectu sincero ad quecumque vestri dominii
beneplacita vel honores.   datum Trinavie die duodecimo mensis decembris millesimo *1401*
₄₀ quadringentesimo primo.   *Dec. 12*

ᵃ) *T* potes. ᵇ) Altissime — Weronensis *om. T.* ᶜ) *cod.* largitate.

---

[1] *Dieß ist, wie der Inhalt ergibt, ohne Zweifel*   zum Schutze der Grenzen gegen das Eindringen
das Schreiben, welches der Rath zu Venedig am   *des Herzogs Wilhelm von Österreich, datum Zolii*
14 Merz 1402 zu beantworten beschließt, s. nr. 153.   *in festo beati Andreae apostoli* [Nov. 30] *anno*
₄₅ [2] *Vgl. hierüber die Noten zu nr. 147 und 149.*   *1401, s. Fejér cod. dipl. Hung. tom. 10 vol. 4 pag.*
[3] *Dahin gehört wol schon die Beauftragung des*   *77 nr. 9 aus mss. Cornidesianis.*
Erzbischofs Johannes von Gran und seiner Brüder

1402
Jan. 1

147. *K. Wenzel an Stadt Bologna, ermahnt zu treuem Ausharren bei ihm und dem Reich gegen den Rebellen Ruprecht und dessen Anhänger, die er mit seinem zum Reichsvikar ernannten Bruder K. Sigmund auf jede Weise bekämpfen wird* [1]. *1402 Jan. 1 Kuttenberg.*

L aus Leipzig Univ.-Bibl. cod. ms. nr. 1092 fol. 378ᵃ-379ᵃ cop. ch. saec. 15.
A coll. Wien H. H. St. A. Repert. 1 cop. ch. saec. 18.
S coll. Senckenberg sel. jur. et hist. 4, 426-430 wol aus L (s. ib. S. 23 f.).
W coll. Würdtwein nova subs. dipl. 11, 79-82 nr. 20 wol auch aus L.
Ferner gedruckt J. G. Böhme de Sigismundo pag. 12 aus S; Fejér cod. dipl. Hung. 10,
8 pag. 450 nr. 231 aus Böhme, abgekürzt. — Auszug in deutscher Übersetzung bei [10]
Pelzel K. Wenzel 2, 454 f. aus S. — Regest Chmel pag. 184 nr. 11 aus WS.

Wenczeslaus dei gracia Romanorum rex semper augustus Boemie rex honorabilibus ancianis populi et communi civitatis Bononiensis nostris et imperii sacri dilectis etc.

Honorabiles fideles dilecti.   diu credimus ad noticiam vestram fama preambula pervenisse, qualiter Rupertus dictus Clemm de Bavaria fraude commenta et figulis falsi- [15] tatis sue adscitisᵃ juramenti nobis prestiti prorsus immemor et honoris literarumqueᵇ suarum serenitati nostre regie de obediencia et subjeccione tanquam vero Romanorum regi et suo domino naturali et ordinario legittime prestitorum fidefragus violator adver- susᶜ nos et imperium sacrum Romanum, sociatis sibi quibusdam electoribus, videlicet duobus archiepiscopis et tercio valetudinario et pro tunc nusquam compote racionis, [20] faccionis sue conplicibus et aliis fautoribus inobediencie et rebellionis, erigens calcaneum, nedum ingratitudinis vicio denigratus, verum ausu temerario se Romanorum regem nominare conatus, mutatus in angelum sathane angelum lucis se fingens, sedem locare nititur in latere aquilonis.   que factionis immanitas et crimen lese majestatis regieᵈ tum omnis potestatis que a domino deo est molitur conculcare dominia tum a subditis exemplo [25] simili jugum excutere debiteᵉ servitutis.   ex quo nedum regna quelibet per libertatis nephande dampnosam audaciam in divisionem desolacionis ruere, ut veram conculcacio- nem irremediabilem sustinerentᶠ.   ne ergoᵍ tam perniciose rebellionis temeritas dicti Ruperti sibi redeatʰ ad gloriam, nos cum serenissimo principe domino Sigismundo Un- garie Dalmacie Croacie etc. regeⁱ sacri imperii Romani per totum Romanum imperium [30] vicario generali fratre nostro carissimo inᵏ unanimis voluntatis indissolubili vinculo fede- rati eundem fratrem nostrum carissimum fecimus ordinamus et constituimus meliori modo et forma quibus fieri potest nostrum et imperii sacri Romani tam per Almaniam quam Ytaliam ac alias per tocius sacri Romani imperii ambitum verum legittimum or- dinarium et irrevocabilem vicarium generalem ?, et in hoc nos mutuo infiximus solida- [35]

a) *L fraudis commenta et figulis (oder —us, korrigiert) falsitatis, sui;   W fraudis commentator et figulus falsi- tatis, sui.* b) *que om. W.* c) *L adversos.* d) *om. L.* e) *so L korrigiert aus debito, AS debito, W debitum.* f) *W om. ex quo — sustinerent, statt dessem 8 Punkte.* g) *L nego.* h) *L redat.* i) *LAS regi, AS haben etc. erst nach regi, W rege et statt etc. rege.* k) *om. W.*

[1] *Der Brief eines Italieners an K. Wenzel, den Palacky in den Abhandlungen der kgl. Böhm. Gesellschaft der Wissenschaften 5 Folge 5 Band p. 44 nr. 31 unter dem Datum [1402 init.] gibt, gehört nicht in diese Zeit, sondern in das Jahr 1383, denn es ist darin von Voraussendung des Reichsvikars die Rede, und das passt nicht hier- her, sondern in das gen. Jahr, wo Markgraf Jost als Vikar voraus nach Italien gehen sollte, s. den Brief bei Palacky l. c. pag. 36 nr. 25.*

[2] *Diese Ernennung K. Sigmunds war schon* [40] *geschehen durch die Urkunde vom 19 Merz 1396 RTA. 2 nr. 247, und obschon es hier oben aus- sieht, als geschehe sie eben jetzt, so weiß man von einer späteren solchen Urkunde aus dem Jahre 1401 ex. oder 1402 in. doch nichts; 1402 Febr. 4* [45] *in der Vikariatsbestallung Sigmunds für Böhmen bestätigt ihm Wenzel das Reichsvikariat nur, s. pag. 189 nt. 3.*

vimus et firmavimus inviolabiliter mentes nostras, quatenus, dicto Ruperto, nostro et *1402 Jan. 1*
imperii infideli, aliisque suis[a] in hac parte complicibus qui se nostre[b] opponere voluerunt potestati penitus conculcatis et ad obedienciam condignam reductis[c], sublimitatem
sacri Romani imperii ad optatum pacis et tranquillitatis commodum reducere valeamus;
5 nolentes in hoc parcere nostris corporibus regnis et opportunis impensis. nec a prose-
cucione sacri imperii Romani quevis temporis imminentis qualitas[d] totis vite nostre
temporibus nos poterit sequestrare, sicut ad hoc ipsum realiter consummandum brevi
temporis intervallo victrices imperiales aquilas ad conculcacionem nostrorum rebellium
per nos et dictum fratrem nostrum carissimum in campis publicis solempniter extendemus
10 in auras celebres magnifice pervolandas[e], prout egressionis nostre tempus ad campos
fidelitati vestre per certos nunccios nostros dignabimur secrecius et plenius[f] aperire.   et
quia vestra et progenitorum vestrorum radicata devocio quacunque eciam temptacionis
aura pulsante ab obediencia cesarum regum et principum imperii sacri Romani abantea[g]
nunquam est reversa[h] retrorsum nec clipeus fidelis assistencie vestre quolibet[i] declinavit,
15 heret indubie regie menti nostre presumcio, quod et vos progenitorum vestrorum claris
inherentes vestigiis in obediencia et fidelitate nostris immobiles[k] maneatis. idcirco fidelitatem vestram affectuosius requirimus et hortamur imo sub fidelitate qua nobis et imperio
sacro Romano astricti noscimini districte monemus, quatenus, in assistencia obediencia et
devocione nostris et sacri Romani imperii constancius permanentes et ad nos et ad
20 sacrum Romanum imperium ac[l] eciam ad dictum fratrem nostrum Ungarie regem vicarium imperii sacri Romani et nullum alium respectum habentes[m], dicti Ruperti de Bavaria
et complicum suorum machinamenta et versipelles astucias que in honoris et status vestri
demolicionem possent vergere transeatis[n]. per hoc enim nedum augmenta status et com-
modi vestri votiva presidia procurabitis cum redibitione favoris gracie principalis, verum
25 futura pericula (si quod[o] non credimus contrarium feceritis[p]) que vos manent declinabitis
per effectum[q]. volumus etenim[r] per nos ipsos adversus hostes nostros et imperii sacri
Romani potencie nostre vires et bracchium exciro, ac eciam dicto fratri nostro[s] carissimo
Ungarie regi dedimus plenariam facultatem, omnes rebelles[t] nostros et[u] dicto Ruperto
publice vel occulte faventes, prout demeriti poscet qualitas, efficaciter conpescendi, adeo
30 ut morbus pestilens qui lenimento[v] unccionis fotus[w] non solvitur ferri remedio succisus
curetur, ne putrefaccione crescente surrepat in medullam tocius imperii vitalem fidelium
nostrorum fomitem exstincturus[x]. in premissis nobis intencionem vestram, quam confidimus ad desideria nostra prorsus ultroneam[y], per literas vestras et certos nunccios
placeat nunccciare [1].   datum in montibus Cuthnis anno domini millesimo quadringente-
35 simo secundo, die prima januarii, regnorum nostrorum anno Boemie 38, Romanorum *1402*
vero vicesimo sexto.   *Jan. 1*

Ad mandatum domini regis
Wenceslaus patriarcha Anthiochenus[z] cancellarius.

a) so W, L aliis cum suis; AS aliis quibusvis.   b) L nostro.   c) ASW redactis.   d) om. A.   e) L provolandas.
f) om. W.   g) W inantea.   h) L eversa.   i) L Strich über quo, also quomodolibet.   k) L innobiles.   l) ASW et.
m) L habentis.   n) AL transeatis.   o) AWSL quidem.   p) om. W.   q) W in effectu.   r) ASW enim.   s) om.
SW.   t) S rebellos.   u) om. W.   v) L hat zwischen i und m ein s übergeschrieben.   w) W totus.   x) AS fomite
exstincturi.   y) L ultroniam.   z) om. W, AS Aquileg., in A die ganze Unterschrift erst von späterer Hand.

[1] *Vgl. die letzte Note zu nr. 152.*

1402
Jan 1 **148.** *K. Wenzel und der Reichsvikar K. Sigmund bevollmächtigen Graf Hermann von Cilli, zu verhandeln und übereinzukommen mit Graf Friedrich von Ortenburg und den Grafen Heinrich und Johann von Görz wegen des Durchzugs nach der Lombardei und wegen Truppenstellung. 1402 Jan. 1 Kuttenberg.*

> *Aus Wien H. H. St.A. Repertorium I or. mb. c. 2 sig. pend., das Wenzel'sche Sigel hat*   5
> *ein Kontrasigel rückwärts.*
> *Gedruckt bei Pelzel Wenzel 2 Urk. p. 82 nr. 180 ebendaher. — Regest Chmel reg. Rup.*
> *pag. 184 nr. 12 aus Pelzel.*

Wir Wenczlaw von gotes gnaden Romischer kunig zu allen czeiten merer des reichs und kunig zu Beheim und wir Sigmund von desselben gnaden kunig zu Ungern etc.   10
des heiligen reichs zu Lamparten und in Dutschen landen gemeiner vicarius und marggraf zu Brandemburg bekennen und tun kunt offenlichen mit diesem brive allen den die in sehen oder horen lesen: das wir durch solicher vornunft weisheit und trewe willen, als wir an dem edlen Herman grafen von Czili unserm liben getrewen erkant und erfunden haben, im mit wolbedachtem mute gutem rate und rechter wissen gancze   15
und volle macht gegeben haben und geben in craft dicz brives mit den edlen Fridrichen grafen von Ortemburg und Heinrichen und Hansen grafen von Gorcz von unsirr beyden wegen zu reden zu teydingen und uberein zu werden, mit namen uf das das sie uns ire gebirge und strasse gen Lamparten offenen und bey uns bleiben und uns zu unsern notdurfften volfuren sollen.   und globen in guten trewen an geverde: was derselbe   20
Herman mit den egenanten von Ortemburg und von Gorcz von unsern wegen zu diesem male teydingen ufnemen und enden wirdet, das wir in das gancz und stete halden und volfuren und ouch volbrengen wollen und sie des ouch schadloz machen an argelist. mit urkunt dicz brives vorsigelt mit unserr beyder majestat-insigel, geben uf dem berge zun Chutten noch Cristes geburte virczenhundert jare und darnoch in dem andern jaren   25
1402   an des newen jares tage unserr reiche des Behmischen in dem newenunddreissigisten und
Jan. 1 des Romischen in dem sechsundczweynczigisten jaren.

                                                    Ad mandatum domini regis.

1402
Fbr. 8 **149.** *K. Sigmund von Ungarn an Johann Galeazzo Herzog von Mailand, berichtet von den Abmachungen zwischen ihm und seinem Bruder Wenzel zu Königgrätz, von*   30
ihren Vorbereitungen zu einem Romzug für den kommenden Sommer, beglaubigt einen gen. Boten und bittet um Antwort auf eine frühere Botschaft. 1402 Febr. 8 [1] Königgrätz.

> *M aus Mailand Archivio municipale Registro delle lettere ducali 1401-1403 fol. 57 ᵇ-58 ᵃ*
> *cop. ch. coaev.; mit der Überschrift Dux Mediolani etc. Papie Virtutumque comes*   35
> *ac Pisarum Senarum et Perusii dominus. || A tergo: magnifico militi comiti Artali*
> *de Allagonia dilecto potestati nostro Mediolani ac nobili et sapientibus viris . . vicario*
> *et duodecim provixionis dicte nostre civitatis. || Ut apparatus et conceptus sereni-*
> *simorum dominorum nostrorum Romanorum et Ungarie regum vobis patefiant, ecce*

---

[1] *Pelzel Wenzel 2, 459 erwähnt diesen Brief*   *nr. 150, gemeint ist. Der Verfasser der Annalen*   40
unter dem Datum des Merz 1402, ebenso Corio   *sagt er habe ihn selbst gelesen und gesehen; das*
Storia di Milano, ed. 1856 Bd. 2 p. 432, beide aus   *wird im Merz gewesen sein, denn der Brief ward*
Annal. Mediolan. bei Muratori scriptores 16, 837   *den Mailänder Behörden am 10 Merz vom Her-*
C-E, wo es heißt, daß Sigmund im Merz an den   *zoge übersandt, s. die Quellenangabe unter M,*
Herzog geschrieben habe, und aus der Inhalts-   *und der Verfasser war, wie er erzählt, officialis*   45
angabe ersichtlich ist, daß der obige Brief, nicht   *et vicarius ad maleficia deputatus in Mailand.*

copiam litterarum quas prefatus serenissimus dominus noster Ungarie rex nobis scripsit mittimus vobis presentibus introsertam. datum Papie die decimo marcii 1402. Fili- pinus. || Copia. *Die Orthographie zeigt mehrfach Italianismen.*

A coll. Mailand Bibl. Ambros. cod. H 211 (früher J 11) fol. 20 ᵃᵇ *cop. ch. saec. 15.*

Gedruckt Osio documenti diplomatici tratti dagli archivj Milanesi 1, 368 f. nr. 244 aus M.

1402 Mrz. 10

Sigismundus dei gratia rex Ungarie etc. sacri Romani imperii vicarius generalis.

Illustris et excelse princeps consanguinee ᵃ et amice carissime.   cupientes nova vestris grata precordiis ad vestre sublimitatis notitiam devenire, ecce presentium serie
10 reseramus, quod in festo purificationis virginis gloriose ad serenissimum suppremumque ᵇ principem ᶜ dominum Venceslaum Romanorum et Boemie regem fratrem nostrum carissi- mum in hanc attigimus civitatem, ubi per triduum cum majestate sua illustrique marchione Procopio variis tractatibus simul habitis tandem auctore deo, a quo omne datum opti- mum ᵈ et omne donum perfectum, cum fraternitate sua stabilem concordiam inivimus
15 et indisolubilem fecimus unionem, adeo quod de cetero in cunctis negotiis suis nostris vult uti consciliis et a nostra voluntate nullatenus discrepare, tutellam et administrationem regni Boemie in manibus nostris libere conmissit ¹, et consciliarii sui omnes necnon prelati et barones hic existentes fidelitatis juramentum in nostris manibus prestiterunt. idem quoque facturi sunt ᵉ ceteri potiores regni in his proximis quatuor temporibus ᶠ, in
20 quibus debent Praghe nobiscum simul convenire.   littere vero conventionales etiam hinc inde tradite sunt cum obligationibus opportunis, nec hujusmodi dispositionem licet amplius inmutare ᵍ.   porro de imperio taliter dispositum et firmiter conclusum esse scitote, videlicet quod omnino ipse frater noster cum validissimo exercitu in Ytaliam futura estate des- cendet pro coronis debitis consequendis, cum quo nos quoque ʰ favente deo personaliter
25 veniemus, nam offitium vicariatus imperii alias ⁱ nobis a sua majestate concessum ᵏ ² nunc etiam nobis per omnia confirmavit ³, sigillum quoque nobis tradidit quo in negotiis ad hujusmodi offitium spectantibus uti debemus.   denique omnia jam conclusa sunt, impense modus inventus, exercitibus ordo datus, legationes tam ad Ytalliam quam ad Franziam solemniter mittende decrete ¹; nichil restat nisi ut ad executionis debitum ᵐ intendamus
30 et de modo habilioris utiliorisque desensus ⁿ consultorie disponamus ⁴.   vestram igitur sublimem magnificentiam, qua nichil fidelius his impacatis ᵒ temporibus Romanum habuit imperium, exhortamur quatenus in fide solita intrepide ᵖ persistat atque in suo laudabi- lissimo proposito perseveret; venit enim jam exoptatum �q tempus, quo vota vestra sortiri

1402 Fbr. 2

1402 Fbr. 15

---

a) *M* consanguine. b) que om. *A.* c) *M* principum. d) *Osio* opportunum, *M* opptimu *mit Überstrich über* u, *A* optimum. e) om. *A.* f) *A* mensibus. g) nec — inmutare om. *A.* h) om. *A.* i) *M* alias. k) *A* comissum. l) *A add.* sunt. m) *A* executionem debitam. n) *sic! lautlicher Italianismus.* o) *M* impacatis. p) om. *A.* q) *A* optatum.

---

¹ *Am 4 Febr. 1402 macht K. Wenzel seinen Bruder Sigmund zum Statthalter und Verweser in Böhmen u. s. w.,* ouch als wir denselben unsern liben bruder den kunig von Ungern einen gemeinen vicarium unsern und des heiligen reichs gesaczet und gemachet haben, also globen wir demselben unserm bruder bei demselben vicariat-brief als er von worte zu worte begriffen ist geruelichen be- halden und dabei bleiben lassen an alles geverde und an argelist; geben zu Grecz 1402 des sonn- abendes nach unser frawen tag purificationis, *aus Pelzel, Diplomat. Beweise daß der Römische K. Wenzel nicht dreimal gefangen worden sei, in Abhandlungen einer Privatgesellschaft in Böhmen*

ed. J. von Born 1779 Bd. 4, 63-66 nr. 10 aus Prager Kop.-Buch; daraus Auszug bei Pelzel Wenzel 2, 457-458, Palacky Geschichte von Böh- men 3, 1 pag. 138, gedruckt Fejér cod. dipl. Hung. tom. 10 vol. 4 p. 99 nr. 31, Regest in Verzeichnis Oberlausitzer Urkunden Heft 1, 154 nr. 768 (falsch 2 Febr.), Chmel nr. 13.

² *1396 Merz 19 RTA. 2 nr. 247.*

³ *1402 Febr. 4, s. die vorvorige Note und p. 186 nt. 2.*

⁴ *Wenzel hat sich dann bitter über das gegen- theilige Verhalten Sigmunds beklagt, Pelzel Wenzel Urk.-B. 2, 103 nr. 198.*

1402
Fbr. 8

debeant effectum tanto tempore tantis descideriis expetitum; quemadmodum hocᵃ et alia nobilisᵇ Conradus Ernfeserᶜ familiaris noster dilectus, quem de presenti Venetias et deinde ad excellentie vestre presentiam cum litteris credentialibus dirigimus, latius vivis relationibusᵈ explicabit. ·demumᵉ super his, que per venerabilem abbatem dominum Fedrichum de Grovenich oratorem vestrum vestre sublimitati recensenda conmissimusᶠ, ₅ responsionem celerimam optamus habere. vellitis igitur, rogamus, de ipsa responsione nos quantotiusᵍ conscios reddere, ut meliori modo nostra dirigere negotia valeamus. datum in Grez-Reginaliʰ die 8 februarii anno domini etc. quadringentesimo secundo.

1402
Fbr. 8

    Illustri et excelso principi consanguineo et amico   •
    carissimo domino Johanni Galeaz duci Mediolani etc.   ₁₀
    Papie Virtutumque comiti ac Pissarum Senarum et
    Perusii dominoⁱ.

1402
Fbr. 28

150. *K. Sigmund als Reichsvikar an Herzog Johann Galeazzo, theilt ihm mit, daß er die Streitigkeiten in Böhmen und Mähren durch Abfindung des Markgrafen Prokop geschlichtet habe und nun mit Wenzel nach Italien ziehen werde, indess Prokop die* ₁₅ *Grenze gegen Baiern sichern solle. 1402 Febr. 28 Prag.*

    M aus Mailand Archivio municipale storico Registro delle lettere ducali 1401-1403 fol. 62ᵃ-63ᵃ *cop. ch. coaev.; mit der Überschrift* Dux Mediolani etc. Papie Virtutumque comes ac Pissarum Senarum et Perusii dominus. || A tergo: magnifico militi ac nobilibus sapientibus et prudentibus viris . . potestati . . vicario et 12 provixionis ₂₀ civitatis nostre Mediolani. || post litteras per serenissimum dominum nostrum Ungarie regem nobis scriptas, quarum copiam vobis misimus, scripsit nobis alias litteras, quarum exemplum vobis introclusum destinamus. datum Papie die 4 aprilis 1402. Filippinus. || Copia. *Italienische Orthographie.*

1402
Apr. 4

    L coll. Lucca Biblioteca pubblica ms. nr. 113 Lettere di vari a Paolo Guinigi nr. 530 ₂₅ *cop. ch. coaev., stammt nach Schrift Tinte und Orthographie gleichfalls aus der Kanzlei des Herzogs.*

    A coll. an zweifelhaften Stellen Mailand Bibl. Ambros. cod. H 211 *cop. ch. saec. 15* fol. 20ᵇ-21ᵃ.

    Gedruckt Osio Documenti diplomatici tratti dagli archivj Milanesi *1, 371-373 aus M.* ₃₀

    Sigismundus dei gratia rex Ungarie etc. sacri Romani imperii vicariusᵏ generalis.

    Illustris et magnifice princeps consanguinee et amice carissime.   pridie de Grez-Reginali civitate per Cristalinumˡ equitatorem vestrum excelentie vestre scripsimus ¹ de applicuitu nostro ad serenissimum suppremumque principemᵐ dominum Vencealaum Romanorum et Bohemie regem dominum et fratrem nostrum carissimum, qui in die puri- ₃₅

1402
Fbr. 2

ficationis gloriose virginis fuit, de stabili firmaque concordia inter nos fratres feliciter celebrata, que auctore deo crescitⁿ et multiplicatur in dies, de gubernatione regni Bohemie nobis libere et sponte conmissa, de juramentis fidellitatis et obedientie per illustrem marchionem Prochopium regios conciliarios et plurimos barones nobis prestitis, de vicariatu sacri Romani imperii alias nobis conmisso novissime confirmato ², de dispositione ₄₀ retinendi conservandique imperii opportune conclusa, deque legationibus ad Italiam et Frantiam decretis de proximo transmitendis. nunc vero, que exinde feliciter sequuta sunt, vestre duximus amicitie sicuti debemus tenore presentium exaranda. sane postquam

---

a) *A* hac. b) *om. A.* c) *A* erufessor, *zu em.* Ernfeser? d) *A* relatibus. e) *om. A.* f) *om. A.* g) *om. A.* ₄₅ h) Reginali *om. M.* i) *A statt* Illustri — domino *hat* Domino Johanni Galeas duci Mediolani etc. per regem Ungarie. k) *M* vicarii. l) *ML* Cristalmum? *A* Crestalinum. m) *L* principum. n) *L* crescit.

---

    ¹ *Am 8 Febr.* nr. 149.   ² *S. pag. 189 nt. 1-3.*

in hanc regiam urbem incolumiter attigimus ac diebus aliquot[a] querelantium[b] casus[c] cum baronibus regni simul in juditio sedentes audivimus juramentaque restantia a baronibus et civitatibus[d] accepimus, omni jure plene gubernationis in nostra potestate redacto, visum est nobis non tantum expediens sed necessarium etiam et saluberimum fore, si

5 negotiis imperii vacare debito modo velemus, ante omnia omnem discordiam, que aut in Bohemia aut in Moravia foret, de medio tollere et deinde cum finitimis nostris quibuscumque (Bavaris dumtaxat exceptis cum quibus neque pacem neque ullam concordiam unquam habere proposuimus nisi prius irrogatas nobis infideliter offensiones et injurias armis magnifice vindicemus) amicitiam et confederationem inire. tractato igitur mature

10 super his cum ipso domino et fratre nostro, qui se totum in nostris posuit manibus[e] et nostris prorsus satagit inherere consiliis, decrevimus a discordia[f] inter illustres patruos nostros marchiones Moravie vigente, que hactenus multorum causa malorum et orrigo fuit, initium facere et illam radicitus extirpare, quoniam illa propter inveteratam malignandi consuetudinem periculosa et pestifera nimis est et bono operi cuilibet adversa.

15 fecimus itaque quod marchio Prochopius quascunque civitates munitiones terras et castra habet et possidet tam in regno Bohemie quam in marchionatu Moravie ad manus ipsius domini et fratris nostri debet[g] integraliter et libere resignare, que postea subsequenter ad manus nostras sine cunctatione pervenient; renuntiando quoque juribus omnibus que habet in ipso marchionatu Moravie, ita quod de illo nullo tempore de cetero habeat

20 impedire. pro qua resignatione seu renuntiatione ipse Prochopius habere debet pro concambio ducatum Suiducentum[h] cum juribus omnibus et pertinentiis suis sibi pro certis pecuniarum summis debitorie obligatum; in quo libere dominari et regnare debet quamdiu sibi de hujusmodi pecuniis non fuerit satisfactum. hec siquidem permutatio ipso Prochopio instanter postulante facta est [1]. ob hanc causam Romanorum rex nosque

25 simul cum eo infra paucos dies ad ipsum ducatum causa intromitendi Prochopium in possessionem et dominium illius infalibiliter procedemus, quo facto nequaquam ipse Romanorum rex in Bohemiam reverti debet, sed potius ibidem congregato exercitu (nam provintia illa militaribus viris maxime habundat et polet) ad regnum nostrum Ungarie, quod illi ducatui admodum propinquum est, se nobiscum[i] personaliter transferre, versus

30 partes Ausonie gressus suos illo itinere feliciter directurus. sed ante-omnia disposuimus, quod in brevi marchio Prochopius cum suffitientibus copiis ad Bavarie metas deputetur, ut, quamdiu nos reges erimus absentes, Bavaros crebris excursionibus infestet et magis de sua deffensione quam aliena invasione solicitos esse cogat. castra quoque in metis hujus regni ubilibet existentia nobis a fratre nostro tradita sunt, ut si opus erit adversus

35 finitimos aptius bellum gerere valeamus. ceterum marchiones Missinenses[k] ad nos fratres oratorem suum noviter direxere, ostendentes[l] sese affectare nobiscum[m] habere concordiam, ad quam decrevimus si equa voluerint prorsus intendere, sperantes utique quod locum habebit [2]. similiter duces Austrie nobiscum colloquium inire velle petierunt, quod nobis

---

a) *M* aliquod. b) *M* querulantium. c) *A* causas. d) *Osio irrig* comitibus. e) om. *L.* f) *L* statt a discordia nur concordia. g) *L* debent, *A* debeat. h) *Osio irrig* ducat. ducentum. i) *L* nubiscum, *M* nobiscumque. k) *LA* Musianenses. l) *L* hostendentes. m) *M* nobiscumque.

---

[1] *Auf dem Landtag zu Prag wurde in der That der Vertrag geschlossen, daß Markgraf Prokop seine Besitzungen in Mähren und Böhmen abtreten und dafür die Herzogthümer Schweidnitz und Jauer, dann die Grafschaft Glats mit Frankenstein im gansen um die Summe von 50000 Schock Prager Groschen von der Krone Böhmen zu Pfand erhalten sollte u. s. w., s. Palacky Gesch. von Böhmen 3, 1 pag. 141.*

[2] *Am 7 Febr. [1402] gibt Sigmund K. von Ungarn Dalmatien Kroatien Markgraf zu Brandenburg des h. R. Reichs gemeiner Verweser einen Glaubsbrief für Jan von Wartemberg anders zu Tetschen an Markgraf Wilhelm zu Meißen, dat. Grecs Freitag nach Doroth. ohne Jahr, Dresden Arch. nr. 5196 or. ch.; am 10 Mai 1402 gibt derselbe sicheres Geleit für die Landgrafen Friderich und Wilhelm zu Thüringen und ihre Leute zu*

1402
Fbr. 28
gratum est; respondimus, sperantes quoque cum eis ad concordiam devenire. hec siquidem, dillectissime noster, vera esse vestra dilectio nichil dubitet, quemadmodum per
solempnem legationem infra breve clarius et apertius certifficabimus mentem vestram.
non enim credimus hac tempestate oportere, nec ad utilitatem nostram ullatenus cedere
posse cogitamus, ut vobis ficta et fabulosa nuntiemus, et presertim cum pars magna   5
status et honoris utriusque nostrum in vestra fidellitate consistat, nostraque negotia hoc
tempore magis vestris consciliis et auxiliis quam nostris operibus dirigantur. quam ob
rem bono et constanti animo esse vos hortamur, rogantes affectu visceroso, quatenus nec
desperatio nec metus nec lassitudo animum vestrum invadat, vosque a tot annis incepto
et laudabiliter continuato proposito pedem minime retrahatis. nam si votis nostris divi-   10
nitatis favor aspiraverit, procul dubio[a] ante presentis veris exitum nos ambos reges
gratos habebitis hospites et validos deffensores[1], quemadmodum tanto jam tempore tanto
cum desiderio ardentissimo peroptastis. porro quicquid nostra serenitas valet, totum
vestris est presto beneplacitis. propterea in omnibus mentis vestre desideriis nos tamquam
integrum amicum vestrum confidentissime requiratis.   datum Prage die ultimo februarii   15
1402
Fbr. 28
anno domini 1402.

Illustri et magnanimo principi domino Johanni
Galeaz duci Mediolani etc. consanguineo[b] et amico
nostro carissimo.

Ad mandatum domini regis
Paullus secretarius.

[1402
nach
Mrz. 6]
151. *K. Wenzel an [Herzog Johann Galeazzo[2]]: hofft auf seine bewährte Treue nament-   20
lich jetzt, da er mit K. Sigmund nach Italien kommen will, seine Anhänger zu
belohnen, die Rebellen zu zermalmen. [1402 nach Merz 6[3]] o. O.*

> *P aus Prag Domkapitelbibl. cod. II III fol. 42 cop. ch. coaev. Wol von gleichzeitiger Hand
> die Überschrift* Confortat ut maneat in ea fide constans quam in eo dudum est ex-
> pertus, *und bald nach dem Anfange die Randbemerkung* Fidelitatis confortacio.   25
> *W coll. Palacky Über Formelbücher in Abhandlungen der kgl. Böhm. Gesellschaft der
> Wissenschaften 5 Folge 5 Band pag. 111-112 nr. 123 aus P und aus Wittingau fürstl.*

a) *die zwei Worte om. L.* b) *em. aus* consanguino.

---

einer zu haltenden Zusammenkunft, dat. Prag
Mi. vor Pfingsten, Dresd. Arch. nr. 5211 or. mb.
Vielleicht gehören hierher auch 3 Noteln von Ge-
leitsbriefen des K. Sigmund Erzbischofs Wolfram
von Prag und anderer Herren sowie der drei
Städte Prag für Markgraf Wilhelm sen. von
Meißen zu einer Reise zum König, ohne Datum,
Dresden Arch. nr. 5238.

[1] *Alle diese Absichten wurden durch den Wider-
ausbruch der Zwistigkeiten zwischen Wenzel und
Sigmund und des ersteren Gefangennahme durch
letzteren am 6 Merz 1402 ins Weite verschoben,
obgleich nicht aufgegeben. — Am 20 Merz 1402
schreibt der Erzbischof von Prag Wolfram an
sämmtliche Äbte Prälaten und die übrige Priester-
schaft, daß sie die Hälfte von dem was sie sonst
dem Pabste zu entrichten pflegen als Beitrag zu
dem bevorstehenden Romzug auf den künftigen
St. Veitstag [Juni 15] abführen sollen; die es*

unterließen, würden mit dem Kirchenbann belegt   30
werden; so Pelzel Wenzel 2, 461 aus dem Original
in arch. bibl. reg. Prag.

[2] *Nach der Anrede* Illustris u. s. w. *ist Adressat
ein Fürst des Reiches, nach dem Inhalt ein Ita-
lienischer, da Wenzel ihm bei Gelegenheit seines   35
Zuges ad partes exteras große Belohnungen in
Aussicht stellt, und somit höchst wahrscheinlich
Johann Galeazzo.*

[3] *Das Gerücht, von dem am Anfang die Rede,
ist doch höchst wahrscheinlich die Gefangennahme   40
K. Wenzels durch K. Sigmund am 6 Merz 1402,
s. Palacky Gesch. von Böhmen 3, 1 pag. 140-142,
welche bekanntlich die ins Werk gesetzten Rom-
zugspläne nicht völlig hinderte. Der Brief scheint
zu einer Zeit geschrieben, wo K. Ruprecht in Ita-   45
lien war, wie aus dem Schlusse vielleicht hervorgeht;
man kann dann bei dem Gerücht nicht an Wenzels
Absetzung denken. — Vgl. aber p. 193 nt. 2.*

Schwarzenberg. Archiv cod. C 3 fol. 34ᵇ cop. chart. saec. 15, welche letztere Quelle [1402
von uns nicht mehr verglichen werden konnte.   nach
Mrz. 6]

Illustris princeps sincere dilecte.   ne fama preambula sub incerto discurrens
animum regium contrario eventu aut relacioneᵃ contraria valeat perturbare, nobilis F.
₅ de . . . . . *fidelis noster dilectus* reverendissimo . . . . .¹
facti veritatem per ordinem duxit declarandam, scribens literas credencie in personam
Johannis de . . . . . . *fidelis nostri dilecti*, cujus virtute dictus patriarcha de singulis
gestis majestatemᵇ regiam plene informavit.   sed quia preterita de futuris plenam
nobis dant fiduciam, ut, sicut te hactenus fide et amore precipuum et industria specialem
₁₀ semper invenimus ad beneplacita nostra paratum, sic nativa tue devocionisᶜ excrescente
constancia quecumque nostrum et imperii sacri honorem respiciunt fideliter et sollicite
promptis affectibus exequaris: cum autem presencium negociorum et temporum qualitas
exigat fideles quoslibet in nostris serviciis multoᵈ plus solito vires et animos exercere,
sinceritatem tuam requirimus et hortamur, ex animo desiderantes, quatenus laudabiliori
₁₅ fine continues que laudabiliter incepisti, et, sicut te dudum obsequiosum nobis et utilem
prebuisti, fructuosiorem de cetero ex opere te nunc representes.   inter alias enim cogi-
taciones nostri propositi unacum serenissimo principe etc. stabili tenacitate firmavimus
ad partes exteras in manu forti et brachio extenso personaliter nos conferre, ut damnaᵉ
fidelium nostrorum, qui pro nostri nominis honore et felici statu imperii personarum
₂₀ pericula et rerum dispendia non vitarunt, amplis premiorum retribucionibus compensemus,
et effrenam superbiam nostrorum rebellium et inimicorum, qui nunc forsan de nostra
absencia gloriantur, potencie nostre malleo conteramus.   ad ea siquidem te prebeas ope-
rosum, ut, quod de comodis tuis jam firma mente concepimus, in actum deducere tuis
exigentibus meritis merito valeamus ².

₂₅ **152.** *Beschluß des Raths zu Venedig: K. Sigmund zu seiner Befreiung ohne Beziehung*   1402
auf seinen Brief zu beglückwünschen. 1402 Merz 14 Venedig.   Mrz. 14

Aus Venedig St.A. Deliberazioni, secreta, senato 1, registro 1 fol. 54ᵇ *mb. coaev., zu
Anfang links* Ser Petrus Cornario, ser Ludovicus Lauredano, ser Benedictus Superancio procuratores, ser Donatus Mauro, ser Leonardus Bembo, ser Justus Contareno
₃₀ sapientes consilii.

1402 inditione decima die 14 mensis marcii.
Capta. quia diebus preteritis habita fuit una litera ³ a domino rege. Hungarie, in
cujus primordio significabat nobis liberationem suam et cum liberatione restitutionem
suam ad regnum, et subjungabat postea quod sicut habuerat bonam amiciciam nobiscum
₃₅ hactenus ita de cetero intendebat habere, dummodo non preberemus causam sibi aliter
faciendi, et hoc dicebat propter novum regem Romanorum quem intellexerat venisse

---

a) P ac lacione *statt* aut rel. b) PW *ohne* nostram *oder* vestram. c) P *add.* dileccionis. d) P *add.* viribus.
e) *om.* PW.

---

¹ *Da es einige Zeilen weiter heißt* dictus patriarcha, *muß der* reverendissimus *ein Patriarch
sein, da sonst kein Prälat vorher vorkommt; dann
ist es wol der Patriarch von Aquileja, der sich
zur Vermittlung von Nachrichten nach Italien
eignete. — Vgl. aber Anm. 2.*
² *Wenn man das mit* animum regium *und* majestatem regiam *oben vergleicht und kombiniert,
so kann man wol auf die Vermuthung kommen,*

*daß Wensel dem Herzog die Erhebung zur könig-
lichen Würde in Aussicht stellt, worauf ja ohne
Zweifel das Streben desselben gerichtet war. Oder
jene Worte gehen auf den wirklichen König Wensel; dann ist der Patriarch wol Wensel von Antiochia der Kanzler, das üble Gerücht geht gegen
die Treue des Herzogs, und der Brief wäre anders
zu datieren.*
³ *Vom 12 Dec. 1401 ohne Zweifel, nr. 146.*

1402
Mrz. 14 Venetias et querere a nobis navigia cum quibus Romam pro adquirendis coronis imperii
ire posset, et ad dictam literam non apparuit tunc velle facere aliquam responsionem
propter suspectionem conceptam, quod litera ipsa non bene procederet de mente regis,
quia transactus erat mensis unus cum dimidio quando presentata fuit a die date ejus [1]
et quia erat de manu cujusdam Pauli cancellarii regii qui est subditus domini ducis   5
Mediolani, et per plures alias considerationes, sed quia modo de novo per mercatores
per literas et nuncios de illis partibus venientes dictum novum liberationis et restitutionis
ipsius domini regis ex toto verificatur, propter quod non potest esse aliud quam utile
scribere ipsi domino regi aliquid super facto ipsius liberationis sue et restitutionis ad
regnum, et non in forma qua appareat nos dictas suas literas recepisse nec illis respon-   10
dere, sed solum appareat nos consolari de prosperitatibus suis que ad nostram noticiam
et audientiam pervenerunt, ostendendo etiam quod alias scripserimus super dicta materia:
[*so wird demgemäß beschlossen, dem König zu seiner Befreiung und Widerherstellung
der Herrschaft zu gratulieren; ohne jede Erwähnung des K. Ruprecht Betreffenden*].

De parte 94, non 5, non sinceri 7 [2].   15

H. Verhältnis zu Frankreich nr. 153-157.

1401
Aug. 5 **153.** *K. Ruprecht und sein Sohn Pfalzgraf Johann bevollmächtigen 4 Genannte zu
Heirathsverhandlungen mit K. Karl VI von Frankreich* [3]. *1401 Aug. 5 Heidel-
berg.*

> *Aus Karlsruhe G.L.A. Pfälz. Kop.-B. 5 fol. 33 ᵃ-34 ᵃ cop. ch. coaev., mit der Überschrift*   20
> Procuratorium de contrahendo matrimonium inter illustrem Johannem filium domini
> Ruperti Romanorum regis et Isabellim illustrissimi principis Karoli Francorum regis
> filiam.
> *Steht auch ibid. Pfälz. Kop.-B. 143 pag. 89-91 und Wien H. H. St.A. Registraturbuch*
> A fol. 32 ᵇ-33 ᵃ cop. ch. coaev.   25
> *Regest Chmel nr. 694 aus Wien l. c., Janssen Frankf. Reichskorresp. 1, 613 nr. 1026
> aus Karlsr. 143.*

*K. Ruprecht und sein Sohn Pfalzgraf Johann bevollmächtigen ihre Räthe Johann
von Hirtzhorn, Johannes Camerarius gen. von Dalburg, Magister Matheus von Chrochore,*

---

[1] *Der Brief vom 12 Dec. 1401 nr. 146 ward
(s. darunterstehende Notiz nr. 146 Quellenangabe)
erst am 27 Jan. 1402 vom Rath in Venedig empfangen.*
[2] *Am 16 April 1402 dankt K. Sigmund dei
gratia rex Hungarie etc. sacri Romani imperii
generalis vicarius et regni Boemie gubernator dem
Dogen herzlich für den Glückwunsch zu seiner
Befreiung und spricht seine Freude aus, daß das
Gerücht von Entfremdung des Venetianischen
Dominiums gegen ihn Unrecht habe; dat. Prage
die 16 apr. anno 1402; aus Venedig St.A. Liber
Commemoriale IX fol. 131 ᵃ cop. mb. coaev.
Am 15 April 1402 kündet Franz von Gonzaga
als kaiserlicher Reichsvikar dem Herrn von Bologna Johann von Bentivoglio Fehde an, weil derselbe sich gegen ihn, namentlich aber gegen K.
Wenzel und das Römische Reich feindlich bewiesen
habe, dat. Mirandole 15 apr. 1402; worauf Johann von Bentivoglio am 18 April 1402 antwortet,
er verwahre sich gegen diese Vorwürfe, er sei der*

kaiserlichen Majestät immer treu gewesen; dat.   30
*Bononie 18 apr. 1402; beide Schreiben Wien K.K.
Hofbibl. cod. ms. nr. 3160 fol. 156 ᵇ-157 ᵃ cop.
ch. coaev.
Über das Verhältnis K. Sigmunds zu den
Österreichern u. a. s. die Instruktion für Ulrich*   35
*von Albeck an Herzog Leopold von Österreich
[1402 zwischen April 28 und Juni 4] nr. 210
art. 5.
[3] K. Ruprecht bevollmächtigt seinen Sohn Pf.
Ludwig, falls eine Ehe zwischen Pf. Johann seinem*   40
*Sohn und einer Tochter des Königs von Frankreich
beredet würde, dieser nach Rath 4 genannter
Räthe ihr Witthum und Zugeld auf die Schlösser
Lande und Leute der Pfalz anzuweisen, ausgenommen diejenigen die er sich verpflichtet hat*   45
*von dergleichen frei zu erhalten; dat. Augsburg
Fr. n. nativ. Marie [Sept. 9] 1401 r. 2; Karlsr.
G.L.A. Pfälz. Kop.-B. 4 fol. 107 ᵃᵇ cop. ch. coaev.,
Wien H. H. St.A. Registraturb. C fol. 92 ᵇ cop.
ch. coaev.; Regest Chmel nr. 932 aus Wien l. c.*   50

und Magister Heilmann, mit K. Karl von Frankreich oder dessen Bevollmächtigten zu ¹⁴⁰¹
verhandeln und abzuschließen de et super sponsalibus seu matrimonio et copula conju- ^{Aug. 5}
gali inter predictum illustrem Johannem nostri Ruperti supradicti natum naturalem et
legitimum ex una et magnificam dominam Isabellim prefati illustrissimi principis domini
⁵ Karoli predicti regis filiam naturalem et legitimam parte ex altera ac ad contrahendum
celebrandum et perficiendum sponsalia et matrimonium predicto procuratorio nomine
nostrorum Ruperti et Johannis filii nostri constituencium prescriptorum cum predicta
domini Karoli regis ut premittitur filia, *mit K. Karl oder seinen Bevollmächtigten über*
Mitgift etc. übereinzukommen, Versprechungen und Bürgschaften zu geben wie von K.
¹⁰ *Karl und seiner Tochter entgegenzunehmen, in Ruprechts und Johanns Namen Eide zu*
leisten, Strafen für den schuldigen Theil wenn die Ehe nicht zu Stande kommt festzu-
setzen, auf jede juridische Ausflucht zu verzichten, überhaupt alles zu thun was ihnen
angemessen erscheint auch wenn es Specialvollmachten erfordert. Auch versprechen sie
ihrem unten genannten öffentlichen Notar Johannes [von Winheim] stipulanti et reci-
¹⁵ pienti vice et nomine quorum interest vel intererit in futurum, *daß sie halten wollen*
was ihre Vollmachtträger oder deren Mehrheit thun sub obligacione bonorum nostrorum
omnium presencium et futurorum; *diese sollen auch selbst ihre Vollmacht* si quid substancie vel solempnitatis — sit omissum *ergänzen, und im Namen ihrer Auftraggeber*
unter einer bestimmten Geldstrafe sich zur Beschaffung eines sufficiens procuratorium
²⁰ *verpflichten.* *Zum Zeugnis dessen ist gegenwärtige Urkunde durch den Notar Johannes*
von Winheim redigiert und mit dem Majestätssigel versehen worden; datum et actum
in aula castri nostri Heydelberg Wormaciensis diocesos 1401 ind. 9 pontif. Bonif. IX
a. 12 a. r. 1 Aug. 5 hora 9 vel quasi; presentibus nobilibus viris Joffrido et Emichone
de Lyningen comitibus, Engelhardo de Winsperg et Eberhardo pincerna de Erpach
²⁵ baronibus, Wyperto de Helmstat seniore Rudolffo de Zeißinkeim Hermanno de Rodenstein Diethero de Hentschußheim Syfrido de Lapide Ebirhardo de Hirczhorn et Gerhardo
de Cropsberg militibus, aliisque pluribus nobilibus fide dignis pro testibus ad premissa
vocatis pariter et rogatis. *Notariatszeugnis des Johannes von Winheim.*

---

154. *Herzog Philipp von Burgund an K. Ruprecht, wünscht häufig von ihm zu hören,* [1401]
³⁰   *berichtet daß es ihm wohl ergehe und beglaubigt seine Gesandten Reyner Pot und* ^{Sept. 13}
    Johann Hue. [1401¹] Sept. 13 Brüssel.

> *K aus Karlsr. G.L.A. Pfälz. Kop.-B: 146 fol. 106ᵃ cop. chart. coaev.; Adresse als Über-*
> *schrift.*
> *M coll. Martène thesaur. nov. anecd. 1, 1675f. nr. 42, mit der auf die Adresse folgenden*
> *Überschrift Nuntios ei mittit quibus fidem vult adhiberi indubiam.*
> *Regest Georgisch 2, 861 nr. 102 und Chmel p. 182 nr. 18 aus Martène l. c., Janssen*
> *Frankf. Reichskorresp. 1, 622 nr. 1031 aus Kodex seines Privatbesitzes Acta et Pacta*
> *300-302.*

Serenissime princeps consangwineeque precarissime.   de vestri status jocunditate
³⁵ felicia audire cupientes ad vestram serenissimam ᵃ magnificenciam dilectos et fideles do-

> a) om. M.

---

¹ *Der Datierung dieses Briefes fehlt die Jahres-*   *precht damals, als die hier beglaubigte Gesandt-*
angabe; dieselbe ist aber leicht zu ergänzen, da   *schaft bei ihm eintraf, entweder in Italien sich*
aus den Mittheilungen die die Gesandten im Auf-   *befand oder im Begriff war den Zug dahin an-*
⁴⁵ *trage des Herzogs K. Ruprecht zu machen hatten*   *zutreten. Dem entspricht auch die Stellung des*
und aus der Antwort die dieser ihnen ertheilte   *Stücks im Kodex.*
(vgl. nr. 155 und nr. 156) hervorgeht, daß Ru-

[1401]
Spt. 13 minum Reynerum Pot gambellanum et Johannem Hue secretarium nostros presenciumque portitores presencialiter ᵃ duximus transmittendos, vestram dictam magnificenciam studiosius deprecando quatenus per eosdem et sequenter per alios huc venientes nos super hoc reddere velitis cerciores.   nam tociens solaciosis jocundamur cordis affectibus, quociens prospera exinde perpendimus.   et si de nostro statu vestra liberalitate graciosa audire 5 curetis, noverit dicta vestra magnificencia nos summi gracia largitoris prospere potiri et valere, quod de vobis Christus semper annuat ad vota.   serenissime princeps consangwineeque precarissime.   aliqua, que de mente nostra procedunt, dictis domino Reynero ᵇ et Johanni ᶜ Hue vestre antedicte magnificencie comisimus ᵈ refferenda, eandem attente deprecantes quatenus in referendis hac vice parte nostra fidem credulam eisdem 10 velitis adhibere tanquam nobis paratis semper ad singula vobis grata.   serenissime princeps consangwineeque precarissime.   altissimus vos conservet feliciter et diu.   scriptum

[1401]
Spt. 13 Bruxelle 13 die mensis septembris.

Serenissimo principi Ruperto Bavarie duci   Consangwineus vester dux
et in regem Romanorum noviter electo con-   Burgundie comes Flandrie 15
sangwineo nostro precarissimo.   Arthesii et Burgundie etc.

[1401
nach
Spt. 13] **155.** *Einer der Gesandten des Herzogs Philipp von Burgund an K. Ruprecht, erklärt im Auftrage seines Herrn dessen Bereitwilligkeit zu einer persönlichen Zusammenkunft u. a. m. [1401 nach Sept. 13 ¹.]*

K aus Karlsruhe G.L.A. Pfälz. Kop.-B. 146 fol. 106ᵃ cop. ch. coaev.   20
J coll. Janssen R.K. 1, 622-623 nr. 1032 aus einem in seinem Privatbesitz befindlichen
Kodex Acta et Pacta 300-302.
M coll. Martène et Durand thes. n. anecd. 1, 1676 nach nr. 42 mit der Überschrift
Nuntiorum ducis Burgundiae ad regem Romanorum oratio, am Schluß falsch angefügt
der Eingang des folgenden Stücks (bei uns nr. 156, w. m. s.).   25
Erwähnt Chmel pag. 182 sub nr. 18 aus M.

Serenissime rex.   sub litera credencie illustris domini mei ducis Burgundie retuli regie vestre majestati post humilem recommendacionem dicti domini mei illustris ducis Burgundie, quod, sicut alias scripsistis eidem domino meo et eciam illustres domini duces Bavarie Stephanus et Ludowicus pro dieta per excellenciam vestram et prefatum domi- 30 num meum Burgundie servanda, ut in illa fraternalis inter vos tractaretur amicicia, et ad eundem finem ultimo illustris princeps dominus *Lupoldus* dux Austrie etc. filius ᵃ ipsius domini mei scripsit per magistrum Wildericum consiliarium, ita sepedictus dominus me misit ad vestram regalem presenciam michi committendo, ut vobis referam quod libenter se contulisset personaliter ad presenciam vestram ad aliquem ᵉ locorum dicti filii sui Lu- 35 poldi ducis Austrie.   sed quia transitus ᶠ ita vehemens fuit vestre majestati, quod per-

a) M principaliter. b) M add. Pot. c) KM Johanne. d) K vomisimus, M commisimus. e) K aliquam, J aliquem, M aliqua. f) om. K, ergänst aus der Antwort des Königs nr. 156; fehlt auch in der Vorlage Janssens, der es in gleicher Weise ergänst; M hat transitus.

¹ In der Antwort K. Ruprechts nr. 156 werden die Mittheilungen der Gesandten des Herzogs mit Worten dieses Stückes rekapituliert, aber dort heißt es, Reinher Pot und Johann Hue, die am 13 Sept. in nr. 154 beglaubigten Gesandten des Herzogs, hätten dieß dem König auseinandergesetzt, während hier in nr. 155 einer derselben im Singular spricht. Gleich zu Anfang heißt es hier retuli; es ist also schriftliche Wiederholung der vorher mündlich abgegebenen Erklärungen, die wenigstens in dieser Form ungewöhnlich ist; was 40 hier Veranlassung dazu gab, muß dahingestellt bleiben. Wann die Gesandten bei K. Ruprecht waren, ist kaum genauer zu bestimmen, vgl. Anm. zu nr. 156, wir können nur sagen 1401 nach Sept. 13. Die Überschrift bei Janssen ist mehr 45 als ungenau.

² Leopold IV der Dicke von Österreich war verheirathet mit Katharina der Tochter Philipps.

sonaliter advenire non potuit, paratus tamen est venire ad serenitatem vestram, postquam *[1401*
deo propicio reveneritis ad partes Alamanie, et in quocumque locorum dicti filii sui *nach*
Spt. 13]
duxeritis sibi intimandum. scit eciam dictus illustris princeps dux Stephanus, quid et
quanta pro serenitate vestra fecerit, et nuper transitum magnum in subsidium domini
5 Mediolanensis impedivit, sic quod[a] affeccionem magnam volt[b] ad facta majestatis vestre.
desiderat eciam dictus dominus meus, ut prescribitur, quod[c] personaliter ad excellenciam
vestram post felicem redditum vestrum se conferre valeat, et ibi faciet quidquid mediante
filio suo domino *Lupoldo* duce Austrie fuerit ordinatum, vel si volueritis paratus est
suos transmittere ad dictum illustrem dominum Stephanum, qui vices regie magnificencie
10 vestre tenet ut dicitur cum plena potestate[d] [1].

·156. *K. Ruprechts Antwortsanweisung an Herzog Philipp von Burgund durch dessen* *[1401*
Gesandte Rainer Pot und Johann Hue, eine Zusammenkunft beider Fürsten be-
treffend. [1401 nach Sept. 13 [2].]   *nach*
Spt. 1[3]

K aus Karlsr. G.L.A. Pfälz. Kop.-Buch 146 fol. 106 b *cop. chart. coaev.*
J coll. Janssen R.K. 1, 623-624 *nr. 1033 aus einem in seinem Privatbesitz befindlichen*
Kodex Acta et Pacta 300-302.
M coll. Martène thesaur. nov. anecd. 1, 1677 *nach nr. 42, mit der Überschrift* Responsio
ad nuntios ducis Burgundiae, *der Eingang bis* intimandum etc. *pag. 1676 f. falsch*
angefügt an das vorhergehende Stück (bei uns nr. 155).
Erwähnt bei Chmel p. 182 sub nr. 18 aus M.

Sicut illustris et magnificus princeps dominus dux' Burgundie consiliarios suos,
videlicet dominum Reinherum Pot[e] cambellanum et Johannem Hue[f] ad serenissimum
et illustrissimum dominum dominum Rupertum Romanorum regem cum suis credenciali-
15 bus literis destinavit, qui pro parte sui majestati regie exposuerunt, quod prefatus dominus dux Burgundie se personaliter libenter contulisset ad presenciam regiam, ad
aliquem tamen locorum domini Lupoldi ducis Austrie, si non fuisset transitus ita vehemens ipsius domini regis ad Italie partes, et, quia hoc fieri neglectum sit, pretactus
dominus dux Burgundie paratus sit venire ad prefatum dominum nostrum regem, cum

a) *M* quia. b) *K* volt *J* vult *J J* volt, *M* vult. c) om. *KJM.* d) *M* pietate etc. e) *K* eher Pat, *die Kredenz nr.*
154 hat aber deutlich Pot, *JM* Pot. f) *M* Huē.

[1] *Herzog Stephan war häufig im Auftrage K.*
Ruprechts in Frankreich thätig; von einer ihm
damals ertheilten Vollmacht, wie sie oben gemeint
ist, wissen wir aber nichts. Liegt vielleicht eine
35 *Verwechslung mit der Ernennung des Pfalzgrafen*
Ludwig zum Reichsvikar vor?
[2] *Das Stück ist undatiert, und den einzigen*
sicheren Anhalt gibt die Beglaubigung der Ge-
sandten Philipps vom 13 Sept. 1401 nr. 154. In
40 *der hier in nr. 156 citierten Erklärung der Ge-*
sandten (vgl. nr. 155) wird auf den Italienischen
Zug hingewiesen mit den Worten si non fuisset
transitus ita vehemens ipsius domini regis ad Italie
partes *und dann* cum ad Alamanie partes reversus
45 fuerit. *Diese Wendungen schließen aber keines-*
wegs aus, daß Ruprecht damals noch in Deutsch-
land war, im Begriff nach Italien aufzubrechen,
führen uns also nicht weiter. Vom 7 Febr. 1402
muß das Datum noch einen ziemlichen Zeitraum

entfernt sein, so daß es möglich erschien für diesen
Tag eine Zusammenkunft beider Herscher oder
ihrer Räthe noch zu verabreden. Das im Kodex
nächstvorhergehende Schreiben K. Ruprechts ist
RTA. 4 nr. 22 von 1401 Nov. 21, das nächst-
folgende im vorliegenden Bande nr. 159 von 1402
Febr. 2; dazwischen stehen noch Abschriften ein-
gelaufener Schreiben von 1401 Febr. 27 RTA. 4
nr. 259 und 1401 Okt. 28 RTA. 5 nr. 158. Die letz-
teren kommen für die Datierung nicht in Betracht,
die auslaufenden aber folgen sich in diesem Theile
des Kodex in chronologischer Ordnung. Zu viel
Gewicht dürfen wir indessen darauf nicht legen,
Unregelmäßigkeiten können vorkommen, und, da
es nicht recht wahrscheinlich ist, daß die am
13 Sept. beglaubigten Gesandten erst nach dem
21 Nov. Bescheid von K. Ruprecht erhalten hatten,
so lassen wir es bei der unbestimmteren Datierung
1401 nach Sept. 13.

[1401 nach Spt. 13] ad Alamanie partes reversus fuerit, eciam in quemcumque locorum prefati ducis Lupoldi quem dominus noster rex sibi duxerit intimandum etc.:   [1] item super prefata ambasiata et aliis per dictum dominum ducem Burgundie ipsi domino regi, sicut quam plurimum[a] relacione veridica perceperat, inpensis[b] dominus noster rex graciarum refert acciones ipsi domino duci Burgundie, et refert se ad similia et majora tempore congruo sibi exhibenda.   [2] item et prefatus dominus rex desideraret eciam intime cum predicto domino duce[c] Burgundie personaliter convenire pro amicicia ampliori inter eos firmanda, si et in quantum ad hoc vacare posset. de intencione sua tamen est, inter *[1402] Fbr. 7* ipsum et prefatum dominum ducem Burgundie dietam assignari[d] infra carnisprivium et *[1402] Mai 14* festum pentecostes ad certos diem et locum per prefatum dominum ducem Burgundie prefigendos. ad quam quidem dietam si prefatus dominus dux Burgundie personaliter venire intendit, dominus noster rex, in casu quo dietam eandem personaliter visitare non poterit, illustrem et magnificum principem dominum Ludovicum ducem Bavarie primogenitum suum sacri Romani imperii in Almania vicarium cum certis consiliariis suis dietam ad prefatam transmittere intendit. si autem prenominatus dominus dux Burgundie dietam ipsam personaliter visitare non intenderet[e] et vellet consiliarios suos mittere ad eandem, dominus noster rex paratus est consiliarios suos ad prenominandam dietam prenominatis domini ducis Burgundie consiliariis conjungari pro amicicia ampliori inter eos tractanda ac firmanda. super quo eciam dominus noster rex ipsius domini ducis Burgundie expectabit responsum.   [3] item dominus[f] rex ante hujusmodi dietam servandam pro firmo tenebit prenominatum dominum ducem Burgundie sibi in singulis suis[g] et sacri Romani imperii agendis et disponendis fautorem[h] et amicum fidelissimum juxta preterita per eum parte sui incepta et attemptata, obtulens se vice versa quibuslibet sibi placabilibus complacere animo jocundanti.

[1401 c. Spt. 18] **157.** *K. Ruprechts Anweisung an 4 genannte Gesandte, um mit K. Karl VI von Frankreich über eine Ehe zwischen Ruprechts Sohn Johann und einer Tochter Karls zu verhandeln. [1401 c. Sept. 18 Schongau[1].]*

K aus Karlsr. G.L.A. Pfälz. Kop.-Buch 146 fol. 47ab cop. chart. coaev.
J coll. Janssen R.K. 1, 613-615 nr. 1027 aus einem in seinem Privatbesitz befindlichen Kodex Acta et Pacta 198.
Gedruckt in moderner lateinischer Übersetzung bei Martène ampliss. coll. 4, 67f. nr. 46, mit der Überschrift Memoriale ratione negotiationis cum rege Galliae circa matrimonium ducis Johannis regis filii cum filia regis Galliae.

Gedechtniß von der botschaft wegen gein Franckenrijche zu dem kunige zu tůn als von der hirad wegen zuschen herzog Hansen und dez konigs dochter.

[1] Zum ersten daz von unsers herren dez konigs wegen sollen hininne riten grave Friederich von Lyningen, meister Matheus von Crackauwe, herr Johann Kemerer von

---

a) *die Abkürzung leitet auf* plurimum; *sollte vielleicht* plurium *gemeint sein?* J plurimum, M plurium. b) KJ inpensas, M immensas. c) K duci, JM duce. d) M assignare. e) JM intenderit. f) JM add. noster. g) om. M. h) M factorem.

---

[1] *Diesem Stücke folgt im Kodex die Instruktion für Verhandlungen mit Metz (RTA. 4 nr. 383). In dieser letzteren sind zunächst die Gesandten nicht mit Namen genannt, sondern es ist von ihnen als den obgenannten Freunden des Königs, dann als von seinen Boten egenannt die nach Frankreich reiten werden die Rede, in art. 3 werden dann Graf Friderich und Johann Kemerer* obgenannt erwähnt, d. h. zwei der hier in nr. 157 art. 1 bezeichneten Gesandten. Diese beiden wurden auch zur Entgegennahme der Huldigung der Stadt Metz bevollmächtigt (RTA. 4, 454 nt. 1). Wenn eine Instruktion auf eine andere denselben Personen ertheilte mit Verweisungen dieser Art Bezug nimmt, wie sie eigentlich nur innerhalb eines zusammenhängenden Schriftstückes am Platze

Talburg, und meister Heilman dechan zu Nuwehusen. uf dieselben vier sind glaubs- briefe gemacht an den konig, und die koniginne, und an die herzogen von Burgundien, von Berry, und von Burbonie.

[*2*] Item sint auch zwei procuratoria gemacht uf die egenanten vier oder den 5 merern teile uß in, darinne sie ganz und volle machte haben von unsers herren dez kunigs und herzog Hannsen wegen zu tedingen und zu besließen die ee zuschen demselben herzog Hansen und dez konigs von Franckenrijche dochter. und daz ein procuratorium stet uf die eltste dochter, und daz ander uf die eltste darnach.

[*3*] Item sollent die obgenanten unsers herren botten zum ersten vordern die 10 eltste dochter. mochte aber daz nit gen und daz die Frantzosen anders nit dann umbe die andern wolten laßen reden und tedingen, daz sollent unsers herren frunde ufnemen.

[*4*] Item wer' ez daz die Francosen wolten in die tedinge ziehen, daz sich unser herre gein Engellant wieder sie nit verbinden solle, item daruf sollent unsers herren 15 fründe entwerten: si ez daz die egenante fruntschaft mit der hirad wolle gen zuschen unserm herren und dem konige von Franckenrijch, so si dez[a] verbuntniße nit noit, wann unser herre alsdann beiden partien, den Francosen und den Engelschen, also gewant werde, daz er gut ursach hette darunder stille zu sitzen und keiner partien zu helfen oder zuzulegen, daruf er auch me[b] geneiget were dann daz er einer partien 20 wieder die andere helfen solte, als wol billich ist.

[*5*] Item wolten sich die Francosen daran nit laßen gnügen und ie[c] daruf verliben[d] daz sich unser herre verbinden solte alz fur geschriben stet: item so sollent unsers herren frunde darinne besorget sin, daz sie umbe dazselbe stücke keine besließunge dün, ez si dann vor umbe die ee von allen sachen (ez si umbe zugelte umbe wiederlegunge umbe 25 bezalunge umbe sicherheid etc.) genzlich besloßen, also daz man darnach nichte[e] darinne getragen möge.

[*6*] Item und wann daz geschicht, so mogen unsers herren frunde uf daz stucke von Engeland tedingen also daz die sache von der ee wegen und dasselbe mit einander zügen und nicht anders, und sollen von dezselben stucks wegen daruf bliben alz her-30 nach geschriben stet.

[*7*] Item daz sich unser herre der konig wolle verschriben, daz er sich zu dem kunige von Engeland wieder den konig von Franckriche nicht solle[f] verbinden, also doch daz sich der konig von Franckerich unserm herren wiederumbe verbinde, daz er oder iemand ußer sinem lande nicht zulegen oder behulfen sin sollen den die unsern 35 herren den kunig hindern oder irren oder imme wiederstendig sin an dem Romischen riche, und auch mit namen dem von Meylan; und daz von beiden partien also versorget und verbriefet werde als unsers herren frunde obgenant wol versten wie sich daz heischet.

[*8*] Item von dez zugelts der wiederlegunge der bezalunge und der sicherheid wegin 40 konde unser herre vor andern sinen trefflichen unmußen nicht eigentlich ze rade werden, daz man ez verzeichent mochte haben. darumbe ist sin meinunge, daz die obgenanten sine fründe vor sich nemen daz memoriale von der ee wegen zü Engeland und

---

a) *J* das. b) *K* nie *J* me. c) om. *J.* d) om. *K; J ergänzt* fordern. e) *K* nichts *J* nichts. f) *KJ* sollen.

[1401
c. Sept.
18] auch die geschrifte und gedechtniße alz unsers herren frunde von herzog Ludewigs
wegen vor ziten zu Franckrich gehabt hant. darinne findent sie wol, darnach sie sich
gerichten mogen, daz sie darinne daz beste dûn, wann in min herre die sache genzlich
enphele und zu in stelle. und besunder so ist herr Johann Kemerer obgenant wol
kundig, wie dieselben sachen vor gehandelt sin zu Engeland und auch zu Franckerich;   5
der mag die andern unsers herren frunde obgenant davon wol eigentlich underwisen.

J. Verhältnis zu England nr. 158-163.

[1401]   158. *K. Heinrich IV von England an K. Ruprecht, wünscht möglichst häufig von ihm*
Okt. 28   *Nachricht zu erhalten, meldet daß es ihm wohl ergehe, und beglaubigt Ritter Johann*
Colvile zu mündlicher Botschaft. [1401[1]*] Oktober 28 Worcester.*   10

> *K aus Karlsr. G.L.A. Pfälz. Kop.-Buch 146 fol. 108*[b] *cop. chart. coaev., Adresse als*
> *Überschrift.*
> *M coll. Martène thesaur. nov. anecd. 1, 1682 nr. 49; Überschrift unter der Adresse*
> *Gratulatur de illius prosperitate mittitque ei nuntium cui fidem indubiam vult haberi.*
> *Regest Chmel p. 182 nr. 23 aus Martène l. c., Janssen Frankf. Reichskorresp. 1, 635 nr.* 15
> *1057 aus Kodex seines Privatbesitzes* Acta et Pacta 314-319.

Excellentissimo et potentissimo principi Ruperto dei gracia Romanorum regi semper
augusto fratri nostro carissimo Heinricus eadem gracia rex Anglie et Francie et dominus
Hibernie salutem et fraterne dileccionis constanciam.   excellentissime et potentissime
princeps frater noster carissime.   quia de status vestri prosperitate votiva suisque 20
successibus utinam semper felicibus nova nobis referri continuis temporibus affectamus,
vestram serenitatem cordetenus[a] exoramus, quatenus nos inde ad immensum gaudii cumulum cordis nostri per intervenientes quoscumque velitis crebrius esse certos. indubitatamque[b] tenentes fiduciam quod de nobis ac statu nostro vestra cupit fraternitas novellari, significamus eidem nos in emissione presencium perfecta[c] mentis et corporis 25
sanitate gaudere desiderataque nobis succedere juxta vota (laudes deo), prout nobilis ac
strennuus camere nostre miles Johannes Colvile[d] harum exhibitor vestram inde serenitatem noverit lacius informare[e]. cui super his et aliis, que sibi commisimus serenitati
prefate nostri ex parte seriosius reseranda[f], vestra velit affeccio fidem in dicendis credulam adhibere et nobis per eundem quevis vestra beneplacita intimare.   excellentissime 30
et potentissime princeps, frater noster carissime. ad augmentum sacri imperii et exaltacionem fidei christiane imperialem majestatem vestram conservet semper et dirigat, qui
ventis et mari imperat, Christus Jhesus.   datum sub signeto nostro mensis octobris
[1401] die 28 in Wigornia civitate.
Okt. 28
Excellentissimo et potentissimo principi Ruperto dei gracia   35
Romanorum regi semper augusto fratri nostro carissimo.

---

a) *K cordet mit Schleife am t, M corditer.* b) *M indubitatam.* c) *M praefata.* d) *M Cobule, offenbar verlesen.*
e) *K informari, M informare.* f) *M referenda.*

---

[1] *Das Jahr 1401 ergibt sich aus der Antwort K. Ruprechts auf den vorliegenden Brief, unserer*
nr. 159 vom 2 Febr. 1402.   40

159. *K. Ruprecht an K. Heinrich IV von England, antwortet auf dessen durch Jo-* ₁₄₀₂ *hannes Colvile ihm überbrachten Brief mit einer ausweichenden Wendung über* ^{Fbr. 2} *seine Italienische Lage. 1402 Febr. 2 Padua.*

Aus Karlsr. G.L.A. Pfälz. Kop.-Buch 146 fol. 108 ^b *- 109* ^a *cop. ch. coaev., Adresse als Überschrift.*

M coll. Martène thesaur. novus anecd. 1, 1684 f. nr. 53, mit der Überschrift Gratias agit pro amicitia cunctaque sibi in Italia fauste succedere significat unter der Adresse die noch voransteht.

Regest bei Georgisch 2, 864 nr. 6 und Chmel nr. 1132 aus Martène, bei Janssen Frankf. R.K. 1, 658 nr. 1085 aus einem Manuskript im Privatbesitz Acta et Pacta 322.

Illustrissimo et inclito principi Heinrico dei gracia Anglie Francieque[a] regi ac domino Hibernie Rupertus eadem gracia Romanorum rex semper[b] augustus salutem et interne dileccionis votivum[c] incrementum.   serenissime princeps frater noster carissime.   scire vos desideramus, quod nobilis et strennuus camere vestre miles Johannes Colvile[d] vestre serenitatis literas mentis et corporis ac status vestrorum[e] incolumitatem prosperitatemque cordialiter desideratas nobis nunciantes presentavit[1]. quas corde letabundo recepimus. et quia idem miles solitam vestri cordis sinceritatem affeccionemque indubitatam nobis reservavit, quibus nostram personam vestra conplectitur fraternitas, vobis tantas quantas possumus referimus graciarum acciones, astringentes nos indissolubili caritatis vinculo reciproce ad antidota votiva atque[f] grata.   insuper, illustrissime princeps frater noster carissime, nova de nobis successibusque nostris vestram fraternitatem affectare non ambigimus[g]. idcirco vobis significamus, nos in emissione presencium (laudes deo!) desideratam habuisse cordis et persone sospitatem, nobisque hic in partibus Ytalie prospere succedere. et cum de presenti, princeps illustrissime, de universis nobis occurrentibus vestram serenitatem informare nequeamus[h], ad eandem sine more dispendio nostros deliberavimus oratores destinare de singulis nostri parte vestram fraternitatem informaturos, quam in omni prosperitate cum honoris incremento conservare dignetur rex regum et dominus dominancium Christus Jesus.   datum Padue in civitate nostra imperiali mensis februarii die secunda anno domini millesimo 400 secundo regni vero nostri ₁₄₀₂ anno secundo. _{Fbr. 2}

Illustrissimo et inclito principi Heinrico dei gracia Anglie
Francieque regi ac domino Hibernie fratri nostro karissimo.

---

a) *cod. quem statt que.* b) *cod. semper?* c) *om. M.* d) *M Cobule.* e) *M nostrorum.* f) *cod. doch wol nicht quam statt que?* g) *M deambigimus.* h) *M inquiramus.*

---

[1] *Johannes Colvile war offenbar erst kurz vor dem 2 Februar 1402 bei K. Ruprecht angelangt; vgl. nr. 115 ex. und nr. 116.*

1402
Fbr. 8 **160.** *K. Ruprecht an K. Heinrich IV von England, meldet daß er gesund sei, und beglaubigt bei ihm seine Gesandten Johann vom Hirschhorn und Tilman Dekan zu Köln. 1402 Febr. 8 Padua.*

> *K aus Karlsr. G.L.A.* Pfälz. Kop.-Buch 146 fol. 109 b *cop. chart. coaev., Adresse als Überschrift.*
> *M coll. Martène thesaur. nov. anecd. 1, 1685 f. nr. 54, im Datum Februar 5; Adresse als Überschrift, und unter ihr Nova* petit ab eo de ipsius sospitate mittitque nuntios quibus fidem haberi indubiam jubet.
> *Regest Georgisch 2, 864 nr. 9 und Chmel nr. 1133 sub 1402 Febr. 5 aus Martène l. c., Janssen Frankf. Reichskorresp. 1, 658 nr. 1088 aus Kodex seines Privatbesitzes Acta et Pacta 324-327.*

Illustrissimo et inclito principi Heinrico dei gracia Anglie Francieque regi et domino Hybernie Rupertus eadem gracia Romanorum rex semper augustus salutem et fraterne dileccionis constanciam.   illustrissime princeps fraterque carissime.   quia de corporis vestri sospitate votivisque successibus vestris felicia nova semper audire affectamus, desiderantes et rogantes quatenus nos per intervenientes nuncios sepius de eisdem certificare velitis, et quia non ambigimus quod [a] de nobis et statu nostro desideretis certificari, quocirca fraternitati vestre significamus nos in emissione presencium corporis frui sospitate: propterea [b], illustrissime princeps fraterque carissime, ad fraternitatem vestram destinamus strennuum militem Johannem de Hirtzhorn [c] necnon *Tilman* [d] [1] decanum ecclesie beate Marie ad gradus Colloniensis consiliarios et fideles nostros dilectos de intencione nostra plenarie informatos, supplicantes quatenus eisdem parte nostri in [e] vobis referendis adhibere velitis fidem creditivam exhibentes vos nichilominus in hujusmodi [f] prout de fraternitate vestra pre ceteris [g] utique fiduciam gerimus pleniorem, offerentes nos vice versa vobis in similibus et majoribus juxta vota complacere.   datum Padue in civitate nostra imperiali die octava [h] mensis februarii anno domini 1402, regni vero nostri anno secundo.

*1402
Fbr. 8*

Illustrissimo et inclito principi Heinrico dei gracia Anglie Francieque regi et domino Hibernie fratri nostro karissimo.

Ad mandatum domini regis
Johannes Winheim.

*[1402
c. Fbr. 8]* **161.** *K. Ruprechts Anweisung für [Ritter Johann vom Hirschhorn und Dekan Tilman zu Köln] zu Verhandlungen mit K. Heinrich IV von England über eine Kriegshilfe von 2000 Bogenschützen zum Romzug. [1402 c. Febr. 8 Padua [2].]*

> *Aus Karlsr. G.L.A.* Pfälz. Kop.-Buch 146 fol. 109 b - 110 b *cop. ch. coaev.*
> *Coll. Janssen R.K. 1, 658-660 nr. 1089 aus einem in seinem Privatbesitz befindlichen Kodex Acta et Pacta 324-327.*
> *Gedruckt in moderner lateinischer Übersetzung bei Martène thesaur. nov. anecd. 1, 1686 f. sub nr. 54, mit der Überschrift* Instructio verbalis ad regem Anglie. — *Daraus erwähnt Chmel sub nr. 1133.*

Werbung an den kunig von Engellant.

[1] Item so ir zu im koment, so sollent ir imme mins herren dez kunigs glaubsbrief antwerten und daruf sagen, daz mine herre der kunig imme bruderlich liebe und

---

a) so *M; K hat abgekürzt* quando. b) *KM* pretera. c) *M* Hierthorn. d) *M* C. e) *om. KM.* f) *M add. ut melius* poteritis. g) pro ceteris *om. M.* h) *M* 5 (d. h. V).

---

[1] *Tilman von Smalenburg vgl. Chmel Reg. Rup. p. 37 nr. 695 und unsere Einleitung.*   [2] *Das Stück gehört zur Gesandtschaft aus Padua vom 8 Febr. 1402, auf deren Kredenz nr. 160 es im Kodex folgt.*

fruntschaft enbotden habe, und, daz er gesunt und starke si und imme auch sust in $^{[1402}$
allen sachen wolgee, daz si mine herre der kunig sunderlich begerend. und habe in $^{c.\ Pbr.\ 8]}$
auch fruntlich heißen bitten, daz er imme dicke davon verschriben und enbieten wolle,
wann er allzit sunderlich freude davon enphae.

    [2] Item darnach so sagent imme: als er ietzunt siner rittere einen genant Johann
von Colvile zu mime herren dem Romischen kunige hinin gein Lamparthen gesant habe,
der habe mime herren wol und eigentlich erzelet den guten willen und gunste die er
zu mime herren dem Romischen kunige habe, und daz er imme getrewlichen[a] bigestendig und beholfen sin wolle zu sinen und dez heiligen richs sachen, und daz er in auch
zu userme heiligen vatter dem babste gesant habe [1] in zu bitten von sinen wegen daz
er mim herren dem Romischen kunige bigestendig und beholfen wolle sin und imme
sine keiserlich cronunge geben, und waz er vor minen herren dû, daz du er auch fur
in, waz er auch wieder minen herren du, daz du er auch wieder in etc.

    [3] Item dez allez danke imme mine herre der Romische kunig zûmale fruntlichen
mit ganzem ernste, wann er auch damit wol verstet daz in in mit ganzen truwen und
fruntschaft meinet. und er erbiede sich auch dezglichen wieder gein imme zu allen
sinen gescheften und sachen, darzû er siner bedorfen werde etc., als ir daz dann allerbeste und glimpflichste erzelen mogent etc.

    [4] Item und sagent imme darnach, daz mine herre der Romisch kunig willen habe
ietzunt gein Rome zu ziehen sin keiserlich cronunge zu enphaen, und darnach uf diesen
summer ein felt zu machen und uf sin fiende zu ziehen, und zu understeen sin und dez
heiligen richs stetde und gute zu gewinnen nach allem sinem vermogen. und daz konne
er ane siner guten frunde rate und hulf nit wol vollenbringen. und darumbe so bitte
in min herre der Romische kunig, so er immer fruntlichst und ernstlichst moge, daz er
imme zweietusent artschierer zu hulf wolle schicken [2], und daz die durch dez herzogen
lant von Burgûndien gein Lutich und gen Colle zû und also den Rin heruf und furbaß
durch unser und dez herzogen land von Osterich gein Padaw zukommen, so daz iemer
erste gesin moge. so habe mine herre der Romische kunig denselben herren, durch der
lant sie werden ziehen, geschriben und gebeten, sie zu gleiten und sicher durch laßen
ziehen. daran bewise er mime herren dem Romischen kunige solich dankneme liebe
und fruntschaft, die er auch gein imme nummer vergeßen sunder allzit gerne bedenken
wolle, und wolle auch lip und gût und alle sin vermogen bi imme nit scheiden zu
allen sinen gescheften und sachen, darzu er sin bedorfen werde.

    [5] Item und wer' ez daz der konig von Engellant worde reden von einunge und
bûntniße wegen zuschen[b] imme und mimme herren dem Romschen kunige zu machen,
so nement eigentlich von imme in, waz siner meinunge und begerunge darinne si, und
sprechent: ir wollent daz gerne an minen herren den Romischen kunig bringen, und
hoffent auch, er solle sich in allen sachen fruntlichen und nach sim willen gein imme
bewisen, doch so si uch von den sachen nit bepholfen [3]. und min herre der Romische
kunig getruwe im ie genzliche wol, er schicke imme zu dieser zit die zweietusent artschierer und laß in daran nit.

    [6] Item und wer' ez daz der kunig von Engellant worde reden, ob icht wege zu
finden weren zuschen mime herren dem Romischen kunige und dem von Meilan daz

---

a) cod. getruwlichen? so hat Janssen.　b) cod. ursprünglich schutzen, daraus schuschen korrigiert mit anderer
    Tinte; Janssen schuschen.

[1] *Vgl. nr. 116.*
[2] *Vgl. nr. 116 und Anm. dort.*
[3] *Dem Abschluß eines förmlichen Bündnisses*
    mit England widerstrebte K. Ruprecht auch im
    Sommer 1402 aus Rücksicht auf Frankreich, s.
    nr. 294.

[1401   man sie mit einander vereinet, daruf sollent ir antwerten als von uch selber: er moge
c. Fbr. 8] daz wol versuchen, und der von Meylan moge mim herren dem Romischen kunige soliche
rachtunge bieden und vorgeben, er neme sie uf; so wißent ir auch wol, daz min herre
der Romische kunige dem kunige von Engelland in den sachen me volgen worde dann
iemand anders. swiget er aber und saget davon nit, so ᵃ sollent ir dez auch geswigen 5
und mit imme nit anheben davon zu reden. und·ob er auch wol selber davon reden
wurde, so sollent ir fur allen sachen also mit im daruf reden, daz er mime herren dem
Romischen kunige ie die zweitusent artschierer schicke und daz daruf nit verziehe etc.

[7] Auch ist unser meinunge, daz uns der kunig von Engelland die zweitusent
artschierer uf sin koste schicken solle, wann ez uns gar zu swere were, solten wir sie 10
versolden.

1402 **162.** *K. Ruprecht an K. Heinrich IV von England, bittet ihn er möge seine auf dem*
Apr. 24   *Wege nach Italien befindlichen Hilfstruppen wider zurückrufen. 1402 April 24*
Brunneck.

> K aus Karlsr. G.L.A. Pfälz. Kop.-Buch 146 fol. 112ᵃ cop. ch. coaev., Adresse als Über- 15
> schrift.
> M coll. Martène thes. novus anecd. 1, 1700 nr. 61; mit der Adresse als Überschrift, und
> unter ihr noch Gratias agit de oblato armorum subsidio quod interim in Anglia reti-
> neri rogat.
> Regest Georgisch 2, 866 nr. 28 und Chmel nr. 1169 aus Martène l. c., Janssen R.K. 1, 20
> 684 nr. 1110 aus Kodex eigenen Besitzes Acta et Pacta 343-345.

Illustrissimo et inclito principi Heinrico dei gracia Anglie Francieque regi et domino Hibernie fratri nostro carissimo Rupertus eadem gracia Romanorum rex semper
augͧustus in utriusque hominis sospitate salutem et sincere dileccionis affectum.   illustrissime princeps et frater carissime.   celsitudini vestre de liberalissima ᵇ tam grandis 25
subsidii nobis imparciendi oblacione promptissimaque ejusdem oblacionis in duorum milium
arceriorum transmissione ᶜ 1 effectuali execucione graciarum quas possumus referimus acciones, perinde habentes omnino acsi prefati vestri arcerii ᵈ lateri nostro victoriose
astitissent, parati eciam vice versa quibuslibet vestris beneplacitis totis nostris conatibus
condescendere. verum quia certis ᵉ ex causis, sublimitati vestre alias per nos intimandis, 30
ab Italie finibus ad Germanie partes declinamus et ideo dictorum vestrorum arceriorum ᶠ
auxilio pro presenti in dictis Italie partibus non egemus, deprecamur obnixius, quatenus
eosdem arcerios ᵍ vestra dileccio ad propria velit revocare, uti eciam ipsorum capitaneo
per vestram serenitatem deputato scripsimus ad Anglie limites reverti debere.   datum
1402
Apr. 24 Brunecke 24 mensis aprilis anno domini millesimo 402 regni vero nostri anno secundo. 35
Regi Anglie.   Ad mandatum domini regis Job Vener ʰ.

---

a) om. Janssen. b) M deliberatissima statt de liberalissima. c) M arteriorum cum sumtione. d) M arterii.
e) M etiam. f) M arteriorum. g) M arterios. h) M add. etc.

---

¹ Vgl. nr. 161 art. 4.

163. *K. Ruprecht an den Hauptmann der Englischen Hilfstruppen: fordert ihn auf [1400 mit seinen Truppen heimzukehren und versichert ihn seiner Dankbarkeit. [1402* [Apr. 24] *April 24] Brunneck.*

K aus Karlsr. G.L.A. Pfälz. Kop.-Buch 146 fol. 112ª cop. chart. coaev.
M coll. Martène thesaur. nov. anecd. 1, 1700 nr. 62; Überschrift Capitaneo copiarum
regis Angliae, und unter ihr noch Ut ad propria revertatur.
Regest Georgisch 2, 866 nr. 29 und Chmel p. 67 sub nr. 1169 aus Martène l. c., Janssen
Frankf. Reichskorresp. 1, 685 nr. 1111 aus Kodex seines Privatbesitzes Acta et Pacta
343-345.

Rupertus etc.   nobilis et egregie capitanee. scripsimus illustrissimo principi domino Heinrico regi Anglie et Francie ac domino Hybernee fratri nostro carissimo [1],
prout in copia presentibus inclusa continetur. desideramus itaque, quatenus cum tibi
commissorum[a] arceriorum commitiva ad propria pro presenti velis declinare, graciarum
nichilominus acciones serenitati tue possetenus referentes acsi juxta dicti illustrissimi
principis ac fratris nostri imperia[b] nostro conspectui et auxilio te cum comitiva effectualiter presentasses, parati insuper votis tuis singulariter complacere.   datum Bruncke [1402
ut supra[s].   Apr. 24]

                                                    Ad mandatum domini regis
                                                    Job Vener utriusque juris doctor.

K. Verhältnis zu Aragonien nr. 164-167.

164. *K. Martin III von Aragonien antwortet K. Ruprecht, er und die Seinen befänden [1401 sich wohl, seine Erwiderungen auf die von Job Vener und Thomas von Endingen* [Spt. 30] *im Namen K. Ruprechts gemachten Vorschläge übersende er in einem eingeschlossenen Schriftstück [nr. 165]. 1401 Sept. 30 Aleura.*

T aus Martène et Durand thesaur. nov. anecd. 1, 1691 nr. 57, mit der Überschrift
Responsio regis Aragonum super ambassiatam per magistrum Job factam etc.
Regest bei Chmel Anhang I nr. 25 aus Martène, Janssen Frankf. Reichskorr. 1, 630 nr.
1047 aus einem in seinem Privatbesitz befindlichen Kodex Acta et Pacta 308-314.

Excellentissimo principi domino Ruperto dei gratia Romanorum regi semper augusto
consanguineo nostro praecaro Martinus eadem gratia rex Aragonum incrementa felicium
successuum cum salute.   ab excellentia vestra recepimus litteram quamdam[s]. qua
recepta et his plenarie vultuque hilari exauditis quae peritus magister Job Wener in
jure licentiatus utroque prothonotarius vester et strenuus Thomas de Endingen[c] miles,
vestri dilecti consiliarii et fideles ambassiatores seu nuntii per imperialem providentiam
nobis missi, nobis vivae vocis oraculo dixerunt extensius in via credentiae per serenitatis
vestrae sententiam eis in dicta littera attributae, praesentis tenore eloquii respondemus:
quod venerunt affectui nostro gratissima, plus quam possumus exprimere calamo, nova
felicia quae nobis verbotenus explicarunt in maximo hilaritatis tripudio de incolumitate

        a) K commissarum, M commissorum. b) M imperiali. c) T Endiam.

---

[1] nr. 162.
[s] Im Kodex sowie bei Martène l. c. geht voraus
das im Eingang erwähnte Schreiben K. Ruprechts
an K. Heinrich IV, bei uns nr. 162 vom 24 April
1402.

[s] Diesen Brief K. Ruprechts, der unter anderm
die Beglaubigung seiner Gesandten enthielt, haben
wir nicht. Die Instruktionen der Gesandten s.
RTA. 4 nr. 368. 369.

vestrae praeexcellentis personae conjugis et liberorum vestrorum ambassiatores et nuntii
vestri praedicti; humiliter exorantes opificem summum earum, ut vos uxoremque et
liberos vestros supradictos in ea confoveat sacrique imperii statum dirigat et augeat de
bono in melius juxta votum vestrum. quia indubie credimus cor vestrum nimia hilaritate
laetari quotiens de nobis et regia domo nostra sibi nova panduntur laetifica, vestrae 5
excellentiae .culmini nuntiamus, quod per illius gratiam, a quo dependet omnium vera
salus, nos, et dulcissima consors nostra, rex Siciliae primogenitus noster praecarus, prout
per nova recentia sumus certi, corporum sospitate fruimur. super aliis autem, excellentissime princeps consanguinee nobis praecare, quae ambassiatores iidem vestri parte nobis .
ut praedicitur retulerunt, respondimus ejusdem excellentiae claritati ut continet scedula 10
quaedam inclusa praesentibus manu propria subsignata, per eam quippe et ea quae super
contentis in ea vestri ambassiatores seu nuntii referent nostri parte ut de nobis edocti
vestrae^a culminis claritati nostra intentio clara fiet, cui in cunctis offerimus nos et nostra.
datum in loco de Aleura sub nostro sigillo secreto 30 die septembris anno a nativitate
domini 1401 [1].   15

                                                         Rex antedictus etc.

165. *Erwiderung K. Martins III von Aragonien auf die Vorschläge K. Ruprechts,
betreffend Hilfe gegen Mailand, Anknüpfung mit Kastilien, Heirath zwischen der
Schwester K. Martins und einem der Söhne K. Ruprechts u. a. m. (Einschluß in
nr. 164.) [1401 c. Sept. 30 Aleura[2].]*   20

> *J aus Janssen Frankf. R.K. 1, 630-633 nr. 1048 aus einem in seinem Besitz befindlichen
> Kodex Acta et Pacta 808-814.*
> *T coll. Martène et Durand Thes. nov. anecd. 1, 1691-1694 sub nr. 57, mit gleicher Über-
> schrift.*

Responsiones factae capitulis[a] oblatis per ambassiatores excellentissimi principis 25
domni[b] Ruperti dei gratia regis Romanorum semper augusti serenissimo domino regi
Aragonum pro parte ejusdem domini regis
[*1*] Et primo ad capitulum primum amicabilem fraternalem et affectuosam saluta-
tionem habens[c]: quod dominus rex Aragonum supradictus petit et rogat ambassiatores
praedictos, quod sui parte salutent cariori adstrictiori et amicabiliori modo quo possunt 30
dominum regem Romanorum praedictum.
[*2*] Ad secundum: quod dominus rex Aragonum supradictus ingentem laetitiam
habet de corporum sospitate et successuum prosperitate felicium necnon regnorum adep-
tione pacifica domini imperatoris praedicti et filii etiam ejus.
[*3*] Ad tertium: quod stat et perseverat strenuissimo animo dominus rex Aragonum 35
supradictus in oblationem et pollicitationem factam domino imperatori praedicto per do-

a) *em.* edoctae vestri? b) *T* domini. c) *JT* habentem.

[1] *Martène (s. Quellenbeschreibung) hat ganz un-
begründete Bedenken gegen die Richtigkeit der
Datierung geäußert; er geht dabei von der falschen Voraussetzung aus, dieser Brief sei die
Antwort K. Martins auf den K. Ruprechts von
1402 Febr. 14 nr. 166, vielleicht durch die Stellung der Stücke in seiner Vorlage dazu verführt.
Das richtige Verhältnis hat Janssen R.K. 1, 611
nt. [*] zu nr. 1022 schon erkannt.*

[2] *Der einschließende Brief K. Martins nr. 164
ist vom 30 Sept. 1401 Aleura datiert; damit ist
das ungefähre Datum auch für dieses Stück ge- 40
geben, das übrigens von K. Martin eigenhändig
unterzeichnet wurde, s. nr. 164.*
[3] *Diese capitula haben wir nicht, vgl. aber die
Instruktionen der Gesandten K. Ruprechts RTA.
4 nr. 368-369.*   45

minum regem Aragonum de potentia sui et regis Siciliae primogeniti sui praecari et *[1401* omnium regnorum et terrarum eorum.

[*4*] Ad quartum: quod acceptat placide dominus rex praedictus pro se et filio suo oblationem et pollicitationem factam sibi pro parte domini imperatoris antedicti et de ⁵ sui et filiorum suorum ac totius imperii ejus potentia.

[*5*] Ad quintum: quod dominus rex Aragonum non modicum fuit laetatus de sospitate corporum domini imperatoris jam dicti suaeque conjugis et omnium liberorum, et per gratiam dei dominus rex Aragonum memoratus suaque conjux et rex Siciliae supradictus corporum sospitate fruuntur.

¹⁰ [*6. 7. 8*] Ad sextum septimum et octavum: quod dictus dominus rex Aragonum fuit non modicum consolatus maximamque laetitiam habuit non solum de acquisitione pacifica totius fere Alamaniae absque effusione cruoris et de brevi acquisitione quam de imperii toto residuo indubie praestolatur, verum etiam de universis et singulis aliis quae augmentum status prosperi et felicis domini imperatoris et etiam imperialis diadematis ¹⁵ tangere videantur.

[*9*] Ad nonum: regratiatur dominus rex Aragonum praelibatus domino regi Romanorum jam dicto notificationem quam est dignatus facere dicto domino regi Aragonum de suo felici introitu limitis ᵃ Lombardiae cum multitudine armatorum pro subjiciendo suo imperiali diademati cuncta quae sibi pertineant et ab imperio detineantur injuste; et ²⁰ utinam universa recuperet juxta votum et imperiali dominio a quo segregata existunt restituat atque tornet ¹!

[*10*] Ad decimum: dominus rex Aragonum supradictus habuit facere maximas et intolerabiles missiones a decem annis citra in acquisitione reductione et retentione regni Siciliae et exstirpatione rebellium, qui violenta tyrannide tenebant ᵇ et tenuerant diutius ²⁵ occupatum, et post adventum dicti domini regis a regno praedicto habuit facere non minores expensas in reparatione et reformatione regnorum suorum, maxime regni Sardinensis quod erat in maximo et ruinoso periculo positum. ob quod pro praesenti galeas et naves contentas in praedicto capitulo, etiam si ² eis propria necessitate careat ᶜ, habere non posset, praecipue in tam brevi temporis spatio. impossibile namque esset ipsas ³⁰ potuisse armari, et, casu quo valuissent armari et essent positae supra mare, nihil vel saltem modicum boni operari valerent considerato tempore hiemali quo galeae vel marina vasa remorum nequeunt navigari tempestate marium impellente. verum quia expectatur dictum regem Siciliae uxorari concedente altissimo infra breve, cujus uxor sibi in . . . . ᵈ vere proxime instanti portabitur, et armabuntur pro ejus servitio decem vel ³⁵ undecim circa galeae, placet domino regi Aragonum et dabit operam efficacem, quod, posita et relicta dicta regina Siciliae in manibus uni e suis, galeae jam dictae ad dicti domini imperatoris accedant servitium et sint ad suae libitum voluntatis adhibitae, cum cautela et modis quod pax inita cum Januensibus et Pisanis ac aliis per reges Aragonum praedecessores suos memoriae recolendae et per eum rumpi non valeat. si autem do- ⁴⁰ minus rex Romanorum praedictus armare decreverit facilioris ᵉ expeditionis praetextu galeas vel naves in dominio domini regis Aragonum praelibati de pecuniis propriis vel de dote, casu quo matrimonium fiat inter infantissam sororem suam et filium ᶠ domini imperatoris praedicti, in hoc casu praestabit consensum dictus dominus rex quod in suo dominio valeat dominus imperator jam dictus armari facere galeas et naves in sui ser- ⁴⁵ vitium deputandas, licet nec praedecessores sui nec ipse dominus rex alicui principi

---

a) *TJ* limites.   b) *TJ* tenebantur.   c) *TJ* carent.   d) *TJ bezeichnen hier eine Lücke durch vier Punkte.*   e) *TJ* faciliores.   f) *TJ* filiam; *J conjec.* filium.

¹ Torno, *reddo, reduco, Ducange 6, 611 mitten   ² Nicht etiamsi, sondern: auch wenn.* unten.

[1401
c. Spt.
30] quantumcumque conjuncto talia voluerint nec consueverint concessisse; sed ob affectionem praegrandem, quam ad dominum imperatorem praedictum gerit, dominus rex praedictus ad ista consentiet summo velle.

[*11*] Ad undecimum: ex parte dicti domini regis negotium erit secretum quantum fieri poterit per naturam.

[*12*] Ad duodecimum: habet contenta in eo dictus dominus rex valde gratissima.

[*13*] Ad decimumtertium: dominus rex Aragonum supradictus jam ante adventum[a] ambassiatorum domini imperatoris jam dicti misit ad regem Castellae[1] et infantem Ferdinandum ejus fratrem, nepotes domini regis praedicti, quemdam nobilem virum consiliarium et camerlengum suum notificando regi et infanti jam dictis gradum consanguinitatis quo cûm domino rege Romanorum junguntur, cum sint filii sororis ex utroque latere domini regis jam dicti, quorum (regis Castellae et infantis) mater erat consobrina germana domini imperatoris jam dicti filiaque cujusdam sororis matris imperatoris ejusdem[2], rogando et animando regem Castellae et infantem praedictos ad vota[b] placita domini imperatoris jam dicti. et cum dux Mediolani diebus non longe exactis misisset ad dominum regem certum nuntium rogando eumdem dominum regem ut in sui dominio aliquas permitteret armari galeas, id dictus dominus rex sibi denegavit expresse. et recedendo nuntius idem a praesentia dicti domini regis, ad dominum regem Castellae accessit confestim. et illico dictus dominus rex Aragonum scripsit nobili supradicto, quem ad dominum regem Castellae transmiserat, ut se opponeret totis conatibus ad impediendum nuntium ducis Mediolani jam dicti et exhortandum et rogandum dictum regem Castellae ne dicto duci aliquod juvamen impendat vel de regno suo aliqua necessaria tradat[c], quin immo nuntio supradicto de omnibus expressam praebeat negativam. et finaliter est intentionis dominus rex Aragonum supradictus dicto domino imperatori assistere auxiliis consiliis et favoribus ut sibi promisit, non solum de se et de rege Siciliae filio suo, immo etiam de omnibus illis quos ad se possit adtrahere. et faciet posse suum, quod in ejus auxilium trahat et habeat regem Castellae et infantem fratrem ejus praedictos aliosque reges Hispaniae, et quod inter dictum dominum imperatorem et praedictos reges Hispaniae sit liga et unio tam in factis ecclesiae quam in quibuscumque aliis. nam ex hoc sequetur tranquillitas tam in ecclesia quam in ceteris mundanis negotiis. et istud jam pollicitus fuit praedictus dominus imperator secundum memoriale datum Johanni de Valterra ambassiatori ad praedictum dominum imperatorem ex parte domini regis Aragonum nuperius misso[3]. et affectat dominus rex praedictus, quod jam dictus dominus imperator visitaret regem Castellae et infantem fratrem suum per suos ambassiatores citius quo fieri posset; nam ipse rex Castellae et infans frater suus possunt juvare non modicum dominum imperatorem jam dictum de armigeris gentibus navibus galeis armatis in numero satis amplo.

[*14*] Ad quartumdecimum et ultimum respondetur pro parte domini regis Aragonum: quod placet sibi tractare de matrimonio suae sororis[4] cum duce Ludvico[d] primogenito imperatoris jam dicti, casu quo matrimonium tractatum inter ducem praedictum

---

a) *J* aventum, *T* adventum.   b) *TJ* una.   c) *JT* habeat.   d) *T* Ludoico.

---

[1] *Heinrich III.*
[2] *Die Mutter Heinrichs III und Ferdinands Eleonore Gemahlin Johanns I von Kastilien und Schwester Martins III von Aragonien war eine Cousine K. Ruprechts; denn ihre Mutter gleichen Namens (Gemahlin Peters IV von Aragonien) und Ruprechts Mutter Beatrix waren Schwestern,*

Töchter K. Peters II von Sicilien. Vgl. Voigtel Tab. 22. 23. 264 und Behr Genealogie 2 Aufl. Tafel 24.
[3] *RTA. 4 nr. 317 art. 6.*
[4] *Gemeint ist wol Isabelle K. Martins jüngste Stiefschwester, die 1402 den Grafen Jakob von Urgel heirathete, s. (Koch) Tables généalogiques.*

et filiam regis Angliae [1] aliquo modo vel casu viribus non subsistat; casu vero quo *[1401* ipsum matrimonium compleatur, domino regi placet, quod [a], ut majoris federis unio et *c. Spt. 80]* consanguinitatis annexio inter praedictum dominum imperatorem et regem Aragonum innitsat et nodetur, tractetur matrimonium ipsum cum duce Johanne secundogenito suo,
5 dum tamen dominus imperator jam dictus dictum secundogenitum suum hereditet et reddituet, quod status dicti ducis Johannis et dictae sororis domini regis praedicti valeat honorabiliter sustentari dosque sua etiam obligari et recuperari, si dotis restitutioni locus esset. et placet dicto domino regi, quod al ista tractanda assignetur dies festi annuntiationis virginis gloriosae mensis martii proxime venientis in civitate Avenione. et *1402*
10 dominus rex praedictus ad dictam civitatem Avinionem mittet ambassiatores suos die *Mrs. 25* superius assignata.

Rex Aragonum.

166. *K. Ruprecht schreibt an K. Martin III von Aragonien, er sei zur Erlangung* *1402* *der Kaiserkrone nach Italien gezogen, sei bereit den von K. Martin behufs Be-* *Fbr. 14*
15 *redung einer Ehe zwischen Pfalzgraf Johann und Martins Schwester in Vorschlag gebrachten Tag zu Avignon, wenn auch nicht zum 25 Merz, so doch zum 24 Juni zu beschicken, werde wegen der von K. Martin in Aussicht gestellten Galeeren bald- möglichst antworten; in der Nachschrift: er werde an K. Heinrich III von Kastilien und dessen Bruder Ferdinand am 24 Juni eine Gesandtschaft schicken [2]. 1402*
20 *Febr. 14 Padua.*

> *T aus Martène et Durand thes. nov. anecd. 1, 1689 f. nr. 57, die Nachschrift ebend. 1, 1695 nr. 58; die Adresse von nr. 57 als Überschrift, und darunter De suo in Italiam ingressu et de matrimonio contrahendo inter ducem Johannem secundogenitum suum et sororem regis Aragonum; über nr. 58 ohne Adresse nur Ut insistat apud regem Castellae ad procurandum ei auxilium.*
>
> *Regest bei Georgisch 2, 864 nr. 12 und Chmel nr. 1141 aus Martène l. c., bei Janssen R.K. 1, 661 nr. 1092 aus einem in seinem Privatbesitz befindlichen Kodex Acta et Pacta 327-339.*

Rupertus etc. illustrissimo principi domino Martino eadem gratia regi Aragonum etc.
30 consanguineo suo carissimo salutem et votivorum successuum continuum incrementum. illustrissime princeps. cedit in nostrae mentis applausum non modicum, quotiens de vestra sanitate corporea successibusque vestris ad vota felicibus nova nobis placida nuntiantur. vestram serenitatem intimius deprecamur, quatenus nos inde ad immensum gaudii cumulum nostri cordis per intervenientes quoscumque velitis crebrius esse certos.
35 indubitatamque tenentes fiduciam vos [b] de nobis velle consilia nova scire, nos, dum sinceritatem vestri amoris et purae dilectionis constantiam conspicimus, prosequendo tanto ampliori zelo serenitatis vestrae praefatam sospitatem, quibus benigni creatoris nostri grata dispositione nos et dulcissima conthoralis nostra potimur, scribi et intimari decernimus, quanto ex his animum vestrum mutari non ambigimus ad ampliora compendia gaudio-
40 rum. noscat igitur vestri sinceri amoris integritas, qualiter nutu benignitatis divinae,

---

a) add. conj. b) om. T; die Redensart hier ist auch da in nr. 168.

---

[1] *Blanka.*
[2] *K. Ruprecht bittet K. Martin III von Ara-gonien seinen Sohn K. Martin I von Sicilien zum*
45 *Einschreiten gegen den abgesetzten Deutschordens-*

Provincialen Friderich von Kirchberg auf Sicilien zu veranlassen; 1402 Febr. 14 Padua (gedruckt Martène et Durand th. n. an. 1, 1688 f. nr. 56, Regest Janssen R.K. 1, 661 nr. 1093).

1402
Fbr. 14 cujus immensa pietate reges diriguntur, nos partes Italiae applicuimus[a], ad receptionem nostri imperialis diadematis et recuperationem jurium imperii in partibus antedictis sollicita diligentia laborare desiderantes, et speramus in his votivam obtinere intentionem domino auxiliante. ceterum, princeps et consanguinee carissime, litteras [1] vestrae serenitatis nobis per magistrum Job Wener in utroque licentiatum jure prothonotarium et fidelem nostrum dilectum praesentatas sane intelleximus. ex quibus integri vestri amoris sinceritatem complectimur, vobis exinde gratiarum actiones quantas possumus referentes, adstringentes nos vice versa ad quaevis vestrae serenitati placita atque grata. et quia placuit vestrae dilectioni ut majoris foederis unio et consanguinitatis annexio inter serenitatem vestram et nos nodetur[b], tractando de matrimonio vestrae sororis [2] cum nostro primogenito duce Lodoico, vel saltem, si inter eumdem et filiam regis Angliae [3] sponsalia consummarentur, cum nostro secundogenito duce Johanne, et propter hoc assignavit diem

1402
Mrs. 25 placiti vestra dilectio, videlicet annuntiationem virginis gloriosae proxime futuram in civitate Avinionensi etc., prout in vestrae responsionis cedula lucidius continetur [4]: verum quia nostri oratores, quos ad vos destinavimus, modicis effluxis diebus primo ad nos devenerunt ad partes Italiae, quod super responsione[c] praedictae dietae mittere nullatenus valuimus nostram solemnem ambassiatam, per istas partes Italiae tum propter insultum nostrorum et sacri imperii inimicorum et rebellium per quorum terram et dominium declinari oportet, per Alamaniam tum propter temporis et dilationis modicitatem, quamvis ad hoc essemus summa dispositione proni et inclinati tractare de certis et specialiter de matrimonio inter nostrum secundogenitum praefatum et vestram inclytam sororem, cum sponsalia inter primogenitum nostrum et Blanchiam filiam regis Angliae sint consummata [5]: quare vestram affectuose rogamus serenitatem, taliter praedictum diem placiti

1402
Juni 24 continuare et efficaciter prorogare velitis usque ad festum beati Johannis baptistae proxime futurum: extunc nostros et solemnes ambassiatores ad civitatem Avinionensem destinabimus. in quo gratissimam nobis vestra serenitas complacentiam exhibebit, voluntatem vestram super his nobis per praesentium[d] exhibitorem significantes. insuper etiam vestrae dilectionis responsionem[e] de facto galearum et praesertim desideratae regis Siciliae conthorali armandarum, quatenus per vestram diligentiam efficacem post ejus traductionem tempore veris nostro[f] desideratis servitio mancipare, prout in vestra cedula continetur [6], lucide cognoscentes[g], vestrae fraternali dilectioni non modicum regratiamur. et quia propter causas praelibatas vestram nequivimus de praesenti serenitatem super earum indigentiam informare, deliberavimus vobis quantocius poterimus id efficaciter insinuandum, supplicantes grandi cum fiducia, ut praeconcepti amoris et dilectionis sincerus affectus, quo[h] nos vestra serenitas perstringit, nedum in vestro cordis ergastulo ut sic recludatur, sed per continua potius incrementa incalescat, prout indubitatam confidentiam de vestra gerimus serenitate, quam altissimus dignetur conservare per tempora felicissima longaeva. datum Paduae in civitate nostra imperiali mensis februarii die

1402
Fbr. 14 14 anno domini 1402 regni vero nostri anno 2.

Martino regi Aragonum.

Ad mandatum domini *regis* [40]
Ulricus de Albeck etc.

---

a) *T* applicuisse. b) *T* notetur. c) *T* reversione. d) *T* praesentem. e) *T* reversionem. f) *T* modo. g) *T* cognoscentia. h) *T* qua.

---

[1] *nr. 164 mit nr. 165 als eingeschlossener Cedula.*
[2] *Isabelle? s. RTA. 4 pag. 378 Note 4.*
[3] *Blanka.*
[4] *S. nr. 165 art. 14.*

[5] *K. Ruprecht hatte die Eheverträge am 1 August, K. Heinrich IV am 12 August 1401 ratificiert, vgl. Einleitung zu lit. J.*
[6] *S. nr. 165 art. 10.*

[*Nachschrift* [1]] Illustrissime princeps consanguinee noster carissime. concepimus [1402 Fbr. 14]
etiam gratissimam vestrae serenitatis diligentiam erga illustrissimum principem regem
Castellae et infantem ejus germanum, qua eisdem significastis consanguinitatis vinculum
quod inter nos et eosdem existit, exhortando ut attenta carnalitatis affectione nobis
5 auxiliis et favoribus opportunis assistere dignentur [a]. et quia tamen, ut persuadet *sibi*
vestra serenitas, de praesenti propter causas expressatas nostram solemnem ambassiatam ad
eosdem destinare non valuimus [b], deliberavimus praeconcepto festo beati Johannis baptiste [1402 Juni 24]
id faciendum, vobis fiducialiter [c] supplicantes, quatenus vestris monitis et exhortationibus
apud praedictum regem Castellae ejusque fratrem velitis insistere realiter, ut inceptae
10 affectionis favore nostram personam prosequantur [d], sicut volumus esse eisdem sincerae
dilectionis nexibus constricti.

167. *K. Ruprecht bittet den Admiral von Sicilien Jakob de Pratis, dem er für seine* [1402 Fbr. 14]
Liebe und Anhänglichkeit Dank sagt, einen Bevollmächtigten zu Unterhandlungen
zu ihm zu senden. 1402 Febr. 14 Padua.

> *T aus Martène et Durand thesaur. nov. anecd. 1, 1695f. nr. 59 mit der Überschrift*
> Gratias agit de singulari affectione rogatque ut fidum sibi aliquem mittat cum quo
> de suis negotiis tractare possit, *und vorher die Adresse.*
> *Regest Georgisch 2, 864 nr. 13 und Chmel nr. 1139 aus T, Janssen Frankf. Reichskorresp.*
> *1, 661 nr. 1094 aus einem in seinem Privatbesitz befindlichen Kodex Acta et Pacta*
> 327-339.

Rupertus etc. magnifice consanguinee noster sincere dilecte. litteras tuas [a] nuper-
rime nobis per magistrum Job in utroque jure licentiatum prothonotarium ac fidelem
nostrum dilectum, quem ad illustrissimum principem consanguineum nostrum carissimum
regem Aragonum direximus, destinatas grate recepimus, admodum tibi regratiantes de
15 singulari tua affectione quam ad nos et sacrum Romanum geris imperium. ac proinde
cordi nobis est ut tuam personam regiis favoribus prosequamur, nihilominus te exhor-
tantes ut in proposito sincerae dilectionis praeconcepto indesinenter remanere velis, prout
indubitatam de te gerimus fiduciam. verum quia easdem tuas litteras paucis effluxis
diebus recepimus, ut nostram ambassiatam ad te destinare nullatenus possemus, non per
20 istas partes Italiae propter insultum nostrorum inimicorum, non per Alamaniam propter
temporis modicitatem [e], desideramus attente, quatenus aliquem tibi fidum de intentione
tua sufficienter instructum ad nos destinare velis quantocius poteris, cum sine periculo
et inimicorum insultu nostram melius valeant tui accedere praesentiam. extunc plenarie
cum eodem de singulis tractabimus, qui te finaliter de nostra intentione plenissime poterit
25 informare. et quia experientia de tuae affectionis constantia edocti novimus te cordis
cum tripudio jocondari quotiens nostrae sublimitatis votivam sospitatem percipis, idcirco
te super his novellari cupientes tibi significamus, nos ac desideratam nostram conthoralem
(laus deo) perfecta mentium et corporum sospitate gaudere statumque nostrum in istis
partibus Italiae admodum prosperari, desiderantes saepius de tua tuorumque successuum

---

a) *T* dignetur.   b) *T* valentes.   c) *T* fiducialibus.   d) *T* prosequatur.   e) *T add.* quare.

---

[1] *Über die Zugehörigkeit dessen was wir als*
Nachschrift bezeichnen zu dem Briefe vom 14 Febr.
kann kein Zweifel bestehen. Es ist die Antwort
auf nr. 165 art. 13, und mit den Worten propter
causas expressatas und praeconcepto wird auf
Stellen des Briefes vom 14 Febr. Bezug genommen.

In Janssens Vorlage scheint sogar der Inhalt un-
serer Nachschrift dem Datum voranzugehen?
[2] *Diesen Brief haben wir nicht, er war die*
Antwort auf den K. Ruprechts vom 14 Mai 1401
RTA. 4 nr. 318.

1402
Fbr. 14 votivorum prosperitate crebrius per quoscumque currentes informari.   datum Paduae
in civitate nostra imperiali die 14 mensis februarii anno 1402 regni vero nostri anno 2.

Magnifico Jacobo de Pratis   Ad mandatum domini regis
consanguineo nostro sincere dilecto.   Ulricus de Albeck.

L. Finanzielles zum Italienischen Zuge nr. 168-181.

1401
Juli 11
bis
1402
Mai 5 **168.** *Einnahmen der königlichen Kammer zur Zeit des Italienischen Zuges. 1401
Juli 11 bis 1402 Mai 5.*

*Aus Karlsruhe G.L.A. Pfälz. Kop.-B. 111 pag. 81ff. conc. ch.; das ganze Verzeichnis
für die Jahre 1401-1407 steht ibid. pag. 81-105 in fortlaufender Reihe ohne weitere
Überschrift oder Unterbrechung; die einzelnen Jahresabschnitte sind ungetrennt; wo
eine Jahreszahl am Rande steht, wie 1402 neben art. 50, ist sie von moderner Hand;
die einzelnen Posten sind von den verschiedensten Händen geschrieben.
Steht auch bis art. 49 incl. Gießen Univ.-Bibl. Diarium ad vitam Ruperti regis Rom.
fol. 31ᵇ-39ᵃ cop. ch. saec. 18, ohne selbständigen Werth, am Schluß Bemerkung des
Kopisten (bei Janssen 1, 107) daß er das übrige als unnütz weggelassen habe.
Gedruckt Janssen R.K. 1 und zwar art. 1-49 pag. 103-107 nr. 256 aus Gießen l. c.,
art. 50-68 pag. 719-721 sub nr. 1142 aus Kodex eigenen Besitzes Acta et Pacta 401,
für art. 50-68 von uns kollationiert; unser art. 26 fehlt bei Janssen und ohne Zweifel
schon in seiner Gießener Vorlage, daher es bei Janssen in seiner nr. 256 nur 48 Artikel sind.*

Registrum in quo signata est pecunia presentata Johanni notario camere domini regis
in anno quadringentesimo primo.

[*1*] Primo 500 fl.ᵃ 21 fl. presentavit dominus Reinhardus de Sickingen advocatus
1401
Juli 11 provincialis Alsacie dicto Johanni feria secunda post Kyliani et sociorum ejus martyrum
anno domini 1000 quadringentesimo primo, et hec pecunia provenit de stûra illorum de
Keiserßberg et Munster [1].

Juli 16 [*2*] Item anno quo supra uf samßtag nach sant Margreten tag hait Hans von
Ludenbach mins herren kamerer geentwert Johanni mins herren kamerschriberᵇ 450
und 7 guldin, der waren 20 guldin an tornosen die er brachte von dem zolle von Selsse,
und entwerteᶜ imme die zû Heidelberg in mins herren von Spire herberge und in gein-
wurtikeit mins herren von Spire.

Juli 20 [*3*] Item anno quo supra uf dinstag nach Jacobi apostoli hat her Swarcz Reinhart
lantvogt in Elsaß geantwurt Johanni obgenant 900 guldin, der sint 100 kummen von
den Jûden zu Sletstat und die uberigen von den von Colmar.

Aug. 2 [*4*] Item anno quo supra uf den dinstag nach sand Peters tag ad vincula hat
Bettendorffer geentwert Johanni obgenant 1500 guldin, die die von Franckfurt mim
herren geben hant an dem gelde daz sie mim herren geben fur den dinst uber berg
gein Lamparthen [4,2].

---

a) cod. her und sonst abgekürzt flor., manchmal auch fl. b) cod. kamererschriber. c) cod. entwerten. d) cod.
Lampthen.

---

[1] *Vom 11 Juli ist auch K. Ruprechts Privileg
für Münster Kaisersberg und Türkheim nr. 10.*
[2] *Diese 1500 fl. sind ein Theil einer Schenkung
von 3000 fl.; die erste Rate von 1900 fl. ist im
Frankfurter Rechenbuch unter besundern einzlingen uzgebin 1401 sabb. a. Petri in vinc. [Juli 30],*
die zweite von 1100 fl. ebend. 1402 sabb. a. Gregorii [Merz 11] verrechnet, und bei ersterem Posten
ist bemerkt: und ist das mit namen gewest zû der
zid als unser herre der kûnig uber berg ziehin
wolde, und han wir ime diß nit gegebin von schulde
wegin noch von des zogis wegin oder auch nit

[*5*] Item 300 gůldin hat der obgenant Johannes enpfangen von den von Eßlingen, 1401
die sie minem herren schankten, vigilia Laurencii anno 401. *Aug. 9*

[*6*] Item 500 guldin hat derselbe Johannes enpfangen von den von Ulme, die sie
minem herren hant geschenkit, of Laurencii martyris. *Aug. 10*

5   [*7*] Item 800 fl. hat derselbe Johannes ingenummen von den von Augspurg, die
sie minem herren hant geschenkit, of fritag nach Laurencii anno 401. *Aug. 12*

[*8*] Item 60 guldin hat derselbe Johannes ingenommen von den Juden von Ulme,
die sie mime herren hant geschenkt, uf sundag*a* vor assumpcionis anno 400 primo. *Aug. 14*

[*9*] Item sabbato videlicet in vigilia assumpcionis beate Marie virginis antwurte *Aug. 13*
10 Wilhelm von Angelach schultheiß zu Heidelberg Johannes kammerschriber 3597 guldin
zu Augspurg von dem gelt, daz die stat von Colne*b* als von des dinstes wegen uber
berg hininne gein Lamparten mime herren dem kunge geben hetten [1].

[*10*] Item 40 guldin hat Johannes ingenommen uf mitwoch nach assumpcionis, die *Aug. 17*
die von Werde mime herren schenkten.

15   [*11*] Item 200 guldin hat Johannes ingenommen, die die von Nordelingen mime
herre geschenkt hant [2], feria sexta post festum assumpcionis anno 400 primo. *Aug. 19*

[*12*] Item 50 guldin hat er ingenommen uf denselben tag, die die Juden zu Norde- *[Aug.*
lingen mime herre geschenkt hant. *19]*

[*13*] Item 100 guldin uf denselben tag hat er ingenommen von den von Wißen- *[Aug.*
20 burg, die sie mime herre geschenkt hant. *19]*

[*14*] Item uf mandag vor Bartholomei hat der lantschriber von Heidelberg Johanni *Aug. 22*
geentwert 611 guldin, die die von Esselingen von der stůre, die*c* uf Martini nehstver- *1400*
gangen gefallen ist, dem lantschriber geben hant etc. [4]. *Nov. 11*

[*15*] Item hat er ingenomen of den dinstag post decollacionem beati Johannis *1401*
25 baptiste 91 guldin, die im Smalhans*e* antwert als sie im uberliben waren an dem gelte *Aug. 30*
daz man im geben hatte mim herren pfert darumb zu keufen.

---

a) *cod.* sundach *korr. in* sundag *ohne das h deutlich zu tilgen.* b) *cod. korr.* Colne *mit anderer Tinte und wol
auch Hand statt* Olme. c) *om. cod.* d) *vermuthlich etc. wenn das Zeichen überhaupt Bedeutung hat.* e) *cod.*
Swalhans, Janssen Swabhans, *em.* Smalhans.

---

30   vůr unsern dinst zů dem zoge zů důn, dan willeclich geschenkt, als vor geschriben steet. Von
dieser freiwilligen Schenkung unterscheidet das
Rechenbuch 1000 fl. die dem König gegeben worden zů dinste und zů stůre zů sime zoge uber
35 berg gein Lamperten als er ziehin wolde gein
Rome die keiserliche krone zů enphahin, sie sind
ebend. 1402 sabb. p. Walp. [Mai 6] verrechnet
mit der Bemerkung: und han sůch zů dem zoge
keinen andern dinst oder gelt me getan oder ge-
40 gebin. Auch die Quittungen des Königs machen
diese Unterscheidung. K. Ruprecht quittiert der
Stadt Frankfurt über 1000 fl., die sie ihm zu
seinem Zuge über Berg zur Kaiserkrönung geschenkt hat; dat. Heidelberg fer. 4 ante Marie
45 Magd. [Juli 20] 1401 r. 1; Frankfurt St.A.
Reichssteuer or. mb. lit. pat. c. sig. pend.; als
Notiz Karler. G.L.A. Pfälz. Kop.-B. 8½ fol. 86*b*;
gedruckt Fichard Frankf. Archiv 2, 113 - 114 ex
copia; Regest Chmel zwischen nr. 569 und 570
50 und Janssen 1, 100 nt. * zu nr. 245, beide aus
Fichard. Derselbe quittiert derselben über 3000

fl., die sie ihm geschenkt hat [der Romzug nicht
erwähnt]; dat. Heidelberg Mi. vor Mar. Magd.
[Juli 20] 1401 r. 1; Frankfurt St.A. Reichssteuer
or. mb. lit. pat. c. sig. pend.; Notiz Karler. G.L.A.
Pfälz. Kop.-B. 8½ fol. 36*b* (wo es aber heißt, die
3000 fl. seien zum Zuge über Berg geschenkt worden) und ebenso ibid. Pfälz. Kop.-B. 149 pag. 26.
Derselbe quittiert derselben über 400 fl. von den
1900 fl. die ihm die Stadt geben und Sonntag
über 8 Tage [Aug. 7] gen Oppenheim seinem Landschreiber daselbst, als das geredet ist, antworten
soll; dat. Heidelberg fer. 5 ante Mar. Magd.
[Juli 21] 1401 r. 1; Frankfurt St.A. Imperatores
1, 182 or. ch. lit. pat. c. sig. in v. impr. del.;
Regest Janssen 1, 100 nr. 245 ebendaher.

[1] Köln zahlte 9000 fl. zum Romzug, s. RTA. 4
nr. 371. 372.

[2] Im Nördlinger Rechenbuch von 1401 (Nördl.
St.A.) ist unter gemain ußgaben eingetragen: Item
daz man unserm herren dem kung und den sinen
geschenkt und geben hat, daz kost 600 guldin.

1401
Spt. 2 [*16*] Item hat er ingenommen uf fritag nach Egidii 500 guldin, die imme Hans Kutterlin und Hans Schorlinger anwerten von mins herren wegen [1].

Spt. 4 [*17*] Item hat er ingenomen of den sontag ante nativitatem beate Marie virginis gloriose 1300 guldin, die die burger von Regenspurg schankten [2].

[Spt. 4] [*18*] Item hat er ingenomen eodem die von den Juden zu Regenspurg 200 guldin. nota: die Juden schankten 500 guldin [3], da gab min herre dem von Laber [4] 300 fl.

Spt. 8 [*19*] Item hat her Mathis *schriber* im geentwert in die nativitatis Marie 600 gulden von den 1000 gulden, die dem herzogen von Berg solten sin worden zu siner rustigung gen Lamparten.

Spt. 6 [*20*] Item of dinstag ante nativitatem beate Marie virginis hat er von miner *frauwe* der kuniginne ingenomen 100 fl., die sie mim herren lehe zu siner zerung zu Ingelstat [5].

[*21*] Item 18 gulden hat der obgenant Johannes ingenommen von herr Ulrich von Albeck, die im an der zerung uberbliben zŭ den stetten am Bodensee [6].

Spt. 14 [*22*] Item 2200 guldin hat er ingenommen zu Augspurg uf exaltacionis sancte crucis, dabi mine herre von Spire waz und auch wol weiß [7].

[*23*] Item 2000 minus 3 guldin ungerischer hat er ingenommen von Hennen Dorhŭter, die Butterich von Mŭnchheim minem herren geluhen hat, die exaltacionis sancte *Spt. 14* crucis zŭ Augspurg.

[*24*] Item 2200 rinischer guldin hat er enphangen, die die von Augspurg gaben, *Spt. 15* in octava nativitatis Marie [8].

[*25*] Item 200 guldin rinischer hat er enphangen von mime herren von Spire *[Spt. 15]* eodem die.

[*26*] Item 100 guldin rinischer hat er ingenommen von mime herren dem hofemeister. [*ist ausgestrichen.*]

Spt. 27 [*27*] Item 150 ducaten hat er ingenommen von Petro von Florencie feria tercia ante festum Michahelis archangeli Insprucke.

[*28*] Item 400 guldin ducaten und ung*erisch* under einander hat er ingenommen *Spt. 29* von dez von Osterrich hofemeister in die Michahelis [9].

Okt. 2 [*29*] Item hat er innegenomen 150 rinscher gulden uf den mantag nach Michaelis zu Prixen [10] von miner frauwen der koniginne, die sie mime herren geluhen hat.

---

[1] *Schuldbrief K. Ruprechts über 1202 gute Dukaten auf Hans Schirlinger und Hans Kotterlin Amberger Bürger, bis Martini [Nov. 11] in Venedig zu zahlen; dat. Amberg Fr. n. Egidii [Sept. 2] 1401; Wien H.H. St.A. Registr.-Buch C fol. 90 b, durchstrichen, fehlt daher in Karlsr. Kop.-B. 4; Regest Chmel nr. 914 aus C. Vgl. nr. 169 art. 15.*

[2] *Vgl. nr. 16 art. 7.*

[3] *Vgl. ibid. gegen Ende, mit Anm.*

[4] *K. Ruprechts Schuldverschreibung an Hadmar Herrn zu Laber über 1200 fl. um Dienst und Schaden im Kriege gegen Böhmen und an dessen Sohn Ulrich über 300 fl. um Dienst und Schaden auf dem Italienischen Zuge; die Rückbezahlung soll nach den Bestimmungen des Briefes geschehen den jene über das Amt zu Heimbŭre und die Zölle daselbst haben, doch ist der König nicht gebunden zu zahlen so lange sie die Schloß Heimbŭre in Amtsweise innehaben; dat. Amberg Fr. n. Pfingsten [Mai 19] 1402 r. 2; Karlsruhe G.L.A. Pfälz.*

Kop.-B. 53 pag. 38 cop. ch. coaev., durchstrichen, am Rande redempta. Vgl. auch Schuldverschreibung vom 2 Mai 1402 unter nr. 176.

[5] *K. Ruprecht urkundete Sept. 3 und 4 in Regensburg (Chmel nr. 918-920), Sept. 8 in Augsburg (Chmel nr. 922).*

[6] *Ulrich von Albeck kam am 27 Aug. nach Konstanz, vgl. nr. 12.*

[7] *Sind diese 2200 fl. vielleicht ein Theil der 4000 Dukaten, die K. Ruprecht von Augsburger Bürgern lieh (vgl. nr. 169 art. 14)?*

[8] *K. Ruprechts Schuldbrief über 2000 Dukaten vom 14 Sept. 1401 nr. 170; 2200 rh. fl. sind hier augenscheinlich 2000 Dukaten gleichgerechnet.*

[9] *K. Ruprecht war damals in Innsbruck (s. Chmel nr. 895).*

[10] *K. Ruprecht urkundete am 2 Okt. in Brixen (Chmel nr. 987), am 3 in Klausen unterh. Brixen (Chmel nr. 988).*

[30] Item er hat ingenommen von hern Conrat von Frijberg of dunrstag nach 1401 Okt. 11
Francisci 23800 und 24 ducaten, die er von Venedigen hat braht an barem gelt an
den 55000 gulden, die die Florenczer daz erstemal bezalt hant. und daz uberige an
demselben gelt hat[a] her Conrat und Johannes Winheim[b] ußgeben als daz der obgenant
Johannes cammerschriber verzeichnet hat und auch mit innemen und ußgeben verrechen
sal, und die quitancien über daz gelt daz her Conra*t* hat ußgeben ligent in der
cancelie[c][1].

[31] Item hat er innegenomen uf den fritag nach Dyonisii zu Trint von hern Jo- Okt. 14
hannes Winheim 15677 ducaten[2].

[32] Item hat er innegenomen[d] zu Trint[3] in vigilia omnium sanctorum von dem Okt. 31
obgenanten Johannes Winheim[e] 2000 ungerischer gulden.

[33] Item hat[f] er innegenomen zu Poiczen[4] uf dunrstag nach omnium sanctorum Nov. 3
2000 ducaten von des herzogen von Osterich kamermeister.

[34] Item dominica post beate Elyzabeth vidue in Padua[5] dictus Johannes recepit Nov. 20
a domino Jacobo cappellano magistri ordinis Theutonicorum quatuor milia ducatorum[g],
d

a) c⁰· *widerholt hat.* b) cod. *Winh mit Überstrich.* c) cod. *schwerlich cancellen.* d) cod. *innegenomen.* e) cod.
Winhelmer? f) *schwerlich hat.* g) cod. *ausgestrichen den Zusatz minus sex ducatos.*

[1] *Pitti berichtet in seiner Chronik (s. nr. 27),
er und zwei Vertreter K. Ruprechts, denen er in
Venedig 50000 Dukaten auszahlte, hätten mit
diesem Gelde den König in Trient getroffen; nach
Pittis officiellem Gesandtschaftsbericht (s. nr. 33)
kam Ruprecht am 10 Oktober nach Trient, vom
7 bis 9 urkundete er in Botzen (Chmel nr. 994-
1002). Die 50000 Dukaten, von denen Pitti
spricht, sind, wie seine Erzählung ganz klar zeigt,
die erste Zahlung und mit den 55000 gulden die
die Florenczer daz erstemal bezalt hant sicher
identisch. Da an der Genauigkeit der Daten hier
in der Kämmereirechnung und im officiellen Florentiner Gesandtschaftsbericht nicht gut gezweifelt
werden kann, so ist wahrscheinlich die Ortsangabe
in Pittis Chronik irrthümlich. Übrigens wenn von
den 50000 Dukaten noch 23824 dem Kammerschreiber ausgezahlt wurden, so können unmöglich
Konrad von Friberg und Johannes Winheim all
die Summen verausgabt haben, die auf sie in nr.
169 art. 5-15 angewiesen sind. Durch art. 43-48
unserer Kämmereirechnungen wird die Vermuthung
nahe gelegt, daß die nr. 169 art. 5-10 bezeichneten
Summen anderweitig beschafft wurden. Wenn wir
nun die übrigen Posten, die Konrad von Friberg
und Johannes Winheim auszuzahlen hatten, ad-
dieren, so erhalten wir 27500 fl. und 1200 Dukaten, und diese würden mit den 23824 Dukaten,
die in die Kammer flossen, zusammen 50000 oder
genauer 50024 Dukaten ausmachen, wenn wir
100 Dukaten gleich 110 fl. rechnen, wie der
Kammerschreiber es selbst gethan. Daß diese
Kombination unzweifelhaft richtig ist, soll keineswegs behauptet werden; aber sie scheint zu ver-
führerisch um nicht auf ihre Möglichkeit hinzuweisen. Einige Zweifel ergeben sich schon aus
unsern Anmerkungen zu art. 43 ff. und nr. 169;
vgl. auch die Einleitung zu lit. D.*

[2] *Woher diese bedeutende Summe stammt, können wir mit Sicherheit nicht angeben; zu den
55000 fl., die in art. 30 erwähnt sind, kann sie
nicht gehören, da dort ausdrücklich gesagt ist, der
Rest derselben sei von Konrad von Friberg und
Johannes Winheim verausgabt. Doch mag hier
darauf hingewiesen werden, daß wir nirgends
sicher erfahren, wann und wie K. Ruprecht die
von der ersten Ratenzahlung der Florentiner im
Betrag von 110000 Dukaten noch restirenden
60000 bzw. 55000 (s. Einleitung lit. D) Dukaten
erhalten hat. Schon in der Florentiner Gesandtschaftsinstruktion vom November 1401 ist nur noch
von der zweiten Rate von 90000 Dukaten die
Rede (s. nr. 32 art. 6) und ebenso in den späteren Verhandlungen zu Padua und Venedig (vgl.
sub lit. D. E. F). Also hatte Ruprecht von den
110000 Dukaten nichts mehr zu fordern. Im
Vertrage vom 13 Sept. 1401 war bestimmt, daß
der König auch bei Deutschen Kaufleuten Anleihen erheben und dieselben auf die erste Rate der
Florentiner zahlbar in Venedig anweisen könne.
Hat er vielleicht auf diesem Wege die 60000 bzw.
55000 Dukaten erhalten, und ist die hier ver-
rechnete Summe ein Theil derselben? — K. Ruprecht urkundete Okt. 14-16 in Trient (Chmel nr.
1006-1012), nach nr. 33 kam er am 10 Okt. dorthin.*

[3] *Nach der Niederlage bei Brescia kehrte K.
Ruprecht nach Trient zurück, er urkundete dort
Okt. 30 und 31 (Chmel nr. 1015-1028).*

[4] *K. Ruprecht urkundete in Botzen Nov. 3-6
(Chmel nr. 1029-1038).*

[5] *K. Ruprecht kam in Padua an am 18 Nov.
(s. nr. 33).*

1401
Nov. 20 quos ducatos dominus *Rabanus* episcopus Spirensis cancellarius et dictus magister ordinis Theutonicorum domino regi[a] obviam, sicut ivit ad Paduam, cum dicto domino Jacobo destinarunt[b].

Nov. 22 [*35*] Item presentavit dominus *Rabanus* episcopus Spirensis cancellarius dicto Johanni Padue feria tercia ante beate Katherine virginis 4 milia 700�’ et septuaginta[c] 5 quinque ducatos.

Dec. 10 [*36*] Item of samßtag vor sant Lucien[d] tag hat her Eberhart vom Hirczhorn[e] kamermeister Johannes camerschriber von mins herren wegen geentwert 600 gulden ducaten.

Dec. 15 [*37*] Item of donrstag nach sant Lucien tag hat Wyllhelm Rumel Johannes camer- 10 schriber geentwert 234½ ducaten[1].

[*38*] Item hat Johannes kamerschriber von mim herren von Spire ingenomen 20 gulden rinischer, die er im of einen[f] wehsel an 200 gulden ducaten geben hat.

Dec. 18 [*39*] Item of donrstag vor sant Thomas tag des heiligen zwolfboten hat Schencke Ebirhart herre zu Erpach der elter Johannes kamerschriber von miner frauwen der 15 kuniginne wegin geentwert 875 gulden[2].

Dec. 20 [*40*] Item uf sant Thomas dez heiligen zwolfbotten abent hat Johannes ingenommen dusent ducaten von dez von Falkensteins wegen[3].

Dec. 20 [*41*] Item of sant Thomas des heiligen zwolfbotten abent hat Johannes camer- schriber ingenomen von Francisco Amadi und Wilhelm Rumel 3000 gulden, darfur sie 20 mim herren sin silberin pfant versaczt haben[4].

Dec. 6 [*42*] Item in die Nicolai episcopi hat grave Emich von Lyningen mins herren des kuniges hoffmeister Johannes kamerschriber geantwert 500 ducaten[g], die er von dem von Falkenstein innegenomen hat[5].

[*43*] Item 1000 gulden hat Johannes kamerschriber mime herre von Spire abege- 25 slagen an der ersten quitancie, die im min herre der kunige geben hat uf die erste bezalung der Florenczer[6].

---

a) *cod. rege.* b) *statt des obigen obviam, welches erst nachträglich am Rand beigefügt wurde, hieß es zuerst nach* destinarunt *wie nun folgt, doch ausgestrichen:* obviam [obvian?]; qui dominus Jacobus dictos sex ducatos consumpsit in eodem itinere eundo obviam domino regi [korr. aus rege pichs.]. c) *pichs. korr. statt* viginti. 30 d) *cod.* Lutien? e) *cod.* Hirtzhorn? f) *cod.* eine *mit Überstrich.* g) *von gleichzeitiger Hand korrigiert statt* gulden.

---

[1] *K. Ruprecht bekennt, daß ihm Franciscus Amadi zu Venedig und Wilhelm Rommel von Nürnberg 1200 Dukaten geantwortet haben, für die sie ihm seine gulden crone von 14 stucken und ein hefteln daz da hat dri diamand dru groß perlin und dazunschen in der mitde einen palasten versetzt haben; von den 1200 Dukaten soll er monatlich 18 Zinsen geben (1½ auf 100) und die Kleinodien in längstens 2 Monaten wider ein- lösen; dat. Veneciis 14 dec. 1401 r. 2; in Karls- ruhe G.L.A. Pfälz. Kop.-B. 8½ fol. 158b cop. ch. coaev., durchstrichen, darunter die Notis: die obgen. zwolfhundert ducaten worden dem Veispriger an sinem solde den ime min herre schuldig was. Vgl. nr. 173.*
[2] *Vgl. art. 54 und 59 und nr. 178.*
[3] *K. Ruprecht leiht von Philipp von Falkenstein 1500 Dukaten und verspricht Bezahlung am 6 Ja- nuar; dat. Venedig So. v. Thomas [Dec. 18] 1401*

r. 2; in Karlsruhe G.L.A. Pfälz. Kop.-B. 8½ fol. 42a cop. ch. coaev.
[4] *Vgl. oben art. 37 und Anm. dazu, ferner art. 35 60.*
[5] *Vgl. oben art. 40 und Anm. dazu.*
[6] *Vgl. nr. 169 art. 10. Der Sinn ist, daß der Kammerschreiber bei Bezahlung der 3000 fl., mit denen der Bischof auf die erste Rate der Floren- 40 tiner angewiesen war, 1000 fl. in Abzug gebracht, zurückbehalten hat, die er nun hier als Einnahme verrechnet, entweder weil die 3000 fl. unverkürzt als Ausgabe angeschrieben waren, oder weil, wie so oft, eine Einnahme direkt ohne erst zur Ver- 45 rechnung zu kommen in die Hände des Bischofs überführt wurde, so daß nur die Differenz (der zurückgehaltene Betrag) hier unter den Einnahmen des Kammerschreibers erscheint. Konrad von Friberg und Johannes Winheim haben also jeden- 50 falls nicht, wie nr. 169 art. 10 sie anwies, dem*

[44] Item hat Johannes obgenant burgrave Friderichen von Nurenberg 450 [a] an
sime solde abgeslagen, die ime herzog Ludwig von mins herren wegin gap [1].

[45] Item hat Johannes dem burgraven von Nurenberg 800 gulden an sime solde
abgeslagen, die min frauwe die koniginne ime von mins herren wegin lehe zu Schon-
gatwe [2].

[46] Item hat Johannes dem burgraven von Nurenberg auch abgeslagen 500 gulden
an sime solde, die min frauwe die koniginne ime geluhen hatte von mins herren
wegin [3].

[47] Item hat *Johannes* herzog Ludwigen 500 gulden an sime solde abegeslagen,
die min frauwe ime geluhen hatte von mins herren des koniges wegin [4].

[48] Item hat *Johannes* dem herzogen von Ludringen 400 an sime solde abegeslagen, die min frauwe ime von mins herren des koniges wegin lehe [5].

[49] Item hat er dem [b] von Swarczpurg 200 gulden abgeslagen, die ime min frauwe
auch geluhen hatte von mins herren des koniges wegin.

[50] Item hat er genummen von den kauflûten von Nurenberg 1880 ducaten, die
sie minem herren geluhen hant zu Venedige [c] uf mantag nach epiphanie domini [6].

1401 Juli 11 bis 1402 Mai 5

[1402] Jan. 9

---

a) *im Text das links gestrichene v, und weil dieß nicht ganz deutlich schien, auf dem Rande noch beigesetzt 4 hun-
derter nebst einem untem durchstrichenen verlängerten 1, so daß über die Zahl 450 kein Zweifel sein kann.*
b) *cod. den, Janssen dem.* c) *cod. Vendige, Janssen Vendigen.*

---

[20] *Bischof rolle 3000 fl. von dem Gelde das sie aus
Venedig brachten bezahlt, anscheinend ist vielmehr
die Zahlung überhaupt durch den Kammerschreiber erfolgt, vgl. Anm. zu art. 30 und zu art.
44-48.*

[25] [1] *Vgl. nr. 169 art. 8. Unter dem Herzog Ludwig ist hier doch wol der Pfalzgraf zu verstehen;
dann wäre die Zahlung schon im September 1401
erfolgt und beträfe den Sold des ersten Monats,
den nach nr. 169 art. 8 Konrad von Friberg und
[30] Johannes Winheim dem Burggrafen auszahlen
sollten, vgl. Anm. zu art. 43. Ob ime hier und
in den nächsten Posten auf Johannes oder den
betreffenden Fürsten zu beziehen sei, ist zweifelhaft, für den Sinn aber auch nicht sehr erheblich:*

[35] *Herzog Ludwig (bzw. die Königin) gibt das Geld
her um den Sold zu bezahlen, und der Kammerschreiber bringt überall einige hundert Gulden in
Abzug, die er dann als Einnahme zu verrechnen
hat. Vgl. Anm. zu art. 30.*

[40] [2] *K. Ruprecht war in Schongau am 18 Sept.
1401 (s. Chmel nr. 968-970); es ist also ganz unzweifelhaft, daß es sich um den Sold für den
ersten Monat handelt, und daß dieser dem Burggrafen zum mindesten theilweise schon bezahlt
[45] wurde, ehe Konrad von Friberg und Johannes
Winheim mit jenem Gelde von Venedig kamen
auf das er am 14 Sept. angewiesen wurde (s. nr.
169 art. 8). Vgl. die vorige Anm.*

[3] *Ob wir es auch hier mit dem Sold für den
[50] ersten Monat zu thun haben, muß dahingestellt
bleiben. — K. Ruprecht bekennt, daß er von der
Schuld, die er dem Burggrafen Friderich von
Nürnberg wegen Dienstes auf dem Zuge nach der
Lombardei schuldig geblieben ist, 5000 fl. bezahlen*

*wird von dem Gelde das die Städte ihm jetzt geben
werden; dat. Nuremberg u. Fr. Abd. als sie geboren
wart [Sept. 7] 1402 r. 3 (Karlsruhe G.L.A. Pfälz.
Kop.B. 53 pag. 71 cop. ch. coaev., durchstrichen,
darüber reddita est). — K. Ruprecht schlägt seinem
Schwager Burggrafen Friderich von Nürnberg
wegen seines dinstes gein Lamparten 8273½ fl.
3 gr. ab an dem Heirathsgelde, das Ruprechts
Gemahlin Elisabeth auf gen. Schlössern verschrieben ist; dat. Nuremberg u. Fr. Abd. als sie geboren
wart [Sept. 7] 1402 r. 3 (Karlsruhe G.L.A. Pfälz.
Kop.-B 149 [b] fol. 89 [a, b] cop. ch. coaev., durchstrichen, darüber reddita est illa et data alia; und
ibid. fol. 103 [b] mit der zweireihten Bewilligungs-
urkunde Elisabeths cop. ch. coaev., über beiden
Urkunden redempta est). — K. Ruprecht bekennt,
daß er Burggrafen Friderich von Nürnberg wegen
Dienstes nach der Lombardei noch 1697½ fl. 5 gr.
schuldig ist; dat. Heidelberg Sa. n. Udalrici [Juli 7]
1403 r. 3 (Karlsruhe G.L.A. Pfälz. Kop.-B 53
pag. 141 cop. ch. coaev., durchstrichen).*

[4] *Vgl. nr. 169 art. 6 und 7, nr. 181, und die
Anmerkungen zu art. 30 und 44 oben.*

[5] *Vgl. nr. 169 art. 9, nr. 180, und die Anmerkungen zu art. 30 und 44 dieses Stücks.*

[6] *K. Ruprecht verspricht dem Ulrich Semler
dem jungen, Wilhelm Rommel, Hiltpolt Kreaß,
Hans Birheimer, Ecke vom Sterne, Cunrad Seyler,
Andres Haller, Cuncz Haller, Jacob Ortlieb, Friecz
Schurstap, Jacob Granetd [Granetlin, Granetel,
Gronatel, St.-Chr. 11, 865 und 2, 587], und Sel-
bolt Elwanger, allen von Nurenberg, die von ihnen
auf Wechsel zu Venedigen entliehenen 2200 Dukaten mit 2530 fl. rh. auf So. halbfasten letare
zu latin [Merz 5] heimzahlen zu wollen, setzt da-*

1402
[Jan. 9]   [51] Item hat er genummen 2000 ducaten uf denselben tag, die die Venediger minem herren hant geschenkit [1].

     [52] Item hat er ingenummen 44000 ducaten und 180 ducaten zu uberwechsel uf
Jan. 16 ungerisch und florenzer gulden von den [a] Florenzern zu Venedige [b] uf mantag vôr Anthonii
anno 402 [2].

     [53] Item 2000 ducaten hat er ingenummen von herzog Ludewig von Beyern, die
Jan. 20 er unserm herren geluhen hat uf Fabiani et Sebastiani martyrum zu Venedige [3].

Jan. 22   [54] Item hat Johannes camerschriber of sontag vor conversionis sancti Pauli von
miner frauwen der kuniginne ingenomen 1200 gulden [4].

Jan. 26   [55] Item hat der obgenante Johannes of donrstag nach conversionem sancti Pauli
von Wilhelm Rumel ingenomen hundert gulden, die er mim herren geluhen hat.

Fbr. 4   [56] Item hat der obgenante Johannes uf samßtag vor esto michi zu Padaw ingenommen 2000 gulden von hern Ulrich von Albeck, die ime mins herren dez burggraven marschalke gabe [b].

     [57] Item hat ime Johannes Winheim geantwort 6000 minus 14 ducaten of den
Fbr. 15 mitwochen nach dem sondage invocavit.

     [58] Item hat ime Andres Heller [6], Wilhelm Rommels von Nurenberg swager,
Fbr. 16 geantwert 2500 und 80 ducaten uf den dûnrstag nach dem sontage invocavit.

Fbr. 24   [59] Item of den fritag fûr dem sondage oculi hat ime min frauwe die kuninne
geantwort 800 ducaten [7].

Fbr. 26   [60] Item of den sondag oculi hat ime Wilhelm Rûmel von Nûrenberg geantwort
4600 ducaten, darfûr mins [c] herren und miner frauwen silber zû Venedigen versaczt
sint [8].

a) *cod. add. von, Janssen ebenfalls.* b) *cod. Vendige, Janssen Venedige.* c) *cod. myns und myner mit zwei schräg liegenden Punkten über y.*

für Bürgen; dat. Venedig Sa. n. epiph. dni. [Jan. 7] 1402 r. 2 (Karlsruhe G.L.A. Pfälz. Kop.-B. 8½ fol. 42[a][b] cop. ch. coaev., durchstrichen, mit der Bemerkung am Rande der brief ist geloset).
[1] *Damals wollte K. Ruprecht nach Deutschland zurückkehren, der Rath von Venedig beschloß am 7 Jan. ihm seiner Gemahlin und den Seinen für die Reise bis zu 4000 Dukaten zu schenken, s. nr. 76.*
[2] *Dieß ist ohne Zweifel der Haupttheil der Restzahlung von den 90000 Dukaten, zu der sich die Florentiner nach den langwierigen Verhand-lungen in Padua und Venedig endlich an letzte-rem Orte herbeiließen, s. nr. 70 ff., speziell nr. 77 mit den Noten. Wir können zufolge des Charak-ters dieser Kämmereirechnungen nicht sagen, ob die ganze Summe, welche die Florentiner damals zahlten, hier verrechnet ist. Übrigens haben die-selben damals nicht gleich den ganzen Rest be-zahlt: in nr. 35 art. 2[a] verrechnet die Zehnerbalei unter dem 5 April 1402 noch 32500 Dukaten, die als letzte Restzahlung von den 90000 Dukaten dem Könige Januar Februar Merz in Venedig angewiesen sind. Ein Theil der vom Kammer-schreiber hier oben in art. 52 vereinnahmten 44000 Dukaten muß allerdings schon auf diese 32500*

Dukaten kommen, denn außerdem brachten die Florentiner ohne Zweifel den für K. Ruprecht verausgabten Sold mit auf die 90000 Dukaten in Anrechnung, und dieser Sold machte nach Miner-bettis Angabe 25000 Dukaten aus, eine Angabe die wir mit Hinblick auf nr. 35 art. 2 (s. die Anmerkung 6 S. 76 f.) für ungefähr zutreffend halten müssen. Zu genauerem Einblick in diese Dinge wird man schwer gelangen, da wir den Wortlaut der Abmachungen in Venedig vom Ja-nuar 1402 nicht überliefert erhalten haben und die Angaben in den Berichten darüber differiren: s. die betr. Stellen in der Note 4 auf pag. 134.
[3] *Vgl. nr. 175.*
[4] *Vgl. art. 39 und 59 und nr. 178.*
[5] *K. Ruprecht schuldet dem Burggrafen Fride-rich von Nürnberg 7000 ducaten gulden und verspricht Bezahlung auf Pfingsten [Mai 14]; dat. Padaw So. invocavit 1402 r. 2 (Karlsruhe G.L.A. Pfälz. Kop.-B. 8½ fol. 43[a] cop. ch. coaev., durchstrichen).*
[6] *Vgl. Anm. zu art. 50.*
[7] *Vgl. art. 39 und 54 und nr. 178.*
[8] *Vgl. art. 41 und Anm. zu art. 37, ferner nr. 209 art. 9 ff.*

[61] Item uf den palmetage hat Johannes kamerschriber ingenommen 5000 ducaten, *1402 Mrz. 19* die imme herr Michel von Rabatte geantwert hat von dez von Padaw wegen [1].

[62] Item uf den samßtag vor misericordia domini hat Johannes kamerschriber *Apr. 8* ingenomen 100 rinsche gulden [a] von her Friderich mins herren capplane.

[63] Item hat min herre von Spire zu Florencze, als herzog Ludwig und er daselbst waren [2], geben von mins herren des kunigs wegin Wilhelm Reidenbuch und Albrecht Freudenberg 100 [b] ducaten, die Johannes kamerschriber verrechen sal. [*ist ausgestrichen* [c].]

[64] Item hat min herre von Spire Johannes kamerschriber zu Venedigen geantwert 3500 [d] ducaten uf den [e] samßtag vor dem sontag jubilate [f], die er mime herren *Apr. 15* dem kunige uf sich entlehnet hat [3].

[65] Item hat ime min herre von Spire zů Brůnecke geantwert 1000 [g] ducaten von den 2000 ducaten, die der von Falkenstein mime herren entlehent hat [4], feria secunda post dominicam cantate [h]. *Apr. 24*

[66] Item 80 ducaten und 100 ungerscher guldin hat er ingenommen von mim herren von Spire uf samßtag vor Philippi und Jacobi zu Kuffstein von dez von Falken- *Apr. 29* stein gelte [5].

[67] Item feria sexta post ascensionis domini zů Ingelstat han ich der buschof von *Mai 5* Spire [i] dem kamerschriber geben und verrechnot 820 ungerßer guldin.

[68] Item 16 gulden ungerscher zu uberweßel, die ime auch verrechent sint, die loco ut supra [6]. *[Mai 5]*

a) cod. add. die oder da, wol unrichtig aufgefangenes Wort? b) statt des ausgestrichenen 50. c) bei Janssen fehlt dieser Posten. d) hieß ursprünglich 2500, dann wurde mit anderer Tinte noch ein 1 zugefügt; Janssen hat 4000, offenbar verlesen. e) cod. dem. f) hier getilgt von den 3500 dukaten. g) cod. add. ausgestrichen gulden von den 2000. h) im cod. schließt hier eine Seite und steht unten eine theilweise abgerissene Zusammenzählung summa CM . . . . i) der buschof von Spire ist von anderer Hand hineingefügt; dieser Posten ist von derselben Hand geschrieben wie die vorausgehenden und folgenden und späterhin ganze Strecken; sollte das alles eigenhändig vom Bischof sein?

[1] Vgl. nr. 127.

[2] Vgl. nr. 35 art. 1.

[3] K. Ruprecht verpfändet dem B. Rafan zu Spire, und an seiner Statt Hannsen von Helmstad s. Bruder, Hansen von Gemmyngen s. Amtmann am Buchreyne, u. Johansen s. Kaplan Zollschreiber zu Utenheim die Zölle zu Bacherach und zu Cube am Rijne, und gebietet seinen Zollschreibern Süren zu Bacherach und Johannes Suren zu Cube den Genannten alle Zölle etc. zu überantworten, bis er die 3500 Dukaten, welche sie für ihn zu Venedig von etlichen Kaufleuten zu seiner Zehrung hinaus nach Deutschland entliehen hätten, mit 3955 fl. rh. heimbezahlt hätte; dat. Venedig 15 April 1402 r. 2 (Karlsruhe G.L.A. Pfälz. Kop.-B. 8¼ fol. 44ᵃᵇ cop. ch. coaev., durchstrichen, mit der Bemerkung unter der Überschrift redempta est).

Gesandte Ruprechts unterhandelten kurz vorher mit dem Rath von Venedig über ein Darlehen (s. nr. 80 ff.).

[4] K. Ruprecht verspricht dem Philipp von Falkenstein Herrn zu Monczenberg die 2000 Dukaten, die er ihm von Kaufleuten zu Venedig zu seiner Zehrung hinaus nach Deutschland entliehen hat, auf Jacobi [Juli 25] mit 2360 fl. rh. bezuhlen zu wollen, setzt Bürgen dafür; dat. Venedig 12 April 1402 r. 2 (Karlsruhe G.L.A. Pfälz. Kop.-B. 8¼ fol. 43ᵃ-44ᵃ cop. ch. coaev., durchstrichen). K. Ruprecht urkundet sonst Febr. 2 bis April 14 in Padua (s. Chmel nr. 1132-1164).

[5] S. vorige Anm.

[6] Die Fortsetzung s. Janssen R.K. 1, 721, und bei uns in Band 6.

28 *

169. *Anweisungen K. Ruprechts zu Zahlungen aus der ersten in Venedig zu erheben-
den Rate der Florentinischen Subsidien zum Romzuge.* 1401 Aug. 18 bis Sept. 26
an mehreren Orten.

*Aus Karlsruhe G.L.A. Pfälz. Kop.-B. 111 pag. 108-112 cop. ch. coaev., eine zusammen-
hängende Aufzeichnung, die daher auch im Abdruck besser beisammen blieb, art. 1-4* [1]
*und 9 durchstrichen, art. 2 von anderer Hand als 3 und 4. Wegen der Durch-
streichung vgl. die Noten.*

[*a. Vor Eintreffen des Florentinischen Geschäftsträgers* [1].]

[1] Wir Ruprecht etc. enbieten Cunrat von Friburg rittere und Hansen von
Mittelburg [2] unser gnade und alles gut.   lieben getruwen.   solich gelt, als ir uns[a] [10]
ieczunt von Venedigen herußbringen werdent, da heißen und enphelhen wir uch ernstlichen, daz ir von demselben gelt dem hochgebornen Friderichen burggrafe zu Nurenberg
unserm lieben swager und fursten, oder wer uch diese unser quitancie von sin wegen
bringet [3], unverzogenlichen 7500 gutter guldin gebent und bezalent von bezalunge wegen
des ersten mandes der druhundert spieß, die er uns zu dinste uber berg gein Lamparten [15]
furen sol [4], und vor auch sin quietbriffe[b] nemment.   und wan ir im die 7500 guldin also
bezalt und unsern und sinen quicztbriff daruber genomen, so sagen wir uch derselben
7500 guldin quit ledig und loß.   mit urkund dis briffs[c] versigelt mit unserm ofgedruckten
ingesigel, datum Amberg feria quarta post diem decollacionis beati Johannis baptiste
anno domini millesimo 400[d] primo regni vero nostri anno secundo. [20]

[2] Item die loco et anno prescriptis hat man burggrave Friederich eine quitancie
geben an die obgenanten zwene fur funfzehenhundert guldin sich zu dem zoge gein
Lamparthen zu rusten, zu geben ob ez anders si daz den obgenanten herr Conrade und
Hanse zu Venedige achczigtusent guldin [5] oder me werden etc.

[3] Item anno 400 primo uf dunrstag nach assumpcionis ist geben ein quitancie zu [25]
Nordelingen herzog Ludewig von Beyern [6] fur zwenzigtusent gulden an hern Cunrad

a) cod. unßs wobei ß ausgestrichen sein kann. b) so scheint das etwas undeutliche Wort aus quitbriffe korrigiert
zu sein. c) cod. briff. d) cod. 300.

---

[1] *Die folgenden vier Anweisungen sind ausgestellt, ehe der Florentinische Geschäftsträger Buonaccorso Pitti nach Deutschland zurückgekehrt
und der Vertrag mit den Florentinern perfekt
geworden war. K. Ruprecht erwartete als erste
Rate von denselben 110000 Dukaten zu erhalten,
die er ganz oder zum größeren Theil durch seine
Bevollmächtigten (s. RTA. 4 nr. 361) in Venedig
zu erheben haben würde. Da nun aber diese Summe
sich nach Pittis Ankunft auf 55000 bzw. 50000
Dukaten reduzierte, so konnte man auch mit den
Auszahlungen nicht in dem hier art. 1-4 begonne-
nen Maßstabe fortfahren und durchstrich art.
1-4 um sie durch 5-8 zu ersetzen. Vgl. Einleitung
zu lit. D.*
[2] *Die Vollmachten dieser beiden Gesandten vom
20 Juli 1401 s. RTA. 4 nr. 361 und 362, ihre
Instruktionen ibid. nr. 357 und 363. Am 31 August
waren dieselben also wahrscheinlich noch nicht
zurückgekehrt. K. Ruprecht erwartete noch durch*

sie die erste Rate oder einen Theilbetrag derselben
zu erhalten, vgl. Einleitung zu lit. D.
[3] *Das Verfahren ist also folgendes. Diese Urkunden, in der Form Zahlungsbefehle an K. Ruprechts Bevollmächtigte die in Venedig das Geld
erheben, werden den betr. Gläubigern, hier dem
Burggrafen Friderich, eingehändigt, um von ihnen
nach erfolgter Zahlung den kgl. Bevollmächtigten
ausgeliefert zu werden, denen sie zugleich die Stelle
von Quittungen des Königs über richtige Abliefe-
rung des Geldes vertreten.*
[4] *Vgl. RTA. 4 nr. 377.*
[5] *Also rechnete K. Ruprecht schon vor dem
Eintreffen Pittis mit der Möglichkeit, daß ihm
nicht die ganzen 110000 Dukaten in Venedig ausgezahlt würden. Einen Theil derselben, hoffte er
anscheinend, würde ihm seine Gesandtschaft bzw.
Pitti selbst baar mitbringen, s. nr. 27 art. 3.*
[6] *In dem Verzeichnis von Urkunden, das Höfler
Geschichtschreiber der Husitischen Bewegung 2*

von Friberg und Hansen von Mittelburg, dem obgenanten herzog Ludewig zu geben ^{1401 Aug. 18 bis Spt. 26} von solicher achthundert gleven wegen die er[a] mime herren wirdet foren zu sinem zuge gein Lampartein [1].

[4] Item ist geben ein quitancie an dieselben hern Cunrad von Friberg und Hansen
5 von Mittelburg fur funfundzwenzigtusent gulden, herzog Lupolten von Osterich zu geben von solicher tusent gleven wegen die er mim herren furen wirdet zu sinem zuge gein Lampartein [2].

[*b. Nach Eintreffen des Florentinischen Geschäftsträgers [3].*]

[5] Wir Ruprecht etc. enbieten Cunrad von Friberg ritter und Johannes Winheim
10 unserm schriber[b] [4] unser gnade und allez gût. lieben getruwen. soliche funfund-
fünfzigdusent ducaten [5], als ir uns ieczunt zu der ersten bezalunge von Venedien heruß-
brengen[c] werdent, da heißen und enphelhen wir uch ernstlichen, daz ir von demselben
gelte dem hochgeporen Lupolten herzogen zu Osterich etc. unserm lieben oheim und
fursten, oder wer uch diese unser quitancie von sinen wegen bringet, drutzehentusent
15 guter gulden [6] unverzogenlichen gebent und bezalent von bezalunge wegen dez ersten
mandes der dusent spieß, die er uns zu dinste uber berg gein Lamparthen furen sal.
und nement auch sinen besiegelten quitsbrief darfur. und so ir imme die drûzehentusent
guter gulden also bezalt und unsern und sinen quitsbrief darfur genomen habent, so
sagen wir uch derselben 13000 guter gulden quit ledig und loß. mit urkund diß
20 briefs, versiegelt mit unserm ufgetruckten ingesiegel, geben zu Augspurg uf dez heiligen
crutzs tag alz ez herhaben wart exaltacio zu latin in dem jare alz man zalte nach ^{1401 Spt. 14}
Christi geburt 400 und ein jare unsers richs in dem andern jare[d].

Ad mandatum domini regis
Nicolaus Buman.

25 [6] Item in der forme ist geben ein quitancie an die zwen herzog Ludewigen von Beyeren umbe zehendehalbetusent gulden zu der ersten bezalunge der drierhundert gleven, die er mim herren furen wirt gein Lamparthen [7]. datum ut supra.

a) om. cod. b) im cod. unterstrichen J. W. u. schr. c) oder herußbringen. d) jaren? abgekürzt.

(*Fontes rer. Austr.* I, 6) pag. 464 f. gedruckt hat
30 (b *Anm. zu nr. 181*), wird an siebenter Stelle auch aufgeführt: item ain brief von kunig Ruprechten an Chunraden von Freiberg, daz er von den 80000 gulden ducaten so er im von Venedig bringen solt meinem hern herzog Ludwig 6325 ungerisch gul-
35 den davon zu bezalen, datum Neumarkt anno etc. 401. Die Urkunde wird zwischen 20 und 23 Au-gust 1401 ausgestellt sein; denn damals führte K. Ruprecht sein Weg von Weißenburg i. N. über Neumarkt nach Amberg, s. Chmel nr. 870. 871.
40 [1] Vgl. RTA. 4 nr. 376.
[2] Vgl. RTA. 4 nr. 353 ff.
[3] Vgl. unsere erste Note zu diesem Stück. Wenn man alle Posten von art. 5-15 zusammenzählt, so ergibt sich die Summe von 61000 Gulden und
45 1200 Dukaten d. i. mehr als die 55000 Dukaten die die Gesandten Ruprechts in Venedig in Em-pfang nehmen sollten. Ist deshalb etwa art. 9

ausgestrichen? Oder wurden die in art. 14 und 15 bezeichneten Summen gar nicht auf jene 55000 Dukaten angewiesen? Vgl. übrigens die Ein-nahmen der kgl. Kammer nr. 168 art. 30 und 43 ff. sowie unsere Anmerkungen dazu, wonach die Zahlungsbefehle nur zum Theil ausgeführt sein können.
[4] Vgl. Vollmacht vom 13 Sept. 1401 nr. 29.
[5] K. Ruprechts Bevollmächtigte erhielten dann aber in Venedig allem Anschein nach nur 50000 Dukaten oder 55000 Gulden, s. nr. 27 und nr. 168 art. 30, vgl. die Einleitung zu lit. D.
[6] Das ist ungefähr die Hälfte eines Monats-soldes für 1000 Glefen, die andere Hälfte mußte man also anderweitig aufbringen.
[7] Hier sind 800 Glefen auf 300 reduziert, vgl. RTA. 4 nr. 376, der Sold für die einzelne Glefe aber ist höher als in art. 3. — Vgl. nr. 168 art. 47.

1401
Aug. 18
bis
Spt. 26 [7] Item hat man ein quitancie geben herzog Ludwig fur 3000 gulden guter sich zu rusten zu dem zoge, von der bezalunge dez andern mandes, an die egenanten Cunrad von Friberg und Johannes Winheim stend [1].

[8] Item in der obgenanten forme und datum ist geben ein quitancie burggrave Friederich von Nuremberg, an die obgenanten Cunrad von Friberg etc. stent, fur 8000 guter gulden, von bezalunge wegen dez ersten mandes der druhundert spieß, die er furen wirt [2] etc.

[9] Item in der forme und datum ist geben ein quitanze Karle herzogen zu Luthringen fur zehentusent gulden, von bezalunge wegen dez ersten mandes der 400 spieß [3] etc.

[10] Item ist ein quitancie geben Raban bischof zu Spire an die obgenanten Cunrad von Friberg und Johannes Winheim, sagend fur drûtusent gulden [4]. datum ut supra.

[11] Item ist ein quitancie geben an die egenanten Cunrad von Friberg und Johannes Winheim fur vierzehenhundert [5] guter gulden, eim goltsmit von Franckfurt zu bezalen, der mim herren sin halsbant gemacht hat. datum ut supra.

[12] Item in der obgenanten forme ist geben ein quitanz an die obgenanten Cunrad von Friberg ritter und Johannes Winheim, Claus Hoppler herzog Ludewigs diener, fur 1100 guter gulden, der der obgenant Claus 1000 gulden geben sal an cameren, die man mim herren und miner frauwen zu Venedige [b] machet, und 100 gulden minre frauwen umbe cleinet. datum ut supra etc.

[13] Item in der obgenanten forme ist geben ein quitancie an Cunrad von Friburg und Johannes Winheim fur achtdusent guldin der ersten bezalunge [c], hern Ulrich von Albeck und Hansen von Mittelburg zu bezalen, die sie sollen legen an den wehsel zu Padaw von bezalunge dez ersten mandes solcher 400 spieß, die Friederich von Gundelsheim und Baltasar von Gualdo [5] rittere in Lamparthen zu dinste haben und 1401
Spt. 26 foren sollen. datum Insprucke feria secunda ante festum Michahelis anno domini etc. 400 primo.

[14] Item 4000 gulden, do man Johanne Winheim umbe geschriben hat, einem burgere zu Augspurg, dafur die Florentzer gesprochen hant [6].

Nov. 11 [15] Item 1200 ducaten zwein burgern von Amberg zu Venedige uf Martini zu bezalende [7].

a) im Kontext gesetzt statt den zuerst geschr. und dann ausgestrichenen 14000. b) cod. z. Venedige (nicht wie Wenedige was zuerst geschr. gewesen scheint, undeutlich, wodurch der Schein von Voenedige entstehen kann, der ohne Zweifel nicht beabsichtigt ist). c) hier steht ausgestr. im Kontext des ersten mandes.

[1] Vgl. ibid.

[2] Die Glefenzahl ist unverändert und der Sold sogar höher als in art. 1. Der Burggraf hatte geklagt, ein Sold von 25 fl. auf die Glefe sei zu gering, s. RTA. 4 nr. 377. Der Beitrag zur Rüstung art. 2 ist fortgefallen. Vgl. nr. 168 art. 44-46.

[3] In RTA. 4 nr. 388 art. 7 sind es nur 150 Glefen. Der Posten ist ausgestrichen. Vgl. nr. 168 art. 48.

[4] Vgl. nr. 168 art. 43.

[5] Vgl. nr. 35 art. 2.

[6] Vgl. nr. 168 art. 22 und Anm. dazu. Diese Notiz ist doch wol am ungezwungensten so zu verstehen, daß auch diese 4000 fl. von den 55000 Dukaten bezahlt werden sollten, die Konrad von Friberg und Johannes Winheim von Venedig brächten. Das Datum dieser Anweisung können wir nicht näher bestimmen.

[7] Vgl. nr. 168 art. 16 und Anm. dazu. Wurden auch diese 1200 Dukaten, die erst am 11 November zu zahlen waren, auf Konrad von Friberg und Johannes Winheim angewiesen, die doch schon am 6 Oktober (s. nr. 168 art. 30) den Rest des vereinnahmten Geldes in die kgl. Kammer ablieferten?

170. *K. Ruprecht sichert den Augsburgern die nach Mahnung sofort erfolgende Be-* ¹⁴⁰¹
richtigung seiner Schuld von 2000 Dukaten zu, falls die Florentiner dieselbe nicht ^{Spt. 14}
noch im laufenden September zu Venedig an die Augsburger auszahlen würden;
mit 3 gen. Bürgen. 1401 Sept. 14 Augsburg.

Aus Karlsr. G.L.A. Pfälz. Kop.-Buch 8½ fol. 38ª mit der Überschrift Als die burger zu
Augspurg mime herren 2000 ducaten bezalt hant, darumbe sie der Florentzer bot-
schaft zu Venedigen in dem manet september ußrichten und bezalen sollen. *Das*
Stück ist durchstrichen.

Wir Ruprecht etc. bekennen und tun kunt offenbar mit diesem briefe allen den
¹⁰ die in sehen oder horen lesen: das ª unsere lieben getruwen burgermeister und rat
zu Augspurg uns 2000 ducaten guldin bezalt hant [1], darumbe sie der von Florentz
botschaft ußrichten und bezalen sollen in diesem gegenwertigen maned september in der
stat Venedie [2], und, wer' ob die vorgenanten burgermeister und rat zu Augspurg zu
Venedige von den Florentzern nit bezalt wurden, daz dann wir den obgenanten burger-
¹⁵ meister und rat die vorgenanten zweietusent ducaten weren und bezaln sollen unverzogenlichen wenn sie uns darumbe ermanent mit irem botten oder briefe ane geverde.
und darzû zu besser sicherheit haben wir zu uns gesetzt zu mitschuldener und burgen
den erwirdigen Raban bischof zu Spire unsern lieben fürsten und canzler, den edeln
grave Emich von Lyningen unsern hofemeister, und Eberhart vom Hirtzhorn ᵇ unsern
²⁰ lantvogt in obern Swaben, unser lieben getruwen, daz die obgenanten burgermeister und
rat gar und genzlich von uns oder von den obgenanten mitschuldenern und bürgen
nach ire manunge in mandesfrist sollen ußgericht und bezalt werden ane geverde
und ane allen iren schaden und kosten.   orkund diß briefs versiegelt mit unserm
kuniglichen anhangenden ingesiegel.   und wir Rabann bischof zu Spire grave Emich
²⁵ von Lyningen hoffmeister und Eberhart vom Hirtzhorn lantfogt bekennen offenlich an
diesem briefe der obgenanten burgschaft und werschaft, und haben darumbe unsere ingesiegel zu dez obgenanten allerdurchluchtigsten hochgebornen fursten hern Ruprechts
Römischen kunigs unsers gnedigen herren ingesiegel an diesen brief gehenkt, war und
stete zu halten allez daz hievor von uns an diesem brief geschriben stat.   der geben
³⁰ ist zu Augspurg uf dez heiligen cruczs tag alz es erhaben wart in dem jare als man ¹⁴⁰¹
zalte nach Cristi geburte vierzehenhundert und ein jare unsers richs in dem andern ^{Spt. 14}
jare.

Per dominum Rabanum episcopum Spirensem cancellarium
Ulricus de Albeck etc.

a) *cod.* als. b) *Überstrich über* H.

[1] *Vgl. die Einnahmen der kgl. Kammer nr. 168 art. 24.* [2] *Vgl. Vertrag zwischen K. Ruprecht und den Florentinern vom 13 Sept. 1401 nr. 28 art. 6.*

1401
Okt. 7 **171.** *K. Ruprecht bekennt, daß er Bischof Hartmann von Chur zum Helfer wider Johann Galeazzo von Mailand gewonnen hat, und bestätigt die gegenseitig übernommenen Verpflichtungen* [1]. *1401 Okt. 7 Botzen.*

> *A aus Karlsruhe G.L.A. Pfälz. Kop.-Buch 8⅓ fol. 19ᵇ-20ᵃ cop. ch. coaev., mit der Überschrift Als mine herre den bischof von Chure zu sinem helfer hat gewonnen. Der* 5 *Mittheil der Urkunde ist coll. mit der wesentlich gleichlautenden Urkunde des Bischofs nr. 172, wo m. s. Varianten AB.*
>
> *B coll. ib. Kop.-B. 149 pag. 18-19 cop. ch. coaev., mit derselben Überschrift.*

Wir Ruprecht etc. bekennen offenbar mit diesem brife: daz wir den erwurdigen Hartman bischof zu Chore unsern lieben fursten uns zu einem helfer gewonnen haben 10 wieder Johan Galeatz graven von Virtute, den man nennet den von Meylan, in aller maße als hernach geschriben stet: [*im weiteren bestätigt K. Ruprecht die Verpflichtungen, die Bisch. Hartmann von Chur in seiner Urkunde nr. 172 übernimmt art. 1-4, und seine eigene Gegenleistung art. 5-6 daselbst bis zu richten, dann folgt:*] orkund dis briefs versigelt mit unserm kuniglichen anhangenden ingesigel, geben zu Potzen of den 15 *1401*
Okt. 7 nechsten fritdag vor[a] sant Dyonisien tag in dem jare als man zalt nach Christi geburt vierzehundert und ein jare unsers richs in deme andern jare.

> Ad mandatum domini regis
> Nicolaus Bumann.

1401
Okt. 14 **172.** *Bischof Hartmann von Chur bekennt, daß er K. Ruprechts Helfer wider Johann* 20 *Galeazzo von Mailand geworden ist, und übernimmt gegen Soldzahlung bestimmte Verpflichtungen. 1401 Okt. 14 Botzen.*

> *M aus München St.A. äußere Verhh. der Kurpfalz* $\frac{120}{131}$ *or. mb. c. sig. pend., auf dem pergamentenen Pressel bischof zů Chore, auf der Rückseite gleichzeitig Eynung richs. — Gleichzeitiges Regest Karlsruhe G.L.A. Pfälz. Kop.-B. 44 fol. 198ᵇ-199ᵃ; daraus* 25 *Regest bei Janssen Frankf. R.K. 1, 634 nr. 1051.*
>
> *AB coll. die wesentlich gleichlautende Bestätigungsurkunde K. Ruprechts vom 7 Okt. nr. 171, wo m. s. die Quellenangabe.*

Wir Hartman von gots gnaden bischoff zu Chore bekennen und tun kunt offinbar mit diesem brieve allen den die yn sehen oder horen lesen: daz wir helffer worden 30 sin des allerdurchluchtigsten hochgebornen fursten unsers gnedigen herren hern Ruprechts Romischen koniges zu allen zijten merer des richs wieder hern Johann Galeatz graven von Virtute, den man nennet den von Meilan, in aller maß als hernach geschriben stet.   [1] zum ersten daz wir desselben von Meilan fyent werden sollen hie zuschen *1401*
Okt. 16 und sant Gallen tag schierstkumpt, und sollen und wollen auch alsdann von unserm 35 lande denselben Johann Galeatz sin lannde lute und gute und alles daz er innehat, und auch alle die die yme beholffen oder zulegende sin wieder den obgenanten unsern gnedigen herren konig Ruprecht und daz heilige riche und derselben lannde lute und guter, nichts ußgenommen, mit fyentlicher getat angriffen und schedigen mit aller unser [b]

a)[B nach *statt* vor. b) AB mit einer ganzen.   40

---

[1] *Unter gleichem Datum leiht K. Ruprecht mit Rath der Fürsten dem B. Hartmann von Chur, der ihm gehuldigt hat, die Regalien etc. seines Stifts; Karlsr. G.L.A. Pfälz. Kop.-B. 4 fol. 114ᵃ cop. ch. coaev., Wien H.H. St.A. Registraturbuch* C fol. 98ᵇ *cop. ch. coaev., Regest Chmel nr. 996 aus Wien. — Privilegienbestätigung vom gleichen Datum s. Chmel nr. 997. — Vollmacht vom gleichen Datum bei uns nr. 95.*

45

vermogde und so wir allerfyntlichst und schedelichst mogen, ane alle geverde.   [2] und ^{1401
Okt. 14}
was wir demselben Johann Galeatz sinen helffern oder den^a sinen slosße stedte merckte
clusen dorffere oder anders angewynnen oder sust zu gehorsamkeid betwingen und
bringen mogen, daz sollen wir dun getruwlichen zum besten und nuczlichsten ungeverlich und vor den obgenanten unsern gnedigen herren konig Ruprecht also daz
dieselben alle yme hulden globen und sweren getruw holt und gehorsam zu sin und
yme auch^b zu gewarten und zu dun als eyme Romischen konige yrm rechten herren
ane alle geverde. wer' es aber daz derselben slosße stedte merckte clusen dorffere oder
anders, daz wir also gewunnen und zu gehorsamkeid drungen^c, etliche unserm stifft von
rechts wegin zugehoren solten und sich daz kuntlich und in der warheid also erfunde
ungeverlichen, dieselben solten wir vor uns und unsern stifft halten und behaben.   [3] auch
wer' ez daz wir dheinen des obgenanten von Meilan oder siner helffere heuptlute nieder-
lechten und fingen, die nemlich von herren rittern oder knechten weren oder soliche da
macht^d an lege, die solten wir dem obgenanten unserm gnedigen herren konig Ruprecht
allczijt antwerten und zu sinen hannden stellen, daz er mit den dun und lasßen moge
nach sinem willen.   [4] wer' ez auch sache daz der obgenant unser herre konig Ruprecht zu rate worde von sinem volke hundert oder zweihundert mit gleven mynner oder
mere in unser und unsers stiffts slosße und lannde zu sinem notz und nodturfft wieder
den von Meilan und sin helffere zu legen, des solten wir yme und denselben sinen
dienern wol gunnen, und die in unsern und unsers stiffts slosßen und lannden usß und
inne lasßen rijten und wandern, und yn geraten und behulffen sin zu des obgenanten
unsers herren konig Ruprechts nucze und besten getruwlichen, und denselben auch feilen
kauff in unsern slosßen und lannden umbe einen zijtlichen und rechten pfennig schaffen
und bestellen gegeben werden allediewile sie also in unsern slosßen oder lannden ligen^e
wieder den von Meilan und sin helffere als vor geschriben stet, ane alle geverde.   [5] und
herumben sal der obgenant unser gnediger herre konig Ruprecht uns geben dusent ^{1401
Okt. 16}
guter gulden uff sand Gallen tag nehstkumpt, als dann wir auch understen und anfahen sollen^f den von Meilan und sin helffere zu schedigen als vor geschriben stet, und
in den nehsten zwein manden darnach yedes mandes dusent guter gulden. daz wirt
mit namen dry månde, die der obgnant unser herre konig Ruprecht uns^g den vorgenanten sold firmen sal. und sal uns darnach yedes mandes, als lange er uns also
in sinem dinst und zu hulffer^h hat, dusent guter gulden geben, bisß daz er uns daz
wieder abesagit.   [6] und wer' ez daz er uns nach den vorgenanten dryn manden
numme in sinem dinst und zu hulffere^h haben wolte, daz sal er uns bynnen denselben
dryn manden verkunden und zu wisßen tun ungeverliche, daz wir uns auch darnach
wisßen zu richten.   und wir Hartman bischoff zu Chore obgenanter globen mit guten
truwen und rechter warheid alle und igliche vorgeschriben sache stucke punckte
und artikele zu halten zu dun und zu follenfuren nach aller unser vermogde
mit ganczem flisß und ernste getruwlichen, ußgescheiden allerley argelist und geverde.
des zu warem urkunde haben wir unser ingesigel dun hencken an diesen brieff, der
geben ist zu Potzen uff den nehsten fritag nach sant Dionisien tag in dem jare als
man zalte nach Cristi geburte vierczehenhundert und ein jare unsers richs in dem andern ^{1401
Okt. 14}
jare.

a) B der.   b) AB add. damit.   c) AB add. als vor geschriben stet.   d) A maht, B machte.   e) AB legen.   f) AB
angriffen sal.   g) AB die wir im; das Repeat im Pfälz. Kop.-B. hat die der obgenant konig Ruprecht ins [sic]
den vorgenanten solt firmen soll.   h) AB und uns zu hulfe.

1401
Nov. 6 **173.** *Aufzeichnung wegen Dienst- und Soldvertrags mit Nikolaus Wispriger.   1401*
    Nov. 6 [Botzen].

> *Aus Karlsr. G.L.A. Pfälz. Kop.-B. 111 pag. 71 ch. coaev.*
> *Steht auch Gießen Universitätsbibliothek* Diarium ad vitam Ruperti fol. 30ᵃ *cop. ch.*
> *saec. 18.*   5
> *Gedruckt Janssen R.K. 1, 102 nr. 252 aus Gießen l. c.*

Anno domini 1400 primo die 6 mensis novembris hat mine herre der kûng mit
Niclaus Wispriger[1] uberkomen, daz er und sin bruder und vettern imme hundert
spieß und hundert gewapenter schutzen zu dinste sollen furen, und sal ir solt angeen
off den achten tag novembris. und sie sollent mit den 100 spießen und schuczen uf   10
den 13 tag novembris bi mim herren zu Padaw sin; und wer' ez daz sie of 13 tag
novembris nit gein Padaw kemen, waz sie dann darnach lenger sin, daz sollent sie
nachdienen, und sal man in daz abslahen.
        Nota. min herre der konig sal auch iedem spieß des mandes geben 25 gulden als
andern sinen dieneren.   15
        Nota. wer' ez daz sie ane geverde me oder minre dann 100 spieß und 100 ge-
wapenter schutzen brechten, alz viel sie dann bringent, die sal in min herre der kunig
nach marczale bezalen.

1401
Dec. 19 **174.** *Pfalzgraf Ludwigs im Namen seines kön. Vaters an die Reichsstädte gerichtele*
und   *Forderung der halben Judensteuer und des goldenen Opferpfennigs, nebst Aufzeich-* 20
nachher *nungen über die Ausführung der Sache.   1401 Dec. 19, und nachher.*

> *Aus Karlsr. G.L.A. Pfälz. Kop.-B. 149ᵇ fol. 197ᵃ-198ᵃ cop. ch. coaev.*

Nota. von der halben judensteur und dem guldin opperphenning.

[I]

Wir Ludewig etc. embieten den ersamen burgermeister rate und burgern gemein-   25
lich der stat zu Ulme, des allerdurchluchtigisten fursten und heren unsers lieben heren
und vatters des Romischen kungs unsern[a] und des richs lieben getruen, unser gnad und
alles gut.   lieben getruen.   als der egenant unser lieber herre und vatter uch und
andern sinen und des richs steten in siner kunglicher majestat brief ernstlich gebutet,
das ir die halben judensture und ouch den gulden opperphenning, die ir von den Juden 30
bi uch und dieselben Juden im von des richs wegen jerlich pflichtig seit zu gebend,
uns, oder wem wir das an unserr stat inzunemend befelhen, unverzogenlichen richten
und bezalen und ouch gegeben schaffen sollet, als das in demselben majestatbrief eigen-
lich begriffen ist[2]: also senden wir zu uch den ersamen Johannes Kircheim, des ege-

    [a] *cod.* unsern.   35

---

[1] *1200 Dukaten wurden dem Veispriger Mitte*
December 1401 an Sold gezahlt, s. Einnahmen der
königl. Kammer nr. 168 Anm. zu art. 37. — Fricz
von Wirsperg erscheint als Bürge in einer Ur-
kunde vom wahrsch. Datum (26 Juli) 1398 Mon.
Zoll. 6, 24 nr. 24. Einen Jobst von Wirsberg s.
ib. 6, 103 nr. 100 dat. 1401 Merz 25. Einen
Ritter Friedrich von Wiersberg s. ib. 6, 136 nr.
137 Anm. Einen Heinrich von Wirsperg Ritter
(Sold für den Lombard. Zug, Quittung) 1402
Mai 11 s. ib. 6, 146 nr. 152 (214. 230). Die
Burggräfliche Feste Wirsperg s. ib. 6, 341 nr.

342. *An Weißpriach, eine Salzburgische Familie,*
ist wol nicht zu denken, s. Roth von Schrecken-
stein Reichsritterschaft 537.

[2] *K. Ruprecht weist genannte 33 Städte in*
Schwaben und am Bodensee an, die halbe Juden- 40
steuer und den goldenen Opferpfennig, die Michaelis
[Sept. 29] fällig sind, seinem Sohn dem Pfalz-
grafen Ludwig zu bezahlen, dat. Amberg Egidii
[Sept. 1] 1401 r. 2; Karlsruhe G.L.A. Pfälz.
Kop.-B. 4 fol. 104ᵇ cop. ch. coaev., Wien H.H. 45
St.A. Registraturbuch C fol. 90ᵃᵇ cop. ch. coaev.,
Regest Chmel nr. 911 aus Wien l. c. Die 33

nanten unsers lieben heren und vatters hofschriber und unsern heimlichen, mit dem *egenanten* unsers herren und vatters majestatbrief. und begeren von uch und gebieten uch ouch von desselben unsers heren und vatters wegen ernstlich mit disem brief, das ir demselben Johannes, oder wen er dorumb mit disem unserm brief zu uch schiket, die egenant halben judenstur von disem jare von unsern und des richs wegen richtend und bezalend, und ouch den gulden opperphennig von den Juden bi uch von disem jare und ouch uf wihennachten nechstkomet vallend unverzogenlich und one[a] alle hindernuss gegeben schaffend. wann, so ir das getan habt, so sagen wir uch und ouch die Juden bi uch solicher halben steur und opperphenning als vor geschriben stet genzlich quit ledig und loze. und wollet ouch den egenanten Johannes doran furdern. das ist uns von uch sunderlich wol zu danke.   mit urkund etc. sub appenso, datum Heidelberg feria secunda ante festum beati Thome apostoli anno domini 1400 primo.

Item in diser vorgeschribner forme von wort zu worte, nicht geminnert noch gemeret, sind quittancien gegeben an dise nachgeschribnen stete und Juden:

Item zu Ougspurg [1]
Item zu Costencz
Item zu Memmingen
Item zu Bibrach
Item zu Ravenspurg
Item zu Lindow
Item zu Sant-Gallen
Item zu Kempten
Item zu Kouffbüren
Item zu Lukirch
Item zu Pfullendorf
Item zu Wangen
Item zu Ysni
Item zu Buchorn
Item zu Wile in Turgow
Item zu Buchow
Item zu Esslingen
Item zu Rutlingen
Item zu Rotwile
Item zu Wile
Item zu Heilprunn
Item zu Gemunde
Item zu Nordlingen
Item zu Halle
Item zu Wimpfen
Item zu Dinkelspuhel
Item zu Winsperg

a) ân?

Städte dieses Briefes sind in derselben Reihenfolge, von obiger Voranstellung Ulms p. 226, 26 abgesehen, auch hier unter I aufgezählt, nur ist Überlingen hier ausgefallen und dafür am Schluß Rotenburg hinzugefügt. Jene 33 Städte kehren auch unter II und dem ergänzenden III wider, *nur fehlt hier Schweinfurt, während Buchorn doppelt gesetzt ist.*
[1] *Der Brief an Augsb. v. 19 Dec. 1401 ist reg. München R.A. Beschreibung des Archivs der Reichsstadt Augsburg fol. 305; Regesta Boica 11, 236; Wiener, Regesten z. Gesch. d. Juden 1, 161 nr. 396.*

1401
Dec. 10
und
nachher
Item zu Aulun

Item zu Giengen

Item zu Boppfingen

Item zu Swinfurt

Item zu Rotemburg [1].

[II]

Item, als hie an disem blate begriffen ist, also bin ich Johannes Kircheim in den vorgeschribenn steten gewesen von der halben judensteur und des gulden opperpfennings wegen, und hab empfangen als hernach geschriben stet:

Item von erst zu Costencz für die halb judensteur fl.[a] 30, und zu opperphening 10 fl. 18.

Item zu Uberlingen fur die halb stur und opperphening fl. 6.

Item zu Lindow pro toto fl. 5 solidos 10 hl.[b].

Item zu Sant-Gallen von eim Juden zu opperphenning fl. 1, wann der Jud hatt sich erst dargezogen und sass das erst jar sturfri.   15

Item zu Ravenspurg siezt ein Jud, heist Michel, der solt fur die halb stur und den opperphennig gegeben haben fl. 9½; do hatt er der nit, und verhiess si zu geben
1402
Fbr. 7 Gerhart von Talheim dem underlandvogt uf die vasnaht. also sind die 9½ fl. demselben Gerhart gelassen, das er speche[a] damit bestellen sol uf die Meilanischen.

Item zu Ulm hab ich empfangen fur die halb stur fl. 24, und fur den opper- 20 phennig von diesem jar allein fl. 12.

Item zu Esslingen zu halber stewr fl. 16, und zu opperphennig fl. 7 fur das heurig jare. item fur den verdigen gulden opperphennig fl. 6. ouch waren dri Juden von in gefarn; fur die gaben si zu steure fl. 4, und zu opperphennig fl. 3. summa des zu Esslingen fl. 36, die sol der lantschriber von Heidelberg mit der rechten stat-stur zu- 25 nechst innemen.

Item zu Wile zu sture ⎱ von eim Juden ⎱ fl. 12½.
   und zu opperphennig ⎰   allein   ⎰ fl. 2½.

Item zu Heilprunn zu steur fl. 36, und zu opperphennig fl. 8.

Item zu Nordlingen zu opperphening fl. 12, wann die von Oettingen hatten die 30 halb steur genomen.

Item zu Halle zu sture fl. 10, und zu opperphening fl. 2.

1402
Apr. 23 Item zu Boppfingen ist ein Jud, der hatt sich nulich dargezogen, des steur hebt sich erst an uf sant Jorgen tag; doch gab er mir's. des hab ich im ouch min bekant- nuss-brieflin gegeben. da geviel zu der halben steur und zu opperphening fl. 8.   35

Item zu Ougspurg ist gefallen zu steur und opperphenning fl. 48.

Item zu Memmingen zu steur fl. 4, und zu opperphenning fl. 3.

Summa totalis 287½ gulden und 10 sh. hl.[c]

Item an die zwo stete[a] sant ich einen geritnen gesessenn man von Ravenspurg, wann ich must durch der zweier stete willen allein gar verr umbgeriten haben und 40 anders versaumet.

a) *hier und im folgenden in der Vorlage stets abgekürzt* flor. b) *sic.* c) Summa — hl. *von derselben Hand an dem Rand geschrieben.*

[1] *Rotenburg war mit den drei andern Fränki-schen Reichsstädten Nürnberg Windsheim und Weißenburg von K. Ruprecht am 31 August 1401 angewiesen halbe Judensteuer und Opferpfennig Michaelis [Sept. 29] 1401 dem Bertold Pfinzing* *zu entrichten, s. Chmel nr. 904. Vgl. pag. 227 lin. 47 a.*
45
[a] *Kundschaftung, Lexer spëhe.*
[a] *Die 2 Städte könnten Schweinfurt und Roten-burg sein. Diese beiden stehen in dem Verzeichnis*

Item es wolt kein stat noch Jud den verdigen opperphennig geben dann allein die von Eslingen und von Wile, wiewol doch mins heren des vicarien quittancien doruf luten. die andern alle sprachen, si hetten unsers heren quittancien des kungs für all sach.

1401
Dec. 19
und
nachher

[III]

Item in disen nachgeschribenn steten ist kein Jud gesessen:

item zu Bibrach
 zu Kempten
 zu Kouffbúren
 zu Lukirch
 zu Pfullendorf
 zu Wangen
 zu Ysni
 zu Buchorn
 zu Wil in Turgow
 zu Buchow
 zu Rutlingen
 su *a* Buchorn
 zu Rotwil
 zu Gemunde
 zu Wimpfen
 zu Dinkelspuhel
 zu Winsperg
 zu Aulun
 zu Giengen.

---

175. *Notizen über Schulden, die Herzog Ludwig VII von Baiern zur Zeit des Italienischen Zuges gemacht hat. [1401 ex. bis 1403 in.[1]]*

1401
ex. bis
1403
in.

  *Aus München R.A. Neuburg. Kop.-B. 87 fol. 7ª-10ª cop. chart. saec. 15 (coaev.?); auf
der im übrigen unbeschriebenen Seite fol. 8b von anderer Hand des 15 Jahrhunderts:
Die zetel sind gewesen bei den sachen herzog Ludwigs und herzog Hannsen von
Amberg, die man gein Costenics gefurt hat.*

  Nota. daz sind die schuldbrif, die mein herr herzog Lud*w*ig etc. itzo zu Padaw [2],
dez mals und er mit dem Romischen konig zu Walischen landen waz, gegeben hat von
solds wegen.

   a) *cod. bis; der ganze Posten steht schon kurz vorher in diesem Verzeichnis, ist also hier ganz überflüssig widerholt.*

1401
es. bis
1403
in.

Item Herman von Freyberg ainen brif umb 100 ducaten und ungrische[a] guldin[b].

Item Casparn von Freyberg ainen brif umb 75 guldin ducaten.

Item Wilhalm und Jörgen den Purgawern ainen brif umb 75 guldin ducaten.

Item Fridrichen Rewter ainen brif umb 50 guldin ducaten und ungrische.

Item Hansen Frayshawser ainen brif umb 25 guldin ducaten und ungrische.

Item Wilhalm Kirichhaimer ainen brif umb 25 ducaten und ungrische.

Item Partzivalen Schillichwacz ainen brif umb 50 guldin ducaten und ungrische.

Item Asin Weytas ainen brif umb 25 ducaten und ungrische guldin.

Item Görigen[c] Haslannger ainen brif umb 50 ducaten und ungrische guldin.

Item Hainrich Gumppenberger ainen brif umb 50 ducaten und ungrische guldin.

Item Andre Sainzeller ainen brif umb 50 ducaten und ungrische guldin.

Item Jorigen Sulczperger ainen brif umb 50 ducaten und ungrische.

Item Hannsen Mawttner ainen brif umb 50 ducaten und ungrische guldin.

Item Fridrich Tärchinger ainen brif umb 25 guldin ducaten und ungrische.

Item Cunrat Ebsär ainen brif umb 25 ducaten und ungrische.

Item Erhart Hugenhawsen ainen brif umb 25 ducaten und ungrische.

Item Andre Fröschel ainen brif umb 50 ducaten und ungrische.

Item Ludwigen Därchinger und Wolfhart Gräwl ainen brif umb 50 ducaten und ungrische.

Item Purkchart von Schellenberg ainen brif umb 50 ducaten und ungrische.

Item Hannsen Giessen ainen brif umb 25 ducaten und ungrische.

Item Goswein Marschalk ainen brif umb 150 ducaten und ungrische.

Item Jacoben Putrich ainen brif umb 157 ducaten und ungrische.

Summa 1232 guldin.

Item[1] 200 guldin dem Ramelstainer, darumb mein egenanter herr Regenstawff versetzt hat.

Item 600 guldin, darumb er dem Frawdenberger den Liechtenstain versetzt hat.

Item ain dorf genant Pessingen gelegen bei Landsperg hat der egenant mein herr verkauft bei 800 oder 900 guldin[2].

Item so hat er von dem von Meilan[3] entlehent 2000 guldin dem Romischen kunig zu zerung gen Florencz auf meins herren scheden[4].

---

a) *hier und sonst jedesmal abgekürzt* ungr. *einmal* unger.   b) *hier und in der Regel abgekürzt* guld, *einige male ausgeschrieben* guldin.   c) cod. *Görrigen ? korrigiert.*

Ende Febr. nach Florenz gieng und erst im April zurückkehrte, vgl. nr. 35 art. 1 Anm. Näheres läßt sich über die Zeit, zu der diese Schuldbriefe ausgestellt sind, nicht ausmachen. Es fällt auf, daß sie alle mit Ausnahme des letzten auf 25 Dukaten oder ein Mehrfaches dieser Summe lauten. 25 Dukaten wird der Monatssold für eine Glefe sein; ob aber die größeren Beträge von 50, 75, 100 und 150 Dukaten für mehrere Glefen oder mehrere Monate gezahlt worden, können wir nicht wissen, also auch auf diesem Wege der Datierung nicht näher kommen. [1] Für die mit diesem Posten beginnende zweite Gruppe von Notizen können wir nur wenig zur Erläuterung beibringen. Nur beim vierten Posten ist der Zusammenhang mit dem Italienischen Zuge gewiss, aber nach der Stellung im Stück vermuthen wir daß auch die übrigen wenigstens zeitlich hierher gehören. [2] Bei der Summierung auf folgender Seite sind dann nicht 800 sondern 900 Gulden für diesen Posten gezählt worden. [3] Einer der Vicegrafen von Mailand wird gemeint sein. [4] Dieses Darlehen wird also kurz vor der Reise des Herzogs nach Florenz aufgenommen worden sein; bald nach dem 16 Febr. 1402 reiste derselbe von Padua ab, s. nr. 35 art. 1 mit Anm. und nr. 123.

Item so hat mein herr auch entlehent bei 1500 oder bi 2000 [1] guldin, die er noch gelten soll.

ex. bis 1409 in.

Summa bi 5700 guldin.

Nota. daz ist die schuld, die mein herr herzog Ludwig zu Paris [2] bezalt hat den
schuldner als die hernach geschri*ben* stent, von des solds wegen, als er mit dem kunig
zu Wälschen landen waz etc.

Item Ul*rich* Mairhofer 25 guldin ducaten.

Item Hein*rich* Igelpekchen 25 guldin ducaten.

Item Hannsen Gumppenberger 160 guldin ungrische.

Item Zachreisen Ebser 82 guldin ungrische.

Item dem Aheimer 74 guldin ungrische.

Item Urban dem Layminger 121 guldin ungrische.

Item Seiczen Layminger 90 guldin ungrische.

Item dem Egker 80 guldin ungrische.

Item Casparn Rotawer [3] 115 guldin ungrische.

Item Eberwein Gewolff 147 guldin ungrische.

Item dem Sumerstorffer 68 guldin ungrische.

Item dem Weyssen 126 guldin ungrische.

Item dem Kuchler 200 guldin ungrische.

Item dem Klosner 125 guldin ungerische.

Item Leopolten Appffentaler 113 guldin ungrische.

Item dem Kuchenmeister 35 guldin ungrische.

Item Jörigen von Gundolffingen 110 guldin ungrische.

Item graff Kristoffen 67 guldin ungrische.

Item Erhardten Preysinger 75 guldin ungrische.

Item Wilhalmen Frawnberger 77 guldin ungrische.

Item dem Trugsäzz 122 guldin.

Item dem Frantzossen 36 guldin ungrische.

Item Jacoben Moroltinger 70 guldin ungrische.

Item Dietzen von Hermstat 25 guldin ungrische.

Item dez Kuchler gesellen 50 guldin ungrische.

Item dem Sigmershawser 100 guldin ungrische.

Item Hannsen Chucbler 100 guldin ungrische.

Item hern Balthasarn 100 guldin.

Item Hainri*ch* Puchperger 100 guldin.

---

[1] Bei der Summierung sind 2000 fl. gerechnet. —
Franz von Carrara an Herzog Ludwig von Baiern:
hat sich gefreut in seinem Briefe von seinem
Wohlergehen zu hören, hofft er werde dasselbe
von seiner Seite gern hören; was die 1000 Dukaten betrifft, die ihm der Herzog schuldet, so
haben Johannocius und Anthonius de Albertis
versprochen dieselben zu dem in der litera cambii
enthaltenen Termin zu zahlen; die stattgehabte
Zahlung wird er melden; dat. Padua 6 Nov.
1402; Venedig Markusbibl. ms. lat. cl. 14 cod. 93
fol. 112 b. — Franz von Carrara imperialis vicarius generalis bekennt, daßer Donatus de Linarolis
de Padua beauftragt hat von Zanocius und Anthonius de Albertis den Beauftragten Herzog
Ludwigs in Venedig 1000 Dukaten entgegenzu-

nehmen und Quittung etc. zu geben; dat. Padua
die martis 5 dec. 1402 ind. 10; Venedig Markusbibl. l. c. fol. 115 a. — Vgl. auch nr. 168 art. 53.

[2] Herzog Ludwig wurde zur Gesandtschaft nach
Frankreich am 23 Aug. 1402 bevollmächtigt, s.
nr. 287. Er kehrte erst im Frühjahr 1403 nach
mehr als halbjähriger Abwesenheit zurück, s. nr.
292 vom 17 Mai 1403.

[3] Item ain quittanz von Casparn Rotawer, daz
in herzog Ludwig bezalt hat der vier monad in
dem zug gen Lamparten mit dem Romischen
künig; darumb sagt er in und sein erben quitt
ledig und los. geben zu Venedi an sand Seba-
stians tag [Jun. 20] anno domini 1400 secundo.
München R.A. Neub. Kop.-B. nr. 21 fol. 127 b
not. ch. saec. 15.

Item Hannsen Layminger[a] 100 guldin.
Item dem Moroltinger 50 guldin.
Item dem Rotawer 12 guldin.
Item Seitzen Marschalk 140 guldin.
Summa 2920 guldin.
Summa totalis 9852 guldin[b].

176. *K. Ruprechts Soldverschreibungen an Genannte für Dienste im Lombardischen Feldzug. 1402 Jan. 23 bis 1404 Nov. 15.*

A aus Karlsr. G.L.A. Pfälz. Kop.-B. 8¼ fol. 157ᵃ-158ᵃ cop. chart. coaev., in 6 Kolum-nen, die einzelnen Posten durch Zwischenraum und neues Alinea deutlich geschieden. Jede Kolumne ist schräg von oben nach unten durchstrichen, einzelne Posten sind noch besonders ausgestrichen, was bei uns jedesmal in eckigen Klammern dabei bemerkt ist; außerdem ist das erste Formular mehrfach durchstrichen, aber wol nur weil die Ge-sammtdurchstreichung es nur undeutlich getroffen hatte. Diejenigen Posten, für welche sicher in gleichlautendem Formular Briefe ausgefertigt sind, hat man bei uns durch Einrücken als je zusammengehörig bezeichnet.

B coll. ibidem Pfälz. Kop.-B. 53 pag. 1-6 cop. chart. coaev., wahrscheinlich jünger als A, da die in A ausgestrichenen Posten mit einer Ausnahme in B nicht widerkehren, andererseits die Posten, welche ein späteres Datum als Mai 1403 tragen, in A fehlen. Auch gibt B nur die erste Urkunde in extenso und unterscheidet die von A streng auseinandergehaltenen verschiedenen Formen der Soldverschreibung nicht. Die hieraus sich ergebenden Abweichungen der beiden Texte sowie andere unwichtige oder lediglich formelle Unterschiede derselben sind bei uns in Text und Varianten unberücksichtigt geblieben. Sachliche Abweichungen in B wurden der besseren Übersichtlichkeit halber nicht in die Varianten gesetzt, sondern in eckigen Klammern in den Text aufgenom-men. Die 7 letzten Posten stehen nur in B. Einige durch Verletzung unleserlich gewordene Stellen von B hervorzuheben war unnöthig neben A, von dem sie nirgends abzuweichen scheinen.

Regest bei Janssen Frankf. R.K. 1, 658 nr. 1087 aus B.

Registrum von des soldes wegen zu Lamparthen etc.[c]

Wir Ruprecht etc. bekennen uffinbar mit diesem briefe: daz wir unserm lieben getruwen etc. schuldig verliben[d] an sime solde, als er uns und dem rich itzunt herinne gein Lamparthen zu dinst geridten ist. dieselben 100 gulden sullen und wollen wir und unser nachkomen an dem riche ine und sinen erben gutlichen geben und bezalen, wann er der nit lenger geraten wil.   orkunde etc.   datum Veneciis feria secunda

post Agate anno 402 regni vero nostri anno secundo.

In dieser obgeschriben forme hant diese nachgeschriben briefe,
iglicher vor sin zale gelts etc.:

Item Gorge von Enden' 140 gulden 3 groß. [om. B; vgl. aber Variante d.]
Item Branthaken 443 gulden 8 gr. [B ausgestrichen.]
Item Wirich Trutlinger 135 gulden 8 gr.
Item Wernher Nothafft 164ᵉ. [AB ausgestrichen; B darüber redempta est.]
Item Ebirhard von Gemyngen 100.
Item Wilhelm Wolffsteiner 39 gulden.

a) cod. Layminger.   b) summa totalis — guldin steht im cod. rechts unten auf fol. 8 a nach der zweiten Summierung.
c) Überschrift nur in B.   d) A etc. schuldig verliben in den Text hineingeflickt statt der ausgestrichenen Worte
Heinrich Süllman schuldig verliben 100 gulden, der letztgenannte erscheint weiter unten mit einer anderen
Summe; B setzt hier in den Text: George von Enels mit 140 gulden 3 groß.   e) so B: A 100, daneben aber noch
ein Zeichen, von dem wegen der Durchstreichung des Postens nicht zu erkennen ist, ob es ein Zahlzeichen oder
der Anfang eines g ist.

Item Albrecht von Giech [1] 139 gulden. [*B ausgestrichen.*]

Item Hans Sentlinger [2] 105 gulden 8 gr. [*A ausgestrichen, darübergeschrieben* redempta est; *om. B.*]

Item Ott Bintznauwer 137 gulden.

5 Item Ulrich Reidenbucher 168 gulden. [*A ausgestrichen, darübergeschrieben* redempta est per aliam; *om. B.*]

Item Ulrich Busche [3] 128 gulden 4 groß. [*A ausgestrichen; om. B.*]

Item Conrad Rosbecke dem schuczen 60 gulden.

Item her Wilhelm von Stauffenberg 83 gulden.

10 Item Burckart Humel von Stauffenberg 83 gulden.

Item her Egloff von Rotzenhusen 42½ [*B 41½*] gulden.

Item her Heupt Marschalk von Bappenheim [4], als er salb 4 mit gleven gedient hat, 369 gulden 3 groß. [*B ausgestrichen.*]

Item dem jungen Heupt Marschalke von Bappenheim [5], als er salb 9 mit gleven ge-
15 dient hat, 500 und 5 gulden. [*B ausgestrichen.*]

Item her Wilhelm Marschalk von Bappenheim 352 .gulden und 4 groß, als er salb 3 mit gleven gedient hat.

Item Dilchen von Bremen Johann von Cappelle und Wynant Herczogen 75 gulden. [*om. B.*]

20 Item grave Gunthern von Swarczpurg 32 gulden 3 große [*B om. 3 große*].

Item grave Wilhelm von Orlemunde 111 gulden.

Item grave Albrecht von Mansfelt und hern Bossen von Quernfurt 1042 gulden 3 große.

Item Bertholt von Altenburg [6] 109 gulden 5 groß. [*B ausgestrichen.*]

Item Schimph von Giltlingen 124½ gulden [*B 123½ gulden*].

25 Item Heinrich Stauff [a] 199 gulden.

Wir Ruprecht etc. bekennen offenbar mit diesem briefe: daz wir unserm lieben getruwen Phlebus [b] von [c] Torne rittere 300 und 90 guter guldin schuldig sin umbe sinen dienst den er uns getan hat, als wir itzund hie-inne zu Lamparthen gewest sin, dieselben summe guldin wir und unser nachkommen an dem riche dem obgenanten
30 Phlebus oder sinen erben uf wihennaht nehstkompt gutlichen bezalen und im die gein Lüntze in Steinbecken dez wirtz huß entworten sollen und wollen ane geverde. orkunde diß briefs versiegelt mit unserm kuniglichen ufgetruckten ingesigel, geben Schonfelt uf den zwenzigsten tag dez mandez aprilis in dem jare da man zalte nach Christi geburte 1400 und zweie jare unsers richs in dem andern jare.

35 Per dominum *Rabanum* episcopum Spirensem cancellarium
Johannes Winheim.

In consimili forma data est litera Nickel vom Torne fur 200 und 84 gulden [7] etc. [*B ausgestrichen, darüber* solvit quasimodogeniti anno 409.]

Jan. 23 bis 1404 Nov. 15 (margin)

1402 Dec. 25 (margin)

1402 Apr. 20 (margin)

1409 Apr. 14 (margin)

a) *B* Stauffer. b) *so hat A hier und lin. 30; B* Phebus, *nur einmal, weil die Urkunde in B nur auszugsweise steht.* c) *B* vom.

[1] *B nennt Albrecht von Giech weiter unten mit Schuldbrief vom 2 Merz 1403 über eine andere Summe, vgl. dort auch Anm.*
[2] *Der Genannte erscheint weiter unten mit Schuldbrief vom 23 Jan. 1402 über eine andere Summe.*
[3] *Der Genannte erscheint weiter unten mit Schuldbrief vom 3 Mai 1402 über eine andere Summe.*

[4] *Erscheint weiter unten mit Schuldbrief vom 11 Mai 1402 über eine andere Summe.*
[5] *Desgleichen.*
[6] *Erscheint weiter unten mit Schuldbrief vom 27 April 1402 über eine andere Summe.*
[7] *Vgl. Anm. zu nr. 131 vom 15 April 1402 p. 171 lin. 36 b ff.*

1402
Jan. 23
bis
1404
Nov. 15
1402
Apr. 27   Bertholt von Altenburg [1] habet hujus*modi* literam:

        Wir Ruprecht etc. bekennen etc.:   daz wir unserm lieben getruwen etc. schuldig
verliben 150 gulden [a] an sime solde und vor kosten und schaden, den er gehabt und
geliden hat etc., in consimili forma ulterius sicud prima forma.   geben zu Matrau [2]
uf den dunrstag nach sand Marcus tag anno ut prius.   .   5

Dec. 25 Item Heinrich Styer hat eine brief in der ersten forme für 35 gulden uf wihenachten
Apr. 27   nehstkumpt zu bezalen, datum Insprucke quinta post beati Marci etc. ut supra.

     Item Wilhelm Noßßdorffer hundert 36 gulden.

     Item Jorge von Friberg 127 gulden minus 4 groß [3].

     Item dem [*B add.* jungen] von Laber 279 gulden 7 groß [4].   10

     Item Jacob Wolffsteiner 140 gulden.

         Isti quatuor immediate praecedentes habent literam in priori [b] et pri*ma* [5]

1402
Mai 2   forma, sub data Munichen 3 feria post beatorum Philippi et Jacobi
apostolorum annis quibus supra etc.

1402
Mai 2 Item Albrecht von Tanheim 319 gulden 6 gr. in prima forma, datum ut   15
illorum quatuor etc. [*B ausgestrichen.*]

        Wir Ruprecht etc. bekennen etc.:   daz wir dem edeln
unserm lieben getruwen grave Johan von Wertheim schuldig
verliben vor sich sin dienere und die sinen, mit den er uns   } idem
und dem riche iczunt hininne gein Lamparthen zu dinst ge-   datum.   20
ridten ist, 498 gulden 4 gr. etc., ut prima forma.

     Item dem [*B hern Reinhart statt* dem] von Hanauwe 648
     gulden 8 gr. [*B ausgestrichen.*]   } consimilem
     Item grave Bernhart von Ebirstein 505 gulden 2 groß. [*B*   literam.
     ausgestrichen.]   25
     Item dem [*B hern Ludeman statt* dem] von Lichtenberg
     1004 [c] gulden 2 gr. [*B ausgestrichen; darüber* redempta
     est per dominum Reinhar*dum* presidem.]
     Item grave Heinrich von Lewenstein 350 gulden. [*B aus-*
     gestrichen.]   30

Mai 3 Item Ulrich Busch [*B Busche*] [6] 203 gulden 1 gr., datum Paffenhofe in vigilia ascensionis anno etc.

1402
Mai 11 Item Heupt Marschalk von Pappenheim dem jungen [7] 738 gulden 9 groß, datum Amberg
feria quinta ante penthecostes anno etc. 402. [*B ausgestrichen.*]

     Item Heupt Marschalk von Pappenheim ritter dem alten [8] 487 guldin 9 große, datum   35
Mai 11   ut supra in proximo. [*B ausgestrichen.*]

---

a) *A add.* und 5 groß *durchgestrichen; B* funfzig *statt* 150? 100 *scheint doch nicht ausgestrichen.*   b) *A add. einen*
Strich, wahrscheinlich ein angefangenes langes s, ohne Bedeutung.   c) *der letzte Schaft der* 1111 *scheint halb*
durchstrichen, aber es ist nicht deutlich ob damit 3½ *gemeint ist; B deutlich* 4.

[1] *Erscheint weiter oben in den Schuldbriefen*   [6] *Erscheint weiter oben in den Schuldbriefen*   40
vom 6 Febr. 1402 mit einer andern Summe.   *vom 6 Febr. 1402 mit einer andern Summe. Hier*
[2] *Matrei, auf dem Wege vom Brenner nach*   *und in den meisten folgenden Posten ist nicht*
Innsbruck, 19 Klm. südlich von dieser Stadt.   *angegeben, in welcher forma die Urkunde aus-*
[3] *Noch 1408 war K. Ruprecht dem Jörge von*   *gestellt wurde; man darf wol bei den meisten an*
Friberg Sold schuldig, s. Chmel nr. 2706.   *die prima forma denken, die auch widerholt aus-*   45
[4] *Vgl. Einnahmen der kgl. Kammer nr. 168 art.*   *drücklich genannt ist, und dasselbe ist wol ge-*
18 und Anm. dazu.   *meint mit in communi forma im vorletzten Posten.*
[5] *Priori die letztvorhergehende forma, prima*   [7] *Desgl.*
weil dort auf diese verwiesen ist.   [8] *Desgl.*

Item her Eberhart von Landaw ritter 307 gulden 4 groß, datum ut supra.   *1402*
                                                                                            Mai 11

Item Ulrich von Rotenstein 93 gulden 4 groß, datum feria quinta ante festum penthecostes Amberg.   *Mai 11*

Item Albrecht Nodhafft 231 gulden 2 groß, litera in prima forma, datum sexta feria
5   ante penthecostes loco ut *supra*. [*B ausgestrichen*.]   *Mai 12*

Item her Hans Truchseßen von Balderßheim ritter dem jungen 183 gulden, datum feria
quinta post festum penthecostes. [*A ausgestrichen, darübergeschrieben* solutum; *om. B*.] *Mai 11*

Item Cunrad Murher 127 gulden und 11 große, datum Amberg feria secunda ante
festum corporis Christi.   *Mai 22*

10   Item Gotze Zenger 127 gulden 11 groß, datum ut supra.   *Mai 22*

Item Cristoffel Horenbecken 171 gulden, datum Nurenberg dominica infra octavas corporis Christi. [*A ausgestrichen, darübergeschrieben* solutum; *om. B*.]   *Mai 28*

Item Heinrich Suellman[a] literam in prima forma vor 147 gulden und 4 gr., datum Amberg sabato ante Bonifacii annis quibus supra.   *Juni 3*

15   *Item Hans* Wiesentauwer literam in *prima forma* vor 50 gulden, sub dato Amberg
quarta post Bonifacii anno[b] etc.   *Juni 7*

Item Reinhart Ussinkeim 98 gulden an sinem solde gein Lamparthen, item 60 gulden
umbe einen hengst, sub dato Mergentheim Barnabe apostoli.   *Juni 11*

Item Eberhart vom Hirczhorn [*B add.* ritter] 336 gulden, sub dato Maguncie feria
20   secunda ante Johannis baptiste. [*B ausgestrichen*.]   *Juni 19*

Item Bertholt vom Nuwenhuse 174 gulden 4 groß, sub data Maguncie festo nativitatis
beati Johannis baptiste. [*B ausgestrichen*.]

Item Heinrich von der Huben mins herren kuchenmeister hundert 86 gulden 8 groß,
sub dato Altzey dominica post nativitatis beati Johannis baptiste.   *Juni 25*

25   Item Cunrad Bocke 149 gulden 4 groß, sub eodem dato.   *Juni 25*

Item grave Wilhelm von Montfort vierhundert gulden, sub dato ipso die beate Marie
Magdalene anno etc. 400 secundo.   *1402*
                                                                                            Juli 22

Item Ludewig von Hornstein ritter 121 gulden und 8 groß, sub dato Heidelberg sexta
feria post festum assumpcionis Marie anno 402.   *1402*
                                                                                            Aug. 18

30   Item Syfrid vom Stein ritter und sinem[c] sün 436 gulden, sub dato Heidelberg die beati
Bartholomei apostoli. [*B die ersten Worte des Postens durchstrichen*.]   *Aug. 24*

Item Tham Knebel marschalk ritter 350 gulden, sub dato Nuremberg feria secunda
ante festum nativitatis beate virginis. [*B ausgestrichen*.]   *Spt. 4*

Item Gotz von Berlichingen[1] 239 gulden 11 groß, sub data Nurenberg secunda feria
35   ante nativitatis etc. [*A ausgestrichen; om. B*.]   *Spt. 4*

Item Reinhart von Helmstat 186 gulden 10 groß, sub dato Nuremberg tertia feria ante
festum nativitatis Marie. [*B ausgestrichen; darüber* soluta.]   *Spt. 5*

Item Eberhart von Nypperg dem jungen 186 gulden 10 groß, sub dato Nuremberg
ut supra.   *Spt. 5*

40   Item als man Gotzen von Berlichingen 239 gulden 11 groß schuldig ist, an derselben
summe sol man hundert gulden Fritzen Habelsheimar[d] bezalen von dez egenanten
Gotzen wegen uf sand Walpurg tag nehstkompt, und die ubrigen 139 gulden 11   *1403*
                                                                                            Mai 1
große sal man Gotzen egenant bezalen, wann er der nit lenger geraten wil. und hat
ir iglicher einen brief daruber, sub dato Nurenberg feria quarta ante exaltacionem   *1402*
45   sancte crucis anno 402.   *Spt. 13*

---

a) *kaum Suellman.* b) *A annis offenbar dem vorhergehenden Posten mechanisch nachgeschrieben; vor diesem Posten Federproben des Schreibers, wie* quibus supra *d li h.* c) *B gibt den letzten Buchstaben des Worts durch Überstrich.* d) *B Habelshemmer.*

[1] *Gleich weiter unten folgt derselbe mit ausführlicheren Bestimmungen betreffs derselben Summe.*

1401. Okt. 9. Item Bopp Rude 65 gulden 4 groß, sub dato Nurenberg* sexta post beati Luce ewangeliste anno 402 regni anno tertio. [*om. B.*]

1402. Okt. 22 Item Hanman schulteiß von Bornheim 40 gulden, sub dato dominica post Luce ewangeliste anno 402 regni vero nostri anno 3 Nurenberg. [*A ausgestrichen*[b]; *om. B.*]

1402. Okt. 25 Item Zorch[c] von Stetten hat einen brief umbe sinen solde, als er gein Lamparthen gedienet hat mim hern fur hundert und acht und nunczig guldin und 8 groß, sub data Nurenberg feria quarta[d] ante beatorum Simonis et Jude apostolorum anno etc. 402.

Item min herre der kunig belibt dem jungen Berynger von Adelsheim schuldig an sime solde von Lamparthen funf und sechzig guldin 4 groß. daran hat ime min herre geben 20 guldin, und fur die ubrigen funf und vierczig guldin und 4 groß hat er einen brief von minem hern in vorgeschriben forme anno etc. 402 sub data Nurenberg in vigilia beatorum Simonis et Jude apostolorum.

1402. Okt. 27

1402. Dec. 3 Item Herman von Breidenstein ritter 175 gulden, sub dato Nurenberg dominica post Andree apostoli 402.

1402. Dec. 23 Item Henne Wambolt 140 gulden, sub dato Nurenberg vigilia nativitatis domini nostri Jesu Christi. [*B ausgestrichen; darüber* redempta est.]

Dec. 23 Item Sifrid Wambolt 145 gulden in prima forma, sub proximo dato.

1402. Jan. 22 Item Hanns Sentlinger[1] 46 ducaten, sub dato Veneciis feria secunda post Agnetis anno etc. 402.

1403. Jan. 7 Item Engelhart von Berlichingen 133 gulden 8 groß, sub dato [*B add.* Nuremberg] crastino epiphanie domini anno etc. 403.

1403. Jan. 9 Item herr [*B om.* herr] Eberhart von Mentzingen [*B add.* ritter] 102 gulden 10 groß, sub dato Nurenberg feria tercia infra octavas epiphanie domini anno etc. 403. [*B ausgestrichen, darüber* redempta.]

Apr. 23 Jan. 9 Item herr [*B om.* herr] Ortolff Gußßen [*B add.* ritter] 320 gulden of Jeorii zu bezalen, min herre oder sin nachkommen an dem riche, datum ut proxime supra.

Mai 1 1402. Jan. 10 Item Sifrid Zoller 100 gulden von dez von Swarczpurg wegen of Walpurg zu bezaln, min herre oder sin erben, datum Nurenberg feria quarta infra octavas epiphanie domini anno 403.

Sept. 29 Mai 23 Item Claus Zorne 116 gulden und 8 groß uf Michael zu bezalen, datum Heidelberg 4 feria ante *ascensionem*[e] anno domini[f] 403 regni tercio. [*om. B.*]

1403. Mrz. 2 Item Albrecht von Gieche[2] 81 gulden und 6 groß an sinem solde, item 36 gulden von Albrecht Freudenbergers wegen[3], daz zusamen machet 100 und 17½ gulden, sub dato Nuremberg feria sexta ante dominicam invocavit anno etc. 403.

---

a) A add. quinta *ausgestrichen.* b) A add. *in der Verlängerung der letzten Zeile nach einigem Zwischenraum eine mit durchstrichene, undeutliche Abkürzung, wie es scheint ein D, dann 3 Grundstriche, ein n und ein Haken, der auch ein l sein kann.* c) B Zurich. d) *so B; A unleserlich durch Zerstörung des Papiers.* e) A *unleserlich durch Zerstörung des Papiers.* f) A *ebenso.*

[1] *Erscheint weiter oben in den Schuldbriefen vom 6 Febr. 1402 mit einer andern Summe.*

[2] *Erscheint weiter oben in den Schuldbriefen vom 6 Febr. 1402 mit einer andern Summe. K. Ruprecht erklärt, dem Albrecht von Giech zu Bronn gesessen 324 fl. schuldig zu sein an sime solde als er mit uns und dez richs wegen uber berg hininne gein Lamparthen geritden waz und auch alz er zu Nuremberg bi uns lag, verschafft ihm diese Summe auf die nächste gewöhnliche Steuer von Reutlingen; dat. Swinfurd Elizabeth [Nov. 19] 1406 r. 7 (Karlsruhe G.L.A. Pfälz. Kop.-B. 53 pag. 241 cop. ch. coaev., ausgestrichen,* mit manchen Korrekturen unter anderm im Datum, das ursprünglich hieß Heidelberg Agnetis [Jan. 21] 1406 r. 6).

[3] *K. Ruprecht schuldet Albrecht dem Freudenberger seinem Pfleger zu Urbach 485 fl., darunter 225 fl. von sins solds wegen den er zu Lamparthen umbe uns verdienet hat, die ganze Summe soll ihm von den Gefällen des Landschreiberamts zu Urbach bezahlt werden; dat. Amberg 4 p. Bonifacii [Juni 7] 1402 r. 2 (Karlsruhe G.L.A. Pfälz. Kop.-B. 53 pag. 56 cop. ch. coaev., durchstrichen, links am Rande d mit Abkürzungsschleife).*

Item Jacob vom Thorne ritter 410½ gulden an sinem solde gein Lamparthen, sub dato
Heidelberg sabbato ante festum trinitatis anno etc. 403. *1403 Juni 9*

Item Ort Kemerer 143 gulden 4 groß an sinem solde gein Lamparthen, sub dato Heidelberg feria secunda ante beate Margarete virginis anno etc. 403. *1403 Juli 9*

⁵ Item her Hermann Hirte von Sauwelnheim 136 gulden 2 großc an sinem solde gein
Lamparthen of ostern zu bezalen von dem gulden opferpfennig den Elian und Isaac *Mrz. 30*
innemen, datum Heidelberg dominica ante beati Galli anno 403. *1403 Okt. 14*

Item Jorgen dem Turiegel 500 minner 6 rinischer gulden of unser frauwen tage liecht- *1405*
meße zu bezalen, datum Heidelberg am mitwochen vor dem heiligen pfingstage anno *Fbr. 2*
¹⁰ domini millesimo quadringentesimo quarto etc. *1404 Mai 14*

Item 97½ gulden Volmar von Wernauw, sub die dominica post Udalrici ᵃ episcopi *anno*
domini etc. 404 in communi forma. *1404 Juli 6*

Item 65 gulden Ravan Mertin of pfingsten nehstkompt zu bezalen, sub dato Heidel- *1405 Juni 7*
berg sabbato post beati Martini episcopi anno etc. 404. *1404 Nov. 15*

¹⁵ *177. Urkundl. Auszug betr. Anwerbung und Dienstverpflichtungen Hans Heydörffers* *1402 Fbr. 4*
(und ebenso Peter Busolts, s. Quellenangabe) selbfünfzehnt mit Spießen König
Ruprecht auf vier Monate, und auf Verlangen noch weitere vier Monate, von seiner
Gestellung in Padua an zu dienen. 1402 Febr. 4 o. O.

> ²⁰ *Aus Karlsr. G.L.A. Pfälz. Kop.-B. 44 fol. 251ª cop. ch. 15 Jahrh. ex. Unter dem Text*
> *Nota des obgeschriben briefs ist noch einer uf Peter Busolt sagende glicher form*
> *und date. — Das u hat in diesem Stück meistens einen Haken, wol nur zur Unter-*
> *scheidung von n, daher er im Druck nicht berücksichtigt wurde.*
> *Regest bei Janssen Frankf. R.K. 1, 658 nr. 1086 ebendaher.*

Ein reversbrief, wie Hanns Heydörffer von konig Ruprechtten bestelt ist mit 15
²⁵ spiessen, sin spieß darin gerechnet, zu dienen 4 ganz monat, als er inen damit auch gefirmet hett lut verschribung daruber. und er soll sich mit denselben 15 spießen gein
Paudaw ᵇ presentirn sich daselbst laßen mustern und schriben als gewonlich si. und uf
welchen dag daz also geschee, so soll sin solt angen. und soll iglicher spieß han dru
pferde einen wepner ein sagman und renner, und der sagman soll auch gewapent
³⁰ sin mit einem panzer einem koller einem verborgen hubel und einem spieß. und wo
er oder sin gesellen des nit hetten oder an ir iglichem gebresthaftig funden wurde,
darumb möcht sie sin gnade oder siner gnaden amptlute den das befollen punctirn als
des lands gewonheit. er soll sich auch mit sinen gesellen die obgnanten 4 monat eins
iglichen monats laßen schriben und mustern als zu Florentz gewonlich ᶜ ist. item er
³⁵ soll auch obgeschribnermaße dienen und gewarten getruwelich widder alle und iglich
sin finde niemant ußgenommen die obgnanten 4 monat ganz uß als sin *majestat* inen
gefirmet hett. item ob er icht hört das widder sin *majestat* oder die sinen wer', daz
soll er ime iede zit verkunden. item er oder sin gesellen sollen auch an den gnanten
konig Ruprechtten nit mee fordern dann iren solt darumb er inen gefirmet hett, ob sie
⁴⁰ wol schaden oder verlust bi ime nemmen wurden. wann auch die 4 monat ußsin, will
dann konig Ruprecht inen furbas haben, soll er ime noch 4 monat verbunden sin zu
dienen in dem geding der ersten 4 monat, doch also das er inen das 15 dag bevor ee
die ersten 4 monadt ußgeen wissen laß. all obgeschriben artikel hatt Hans Heydorff
gelopt und gesworn, in urkund sins anhangenden ingesigels, geben uf samßtag nach *1402*
⁴⁵ purificacionis Marie anno domini 1400 und zwei jar. *Fbr. 4*

---

a) *B* Udalri. b) *oder* Paudaw? c) *cod.* gewonlich *mit einem Haken über* n.

1402
Juli 31 **178.** *K. Ruprecht verpflichtet sich, der Römischen Königin Elisabeth seiner Gemahlin, die ihm als er in der Lombardei war 3000 Dukaten geliehen hatte, diese Summe auf nächsten Martinstag zurückzuerstatten; die gleiche Verpflichtung übernimmt von des Königs wegen auch dessen Sohn Pfalzgraf Ludwig. 1402 Juli 31 Heidelberg.*

> *B aus Bamberg Kr.-Archiv Kaiserl. u. Königl Urkk. or. membr. c. 2 sig. pend.*
> *K coll. Karlsruhe G.L.A. Pfälz. Kop.-B. 53 pag. 67 cop. ch. coaer., mit der Überschrift Als min herre miner frauwen der Romischen kuniginne schuldig ist 3000 gulden, die er oder sin erben bezalen sollen uf Martini nehstkompt, das Stück ausgestrichen.*
> *Gedruckt Mon. Zollerana 6, 153 nr. 162 aus vidimierter Kopie vom Plassenburger Original. — Regest Reg. Bo. 11, 264.*

Wir Ruprecht von gots gnaden Romischer kunig zu allen czijten merer des richs bekennen uffinlich mit diesem briefe vor uns und unser erben: daz wir der allerdurchluchtigisten hochgepornen furstynnen frauwen Elizabeth Romischer kunigynne unser lieben husfrauwen trutusent guter ducaten ^a schuldig sin, die sie uns zu unser großen nodtúrffte als wir in Lamparthen waren gutlichen bereidt geluhen hat [1]. dieselben drudusent guter ducaten ^b wir und unser erben der vorgenanten unser lieben husfrauwen 1402
Nov. 11 oder wer dann diesen brief von iren wegin innehat uff sand Martins tag nehstkumpt gutlichen bezalen sollen und wollen ane alle geverde, daz wir ir auch also versprechen in crafft dißr briefes. und des zu urkunde und vestem gezugniß so han wir ir diesen unsern brieff geben vor uns und unser erben, versigelt mit unserm kuniglichem anhangendem ingesigel. und ich Ludwig von gots gnaden pfalczgrave by Rine und herczog in Beyern des obgenanten myns gnedigen herren und vatters des Romischen kuniges sone bekennen uffinlich mit ^c diesem brieve: daz myn lieber herre und vatter der Romische kunig obgeschriben und ich von sinen wegin der obgenanten myner lieben frauwen und mutter der Romischen kunigynne oder wer dann diesen brieff von 1402
Nov. 11 iren wegin innhat die vorgenanten drudusent gůter ducaten ^d uff sand Martins tag nehstkumpt gutlichen und ane lengern verczog bezalen und sie der ußrichten sollen und wollen ane alle geverde. und des zu urkunde und gezugniß so han ich myn eigen ingesigel bij des obgenanten myns lieben herren und vatters des Romischen kunigs ingesigel auch an diesen brieff tun hencken, der geben ist zu Heidelberg uff den 1402
Juli 31 mantag nach sand Jacobs tag nach Cristi gepurte vierczehenhundert und zwey jare unsers kunig Ruprechts obgeschriben in dem andern jare unsers richs ^e.

[in verso] R. Bertholdus Dürlach.

Ad mandatum domini regis
Johannes Winheim.

---

a) *K* gulden. b) *K* gulden. c) *K* in. d) *K* gulden. e) *K om.* unsers richs.

---

[1] *Vgl. Einnahmen der kgl. Kammer nr. 168 art. 39. 54. 59.*

179. *K. Ruprecht verpflichtet sich das inserierte Abkommen des Schwarz Reinhard von* 1403
Sickingen Landvogts im Elsaß mit der Stadt Basel vom 26 Sept. 1401 zu beobach- Mrz. 19
ten, wonach Basel gegen Zahlung von 3000 fl. von der Theilnahme an dem Zuge
nach Italien befreit wird. 1403 Merz 19 Heidelberg.

> *A aus Basel St.A. geh. Reg. C. B. or. mb. lit. pat. c. sig. pend.; in verso gleichzeitig*
> *kunig Ruprechts quittancz umb den dienst uber bergk; ohne die Absätze des Druckes.*
> *Unsere Abschrift verdanken wir Herrn Staatsarchivar Dr. Wackernagel.*
> *B coll. ibidem gr. w. B. fol. 118ᵃ cop. chart. coaev.*
> *K coll. Karlsr. G.L.A. Pfälz. Kop.-B. 4 fol. 152ᵇ-153ᵃ cop. ch. coaer.; Überschrift Ein*
> *quittancie den von Basel von des dinstes wegen den sie mim herren dun solten uber*
> *berg etc.*
> *Steht auch Wien H. H. St.A. Reichsregistr.-Buch C fol. 130ᵇ-131ᵃ cop. ch. coaer.*
> *Regest Chmel reg. Rup. nr. 1451 aus Wien l. c.*

Wir Ruprecht von gots gnaden Romischer kunig czu allen zijten merer des richs
bekennen und dûn kunt offenbar mit diesem briefe: als Swarcz Reinhard von Sickingen
ritter unser lantvogt in Elsaße und lieber getrûwer mit unsern lieben getruwen burgermeistern und rate unser und des heiligen richs stat Basel von unsern wegen uberkommen ist, als dann der brieff ußwiset den er yn daruber geben hat und von worte
zu wort hernach geschriben stet also ludende:
Ich Swarcz Reinhard von Sickingen ritter, lantvogt in Elsaß des allerdurchluchtigisten hochgebornesten fursten myns allergnedigisten herren herrn Ruprechts von gots
gnaden Romischen kuniges zu allen zijten mererᵃ des richs, bekenne mich und dûn kûnt
allermenglichem mit disem briefe: als der yeczgenant myn gnedigister herre der
Romische kunig mir insunderheit enpholhen und sinen vollen gewalt gegeben hat zu
tedingen und ubereinzewerden mit den erbern wisen dem burgermeister und rate der
stat Basel umb solichen dienst so dieselben von Basell mynem egenanten herren dem
kunige uber berg gein Lamparthen dienen und dûn solten off diß zijt, wand er uff diese
selbe zit uber berg meynet zu ziehende, als das der gewaltesbrieff¹ ußwiset den der
egenant myn herre der kunig mit siner kuniglicher majestad ingesiegel mir daruber
geben hat versiegelt, denselben brieff ich auch den vorgenanten von Basell geben und
geantwurtet han, das dieselben burgermeistere und rat zu Basel umb den egenanten
dienst mynem herren zu tûnde in namen und an stat desselben myns herren des kunigs
fruntlich mit mir uberkommen sint umbe drûtusent gulden rinischer und gûter mir von
sinen wegen zu gebende, die sie auch mir von desselben myns herren wegen in baren
gezalten guten gulden genczlich und gar bezalt und gewert hand, des ich mich in
namen des vorgenanten myns herren und myns selbs von sinen wegen bekenne mit
dirre geschrifft. darumb so sagen ich den burgermeister die râte die burgere gemeinlich
und die stat Basel desselben dienstes und gezoges ze tûnde nû und hernach, ob myn
herre dez gezoges uber berg uff diese zijt wendig wûrde, von desselben myns herren
des kunigs und mynen wegen in sinem namen und auch der drutusent gulden vorgeschriben quijd ledig und loß. were auch daz der egenant myn herre der kunig des
gezoges off diese zijt wendig oder hernach uber berg ziehen wurde, so sollent dieselben
von Basel und ire nachkommen doch dez dinstes und zogs zu dûnde uber berg uber-
hept und ledig und nit gebunden sin von solicher sache und uberkommung wegen

a) AB merer.

¹ *Vom 29 Aug. 1401, s. RTA. 4 nr. 379.*

vorgeschriben ungeverlich, und daz auch derselbe myn herre der kunig noch nyemand von sinen wegen darumbe an sie noch an ir nachkommen dehein vorderunge tûn noch haben sol in deheine wise.　darzû habe ich inen versprochen by guter trûwe, alsbalde der vorgenant myn herre der kunig wieder ze lannde kommet, daz ich dann furderlichen und ane verziehen den egenanten von Basell von demselben mynem herren dem kunige　5 einen quitbrieff [1] under siner küniglicher majestat ingesiegel versiegelt schaffen und antworten sol und geben ane yren kosten und schaden, in dem er der egenanten uberkommunge und bezalunge der guldin gihtig sie und auch sie und ir nachkommen des dinstes im nu und hernach ze tunde und auch der guldin quit und ledig spreche und sage und sie noch ir nachkommen darumbe hinnanthin nit bekommer durch in noch　10 durch andere in deheine wise.　wanne auch ich einen solichen quitbrieff inen schaffen geben und geantwurtet werden als vor stât, so sollent sie mir diesen brieff und auch mynen gewaltsbrieff, den sie von mir hand, wiederumbe by demselben botden, der inen den quitbrieff git, senden ungeverlich.　des ze urkunde han ich myn ingesiegel ge-

henckt an diesen brieff, der geben wart des nechsten mendags vor sant Michels dag　15 des ertzengels da mann zalte nach Cristi geburt vierzehenhundert und ein jare.

des bekennen wir, das wir dasselbe uberkommen in aller maße als der obgenant brieff ußwiset genczlich halten und dez gevolgig sin sollen und wollen ane alle geverde. und des zu orkunde haben wir unser kuniglich majestat-ingesiegel an diesen brieff dûn hencken, der geben ist zu Heidelberg off den nechsten mandag nach dem sontag als　20

man singet in der heiligen kirchen oculi in dem jare als mann zalte nach Crists geburte vierzehenhundert und drû jare unsers richs in dem dritten jare.

　　　　　　　　　　　　　　　　　　　　　　　Ad mandatum domini regis
[in verso] R. Bertholdus Dûrlach.　　　　　　　　　Johannes Winheim.

---

180. *K. Ruprecht an Herzog Karl I den Kühnen von Lothringen, schlägt ihm vor, auf*　25 *welche Weise er die ihm durch den Lombardischen Zug bei demselben crwachsene Schuld tilgen möchte. 1403 Merz 22 Heidelberg.*

　　　Aus Karlsr. G.L.A. Pfälz. Kop.-B. 146 fol. 72ᵇ-73ᵃ cop. coaev.
　　　Coll. Janssen Frankf. R.K. 1, 733-735 nr. 1159 aus Kodex seines Privatbesitzes Acta et
　　　　　Pacta 76.
　　　Moderne lateinische Übersetzung gedruckt Martène ampliss. coll. 4, 121-123 nr. 82. —
　　　　　Regest Georgisch 2, 871 nr. 19 und Chmel nr. 1453, beide aus Martène.

Hochgeborner lieber son und furste.　als du uns aber geschriben und mit Friderichen dinem capplan [2] enbotten hast von solicher schulde wegen als wir dir schuldig verliben sin von des zugs wegen [a] als du mit uns hininne gein Lamparthen geritten　35 wert [b], und begerst das wir dir unser sloß Kirkele und darzu unsern tornoß [c] zu Boparten fur funftusent guldin verschriben wollen, so wellest du umbe das uberig din rete zu uns her gein Heidelberg senden dir das auch zu versicheren etc.:　haben wir wol verstanden.　lieber son.　des dunket uns an demselben dinem schriben, das der obgenante din cappellan unser meinunge, als wir im ze Nurenberg von der obgenanten　40

---

a) als wir dir — zugs wegen om. *Janssen.*　b) sic cod. und *Janssen.*　c) cod. tornaß, *Janssen* tornoss.

---

[1] *K. Ruprecht quittiert Stadt Basel über 3000 fl.,
die sie für den Zug nach Lombardien dem Reinhard von Sickingen Landvogt im Elsaß bezahlt
hat, und entbindet sie von bewaffneter Dienstleistung, dat. Heidelberg Fr. n. Viti [Juni 16]*

*1402; Karlsruhe G.L.A. Pfälz. Kop.-B. 8¼ fol.
46ᵃ cop. ch. coaev., und ibid. Pfälz. Kop.-B. 149
pag. 31 cop. ch. coaer.*
[2] *In der Antwortanweisung nr. 353 von [1403　45
c. Febr. 20] ist dieser erwähnt.*

diner schulde wegen erzalten, etwas anders verstanden und ingenomen und auch vorbaß an dich bracht habe wann wir ime erzalt haben.　　wann din liebe selber wol verstet, das Kirckel das sloß uns wol gelegen ist an dem orte, ob iemand des lands herinne of uns ziehen und beschedigen wolte, wiewol es doch wenig gůlt hat und nit nůczber dar-
5 nach ist.　und wiewol das were, ob wir dir dasselbe unser sloße ingeben, das wir uns dannocht daruß und darin wider menglichen behelfen mochten, so entseßen es doch die, die uns und die unsern beschedigen wolten, nit als faste als so wir daßelb sloß in unsere hant und mit unsern amptluten beseczt han, als din liebe selber wol verstet.　so ist der tornoß[a] zu Boparten uns nit lenger verschriben dann unser lebtage, also das du
10 daran nit habende werest.　lieber son.　das du nů sehest und auch genzlichen versten mogest, das wir dir die obgenante din schulde, die doch von dienstes wegen, den du uns von des richs wegen getan hast, herruret und geet, gerne bezalen und dich der uůrichten wollen nach allem unserm besten vermogen, so ist unser meinunge, das wir dir fur dieselben din schulde zwolf tornoße[b] an unserm und des richs richs zolle zu Selße an
15 dem[c] Rine verschriben wollen ane abeslag.　und darzu wollen wir dir auch verschriben und verbriefen, das dir alle jare von den renten unser und des richs lantvogtien[d] zu Elseßen zweidusent guldin zu abeslage der obgenanten diner schulde gefallen[e] und be-zalt werden sullen, also das du die obgenanten zwolf turnoste an unserm und des richs zolle zu Selße ane abeslag und darzu jerlichen die zweidusent guldin von den renten
20 unser lantvogtien[f] in Elßeß, die auch uns und dem riche uber einen[g] lantvogt alle jare kome[h] gefallen mogen, zu abslage als lange ofheben und innemen sollest, biß das dir die obgenante din schulde von den zweien dusent guldin ganz und gar bezalt worden ist, ungeverlich, doch also das du uns alsdann unser briefe, die wir dir von der ob-genanten diner schulde wegen geben haben, unverzogenlichen widergeben sollest ane
25 geverde[i].　und wollen dir darzu auch gerne versprechen und unser briefe daruber geben, ob du des begerst, ob das were das uns einiche gelt von dem von Meylan den von Ache oder imant anders mit tedinge[i] zufallen wurde, damit wir dich der obgenanten diner schulde bezalen mogen, das wir das auch gerne dun wollen, doch also das du uns alsdann unser briefe, die wir dir uber die obgenanten zwolfe turnoße zu Selße und
30 die zweitusent guldin gelts, die dir jerlichen uß der lantvogtien zu abeslage gefallen sullten[k], unverzogenlichen widergebest und ledigsagest.　und wilt du den wege ůlso of-nemen, als wir auch meinen das du billich dun sullest nachdem unser sachen[l] zu dieser zit gestalt sin, so schicke din rete darumbe mir machte zu uns, so wollen wir dir der sache gerne also ende[m] geben und die beschließen und dich auch darinne versorgen so

35　　　a) *cod. und Janssen* tornaß. b) *cod. und Janssen* tornaße. c) *cod. und Janssen* den. d) *cod. nicht ganz deutlich* lantvogten *oder* lantvogtijn, *Janssen* lantvogty. e) *cod. und Janssen* gefallen. f) *cod.* lantvogtienn. g) *cod.* eine *mit ť*berstrich. h) *sic.* i) *cod.* tedigen. k) *so scheint im cod. wol sicher korrigiert aus* sullen; *Janssen* sullen. l) *cod. und Janssen* sache. m) *Janssen* ende also.

[1] *K. Ruprecht bekennt, dem Herzog Karl von Lothringen, der mit sin selbs libe und mit etwievil siner diener graven herren ritter unde knechte uns und dem riche zu dinste uber berg hinin gein Lamparthen geritden waz, an seinem Sold noch 21041 fl. 8 gr. schuldig zu sein, und weist ihm dafür die Weihnachten fällige Steuer der Elsäßi-schen Reichsstädte Hagenau Schletzstat Colmar Ehenhein Keisersperg Mühlhausen und Münster im Betrag von 2000 fl. an, ferner auf dem Reichs-zoll zu Selz jährlich 1000 fl., und auf den Pfälzi-schen Zöllen zu Bacherach und Caub jährlich 2000 fl., welche 5000 fl. jährlich der Herzog be-* *ziehen soll bis seine Forderung bezahlt ist. Stirbt der König inzwischen und hindert sein Nachfolger im Reich die Erhebung der gen. Reichssteuern und des Selzer Reichszolles durch den Herzog, so soll der Rest der Schuld durch die jährlichen 2000 fl. der gen. Pfälzischen Zölle bezahlt wer-den; auf diesen letzten Punkt verpflichten sich die Pfalzgrafen Ludwig und Hans des Königs Söhne; dat. Heidelberg Mi. i. d. Pfingstfeiertagen [Juni 6] 1403 r. 3 (Karlsruhe G.L.A. Pfälz. Kop.-B. 53 pag. 139-141 cop. ch. coaev., ausge-strichen).*

1403 wir allerbeste mogen.   datum Heidelberg feria quinta [1] post domiñicam oculi anno etc.
Mrz. 22 quadringentesimo tercio, regni vero nostri anno tercio.

Ad mandatum domini regis
Johannes Winheim.

1406 **181.** *Verzeichnis* [2] *von vidimierten Abschriften einiger Urkunden über die Schuld K.* s
Spt. 17 *Ruprechts an Herzog Ludwig VII von Baiern, vornehmlich wegen des Dienstes*
bzw. 19 *des letzteren in Italien. 1406 Sept. 17 bzw. 19 [Heidelberg* [3] *].*

Aus München R.A. Neuburger Kop.-B. 21 fol. 267[b] *cop. ch. saec. 15.*

Die schuld als kunig Ruprecht herzog Ludwigen schuldig ist worden auf der rais
zu Lamparden [4].   10

[*1*] Item ain vidimus under des apts von Planckesteten insigel der versiglten rechen-
zedel [5] von der schuld wegen, die kung Ruprecht herzog Ludwigen auf der rais gen
Lamparden schuld*ig* worden ist; und ist der schuld bei 21000 guldin; und sagt die
zedel, das daran abgeen solt das Harspruck stet, und umb das ubrig solt herzog Ludwigen der Rotenberg[a] engeantwurt sein worden; und sagt auch, ob der kung ichtz hiet 15
auf den 2 drutail des lantgerichtz Sulczbach, das solt herzog *Ludwigen*[b] auch daran
1406 abgeen; datum an freitag nach exaltacionis sancte crucis anno 1406.
Spt. 17

a) cod. Rosenberg.   b) om. cod.

[1] *Martène und Janssen lesen feria quarta, und*
berechnen daher Merz 21.
[2] *Ein ähnliches Verzeichnis hat Höfler Geschichts-*
schreiber der Husitischen Bew. 2 (Fontes rer. Austr.
I. 6. 2) pag. 464 f. gedruckt mit der Quellenangabe:
Neuburger Copialbücher XVIII fol. 6. *Wir haben*
das Stück im Neub. Kop.-B. 18 des Münchener
Reichsarchivs vergebens gesucht. In diesem Höfler-
schen Verzeichnis sind Originale und Abschriften
derselben Urkunden wie hier oben aufgeführt (s.
die folgenden Anmerkungen), außerdem zwei Stücke
die wir in Anm. zu nr. 8 art. 14 und in Anm.
zu nr. 169 art. 3 erwähnen, und endlich an sech-
ster Stelle noch: Item dornach die santbrief und
abschrift, als mein herr herzog Ludwig sein ab-
genant schuld an kunig Ruprechts sun herzog
Ludwigen herzog Johannsen und die andern gevordert, und wir [*so Höfler;* conj. wie] sie ingeantwurt haben; das weschehen [*sic Höfler*] ist
anno deeimo. *Hieraus geht schon hervor, daß*
die Schuld bei K. Ruprechts Lebzeiten nicht völlig
getilgt wurde. Die Regelung des Schuldverhält-
nisses wie es nach obigem Verzeichnis im Sept.
1406 beabsichtigt war kam nicht zur Ausführung;
heißt es ja doch oben in art. 2. 3. 4 solt ubergeben haben *und* solt geben haben. *Das Ver-*
zeichnis Höflers zeigt, daß die Originale der Ur-
kunden Herzog Ludwigs zurückbehalten wurden,
s. die folgenden Noten. Im letzten Moment muß
also ein Hindernis dazwischen getreten sein.
[3] *S. die folgenden Noten. Unsere Datierung*
in der Überschrift gilt für die ursprünglichen

Urkunden, nicht für die Abfassung der vidimier-
ten Abschriften oder für die Zusammenstellung 20
des Verzeichnisses.
[4] *Vgl. nr. 168 art. 47 und nr. 169 art. 3. 6. 7;*
vgl. auch nr. 175. — K. Ruprecht bekennt, daß
er dem Herzog Ludwig von Baiern, der ihm von 25
des Reichs wegen mit etwievel Rittern und Knechten hinein gen Lamparthen gedient hat zu seinen
und des Reichs Geschäften, nach Berechnung des
Grafen Emich von Leiningen seines Haushof-
meisters Rudolfs von Zeisenkeim seines Kammer- 30
meisters und Johannes' seines Kammerschreibers,
die er zur Abrechnung zum Herzog gesandt hat,
nach verschiedenen Abschlagszahlungen noch 11648½
ung. fl. schuldet, welche bezahlt werden sollen
wann der Herzog der nicht mehr entbehren will; 35
dat. Mosebach Barth. [Aug. 24] 1402 r. 3; Karlsr.
G.L.A. Pfälz. Kop.-B. 53 pag. 69-70 cop. ch.
coaev., durchstrichen. — Vgl. die Anweisung von
Reichssteuern an den Herzog, Chmel nr. 1181.
[5] *Aufzeichnung über Abkommen zwischen* K. 40
Ruprecht und Herzog Ludwig von Baiern in Betreff der Geldschuld des ersteren an letzteren: die
Schuld wird auf 18038½ fl. berechnet; davon gehen
ab 720 fl., darum dem König 81 fl. Geldes zu
Sulzbach gestanden sind, das soll jetzt ledig sein; 45
dazu soll der Herzog Herspruck um 4000 fl. lösen;
daran soll abgehn was Herspruck steht, das andere soll dem Herzog der Rotenberg eingeant-
wortet werden; also Summa 21318½ fl.; ferner soll
der König dem Herzog seinen Antheil an zwei
Dritteln des Landgerichts zu Sulzbach zu lösen 50

[*2*] Item ain vidimus under des aptz von Plancksteten insigl zwair quittbrief, die herzog Ludwig kung Ruprechten solt ubergeben haben.   [*2ᵃ*] sagt der ain quittbrief[1] 6000 gl. *reinisch*, an suntag vor Mathei apostoli anno 1406.   [*2ᵇ*] so sagt der ander quittbrief[2] von soldes wegen, und benent kain, gen Lamparden, datum an suntag vor[b] Mathei anno 1406.

[*3*] Item ain vidimus under des aptz von Plancksteten insigl der versigelten abgeschrift des kaufbriefs[3], den[b] kunig Ruprecht herzog Ludwig solt geben haben umb die vest Rotenberg.

[*4*] Item ain vidimus, wie herzog Ludwig kung Ruprechten solt ain gegenbrief[4] geben haben umb den Rotenberg und den marght Snaytach.

a) om. cod.   b) cod. der.

geben; über das, was der König dem Herzog wegen Hirschau schuldig sei, soll der Schenk von Limburg auf einem Tage zu Heidelberg als Obmann entscheiden; dat. Fr. n. exalt. crucis anno 6 [1406 Sept. 17] o. O.; München R.A. Neub. Kop.-B. 37 fol. 2ᵃ cop. ch. saec. 15 und ibid. fol. 11ᵃᵇ desgl.; das Verzeichnis bei Höfler l. c. führt an erster Stelle das Original dieses Rechenzettels, an achter Stelle die hier oben in nr. 181 art. 1 erwähnte Abschrift auf. — Hierhin gehören noch einige Notizen München l. c. fol. 13, wonach Johannes Weinheim den Zettel über das Abkommen eigenhändig geschrieben und Friderich Graf von Öttingen denselben mit seinem Sekret besigelt hat; als unterredner und teidinger werden genant Burggraf Friderich ietz margraf zu Brandenburg und Bischof Raban von Speier Kanzler des Königs; auch sollen Hartman von Eglofstein d. alte und Hans vom Hirschhorn sowie andere königliche Räthe um das Abkommen über Hersprucg Rotemberg und Snaitpach wissen.

[1] *Herzog Ludwig von Baiern bezeugt, daß ihm K. Ruprecht 6000 guter rh. fl. geben und wol bezalt hat zu zerunge als er uns in seiner botschaft gein Frankreich geschikt hette, und quittiert darüber; dat. Heidelberg dom. a. Mathei [Sept. 19] anno 1406; München l. c. fol. 5ᵃ cop. ch. saec. 15, Regest Reg. Bo. 11, 390; das Verzeichnis bei Höfler l. c. führt an vierter Stelle das Original und eine Abschrift dieser Urkunde, an zehnter Stelle eine andere Abschrift (wol die oben erwähnte) auf.*

[2] *Herzog Ludwig von Baiern bezeugt, daß ihm K. Ruprecht unser schuld, die er uns schuldig gewesen ist als von unsers soldes wegen, als wir mit unser selbs leibe und einer zal mit gleven*

mit im und ime zů dienst über berg hinein gein Lamparten geritten waren, und auch von unsers solds wegen in Dutschen landen bis uf disen hewtigen tag datum dises brifs, ganz und gar bezalt und darumb gänzlichen genůg getan hat, *und* quittiert darüber; dat. Haydelberg dom. a. Mathei [Sept. 19] 1406; München l. c. fol. 5ᵃ cop. ch. saec. 15; Regest Reg. Bo. 11, 390; in dem Verzeichnis bei Höfler l. c. ist an fünfter Stelle das Original und eine Abschrift dieser Urkunde, an zehnter Stelle eine andere Abschrift (wol die hier oben angeführte) genannt.*

[3] *K. Ruprecht als Pfalzgraf erklärt, daß er seinem Vetter Herzog Ludwig von Baiern die Feste zum Rotemperg mit dem Markt zu Snaittach und den Hämmern dazu verkaufe unter Vorbehalt des Widerkaufs; dat. Haydelberg dom. a. Mathei [Sept. 19] 1406; München l. c. fol. 3ᵃᵇ cop. ch. saec. 15, mit Auslassung der Kaufsumme; diese nennt mit 11697½ rh. fl. das Regest Reg. Bo. 11, 390; wol dieselbe vidimierte Abschrift wie in obigem Verzeichnis ist in dem Verzeichnis bei Höfler l. c. an neunter Stelle, eine andere ebendort an zweiter Stelle aufgeführt.*

[4] *Herzog Ludwig von Baiern verspricht, die Feste Rotemberg etc. dem K. Ruprecht jeder Zeit zum Widerkauf zu geben und alle anderen Bedingungen des inserierten Kaufvertrages halten zu wollen; München l. c. fol. 4ᵇ ohne Datum; das Regest Reg. Bo. 11, 391 gibt (wol nach dem Original) an: Haydelberg Mathei Abend [1406 Sept. 20]; das Original und eine Abschrift werden in dem Verzeichnis bei Höfler an dritter Stelle, eine zweite Abschrift (wol die hier oben erwähnte) an elfter Stelle aufgeführt.*

M. Briefe vom Hof aus Italien nr. 182-189.

1401
Nov. 4 **182.** *Philipp von Falkenstein an Frankfurt: Nachrichten vom Romzug.   1401 Nov. 4*
Brixen.

Aus Frankf. St.A. Imperatores 1, 181 *or. chart. lit. clausa c. sig. in verso impr.; über-*
flüssiges e über i und y ist im Abdruck weggelassen worden.   :
Gedruckt unvollständig Janssen R.K. 1, 102 nr. 251 ebendaher.

Philips von Falkinstein
herre czů Minczinberg.

Unsern fruntlichin grůße czůvor. liebin besundern fründe.   als ir uns hat ge-
scriben [1] als umme sache unsers herren des koinyngis wy dij gheleghen sy, laß wir uwer   10
erbirkeyt wyßin, das sich unser[a] herre der koinyng hatte sich mit synem folke gheghebin
uff eynen weg keyn Bryczen, und muscze wedir ummekern, wente der pass besloß was
und enkunde nicht durchekomen. und enweiß nicht anders, dan daz unserm hern dem
konyng wol ghed. und hâd eynen andern weg vor sich genomen czů czinde, mit
namen ghein Padawe, syne[b] sachen czů endende ghein Rome. und wir mit eme han   15
willin czů czinde, als verne uns god krafft und macht vorlyed. und uns von goddes
1401
Nov. 4 gnadin noch wol ghed. und virnemen daz gerne alle czijd von uch.   gegebin off
den fridac[c] noht aller heiligen dag czů Briczin, datum anno domini 1400 primo.

[*in verso*] Den erwir wyßin luden bürgirmeister und rat czů
Franckefůrt unseren liebin besundern frunden[d] detur litera.   20

1401
Dec. 4 **183.** *Pfalzgraf Ludwig an [Frankfurt], gibt Nachrichten aus einem am 1 December*
erhaltenen Briefe K. Ruprechts.   1401 Dec. 4[2] ohne Ort.

Aus Frankf. St.A. Reichssachen Acten XI nr. 684 *or. chart., scheint ein als Nachschrift*
eingelegter Zettel zu sein, die Schnitte sind noch zu sehen, Sigel ist natürlich keins
da; der Hauptbrief fehlt ebenfalls, in den der Zettel eingelegt war.   25

Ludwig von gotts gnaden pfaltzgrave bei Rhin hertzog in Beiern
und des h. riches vicarie in Dutschen landen[e].

Aûch als ir uns geschriben und geboden haint, ob uns von unsers lieben herren
und vatters des koniges zoges icht gûder botschafft queme, daz wir uch daz, als ferre

a) *or.* unsern. b) *or.* synen sache. c) *or.* fricad. d) *or.* frunde. e) *Überschrift eines späteren Archivars.*   30

[1] *Diesen Brief Frankfurts an Philipp von Fal-*
kenstein haben wir nicht, doch wissen wir, daß
die Stadt sich auch sonst damals nach dem Er-
gehen des Königs erkundigt hatte: Stadt Frank-
furt an K. Ruprecht, wünscht Nachricht vom
Römerzug, für dessen guten Fortgang sie sich
höchlich interessiert; dat. fer. 3 p. Dyonisii [Okt.
11] 1401; Frankfurt St.A. Imperatores 1, 179
conc. ch., mit der ausgestrichenen Notiz, ebenso
sei auch der Königin zu schreiben, und einer
ebenfalls ausgestrichenen zweiten auf die Königin
berechneten Unterschrift; Regest Janssen 1, 102
nr. 250 ebendaher. Stadt Frankfurt an den
[Bischof Raban] von Speier Kanzler, wünscht
Nachricht vom Römerzug, für dessen guten Fort-

gang sie sich höchlich interessiert, und wendet
sich an ihn wegen der von den Pfaffen zu S.
Barthol. widerrechtlich angeeigneten Pfarre; dat.
fer. 3 p. Dyonisii [Okt. 11] 1401; Frankf. l. c.
180 conc. ch., mit der Notiz, ebenso sei an den   35
Grafen Emchin von Lyningen den Hofmeister zu
schreiben.

[2] *Das Datum dieses Bruchstückes ist zwar nur*
von der Hand eines späteren Archivars beigefügt;
da aber dieser den Hauptbrief, zu dem diese   40
Nachschrift gehört, ohne Zweifel noch vor sich
hatte, und aus diesem das auch an sich passende
Datum entnehmen konnte, so ist das natürlichste
ihm darin zu folgen, wie auch in der Inskription.
                                                45

uns daz bequemelich were, veschriben wollen etc.: laßen wir uch wißen, daz uns an
dûnrstage nehestvergangen unsers lieben herren und vatters brieff quame [1], den er uns
gesant und darin geschriben hait: daz er, unser liebe frauwe und mûtter, unser lieben
brûder herczog Hans und herczog Otte und ander alle die sinen bij yeme von gots
5 gnaden gesûnt weren und woil mochten; und were bijt[a] sime fulcke uff[b] denselben dag
datum des brieffs kummen zû der Mûte bij dem Cruczeberg und in die dorffer do
umbe; und wolte, ob got wûlde, uff den andern dag gein Schonenfelt und also strackes
durch Frygûl gein Padaûwe riten und sich doselbest nach rade der Florenczer Venediger und ander, die yeme bijgestendig und beholffen meinent zû sin, zû stercken und
10 sinen zog zû dûn; und hoffe sin sachen mit gottes hilff und der, die yeme getrulichen
bijgestendig meynent zû sin, in Welsheim-lande zû gûte zû bringen. datum Heidelberg in die beatae Barbarae anno domini 1401[c].

1401
Dec. 1

1401
Dec. 4

184. *Pfalzgraf Ludwig Reichsvikar an Köln, theilt aus einem Brief seines Vaters vom
9 Nov. 1401 Nachrichten mit über den Gang des Italienischen Feldzugs.* 1401
15 *Dec. 7 Heidelberg.*

1401
Dec. 7

> *Aus Köln St.A.* Kaiserbriefe *or. ch. lit. clausa c. sig. in verso impr., auf Rückseite die
> irrthümliche gleichzeitige Überschrift* litere domini ducis Bavarie de bonis Mediolanen-
> sibus et Aquensibus apprehendendis.
> *Auszug bei Ennen Gesch. der Stadt Köln 3, 142 f. ebendaher; Datum berechnet auf
> 20 14 Dec.; erwähnt und die Berechnung des Datums berichtigt Städtechroniken 13, 91
> Anm. 3.*

Ludewig von gots genaden pfalczgrave bij Rine herczoge in Beyern, des heiligen
riches vicarie in Dutschen landen[d].

Ersammen lieben besundern und getruwen. wand unser lieber herre und vatter
25 und auch wir wol wißen, daz ir gerne sehent und vernement, daz eß ym wol und in
sinen sachen gelucklichen gee, darumbe laßen wir uch wißen soliche botschafft als er
uns getan und geschriben hat[2]: daz von gots genaden unser liebe frauwe und mûter
und unser zwene bruder die bij ym sint gesunt sint und wolmugent, und daz er gezogen were vor ein stat genant Brix die der von Meylan inheldet, und lege etlichen
30 tag davor, und ein teil sines folkes solten off einen tag die hude und warte dun, und
die viende qwemen uß der stat an dieselben unvorsichteclich, und fingen ir etliche, und
der viende wurden auch etliche gefangen. anders habe er keinen merglichen schaden
da genommen. und er wolte vorbas des landes hyn off den von Meylan gezogen sin,
da wurde unserm herren von Collen we an eyme beyne, und der ließe unsern herren
35 und vatter wißen er wolte wider hinder sich ziehen[3], und unser oheim herczoge Lupold
von Osterich ließ unsern herren und vatter auch wißen er were auch geleczet an eyme
beyn und wolte auch mit unserm herren von Collen wider hinder sich ziehen. und sie
zogen also wider hinder sich. da hette unser herre und vatter gerne geschen[e] daz ir
folke mit ym furbas gezogen were. die wolten ane yren herren nit furbas ziehen. und
40 da were unser herre und vatter ane ir folke zu swache des landes uß furbas zu ziehen,

a) *nicht verschrieben, es ist* blt *statt* mit, *Lexer 1, 285.* b) ûff? *undeutlich.* c) *das ganze Datum von derselben
Hand wie die Überschrift.* d) *unsere Abschrift läßt Vertheilung der Inskription auf zwei Zeilen unberücksichtigt,
und die Vorlage war neuerdings nicht aufzufinden.* e) or. geschehen.

[1] *Vgl. die Instruktion für den Landschreiber
45 von Amberg vom 28 Febr. 1402 nr. 8 art. 2. Im
Schreiben an Köln nr. 184 theilt der Pfalzgraf
mehr aus diesem Briefe mit.*

[2] *Vgl. nr. 183 und nr. 8.*
[3] *Er kam am 11 Jan. 1402 wider in Bonn an,
s. St.-Chr. 13, 91.*

und mußte auch wider hinder sich ziehen [1].   und daz were yme off die zijt getruwlichen
leit und sij ym noch leid.   und da habe er sines folkes etwievil auch wider heyme
laßen ziehen, wann er der nit aller bedorffte in diesem winther.   und er meyne nu mit
dem folke, daz er bij ym behalden hat, durch Frigul gein Padauwe zu ziehen, und
sich da zu stercken mit den Florenczern Venedigern und andern die yme meynen ge-   5
truwlich bijzusten, und sinen zog furbas zu důn, und hoffe mit gottes hulffe und der
die also ymè getruwlichen wollen bijsten sine sachen in Welschem lande zu guden dingen
zu brengen.   wer' es nů daz icht ander mere davon vorkommen weren, so wißent,
daz unser lieber herre und vatter uns geschrieben hat daz eß eigentlichen also ergangen
und gestalt sij und nit anders.   und datum desselben unsers herren und vaters brieff   10
stet „geben zu der Mute under dem Cruczberge off den mitwochen vor sant Martins
tag etc.".   sijther ist uns kein brieff oder botschafft von sinen genaden kommen.   datum Heidelberg quarta feria post beati Nycolay anno domini millesimo quadringentesimo
primo.

[*in verso*] Den ersommen unsern lieben besundern und getruwen   15
burgermeister rad und den gemeinen burgern der stat zu Colne.

185. *K. Ruprecht an verschiedene Städte: ist durch Venedig mit Florenz versöhnt, ersteres will ihm zur Kaiserkrone behilflich sein, mit Pabst Bonifacius IX steht er
in günstigen Unterhandlungen. 1402 Jan. 14 Venedig.*

An Frankfurt[a]: F aus Frankf. St.A. Imperatores 1, 184 *or. chart. lit. clausa c. sig. in verso*   20
impr. — Daraus gedruckt Janssen Frankf. R.K. 1, 107-108 nr. 257.
*An Straßburg[a]: S coll. Straßb. St.A. an der Saul I Partie ladula B fasc. XI[b] nr. 20[b] or. chart.
lit. clausa c. sig. in verso impr., in der Aufschrift dem meyster statt burgermeistern.*
*An Köln: K coll. Köln St.A. Kaiserbriefe ohne weitere Signatur or. chart. lit. clausa c. sig. in
verso impr.; auf der Rückseite die Adresse* Den ersamen unsern lieben getruwen burgermeistern rat   25
und andern burgern zů Collen dari debet.

Ruprecht von gots gnaden Romischer
kunig zů allen zijten merer des richs.

Lieben getruwen.   wir hetten uch lange gern geschrieben von unsern leuffen
hie-inne in Welschen landen.   nů sin wir mit den Florentzern etwaz in zweyungen   30
gewest von betzalunge wegin solichs gelts daz sie uns geben sollen.   und wir waren
auch gentzlichen in dem synne daz wir wieder hinuß gein Dutschen landen getzogen
wolten sin.   und als wir uff dem wege und zwo tagereyse von Venedigen komen[a] waren,
da schickten uns die Venediger ir erbern frunde nach uud tedtingten zuschen den
Florentzern und uns und hant uns[b] gentzlichen mit yn vereynet, also daz uns die   35
Florentzer follenfůren halten und dun wollen waz sie uns billichen dun sollen und ire
botden, die sie zů uns gein Dutschen landen gesant hatten, sich von iren wegen gein
uns verschrieben haben.   und sie[c] hant uns des auch[d] zu Venedigen sicher gemacht.

a) und zwo — koman *om. SK.* b) *SK add.* auch. c) *om. SK.* d) *om. SK.*

---

[1] *Die Berichte des Straßburger Hauptmanns
nr. 196 und 198 geben ein wesentlich anderes
Bild von den Verlusten des Heeres und dem Rückzuge.*
[2] *Auf diesen Brief bezieht sich wol die Notiz
der Frankfurter Stadtrechnung 1402 sabb. ante
Valentini [Febr. 11]:* 1 gulden uon boden geschenkt,
der uns einen brief brachte von unserm herren
dem konige, daz er zu Venidige wer' und im wol
ginge, als daz der rat ubirqwam, *unter der Rubrik*

besundern einzlingen uzgebin. — *Von Boten der*   40
*Stadt nach Venedig berichtet eine weitere Notiz
daselbst 1402 sabb. post Francisci [Okt. 7]:* 12
gulden Sacciferen, 12 gulden Heilen Uten, han
wir in fernt gegebin gein Venedige zů laufen zů   45
unserm herren dem künige als er gein Rome
meinte zů ziehen, *unter der Rubrik* besundern
einzlingen ußgebin.
[3] *Vgl. nr. 205 vom 23 Jan. 1402.*

dartzů wollen uns auch die Venediger beholffen sin daz wir mit der gots hulffe unser ¹⁴⁰² keyserliche cronunge entphaen mogen. und also meynen wir hie-inne in Welschen ^{Jan. 14} landen zu verliben und dem also nachzůgen, wann wir unser botschafft bij unserm heiligen vatter dem babste gehabt han, die ietzunt kurtzlichen zů Venedigen wieder zů 5 uns komen ist und damit auch unsers heiligen vatters des babsts botschafft [1]. und daroff wollen wir unser erber botschafft ietzunt aber zů unserm heiligen vatter dem babste schicken [2], also daz wir hoffen und wißen auch nit anders dann daz unser heiliger vatter der babste bij uns verliben und auch gentzlichen bijgestendig und beholffen sin wolle. so han wir auch von gots gnaden hie-inne in Welschen landen soliche leuffe 10 vor handen die uns ob got wil nutze werden sollen. und wir hoffen auch zů dem almechtigen got etwaz gůts hie-inne in dem lande zu schaffen ee wir wieder hinuß gein Dutschen landen komen, wiewol uns doch daz gar swer wirdet. und waz wir getůn mogen daz der heiligen kirchen dem heiligen riche und der gemeynen Cristenheit zu notze und fromen komen mag, daran wollen wir unserm lip und alles daz wir vermogen 15 nit sparen. datum Veneciis sabbato post octavas epiphanie domini anno ejusdem millesimo quadringentesimo secundo regni vero nostri anno secundo.

¹⁴⁰²
^{Jan. 14}

[in verso] Unsern lieben getruwen burgermeistern
und rad unser und des heiligen richs stad Franckenfurt.

Ad mandatum domini regis
Johannes Winheim.

70 **186.** *K. Ruprecht an Frankfurt, stellt alles in sehr günstigem Lichte dar und redet* ¹⁴⁰² *von seiner Absicht nach Rom zur Kaiserkrönung zu ziehen. 1402 Jan. 27* ^{Jan. 27} *Venedig.*

Aus Frankf. St.A. Imperatores 1, 186 or. chart. lit. clausa c. sig. in verso impr.
Gedruckt Janssen R.K. 1, 108 f. nr. 258 ebendaher.

Ruprecht von gots gnaden Romischer
kunig zu allen tzijten merer des richs.

Lieben getruwen. als ir uns geschriben [3] und gebeten habent daz wir uch wollen laßen wißen von unsern leuffen hie-inne in Welschen landen und wie ez uns gee etc., han wir wol verstanden und ist uns besunder von uch wol zu dancke. und 30 laßen uch wißen daz ez von gots gnaden uns und allen den unsern wol get. und stellen uns itzunt gen Rome zu ziehen und unser keyserlich cronunge zu entphaen und auch off diesen sumer ein felte zu machen und off unser fyende zu ziehen, als wir uch daz alles itzunt nehst mit unser selbs botden eigentlichen verschriben han. und hoffen zu unserm hern got wir wollen etwaz guts in Welschen landen schiecken ee wir wieder 35 hinuß gen Dutschen landen komen. und waz wir getun mogen daz der heiligen kirchen dem heiligen riche und der gemeynen Cristenheit zu nocze und fromen komen mag,

a) hie-inne add. SK.

[1] *Franciscus von Montepulciano kam am 25 Dec.*
1401 mit dem Gesandten K. Ruprechts Nicolaus
10 *Buman (s. RTA. 4 nr. 17 f.) aus Rom zum Könige*
nach Venedig (s. RTA. 4 nr. 23 f.) und wurde
am 5 Jan. 1402 mit dem Bescheid des Königs an
den Pabst zurückgesandt (s. RTA. 4 nr. 39).
[2] *Geschah am 22 Jan. 1402, s. RTA. 4 nr. 47 f.*
[3] *Schreiben Frankfurts an K. Ruprecht vom*
24 Dec. 1401, Regest bei Janssen R.K. 1, 103 nr.
255 aus Frankfurt St.A. Imperatores 1, 183 conc.

ch. — Der Brief Frankfurts an K. Ruprecht vom
19 Nov. 1401 (Janssen nr. 254) ist ebenso wenig
abgegangen wie die gleichzeitigen Briefe an den
Bischof von Speier und den Hofmeister Emich
*von Leiningen (s. Janssen l. c. nt. *); das Kon-*
zept (Frankfurt St.A. Imperatores 1, 175) trägt
zwar nicht wie bei jenen die Notis non transivit,
aber das Original mit abgekratztem Siegel liegt
noch im Frankfurter Archiv (l. c. 176).

daran wollen wir unsern lip und alles daz wir vermogen nit sparen.   datum Venetiis
1402 sexta feria post conversionem sancti Pauli anno domini millesimo quadringentesimo se-
Jan. 27 cundo regni vero nostri anno secundo.

[*in verso*] Unsern lieben getruwen burgermeistern
und rat unser und des heiligen richs stat Franck-   Ad mandatum domini regis
furt dari debet*.   Johannes Winheim.

1402 **187.** *Königin Elisabeth an Frankfurt, berichtet günstig aus Italien. 1402 Jan. 28*
Jan. 28   *Venedig.*

> *Aus Frankfurt St.A.* Imperatores 1, 198 *or. membr. lit. cl. c. sig. in verso impr.*
> *Gedruckt Janssen R.K. 1, 109 nr. 259 ebendaher.*   10

Elisabeth von gotes gnaden
Romische kunginn etc.

Erbern wisen und lieben getruwen.   uwern briefe[1] han wir wol vernomen.   und
daz ir von unserm wolmügen so gerne höret, dez ist uns uch wol zü danckchen.   und
laßen uch wißen, daz unser lieber herre und gemahel der Römische künig wir und un-   15
sere kinder von gotes genaden wolmügen und gesunde sin und uns und den unsern
wol get.   und hoffen, es sölle uns kürtzlichen noch bas gan, alz ir dez wol gewar sollet
werden.   und were auch daz uns iht gütes widerfür, daz wolten wir uch wol laßen
wißen.   datum Venesii sabato ante purificacionem Marie virginis anno etc. quadrin-
1402 gentesimo secundo.   20
Jan. 28

[*in verso*] Den erwerben wisen dem burger-
meister und dem rade unser stetde Frankchen-   Ad relationem domini de Erpach[b]
forde und lieben getruwen.   Heinrich Trewßheimer.

[1402] **188.** *Graf Emicho von Leiningen an Frankfurt, berichtet günstig aus Italien. [1402]*
Jan. 28   *Jan. 28 Venedig.*   25

> *Aus Frankfurt St.A.* Imperatores 1, 197 *or. ch. lit. cl. c. sig. in verso impr.*
> *Regest Janssen R.K. 1, 109 nr. 260 ebendaher.*

Grafe Emiche[c] von Lyningen unsers
gnedigen[d] herren des Romischen koniges hoffmeister.

Unsern früntlichen grüß bevor.   lieben frunde.   als ir uns geschriben hant   30
von unsers herren des Romischen koniges gelegenheit und wolmogen etc., da laßen wir
uch wißen, das wir das unserm herren dem konige fur haben getragen.   und er nympt
es zu großem dancke von uch.   und weiße auch zu disem male uch nit anders zu
schriben dann das es unserm herren dem Romischen konige und den sinen wol get und
sine sache zu dem besten komen sollen, als er uch das in sime briefe wol verschriben   35

---

a) *nach dd mit Überstrich folgt noch* n, *falls die beiden Schäfte nicht gleichgiltig und etwa als zwei Punkte oder überhaupt als Schlingzeichen aufzufassen sind.* b) *das Wort steht am äussersten Rande der Urkunde; es steht dort* Erp *und noch ein Buchstabe der entweder* o *oder* a *ist, wahrscheinlich letzteres.* c) *or.* Ermiche. d) *or.* gnedige.

---

[1] *Diesen Brief Frankfurts haben wir nicht,*   stein *in nr. 188 und 189 antworten; vgl.* Anm.   40
ebenso wenig wie diejenigen, auf welche Graf   *zu nr. 186.*
Emicho von Leiningen und Philipp von Falken-

hat. auch so nement nicht verubel, das uwer botde als lange gewesen ist, wann es ane sine scholt ist.   datum Veneciis sabbato ante purificacionem beate Marie virginis *[1402]*
gloriose.   *Jan. 28*

[*in verso*] Den erbern wijsen bûrgermeister und
5 ratde der stat zu Franckfort unsern gutden frunden.

189. *Philipp von Falkenstein an Frankfurt, berichtet günstig aus Italien.* [*1402 c.* *[1402*
Jan. 28 [1]] *Venedig.*   *ca.*
                                                                                                                      Jan. 28]

Aus Frankf. St.A. Imperatores 1, 185 *or. ch. lit. cl. c. sig. in verso impr.*

Philips von Falkinstein
herre zu Mintzinberg.

Unsern fruntlichen gruß zuvorn.   liben besundern frunde.   als ir uns ghe-
schriben had, han wir wol verstandin.   unde laßin uch wißin, daz ez unserm gnedighin
hern dem konyng uns unde syme folke von gotß gnadin wol ghed, unde wir ouch dazselbe von uch unde unsern frunden alle tzijd gherne vernemyn.   unde enwißin nicht
15 anders dan unsers hern des konyngs sache, darumme her ußghetzoghin ist, eyn gued
lobelich ende nemen sal.   datum Veneciis Castellan*ensis* dioc*esis* nostro sub secreto.

[*in verso*] Den erbern wysen ludin borgirmeister
unde rade zu Frankford unsern liben besundern
frundin sal dir briff.

20   **N. Der Strassburger Haufen und sein Briefwechsel nr. 190-206.**

190. *Aufzeichnung über das Straßburger Kontingent zum Romzug K. Ruprechts und* *1401*
die demselben von den Straßburger Neunern ertheilten Verhaltungsmaßregeln. *1401* *[zw.*
[zwischen Juli 19 und Aug. 8 Straßburg [2]*].*   *Juli 19*
                                                                                                            und
                                                                                                            Aug. 8]

A aus Straßburg St.A. AA Corresp. des souverains etc. art. 124 cop. ch. coaev., auf
zwei zusammengehefteten Bogen, auf denen noch das Verzeichnis nr. 191 steht. Die
Alineas der Vorlage sind im Druck beibehalten worden.
B coll. Straßburg l. c. conc. ch. coaev., auf zwei der Länge nach zusammengehefteten
Folioblättern, mit öfteren Korrekturen von derselben Hand über die Zeile, die in A
meist in den Text aufgenommen sind. Auf der Rückseite stehen nr. 191 und 192.
Das im Eingang gegebene Verzeichnis der Glefener steht Straßburg l. c. auch auf einem
besonderen Zettel mit der Überschrift Dise sint erwelet mit unserme herren dem kůnige
ze ritende. Die Reihenfolge der Namen ist eine andere, aber auch eine andere als
in nr. 191; Johans Mansse fehlt, doch waren es ursprünglich auch hier 20, item her
Ber von Heilgenstein ist ausgestrichen. Einige Varianten geben wir unter C.
Gedruckt Wencker Disquisitio de glevenburgeris 11-14 wahrscheinlich aus A; das Ver-
zeichnis der Glefener abgekürzt. — Erwähnt St.-Chr. 9, 1008 f.

Under hern Beren von Heiligenstein dem meister anno domini millesimo quadrin- *1401*
gentesimo primo do komend unser herren meister und rat schöffel und amman[a] überein,

a) B über der Zeile zugefügt und auch der rat mit einander.

[1] *Ich habe diese Zeit genannt als ungefähr,*
weil die Übereinstimmung des Briefes mit denen
der Königin und Leiningen von diesem Datum
eine so auffallend große ist.
[2] *Als der Brief vom 19 Juli 1401 RTA. 4 nr.*

402 geschrieben wurde, waren diese Anordnungen
für den Romzug in Straßburg noch nicht getroffen,
der Verrechnung der Ausgaben am 8 August in
nr. 193 des vorliegenden Bandes müssen sie aber
vorangegangen sein.

das man unserm herren dem Rómischen kúnige dienen wolte úber berg gen Lamparthen, und wurfent die schóffel und der rat den diênst uf* die núne, die úber den krieg gesetzet sind, mit nammen hern Heinrich von Mûlnheim ritter, Adam Lóselin, Johans Bock, hern Peter Summer den ammanmeister, hern Wilhelm Metziger, hern Heinrich Kranich, hern Uelrich Gossen, und hern Rûlin Barpfennig altammanmeistere zû Strasburg[b], denselben dienst ußzûrichtende und zû besorgende. und also sint die nûne vorgenant darúber gesessen und hant gerotslaget der dinge die hienoch geschriben stont. und[c] hand ouch dise nochgenanten soldener dise hienachgeschriben stúcke vor den egenanten núnen gesworen liplich an den heiligen stete zû haltende und zû volfûrende. und sint dis die soldener: 10

     Zûm ersten her Heinrich von Mûlnheim [1] ritter der houptman.
     Her Reimbolt Húffelin.
     Item[d] her Heinrich von Mûlnheim[e] von Landesperg.   ⎫
     Item her Lûtolt Hans von Mûlnheim.   ⎬ ritter.
     Item her Claus Zorn von Bûlach.   ⎪   15
     Cûne von Kolbotzheim[f].   ⎭
     Reimbolt Hiltebrant von Mûlnheim[g].
     Peterman[h] von Duntzenheim.
     Claus Zorn Schultheis.
     Uelrich Lóselin.   20
     Burckart von Mûlnheim her Burckarts sûn.
     Hans[i] von Mûlnheim von Werde.
     Gosse Burggrave.
     Rûdolf Zorn von Bûlach.
     Reimbolt zûm Trúbel.   25
     Johans Mansse Claus Manssen sûn.
     Johans Rûdolff von Endingen.
     Johans Dútscheman der junge[k].
     Jacob Mansse.
     Item Cûntze Bock[l] Johans Bockes sûn[m].   30

[1] Zûm ersten: das man unserm herren dem[n] kúnige dienen sol mit zweinzig rittern und knechten, und das man der ieglichem geben solle alle monat 30 gúldin rinischer gúldin und ieglichem zwen[o] monat vúr. treffe es aber nit ein ganzen monat, do sol man sie bezalen noch margzal. und sol man ieglichem sechzig rinischer gúldin geben zû rústung.   35

[2] Man sol ouch dem houbtmanne geben alle monat sechzig rinischer gúldin, und 60 rinischer gúldin zû ufrústunge, und sol ime darzû schenken 100 gúldin, und sol er drie pfiffer und einen smitt dovon verkóstigen und bi im in siner zerung haben, und

a) *B add.* den rat und*, woron die 2 ersten Worte wider ausgestricken.* b) *B* die und die etc. *statt aller Namen im Text, aber am Rande links die Namen* her Baron von Heilgenstein *des meisters* her Peter Sumers *des am-* 40 *manmeisters* her Heinriches von Mûlnheim ritters *in Brantgasse* Johans Bockes Adam Lóselins *her* Wilhelm Metzigers *her* Heinrich Kraniches *hern* Uelrich Gossen *und hern* Rûlin Barpfenniges *vier altammanmeistere.* c) *In B und* — Bockes sûn *links am Rande zugefügt.* d) *B om.* hier und weiterhin item. e) *B add.* den man spricket. f) *C* Kolboltsheim. g) *die 3 folgenden Namen sind in B erst weggelassen, dann durch Verweisungs- zeichen nach* Kolbotsheim *eingeschoben.* h) *C* Peter. i) *C* Johans. k) *C om.* der junge. l) *B add.* hern. 45 m) *B add.* etc. n) *B add.* Rômischen. o) *B so über ausgestrichenem* drie.

[1] *Dieser und die 5 übrigen Müllenheim, die bei dem Zuge waren, sind auch erwähnt von Hermann Baron von Müllenheim-Rechberg Regesten zur Familien-Geschichte der Freiherren von Müllen-*   *heim im Bulletin de la société pour la conservation des monuments historiques d'Alsace II série vol. 11 (1879-1880) 2 partie pag. 161. Hiltebrant und Reimbolt sind dort als 2 Personen gefaßt.*   60

sol man die varenden lúte und den smitt geritten machen, ufrústunge und lon geben *1401* *[sw.* *Juli 19* von dem ungelte.   *und* *Aug. 8]*

[3] Die zwenzig sollend ouch ir ieglicher nit múnre mit ime fúren danne 100 barer gúldin und sóllend ouch die nit widergeben noch abetún in deheinen weg, wann
5 sie sollend si bi in behalten zú irer notturft zerunge und costen dieselbe vart uß, on geverden.

[4] Es sol ouch ir keinre minre mit ime fúren dieselbe vart danne vier stúcke an hengsten und pferden, und sol man in ouch die hengste und pferde mustern, und sol man in nit sagen wie sie geschetzet sind. man sol in ouch kein argerunge noch
10 verlúste an hengsten und pferden nit gelten. wúrde aber ir keime sin habe erstochen oder erslagen uf eim strite oder geschelle als erlich und ungeverlich, wolte dann der sweren, der sin habe also verlorn hett, das es ungeverlich geschehen wer' mit eins houptmans wissen und wille, das sol man gelten als es geschetzet und gemustert ist.

[5] Wil ouch ir keinre me hengste und pferde mit im fúren dann viere, das mag
15 er wol tún, also das man ir keime me hengste noch pferde mustern sol dann viere.

[6] Es sol ouch nieman die vart weder hengest noch pfert mit im fúren do* man sitzet von gebots wegen. wol mag einer sins vatter oder mútter pfert mit im fúren on schaden.

[7] Wo ouch eim houptman[b], als er me riten múß dann ein ander, oder do er
20 von dem gesinde einen zwen oder me schihte zú verslahende oder das gesinde zú verwartende oder anders zú tún der gesellen notturft zú werbende, sin habe abginge, in welhe wise das wer', wo dann der houptman bi sime eide sprech, das in duhte das es redelich verloren wer' und das man es billich gelten solt, das sol dann an eim rate ston, was man im dovon tún sol noch bescheidenlichen dingen.

25 [8] Es sol ouch ir keiner weder hengest noch pfert, die im gemustert werden, verkoufen, unz das sie herwiderkommen, on eins houptmans wissende und willen. gienge ouch ir keime sin erstúcke abe, so sol er ein ander erstúcke an dieselbe stat haben in dem nehesten monote darnoch allernehest oder so es der houptman an in vordert als es danne den houptman gút dunket on geverde.

30 [9] Man sol ouch dem houbtman uß derselben zal einen biderman zúgeben, mit namen Cúnen von Kolbotzheim[c], was dem houptmanne breste oder in welhen weg er bi dem gesinde nit gesin môhte, das sie dem in allen sachen gehorsam werent als dem houptmanne unz an die stunde das der houbtman wider zú in keme. wer ouch also dem houptman zúgeben wurt oder wie dick sich das andert, die sollent sich keins ge-
35 walts annemen noch haben do der houptman zúgegen ist. were es ouch das dem út breste den der rate eim houptmanne[d] zúgeben hette, welhen dann der heuptman von sinen gesellen darzú erwelt und benomet an des statt der dann abgangen ist, den er truwet der darzú der nútzeste und wegest sie, dem sollend die soldener alle gehorsam sin, so der hóubtman nit bi in ist, unz er wider zú in kummet, in alle die wise als
40 dem heubtman und als dovor bescheiden ist. und sol man dem, der eim houptmanne zúgeben wurt, so man herwiderkumpt, geben als* ein rat bescheidenlich dunket nach den dingen als er sich gearbeitet und verkóstiget het und als die vart ouch weret, das sol er eim rat getruwen.

[10] Der houbtman sol ouch maht han zú gebietend zú geschellen und zú allen
45 andern sachen, die von in oder zwúschen in uferstont oder von iren knechten, in alle die wise und bi allen den penen und gebotten als ein meister zú Strasburg maht hett zú gebietende diewil er richter ist.

a) *B* domitte. b) *B* eime hauptmanne, *A* ein houptman, *Wencker* ein hauptman. c) *B* mit — Kolbetzheim nachträglich zugefügt. d) *A* hóuptmanne? e) *B* das.

1401
[tw.
Juli 19
und
Aug. 8]

[11] So ouch also út von in geschehe oder uferstûnde, so mag, der danne ir houptman ist, zwene drie oder me zů ime nemen und mag es richten. und wie er es richtet, sóllend sie halten bi iren eiden.

[12] Die soldener und alle ire knecht sóllent verswaren alles spil fôiren[a] [1] und alles das[2] den pfennig geschaden oder daruf treffen mag, unz das sie herwiderkommend, [5] on geverd.

[13] Sie und ir knechte sollend ouch nieman nútzit nemen sackroup noch nútzit anders danne essen und drinken one alle geverde. wo sie aber die vigende geschedigen mógent, das sol[b] an diser gelúbden nit schaden.

[14] Es sol ouch kein knecht, der mit sime herren und[c] junchern von huse veret, [10] nit von im kommen, unz sie harwider ußkommend, danne mit siner herschaft wissende und gûtten willen, in irre dann libes not, bi iren eiden, on geverde.

[15] Der houptman sólle sich ouch mit den unsern zů dem kúnige machen und bi ime bliben wo er ist, als verre er mag, und domit tůn das beste. sie sóllent sich ouch an einen endelichen fúrnemen herren machen, der ouch mit dem kúnige veret, [15] durch[d] das sie dester bas gehanthabet werdent von ime und vor geschellen dester bas geschirmet, ob es sie gût tunket.

[16] Der houptman sol ouch sweren, alles das zů tůnde und zů haltende das von ime dovor geschriben stot und der stette von Strasburg nutz und ere zů werbende und zů tůn, on aller slahte geverde und sumnisse. und sollent ouch alle die die mit ime [20] dieselbe vart varent und ir knecht sweren an den heiligen, dem houptman gehorsam zů sinde oder dem oder den die an siner statt houptlúte werdent, zů glicher wise als ime und als dovor bescheiden ist, und ouch alles das zů tůnde und zů haltende das dovor von in geschriben stat, on aller slahte geverde sumnisse und argen list.

[17] Welich soldener oder ir knechte nit gesworen hetten und do es dem vor- [25] genanten hern Heinrich[e] dem houptmanne fúrkeme, der oder die sollent demselben hern Heinrich dem houptman sweren zů haltende und zů tůnde alles das das die andern gesworen hant und dovor ist bescheiden, ane alle geverde.

[18] Gewinne ouch der vorgenant soldener iemer deheinre von des vorgenanten sins dienstes verlustes costen oder schaden wegen, in welhen weg das wer', deheinen [30] gespan an meister und rat oder die statt Strasburg, darumbe sol der oder sie recht geben und nemen vor meister und rat zů Strasburg, die danne zů zitten sind, und niergent anderswo; und was in dieselben meister und rat darumb erteilent[f] sprechent oder erkennent, das sóllent sie samentlich und besunder halten und vollefûren, wanne alle vorgeschriben dinge mit rechten fúrworten und gedinge on alle *geverde* und *arge-* [35] *list*[g] zůgangen und geschehen sind, und ouch die soldener umb rinische gúldin gedinget sind und umb kein ander golt oder gúldin wie die genant sind.

Actum ut supra[h][3].

a) *B faren (e mit übergesetztem Buchstaben, der wol v ist), Wencker fåren.* b) *B add. in.* c) *B oder.* d) *B add. das.* e) *B add. von Mülnheim.* f) *A korrigiert, jetzt erteileeit.* g) *B vúrwort und getruwen, A Lücke statt* [40] *getruwen, beides ohne Zweifel irrig; Wencker fûrwort und geverde.* h) *actum ut supra om. B.*

[1] *Soviel wie viren, feiern? s. Lexer mhd. HWB. 3, 363; oder gleichbedeutend mit vâren [ein Hazardspiel]? s. l. c. 22; oder væren, nachstellen, gefährden, teuschen? ibid.*

[2] *Wencker fügt dazu am Rand bei: Im Rath-* schlag zu K. Caroli IV Romvart: *mäßiglich zu essen und zu trincken gebotten.*

[3] *Da keine andere Zeitangabe vorhergeht, bezieht sich das wol auf die Jahreszahl 1401 die am An-* [45] *fange des Stückes genannt ist.*

191. *Beilage zu nr. 190. Liste der von Straßburg zum Romzug K. Ruprechts gestellten* [1401 *Glefner und ihrer Knechte. [1401 zwischen Juli 19 und Aug. 8 Straßburg [1].]* zw. Juli 19 und Aug. 8]

> *A aus Straßburg St.A. AA correspond. des souverains etc. art. 124 cop. chart. coaev.,*
> *folgt auf nr. 190 (s. dort Quellenbeschreibung unter A) von derselben Hand; die Ab-*
> *sätze des Stückes wurden im Druck beibehalten. Auf dem letzten leeren Blatt in*
> *verso die Bezeichnung (von Wenckers Hand wol) 3. Der Stadt Str. Uberkommen mit*
> *d. Hauptmann w. d. 20 Glefen, so mit dem Röm. König Ruperto über berg gegen*
> *Rom gezogen anno 1401.*
>
> *B coll. ibid. conc. ch., auf der Rückseite unserer Vorlage B von nr. 190 mit einer gleich-*
> *zeitigen Überschrift links, von der nur noch zu sehen ist [Romano]rum regis, das*
> *übrige abgerissen. Die Namen der Glefenführer sind im Nominativ, ohne Zufügung*
> *des Wortes* knehte *wie in A, aufgeführt, vor ihrem und auch der Knechte Namen*
> *durchweg* Item. *Die Absätze wie in A, die Reihenfolge der Glefenführer etwas anders*
> *als in A.*

So sind dis die knechte des houptmans und der andern etc. [a].

Zûm ersten [b] her Heinrich von Mûlnheim ritter [c] des hôuptmans knechte:
  Item Hans von Burgheim
  Behtolt von Arlostein
  Hans Wißkopff.
Her Reimbolt Hûffelins knehte:
  Walther von Renicheim
  Claus von Margbach
  Hans Viderboltz.
Her Claus Zornes von Bûlach knehte:
  Hans [d]
  Heinrich
  Uelrich.
Her Heinriches von Landesberg knechte:
  Hans von Ehenheim
  Cûntzlin von Wangen
  Michel von Eckerôwe.
Her Lûtolt Hans von Mûlnheim [e] knechte:
  Peter von Landeshût
  Heinrich von Rotwil
  Uelrich von Ougesburg.
Cûnen von Kolbotzheim knechte [f]:
  Georie Zander von Bietenheim
  Birenstil [g].
Petermans [h] von Duntzenheim knechte:
  Jocop von Stomdartzheim
  Uelrich Swan [i] von Grûbe.
Reimboltz knehte zûm Trûbel:
  Conrat von Brûningesheim
  Friderich Steiner.

a) So — etc. om. B. b) B Item statt zûm ersten. c) om. B. d) B nur Item und dann Raum freigelassen für die 3 Namen. e) B om. von M. f) B juncher Cûnen. g) A in zwei Worten wie es scheint; B add. in neuer Zeile Item. h) B Peter. i) B Swarcz.

---

[1] *Es wird erlaubt sein, diese Liste ebenso zu datieren wie die Aufzeichnung nr. 190, da beide inhaltlich und äußerlich zusammengehören.*

Johans Manssen knechte:
    Hans Edelman von Heckingen[a]
    Jacop von Ettenheim.
Gosse Burggraven knechte:
    Claus von Kolbotzheim
    Hans von Heidelberg
    Wilhelm von Brisach.
Rûdolfs knechte von Bûlach:
    Jeckelin
    Zynne   10
    Hans Veberkneht.
Jacop Manssen knechte:
    Snarrebangk[b]
    Hans von Bregentz[c].
Hans Rûdolff von Endingen knechte: 15
    Johans Jeger
    Hans Eschelweck
    Claus von Spire.
Ulrich Löselins knechte:
    Peter von Zabern
    Claus Mûge[d].
Reimbolt Hiltebrantes von Mûlnheim[e] knechte:
    Cûntzelin von Erloch[f]
    Hans Portener.
Johans Dûtschmans knechte: 25
    Eberlin Mener
    Erhart von Andelo.
Contz Bocks knechte:
    Conrat Hône
    Völtzel   30
    Hans Briseschûch.
Burckarts[g] von Mulnheim von Rechberg knechte:
    Conratt Kamerer von Nûremberg[h]
    Gerhart von Spir
    Heinrich von Sahßbach.   35
Claus Zorn[i] Schultheissen knechte:
    Conrat von Pfettesheim
    Item[k].
Johans von Mûlnheim von Werd knechte:
    Heinrich Mener   40
    Cûntzlin Mener
    Heintzel von Bennfelt[l].

---

a) *B* Hechingen. b) *B* Snarrebach. c) *B add. in neuer Zeile* Item. d) *A* Mûge?, *B* Mûge. e) *B om.* von M.
f) *A* Erloch. g) *B* Bürckel, *om.* von M. h) *A* Kamerer von Nüremberg *übergeschrieben statt des ausgestrichenen* von Pfettesheim. i) *om. B.* k) *AB Name nicht zugefügt.* l) *B* Belrsfelt *oder* Benefelt.   45

192. *Straßburgs Anweisung für den gen. Hauptmann des Zuzugs der Stadt bei K. Ru-* [1401
prechts Romzug. *[1401 zwischen Juli 19 und Aug. 8 Straßburg* [1].*]*   *zw.*
                                                                        Juli 19
A aus Straßburg St.A. AA 124 cop. ch. coaev., auf besonderem Blättchen.   *und*
B coll. ibid. conc. ch., schließt sich an nr. 191 an, vgl. dort Quellenbeschreibung unter B. *Aug. 8]*

Memoriale[a].
Dis ist dem houptman empfolhen ze tunde[b].

Her Heinrich von Mulnheim, wenne der mit sin gesellen kummet zu unserme herren dem Romschen kunige und uber berg koment[c], so sol er mit rote der andern
frien stette houbtluten zu unserme herren dem kunige gon[d], und sollent versuchen unde
10 besehen obe sie unser herre· der kunig welle lossen riten und varen. unde wenne so
der andern frien stette glefen her heim varent, so sol er mit in her heim varen. aber
alle die wile der andern stette dienere[e] mit dem kunige varent, so sol her Heinrich und
sine gesellen[f] mit in varen.

193. *Kosten Straßburgs für Glefener auf dem Romzuge* *K. Ruprechts.* *1401 Aug. 8* 1401
15 *bis 1402 Merz 13.*   *Aug. 8*
                                                                           bis
Aus Straßburg St.Arch. AA 66 Briefbuch B fol. 1[b]*-2*[a] *cop. mb. saec. 15, die 2 wag-* 1402
rechten Punkte über u wurden durchweg mit e gegeben; ein Punkt über u mit dem   *Mrz. 13*
Strich.
20 *Gedruckt St.Chr. 9, 1050 ebendaher; nur bis gon Venedige und ander usrihtunge; die*
Namen der Glefener in J. J. Meyer Straßb. Chron. in Bull. de la soc. pour la
conserv. des monum. hist. d'Alsace sér. 2 vol. 8 p. 186.

Kunig Ruprehts dienst, als er uber berg zoch[g].

Anno domini 1400 primo feria secunda ante diem sancti Laurencii: item 210 lb. 1401
und darzu 800 guldin zwu zwenzig glevenern zu uffrustunge[2], die mit unserm herren Aug. 8
25 kunig Ruprehten uber berg ziehen sullent, mit nammen her Heinrich von Mulnheim in
Brantgasse, her Claus Bernhart Zorn von Bulach, her Heinrich von Mulnheim von
Landesberg, her Reimbolt Huffel, her Lutoltz Hans von Mulnheim rittere, Cune von
Kolbesheim, Peterman von Duntzenheim, Claus Zorn Schultheiß, Rudolff Zorn von
Bulach, Burckart von Mulnheim her Burckartz sun, Reimbolt Hiltebrant von Mulnheim,
30 Hans von Mulnheim von Werde, Cuntz Bock Johans Bocks sun, Johans Rudolff von
Endingen, Johans Dutschman Hug Dutschmans sun, Reimbolt zum Trubel, Uolrich
Losel, Johans Mansse Claus Manssen sun, Gosse Burggrofe, und Jacob Mansse Oertel
Manssen seligen sun[3].

So ist denselben herren, die uber berg sullent, geschenket: zwen omen zum Hohen-
35 stege[4], item zwene omen zum Mulestein[4], item ein omen zum Briefe[4], item ein omen
zu sant Thoman[4], item ein omen zum Bippernantz[4], item ein omen zum Munster[5] uf
die stube, item vier pfunt an den messen zu sture uber su zu sprechen.

a) *so in A, om. B.* b) *Überschrift in B, om. A.* c) *A koment, B kommet.* d) *B tretten.* e) *B glefen.* f) *B add.*
ouch. g) *die Überschrift mit rother Tinte.*

40 [1] *Das Konzept dieser Anweisung steht mit dem*   [2] *Vgl. nr. 190 art. 1.*
der Aufzeichnung nr. 190 und der Liste nr. 191   [3] *Vgl. das Verzeichnis in nr. 190 und nr. 191.*
zusammen, und die nächstliegende Annahme ist,   [4] *Sind lauter Trinkstuben, vgl. das Ortsverzeich-*
daß sie zugleich mit den übrigen Vorschriften für   *nis zu St.-Chr. 9 unter „Straßburg".*
den Hauptmann und seine Gesellen beschlossen   [5] *Ohne Zweifel ebenfalls eine Trinkstube.*
45 *wurde und nur unter diese (nr. 190) nicht mit aufge-*
nommen, weil sie für den Hauptmann aus-
schließlich bestimmt war.

1401
Spt. 27   Item feria tercia ante Michaelis anno etc. primo: zům ersten hat Hans Riffe gerechent, das er gegeben habe hern Heinrichen von Mûlnheim in Brantgasse und den
gesellen, die mit im geritten sint úber berg mit dem kúnige, uf iren sold 1300 gúldin
und 60 gúldin. item 700 [a] gúldin hern Peter Synner dem ammeister, die er fúrbasser
geben hat: 400 guldin hern Heinrich von Mûlnheim vorgenant und 300 [b] guldin Cûnen   5
von Kolbesheim mit in úber berg zů fůren, sich selber und ir gesellen von irs soldes
wegen uszůrihten.

[1401]
Nov. 14   Item feria secunda post sancti Martini episcopi 700 gúldin unsern frúnden, die
úber berg sint mit dem kúnige.

[1402]
Jan. 30   Item feria secunda ante purificacionis beate Marie virginis 29 gúldin hern Uelrich   10
Lôsel ritter von sins soldes wegen, als er bi dem nuwen kunige was.

[1402]
Mrz. 18   Item feria secunda post beati Gregorii pape 500 lb. 41 lb. 1 dn. 125 gúldin den
rittern und knehten und den pfiffern, die bi unserm herren dem kúnige zů Padouwe
worent; und sint domit irs soldes gerwe bezalt.

Item 8 lb. 8 sh. kostet der imbs, den die nuwen rittere essent uf des ammeisters   15
stube. item den nuwen rittern 14 omen uf die stuben.

Item 67 lb. 16 sh. 3 dn. 124 gúldin umb vier pferde den drien pfiffern und dem
smide, und umb cleidunge und allen gezug in vieren und den pferden, ouch in zů solde
eins teils, darzů bottenlone gon Padouwe gon Venedige und ander usrihtunge, als dann
im [c] costbůch von stůck zů stúcken an vil enden geschriben stot, das nû umb der kúrze   20
willen zůsammen alhar gesetzet ist, uf das man wisse, wievil solicher ritt kost hat;
dann wiewol sú mit dem kunige lange ußworent, so kam doch der kúnig nit gen Rome,
sonder er zoch wider heim von widersatz wegen der Welschen herren [d].

1401
Spt. 11   **194.** *Der gen. Straßburger Hauptmann an seine Stadt, vom Empfang zu Augsburg und
den dort Erschienenen. 1401 Sept. 11* [1] *[Augsburg].*   25

*Aus Straßb. St.A. an der Saul I partie ladula C fasc. XIV liasse II nr. 14 E or. chart.
lit. clausa c. sig. in verso impr.*

Den erbern wisen bescheiden dem meister und dem ratte enbút ich mynen gewili-
[Spt. 9] gen dienst. lieben heren.   und la úch wissen, daz wir koment uf fridag vor myttem
dage gan Ougesburg, und ôch gar ôrdenlich do inzugent mit unsern gesellen, und noch   30
do by dem dage vir unsern heren den kúnig koment, und ime seitten wie ir unß dar-
gevertyget hettent. do nam er es gar wol zů dancke, und sprach selber: „die von
Straßburg hant unß eynen gûtten dienst geton, und, sollent wir leben, wir wellent es
in dancken". und gevielent ime die gesellen alle gar wol.   und sôllent ôch wissen, daz
by unserm heren dem kúnyge ist die kúnygin und sine vier súne, und der bischof von   35
1401
Spt. 11 Kôlle uf disen sundag do inreit wol mit hundert [e] und drissig gleven, und mit ime
bischof Friderich von Uitrich und der greve von Môrsch. und hertzoge Steffan von
Pegern und sin sun hertzoge Ludewig sint ôch zů Ougesburg, und der bischof von

---

a) *Hegel liest 650.* b) *Hegel liest 250, hier läßt es sich so lesen.* c) *Vorlage eln.* d) *rechts am Rande von gleich-*
zeitiger Hand mit anderer Tinte 5384 .gl. oder 5385½ gl. e) *or. nit hunder.*   40

---

[1] *Nimmt man den Frauentag als assumptio, so
ist das Datum Aug. 21; als natiritas, so ist es
Sept. 11. Am 8 Sept. sollten sich die Truppen
in Augsburg einfinden, s. RTA. 4 nr. 348. 349;*
*am Freitag nach Marie assumpt. [Aug. 19] und
an den nächstfolgenden Tagen dagegen war K.
Ruprecht selbst gar nicht dort anwesend, s. Chmel
Reg. Rup. nr. 863 ff.*

Ougesburg, und der bischof von Spire [1]. und wissent, daz aller heren und greven ritter *1401*
und knehtte nút me sint, also unß bedencke und sú uiberslagen hant, den uf fúnfhundert *Spt. 11*
oder sehsthalp-hundert. lieben heren, wissent öch daz man sich[a] vaste rihtet uf den
gezog, und der bischof von Kölle sinen gesellen iegelichem ein monot vir hat geben,
5 und unser here der kúnyg uf disen dag öch synen gesellen ein monot oder zwene solt
wil geben. und wissent öch, daz alle unser gesellen wol múgent, sú[b] und ir pfert.
geben uf sundag noch unser fröwen dag anno domini 1400 primo. *1401*
Spt. 11

[in rerso] Den erbern wisen bescheiden dem
meister und dem ratte zů Straßburg debet litera.   Heinrich von Múlnheim ritter.

10 **195.** *Der Straßburger Hauptmann an seine Stadt: Geldangelegenheiten.* (Einlage; *[1401*
Hauptbrief fehlt.) [1401 zwischen Sept. 11 und Okt. 31[2] ohne Ort.] *zw.*
Spt. 11
und
Aus Straßb. St.A. an der Saul I partie ladula C fasc. XIV liasse II nr. 14 B or. chart., Okt. 31]
ein Papierblatt ohne Sigel und ohne Adresse, aber mit den Schnitten im Papier,
welche die Versendung in einem Brief anzeigen. Die Hand ist die des Heinrich von
Múlnheim. Also ist das Stück die eingelegte Nachschrift eines Briefs dieses Mannes,
also ein Theil eines Originals, somit selbst Original. Sonst lassen die Schnitte im
Papier am besten erkennen, zu welchem vorhandenen Brief eine solche Einlage gehört.
Hier aber verläßt uns dieses Kennzeichen. Denn wenn auch diese Schnitte noch am
ersten zu den Briefen Múlnheims vom 7 Nov. und 22 Dec. passen, so passen sie doch
nicht sicher, und die Schnitte müssen doch sicher passen. Wir haben also keinen
Brief, zu dem die Einlage gehörte. So gehört sie also wol zu einem solchen, den wir
nicht mehr haben. Nun schreibt am 3 Nov. die Stadt Straßburg, sie habe bis jetzt
zwei Briefe von ihrem Hauptmann erhalten. Der eine muß der aus Augsburg sein
vom 11 Sept., der andere fehlt. Es liegt nahe zu denken, daß wir hier, zwar nicht
ihn selbst, aber doch seine Einlage besitzen. Der Inhalt dieser Einlage passt in den
Zusammenhang des Briefwechsels. Unser Stück fällt also nach 11 Sept. und vor 3 Nov.
1401. Und da wir einen Brief des Hauptmanns vom 31 Okt. haben, der also am
3 Nov. noch nicht in Straßburg sein konnte, so fällt unser Stück noch vor 31 Okt.
1401, also zwischen 11 Sept. und 31 Oktober. Die Straßburger antworten in nr. 197
am 3 Nov. auf das Dukatenbegehr auch mehrfach wörtlich übereinstimmend mit unserem
Stück. Das ist die Antwort auf dasselbe.

Liebén heren heren[c]. wissent, daz daz ir Kúnen und mir 6 hundert gúldin
geben hant, daz ist iederman 30 gúlden, und bristet den pfiffer ir solt. wissent[d] öch,
lieben heren, daz sich die gesellen zůmol vast verzeren múessent, wen ir ettelicher ale
25 tage 1 gúldin oder 2 noch múß ziehen, wen die koste zůmole dúre ist. darumb so
bestellent, daz wir gelt habent, daz den gesellen nút brust werde an gelte. öch hant
úch die gesellen alle gebetten, daz ir in ducatten wellent bestellen, wen in 3 rinesch
gúldin kúme 2 ducatten gelttent [3]. waß ir den vir den vorwessel wurdent gehebet han,
daz daz wellent sú gerne dûn. und wissent och, daz mir[e] der pfiffer solt öch ns't[f],
30 und ich Magen ein ander pfert múste köffen, wen ime eins hersrag[g] und er ettewema-
nygen dag noch múst löffen.

a) or. sch. b) or. su verschrieben statt sú. c) or. sic: heren *zweimal.* d) or. vissent. e) or. nir. f) nat für us
lat. g) sic: für erschrack?

[1] Die Denkschrift Jörge Kasmair's erwähnt in §
129 und § 134 (s. St.-Chr. 15, 494f.) als zu Augsburg anwesend: die Herzöge Stefan und Ludwig
von Baiern, den Herzog [Leopold] von Österreich,
den Grafen von Wirtemberg, den Bischof von
Augsburg, den Bischof von Konstanz.

[2] Über die Datierung siehe die Quellenbeschreibung.

[3] Natürlich entspricht dieß nicht dem wirklichen
Werthverhältnis, vgl. Einleitung zu lit. L, sondern
die Straßburger verloren bedeutend an ihren
rhein. fl., die nicht landesübliche Münze waren.

1401 **196.** *Der gen. Straßburger Hauptmann an seine Stadt, Schlacht bei Brescia, Rückzug*
Okt. 31   *nach Trient, Frage der Heimkehr. 1401 Okt. 31 Trient.*

> *Aus Straßb. St.A. an der Saul I partie ladula C fasc. XIV liasse II nr. 14 D or. chart.*
> *lit. clausa c. sig. in verso impr.*

Den erbern wisen bescheiden dem meister und dem ratte zů Straßburg enbút ich s
mynen[a] gewiligen dienst. lieben heren. und lo uich wissen, daz wir mit unserm
heren dem kúnige zugent vir Pris[b][1] zůmole ein bösen weg hinin. und logent do wol
untz an den dirtten dag. und logent die vigende zůmol starg gegen unß, sterckir den
wir, also man seitte. und mahttent unß alle dage ein gerene, daz menlich ufbroch und
gegen in zugent und öch zů fůß abestunden ein stunde oder me in dem velde. und 10
wurdent öch ritter gemaht, mit namen unser gesellen eilfe und suß vil heren und knehtte.
und wusten nút anders, dan daz man virziehen woltte in daz lant. do geschach uf
1401
Okt. 25 zistag in der naht ein ufbruch, daz der kúnig und menlich wider hůnder sich zugent
untz gan Drient. und do verlor der hertzoge von Oesterrich sine wegen und vil gůttes
do-uffe. und sint öch vil gesellen nydergelegen, ritter und knehtte und sust arme 15
knehtte, uf der fůetterungen und an dem scharmútzeln, diewile man in dem velde lag,
der mer deil dem hertzogen von Lutteringen. und wart her Hanman von Bischz durch
dem hals wunt, daz man nút wonde er woltte sterben. und wart her Diebolt Hafener[c]
herslagen uf demselben gerenne. und wissent, daz der hertzoge von Oesterrich wider
hem wil und der bischof von Koelle und der grove von Mörsch und suß vil heren ritter 20
und kneht, die nút mit ime wider in Lanpparten wellent, wen er het nyeman nút zů
gende. nůn het er an unß gevordert, daz wir mit ime sollent ziehen gan Padouwe,
und an die von Mentze und von Spire. do vörhtent wir, daz es sich gar lange werde
verziehen und zů degelichem kriege gedihe werde. dovon, lieben heren, so lont unß
wissen so ir erste mûgent, wie wir unß do-inne[d] haltten sollent, wen man es gar heft- 25
lich[e] an unß und die andern stette vordernde[f] ist, an die von Mentze und Spire. und
wissent, daz wir die entwurt, so wir langeste mûgent, verziehende. dovon lont unß, so
ir erste mûgent, wissen, wie wir unß haltten sollent.   und wissent, daz unser gesellen
alle alle wol dûnt.   und wissent, daz man[g] seit, daz unß der here von Megelon mit
eyme großen volck uibervallen solt[h] han bij der naht. do ist unß sither geseit zů 30
1401   Drient, daz der ufbruch dovon geschehe.   gent zů Drient uf aller heilgen obent anno
Okt. 31 domini 1400 primo.

[in verso] Den erbern wisen bescheiden dem
meister und dem ratte zů Straßburg.   Heinrich von Mûlnhein **ritter.**

                                      Gedenckent an daz gelte.   35

a) *or.* mymen. b) *or. wahrscheinlich so und nicht* Piia. c) *Hafener! schwerlich* Hafener, *scheint* Hafener. d) *or.*
ime, *em.* inne. e) *or.* heztlich. f) *or.* vorderne. g) *or.* zerrissen. h) *or.* sovt.

[1] *Brescia.*

197. *Stadt Straßburg an ihren gen. Hauptmann bei K. Ruprecht, wegen Geldsendung* 1401
an ihn und seiner Schweigsamkeit. 1401 Nov. 3 *[Straßburg].* Nov. 3

Aus Straßb. St.A. nr. 2 R. Ruperti Romzug a. 1401 G. U. P. ladula 173 nr. 5 Missiven
or. mb. lit. clausa c. sig. in verso impr.

5 Wir Bertholt von Roßheim der meister und der rat von Strazburg embieten hern
Heinriche von Múlnheim ritter unserm burger was wir gútes vermôgent. als ir uns
verschriben hant von der ducaten wegen und das wir úch den vorwehssel abslahen [1],
habent wir verstanden. und hant zů stunt unser gewisse botschafft geton gen Nûrenberg zů Uolrich Kammerer und ouch anderswohin ze bestellende umbe ein wehssel gen
10 Venedige das ir keinen bresten an gelte haben sôllent. und sobalde wir den wehssel
vindent und gemachent, so wellen wir úch lazzen wissen wo ir die ducaten nemen
sôllend. ouch habent wir úch vor verschriben und gebetten uns allemale mere lazzen
ze wissende. so habent ir uns noch bitzhar nit me danne zwene briefe geschriben, und
darynne mere blôßliche, daz uns doch von andern lúten gar vil me geseit wurt und
15 wir empfindent. und dasselbe daz wir von úch innen sint worden, haben wir erste
empfunden, so daz vorhin vil lútes hie wuste. und wenne ir doch gúte gesellen bij
úch habent die gern schribent, so bitten wir úch frúntliche, das ir sie bittent uns ze
schribende was ir vernement, es sie joch schimpf oder ernst, und ye zů zehen oder
viertzehen tagen ein botten von úch vertigent, und keinen botten by úch lazzent. so
20 wellen wir úch zů stund andre schicken. und lazzent uns allewegen wissen, uf welhe
zit ir die botten von úch vertigent, und uf welhe zit sie zů úch kommend, und besunder uf welhen tag Swebelin [2] zů úch komen ist, das wir uns wissent gegen den botten
darnach ze rihtende. so wellen wir ouch dester williger sin ze tůnde was wir úch tůn
sôllent. got spar' úch und die andern alle gesunt. datum feria quinta post festum 1401
25 omnium sanctorum. Nov. 3
[*in verso*] Hern Heinriche von Múlnheim ritter unserm burger.

198. *Der gen. Straßburger Hauptmann an seine Stadt, daß er mit dem König vorwärts* 1401
gezogen sei, aber um Weisung deshalb bitte, und wie es sonst steht. 1401 Nov. 7 Nov. 7
Botzen.

Aus Straßb. St.A. an der Saul I partie ladula C fasc. XIV liasse II nr. 14 C or. chart
lit. clausa c. sig. in verso impr.

Den erbern wisen bescheiden dem meister und dem ratte zů Straßborg enbút ich
minen gewiligen dienst. lieben heren. also ich uich vor geschriben han [3], wie man
15 wider húnder sich gezogen ist und wie unser here der kúnig an unß und die von
Mentze und Spire gevordert hat virbaß mit ime zů ziehende, do bottent wir unsern
heren den kúnig, daz er unß gunde botschaft húnder unß zů důnde, wen wir nút wol
wustent, wo-an wir reht oder unreht dettent. des nam er sich zů beroten. und sprach,
er wolte unß zů Botzhein ein entwurt gen. nůn underrettent die von Mentze und
40 Spire und ich unß mittenander. und versprochent unß ôch gegen einander, daz wir uf
eyner rede bliben wolttent. donoch koment wir zůsamene zů Drient [4]. waß do virbaß

---

[1] *S. nr. 195.*
[2] *Dieser hatte doch wol auch einen Brief Straß-*
burgs überbracht, den wir aber nicht mehr besitzen;
den vorliegenden Brief nr. 197 überbrachte Glitz,
s. nr. 204.

[3] *S. nr. 196.*
[4] *Von dort ist schon der Brief des Hauptmanns*
nr. 196 datiert.

1401
Nov. 7 mit in geret waß, des weiß ich nút. sú vielent ie do-uf, daz sú [a] virbaß ziehen wolttent; und meindent, sú vorhtent volle, zúgent sú [b] nút, daz sú sin undang gewinnt
gegen iren frúnden. und sint also virgezogen. nûn hant wir gewarttet zû Botzhein [1],
untz sú virgezogen sint, und sint in nochgezogen; wen wir gerne uwer botschaft gewarttet hettent, do vorhtent wir, daz wir sin villiht undang gegen dem kúnige und uich 5
verdiendent, wen er es gar heftlich an unß gevordert hat, und hat unß geentwurt: er
druwe, wir sigent also ußgevertyget, daz wir volle mit ime ziehent, untz daz er sine
krone enpfohe. nûn hat er den von Mentze und Spire vor öch also geentwurt, und
wil unß nút gúnnen keyner botschaft zû warten. do lant unß wissen, so ir erste múgent,
wie wir unß virbaß halltten súllent, wen unß virkumen ist, daz der kúnig disen wintter 10
zû Padôwe ligen welle und erste uf ein andern sumer sich donoch stellen daz er gan
Rome ritte und die krone enpfohe.   wissent öch, daz sich alle die heren, die mit ime
wellent, donoch rihttent und allen iren dienern urlop gent und sú lant hem ritten, und,
der vor zehen pfert oder me hat gehebet vir sinen lip, daz der kume fúmfe [c] by ime
behebet. wen man sich versiht, daz es sich jor und dag verziehende werde, und der 15
kúnig und ander heren, die mit ime wellent, sich donoch rihttent, daz sú [d] ir diener
1402
Apr. 22 bittent, daz sú sich donoch stellent, daz sú uf sant Jergen bereit sigent, sy es daz der
kúnig lútte dúrffe und noch in schicke und in gelt gebe, daz sú den zû in hininziehent.
und seit man öch, daz der kúnig sin lant dovir versetzen welle, wie er gelt ufbrynge,
daz er uf die zit geben welle, daz er lútte zû ime hininbrynge. liebe heren [e], nûn 20
wissent iir daz wir wissent und man unß seit. erfindent wir uit [f] virbaß, daz wellent
wir uich öch lon wissen, wen ich uich [g] gerne e botschaft hette geton, do möhtte nyeman
wol húnder sich kumen. lieben heren, und bestellent öch, súllent wir bliben, daz man
den gelt habe, wen sich die geselen zûmole vaste verzeret hant, wen ich vörhte, do
1401
Nov. 7 man [h] in nút gelt gebe, so ir zil kome, daz sú den unwillig werdent.   gent zû Botz- 25
hein uf mendag vor sant Martins dag anno domini 1400 primo.

[*in verso*] Den erbern wisen bescheiden
dem meyster und dem ratte zû Straßburg.   Heinrich von Múlnhein ritter.

1401 **199.** *Stadt Straßburg an ihren gen. Hauptmann bei K. Ruprecht: wie weit der Straß-*
Nov. 14 *burger Zuzug beim König aushalten soll, und wegen Geldsendung an den Haupt-* 30
mann. 1401 Nov. 14 [Straßburg].

Aus Straßb. St.A. nr. 2 R. Ruperti Romzug a. 1401 G. U. P. ladula 173 nr. 5 Missiven
or. mb. lit. clausa c. sig. in verso impr., die Nachschrift auf besonderem Pergament-
blatt.
B coll. ib. ebenfalls or. mb. lit. clausa c. sig. in verso impr., ohne Jahreszahl im Datum 35
und ohne die Nachschrift; keine sonstige Varianten die die Doppelheit erklärten;
vielleicht nach der Zusiegelung erst wider aufgegeben, weil man die Nachschrift noch
beilegen wollte, und das einmal geöffnete Exemplar zum Verschicken nicht mehr taug-
lich schien.

Wir Berhtolt von Roßheim der meister und der rat von Strazburg embieten hern 40
Heinriche von Múlnheim ritter unserme höptmanne was wir gútes vermögent. als ir
uns verschriben hant [2], und besunder das der byschof von Cölne der herczoge von

---

a) *or. su.* b) *or. su.* c) *fúlnfe?* d) *or. su.* e) *or. hero, conj. liebe heren.* f) *or. vlt.* g) *or. vich.* h) *or. der*
statt do man.

---

[1] *K. Ruprecht urkundet in Botzen bis zum*   [2] *S. nr. 196.*   45
6 November, s. Chmel nr. 1038.

Oesterich der grefe von Mörß und andere herren harußziehen wellent, und das an úch *1401*
die von Mencze und die von Spire gemůtet sy mit 'unserme herren dem kúnige vúr- *Nov. 14*
basser gen Padôwe zů ziehende: habent wir alles verstanden. sôllent ir wißen, das wir
úber uwern brief sint gesessen und hant geratslaget, sit die vorgenanten fúrsten der
5 byschof von Côlle und der herczog von Oesterich uffbrechen wellent, das. ir danne an
den von Mentze und Spire erfaren, was der meinunge sy. und wellent die herheim
ziehen, so sôllent ir mit in herheim riten[a], wenne unser frúnde meinet, sit wir userme
herren dem kúnige úber berg gedienet hant, das wir sin domitte gnůg haben geton.
wer' aber das unser herre der kúnig gen Rome wolte ziehen und woltent die stette mit
10 ime ziehen, so sôllent ir ouch mit ime ziehen. wer' aber das der kúnig gen Padowe
zúge, und wolte er úch oder ander stette, es were do oder anderswo, zů lantwere legen,
so sôllent ir úch zů keiner lantwere loßen legen, es were danne daz der kúnig selber
by úch blibe. und gedenckent wie ir môgen das ir stette einen munt haben und eins
sient war ir joch den kopf keren. datum feria secunda post diem festi beati Martini *1401*
15 episcopi anno domini 1400 primo. *Nov. 14*

[*in verso*] Hern Heinriche von Múlnheim ritter userme hôptmanne.

[*Nachschrift*] Ouch wißent, daz wir úch gerne wehsel umbe ducaten gemacht hettent
und das gesůcht hant zů Núremberg, hie by uns by Lampartern und anderswo, und
enkunden zů keime wehsel kommen, also úch das Erkneht unser diener wol sagen sol. doch
20 kúnnent ir iergent ein wehsel vinden gegen 1400 ducaten, das wir rinsche gúldin alhie
oder zů Núremberg oder in einre ander stat uff dem Rine darumbe gebent, mit solichem
vorwehsel also sich gebúrt, den machent. das ist unser gůt wille.

200. *Stadt Straßburg an ihren gen. Hauptmann bei K. Ruprecht, wegen Heimkehr.* *1401*
1401 Nov. 16 [Straßburg]. *Nov. 16*

25 *Aus Straßb. St.A. nr. 2 R. Ruperti Romzug a. 1401 G. U. P. ladula 173 nr. 5 Missiven*
or. mb. lit. clausa c. sig. in verso impr.

Wir Bertholt von Roßheim der meister und der rat von Strazburg embieten hern
Heinriche von Múlnheim ritter unserm burger was wir gůtes vermôgen. als ir uns
nehest verschribent[1] wie der bischof von Côlne der hertzoge von Osterich und andere
30 herren von unserm herren dem kúnige ziehen wellent, do hant ir wol verstanden wie
wir úch wider daruf geantwurtet hant[2]. nu ist uns sit geseit von den die harußkomend,
das gar vil herren und volkes von unserm herren dem kúnige gezogen sind, und gar
lútzel volkes by ime bliben ist. wiewol wir úch danne vor verschriben hant, wellen
die andern stette by unserm herren dem kúnige bliben, das ir danne ouch bliben sol-
35 lend: do sind wir aber darúber gesessen und hant gerotslaget, nochdemme wir vernomen hant von den die haruzzkomen sind das sich die sache bitz sant Georien tage *1402*
verlengen welle[3]: wer' es wol das die andern stette by unserm herren dem kúnige *Apr. 23*
bliben woltent, das ir dannoch mit den andern stetten vúr unsern herren den kúnig

a) *B* ziehen.

40 [1] *nr. 196.*
[2] *nr. 199. Dieser Brief vom 14 Nov., der durch*
vorliegenden vom 16 in der Hauptsache wider-
rufen wurde, ist also abgeschickt worden. Beide
wurden durch denselben Boten, Erkneht mit Na-
45 *men, überbracht, s. nr. 199 die Nachschrift, nr. 201*
und nr. 204. Es ist sonderbar, daß man dann

nr. 199 nicht einfach zurückbehielt, vielleicht war
Erkneht schon unterwegs, und nr. 200 wurde ihm
nachgesandt.
[3] *Vgl. nr. 198. Diesen Brief des Hauptmanns*
vom 7 Nov. hatte man in Straßburg am 16 also
noch nicht erhalten.

1401
Nov. 16 tretten sollend und sine gnade bitten: sit die andern fürsten und herren von ymme gezogen sind und sich die sache lengen welle, das er yn danne günne und erlöbe ouch harheim ze ritende, umbe das, bete uns sin gnade harnach yme me ze dienende, das wir danne dester gewilliger werent. kome es danne das unser herre der künig von ymme selber mit úch rette und úch bette uwer drie oder viere bij ymme ze lassende, öbe ir danne daz lazzent entslahen das man úch erlöbe herheim ze farende, so sollend ir ymme das gehellen also das ir es nit envordernt. wie aber ir möhtent mit den andern stetten bescheidenlich wege vinden das ir mit eren gerwe [1] harheim kemen, daz wer' uns gar gefellich. wolte aber unser herre der künig úch überein nit erlöben von ime ze ritende, das lazzent uns wissen, und ouch alle sachen wie es do zů hofe stunde. und sollend yme nit antwurten, das ir bliben wellent. und nochdemme wir uwer geschrifft danne ouch vernement, wellen wir úch aber lazzen wissen, wonoch ir úch danne rihten sollend. und lazzent disen brief nit die gesellen alle hören, wenne zwen oder drie, die ir truwent under uwern gesellen die úch notdurftig beduncket sin dis ze *1401* hörende, die mögen ir yn lassen hören.   datum feria quarta post diem sancti Martini
Nov. 16 episcopi anno domini 1400 primo.

[*in verso*] Hern Heinriche von Múlnheim
ritter dem houptmanne unserm burger.

1401
Dec. 22 **201.** *Der gen. Straßburger Hauptmann an seine Stadt: der König gibt ihm keinen Urlaub, er selbst hat mit seinen Leuten die Königin nach Venedig begleitet.   1401 Dec. 22 Venedig.*

Aus Straßb. St.A. nr. 2 R. Ruperti Romzug a. 1401 G. U. P. ladula 173 or. chart. lit. clausa c. sig. in verso impr.; das Stück ist in sehr schadhaftem Zustand.

Den erbern wisen bescheiden dem meister und dem ratte zů Straßburg enbút [a] ich minen gewiligen dienst. lieben heren.   und la úch wissen: alles, daz úr [b] mir verschribent in den briefen [2], die mir [c] Erkkneht brohtte, mit userm heren dem künige zů reden, daz hat ich gütter maß vorhin geton. und do Erkneht kam, do waß unser her der künig entslagen mint [d] den Florentzern und saß uf und für gon Venedige. do worent wir des obens by ime e er gon Venedige vor [e], und [e] botten in umb ein genedigen urlop. do meinde er unß keynen urlop zů gende, wen ir uns zů ime geschicket hettent die krone zů holen; die meynde er öch zů holen. do wissent öch: daz ich Erkneht do by mir behebet habe, daz ich daz darumb geton habe, daz ich gerne ein wissen von den sachen gehebet hette. do schitte die künigen zů mir. und bat, daz ich mine gesellen zů mir neme, und mit ir gon Venedige füere [4]. daz han ich öch geton, und ligent noch zů Venedige.   und sehent, daz vil lúttes von ime reit. do *1401* *Dec. 21* gingent wir vir unsern heren den künig uf sant Dumons [5] dag, und forderttent daz er unß eynen genedigen urlop gebe. do sprach er: wir soltten des morgen wider komen, *Dec. 22* so wolt er unß ein entwurt gen. also koment wir uf dunderstag wider zů ime. do antwuirt man unß, daz unß kein urlop möht werden mit syme willen; wen vil heren

a) *scheint* enbút, *sehr schwerlich* enbút *oder gar* enbút. b) *or. ur mit einem übergesetzten Zeichen, das dem für ar ähnelt.* c) *or. mur statt mir oder múr.* d) *sic.* e) *or.* unb.

---

[1] Gänzlich, völlig, ganz und gar, Lexer 1, 741, 738.
[2] nr. 199 vom 14 und nr. 200 vom 16 Nov., rgl. Anm. zu letzterem.
[3] Am 10 December brach K. Ruprecht auf, s. pag. 127 Note 6.
[4] Die ursprüngliche Leibwache der Königin scheint also verschwunden zu sein.
[5] Thomastag 21 Dec. Mittwoch.

ritter und kneht von ime ritten, und noch kume uf zweyhundert by ime sint aller heren   *1401*
ritter[a] und kneht mit den stetten. und wissent: do ich mit dem hovemeister rette, do   *Dec. 22*
sprach er: die heren wollten*t* sich alle kostten endûn und ein deil von in schicken. do
sprach ic*h*: „lieber here, ich wonde, unser frûnt hettent also wol gedienet, daz man sû
5 kosten also byllich enthúebe also ander lútte“. do sprach er: ir hettent ime gûtten dienst
getun, daz er wol zû dancke neme; aber da*z* er nûn erlossen *mochte*, daz kunde er
nút gedûn. und lôffet di*e* rede do, da*z* die Florentzer vordernt, daz er sin er versprechen [1]
súlle by in zû bliben ein zit. und *get* da*z* vir sich, so versicht man sich, daz unser
here der kúnig lange hinne werde bliben, wan[b] er nút *geldes* hat und sich[c] heren
10 ritter und kneht vastte klagent daz *man* in nút *gelt* git.   *gent uf* dunderstag noch   *1401*
sant Domans dage anno domini MCCCC primo.   *Dec. 22*

[*in verso*] Den erbern wisen *bescheide*n dem
meister *und dem ratte der stat z*û Straßburg.   Heynrich von *Mûlnheim ritte*r.

---

202. *Der gen. Straßburger Hauptmann an seine Stadt: da es sich mit Florenz zer-*   *1402*
15 *schlagen hat, wird er mit dem König heimkehren. 1402 Jan. 11 Pordenone.*   *Jan. 11*

Aus Straßb. St.A. an der Saul I partic ladula C fasc. XIV liasse II nr. 14 G or. chart.
lit. clausa c. sig. in verso impr.

Den erbern wisen bescheiden dem meister und dem ratte zû Straßburg enbút ich
min gewiligen dienst.   lieben heren.   ich lo úch wissen, daz unser herre der kúnig
20 alle heren und rytter und knehtte besantte in ein sal uf den zwôilften dag, und schit[2]   *1402*
do uß syner kamern den burggroven von Núerenberg und grave Emych von Lynyngen[d]   *Jan. 6*
unde ander syne rette. do hûp der burgröve von Núerenberg an und clagete von des
kúniges wegen, daz die von Florentze ime nút gehalten hetten daz sie[e] ime liplich zû
den heilgen gesworn hettent, und in[f] lange zit umbgezogen hettent. und bat ôch alle
25 ritter und kneht, daz sú von des soldes wegen, den er in schuldig wer*', b*eittent untz
hem; so wol er gúetlich mit in uiberkumen. und wissent, daz alle ding entelagen sint
mit den von Florentze und dem kúnige[3]. und do iederman dannan kam, do drat ich
vir unsern heren den kúnig, und bat syne genode, daz er uns erlôbet zû rytten, sit
man menlich urlop het gent. do sprach er: „herre von Múlnhen, ich wil uich kein
30 urlop gen, wen ir sint mit mir ußkomen, und wil uich bytten daz ir mit mir ziehent
wider hinuß, wen ir baß dorzû geriht sint dan ander min rytter und kneht, die hant
sich vastte verzert“. und sprach ôch: wir sollten alle naht ligen do er lege und uf in
wartten. und sprach der burgrove von Núerenberg: man wolt ôch bestellen, daz man
unß herberge gebe so man nehest môht by ime. also sint wir uf die strosse kumen
35 harußzûziehen[4]. und vôrhttent, daz es sich lenger verziehen werde mit ime zû ziehen,
den sollten wir slehtz hinußziehen. und wissen, daz ich úch gerne e botschaft het geton; do het es me den drige wuchen gewert daz man alle dage meynde man solt sin
ein ende han. und daruf han ich den botten by mir behebet.   gent zû Portennowe
uf mittewuche noch dem zwôilften dage anno domini 1400 zwey jor.   *1402*
40 [*in verso*] Den erbern wisen bescheiden   *Jan. 11*
dem meister und dem ratte zû Straßburg.   Heinrich von Múlnhein ritter.

---

a) *or. ritten.* b) *schwerlich uns; ein v oder die erste Hälfte eines w ist nichtbar, hinten ein Buchstabe mit Unter-*
länge, die dem zweiten Schafte auch eines n zukommen kann. c) *or. sch statt sich.* d) *or. Lynygen.* e) *or.*
se mit Punkt über e. f) *or. im.*

45 [1] *Sein Ehrenwort geben.*   [4] *K. Ruprecht reiste am 9 Jan. von Venedig*
[2] *Schickte.*   *ab, vgl. Anm. zu nr. 77.*
[3] *Vgl. lit. E, speziell nr. 76.*

1402
Jan. 16 **203.** *Der gen. Straßburger Hauptmann an seine Stadt, kehrt heim, trotzdem K. Ruprecht* *sich mit Florenz verständigt hat und nach Venedig zurückgekehrt ist. 1402 Jan. 16* *Peuschldorf.*

> *Aus Straßb. St.A. an der Saul I partie ladula C fasc. XIV liasse II nr. 14 F or. chart.* *c. sig. in verso impr.*   t

Den erbern wisen bescheiden dem meister und dem ratte zů Straßburg enbút ich myn[a] gewiligen dienst. lieben heren.   also ich uich in dem ersten brieve [1] geschriben han, wie unser her der kúnig mit den Florentzern entslagen syge, und man menlich urlop gap: und daruf zugent wir enweg. und do wir koment untz gon Búschendorf[2], do kam unß ein brief von dem bischove von Spire, und den von Mentze ôch eyner,   10 daz unser here der kúnig geriht werre mit den Florentzern, und wolttent ime důn waß sú ime zů Dútschen landen versprochen hetten, und werent Venediger dovir búrge worden. wen der kúnig waß ein dageweide von Venedige kumein uf dem wasser, und kertte daruf wider umbe[3]. do waß der hertzoge von Lútteryngen und vil ander heren rytter und kneht vir unß hinußgezogen. do wurdent die von Mentze und wir zů rotte,   15 daz wir ôch hinußziehen wolttent. wen unß wart geseit, daz er den von Spire urlop het gent und in erlôbet heinzůritten. man seit ôch, daz er woltte ligen zů Venedige
1402
Apr. 23 untz sant Jergen dage.   lieben heren. wissent: daz ich den botten also lange behebet habe, daz han ich darumb geton, daz ich uich gerne wore botschaft geton het. do meynde man alle dage, man woltte sagen won-noch man sich rihtten solt, und daz hat   20 sich verzogen untz uf dise zit.   gent zů Búschendorf uf mendag vor sant Denygen[4]
1402
Jan. 16 dag anno domini 1400 und zwey jor.

[*in verso*] Den erbern wisen bescheiden
dem meister und dem ratte zů Straßburg.   Heynrich von Múlnhein rytter.

1402
Jan. 20 **204.** *Stadt Straßburg an ihren gen. Hauptmann bei K. Ruprecht, tadelt ihn, gibt Wei-* 25 *sung, auch wegen Heimkehr. 1402 Jan. 20 [Straßburg].*

> *Aus Straßb. St.A. an der Saul I partie ladula C fasc. XIV liasse II nr. 14 A or. mb.,* *scheint als Original zu dienen bestimmt, dann aber nicht abgeschickt, Sigel und Be-* *sigelungseinschnitte fehlen.*

Wir Johans Zorn dem man sprichet von Eckerich, der meister, und der rat von   30 Strazburg embieten hern Heinriche von Múlnheim ritter unserm burger alles gůt.   ir wissent wol, wie wir úch zů eim houptmanne nomment, unser glefen und gůten frúnde houptman ze sinde, und wissent wol, das wir úch in dem briefe [5], den wir úch und uwern gesellen dotent vorlesen und den ir und sie vorhiessent ze haltende, under andern stúcken dotent vorlesen, das wir úch besunder empfulhent unser stette nutz und ere zů   35 werbende und ze tůnde [6] und úch mit uwern gesellen zů unserm herren dem kúnige ze machende [7]. so haben wir úch sit dicke und vil verschriben und gebetten, uns eigentliche alle nuwe mere und leuffe[b] lazzen ze wissende, die zů hofe werent und die ir

---

a) or. mym. b) das u kolumniert; vielleicht ist verschrieben statt löffe.

---

[1] nr. 202 vom 11 Jan. 1402.   [4] Antonius.   40
[2] Doch wol Peuschldorf, Venzone auf Italienisch,   [5] nr. 190.
s. Note zu nr. 97.   [6] l. c. art. 16.
[3] Vgl. nr. 76. 77. 103 ff.   [7] l. c. art. 15.

vernemment. und besunder¹ verschribent wir úch das in dem briefe den úch Glitz brahte¹, das ir uns ye zů zehen tagen oder zwölfen ein botten soltent schicken und uns nuwe mere liezzen wissen, sie were joch schimpf oder ernst, und uwer gesellen einen, der vil by úch sind, úch die tůn schriben, die es gerne detent, und úch des

5 keinen botten lassen beduren. das ist uns nit von úch gescheen. und habent wol vernommen von grosser kargheit, die ir begant unde begangen hant; und von unwillen, die ir uwern gesellen getan hant in manyerleye weg; und das ir úch nit ze unserm herren dem kúnige gemaht und zů uwern gesellen geton hant, als das zimliche und uns erliche were gewesen; do ir gen Venedige fůrent², das ir durch uwere gesellen bette

10 willen unser und ir phiffere, die wir úch und yn geben hant³, nit woltent lazzen mit úch und in varen, das man dovúr het, das ir úch versohent enwenig me kosten mit yn ze habende ze Venedige danne ze Padöwe. so danne die gesellen des smides⁴ bedorften, so wolten ir yn nit lazzen beslahen, unde habent gesprochen, er sie uwer smit. so man danne herbergen bestellen solte, so hant ir úch selber die besten bestalt, und keine

15 sorge umbe uwer gesellen gehept. besunder wart úch ein hof gegeben zů Padöwe, doinne ir mit uwern gesellen alle wol bi einander gestalt hetten, den nemmet ir selbedirte in, und liessend die andern stellen wo sie möhtent und wonden. und hetten úch dovúr, nochdemme ir selber zů uns sprochent ir begerten der varte keinen gewin ze habende, ir soltent durch unser aller ere willen und ouch der uwer in einre solichen

20 vart keinen gewin noch vorteil sůchen; ir soltent durch unser und uwer selbs ere willen úch anders gehalten haben bede mit uwern gesellen und andern sachen, und soltent uwer gesellen zů úch ziehen. das habent ir nit geton, als wir das wol kúntliche vernommen haben, daz uns von úch missefellet. wie dem allem sie, durch unser selbs ere und uwern frúnden und úch. ze liebe lassent wir nu das gůt sin. und empfelhent

25 úch, das ir gedenckent was wir úch empfolhen hant do ir von uns schiedent, und kargheit in disen zijten ablazzent, und úch zů uwern gesellen tůgent, und umbe sie beschuldent mit tůgentlichen worten und geberden, das sie úch vúr liep und wert habent. dasselb habent wir yn geschriben, das sie úch das ouch tůgent. und ziehent sie zesammene, und fůrent sie mit úch, und machent úch zů unserme herren dem kúnige so

30 ir neheste mögent. tůnd ir das, so wellen wir es noch von úch haben ze dancke. unde schribent uns alle nuwe mere. und so ir uns schriben wellen, so besendent uwer gesellen und frogent die ouch. das ir danne nit wissent, das wissent villihte sie. und sind gemeinsam mit yn. do tůnd ir uns ein liebe frúntschafft mitte. alse wir úch ouch nehest schribent in dem briefe, den úch Erknebt brohte und der geben wart uf die

35 mittwoche nach sant Martins tage vergangen⁵, von des wegen ob ir herheim riten soltent oder nit und wie ir úch darynne halten soltent, denselben brief nemment vúr úch. und wie wir úch das uf die zijt verschribent, das ist noch unser meynunge. und empfelhent úch das also ernstliche zů werbende und ze tůnde. datum feria sexta post diem sancti Anthonii confessoris anno domini 1400 secundo.

40 [*in verso*] Hern Heinriche von Múlnheim ritter unserm burger.

¹ *nr. 197 vom 3 Nor. 1401.*
² *Vgl. nr. 201.*
³ *Vgl. nr. 190 art. 2.*
⁴ *Vgl. l. c.*
⁵ *nr. 200 vom 16 Nov. 1401.*

1402
Jan. 23
205. *K. Ruprecht an Stadt Straßburg, beklagt sich über eigenmächtige Abreise ihres Zuzugs und bittet um Remedur. 1402 Jan. 23 Venedig.*

Aus Straßb. St.A. an der Saul I partie ladula C fasc. XIV lianse II nr. 11 E or. chart.
lit. clausa c. sig. in verso impr.
Ein Regest ohne Orts- und Tagesangabe im Datum stand Straßburg St.-Bibl. in den ⁵
verbrannten Wenckeri exc. 2, 422ª.

Ruprecht von gots gnaden Romischer
kunig zu allen zijten merer des richs ª.

Lieben getruwen.   als wir uch nehst von unsern leuffen hie-inne in Lamparthen
geschriben han ¹, und daz wir uff dem wege waren hinuß gein Dutschen lannden zu ¹⁰
ziehen, dann daz uns die Venediger mit tedinge hie innebehalten haben: und wir hatten
uwer dienere die ir uns zu dinst herinne gesant hattent bescheiden uff uns zu warten.
und als wir wieder hinder uns gein Venedige furen, da schriben wir yn und schickten
yn nach, daz sie wieder zu uns wolten kommen, wann wir zu rade weren worden hie-
inne in Welschen lannden zu verliben und also gein Rome zu rijten und unser keiser- ¹⁵
lich cronunge zu enphaen. an dieselbe unser botschafft und schriffte hant sie sich nit
gekeret, und sint also von uns hinußgeridten ane unser wißßen und erlaup, daz uns
etwaz von yn verdrußßet. herumbe begern wir mit ernste, daz ir dieselben oder ander
alsvile uwer dienere an derselben stat zu stunt zu uns herinne gein Padawe schickent,
die also vorbaz mit uns gein Rome rijten unser cronunge zu enphaen. und wollent ²⁰
uns daran nit laßßen, als wir uch sunderlich wol getruwen. da dunt ir uns auch
besunder dancknemkeid und dinst an, die wir auch gein uch gern bedencken wollen. und begern heruff uwer beschriben antwert mit diesem bodten.   datum Ve-
1402
Jan. 23 neciis mensis januarii die vicesima tercia anno domini millesimo quadringentesimo secundo
regni vero nostri anno secundo ᵇ.   ²⁵

[in verso] Den ersamen unsern lieben   Ad mandatum domini regis Ulricus
getruwen meister und rat zu Straßpurg debet.   de Albeck licenciatus in decretis.

1402
Mrz. 13
206. *Stadt Mainz an K. Ruprecht, lehnt weitere Kriegshilfe nach der Lombardei ab.
1402 Merz 13 [Mainz].*

Aus Straßb. St.A. J. D. G. lad. 3 liasse 3 cop. ch. coaev., mit Schnitten, wahrscheinlich ³⁰
von Mainz an Straßburg überschickt.

Deme allerdurchluhtigestem hochwurdigestem fursten und herren heren Ruprehten
Romschin konige ᶜ zu allen ziten merer des richs unserm lieben gnedigen herren embieten
wir die burgermeister und rat zů Meintze unsere oitmudige ᵈ gewillige dinst mit demů-
tiger ᵉ gehorsam zůvor.   allerhochwurdigester furste, lieber gnediger herre.   als uwer ³⁵
konigliche wirdekeit uns von unser diener wegen, die wir uwern hochwurdigen gnaden
zů dienst uber berg geluhen und geschicket hatten, geschriben hant ²: uwern koniglichen
brief davon han wir oitmudelich ᶠ entphangen, und uwer gnaden begerunge, umbe dieselben unser dienere, odir andere so viel, uwern wirdigen gnaden wider zu dinste gein

a) die Vertheilung der Inscriptio auf zwei Zeilen war in unserer Abschrift unbeachtet gelassen und die Vorlage bei ⁴⁰
einer späteren Gelegenheit nicht aufzufinden; unser Druck gibt die gewöhnliche Form wieder. b) or. add. ᵈ
mit Schweif nach unten. c) hs. konnige? d) hs. ortmudige. e) hs. demüger. f) hs. ortmudelich.

¹ S. nr. 185 vom 14 Jan. 1402.   vom 23 Jan. 1402 nr. 205; ähnlich wird zur sel-
² Vgl. K. Ruprechts Schreiben an Straßburg   ben Zeit auch wol an Mainz geschrieben sein.

Lamparthen zů schicken, han wir wol verstanden. und begeren wir davon uwer hoch- *1402*
wurdige gnade zu wißen, daz uns dieselben unsere dienere, die wir uwern gnaden also *Mrz. 18*
geschicket hatten, gesaget hant, in welcher maße in und auch andern von uwer gnade
wegen enbotten und zůgesaget wurde, daz sie orlab hettent wieder gein Dutschen landen
5 zu ridende. und als sie also uf deme wege werent heimzůridende und in underwegen
ander botschaft hien-nach qweme, do were es in also gelegen und von iren eigen gescheften daheim also gestalt, daz in nit beqwemelich were wieder umbezůkerende und
lenger ußzublibende [1]. und als dieselben unser dienere also wieder heimkommen sint, so
ist uns nit gelegelich, dieselben odir andern mogen zů bestellen und ufzůbringende, so
10 verre landez zů schickende. und getruwen wir uwern hochwurdigen koniglichen wirden
sunderlich wol, das uwer gnade solichen sweren langen dinst, als wir uweren wurdigen
gnaden von gutdem frien willen zů disen ziten mit großem kosten getan han, des wir
auch hoffen gein uwer konigliche miltekeit zu genießen und ergetzet werden, gein uns
bedenken und dangnemelichen von uns ufnemen wollen und uns solicher uwer begerunge
15 des furtern dinstes und kostens gnedeclichen ubersehen und uberheben wollent. darumbe
wollen wir allezit deste gewilliger sin uwern hochwurdekeiden in andern sachen zů důn
waß wir wißen das uwern koniglichen gnaden anneme und dienstliche ist. in dieselbe
uwer gnade wir uns allezit demudeclich entphelen, und mit großem ernste begerende
sin daz ez uwern hochwurdigen gnaden und allen den uwern glückliche und wole gee
20 und daz uwer konigliche wirdekeit aller uwer anligender sachen mit eime kůrzen seligen
ůßtrage nach aller uwer begerde schiere wieder gein Dutschen landen komen werde. *1402*
datum in crastino dominice qua cantatur judica anno domini millesimo quadringentesimo *Mrz. 18*
secundo.

[1] *Vgl. nr. 203.*

Königlicher Kurfürstentag, mit Städten, zu Mainz
im Juni 1402.

Der Absicht des Königs nach ist es zunächst ein Tag, den er mit den Kurfürsten hält, ein K u r f ü r s t e n t a g. Nur diese, d. h. die drei Rheinischen Erzbischöfe, werden brieflich dahin bestellt, nach Mainz auf 4 Juni 1402 (nr. 212 Nachschrift). Das [5] *muß noch von Italien aus geschehen sein, Nikolaus Buman wird ihnen das Schreiben überbracht haben. Auch die mündliche Einladung, zu welcher der letztere angewiesen ist, geht nur an die Kurfürsten (nr. 207 art. 6. 7). Auch in der Instruktion nr. 210 art. 3 ist nur von Einladung der Kurfürsten die Rede. Am 24 April und 14 Mai nr. 211 schreibt der König an verschiedene Städte, er wolle den Rath der Kurfürsten* [10] *und darnach anderer Fürsten und auch der Städte Rath haben; es ist also zunächst nur auf die Kurfürsten abgesehen, erst nachher sollen auch andere Fürsten und die Städte daran kommen, daher die bürgerlichen Adressaten in diesem Schreiben auch richtig nicht eingeladen werden. Diese wissen auch zu Pfingsten (14 Mai) noch nicht, ob dieß etwa noch geschehen wird, sondern nur daß der König und die Kurfürsten* [15] *auf 4 Juni nach Mainz zu kommen gewillt waren (nr. 221), und wenn da zweimal noch allgemein von den Fürsten die Rede ist als von Mitgliedern der Versammlung neben dem König, so ist das doch nur ein kürzerer Ausdruck für die Kurfürsten, die ja auch Fürsten und hier allein gemeint sind. Auch aus nr. 255 (ebenso nr. 207 art. 5 und nr. 209 art. 7 und 8, vgl. auch nr. 81 und 131), wo der König schreibt daß er* [20] *des Raths der Kurfürsten und anderer Fürsten bedürfe, kann man nicht das Gegentheil schließen, da dieß nur sein Bedürfnis, aber keine Einladung bedeutet, und dabei keineswegs ausgeschlossen ist, daß er die Kurfürsten eben zuerst allein und dann erst andere Leute hören will. Ebenso ist es mit nr. 210 art. 3, wo außerdem auch nur die Kurfürsten als die auf 4 Juni nach Mainz eingeladenen speciell bezeichnet sind. Noch* [25] *deutlicher wird die Sache in nr. 212, wo eben nur die drei Rheinischen Erzbischöfe als Mitglieder der kommenden Mainzer Versammlung angeführt werden, während, zum Unterschiede davon, mehrere dort genannte andere Fürsten ihrerseits noch vorher mit dem König in Bamberg auf 24 Mai zusammenkommen sollen* [1]*; der kleine Differenzpunkt, daß jetzt diese genannten andern Fürsten doch noch zu allererst citiert werden,* [30] *ändert die Sache nicht, in diesem Punkt schwankt der König offenbar, es ist aber auch keine allgemeine Fürstenversammlung sondern nur eine der Adressaten gemeint, und zum Kurfürstentag haben sie eben nicht zu kommen. Es ist also ganz klar, daß Ruprecht zu Mainz auf 4 Juni 1402 eine Versammlung nur der Kurfürsten beabsichtigte. Und hier will er die Reichsangelegenheiten besprechen, die sich aus seinen Italienischen* [35] *und kurialen Beziehungen ergeben (s. Einleitung lit. A).*

---

[1] Es ist ein Irrthum Höflers, wenn er pag. 282 unten behauptet, K. Ruprecht habe auch mit diesen Fürsten nach dem Bamberger Tage in Mainz zusammenkommen wollen.

*Aber dabei bleibt die Sache nicht stehen, es wird daraus zugleich ein Münztag
des Königs mit den Rheinischen Kurfürsten und mehreren Reichsstädten. — Als Münstag ist der Tag eigentlich kein königlicher, denn er ist von ihm
nicht berufen, vielmehr aus der Initiative der Städte hervorgegangen (vgl. Einleitung
5 lit. B). Zwar erwarteten die Rheinischen Städte vorläufig, vom König eingeladen zu
werden (nr. 221), aber wir wissen nichts davon, daß eine solche Einladung erfolgt wäre.
Falls sie nun auch nicht erfolgt wäre wie es scheint, so finden doch die Münzberathungen
der Städte statt unter Betheiligung von königlichen und kurfürstlichen Beauftragten, also
unter königlicher Anerkennung und Autorisation, und so werden wir die Doppelver-
10 sammlung als ganzes wol einen königlichen Kurfürstentag mit Städten nennen
können, womit aller Vorsicht genügt sein dürfte.*

*Vom Besuch des Tages wissen wir nicht sehr viel. Die Anwesenheit des
Königs bezeugt schon sein urkundliches Itinerar (s. Chmel nr. 1209 ff.). Vom 20-24
Juni urkundete Ruprecht in Mains (vgl. auch die beiden Posten der Kammereinnahmen
15 am 21 und 22 Juni bei Janssen Frankf. R.K. 1, 722 nr. 1142 art. 29. 30 und künftig
RTA. 6). Die Frankfurter Abgeordneten suchen ihn in Mains auf (nr. 259 art. 5).
Auch der Erzbischof von Mains ist persönlich anwesend (nr. 232 art. 6). Von den
beiden andern Erzbischöfen wissen wir das nicht mit voller Sicherheit, doch macht
folgendes Regest in Karlsr. G.L.A. Pfälz. Kop.-B. 43½ fol. 60ᵃ cop. ch. saec. 15 ex. es
20 sehr wahrscheinlich: Anlaß zwůschen erzbischof Friderichen von Colln und erzbischof
Wernher zů Trier umb ir forderůng beidersits uf konig Růprechtten und erzbischof
Johann von Meintz, under ir beider anhangenden ingesigeln, geben zů Meintz uf dorstag
vor Johannis baptiste anno 1400 und zwei jare. Einige Räthe des Königs und der
Kurfürsten lernen wir aus nr. 224 kennen. Was die Städte betrifft, so spricht Orth
25 Reichsmessen 325, aber ohne eine Quelle anzugeben, von Zuziehung der Städte Mainz
Speier Köln Frankfurt. Da in Frankfurt Köln Nürnberg Straßburg zur Ausführung eines
Beschlusses dieser Versammlung (nr. 223 Abth. II art. 1) Münzproben angestellt wurden (nr. 264-267), werden diese vier Städte wol Gesandte in Mains gehabt haben. Die
Gesandtschaft Frankfurts erwähnten wir schon; sie wird, wie üblich mit Nennung der
30 einzelnen Namen, aufgeführt in den Stadtrechnungen (nr. 259 art. 5). Eine Vermuthung
über die Namen der Boten der Stadt Köln ist in Anm. zu nr. 270 mitgetheilt. Nürnberg
hatte jedenfalls stark beabsichtigt solche zu schicken (nr. 220). — Es ist nicht wahrscheinlich, daß außer den Kurfürsten auch noch einige andere Fürsten in Mainz waren;
auf den Bericht William Esturmy's und John Kington's (s. Anm. zu nr. 256) wird
35 man sich dafür nicht berufen dürfen, derselbe ist auch in seinen übrigen Angaben
höchst ungenau.*

A. Königliche Einladung und Vorbereitung, Verhältnis zur Kurie, nr. 207-214.

*Der Termin der Ausschreibung des Mainzer Tages, den drei Rheinischen
Erzbischöfen vom König noch aus Italien mitgetheilt, ist zuerst der 4 Juni (nr. 207
40 art. 6. 7). Es wurde aber gleich die Aussicht beigegeben, daß der König, wenn einer
von ihnen nicht kommen könne, den Tag auch um 1 oder 2 Wochen, also auf 11 oder
18 Juni, zu verschieben geneigt sei (ibid. art. 11). Am 1 Juni sind die Mainzer, wol
seit länger, im Besitz der Nachricht, daß die Ankunft der Mitglieder der Versammlung
für den Augenblick nicht zu erwarten sei (zu dieser tzijt wendig); eine spätere Mit-
45 theilung, die ihnen offenbar erst am genannten Tag selbst zu Theil wurde, besagte, daß
die Zusammenkunft in Kürze stattfinden werde (nr. 221 nebst Beischluß). Aber am
16 Juni schreibt Ruprecht an die Königin von Frankreich, daß er der Kurfürsten und
anderer Fürsten Rath bedürfe, also hat damals die auf 4 Juni angesagte Versammlung*

*noch nicht stattgefunden gehabt, war also richtig verschoben worden (nr. 255). Am
17 Juni (Chmel 1208) ist der König auch wirklich noch in Heidelberg, vom 20-24 Juni
(Chmel 1209-1228) urkundet er zu Mainz wie wir sahen; die Münzsachen unseres Tags
(nr. 223 und 225) tragen das Datum des 23 Juni. Was ist nun aber der Grund
der Verschiebung der kön. Kurfürstenversammlung von Mainz? Ob die Bamberger* ⁵
*Fürstenzusammenkunft (von der schon die Rede war und hier unten nochmals die Rede
sein wird), auch wiewol sie nur Projekt blieb, doch schon mit dazu beigetragen hat,
läßt sich nicht sagen. Der König selbst gibt einen andern Grund an, nr. 249 art. 3.
Darnach ist der Hergang wahrscheinlich folgender. Ruprecht kommt von Amberg am
24 Mai nach Nürnberg, will, vielleicht über Bamberg wo die Fürstenversammlung statt-* ¹⁰
*finden sollte, nach Mainz, erhält aber in Nürnberg Nachricht von Wilhelm von Meißen,
dieser könne nach Bamberg nicht kommen, Ruprecht möge mit ihm in dem nicht sehr
entlegenen Waldeck zusammentreffen. Darauf kehrt Ruprecht in dieser Absicht um
nach Amberg c. Mai 29-31, und verlegt den Mainzer Tag. Da aber Wilhelm die Zusammenkunft von Waldeck widerruft, so schickt Ruprecht seine Gesandtschaft an ihn,* ¹⁵
*und reist nun abermals von Amberg ab bald nach Juni 7, ist Juni 10 und 11 in
Rotenburg, Juni 16 und 17 in Heidelberg, und spätestens Juni 20 in Mainz.*

Man erkennt aus verschiedenen Stellen der unter diesem Mainzer Tag zusammen-
gestellten Stücke, was die Absicht des Königs bei demselben gewesen ist, welche B e r a t h u n g s -
g e g e n s t ä n d e er den Kurfürsten vorlegen wollte. Schon beim Abzug aus Italien war ja ²⁰
ein derartiger Tag in Aussicht genommen (nr. 131ff.), naturgemäß bezog er sich auf die
Lage des Königs und des Reichs wie sie sich aus dem misglückten Italienischen Feldzug
und aus den gescheiterten Verhandlungen mit der Kurie entwickelt hatte (nr. 207 art.
6-9, nr. 208 art. 1. 2, nr. 209 art. 8, nr. 210 art. 3, nr. 211). Die hier mitgetheilten
vier Instruktionen königlicher Gesandten (nr. 207-210), welche sich mit diesen Dingen ²⁵
abgeben, gehen zwar der Versammlung voraus, sie sind aber auch für diese von beson-
derer Wichtigkeit, weil von den Berathungen der Versammlung über solche Themata
uns keine Akten erhalten sind. — Zu bemerken ist dabei, daß Ruprecht den Deutschen
Fürsten das Scheitern der Verhandlungen mit dem Pabst in ganz falschem Lichte dar-
stellt. Nicht die Forderungen der Kurie in der Kirchenfrage hatten die Einigung ³⁰
verhindert, sie waren seitens des Königs vielmehr von Anfang an zugestanden, wie die
Verhandlungsakten vorn in unserem vierten Bande zeigen, wol aber hatte sich Ruprecht
nicht so, wie der Pabst es verlangte, in der Italienischen Politik gegen Galeazzo binden
können oder wollen. Daß seine Gesandten in der Kondescendenz gegen die päbstlichen
Wünsche noch über ihre Instruktion hinausgegangen seien, wie der König in nr. 207 ³⁵
art. 8 behauptet, werden wir nicht gerade zu glauben brauchen.

Wie K. Ruprecht den Erzbischof Gregor von Salzburg (nr. 209) und den Herzog
Leopold von Österreich (nr. 210) durch Gesandtschaft um ihren Rath wegen der päbstlichen Anmuthungen ersuchte, so berief er, als er von Italien her nach München gekommen war, andere Fürsten zu dem gleichen Zweck auf den 24 Mai nach Bamberg ⁴⁰
(Schreiben vom 2 Mai 1402 nr. 212). Diese vom König projektierte Bamberger
Versammlung gewisser Fürsten ist aber augenscheinlich nicht zu Stande gekommen. So hat schon Häberlin Die allgemeine Welthistorie Neue Historie 4, 362 Halle
1769 vermuthet. Höfler K. Ruprecht 282 läßt es unentschieden. Die Sache verhält
sich folgendermaßen. Am 24 Mai (dieß scheint in nr. 213 wirklich der Schenktag zu sein) ⁴⁵
kam Ruprecht von Amberg nach Nürnberg und blieb dort einige Tage, mindestens bis
zum 29 Mai (s. nr. 213 und Anm.); dann lassen Chmel's Regesten zwar fast zwei
Wochen frei und weisen den König erst am 10 Juni wider nach, und zwar in Rotenburg, und in diese Zwischenzeit könnte man versuchen den Bamberger Tag unterzu-
bringen, aber nach dem Pfälz. Kop.-B. 53 pag. 48 ff. im Karlsruher G.L.A. urkundete ⁵⁰

Ruprecht Mai 31 Juni 4 und Juni 7 wider in Amberg (vgl. auch einen Posten der Kämmereirechnung vom 6 Juni Janssen 1, 721 nr. 1142 art. 22, bei uns in Bd. 6), kehrte also wahrscheinlich von Nürnberg direkt dahin zurück. Daß mindestens der auch geladene Wilhelm von Meißen nicht nach Bamberg kam, dürfte aus nr. 249 hervorgehen. — Dafür sehen wir aber in Nürnberg eine stattliche Zahl besonders Fränkischer Reichsstände um Ruprecht versammelt (nr. 214), und wir dürfen wol annehmen, daß er auch mit ihnen die Angelegenheiten, wegen deren er den Mainzer Tag berufen hatte, besprochen hat. Vielleicht wurde da auch über den Krieg gegen Böhmen berathen, vgl. lit. II.

B. Städtische Vorbereitung nr. 215-221.

Von einem in Mainz zu haltenden Münztage Rheinischer Städte war schon Anfang Mai 1402 die Rede, s. nr. 219; dann machte am 31 Mai Nürnberg den Vorschlag den bevorstehenden königlichen Kurfürstentag zu beschicken und zur Berathung von Münzangelegenheiten zu benutzen, s. nr. 220, während fast gleichzeitig Gesandte von Mainz Worms Speier Straßburg in Straßburg denselben Gedanken besprachen, s. nr. 221.

Wir haben hier, wo zum erstenmal unter Ruprecht die Münzfrage für unsere Sammlung von größerer Bedeutung ist, bis in den Sommer 1401 zurückgreifend mitgetheilt was wir von früherer städtischer Korrespondenz über Münztage besitzen, soweit es nicht schon gelegentlich bei uns zur Verwendung gekommen ist. Schon RTA. 4, 402, 19-22 war die Rede von dem Münztag zu Koblenz, der auf 18 Juli 1401 in Aussicht genommen wurde für den König, die drei Rheinischen Kurfürsten, die Städte Mainz Worms Speier Straßburg Frankfurt Köln. Derselbe ist auch RTA. 4, 479, 14 gemeint, wenn auch ohne Erwähnung der dort bevorstehenden Münzverhandlungen. Er kehrt wider bei uns hier in nr. 215-217, nachdem wir schon in RTA. 4 nr. 404 art. 3 uns überzeugen konnten daß er wirklich zu Stande kam, was sich jetzt auch aus nr. 216 und 217 ergibt.

C. Münzwesen nr. 222-227.

Das Münzwesen (vgl. diese Einleitung pag. 269, 1-11 und lit. B) ist der einzige Berathungsgegenstand unserer Versammlung, von dem uns eine förmliche gesetzliche Regelung erhalten ist in nr. 225, dem Goldmünzgesetz K. Ruprechts vom 23 Juni 1402. Der hier aufgestellte Münzfuß ist übrigens nichts neues, er ist derselbe wie in der Vereinigung der vier Rheinischen Kurfürsten vom 19 Sept. 1399 RTA. 3 nr. 62, die damals eben durch die Vereinigung RTA. 3 nr. 62 gegebene Münzverschlechterung soll also nicht weiter gesteigert werden (vgl. dazu RTA. 3, 100 Einl. D). Nur das Gepräge wird ein anderes: statt des Vierkompasses auf der einen Seite, wie es 1399 verabredet war, wird nunmehr nur das Wappen des einzelnen Münzherren angebracht werden [1]. Es sei dieß geschehen, sagt Hegel St.Chr. 1, 233, damit jeder der Münzherren für die Werthverringerung der Münze, bei der Ausprägung, verantwortlich gemacht werden könne. Allein dieser Grund wird weder im Gesetze selbst nr. 225 noch in dem vorhergehenden Rathschlagen nr. 223 angegeben, und er kann nicht richtig sein, da auch bei dem Vertrag von 1399 art. 3 das Erbwappen des einzelnen Münzherrn

---

[1] *Der bei Köhler Münzbelustigungen 7, 297 beschriebene Heidelberger Gulden K. Ruprechts ist wol ein nach dem Gesetz vom 1402 geprägter.*

noch nicht stattgefunden gehabt, war also richtig verschoben worden (nr. 255). Am 17 Juni (Chmel 1208) ist der König auch wirklich noch in Heidelberg, vom 20-24 Juni (Chmel 1209-1228) urkundet er zu Mainz wie wir sahen; die Münzsachen unseres Tags (nr. 223 und 225) tragen das Datum des 23 Juni. Was ist nun aber der Grund der Verschiebung der kön. Kurfürstenversammlung von Mainz? Ob die Bamberger Fürstenzusammenkunft (von der schon die Rede war und hier unten nochmals die Rede sein wird), auch wiewol sie nur Projekt blieb, doch schon mit dazu beigetragen hat, läßt sich nicht sagen. Der König selbst gibt einen andern Grund an, nr. 249 art. 3. Darnach ist der Hergang wahrscheinlich folgender. Ruprecht kommt von Amberg am 24 Mai nach Nürnberg, will, vielleicht über Bamberg wo die Fürstenversammlung statt-finden sollte, nach Mainz, erhält aber in Nürnberg Nachricht von Wilhelm von Meißen, dieser könne nach Bamberg nicht kommen, Ruprecht möge mit ihm in dem nicht sehr entlegenen Waldeck zusammentreffen. Darauf kehrt Ruprecht in dieser Absicht um nach Amberg c. Mai 29-31, und verlegt den Mainzer Tag. Da aber Wilhelm die Zu-sammenkunft von Waldeck widerruft, so schickt Ruprecht seine Gesandtschaft an ihn, und reist nun abermals von Amberg ab bald nach Juni 7, ist Juni 10 und 11 in Rotenburg, Juni 16 und 17 in Heidelberg, und spätestens Juni 20 in Mainz.

Man erkennt aus verschiedenen Stellen der unter diesem Mainzer Tag zusammen-gestellten Stücke, was die Absicht des Königs bei demselben gewesen ist, welche Berathungs-gegenstände er den Kurfürsten vorlegen wollte. Schon beim Abzug aus Italien war ja ein derartiger Tag in Aussicht genommen (nr. 131ff.), naturgemäß bezog er sich auf die Lage des Königs und des Reichs wie sie sich aus dem misglückten Italienischen Feldzug und aus den gescheiterten Verhandlungen mit der Kurie entwickelt hatte (nr. 207 art. 6-9, nr. 208 art. 1. 2, nr. 209 art. 8, nr. 210 art. 3, nr. 211). Die hier mitgetheilten vier Instruktionen königlicher Gesandten (nr. 207-210), welche sich mit diesen Dingen abgeben, gehen zwar der Versammlung voraus, sie sind aber auch für diese von beson-derer Wichtigkeit, weil von den Berathungen der Versammlung über solche Themata uns keine Akten erhalten sind. — Zu bemerken ist dabei, daß Ruprecht den Deutschen Fürsten das Scheitern der Verhandlungen mit dem Pabst in ganz falschem Lichte dar-stellt. Nicht die Forderungen der Kurie in der Kirchenfrage hatten die Einigung verhindert, sie waren seitens des Königs vielmehr von Anfang an zugestanden, wie die Verhandlungsakten vorn in unserem vierten Bande zeigen, wol aber hatte sich Ruprecht nicht so, wie der Pabst es verlangte, in der Italienischen Politik gegen Galeazzo binden können oder wollen. Daß seine Gesandten in der Kondescendenz gegen die päbstlichen Wünsche noch über ihre Instruktion hinausgegangen seien, wie der König in nr. 207 art. 8 behauptet, werden wir nicht gerade zu glauben brauchen.

Wie K. Ruprecht den Erzbischof Gregor von Salzburg (nr. 209) und den Herzog Leopold von Österreich (nr. 210) durch Gesandtschaft um ihren Rath wegen der päbst-lichen Anmuthungen ersuchte, so berief er, als er von Italien her nach München ge-kommen war, andere Fürsten zu dem gleichen Zweck auf den 24 Mai nach Bamberg (Schreiben vom 2 Mai 1402 nr. 212). Diese vom König projektierte Bamberger Versammlung gewisser Fürsten ist aber augenscheinlich nicht zu Stande gekom-men. So hat schon Häberlin Die allgemeine Welthistorie Neue Historie 4, 362 Halle 1769 vermuthet. Höfler K. Ruprecht 282 läßt es unentschieden. Die Sache verhält sich folgendermaßen. Am 24 Mai (dieß scheint in nr. 213 wirklich der Schenktag zu sein) kam Ruprecht von Amberg nach Nürnberg und blieb dort einige Tage, mindestens bis zum 29 Mai (s. nr. 213 und Anm.); dann lassen Chmel's Regesten zwar fast zwei Wochen frei und weisen den König erst am 10 Juni wider nach, und zwar in Roten-burg, und in diese Zwischenzeit könnte man versuchen den Bamberger Tag unterzu-bringen, aber nach dem Pfälz. Kop.-B. 53 pag. 48ff. im Karlsruher G.L.A. urkundde

Ruprecht Mai 31 Juni 4 und Juni 7 wider in Amberg (vgl. auch einen Posten der Kämmereirechnung vom 6 Juni Janssen 1, 721 nr. 1142 art. 22, bei uns in Bd. 6), kehrte also wahrscheinlich von Nürnberg direkt dahin zurück. Daß mindestens der auch geladene Wilhelm von Meißen nicht nach Bamberg kam, dürfte aus nr. 249 hervor-
5 *gehen. — Dafür sehen wir aber in Nürnberg eine stattliche Zahl besonders Fränkischer Reichsstände um Ruprecht versammelt (nr. 214), und wir dürfen wol annehmen, daß er auch mit ihnen die Angelegenheiten, wegen deren er den Mainzer Tag berufen hatte, besprochen hat. Vielleicht wurde da auch über den Krieg gegen Böhmen berathen, vgl. lit. II.*

B. Städtische Vorbereitung nr. 215-221.

Von einem in Mainz zu haltenden Münztage Rheinischer Städte war schon An- fang Mai 1402 die Rede, s. nr. 219; dann machte am 31 Mai Nürnberg den Vorschlag den bevorstehenden königlichen Kurfürstentag zu beschicken und zur Berathung von Münzangelegenheiten zu benutzen, s. nr. 220, während fast gleichzeitig Gesandte von
15 *Mainz Worms Speier Straßburg in Straßburg denselben Gedanken besprachen, s. nr. 221.*

Wir haben hier, wo zum erstenmal unter Ruprecht die Münzfrage für unsere Sammlung von größerer Bedeutung ist, bis in den Sommer 1401 zurückgreifend mit- getheilt was wir von früherer städtischer Korrespondenz über Münztage besitzen, soweit
20 *es nicht schon gelegentlich bei uns zur Verwendung gekommen ist. Schon RTA. 4, 402, 19-22 war die Rede von dem Münztag zu Koblenz, der auf 18 Juli 1401 in Aussicht genommen wurde für den König, die drei Rheinischen Kurfürsten, die Städte Mainz Worms Speier Straßburg Frankfurt Köln. Derselbe ist auch RTA. 4, 479, 14 gemeint, wenn auch ohne Erwähnung der dort bevorstehenden Münzverhandlungen. Er kehrt*
25 *wider bei uns hier in nr. 215-217, nachdem wir schon in RTA. 4 nr. 404 art. 3 uns überzeugen konnten daß er wirklich zu Stande kam, was sich jetzt auch aus nr. 216 und 217 ergibt.*

C. Münzwesen nr. 222-227.

Das Münzwesen (vgl. diese Einleitung pag. 269, 1-11 und lit. B) ist der einzige
30 *Berathungsgegenstand unserer Versammlung, von dem uns eine förmliche gesetzliche Regelung erhalten ist in nr. 225, dem Goldmünzgesetz K. Ruprechts vom 23 Juni 1402. Der hier aufgestellte Münzfuß ist übrigens nichts neues, er ist derselbe wie in der Vereinigung der vier Rheinischen Kurfürsten vom 19 Sept. 1399 RTA. 3 nr. 62, die damals eben durch die Vereinigung RTA. 3 nr. 62 gegebene Münzver-*
35 *schlechterung soll also nicht weiter gesteigert werden (vgl. dazu RTA. 3, 100 Einl. D). Nur das Gepräge wird ein anderes: statt des Vierkompasses auf der einen Seite, wie es 1399 verabredet war, wird nunmehr nur das Wappen des einzelnen Münzherren angebracht [1]. Es sei dieß geschehen, sagt Hegel St.Chr. 1, 233, damit jeder der Münzherren für die Werthverringerung der Münze, bei der Ausprägung, verantwortlich*
40 *gemacht werden könne. Allein dieser Grund wird weder im Gesetze selbst nr. 225 noch in dem vorhergehenden Rathschlagen nr. 223 angegeben, und er kann nicht richtig sein, da auch bei dem Vertrag von 1399 art. 3 das Erbwappen des einzelnen Münzherrn*

---

[1] *Der bei Köhler Münzbelustigungen 7, 297 beschriebene Heidelberger Gulden K. Ruprechts ist wol ein nach dem Gesetz vom 1402 geprägter.*

gesetzes in Frankfurt. Von einer bezüglichen Frankfurter Rathsverordnung des Jahres 1402 berichtet Orth Reichsmessen 332 f.

Nachträglich möge hier auch noch eine Bemerkung Platz finden über eine vorhergehende Münzangelegenheit. B. G. Struve hat in seinem Neueröffneten hist. und polit.
5 *Archiv 1, 123 Jena 1718 eine Notiz: „Schillinger oder silberne pfennigmünz, mit dem adler einerseits und der statt so solche schlueg anderseits, wurden den städten, anstatt der heller mit dem zeichen einer hand und creuz, welche kostbarer schlags waren, zu schlagen vergonnt; und ist derselben schillinger einer soviel wert alß 12 creuzhaller mit dem zeichen einer hand und creuz etc. Ex diplom. Ruperti Rom. regis a. 1401". Das*
10 *hat Wölckern dann in seiner Hist. Norimb. dipl. prodrom. 1, 334 nt. * wider aus Struve abgedruckt. Aber ein derartiges Gesetz K. Ruprechts hat sich nicht finden wollen. Es liegt der Angabe wol nur die Thatsache zu Grund, daß der König in diesem Jahr eine derartige Vergönnung einzelnen Städten zu Theil werden ließ; wenigstens für Ulm ist etwas ähnliches erlaubt worden, 1401 Aug. 10 in Ulm selbst, s. Carl Jäger Schwä-*
15 *bisches Städtewesen im Mittelalter 1, 385, wol dieselbe Urkunde wie die jetzt im Stuttgarter St.A. befindliche Urkunde des Ulmer Stadtarchivs lade B 2 p. 48, und wie Karlsr. G.L.A. Pfälz. Kop.-B. 4 fol. 69ᵃᵇ, Wien H.H.St.A. Registraturb. C fol. 59ᵇ-60ᵃ, Regest Chmel nr. 724. Bezieht sich nun diese königliche Vergönnung nur etwa auf Ulm und vielleicht etwelche andere Städte, denen sie einzeln ertheilt worden sein mag,*
20 *so haben wir uns mit einem solchen Specialprivileg hier nicht weiter zu beschäftigen.*

D. Verhandlungen wegen der Tödtung Herzogs Friderich von Braunschweig nr. 228-233.

Vor seinem Aufbruch nach Italien war es K. Ruprecht nicht gelungen eine Verständigung zwischen Erzbischof Johann und seinen Gegnern herbeizuführen, s. RTA. 4
25 *Reichstag zu Nürnberg im Mai 1401 lit. N. Nach seiner Rückkehr nahm er die Vermittlungsversuche wider auf und verhandelte auch auf dem Mainzer Tage in dieser Angelegenheit mit dem Erzbischof, s. nr. 232 art. 6. Über die Entwicklung dieser Dinge in der Zwischenzeit erhält man Auskunft aus nr. 228. 229 und den Anmerkungen dazu. Wegen des weiteren Verlaufs vgl. Nürnberger Tag von 1402 Aug. bis Sept. lit.*
30 *K. — Wir nehmen hier Veranlassung noch zwei Briefe aus früherer Zeit nachzutragen. Erzbischof Johann von Mainz an Landgraf Hermann von Hessen: will sein Feind sein umb solichen bedrang und unrecht daz ir und die uwern an uns unsern stift und die unsern manigfeldiclichewise swerliche gelacht und begangen hait an den dingen als des nu sol gewest sin; dat. Eltvil Oswaldi [Aug. 5] 1401; Wirzburg Kr.A. Mainz-*
35 *Aschaff. Ingrossaturb. 13 fol. 329ᵇ cop. ch. coaev. Ferner: Erzbischof Johann von Mainz an Stadt Mainz, bittet kraft der zwischen ihnen bestehenden Übereinkunft um Hilfe gegen Hessen mit 10 Glefen; dat. Eltvil beati Sixti [Aug. 6; cod. z. Th. unleserlich] 1401; Wirzburg l. c. fol. 329ᵇ cop. ch. coaev. — Grafen und Herren der Erzbischof Johann 1401 und 1402 wider Landgraf Hermann von Hessen zu Helfern*
40 *annahm sind Wirzburg l. c. fol. 302ᵃ-304ᵇ verzeichnet; darunter findet man: 1401 Juli 14 die Grafen Adolf und Philipp von Nassau, 1402 Jan. 25 Graf Adolf von Nassau-Dillenburg, 1401 Aug. 16 Graf [?] Hermann von Rodenstein.*

E. Bemühung um Anerkennung durch Kurf. Rudolf III von Sachsen nr. 234-235.

Wir theilen hier zwei Stücke mit, die der Zeit nach hierher gehören, ohne daß
45 *man freilich sieht ob die Frage auf unserem Mainzer Tage verhandelt worden ist.*

F. Widerstand Achens und des Herzogs von Geldern nr. 236-239.

Den früheren Maßregeln gegen Achen (s. RTA. 4 nr. 254-257) folgte am 2 Mai 1402 die Achtserklärung, die wir hier mit noch einigen andern Stücken mittheilen.   Wie später die Beziehungen K. Ruprechts zu Achen und zu Herzog Reinald von Jülich-Geldern aufs engste zusammenhängen (s. RTA. 4 nr. 230-242), so war wahrscheinlich 5 *auch damals Achens Widerstand nicht unbeeinflußt durch die Haltung des Herzogs; vom 4 Mai 1402 datiert ein Bündnis desselben mit der Stadt, gedruckt Lünig R.A. 13, 1447-1449 nr. 11 und (Ludolf) Collectio quorundam statutorum 474 nr. 16, Regest Georgisch 2, 866 nr. 31.   Daher haben wir auch nr. 236 hier eingereiht. — Wir lassen hier nun noch einige weitere auf diese Angelegenheit bezügliche Briefe folgen.   Mainz* 10 *an Köln: der Stadt Mainz scheine es nicht nothwendig, daß sich die Städte über ihre Stellung zu der wegen K. Ruprechts gebannten Stadt Achen einigten; dat. fer. 3 p. Galli [1402 Okt. 17]; Köln St.A. or. ch. lit. cl. c. sig. in v. impr. mit der Dorsualnotiz* Maguntinensium responsio de usufructu Aquensibus solvendo.   *Frankfurt an Köln, bittet um Auskunft, wie der Kölner Rath gesonnen sei sich gegen die von K.* 15 *Ruprecht in die Acht gethane Stadt Achen zu verhalten; dat. fer. 3 p. Galli [Okt. 17] 1402; Köln St.A. or. ch. lit. cl. c. sig. in v. impr. mit der Dorsualnotiz* Frankfordensium responsio super usufructu Aquensibus solvendo.   *K. Ruprecht befiehlt dem Johann Berwolf Peter Berwolff Brüdern und Johann Berwolff dem jungen, daß sie Güter und Eigenthum der geächteten Stadt Achen zu Wasser und zu Land, wo sie solches an-* 20 *treffen, sollen anfallen aufhalten bekümmern mit Gericht und ohne Gericht und daß sie die zu seinen Händen bringen sollen; er verkündet dieß allen Kurfürsten Fürsten etc.; dat. Nuremberg fer. 6 infra oct. epiph. [Jan. 12] 1403 r. 3; Karlsr. G.L.A. Pfälz. Kop.-B. 8¼ fol. 58ᵇ-59ᵃ cop. ch. coaev., ibid. Pfälz. Kop.-B. 149 pag. 48-49 cop. ch. prope coaev.   K. Ruprecht befiehlt der Stadt Köln, welche die mit der Handhabung* 25 *der Reichsacht gegen die Stadt Achen beauftragten königlichen Diener Peter und Johann Werwolff gefangen genommen hat, diese Diener loszulassen* [1]; *dat. Bacherach denn. post Michaelis [Sept. 30] 1403 r. 4; Köln St.A. Kaiserbriefe or. ch. lit. cl. c. sig. in v. impr.; erwähnt Ennen Gesch. der Stadt Köln 3, 145 nt. 2 ebendaher.   Leipzig an Köln: bittet dafür zu sorgen, daß einem Leipziger Kaufmann, der Waaren in der wegen* 30 *Widersetzlichkeit gegen K. Ruprecht in die Acht gethauen Stadt Achen gekauft hatte und dem deswegen von Greven Constantin zu Deutz sein Gut genommen worden, der Verlust ersetzt werde; dat. Leipzig 1404 Mo. i. d. Pfingsten [Mai 19]; Köln St.A. Kaiserbriefe or. ch. lit. cl. c. sig. in v. impr.   Durch ein Schreiben vom 4 August schritt Pabst Bonifacius gegen die Stadt Achen ein* [2]; *es ist inseriert in das gleich zu* 35 *erwähnende Schreiben des Bischofs von Worms und steht als kurzes Regest Karlsr. G.L.A. Pfälz. Kop.-B. 44 fol. 107ᵇ.   Bischof Eckard von Worms an den Erzbischof von Köln den Elekten von Lüttich und die geistlichen Personen öffentliche Notare und Tabellionen dieser Städte und Diöcesen, bedroht die Stadt Achen unter Berufung auf das eingeschaltete Schreiben des Pabstes vom 4 Aug. 1404 als Exekutor mit Interdikt* 40 *Suspension und Excommunication, falls sie sich dem K. Ruprecht nicht unterwerfe; dat. et actum in opp. nostro Laudenbergensi etc. 1404 ind. 12 pont. Bonif. IX 15 oct. 24 hora vesp. vel quasi; gedruckt Martène thes. 1, 1713-1716; Regest Georgisch 2, 879 nr. 47 u. Chmel p. 183 nr. 31 aus Martène, Janssen R.K. 1, 752 nr. 1206 aus seinem Kodex Acta et Pacta 366.   Dylman Gast Richter [zu Frankfurt] an Heinrich Arnoldi* 45

---

[1] *Ennen l. c. 3, 144 f. führt aus Köln St.A. auch einen bezüglichen Brief Achens an Köln vom 20 Sept. [1403] an, mit Ersuchen die gen. Peter und Johann Werwolff nach Verdienst zu richten.*

[2] *Schreiben des Pabstes an Hzg. Reinald v. Geldern v. 28 Okt. 1403 s. Lacomblet Urkb. 4, 19 nr. 20.*

*de Geylnhusin prothonotario opidi Frangford: der König ist nicht in Heidelberg wan
er leystet eynen dag zu Germershem myt den von Straßburg — und auch so ein die
von Ache ungeendet gescheyden, kann von den Schwäbischen Städten nichts schreiben,
weil meyster Jobe bye myme hern dem kuninge ist und myr nyman sust nycht gesagen
5 kan; schreibt zum Schluß über Privatangelegenheit; ohne Datum; Frankfurt St.A.
Reichssachen Acten XV nr. 920 or. ch. lit. cl. c. sig. in v. impr. Aus dem Inhalt des
Briefes besonders aus der Erwähnung des Tages zu Germersheim geht hervor, daß derselbe 1405 April c. 8-9 Heidelberg zu datieren ist. Die Urkunde K. Ruprechts vom
5 Juli 1405, durch die er Hans Neckerstein von Heidelberg als seinen Prokurator mit
10 Verfolgung der geächteten Achener und solcher die mit ihnen Gemeinschaft haben beauftragt und allen Reichsangehörigen gebietet diesem beizustehen, gedruckt bei Chmel
Regesta Anhang III nr. 22 pag. 218 f. aus Wien H. H. St. A. Registraturb. C fol. 197^{ab}
cop. ch. coaev., steht auch Karlsr. G.L.A. Pfälz. Kop.-B. 4 fol. 235^{ab} cop. ch. coaev. —
Vgl. auch noch das bei Janssen R.K. 1, 790 nr. 1235 regestierte Schreiben K. Ruprechts
15 vom 13 August 1406. — Wie beim Herzog von Geldern, so fand Achens Widerstand
auch eine Stütze beim Herzog Anton von Brabant, der von K. Ruprecht im Besitze
Brabants bedroht war. Der Herzog und die Stadt schloßen am 6 Juni 1406 ein Bündnis, s. Dynter chron. des ducs de Brabant ed. de Ram 3, 165 f. — Im Jahre 1407
wurde endlich eine Verständigung zwischen K. Ruprecht und der Stadt Achen erzielt,
20 s. RTA. 4 beim Kölner Krönungstage lit. K nr. 230-242. Wir tragen dazu noch
folgendes Schreiben nach. K. Ruprecht an Dortmund: ist mit dem Herzog von Gelre
und denen von Ache vereinet und gedenkt auf Mo. n. Dyonisii [Okt. 10] früh zu Ache
einzureiten und Huldigung von ihnen zu nehmen; der Herzog von Gelre soll auch alsdann seine Lehen daselbst von ihm empfangen; fordert auf, Gesandte nach Achen zu
25 schicken, mit denen er etwas zu reden habe; dat. Heidelberg assu. Marie [Aug. 15]
1407 r. 7 [sic]; ad m. d. r. Jo. Winheim; Dortmund St.A. or. ch. lit. cl. c. sig. in
v. impr.; gedruckt Fahne Dortmund Bd. 2 Urkb. pag. 245 f. nr. 506. — Auch in RTA. 6
wird bei Verhandlungen der Marbacher Verbündeten vom Zug nach Achen noch die
Rede sein.*

G. Verhältnis zu Italien nr. 240-248.

*Die siegreichen Fortschritte Johann Galeazzos machen den Italienern K. Ruprechts
Widererscheinen immer dringender wünschenswerth. Wir ersehen das hier namentlich
aus Briefen von Frans von Carrara. Auch die Florentiner müssen um diese Zeit eine
Gesandtschaft beim Könige gehabt haben, wie folgende Notizen aus Florens St.A. Classe
35 13, dist. 2, num. 18 fol. 52^b conc. ch. coaev. zeigen, die unter Ausgaben der Zehnerbalei vermerkt sind: Domino Tomasio domini Jacobi de Sacchettis militi und domino
Laurentio Antonii de Ridolfis decretorum doctori, Gesandten zu K. Ruprecht und anderen
für 164 Tage vom 5 Mai 1402 ab (zu 5 fl. für den Tag) fl. 1640, nebst anderen dort
verrechneten Ausgaben derselben.*

H. Verhältnis zu K. Wenzel nr. 249-254.

*In einem Brief an die Königin Elisabeth von Frankreich nr. 255 bezeichnet K.
Ruprecht beides, die allgemeinen Reichsverhältnisse und die Böhmischen Dinge, als
Motiv zu seiner Rückkehr aus Italien. Dabei sagt er nur von jenen, nicht von diesen,
daß er dazu den Rath der Kurfürsten und anderer Reichsfürsten bedürfe. Doch kann
45 man daraus nicht schließen, daß die Böhmischen Dinge nun auf dem Mainzer Tag von
der Berathung ausgeschlossen gewesen seien. Es ist vielmehr sicher, das können wir*

von vornherein sagen, von ihnen da die Rede geworden, so gut wie später auf dem Bacheracher Tag (s. nr. 252. 253, vgl. lit. M). Der Brief des Frans von Carrara vom [6 Juni 1402] nr. 250, an dessen vermuthlicher Datierung man nicht zweifeln darf, berichtet von einer Versammlung, auf der K. Ruprecht mit Kurfürsten und andern Fürsten diese Angelegenheit berathen habe. Nun hat Ruprecht mit den Kurfürsten [5] *offenbar vor dem Mainzer Tage keine Zusammenkunft gehabt, und der Mainzer Tag war, als Frans dieß schrieb, noch nicht vergangen, geschweige daß er schon Nachricht von ihm hätte haben können. Auf jeden Fall also ist seine Mittheilung ungenau. Andererseits sucht man doch nach einem thatsächlichen Anhalt für dieselbe, besonders da Frans sich auf einen Boten Herzogs Stefan von Baiern besieht. Vielleicht ist an* [10] *die Nürnberger Versammlung zu denken, die wir für Ende Mai angenommen haben, vgl. Einleitung lit. A. Aus der Nachschrift des erwähnten Briefes an die Königin von Frankreich nr. 255 sehen wir, mit welchen Hoffnungen in Betreff Böhmens sich Ruprecht trug. Die Briefe des Frans von Carrara sind in der nemlichen Tonart gehalten, nr. 250 und 251. In die bezüglichen Verhandlungen führt uns die Anweisung nr. 249* [15] *ein. Zugleich mußte Ruprecht aber auch ähnlich hochfliegenden Plänen Sigmunds begegnen, der sich Wenzels bemächtigt hatte und ihn zur Kaiserkrönung nach Rom führen wollte, s. nr. 252 und 253 (vgl. beim Augsburger Tage lit. G). — Daß Ruprecht im Sommer 1402 den Krieg gegen Böhmen als eine seiner nächsten und wichtigsten Aufgaben ansah, erkennen wir gelegentlich auch aus der Anweisung zum Tag in Kleve nr.* [20] *236 art. 3 und 6 und aus der Anweisung für die Gesandtschaft nach England nr. 294 art. 13. Einige Verschreibungen über Hilfe und Anleihen zum Böhmischen Kriege, aus dieser Zeit, stehen in Karlsr. G.L.A. Pfälz. Kop.-B. 53.*

Daß auch von den Süddeutschen Städten im Sommer 1402 die Böhmischen Verhältnisse im Auge behalten wurden, zeigen folgende Einträge der Augsburger Baurech- [25] *nung im dortigen St.A. unter der Rubrik* legationes nostre: factus est[a] *[Mai 28]* bis dominus illuminatio *[Juni 11]*, post Viti *[Juni 15]*: item 6 guldin dem Späten gen Prage, und waz fünf wochen us in kuntschaftwise. — item 14 lb. dn. dem Späten und dem Wölfflin gen Amberg und gen Urbach in kuntschaft, vocem jocunditatis *[April 30]*. — dominus fortitudo *[Juni 25]*, omnes gentes *[Juli 2]* bis respice *[Aug. 13]*, Bernhardi [30] *[Aug. 20]*: item 24 sh. ainem potten gen Ulm zû Herman dem Roten in kuntschaftwise, waz man hörte[b] von dem alten kûng. — item 7 guldin dem Henslin mit dem engen Mund gen Prag, Petri *[Aug. 1]*. — item 2 guldin dem Späten gen Prag pesserung[1], Petri *[Aug. 1]*.

Es mag hier noch eine Bemerkung zur Datierung von nr. 249 Platz finden. [35] *Indem wir in der Überschrift des Stücks dasselbe auf 1402 zwischen Mai 2 und 15 ansetzten, mit kurzer Begründung in der Note daselbst, wurde davon ausgegangen, daß der Tag, den Prokop am 15 Mai mit den Meißnern leisten sollte, noch bevorstehe. Sicher ist das der Fall zur Zeit als Prokop dem Landgrafen von Leuchtenberg schrieb (s. art. 5), und bei dem engen Zusammenhang von art. 5 und 6 scheint auch wirklich* [40] *in beiden der gleiche Tag gemeint zu sein, der dann also ebensogut in art. 6, d. h. zur Zeit wo unsere Anweisung gegeben wurde, erst noch in Aussicht sein müßte. Zu der so für die Anweisung gewonnenen Zeit zwischen Mai 2 und 15 passt dann auch art. 11 ganz gut, wornach damals Ruprecht sich hie oben zu Beyern aufhielt, vgl. das Itinerar bei Chmel nr. 1175-1193. So haben wir es denn in der Überschrift des Stückes* [45]

---

a) cod. es.   b) cod. hörten.

[1] *Entschädigung, Lexer mhd. HWB.*

auch dabei belassen. Die Sache hat aber noch ihre Bedenken, die wenigstens dem weiter Suchenden hier nicht vorenthalten werden sollen. Es wäre nemlich doch auch möglich, daß in art. 5 und 6 von zwei ganz verschiedenen Teidigungstagen gesprochen würde; auch dann steht freilich, als Prokop dem Landgrafen schrieb (s. art. 5), der Tag noch

5 *bevor, den jener am 15 Mai mit den Meißnern leisten wollte, dagegen kann derselbe dann schon vorüber sein als unsere Anweisung nr. 249 gegeben wurde, während die Teidigung, von der in art. 6 die Rede ist und die Markgraf Wilhelm zwischen Prokop und Ruprecht übernehmen soll, eine andere wäre die noch bevorsteht. Somit wäre dann das Stück, wenn das wirklich so ist, erst nach Mai 15 anzusetzen. Einen trefflichen*

10 *Anhaltspunkt hätte man, wenn man wüßte wann der in art. 2-4 erwähnte Waldecker Tag stattfinden sollte. Denn in art. 4 heißt es, Ruprecht sei schon auf dem Wege zum widerbotenen Waldecker Tage gewesen, also wird die Anweisung nr. 249 nicht viel später gegeben worden sein als dieser Waldecker Tag stattfinden sollte. Über diesen Zeitpunkt läßt sich nun immerhin einiges vermuthen. Um des Waldecker Tags willen*

15 *hat Ruprecht den Mainzer Tag vom 4 Juni verschieben müssen (s. art. 3). Am 2 Mai noch hat er beabsichtigt, am 24 Mai einen Tag in Bamberg zu halten und doch am 4 Juni in Mainz zu sein (laut nr. 212). Von Waldeck ist nicht sehr viel weiter nach Mainz als von Bamberg. Es ist also nicht recht wahrscheinlich, daß Ruprecht durch einen auf die Zeit vor 24 Mai angesagten Waldecker Tag genöthigt gewesen wäre den*

20 *Mainzer Tag zu verschieben; jener wird also nicht so früh schon fallen. Einen weiteren Anhaltspunkt für die Datierung gibt art. 11: Item ob marggrave Wilhelm auch wurde reden uf den sin, daz sich min herre lenger hie oben zu Beyern enthalten solte. Das führt zwar zunächst auf Mai 2-22, wo Rupr. in München Neumarkt Amberg ist (Chmel 1175-1193), aber weiterhin auch auf Mai 31 bis Juni 7, wo er in Amberg ist*

25 *(s. die Einleitung lit. A), und wir werden lieber an die letztere Zeitperiode denken, nachdem uns die erstere als schon nicht recht wahrscheinlich vorgekommen ist. Dem schließt sich eine weitere Betrachtung an. Ruprecht reist nemlich zwischen Mai 22 und 24 von Amberg nach Nürnberg (s. die Einleitung lit. A), bleibt dort einige Tage (etwa Mai 24-29|31), und kehrt dann nach Amberg zurück (um Mai 29|31). Es ist*

30 *doch wol nun auch um diese Zeit, daß in Nürnberg dez von Meichsen rat anwesend war, s. nr. 214, wo die Bürgermeisterperiode Mai 24 bis Juni 21 stimmt. Sollte dieser mit Herrn Johann Rabann, der von Wilhelm an Ruprecht geschickt wird (nr. 249 art. 3), identisch sein? Da kann der Anlaß liegen, weshalb der König, der anscheinend auf dem Weg ist um rechtzeitig zum 4 Juni in Mainz zu sein, wider umkehrt, so*

35 *daß er noch am 7 Juni in Amberg ist. In Nürnberg würde der König die Nachricht vom Bevorstehen des Waldecker Tags erhalten haben, und wäre deshalb nach Amberg gereist, in Amberg aber wäre ihm derselbe widerboten worden. Wenn er dann in unsrem Stück nr. 249 art 11 ablehnt länger in Baiern zu bleiben, so würde das zu Anfang Juni sich auch am besten schicken. Vielleicht dürfte man deshalb unser Stück*

40 *geradezu auf Amberg 1402 Anfang Juni setzen.*

J. Verhältnis zu Frankreich nr. 255.

Schon als Ruprecht noch auf Italienischem Boden weilte, berichtete Franz von Carrara nach Venedig, derselbe sende Herzog Ludwig von Baiern zum Abschluß einer Ligue gegen Johann Galeazzo nach Frankreich, s. nr. 132; die Abreise des Herzogs

45 *verzögerte sich dann aber noch um Monate. Am 21 Juni (dat. Padue 21 Juni 1402) weiß Franz darüber an den Dogen von Venedig zu berichten: zur Zeit der Abreise seines Boten, der kürzlich aus Deutschland zu ihm gekommen, sei Ludwig im Begriff gewesen aufzubrechen,* causa autem propter quam celerius non iverat erat, quia casu

quodam se in tibia leserat, de qua [sic] nunc liberatus erat; *über den weiteren Inhalt des Briefes s. weiter unten lin.* 19-21; *Venedig Markusbibl.* ms. lat. cl. 14 cod. 93 fol. 62ᵇ. *Ruprecht in seinem Schreiben an die Französische Königin vom 16 Juni nr.* 255 *erwähnt von dieser Verhinderung nichts, und wichtiger war jedenfalls, daß Ruprecht die Französischen Anerbietungen, die mit der Kirchenfrage und den Anmuthungen des Pabstes so eng zusammenhiengen, erst mit den Kurfürsten in Mainz besprechen wollte, wie aus der geheimen Instruktion für Nicolaus Buman nr. 208 zu ersehen ist. Von der Berathung dieser wichtigen Angelegenheit auf dem Mainzer Tage sind keinerlei Akten erhalten, es scheint aber, daß Ruprecht mit seinem Widerstande gegen die päbstlichen Forderungen Anklang fand, vgl. unsere Einleitung zum folgenden Nürnberger Reichstage lit. C. Der Aufbruch der Gesandtschaft nach Frankreich verzögerte sich indessen noch um mindestens 2 Monate, und wir haben die Akten derselben zum Nürnberger Reichstag gestellt, dort auch in der Einleitung das nöthige zur Begründung dieser Anordnung bemerkt.*

K. Verhältnis zu England nr. 256-258.

Die am 27 April in nr. 256 *bevollmächtigte Englische Gesandtschaft ging anscheinend mit der Prinzessin Blanka zusammen nach Deutschland, s. Anm. zu nr.* 256. *Diese hätte nach dem Ehevertrage spätestens am 23 April in Köln sein sollen, vgl. Einleitung zum Augsburger Tage lit. J; Regen und Stürme auf der See verzögerten aber ihre Abreise, wie Franz von Carrara in dem Briefe von 21 Juni, den wir p.* 277 *lin.* 45 *erwähnten, erzählt. Manche Einzelheiten über die Reise der Prinzessin findet man in den Kölner Jahrbüchern St. Chr. 13, 93-95* [1]. *Deutscherseits wurden über ihren Empfang in Köln noch kurz vorher veränderte Dispositionen getroffen, wie folgende Briefe zeigen. Der Reichsverweser Pf. Ludwig schreibt an Köln, daß der Graf von Sponheim mit noch einigen andern Freunden beauftragt sei, seine Braut die Tochter des Königs von England zu Köln in Empfang zu nehmen und zu ihm nach Heidelberg zu führen, bittet für den Grafen, der mit der Stadt in Fehde stehe, um Geleit; dat. Heidelberg Sa. v. Georg [Apr. 22] 1402; Köln St. A.* Kaiserbriefe or. ch. lit cl. c. sig. in v. impr.; *Auszug bei Ennen Gesch. d. St. Köln 3, 141. Franz von Carrara an Gerardus de Boyardis, sendet empfangenen Brief K. Ruprechts im Einschluß; der Bote der denselben gebracht meldet,* dominum regem ad partes inferiores descendere, *und* in ipsa litera regis continetur, quia ad partes illas, que regie sunt, appullit illustrissima nata regis Anglie nurus cesarea; *ferner von der bevorstehenden Reise Herzog Ludwigs nach Frankreich fast wörtlich wie im Brief gleichen Datums an den Dogen von Venedig (p.* 277 *lin.* 45); *dat. Padua 21 Juni 1402; Venedig Markusbibl. ms. lat. cl. 14 cod. 93* fol. 63ᵃ. *Seiner früheren Absicht entgegen, gieng dann aber, wie die Kölner Jahrbücher l. c. berichten, Pf. Ludwig selbst nach Köln und traf dort am gleichen Tage wie Blanka am 3 Juli ein. Am 6 Juli wurde dort die Trauung durch einen Bischof von England vollzogen* [2], *in dem wir wol Bischof Richard von Worcester den Führer der Gesandtschaft vermuthen dürfen. K. Ruprecht war bei der Hochzeit in Köln offenbar nicht zugegen: er hielt sich damals in der Rheinpfalz auf und begrüßte seine Schwiegertochter vielleicht kurz darauf in Bacherach, s. lit. M. In Köln sollte bei Ankunft*

---

[1] *Als Tag der Abreise von London ist da April 2, als Tag der Ankunft in Dortrecht Juni 10 angegeben. Das ist wol so zu erklären, daß man der Stürme wegen wider umkehren mußte; vgl. auch Urkunden K. Heinrichs IV vom 13 April 1402 bei Rymer Foedera 8, 251.*

[2] *Daß die Hochzeitsfeier in Köln stattfand, zeigt auch ein Posten der Kämmereirechnungen vom 21 Juli 1402 Janssen 1, 722 nr. 1142 art. 35, bei uns künftig in Bd. 6.*

Blankas auch die erste Rate der Mitgift im Betrage von 16000 Nobeln bezahlt werden, und am 21 Juni bevollmächtigte demgemäß K. Ruprecht von Mains aus 3 Genannte zur Empfangnahme der Summe, ebenso that Pfalzgraf Ludwig [1]; die Vollmacht K. Ruprechts steht völlig ausgeführt, die Ludwigs nur als Notiz Karlsr. G.L.A. Pfälz.
[5] *Kop.-B. 5 fol. 61^b - 62^a cop. ch. coaev., Wien H.H.St.A. Registraturb. A. fol 58^a cop. ch. coaev., Karlsr. G.L.A. Pfälz. Kop.-B. 143 pag. 166 (hier mit dem sicher irrthümlichen Datum Mains 21 Juli 1402 r. 2), Regest Chmel nr. 1214 aus Wien l. c. — Eine Vollmacht K. Ruprechts zu Verhandlungen über Bündnis u. dgl. kennen wir aus dieser Zeit nicht; persönlich anwesend war er, wie bemerkt, auch nicht in Köln, und*
[10] *die Engländer anderseits scheinen direkt von dort zurückgekehrt zu sein (s. St.-Chr. 13, 94 f.). Deshalb ist es ziemlich wahrscheinlich, daß sie in Verhandlungen über ein Bündnis gar nicht eingetreten sind. Auch eine Betrachtung der Anweisung K. Ruprechts [1402 wahrsch. n. Aug. 27], die wir beim Nürnberger Tage als nr. 294 bringen, führt zu der Annahme, daß K. Ruprecht den vermuthlich zu dieser Englischen Gesandtschaft*
[15] *gehörigen Vertragsentwurf nr. 257 gar nicht kennen gelernt und überhaupt derartig bestimmte Bündnisvorschläge damals nicht erhalten hat. Es wird nemlich in der erwähnten Anweisung zwar die Möglichkeit ins Auge gefaßt, daß man von Englischer Seite ein Bündnis in Vorschlag bringen könnte, aber auf kürzlich darüber gepflogene Verhandlungen wird mit keinem Worte hingedeutet.*

L. Städtische Kosten nr. 259.

Wir geben hier nur eine einzige Nummer, Einträge des Frankfurter Rechenbuchs über Ausgaben, die mit früheren Münztagen, mit der Rückkehr des Königs aus Italien, dann aber auch mit dem Mainzer Tage selbst zusammenhängen. Die Stadt hatte eine sehr starke Gesandtschaft dorthin geschickt. Nürnberg war wahrscheinlich auch ver-
[25] *treten (s. Anfang dieser Einleitung), aber Nürnberger Kosten waren nicht beizubringen, da die Stadtrechnung für diese Zeit verloren ist. Auszüge aus den Nürnberger Schenkbüchern haben wir bei diesem Tage unter lit. A nr. 213 und 214 gegeben. Auch das Nördlinger Rechenbuch dieses Jahres ist verloren, erhalten dagegen ist die Augsburger Baurechnung. Mittheilungen aus dieser für die Zeit des Mainzer Tages findet man in*
[30] *Anmerkungen zu nr. 213. 219. 221. 259 und in Einleitung lit. H; der Tag selbst wird in der Baurechnung nirgends erwähnt und ist also von Augsburg sicher nicht beschickt worden.*

M. Erster Anhang: königliche Tage zu Bacherach im Juli 1402 nr. 260-262.

Die Einladung K. Ruprechts an Frankfurt, zum 11 oder 12 Juli Gesandte zu
[35] *ihm nach Bacherach (übrigens auch sehr unbestimmt oder wo er uns dann da-umbe findet) zu schicken um über Goldmünze sich mit ihm zu besprechen (nr. 260), läßt es zweifelhaft, ob der König auch mit andern Reichsständen dort zusammentreffen wollte. Die Wahl des Ortes deutet darauf hin, daß er mit den Rheinischen Erzbischöfen zu verhandeln hatte, und die aus Bacherach vom 13 Juli 1402 datierte königliche Entscheidung*
[40] *über das Kurkölnische Erbkämmereramt nr. 261 macht dieß noch wahrscheinlicher. Vielleicht wollte der König auch in Bacherach seinen Sohn treffen, der in Köln Hochzeit gemacht und am 7 Juli mit Blanka nach Bacherach abgereist war, s. St.-Chr. 13, 94, 21. Daß Ruprecht wirklich damals nach Bacherach kam, wird durch die nr. 261*

---

[1] *Über Zahlung der weiteren Raten vgl. nr. 294 und nr. 295, besonders aber Anm. zu nr. 295*
[45] *art. 8.*

noch nicht stattgefunden gehabt, war also richtig verschoben worden (nr. 255). Am 17 Juni (Chmel 1208) ist der König auch wirklich noch in Heidelberg, vom 20-24 Juni (Chmel 1209-1228) urkundet er zu Mainz wie wir sahen; die Münzsachen unseres Tags (nr. 223 und 225) tragen das Datum des 23 Juni. Was ist nun aber der Grund der Verschiebung der kön. Kurfürstenversammlung von Mainz? Ob die Bamberger Fürstenzusammenkunft (von der schon die Rede war und hier unten nochmals die Rede sein wird), auch wiewol sie nur Projekt blieb, doch schon mit dazu beigetragen hat, läßt sich nicht sagen. Der König selbst gibt einen andern Grund an, nr. 249 art. 3. Darnach ist der Hergang wahrscheinlich folgender. Ruprecht kommt von Amberg am 24 Mai nach Nürnberg, will, vielleicht über Bamberg wo die Fürstenversammlung statt-finden sollte, nach Mainz, erhält aber in Nürnberg Nachricht von Wilhelm von Meißen, dieser könne nach Bamberg nicht kommen, Ruprecht möge mit ihm in dem nicht sehr entlegenen Waldeck zusammentreffen. Darauf kehrt Ruprecht in dieser Absicht um nach Amberg c. Mai 29-31, und verlegt den Mainzer Tag. Da aber Wilhelm die Zu-sammenkunft von Waldeck widerruft, so schickt Ruprecht seine Gesandtschaft an ihn, und reist nun abermals von Amberg ab bald nach Juni 7, ist Juni 10 und 11 in Rotenburg, Juni 16 und 17 in Heidelberg, und spätestens Juni 20 in Mainz.

Man erkennt aus verschiedenen Stellen der unter diesem Mainzer Tag zusammen-gestellten Stücke, was die Absicht des Königs bei demselben gewesen ist, welche Berathungs-gegenstände er den Kurfürsten vorlegen wollte. Schon beim Abzug aus Italien war ja ein derartiger Tag in Aussicht genommen (nr. 131ff.), naturgemäß bezog er sich auf die Lage des Königs und des Reichs wie sie sich aus dem misglückten Italienischen Feldzug und aus den gescheiterten Verhandlungen mit der Kurie entwickelt hatte (nr. 207 art. 6-9, nr. 208 art. 1. 2, nr. 209 art. 8, nr. 210 art. 3, nr. 211). Die hier mitgetheilten vier Instruktionen königlicher Gesandten (nr. 207-210), welche sich mit diesen Dingen abgeben, gehen zwar der Versammlung voraus, sie sind aber auch für diese von beson-derer Wichtigkeit, weil von den Berathungen der Versammlung über solche Themata uns keine Akten erhalten sind. — Zu bemerken ist dabei, daß Ruprecht den Deutschen Fürsten das Scheitern der Verhandlungen mit dem Pabst in ganz falschem Lichte dar-stellt. Nicht die Forderungen der Kurie in der Kirchenfrage hatten die Einigung verhindert, sie waren seitens des Königs vielmehr von Anfang an zugestanden, wie die Verhandlungsakten vorn in unserem vierten Bande zeigen, wol aber hatte sich Ruprecht nicht so, wie der Pabst es verlangte, in der Italienischen Politik gegen Galeazzo binden können oder wollen. Daß seine Gesandten in der Kondescendenz gegen die päbstlichen Wünsche noch über ihre Instruktion hinausgegangen seien, wie der König in nr. 207 art. 8 behauptet, werden wir nicht gerade zu glauben brauchen.

Wie K. Ruprecht den Erzbischof Gregor von Salzburg (nr. 209) und den Herzog Leopold von Österreich (nr. 210) durch Gesandtschaft um ihren Rath wegen der päbst-lichen Anmuthungen ersuchte, so berief er, als er von Italien her nach München ge-kommen war, andere Fürsten zu dem gleichen Zweck auf den 24 Mai nach Bamberg (Schreiben vom 2 Mai 1402 nr. 212). Diese vom König projektierte Bamberger Versammlung gewisser Fürsten ist aber augenscheinlich nicht zu Stande gekom-men. So hat schon Häberlin Die allgemeine Welthistorie Neue Historie 4, 362 Halle 1769 vermuthet. Höfler K. Ruprecht 282 läßt es unentschieden. Die Sache verhält sich folgendermaßen. Am 24 Mai (dieß scheint in nr. 213 wirklich der Schenktag zu sein) kam Ruprecht von Amberg nach Nürnberg und blieb dort einige Tage, mindestens bis zum 29 Mai (s. nr. 213 und Anm.); dann lassen Chmel's Regesten zwar fast zwei Wochen frei und weisen den König erst am 10 Juni wider nach, und zwar in Roten-burg, und in diese Zwischenzeit könnte man versuchen den Bamberger Tag unterzu-bringen, aber nach dem Pfälz. Kop.-B. 53 pag. 48ff. im Karlsruher G.L.A. urkundete

*Ruprecht Mai 31 Juni 4 und Juni 7 wider in Amberg (vgl. auch einen Posten der
Kämmereirechnung vom 6 Juni Janssen 1, 721 nr. 1142 art. 22, bei uns in Bd. 6),
kehrte also wahrscheinlich von Nürnberg direkt dahin zurück. Daß mindestens der auch
geladene Wilhelm von Meißen nicht nach Bamberg kam, dürfte aus nr. 249 hervor-*
5 *gehen. — Dafür sehen wir aber in Nürnberg eine stattliche Zahl besonders
Fränkischer Reichsstände um Ruprecht versammelt (nr. 214), und wir
dürfen wol annehmen, daß er auch mit ihnen die Angelegenheiten, wegen deren er den
Mainzer Tag berufen hatte, besprochen hat. Vielleicht wurde da auch über den Krieg
gegen Böhmen berathen, vgl. lit. II.*

B. Städtische Vorbereitung nr. 215-221.

*Von einem in Mainz zu haltenden Münztage Rheinischer Städte war schon An-
fang Mai 1402 die Rede, s. nr. 219; dann machte am 31 Mai Nürnberg den Vorschlag
den bevorstehenden königlichen Kurfürstentag zu beschicken und zur Berathung von
Münzangelegenheiten zu benutzen, s. nr. 220, während fast gleichzeitig Gesandte von*
10 *Mainz Worms Speier Straßburg in Straßburg denselben Gedanken besprachen, s.
nr. 221.*

*Wir haben hier, wo zum erstenmal unter Ruprecht die Münzfrage für unsere
Sammlung von größerer Bedeutung ist, bis in den Sommer 1401 zurückgreifend mitgetheilt was wir von früherer städtischer Korrespondenz über Münztage besitzen, soweit*
15 *es nicht schon gelegentlich bei uns zur Verwendung gekommen ist. Schon RTA. 4, 402,
19-22 war die Rede von dem Münztag zu Koblenz, der auf 18 Juli 1401 in Aussicht
genommen wurde für den König, die drei Rheinischen Kurfürsten, die Städte Mainz
Worms Speier Straßburg Frankfurt Köln. Derselbe ist auch RTA. 4, 479, 14 gemeint,
wenn auch ohne Erwähnung der dort bevorstehenden Münzverhandlungen. Er kehrt*
20 *wider bei uns hier in nr. 215-217, nachdem wir schon in RTA. 4 nr. 404 art. 3 uns
überzeugen konnten daß er wirklich zu Stande kam, was sich jetzt auch aus nr. 216
und 217 ergibt.*

C. Münzwesen nr. 222-227.

Das Münzwesen (vgl. diese Einleitung pag. 269, 1-11 und lit. B) ist der einzige
25 *Berathungsgegenstand unserer Versammlung, von dem uns eine förmliche gesetzliche
Regelung erhalten ist in nr. 225, dem Goldmünzgesetz K. Ruprechts vom
23 Juni 1402. Der hier aufgestellte Münzfuß ist übrigens nichts neues, er ist derselbe
wie in der Vereinigung der vier Rheinischen Kurfürsten vom 19 Sept. 1399 RTA. 3
nr. 62, die damals eben durch die Vereinigung RTA. 3 nr. 62 gegebene Münzver-*
30 *schlechterung soll also nicht weiter gesteigert werden (vgl. dazu RTA. 3, 100 Einl. D).
Nur das Gepräge wird ein anderes: statt des Vierkompasses auf der einen Seite, wie
es 1399 verabredet war, wird nunmehr nur das Wappen des einzelnen Münzherren
angebracht werden [1]. Es sei dieß geschehen, sagt Hegel St.Chr. 1, 233, damit jeder der
Münzherren für die Werthverringerung der Münze, bei der Ausprägung, verantwortlich*
35 *gemacht werden könne. Allein dieser Grund wird weder im Gesetze selbst nr. 225 noch
in dem vorhergehenden Rathschlagen nr. 223 angegeben, und er kann nicht richtig sein,
da auch bei dem Vertrag von 1399 art. 3 das Erbwappen des einzelnen Münzherrn*

---

[1] *Der bei Köhler Münzbelustigungen 7, 297 beschriebene Heidelberger Gulden K. Ruprechts ist wol
ein nach dem Gesetz von 1402 geprägter.*

A. Königliche Einladung und Vorbereitung, Verhältnis zur Kurie, nr. 207-214.

[1402
zw.
Apr. 14
und
Mai 2]

207. *K. Ruprechts Gesandtschaftsinstruktion für Nikolaus Buman an die Kurfürsten: warum er in Italien länger verweilt und warum er jetzt wider heimkehren will, mit Einladung an die Kurfürsten zu einem Tag auf 4 Juni 1402 nach Mainz.* [1402 zw. April 14 und Mai 2[1] o. O.]

Aus Karlsr. G.L.A. Pfälz. Kop.-B. 146 fol. 50[b]-51[b] cop. ch. coaev.
coll. Janssen Frankf. R.K. 1, 685-688 nr. 1112 aus einem in seinem Privatbesitz befind-lichen Kodex Acta et Pacta 211.
Moderne lateinische Übersetzung bei Martène ampliss. coll. 4, 72-75 nr. 51. — Daraus Regest Chmel nr. 1165.

Werbunge an die kurfursten herrn Niclaus Buman bevolhen.

[1] Zum ersten in zu erzelen: alz in min herre der kunig leste geschriben habe[2] von Venedige, wie er meinte hie-inne in Welschen landen zu verliben sinen und dez heiligen richs sachen, beide gegen dem babist als von siner bewerunge und cronunge wegen und auch gegen andern die dez richs gůt innehaben, nachzůgen nach sinem ver-mogen, und wie er sine erbere botschaft vor bi dem babist gehabt hette und die zu der zit aber zu imme schicken ˚wolte etc.: dez schickte er dazůmale zu dem bábste den edeln Philips von Falkenstein und Niclaus Buman[3], und enphale in mit dem erwirdigen Conrad bischof zu Verden, den er vor gein Rome geschickte hette und der auch daselbs verlieben waz, aber zu werben an den babst, und in zu bitden sine persone zu dem Romischen riche zu beweren und imme sin keiserliche cronunge zu geben, so wolte er imme auch gerne soliche gewonliche eide tůn als sin furfarn an dem riche andern bebsten getan hetden. und min herre der kunige hatte auch den egenanten sinen botden soliche eide von sinen wegen und an siner stad zu tůn vollen gewalt geben mit sinen offen ver-siegelten briefen[4], und erbote sich auch solich gewonliche eide lipliche zu tůn, so er selbs gein Rome keme.

[2] Item und min herre der kunig hatte auch den obgenanten sinen botden en-pholhen[5] den babste zu bitden und daran zu wisen, daz er soliche forderunge wolte ablaßen, die er vor mit sinen botden[6] und auch durch mins herren botden[7] an in ge-můtet hatt, mit namen daz er imme uber soliche gewonliche eide vorgerůrte solte globen sweren und verbriefen etliche gar swere artikele, und daz er ein gnůgen han wolte an gewonlichen eiden und an sachen die imme můgelich und zimliche[a] weren. so hatten

a) cod. zimmliche?

---

[1] *Der König will erst nach Deutschland zurück, ist also noch in Italien, art. 6; der 14 April ist vorüber, art. 5; der 4 Juni steht noch bevor, art. 6. Die Absendung Bumans fällt wol bald nach dem angegebenen terminus a quo, vielleicht noch von Padua aus wo der König am 14 April 1402 war. Die Einladung auf 4 Juni fällt vor 2 Mai, s. König Ruprechts Brief an Fürsten vom 2 Mai nr. 212; unser art. 6 muß mit den dort erwähn-ten brieflichen Einladungen der 3 Erzbischöfe gleichzeitig sein.*
[2] *Wol ein ähnlicher Brief wie der an Frank-furt und Straßburg vom 14 Jan. 1402 RTA. 5 nr. 185, und auch wol um dieselbe Zeit.*

[3] *Die Gesandtschaft rom 22/23 Januar 1402 RTA. 4 nr. 47-68[c].*
[4] *Die Vollmacht vom 22 Januar 1402 RTA. 4 nr. 51.*
[5] *Instruktion vom 22/23 Jan. 1402 RTA. 4 nr. 47 art. 5.*
[6] *Franciscus' von Montepulciano Eröffnungen vom 25 Dec. 1401 RTA. 4 nr. 23 und 24.*
[7] *Nikolaus Buman, vgl. Kredenz für die 3 Ge-sandten K. Ruprechts vom 23 Jan. 1402 RTA. 4 nr. 48.*

auch von mins herren dez kunigs bete wegen die Venediger[1] die Florentzer und der [1402
herre von Padaw[2] ire erbere botschaft zu dem babst getann, die obgenanten sachen Apr. 14
mit mins herren botden an in zu werben, die auch daz also getruwelichen hulfen werben. und
und nachdem als der babste mime herren dem kunige dazûmale gein Venedige mit sime Mai 2]
⁵ eigin secretario und auch mit Niclaus Buman obgenant[3], und auch darvor mit sinen
andern und auch mins herren botden[4] zugesagt hat, so wuste min herre und auch die
obgenanten von Venedigen von Florentze und der von Padawe, den umbe dieselbe bottschaft auch wol kûnt waz, nicht anders dann daz in der babste ane lengern verzog
solte beweren und imme darnach sine keiserliche cronunge geben, darzû imme auch die
¹⁰ Venediger und ander obgenante wolten beholfen sin gewesen. und uf daz bleibe mine
herre der kunige allermeiste in diesen landen.

[3] Item und nû sint mins herren dez konigs botden Philips von Falkenstein und
Niclaus Buman obgenant wieder zu imme kommen von dem babste[5], der den bischof
von Verden hat zu Rome behalten den sachen uâzûwarten, und hant imme erzelet, daz
¹⁵ der babst den sachen nicht ist nachgangen als er mimme herren dem kunige enbotden
hatte, als auch vor geschrieben stet, sunder daz er aber eine nûwe tedinge und einen
lengern verzog in die sachen hat getragen. und mit namen so ist der babist daruf
blieben, daz er, ee danne er minen herren bewere zu dem riche und imme sin keiserlich cronunge geben wolle, daz er sich uber soliche gewonliche eide vorgenant verbinden
²⁰ und auch dem babist sweren und verbriefen solle etliche gar swere artikelen, als er
der noteln, in welicher forme dieselben artikel sten sollen, geben und mime herren dem
kunige gesant hat[6]. dieselben artikel noteln und forme sal man den kurfursten lesen,
und sie in und irem heimlichen rate clerlichen bedutschen, und auch darzu die notel
die der babst gesant hat als er mins herren persone meinte zu beweren[7].

²⁵ [4] Item und darnach sal man den kurfursten erzelen, daz die egenanten artikele
und noteln minen herren den kunig gar swere dunkent sin, und daz auch sinen nachkommen Romischen kunigen und keisern den kurfursten und dem riche grosse und swere
infelle mochten davon kommen. und besunder dunket in der heiligen kirchen dem
riche und der ganzen Cristenheid gar ein swere sache sin, daz er sich solte verbinden
³⁰ nicht zu underwinden ein einikeit in der heiligen kirchen zu machen[8], alz sie selber
daz wol versteen mogen.

[5] Item und want die obgeschrieben sachen minen herren den kunig als grosse
und trefflich dunkent sin, und auch nit allein sine persone antreffen sunder die heilige
kirchen daz heilige riche und die ganze Cristenheit die kurfursten und auch[a] alle die
³⁵ die zu dem riche gehoren und die mimme herren getrewelichen gehorsam und bigestendig sin wollen, so ist min herre der kunig mit sinen reten zu rate worden, daz er die
obgenanten sachen nicht ufnemen oder auch ufslahen wôlle ane siner kurfursten und
auch andere sin und dez riches fursten und getruwen rate und wißen, und hat auch
daruf dem bischof von Verden geschrieben[9], dem babist von sinen wegen zu sagen in

a) om. Janssen.

[1] Vgl. nr. 62 ff., auch Rathschlag der Venetianer
vom 20 Jan. 1402 RTA. 4 nr. 46 und 46ª.
[2] Vgl. nr. 62 ff., auch die Antwort des Franz
von Carrara und der Florentinischen Gesandten
vom 17 Jan. 1402 RTA. 4 nr. 45.
[3] Vgl. kön. Glaubsbrief für die 3 Gesandten
vom 23 Jan. 1402 RTA. 4 nr. 48.
[4] Vgl. die früheren Gesandtschaften, im Abdruck
zusammengestellt, RTA. 4.

[5] Vgl. RTA. 4 nr. 69-73.
[6] RTA. 4 nr. 71-73, vgl. nr. 70.
[7] Ohne Zweifel ein Entwurf der Approbations-
bulle, wol RTA. 4 nr. 21, da nr. 70 kaum als
notel bezeichnet werden kann.
[8] RTA. 4 nr. 72.
[9] RTA. 4 nr. 75.

[1402 Apr. 14] der forme, als man die kurfursten sal abschrifte davon laßen horen [1], und daz er auch zu Rôme verliben solle und der sachen ußzuwarten, den babist damit ufzuhalten.

und Mai 2] [6] Item und umbe daz mine herre der kunig mit sinen kurfursten uf die obge-nanten sachen deste gruntlicher und treffelicher und auch deste ee moge zů rate werden, und auch umbe daz der babst sinen sachen nicht nach ist gangen alz er mimme herren hatte enbotten alz vor geschriben stet, und auch umbe daz er soliche bistant und hulfe in diesen landen Italien, nach dem alz imme zu verstende waz geben, nicht als vollic-lichen funden hat, alz er den kurfursten wol sagen sal do sie bi eine kommen: so ist er genzlich zu rate worden wiederumbe gein Dutschen landen zu ziehen, und begert

1402 Juni 4 und bitdet auch die kurfursten mit ganzem ernste daz sie uf den nehsten sundag nach octava corporis Cristi nehstkompt bi imme zu Mentze sin wollen, dahin wil er sich auch alzdann mit sin selbs libe zu in fugen. und begert, daz sie sich hiezwuschen uf die obgeschrieben sache bedenken wôllen. dezglichen wil mine herre hiezůschen auch tůn, wann er die sachen ie mit irem rate meinte zu handeln.

[7] Item und das mine herre der kunig auch begere und die kurfursten[a] bitde, daz sie ir gelertsten und besten[b] pfaffen mit in bringen wollen zu dem obgenanten tage.

[8] Item worde mine herre von Mentze oder die andern sprechen, „sie hetten ver-nomen, daz mine herre die obgenanten artikel hette gebotten zu tůn", darzů sal man entwerten, daz er sinen botden obgenant hatte ein folliclich procuratorium geben[2], und hatte in doch in irem gedechtniße enpholhen waruf sie bliben solten[3]; und da die merk-ten daz der babste ie nicht enden wolte, da butten sie[c] uber mins herren enphelhniß dest volliclicher daz sie damit dem babst den glimph angewonnen[4].

[9] Item vordertent die kurfursten abschrifte der obgenanten artikel und nöteln[5], so sal man sie in geben.

[10] Item mit mime herren von Collen sůnderlich zu reden, daz er an den sachen zuschen minem herren von Cleve und dem greven von Mörse einen lengern gutlichen bestant wolle machen. wann dann min herre der kunig und er bi ein kommen, so wollen sie mit ein zů rade werden wie sie dieselben sachen gutlich hingelegen[6].

1402 Juni 4 [11] Item duchte etliche uß den kůrfûrsten, daz der obgenante dag zu korze were und daz sie nit daruf möhten kommen, so sal man in sagen, so mine herre der kunig und sie ee bi einander kemen von der obgenanten sache wegen, so ez dem riche und in allen nutzer und bequemer were. doch mochten sie oder ir einer nicht uf den ob-

Juni 11 genanten tag kommen, so si mimme[d] herren dem kunige liep daz er acht tage oder

Juni 18 vierzehen erlengert werde.

a) cod. kůrfursten?   b) und besten am Rand eingesetzt von anderer gleichzeitiger Hand.   c) em. cod.   d) cod. nym mit Überstrich.

[1] RTA. 4 nr. 76.

[2] Siehe die Vollmachten für die 3 Gesandten vom 22 Jan. 1402 RTA. 4 nr. 51. 52. 53. 56. 58. 60.

[3] Die Anweisung für dieselben vom 22/23 Jan. 1402 RTA. 4 nr. 47 art. 5-7.

[4] D. h. da die kön. Gesandten merkten, daß der Pabst es nicht zum Abschluß kommen lassen wollte, giengen sie in ihren Anerbietungen an ihn noch über ihre Instruktion hinaus, um ihn ins Unrecht zu setzen.

[5] D. h. der in art. 3 genannten, die man ihnen zunächst nur vorlesen sollte.

[6] Vgl. im vorliegenden Bande nr. 8 art. 12. — K. Ruprecht bekennt, daß er oder sein Sohn Her-zog Ludwig den Zwist zwischen Graf Adolf von Kleve und Mark und Graf Friderich von Mörs und Bar in Gemäßheit des von diesen beiden gegebenen Anlaßbriefes binnen 8 Monaten schlich-ten werde, dat. Mentze Ulrichstag [Juli 4] 1401 r. 1; Karlsruhe G.L.A. Pfälz. Kop.-B. 8½ fol. 36ᵇ cop. ch. coaev.

208. *K. Ruprechts geheime Nebeninstruktion für Nikolaus Buman an Kurfürst Fride-* [1402
rich III von Köln: der König ist geneigt, bei der Haltung der Kurie ihm gegen-   *no.*
über, den französischen Anerbietungen eines Zusammengehens zur Beseitigung des *Apr. 14*
Schismas zu folgen; der Kurfürst soll das geheim halten bis zu dem Mainzer Tag   *Mai 2]*
vom 4 Juni. [1402 *zw. April 14 und Mai 2* [1] *o. O.]*

> *Aus Karlsr. G.L.A. Pfälz. Kop.-B. 146 fol. 51*[b]*-52*[a] *cop. ch. coaev.*
> *coll. Janssen Frankf. R.K. 1, 715-716 nr. 1133 aus einem in seinem Privatbesitz befind-*
> *lichen Kodex Acta et Pacta 61-67.*
> *Moderne lateinische Übersetzung gedruckt bei Martène ampliss. coll. 4, 75 f. nr. 52. —*
> *Daraus Regest Chmel nr. 1166.*

Werbunge an minen herren von Collen allein zu tûn, daz er niman dabi habe dann einen oder zwene, den er sunderlichen wol getruwe.

[1] Item im zu erzelen, nach entwertunge sins besundern glaubsbriefs, min herre der konig begere und bitde in, daz er diese sachen also in einer geheimde wolle halten und in imme selber darnach gedenken biß daz sie zusamenkommen uf dem obgenanten [1402 tage [2]. und daz man imme dann darnach sage, daz minem herren si botschaft kommen Juni 4] von der kuniginne und etlichen herren in Franckerich mit namen her Stephann Smyeher [3] mit glaubsbriefen uf die er geworben hat „wolle sich mine herre der kunig mit dem kunige von Franckrich vereinen umbe ein enikeit [a] in der heiligen kirchen zû machen, so solle min herre der kunig sicher gemaht werden, daz er mit dem von Meylan ver-einet solle werden nach allem sinem [b] willen. und ob der von Meylan dez nit tûn wolte, so solle imme der kunig von Franckrich wieder in beholfen sin, und darzû auch mit folke und mit gelte helfen wieder alle sin wiedersachen an dem riche, und auch mit namen den babist daran helfen zu wisen daz ein enikeit [c] in der heiligen kirchen werde. und mime herren dem kunige solle solich hilfe von dem kunige von Franckrijch und den Frantzosen gescheen und mee dann er begerende is“.

[2] Item nû sehe min herre der kunig wol, daz der babst nit gliche wege fur sich nemen wolle und mit wunderlichen sachen umbegee. und darumbe so habe er sich darzu geben, als ferre er des an den kurfursten folge haben môge und daz imme die des raten und helfen wollen, ee er dem babist soliche eide swere und tûwe als er von imme furdert, daz er sich ee mit dem kunige von Franckrich und den Frantzosen vereinen wolle uf gotlich und redelich wege umbe ein enikeit [d] in der heiligen kirchen zu machen. und darumbe, ob in dunke der probst von Lutich oder iemand anders not-dorftig uf dem tage [4] zu sin zu diesen sachen, daz er den mit imme bringe.

---

a) *so cod. und Janssen.* b) *cod. sine mit Überstrich, Janssen sinen.* c) *cod. einkeit? nicht deutlich; Janssen enikeit.* d) *cod. und Janssen enykeit.*

---

[1] *Das Stück, ohne Datum, folgt im Kodex un-mittelbar auf die kön. Werbung durch Niclaus Buman an die Kurfürsten* [1402 *zw. April 14 und Mai 2] nr. 207 und bezieht sich im Inhalte darauf. Also wahrscheinlich zu gleicher Zeit und durch den gleichen Gesandten. Janssen setzt es in den August dieses Jahres.*
[2] *Eben in der genannten Werbung an die Kur-fürsten art. 6 und 11 lädt der König sie ein nach Mains auf 4 Juni.*
[3] *Kommt wider vor in der Werbung an den König von Frankreich und in der an die Königin* [1402 *wahrscheinlich nach Aug. 27] nr. 289 und 290.*
[4] *Der nach Mains auf 4 Juni 1402 angesetzte Tag, s. die vorletzte Anmerkung.*

[1402
circa
Apr. 19]

209. *K. Ruprechts Gesandtschaftsinstruktion für Ulrich von Albeck an Erzbischof Gregor von Salzburg: er danke ihm für seine Bemühung um die Gewinnung des Öster-reichischen Hauses; wegen Bairischer Ansprüche auf Berchtesgaden sei nichts zu Ungunsten Salzburgs zu fürchten; warum er so lange in Italien verweilt; mit Bitte um des Erzbischofs Rath und um ein Anlehen von 12000 Gulden. [1402 c. April 19 San-Daniele [1].]*

Aus Karlsr. G.L.A. Pfälz. Kop.-B. 146 fol. 53[b]-54[b] cop. ch. coaev.

coll. Janssen Frankf. R.K. 1, 693-696 nr. 1117 aus der in dessen Privatbesitz befindlichen Handschrift Acta et Pacta 21-88.

Moderne lateinische Übersetzung gedruckt bei Martène ampliss. coll. 4, 78-81 nr. 54. — Daraus Regest Chmel nr. 1382.

Werbunge an den erzbischof von Saltzpurg herr
Ulrich von Albeck enpholhen.

[1] Item sollent ir imme zu dem ersten mins herren dez kunigs glaubsbrief ant-werten und imme danken sins fruntlichen enbietens alz er mit sinen briefen getan hat, und besunder daz er sin erbere botschaft gevertigt habe zu dem hochgebornen herzog Lupolt von Osterich etc., daz die mit imme reden solle, daz er sine brudere[a] und vet-tern daran wisen wolle, das sie mimme herren alz eime Romischen kunige hulden etc : an dem und an andern merklichen stucken, alz er sich gein mimme herren fruntlichen bewiset, sne zwifel merket besunder liebe und fruntschaft, die er zu imme und dem heiligen riche hat. und mine herre wolle auch daz besunderlich umbe in und sin gotshuß gnediclich bedenken und beschulden.

[2] Item sollent ir imme auch sagen, als er gewarnet solte sin, wie der hochgeborne Ludewig pfalzgrave bi Rijne und herzog in Beyern unser lieber vetder und furste ar-beid umbe ein wiederruffunge der incorporation dez gotshûses zů Bertholsgaden etc., daz wir darumbe nit wißen, und unser vorgenanter vetder bißher wißen mit uns davon geredt habe. und ob wir verstunden daz sich unser vetder darumbe anemen wolte wieder in, so wolten wir in fruntlich daran wisen nach unserm vermogen, daz er imme noch sinem gotshuse deheinen inval wider glimpfe zufüge, alz wir auch hoffen daz der obgenante unser vetder daz ungerne tede.

[3] Item sollent ir imme auch erzelen: alz er etwielange sich zu Padaw und zu Venedige enthalten habe, also daz er meinte in Welschen landen einen gemeinen nütze sin und dez heiligen riches schaffen und ein felt zu machen wieder den von Meilan und auch sin keiserlich cronunge zu entphahen, darzu hette er alle sin vermogen gerne getan mit libe und mit gûte.

a) bruder? abgekürzt.

---

[1] Steht im Kodex unmittelbar hinter der Wer-bung an Herzog Leopold von [1402 zw. April 28 und Juni 4] nr. 210, welche selbst hinter den beiden Werbungen von [1402 zw. April 14 und Mai 2] an die Kurfürsten nr. 207 und an Kur-fürst Friedrich III von Köln nr. 208 steht. Es folgt auf unser Stück die Werbung an den Land-grafen von Hessen [1402 c. Mai 10] nr. 231 und dann das Schreiben K. Ruprechts an denselben vom 10 Mai nr. 230. Aus art. 8 ist zu ver-muthen, die Abfassung habe noch in Italien statt-gefunden (hinußzuriten gein Dutschen landen).

In art. 10 wünscht der König ein Anlehen von 12000 fl. Zu diesem Zweck bevollmächtigt er sei-nen Prothonotarium Ulrich von Albeck mit dem Erzbischof Gregor von Salzburg zů tedingen umbe eine summe gelcz uns zu lihen; dat. zu Sant Daniel [w. von Udine] uf den mitwoch nach dem sondag jubilate 1402 r. 2 [April 19]; im Karlsr. G.L.A. Pfälz. Kop.-B. 8½ fol. 44[b]-45[a], und 149 pag. 30. Ulrich von Albeck ist also, wie man sieht, unterwegs successive, zuerst an den Erz-bischof und dann an den Herzog, ausgefertigt worden. Janssen datiert: etwa Mai.

[4] Item darzu so habe min herre der kunig den bischof von Verden diesen ganzen [1402 circa winter bi dem babist zu Rome gehabt liegen in siner botschaft, und habe auch den Apr. 19] von Falkenstein und siner prothonotarien einen [1] zů dem babist gein Rome gesant als dez babsts botde mit namen herr Franciscus de Montepolzano[a] geworben hat[2], und in laßen bitden und ermanen daz er sine persone approberen wolle alz einen Romischen kunig und imme auch sin keiserlich cronunge geben, so wolte imme auch min herre gerne soliche gewonlich eide tůn und sweren alz sine furfarn an dem riche Romische kunige und keisere sinen furfarn bebsten die dann zu ziten gewest weren gesworen und getan hetten.

[5] Item und min herre der kunig gab auch sinen ambasiatoren, die er also gein Rome schickte, ganzen gewalt mit sinen offen versigelten briefen, dem babist soliche gewonliche eide von sinen wegen zu tůn und zu sweren uf sin sele biß daz er mit der gotshulfe selber gein Rome queme, so wolte er imme alzdann solich gewonliche eide selber gerne sweren und důn.

[6] Item daruf haben mins herren dez kunigs ambasiatoren, die er also gein Rome hatte gesant als fur geschriben stet, mim herren dem kunige geschriben und auch selber muntlich erzelt als sie herwieder uß zu im kommen sint: daz der babist minen herren den konig nit approbiren wolle alz einen Romischen kunig, noch imme sine keiserlich cronung geben, er wolle sich dann uber soliche gewonliche eide, die andere Romische keiser und kunige vor alten getan haben, dem babist verschriben und verbinden under siner majestat ingesiegel, und auch zu den heiligen sweren diese nachgeschrieben artikel zu halten und genzlichen zů follenfůren[b]. item und dieselben artikel[3] lesent imme dann von worte zů worte alz sie der babiste begert hat. und sagent imme dann darnach, daz die obgeschrieben artikel und stucke alle minen herren den kunig gar swere dunkent sin, mit namen daz er sich nit underwinden solte ein einikeit in der heiligen kirchen zů machen.

[7] Item und wann der babiste zu diesen ziten mins herren dez kůnigs persone nit approberen wil, noch imme sin keiserlich cronunge geben wil, alz vor geschriben stat, so ist minem herren swere, die sache ufsunemen und sich ungewonlichen verbinden ane der kůrfursten sinen und andrer fursten und lieben getruwen rad.

[8] Item und umbe die vorgeschrieben stucke und sachen ist min herre der kunig zu rade worden selber hinůzuriten gein Dutschen landen[4], und in den sachen siner kurfursten und auch andrer siner und dez heiligen richs fursten und getruwen rate zu haben, und auch sunderlichen sinen getruwen rat, wann er imme die obgeschrieben artikel und sache eigentlichen enbotden habe alz sinem besundern lieben frunde. und laße in bitden daz er daruf bedacht wolle sin und imme sinen rat daruf auch mit uch[5] enbieten, wann er die sache meine besunder auch nach sinem rat und wißen zu handeln. [am Rande rechts zu diesem Artikel steht, durch ein Paragrafzeichen und Linien eingeschlossen, von gleichzeitiger (wol gleicher) Hand hie[c] fiat pausa usque ad respon-

---

a) cod. Montepol mit Abkürzungsstrich.   b) cod. Absatz.   c) dieser ganze Zusatz fehlt bei Janssen.

---

[1] Gesandtschaft von 1402 Jan. 22/23 RTA. 4 nr. 47 ff.; also Nikolaus Buman ist der Protonotar. — Vgl. zu den folgenden Artikeln die Gesandtschaftsinstruktion für Nikolaus Buman nr. 207.
[1] Gesandtschaft von 1401 Dec. 25 RTA. 4 nr. 23 ff.

[3] Die Artikel in den Entwürfen RTA. 4 nr. 71-73.
[4] Vgl. die Botschaft an die Kurfürsten [1402 sw. April 14 und Mai 2] nr. 207.
[5] Also der König erwartet den Erzbischof nicht zum Mainzer Tag auf Juni 4.

[1402 circa Apr. 19) sionem ᵃ vel saltem per unum diem; *die kreuzweise Durchstreichung mit Rothstift ist jedenfalls modernen Ursprungs.*]

[9] Item sollent ir imme auch erzelen, daz min herre der kunig den vorgenanten artikeln und sachen also ußgewartet habe und daruf geharret, daz er sich großlich verzert habe, und alle sin cleinod und silberin geschirre versetzet ¹, also daz er die zu dieser ᵇ zit nit gelösen möge, und auch, die minem herren daruf geluhen haben, solich cleinot und silberin geschirre nit lenger behalten wollen sunder sie verkeufen, wiewol sie vil beßer sin dann daz gelte daz mine herre daruf genomen hat, damit min herre zu merklichem schaden keme.

[10] Item und darumbe so bitte min herre der kunig, daz er ime lihen wolle zwolftusent guldin ², daz er sin cleinod und silberin geschirre damid gelosen möge und auch andere sin notlich geltschulde bestellen, doch daz er die minem herren behalten solle, biß er sie, alz er kurzlich meint, gelosen möge. [*am Rande links zu diesem Artikel steht (von gleicher Hand wol)* hie nota: zu schriben, daz min herre in bitde, daz er zu imme neme diese cleinod, wann min herre wol weiße, daz sie imme nit vergende, diewile sie in siner gewalt sin.]

[11] Item und ob dieselben cleinod und silberin geschirre die obgeschrieben summe nach sinem ᶜ dunken nit tragen mochten, alz sie doch vil beßer sin, daz ir alzdann vollen gewalt habent an unser stad zu globen, daz min herre imme solle ein benügig burgschaft tůn, daz er keinen bruche daran solte haben, sunder daz imme sine gelt genzlichen wiederleget solle werden.

[12] Item daran erzeugt er mim herren dem kunige soliche besunder liebe und fruntschaft und auch dinste die imme si wol zu danke, und wolle auch daz gerne umbe in und sin gotßhuß beschulden etc.

[1402 circa Apr. 28 und Juni 4] **210.** *K. Ruprechts Gesandtschaftsinstruktion für Ulrich von Albeck an Herzog Leopold von Österreich: warum er so lange in Italien verweilt hat, und warum er jetzt nach Deutschland zurückgekehrt ist um auf 4 Juni 1402 einen Kurfürstentag in Mainz zu halten, mit Bitte um des Herzogs Rath und dessen Einfluß auf eine günstige Gesammtpolitik des Österreichischen Hauses.* [*1402 zw. April 28 und Juni 4 o. O.]*

Aus Karlsr. G.L.A. Pfälz. Kop.-B. 146 fol. 52ᵃ-53ᵇ cop. ch. coaev.
coll. Janssen Frankf. R.K. 1, 696-699 nr. 1118 aus einem in seinem Privatbesitz befindlichen Kodex Acta et Pacta 21-38.
Moderne lateinische Übersetzung gedruckt bei Martène ampliss. coll. 4, 76-78 nr. 53. — Daraus Regest Chmel nr. 1381.

Werbunge an herzog Lupolt von Osterrich herr
Ulrich von Albeck bevolhen.

[1] Item sollent ir imme zum ersten mins herren dez kunigs glaubsbrief antwerten und darůf werben: mine herre der kunig habe uch zu imme gesant und heißen erzelen,

---

ᵃ) *so und nicht* reversionem *zu lesen.*   ᵇ) *cod.* dieß, *Janssen* dießer.   ᶜ) *cod.* und *Janssen* sinen.

---

¹ *Vgl. nr. 168 art. 37 Anm.; art. 41; art. 60.*
² *S. die Vollmacht pag. 286, 38ᵇ ff.*
³ *Der 4 Juni steht bevor in art. 3, der 28 April ist vorüber in art. 5, die Einladung auf den Tag vom 4 Juni, die vor den 2 Mai fällt, ist ebenfalls vorüber in art. 3. Das Stück steht im Kodex*
unmittelbar hinter den beiden Werbungen an die Kurfürsten und an Kurköln [zw. April 14 und Mai 2] nr. 207 und nr. 208 und geht der Werbung an den Erzbischof von Salzburg [c. April 19] nr. 209 voran, vielleicht ist es c. Mai 2 aus München.

daz er den bischof von Verden diesen ganzen winter bi dem babist zů Rome gehabt *[1402*
habe in siner botschefte, und habe auch darnach den von Falkenstein und siner protho- *xw.*
notarien einen [1] zu dem babst gein Rome gesant, und in laßen bitden und ermanen daz *Apr. 29*
er sine persone approbieren wolte als einen Romischen kunig und imme auch sin keiser- *und*
5 lich cronunge geben. und min herre der kunig wiste auch nit anders dann daz in der *Juni 4]*
babist unverzogenlich approbiren und imme sin keiserlich cronunge geben solte, und hat
auch daruf allermeiste bißher in Welschen landen geharret.

[2] Item daruf habent mins herren dez kunigs ambassiatoren [a], die er gein Rome
gesant hatte als fur geschrieben stet, mime herren dem kunige geschriebn und auch
10 selber montlich erzelet alz sie herwieder uß zu imme kommen sin, daz der babist begere, daz mine herre der kunig dem babist verschriben solle under siner majestad ingesiegel und auch zu den heiligen sweren diesse nachgeschrieben artikel zu halten und
genzlich zu follenfůren [b]. item und dieselben artikel [a] lesent imme dann alle von worte
zu worte, alz sie der babist begert hat.

15 [3] Item und want die obgeschrieben wege und sachen minem [c] herren den kunig
nit allein sine persone antreffen, sunder die heiligen kirchen daz ganze riche und auch
alle die die darzu gehorent und die dem getruwelichen bigestendig und gehorsam sin
wollen [d]: item darumbe so ist min herre der kunig mit sinen reten zu rade wurden, daz
er in den obgenanten artikeln mit dem babist nit besließen wolte ane siner kurfursten
20 und auch andrer siner und des heiligen richs fursten und getruwen rad und wißen, und
hat sich darumbe herhaben von Welschen landen, und ist wieder hinuß gein Dutschen *1402*
landen gezogen, und hat einen tag gein Mentze bescheiden uf den suntag post octavam *Juni 4*
corporis Cristi, zu demselben tage er auch sin kurfursten verbodt hat zu kommen [a],
und wil daselbs mit in zů rade werden waz imme in den obgeschrieben sachen zu
25 tunde si.

[4] Item und mine herre der kunig habe imme die obgeschrieben artikel und
sache auch also eigentlichen heißen erzelen als sinem sunderlichsten und liebsten frunde,
zu dem er ie ein ganze luter getruwen hat, und in laßen bitden daz er daruf bedacht
wolle sin und imme sinen rad daruf auch mit uch enbieten, wann er die sache nit
30 allein sunder nach sinem und ander siner frunde und fursten rade und wißen meine
zu handeln.

[5] Item darnach sollent ir herzog Lupolt sagen: daz min herre der kunig, als er
ietzunt von Welschen landen herußgezogen si, da si er uber nachte zu Insprucke [4] gewest, und habe herr Friederich von Fledenitze sinen hoffemeister daselbs funden, und
35 dem habe er die obgeschrieben artikel in der maße, alz ir die herzog Lupolt erzelt
habent, auch erzelet. und derselbe sin hoffemeister habe under andern sachen mime
herren dem kunig gesagt: der kunig von Ungern habe sin botschaft zu herzog Wilhelm
und zu herzog Albrecht von Osterich getan und sie lassen bitden, daz sie in und die
sinen durch ire lande und gebiete wolten laßen ziehen herinne gein Lamparthen [a]. item
40 und als herzog Lupolt des gewar wůrde, da ginge er zů stůnt zu herzog Wilhelm und
zu herzog Albrechten und sprache zu in „lieber bruder und lieber vetter, mir ist daz

---

a) r *mit Abkürzung.* b) cod. *Absatz.* c) minen *r* myne *mit Abkürzungsstrichen, eig.* mynnen *oder* mynnem. d) cod.
Absatz. e) cod. *Absatz.*

---

[1] *Nikolaus Buman, vgl. Gesandtschaft vom
22-23 Jan. 1402 RTA. 4 nr. 47 ff.*
[2] *S. RTA. 4 nr. 71-73, vgl. Schreiben P. Bonifacius IX an K. Ruprecht vom 19 Merz 1402 ibid.
nr. 70.*

[3] *Die Einladung fällt vor 2 Mai 1402, s. Schreiben K. Ruprechts an gen. Fürsten 1402 Mai 2
nr. 212 Nachschrift.*
[4] *Nach Chmel nr. 1171 stellt er eine Urkunde
aus zu Innsbruck 1402 April 28.*

[1402
Apr. 28
und
Juni 4] furkommen. nu wißent ir wol, daz unsern landen und luten vil schaden von Beheim heruß zugefugt werden, und, wo sie uns geswechen mochten, daz sie daz deten. und diewile daz iczunt geschicht, keme ez dann darzů daz der konig von Ungern Beheim geweltlich innehette, so besorge ich daz dez vil mee gescheen wurde, das uns allen und unsern landen und luten gar verderplich were. so wißent ir auch wol, daz min herre 5 der nuwe kunig ein frommer herre ist, daz er gerne einen gemeinen nocze furwenden wolte nach allem sinem^a vermogen, und, waz er uns auch allen zu liebe und fruntschaft getun mochte, daz er daz gerne dete. und ich han auch sinen^b rat gesworn und daz ich imme bigestendig und beholfen sin wolle. daz wil ich auch tůn. und ir wißent wol, daz unser mutschar von unsern landen uf sant Jorgen tag ußget und daz ir dez 10 ane mich nit tun sollent, und ich wil auch darwieder sin und daz weren alz verre ich mag"^c. item und mit solichen reden so habe herzog Lupolt sin brudere^d und vettern ufgehalten gein den kunigen von Ungern und von Beheim. und der hoffmeister obgenant ließe auch dabi laufen, er versehe sich genzlich: dete min herre der kunig sine erber trefflich botschaft zu herzog Wilhelm und zu herzog Albrecht von Osterrich, sie 15 solten sich zu imme verbinden wieder den von Meilan und alle die die in an dem riche understunden zu hindern, also daz er sich auch wiederumbe gein in verbunde in wieder die zwei kunigerich Ungern und Beheim beholfen zu sin.

[6] Item die obgeschrieben rede, als der hoffemeister der von Fledenicze die erzelt 20 hat, hat min herre der kunig gerne vernomen, und versteet und merkt auch wol daz mim herren herzog Lupolt ernste in sinen sachen ist und daz er in mit ganzen truwen meinet.

[7] Item und min herre der kunig danke imme dez auch fruntlich mit ganzem ernste, und wolle auch libe und gůt und alle sine vermogen nummer von imme ge- scheiden, als auch wol billich si. 25

[8] Item und sagent imme: min herre der kunig habe ůch sin glaubsbriefe geben an sine brudere^e und vettern herzogen zu Osterrich, und in laßen bitden ob in dunke daz ez vergenglich^f si und daz sin brudere und vettern dem obgenanten wege nach wollen gen. dunke ez in dann geraten sin, daz er siner rete einen mit uch zu sinen brudern und vettern gein Oesterrich schicke umbe einen tag an den sachen zu uber- 30 kommen, so wolle min herre der kunig gerne siner fursten einen mit ganzer macht zu demselben tage schicken, also daz die herzogen von Osterich obgenant auch selber zu demselben tage kommen von den sachen genzlich zu uberkommen und darinne zu be- sließen. wolten sie aber nit zu demselben tage kommen und doch ire rete mit maht darzů schicken, so wolte min herre der kunig sine rete auch mit macht darzu schicken 35 in den sachen zu uberkommen und zu besließen als fur geschrieben stet.

[9] Item und was in in den sachen geraten dunke sin alz von dez tages wegen zu machen, da habe uch min herre der kunig bevolhen, daz ir daz allez nach sinem 'rate handeln und tun sollent, wann min herre der kunig ie ein sunderlichs und ganze getruwen zu imme habe alz zu sinem liebsten frunde. 40

[10] Item und ist ez daz ir den tag also machen und dez uberkommen werdent, so sint daran daz der gemacht werde so ez allererste gesin möge, doch daz mins herren dez kunigs rete von dem Rijne hinabe zu demselben tage kommen mögen, daz die zit also gemeßen werde daz ez in nit zu kurze si.

---

a) sinen? abgekürzt.   b) ebenso.   c) cod. Absatz.   d) bruder? abgekürzt.   e) ebenso.   f) sic.

211. *K. Ruprecht an verschiedene Städte, er sei wegen neuer Zumuthungen des P.* 1402
Bonifacius IX aus Italien nach Deutschland zurückgekehrt um den Rath der Apr. 24, bzw.
Reichsstände zu hören. 1402 April 24 Brunecken, bzw. Mai 14 Amberg. Mai 14

An ungenannte Städte: P coll. Prag erzbisch. Biblioth. cod. epist. Rup. regis fol. 83ᵇ-84ᵃ cop. 1402
5 *chart. saec. 17, mit der Überschrift alß min her schribe den stetten, do er sich von Welschen landen* Apr. 24
erhaben hatte wieder gein Dutschen landen zů ziehen. Ort und Zeit wie A, Unterschrift wie A. —
Gedruckt moderne lateinische Übersetzung Martène ampliss. coll. 4, 92 nr. 60. — Regest Georgisch 2,
866 nr. 27, Hempel 3 col. 6, Chmel nr. 1167, alle aus Martène l. c.
An Frankfurt: A aus Frankf. St.A. Imperatores 1, 189 or. chart. lit. clausa c. sig. in verso 1402
10 *impr. delapso. — Gedruckt Janssen Frankf. R.K. 1, 109 f. nr. 261 ebendaher.* Apr. 24
An Köln: K coll. Köln. Stadtarchiv Kaiserbriefe ohne weitere Signatur or. chart. lit. clausa c. 1402
sig. in verso impr.; in verso Den ersamen unsern lieben getrůwen burgermeistern rade und andern Apr. 24
burgeren tzu Collen, beginnt Ersamen lieben getruwen. Ort und Zeit wie A, Unterschrift wie A. —
Benützt von Ennen Gesch. Kölns 3, 143 nt. 3.
15 *An Straßburg: B coll. Straßb. St.A. an der Saul I Partie ladula C fasc. XIV liasse II nr. 11*
F or. chart. lit. clausa c. sig. in verso impr., gerichtet an Meister und Rath mit dari debet. Datum 1402
Amberg in die penthecostes, Unterschrift Per dominum Rabanum episcopum Spirensem cancellarium Mai 14
Emericus de Mossscheln.

Ruprecht von gots gnaden Romischer
20 kunig zů allen zijten merer des richs.

Lieben getruwen. als wir uch leste [1] von Venedige schriben, wie wir meinten
hie inne [a] in Welschen landen zu verliben unsern und des richs sachen, beide gegen
dem babste als von unser keiserlichen cronunge wegen und auch gegen andern die des
richs gut inne haben, nachzůgeen nach unserm vermogen, des schickten wir daczůmal [b]
25 zů unserm heiligen vater dem babste unser erber botschafft mit unserm vollen gewalt
mit ymme in allen sachen von unserntwegen zu uberkommen. nu sin derselben unserr
bodten etliche wider zů uns kommen von dem babste, und hant uns gesagt daz der
babst uns aber etliche artikel zumůde der wir vor nit gehoret hann [2]. und wand die
sache [c] nit alleine unser persone sunder die heiligen kirchen daz heilige riche die gemeine
30 Cristenheid und auch uch und alle die, die zů dem riche gehoren und die uns getruwelichen bijgestendig und behulffen sin wollen, antreffen, so sin wir zů rate wurden, daz
wir darinne nit besließen wolten ane unser kurfursten und ander unser fursten und auch
uwer und ander unser und des richs getruwen rad und wißen. und han uns auch
darumbe von Welschen landen herhaben wider hinuß gein Dutschen landen zu ziehen
35 und unser kurfursten rad und darnach anderr [d] unser fursten und auch uwern rad in
denselben sachen zu haben wie wir die mogen handeln der heiligen kirchen dem heiligen riche [e] und der ganczen Cristenheid zů dem besten und nuczlichsten, wann wir
nit unsern sunder einen gemeinen frommen ye in den sachen meynen furzuwenden.
datum Brůneck feria secunda post beati Georii martyris [3] anno domini 1402 regni vero 1402
40 nostri anno secundo. Apr. 24

[in verso] Unsern lieben getruwen burgermeistern und   Ad mandatum domini regis
rade unser und des heiligen richs stad zů Franckefurd.   Johannes Winheim.

a) A nue? BK inne, P ime. b) A daczůmūl? 2 Punkte über a. c) B sachen, P sach, AK sache. d) A anderre
oder andere, BP ander, K andere. e) P om. dem h. riche.

44 [1] *Aus Venedig hatte K. Ruprecht am 14 Jan.*   *nr. 207 und in den Noten dort die Verweisungen*
1402 an mehrere Städte, am 27 noch einmal an   *auf die Akten dieser Verhandlungen RTA. 4.*
Frankfurt geschrieben, nr. 185 und 186.   [3] *Chmel gibt ebenfalls 1402 April 24 an, macht*
[2] *Vgl. die ausführlichere Darstellung in der*   *aber dahinter ein Fragzeichen; die Sache ist nicht*
Gesandtschaftsinstruktion für Nikolaus Buman   *fraglich.*

1402
Mai 2

212. *K. Ruprecht an gen. Fürsten (s. Quellenangabe), lädt sie ein auf 24 Mai zu einer Zusammenkunft in Bamberg, um sich mit ihnen zu berathen ehe er mit den 3 geistlichen Kurfürsten auf dem zum 4 Juni nach Mainz gebotenen Tage zusammentreffe. 1402 Mai 2 München.*

Aus Prag erzbisch. Biblioth. cod. epist. Ruperti regis fol. 84ᵃᵇ cop. chart. saec. 17, mit 5
der darauf folgenden Bemerkung In der obgeschrieben forme ist diesen nachgeschrieben geschrieben: marggrave Balthasar, marggrave Wilhelm, marggraff Friederich, marggrave Wilhelm der junge, von Myssen; herzog Heinrich, herzog Ernst; bischof von Babenberg, bischof von Wurtspurg, bischof von Eystetten; burggrave Hanße von Nurenbergh; den von Otingen, daß ir keiner [d. h. irgend einer von ihnen] kommen 10
solle. Die verschiedenen Vokalzeichen auf u in dieser späten Handschrift sind im Druck alle einfach durch ů wiedergegeben.
Gedruckt moderne lateinische Übersetzung Martène ampliss. coll. 4, 82-93 nr. 61, wo aber das Verzeichnis der Adressen fehlt, das gänzlich unpassend zu nr. 66 pag. 97 (dem Ausschreiben K. Ruprechts vom 22 Juli 1402) sich verirrt hat; zudem ist an letzterer 15
Stelle daß ir keiner kommen solle unsinnig übersetzt mit ut nullus eorum veniat. —
Regest Georgisch 2, 866 nr. 130, Chmel reg. Rup. 1176, Janssen Frankf. R.K. 1, 688
nr. 1113, alle aus Martène l. c.; dagegen hat Höfler Ruprecht 282 nt. 3 ohne Zweifel
unsere Prager Quelle benutzt, s. über diese RTA. 4 Vorwort XIVf.

Hochgeporner lieber oheim und furst.   wir laßen din liebe wissen, daß wir von 20
merklicher und trefflicher sache wegen, alß wir dir woll sagen wollen so du zů unß
kommest, unß von Welschen landen erhaben haben und sin wieder heruf gein Dutschen
landen geritten. und wir unsere liebe hußfrauw und gemahel unser lieber son und alle
die unsern, die mit unß zů Lamparten gewest sin, sint von gots gnaden gesunt und
sterke; deßglichen wir auch allzit von dir begern zů vernemen. herumb begern und 25
1402
Mai 24
bitten wir din liebe früntliche mit ernst, daß dů uf den mitwoch unsers hern lichams ᵃ
abents nehstkompt zů nacht bi unß zů Babenberg wollest sin.   da wollen wir dir etliche
ļeufe erzelen, die dů auch gern vernemen wirdest alß wir meinen, der wir dir nit verschriben noch entbieten können. davon ᵇ bewiesest du unß auch besunder dankneme
früntschaft und liebe. und wir getrůwen diner liebe genzlichen wol und laßen unß auch 30
daruf, dů kommest ie uf den obgnanten tagh also zů unß gein Bambergh, wann wir
auch etliche andere unser fürsten und besunder frůnde uf denselben tag zů unß zů
kommen verschriben und verbodt han.   datum Munchen 3 feria post beatorum Phi-
1402
Mai 2
lippi et Jacobi apostolorum anno millesimo quadringentesimo secundo regni vero nostri
anno secundo. 35
Auch han wir unsern chůrfürsten den erzbischofen von Mentze von Coln und von
Trier verschriben uf den sondag nach dem achten unsers hern lichams dage bi unß zů
1402
Juni 4
Mentz zů sin uf eime tage, deß wir ie nit wiederbieten konnen; und wolten gern daß
du vor bi unß werest ee wir zů demselben tage kommen, wan wir auch dinen rat gern
in etlichen sachen haben wollen. 40

---

a) cod. lichtams. b) unsere eigene Abschrift hat davon; also steht im cod. wol davon oder daran.

213. *Geschenke Nürnbergs an den königlichen Hof beim Aufenthalt K. Ruprechts da-*   *1402*
selbst im Mai 1402 [1]*.   1402 Mai 24.*   *Mai 24*

Aus Nürnberg Kr.A. Schenkbuch 487 *(vgl. Quellenbeschreibung zu RTA. 4 nr. 284)* fol.
2ᵇ *ch. coaev.*

Künig Ruprecht anno 1400 secundo.

Propinavimus unserm herren kunig Ruprechten, do er von Lamparten komen und   *1402*
3 viertail jars außgewest was, 300 guldein feria 4 ante Urbani anno etc. 2.   item   *Mai 24*
propinavimus herzog Johannsen seinem sun, der mit im da innen gewesen und ritter
worden was, zwai guldeine tuch, koste 54 guldein.   item 20 guldein graff Emychen
10 von Leyning hoffmeister.   item 20 guldein herrn Raban bischof zu Speyer kanzler.
item 8 guldein den underschreibern in der kanzlei.   item 8 guldein 11 unsers herren
kunigs pusawner pfeifern und spillewten.   item 4 guldein den türhütern.

214. *Andere Geschenke Nürnbergs beim Aufenthalt K. Ruprechts daselbst im Mai*   *1402*
1402.   1402 April 26 bis Juni 21.   .   *Apr. 26*
bis
Juni 21

Aus Nürnberg Kr.A. cod. msc. nr. 489 Nürnberger Schenkbuch 1393-1422 fol. 71ᵃ-72ᵇ
ch. coaev.; im Abdruck zu durchgeführt.

[*In der sechsten Bürgermeisterperiode feria 4 post Marci ewangeliste bis feria 4*   *1402*
ante Urbani Schenkungen im Gesammtbetrage von 16 lb. 16 sh. 4 hl.; unter andern: *Apr. 26*
bis
20 *dem Grafen Eberhard von Wertheim, denen von Winsheim, dem Grafen Hans von*   *Mai 24*
Wertheim und Herrn Rainhart von Hanaw, Herrn Conrat von Eglofstein Deutsch-
ordensmeister, dem Burggrafen Fridrich do er *von Lamparten komen waz, der Frau*
von Weinsperg, denen von Hall, dem Ulrich Rigler von Weissemburg, des Grafen Rath
von Soffoy.]

[*Siebente Bürgermeisterperiode feria 4 ante Urbani bis feria 4 ante Johannis*   *Mai 24*
bis
25 *baptiste.*] Propinavimus 5 lb. 7½ sh. hl. vische herzog Ludwigen von Bairn do er   *Juni 21*
von Lamparten herawz mit unserm herren künig komen waz.   propinavimus ei iterum
und seinem vater herzog Steffan [2] 48 qr., summa 6 lb. 8 sh. hl.   propinavimus graven
Günther von Swartzburg 8 qr., summa 1 lb. 1 sh. 4 hl.   propinavimus dem pfleger
vom Rotemberg und dem lantschreiber von Amberg 6 qr., summa 16 sh. hl.   propi-
30 navimus den von Rotemburg 4 qr., summa 10 sh. 8 hl.   propinavimus herrn Hansen
vom Hirshorn und hern Weiprehten von Helmstat 10 qr., summa 1 lb. 6 sh. 8 hl.

---

[1] *K. Ruprecht urkundet in Nürnberg Mai 27-29,
z. Chmel nr. 1194 ff. Durch einen Posten der
Kammereinnahmen vom 29 Mai (Janssen R.K. 1,
721 nr. 1142 art. 20 und bei uns in Band 6)
wird bestätigt, daß er damals noch dort war. —
In der Augsburger Bawrechnung von 1402 (Augsburg St.A.) sind am Ende der Rubrik legationes
nostre unter Nachträgen ohne feste chronologische
Anordnung folgende Posten eingetragen: item 16
guldin dem Radawer gen Nürnberg zu unserm
herren dem küng, jubilate [April 16]. item 2
guldin oben Jäcklin gen Nürnberg zu unserm herren dem küng, corporis Cristi [Mai 25]. item 8
guldin Petern Mansperger gen Nürnberg, Albani
[Juni 21], zu unserm herren dem küng. Weder*

*um den 16 April noch um den 21 Juni war K.
Ruprecht in Nürnberg oder auch nur in der Nähe
von Nürnberg. — Die Nürnberger Chronik bis
1434 (St.-Chr. 1, 366) nennt den 20 Mai als Datum der Rückkehr K. Ruprechts aus Welschen
Landen. Diese Angabe ist wol dadurch veranlaßt,
daß Ruprecht um diese Zeit nach Nürnberg kam.*

[2] *Daß die beiden Herzöge Stefan und Ludwig
damals, anscheinend zugleich mit K. Ruprecht,
in Nürnberg waren, hängt vielleicht damit zusammen, daß K. Ruprecht die Herzöge von Baiern
aufgefordert hatte zu Verhandlungen über ihre
Zwistigkeiten nach Nürnberg zu kommen, z. die
Denkschrift Kasmair's § 145 St.-Chr. 15, 497.*

1402
Apr. 26
bis
Juni 21 propinavimus dem Dam Knebel[a] und Wernhern Knebel 6 qr., summa 16 sh. hl.   propinavimus hern Herten 4 qr., summa 10 sh. 8 hl.   propinavimus graven Hansen
senior vom Lewtemberg 12 qr., summa 1 lb. 12 sh. hl.   propinavimus hern Fridrich
von Haideck und seinem sun 8 qr., summa 1 lb. 1 sh. 4 hl.   propinavimus burggraven Fridrich 16 qr., summa 2 lb. 2 sh. 8 hl.   propinavimus burggraven Johan   5
16 qr., summa 2 lb. 2 sh. 8 hl.   propinavimus den von Weissemburg 4 qr., summa
10 sh. 8 hl.   propinavimus dem bischof von Bamberg und graven Hansen von Wertheim und graven Bertholt von Hennemberg 24 qr., summa 3 lb. 4 sh. hl.   propinavimus den von Winsheim 4 qr., summa 10 sh. 8 hl.   propinavimus dem von Hûrn-
heim 6 qr., summa 16 sh. hl.   propinavimus dez von Meichsen rat und des lantgraven   10
von Hessen rate 12 qr., summa 1 lb. 12 sh. hl.   propinavimus graven Hansen von
Wertheim und seinem sun 8 qr., summa 1 lb. 1 sh. 4 hl.   propinavimus dem bischof
von Wirtzburg 16 qr., summa 2 lb. 2 sh. 8 hl.   propinavimus dem Layminger 4 qr.,
summa 10 sh. 8 hl.   propinavimus graven Fridrich von Hennemberg 6 qr., summa
16 sh. hl.   propinavimus dem abt von Fulde 12 qr., summa 1 lb. 12 sh. hl.   pro-   15
pinavimus dem von Haideck tumprobst 8 qr., summa 1 lb. 1 sh. 4 hl.   propinavimus
hern Fridrich Zollner hern Hansen Hôrauf probst zu sant Steffan und die mit in hie
warn 8 qr., summa 1 lb. 1 sh. und 4 hl.   propinavimus den von Sweinfûrt 4 qr.,
summa 10 sh. 8 hl.   propinavimus hern Hansen von Hohenloch 6 qr., summa 16 sh.
hl.   propinavimus den von Winsheim 4 qr., summa 10 sh. 8 hl.   propinavimus   20
Hansen und Hansen und Sigmund Frawemberger 12 qr., summa 1 lb. 12 sh. hl.   propinavimus hern Ulrich Marschalk von Oberndorff und seine[b] zwein sûnen 6 qr., summa
16 sh. hl.   propinavimus hern Albrecht Hofwarten und dem Hertemberger 6 qr., summa
16 sh. hl.   propinavimus dem von Rotenstein ritter und den von Fridberg 6 qr.,
summa 16 sh. hl.   propinavimus burggraven Fridrich 16 qr., summa 2 lb. 2 sh. 8 hl.   25
propinavimus graven Gunthere von Swartzburg 8 qr., summa 1 lb. 1 sh. 4 hl.   propinavimus dem meister Tewtsch ordens 12 qr., summa 1 lb. 12 sh. hl.   propinavimus
dem bischof von Eysteten 16 qr., summa 2 lb. 2 sh. 8 hl.   propinavimus dem jungen
von Weinsperg 6 qr., summa 16 sh. hl.   propinavimus den von Swabach 6 qr.,
summa 16 sh. hl.   propinavimus hern Johan und Fridrich den Ramspergern[c] 6 qr.,   30
summa 16 sh. hl.

    Summa 53 lb. 7¼ sh. hl.

B. Städtische Vorbereitung nr. 215-221.

[1401]
Juli 6 **215.** *Mainz an Frankfurt: vor dem kön. Münztag zu Koblenz [1] auf 18 Juli, von dem*
auf einer kürzlichen Versammlung zu Mainz die Rede war, wollen die Städte in   35
Mainz auf 15/16 Juli zusammenkommen.   [1401 [2]] Juli 6 Mainz.

    Aus Frankf. St.A. Auswärtige Angelegenheiten, Undatiertes aus K. Sigmunds Zeit or.
    ch. lit. cl. c. sig. in verso impr.

    Unsern fruntlichen dienst zuvor. ersamen wisen besundern lieben frunde.   als
uch uwere frunde, die zu dieser czijt bij der andern stete frunden und auch den unsern   40

---

a) *em. statt Klaeben.* b) *sic.* c) *cod. eher Rainspergern.*

---

[1] *Siehe Einleitung lit. B.*
[2] *Trotzdem daß im Stück nicht einmal der Name
des Königs genannt ist, kann an dem Jahr doch*   *durchaus nicht gezweifelt werden, vgl. besonders
RTA. 4 nr. 399.*

in unser stat gewest sint [1], unter andern reden, die sich verlauffen hant, wol gesaget [1401] Juli 6
mogent han als wir meynen, daz unser herre der Romsche konig von der müntze
wegen, als die stete davon mit yme in reden gewest sint, einen dag von mondag nestkommet uber achte dage gein Cobelencz gemacht hait: davon hant der stete von Juli 18
5 Straißbûrg Worms und Spire frunde und auch die unsern sich von der sache wegen
undersprochen, also daz sie eine noitdorfft duncket daz igliche stat ire raiczfrûnde zu
deme dage schicken. und wer' ez sache [2], daz den steten der sachen ein redelich
ußtrag uff deme dage wûrde, so versorgent der egnanten stete frunde und auch die
unsern, obe daz eine kurcze czijt ein vierteil jars oder mee redeliche gehalten wûrde,
10 daz sich daz aber darnaich anderen mochte uff soliche ergerunge als iczund daran ist
oder boser. und obe daz also geschee, oder daz den steten der sache nit ein redelicher [a]
ußtrag uff deme dage zu Cobelencz wurde, so wollent daruff in uwerem rade bedacht
sin, obe sich die stete dez vereinegen mochten, daz man dan in den steten iglich golt [b]
vor sin wert nemen solte. also wollent auch der andern stete frunde daz hinder sich
15 in ire rete brengen sich auch daruff zu bedencken, also daz iglicher stete frunde uff [1401]
frijtag nestkommet über achte dage zu nacht darumb in unser stat sin wollen, uff den Juli 15
samßtag darnaich sich davon zu undersprechen und iglicher stete meynunge davon zu Juli 16
verhoren und dan forbaßer zu deme dage gein Cobelencz zû farende. zû demeselben
dage die von Collen ire frunde auch schicken werdent, dez wir uns genczlijch versehen,
20 want wir yn die sache und den dag auch eigentlich verschriben und verkundet han [3].
darnaich wißent uch mit uwern frunden uff den egnanten frijtag zu nacht bij der Juli 15
andern stete frunden in unser stat zu haben zu riechten.   datum quarta feria ante [1401]
beati Kiliani martiris.   Juli 6

[*in verso*] Den ersamen wijsen burgermeistern und   Burgermeistere [d] und
25 rade zû Franckefurt [c] unsern besunderen lieben   rait zu Mencze.
frunden.

---

216. *Köln an Mains, schlägt, unter Anknüpfung an den Koblenzer kön. Münztag vom [1401]
18 Juli 1401, einen städtischen Münztag (zu Mains) vor. [1401] Aug. 31 Köln.* Aug. 31

*Aus Frankfurt St.A. Münze I cop. ch. coaev., mit Verschickungsschnitten, als Einschluß
des Briefes vom 7 Sept. [1401] nr. 217 von Mainz an Frankfurt geschickt, wie die
Schnitte zu erkennen geben.*

Sûnderlinge gude frunde. also als uwer frunde und die unsern und auch
etzliche der andern stete frunde lestmals [e] bi einander vergadert waren zu Cobelencz [4]
als von dez pagamencz wegen, dez verstunden wir zu der zit von unsern frunden, daz
35 die fursten und die herren, die auch zu demeselben male ire frunde und rete zu deme
dage gesant hatten, zu den sachen dez besten gedencken wulden, und daz darnach
unsere und der ander stete frunde uf eine zit, als ir uns daz wißen ließent, umb die
sache zu Mencze bi uch wiederumbe vergadern sulten, eins besten von dez pagamentz
zu verramen. und want, gude frunde, wir von solicher vergaderûnge noch nit ver-
40 nommen han, so dunket uns diese sache wol als trefflich sin, daz noit were, daz daz [f]

a) redeliche *mit dem Abkürzungszeichen.* b) *so und nicht* gelt *scheint mir dazustehen.* c) *das* e *wol nur etwas
verdeckt.* d) Burgermeiste *mit der Abkürzung.* e) Vorlage lestanals. f) *om.* Vorlage.

¹ *Auf dem Mainzer Reichstag vom Juni und*   ² *RTA. 4 nr. 399.*
Juli 1401, s. RTA. 4, 401ff.   ⁴ *S. voriges Stück.*
45 ³ *Von hier bis zu bedencken vgl. RTA. 4, 476,
43 bis 477, 6 in nr. 399 sehr ähnliche Stelle.*

[1401]
Aug. 31 pagament anders bewart und versorget wurde, und weren darumb wol geneiget, als
verre iß uch gefiele, daz ir und wir und die andern stete unsere frunde anderwerbe uf
einen gelegen dag schicken wurden, die vorgeschriben sache zu bedenken und zu besorgen, als daz noit ist, uf das der gemeine kaufman und anders alleman mit deme
pagament alsus verderplich nit beschediget enwurde. waz uch zu diesen sachen gud ⁵
dunket, des wollent uns uwere gutliche antwurte wieder dun schriben. got si mit uch.
[1401]
Aug. 31 datum feria quarta post decollacionem beati Johannis.

[in verso] Den erbern wisen und bescheiden   Burgermeister rait und andere
luden burgermeistern scheffen und rade der stat   burgere der stat zu Collen.
Mentze unsern guden frunden.   ¹⁰

[1401]
Spt. 7 **217.** *Mainz an Frankfurt: Adressaten sollen sich äußern über den Vorschlag Kölns
vom 31 Aug. 1401 nr. 216.   [1401] Sept. 7 Mainz.*

Aus Frankfurt St.A. Münze I or. ch. lit. cl. c. sig. in verso impr.

Unsern fruntlichen dienst und waz wir liebes vermogen zuvor. ersamen wisen
besundern lieben frunde.   als uwer und ander stete frunde und auch die unsern von ¹⁵
der gulden moncze wegen von Cobelencze von unsers gnedigen herren dez Romschen
koniges frunden schieden, also daz sie meynten, daz sie und auch unsere herren der
fursten rete und frunde zu eime andern kurczlichen dage darselbes wieder zusamenkommen solten, und, wez sie von der moncze wegen uberkommen wurden, daz unsers
herren dez koniges frunde uns daz meynten zu verschriben, also daz wir uch und ²⁰
andern steten daz forbaßer verkunden mochten, und want uns davon keine schrifft gescheen ist: so hant uns die von Collen von derselbe sache wegen beschriben in solicher
maße als ir in abeschrifft irs brieffes, die wir uch in diesem unserm brieffe versloßen
senden ¹), wol sehen mogent. daran uns der von Collen meynunge wol gefellet. und waz
uwer meynunge dartzu ist, daz wollent uns verschriben wieder laßen wißen, want wir ²⁵
unsern frunden und eitgnoßen von Worms und von Spire der von Collen und unsere
meynunge daran verschriben han, daz sie auch forbaßer den von Straißburg verkunden
[1401]
Spt. 7 werdent, uff daz wir uwer und der ander stete meynunge die von Collen eigentlich
mogen laßen wißen.   datum in vigilia nativitatis beate Marie virginis gloriose.

[in verso] Den ersamen wijsen burgermeistern und   Burgermeister und ³⁰
rade zu Franckfurt unsern besundern lieben frunden.   rait zu Mencze.

1401
Spt. 9 **218.** *Frankfurt an Mainz, will gern einen städtischen Münztag zu Mainz beschicken.
1401 Sept. 9 Frankfurt.*

*Aus Frankfurt St.A. Münze I conc. ch. coaev., auf der Rückseite gleichzeitig Colne Mencze
von der monze wegen, Überschrift auf der Vorderseite Mencze von der Hand des ³⁵
Stücks.*

Unsern fruntlichen dinst zuvore ᵃ. ersamen wisen besundern lieben frunde.   als
ir uns von der gulden monze wegen geschriben ² und damit abeschrift der von Collen
briefes ᵇ ³ gesant hant, des han uns unser frunde, die wir zulest gein Covelencze geschicht hatten, gesaget von den sachin, wie man uf die vorgnante zit von der sache ⁴⁰
wegen gescheiden si. des uns auch kein schrift von unsers herren des koniges reten

a) zuvor? b) Schleife am t.

¹ *Köln an Mains 1401 Aug. 31 nr. 216.*   ² *Köln an Mains 1401 Aug. 31 nr. 216.*
² *Mains an Frankfurt 1401 Sept. 7 nr. 217.*

oder frunden worden ist. doch nach dem als uch die von Collen und ir uns geschríben *1401*
hat, des dunkt uns gut, si iz sache daz ir von solicher sache wegin tag bi uch gein *Spt. 9*
Mentze bescheiden werdet, daz ir uns das zwen tage oder dri zuvornt lasset versten
so meinen wir unser frunde auch gern darbi zů ª schicken, in dem besten in den sachen
5 helfen zu ratslagen. datum feria sexta proxima post festum nativitatis beate Marie *1401*
virginis anno 1400 primo etc. ᵇ *Spt. 9*

219. *Frankfurt an Mains, auch an Köln, wünscht baldigst einen Städtetag in Mains,* *1402*
namentlich weil K. Ruprecht aus Italien zurückgekehrt ist, vor Pfingsten [Mai 14] *Mai 6*
nach Nürnberg kommen soll, und die Städte um 8 oder 9 Mai Nachricht von ihm
10 *bekommen werden. 1402 Mai 6 Frankfurt.*

An Mains: aus Frankfurt St.A. Münze I conc. ch. coaev., mit Überschrift Mencze und Schluß-
notiz Item uf denselbin sinn an die von Colne, uňgescheiden zů benennen den tag gein Mencze; *auf*
der Rückseite gleichzeitig Colne Mentze von der monze wegen.
An Köln: in Köln St.A. or. ch. c. sig. in verso impr., nach Mittheilung von Ennen; war aber
15 *1875 nicht mehr aufzufinden; in.* sunderlichen guden frunde. als ir uns geschr. hat von der gulden
montze; *ex.* hernach wisset uch zu richten.

Unsern *fruntlichen* dinst zuvor. ersamen lieben frunde. als ir uns geschrieben
hat und damide gesant abeschrift unser frunde der von Colne brief ᶜ, han wir wol verstanden ¹. und lassen uch wissen, daz sie uns von den sachen eins teils auch ge-
20 schríeben han. und gefiele uns wole, obe'z uch gut duchte sin, daz ir dan unsern
frunden den von Colne Straspurg Wormß und von Spire schrebet und einen dag bi
uch gen Mencze beschiedet ², daz sie ire frunde daruf schichten, und liessit uns den
dag verschríeben wissen. darbi hofften wir unser frunde auch zu schicken, von den
sachen zu reden und zu ratslagen, waz uns dan beduchte, daz uns steden und den
25 kaufluden und gemeinem lande daz beste in den sachen vurzukeren were. und so daz
es geschee, so uns lieber were, und auch ein grosse notdorft bedůchte sin, wand uns
iczůnt auch botschaft kommen ist, wie daz unsers lieben gnedigen herren des Romischen
koniges gnade wider zu Dutschen landen biß gein Auspurg kommen si ³ und vor dissen

a) zu? b) Das Datum mit dunklerer Tinte von derselben Hand zugefügt. c) Schleife am f.

30 ¹ *Diese Briefe der Städte Mains und Köln*
haben wir nicht.
² *Das Schreiben des Erzbischofs von Mainz von*
fer. 6 p. penthec., das Janssen R.K. 1, 110 nr.
263 auf 1402 Mai 19 datiert, erwähnt einen kürz-
35 *lich in Mains abgehaltenen Städtetag, aber dieses*
Schreiben gehört sicher ins Jahr 1401, vgl. bei
den Landfriedensakten in diesem Bande Anm. zu
nr. 432.
³ *K. Ruprecht urkundete am 2 Mai in München,*
40 *s. Chmel nr. 1175 f., am 7 schon in Neumarkt, s.*
Chmel nr. 1177 f. Daswischen fällt ein Aufenthalt
zu Ingolstadt, s. St.-Chr. 15 pag. 496, 36 bis 497,
16. — Einträge der Augsburger Baurechnung von
1402 (Augsburg St.A.) unter der Rubrik generalia:
45 *vor jubilate [April 16, die Titel der ersten Aus-*
gabenserien fehlen bis auf jubilate]: item 13 guldin haben wir bezalt dem Repphain umb ain vaz
neckerweins daz man dem küng schankt. — *jubi-*
late [April 16], cantate *[April 23] bis* spiritus

domini *[Mai 14]:* item 100 guldin haben wir geschenkt der küngin und irem sun dem jungen
herren, do si von Lamparten chomen, in ascensione
domini *[Mai 4].* — spiritus domini *[Mai 14] bis*
dominus illuminatio *[Juni 11], post Viti [Juni 15,*
vgl. RTA. 2, 359 nt. 2 u. 4; 360 nt. 2]: item
30 sh. dn. umb wein geschenkt des küngs schriber, cantate *[April 23].* item 32 lb. 5 sh. dn.
umb wein geschenkt der küngin irem hoffmaister
dem von Liehtenberg von Eberstain Valckenstain
vom Hirshorn des pischofs von Spir průder und
dem von Clingenstain. item 5½ lb. 4 sh. dn. den
purgermaistern und den die si zů in berufbesanten,
dez mauls der küng heruszoch und do die
küngin *[Abkürzung zweifelhaft]* hie was, kostgelt.
item 1 guldin umb zwen půtel der küngin und
irem sun, do man in daz gelt inne schankt. —
Desgleichen unter der Rubrik legationes nostre:
vocem jocunditatis *[April 30] bis* factus est *[cod.*
es, *Mai 28]:* item 4 guldin dez küngs potten mit

1402
Mai 14
Mai 8 nesten heilgen dagen gein Nurenberg kommende werde [1], als man sich versehe, und
daz auch uch und uns und· eczlichen andern steden umb dissen nesten mandag oder
Mai 9 dinstag von siner [a] koniglicher gnaden briefe und botschaft kommen werden. darumb
uns sunderlich ein notdorft duchte sin, daz der dag kurzlich bi uch gesin mochte. und
waz uch herumb zu sinne ist oder von den andern steden obgnant entstunde, biden wir 5
uch, uns daz so ir schirst mogit verschrieben wullit lassen wissen, uns darnach wissen
1402 zu richten. daz wollen wir gerne verdienen.   datum ipsa die Johannis ante portam
Mai 6 Latinam anno 1400 secundo.

1402 **220. *Nürnberg an Frankfurt, hat zu Nürnberg mit K. Ruprecht wegen Verschlechterung***
Mai 31   ***der rheinischen Gulden gesprochen, betreibt städtischen Besuch des bevorstehenden*** 10
        Mainzer Tages des Königs und der Kurfürsten wegen dieser Sache. 1402 Mai 31
        Nürnberg.

        Aus Frankfurt St.A. Münze I *or. mb. lit. cl. c. sig. in verso impr.*

     Unser willig freuntlich dienste sein ewer [b] ersamkeit allczeit voran bereit. für-
sichtigen ersamen und weisen besunder lieben freunde.   umb die geprechen, dy in 15
den reynischen guldein sind, den man vaste abgeseczt hat und teglichen geringert
werden bede an dem striche und auch an dem gewihte, wann man vor czeiten geslagen
hat reynisch guldein, die an dem striche heten 22½ garad, und darnach ward in abgeprochen, daz man reynisch guldein sluge, die 22 garad heten an dem striche, so geen
nû yeczunden vil newer reynischer guldein, die newr [a] 21 garad haben, und vindet man 20
auch dabey etlich new reynisch guldein, die unter 21 garad haben, und darczu sind
auch gar vil reynischer guldein an dem gewihte vast gering und czu leihte: dewht
uns, daz ein grosse notdurfft were, daz man darauf gedehte, wie daz bey czeit fürkumen
werden möht, wann dem reich fürsten herren steten und gemeinlichen den landen und
allermenclich großer schade und verdurpnûsse davon enstet, und verlewset mancher daz 25
sein und geet im daran abe mer dann er selber gemerken kann, als daz ewr weisheit
selber wol erkennet und verstet. und ez ist auch darczu kumen, daz man an [c] etlichen
enden reynisch guldein umb ander reynisch guldein ye auf daz hundert fünff guldein und
mer der newen umb alt guldein geben hat und noch gibt. und darûmb so haben wir mit
unserm gnedigen herren . . dem Römischen künig yeczunden hie zu Nûremberg [2] davon 30
geredt und daz seinen gnaden fürbraht und erczelet, und ez verstet sein gnade auch wol
die geprechen und auch die scheden die davon kumen, und ist im auch selber vast ernst
darynn, und maint endlichen darczu ze tun das daz fürkomen werde. und als derselb unser

     a) *Vorlage eher* ainen. b) *or.* hier und weiterhin ewr *mit Haken über* r. c) *fm or.* ausgefallen wegen Gleichlaute
mit man.   35

ainem prief dez kûngs varnden [*cod.* varden] lûten
und iren knchten. item 25 sh. dn. ainem potten
gen München, do der kûng dahin chomen waz.
item 23 sh. dn. knechten die der kûngin wâgen
weisten gen Wertungen dez wegs hin. item 1
guldin dez newen kûngs spiecher [*Spüher, Kundschafter, s. Lexer*]. item 2 guldin dem Eberlin gen
München, do der kûng heruszoch, in ascensione
domini [*Mai 4*]. — *Darnach scheint der König
selbst damals Augsburg doch nicht berührt zu
haben. — Das bei Stälin 3, 381 nr. 5 gedruckte
Spottliedchen wird zwar in Stälins Vorlage mit*

den Worten eingeführt Anno ut supra da kham
künig Rûprecht aber her gen Augspurg, von dem
machet man ein lied also lauten; *aber diese Angabe hat sehr wenig Gewicht, da das ganze zu
1401 gebracht ist. — Zum Aufenthalt in München* 40
vgl. St.-Chr. 15 pag. 547 § 142 Anm. 1.
[1] *Er kam dann erst etwas später von Amberg
aus nach Nürnberg, vgl. Geschenke der Stadt nr.
213 und das urkundliche Itinerar bei Chmel.*
[2] *Gleich nur, s. Lexer Mhd. W.B. 3, 800 unter* 45
wesen.
[3] *Vgl. nr. 213.*

herre . . der künig und auch unser herren . . die kürfürsten kürczlichen auf einen tag *1402*
zu einander kumen süllen gen Meincze, also wollen wir unser botschaft von derselben *Mai 31*
sach wegen auf denselben tag auch schicken . und geviel uns wol, daz ir darauf gedeht,
und dewht uns auch geraten sein, daz ir und ander stete ewr botschaft auch dohin
5 schickt (und so ye mer stete ir botschaft dohin schicken, dewht uns, daz es sovil dest
beßer wer'), und daz man do mit unserm herren . . dem künig und auch unsern
herren . . den kürfürsten davon ernstlichen redt, daz sie daz fürkomen und ez fürbaz
also bestelten, daz die reynischen guldein bey wirden beliben, und daz man keinen mer
slüge dann die zu minsten 22 garad heten an dem striche, und daz auch die reynischen
10 guldein die rohten wag und gewihte, als daz von alter herkumen ist, völliklichen heten,
also daz in fürbaz an striche noch an gewihte niht mer abgeseczt würde. und daz
haben wir etlichen andern steten auch verschriben, und biten ewr erberkeit fleizziklichen,
daz ir den steten ümb euch darfimb auch verschreiben wollet, daz sie ir botschaft auch
dohin schicken, und daz ir auch die sache von uns in rates weise halten wöllet, daz
15 wir sünderlichen darynne niht gemeldet werden. und waz ewer weisheit darynn ze
synne sey, daz laßt uns an ewrm brief wider wißen bey disem boten.   datum feria 4 *1402*
ante Bonifatii anno 1400 secundo.   *Mai 31*

[*in verso*] Den fürsichtigen ersamen und weisen   Von . . dem rate
burgermeistern und rate der stat zu Frankfurt   zu Nüremberg.
20 unsern besundern guten freunden.

---

221. *Mainz an Köln, desgl. an Frankfurt, berichtet über eine Zusammenkunft von* *[1402]*
Mainz Worms Speier Straßburg zu Straßburg in den Pfingsttagen (Pfingstsonntag *Juni 1*
ist Mai 14) wegen der Münze zur Vorbereitung des Mainzer Tages auf Juni 4,
der nun doch bald stattfinden soll. *[1402* [1]*] Juni 1 [Mainz].*

25   *An Köln: K aus Köln St.A. Städtebriefe or. ch. lit. cl. c. sig. in verso impr. deleto; auf der*
Rückseite die gleichzeitige Kanzleinotiz Litera Maguntina responsalis de moneta.
      An Frankfurt: F coll. Frankf. St.A. Münze I or. ch. lit. cl. c. sig. in verso impr. paene deleto;
beginnt Unsern fruntlichin dienst zuvor. ersamen wijsen besundern lieben frunde. als ir uns aber
geschriben habt von der guldin muncze wegen etc., davon laßen wir uwer wijsheit wißen, daz der von
30 Worms [*weiter wie an Köln*]; *das beigeschlossene fehlt, vielleicht war es ursprünglich vorhanden.*

Unsere fruntliche dienste und waz wir eren und liebez vermogen zuvor. fursiechtigen ersamen wissen besundern lieben frunde.   wir laßen uch wißen, daz der von
Wormes von Spire und auch unsere frunde in den pingestheilgendagen nestvergangen *[1402]*
zu Straißbürg[a] gewest sint[2]. und under andern sachen[b] so sint sie mit der von *Mai 14*
35 Straißbürg frunden von der müntze wegen in[c] reden gewest. und als ir wißen mogent
daz unsere herren der konig und die kurfursten in willen und meynünge waren uff
sondag nestkommet in unser stait zůsamenzukommen: zu demeselben dage der egnanten *Juni 4*

---

a) *K Punkt über* u.   b) *F* reden.   c) *F wol nicht* an.

---

[1] *Die Erwähnung des bevorstehenden Mainzer*
40 *Tages läßt das Jahr kaum zweifelhaft.*
[2] *Einträge der Augsburger Baurechnung von*
1402 (Augsburg St.A.) unter der Rubrik legationes
nostre: vocem jocunditatis [*April 30*] *bis* factus
est [*cod.* es, *Mai 28*]: item 7 guldin dem Radawer
45 gen Ulme von 4 tagen zů den stetten mit 4 pfä-
ritten, dez mauls do man gen Strausburg raite
von der Rinischen stett wegen, exaudi [*Mai 7*]. —

dominus illuminatio [*Juni 11*], post Viti [*Juni 15*]
bis exaudi [*Juni 18*]: item 1 lb. dn. dem Spåten
gen Ulm mit ainem prief, dez mauls do die potten
gen Strausburg riten. item 26 sh. dn. aber gen
Ulme, zů erfarn, wie die potten von Strausburg
geschoiden wären. *Die hier erwähnten Botschaften*
Schwäbischer Städte nach Straßburg hängen aber
schwerlich mit der Münzfrage zusammen.

[1402] stete und auch unsere frunde sich versahen daz unser herre der konig uch und andere ᵏ
Juni 1 stete auch verboden wûrde.   und schieden darumb also, daz igliche stat sich in iren
reten uff die sache bedencken wulten, und, wurden danne die stete zu deme egnanten
dage verbot, daz danne igliche stat ire erbern boten mit macht und mit irer meynunge
von der sache wegen underwisset bij uns schicken wulte mit unserm herren deme   5
konige und den fursten davon heffteclich zu reden und auch zu uberkomen, obe die
mûntze nit in bessern gang und staid gestalt wurde, wie sich danne die stete deme
gemeynen lande zu nûtze darinne halten mochten.   und waz auch der egnanten stete
meynunge, obe sie zu deme vorgnanten dage nit verbot wurden, daz sie uns doch ire
meynunge davon uff die vorgeschriben tzijt verschriben wulten laßen wißen, als wir von   10
unsern frunden verstanden han.   und want zukunfft unsers herren des konigs und auch
der fursten bij uns zu kommen zu dieser tzijt wendig ist als wir vernommen han und
ir daz auch wole wißen mogent, ist dan sache daz uns die egnanten stete von der
muntze wegen ire meynunge oder yd anders verschriben werdent, daz wollen wir uch
[1402] auch ᵇ, so wir furderlichs mogen, verschriben laßen wißen, uch darnach mogen wißen   15
Juni 1 zu riechten.   datum feria quinta que est octava sacramenti.

[*beigeschlossen*] Auch laßen wir uch wißen, daz· uns zu wißen gethan ist, das unser
herre der konig und die fursten kurczlichen bij uns in unser stat zusamenkommen sollen.
datum ut supra.

[*in verso*] Den fûrsiechtigen ersamen wissen burger-   Burgermeistere und   20
meistern rade unde andern bûrgern der stat zû Collen   rait zu Mentze.
unsern besundern lieben frûnden.

C. Münzwesen nr. 222-227.

[1402   **222.** *Straßburger Aufzeichnung über Gewicht, Berechnung des Feingehalts und des*
vor   *Werthes der Gulden.   [1402 vor Juni 23* ¹ *Straßburg.]*   25
Juni 23]

A aus Straßb. St.A. Inneres XIII Gewölb lad. 61 fasc. Münztag zu Mainz 1402 fol.
1ᵃ·2ᵃ cop. ch. coaev.   Die Überschrift „Dis — mûnsse wegen furlegten" ist von
anderer doch gleichzeitiger Hand.   Absätze beibehalten.
B coll. ibid. fasc. nr. 32 (16) Mancherlei Bedencken, vielleicht conc. ch. weil mit Korrek-
turen, oder das Exemplar das die Boten Straßburgs nach Worms mitbekamen.   30
Gedruckt von Mone in Zeitschrift für die Geschichte des Oberrheins 18, 336-338 Jahrg.
1865, am Schluß die Bemerkung: 2 gleichseitige Aufzeichnungen im St.A. zu Straß-
burg, ohne Jahresangabe, sie sind aber bei den Münzakten von 1402 eingeheftet;
offenbar kannte er unser A und B.   Die erste Überschrift ist weggelassen.

Dis ist das rotslagen das unser botten von der guldin mûnsse *wegen furlegten* ᶜ.   35
Dis ist von dem gewihte des goldes und der gûldin, und die gradus die danne
darzû gehôront.
[*1*] Item zûm ersten ist ᵈ zû wissende, das ein mark gewihte tût 16 lot.

a) *F die statt uch a. a.*   b) *om. F.*   c) *beschädigte Stelle.*   d) *statt des bisherigen hat B Hie ist etwas von dem*
golde zû sagen von dem gewiht und gradus.   es ist, dann am Schluß (wol als Überschrift für die zusammen-   40
gehefteten Blätter) Dis ist etwas von dem golden zû sagen und von ein gradus [und, *nicht mehr sichtbar*]
gewihte.

¹ *Daß diese Aufzeichnung ungefähr in diese*   *sucht ist zu vermuthen, sie sei in Ausführung des*
Zeit gehört, zeigt unsere Vorlage A (vgl. nr. 223 ff.   *dort verzeichneten Beschlusses entstanden.   Dem*
sowie mehrere Stücke in lit. N und lit. O).   *widerspricht aber, daß hier in nr. 222 nirgends*   45
Sie ist für einen ähnlichen Zweck bestimmt wie   *auf die Verabredungen von 23 Juni nr. 223*
ihn nr. 223 art. II 2 angibt, so daß man ver-   *Rücksicht genommen wird; weder in art. 5 noch*

[2] So tůt ein lot 15 pfůndige.

[3] Item ein halp lot tůt 7½ pfůndige.

[4] Item ein quinsin tůt 3¾ pfůndige und ein ort [1].

[5] So tůt ein gúldin swer 3¼ pfundige und ein clein fúrtreffen, also daz man uf
dem Rin schroten solte 66½ guldin oder 67 [a] one ein ort uf ein marg goldes [2]. sit man
nů die guldin nit me enwiget an allen enden uf dem Rine, so schrotet man uf ein marg
67½ gúldin. wolte got [b], daz es nit 68 guldin weren.

[6] Nů ist ze wissende, daz ein ieglich vin golt sol halten 24 gradus, und ist
ouch daz beste golt, und sol ouch nit anders dobi sin, darumbe so heißet es luter
und vin.

[7] Ouch ist zů wissende: wo golde haltet 23 gradus, do ist zů rechen, das under
einre marg ist zehen pfůndige swer silber, kupfer, oder ir beider glich, oder ir eins me
das ander minre, als es die nadel wiset. darumbe sint der strich vil und unglich und ist
doch ein golt an der gůte, und hören darzů vil nadelen zů ieglichem golde der graten
oder halben graten, wenne [c] der teilunge vil ist.

[8] Ouch ist zů wissende, das zehen pfůndige tůt ein gradus und ist an der
gewiht [3] ½ lot ½ quinsin ½ pfůndigen und ein ahten teils eins pfůndiges, und ist
noch gúldin swer zů rechende, důt 2¼ gúldin swer und ein ort eins gúldin swer.

[9] Ouch ist zů wissende, das ein pfůndigen swer goldes ist ze rechende vúr
3 sch. pf. oder vúr 6 sch. [d] wißpfennig [e] oder vúr 6 sch. blapharte, do ein guldin giltet
10½ schillinge oder 21 blaphart oder 21 wißpfenninge [4].

[10] Ouch ist ze wissende, wo ein guldin giltet 10 sch. pf. und der guldin nit vin
ist, das ime gebristet ein gradus, demselben guldin gebristet 5 pf. an iedem gradus daz
er danne minre hat nach der nadeln [5].

[11] Do ein guldin giltet ein pfunt haller, das tůt am gúldin ein gradus 10 haller
ieder gradus.

[12] Do ein gúldin giltet 18 sch., daz ist ein gradus am gúldin 9 haller ieder
gradus.

[13] Do ein gúldin giltet 16 sch., tůt am guldin ein gradus 8 haller ieder gradus.

a) B add. gúldin. b) B falsch golt. c) B wanne. d) om. B. e) Mone einfach wißer statt wiß pfennig.

in art. 28 ist das Guldengewicht von ¹/₆₄ Mark
als Norm erwähnt. Daher setzen wir die Aufzeichnung vor den 23 Juni, in welcher Zeit die
Städte ja auch schon über diese Dinge verhandelten. Dem entspricht auch, daß Vorlage A das
erste Stück im Heft ist. Bedenken gegen diese
Datierung s. Einl. p. 272, 13-17 u. p. 281, 3-13.
[1] Mone in Zeitschrift für die Geschichte des
Oberrheins 18, 338 bemerkt zu diesem Stück: „Hier
erscheint eine andere Eintheilung des Lothes und
Karates als die gewöhnliche; das Loth hatte nämlich 15 Pfündige, der Karat 10 Pfündige. Es
waren also in der Mark 240 Pfündige. Diese
Zahl ist dieselbe wie der 240 [gemünsten] Pfennige, die 1 Pfund [d. h. als Rechenmünze] machen.
Das Quintchen war demnach = 3¾ Pfündige, 1
Pfenning [d. h. wol nicht die eben erwähnte Münze
sondern ein von Mone zu ¹/₆₄ Loth gerechnetes Ge-
wicht] = ¹⁵/₆₄ Pfündige, und 1 Grän = ⁵/₈ Pfündige.“ Dabei läßt er es bewenden.

[2] Genauer 3, 595 bzw. 3, 609 Pfündige, wenn
66¼ bzw. 66½ Gulden auf die Mark an Gewicht
gehen.
[3] Nämlich ein gradus (Karat) gleich 10 Pfündigen, gleich 2¼ Gulden, wobei 66 Gulden, nicht
66¼ oder 66½ wie in art. 5, auf die Mark gerechnet sind. Die Angabe hier in art. 8 ist eben nur
eine ungefähre, weil der Karat noch gúldin swer
zů rechende ist.
[4] Hier ist der Gulden gleich 3¼ Pfündigen gerechnet, was auch nur annähernd richtig, vgl.
art. 5.
[5] Hier und in art. 11-14 ist so gerechnet worden, als ob der vollwichtig ausgeprägte Gulden,
der 10 sh. bzw. nach andern Silbermünssystemen
1 lb. hl. etc. gilt, 24-karätig wäre. Das war natürlich auch nicht annähernd der Fall, aber der
Schlagschats konnte der gesetzlichen Legierung
ungefähr gleich gerechnet werden. Eine kleine
Ungenauigkeit bleibt immerhin.

[1402 vor Juni 24] [14] Do er giltet 14 sch., tût am gúldin ein gradus 7 pf. des geltes, und darnach iemer ußhin.

[15] Nû nach dem einvaltigesten ze rechende und ze nemmende, wo danne ein guldin haltet 23 gradus, do ist under 24 gúldin einre bôse und zûgesat.

[16] Wo er haltet 22½ gradus, do ist under 16 gúldin einre zûgesat und bôse.   5

[17] Wo er haltet 22 gradus, do ist under 12 gúldin einre bôse und zûgesat.

[18] Wo er haltet 21½ gradus, do ist under 10 guldin einre zûgesat, und eins[a] halben turneß wert darzû, der 12 ein guldin gelten.

[19] Wo der guldin haltet 21 gradus, do ist under 8 guldin einre zûgesat[b] und bôse.   10

[20] Wo er haltet 20½ gradus, do ist under 7 guldin einre zûgesat, nit velles[c], bi eime orte eins alten durnos wert, der 12 ein guldin gelten[1].

[21] Wo er haltet 20 gradus, do ist under sehs gúldin einre zûgesat und bôse[d].

[22] Wo er haltet 20 gradus one ½ gradus, do ist under 5 guldin einre zûgesat, nit vôlles[e], bi drien örtern eins alten durneß; daz were zû rechende, das under 80 guldin   15 weren 15 guldin zûgesat.

[23] Wo er haltet 19 gradus, do ist under 5 guldin einre zûgesat und darzû eins[f] halben durneß wert goldes.

[24] Wo er haltet 18½ gradus, do ist under 4 guldin einre zûgesat, nit volles[g], bi eime durneß wert goldes.   20

[25] Wo er haltet 18 gradus, do ist under 4 guldin[h] einre zûgesat, glich.

[26] Wo er haltet 17 gradus, do ist under 3½ gúldin einre zûgesat, nit volles[i], bi 2½ Strazburger pfenninges wert goldes[2].

[27] Wo er haltet 16 gradus, do ist under 3 guldin einre zûgesat, und sint zweier gúldin wert gûtes goldes und der dirte bôse.   25

[28] Ouch ist zû wißende: wer ein gúldin dût in die symente und in vin brennen wil, gat dem guldin danne abe ½ pfündigen swer und danne minre wiget, daz tût an einre mark 3½ gradus die er minre hat, und haltet nit me denne 20½ gradus an der mark, ein clein besser, nût danne 1½ pfündigen swer, und gerechent 67 gúldin geschroten uf ein mark[3].   30

[29] Wer dis nû kan gebessern, dem sol man es gúnnen, wan es also von bette wegen geschriben ist. und ist daran[k] gefolet, so wil man gerne gestroffet sin und baß underwiset werden[4].

a) B ein. b) A undeutlich und wol verschriben gesentt oder gesent, B gesat. c) B volle. d) in A ausgefallen durch Verletzung, aber am b und s noch zu erkennen: B bôse. e) B volle. f) B ein. g) B volle. h) A guldin   35 mit Überstrich. i) B volle. k) B ût.

[1] Hier liegt ein Rechnungs- oder Schreibfehler vor. Bei einem Feingehalt von 20½ Karat sind auf 24 Gulden 3½ zugesetzt, auf 7 also 1¹⁄₁₇, d. h. ¹⁄₄ Turnos mehr (nicht weniger, wie oben gesagt) als 1 Gulden.

[2] Auch hier sollte es statt nit volles bi wol heißen und darzû. Wenn der Gulden 17-karätig ist, so sind 7 auf 24 zugesetzt, 1¹⁄₁₇ oder 1 Gulden ¹⁄₄ Turnos also auf 3½. Da der Gulden annähernd 120 Straßburger Pfennige galt (s. Hanauer Études 1, 466), so waren 2½ Pfennige ungefähr ¹⁄₄₈ Gulden.

[3] Diese Berechnung stimmt ganz genau. Wenn der Gulden ₀¹₇ Mark gleich ²⁄₆¹⁷ Pfündigen wiegt,

so ist ein Zusatz von ¹⁄₂ Pfündigen gleich ₂⁴₆₇,   40 d. h. auf die Mark 206½ Pfündige oder 20½ Karat und 1½ Pfündige.

[4] Wir fügen hier noch eine Münzprobe bei, die aus dem Anfang der Regierung K. Ruprechts sein mag vor dem Gesetz vom 23 Juni 1402 nr. 225, oder doch vor dem städtischen Münztag zu Mainz vom 13 Juli 1402, vielleicht noch aus dem Jahr 1401. Sie fand sich im Straßb. St.A. J.D.G.   45 lad. 61 fasc. N. 32 Mancherley Bedencken und Rhatschlege auch Proben und Valvationes der Müntz wegen, auf einem Zettel, und lautet: zu wißen si, daz daz fienste golt, daz man hait, da- an sal ein gulden dûn 24 grate. item ein du-   50

223. *Rathschlagen I der kön. und kurfürstlichen Räthe zum kön. Münzgesetz vom* 1402 *23 Juni 1402 als Grundlage desselben, II der städtischen Gesandten über die* Juni 23 *Ausführung dieses Gesetzes. 1402 Juni 23 Mainz.*

S aus Straßb. St.A. J. D. G. lad. 61 fasc. Münztag zu Mainz Juni 1402 fol. 3ᵃ-3ᵇ cop. ch. coaev. Im Druck ließ sich die Anlegung der Absätze nur theilweis an die Vorlage anschließen. Das Actum am Schluß hat in der Vorlage keinen Absatz, gehört aber offenbar zu beiden Abtheilungen I und II. Die Zählung der Absätze in Abtheilung I ist im Anschluß an K. Ruprechts Münzgesetz vom 23 Juni 1402 hergestellt worden.

10 *Auf fol. 9ᵃ folgen noch die ausgestrichenen Worte* Item sal man gedenken zu reden von der zolle wegen zu Hoiste und zu Castell, nach deme als unsers herren dez konigs meinunge davon ist etc.

F coll. Frankf. St.A. Münze cop. ch. coaev., Zusatz am Schluß Item mit den redden auch uzzutragen von der zolle wegen zu Hoeste und zu Castel, nach dem als der stede frunde geratslaget habin *mit anderer Tinte gleichzeitig.*

15 *Gedruckt Wencker apparatus 359-361, Koch Neue und vollständige Sammlung der Reichs-abschiede 1, 103f. nr. 29 (a), Hirsch Münzarchiv 1, 58f. nr. 62; alle drei mit dem falschen Datum in vig. oct. bt. Jo. bapt., das offenbar nur verlesen ist. — Erwähnt und ein kleines Stück gedr. Allgem. Gesch. der Handlung und Schiffahrt 2, 974. — Regest Orth Reichsmessen 325 aus Wencker, Chmel reg. Rup. nr. 1227 aus Koch und Hirsch.*

20 [I] Das rotslagen, das unsers herren des kúniges rete und och unser herren der kurfursten^a rete gerotslaget hant zu Mentze^b: ez ist zu wißen, daz unsers gnedigen herren dez Romischen konigs und unser^c herren der kurfursten frunde, als die uf hûte 1402 sant Johans abent zu Mentze bi einander gewest sin, von der gulden munze wegen ge- Juni 23 ratslaget haben und eynmûdeclich uberkommen sin die zu besetzen umb nutzes und

25 fromen dez landes gemeinlich willen, als hernach geschriben stet. [1] item daz unser herre der konig unsere herren die kurfursten und andere dez richs^d fursten und herren, die gulden munze han, forbaß nach datum diß briefes alle und iglicher ire munze be-setzen sollen, daz ire munzemeistere die gulden munze slahen, also daz ieder gulden habe drittenhalben und zwenzig graid an deme striche und an der ofzale 66 gulden uf

30 die mark, und daz daz auch an striche und ofzale fûnden werde an allen und iglichen gulden die sie dan forbaßer slahen werden. [2] item daz auch unser herre der konig und die kurfursten uf soliche isen und zeichen, als sie bißher mit einander geslagen und gemunzet haben, forbaßer nit slahen noch munzen sollen, sunder unser herre der konig und die kurfursten sollen nu forbaßer ir iglicher sin selbs zeichen und wapen siechteclich

35 slahen uf sine gulden und nit anders. [3] und die gulden, die vor geslagen sin worden, sie sin welchs herren sie wollen, die sal man forbaß nemen nach deme werde als die gulden, die nu forbaßer geslagen sollen werden, ufgesaczt sin zu slahen an striche und an ofzale, ane geverde. [7]¹ item und daz unser herre der konig bestelle, daz daz forbaße also gehalten werde; und auch allen^e fursten graven frien herren rittern und knechten steten

40 und gemeinscheften schribe und in festeclich und ernstlich gebiete, daz sie forbaß keinen gulden nemen, er si von welchs herren munze daz sin moge, er habe dan daz gewiechte und

a) S beschädigt. b) S diese Überschrift von anderer, doch gleichzeitiger Hand; om. F. c) S unsere. d) S beschädigt, aus F zwei(sellos. e) S alle, F allin.

cate gulden ist erger 12 alde heller dan 24 grate.
45 item unsers herren dez koniges gulden mit deme adelor, die er zu Franckfurt det slahen, sint 3 sch. erger dan 24 grate. item unsers herren dez konigs gulden, die man zu Bachrach slehet, sint auch 3 sch. erger dan 24 grate. item dez

bischofs gulden von Mencze mit der vier herren wopen sint auch 3 sch. erger. item dez bischofs gulden von Collen mit der vier herren wopen sint auch 3 sch. erger. item dez bischofs gulden von Triere sint 33 alde heller erger dan 24 grate.
¹ *Die Zählung s. in Quellen-Angabe.*

1402
Juni 23 striche nach ufsetzunge der gulden als vor geschriben stet.   [3ᵃ] item waz auch alter gulden sin, die unsere herren der konig und die kurfursten bißher geslagen haben, die an deme striche und gewiechte der gulden ᵃ, die iczunt ufgeseczt sin, als gud funden werden, die sal man auch forbaß vor foll nemen glich den nuwen gulden die nû geslagen werden.   [3ᵇ] als viel in aber an der wage und an dem ᵇ striche abeget, daz sal man daran erfullen, also das sie nach irem werde genommen werden, nach deme als die nûwen gulden ufgesatzt sin, ane geverde.   [4] item wer' ez auch daz unsers herren dez konigs munzmeister deheiner forbaßer geringer gulden slahen wurde und anders dan sie ufgesaczt sin, den sal unser herre der konig darumb heißen straffen als recht ist.   [4ᵃ] item wurden auch der kurfursten munzemeister forbaßer geringer und anders slahen dan ufgesatzt ist, von weme daz ᶜ erfunden wirt, der sal iß an unsern herren den konig brengen; und der sal dan deme herren, dez munzmeister derselbe ist, darumb schriben, daz er zu ime und uber in du riechten als recht ist.   [4ᵇ] und dieselben gulden, die er also zu ᵈ geringe geslagen hait, sollent auch nit anders genommen werden dan nach irem werde, als sie dan an deme striche und an der gewiechte funden werden, ane geverde.   [5] item und daz auch in allen steten geboten werde ᵉ, daz die gulden munze nimant ußlese oder erseige; und wer daz du, daz man uber den riechte als recht ist.   [6] item und daz unser herre der konig auch bestelle, daz in allen frien und dez richs steten erbere lude daruber gesatzt werden, die zu den heilgen sweren, zu besehen daz unsers herren dez konigs der kurfursten und ander fursten und herren gulden munze forbaß ußgegeben und genommen werde igliche nach irem werde nach deme als sie ufgesatzt ist ᶠ als vor geschriben steet, ane geverde.

[II] Item sint der stete frunde ¹ einhelleclich uberkommen: [1] daz igliche stat unsers herren dez konigs und der kurfursten gulden, die sie bißher geslagen hant, ufseczen
1402
Juli 18 und uf daz gneuste ᵍ und daz glichste pruben sollen zûschen hie und sant Margareten dag nestkompt.   [2] und sal igliche stat in irem rade ubertragen und zu rade werden, wie man die gulden, die man under 22½ graid findet, setzen solle, waz minnerûnge uf iglich graid geen solle oder waz man uf ein graid der geringer gulden zu erfullunge
1402
Juli 13 geben solle, und waz under eime grade were nach marczal.   [3] und daz igliche stat ire frunde mit macht von der sache wegen uf sant Margareten dag zu nacht nestkompt zu Mencze ʰ haben sollen, zu sagen wie sie die gulden funden haben, und uf ein ende zu uberkommen, was man uf iglich graid der gulden, die zu geringe funden werde, zu erfullunge geben solle, und waz darunder were nach marczal, also daz alle vor-
Juli 25 geschriben ordenunge und gesetze uf sant Jacobs dag nestkompt in allen steten an- gefangen und forbaßer festeclich gehalten werden.   35
1402
Juni 23   Actum in vigilia nativitatis ¹ beati ᵏ Johannis baptiste anno domini etc. 1402.

a) *S verldscht, der gulden zwei/ellos aus F.*   b) *an dem om. S, ad. F.*   c) *S iß, F das.*   d) *om. F.*   e) *S etwas un- deutlich, schwerlich wurde; F werde.*   f) *S ist, F sin.*   g) *S neuweste, F gneuste.*   h) *F Metze.*   i) *vgl Druck- angaben.*   k) *F sancti, S beati.*

¹ *Vgl. Einleitung zu diesem Tage pag. 269 lin.*   *leicht in den beiden zu vermuthen, welche den Brief* 40
24 ff. Die Kölnischen Gesandten haben wir viel-   *an Mainz vom 19 Juli nr. 270 unterzeichneten.*

224. *Beilage zu nr. 223: Verzeichnis der königlichen und kurfürstlichen Räthe die zu* [1402 *Mainz mit städtischen Gesandten über Goldmünze verhandelt haben.* [*1402 Juni 23* Juni 23] *Mainz.*]

Aus Straßb. St.A. J. D. G. lad. 61 fasc. Münztag zu Mainz Juni 1402 fol. 4ᵃ cop. ch. coaev.

Gedruckt Wencker apparatus 61f., Koch Neue und vollständige Sammlung der Reichs-abschiede 1, 104 nr. 29 (b) [I], Hirsch Münzarchiv 1, 59f. nr. 63 [I], bei Wencker richtig verbunden mit dem Rathschlagen von 1402 Juni 23, bei Koch und Hirsch unrichtig verbunden mit dem Rathschlagen von 1402 c. Juli 13 (jenes unsere nr. 223, dieses unsere nr. 268). — Chmel reg. Rup. nr. 1227 aus Koch und Hirsch.

Diß sint unsers herren dez konigs und unser herren der kurfursten frunde die mit der stete frundon[1] in der stat zu Mencze von der gulden munze geret und davon uberkommen hant nach lude der noteln die daruber gemacht und verzeichent ist[2].

[1] Zum ersten von unsers herren dez konigs wegen ist darbi gewest der edele herre der Schencke von Lympurg, und der Ebener von Nurenberg[3].

[2] Item von unsers herren wegen von Mencze her Claiß vom Steine dumherre zu Mencze, und Wijgand von Assenheim lantschriber in deme Ringgauwe.

[3] Item von unsers herren wegen von Collen her Schilling von Bijlke[a], her Diederich von Gymmenich rittere der rentmeister unsers herren von Collen, und her Johan pastor zu Unkel.

[4] Item von unsers herren wegen von Triere her Friederich von Saßenhusen ritter, her Johan von Lynße probst zu sent Florine zu Cobelentz, und her Friederich Schaffart probst etc.

225. *K. Ruprechts Münzgesetz*[4]*: Gulden zu 22½ Karat, 66 Gulden auf die Mark.* 1402 *1402 Juni 23 Mainz.* Juni 23

An Straßburg: A aus Straßb. St.A. J. D. G. lad. 61 fasc. Münztag zu Mainz Juni 1402 fol. 12ᵃ-13ᵃ or. mb. l. p. c. sig. in verso impr. — Abschrift davon ib. lad. 63 fasc. Alte Müntzordnungen nr. 6 auf Papier. — Die Erwähnung bei Wencker appar. 363 nicht aus A, vielleicht aus der Straß-burger Abschrift, oder anderswoher; erwähnt bei Orth Reichsmessen 326 wol aus Wencker.

An Nürnberg Windsheim Weißenburg Schweinfurt: M coll. Münch. R.A. Urk. VII L. 15 Bd. 9/33 or. mb. l. p. c. sig. in verso impr.; die Unterschrift wie in A, sicher eigenhändig; gleichzeitige Auf-schrift auf der Rückseite von der guldeinen münze Ruperti. — B coll. Nürnb. Kreisarch. cod. 673 fol. 140ᵇ-142ᵃ cop. mb. coaev. — In art. 7 hat M statt den ersamen — Straßburg die Worte unsern lieben getrewen burgermeistern und reten unsern und des heiligen reichs steten Nüremberg Winsheim Weißemburg und Sweinfurt; desgleichen B. — Regest in Reg. Bo. 11, 259 wahrscheinlich aus M; doch heißt es nicht wie sonst cum sig.; Auszug Hist. Nor. dipl. prodr. 334 wol aus B, doch ohne Nennung der Adressaten, die auch in Reg. Bo. fehlen.

An Frankfurt Friedberg Gelnhausen Wetzlar: F Frankf. St.A. Münze I or. mb. lit. pat. c. sig. in verso impr., auf Rückseite mit gleichzeitiger Hand kunig Ruprecht, monze, weßel, in art. 7

---

a) Vijlke, undeutlich, radiert vorher.

---

[1] Vgl. Einleitung zu diesem Tage im Anfang, und Anm. zu nr. 223 II.
[2] nr. 223 I und II.
[3] Diese beiden nennt Oertel Dissert. hist. de Ruperto 67 nt. d als Gesandte Ruprechts zu die-sem Tage.
[4] Wencker appar. 363 nt. * bemerkt zu diesem

Gesetz: darauf hatte man in verschiedenen Reichs-städten Wechsel aufgerichtet und verordnet; was Koch Neue und vollständigere Sammlung d. R.A. 1, 105, Hirsch Münzarchiv 1, 61 und Orth Reichs-messen 326 wiederholen. Es bezieht sich das wol auf art. 6. Über die Bestellung des Frankfurter Wechsels vgl. nr. 226 und 227.

1402
Juni 23
hat es statt den ersamen — Straßburg *die Worte* unsern lieben getruwen burgermeistern und reten unser und des heiligen richs stedten Franckfurd Frideberg Geilnhusen und Wetflar. — *S ibid. cop. ch. coaev., mit der gleichzeitigen Überschrift* unsers herren des kunges brief von der monze wegin, *art. 7 wie F. — Unterschrift in F und S wie in A.*

An Erzbischof Johann II von Mainz: C coll. Würzb. Kreisarchiv Mainz-Aschaff. Ingross.-B. 13 [5] fol. 300b-301a *cop. ch. coaev. Die Überschrift lautet hier* Litera domini regis super moneta florenorum novorum et antiquorum. *In art. 7 wird begonnen mit* und herumbe so begern und gesinnen wir an den erwirdigen Johann erzbischof zu Mentze unsern lieben oheim und kurfursten *und auch ane alle andere unser und des heiligen richs kurfursten, worauf fortgefahren wird und gebieten auch allen und iglichen unsern und des heiligen richs fursten und weiter wie in A, nur daß die Worte* und mit [10] namen — Straßburg *wegbleiben. — Gedruckt Würdtwein dipl. Mag. 2, 245-248 nr. 99; Reg. ib. 159, doch ohne Nennung des Adressaten, und Chmel reg. Rup. nr. 1227 aus Würdtwein 2, 245.*

*An Erzbischof Werner von Trier: Honth. prodr. 2, 1176 f., daraus Hirsch Münzarchiv 7, 23 f. nr. 31, der Form von C entsprechend. — Wol auch Kobl. Prov.-A. Kopie III*b *361 und Trier St.-B. diplomatarium Werneri. — Chmel reg. nr. 1227 aus Hirsch.* [15]

Entwurf für verschiedene Adressen: K coll. Karlsr. G.L.A. Pfälz. Kop.-B. 8½ fol. 48¹b-48²a *conc. ch. Die Überschrift lautet* In dieser nachgeschriben forme sin den kurfursten briefe gesant, ußgenomen der clauseln „und mit namen unsern lieben getruwen etc.", *die trifft der stedte brief an; folgt das Münzgesetz; darauf die Worte* In dieser obgeschriben forme sint den stedten auch briefe geschickte, ußgenomen der [*cod.* den] clauseln und den wortern die understrichen sin, die sten in den [20] stedtebriefen nit. *diesen stedten sint briefe gesand:* Nurenberg Winsheim Wißenburg Swinfurd, *illis una litera;* Slitzstat Ehenheim Rasßheim Munster, *illis una litera;* Ulme Bibrach Pfullendorff Memmyngen Kempten Kauffburen Ysni Låtkirch Gingen Wile Buchauwe Gemunde Nordlingen Alun Dinckelspuhel Bopfingen; Heilpronn Wimphen Winsperg; Costencz Uberlingen Ravenspurg Lindauw Santgalle Buchorn Wangen; Colmar Keisersberg Mulhusen Dorinkeim; Eßlingen Rutlingen Wile; [25] Hagenauw Wißenburg Selsse; Rotenburg Halle; Rotwile; Augsburg; Franckfurt Frideberg Geilnhusen Wetflar; Berne Zurch Solottern; Colle; Mencze; Straßpurg; Wormisß; Spire; Basell. *Diese Städtenamen sind in der Vorlage durch Striche in Abtheilungen geschieden, welche aus 1 oder mehreren Namen bestehen; jede Abtheilung erhielt aus der kön. Kanzlei ihre besondere Urkunde, eine Stadt allein oder mehrere zusammen, wie man an dem Zusatz* illis una litera *bei den zwei ersten* [30] *Abtheilungen sieht, und wie sich aus A, MB und FS bestätigt, indem A richtig an Straßburg allein, MB an die Fränkische, FS an die Wetterauische Städtegruppe gerichtet ist. Zwischen* Wile *und* Hagenauw, *wie zwischen* Solottern *und* Colle, *fehlt der abtheilende Strich; allein Weilderstadt nebst Eßlingen und Reutlingen gehörte gewiss nicht zu einer Gruppe zusammen mit Hagenau Weißenburg Sels, und eben so wenig Bern Zürich Solothurn mit Köln; auch schließt mit* Wile *eine Kolumne,* [35] *desgleichen mit* Solottern, *wo also der theilende Strich leicht ausgefallen sein kann, weil er an sich unnöthig erschien. Dieß wäre auch zwischen* Buchauwe *und* Gemunde *möglich, wo auch eine Kolumne, ohne Strich, aufhört, also vielleicht scheidet. In unserem Abdruck sind die Scheidestriche der Vorlage durch Semikolon angegeben, eine Gruppe bildet was zwischen zwei Semikolon steht; zwischen* Wile *und* Hagenauw, *wie zwischen* Solottern *und* Colle, *haben wir das Semikolon ohne weiteres eingesetzt, trotz* [40] *dem Fehlen des Abtheilungstriches in der Vorlage, zwischen* Buchauwe *und* Gemunde *ließen wir es wegen Unsicherheit weg. Der Text des Münzgesetzes ist ein Entwurf für verschiedene Adressen, oder wol richtiger eine Abschrift eines solchen Entwurfs, der so abgefasst ist, daß man, der gegebenen Anweisung folgend, ein für Erzbischof Johann II von Mainz bestimmtes Exemplar oder aber ein für Nürnberg u. s. w. bestimmtes herauslesen kann* (Nurenberg etc.). *Die Unterschrift* Ad — Winheim [45] *fehlt.*

Wir Ruprecht von gots gnaden Romischer kunig zu allen czijten merer des richs bekennen und dun kunt offinbar mit diesem brieff: daz wir haben angesehen manigfeltige und groß gebrechen die in unsern und des heiligen richs und auch den gemeinen lannden itzunt etwelange gewest sin von der gulden muntze wegin, und daz uns auch [50] viel und mancherley clage von keufflutden und andern lutden diecke vorkomen sin umbe des willen daz die gulden muntze nit als wol bestalt were und gehalten wurde als den gemeynen keufflutden und lannden notdorfft were, davon auch denselben kauff-lutden und landen großer verderplicher schade komen were und teglichen kome. und umbe daz derselbe schade in tzijte underkomen und nit von tag zu tag ye wijter [55] gebreitert und gemerert werde, so haben wir mit wolbedachtem mude rechter wißen

und rat unser korfursten und andrer[a] unser und des heiligen richs fursten und getruwen *1402* *Juni 23*
diese nachgeschriben ordenunge und gesetze von der gulden muntze wegen gemachet und
gesetzt, machen und setzen sie auch von Romischer kunigklicher mechte follenkomenheit
in crafft diß brieffs in der forme als hernach geschriben stet.   [1] zu wißen, daz wir
5 unser korfursten und andere unsere und des heiligen richs fursten und herren[1],
die von uns und dem riche darczu gesetzet und gefrijet sin daz sie muntze haben und
slahen mogen, furbaz nach datum diß brieffs alle und iglche ire gulden-muntze beseczen
sollen, daz ir muntzmeistere die gulden also slahen, daz iglicher gulden habe dritthalben
und zwentzig grade an dem striche und an der offzale sehsundsehtzig gulden off die
10 marcke, und daz daz auch an striche und offzale funden werde an allen und iglichen
gulden die sie dann furbaz slahen werden.   [2] auch orden und setzen wir, daz alle
und iglche unser und unserr korfursten muntzmeister, die wir und sie itzunt haben
oder hernach gewynnen werden, off soliche isen und zeichen, daroff sie bizher mit
einander geslagen und gemuntzet haben[2], furbaz nit slahen noch muncezen sollen in
15 dhein wijse, sunder unser unde unserr korfursten muncezmeistere sollent nu furbaz iglicher
sins herren tzeichen und wapen off die gulden, die er dann muntzen wirdet, siechticlichen
slahen und muntzen, und auch keins andern herren zeichen.   [3] und die gulden,
die unser und unser korfursten muntzmeistere bizher mit einander geslagen haben, die
sal man furbaz nemen nach dem werde der gulden, die wir itzunt offgeseczt han zu
20 slahen an strieche und offzale als vor geschriben stet, ane geverde.   [3a] wann auch
alter gulden sin, die unser unser korfursten und ander unser[b] und des richs fursten und
herren muntzmeistere bizher geslagen haben, die an dem strieche und an dem gewichte
als gute funden werden als die gulden, die wir itzunt offgesatzt han: wollen wir, daz
die auch furbaz von meniclichen fur folle genomen werden gliche den nuwen gulden,
25 die unser und unser[c] korfursten muntzmeistere nu furbaz slahen werden nach offsetzunge
dieser genwertigen unser ordenunge, ane geverde.   [3b] als vil aber denselben alten
gulden an dem strieche und an der wage abeget, daz sie nit als gut sin als die gulden
die nu furbaz geslagen sollen werden als vor geschriben stet, daz sal man daran erfullen,
also daz sie nach irem werde genomen sollen werden, nach dem als die nuwen gulden
30 offgesetzt sin, ane geverde.   [4] wer' ez auch daz unser muntzmeistere dheiner furbaz
geringer gulden sluge und anders dann wir yczunt geordent und offgesetzt han als vor
geschriben stet, den wollen wir darumbe heißen straffen als rechte ist.   [4a] sluge
auch dheiner unser[d] korfursten muntzmeister nu furbaz geringer gulden und anders
dann diese unser ordenunge und gesetze ußwiset, von wem daz erfunden wirdet, der
35 sal uns daz verkunden; und alsdann wollen wir dem herren, des muntzmeister derselbe
ist, darumbe schriben, daz er tzu ym und uber yn tu riechten als rechte ist.   [4b] und
dieselben gulden, die also zu geringe geslagen werden, sie sin welches herren sie wollen,
sollent auch nit hoher noch anders genomen werden dann nach irem werde, als sie
dann an dem strieche und an der gewichte funden werden als vor geschriben stet, ane
40 geverde.   [5] wir wollen auch und setzen und ordenen in crafft diß briefs, daz die

a) *M* andrer, *A* andern.   b) *A* unsere.   c) *A* unsere.   d) *A* unsere.

[1] *Hist. Nor. dipl. Prodr. 335 sagt, zu dieser
Münzordnung seien die Bischöfe zu Bamberg und
Wurzburg wie auch Pfalsgraf Johannes und die*
45 *Burggrafen auf 4 Jahre lang auch getreten, und
sei sonderlich bedingt worden, daß alle ihre Münze
in der Stadt Nürnberg geschlagen werden soll.*

*Dieß bezieht sich auf die kön. Münzordnung für
Franken vom 10 Dec. 1407 im nächsten Bande
der RTA., w. m. s.*
[2] *Laut Münzvereinigung der 4 Rheinischen
Kurfürsten vom 19 Sept. 1399 RTA. 3, 112 nr. 62
art. 3 mit gemeinsamem Gepräge aller 4 Fürsten.*

39 *

1402
Juni 23 vorgenant gulden-muntze nymant ußlesen[a] noch erseigen solle [1], und, wer daz dete, daz
man uber denselben an einer iglichen stat, da sich daz dann mit warheit erfinden
wurde, riechten solle als rechte ist.   [6] auch wollen wir und setzen und orden in
crafft diß brieffs, daz in allen und iglichen frijen und auch in unsern und des heiligen
richs stetden von dem rat und der gemeinde daselbs erbere und redliche lutde, die siech   5
des versteen, dartzu und daruber gesetzt werden, die auch zu den heiligen sweren [2]
sollen, zu beschen daz unser unser korfursten und ander unser[b] und des heiligen richs
fursten und herren gulden-muntze furbaz ußgeben und genomen werden igliche nach
irem werde nach dieser genwertigen unser ordenunge und offseczunge als vor geschriben
stet, ane geverde.   [7] wir gebieten auch allen und iglichen unsern und des heiligen   10
richs[c] fursten geistlichen und werntlichen graven frijen-herren riettern knechten gemein-
schefften der stetde und sust allen andern unsern und des richs undertanen und getruwen
und mit namen den ersamen unsern lieben getruwen meister und rat der stat zu Straßburg,
diese genwurtige unser ordenunge und gesecze getruwlichen zu halten und die nit zu
uberfaren noch darwieder tzu suchen noch czu dun heimlich oder offentlich in dhein   15
wiise ane alle geverde, als liebe yn unser hulde sij und unsere und des heiligen richs
swere ungnade zu vermyden.   orkunde diß brieffs versiegelt mit unserm kunigklichem
offgetruckten ingesigel, geben tzu Mentze off sant Johanns abent[d] des deuffers nativitas
zu latin in dem jare als man zalte[e] nach Cristi geburte viertzehenhundert und zwey
1402
Juni 23 jare unsers richs in dem andern jare.   20

                                     Ad mandatum domini regis
                                         Johannes Winheim.

1402
Aug. 29 **226.** *Frankfurt an K. Ruprecht: er möge, da die Stadt den Münzwechsel mit ehrbaren*
Leuten gemäß dem Gesetze nr. 225 art. 6 bestellt habe, keinen Privatpersonen den
Betrieb dieses Geschäftes in Frankfurt während der Messe gestatten.   1402 Aug. 29   25
Frankfurt.

     Aus Frankfurt St.A. Münze I conc. ch. coaev., *mit vielen Korrekturen und Abkürzungen*
       der einzelnen Worte; in verso von gleichzeitiger Hand Unserm herren dem künige
       geschriben umb nimand zů erleůben hie zů wesiln etc.

    Uwern allerdurch*luchtigsten* koniglichen gnaden enbieden wir unsern schuldigen   30
undertenigen willigen dinst zu allen ziden mit ganzen tru*wen* bereit.   allerdurch*luchtigster*
furste gnediger lieber herre.   als uwer konigliche gnade uns geschr*ieben* und auch
geboden und befolhen hat, die guldenmůntze und den wessil in uwer und des heilgen
richs stat Franck*furd* von uwer koniglichen gnade wegen mit erbern luden zu bestellen,
die můncze also zu hálden und zu hanthaben nach inhalde uwer und unser herren der   35
korfursten ubirkommen und ratsalgůnge, als wir des uwern koniglichen brief [3] han, daz

        a) *A* ußlese, *CK* uslesen. b) *A* unsere. c) u. u. d. h. r. add. *CK*, om. *AFS.* d) *B falsch* tag; *auch die Erwäh-*
     nung bei Wencker appar. 863 nt. e) *hat* abend. e) *BM* schreib.

    [1] *Briefwechsel vom 7 und 20 Okt. 1404 zwischen*   [2] *In Frankfurt haben wirklich die Wechsler*
Mainz und Frankfurt wegen eines Mainzer Bür-   *darüber gelobt und geschworen, s. Orth l. c. und*   40
gers, der [in Frankfurt] die Goldmünze irseigete,   *in dem ebengenannten Briefwechsel den Brief*
Frankfurt St.A. Münze I. — *Die Wechsler ge-*   *Frankfurts an Mainz vom 20 Okt. 1404. — Vgl.*
lobten in Frankfurt keine gute Münze zu erseigen   *über Ausführung dieser Bestimmungen des Münz-*
oder auszulesen, wie der König und die Stadt   *gesetzes auch die Einleitung lit. C. — Vgl. ferner*
verboten hatten, s. die beiden Urkunden von 1403   O. Speyer, *Die ältesten Credit- und Wechselbanken*   45
bei Orth Reichsmessen 709-712. Vgl. auch unsere   *in Frankfurt a. M. 1402 u. 1403, Frankfurt 1883.*
nr. 226 und 227.   [3] *Münzgesetz vom 23 Juni 1402 nr. 225 art. 6.*

wir auch also mit erbern luden bestalt han zûm besten, die auch zun heilgen daruber | 1402 Aug. 29
gesworn han: gnediger herre, des werden wir faste angelangit von wesselern kaufluden
und auch eczlichen unsern mideburgern, daz wir in gestaden wulden, in disser geinwurtigen des heilgen *richs* und unser messe zû wessiln und mit der monze umbzugeen.

5 und wo daz also geschee, daz ein iglicher den wessil bi uns hantderen sulde, so besorgeten
wir, daz die kauflude wir und allermenlich damide unversorget wern, und daz die
gulden und silbern monze ußgelesen und erseigit wurden, und damit ubeltat getriben
wurde, davon landen und luden virderplicher schade entsteen mochte, als auch desglichen vormals gescheen ist, und getruweten uns auch in den sachen nit wol zû bewarn.

10 herumb biden und flehen wir uwern wirdigen koniglichen gnaden mit undertenik*en*
schuldig*en* dinsten, uns und den gemeinen kaufman in den vorgeschri*eben* sachen
gnedeclich zu versorgen, und, obe imands zu uwern koniglichen gnaden von des wessils
wegen, den bi uns zu driben, oder von andern sachen geworben hette oder vorter
werbende wurde, daz uwer gnade dieselben davonwisen und des nit gestaden wulle,

15 und uns gnediclich zu versorgen, uf daz die monze icht virdilgt und virgenglich werde.
uwer gnade wulle sich herzu gnedeclich bewisen, als wir des zu uwern koniglichen
wirdekeiden ein ganz getru*wen* han und auch allzit mit willen gerne verdienen wollen
als billich ist. und bidden herumb uwern gnedigen willin und antwurt*. datum ipsa | 1402 Aug. 29
die decollacionis sancti Johannis baptiste anno 1400 secundo.

20 Von dem rate uwer und des
heilgen *richs* stat Franck*furd*.

227. *K. Ruprecht an Frankfurt, will an dem gesetzlich bestellten Münzwechsel daselbst* | 1402 Spt. 5
nichts ändern ohne Vorwissen der Stadt. 1402 Sept. 5 Nürnberg.

25 *Aus Frankf. St.A. Münze I or. ch. lit. cl. c. sig. in verso impr.*
Gedruckt Joseph Goldmünzen des 14 und 15 Jahrhunderts (Archiv für Frankfurts Ge-
schichte und Kunst, neue Folge Bd. 8) pag. 123f. nr. 1 aus unserer Vorlage.

Ruprecht von gots gnaden Romischer
kunig zu allen zijten merer des richs.

Lieben getruwen. als ir uns geschrieben habt [1] von der gulden muncze wegen etc.,
30 und daz ir die bestalt habent zum besten noch ußwisunge unsers brieffs [2], hann wir wol
verstanden. und laßen uch wißen, daz wir dieselben unser müncze meinen laßen zu
beliben in der maße, als wir die mit rade unser kurfursten uffgesaczt und auch unser
brieffe daruber ußgesant und verkundet hann. und ob wol yemand, ez were von wessels
wegen oder anders, daz dieselbe muntze antrefe [b], an uns wûrbe, so meynen wir doch

35 daz nit zu andern, noch yemand uber daz, daz die vorgnanten unser brieffe ußwisent,
zû gonnen oder zu erleuben, wir dun uch daz dann fur zu wißen [3]. datum Nurem-

a) *wol nicht* antwert. b) *Punkt oder Dach über dem ersten* e.

[1] *Frankfurt an K. Ruprecht 1402 Aug. 29*
nr. 226.
40 [2] *Münzgesetz vom 23 Juni 1402 nr. 225 art. 6.*
[3] *K. Ruprecht, da das Münzgesetz vom 23 Juni*
1402 nr. 225 Schwierigkeiten findet, befiehlt 1402
Nov. 26 der Stadt Frankfurt seine Gulden-Münze
daselbst zu Frankfurt, also daß sie die ein Jahr
45 *lang innehaben und auch daselbst zu Frankfurt*
von seinet- und des Reichs wegen Gulden schlagen

soll mit einem Adalar in der Mitte und einem
Löwen unten in dem Fuße nach der Guldenwäh-
rung vom 23 Juni 1402 nr. 225. Gedruckt Chmel
Reg. Rup. 202 nr. 13 aus dem Wiener Registra-
turbuch K. Ruprechts C fol. 122, Regest ibid. nr.
1358 ebendaher, steht auch im Karler. G.L.A.
Pfälz. Kop.-B. 4 fol. 143 [a] [b], *erwähnt Mone Zeit-*
schrift für die Gesch. des Oberrheins 9, 91f. —
In der Frankfurter Stadtrechnung vom Jahr 1403

1402
Spt. 5 berg feria tercia ante nativita*tis* Marie anno domini 1400 secundo regni vero nostri anno tercio.

[*in verso*] Unsern lieben
getruwen dem rade unser ·Per dominum *Rabanum* episcopum Spirensem cancellarium
und des heyligen richs stad   Emericus de Mosscheln.
Franckfürd.

D. Verhandlungen wegen der Tödtung Herzogs Friderich von Braunschweig nr. 228-233.

[1402]
Jan. 9 228. *Erzbischof Albrecht III von Magdeburg und genannte Braunschweigische Thürin-*
gische Hessische etc. Fürsten und Herren an Erzbischof Johann II von Mainz
bzw. an das Domkapitel zu Mainz (s. die Quellenangabe): fordern eine Erklärung,
ob der Erzbischof den von ihnen allen gelobten Landfrieden mit den Seinen, jedoch
unter Ausschluß der verlandfriedeten Mörder des Herzogs Friderich von Braun-
schweig, halten wolle. [1402 1] Januar 9 Goslar.

> *Aus Würzb. Kreis-Archiv Mainz-Aschaffenb. Ingrossatur-Buch nr. 13 fol. 326ᵃ cop. chart.*
> *coaev.; Überschrift* Litera de novo tractatu facto per dominos parcium Saxonie West-
> falie Hassie Thuringie etc. pro pace generali earundem parcium. *Unter dem Text*
> *die Notis* Consimilem literam direxerunt capitulo ecclesie Maguntinensis concludentem
> ut dominum nostrum Maguntinensem et ejus voluntatem in hoc perscrutarentur et
> ipsis rescriberent, *und ähnlich bei Gudenus nach dem Schluß des Stücks.*
> *Gedruckt Gudenus cod. dipl. 4, 6 - 7 nr. 4. — Regest Joannis rer. Mog. (ad Serarium)*
> *1, 718 nt. 11 (nennt den Erzbischof von Magdeburg fälschlich Johann); Scriba Re-*
> *gesten 3, 239 nr. 3559 aus Gudenus.*

Erwirdige in got her Johann erzbischof zu Mencze.   wißet daz wir, di hernach
geschriben stehen, mit namen von gots gnaden Albrecht erzbischof zu Meydeburg und
wir von denselben gnaden Johann bischof zu Hildensheim Rudolff bischof zu Halberstad
Balthazar lantgrave zu Doringen Herman lantgrave zu Hessen Friderich herzog zu
Brunßwig Bernhart und Henrich gebruder herzogen zu Brunßwig und Luneburg Bernhart furste zu Anehalt Otte herzog und Henrich grave zu Brunßwig Henrich grave zu Hoenstein Cord und
Henrich gebruder graven zu Werningerode Gunther grave zu Mansfelt Ulrich grave zu
Reynstein Henrich herre zu Homburg, sint ubereinkommen mit anders der fursten rede
und anders viel graven und herren, daz wir den lantfriede ² den wir globt und gesworn
haben halden wollen. wer' es nû daz ir den egnanten friede den ir auch globt und
gesworn habt halden wollet, so wollen wir uch uwern landen und luden den friede
widderumbe halden, ußgescheiden Henrich graven zu Waldecke Cunczeman von Falkin-

---

heißt es unter der Rubrik besundern einzelingen
uzgeben in dieser Beziehung: sabb. ante Sixti:
10 gulden han wir vormals gegebin unsers herren
des kunigs schribern umb einen brief, als uns
unser herre der konig erleubet hatte ein jar ein
gulden monze zû slahin. — Das Original der
Urkunde soll im Frankf. St.A. sein, Paul Joseph
im Arch. für Frankf. G. u. K. Neue Folge 8, 7 nt. 3.
¹ Das Jahr erhellt aus der Antwort des Erzbischofs von Mainz von 1402 Jan. 25, unserer
nr. 229. — Der Krieg gegen Heinrich von Waldeck und seinen Beschützer Erzbischof Johann
war im Jahre 1401 für die Braunschweigischen
Herzöge und Hermann von Hessen wenig günstig

verlaufen (s. Gobelinus Persona bei Meibom Rer.
Germ. 1, 288, Chron. Luneb. bei Leibnitz Scriptores
rer. Brunsv. 3, 195, Engelhusius ibid. 2, 1137,
Chron. picturatum ibid. 3, 393, Chron. Waldecc.
anonymi bei Hahn Coll. 1, 828), deshalb knüpfen
sie jetzt wol aufs neue Unterhandlungen an.
² Es ist der Landfriede gemeint, den Erzbischof Konrad von Mains Bischof Ruprecht von
Paderborn Markgraf Balthasar von Meißen Herzog Otto von Braunschweig und Landgraf Hermann von Hessen am 7 Febr. 1393 auf 12 Jahre
errichtet hatten, s. Sudendorf Urkundenb. 7, 144-
148 nr. 126; vgl. Lindner Gesch. des Deutschen
Reichs 2, 297f. — Vgl. nr. 228.

berg und Friderich von Hertingeßhusen ritter, die den mort und die ubiltad und reherauf a [1402]
begangen und gethan haben uf des richs straßen binnen verbodunge der korefursten   Jan. 9
und uwer an dem hochgebornen fursten hern Friderich herzog zu Brunßwig und Luneburg seligen mit den sinen und an dem erbern hern Henrich dumprobste zu Verden
5 an alle ire schulde widder got ere und recht, darvone und -umme si verlandfriedet sin,
dar uns unser eide zu twingen, daz wir an in noch an iren gesellen die damidde waren
den lantfrieden nit halden sollen. want wir nû dißer sache des lantfrieds bi einander
bliben wollen dem heiligen riche zu eren und unsern landen und luden zu nûcze, hievon ist unser meinunge, daz ir uns uwern willen des widder schriben wollet bi dissem
10 selben boden, dar wir uns nach richten mogen.   geben zu Goßlar des nehsten mon- [1402]
tags nach zwelftin under b ingesigel hern Johans bischofs zu Hildenßheim hern Rudolffs   Jan. 9
bischofs zu Halberstad Friderichs herzogen zu Brunßwig und Bernharts fursten zu Anhalt, der wir vorgeschriben fursten graven und herren alle herzu middegebruchen.

229. *Erzbischof Johann II von Mainz an Erzbischof Albrecht III von Magdeburg und* 1402
15   *genannte Fürsten und Herren: beschwert sich daß in dem Landfrieden, wegen* Jan. 25
dessen man ihm geschrieben habe, Landgraf Hermann von Hessen sich befinde, da
derselbe doch verlandfriedet sei; auch habe man ihm mit Unrecht die neue Ab-
kunft der Mitglieder des Landfriedens verhehlt; ist bereit über diese Angelegenheiten
zu verhandeln und verlangt Antwort hierüber [1]. *1402 Jan. 25 Eltvil.*

20   *Aus Würzb. Kreis-Archiv Mainz-Aschaffenb. Ingrossatur-Buch nr. 13 fol. 326 b cop. chart.*
coaev.; Überschrift Responsio ad precedentem literam.
Gedruckt Gudenus cod. dipl. 4, 7-8 nr. 5. — Regest Joannis rer. Mog. (ad Serarium) 1,
718 nt. 12; Scriba Regesten 3, 239 nr. 3560 aus Gudenus.

Erwerdigen hochgebornen und edelen, mit namen her Albrecht erzbischof zu Mede-
25 burg her Johan zu Hildensheim her Rudolff zu Halberstad bischoffe, her Friderich zu
Brunßwig her Bernhart und her Henrich gebruder zu Brunßwig und zu Luneburg her
Otte zu Brunßwig herzogen, her Balthazar zu Doringen Herman zu Hessen lantgraven,
Bernhart furste zu Anhalt, Henrich zu Hoenstein Conrad und Henrich gebruder zu
Werningerode Gunther zu Mansfelt Ulrich zu Reynstein graven, und Henrich herre zu
30 Homburg. als ir uns Johann erzbischof zu Mencze uwern brief gesand und da-inne
geschriben hant, wi daz ir ubereinkomen sint mit anders der fursten rede und anders c
vil graven und herren, daz ir den lantfrieden den ir globt und gesworn habt halden

a) *Gudenus* rehrauff. b) *cod. und, Gudenus* under. c) *Gudenus* mit andern der fursten rete und anders.

[1] *Diese Antwort des Erzbischofs auf den Brief*   *Erzbischof Johann von Mainz Fehde an wegen*
35 *nr. 228 ist eine ausweichende; man kann nicht,*   *des Herzogs Heinrich von Braunschweig-Lüneburg*
wie Höfler Ruprecht 331, sagen, er hätte das An-   *des Landgrafen Hermann von Hessen und des*
erbieten den Landfrieden weiter zu halten ange-   *Herzogs Otto von Braunschweig, ebenso am 19 Juni*
nommen. Über weitere Verhandlungen, zu denen   *(dat. Merseburg Mo. n. Viti 1402) die Gebrüder*
er sich hier erbietet, haben wir keine Nachrichten.   *Friderich und Wilhelm Markgrafen von Meißen;*
40 *Am 12 April 1402 schloßen die Welfischen Für-*   *beide Briefe vom 16 und 19 Juni Würzburg Kr.A.*
sten die Meißener Markgrafen und Hermann von   *Mainz-Aschaffenb. Ingr.-B. 13 fol. 327 a cop. ch.*
Hessen zu Nordhausen ein Bündnis ab, dessen   *coaev. — Andererseits hatte sich Herzog Erich*
Spitze sich nicht undeutlich gegen Erzbischof Jo-   *von Braunschweig am 6 Merz (dat. 1402 fer. 2*
hann kehrt, s. Sudendorf Urkundenb. 9, 227-229   *p. letare) mit Erzbischof Johann gegen den Land-*
45 *nr. 163. Diesem trat der Erzbischof von Magde-*   *grafen von Hessen verbündet; Würzburg l. c. fol.*
burg am 16 April bei, s. ibid. 232 nr. 166. Am   *270 b-271 a cop. ch. coaev. Gegenbrief des Erz-*
16 Juni (dat. zu Felde vor Donym Fr. n. Viti   *bischofs vom 16 Merz (dat. in castro Cloppen fer.*
1402) sagte Markgraf Wilhelm von Meißen dem   *5 p. judica 1402) ibid. fol. 271 a b cop. ch. coaev.*

1402
Jan. 25 wollet, und, si es nů daz wir den egenanten frieden den wir auch globt und gesworn
haben halten wullen, so wullet ir uns unsern landen und luden den frieden widderumbe
halden etc.: laßen wir uch wißen, daz wir vor ziten vernomen han von etlichen lantrichtern desselben lantfrieden und auch brieve und sigel gesehen han und an uns kommen
sint, daz lantgrave Herman von Hessen egenant verlandfriedet ist mit dem egenanten   5
lantfrieden den ir und wir globt und gesworn han. den habt ir nů mit uch in uwer
uberkommen, als wir in uwern brieven verstehen, genomen, als wir meinen daz des
nit sin solle noch laufe und innehalde des obgenanten lantfrieden. so habt ir uns zu
uwerme uberkomen von des egenanten lantfrieden wegen, daz ir gethan hand als ir
schribt, auch nit verbotschaft noch eincherlei davon laßen wißen, als wir meinen daz ir 10
doch billich und mogelichen gethan soltent han, nach dem als wir in dem vorgenanten
lantfrieden sin und darzu gehoren. doch so wollen wir unsere frunde gerne bi uch an
gelegen stede, dahin si felig kommen mogen, schicken, von den und andern noitdurftigen
sachen desselben lantfrieden zu redene und dem heiligen riche zu eren und den gemeinen
landen zu nucze und zu frieden zu gliche und bescheidenheit erbarclich und mit rede-   15
lichkeit zu handelen zu bedenken und zu uberkommen. und begern daruf uwer antwerte beschrieben, daz wir uns darnach mogen gerichten.   datum Eltevil ipso die
1402
Jan. 25 conversionis beati Pauli apostoli anno domini 1400 secundo.

1402
Mai 10 **230.** *K. Ruprecht fordert Landgraf Hermann von Hessen auf, mit Erzbischof Johann II*
von Mainz einen Stillstand bis zum 15 August einzugehen, verspricht beide auf   20
einem Tage zu Friedberg oder zu Frankfurt zu vergleichen, und beglaubigt bei dem
Landgrafen den Frankfurter Deutschordenskomtur Johann vom Hane.   *1402 Mai 10*
Amberg.

    Aus Karlsr. G.L.A. Pfälz. Kop.-Buch 146 fol. 55ᵇ-56ᵃ cop. ch. coaev.
    Coll. Janssen R.K. 1, 690-691 nr. 1115 aus einem in seinem Privatbesitz befindlichen   25
       Kodex Acta et Pacta 213-219.
    Moderne lateinische Übersetzung gedruckt Martène et Durand ampliss. coll. 4, 93-94
      nr. 62. — Regest Georgisch 2, 866 nr. 32 und Chmel nr. 1183, beide aus Martène l. c.

Ruprecht etc. hochgeborner lieber swager und furste. wir laßen din liebe wißen,
daz wir von merklicher und trefflicher sache wegen, als wir dir wol sagen wollen, so   30
dů zu uns kommest, uns von Welschen landen erhaben haben und sin wieder heruß in
Dutsche lande gezogen. und als wir in unser land gein Beyern und in unser stat Amberg kommen sin, da habent uns unsere rete und amptlute die wir daselbst funden
gesagit, daz die fintschaft und kriege zuschen dem erwirdigen unserm lieben oheim und
kurfursten dem erzbischof von Mentze und dir und dinen helfern noch were, daz uns   35
getruwelichen leit ist, wann ir beidersit gein einander uch und ůwere lant und lůte
verderplich machent, und bringt auch uns an unsern und dez heiligen richs sachen große
irrunge und hinderniße. und herumbe begerne und bitden wir din liebe fruntlich mit
ganzem ernste, daz dů fur dich und dine helfer mit dem obgenanten unserme oheim
und kůrfursten dem erzbischof von Mentze und sinen helfern einen frieden wollest halten   40
1402
Aug. 15 biß uf unser frauwen tag alz sie zu himmel fůre assumpcio zu latin nehstkompt und
uns dez auch dinen besiegelten friedbrief mit brenger diß ᵃ briefs schicken. so han wir
dem obgenanten unserm oheim dem erzbischof von Mentze dezglichen auch ernstlichen
darumbe geschriben, und meinen, daz er uns dez auch also folgen werde. und alzdann
wollen wir uch von beiden siten binnen dem frieden einen tag fur uns gein Franckfurt 45
oder gein Friedberg bescheiden, zu demselben tage wir auch selber kommen wollen und

versuchen nach allem unserm vermogen, ob wir uch mit einander vereinen mogen. und *1402 Mai 10*
wir getruwen diner liebe genzlich wol, dû sist uns in den sachen also gevolgig, und
sehest an manigfeltig und große gebrechen und auch verderpniß land und lute, die
davon kommen mochten, wo dû dez nit detest. daran bewisest du uns auch besunder
5 dankneme liebe und fruntschaft. wir senden auch darumbe zu dir den ersamen unsern
lieben andechtigen und getruwen Johann vom Hane comenture dez Dutschen huses zu
Franckfûrd, und begerne und bitden dine liebe fruntliche mit ernste, daz dû dem genzlich wollest glauben waz er dir davon zu diser zit von unsern wegen sagend si.   datum
Amberg feria quarta ante festum penthecostes anno domini 1402 regni vero nostri anno
10 secundo. *1402 Mai 10*

Dem hochgebornen Herman lantgraven in   Ad mandatum domini regis
Hessen unserm lieben swager und fursten.   *Johannes* Winheim.

231. *K. Ruprechts Anweisung für Johann vom Hane Deutschordenskomtur zu Frank-* [1402 .
furt zu Verhandlungen mit Landgraf Hermann von Hessen, bezw. für Ritter c. Mai
15 *Dietrich von Handschuhsheim zu Verhandlungen mit Erzbischof Johann II von* 10]
Mainz (s. die Quellenangabe), betreffend Herstellung des Friedens zwischen beiden
Fürsten auf einem Tage zu Frankfurt oder Friedberg. [1402 c. Mai 10 Am-
berg [1]*.]*

*Aus Karlsr. G.L.A. Pfälz. Kop.-Buch 146 fol. 55*a b *cop. ch. coaev., mit der Notiz unter*
20   *dem Stück* Item in der obgenanten forme glicherwise sol her Diether von Hentschuchß-
heim werben an minen herren von Mentze.
Coll. Janssen R.K. 1, 691-693 nr. 1116 aus einem in seinem Privatbesitz befindlichen
Kodex Acta et Pacta 213-219 *mit derselben Notiz.*
Moderne lateinische Übersetzung gedruckt Martène et Durand ampliss. coll. 4, 81-82
25   *nr. 55.*

Werbunge an den lantgrafen von Hessen, Johann vom Hane
commenture dez Dutschen a huses zu Franckfurt bevolhen.

[1] Item sollent ir imme zum ersten mins herren dez konigs glaubsbrief antwerten
und daruf werben: min herre der kunig habe uch zu imme gesant und heißen sagen,
30 daz er von merklicher und trefflicher sache wegen, als er imme wol sagen wolle, so er
zû imme komme, sich von Welschen landen erhaben habe und si wieder heruß in Dutsche
lande gezogen.

[2] Item und als er in sin land gein Beyern und gein Amberg kommen si, da
habent imme sine rete und amptlude, die er daselbs fûnde, gesagit daz die fintschaft
35 und kriege zuschen mim herren von Mentze und imme noch were. und mim herren
dem kunige si daz getruwelichen leid, wann sie beidersit einander sich selber und ire
land und lute verderplich machen, und bringe auch mim herren dem konige an sinen
und dez heiligen richs sachen groß irrunge und hinderniße. und mine herre der konig
hatt auch sime sone herzog Ludewig dem vicarien von Welschen landen heruß ernst-
40 liche geschriben b und in geheißen einen tag zwuschen in zû machen und sie mit einander understen zu richten.

[3] Item und darumb b so begere min herre der konig und bidde in auch so er
immer fruntlichst und ernstlichst môge, daz er fur sich und sine helfer mit mime herren

---

a) *cod.* Duschen.   b) *cod.* darumbe ?

45   [1] *Das undatierte Stück steht im Kod. unmittel-*   [2] *Diesen Brief haben wir nicht.*
bar vor dem Briefe Ruprechts an den Landgrafen
von 1402 Mai 10 nr. 230, zu dem es auch in-
haltlich gehört. Janssen datiert 1402 *Mai.*

1402
Aug. 15 von Mencze und sinen helfern einen frieden wolle halten biß uf unser frauwen tag alz
sie zu himmel füre assumpcio zů latin nehstkompt und imme dez auch mit uch sinen
besiegelten friedebrief schicken. so habe min herre der kunig mime herren von Mencze
dezglichen auch ernstlichen geschriben und meinte daz er imme dez auch also folgen
werde. und alsdann wil min herre der kunig binnen dem frieden in von beiden siten   5
einen tag fur sich gein Franckfůrt oder gein Friedeberg bescheiden, zu demselben tage
min herre der kunig auch selber kommen wolle und versuchen nach allem sinem vermogen ob er sie mit einander verrichten möge.

[4] Item und sagent imme: min herre der kunig getruwe imme sunderlich wol,
er si imme in den sachen gevolgig und sehe an manichfeltige und groß gebrechen und   10
auch verderpniß land und lůte, die davon kommen mochten, wo er dez nit dete.

[5] Item und er bewise mim herren dem kunige auch besunder dankneme liebe
und fruntschaft daran, die er auch gein imme gerne bedenken wolle.

[6] Item und so ir daz in der obgeschriben forme also erzelt habent, so bitdent
in, daz er uch von mins herren dez kunigs wegen ein fruntlich entwert daruf wolle   15
geben, daz ir die mime herren dem kunige auch furbaß[a] verkunden mogent.

[7] Item und so er uch die entwert geben hat, wil er dann fur sich und sine
helfer gein mime herren von Mentze und sinen helfern dez frieden nit ufnemen in der
maße alz vor geschriben stet, so sagent imme: „lieber gnediger herre. die fintschaft zuschen mime herren von Mentze und uch ist mime mime herren dem kunige gar swere und   20
auch getruwelichen leid. wann er wol verstet daz das uch beiden und uwern landen
und luten gar schedelich ist, und bringt imme auch groß irrunge und hinderniß in sinen
und dez heiligen richs sachen. und diewile ir nů meinet daz ir dez frieden ie nit gehalten mogent, als uch min herre der kunig gebeten hat und auch genzlich gemeinet
hette daz ir daz umbe sinen willen und imme zu liebe getan soltent han, so hat uch   25
min herre der kunig heißen bitden, daz[b] ir imme doch eins tages volgen wollent gein
Franckfurt oder gein Friedeberg, so wolle er mim herren von Mentze und uch einen
tag fur sich an derselben stetde eine bescheiden und ie versuchen ob er uch mit ein
vereinen moge“.

[8] Item und wil er dez tages also volgen, so redent auch mit imme von mins   30
herren dez kunigs wegen, daz er uch sinen besiegelten brief gebe, daz min herre von
Mentze und alle die die er mit imme zu dem tage furen wirdet vor mim herren dem
lantgraven und allen sinen helfern und den sinen sicher sin zu demselben tage und
wieder heim zu riten ungeverlichen[c], also daz sie an dem riede dar und wieder heim
mim herren dem lantgraven und auch den sinen keinen schaden tun oder zufugen sollen   35
ane geverde[d].

[9] Item so wolle min herre der kunig desglichen mit mime herren von Mentze
auch ernstlichen laßen reden, und meine, daz er imme dez auch also folgen und sinen
besiegelten brief geben solle, daz min herre der lantgrave und alle die die er mit imme
zu dem tage furen wirdet vor mime herren von Mentze und allen sinen helfern und   40
den sinen sicher sin zu demselben tage und wieder heim zu riten ungeverlichen, also
daz min herre der lantgrave und die er zu dem tage mit imme furen wirdet an dem
riede dar und wieder heim mim herren von Mencze und den sinen auch keinen schaden
zufugen[e].

[10] Item und so mime herren dem kunige die briefe von mim herren von Mentze   45
und auch von mime herren dem lantgraven beide also worden sin, so wolle er in den
tag bescheiden, so er erste möge, und mins herren von Mentz brief mime herren dem

---

a) cod. furfaß. b) cod. dar. c) om. *Janssen.* d) also daz *bis zum Ende des Satzes nachträglich hineingeflickt im
cod.* e) also daz *bis zum Ende des Satzes nachträglich hineingeflickt im cod.*

lantgraven und mins herren dez lantgraven brief mime herren von Mentze gein einander [1402 c. Mai 10]
schicken.

[11] Item und waz uch von imme zu antwert wirdet, daz sollent ir minen herren den kunig unverzogenlich laßen wißen, daz er sich darnach gerichten moge.

5 **232.** *K. Ruprechts Anweisung für nicht genannte Gesandte*[1] *zu Verhandlungen mit* [1402 bald nach Juni 24]
Landgraf Hermann von Hessen und den Herzogen von Braunschweig-Lüneburg
behufs Aussöhnung mit Erzbischof Johann von Mains. [1402 bald nach Juni 24[2].]

Aus Karlsr. G.L.A. Pfälz. Kop.-Buch 146 fol. 58ᵇ-59ᵃ cop. ch. coaev.
Coll. Janssen R.K. 1, 688-690 nr. 1114 aus einem in seinem Privatbesitz befindlichen
10 *Kodex Acta et Pacta 213-219.*
Moderne lateinische Übersetzung bei Martène amplis. coll. 4, 99f. nr. 67.

Werbunge an den lantgraven von Hessen und die herzogen
von Brunswig und von Lunenburg.

[1] Item sollent ir imme zum ersten unsers herren dez kunigs glaubsbrief antwürten
15 und daruf werben: als unser herre der kunig in vor geschrieben und enboten habe von
der fintschaft und kriege wegen zuschen in und dem erzbischof zu Mentze, also habe
er uch darumbe aber zu in gesant und in heißen sagen daz im dieselbe ire kriege und
fintschaft getrulich leid si, wann er auch wol verstee, daz sie in von beiden siten und
iren landen und luten schedelichen und verderplichen sin.

20 [2] Item so sin[a] sie auch userm herren dem kunige, nachdem als sin und dez
heiligen richs sachen zu dieser zit gestalt sin, schedelich, wann sie und auch erzbischof
Johann von Mentze obgenant binnen derselben vintschaft userm herren dem kunige
nit alz hulflich und dinstlich zu sinen und dez heiligen richs sachen gesin mogen als
ob dieselben kriege und fintschaft nit weren.

25 [3] Item darumbe so begere mine herre der kunig daz sie im[b] eins gutlichen tags
gein dem bischof von Mentze wollen folgen und ein zit einen frieden mit im halten, so
wolle er in und dem bischof von Mentze denselben gutlichen tag gerne bescheiden gein
Wurtzpurg gein Babenberg oder gein Nuremberg[c] und auch selber uf den dag kommen
und sie von beiden siten mit sinen reten verhoren von anfange der sache biß zu ende
30 uß und versuchen nach allem sinem besten vermögen ob er sie gutlichen mit einander
vereinen moge; und ob dez ie nit sin mohte, daz sie sich dann von beiden siten eins
fruntlichen rechten vereinen.

[4] Item und unser herre der kunig getruw in sunderlich und genzlichen wol, sie
sehen an wie sin und dez heiligen richs sachen zu dieser zit gestalt sin und auch ver-

35   a) cod. sij, Janssen sy.   b) Janssen in.   c) cod. Nurelnberg?

[1] *Sehr wahrscheinlich sind es der Herr von
Falkenstein und Hermann von Rodenstein, von
denen Frankfurt am 15 Juli berichtet, sie seien
vom König zu Sühneverhandlungen nach Hessen
40 geschickt, s. nr. 233.*
[2] *Nach art. 6 sind K. Ruprecht und Johann
von Mains in Mains zusammengewesen; nun urkundet Ruprecht von 20-24 Juni 1402 zu Mains
(Chmel nr. 1209-1228); dieses Zusammensein ist*

*kurz vorüber (letzunt — gewest ist), also fällt
obige Werbung bald nach 1402 Juni 24. Nach
art. 1 ist es die zweite Werbung an den Landgrafen in dieser Sache; dieß stimmt der Zeit nach,
die erste Werbung war die vom 10 Mai 1402
nr. 231. Janssen datiert 1402 Mai und scheint
diese Anweisung für früher zu halten als die vorhergehende nr. 231.*

[1402 bald nach Juni 24] derpniß ire lande und lute, und sin im dez gutlichen tags und frieden also gevolgig, wann im immers soliche fintschaft und kriege getruwlichen leid sin, und wolle sie auch darumbe sůnen und richten und nit gestaten nach allem sinem vermogen daz sie sich und ire lande und lute also gar verderplich machen solten.

[5] Item und wer' ez daz sie keinen frieden mit dem bischof von Mentze ufnemen   5 oder haben wolten, so redent mit in, daz doch unser herre der kunig begere, daz sie doch zu einem gutlichen tage wollen kommen an der obgenanten stede eine, und daz alle die die ^a zu dem tage werden von beiden siten friede und geleide haben und halten von hus uß zu demselben tage und wieder heim zu riten.

[6] Item und so sie uch uf die vorgeschriben půnte geantwert haben, wolten sie   10 dann ie nit zu dem gutlichen tage kommen alz fur geschriben stet, so sagent in: „unser herre der kunig hat uch heißen sagen, daz der bischof von Mentze ietzunt, als er bi unserm herren dem kunige zu Mentze gewest ist, gebotden habe eren nud rechts von der vintschaft und kriegs wegen gein uch an unserm herren dem kunige zu verliben. so habent ir unserm herren dem kunige dezglichen in uwern briefen auch geschriben ¹,   15 derselben briefe er uns abschrift geben hat. nu meint unser herre der kunig uch ie nit lenger mit einander laßen kriegen und understen zu richten und zu sunen nach allem sinem vermogen. und diewile ir im dez gutlichen tages nit folgen wollent, dez er doch nit gemeint hette, so wil er sich dez rechten zuschen uch von beiden siten annemen, also daz von beiden siten uůgesotzet werde waz sich in der fintschaft verlaufen   20 habe. und unser herre der kunig und sin rete meinen, daz daz auch billich sin solle, wann ez uch ietwedersit zu swere werde, alz ir selbe wol verstent nach solichen trefflichen und großen sachen alz sich zuschen in von beiden siten verlaufen hat".

[7] Item und ob sie etwaz darwieder wolten reden, so ist unsers herren dez kunigs meinunge, daz ir in sagent, sie haben im geschriben dez rechten in den sachen bi im   25 zu verliben, und er getruwe in wol, daz sie daz also tůnt und im dez gevolgig sint etc.

1402 Juli 15 **233.** *Frankfurt an Erfurt, beantwortet Erkundigungen nach dem Stand des Mainzisch-Hessischen Streites. 1402 Juli 15 [Frankfurt].*

     Aus Frankfurt St.A. Reichssachen Acten XI nr. 708 conc. ch., mit der Überschrift   30   *Errford; in verso von gleicher Hand Erfurd von des krieges wegen zuschen dem bi-*   *schoff und dem lantgraven und ferner minen dinst.*

Unsern willigen fruntlichin dinst zůvor. ersamen wisen lude bisundern lieben frunde. als ir uns geschriben hat von der zweitracht und schelunge wegen zuschen den erwirdigen und hochgeborn fursten und herren unserm herren von Mentze und   35 unserm jungherrn dem lantgraven, waz uwere werbůnge darinne gewest si und daz wir uch wollin lassin verschriben wissin, obe uch icht wissintlich si, obe unser lieber gnediger herre der Romsche konig in den sachin icht habe lassin werben umb ein sůne des vorgnanten krieges, und auch von den leuften zuschen unserm herren dem konige und unserm herren von Mentze und andern fursten am Rine, und auch obe sich unser   40 herre von Mentze icht zů were stelle etc.: lassin ^b wir uwere ersamen wißheit widder wissin, daz uns vormals in heimlichkeit vurkommen ist, wie daz unser herre der konig unsern herren von Falkinstein und hern Herman von Rodinstein ritter gein Hessen wert

     a) om. Janssen. b) Vorl. add. wiss ausgestrichen.

---

¹ *Wol in Beantwortung der Werbung vom 10 Mai nr. 231; wir haben diese Briefe nicht.*   45

geschieht hatte etzwaz in den sachen umb ein sûne zû werben [1]. und als die gein ⟨1402 Juli 15⟩
Margpurg quamen, da worden sie wendig [2]. oder [a] warumb daz si, des wissin wir nicht.
auch ist uns zû versten gebin, daz sich unser herre von Mentze nuwelingen beworben
hette, daz werde wendig, doch so habe er noch ein gewerbe vûr, oder [b] war daz ge,
des wissin wir nicht. und wissin uch anders zû dieser zit von keinen leuten zu verschriben. hernach wisse sich uwere wißheit zû richten.   datum ipsa die divisionis ⟨1402 Juli 15⟩
apostolorum anno 1400 secundo.

Audit*um* a cons*ilio.*

E. Bemühung um Anerkennung durch Kurf. Rudolf III von Sachsen nr. 234-235.

234. *K. Ruprechts Anweisung zu Verhandlungen mit Markgraf Wilhelm von Meißen* ⟨1402 nr. Mai die Obedienz Herzog Rudolfs von Sachsen betreffend. [1402 zwischen Mai und u. Aug.]⟩
August [3].]

Aus Karlsr. G.L.A. Pfälz. Kop.-Buch 146 fol. 61 b cop. ch. coaev.
coll. Janssen R.K. 1, 702-703 nr. 1121 aus einem in seinem Privatbesitz befindlichen
Kodex Acta et Pacta 21-38
Moderne lateinische Übersetzung gedruckt bei Martène ampliss. coll. 4, 103 f. nr. 71. —
Daraus Regest Chmel nr. 1390.

Von dem herzogen zu Sahssen.

[1] Item ire sollent marggrave Wilhelm von Missen sagen: als er mim herren dem
kunige mit hern Hugolt enbotden habe, daz er dem herzogen von Sahssen sin gulte zu
Lubecke und auch an sinen [c] tornosen zu Oppenheim hinderstellig mache, darûf habe
imme min herre der kunig heißen sagen: wann der herzog von Sahssen in fur einen
Romischen kunig hielte und gehorsam were, als er auch billich sin solte nach innehalte
der briefe die er gar hoe.globt und mit sime ingesiegel versiegelt hat, so wolte er imme
ungerne ichts nemen.

[2] Item und min herre der kunig habe margrave Wilhelm fließlich heißen bitden,
daz er mit dem herzogen von Sahssen wolle ernstliche reden und in daran wisen, daz
er mim herren dem kunige gehorsam si und in vor einen Romischen kunig halte und
sin lehen von im enpfahe, als er auch billichen dû nach lûte dez obgenanten briefes.
und lassent in desselben briefs abschrift horen.

[3] Item und ob margrave Wilhelm worde sprechen, daz der herzog von Sahssen
etwaz von mime herren haben wolte, so erfarent waz daz si, und redent dann auch
darinne so ire beste mogent; und uf daz leste so sprechent, ir wollent daz gerne furbaz
an minen herren den kunig bringen.

a) *Lexer:* aber == oder und aber; so odder noch heute im Frankfurter Dialekt für aber. b) ebenso. c) sine mit
Abkürzung, Janssen sinen.

[1] *Ruprechts Anweisung für diese beiden haben
wir vielleicht in nr. 232.*
[2] *Am 12 August schrieb K. Ruprecht mit Zustimmung der Parteien einen Tag nach Hersfeld
aus, s. nr. 327, ein gewisses Einvernehmen muß
also damals erzielt sein.*
[3] *Die Datierung dieses Stücks bereitet Schwierigkeiten. Im Kodex geht nr. 308 von [1402
c. Aug. 30] voran, es folgt nr. 289 von [1402 n. Aug.
27], und die Stellung im Kodex ist für die Datierung, wenn auch nicht absolut entscheidend, so*

*doch immerhin beachtenswerth, vgl. Vorwort zu
RTA. 4 S. XII. Andererseits liegt es nahe unser
Stück zu der Anweisung K. Ruprechts für Günther
von Schwarzburg und Hartung von Egloffstein zu
Verhandlungen mit Wilhelm von Meißen [1402 zw.
Mai 2 und 15; oder auch etwas später, s. Einl.
lit. H] nr. 249 in Beziehung zu setzen, von der
es allerdings im Kodex durch 5 andere Stücke
getrennt ist. Es könnte unser Stück ein Nachtrag
zu dieser Anweisung sein, sei es daß man es der
Gesandtschaft nachgeschickt hat, oder daß deren*

1402
Juni 10   **235.** *Franz von Carrara an Herzog [Rudolf III] von Sachsen: räth ihm in Beantwortung seiner Anfrage, K. Ruprecht anzuerkennen* [1]. *1402 Juni 10 Padua.*

> *Aus Venedig Markusbibl. mss. lat. cl. 14 cod. 93 fol. 56* [b] *cop. ch. coaev., mit der Notiz
> Magister Johannes scripsit; unter dem im Kodex folgenden Briefe an die Herzogin,
> eine Schwester Franz's, die Notiz portavit dictas literas cum supraiscripta nuncius qui-
> dam prefati ducis Saxonie.*   5

Illustris et excelse domine, consanguinee karissime.   audivi, que prudens vester
lator presentium michi pro parte vestra sapienter exposuit, et letatus sum audita salute [a]
et bono statu [b] vestro, que magnopere semper exopto. et versa vice ad solamen vestrum
significo, me cum tota familia dei dono incolumes esse et in bono statu. ad id autem   10
quod consulitis, an adherere regi Romanorum debeatis etc., respondens vobis prebeo
consilium quod accepi, ut ei adherere et favere sicut regi dignissimo vellitis, quum est
princeps justissimus et sancti equique amantissimus, cujus bonitas velut predicatur fama
ita quoque ejus moribus reperitur. quantoque citius sibi adheseritis et confederabimini,
tanto magis ex sincera mentis ellectione ejus partibus assensisse videbimini. vobis in-   15
super erit occaxio [c] major apud ejus celsitudinem pleniorem in omnibus fiduciam capiendi.
videtis, quot [d] principes, quot [e] barones, quot [f] civitates in ejus fidem transiere. sequa-
1402 mini igitur aliorum vestigia nec vellitis inter ultimos numerari, quatenus vestra fides
Juni 10 oblata videatur potius quam coacta.   datum Padue 10 junii 1402.
Duci Sasonie.   20

F. Widerstand Achens und des Herzogs von Geldern nr. 236-239.

[1402
zw. Mai   **236.** *K. Ruprechts Anweisung für seine ungen. Gesandten auf einen Tag zu Kleve,
u. Aug.]   *wegen Schließung eines Bündnisses mit Graf Adolf II von Kleve und Herzog
Albrecht I von Baiern-Landshut Grafen zu Holland gegen Herzog Reinald von
Geldern und Jülich, welcher den K. Ruprecht noch nicht anerkannt hat. [1402*   25
zw. Mai und August [2].*]*

> *K aus Karlsr. G.L.A. Pfälz. Kop.-Buch 146 fol. 65* [b] *- 66* [b] *cop. chart. coaev.*
> *J coll. Janssen Frankf. R.K. 1, 707-709 nr. 1126 aus einem in seinem Privatbesitz be-
> findlichen Manuskript Acta et Pacta 39-50.*
> *Gedruckt moderne lateinische Übersetzung Martène ampliss. coll. 4, 110-112 nr. 75, und*   30
> *daraus bei van Mieris groot charterboek der graaven van Holland 3, 773. — Regest
> Chmel reg. Rup. nr. 1249 auch aus Martène.*

---

a) cod. saluta.   b) cod. statuto.   c) sic! Italianismus.   d) cod. quos.   e) cod. quos.   f) cod. quos.

Abreise sich verzögerte. Für die Vermuthung,
daß wir hier kein in sich abgeschlossenes Ganzes
vor uns haben, gibt es zwei Anhaltspunkte. Daß
es in art. 1 nicht heißt zum ersten oder ähnlich,
ist zwar nicht ganz ohne Analogon im Kodex,
aber doch auffallend. Zweitens ist die Überschrift
zu beachten. Solche Gesandtschaftsanweisungen
sind im Kodex sonst werbunge etc. oder gedechtniß etc. betitelt; in wenigen vereinzelten Fällen
findet man statt eines dieser beiden Wörter eine
andere Wendung, aber auch diese fehlt hier ganz.

[1] Ein Brief des Franz von Carrara an seine
Schwester die Herzogin Çiliola di Carraria [Wittwe   35
des Herzogs Wenzel Mutter Rudolfs von Sachsen,
s. Voigtel-Cohn 57] vom gleichen Datum konsta-
tiert nur beiderseitiges Wolbefinden, vgl. Quellenbeschreibung unserer nr. 235.
[2] Das Stück steht im Kodex zwischen der Wer-   40
bung an den König von England [1402 wahrsch.
nach Aug. 27] nr. 294 und der an Herzog Albrecht
von Österreich [1402 c. Okt. 19] nr. 312. Der sich
daraus ergebenden Datierung widerstreiten aber

[1402
sw. M⁴,
u. Aug.]

Gedechtniß von des tages wegen zu Cleve.

[1] Item so ir gein Cleve koment, so sullent ir mime^a herren von Cleve [1] und^b
herzog Albrecht von Hollant [2] reten, die zu dem tage komen, sagen, das uch min herre
der kunig dahin geschickt habe des tages zu warten, der dahin gemacht worden si als
5　von vereinigung^c und buntnuß wegen wider den herzogen von Gelre [3].

[2] Item und so min herre von Cleve herzog Albrechts von Hollant rete und ir
also zusamen koment und von den sachen zu reden, so sullent ir zu voran von in
eigentlichen verhören und innemen, in welicher massen sie meinen das sich min herre
der kunig zu in verbinden sulle wider den herzogen von Gelre.

10　[3] Item und ob ir meinunge were das sich min herre der kunig zu dem herzogen
von Hollant und dem graven von Cleve verbinden solte wider den herzogen von Gelre,
also, welicher under in drin anehaben wolte mit dem herzogen von Gelre zu krigen,
das der die andern zwene zu manen hette umbe hulfe, und, wann er sie also manen
worde, das sie ime dann helfen solten ir iglicher mit einer zale folkes einen zuge of in
15　zu tun oder zu deglichem krige gein ime zu legen: item^d daruf ist zu reden, das min
herre der kunig noch groß kriege in sime lande hie oben zu Beyern und wider die
Beheim [4] habe, als sie auch selber wol wißen, und darumbe so kone er zu dieser zit
nit als trefflichen zu den sachen getůn als er gerne dete; und min herre der kunig
wolle gern ire helfer werden wider den herzogen von Gelre und ime sinen widersagts-
20　briefe schicken und in auch beholfen sin wider den herzogen von Gelre nach sime
besten vermogen nach dem als dann sin sache gestalt ist, wann, wurde min herre der
kunig sins krieges gein sinen widersachen hie oben entladen, so kunde er dester trefflicher geholfen uber den herzogen von Gelre, als sie selber wol versteen.

[4] Item wolten sie sich daran nit laßen genugen, und wolten ie, das man in ein
25　zale gleven solte nennen, damit in min herre der kunig zu eime zoge oder tegelichen
krige helfen solte: daruf ist mins herren des kunigs meinunge, ee man die sache laße
zurstossen, das er sich dann mit herzog Albrecht von Holland und dem graven von
Cleve verbinden wolle wider den herzogen von Gelre, also, ob ir einer minen herren
den kunig worde manen im wider in beholfen zu sin, das dann min herre der kunig

30　　　a) *K* mine, *ursprünglich* miner, *wovon aber das* r *ausradiert worden ist; muß heißen* mime, *da aus Absatz 2 er-*
　　　hellt daß der Graf von Cleve persönlich anwesend war; J minen. b) *K* und *zweimal.* c) *K* vereinungung, *J*
　　　vereinigung. d) om. *J*.

zwei Umstände. *Erstens heißt es in art. 6,* man
solle den Krieg gegen den Herzog von Geldern in
35　diesem Sommer noch nicht beginnen; *das weist*
auf eine frühere Jahreszeit hin, und Ende August
könnte man kaum als äußerste Grenze gelten lassen. Zweitens aber ist in art. 3 von des Königs
Landen hie oben zu Beyern die Rede, wahrschein-
40　lich also diese Anweisung vom König nicht von
Heidelberg oder Mains sondern von Baiern aus
gegeben. Im Mai und Juni 1402 hielt er sich
einige Zeit in Amberg auf, er urkundete dort Mai
9-22, s. Chmel nr. 1179-1193, dann wider Mai 31
45　bis Juni 7, s. Einleitung zu diesem Tage lit. A;
für diese Zeit würden die beiden erwähnten Wendungen sehr gut passen, doch mögen wir uns
nicht mit Bestimmtheit entscheiden und lassen es
bei der unbestimmten Datierung 1402 zwischen
50　Mai und Aug. bewenden. Vgl. auch die andern
Anmerkungen zu diesem Stück.

[1] *Adolf II Graf von Cleve, Schwiegersohn K.*
Ruprechts.
[2] Albrecht I Herzog von Baiern-Straubing, 1398
Nachfolger in Holland, stirbt 1404 Dec. 12/13,
Voigtel-Cohn 218. Später als 1404 ist unser Stück
also jedenfalls nicht entstanden.
[3] Reinald Herzog von Jülich-Geldern, Nachfolger seines Bruders Wilhelm, der 1402 Febr. 16
starb, Voigtel-Cohn 212; der Name ist leider
nirgends im Stück genannt. Daß auch Reinald
zunächst sich feindselig gegen K. Ruprecht stellte, zeigt
die Werbung an England, nr. 294 art. 15.
[4] Wegen dieser Erwähnung des Böhmischen
Kriegs setzt Höfler K. Ruprecht 312 das Stück
in den Sommer 1401. Chmel hat es unter Doku-
mente vom Juli 1402 eingereiht, und es war auch
im Sommer 1402 nicht Friede mit Böhmen, vgl.
Einleitung zu diesem Tage lit. H. Janssen datiert
auch 1402 im Sommer.

[1402
16. Mai
u. Aug.] ime sulle helfen zu teglichem krige mit hundert mit gleven uf das meiste, doch also, ob das were das min herre der kunig obgnant mit dem herzogen von Gelre anehube zu krigen und wolte of in ziehen, wann er dann den herzogen von Holland und den graven von Cleve ermane umbe hulfe, das sie ime dann wider in getruwelichen und mit ir ganzer macht beholfen sin sullen, beide mit eime zoge uf in zu tun und auch 5
mit teglichem kriege.

[5] Item und ob sich die sache zu eime ende worde treffen und das man darinne beschließen solte, so sullent ir mit namen gedenken zu versorgen, ob der herzog von Gelre minen herren den kunig vor einen Romischen kunig halten und sin lehen von im enphahen wolte und im tun waz er eime Romischen kunige billich tun solte [1], das in 10
dann min herre der kunig moge ofnemen und enphaen, doch mit solichem underscheide: ob der herzog von Holland oder der grave von Cleve an den herzogen von Gelre ichts zu sprechen hetten, daz sie das an minen herren den kunig solten bringen, und der solte den herzogen von Gelre dann darumbe beschriben und in ermanen das er den obgnanten herren dem herzogen von Holland oder den graven von Cleve, der sich dann 15
also von ime beklagte, des rechten gehorsam were zu geben und zu nemen vor mime herren dem kunig und sime rate, waz sie an in und er widerumbe an sie ietwedersit an einander zu sprechen hetten; und wer' ez das der herzog von Gelre das dann also nit ofnemen und sich darwider setzen wolte, das dann min herre der kunig dem herren, dem er des rechten also ußgienge, wider in beholfen sin solte nach ußwisunge der bunt- 20
niß zuschen in, als vor geschriben stet; wolte er aber des rechten also gehorsam sin, das dann min herre der kunig nit verbunden were uber in zu helfen.

[6] Item zu gedenken: ob man in den sachen beschließen worde, das man dann von mins herren wegen redt und forderet, das sie den krieg wider den herzogen von Gelre diesen sumer verziehen und ligen laßen, wann min herre der kunig dazuschen 25
mit sinen widersachen hie oben gerecht mochte werden; und geschee das, so kunde er deste trefflicher zu dem kriege gehelfen etc. [2].

[7] Item und ob min herre von Colle[a] auch in der buntniße sin wolte, das es dann auch mit irem willen si, das er darinne kome etc. [3].

[1] Privilegienbestätigung und Belehnung erfolgten erst 1407 Nov. 14, s. RTA. 4 nr. 241 und Anm. dazu (wo Zeile 39[b] zu lesen ist 1407 statt 1408), vgl. die Vollmachten Ruprechts und Reinalds vom 13 bzw. 19 Juli 1407 ibid. nr. 230 und 231, ferner Ruprechts Vollmacht vom 29 Merz 1403, Chmel nr. 1456. Diese letzterwähnte Vollmacht zeigt, daß der König schon damals mit Reinald über Freundschaft Einung und Bündnis unterhandelte; die Lage war also wesentlich anders als zur Zeit da unsere Anweisung erlassen wurde.

[2] Da hier und in art. 3 als Grund, weshalb der König einstweilen am Niederrhein nicht mit aller Kraft eingreifen kann, nicht der Romzug sondern Krieg in Baiern und gegen Böhmen angegeben wird, so ist die Zeit vom Mai 1401, da der Romzug ernsthaft ins Auge gefaßt wurde, bis zur Rückkehr K. Ruprechts aus Italien im April 1402 für die Datierung ausgeschlossen.

[3] Kurköln ist auch in der Anweisung K. Ruprechts an den Landschreiber von Amberg für Pfalzgraf Ludwig 1402 Febr. 28 (unserer nr. 8) erwähnt in art. 12, wo es sich um Geldern handelt. Aber das führt nicht zur Datierung des obigen Stücks. Dort ist der Auftrag des Königs in verschiedener Beziehung anders als hier die Ausführung. Zwar wäre immerhin möglich, daß sich diese Ausführung eben etwas anders gestaltet hätte; aber nach der Anweisung vom 28 Febr. 1402 hätte Pfalzgraf Ludwig in Abwesenheit seines in Italien weilenden Vaters seine Räthe an Graf Adolf von Cleve zu schicken, während obige Anweisung von K. Ruprecht selbst auszugehen scheint und auch sonst nicht (vgl. vorige Anm.) zur Zeit des Italienischen Zuges passt.

237. *Der Reichshofrichter Engelhard Herr zu Weinsberg* [1] *verkündigt die Reichsacht* 1402
über Achen wegen Ungehorsams. *1402 Mai 2 Heidelberg.*

Mai 2

S aus Straßburg St.A. AA 116 nr. 9 cop. ch. coaev. cum sig. in verso impr. dep.; auf
der Rückseite Obrechts Überschrift, wol von seiner Hand.
coll. Obrecht adparatus juris publici ed. Fischer 1763 pag. 83 f. mit der Überschrift die
stat Aiche wird in die reichsachte erkläret.

Wir Engelhart here zo Winsperg des alredurchleuchtigisten fursten und heren
hern Ruprechtz von goitz gnaiden Roimpschen konigs zo allen ziten merers des richs
hofrichter bekennen und tun kunt offenlich mit diesem briefe allen die in sehen oder
10 hoeren lesen: das anstat und van wegen disselben unsers heren des kunigs vor uns
in des heiligen richs rechte und hofgerichte uf die burgermeister scheffen rete und burgere gemeinlich der stat zo Aiche, und sunderlich uf Peter Loufenberg, Johan Puncte,
*Dorreczuhant, und Johan Hochkirch scheffen daselbs, van solicher ungehoirsamkeit
wegen, dorinne sie weder den egenanten unsern heren den kunig und das heilig rich
15 bisher frevenlich gelegen sind und noch ligen, so verre geclaget und mit rechtem gerichte erlanget [b] ist, das sie alle gemeinlich und sunderlich mit rechtem urteile in des
heiligen richs aichte geurteilt und getan sind und ußer des heiligen richs gnade frid
und schirm genomen und in allen unfride gesetzet sind, und das auch allermeniclich [c]
nimant ußgescheiden verboten ist das nimant keinerlei geschefte noch gemeinschaft mit
20 in gemeinclich noch sunderlich heimlich noch offenlichen haben sol in dhein wis on alles
geverde. dorumb von des heilgen richs rechten und hofgerichtes wegen gebieten wir
allen fursten geistlichen und werntlichen grafen frien-heren dinstlůten rittern kneichten
burgraven amptluten landrichtern richtern burgermeistern scheffen reten und gemeinden
aller und iglicher stete merkte und derfere und allen andern des richs undertanen und
25 getrewen bi des heilgen richs rechten und gehoirsamkeit ernstlich und vesticlich mit
desem briefe, das si die obgenanten burgermeister scheffen rete und burgere gemeinlich
der stat zo Aiche und die egenanten Peter, Johan, Staczen Dorreczuhant, und Johan
Hochkirch besampt und besunder furbaßme weder husen noch hofen etzen noch trenken
noch keinerlei gemeinschaft mit in haben noch die iren haben lassen weder mit koufen
30 verkoufen noch mit keinen andern dingen nicht ußgenomen on geverde, und si ouch
als des heilgen richs echtere furbaßme in allen steten slossen gerichten und gebieten uf
wasser und uf landen und wo si die ankomen mogen antasten ufhalden bekummern
angrifen und mit in tun und gefaren und ouch alle die iren antasten ufhalden bekummern angrifen tun und gefaren lassen sollen als man mit des heilgen richs echtern von
35 rechtes wegen tun und gefaren sol, als vil und als lange bis das si in des egenanten

a) wol zu ergänzen Staczen Wechsler aus nr. 238 vom gleichen Tag, unsere Urkunde selbst nennt weiter unten
ebenfalls Staczen, dieser Stacze Wechsler scheint den Beinamen Dorreczuhant geführt zu haben.   b) S erlan-
gest, Obrecht erlanget.   c) S scheint allermeinclich, Obrecht hat allermeinclich.

[1] *Derselbe verkündet, daß, auf Klage des Ritters*
40 *Rudolf von Zeißikeim anstatt des Königs um*
10000 Mark Goldes, Habe und Gut derer von
Achen dem König mit Recht und Urtheil zuge-
theilt ist, damit zu thun und zu lassen was ihm
füglich ist, bis die gen. 10000 Mark Goldes be-
45 *zahlt sind; allen Fürsten u. s. w. wird geboten,*
dem König darin beholfen zu sein; dat. Heidelb.
1402 Mai 2; dat. per copiam per me Joh.
Kircheim etc. Im Straßb. St.A. AA 116 nr. 9 b

cop. ch. coaev. c. sig. in vers. impr. deperd., rechts
von oben an ein großes Stück abgerissen, so daß
der Sinn der Urkunde nur im allgemeinen ver-
ständlich ist (Wir Engelhart — strenge ritter
Rudolfe — hofgerichtes recht ist). — *Der Pabst*
sprach eventuell das Interdikt über die Stadt aus
im Jahr 1404 Aug. 4, eingeschlossen in die Ver-
kündigung dieses Mandats durch Bischof Eckard
von Worms vom 24 Okt. 1404 bei Martène und
Durand thesaur. nor. anecd. 1, 1713 ff.

1402 Mai ? unsers heren des kunigs und des heilgen richs gnaide und gehoirsamkeite komen sind [1].
wann, was also an denselven echtern geschiht und getan wirdet, domit sol noch mag
von rechtes wegen nimant gefrevelt noch getan haben weder das heilig rich noch sust
weder keinerlei gerichte geistlichs noch werntlichs landfride landgerichte stetgerichte
vriheit noch gewonheit noch weder dhein ander ding in dhein wis. wer ouch dese vor- 5
geschreben gebotte oberfert und die nicht heldet tut und volfuret nag allem sine vermogen, der und die werden in solich des heilgen richs achte und pene verfallen gelicher-
wise als dieselben echtern verfallen sind; man wirt ouch zo dem oder den dorumb
richten als des heilgen richs hofgerichtes recht is.   mit urkund dis briefs versegilt
mit desselben hofgerichtes anhangendem ingesegile.   geben zo Heidelberg nach Cristes 10
1402 Mai ? geburte vierzienhondert jar und dornach in dem andern jaire am andern tage des
meyen [2].

Datum per copiam per me Johannem Kircheim
sacri imperial*is* curi*e* judicii prothonotarium
anno die et loco quibus supra.   15

1402 Mai ? **238.** *Der Reichshofrichter Engelhard Herr zu Weinsberg an Frankfurt, gebietet die
geächteten Achener als Ächter zu behandeln. 1402 Mai 2 Heidelberg.*

> *Aus Frankf. St.A. Imperatores 1, 191 or. mbr. lit. pat. c. sig. in verso impr.; gleich-
> zeitige Notiz auf der Rückseite* unser herre kung Ruprecht, Aiche in die achte.
> *Gedruckt Orth Reichsmessen Frankfurts 683. — Regest Janssen Frankf. R.K. 1, 110* 20
> *nr. 262 aus unserer Quelle.*

Wir Engelhart herre zu Winsperg des allerdurchleuchtigisten fursten und heren
hern Ruprechtz von gotes gnaden Romischen kungs zu allen ziten merers des richs hofrichter embieten dem schultheissen den scheffen reten und burgern gemeinlich der stat
zu Frankfurt unsern gruss und alles gut, und tun uch kunt mit disem briefe: das 25
die burgermeister scheffen rete und burgere gemeinlich der stat zu Ache, und nemlich
Peter Louffenberg, Johan Puncte, Stacze Wechsler Dorreczuhand, und Johan Hochkirch
scheffen daselbs, in des heiligen richs achte getan und uß des heiligen richs frid und
schirme genomen und in den unfride gesetzet sind, und das allermeniclich gemeinschaft
mit in zu habend verbotten ist, und das ouch von des egenanten unsers heren des kungs 30
wegen uf alle und igliche ire gutere und habe varendes und ligendes umb czehentusent
marck [a] golcz minner oder mere vor des heiligen richs hofgerichte so verre geclaget ist,
das derselb unser herre der kung dieselben czehentusent marken doruf ervolget und
behalden hat als recht ist, als das alles in solichen briefen die doruber gegeben sind
eigenlicher begriffen ist [3].   dorumb gebieten wir uch bij des heiligen richs rechten und 35
gehorsamkeit ernstlich unde vesticlich mit disem briefe, das ir die egenanten von Ache
besampt uud besunder furbassmere mydet und sy ouch weder huset noch hovet etzet
noch trenket noch keinerley gemeinschaft mit in habet noch die ewern haben lasset in
dhein wis weder mit kouffen verkouffen noch mit keinen andern dingen nichcz usage- ,
nomen, und das ir sy ouch als des heiligen richs echtere antastet ufhaldet bekummert 40

---

a) *or.* mark *oder* marck ?

---

[1] *Aus der kön. Ungnade entlassen 1407 Aug. 2,
s. RTA. 4, 273 Anm. 1.*
[2] *Die Kölner Jahrbücher (St.-Chr. 13, 95) nennen den 10 Juli als Datum der Achtserklärung.*

[3] *Vgl. Urkunden vom 2 Mai 1402, nr. 237 und
in Anm. dazu.*

     45

und mit in gefaret als man mit solichen echtern billich gefaren sol, und dem egenanten *1402*
unserm heren dem kunge und allen den sinen und allen den die das von sinen wegen *Mai 2*
an uch vordern zu iren und ir yglichs liben gutern und haben ernstlich beholfen sin
sollet, als vil und als lange bis das im die obgenant summe beczalet ist und sy in sin
5 und des heiligen richs gnad und gehorsamkeite komen sind. wann tut ir des nit, so
werdend ir in solich pene und achte getan und verfallen als dieselben echtere getan
und verfallen sind; man wirt ouch dorumb zu uch richten als des egenanten hofgerichtes
recht ist. mit urkund diss briefs versigelt mit desselben hofgerichtes ufgedruktem
insigele.   geben zu Heidelberg nach Crists geburt vierczenhundert jar und dornach in *1402*
10 dem andern jare des andern tags im meyen. *Mai 2*

Johannes Kirchheim.

239. *K. Ruprecht an Stadt Köln* [1], *gibt Geleite zur Frankfurter Herbstmesse, kann* *1402*
aber nicht darauf eingehen von ihren Kaufleuten kein Gelübde zu fordern daß sie *Juli 26*
nicht Waaren von Achen führen.   1402 Juli 26 Bacherach.

15   *Aus Köln St.A. Kaiserbriefe or. chart. lit. cl. c. sig. in verso impr.*

Ruprecht von gots gnaden Romischer
kunig zů allen zijten merer des richs [a].

Ersamen lieben getrůwen.   als ir uns geschriben und gebeten habent, uwer
kaufflute, die diese nehstkomende herbst-Franckfurter-messe suchen werden, mit ir kauff-
20 mantschafft und habe durch unser lannd und gepiete zu geleiten etc.: han wir wo
verstanden und wollen daz gerne tun und schicken uch auch hiemit unsern uffen geleitsbrief.   und als ir begerend, daz wir unser amptlute und zoller wollen heißßen, daz
sie uwern kaufffluten glauben und keyn gelubde von yn nemen wollen, daz sie der von
Ache gůt nit [b] mit dem yren furen etc., wann doch die von Ache verachtet sin: laßßen
25 wir uch wißßen, daz wir daz gern tůn wolten, dann daz wir besorgen, wo wir daz
uwern kauffluten deten, daz ez dann andere stedte auch also haben wolten, und daz
also der von Ache gůt durchgefured worde.   und darumbe so begern wir, daz ir daz
nit zu undancke uffnemen wollend, wann wir doch allen unsern amptluten und zollern
bevolhen han, waz uch uwern kauffluten und den uwern zugehored, da der von Ache
30 gut nit bij sy, daz sie daz furderlich und ane hinderniß sollen laßßen vorfuren.   datum Bacherach quarta feria post beati Jacobi apostoli anno domini millesimo quadringentesimo secundo regni vero nostri anno secundo. *1402*
Juli 26

[in verso] Den ersamen unsern lieben getruwen
burgermeistern rate und andern burgern der stat
35 zů Collen.

Ad mandatum domini regis
Johannes Winheim.

a) diese Vertheilung der Inscription auf zwei Zeilen beruht auf Vermuthung; unsere Abschrift hatte dieselbe nicht
beachtet, und im Jahre 1882 war die Vorlage wegen der inzwischen geänderten Ordnung des Archivs nicht aufzufinden. b) om. or., aber vom Sinn gefordert, und wegen des folgenden mit leicht ausgefallen.

[1] *Pfalzgraf Ludwig klagt der Stadt Köln, daß*
40 *die Stadt Achen freventlich und ungehorsam zu*
K. Ruprecht sich stelle, fordert Auslieferung des
Gutes eines Mailänder Kaufmanns (s. Einleitung
zum Augsburger Tag lit. C); dat. Heidelberg
Niclas-Abend [Dec. 5] 1401; Köln St.A. Kaiser-
45 *briefe or. ch. — Pfalzgraf Ludwig Reichsvikar*
fordert Stadt Köln auf Sorge zu tragen, daß dem
Befehle K. Ruprechts gemäß Person und Gut der
dem Könige untreuen Achener Bürger in der Stadt
Köln durch den Grafen [Konstantin] gekümmert
werden; dat. Heidelberg Mi. n. Nikl. [Dec. 7]
1401; Köln St.A. Kaiserbriefe or. ch.

G. Verhältnis zu Italien nr. 240-248.

1402
Juni 17 **240.** *Franz von Carrara an K. Ruprecht, stellt ihm künftige Nachrichten aus Italien in Aussicht. 1402 Juni 17 Padua.*

> *Aus Venedig Markusbibl. mss. lat. cl. XIV cod. 93 fol. 59ª cop. ch. coaev., mit der Notiz*
> *Ser Çilius scripsit, dominus Henricus comisit.*
> *Gedruckt bei Valentinelli im Archiv für Kunde österr. Gesch.-Qu. 26, 361 ebendaher.*

Gloriosissime ac invictissime princeps et precarissime domine mi.   per alios
nuncios meos nova occurrentiaª in his partibus Italicis reservavi vestre regie majestati [1];
per hunc autem nil scribo, quia aliqua ulterius expecto sentire, que celsitudini vestre
per unum ex meis, quem ad vestre majestatis conspectum proposui destinare, significare 10
curabo.   et si forte illum non mitterem, ea regio culmini vestro per meas literas inti-
1402
Juni 17 mabo.   datum Padue die 17 junii 1402.

Illustrissimo regi Romanorum.

1402
Juni 17 **241.** *Franz von Carrara an K. Ruprecht, beglaubigt seinen Kanzler Florius zu münd-*
licher Darlegung. 1402 Juni 17 Padua.   15

> *Aus Venedig Markusbibl. mss. lat. cl. XIV cod. 93 fol. 60ª cop. ch. coaev., darunter*
> *Magister Johannes scripsit, dominus Henricus comisit.*
> *Gedruckt bei Valentinelli im Archiv für Kunde österr. Gesch.-Qu. 26, 361 ebendaher.*

Serenissime princeps et illustrissime domine mi singularissime.   mitto ad celsitudinis vestre conspectum prudentem et honoratum cancellarium meum dilectum Florium 20
latorem presentium propter aliqua vestre majestati oretenus explicanda, cui vestra serenitas cum benigna exauditione dignetur in his que exposuerit vice meaᵇ indubiam fidem
1402
Juni 17 adhibere.   datum Padue 17 junii 1402.   .

Illustrissimo domino Ruperto *Romanorum* regi.

1402
Juni 19 **242.** *Franz von Carrara an den Dogen von Venedig Michael Steno. 1402 Juni 19* 25
Padua.

> *Aus Venedig Markusbibl. mss. lat. cl. 14 cod. 93 fol. 61ᵇ-62ª cop. ch. coaev.*

Unter anderem, was uns nicht angeht, schreibt er: Item chio ho havuto novamentre da uno
mio che vene da lo re de Romani, che misser lo re e disposto al tuto vegnire e ritornareᶜ in Italia
1402 lo piu presto chel pora.   e sel duxo Lodovigo, el quale deva esser in Françaᵈ, vegnira a tempo che 30
lo possa vegnire de istade, lo ge vegnira questa istadeᵈ; quando lo non venisse a quel tempo, lo
1403 vegnira la prima altra estade che vegnira drioᵈ questa prosimamentre.   item io ho havuto da una
persona degna de fede la quale me ha dito per parte de la rayna de i Romani, che messer lo re e
disposto al tuto de ritornare in Italia, ne e de bixogno chel vada in Boemia, perche lo re de Boemia
e in accordo cum lui e vole fare ço che piace a misser lo re de i Romani, e che la dona de Hengil- 35
teraᵉ, nura de misser lo re, si e çunta intro lo paese de messer lo re de i Romani.   datum Padue
1402
Juni 19 19 jun. 1402.

a) *cod. angefangen* arivrntia *zu schreiben, hernach — urrentia geschlossen, so daß* arivurrentia *dasteht.* b) *cod.*
mera. c) *cod.* ritorna. d) *cod.* istage. e) *cod. add. si e* çonta.

                                                                                            40

[1] *S. nr. 136 vom 21 April 1402.*   [2] *Dietro.*
[3] *Vgl. Einleitung zu diesem Tage lit. J.*

243. *Frans von Carrara an K. Ruprecht, berichtet von dem Siege des Herzogs von* *1402*
Mailand über die Truppen der Liga bei Casalecchio nahe Bologna, fürchtet daß *Juni 28*
der Sieger sich ganz Italien unterwerfen werde, fordert Ruprecht dringend auf dieß
zu hindern solange es noch Zeit sei. 1402 Juni 28 Padua.

Aus Venedig Markusbibl. mss. lat. cl. XIV cod. 93 fol. 68ª cop. ch. coaev., vor dem
Datum die Notiz Ser Marcus scripsit, magister Johannes sibi dixit, Ançelinus ab Arpa
portavit.
Gedruckt bei Valentinelli im Archiv für Kunde österr. Geschichtsquellen 26, 362 eben-
daher, irrig unter dem 23 Juni.

¹⁰ Serenissime ac illustrissime domine, domine mi singularissime. ut sublimitas *1402*
vestra sit de occurrentibus informata, significo, quod 26 die mensis hujus gentes ducis *Juni 26*
Mediolani, que civitatem Bononie obsederunt ª, cum gentibus Bononie et lige, que in subsidium venerant, acri prelio loco qui dicitur Casalechio ᵇ prope Bononiam per ¹ 3 miliaria
conflixerunt, ut exercitus ducis victor omnes partis adverse cepit, inter quos duo majores
¹⁵ nati mei Franciscus et Jacobus cum omnium suorum nobilium comittiva intercepti sunt.
fusis igitur copiis totius lige nil superest quin dux ipse Mediolani totius Ytalie sibi usur-
pet imperium, cum nulla vis ei in Italia possit obsistere. ad serenitatem igitur vestram,
in qua ego et alii servitores vestri principali fiducia confovemur, quibus valemus sup-
plicationibus pulsamus, ut, dum spiritus est nobis et dum adhuc integri sumus, dignemini
²⁰ sacro adventu vestro de salutari ac celeri remedio providere. in nullo enim confidimus
neque speramus, nisi de vestre serenitatis accessu. exaltate igitur dexteram potentie
vestre et multiplicatis undique principum vestrorum subsidiis expectationi totius Italie,
dum potest succurri, maxime subvenite. nam adhibita mora, si interim oppressis dejec-
tisque fidelibus et amicis vestris invalescat ᶜ hostilis superbia, vestre majestati omnis
²⁵ deinceps facultas veniendi in Italiam adimetur. nam fideles et servitores vestri partibus
vestris favere non audebunt et vestris gentibus ipsorum dempto subsidio aditus non
patebit. in quo Ançelinus lator presentium familiaris meus vestram majestatem seriosius
informabit. datum Padue die 28 junii 1402 ². *1402*
Juni 28
Romanorum regi.

³⁰ a) om. cod. b) cod. Casachio. c) cod. malescat.

¹ In der Bedeutung etwa, ungefähr s. Tommaseo e Bellini Dizionario s. v. § 51; Casalecchio
di Reno südwestlich von Bologna.
² Am selben Tage schreibt derselbe ganz ähnlich,
³⁵ wie oben an K. Ruprecht, an Herzog Stephan
von Baiern über die gen. Schlacht und fordert
ihn auf dahin zu wirken, daß der König mit
verstärkten Truppen und Subsidien schnell nach

Italien ziehe, dem Deutschen Volke zu Ehren und
zur Befreiung der Italienischen Getreuen von der
Tyrannei, Venedig Markusbibl. l. c. fol. 68ᵇ;
ebenda die Notiz, daß unter demselben Datum
ähnliche Schreiben an Herzog Ludwig von Baiern
und an den Burggrafen [Friderich] von Nürnberg
gesandt worden.

1402
Juli 29 Romane et totius Italie sine temporis protractione remedia. que in precipitium tendit,
si res morositate[a] trahantur. non tardet, non hesitet, sed presto succurrat. salus enim
Italie est, clamantis ad eum quod provideat, si rejectis moris providerit. aliter colligati
per se solos, ut bene noscere[b] sanctitas sua potest, non poterunt se tutari. sed si
1402 succurrat eis, ut potest, sanctitas sua, poterunt viriliter refragari et de rebus facere que   5
Juli 29 bone erunt. [*weiter Lokalnachrichten*]. datum Padue die 29 julii 1402
Domino comiti de Carraria.

[1402] **246.** *Franz von Carrara an K. Ruprecht, antwortet, daß statt eines Sieges der Ver-*
Juli 30
bündeten bei Bologna, wovon der König schreibe, das Gegentheil geschehen, seine
Söhne gefangen, Bologna erobert, dessen Herr getödtet sei; bei der Heeresmacht,   10
mit der Johann Galeazzo jetzt gegen Florenz ziehe, sicht er alles verloren, wenn
der König nicht hilft; er bittet ihn in dieser bedrängten Lage um Zahlung seiner
Schuld. [1402] Juli 30 Padua.

Aus Venedig Markusbibl. mss. lat. cl. XIV cod. 93 fol. 86[b] cop. ch. coaev., mit der
Notiz Ser *Zilius scripsit,* Paulus de Leone *comisit,* nuncius de Alimania portavit   15
ultimo julii recentis.
Gedruckt bei Valentinelli im Archiv für Kunde österr. Gesch.-Qu. 26, 363 ebendaher.

Gloriosissime ac invictissime princeps et domine mi singularissime.   serenitatis
vestre literas, continentes majestatem vestram plurimum exultasse ex scriptis et relatis
eidem de victoria in Bono*nie* territorio conflictu et bello habita contra exercitum Johannis   20
Galeaz, nuptiarum vestrarum celebritatem, et partium illarum nova etc., ea que decuit
reverencia suscepi. ad quas respondeo, quod de celebritate nuptiali in Colonia fienda
et de sospitatis serenitatis vestre ac illustrissime consortis et inclitorum natorum vestrorum
significatione personarum noviter facta (ex quibus alacritatem et leticiam quippe grandem
assumpsi) et scriptione novorum partium illarum regie majestati vestre ago plenitudinem   25
gratiarum, que me premissorum dignata est esse participem. verum ad factum conflictus
dico, quod ejus, quod majestati vestre scriptum et relatum extitit, fuit totum oppositum.
nam per gentes comitis Virtutum campus gentium Florent*inarum* domini olim Bono*nie*
et mearum fuit positus in conflictu omnibus captivatis; in quo captivati fuerunt Franciscus et Jacobus nati mei. qui Franciscus natu major, dum in Lombardie partibus   30
contra Facini Canis sui mag*istri* promissa et sub custodia duceretur, ipse cum Parme
fuit muros et foveas civitatis transilivit et Paduam demum sospes dei gratia pervenit
cum uno cive Parme qui eum duxit et duobus aliis suis familiis[1]. et mos ac consuetudo
hominum armorum est in Italia, quod captivi qui sub custodia tenentur licite possint
evadere. Jacobus autem per dominum Mantue Papiam ductus fuit, quem comes Virtutum   35
videre non voluit nec ducissa, et adhuc captivus per dominum Mantue detinetur. post
vero dictum conflictum Bononia fuit amissa, domino illo per frusta[c] truncato. propter
quod, serenissime princeps, res Italice in turbine magno et periculo sunt. et video Italie
et tenentium statum comunitatum et dominorum futuram subversionem et ruinam, nisi
eidem cum vestra potentia sine temporis protractionibus succurratur. comes enim   40
Virtutum magnam habet gentium quantitatem, quas vult de presenti contra Florentiam

a) cod. nisi res morositate; *hier morositas im Sinn von* tarditas. b) cod. nosce. c) cod. p frustra; *in dem ähnlichen Schreiben vom 7 Aug. (s. Note am Ende unseres Stückes) heißt es* per frusta.

[1] *Die glückliche Flucht seines Sohnes meldet*   s. *bei Valentinelli im Archiv für Kunde österr.*
Franz dem Bischof Georg von Trient am 15 Juli,   *Geschichtsquellen 26, 377 aus Venedig l. c.*   45

destinare. excitet se itaque, supplico, regii vestri culminis magnitudo et suas ac imperii *[1402]* *Juli 30* vires accumulet et ad defensam ruentis Italie se disponat. alioquin res video istas non posse nisi male succedere, et subversionem Italie sequturam in vestre et majestatis et sacri imperii damnum prejudicium maximum et jacturam, in qua, si illud accideret,
5 vobis non pateret accessus.   ceterum serenissime princeps, cum pro status mei defenssione necessario profuderim et expenderim magnas pecunie summas, a quibus expensis nedum cessare imo augere me illas oportet, quam majori possum instantia vestre supplico majestati, quatenus, uti scribit, dignetur modum servare quo quantitas illa pecunie per celsitudinem vestram michi debite quantotius michi fiat, quod reputabo,
10 licet justum sit, ad gratiam singularem. serenitati vestre me obnoxius recommendans. *[1402]* datum Padue penultimo julii. *Juli 30*
Domino regi Romanorum [1].

247. *Frans von Carrara antwortet K. Ruprecht, theilt Neuigkeiten aus Italien mit;* 1402 *ersucht um Bescheid, ob der König unter gen. Bedingungen bereit sei sich an die* Aug. 4
15 *Spitze der Liga gegen Johann Galeazzo zu stellen; will dafür sorgen, daß des Königs in Venedig versetzte Kleinodien nicht verkauft werden; bittet inständig um* · *Zahlung seiner Schuld. 1402 August 4 Padua.*

Aus Venedig Markusbibl. mss. lat. cl. XIV cod. 93 fol. 90ᵃ cop. ch. coaev., mit der Notiz
dat. com. scr. ut supra (der Brief vorher hat die Notiz Ser Zilius scripsit, Paulus
20 de Leone com.), Ançellinus de Polonia cursor portavit.
Gedruckt bei Valentinelli im Archiv für Kunde österr. Gesch.-Qu. 26, 364 ebendaher.

Gloriosissime ac invictissime princeps et mi domine singularissime.   serenitatis vestre literas per manus Ançellini familiaris mei nuper accepi, et audivi que idem Ançellinus oretenus mihi retulit parte vestra. quibus sana mente conceptis, regie majestati vestre
25 de illa regie mentis sinceritate et bona dispositione et animi voluntate ac affectione, quam ad me gerit vestra regia celsitudo, ad referrendas amplitudines gratiarum assurgo, significans nunc in his partibus nova occurrere ista scribenda.   emanavit enim fama a comite Virtutum egressa, quod rex Boemie et rex Hungarie ad Italie partes de presenti sunt venturi et Romam cum magno gentium numero profecturi.   tractatur de
30 liga inter dominum papam Venetos et Florentinos, et creditur fieri debere.   ceterum, serenissime princeps, ego, interna meditatione et continuis curis intendens ad ea que vestri regii culminis inspiciunt sublimationem et gloriam, optarem ᵃ majestatis vestre et opto claram voluntatem habere a celsitudine vestra, si videlicet vos anteponemus huic lige et posset servari modus quo dominus papa esset serenitatis vestre personam coronare
35 contentus ᵇ, regia majestate vestra cum lanceis quingentis in Italiam propriis vestris sumptibus veniente, esset serenitas vestra hec acceptare et venire eo modo contenta. super quo queso intencionem celsitudinis vestre per hunc nuncium michi libeat reserare. ad factum autem clenodiorum vestrorum respondeo quod totis viribus operabor ne vendantur; sed adhuc usque ad unum ᶜ mensem, ut petit serenitas vestra, serventur [2]. cui

40   a) em. optaram? b) em. add. et? c) Valentinelli venturum.

[1] Ganz ähnlich schreibt Franz am selben Tage an Herzog Stefan von Baiern, und an seine Schwester Ciliola Herzogin von Sachsen und Lüneburg am 7 August, Venedig Markusbibl. l. c. fol.
45 86ᵇ bzw. fol. 91ᵇ cop. ch. coaev.
[2] In dieser Angelegenheit schreibt Franz am

4 August an (seine) oratores magnifici domini nostri in Venetia: aus den ihnen am Tage vorher gesandten Briefen des Königs können sie ersehen, daß derselbe ihn bitte, quatenus servare velim modum quod clenodia sua pignori Venetiis obligata, que exigi debebant ad festum sancte Mar-

1402
Aug. 4 supplico magna precum instantia, quatenus pro his necessitatibus incumbentibus mihi
pro hujus temporis qualitate et casus infelicitate sublevandis denarios michi per celsitudinem vestram debitos curare me infalibiliter habere dignetur, ut scribit, ad antedictum
1402 terminum unius mensis. regie majestati vestre me humiliter recommendo.   datum
Aug. 4 ut supra a.   5
Romanorum regi.

1402 **248.** *Frans von Carrara an K. Ruprecht, übersendet auf des Königs Wunsch eine*
Aug. 5   *Geheimschrift, der sie sich beide künftig zu geheimen Mittheilungen bedienen wollen.*
1402 August 5 Padua.

Aus Venedig Markusbibl. mss. lat. cl. XIV cod. 93 fol. 90 b cop. ch. coaev., mit der Notiz 10
Ser Zilius scripsit, Paulus de Leone comisit, Anzelinus de Polonia cursor portavit.
Gedruckt bei Valentinelli im Archiv für Kunde österr. Gesch.-Qu. 26, 367 ebendaher.

Gloriosissime ac invictissime princeps et mi domine singularissime.   Ançelinus
familiaris meus, a vestra rediens majestate, ejus parte inter cetera michi dixit,
quod serenitati vestre mitterem unam cifram, qua mittendarum hinc-inde scriberentur 15
secreta literarum. unam ideo mitto presentibus interclusam, qua vestra poterit si placuerit serenitas scribi literarum secreta mandare, quod et ego faciam in his que
1402
Aug. 5 scribentur abhinc.   datum Padue 5 augusti 1402.
Romanorum regi.

H. Verhältnis zu K. Wenzel nr. 249-254.   20

[1402 **249.** *K. Ruprechts Anweisung für zwei gen. Gesandte, zu verhandeln mit Markgraf*
mr.   *Wilhelm von Meißen über einen Vertrag zwischen Ruprecht und Prokop betreffend*
Mai 2
und 15]   *K. Sigmund und K. Wenzel, welcher abdanken soll. [1402 zwischen Mai 2 und*
15 1 o. O.]

K aus Karlsr. G.L.A. Pfälz. Kop.-Buch 146 fol. 57 a b cop. chart. coaev.   25
J coll. Janssen Frankf. R.K. 1, 700-702 nr. 1120 aus einem in seinem Privatbesitz be-
findlichen Kodex Acta et Pacta 21-38.
Gedruckt Martène ampliss. coll. 4, 94-96 nr. 63 moderne lateinische Übersetzung, und
daraus bei Schöttgen und Kreysig Dipl. und curieuse Nachlese der Historie von Ober-
Sachsen 1730 pag. 588-591. — Regest Chmel reg. Rup. nr. 1384 aus Martène.   30

Werbunge alz grave Günther von Swartzpurg und herr Hartung vom Egloffstein
der elter an marggrave Wilhelm von Missen sollen werben.
[1] Zum ersten sollent ir imme unsern glaubsbrief uf uch stende b antwerten.

a) *vorhergeht ein Brief vom 4 Aug. 1402; Valentinelli hat wol Padue, IIII Aug. 1402 auf diese Weise ergänzt.*
b) *K sten mit Überstrich, J stendo, Martène nostras litteras credentiales de vobis mentionem facientes.*   35

garite nuper preterite [*Juli 13*], non vendantur
usque ad unum mensem proximum futurum; *sie*
sollen dahin bei denen welche die Kleinodien in
Händen haben wirken; datum ut supra, *d. h. wie*
der obige Brief, der im Kodex l. c. vorhergeht
und seinerseits wider auf einen vorhergehenden
rom 4 Aug. 1402 verweist. — Vgl. auch nr. 209
art. 9.

1 *Das Jahr 1402 passt schon wegen der in art.*
8. 9 erwähnten Gefangenschaft K. Wenzels, auch
Pelzel Wenzel 2, 462 nimmt dieses Jahr an. Nach
art. 3. 4 ist der auf 4 Juni angesagte Mainzer
Tag verschoben, in dem Schreiben K. Ruprechts 40
rom 2 Mai 1402 nr. 212 ist er das noch nicht.
In art. 5. 6 ist der Pfingstmontag 15 Mai noch
in Aussicht. Also fällt obiges Stück 1402 zwi-

[2] Item darnach sollent ir imme von mins herren wegen vast danken der frunt- [1402 lichen erbiettng, alz er sich mim herren itzunt in sinem briefe, alz er im den dag zu *zu.* *Mai 2* Waldeck wiederbote [1], enbotden hat. *und 15]*

[3] Item darnach sollent ir imme eigentlichen erzelen und sagen von dez tages wegen zu Mencze, den min herre sinen kurfursten dahin gesatzt und gemacht hatte umbe große trefflich sachen in und daz riche antreffende, und wie er denselben tag ufgeslagen habe von solicher hotschaft wegen, alz er imme bi hern Johann Rabann als von dez tags wegen zu Waldecke [2] getan habe. und wiewol imme vast uneben were den tag zu Mentze also ufzuslahen, so habe er ez doch getann, nit alz vast von marg- grave Procops wegen, sunder darumbe daz min herre gerne bi imme were gewesen sinen rat zu haben, wie er sin sachen nu furbaßer handeln und bestellen mochte zum besten, alz min herre auch gehofft hatte daz uf dem tage zu Waldeck solte be- schehen sin.

[4] Item als derselbe tag nu auch wiederbotten ist (dazu sich doch min herre aller dinge gericht hatte zu komen, und waz auch uf den weg kommen), so habe ich min herre zu imme gesant, und du in fruntlichen bitden, daz er imme sinen getruwen rat geben wolle in sinen und dez richs sachen, wie er die nu furbaßer angriffen und han- deln solle, alz im min herre dez auch genzlich alz sime liebsten frunde getruwe [3].

[5] Item ob margrave Wilhelm dazu spreche: er wuste nit wol waz er raten solte, wann marggrave Procops sachen weren wilde [4] etc.: item darzu sollent ir entwerten: wie daz margrave Procopp dem lantgraven zum Luchtenberge geschriben habe, er wolte gerne zu mime herren und sinen vettern komen und hoffte sie wolten wege treffen die in zu beiden siten nutzlich und erlich sin solten, und habe auch in demselben briefe geschriben, wie daz er uf den pfingstmandag einen tag mit den von Mißen leisten solte *1402* *Mai 15* und, ob er nit selbs zu demselben tage kommen mochte, so wolte er margrave Wilhelm macht geben zu tedingen etc., und desselben briefs habe der lantgrave egenant mim herren ein abeschrift gesant.

[6] Item ob marggrave Wilhelm daruf spreche, marggrave Procopp hette imme gewalt geben etc.: item daruf sollent ir entwerten, min herre der kunig werde imme und andern sinen frunden, die er dazu schicken werde, auch sinen gewalt mit sime offen gewaltsbrief geben, so ez darzu komme zu tedingen und zu uberkomen etc.

[7] Item und ob man etwaß understen würde zu tedingen und zu uberkommen von hulfe wegen, die min herre margrave Procopp wieder den kunig von Ungern tun solte etc., daz man dann auch versorgen müste und versichern, daz min herre von dem kunige von Beheim, so der ledig were [5], kein hinderniße noch wiederstand hette etc.

---

schen *Mai 2 und 15; im Kodex steht dasselbe zwischen der Werbung an Landgraf Hermann von Hessen von c. 10 Mai 1402 nr. 231 und dem Schreiben an Königin Isabella von Frankreich vom 16 Juni 1402 nr. 255. Siehe zur Datierungsfrage noch Einleitung lit. H. — Ein Nachtrag zu die- ser Anweisung ist vielleicht nr. 234.*

[1] *Durch Botschaft absagen, Lexer.*

[2] *In der Oberpfalz, östl. von Baireuth, südw. von Eger.*

[3] *Vgl. Dietrich von Niem nemus unionis tract. 6 cap. 32 ed. Argentorat. 1629 pag. 474 über das Verhältnis K. Ruprechts zu Meißen und Böhmen im zweiten Jahre seiner Regierung.*

[4] *Wunderbar, seltsam, unheimlich, unerklärlich, Lexer.*

[5] *Pelzel Diplomatische Beweise, daß der R. K. Wenzel nicht dreymal, sondern nur zweymal ge- fangen worden, in Abhh. einer Privatgesellschaft in Böhmen ed. von Ignaz Edler von Born 4, 43 Prag. 1779, zeigt, daß K. Wensel 1402 April 29 zu Prag gefangen worden, daß ihn K. Sigmund 29 Juni von hier auf das Schloß Schaumberg, und 5 Okt. habe nach Wien bringen lassen (Aug. 9 giebt am Pelzel Wensel 2, 467 nt. 2, oder besser Aug. 10 weil Lorenstag). Nach Palacky Gesch. von Böhmen 3, 1 pag. 142 Note hat die Gefangen- nahme schon am 6 Merz stattgefunden.*

42 *

[8] Item und daz auch marggrave Procopp, und die mit im daran sin, keine sûne mit dem kunige von Ungern ane mins herren willen und wißen ufneme etc.

[9] Item und ob der kunig von Beheim, so er also ledig wûrde, mime herren die tedinge nit meinte laßen gen daz er abtrete etc., daz dann marggrave Procopp und die herren und stete, die mit imme daran sin, sich zu mime herren verbunden und imme wieder den kunig von Beheim beholfen weren, alse lange biß mimme herren die tedinge ginge etc.

[10] Item und ob sie mim herren darzu nit helfen wolten, daz sie sich dann verschriben a und versichern, daz sie dem kunige von Beheim auch nit beholfen noch zulegend sin, sie oder die iren, weder mit koste oder anders, noch sich auch in keinen weg laßen behelfen mit iren landen und luten, alse lange biß mime herren die tedinge gein imme gee etc.

[11] Item ob marggrave Wilhelm auch wurde reden uf den sin, daz sich min herre lenger hie oben zu Beyern 1 enthalten solte: daz man imme daz von mins herren wegen uf dis b zit glimphlich abesage, daz ez mime herren ie nit doge gein sinen kurfursten zwene tage nah einander ufzuslahen 2, besunder in sinen und dez richs trefflichen sachen, darzû er irs rats und hulfe nit enbern moge.

[12] Item und ob marggrave Wilhelm von imme selbs von keime zuge reden wûrde, und fragen wurde waz mins herren meinunge were nu furbaß in sinen und dez richs sachen zu tûnde, so sal man ime sagen, daz sich min herre meine zu stellen mit macht hinin gein Beheim zu ziehen und der sachen understen ein ende zû machen nach allem sime vermogen etc.

250. *Franz von Carrara an den Grafen von Carrara: Nachricht von Herzog Stefan II von Baiern, daß K. Ruprecht auf einer Versammlung mit Kurfürsten und Fürsten einen Kriegszug nach Böhmen beschlossen habe und sich die Reichsinsignien zu holen hoffe. [1402 Juni 6 o. O. 3]*

Aus Venedig Markusbibl. mss. lat. cl. XIV cod. 93 fol. 53 b cop. ch. coaev., mit der Notiz Ser Zilius scripsit, dominus Henricus comisit.

Magnifice frater karissime. ut novorum que habeo noticiam teneatis, fraternitati vestre significo, hiis proximis c diebus ad me venisse quendam familiarem illustris principis domini Stefani Bavarie ducis et cetera. qui sub ejus credentialibus literis dixit michi, serenissimum principem dominum Rupertum Romanorum regem, convocatis dominis electoribus et principibus imperii, de eorum deliberatione nec minus persuasionibus aliquorum ex majoribus principibus regni Boemie, qui adheserunt ipsi domino regi propter captionem regis Boemie qui revera captivatus est et detentus per regem Ungarie,

---

a) K ursprünglich verschrieben; daraus korrigiert verschrijben.   b) K korr. aus die.   c) sic! Italianismus.

---

1 Nach Chmels Regesten war K. Ruprecht am 2 Mai 1402 in München, am 7 Mai in Neumarkt, vom 9-22 Mai in Amberg, vom 27-29 Mai in Nürnberg, am 10 und 11 Juni in Rotenburg a. T., am 16 und 17 Juni in Heidelberg, am 20 Juni dann in Mainz. Nach unsern Regesten (s. Einl. lit. A) auch Mai 31 Juni 4 und Juni 7 in Amberg.

2 D. h. den Mainzer Tag zweimal nach einander aufzuschieben. Von der ersten Aufschiebung ist in art. 3 die Rede.

3 Die Datumangabe fehlt, der Brief steht zwischen Stücken vom 6 und 7 Juni; dem Usus des Kopialbuches gemäß ist wol nur das gewöhnliche ut supra vergessen worden, und ist das vorhergehende Datum, 6 Juni, anzunehmen.

decrevisse, in regnum Boemie ipsum presentialiter equitare, spe fretus et magna fiducia *[1402*
intensionem suam obtinendi de regno Boemie et habendi insignia imperii. *Juni 6]*

Totum exfortium et potencia ducis Mediolani [*u. s. w. über . die Kriegsvorgänge um Bologna* [1]].

6   Domino comiti de Carraria.

251. *Frans von Carrara an Huguccio de Contrariis: Nachrichten vom Verhältnis K.* [1402
Heinrichs IV von England su K. Ruprecht, von der Hoffnung des letzteren auf Juni 7]
*Erfolg gegen K. Wenzel und K. Wenzels Bereitwilligkeit sum Versicht auf die
Reichsinsignien, von Ruprechts Absicht mit großer Macht in Italien wider aufsu-*
10   *treten. [1402 Juni 7 o. O.* [2]]

Aus Venedig Markusbibl. mss. lat. cl. XIV cod. 93 fol. 54 b *cop. ch. coaev.*

Spectabilis et egregie amice karissime.   [*1*] io ho recevuto la letera e lo breve
vostro, per li quali me haviti significato plusor novelle venute a vostra noticia. de la
quale significacion io ve ho havuto e prexo [3] grandissimo piacere. e de quella ve
15 regracio quanto e posso, pregandove caramentre quanto piu posso che per mia conso-
lacion e contentamento me scrivati spesso le novelle che ve occore, che me serave cossa
molto grata.   [*2*] e per che voi siti desideroso de sapere de novelle chio ho, ve fazo
noto, che io ho havuto da persona degna de fede, che la fiyola [a] del re de Ingiltera, la
quale ha tolta per muyere el fiyolo del re de i Romani, e conta in Alimagna, o [4] al
20 presente e el re. al quale el re de Hingiltera ha manda [b] a proferire lançe 500 e 1500
arçerii in çascauna cossa che si de honore bene e piacere del re de i Romani, vole in
Alimagna, vole in Ytalia, o vole o [4] ge piace. e quando fosse pur de bisogno al dicto
re de i Romani, el re de Ingiltera se proferisse meter ge lo havere e la persona a tuti
li soy besogni.   [*3*] item chel re de Boemia cercha cum lo re de i Romani de
25 esser in acordo cum ello, per che elo lo togla in sua protecion e defesa, e renunciar
ge a lo imperio e dar ge le insegne del imperio. da l'altra parte cercha lo re de
Hungaria, el quale e pur vero che ha destegnu [5] lo re de Boemia, de acordarsi e
de havere dal so lado lo re de i Romani. e per che per cason de la detencion
del re de Boemia e grande dissensione e divisione fate in lo regname, e parte de li
30 baroni e molto male contenti chel sia destegnu [5], e alguni per questa casone stano
sopra de si [6] e alcuni se eno apoçati al re de i Romani et a lo confortato et instigato
de andare in lo regname de Boemia, ha deliberato lo re cum grande possança de çente
andare subito in lo regname de Boemia. del quale spiera havere subito soa intencion.
[*4*] appresso ch'e morto lo duca de Geler [7], che era contrario del re de i Romani, el
35 fratello [8] del duca cum tuti i soy sequaci hano fato obediencia e çura fedelta al re,
siche de l' Alemagna Bassa negota [9] piu ge mancha che non obedisca e si cum lo
re de i Romani.   [*5*] item che letere de lo imperio siano messo, intro si una impo-

a) cod. fiyolo.   b) cod. mada.

[1] *Vgl. Brief des Frans von Carrara vom 26*
40 *April nr. 137 und lit. G dieses Tages.*
    [2] *Das Datum ist fortgelassen, der Brief steht
swischen Stücken vom 7 und 8 Juni, nach dem gewöhnlichen Usus im Kodex scheint nur ein ut supra
vergessen, und daher der 7 Juni ansunehmen.*
45   [3] *Ist preso.*
    [4] *Gleich ove, wo.*

[5] *Destegnuto von detenere.*
[6] *Esser in dubio, schwanken.*
[7] *Wilhelm VII (III) v. Jülich, I v. Geldern, †
16 Febr. 1402 ohne Nachkommen, Cohn Taf. 212.*
[8] *Herzog Reinald 1402-1423, Cohn l. c. Daß
dieser K. Ruprecht gleich gehuldigt habe, ist unrichtig; vgl. nr. 236 und nr. 294 art. 15.*
[9] *Niente, s. Tommaseo e Bellini Dizionario.*

[1402 Juni 7] sitione de 3000 lançe per alturio [1] e favore del re de i Romani a ogni soa requisitione e piacere e per tuto el tempo chel volera e chel ge sera de bisogno. e conclude lo amigo, chel re e desposto in tuto de retornare in Ytalia si forte e si possente da si, chel non ge sia besogno domandare alturio ne subsidio a la liga ne a persona del mondo e pora lo ben fare. et e disposto de vegnire pur amigo de la liga, per che [5] siando sta [2] quello chel e sta [2] cum la liga no ge pare che cum so honore e sua honesta el potese fare altramentre cha vegnire amigo de la liga e dar ge el so subsidio e favore [*weiter folgen Mittheilungen über lokale Angelegenheiten*] [3].

Hugutioni de Contrariis •

[1402 c. Juli 25] **252.** *Anweisung K. Ruprechts an Hadmar von Laber, Erzbischof Gregor von Salzburg* [10] *zu bitten, daß er K. Wenzel, dessen Romzug K. Sigmund veranstalten wolle, nicht durchziehen lasse.*   [*1402 c. Juli 25* [4] *Bacherach.*]

Aus Karler. G.L.A. Pfälz. Kop.-Buch 146 fol. 59 [b] *- 60* [a] *cop. chart. coaev.*
coll. Janssen Frankf. R.K. 1, 709 f. nr. 1127 aus einem in seinem Privatbesitz befindlichen
    Kodex Acta et Pacta 89-50. [15]
Moderne lateinische Übersetzung bei Martène ampliss. coll. 4, 100 f. nr. 68. — Regest
Chmel reg. Rup. nr. 1385 aus Martène, und benützt Pelzel Wenzel 2, 467 nt. 1 und
Palacky Böhm. Gesch. 3, a, 144 f.

Werbung an den bischof von Salczpûrg.

[1] Item sollent ir im zum ersten mins herren des kunigs galaubsbrief antwerten, [20] und daruf werben: min herre der kunig habe uch tag und nacht botschaft von dem Rine hinuf gein Beyern getan, und uch geschriben und geheißen zu mime herren von Salczpurg und mime herren herzog Lupolt von Osterriche zu riten, und in zu sagen, daz mime herren dem kunige botschaft kommen si, daz der kunig von Ungern zu dem graven von Cziele kommen solle gein Schauwenberg, und er bringe den kunig von [25] Beheim und margrave Procopp von Merhern mit ime dahin, und er wolle den kunig von Beheim den graven von Cziele von Ortenburg und von Gorcze daselbst zu Schauwenberg antwerten, die sollen in dann furbaz bringen in des von Meilan land, und der von Meilan solle in dann vorbaz bringen biß gein Rome, und margrave Procopp solle mit im ziehen, so wolle der kunig [a] von Ungern zu Beheim verliben. [30]

[2] Item daruf habe im min herre der kunig heißen sagen: ob daz also were oder hernach gescheen wurde, so beger er und bitde in fruntlich mit ganzem ernst, und getruwe im auch genzlich wol, nachdem er ime gewant si, daz er den kunig von Beheim sine folke und die sinen durch sin land und gepiete nit ziehen laße, und daz er auch

---

a) cod. kunig *mit einem Strich darüber als Abkürzungszeichen* kunnig? kuniag?   35

[1] *Altorio, Hülfe.*
[2] *Stato.*
[3] *Ähnlich schreibt Franz am 19 Juni an Franciscus de Montepoliçino unter anderem was uns wegen seiner lokalen Natur hier nicht angeht: de rege Romanorum tamen habeo, quod illustris nurus sua expectatur de mensi presenti de Anglia ad regiam [em. regionem] Bavarie ventura, et die 15 mensis predicti debent nuptiarum solemnitates celebrari, quibus peractis rex fertur in Boemiam transiturus, qui ut speratur vel dissidia que sunt ibi inter principes sedabit vel regnum ipsum obtinebit. et jam*

major pars fidem dederunt. ipse auctus subsidiis multorum principum et comunitatum omnino proponit venire in Italiam; *Venedig Markusbibl. l. c.* fol. 61 [a].
[4] *Das Jahr ist wol zweifellos, der Tag ergibt* [40] *sich aus art. 3 des nachfolgenden gleichzeitigen Stückes (der Werbung an Leopold); vorhergeht im Kodex die Werbung an den Landgrafen von Hessen und die Herzöge von Braunschweig [1402 nach Juni 24] nr. 232. Janssen datiert ebenfalls* [45] *1402 Juli 25.*

mit allen sinen amptluten graven herren rittern und knechten, der er mechtig ist, umben [1402
und umben bestelle, daz sie darwieder sin, und nach allem irem vermogen und mit *c. Juli
25]*
ganzer macht dem kunige von Beheim und den, die mit ime ziehen wolten, solichen
zog weren, und nit gestadten daz er den vollnbringen moge, als min herre der kunig
5 auch genzlich meinet daz er daz wol geweren und davor gesin moge.

[3] Item und min herre der kunig habe uch auch enpholhen sinen rate zu han,
ob minen herren von Salczpurg noit dunke sin an etliche graven und herren in den
landen von sinen wegin zu werben umbe hulfe in den sachen und dem zû wiedersten,
daz ir daz alles nach sinem rate handeln und tun sollent wie in dann daz beste und
10 geraden dunke sin. und min herre der kunig habe uch auch sinen offen besigelten
machtbrief an alle und igliche graven und herren in den landen gegeben, daz ir ganz
macht habent in solicher maßen und nach sinem rate mit in von sinen wegin zu reden
und zu uberkommen.

[4] Item und erzelent die obgeschriben stûcke alle, als uch dann daz allerbequem-
15 lichst und nuczlichst dunket sin, und daz im min herre der kunig sunderlich wol ge-
trûwe, nach dem als er im gewant si, er si im in diesen sachen getrulich bigestendig
und beholfen, wann er auch allerbeste darvor gesin moge in ᵃ den landen da sie dann
durchziehen worden.

253. *Anweisung K. Ruprechts an Hadmar von Laber, Herzog Leopold IV von Öster-* [1402
20 *reich, der dann wider auf seine Familie wirken soll, zu bitten wie Erzbischof ᶜ. Juli
25]*
*Gregor von Salzburg im vorhergehenden Stück, er selbst berathschlage sich jetzt über
die Sache auf einem Tag mit seinen Kurfürsten.* [1402 c. Juli 25 ¹ Bacherach.]

Aus Karlsr. G.L.A. Pfälz. Kop.-Buch 146 fol. 60ᵃ *cop. chart. coaev., unter dem Text
Nota. Hadmar herre zu Laber werbe die obgenanten stucke an die obgenanten zwen
25 herren* [*Herzog Leopold III von Österreich und Erzbischof Gregor von Salzburg*].
*coll. Janssen Frankf. R.K. 1, 710f. nr. 1128 (aus einem in seinem Privatbesitz befind-
lichen Kodex Acta et Pacta 39-50).*
*Gedruckt Martène ampliss. coll. 4, 101f. nr. 69 moderne lateinische Übersetzung. — Re-
gest Chmel reg. Rup. nr. 1385 aus Martène.*

30 Werbunge an herzog Lupolt von ᵇ Österrich.
[1] Zum ersten sollent ir im mins herren des kunigs gelaubsbrief antwerten, und
daruf sagen: her Conrad von Friberg und meister Ulrich von Albecke, die min herre
der kunig itzunt lehst zu im gesant hatte ², haben mime herren dem kunige gesagit,
daz er sich zumale fruntlich und ernstlich bewiset und gein sinen brudern und vettern ᶜ
35 getrulich darinne geworben ᵈ habe. des allez danke ime min herre der kunig so er
immer fruntlichst und ernstlichst moge, und wolle daz auch gern gein im bedenken als
wol billich si.
[2] Und darnach sollent ir an in werben glicher wise und in aller maßen als an
den bischof von Salczpûrg, als vor ³ geschriben stet.

40 a) *doch schwerlich* ine (*mit aufgeschriebenem e*). b) *im cod. unleserlich durch Beschmutzung.* c) *cod.* vattern?
d) *cod.* geworben *verschrieben.*

¹ *Die Datierung hat dieselben Gründe wie beim
vorhergehenden Stück; beide Stücke gehören sach-
45 lich und zeitlich zusammen. Im Kodex folgt die
Werbung an Markgraf Jost von* [c. 30 Aug. 1402]
nr. 308.
² *Sicher die Gesandtschaft, deren Werbung
[1402 zwischen April 28 und Juni 4] wir in nr.*

*210 haben. Dort ist zwar nur Ulrich von Albeck
genannt; aber daß es mehrere waren, geht schon
aus der Anrede gleich in art. 1 hervor.*
³ *In unserem vorhergehenden Stück. Beide
Werbungen sollte Hadmar von Laber besorgen, s.
Quellenangabe.*

[1402 c. Juli 25]   [*3*] Und darzu sollent ir ime sagen: „gnediger herre. min herre der kunig hat sunderlich gar ein groß getruwen zu uch. und begert und bitd uch so er immer fruntlichst und ernstlichst [a] mag, daz ir ernstlich zu den sachen wollent tûn, und auch mit uwern brudern und vettern reden und sie daran wisen daz sie auch ernstlich darzu tun wollen als er in auch wol getruwet. so ist min herre der kunig itzunt uf sand   5

[1402] Juli 25   Jacobs tag uf eime tage [1] mit sinen kurfursten, und wil mit in uß den sachen reden und zu rade werden, und hofft, nach dem als er sich auch mit hirad und frûntschaft zu uch und uwern brudern und vettern getan hat, er wolle uch und ine nach allem sinem [b] vermogen soliche ere und wirde zufugen die ir gern haben sollent. und desglichen getrûwet er ûch auch genzlich wiederumbe.   10

1402 Aug. 4   **254.** *Franz von Carrara an seine Gesandten in Venedig, von Vorbereitungen zum Romzug K. Wenzels. 1402 Aug. 4 Padua.*

Aus Venedig Markusbibl. mss. lat. cl. XIV cod. 93 fol. 89[b] cop. ch. coaev., mit der Notiz Ser Zilius scripsit, Paulus de Leone comisit, Gerardus equitator portavit.

Egregie dilecti mei.   io ho habuto da uno mio amigo, el quale ha habuto da   15 uno el quale vene da Viena, chel re de Boemia el re de Hungaria e loro preson lo marchese Procopio sono personalmente vegnudi et eno [2] in Santberch, la quale terra si [c] recta per lo conte da Cil, per li quali li sono menadi al dicto logo. in lo quale luogo

1402 Juli 20   e terra secretamentre ando a di zobia [3] 20 de luyo a li dicti re de Boemia e de

Juli 24   Hungaria lo duxe Alberto sença consentimento del so conseyo, e a di 24 del dicto mese   20 ando etiamdio el duxe Guilielmo a li dicti re in lo dicto logo, a parlare cum loro, e fono [4] insembre. e come [d] li publicamente se dise, li debeno convegnire insembre e acordare del passo e de lo intrare so. li quali sono per vegnire de prosimo a Roma. e chel se dice esser cum lo re de Hungaria 4000 cavali, de li quale la mita [5] ha ça passa la Danoya. e cum li duxe de Astoricha sono ben 3000 cavali e in la conpagnia   25 soa. la qual cossa voyo che digati a la segnoria, perche l' abia quello chio sento.

1402 Aug. 4   datum Padue 4 augusti 1402. Oratoribus magnifici dominii nostri in Venetiis [6].

a) *cod.* ernstlicht.   b) sinen? *abgekürzt.*   c) *cod.* eher fi.   d) *cod.* como.

---

[1] *Zu Bacherach, s. Einleitung lit. M.*
[2] *Sono, alte Form enno, en, Blanc 379.*
[3] *Donnerstag, giovedì oder giobbia.*
[4] *Sic, von fare, unterhandeln, s. Nannucci analisi critica dei verbi Italiani pag. 612 § 20.*
[5] *D. h. Metà, Hälfte.*
[6] *Sehr anders lautet der Brief Franzens an Gerardus de Boiardis, dem er am 2 Aug. u. a. schreibt:* a quello, che scriviti, dirse li che lo imperatore vechio e parti de Boemia cum lo re de Hungaria piu di fa per venire in Italia cum

20000 cavalli etc., ve respondo che negota non e,   30 anci per quello chio habia lo re de Hungaria per paura e fuçido da Praga e ha menato lo re veyo, el qualle ello tegna destinuto, e in uno castello del conte da Cil lo ha messo, *Venedig l. c. fol. 89[a]. — Übrigens beschloß der Rath zu Udine*   35 *doch am 30 Juli, auf Vorbringen der Herren Deputati daß der imperator antiquus und der K. von Ungarn venturi sunt ad hanc patriam, Sicherheitsmaßregeln zu treffen, Udine St.A. Annal. civit. 14 fol. 356[b] conc. ch. coaev.*   40

J. Verhältnis zu Frankreich nr. 255.

255. *K. Ruprecht an K. Elisabeth von Frankreich: warum er nicht länger in Italien* ¹⁴⁰² *geblieben, und daß er des Raths der Reichsfürsten bedürfe.* *1402 Juni 16 Heidel-* ᴶᵘⁿⁱ ¹⁶ *berg.*

Aus Karlsr. G.L.A. Pfälz. Kop.-Buch 146 fol. 58ᵃ cop. ch. coaev.
coll. Janssen Frankf. R.K. 1, 699 f. nr. 1119 aus der in dessen Privatbesitz befindlichen
Handschrift Acta et Pacta 21-38.
Moderne lateinische Übersetzung Martène ampliss. coll. 4, 96 f. nr. 64, mit der Schedula
inclusa pag. 97 nr. 65. — Regest Georgisch 2, 866 nr. 35 und Chmel nr. 1207, beide
aus Martène.

Ruprecht etc. der durchluchtigsten furstinne frauwen Elizabet von denselben gnaden kuniginne zu Franckriche unser lieben mümen unser fruntschaft und waz wir liebs und guts vermogen. liebe müme. als uns uwer liebe geschrieben hat, daz ir und alle uwere kinde gesunt sint und wolmogend, dez sin wir von ganzem herzen frô, und han ez gerne vernomen, und begeren daz ir uns dicke davon verschriben und enbieten wollent. auch laßen wir dieselbe uwere liebe wißen, das von gnaden dez almechtigen gots uf datum diß briefs wir unser liebe hußfrauwe und gemahel und alle unser lieben kinde gesunt und wolmogende sin. auch als uns uwere liebe geschrieben hat, daz der von Meilan stetiges sin botschaft und rete zu Franckrich ligen habe, und daz ir besorgent nach solicher hulfe und nachschube alz er da habe daz er solich tedinge uberkommen moge die uns nit nutzlich werden daz uch zûmale leit were, und das ir doch forchtent . daz ir dez nit underkommen mogent, wann etwaz untrostes darunder kommen si, umbe daz wir nit lenger zu Lamparthen sin verlieben etc.: liebe müme, daruf laßen wir uwere liebe wißen, daz zu der zit, alz wir noch in Lamparthen waren, uns soliche treffliche sache von dez heiligen richs wegen furkamen, darzû wir unserᵃ kurfursten und anderer unser und dez heiligen richs fursten rate bedorfon. so quame uns auch solich gewiße botschaft fur von leufe wegen der kunige von Beheim und von Ungern und auch der lantherren und dem lande zu Beheim, also daz uns und unser rete, die wir zu der zit bi uns hatden, dûchte, daz ez uns und dem riche daz nutzlichst und beste were, daz wir von der obgenanten zweier sache wegen zu dieser zit wieder heruß in Dutsche lande zûgen, wann wir auch in den leufen der kunige von Beheim unde von Ungern obgenant unsern und dez heiligen richs nutze und frommen zu dieser zit hie uß in Dutschen landen baz geschicken mochten, als wir auch mit der gots hulfe meinen zu tûn, dann ob wir in Lamparthen verlieben weren. liebe mume, und also sin wir umbe der obgenanten sachen willen heruß gein Dutschen landen gezogen; und were ez daz darwieder iemans redte, dez wollent nit glauben, wann ez auch in der warheid also ist, alz auch der hochgeborne unser lieber vetter und furste herzog Ludewig uwer bruder ¹, den wir mit der gots hilfe kurzlich zu uwer liebe meinen zu schicken, uch von den und andern sachen wol eigentlichen erzelen wirdet. datum Heidelberg mensis junii die sextadecima anno domini 1400 secundo regni vero nostri anno secundo. ¹⁴⁰²
ᴶᵘⁿⁱ ¹⁶

(Cedela inclusa.) Auch liebe müme, wißent, daz daz lant zu Beheim itzunt in großem irrsal stet, wan der kunig von Ungern den Behemischen kunig sinen bruder gefangen hat und in mit großer hûte ûf einem turne besloßen heltet. so sint auch

ᵃ) unserr ? abgekürzt.

¹ Vgl. die Vollmachten und Gesandtschaftsanweisungen von 1402 Aug. 23 bzw. n. Aug. 27 nr. 287 ff.

Deutsche Reichstags-Akten V.

43

margrave Procopp von Merhern und ein gůt teil der landßherren in Beheim heftlich
wieder den kunig von Ungern, und ist alsolich zweitracht und irrunge in dem lande
daz wir hoffen unser sache an dem ende mit der gots hulf kurzlich zu einem guten
ende zu komen.

[*Überschrift*] Der durchluchtigsten furstinne frauwen
Elizabeth kuniginne zu Franckenrich unser lieben mumen.

K. Verhältnis zu England nr. 256-258.

256. *K. Heinrich IV von England bevollmächtigt 6 Genannte zu Verhandlungen über
Bündnis mit K. Ruprecht* [1]. *[1402* [2]*] April 27 Westminster.*

> *Aus Rymer Foedera 8, 253f., mit der Überschrift* De tractando super foedere cum Ru-   10
> perto imperatore.
> *Konzept ohne Datum befindet sich in* London Brit. Mus. *Harley nr. 431 fol. 26.*

> König [Heinrich IV] bevollmächtigt unter Hinweis auf die zwischen seiner Tochter Blanka und
> dem Pfalzgrafen Ludwig geschlossene Ehe Richard episc. Wygorniensis, Johannes comes Somersetiae,
> Walter Fitz Water, Ritter Willielmus Esturmy, Johannes Kyngton bacallarius in legibus, und Thomas   15
> Polton archidiaconus Tanton. in utroque jure bacallarius [3], mit Bevollmächtigten des Römischen Königs
> Ruprecht zu verhandeln und abzuschließen Bündnisse jeder Art zwischen beiden Königen ihren Unter-
> thanen und Besitzungen, ebenso Verträge über Handels- und sonstigen Verkehr, Sicherheit für alle
> Abmachungen zu leisten und zu empfangen, die Anerkennung derselben durch den König für diesen
> eidlich zu versprechen, und überhaupt alles zur Sache gehörige zu thun wie es ihnen angemessen scheint;   20
> er verspricht bei seinem königlichen Wort alles was seine 6 Vollmachtträger, 5, 4 oder 3 derselben
abmachen werden zu beobachten; datum in palatio nostro Westmonasterio sub magni sigilli nostri
> testimonio 27 die aprilis. [*Unterschrift*] Per ipsum regem.

257. *Entwurf eines Freundschafts- und Bundesvertrages zwischen K. Ruprecht und
K. Heinrich IV von England. [1402 c. April 27* [4]*] o. O.*   25

> *Aus* London Brit. Mus. *Harley nr. 431 fol. 122*[b]*-123*[b] *conc. ch., nach einer vorläufigen
> Abschrift Herrn Dr. Liebermann's, die durch Herrn Prof. Pauli nochmals mit der
> Vorlage kollationiert wurde. Ergänzungen, die der Parallelismus der Artikel zu fordern
> schien, haben wir in Kursive gegeben.*

Universis sancte matris ecclesie filiis presentes litteras inspecturis nos A. de   30
B. et W. serenissimi principis et domini domini Ruperti dei gracia Romanorum

---

[1] *Vollmacht für dieselben 6 Gesandten vom
gleichen Tage zu Verhandlungen mit dem Herzog
Reinald von Geldern s. Rymer Foedera 8, 254.*

[2] *Rymer hat das Stück sicher aus den rolls,
die das Jahr ihm werden gesichert haben.*

[3] *Walter Fitz Water und Thomas Polton gehörten zum Gefolge der Prinzessin Blanka auf
ihrer Reise zur Vermählung in Köln, s. Rymer
Foedera 8, 243. — W. Esturmy und J. Kyngtoun
schreiben an J. Fry, sie hätten bei ihrer Abreise
von London am 16 Febr. nur für 50 Tage Sold
erhalten, jetzt seien 47 weitere Tage verflossen
und sie hätten bedeutende Ausgaben gehabt für
Geleit und um Schiffe für die Reise der Prinzessin
Blanka [d. h. nicht über See sondern den Rhein
hinauf nach Köln] zu besorgen, sie könnten nicht
mehr borgen und müßten gegen ihren Wunsch
zurückkehren, wenn sie nicht Geld erhielten, scrip-*

tum Dordraci die Mercurii ante festum corporis
Christi [*1402 Mai 24*]; [*Nachschrift*] Scripsisse-
mus et dominis nostris de concilio nova de redita   35
domini regis Romanorum de Italia et Alemannia
[*zu emend.* in Alemanniam?] et aliis, si non fuis-
semus opinati, cos de novis ipsis tam per dominum
Johannem Colvyle militem etc. et alios plenius
fuisse informatos. unum tamen certum est, quod   40
die lunae proxime praeterito [*1402 Mai 22*] idem
dominus rex venit ad civitatem suam Maguntinam
tam cum dominis principibus electoribus quam
aliis etc. pro prosperitate Romani imperii parlia-
mentum celebraturus etc.; gedruckt Hingeston   45
Royal and historical letters during the reign of
Henry IV (Script. rer. Brit.) 1, 99-101 nr. 41.

[4] *Den einzigen Anhalt für die Datierung gibt
der Name des Englischen Gesandten. Richard
war Bischof von Worcester von 1401 bis 1407,*

regis semper augusti necnon Ricardus dei gracia Wygorniensis episcopus etc. illu- *[1402*
strissimi principis et domini domini Henrici dei gracia regis Anglie et Francie ambassia- *c. Apr.*
tores commissarii seu procuratores ad quasdam amicicias ligas seu confederaciones[a] *27]*
inter serenissimos[b] principes reges predictos dominos nostros metuendissimos tractandas
5 iniendas et concordandas cum potestate scilicet sufficienti, prout in certificacione[c] man-
datorum nostrorum inferius describendorum clarius apparebit, specialiter deputati salutem
et perpetuam memoriam rei geste.   illa consuetudo recte regnancium, ille[d] mos juste
principancium semper fuit, bonum commune subditorum quibuscumque privatis preferre
comodis, talibusque rempublicam munire presidiis per que posset continue exclusis cecis
10 inquietacionum turbinibus quieta persistere et sub optate pacis votiva felicitate letari.
quod tunc satis utiliter creditur promoveri, cum principes Christiani et potentes in
veram amiciciam conjuncti in unam mentis consonanciam affectuose conveniunt et
insimul indissolubili[e] amoris federe copulantur. hoc siquidem serenissimi principes et
domini nostri reges reverendissimi in discrete consideracionis examine laudabili consilio
15 revolventes per nos ambassiatores commissarios suos predictos quandam[f]
ligarum et amiciciarum copulam examinari tractari expediri et concordari voluerunt eo
qui sequitur sub tenore.   [1] in primis, cum dictus dominus rex Anglie et Francie
fedus affinitatis cum predicto domino Romanorum rege contraxerit per matrimonium de
ipsorum regum expresso consensu jampridem initum confirmatum inter illustrissimum
20 principem dominum Lodowycum dei gracia comitem Palatinum Reni et ducem Bavarie
filium seniorem ejusdem regis Romanorum et[g] preclarissimam dominam dominam
Blanchiam primogenitam dicti regis Anglie et Francie propter fraternum amorem et
puram amiciciam inter ipsos reges et[h] heredes suos mutuo conservandam, inter
partes easdem est expresse concordatum: [1a] quod idem rex Anglie et Francie
25 heredesque sui omnem amiciciam suam benivolenciam et amorem fraternalem eidem
Romanorum regi futuris temporibus continue exhibebunt et quilibet tempore suo exhibebit contra quoscumque alios cujuscumque status gradus vel condicionis existant, eciam
si regia dignitate prefulgeant, exceptis etc.; nec umquam aliquis eorum erit inimicus
eidem Romanorum regi (et scribantur plene cetera ut superius ponitur), nec[i] contra
30 ejus[k] regna terras dominia vasallos aut subditos stabunt, nec eciam gravabunt nec
quantum in eis est per se vel per suos gravari permittent predictum Romanorum regem
regna terras dominia vasallos aut subditos ejusdem quocumque colore.   [1b] et e
converso dictus dominus Romanorum rex heredesque sui omnem amiciciam benivolenciam
et amorem fraternalem eidem regi Anglie et Francie futuris temporibus continue exhi-
35 bebunt et quilibet suo tempore exhibebit contra quoscumque alios etc.; nec umquam

---

a) Vorlage consideraciones. b) Vorlage serenissimos. c) Vorlage cercione. d) Vorlage illis. e) Vorlage indissoli-
bili. f) Vorlage quedam. g) om. Vorlage. h) om. Vorlage. i) om. Vorlage. k) Vorlage eum.

---

und die einzige Vollmacht zu Verhandlungen mit
K. Ruprecht die wir für ihn kennen ist die vom
40 27 April 1402, unsere nr. 256. Die Namen der
Deutschen Gesandten sind durch Anfangsbuch-
staben ersetzt. Diese aber passen zu keiner der
uns erhaltenen Vollmachten etc., kehren überdieß
an den verschiedenen Stellen des Stückes nicht
45 unverändert wider, sind also wahrscheinlich ganz
willkürlich gewählt. Schwerlich ist dieser Vertragsentwurf das Resultat von Verhandlungen mit
Bevollmächtigten K. Ruprechts, vgl. Einleitung

zu dieser Litera, wahrscheinlich wurde er vielmehr den Englischen Gesandten von Hause aus
mitgegeben. Übrigens setzt unser Entwurf nicht,
wie man nach dem Eingang annehmen könnte,
voraus, daß Bisch. Richard für sich allein bevollmächtigt sei den Vertrag im Namen K. Heinrichs
abzuschließen, was der Vollmacht vom 27 April
widerstreiten würde; es heißt nachher einmal
nosque Ricardus etc. ambassiatores, also auch auf
Englischer Seite sollen es mehrere Bevollmächtigte
sein, deren Namen nur ausgelassen sind.

43*

[1402 c. Apr. 27] aliquis eorum erit inimicus eidem dicto domino regi Anglie, nec contra ejus regna[a] terras dominia et vassallos aut subditos ejus stabunt, nec eciam gravabunt nec quantum in eis est per se vel per suos gravari permittent predictum regem Anglie et Francie regna terras dominia vassallos et subditos ejusdem quocumque colore. [*1ᶜ*] et eandem amiciciam et fraternitatem inter se de ceteris conservabunt dolo et fraude cessantibus 5 quibuscumque. [*2*] item quod nec dictus rex Romanorum nec heredes sui aliquas confederaciones amicicias pacta seu alligancias cum quocumque rege principe aut persona ecclesiastica aut mundana cujuscumque status *gradus* dignitatis aut condicionis existant de cetero contrahent aut inient in prejudicium prefati regis Anglie et Francie ac ligarum prenominatarum. [*2ᵃ*] et similiter nec predictus rex Anglie et Francie nec 10 heredes sui aliquas confederaciones amicicias pacta seu aliquas aligancias cum quocumque rege principe aut persona ecclesiastica aut mundana cujuscumque status gradus dignitatis aut condicionis existant de cetero contrahent aut inient in prejudicium Romanorum regis ac ligarum prenominatarum. [*3*] item quod vassalli et subditi[b] prefati regis Anglie et Francie heredumque suorum possunt libere *secure* et absque impedimento 15 seu perturbacione quacumque intrare transire morari conversare et mercandisare tam per terram quam per mare in omnibus terris imperii et quibuscunque terris regnis dominiis ipsius Romanorum regis et abinde libere recedere et *ire* quocumque voluerint cum rebus et mercandizis suis absque inpeticione aresto seu molestacione quacumque, salvis tamen juribus ipsius Romanorum regis dominorumque principum aliorum quorumcunque. 20 [*3ᵃ*] et e converso quod vassalli et subditi prefati Romanorum regis heredumque suorum possunt libere secure et absque impedimento seu perturbacione quacumque intrare transire morari conversare et mercandisare tam per terram quam per mare in omnibus terris regnis et dominiis ipsius regis Anglie et abinde libere recedere et ire quocumque voluerint cum rebus et mercandizis suis absque inpeticione arresto seu molestacione 25 quacumque, salvis eciam juribus ejusdem domini regis Anglie et principum aliorum quorumcunque. [*4*] item quod non liceat eidem domino Romanorum regi nec alicui de ipsius subditis aut vassallis, quemcumque subditum seu vassallum dicti regis Anglie et Francie aut heredum suorum quoquomodo detinere capere seu arrestare vel incarcerare aut ipsius bona quomodolibet sub arresto impedire eciam racione represaliarum[c] seu 30 contraprisarum nec racione delicti commissi vel committendi[d] contractusve initi seu iniendi infra districtum suum, salvis eis hincinde et eorum subditis juris ordine servato accionibus legitime prosequendis. [*4ᵃ*] nec eciam liceat dicto regi Anglie et Francie nec alicui de ipsius subditis aut vassallis, quemcumque vassallum aut subditum dicti domini Romanorum regis aut heredum suorum quocumque modo detinere capere seu 35 arrestare vel incarcerare aut ipsius bona quomodolibet impedire sub arresto eciam racione represaliarum sive[e] contraprisarum nec racione delicti commissi vel committendi contractusve initi seu iniendi infra districtum suum, salvis eis hincinde et eorum subditis juris ordine servato accionibus legitime prosequendis. [*5*] item quod dominus Romanorum rex presentes ligas litteris suis propriis firmare et eciam postquam infulas[f] 40 imperiales recepit et corone sue solempnia compleverit innovare et ut imperator de novo facere teneatur. quas quidem amicicias et confederaciones seu ligas nos ambassiatores predicti post plenam exactissimam examinacionem omnium et singulorum in premissis articulis contentorum nomine domini nostri Romanorum regis supradicti et nostro ex nostra certa sciencia nunc[g] fecimus et contraximus immo facimus et contrahimus eis- 45 demque consensimus[h] ac eciam consentimus[i], promisimusque et[k] adhuc promittimus

---

a) *Vorlage* regna. b) *Vorlage* add. nostri *durch untergesetzte Punkte ausgestrichen.* c) *Vorlage* represaliorum. d) *Vorlage* committenti. e) *Vorlage* sue. f) *Vorlage* infulans. g) *Vorlage* immo. h) *Vorlage* consensius. i) *Vorlage* consencius. k) *om. Vorlage.*

bona[a] fide, quod idem dominus noster rex omnia et singula per nos in hac parte facta $_{[1402}$
gesta et concordata sub magestatis sue sigillo ratificabit et approbabit, defectum si quis $^{c.\ Apr.}_{27]}$
in mandatis seu procuratoriis nostris habeatur ac omnem alium defectum in premissis
supplebit et emendabit prout fuerit oportunum[b]. et nihilominus ad majorem premissorum
5 firmitatem ad sancta dei evangelia per nos corporaliter tacta in animam domini nostri
regis Romanorum supradicti juravimus et juramus, amicicias ligas et confederaciones
predictas ac omnia et singula contenta in eisdem inviolabiliter observare et tenere dolo
et fraude cessantibus quibuscumque. et ex habundanti renunciavimus et renunciamus
nomine quo supra omnibus et singulis excepcionibus cavillacionibus et defencionibus tam
10 juris quam facti, per quas contra premissa vel premissorum aliqua possemus vel posset
idem dominus noster rex quomodolibet se tueri. nosque Ricardus etc. ambassiatores
commissarii seu procuratores supradicti predictas amicicias confederaciones seu ligas
nomine domini nostri regis Anglie et Francie supradicti una cum eisdem A. de B.,
W. de M. ambassiatoribus commissariis seu procuratoribus domini Romanorum regis
15 supradicti nunc fecimus et contraximus immo facimus et contrahimus eisdemque consensimus ac eciam consentimus, promisimus et adhuc promittimus bona fide, quod idem
dominus noster rex Anglie omnia et singula per nos in hac parte facta gesta et concordata
sub magestatis sue sigillo ratificabit et approbabit, ac defectum si quis intervenerit in
premissis supplebit et emendabit prout fuerit[c] oportunum. et nihilominus juravimus et
20 juramus, amicicias ligas et confederaciones predictas ac omnia et singula contenta in eisdem
inviolabiliter observare et tenere dolo et fraude cessantibus quibuscumque. ex habundanti renunciavimus et renunciamus nomine quo supra omnibus et singulis excepcionibus
cavillacionibus et defencionibus tam juris quam facti, per quas contra premissa seu
premissorum aliqua possemus vel posset[d] idem dominus noster rex quomodolibet se
25 tueri[e]. tenores vero procuratoriorum, de[f] quibus supra dictum est, in hec verba
secuntur: Rupertus[g] etc., Henricus etc. in quorum omnium et singulorum testimonium atque fidem nos J. de B. et L. de M., predicti Romanorum regis, ac Ricardus
de Wygornia etc., prefati regis Anglie commissarii seu procuratores supradicti, patentes
litteras duplicatas, quarum una penes ipsum Romanorum regem, altera[h] vero penes
30 regem Anglie supradictum remanebit, scribi et sigillorum nostrorum appencione fecimus
communiri. datum etc.

a) *Vorlage* hon *mit Überstrich.* b) *Vorlage* optimum. c) *Vorlage* fuerint. d) *Vorlage* posses. e) *Vorlage* teneri.
f) om. *Vorlage.* g) *Vorlage* Raptns. h) *Vorlage* alteram.

1402
Juli 22 **258.** *K. Ruprecht an K. Heinrich IV von England: ist über die Ankunft der Prin-*
zessin Blanka von England seiner Schwiegertochter hoch erfreut; er will demnächst
eine Gesandtschaft nach England schicken, um den König über seinen Rückzug
aus Italien und andere politische Angelegenheiten zu unterrichten [1]. *1402 Juli 22*
Heidelberg.   5

Aus Karlsr. G.L.A. Pfälz. Kop.-Buch 146 fol. 112 ᵇ *cop. chart. coaev.*
Gedruckt bei Martène Thes. nov. anecd. 1, 1701 nr. 63 primo. — Regest bei Georgisch
2, 867 nr. 39 und Chmel nr. 1247 aus Martène, bei Janssen Frankf. Reichskorresp.
1, 703 nr. 1124 aus Manuskript in dessen Privatbesitz Acta et Pacta 346.

Illustrissimo principi Heinrico dei gracia regi Anglie et Francie et domino Hibernie 10
fratri nostro karissimo Rupertus eadem gracia Romanorum rex semper augustus in
utriusque hominis sospitate fraterni amoris vinculum ᵃ ampliari.   illustrissime princeps,
frater carissime.   optata dudum nostris desideriis dies, quam fecit dominus, advenit,
qua sacro conjugali nexu illustris et magnifica Blanchia vestre celsitudinis filia nurusque
nostra dilectissima primogenito nostro predilecto tanta fuit sollempnitate matrimonialiter 15
copulata.   sed tunc vere dies leticie nobis presencialiter ᵇ illuxit, cum nostro conspectui
se radius ille mire pulchritudinis presentavit, cujus utique morum venustas et corporis ᶜ
habitudo proclara generositatem tante excellencie absque alio adminiculo sufficientissimam
demonstravit.   quid plura? claret in inclita ᵈ prole ᵉ vestra et cum ea regalis muni-
ficencia tantarum et preciosarum copia rerum, quibus eam vestra sublimitas decoravit. 20
hoc est illa perpetui amoris causa tam efficax et ᶠ fraterne caritatis virens plantula in
generacione et generacionem ᵍ suos palmites diffusura ʰ. restat igitur, princeps extollende,
memoriam habundancie suavitatis hujus eructare dictamque nostram nurum filiali dulce-
dine a nobis et inclita consorte nostra pertractari. ex illa quippe hora eandem merito
recepimus in nostram. ceterum super recessu nostro de Italie partibus et de circum- 25
stanciis nostri status harumque Germanie partium et aliis occurrentibus solempnes oratores
nostros destinare intendimus in brevi vestram regiam celsitudinem plene informaturos.
quam altissimus dirigere et tueri dignetur in longevum.   datum Heidelberg die 22
1402
Juli 22 mensis julii anno domini millesimo 400 secundo, regni vero nostri anno secundo.

                          Ad mandatum domini regis   30
                           Job utriusque juris [1].

---

a) *cod.* viculum. b) *Martène* principaliter. c) *cod.* corporum, *Martène* corporis. d) *cod.* inclito; *Martène* inclyta
prole vestra et cum ea regali. e) *cod.* so, *nicht* proles; kaum zu emendieren in inclito proles vestra? f) *Mar-*
tène ut. g) *cod.* generacionum? h) *cod.* diffusiua, *Martène* diffusiva. i) *Martène* Job Vuener utriusque juris
doctor.   35

---

[1] *Am gleichen Tage schrieb auch Pfalzgraf*
Ludwig an K. Heinrich und sprach seine Freude
über die Ankunft Blankas etc. aus; der Brief ist
gedruckt Martène thes. n. anecd. 1, 1701-1702
nr. 63, daraus Correspondence of Th. Bekynton
(Script. rer. Brit.) vol. 2 app. pag. 380 nr. 310
und Regest Georgisch 2, 867 nr. 40. Die Hoch-
zeit fand am 6 Juli in Köln statt, s. Einleitung.

L. Städtische Kosten nr. 259.

259. *Kosten Frankfurts zum Mainzer Tage vom Juni 1402 und vorher.* 1401 Jan. 29 *1401*
bis 1402 Juli 8.   *Jan. 29*
                                                                                                     bis
                                                                                                     1402
Aus Frankfurt St.A. Rechnungsbücher, *art. 1 unter* uzgebin pherdegeld, *art. 2. 5 unter* *Juli 8*
uzgebin zerunge, *art. 3. 4. 5ª unter* besundern einzlingen ußgebin.

[*1*] Sabb. ante purif. Marie: item 25 sh. eim pherde 5 tage, daz Heinr*ich* schriber *1401*
gein Heidelberg reit mit hern Fridr*ich* von Sassinhusen und Jungen Frosch, als von   *Jan. 29*
einer nuwen monze wegin unserm herren dem kunige zů entworten [1].

[*2*] Sabb. post Katherine: item 18 gulden virzerten Heinrich Herdan und Johan *1401*
10 Erwin selbseste seß tage gein Heydelberg zů unserm herren herzog Ludewig*en* des richs   *Nov. 26*
vicarien, als die Rinschen stede mit den Swebischen steden tedingeten ª von irer geltschulde und auch sust von des zolls zů Hoste und der monze wegin; und 3 grossen
herzoge Ludewig*es* dorhutern zů schenken.

[*3*] In vigil. penthecostes: 3 gulden 2 grossen umb fische, die man dem jungen *1402*
15 herren von Falk*instein* schenkete, als er von Welschen landen heruß waz kommen.   *Mai 1ª*

[*4*] Sabb. ante Udalrici: 2 gulden Hartmud Molner und Peder zum Slegil von *1402*
unsers herren des koniges und der drier fürsten uf dem Rine nůwen gůlden zu cimenten   *Juli 1*
und zu strichen.

[*5*] Ipsa die Kiliani: item han virzert 20 gulden Erwin Hartrad, Heinr*ich* Herdan *1402*
20 und Peter schriber selbsiebende mit sieben pherden gein Heidelberg von 6 dagen, als   *Juli 8*
sie unserm herren den konig von des rads und stede wegen, als er von Welschen landen
wider herußkommen waz, enphingen ª, und im des rads und stede sache und notdorft
von des bischofes und paffen wegen zu erzelen. — item 1/2 gulden unsers herren des
koniges portenern uf die zit geschenkt. — item 45 lb. han virzert Jacob Weibe, Heinr*ich*
25 Wiße zum Rebestocke, Erwin Hartrad, Heinr*ich* Herdan, Johan Erwin, Gilbr*echt* Riet- .
esel, meister Heinr*ich* Welder, und Peter schriber selbachtzehinste 4 dage gein Mencze
zu unserm herren dem konige, im der stede notdorft ᵇ von des bischofes und der paffin
wegen zu sagen, und mit der fursten und stede frunden von der münze und des zolles
zu Hoeste zu ratslagen, und auch von andern sachen. — item 3 gulden unsers herren
30 des koniges boden geschenkt. — item 2 gulden sinen piffern und spilluden geschenkt. —
item 4 grossen dem innersten portener zu schenken. — item 2½ lb. virzerten Heinrich
Wiße zum Rebestocke und Erwin Hartr*ad* einen dag selbfunfte, als die andern heruf-
furen ª und sie bi der andern stede frůnden da blieben eczliche sache zu enden.

[*5ª*] 15 gulden hern Mathis geschenkt unsers herren des konig*es* schriber, als er dem
35 rade und stat eczwie faste gedient hatte.

a) *cod.* tedingenten. b) *cod.* nodorfft.

---

[1] *Es ist dieß wahrscheinlich die Gesandtschaft*
deren Kosten wesentlich schon am 18 Dec. 1400
verrechnet wurden, s. RTA. 4 nr. 201 art. 2.
40 [2] *Lehmann Speyr. Chr. ed. Fuchs 775 sagt von*
Speier: Ein Rath ließ den König durch seine
Gesandten empfahen als er auß Welschland wieder-
kommen. — Augsburg ließ ihn durch Gesandte
in München begrüßen, s. pag. 297 nt. 3, hatte
45 *im Juni aber auch in Heidelberg einen Gesandten;*

item 25 guldin dem Radawer gen Haidelberg zů
unserm herren dem kůng, Viti [*Juni 15*] *ist in*
der Baurechnung von 1402 (Augsburg St.A.) unter
den Nachträgen der Rubrik generalia *eingetragen.*
[3] *D. h. als die andern Mitglieder der Frank-*
furter Gesandtschaft zum Mainzer Tage, deren
Kosten weiter oben verrechnet sind, von Mainz
nach Frankfurt zurückkehrten.

M. Erster Anhang: königliche Tage zu Bacherach im Juli 1402 nr. 260-262.

1402
Juli 7
260. *K. Ruprecht an Frankfurt: die Stadt soll jemand zu ihm schicken nach Bacherach auf 10 oder 11 Juli wegen der Goldmünze. 1402 Juli 7 Simmern.*

Aus Frankfurt St.A. Münze I or. ch. lit. cl. c. sig. in verso impr.
Regest Janssen R.K. 1, 703 nr. 1122 aus unserer Vorlage, deren frühere Signatur Unter- 5
gewölb A 71 B von ihm angegeben wird.

Ruprecht von gots gnaden Romischer
kunig zu allen zijten merer des richs.

Juli 10
Juli 11
Lieben getruwen. wir begern mit ernste, daz ir nit lassent, ir schickent einen
von uch unverczugelich zu uns gein Bacherach, daz der uff mantag oder dinstag by 10
uns daselbst sy, oder wo er uns dann da-umbe findet. mit dem wollen wir etwaz reden,
daz vorbaz an uch zu bringen, als von der gulden muncze wegin, des wir uch nit verschriben konnen. datum Symern sexta feria ante beati Kiliani martyris anno domini
1402
Juli 7
millesimo quadringentesimo secundo regni vero nostri anno secundo.

[*in verso*] Unsern lieben getruwen dem rate unser   Ad mandatum domini regis 15
und des heiligen richs stat Franckfurd *dari debet*.   Johannes Winheim.

1402
Juli 13
261. *K. Ruprecht entscheidet über das Kurkölnische Erbkämmereramt nebst Burg Bachem zwischen zwei gen. Parteien. 1402 Juli 13 Bacherach.*

Aus Karlsr. G.L.A. Pfälz. Kop.-Buch 8¼ fol. 48ᵇ-49ᵃ cop. ch. coaev., mit der Überschrift
Als Wernher von Bacheim ritter daz erbekamererampte zu Colne ofgeben hat, daz 20
der bischof von Colne Phaen von Hennenberg geluhen hat etc. Am Rand zu Anfang
der Urkunde von Hand des späteren 15 Jahrh. Nota: das ein ubergab lehens creftig
gewist ist.

Wir Ruprecht von gots gnaden Romischer kunig etc. bekennen und tun kund
uffinbar mit diesem briefe: daz vor ziten vor uns komen ist, wie daz Wernher von 25
Bacheim ritter etwann des stifts von Colne erbekamerer daz kamerampt mit der burge
zu Bacheim und aller ir zugehörunge dem erwirdigen Friderich erzbischof zu Colne
unserm lieben neven und kurfursten mit friem willen genzlich ufgeben habe, und daz
der vorgenant erzbischof mit demselben lehen burg und allem daz darzu gehored Phaen
von Hennberg den jungen ritter und sin erben belehent habe. und als darumbe ge- 30
zweit ist und auch vor uns zu den ziten komen ist daz der obgenant Wernher von
Bacheim mit nimand in gemeinschaft des vorgenanten lehens saß, han wir zu den ziten
erkant nach rate unser und des richs kurfursten anderr fursten graven frien-herren
rittern knechten und anderr unser und des richs lieben getruwen, als verre uns zu
diesen ziten indenkig ist und von etlichen die dabi warent underwiset sin, daz Wernher 35
von Bacheim obgnant daz vorgenant lehen wol ufgeben mochte, und daz Phae von
Henneberg und sin erben zu denselben[a] lehen recht haben sollen diewile sie ine der
egenant erzbischof zu Colne geluhen hat. des zu urkunde han wir unser kunigloch
ingesigel an diesen brief dun henken, geben zu Bacherach uf sand Margreten tag der
1402
Juli 13
heiligen jungfrauwen nach Cristi gepurte vierzehenhundert und zwei jare unsers richs 40
in dem andern jare.

Ad relacionem magistri curie
Nicolaus Buman.

a) sic, nicht demselben, trotz des vorhergehenden daz lehen; entsprechend nachher auch sie.

262. *Frankfurts Kosten zu den königlichen Tagen in Bacherach im Juli 1402. 1402* $\quad$ *1402*
Juli 15 bis Aug. 5. $\qquad\qquad\qquad\qquad\qquad\qquad\qquad\qquad\qquad\qquad\qquad$ *Juli 15*
$\qquad\qquad\qquad\qquad\qquad\qquad\qquad\qquad\qquad\qquad\qquad\qquad\qquad\qquad\qquad\qquad\qquad$ *bis*
$\qquad$ *Aus Frankfurt St.A. Rechnungsbücher unter der Rubrik uzgebin zerünge.* $\qquad\qquad$ *Aug. 5*

$\qquad$ [1] Sabb. post Margarethe: item 10 lb. virzerten Heinrich Herdan und Petrus schriber $\quad$ *1402*
5 funf dage selbvierde gein Bacherache an unsern herren den konig, als er dem rade ge- $\quad$ *Juli 15*
schriben hatte sine frunde zu im dar zů schicken von der monze wegen *u. a. m.*
$\qquad$ [2] Sabb. ante Laurencii: 27½ lb. virzerten Heinrich Wiße, Johan von Holczhusen $\quad$ *1402*
und Heinrich Herdan mit Gilbrecht Rietesel dem burggraven zu Bonemese einen dag $\quad$ *Aug. 5*
selbzwelfte, so 3 dage selbeilfte und 2 dage selbfunfte gein Bacherache, als unser herre
10 der konig mit den drin fursten da waz und des rads frunden dar bescheiden hatte,
gnade und friheit die man den paffen gelosen hatte meinte zu verhoren *u. a. m.*

N. Zweiter Anhang: städtischer Münztag zu Mainz auf 13 Juli 1402 nr. 263-269.

263. *Nürnberg an Mainz, bittet um Nachricht von dem auf 13 Juli 1402 bevorstehen-* $\quad$ *1402*
den Mainzer Tag, und wünscht die Beschlüsse desselben durch ein allgemeines $\quad$ *Juli 7*
15 *Strafgebot durchgeführt zu sehen. 1402 Juli 7 Nürnberg.*
$\qquad$ *Aus Straßb. St.A. J. D. G. lad. 61 fasc. Münztag zu Mainz Juni 1402 fol. 8ᵃ cop. ch.*
$\qquad$ *coaev., mit Überschrift Datum per copiam.*

$\qquad$ Unsere willige fruntliche dienste sin uwer ersamekeit allezit voran bereit. fursiechtigen und wisen besundern lieben frunde. $\quad$ als der stete erber boitschaft und $\quad$ *1402*
20 frunde itzunt uf sant Margareten dag zu uch in uwer stat gein Mentze kommen sollen $\quad$ *Juli 13*
von der gulden munze wegen, als man uberein ist worden, und daz man da zu rate
sal werden wie man ieden gulden in sime werde nemen und waz man auch daruf geben
solle daz sie als gut werden als die nuwen und die alden gulden die da besteen zu
22½ graden: bitten wir uwer ersame fruntschaft mit allem fliße, daz ir uns an uwerm
25 briefe laßet verschriben wißen, waz man davon zu rate werde oder wie man davon
scheide, daz wir uns auch darnach wißen zu riechten. $\quad$ besunder so duchte uns große
noitdorft sin daz man uberein wurde eins gebotes und einer verkundunge von unsers
herren dez konigs und auch eine iedie stat von iren wegen, also daz man gebode daz
nů forbaßer nach sant Jacobs dage ein iglicher den andern bezale mit solichen gulden $\quad$ *1402*
30 und werunge als man dan uberein worden ist, und, wer dez nicht endete, daz der eine $\quad$ *Juli 25*
pene verfallen were der stat darinne er gesessen oder burger were, und daz auch unser
herre der konig und die fursten daz gebieden ließen in iren steten, und daz daz alle
frie und dez richs stete auch verbüten in iren steten, also daz daz glich verkundet verboten und gehalten wurde ie in einer stat als in der andern, und besunder daz daz
35 verboten und gehalten wurde zu Franckfurt iczunt in der nestkunftigen messe. $\quad$ und
wez uwer wisheit darinn und in andern sachen von den leufen zů rate werden, daz
laßet uns verschriben wißen. daz wollen wir umb uwer ersamekeit allezit gerne verdienen. $\quad$ datum feria sexta ante Kiliani anno 1402. $\qquad\qquad\qquad\qquad\qquad\qquad$ *1402*
$\qquad\qquad\qquad\qquad\qquad\qquad\qquad\qquad\qquad\qquad$ Von deme rade zu $\qquad\qquad\qquad\qquad$ *Juli 7*
40 $\qquad\qquad\qquad\qquad\qquad\qquad\qquad\qquad\qquad\qquad$ Nürenberg.

[1402
Juni 24]　**264.** *Münzprobe, vorgelegt von den Frankfurter Gesandten auf dem städtischen Münztag von [1402 Juli 13 Mainz]. 1402 Juni 24 Frankfurt.*

> S aus Straßb. St.A. J. D. G. lad. 61 fasc. Münztag zu Mainz Juni 1402 fol. 8ᵇ cop. ch.
> coaev., auf die Rückseite der Kopie des Nürnberger Briefes an Mainz vom 7 Juli
> 1402 nr. 263 geschrieben von gleicher Hand.　　　　　　　　　　　　　　　　5

1402
Juni 24

> F coll. Frankf. St.A. Münze I cop. ch. coaev., statt der Überschrift von S steht hier die
> folgende Actum nativitatis Johannis[1] anno 1400 secundo; das Ganze von Frankfurter
> Hand.
> Gedruckt Joseph Goldmünzen des 14 und 15 Jahrhunderts (Archiv für Frankfurts Gesch.
> und Kunst, neue Folge Bd. 8, auch separat) pag. 217 nr. 72 aus F. — Erwähnt　10
> bei Wencker apparatus 363 nt. *; ebenso Koch Neue und vollständige Sammlung 1,
> 105 und Hirsch Münzarchiv 1, 60, beide aus Wencker.

Diß ist der von Franckfurt ding.

[1] Nota. unsers herren dez konigs gulden ᵃ und der ᵇ kurfursten uf deme Rine
nuwe gulden[2] besteen uf deme zyment bi ein uf 21 graid.　　　　　　　　　　15

[2] Item unsers herren dez konigs und unsers herren von Collen nuwe gulden mit
den vier-spiczigen schilden[3], als sie mit den fursten slahen, besteen uf deme striche uf
21½ graid.

[3] Item so bestent unsers herren von Triere gulden, die vier-spitzigen, auch also
uf 21½ graid, und ir eins deils eins granes minner, der dun vier einen graid.　　20

[4] Item so besten unsers herren von Mentze gulden, die vier-spiczigen, uf 21 graid
und einen gran; so besteen ir ein deil uf 21 graid.

[1402
Juli 13]　**265.** *Münzprobe, vorgelegt von den Kölner Gesandten auf dem städtischen Münztag von [1402 Juli 13 ⁴ Mainz].*

> S aus Straßb. St.A. J. D. G. lad. 61 fasc. Münztag zu Mainz Juni 1402 fol. 5ᵇ cop.　25
> ch. coaev.
> F coll. Frankf. St.A. Münze I cop. ch. coaev., ohne die Gesammtüberschrift, ohne die
> Marginalbeischriften, statt art. III folgen als Schluß die Worte und ist gescheen in
> anno 1400 vel circa, und ist von Mencze herufgesant. Die Unbestimmtheit der Zeit-
> angabe darf nicht irre machen, die Abschrift ist doch nahezu gleichzeitig, aber in　30
> Frankfurt einige Jahre nachher gemacht, wo der Schreiber schon nicht mehr sicher
> war.
> Gedruckt Joseph Goldmünzen des 14 und 15 Jahrhunderts (Archiv für Frankfurts Gesch.
> und Kunst, neue Folge Bd. 8, und separat) pag. 212 nr. 69 lit. B aus F, hier für
> eine Mainzer Münzprobe gehalten und ins Jahr 1400 verlegt. — Erwähnt bei Wencker　35

---

a) om. F.　b) F add. drier.

---

[1] Wenn die Münzprobe am 24 Juni 1402 zu
Frankfurt gemacht ist, so passt sie als Vorlage
auf den städtischen Münztag vom 13 Juli 1402.
[2] Schon die seit dem Münzgesetz vom 23 Juni
1402 nr. 225 geprägten? Ist nicht wol zu denken, das wäre zu rasch. Man wird die sämmtlichen Gulden, von denen in diesem Stück die
Rede ist, als diejenigen ansehen müssen, die in
dem städtischen Rathschlagen von 1402 c. Juli 13

nr. 268 erwähnt sind. Dort sind in art. 1 auch
des Königs Gulden näher bezeichnet, wie auch in
der Kölner Münzprobe nr. 265 art. I 1.
[3] Vertrag vom 19 Sept. 1399 RTA. 3, 110 nr. 62
art. 3.　　　　　　　　　　　　　　　　　　　　40
[4] Das Datum ergibt der Zusammenhang im
Fundort S, s. Quellenangabe zu nr. 263. 264.
265. 267. 268. 270. 273.

*apparatus 363 nt. *; ebenso Koch Neue und vollständige Sammlung 1, 105 und Hirsch Münzarchiv 1, 60, beide aus Wencker.* *[1402 Juli 13]*

Der[a] von Collen.

[*I 1*] Primo unsers herren dez konigs gulden mit deme adelar[1] sint zu lichte 3 alte heller. Item sint dieselben gulden zu krang an golde 1½ heller.	*konig*
[*I 2*] Item die gulden von Hoiste[2] sint zu lichte 5[b] heller und sint zu krang an golde 11½ heller. Item die gulden von Binge sint zu lichte 5½ heller und zu krang an golde 10[c] heller.	Mentze
[*I 3*] Item die gulden von Wesel sint zu lichte 3½ heller und zu krang an golde 3 heller. Item die gulden von Cobelentz sint zu lichte 1½ heller und zu krang an golde 6[d] heller.	Triere
[*I 4*] Item die[e] gulden von Bonne sint zu lichte 1½ heller und zu krang an golde 6 heller.	Collen

[*I*] Diese vorgeschriben gulden sint ufgesatzt ganze uf daz zyment.

[*II*] Item diese hernach geschriben gulden sint dûnne[f] geslagen und uf daz zyment glich gesaczt mit deme stalen der da hielt[g] 22½ graid.

[*II 1*] Primo dez konigs gulden mit deme adeler zu lichte 1½ heller und zu krang an golde 3½ heller.	*konig*
[*II 2*] Item der gulden von Hoiste zu lichte 7½ heller und an golde zu krang 9 heller. Item der gulden von Binge zu lichte 5½ heller und zu krang an golde 12½ heller.	Mencze
[*II 3*] Item der gulden von Wesel zu lichte 5½ heller und zu krang an golde 7½ heller. Item der gulden von Cobelencz zu lichte 5[h] heller und zu krang an golde 2½ heller.	Triere
[*II 4*] Item der gulden von Bonne zu lichte 1½ heller und heldet nerlich[i] 22½ graid. Und alle vorgeschriben gulden sint uf 22½ graid ufgesatzt.	Collen

[*III*] Nota. ein gran ein virteil eins grades, und ein gryn ein sechzehende deil eins grades, und daz deilet man dannoch in nûn teile etc. d.[k].

a) *Gen. plur., sc.* ding *wie bei der Frankf. Münzprobe hier nr. 264.* b) *F* 4½. c) *F* 9½. d) *F* 15½. e) *S* der, *F* die. f) *S* dûnne, *F* dunner. g) *F* stahel der da heldet. h) *F* 4½. i) *S* verlich, *F* nerlichen. k) d *mit Schweif nach unten.*

[1] *Vgl. Rathschlagen der städtischen Gesandten des Mainzer Tages vom 13 Juli 1402 nr. 268 art. 1.*

[2] *Hieraus hat Wencker appar. 363 nt. * seine Notiz von den Prägestätten Höchst Bingen Wesel Koblenz Bonn, mit einem* etc. *(wol überflüssig). Er sagt, es erhelle auch noch aus andern Akten ganz deutlich, daß diese Goldmünzen nach der Münzstadt, da sie gepräget, genennet worden.*

[1402
Juli 13] **266.** *Münzprobe [Nürnbergs, wol eingeschickt* [1] *auf den städtischen Münztag von 1402*
Juli 13 Mains].

> *Gedruckt von Hegel in St.-Chr. 1, 233f. ebendaher.*
> *Aus Nürnb. Kreisarchiv cod. 673 fol. 142*b *cop. coaev. — In art. 3 ist einen gran Emen-*
> *dation für einer gran.*   5

Ez ist ze wissen, daz man zu der zeite als unser herre der Römisch künig die
vorgeschriben brief [2] gab, die guldein die vor geslagen warn versuchen ließ, und vand
die an dem striche als hernach geschribon stet.

[1] Zum ersten vand man die guldein mit dem tripaz [3], die di vier herren geslagen
haben, 22¼ garad.   10

[2] Item die alten Rupertus und die Heydelberger guldein besten alle zu 22¼ garad.

[3] Item die newen Frankfurter mit dem adler [4] halten 22 garad und auf daz
genewst einen gran mer.

[4] Item die newen guldein mit dem vierpaz [5], die di vier herren geslagen haben,
halten gemeinlichen 22 garad.   15

[5] Item die Kölnischen guldein mit dem adler im crewz die newern halten
22 garad.

[6] Item die Trierischen guldein mit dem crewz im halben schilt vindet man gar
ungleich, etlich halten 22¼ garad, etlich 22, und etlich 21½ garad und minder.

[7] Item die Meinczer guldein mit dem rade im slehten schilt die newern vindet   20
man zu 22 garaden.

[1402
Juli 13] **267.** *Münzprobe [vorgelegt von den Straßburger Gesandten auf dem städtischen Münz-*
tag von 1402 Juli 13 Mains? [6]*]. — Dazu der Rathschlag der Pfaffenlape Bürger*
von Straßburg über die Goldmünze [aus derselben Zeit].

> *A aus Straßb. St.A. J. D. G. lad. 63 fasc. Alte Müntzordnungen etc. nr. 7 cop. ch.*   25
> *coaev., wol Reinschrift, unbeschädigt.*
> *B coll. ib. lad. 61 fasc. Münztag zu Mains Juni 1402 fol. 7*ab *und* 6ab *cop. ch. coaev., etwas*
> *beschädigt, auf 2 schmalen Streifen wie das Straßburger Gutachten über die Grundsätze*
> *bei Schätzung der Goldmünze ad 23 Juni 1402 nr. 222 und von derselben Hand*
> *Ob das Rathschlagen der Pfaffenlape zu Mains mit vorgelegt wurde, ist nicht zu*   30
> *sagen; jedenfalls ist es ganz nach derselben Disposition gearbeitet wie die Straßburger*
> *Münzprobe selbst und gehört in diesen Zusammenhang der Dinge, daher in A nicht*
> *getrennt sondern unmittelbar mit dem Gutachten der Vier zu einem Ganzen ver-*
> *bunden.*
> *Erwähnt bei Wencker apparatus 363 nt.* [a]*; ebenso Koch Neue und vollständige Samm-*   35
> *lung 1, 105 und Hirsch Münzarchiv 1, 60, beide aus Wencker.*

[I] Es ist zů wissende, das die von Straspurg hant ußerwelt vier erber man [7],
etlich gůldin zů versůchende und ufzesetzende waz si
in dem fůre hieltent und noch dor wogen.

Alse hant si ůfgesetzet dise nachgeschriben guldin. und sint dieselben guldin alle   40
in dem cloben gestanden, also das ir uf eine mark gont 66½ guldin.

---

[1] *Nürnberg war durch keine Gesandtschaft ver-*
treten, s. Einl. N.
[2] *nr. 225, s. Quellenangabe dort und hier.*
[3] *Die nach dem Münzvertrag vom 8 Juni 1386*
geprägten, RTA. 1, 513 nr. 286 art. 3.
[4] *Rathschlagen vom 13 Juli 1402 nr. 268 art. 1,*
Frankfurter Münzprobe nr. 264 art. 19, Kölnische
Münzprobe nr. 265 art. I 1.

[a] *Vertrag vom 19 Sept. 1399 RTA. 3, 110 nr. 62*
art. 3.
[6] *Wegen der zweifelhaften Datierung vgl. die*
Einleitung lit. N pag. 281, 2 ff.   45
[7] *Münzgesetz vom 23 Juni 1402 nr. 225 art. 6.*

[1] Also hant si funden an eim guldin von Beiern zů Heidelberg geslagen mit [1402
den [a] drien kumpbas [1], das derselbe guldin hat gehalten nút me danne 18¼ gradus *Juli 18]*
fölliche. und tůd dis 28¼ pf., die ime gebrist daz er nit fin ist.

[2] Und hant versůchet ein guldin mit den drien kumpas als ein bischof von
5 Mentz hat geslagen. derselbe guldin hat gehalten 20 gradus minre ein vierdenteil eins
gradus. und gebristet ime 23 pf. daz er nit fin ist.

[3] Und hant versůchet einen nuwen guldin des kúniges guldin mit dem adeler
uf dem schilte. der hat gehalten 18 gradus und ein vierdenteil eins gradus. und gebristet ime 34 [b] pf. föllich das er nit fin ist.

10 [4] Und hant versůchet ein guldin [2] des bischofes von Mentze alse man hat geslagen. derselbe guldin hat gehalten 17½ gradus. und gebristet ime 34 pf. föllich daz
er nit fin ist.

[5] Und hant versůchet einen nuwen guldin von Triere. der hat gehalten 17 gradus
und einen vierdenteil eins gradus. und gebristet ime 3 sch. [c] an der vine.

15 [6] Und hant versůchet ein guldin von Côlne. der hat gehalten 16½ gradus und
einen vierdenteil eins gradus. unde gebristet dem guldin 3 sch. 2 pf. [d] das er nit
fin ist.

[II] *Nota.* so ist dis daz rotslagen, daz die Phaffenlabe [3] gerotslaget hant
von der gúldin múnssen wegen [e].

20 Nů als die herren und stette meinen, das man hinnanfúrder [f] guldin solte machen,
die solten haben und halten 22½ gradus, und solt man do schroten 66 guldin uf ein
mark:

[1] Wurt man die also machen, so ist der guldin von Beiern mit den drien kumpas [4], der do zů Heidelberg ist geslagen, krenker 22½ strazburger pfennige, one die
25 lihte das ir einre lihter were als man wol findet ir vil, und ist krenker vier ·wisse
pfenninge minre drier alter haller oder 6¼ engelschen.

[2] Ouch so wurde der guldin von Mentze mit den drien kumpas krenker 17
straspurger pfenninge, one daz man si [g] lihter vindet danne 67 gúldin, oder drie wisse
pfenninge one 2 alte haller oder 5 engelschen one 1 haller.

30 [3] Ouch so wurde unsers herren des kúniges guldin mit dem adeler uf dem schilte
krenker 2 sch. [h] strazburger, one die lihte, wanne man vindet das der nuwen guldin
gont ·uf eine mark 68½ guldin, oder 4 wisse pfennige oder 7 engelschen.

[4] Ouch so wurde die bischofes von Mentze guldin, die man nuwelingen hat
35 geslagen [5], krenker 2 sch. [i] 4 pf., one die lihte, oder 4 wisse pfennige und 7 haller oder
8 engelschen.

a) *em. aus dem.* b) *hier ist wol ein Schreibfehler, wahrscheinlich sollte es 29 heißen.* c) *B add. pf.* d) *B add.*
strazburger; ob 2 oder 1½ zu lesen, ist in B zweifelhaft, doch jenes sicherer, in A ganz sicher. e) *Überschrift*
eingesetzt aus B, wo sie von anderer aber gleichzeitiger Hand beigefügt ist. f) *B hinnen für me.* g) *om. B.*
h) *B add. pf.* i) *B add. und.*

40 [1] *Nach dem Münsvertrag vom 8 Juni 1386 RTA.* | *milie kommt schon in Verzeichnissen von Straß-*
1, 513 nr. 286 art 3. | *burger Hausgenossen von 1266 und 1283 vor, ib.*
[2] *Noch keinen neuen nach dem Gesetz vom* | *fasc. d. Müntzer und Hausg. belang. — Vgl.*
23 Juni 1402 geprägten, sondern nach dem Ver- | *Eheberg Älteres deutsches Münzwesen und Haus-*
trag vom 19 Sept. 1399 RTA. 3, 110 nr. 62. | *genossen, in Schmoller Forsch. 2. 5. 1879 pag. 167*
45 [3] *Sind Straßburger Münsbeamte. In einem un-* | *nt. 2.*
gefähr wol etwas vor dieser Zeit geschriebenen | [4] *Nach dem Münsvertrag vom 8 Juni 1386 RTA.*
Verzeichnis der husgenosen an der münsen finden | *1, 513 nr. 286 art. 3.*
sich Hesse Pafenlap, Klein Hensel Pfafenlap, | [5] *Nicht die neuen nach dem Gesetz vom 23 Juni*
Kúensel Pf., Hensel Pf., im Straßb. St.A. J.D.G. | *1402 geprägten; der Vertrag vom 19 Sept. 1399*
50 *ladula 61 fasc. Mancherlei Bedencken. Die Fa-* | *RTA. 3, 110-112 nr. 62 ist gemeint.*

[5] Ouch wurde des bischofes von Trier guldin krenker, der nuwe [a] guldin, 2½ sch.
strazburger, one die lihte, oder 5 wisse pfennige oder 8½ engelschen.

[6] Ouch wurde des bischofes von Côlne guldin krenker 2½ sch. [b] 2 pf. strazburger,
one die lihte, oder 5 wisse pfennige und 3 haller oder 9 engelschen.

[1402 **268.** *Rathschlagen der städtischen Gesandten, wie man die bisherige Goldmünze nehmen,* [5]
c. Juli   *und wie man bei einem königlichen Gesuch um Steuer oder Hilfe verfahren solle.*
13]   *[1402 c. Juli 13* [1] *Mainz].*

     Aus Straßb. St.A. J. D. G. lad. 61 fasc. Münztag zu Mainz Juni 1402 fol. 5 [a b] *cop. ch.*
coaev., die Überschrift Der stettebotten rotalagen von anderer doch gleichzeitiger Hand; [10]
zu art. 5 bemerkt die Hand wol eines Archivars des 18 Jahrhunderts in Form einer
Überschrift Sicut erat in principio et nunc et semper.
Gedruckt Wencker apparatus 362 f., Koch Neue und vollständige Sammlung der Reichs-
abschiede 1, 104 f. nr. 29 (b) II, Hirsch Münzarchiv 1, 60 f. nr. 63 II, bei allen
Dreien ohne art. 5; bei Hirsch ist die Stelle Die Proben sind gemacht worden bis [15]
Schluß nur eine aus Wencker genommene Anmerkung des letzteren, die auch Koch,
aber als bloße Anmerkung Wenckers, aus diesem wiederholt. Diese Anmerkung konnte
hier nicht abgedruckt werden, ist aber von uns bei der Bearbeitung vollständig ver-
werthet worden. — Erwähnt und zum Theil gedruckt Allgem. Gesch. der Handlung
und der Schiffahrt 2, 974 f. — Regest Orth Anmerkungen zu Tituln d. Frankf. Ref. [20]
1, 630 ohne Quellenangabe, Orth Reichsmessen 326 aus Wencker und Hirsch, Chmel
reg. Rup. nr. 1227 aus Koch und Hirsch falsch zu 1402 Juni 23 wie ebendort.

Der stettebotten rotalagen.

     Zu wißen si, daz der stete frunde, als die itzunt zu Mentze bi einander sint von
der gulden munze wegen sich zu vereinigen und zu uberkommen wie man iglichen
gulden nemen solle, geraitsalaget hant uf ein bedenken in solicher maße als hernach ge- [25]
schriben stet.

     [1] Zum ersten ist ire meinunge, daz man unsers herren dez konigs gulden, die
er zu Franckfurt mit deme adeler hait dun slahen [2], und unser herren der kurfursten
gulden uf deme Rine, die sie mit der vier herren wapen und schilde bißher [3] hant dun
slahen, die ire rechte gewiechte hant, vor foll vor einen gulden zu werunge nemen solle; [30]
want versehelich ist, daz dieselben gulden, die ire gewiechte hant, daz mererteil 22½
graid halten sollen.

     [2] Item ist ire meinunge: want unsers herren dez konigs und unsers herren von
Collen gulden an golde beßer funden sint want unsers herren von Mencze und von
Triere gulden, daz man dieselben gulden, als viel man der mit der wage zu geringe [35]

a) *em. aus nuwen.*   b) *B add. und.*

---

[1] *Das Datum ergibt sich aus dem Rathschlagen*
vom 23 Juni 1402 nr. 223. Wir haben in un-
serem Stück die Aufzeichnung von dem dort in
Aussicht genommenen Mainzer Tag auf 13 Juli
1402. Dieß hat schon Orth Reichsmessen l. c.
richtig erkannt. Daß das Stück nicht mit Lersner
Chr. 1, 440 auf 1347 zu setzen ist, s. Orth Anm.
z. F. Ref. l. c., wo Orth als anwesend nennt „etlicher
Reichsstädte, als Worms Speier und Frankfurt Ab-
geordnete und andere Münzgesandte mehr", wahr-
scheinlich aus eigener Vermuthung. Koch und
Hirsch setzen das Stück sichtlich noch auf den

Tag vom 23 Juni, aber von diesem haben wir ja
schon ein städtisches Rathschlagen in nr. 223.
Wencker denkt vielleicht an 1402, trennt aber das
Stück von dem Rathschlagen und der Präsenzliste [40]
des 23 Juni (nr. 223 und 224 bei uns) durch
neue Ziffer.
[2] *Zwei solche zu Frankfurt geschlagene Gulden*
K. Ruprechts sind bei Joseph Goldmünzen l. c.
p. 6-7 sub nr. 3 [a] *und 3* [b] *beschrieben und*
den Tafeln dort abgebildet.
[3] *Münzabschied vom 19 Sept. 1399*
nr. 62.

und zu lichte findet, daz man daruf als viel pagamentz geben solle als viel sie zu lichte *[1402* *c. Juli* funden werden; und daz man darzu cleine gewiechte mache von 1 schillinge und von *13]* 2 heller, also daz man die rechte maße davon nach den cleinen gewiechten treffen moge und deme nachgee und daz nit iderman die lichterunge der zu geringer gulden zu sime
5 willen achte und setze, und daz man auch dieselben gulden, die zu lichte funden wer- · dent, mit solicher erfollunge der werunge nemen solle.

[*3*] Item ist ire meinunge: want unsers herren von Mencze und von Triere [1] gulden arger an golde funden sint dan unsers herren dez konigs und unsers herren von
Collen gulden, waz man derselben gulden zu lichte und zu geringe mit der wage findet,
10 daz man dieselben geringen gulden und lichte gulden mit pagament nach wisunge der
cleinen gewiechte erfullen solle, und daz man darzu uf iglichen derselben gulden 3 alde
heller umb ergerunge dez goldes geben solle, und daz man dieselben gulden dan auch
also vor werunge nemen solle.

[*4*] Und ist der stetefrunde meinunge: wie doch die gulden daz mererteil arger
15 funden werden, daz man sich dez troiste die gulden deste hoher zu nemen, umb dez
willen daz der gemeine kaufman lantman und allermenilich [a], die mit den gulden beladen
sint, deste minner schaden davon nemen, und auch daz dieselben gulden nit wieder in
daz für kommen.

[*5*] Nota. obe unser herre der konig einch stat verschribe oder betedingete umb
20 sture oder hulfe etc., daruf hant die raitz-boten geraitslaget uf irer [b] rete wolgefallen,
daz daz eine stat der andern verkunden solte und daz man eine gemeine antwerte gebe
und nit eine stat ane die andern stete antwerte.

269. *Kosten Frankfurts zum Tag zu Mainz vom Juli 1402.*   *1402 Juli 22-29.*   *1402*
Juli 22
bis
Juli 29

Aus Frankf. St.A. Rechnungsbücher, art. 1. 2. 2ᵃ unter der Rubrik uzgebin zerûnge,
25 *art. 2ᵇ unter ußgebin pherdegeld.*

[*1*] Sabb. ante Jacobi: item 5½ lb. virzerte Heinrich Wisse zum Rebestocke selbander *1402*
vier dage und dan einen tag selbfunfte gein Mencze, als etzlicher stede frunde da bi *Juli 22*
ein waren von der gulden monze und des zolles wegen zu Hoeste zu ratslagen.

[*2*] Sabb. post Jacobi: 6 lb. virzerte Johan Erwin selbander sehs dage gein Mencze, *1402*
Juli 29
30 als er mit den Beckartern und Beckinen von des rads wegen hinabegeschicht waz, als
die citert waren und die richter von unsers herren von Mencze wegen sie wolden vir-
horen, und auch als er von der monze wegen mit der stede frunden, als die da bi ein
waren, ratslagete und man Heinrich Wissen und Heinrich Herdan zu im schicte. —
[*2ᵃ*] item 9 gulden virzerte Johan Erwin selbdritte mit 3 pherden 6 dage gein Heidel-
35 berg, als der stede frunde von der monze wegen bi userm herren dem konige waren,
als der stede frunde des zu Mencze ubirqwamen, und die sache von der monze wegen
da zu ende q͘   wie man die bestellen solde. — [*2ᵇ*] 30 sh. Johan Erwin von
eim pherde e͘   e gein Heidelberg, als der stede frunde da waren bi userm herren
d ͙ ͘ mige,͘   sache von der monze wegen zu ende qwamen.

Kölner an Speier [1402] Juli 19 nr. 270.

O. Dritter Anhang: städtischer Münztag zu Worms vom 21 Aug. 1402 nr. 270-274.

[1402] Juli 19 **270.** *Zwei gen. Kölner* [1] *an Speier, betr. den Kurs der bisherigen Kurmainzischen und Kurtrierischen Gulden.* *[1402] Juli 19 [Köln].*

Aus Straßb. St.A. J. D. G. lad. 61 fasc. Münztag zu Mainz Juni 1402 fol. 11 ^{b} *cop. ch. coaev.; von Speier an Straßburg als Einschluß des Schreibens vom 24 Juli 1402* 5 *nr. 271 gesandt, wozu die Schnitte passen. Eine Abschrift war früher Straßb. St.-Bibl.* Wenckeri Exc. 1 fol. 175 ^{b}.

Unsern willigen dienst und waz wir gutes vermogen zuvor. sunderlichen guten frunde. als ir uns under andern worten geschriben hant von den von Straßburg, wie ire meinunge si die ergerũnge der zweier herren gulden von Meintze und von 10 Triere [2] zu erfullen mit vier hellern, darumb ir ouch an uns gesinnet daz wir daz an unsere herren vom rate zu Colne also bringen wollen, des gliches zu volgende [a] etc.: han wir wol verstanden, und begern uch, gute frunde, daruf zu wißende, daz wir die-selben uwere briefe, an uns gesant, an unsere herren vom rate zu Colne braht und in der von Straßburg und uwere meinunge furgelaht han, die uns wider geentwurt hant, 15 daz, umb merer schaden und krod des gemeinen koufmans zu verhũden, in beßer und nũtze dunke sin, daz die ergerũnge der vorgeschriben gulden mit drin hellern erfullet werde, und meinen darumb, bi dem ubertrage, als wir mit uch uf die dri heller ubir-
[1402] Juli 25 kommen sin, zu blibende, und uf sant Jacobs tag nehstkommende damitde zu tunde und furtzufarende als wir davon von uch gescheiden sin [3]. und wurdent ir herubir iht 20 dun, daz wollent uns uwere entwurte schicken an Rudiger zum Raße unsern wirt, uns die furt zu senden. got si mit uch. datum feria quarta post Margrethe virginis
[1402] Juli 19 nostris sub sigillis.

Von uns Jacob von Bernsauwe und Gobel vom rade zu Colne.

[1402] Juli 24 **271.** *Speier an Straßburg: betr. den Kurs der bisherigen Kurmainzischen und Kur-* 25 *trierischen Gulden.* *[1402] Juli 24 Speier.*

Aus Straßb. St.A. J. D. G. lad. 61 fasc. Münztag zu Mainz 1402 fol. 10 $^{a\,b}$ *or. chart. c. sig. in verso impr.; beschädigtes Exemplar, daher im Druck Ergänzungen in Kur-sive. Ein Regest war früher Straßburg St.-Bibl. Exc.* Wenckeri 1 fol. 175 ^{b}.

Unsern willigen dienst alle zijd bevor. ersamen und wisen besundern lieben 30 frunde. alse der von Colne frunden, die von Mencze [4] gescheiden warent ee uwere erbern botden dar quement, hynnach geschriben wart umb die vier hellere nach uwer und uwere frunde meynunge uff der zweyer fursten von Mencze und von Tryre guldin vor die ergerrũnge des goldis zũ geben und zũ nemende: also hant der von Colne frunde der stetde erbern botden daruff *widder* [b] geentwurtet mit irme brieffe, des wir 35

---

a) volgenden? b) nur von den 4 letzten Buchstaben ist noch etwas weniges sichtbar geblieben.

[1] *Es sind ohne Zweifel die Kölnischen Gesand-ten, die auf dem Tag zu Mainz vom 13 Juli und wol auch schon am 23 Juni anwesend waren. Vgl. im Text oben als wir davon von uch ge-scheiden sin.*
[2] *Diese beiden s. Rathschlagen der städtischen Gesandten zu Mainz [1402 c. Juli 13] nr. 268 art. 3.*

[3] *Mainzer Tag vom 23 Juni 1402 Rathschlagen nr. 223 II 3, und Rathschlagen der städtischen Gesandten vom Mainzer Tag [1402 c. Juli 13] nr. 268 art. 3.*
[4] *Städte-Versammlung vom 13 Juli 1402 lit. N.*

uch abeschrifft heryn *verslossen* senden [1].　und domitde hant uns unser frunde von Mencze ^[1402]
und von Wormße verschriben, das sie uff den dryn hellern, alse die von Colne, wollent ^{Juli 24}
blyben, dabij wir auch also bliben wollen, deme furbaßer also nachzugende wie man
uff die czijd zů Mencze mit verczeichenunge [2] davon gescheiden ist.　hernach wisse sich
uwer wisheit zů rihtende.　datum vigilia sancti Jacobi apostoli.

[1402]
Juli 24

　[*in verso*] Den ersamen wisen meister und rate
zu Straßburg unsern besundern guten frunden.　　Burgermeistere [a] und rat zu Spire.

272. *Die zu Worms versammelten Rathsboten von Mains Straßburg Speier Worms an* ^[1402]
　　Köln, betr. den Kurs der bisherigen Kurmainzischen und Kurtrierischen Gulden, ^{Aug. 21}
　　und Guldengewicht.　[1402] Aug. 21 Worms.

　　Aus Köln St.A. or. ch. lit. cl. c. sig. in verso impr. delapso; auf Rückseite gleichzeitiger wol
　　Kölnischer Kanzleivermerk Maguntia Wormacia Spira Argentina de florenis Maguntinis
　　et Treverensibus.　*Punkt über u in uns und uch gegeben durch* ů.

　　Unsern willigen dinst czuvor.　lieben besundern frůnde.　[1] als uwer und auch
ander stede frůnde zůnehste zů Mencze von einander gescheiden sint, wye man iglichen
gulden nemen solle, uch daz uwer erbern frůnde wole eigentlichen erczalt und uch
auch des eine schrifft [2] bracht haben, des wir hoffen: begern wir und bitten uwer erber
wißheid fließlich mit ganczem ernste, daz ir ůns virschriben wollint laßen wißen mit diesem boden, wie ir daz haltent in uwer stad mit den gulden, die unser herre von Mencze
und von Triere geslagen hant, die swer gnůg sint und ir gewichte hant, ob man die
vor volle neme odir nit, und ob man dry heller daruff gebe odir nit, durch ergerunge [b]
willen des goldes.　[2] auch bitten wir uch dinstlichen, daz ir uns mit diesem boden
senden wollent die guldengewichte, wie ir die gulden bij ůch wiegent, daz wir ůns auch
in unsern steden darnach wißen zu richten.　daran dunt ir uns besunder liebe, und
begern iz auch alczijt umb uch zu verdienende.　geben under der stede von Worms
ingesigel, des wir die andern gebruchen ouch an diesem brieffe, off den mantag vor ^[1402]
sancte Bartholomeus tage des heiligen aposteln.　　^{Aug. 21}

　[*in verso*] Den ersamen wisen und fursichtigen
luten dem rade der stad zů Collen unsern besundern lieben frunden debet litera.

Von uns den ratsbotden der stede
Mencze Straßburg Spire und Worms,
als wir iczunt zů Worms bij einander gewest sin.

---

a) burgermeister? b) or. ergeruge.

---

[1] *Brief der zwei gen. Kölner an Speier [1402]*
Juli 19 nr. 270.
[2] *Rathschlagen der Städteboten des Mainzer*
Tages vom 13 Juli 1402 nr. 268 art. 3.

[3] *Rathschlagen der städtischen Gesandten auf*
dem Mainzer Tag vom 13 Juli 1402 nr. 268.

1402
Aug. 24

273. *Frankfurt an die zu Worms[1] versammelten Gesandten von Mainz Straßburg Worms Speier, betr. den Kurs der bisherigen insbesondere der Kurmainsischen und Kurtrierischen Gulden, und Guldengewicht. 1402 Aug. 24 Frankfurt.*

F *aus Frankf. St.A.* Münze I *conc. chart., mit Überschrift* Mencze Straspurg Spier und Wormse frunden als die iczûnt zu Wormse bi einander sint gewest, *und mit der Notiz unter dem Text* Auditum a consilio; *auf Rückseite* Als die stede Mencze Straspurg Spire und Wormse von der gulden monze und gewichte wegin geschriben han und sunderlich umb die Menczsche und Trierer gulden.

S *coll. Straßb. St.A.* J. D. G. lad. 61 fasc. Münztag zu Mainz Juni 1402 fol. 14[b] *cop. chart. coaev.; Adresse als Überschrift* Den ersamen wisen, der von Mentze Straßburg Wormse und Spire frunden, als die zû dieser zit zû Wormse bi einander gewest sint, unsern guten frunden, debet litera; *Unterschrift* Von uns deme rade zû Franckenfurd; *das Datum des Hauptbriefs fehlt ganz, am Schlusse des Ganzen, also des Zedels, heißt es nur* Datum etc.; *offenbar in dem Briefe vom 13 Sept.* [1402] nr. 342 von Speier an Straßburg übersandt.

Unsern fruntlichin dinst zuvor. ersamen lieben frunde. [1] als ir uns geschriben hat von der gulden wegen, wie man iglichen gulden nemen solle, als man vormals davon gescheiden ist, des wir auch ein schrift[2] haben, und begert uch zû verschriben wie wir daz halten in unser stat: daruf lassin wir uwir wißheit wissin, daz wir die sache bi uns halten in allir der masse als uwer und unser frûnde vormals davon gescheiden sin, des ir und wir auch ein verzeichenunge[3] han. [2] so umb daz gulden-gewichte, als ir uns geschriben hat uch zû schicken, daz schicken wir uch auch mit diesem geinwortigen boten uch auch darnach mogen wissin zû richten. datum ipso die sancti Bartholomei anno 1400 secundo.

1402
Aug. 24

(Item in eim zedel ist in geschriben:) [3] auch, lieben frunde, als ir uns geschriben hat von unsers herren von Mentze und von Triere gulden wegen, wie wir die bi uns plegen zû nemen: daruf lassin wir uwer wisheit auch[a] wissin, daz man der vorgenanten zweier fursten gulden, welche ir rechte gewichte han und swer gnung sin, vûr voll und vûr werunge nimmet; welche aber derselbin zweier fursten gulden zû lichte sint, da nimmet man uf als vil zû payment als sie zû lichte sint, und nimmet darzû 3 alde heller uf soliche lichte gulden umbe ergerûnge willin des goldes, als wir auch meinen[b] daz die verzeichenunge[4] uzwise die ir und wir habin, nach dem als man vormals davon gescheiden ist.

a) *om. S.*   b) *F* meymen.

[1] *Siehe den Brief vom 21 August nr. 272, wo man zu Worms versammelt war. Man wird die gleiche Anfrage am gleichen Tag wie an Köln so auch an Frankfurt gestellt haben, worauf dieß die Antwort Frankfurts ist. Am 26 August ist dann der Brief der Stadt Mainz an Frankfurt nr. 274 geschrieben, welcher dem Frankfurter*

Boten, der das Frankfurter Guldengewicht gebracht hatte, mit nach Haus gegeben wird.
[2] *Rathschlagen der städtischen Gesandten des Mainzer Tags vom 13 Juli 1402 nr. 268.*
[3] *Dasselbe Rathschlagen.*
[4] *Ebendasselbe Rathschlagen art. 3.*

274. *Mainz an Frankfurt, überschickt das Mainzer Guldengewicht.* *[1402] Aug. 26* [1402]
Aug. 26
Mainz.

Aus Frankfurt St.A. Münze I or. ch. lit. cl. c. sig. in v. impr.; unten am Rande gleich-
zeitig von anderer Hand Nota. scriptum anno domini 1400 secundo, scheint Frank-
furter Hand.

Unsern fruntlichen dienst und waz wir liebes vermogen zuvor. ersamen wijsen
besundern lieben frunde. als uch der ander stete und auch unsere frunde geschrieben
und gebeden hatten umb uwer gulden-gewiechte yne* zu senden, und sie auch wollen
verschrieben laßen zu wißen, wie ir die gulden bij uch nement etc.[1]: davon hait uns
10 u'wer bode brenger diß brieffes gesaget, daz ir an uns begert habent, daz wir uch unser
gulden-gewiechte eins senden wollen. und han wir yme darumb unser gulden-gewiechte
eins gegeben, uch daz zu brengen, als die unsern, die wir meynen die sich des wol
versteen, daz gewiechte nach uffsetzunge unsers herren des konigs gemacht hant, also
daz der seßundsechtzig uff eine marck sollen geen, und, waz gulden gein dem gewiechte
15 in deme kloben besteen und nit hinder sich slagen, daz man die gulden vor foll und
vor werunge nemen solle. so han wir auch wol gesehen in uwerm brieffe, wie ir alle
und igliche gulden bij uch nement, daran wir auch in unser stat keine irrunge gehabt
han, want wir daz in semelicher maße als ir bij uns auch also gehalten han. datum
sabbato post diem beati Bartholomei apostoli. [1402]
Aug. 26
20 [in verso] Den ersamen wijsen luden burgermeistern und Burgermeister und
rade der stat zu Franckfurt unsern besundern guden frunden. rait zu Mentze.

a) die zwei e-Punkte kolumniert über n.

[1] *Man hatte also an Frankfurt vom Wormser* *furter Stadtarchiv befinden, wider aufgefunden*
Tag aus geschrieben wie am 21 Aug. an Köln in *von Stadtarchivar Dr. Grotefend; s. Joseph Gold-*
25 *nr. 272, vgl. den Brief Frankfurts 1402 Aug. 24* *münzen des 14 und 15 Jahrh., im Archiv für*
nr. 273. — Das Mainzer und das Frankfurter *Frankfurts Geschichte und Kunst Neue Folge 8,*
Normal-Guldengewicht sollen sich noch im Frank- *Frankf. 1882, und separat, pag. 57.*

Königlicher Fürsten- und Städtetag zu Nürnberg
im Aug. und Sept. 1402.

Reichstag mag diese Versammlung wol nicht heißen. Die Kurfürsten scheinen nicht eingeladen zu sein: das Adressen-Verzeichnis nr. 277 nennt sie nicht, und bei den Nürnbergischen Propinationen nr. 324 fallen sie gleichfalls aus. Dem entsprechend [5] *ist auch in den Frankfurtischen Kosten nr. 326 nur gesagt (art. 1):* gein Nûremberg zu unserm herren dem konige, als er etzliche fursten und stede-frunde dar zu ime verbotschaft und verschriben hatte; *ähnlich art. 1ᵃ. Mit den Rheinischen Kurfürsten war der König eben bereits zu Mainz im Juni 1402 zusammengekommen, und in nr. 211 hat er es ja ausgesprochen daß er über die Zumuthungen des Pabstes zuerst die Kurfürsten und* [10] *dann erst andere Fürsten und auch die Städte hören wolle. Nur des Rathes der beiden letzteren bedarf er jetzt noch, nr. 275 und 276, nachdem er den der Kurfürsten gehabt hat. Diese anderen Fürsten und auch die Städte hört er nun hier in Nürnberg, s. nr. 282, gerade über diesen Gegenstand, wie er da in drei Artikeln aufgezeichnet ist. Das wissen auch die Frankfurter Rechenbücher nr. 326 ganz genau in art. 1: von etzlicher* [15] artikele wegen in zu erzelen, wie er wider uß Welschen landen heruß gein Dutschen landen von dem babste kommen were. *Und in der That sind das ja „große treffliche und merkliche Reichssachen", wie sich der König in der Einladung nr. 275 und 276 ausdrückt.*

Diese erwähnten Einladungen bestellen die Theilnehmer der Versammlung auf den [20] *27 August nach Nürnberg, und mit diesem Datum führt uns auch das urkundliche Itinerar K. Ruprechts in diese Stadt (Chmel nr. 1284). Er urkundet dann dort bis zum 16 Sept. (Chmel nr. 1319), die Versammlung wird aber kaum so lange gedauert haben; denn die Augsburger Gesandten blieben nur 12, die Frankfurter nur 15 Tage aus (nr. 325 art. 4 und nr. 326 art. 1), und daraus wäre auf eine etwa achttägige* [25] *Anwesenheit derselben in Nürnberg zu schließen.*

Von da gieng der König nach Hersfeld (vgl. Abth. K), am 16 Sept. ist er noch in Nürnberg (Chmel nr. 1319), in Hersfeld urkundet er schon am 21 Sept. (Chmel nr. 1320) und noch am 27 Sept. (unsere nr. 330), und ist am 4 Okt. wider in Nürnberg (Chmel nr. 1326). Hier verweilt er dann bis 12 Merz des folgenden Jahres (Chmel nr. 1447). Es [30] *ist aber nicht etwa zu denken, daß die Nürnberger Versammlung so lang gedauert hätte, nur unterbrochen durch den kurzen Hersfelder Aufenthalt; das geht ja schon aus den angeführten Augsburger und Frankfurter Kosten hervor, und auch die Nürnberger Schenkungen nr. 323 und 324 zeigen daß sie Anfang September zu Ende geht. In die Zeit des späteren Aufenthaltes des Königs zu Nürnberg fällt aber doch noch eine von* [35] *ihm berufene Zusammenkunft vom Jan. und Febr. 1403, vgl. Abth. K. Warum er dann aber noch so lang weiter in Nürnberg verweile, können wir nicht mit Sicherheit angeben. Vielleicht wollte er der Böhmischen Grenze nahe sein und doch auch zugleich mit den westlichen Gegenden in möglichst bequemer Verbindung bleiben. Gewohnt hat er in Nürnberg bei Ulman Stromer (nr. 283 art. 10 nt.).*

A. Ausschreiben nr. 275-277.

Die Ausschreiben des Tags nr. 275 an Städte und nr. 276 an Fürsten sind fast
5 *gleichlautend mutatis mutandis. Nur wird an die Fürsten ein „ernstliches Begehren und Bitten" gerichtet, an die Städte weniger rücksichtsvoll nur ein „ernstliches Begehren". In der an die Fürsten gerichteten Einladung erwähnt der König nicht, daß er auch die Städte aufgefordert hat, während er umgekehrt in der Einladung der Städte nicht vergißt auch die der Fürsten zu erwähnen. Das Verzeichnis der fürstlichen und* 10 *städtischen Adressaten nr. 277 zeigt, wie wir eben sahen, daß keine Kurfürsten citiert wurden, und wie weit im übrigen man damals auf Gehorsam gegen die Aufforderung wol rechnen durfte.*

B. Städtebriefe über Besuch des Tags nr. 278-281.

Es sind städtische Korrespondenzen aus der Zeit vor Beginn der Versammlung 15 *und nach deren vermuthlichem Schluß, welche sich auf ihre Besuchung durch die Bürgerschaften beziehen, nicht aber sind es Berichte, aus welchen man etwas über die gepflogenen Verhandlungen selbst lernen könnte. Weitere Auskunft über den Besuch geben natürlich die Aufzeichnungen über die städtischen Kosten nr. 323-326, besonders die Nürnberger Schenkungen nr. 323-324, in der Abtheilung J. Daß die Städte zu den* 20 *erwarteten Anmuthungen des Königs nicht ohne Vorbereitung und Verabredungen über gemeinsame Haltung sich zu stellen gedachten, sieht man aus nr. 278 und 279, vgl. nr. 268 art. 5.*

C. Zumuthungen P. Bonifacius IX an K. Ruprecht nr. 282.

Bei seiner Rückkehr aus Italien hatte K. Ruprecht es als seine Absicht bezeichnet 25 *den Rath der Reichsfürsten und auch der Städte wegen der Zumuthungen des Pabstes einzuholen, und der deshalb von ihm berufene Kurfürstentag konnte von vornherein als Vorbereitung einer größeren Versammlung angesehen werden, vgl. Einl. zum kön. Tage der Kurfürsten mit Städten zu Mains im Juni 1402. Das einzige Stück, das wir hier bringen, ist eine Aufzeichnung über die den Städteboten vom König mündlich erzählten* 30 *päbstlichen Zumuthungen. Daß auch den Fürsten dieselben vorgetragen worden sind, ist selbstverständlich; vielleicht wurden ihnen die päbstlichen Entwürfe wörtlich mitgetheilt oder gar abschriftlich übergeben, vgl. nr. 207 art. 3 und 4, nr. 209 art. 6, nr. 210 art. 2. Über die von den Reichsständen in dieser Frage eingenommene Haltung und ihre dem König ertheilte Antwort haben wir keine direkten Nachrichten; wir können* 35 *nur indirekt schließen, daß der von Ruprecht den Forderungen der Kurie geleistete Widerstand Billigung fand, vgl. Einleitung zu diesem Tage lit. E und F. Als dann K. Ruprechts Gesandter Bischof Konrad von Verden gegen Ende des Jahres mit neuen Vorschlägen des Pabstes nach Deutschland kam (s. RTA. 4 Verhandlungen mit der Kurie lit. P nr. 77ᵃ-78), wurde die Angelegenheit auf dem Nürnberger Fürstentage* 40 *vom Jan. bis Febr. 1403 (vgl. Einleitung zu unserem Tage hier lit. K) aufs neue berathen (s. RTA. 4 l. c. lit. Q nr. 79-80), und die dann im Merz abgehende Gesandtschaft K. Ruprechts erreichte im Oktober 1403 die Approbation (s. l. c. lit. R nr. 81-111). — Zu dieser Gesandtschaft tragen wir hier noch eine Urkunde nach. K. Ruprecht bekennt, daß ihm auf seine Bitte seine Räthe Wyprecht von Helmstad d. A.,* 45 *Hans vom Hirshorn, Diether von Hentscheßheim, Hermann von Rodenstein Landvogt in der Wetterau, Schwarz Reinhard von Sickingen Landvogt im Elsaß, Eberhard vom Hirshorn, Wiprecht von Helmstad d. J. Vogt zu Bretheim, Ulrich Landschaden, und Hans von Helmstad Ritter, Hannan von Sickingen Vitztum zur Nuwenstad, Contze Moniche von Rosenberg Vogt zu Steinßperg, Cuntz Lantschade von Steinach, Albrecht von Berwangen Hofmeister zu Heidelberg, Hennel Wißkreiße von Lindenfels, Eberhard* *von Sickingen Amtmann zu Triefels, Reinhard von Sickingen d. J. Vogt zu Heidelberg, und Henne Werberg Vogt zu Germersheim 4800 fl. geliehen haben zu der Botschaft, die er jetzt mit dem ehrwürdigen Rafann Bischof zu Spire und etlichen andern zum heiligen Vater dem Pabst thun will; er verschreibt ihnen diese Summe und waz zu gulte oder schaden daruf ginge auf seine sämmtlichen Turnose an den beiden Zöllen* *10* *zu Bacherach und Caub, weist die betreffenden Zollschreiber demgemäß an, und will, falls die Zahlung nicht ungehindert stattfindet, ihnen Burg Stralenberg und Stadt Schrießheim übergeben bis sie vollständig bezahlt sind; die Pfalzgrafen Ludwig und Johann des Königs Söhne bestätigen und besigeln diese Verschreibung; dat. Nurenberg reminiscere [Merz 11] 1403 r. 3; Karlsr. G.L.A. Pfälz. Kop.-B. 53 pag. 121-123* *15* *cop. ch. coaev., ausgestrichen, darüber redempta est.* — *Im Nürnberger Schenkbuch (Nürnberg Kr.A. cod. msc. nr. 487 ch. coaev.) findet man fol. 4* *a unter der Überschrift* *Künig Ruprecht anno etc. quarto als einzigen Posten aus dem Jahre 1404:* Propinavimus hern Raban bischof zû Speyer unsers herren künigs kanzler, do er von Rom komen was, ein halb fuder Franckenweins, das kostet 15 lb. novorum 6 sh. 4 hl. *Darnach* *20* *scheint Bischof Raban von seiner Gesandtschaftsreise erst im Jahre 1404 oder doch nur wenig früher, später als K. Ruprecht erwartete (s. R.T.A. 4 nr. 110), zurückgekehrt zu sein. Die Zeit dieses Eintrags im Schenkbuch läßt sich näher nicht bestimmen. Im April-Mai wurde der Probst des Bischofs von Speier beschenkt, s. nr. 427 art. 1, doch ist dadurch eine andere Zeit für jenen Eintrag nicht ausgeschlossen. Am 28 Juli 1404 erhielt* *25* *Bischof Raban von K. Ruprecht Vollmachten für Italien nr. 398 f., und es wäre nicht ganz unmöglich bei obiger Notiz an die Rückkehr von dieser Gesandtschaft zu denken, doch wissen wir sonst nichts davon, daß Raban damals bis nach Rom gekommen wäre.*

D. Forderungen des Königs an die Städte nr. 283-286.

Auf dem Nürnberger Tage trat K. Ruprecht mit der Forderung außerordentlicher *30* *Hilfe an die Städte heran. Der verunglückte Romzug hatte seine Finanzkräfte auf das äußerste erschöpft, vgl. beim Augsburger Tage lit. L, auch beim Mainzer Tage vom Juni 1402 nr. 209 art. 9-11. Das Spottlied das man auf den König als den „Göggelman" mit der leeren Tasche damals in süddeutschen Städten sang* [1] *war bezeichnend für die Lage. Die Bürgerschaften sollten diese Tasche wider füllen helfen, und schon, als* *35* *mehrere Rheinische Städte um den 13 Juli in Mainz der Münze wegen beisammen waren, besprachen sie sich wegen gemeinsamer Haltung gegenüber etwaigen königlichen Forderungen um Steuer oder Hilfe, s. nr. 268 art. 5. Als dann unsere Versammlung berufen war, lud Mainz eben dieser Frage wegen zu einer Vorversammlung der Städte Straßburg Speier Worms Mainz Köln nach Worms ein, s. nr. 279. Wir erfahren nun* *40* *aus dem Nürnberger Schenkbuch (s. nr. 323), daß K. Ruprecht an gemein stette des reichs die Forderung stellte ihm mit 40000 Gulden von notdurft wegen des reichs zu helfen. Diese Forderung, heißt es hier, geschah umb Michaelis anno etc. 2, und in den Kammereinnahmen ist zweimal die Muthung erwähnt, die der König gethan habe of*

---

[1] *Wir kennen dasselbe in wenigstens zwei Fassungen, der Augsburger, s. Stälin Württemb. Gesch.* *45* *3, 381, und der Nürnberger, s. St.-Chr. 10, 138. Vgl. auch Höfler Ruprecht 272.*

Michaelis, s. nr. 283 art. 25. 27. Der König war Michaelis (Sept. 29) nicht mehr in Nürnberg sondern in Hersfeld oder auf der Rückreise von Hersfeld nach Nürnberg, s. lit. K dieser Einleitung. Darnach könnte man glauben, die Forderung sei von ihm auf dem Nürnberger Tage gar nicht vorgebracht worden; das ist indessen wahrscheinlich
5 doch der Fall gewesen; wir dürfen die Nürnberger Zeitangabe als eine nur ungefähre betrachten und die der Kämmereirechnung so interpretieren, daß Ruprecht ursprünglich verlangt hatte die Summen auf Michaelis zu erhalten. Diese Auffassung wird durch folgendes gerechtfertigt. Die Quittung Reinhards von Sickingen an Mülhausen nr. 285, die ausdrücklich auf die Muthung Bezug nimmt, ist schon vom 29 Sept., eine Quittung
10 desselben an Hagenau, die auch sehr wahrscheinlich hierher gehört, gar schon vom 7 Sept. (s. ib. nt.). Da wir keinerlei Briefe haben in denen K. Ruprecht seine Forderung schriftlich gestellt hätte, so ist es kaum anders möglich als daß er sie mündlich auf einer Versammlung von Städtegesandten vorgebracht hat, das wäre also auf dem Nürnberger Tag. Obendrein wissen wir dieß von der korrespondierenden Forderung
15 von 50 Glefen (s. weiter unten) an Mainz Straßburg Speier und Worms ganz sicher, vgl. nr. 284. Völlig entscheidend aber dürfte sein, daß die Augsburger Baurechnung vom Nürnberger Tage mit den Worten spricht dez mauls do der küng die mütung an die stett tett, s. nr. 325 art. 4. — In der Quittung für Mülhausen nr. 285 wird Bezug genommen auf die Kosten, die der König auf dem Zuge nach der Lombardei gehabt
20 habe. Es darf uns das nicht zu der irrigen Meinung verführen, daß wir es hier mit dem (von manchen Städten etwa nachträglich erhobenen) Beitrag zum Romzug, zu dem die Städte verpflichtet waren, zu thun hätten; es wird das am besten dadurch widerlegt, daß Frankfurt, das für seine Romzugsverpflichtung schon voll bezahlt hatte, jetzt abermals herangezogen wurde, s. nr. 285 nt. Die Kosten des Italienischen Feldzuges werden
25 nur zur Erklärung der Nothlage, in der die Städte dem König beispringen sollen, angeführt. — Der ganze Vorgang war bisher kaum beachtet und Höfler noch ganz unbekannt. Auch unser Material beschränkt sich auf einige Quittungen, einen Brief der Stadt Mainz, und Notizen im Nürnberger Schenkbuch, im Frankfurter Rechenbuch, in der Augsburger Baurechnung, im Pfälz. Kop.-B. 8¼ und endlich in den kön. Kämmerei-
30 rechnungen. Es war geboten, hier wider ein Bruchstück dieser letzteren mitzutheilen, und wir haben dasselbe so begrenzt, daß es die Eintragungen aus der Zeit des Nürnberger Aufenthalts K. Ruprechts vom August 1402 bis zum Merz 1403, den nur der Hersfelder Tag unterbrach, umfaßt. Die Posten, die mit der Muthung zusammenhängen, sind in ihm alle enthalten, die übrigen Einträge geben zum Theil weitere Auskunft über
35 die Finanzlage Ruprechts, die beiden ersten über seine Reise zur Nürnberger Versammlung. Über die Kämmereirechnungen vgl. unsere Einleitung zum Augsburger Tage lit. L pag. 18f. — An die Städte Mainz Worms Speier Straßburg richtete K. Ruprecht, wie schon erwähnt, auf der Versammlung eine besondere Forderung, nämlich ihm mit 50 Glefen zu dienen, s. nr. 284. Dafür blieben diese Städte ohne Zweifel von der Geldforderung
40 verschont, wie daraus sicher geschlossen werden kann, daß in dem Briefe nr. 284 sowie den späteren Verhandlungen (vgl. lit. L) niemals von einer solchen die Rede ist. Daß diese vier Städte anders als gemein stette des reichs (s. nr. 323 diesen Ausdruck) behandelt wurden, hängt vielleicht mit ihrer Stellung als Freistädte zusammen; es wäre dann zu vermuthen, daß ähnliche Glefenforderungen auch an Basel Köln und Regensburg
45 ergangen wären. Jedenfalls aber können wir diese Glefenforderung und jene Geldforderung als Modifikationen einer und derselben Muthung auffassen. Die sich daran anschließenden Verhandlungen mit den Rheinischen Städten bringen wir unter lit. L; daß es auch mit den Schwäbischen Städten längere Verhandlungen gab, sieht man aus nr. 323 und nr. 325 art. 5. 6ª. 8. 8ª. Vgl. auch die Erklärung der Schwäbischen
50 Städte beim Mainzer Reichstag von 1406 Januar.

auf Beschleunigung der Zahlung der zweiten Rate der Mitgift Blanka's zu dringen,
s. nr. 294 art. 13. Die Bitte und ihre Begründung zeigen, in welcher Geldnoth sich
K. Ruprecht befand. Die ganze Mitgift, von der doch noch nicht die Hälfte wirklich
ausgezahlt war, entlieh er von seinem Sohne Pfalzgraf Ludwig [1], um damit seine Schul-
den etlichermaßen zu bezahlen und den Krieg gegen K. Wenzel weiter führen zu können. 5
Er verpfändete ihm dafür mehrere dem Reich gehörige Ortschaften, die allerdings seit
längerer Zeit in Pfälzischem Besitz waren. Die ursprüngliche Verleihung durch Karl IV
(RTA. 1 nr. 17) war in der Weise erfolgt, daß die Ortschaften nach K. Ruprechts
Tode ohne weiteres ans Reich hätten zurückfallen müssen. Seit 1398 war daraus erb-
licher Pfandbesitz geworden [2], s. Franck Gesch. von Oppenheim Urkb. nr. 141f.; doch 10
betrug die Pfandsumme nur 20000 fl., jetzt wurde dieselbe auf 100000 fl. erhöht, die
Wiedereinlösung also bedeutend erschwert. K. Ruprecht soll durch diese Verpfändung,
obschon er sich ja in Verfolgung der Interessen des Reichs in Schulden gestürzt hatte,
viel Unzufriedenheit gegen sich erregt haben [3]. Die Urkunde (s. Anm. zu nr. 294 art.
13) ist wenige Tage vor Beginn des Nürnberger Tages ausgestellt. 15

K. Heinrich IV von England zahlte das Geld nicht nur nicht, wie Ruprecht
wünschte, früher als er vertragsmäßig verpflichtet war, sondern zeigte sich vielmehr
äußerst säumig in der Erfüllung seiner Verbindlichkeiten. Das zweite der beiden Stücke
die wir hier mittheilen, nr. 295, eine Gesandtschaftsanweisung K. Ruprechts vom 15
August 1403, betrifft fast ausschließlich die Zahlung der Mitgift; die Politik tritt da- 20
hinter sehr zurück, und die weiteren Beziehungen zu England beschränken sich zunächst
auf Verhandlungen über diese Angelegenheit. In der Anmerkung zu nr. 295 art. 8
findet man die nöthigen Hinweise um dieselben verfolgen zu können.

G. Verhältnis zu Italien nr. 296-304.

Franz von Carrara berichtet im Briefe vom 2 September 1402 nr. 297 über den 25
Nürnberger Tag, daß K. Ruprecht dort große Dinge betreibe, aber er sagt nicht, welcher
Art dieselben seien, auch nicht, daß er sich von den dortigen Verhandlungen wichtige
Folgen für die Italienischen Verhältnisse verspreche. Mit den Forderungen des Pabstes
legte aber K. Ruprecht in der That den Fürsten und Städten auf dem Tage seine
Italienische Politik zur Begutachtung vor, s. nr. 282 art. 2. 3. Wie sie sich zu der- 30
selben stellten, wissen wir nicht. Jedenfalls trat der Gedanke, abermals nach Italien
zu ziehen, zunächst vor andern näher liegenden Sorgen in den Hintergrund. Nur das
erste Stück unserer Litera G bezieht sich noch auf solche Absichten des Königs. Die
dringende Mahnung des Franz von Carrara, s. nr. 299f., verhallte ungehört, und erst
später wurde der Plan wider aufgenommen, vgl. lit. O. In den Italienischen Verhält- 35
nissen trat eine wichtige Veränderung ein durch den Tod Johann Galeazzo's. Hiervon
und von den Verhandlungen über eine Ligue zwischen dem Pabst und Florenz berichten
die übrigen hier vereinigten Stücke.

---

[1] *Wie man sich diesen Vorgang zu denken hat, ist nicht ganz klar, und wir können den Zweifel*
nicht unterdrücken, ob der Pfalzgraf wirklich seinem Vater ganze 100000 fl. vorgeschossen hat, oder 40
ob dieß nur eine Fiktion ist. Anweisungen auf die noch ausstehenden 60000 fl. der Mitgift waren
ein schlechtes Zahlungsmittel für Ruprecht, und baar hatte der Pfalzgraf die 100000 fl. schwerlich
zur Verfügung.
[2] *Franck Gesch. von Oppenheim pag. 63 und Höfler pag. 287 stellen es so dar, als ob schon*
vor 1398 eine Verpfändung bestanden hätte und 1398 die Pfandsumme um 20000 fl. erhöht worden 45
wäre. Das ist unrichtig.
[3] *S. die Konstanzer Forts. des Königshofen bei Mone Quellens. zur Bad. Landesgesch. 1, 301f.;*
vgl. auch ibid. 254.

H. Verhältnis zu K. Wenzel, K. Sigmund, Mf. Jost, nr. 305-322.

Auch das Verhältnis zu den Luxemburgern und der Böhmische Krieg wurden wol auf der Versammlung, wie kurz vorher in Bacherach (vgl. Einl. zum Mainzer Tag vom Juni 1402 lit. M), besprochen. Die Vollmacht zu Verhandlungen mit Jost nr. 307,

5 *zu der vermuthlich die Gesandtschaftsanweisung nr. 308 gehört, ist aus der Zeit der Versammlung vom 30 August 1402, von Nürnberg aus datiert.*

Die Beziehungen K. Ruprechts zu den Luxemburgern wurden durch die inneren Zerwürfnisse in deren Hause und die daher fortwährend und plötzlich veränderten Stellungen derselben zu einander immer verwickelter. Den Romzugsplan gab K. Sig-

10 *mund (vgl. lit. G des Augsburger Tages) auch jetzt noch nicht auf, wie wir aus nr. 305 vom 16 Aug. 1402 art. 6 und aus nr. 314 vom 24 Nov. 1402 erschen. Erst die durch K. Ladislaus erregten Unruhen in Ungarn und die Aufstände in Böhmen zu Gunsten des gefangenen K. Wenzel nöthigten ihn, denselben aufzugeben; etwa im December 1402 schreibt er, König von Ungarn Markgraf von Brandenburg Vikar des H. R. Reichs*

15 *Verweser des Königreichs Böhmen, an seine fideles dilecti: post egressum nostrum de Boemia dum iter agere coepissemus [Palacky coepissimus] versus Italiam cum screnissimo principe domino Wenceslao Romanorum et Boemiae rege fratre nostro carissimo pro recuperando imperii honore et consequendis coronis imperialibus, nostis, qualis et quanta quamque damnosa turbatio in toto regno excitata sit, adeo ut, metuentes ipsi regno*

20 *periculum irrecuperabile, iter coeptum relinquere et ad Bohemiam propter filios Belial auctores excidii regredi cogeremur. venimus itaque u. s. w., ohne Datum, Palacky in den Abhandlungen der kön. Böhmischen Gesellschaft der Wissenschaften 5 Folge 5 Band vom Jahre 1847 pag. 77 nr. 73 aus Wittingau Fürstl. Schwarzenb. Archiv cod. ms. C 6 fol. 50ᵃ cop. ch. coaev. Gleichzeitig wurde das Verhältnis Sigmunds und Wenzels*

25 *zu Pabst Bonifacius IX immer gespannter, weil derselbe K. Ladislaus unterstützte und sich auch mehr und mehr K. Ruprecht zuneigte, vgl. RTA. 4 nr. 98 ff. In Folge dessen sperrte K. Sigmund am 9 Aug. 1403 dem Pabste alle Einkünfte im Königreich Böhmen und verbot irgendwelche Briefe von P. Bonifacius IX Seite anzunehmen, indem er dessen feindselige Haltung gegen sein Haus heftig anklagte, dat. Presburg in der Vigil des h.*

30 *Laurent. [Aug. 9] 1403, bei Pelzel Wenzel 2 Urkundenbuch pag. 92-94 nr. 188 aus einer Rosenberger Geschichte ms. (mit der richtigen Bemerkung: man sieht, daß der Chronist diese Urkunde aus dem Lateinischen übersetzt hat); und 1404 Juni 12 beklagt sich Sigmund rechtfertigend bei den Kardinälen über Pabst Bonifacius' gesammtes Verhalten, s. Bourgeois du Chastenet Nouvelle histoire du concile de Constance pag. 498-500,*

35 *Palacky Abhandlungen der kön. Böhmischen Ges. der Wissenschaften l. c. pag. 78-79 nr. 74 aus Prag Domkapitularbibl. cod. H 3 fol. 31ᵃᵇ, wo der Schluß mit Datum fehlt, dasselbe Schreiben welches Dynter ed. de Ram 76 auszugsweise mittheilt. K. Ruprecht gab in dieser ganzen Zeit die Versuche zu einem Ausgleich mit K. Wenzel, die auch von Seiten K. Sigmunds durch den Vertrag mit den Österreichern nicht abgeschnitten*

40 *wurden (s. nr. 305 art. 6ᵃ), nicht auf, indem er je nach den wechselnden Verhältnissen mit Wenzel durch Vermittlung der Österreicher oder mit Markgraf Jost anzuknüpfen versuchte. Wir haben das dahin gehörige hier zusammengestellt; obgleich einiges wichtige neue dabei ist, werden die einzelnen Stadien dieser Verhandlungen nicht genügend zu verfolgen sein. Vgl. dazu Aschbach Gesch. Kaiser Sigmunds 1, pag. 176 ff., Palacky*

45 *Gesch. von Böhmen 3, 1 pag. 144 ff., Höfler K. Ruprecht pag. 288 ff.*

Während des ganzen Jahres 1403 erscheint König Sigmund unter den Luxemburgern als Hauptgegner Ruprechts (s. nr. 315-322), und wir erfahren aus dieser Zeit wol von Unterhandlungen mit Wenzel und Jost, aber nicht von solchen mit Sigmund.

Erst im Sommer 1404 wird das anders, und da diese neue Wendung vermuthlich mit dem damals ernstlich beabsichtigten zweiten Romzug Ruprechts in Zusammenhang steht, so haben wir das vereinzelte Stück nr. 397 vom 28 Juli 1404, wo Unterhandlung mit Sigmund auftritt, zu lit. O gestellt.

Einige Schuldverschreibungen K. Ruprechts aus dem Anfang des Jahres 1404, in denen auf den Böhmischen Krieg Bezug genommen wird, stehen im Pfälz. Kop.-B. 53 zu Karlsruhe, sind von uns aber nicht aufgenommen.

J. Städtische Kosten nr. 323-326.

Die städtischen Kosten haben, trotzdem nur die Nürnberger Schenkbücher, die Augsburger Baurechnungen, und die Frankfurter Rechenbücher aus dieser Zeit erhalten sind, für unsern Tag ziemlich große Bedeutung. Über den Besuch desselben nicht nur, sondern auch über manches andere, so über die Muthung des Königs (vgl. lit. D), geben sie uns Auskunft. Unsere hier in nr. 324 aus dem einen Nürnberger Schenkbuch und in nr. 325 aus den Augsburger Baurechnungen gegebenen Auszüge erstrecken sich über eine Zeit von vielen Monaten bis ins Jahr 1404, doch haben wir aus diesen Nürnberger Schenkungen einige Perioden ausgeschieden, eine von ihnen zu lit. K gestellt (s. nr. 331 art. 1), andere für die königlichen Landfriedenstage verwerthet. Aus dem andern Nürnberger Schenkbuch, in dem die Geschenke für den König und seine nähere Umgebung aufgezeichnet stehen, sind hier in nr. 323 die letzten Eintragungen des Jahres 1402, dann in nr. 331 art. 2 und in Anm. zu nr. 398 die der Jahre 1403 und 1404 gegeben. Auszüge aus den Frankfurter Rechnungen findet man, außer hier in lit. J nr. 326, noch unter lit. K in nr. 340, unter lit. L in nr. 352, und unter lit. M in nr. 369.

K. Erster Anhang: Verhandlungen wegen der Tödtung Herzogs Friderich von Braunschweig, Tag zu Nürnberg 1403 Jan. Febr. nr. 327-341.

K. Ruprechts Bemühungen die aus der Tödtung Herzog Friderichs von Braunschweig entsprungenen Händel beizulegen schienen im Herbst 1402 Erfolg haben zu sollen. Schon vor Beginn der Nürnberger Versammlung hatte er, man sieht nicht recht wie, die Zustimmung der Parteien zur Anberaumung eines Hersfelder Tages zur 21 September erhalten (s. nr. 327, vgl. nr. 228-233), und diese Zusammenkunft fand zur festgesetzten Zeit nach Beendigung der Nürnberger Versammlung wirklich statt. Mit Ruprechts urkundlichem Itinerar (s. Chmel nr. 1320-1324 und in unserem Bande nr. 328-330) stimmt die Angabe einer anonymen Thüring.-Hess. Chronik (Senckenberg Selecta 3, 401), daß er vom 21 bis 29 Sept. in Hersfeld verweilte. Diese Chronik gibt l. c. auch Nachricht über den Besuch des Tages, die aus guter Quelle stammen dürfte, trotzdem das ganze Ereignis ins Jahr 1412 gelegt ist. In Hersfeld wurde K. Ruprecht von den Parteien die schiedsrichterliche Entscheidung nicht nur der Tödtungsangelegenheit sondern auch aller damit verknüpften Mainzisch-Hessisch-Braunschweigischen Streitigkeiten übertragen, s. nr. 329-330. Bis Ostern, d. h. bis zum 15 April 1403 sollte Ruprecht seinen Spruch fällen und zwar auf einem Tage zu Nürnberg. Klage und Verantwortung wurden von beiden Seiten schriftlich eingereicht, und auf den 17 Januar berief Ruprecht den Nürnberger Tag, s. nr. 334 Eingang. Wir sehen in demselben nicht einen Reichstag sondern einen königlichen Fürstentag, worüber hier einiges zur Begründung. Daß er veranlaßt ist durch die beregten Streitigkeiten und also ursprünglich nur eine Versammlung ad hoc darstellt, einen Schiedstag in einer freilich sehr wichtigen Angelegenheit, in der aber der König nicht als Reichsoberhaupt sondern

*als erwählter Schiedsrichter auftrat, ist ziemlich fraglos; nun aber gieng es ähnlich wie
bei mancher anderen Versammlung, der König benutzte die Gelegenheit um mit den
anwesenden Fürsten auch andere Dinge, Reichsangelegenheiten, zu besprechen. Am
30 December 1402 schreibt K. Ruprecht an den Pabst, daß er auf die ihm durch*
5 *Bischof Konrad von Verden gemachten Eröffnungen antworten werde nach Berathung
mit seinen zur Zeit abwesenden aber schon einberufenen Fürsten und Räthen, s. RTA.
4 nr. 79, und am 18 Januar 1403, also am Tage nach dem Beginn unseres Nürnberger
Tages, ertheilt er dann unter Bezugnahme auf dieses frühere Schreiben nach vorheriger
Berathung die Antwort, s. ibid. nr. 80. Am 22 Januar 1403 richteten ferner von*
10 *Nürnberg aus Herzog Stefan von Baiern Markgraf Wilhelm von Meißen und Burggraf Friderich von Nürnberg an die drei Rheinischen Erzbischöfe die Aufforderung,
wider K. Sigmund von Ungarn Hilfe zu leisten, s. RTA. 5 nr. 316. Die Nürnberger
Versammlung beschäftigte sich also anscheinend sowol mit den Anerbietungen des Pabstes
wie mit dem Verhältnis zu den Luxemburgern, und da außerdem zur selben Zeit auch*
15 *Städtegesandte in Nürnberg anwesend waren (s. nr. 331. 332, vgl. auch nr. 326 art. 7),
so liegt die Frage sehr nahe, ob dieser Nürnberger Tag nach Besuch und Berathungs-
gegenständen sich nicht schließlich zu einem Reichstag erweitert hat, wie auch bei
(Wölckern) hist. Norimb. dipl. 527 nt. von einem solchen die Rede ist. Diese Frage
wird aber doch verneint werden müssen. Wir besitzen kein einziges Einladungsschrei-*
20 *ben; das wäre, wenn Städte eingeladen wären, zum mindesten sehr auffallend, auch
geht aus nr. 332 mit Bestimmtheit hervor, daß wenigstens Rotenburg nicht eingeladen
war und daß die Rotenburger Gesandtschaft nur zufällig zur Zeit der Versammlung
in Nürnberg war. Wie das Schenkbuch der letzteren Stadt zeigt, s. nr. 331, sind es
auch nur wenige Städte, die damals Gesandte in Nürnberg hatten; manche derer, die*
25 *wir bei einem Reichstage zuerst erwarten müßten, fehlen; und daß andere Städtegesandte
damals dort zugegen waren, kann wie bei Rotenburg ein zufälliges Zusammentreffen
sein. In Vertretung Frankfurts war allerdings Hermann von Rodenstein dort anwesend,
s. das Frankfurter Rechenbuch, bei uns nr. 326 art. 7, aber eben der Umstand, daß
er, der Landvogt der Wetterau, nicht aber ein Rathsherr, damals nach Nürnberg gieng,*
30 *spricht dafür, daß die Stadt nicht eingeladen war, sondern eine andere Veranlassung
zur Gesandtschaft hatte. Obendrein heißt es im Rechenbuch l. c. als unser herre der
konig mit faste fursten und herren da waren, die Städte sind nicht erwähnt. Endlich
finden wir in den damals schwebenden Verhandlungen K. Ruprechts mit den Rheinischen Städten, s. lit. M, keine Spur davon, daß die Städte zum König nach Nürnberg*
35 *beschieden wären, vielmehr berief K. Ruprecht am 25 Januar einen Rheinischen Städtetag auf den 9 Februar nach Speier, s. nr. 348. Es dürfte also wol nicht zweifelhaft
sein, daß Städte zu dem Nürnberger Tage nicht eingeladen waren; und dem entsprechend
haben wir auch in der zweiten Anmerkung zu nr. 332 die nicht ganz klare Textestelle
interpretiert, die man sonst auch dahin verstehen könnte, daß nicht bloß die genannten*
40 *Herren sondern auch die Städteboten vom König eingeladen worden wären. Aus den
Nürnberger Schenkungen, s. nr. 331, und der Rotenburger Aufzeichnung nr. 332 erhalten wir gute Auskunft über den Besuch des Tages. Es waren außer den Parteien
bezw. deren Gesandten und den bei dem Streit betheiligten Meißener Markgrafen doch
nur Nürnberg benachbarte Fürsten zugegen, und wenn wir auch, wie schon das Ver-*
45 *zeichnis nr. 338 zeigt, außer den in nr. 331 erwähnten noch manche Grafen
und Herren hinzurechnen müssen, so ist doch schwerlich eine allgemeine Einladung zu
diesem königlichen Tage an die Fürsten ins Reich ergangen. Um so mehr war es uns
erlaubt, der bequemen Anordnung der übrigen Materialien wegen den Tag so zu behandeln wie wir es gethan, d. h. ihn nicht selbständig herauszuheben, sondern die auf*
50 *die Verhandlungen wegen der Tödtung bezüglichen Stücke mit früheren und späteren*

gleichen Betreffs hier zu einem Anhange zu vereinigen, und auf das, was sonst auf diesem Tage vorgieng, nur in dieser Einleitung zu verweisen. — Zu den Schiedssprüchen, die K. Ruprecht in Nürnberg fällte, sei hier noch folgendes bemerkt. Graf Heinrich von Waldeck bleibt wie schon in Hersfeld ganz unberücksichtigt, während doch früher die Braunschweiger gerade ihn besonders anklagten. Vermuthlich hat er sich 5 *also schon früher mit ihnen verständigt; doch wissen wir nichts über das wann und wie* [1]. *Die Braunschweigischen Herzoge beschuldigen auch Erzbischof Johann jetzt nicht mehr der Urheberschaft des Mordes sondern nur der Begünstigung der Mörder durch den ihnen nach der That verliehenen Schutz (s. nr. 334 art. 6. 7), und Johann seinerseits erhebt vielmehr Klage wegen der früher von den Herzögen verbreiteten Verleumdung* 10 *(s. nr. 335 art. 4). Mit dieser Klage wurde er abgewiesen, da er sich vormals an dem rechten oder mit urteil nicht entschuldiget habe als Recht sei. Das mußte für Johann doch wol sehr kränkend sein, und auch sonst war Ruprechts Entscheidung im allgemeinen seinen Gegnern günstig. Wir haben ein positives Zeugnis dafür daß die bald zwischen dem König und dem Erzbischof eintretende Spannung, vgl. lit. M, zum Theil wenigstens* 15 *durch die Nürnberger Schiedssprüche veranlaßt war, s. nr. 354. Der Charakter der königlichen Entscheidung wird auch dadurch bezeichnet daß gerade damals die Herzöge von Braunschweig huldigten und dafür, wie der Landgraf von Hessen, Belehnung und Privilegien erhielten, s. nr. 339 mit Anm.*

Um einige noch offen gelassene Streitfragen vollends zu erledigen setzte K. Ru- 20 *precht einen neuen Tag zu Mühlhausen in Thüringen auf den 6 Mai an, s. nr. 334-337 letzte artt., aber allem Anschein nach kam dieser nicht zu Stande* [2], *und die Nürnberger Schiedssprüche wurden nicht vollzogen, wie folgender Brief zeigt. Herzog Heinrich von Braunschweig und Lüneburg an Stadt Frankfurt: in der Meinung daß die Ermordung seines Bruders Friderich, die er und sein Bruder Bernhard ihnen seiner Zeit geklagt* 25 *haben, ihnen leid sei, da sein Bruder Friderich sie des Reichs Städte und Kaufleute stets treulich auf den Reichsstraßen geschirmt und nie Zugriffe oder Ungerichte an Kaufleute gethan hat, ebenso wie er und sein Bruder Bernhard es auch thun wollen, theilt er ihnen mit, daß er und sein Bruder mit dem Bischof von Mainz seinen Amtleuten und Dienern vor K. Ruprecht Aussprüche erlangt und die gelobt und versiegelt* 30 *haben, daß der Erzbischof aber und die Mörder nicht gethan haben was sie nach den Aussprüchen in bestimmter Frist thun sollten; daher meint er, daß der Erzbischof czippelöß* [3] *seiner fürstlichen Treue und Ehre, die er ihm zu Bürgen gesetzt habe, geworden sei; wenn dieser ihnen etwas anderes sage, sollten sie es nicht glauben und sollten nicht demselben und seinen Helfern beistehen sondern ihm (dem Herzog); dat.* 35 *Germersheim Do. in der Pfingstwoche [Juni 7] 1403; Frankfurt St.A. Auswärtige Verhältnisse Undatiertes um 1400 erstes Stück or. ch. lit. pat. c. sig. in v. impr. Gobelinus Persona (Meibom Scriptores rer. Germ. 1, 289) berichtet vom Fortgang des Krieges. Friderich und Wilhelm Gebrüder von Meißen schickten am 18 Juni, Wilhelm von Meißen am 1 Juli, Bernhard und Heinrich von Braunschweig am 19 Juli, Her-* 40 *mann von Hessen am 20 Juli Fehdebriefe an Johann; dieselben sind theils gedruckt*

---

[1] *Am 28 Juli 1402 hatte Heinrich von Waldeck seinen Frieden mit Hermann von Hessen gemacht (s. Wenck Hess. Landesgeschichte 2, 2, 1070), vielleicht fällt die Aussöhnung mit den Welfen in dieselbe Zeit.*

[2] *Auch Gudenus cod. dipl. 4, 21 nt. kennt keine Urkunden über einen solchen Mühlhausener* 45 *Tag.*

[3] *Czippelöß ist wahrsch. zippel-lôs, zipfel-lôs, verstärktes lôs, gänzlich los und ledig, hier der Treue und Ehre also so baar, so weit von ihr abgetrennt, daß er auch nicht einmal mehr einen Zipfel von ihr in der Hand hat, ohne einen Zipfel d. h. ohne ein bißchen Treue und Ehre. Vgl. mundartlich kein Zipfel soviel als nicht ein bißchen, Schmeller 2, 1144.* 50

theils regestiert bei Joannis rer. Mog. 1, 719f., vgl. Horn Leben Friedrichs des Streit-baren 467, Steinruckius de Frid. caeso 30 nr. 7, Wenck Hess. Landesgesch. 3 Urkdb. 222 nr. 274, die drei letzterwähnten stehen im Wirzb. Kr.A. Mainz-Aschaff. Ingr.-B. 14 fol. 340ᵃ. Balthasar und Wilhelm Gebrüder Landgrafen in Thüringen und Mark-
5 grafen zu Meißen, Bernhard und Heinrich Gebrüder Herzöge zu Braunschweig-Lüne-burg, Hermann Landgraf zu Hessen, Friderich und Wilhelm Gebrüder Landgrafen in Thüringen und Markgrafen zu Meißen, Otto Herzog zu Braunschweig, und Friderich d. J. Landgraf in Thüringen und Markgraf zu Meißen verbünden sich gegen Erzbischof Johann von Mainz auf unbestimmte Zeit unter näheren Festsetzungen über Hilfeleistung;
10 wobei die Briefe, die die Fürsten sich früher gegeben haben, in Kraft bleiben sollen; *dat. Northusen 1403 Mi. n. Galli [Okt. 17]; Hannover St.A. Cal. Origin. Arch. Design. 62 nr. 29 (von Sudendorf als Kopiar VIII bezeichnet) fol. 23ᵇ-25ᵇ cop. ch. coaev., gedruckt Sudendorf Urkdb. 9, 279 nr. 204 ebendaher.* Aus dem Eingang dieser Urkunde geht ziemlich klar hervor, daß im Sommer 1403 die Verbündeten keine sonderlichen kriege-
15 rischen Erfolge gegen den Erzbischof erzielt hatten. Johann und Friderich Burggrafen zu Nürnberg, sowie in mut. mut. gleichlautender Urkunde Bischof Friderich IV von Eichstädt, sagen als Helfer[1] Erzbischof Johanns von Mainz den Herzögen Bernhard und Heinrich zu Braunschweig und Lüneburg Fehde an; *dat. Heidelberg oculi [Merz 2] 1404; Wirzburg Kr.A. Mainz-Aschaff. Ingr.-B. 13 fol. 322ᵇ cop. ch. coaev.* Von
20 denselben Fürsten wurden Fehdebriefe an Herzog Otto von Braunschweig geschickt (Notiz *ibid.*), und ebenso unter dem Datum Bischoffesheim Mi. v. reminiscere [Febr. 20] 1404 von den Grafen Ludwig und Friderich [von Öttingen] an die genannten drei Herzöge (*Notiz ibid.*).

Inzwischen machte K. Ruprecht, nachdem der zu Anfang des Jahres 1403 dro-
25 hende Konflikt mit dem Erzbischof beigelegt war, vgl. lit. M, noch widerholt Versuche die Streitigkeiten zu schlichten; er beschied deshalb im Juli 1403 und im Februar 1404 den Erzbischof von Mainz und den Landgrafen von Hessen nach Frankfurt, s. nr. 340 art. 3 und 5 und nr. 341 mit Anmerkungen. Von einem Erfolg dieser Tage wissen wir nichts, aber der Krieg scheint 1403 doch aufgehört zu haben; denn am 30 Januar
30 1404 beauftragte Pabst Bonifacius den Abt von Eberbach, Erzbischof Johann von Mainz vom Banne zu lösen, in den er wegen Niederbrennens von Klöstern im Kriege mit Hessen gefallen war; Gudenus cod. dipl. Mog. 4, 33 nr. 12; begründet wurde die Aufhebung der Excommunication damit daß der Krieg beendet sei. Im Frühjahr 1405 brach er noch einmal wider los, s. im 6 Bande nr. 11 art. 6 und Anm. dort. Die
35 förmliche Widerherstellung des Friedens wird bezeichnet durch den Friedberger Vertrag vom 18 Merz 1405 und den nur zwei Tage später geschlossenen Friedberger Landfrieden, die wir beide später mittheilen, nr. 475. 476.

. In der zweiten Hälfte des Jahres 1404 entspann sich zwischen dem Erzbischof und den Markgrafen von Meißen eine durch Frankfurt vermittelte sehr gereizte und
40 durch manches interessante Korrespondenz, die man bei Fichard Wetteravia 1, 158ff. und theilweise bei Olenschlager Neue Erl. d. guld. Bulle Urkb. 99ff. nr. 39ff. gedruckt findet. In ihr werden die zwischen dem Erzbischof und seinen Gegnern schwebenden Streitfragen mehrfach berührt, auch von der Tödtung Friderichs ist die Rede, s. Wett. 1, 173. 185. 200. 205f.

45 Zur Zeit des Nürnberger Tages vom Januar und Februar 1403 schwebten auch Verhandlungen über eine Angelegenheit von großer Wichtigkeit, nemlich über Neubesetzung des Trierischen Erzbisthums. Erzbischof Werner von Trier war seit längerer Zeit

---

[1] *Vgl. Bündnis vom 3 Febr. 1403 in dieser Einleitung lit. M.*

krank[1] und anscheinend für den Rest seines Lebens regierungsunfähig. K. Ruprecht wünschte ihn nun seiner Stellung enthoben und einen Nachfolger für ihn bestellt zu sehen. Man wird zweifeln können, ob die Akten dieser Verhandlungen, die doch gewiss das Reichsinteresse berührten, nicht in unsere Sammlung gehörten; doch glaubten wir, da ja K. Ruprecht, so viel wir wissen, mit Reichsständen keine Berathung darüber 5 *gepflogen hat und da außerdem die beiden wichtigsten Stücke schon mehrfach gedruckt sind, uns damit begnügen zu dürfen, hier in der Einleitung das uns bekannte Material auszugsweise mitzutheilen und einige unumgängliche Bemerkungen über Datierung daran anzuknüpfen. Falls Ruprecht die Angelegenheit überhaupt auf einer Versammlung vorgebracht hat, so müßte das wol auf unserem Nürnberger Tage vom Januar bis Februar* 10 *1403 geschehen sein. Wir geben hier zunächst Regesten der datierten Stücke in chronologischer Reihenfolge.   Joffrid von Lyningen Custor des Stifts zu Colln verspricht, wenn er mit Hilfe und Förderung K. Ruprechts Bischof zu Trier würde, K. Ruprecht für einen Römischen König zu halten seine Lehen von ihm zu empfahen und ihm als ein Kurfürst mit dem Stift von Trier und allen Schlössern Städten Landen und Leuten* 15 *zu dienen und beholfen zu sein wider alle die die ihn an dem Reich unterstehen zu hindern, auch, so lange er lebe, mit Ruprecht und dessen Söhnen Ludwig und Hans nicht zu Krieg und Feindschaft zu kommen, unter Bürgschaft und Mitbesigelung seines Bruders Grafen Emich von Lyningen; dat. Mi. v. Katherinentag [Nov. 22] 1402; Karlsruhe G.L.A. Pfälz. Kop.-B. 8¼ fol. 152ᵇ-153ᵃ cop. ch. coaev. — K. Ruprecht an* 20 *Stadt Trier: als ihr uns zuletzt geschrieben und begehrt habt, daß wir etliche unsere Freunde vor nächsten Montag [Juli 30] zu euch wollten schicken, und wir euch darauf wider geschrieben haben, also schicken wir euch Eberhardt vom Hirschhorn Ritter Ulrich Saltzkorn und Johannes Winheim unsern Prothonotarien diese gegenwärtigen unsere lieben getreuen; mit denen mögt ihr reden und gänzlich überkommen als von unserer* 25 *Einfahrt (infart) wegen; dat. Heydelberg Jacobi [Juli 25] 1403 r. 3; ad mand. domini regis Emericus de Moscholn; Trier Stadtbibl. Proceßakten Stadt Trier gegen den Erzb. u. Kurf. Jakob A 10 fol. 143ᵇ-144ᵃ cop. ch. vom Jahre 1571 nach dem or. ch. c. sig. laut Vidimation; erwähnt Kyriander annal. Aug. Trever. 257, und Brower et Masen antiq. et annal. Trevir. 2, 261. — K. Ruprecht bestätigt die Freiheiten der Stadt Trier;* 30 *dat. Triere 1403 Mo. n. Jacobstag [Juli 30]; Trier Stadtarchiv Capsula E nr. 7 or., Wien H.H. St.A. Registraturb. C fol. 138ᵇ-139ᵃ cop. ch. coaev., Karlsr. G.L.A. Pfälz. Kop.-B. 4 fol. 163ᵃᵇ cop. ch. coaev. ohne Tagesangabe im Datum; Regest Kyriander l. c. 257, Brower et Masen l. c., Chmel nr. 1520 aus Wien l. c. — K. Ruprecht an Frankfurt: hat zu Trier von den Bürgern Gehorsam empfangen und etliche Gebrechen* 35 *und Nothdurft des Stifts zu Trier und seiner Lande und Leute versehen; schickt Abschrift etlicher Briefe[2], die ihm ein Bote des von Padauwe überbracht hat; dat. Treveris crastino Laurentii [Aug. 11] 1403; Frankfurt St.A. Reichssachen Acten XIII nr. 763 or. ch. lit. cl. c. sig. in v. impr. — Zu diesen datierten Briefen kommen nun noch zwei undatierte Gesandtschaftsanweisungen K. Ruprechts hinzu. — K. Ruprechts Anweisung* 40 *für seine nichtgenannten Gesandten, zu werben an das Kapitel des Stifts zu Trier wie folgt: nach Vorlegung ihrer Glaubsbriefe sollen die Gesandten [den Mitgliedern des Kapitels] sagen, daß der König ihre Antwort auf seine Sendung des Nikolaus Burgman durch diesen selbst und hernach ihren Beschwerdebrief durch ihren Kaplan Niclaus empfangen und bedacht habe; sie sollen ihnen in näher angegebener Weise auseinander-* 45

---

[1] *Vielleicht geisteskrank? vgl. das Spottlied auf die erste Erwählung K. Sigmunds bei Eccard corp. hist. 1, 2144, wo mit dem Thor doch wol Werner gemeint ist.*

[2] *Diese Briefe haben wir nicht, sie enthielten wol Nachrichten über den Stand der Dinge in Italien und veranlaßten vielleicht K. Ruprechts Schreiben vom 19 August nr. 379.*

setzen, daß ein neuer Erzbischof einem furmunder im Interesse des Reichs und des Stiftes vorzuziehen sei; wenn sie dem beistimmten, so werde der König ihnen zu einem passenden Erzbischof zu rathen wissen und diesem mit der Pfalz und des Reichs Hilfe beistehen; wenn sie des Königs Plänen widerstrebten, so hätten sie etwaigen Schaden
5 *sich selbst zuzuschreiben;* Karlsruhe G.L.A. Pfälz. Kop.-B. 146 fol. 68ᵇ-70ᵃ cop. ch. coaev.; *gedruckt Janssen Frankf. R.K. 1, 761-764 nr. 1213 aus Kodex eigenen Besitzes* Acta et Pacta 89-95; *moderne lateinische Übersetzung gedruckt Martène et Durand coll. ampl. 4, 114-117, Hontheim hist. Trev. 2, 341-343 aus Martène l. c.; Regest Chmel nr. 2116 ebendaher. — K. Ruprechts Anweisung für seine nicht genannten Gesandten,*
10 *zu werben an [Philipp] von Falkenstein den Bruder des Erzbischofs von Trier, wie folgt: nach Vorlegung der Glaubsbriefe sollen die Gesandten sagen, K. Ruprecht habe ihn zweimal zu sich geladen, und da er nicht gekommen, sende er jetzt zu ihm und lasse ihm die Beschwerden des Stifts vorlesen; sie sollen Antwort fordern, ob er einer Änderung in Sachen des Stifts geneigt sei; falls er dieß ist, sollen sie ihm sagen, daß*
15 *K. Ruprecht Raths geworden ist einen neuen Erzbischof zu erheben etc. wie sie das auch dem Kapitel auseinandersetzen sollen; falls nicht, sollen sie ihm vorstellen, daß eine Änderung nöthig wäre im Interesse des Stifts und des Erzbischofs selbst, und daß, wenn es nicht mit Willen und gutem Rathe in der Zeit geschehe, dem Stift ihm und dem Reich besonders großer Schaden daraus entstehen könne* und doch die anderunge
20 *bescheen muste;* Karls. l. c. fol. 70ᵃ-71ᵃ cop. ch. coaev.; *gedruckt Janssen l. c. 764-766 nr. 1214 aus seinen obgenannten Acta et Pacta 89-95; moderne lateinische Übersetzung gedruckt Martène l. c. 117-118, Hontheim l. c. 343-344 aus Martène l. c.; Regest Chmel nr. 2117 ebendaher. — Wir wenden uns zur Datierung dieser beiden Anweisungen, die offenbar zu einer und derselben Gesandtschaft gehören. Hontheim hat sie ins Jahr*
25 *1405 gesetzt, Chmel sie dem entsprechend am Schluß des Jahres 1405 eingereiht, Janssen vermuthet: etwa 1404-1405. Unsere Untersuchung führt zu einem wesentlich anderen Resultat. Es ist zunächst die Stellung im Karlsruher Kodex in Betracht zu ziehen. Die Reihenfolge hier ist folgende: die Anweisungen für die Gesandtschaften nach England und Frankreich nr. 289. 290. 294 [1402 wahrscheinlich nach Aug. 27]; die*
30 *Anweisung zum Tage von Kleve nr. 236 [1402 zwischen Mai und August]; die Anweisung zu Verhandlungen mit Herzog Albrecht von Österreich nr. 312 [1402 c. Okt. 19]; unsere beiden Anweisungen; die Antwort an den Herzog von Lothringen nr. 353 [1403 Febr. ex.]; K. Ruprechts Brief an denselben nr. 180 von 1403 Merz 22. Mit Rücksicht nur auf die nächstbenachbarten Stücke würde also zu datieren sein: zwischen*
35 *1402 Okt. med. und 1403 Febr. ex., und wenn auch diese Bestimmung voreilig wäre, so fällt nach den sonst gemachten Beobachtungen die Stellung im Kodex doch so weit ins Gewicht, daß eine bedeutende Abweichung von der chronologischen Reihenfolge unwahrscheinlich ist[1]. Wir werden also sagen können: wahrscheinlich zwischen Herbst 1402 und Frühjahr 1403. Diese Datierung findet Unterstützung durch die eben im Aus-*
40 *zug mitgetheilte Urkunde vom 22 Nov. 1402, insofern dieselbe zeigt, daß K. Ruprecht sich während des angegebenen Zeitraums mit der Frage der Ersetzung Werners durch einen neuen Erzbischof beschäftigte. Ob aber die beiden Anweisungen vor oder nach dem 22 Nov. gegeben sind, läßt sich, so viel zu sehen, nicht mit Sicherheit bestimmen. Wahrscheinlicher ist allerdings das letztere; denn die beiden Anweisungen machen den Ein-*
45 *druck, als ob K. Ruprecht schon eine bestimmte Persönlichkeit für das Erzbisthum in Aussicht genommen und sich mit dieser verständigt hätte. Alle übrigen Versuche, der Datierung näher zu kommen, dienen lediglich zur Bestätigung des aus der Stellung im Kodex gezogenen Schlusses. Den beiden Anweisungen sind, wie sich aus ihnen selbst*

---

[1] *S. Vorwort zum 4 Bande der RTA. pag. XII.*

ergibt, schon längere Verhandlungen vorangegangen, eine Gesandtschaft K. Ruprechts an das Kapitel, eine Antwort des Kapitels durch den Gesandten Ruprechts und eine abermalige Botschaft des Kapitels, ebenso schon zwei Briefe K. Ruprechts an Philipp von Falkenstein. Aber damit ist wenig anzufangen, wenn man nicht weiß, wann Wer- 5 *ner krank geworden ist, oder wenn man nicht etwas über die früheren Briefe und Gesandtschaften beibringen kann. Man wird nur schließen dürfen, daß seit K. Ruprechts Rückkehr aus Italien wol schon einige Monate verflossen sein werden. Im August 1403 kam K. Ruprecht selbst nach Trier. Dieser Besuch dort war offenbar noch nicht ver-gangen und auch noch nicht beabsichtigt, als die Anweisungen entstanden. Er war aber, wie das oben mitgetheilte Schreiben vom 25 Juli 1403 zeigt, schon einige Zeit vor* 10 *diesem Datum Gegenstand von Verhandlungen zwischen dem König und der Stadt Trier. Doch, wie schon bemerkt, diese Erwägungen führen nicht dazu, engere Grenzen als die vorher schon aufgestellten Herbst 1402 und Frühjahr 1403 zu gewinnen. — In welcher Weise bei K. Ruprechts Anwesenheit in Trier die Angelegenheit geregelt wurde, können wir nicht angeben. Seinen ursprünglichen Plan konnte Ruprecht jedenfalls nicht durch-* 15 *setzen, insofern Werner Erzbischof blieb.*

L. Zweiter Anhang: nachfolgende Verhandlungen mit den Rheinischen Städten über die Forderungen K. Ruprechts nr. 342-352.

Die Verhandlungen K. Ruprechts mit den Rheinischen Städten schließen sich unmittelbar an die Forderung an, die er auf dem Nürnberger Fürsten- und Städtetag 20 *an die letzteren gestellt hatte, s. oben lit. D. Von den Reichsstädten insgemein hatte er 40000 fl., von den Freistädten Mainz Straßburg Worms und Speier kein Geld sondern militärische Unterstützung verlangt, s. ibid. Nirgends ist gesagt, gegen wen Ruprecht die geforderten Truppen verwenden wollte, sie sollten ihm ganz allgemein für Wahr-nehmung der Interessen des Reichs zur Verfügung stehen. Über dieses Verlangen* 25 *beriethen die vier Städte am 27 Sept. 1402 und vielleicht nochmals am 9 Okt. in Speier. Ihre Antwort fiel sicher ablehnend aus; nur über die Redaktion derselben war man am 27 Sept. noch nicht einig, s. nr. 342-344.*

Schon bald kam Ruprecht mit einer neuen Truppenforderung, die sich aber in mehrfacher Beziehung von der ersten unterscheidet. Sie ist durch eine ganz specielle 30 *Veranlassung begründet und soll einem ganz speciellen Zwecke dienen. Der Herzog von Orléans hatte Luxemburg eingenommen, Beziehungen zu Deutschen Fürsten ange-knüpft, und trug sich mit kriegerischen Ruprecht feindlichen Plänen. Die Ruhe der Rheinischen Gegenden schien dadurch bedroht, und deshalb sollte ein Truppenkorps zum Schutz dieser Lande, besonders der Straßen, errichtet werden; dazu wollte Ruprecht* 35 *sich mit den Städten vereinigen. Seine Absicht gieng wol auf einen ähnlichen Vertrag wie er am 15 Okt. 1401 für die Zeit des Italienischen Zuges zwischen dem Pfalzgrafen und den Städten abgeschlossen war, s. nr. 4; das Frankfurter Rechenbuch spricht von diesen Verhandlungen mit den Worten* als unser herre der konig den steden dar be-scheiden hatte umb den friden zu bestellen *und ähnlich, s. nr. 352. Die Forderung* 40 *war also mindestens der Form nach ganz anders gestellt als auf dem Nürnberger Fürsten- und Städtetage, doch muß man die Möglichkeit offen lassen, daß dieser Unterschied eben nur ein formeller war, und daß der König auch schon im September zu Nürnberg eine Verwendung der geforderten Truppen gegen den Herzog von Orléans und die mit ihm konspirierenden Fürsten im Auge hatte, sowie daß andererseits es ihm bei der* 45 *zweiten Forderung nicht so sehr um Sicherung des Landfriedens und Schutz der Straßen als darum zu thun war, die Truppen auch im Fall eines Feldzuges benutzen zu können. Daß der König selbst aber seine zweite Forderung nicht als Wiederholung der früheren wollte angesehen haben, zeigt sich am deutlichsten darin, daß sie jetzt nicht nur an die genannten vier Freistädte sondern auch an Frankfurt gerichtet wurde, das doch der vom König auf dem Nürnberger Fürsten- und Städtetag vorgebrachten Muthung schon durch Zahlung von 1000 fl. genügt hatte. Drei vom König berufene Städtetage fanden zu Verhandlungen über die königliche Forderung statt, im December 1402 zu Speier, im Februar 1403 ebendort, und im Merz 1403 zu Heidelberg, zwischen den beiden letzteren vielleicht auch noch ein von den Städten selbst angesetzter Tag zu Speier. Die Städte verhielten sich wider ablehnend, wie wir ganz sicher sagen können, trotzdem wir über den Ausgang des letzten Tages zu Heidelberg keine Nachricht haben. Es brach damals der Krieg zwischen K. Ruprecht und dem Markgrafen Bernhard von Baden aus; darüber werden die Verhandlungen um Bestellung eines Friedens abgebrochen worden sein. Statt dessen hat Ruprecht nun jedenfalls sofort militärische Unterstützung für den Krieg von den Städten verlangt. Die hierher gehörigen Stücke bringen wir in der nächsten Litera, vgl. dort nr. 356. 359. 360 (mit Anm.). 364. Vielleicht ist auch die Notiz in Zorn's Wormser Chronik (Bibl. d. liter. Vereins in Stuttgart 43, 151f.), daß die Bürger von Worms 1403 und 1404 K. Ruprecht viel Hilfe mit Geld und Leuten gethan hätten, durch Hilfe im Kriege gegen den Markgrafen von Baden begründet, vgl. aber nr. 347 und Anm. dort.*

M. Dritter Anhang: nachfolgendes Verhältnis K. Ruprechts zu mehreren Reichsfürsten und dieser zum Herzog von Orléans nr. 353-376.

Im Winter 1402-1403 zeigten sich gleichzeitig an mehreren Stellen die ersten Ansätze zu einer gegen K. Ruprecht gerichteten Bewegung unter jenen Fürsten die ihn gegen K. Wenzel anerkannt bezw. erhoben hatten, und mindestens an einer Stelle bestand eine Verbindung zwischen diesen unzufriedenen Elementen und K. Ruprechts auswärtigem Gegner dem Herzog von Orléans. Nach Ulman Stromer muß man aber sogar einen engen Zusammenhang der inneren Opposition unter sich und mit dem genannten Herzog annehmen. Ulman Stromer berichtet (St.-Chr. 1, 56, 7 ff.): hernach uber long zeit [d. h. nach der Rückkehr aus Italien] do ward konig Rupprecht gewar, das wider in ain ainung gemacht het der pischoff Johannes von Maincz und der marggrave von Padem und der pischoff von Aystet und sein bruder von Otting, und das hetten sie getan zu dinst dem herczog von Orlens, der in dorumb gehaissen het gab zu geben und᷎ thun het, dorumb das er noch dem [rich᷎] stellen wölt. do zoch der konig Rupprecht mit großem volk auf den marggraff von Padem und verderbt dem sein land gar gröblichen, also das er sich in gnad dem konig ergab, und ir puntnüß ab müst sein. dornach kürczlich do ward der marggraff von Padem des konigs Rupprecht dyner und rat, und war in gar haymlichen. *Über die Zeit von der Stromer berichtet kann kein Zweifel sein, da der Krieg gegen den Markgrafen in den April 1403 fällt. Schwerlich hat zwischen den von Stromer genannten Fürsten ein urkundlich formuliertes Bündnis bestanden. Der Vertrag, den Erzbischof Johann von Mainz Bischof Friderich von Eichstädt die Burggrafen Johann und Friderich von Nürnberg und die Grafen Ludwig und Friderich von Öttingen am 2 Febr. 1403 mit einander auf 5 Jahre eingegangen waren (Karlsr. G.L.A. Pfälz. Kop.-B. 139 pag. 113-115 cop. ch. coaev., München R.A. Neub. Kop.-B. nr. 21 fol. 261᷎ Regest ch. saec. 15; gedruckt Mon. Zoll. 6, 174-178 nr. 190 nach Or. in München R.A.; Regest Joannis rer. Mog. 1, 718, Archiv für Gesch. und Alterthumskunde von Oberfranken 8, 1, 112, Höfler Geschichtschr.*

---

a) *fehlt ein Wort? than Partic.* b) *so ist doch wol zu ergänzen.*

*d. Hussit. Bew. 2, 463 aus München R.A. Neub. Kop.-B. 15 fol. 21ᵇ, Janssen Frankf.
R.K. 1, 725 nr. 1148 aus Karlsr. l. c.), kann nicht in diesem Sinne gedeutet werden.
Er ist eine der üblichen in erster Linie auf Wahrung des Friedens berechneten
Einungen, nicht ein Bündnis zu rein politischen Zwecken* [1]*, und, wollte man in der
Ausnehmung des Königs auch bloße Form sehen, die Betheiligung des Burggrafen Fri-* 5
*derich spricht entschieden dafür, daß die Vereinigung nicht gegen den König gerichtet
war. Auch das am 11 Sept. 1402 zwischen Erzbischof Johann und dem Markgrafen
Bernhard von Baden geschlossene Bündnis wird man hier kaum anführen können, s.
Anm. zu nr. 354. Damit soll indessen der Bericht Stromers nicht angegriffen werden,
manches spricht vielmehr für die Glaubwürdigkeit desselben. Wir wissen nicht nur von* 10
nahen Beziehungen des Markgrafen von Baden zum Herzog von Orléans, die K. Ru-
*precht zum Kriege veranlaßten, sondern auch von Zwistigkeiten zwischen dem König
und dem Erzbischof von Mainz, wir erfahren ferner aus anderer, wie es scheint guter,
Quelle (s. nr. 354 und 358), daß diese beiden deutschen Fürsten sich gegen Ruprecht
verbunden hatten, und finden in einer nahezu gleichzeitigen Aufzeichnung der königlichen* 15
*Kanzlei (nr. 374) erwähnt, daß der Bischof von Eichstädt und dessen zwei Brüder
die Grafen von Öttingen gröblich wider Ruprecht und das Reich gethan hätten. Auch
mußten diese drei Herren Ende 1404 urkundlich das wörtlich gleiche Gelöbnis ablegen
wie im Mai 1403 der Markgraf von Baden, nemlich dem Herzog von Orléans dem
König von Ungarn dem König von Böhmen und denen von Mailand fortan in keiner* 20
*Weise wider K. Ruprecht und das Reich zu helfen, s. nr. 367. 375. 376. Endlich
wird uns auch anderweitig berichtet, daß der Herzog von Orléans* [2] *sich mit den aus-
schweifendsten Plänen trug, die bis zur Kaiserkrönung sollen gegangen sein, s. nr. 293.
So dürfte die Zusammenstellung der unter dieser lit. M vereinigten Stücke, die zunächst
zeitlich und inhaltlich etwas disparat erscheinen mögen, wol gerechtfertigt sein. Es* 25
*wird hier alles wichtigere gegeben was über das Verhältnis K. Ruprechts zu den an-
geblich oder wirklich mit dem Herzog von Orléans konspirierenden Fürsten aus den
Jahren 1403 und 1404 beizubringen war. Auch Herzog Karl von Lothringen
scheint Beziehungen zum Herzog von Orléans angeknüpft zu haben (s. Anm. zu nr.
353 art. 4), über deren Natur aber Zweifel bestehen; wir haben daher auch nr. 353* 30
hier eingereiht.

*Die meisten Stücke dieser lit. M, nemlich nr. 354-368, beziehen sich auf das Ver-
hältnis des Königs zum Markgrafen von Baden; es sind Berichte über den Krieg,
der Schiedsspruch vom 5 Mai u. a. m. Manches hierhergehörige wird man auch schon
unter lit. L finden, da die Verhandlungen des Königs mit den Rheinischen Städten ja* 35
*an die bedrohliche Haltung des Herzogs von Orléans anknüpften. Zeitgenössische Be-
richte über diese Vorgänge wie auch einige spätere Bearbeitungen findet man in den
Noten citiert; hier sei noch auf Stälin Wirtemb. Gesch. 3, 382f. und Strobel Vaterl.
Gesch. des Elsasses 3, 67f. verwiesen. — Was die Ursachen der Verstimmung des
Markgrafen gegen Ruprecht anbelangt, so berichtet nr. 354, der König habe ein Schloß* 40
*des Markgrafen in seine Hand genommen; man wird im übrigen aus dem Sühnespruch
nr. 366 Rückschlüsse zu ziehen haben. Die dort art. 1 und 6 berührten Punkte hängen
vielleicht damit zusammen, daß K. Ruprecht die von K. Wenzel ertheilten Privilegien
nicht bestätigen wollte, s. RTA. 4 nr. 397. — Über einen Streitpunkt, den auch der
Schiedsspruch vom 5 Mai 1403 nr. 366 schon berührt hatte, verständigten sich König* 45

---

[1] *Freilich verpflichtete es die Verbündeten zu gegenseitiger Hilfe bei Angriffen, daher die in
dieser Einleitung pag. 367 lin. 15 ff. erwähnten Fehdebriefe.*
[2] *Der Herzog von Orléans arbeitete überall K. Ruprechts Absichten entgegen, vgl. lit. E dieser
Einleitung.*

*und Markgraf völlig im November auf einem Tage zu Germersheim, s. Anm. zu nr.
366 art. 5. — Damals im Herbst 1403 haben anscheinend ebendort mehrere Tage zwischen K. Ruprecht und Rheinischen Fürsten stattgefunden. Am 29 August 1403 (dat.
Heidelberg decoll. Joh. bapt. 1403 r. 4) schrieb K. Ruprecht an Straßburg, er habe*
5 *einen Tag beschieden zwischen dem Bischof von Straßburg [1] dem Markgrafen von Baden
und Graf Johanse von Liningen zu Rütschingen von solcher Stoße und Spenne wegen,
so sie mit einander haben, auf Mo. n. nativ. Mar. [Sept. 10] gen Germerßheim, er
wolle selbst dazu kommen, Straßburg solle zwei oder drei Rathsfreunde bei ihm auf
demselben Tage haben; Straßburg St.A. an der Saul I partie lad. B fasc. X[a] nr. 10 or.*
10 *ch. lit. cl. c. sig. in v. impr. Das urkundliche Itinerar des Königs läßt zwischen 10
und 16 Sept. (Chmel nr. 1501f.) Raum für diesen Germersheimer Tag und führt dann
am 20 und 21 Okt. (Chmel nr. 1584-1586) selbst nach Germersheim. Vielleicht war
damals dort wider eine Versammlung, und es bezieht sich auf diese die folgende Urkunde. K. Ruprecht bekennt, daß er die zwischen Herzog Karl von Lothringen und*
15 *Bischof Wilhelm von Straßburg bestandenen Streitigkeiten, nachdem dieselben auf einem
von ihm beschiedenen Tage zu Germersheim vorgebracht und an ihn gestellt sind, geschlichtet habe; für den dem Herzog und genannten Unterthanen desselben zugefügten
Schaden soll der Bischof 500 fl. in festgesetzten Zielen bezahlen und seine Diener mit
den geschädigten Dienern des Herzogs vergleichen; dat. Wissenburg fer. 5 a. Martini*
20 *[Nov. 8] 1403 r. 4; Karlsr. G.L.A. Pfälz. Kop.-B. 139 pag. 167-168 cop. ch. coaev.,
Regest Janssen 1, 745 nr. 1176 aus Karlsr. l. c. — Das Verhältnis K. Ruprechts zum
Markgrafen scheint sich dann in der nächsten Zeit ganz freundlich gestaltet zu haben,
wie dieß ja auch Ulman Stromer berichtet. So erklärte K. Ruprecht am 20 Mai 1404
(dat. Heidelberg Di. in der Pfingstwoche 1404 r. 4), daß die Vertragsbriefe welche*
25 *Heinrich Göldelin wider Markgraf Bernhard von Baden vorgebracht hat und deren
Giltigkeit dieser bestreitet, ungiltig seien und dem Markgrafen keinen Schaden bringen
sollen; Karlsr. G.L.A. Pfälz. Kop.-B. 8½ fol. 83[a]-84[a] cop. ch. coaev., Straßburg St.A.
AA 127 cop. ch. coaev. Am 4 Juni 1404 (dat. Heidelberg Mi. nach u. H. Leichnamstag 1404 a. r. 4) vermittelte er einen Frieden zwischen dem Markgrafen und Graf*
30 *Eberhard von Wirtemberg; damit beide Herren in Freundschaft blieben, sollte 2 Jahre
lang keiner dem andern in seine Herrschaft und Gericht greifen; Karlsr. G.L.A. Pfälz.
Kop.-B. 8½ fol. 80[b]-82[a] cop. ch. coaev., ausführliches Regest Steinhofer Neue Wirtemberg. Chronik 2, 593f. mit dem falschen Datum Mi. u. H. Leichnamstag (Leichnamst.
fällt auf Do. Mai 29). Am 11 Juli 1404 (dat. Heidelberg Fr. vor Marg. 1404 a.*
35 *r. 4) verlieh er dem Markgrafen die Freiheit von fremden Gerichten; Karlsr. G.L.A.
Pfälz. Kop.-B. 4 fol. 205[b] cop. ch. coaev., Wien H.H. St.A. Registraturb. C fol. 174[a]
cop. ch. coaev., gedruckt Schöpflin hist. Zar. Bad. 6, 26-28, Regest Chmel nr. 1809.
Wenn wirklich Anfang 1403 eine Koalition gegen K. Ruprecht in Bildung begriffen war, so vereitelte sein glücklicher Erfolg im Kriege gegen den Markgrafen die*
40 *Pläne der Gegner. Erst nach Beendigung dieses Krieges begannen, so viel wir wissen,
Verhandlungen zur Beilegung der zwischen K. Ruprecht und Erzbischof Johann von
Mainz schwebenden Streitigkeiten; unsere nrr. 369-373 gehören hierher. Huckert Politik
der Stadt Mainz 59f. erörtert die Gründe der Spannung zwischen dem Erzbischof und
dem König, und gibt folgende fünf an: erstens den Münzrecess vom 23 Juni 1403,*
45 *zweitens den Streit K. Ruprechts mit dem Frankfurter Klerus, drittens den Entscheid
Ruprechts zwischen Johann und Hessen vom 3 Februar 1403, viertens die den Her-*

---

[1] *Am 8 Febr. 1403 war ein Tag zu Lichtenau zwischen Markgraf Bernhard von Baden und
Bischof Wilhelm von Straßburg; zahlreiche Briefe darüber findet man Straßburg St.A. AA 86 ff. —
Der Bischof betheiligte sich am Kriege gegen den Markgrafen, s. nr. 356.*

*zögen von Braunschweig am 4 und 5 Februar 1403 verliehenen Privilegien, fünftens
den Streit Ruprechts mit dem Markgrafen. Auf den dritten Punkt haben wir in dieser
Einleitung lit. K schon aufmerksam gemacht; wie weit im übrigen Huckert beizustimmen
ist, mag dahingestellt bleiben. Wohin Johanns Pläne damals giengen, wird schwer
festzustellen sein; in einer gleichzeitigen Aufzeichnung, die wir nach Janssen in Anm.* ₅
zu nr. 354 mittheilen, wird behauptet, der Erzbischof habe Boten zu König Wenzel
geschickt; und Markgraf Wilhelm von Meißen brachte im nächsten Jahre die gleiche
Beschuldigung wider ihn vor, daß er ohne Wissen Ruprechts Verbindungen mit dem
Pabst, K. Wenzel und K. Sigmund angeknüpft habe, s. Fichard Wetteravia 175, s.
auch ib. 177. 185. 200, auch Janssen 1, 116 nt. * zu nr. 272, vgl. bei uns nr. 316.* ₁₀*

Sehr dunkel ist die Rolle die der Bischof von Eichstädt und seine beiden Brüder
die Grafen von Öttingen bei den Umtrieben gegen den König gespielt haben. Was in
dieser Beziehung an Material beizubringen war ist in nr. 374-376 (mit den Anmerkungen) und zu Anfang dieser Litera der Einleitung geboten.*

Nach dem Bericht Friderichs von Sachsenhausen (s. nr. 354) gehörte auch Graf* ₁₅
Eberhard von Wirtemberg zu den unzufriedenen Fürsten, und, trotzdem derselbe sich
am Kriege gegen den Markgrafen betheiligte, mag die Nachricht nicht ganz unbegründet
gewesen sein. Bald nachher am 25 Sept. 1403 (dat. fer. 3 ante Mich. 1403) schloßen
Erzbischof Johann von Mainz und Graf Eberhard von Wirtemberg ein Bündnis,
das bis Martini [Nov. 11] übers Jahr dauern sollte, und in diesem ist von einer Aus-* ₂₀
nehmung des Königs nichts erwähnt; Wirzburg Kr.A. Mainz-Aschaff. Ingr.-B. 14 fol.
40ᵃᵇ cop. ch. coaev.*

.

N. Vierter Anhang: nachfolgendes Verhältnis K. Ruprechts zu den Schwäbi-
schen Städten nr. 377-378.

Wie schon oben unter lit. D bemerkt ist, hatte die Geldforderung, die K. Ruprecht ₂₅
*auf dem Nürnberger Tag an die Städte stellte, anscheinend auch Unterhandlungen
mit den Schwäbischen Städten im Gefolge, von denen wir aber nur dürftige Spuren in
städtischen Rechnungen haben. Ob K. Ruprecht dann für seinen Krieg gegen den
Markgrafen von Baden Hilfe auch von den Schwäbischen Städten verlangte, muß dahingestellt bleiben; vielleicht ist eben deshalb einer der Posten des Auszuges den wir nachstehend in* ₃₀
*dieser Einleitung aus städtischen Rechnungen geben dahin zu deuten. In nr. 361 wird
behauptet, daß Schwäbische Städte am Kriege theilnahmen, doch ist dieser Bericht nicht
allzu zuverlässig. Gleich nachdem dieser Krieg beendet war, fanden sehr merkwürdige
Unterhandlungen zwischen dem König und dem unter Ulms Führung stehenden Schwäbischen Städtebunde statt. Der König wünschte von den Städten eine Erklärung, ob er* ₃₅
*ihres Beistandes, wenn er im Interesse des Reichs desselben bedürfe, auf alle Fälle gewiss
sein könne, und die Städte versicherten ihn darauf ihrer Ergebenheit und Dienstwilligkeit.*

*Eine willkommene Ergänzung zu der Aufzeichnung über diese Verhandlungen
nr. 378 gibt folgender Auszug aus den Rechnungen des Bundes, den wir aus den im
Stuttgarter Staatsarchiv befindlichen Aufzeichnungen der Schmid'schen Sammlung 1, 99* ₄₀
*gemacht haben. Die Vorlage ist dort bezeichnet mit: aus den Rechnungen; vielleicht
war sie eine Aufzeichnung von Vorschüssen die Ulm für den Städtebund gemacht hatte
ähnlich der RTA. 2 nr. 35 beschriebenen. Wir geben den Auszug hier in Kursive,
weil wir für orthographische Genauigkeit nicht einstehen können, mit unsern Erläute-
rungen in eckigen Klammern.* ₄₅

*1403 So. in der Fasten [wol So. invocavit Merz 4? das Datum wird den Anfang
des Zeitraums bezeichnen in dem die folgenden Ausgaben gemacht sind, vgl. RTA. 2
nr. 35 Quellenbeschreibung]. Rechnung der gemeinen Städte. 1. Verritten. Hein-*

rich Bessrer gen Heidelberg zu dem König wegen dessen Forderung an die Städte. — Rudolf Kröwel dem von Nördlingen auf den Tag gen Logingen. — Peter Löw dem Burgermeister gen Heidelberg zu dem König wegen des Gewerbs der Vereinigung; (unsers Herrn des Königs Phiffern 2 fl.). — Heinrich Bessrer gen Göppingen zu
5 *unserm Herren von Wirtemberg der Münz wegen; auch gen Stuttgart. — Stephänlin zu unserm Herrn von Wirtemberg, da wir ihm verschrieben und ihn baten seine Räte gen Biberach zu den Städten zu schicken, der Münze wegen, wohin auch die obern Städte gemahnt und Hartmann Ehinger Hans Stöcklin und der Stadtschreiber geschickt wurden. — Peter Löw dem Burgermeister und dem Stadtschreiber gen Strasburg zu*
10 *den Rheinischen Städten. 2. Botenlohn. Zu unserm Herrn von Wirtemberg, als ihm die Städte wegen der an Martini [Nov. 11, 1402 oder 1403?] verfallenen 1000 fl. Zug gaben. — Den Städten zu verkünden, daß Ulm für sich und gemeine Städte die Stallung aufgenommen, welche Strasburg (im Namen der Rheinischen Städte) gemacht habe. — Die Städte gen Ulm zu mahnen des Gewerbs wegen, das Toppler an der von*
15 *Dinkelsbühl Botschaft gethan hat. — Gen Weil, daß sie melden sollten, wie es um den Krieg zwischen dem König und dem Markgrafen stehe. — Gen Prag zweimal um Kuntschaft zu unserm Kundtmann; ebenso gen Wien. — Verkündigung des vom König den Städten auf So. vor Pfingsten [1403 Mai 27] gen Eßlingen angesetzten Tags.*

Es folgen dann l. c. 1, 100 weitere Notizen mit der Bezeichnung: aus Rechnungen;
20 *zum Theil sind es freilich nur Widerholungen von Posten obigen Auszuges, doch bieten sie auch manches neue, und bei ihrem geringen Umfang wird eine vollständige Mittheilung gerechtfertigt sein.*

1403. Verlängerung der Vereinigung der Städte mit Östereich, deshalb mit dem Landvogt unterhandelt. — Des Königs Forderung an die Städte, auf dem Tag zu
25 *Eßlingen So. vor Pfingsten [Mai 27]; deshalb gehabte Städte[-Zusammenkunft] zu Ulm Mo. nach Petri & Pauli [Juli 1; sollte es nicht vielleicht vor statt nach heißen, also Juni 25? vgl. nr. 378]. — Tag zu Göppingen mit dem Herrn von Wirtemberg, der Münze wegen, zu Stuttgart und andern Orten, auch im folgenden Jahr. — Der Herr von Wirtemberg solte den Städten an Martini [Nov. 11] 1000 fl. bezalt haben. —*
30 *Städtetag zu Ulm So. judica [April 1] wegen des Gewerbs Toplers an die von Dinkelsbühl, auch im folgenden Jahr. — Krieg zwischen dem König und dem Markgrafen. — Städtetag So. nach Ostern [April 22]. — Kundschaft gen Prag, gen Wien. — Des Königs Verkündigung eines Tags gen Eßlingen auf So. vor Pfingsten [Mai 27]. — Städtetag zu Ulm So. vor Mar. Magd. [Juli 15]. — Städtemanungstag gen Ulm So.*
35 *St. Oswaldi [Aug. 5], wider So. n. Matthäi [Sept. 23], wider Sim. & Judae [So. Okt. 28].*

Die im obigen Auszug des Prälaten von Schmid 1, 99 erwähnte Stallung, die Straßburg gemacht hat, betraf den alten Streit um der Hälfte der 1389 dem Pfalzgrafen bezahlten 60000 fl., vgl. RTA. 2 nr. 90ff. und ibid. Einleitung pag. 137, 4ff. Zur
40 *Erläuterung diene folgender Brief. Ulm an Straßburg: Ulm ist auf Antrag Straßburgs bereit, für sich und die zur Stadt gehörigen Städte eine Stallung einzugehen mit den drei Rheinischen Städten Mainz Worms und Speier bis letztvergangen Georgii [April 23] über ein Jahr, und ebenfalls bereit zu einem freundlichen Tage den etwa Straßburg dazwischen machen würde, was Ulm bereits an Straßburg geschrieben hat*
45 *(Straßburg schlug es in der vergangenen Fasten [Febr. 28 bis April 14] vor, und Ulm hat zu den Zeiten also geantwortet); Ulm fordert nun Straßburg auf, die Stallung auch den drei Rheinischen Städten zu verkünden, was, wie Ulmer Gesandte, als sie beim König in Heidelberg waren, gehört, noch nicht geschehen sei; dat. Barthol.-Abend [Aug. 23] 1403; Straßburg St.A. AA 129 or. ch. lit. cl. c. sig. in v. impr. Am 13 Februar*
50 *hatten in dieser Angelegenheit auch die zu Konstanz versammelten Städte des Bundes*

*um den See und im Allgäu an Straßburg geschrieben, s. RTA. 2, 199 nt. 2. Vgl.
auch die Notiz bei Pfaff Gesch. d. R.St. Eßlingen 336f., ferner bei uns Einleitung zum
Mainzer Tag von 1404 Dec. lit. B.*

    *Was das Verhältnis K. Ruprechts zu den Schwäbischen Städten anlangt, so ist
auch noch zu erwähnen, daß die Reichsstädte Konstanz Überlingen Lindau Ravensburg*   5
*Memmingen [Moiringen?] Kempten St.-Gallen Wangen Leutkirch Isni Buchau zu Kon-
stanz Mi. v. Thom. [Dec. 19] 1403 mit dem Truchseßen Johannes von Waldburg und
allen seinen Städten Schlössern Landen und Leuten einen Bund resp. Landfrieden
schloßen; so nach brieflicher Mittheilung Herrn Dr. Vochezers aus dem Wolfegger
Archiv nr. 3148 cod. membr. Dieses Bündnis ist offenbar veranlaßt worden durch K.*   10
*Ruprechts Schreiben vom 18 Okt., Chmel Reg. nr. 1583 aus der Kopie in Wien H.H.
St.A. Registraturb. C fol. 150ᵃᵇ; auch Karlsr. G.L.A. Pfälz. Kop.-B. 4 fol. 178ᵃᵇ, und
nach Mittheilung Herrn Dr. Vochezers in Wolfegg l. c., steht dieses Schreiben.*

O. Fünfter Anhang: Vorbereitung eines zweiten Romzuges, Verhältnis zu Italien, 1403-1404, nr. 379-407.

  15

    *Während längere Zeit hindurch K. Ruprechts äußerliche Beziehungen zu Italien
äußerst geringfügig waren, so daß wir vom December 1402 bis zum August 1403 kein
bezügliches Stück aufzunehmen hatten, tauchte im Herbst 1403, als der König in
Deutschland zu einiger Ruhe gekommen war und als die Anerkennung durch den Pabst
unmittelbar bevorstand, wider das Projekt eines neuen Romzugs auf. Konrad von Eg-*   20
*lofstein wurde nach Italien geschickt, mit den Österreichern, mit den Venetianern Flo-
rentinern Franz von Carrara und andern Italienern wurde unterhandelt, s. nr. 379ff.,
und wenn auch die Verhandlungen über eine Ligue zwischen K. Ruprecht Florenz und
Franz von Carrara sich zerschlugen, s. die Noten zu nr. 386, so gab doch im Frühjahr
1404 die glückliche Einnahme Veronas durch letzteren und dessen Schützlinge und den Ab-*   25
*sichten des Königs auf Italien neuen Impuls, s. nr. 387ff. Er ermutigte Franz im
Kampfe gegen die Visconti, er verband sich mit Franz von Gonzaga, Gesandtschaften
kamen und giengen; auch mit Theodor von Montferrat knüpfte er wider an, wie wir
aus einem Briefe vom König an die Straßburger ersehen, Straßburg St.A. An der Saul
I partie lad. B fasc. XIᵃ nr. 20 or. ch. c. sig. in verso impr., worin er begehrt, daß sie*   30
*dissem geinwurthigen Johanse von Ferrarie des hochgebornen des Markyssen von Mont-
ferrer Diener, der in Botschafften zu ihm gesant und iczund uff dem Wege ist wider
heimzureiten, um seinetwillen Geleide schaffen und bestellen wollen, ob derselbe das an
sie begernde ist; dat. Heidelberg fer. 3 a. assumpt. Marie [Aug. 12] 1404 a. r. 4; ad
mandat. dom. regis Job Vener in utroque jure doctor. Auch mit den Schweizern und*   35
*mit Savoien wurde damals unter steter Rücksicht auf den Romzug verhandelt, s. nr.
394 und 395, und zugleich derselbe finanziell durch Aufnahme einer Anleihe vorbereitet,
s. nr. 393. Zur selben Zeit, da K. Ruprecht alle diese vorbereitenden Maßregeln traf,
unterhandelte er auch mit den Österreichern und mit K. Sigmund; in den allein erhaltenen Vollmachten nr. 389. 396. 397 ist nicht gesagt, zu welchem Zweck, und völlige*   40
*Einsicht in den Zusammenhang der Dinge wird durch unser Material nicht gegeben,
aber wahrscheinlich war für K. Ruprecht in seinen Beziehungen zu Sigmund und
Österreich der beabsichtigte Romzug das maßgebende politische Moment, wie ja auch bei
den Ende 1403 über den Romzug gepflogenen Verhandlungen die Unterstützung durch
die Habsburger ganz hervorragend in Betracht gekommen war. Deshalb haben wir denn*   45
*auch die erwähnten drei Stücke nr. 389. 396. 397 hier aufgenommen. K. Ruprecht
hatte nach Wenzels Befreiung im November 1403 zuerst mit diesem verhandelt, s. nr.
322, knüpfte nun aber im Juli 1404, anscheinend durch Vermittlung der Österreichischen*

Herzöge, mit Sigmund an. Dieser, der nach der Befreiung Wenzels zuerst sehr erzürnt auf die Österreicher gewesen war, hatte sich ihnen wider genähert, s. Aschbach Sigmund 1, 194 f., und Anfang Juli gerade zog er zugleich mit Albrecht und Ernst von Österreich gegen Wenzel Jost und Prokop und belagerte mit ihnen in den folgenden Wochen
5 *Znaym. Diese Situation, die K. Ruprecht freie Hand ließ, war für den Romzug wol besonders günstig. Kurz hintereinander gingen im Sommer 1404 drei Gesandtschaften mit umfassenden Vollmachten nach Italien, s. die Vollmachten von Mai 31 nr. 390, Juli 28 nr. 398 f., Sept. 12 nr. 401 ff., und Pabst Bonifacius unterstützte K. Ruprechts Pläne durch die Bulle vom 4 August betr. die Erhebung des Kirchenzehnten für den*
10 *König, nr. 400. Wie ernstlich der Romzug dießmal geplant wurde, obgleich die Beschaffung der nöthigen Geldmittel widerum große Schwierigkeiten machte (s. hier nrr. 393. 400), und wie nahe derselbe vor seiner Verwirklichung stand, erfahren wir aus der Instruktion an Pabst Innocenz von [1405 circa Merz 7] art. 7 ff. nr. 470 beim Tag zu Mainz 1404 Dec., und wir ersehen ebenda, daß das Verhalten des Franz von*
15 *Carrara die Schuld an der Vereitelung des Zuges trug (s. die Note zu art. 7 daselbst). Wie wir hier aus nr. 390 und 392 erkennen, gedachte K. Ruprecht, Verona in seine Hand zu nehmen und zu seinem Stützpunkt zu machen, während das die Meinung von Franz nicht war, der es für sich behalten wollte. Das muß den Grund zum Bruche mit demselben gegeben haben, welchen K. Ruprecht in der gen. Instruktion art. 9 als*
20 *Hindernis des Zuges angibt. Der König suchte jetzt mit seinen früheren Gegnern anzuknüpfen, s. nr. 402 ff. hier, allein diese Versuche müssen nicht geglückt sein, und die Dinge kamen nicht vorwärts, der Italienische Zug unterblieb. Als K. Ruprecht im Oktober der Pabstwahl wegen Ulrich von Albeck an die Kardinäle schickte, hatte er das Projekt allem Anschein nach einstweilen aufgegeben; denn die Anweisung dieses*
25 *Gesandten nr. 405 erwähnt es mit keiner Silbe. Daß in den Verhandlungen mit dem Erzbischof von Salzburg dann wider davon die Rede ist, s. nr. 407 art. 6, und ebenso auch noch weiterhin während des Jahres 1405, s. Tag zu Mainz 1404 Dec. Einleitung lit. F, beweist dem gegenüber nur, daß Ruprecht an der Hoffnung festhielt, den jetzt vereitelten Plan einst wider aufnehmen zu können.*
30 *Wir fügen hier eine Liste hauptsächlich Italienischer Adressen an, die nicht mit Sicherheit zu datieren ist wegen der Lückenhaftigkeit und Unzuverlässigkeit der betr. Italienischen Lokalgeschichten, die auch wol aus Unkenntnis der kön. Kanzlei bzw. ungleichzeitiger Hinzufügung einzelne Anachronismen enthält, aber, soweit sich sehen läßt, vorwiegend den Verhältnissen der Jahre 1404-1405 entspricht. Dieselbe steht im Karls-*
35 *ruhe G.L.A. im Pfälzer Kop.-Buch 149 auf unnumerierten Blättern am Ende des Buches nach den Urkunden von 1400-1409, cop. ch. coaev., jede Adresse mit neuem Alinea und Spatium. Dieselbe diente wahrscheinlich nicht einem besonderen speziellen Zwecke, sondern stellt ein allgemeines Adressenverzeichnis zu jeweilig vorkommendem Gebrauch im Verkehr der königlichen Kanzlei mit den aufgeführten dar.*

40 Regi Francorum: illustrissimo principi domino Karolo dei gracia Francorum regi consangwineo nostro carissimo. — Regi Anglie: illustrissimo et inclito principi domino Heinrico dei gracia Anglie Francieque regi et domino Hybernie fratri nostro carissimo. — Regi Aragonie: illustrissimo principi domino Martino dei gracia regi Aragonie Valencie Majorice Sardinie et Corsice comitique Barcheniensi [cod. Barthen.] Rossoliensi et Cirta-
45 niensi consangwineo suo carissimo. — Regi Castelle: illustrissimo principi domino Heinrico dei gracia regi Castelli Toleti Legionis Murcie Cordube [cod. Cordule] et Sibilie domino Lare Vizcaye et Moline. — Regi Polonie: illustrissimo principi domino Wladislao dei gratia regi Polonie Litwanieque principi supremo et heredi [cod. herede] Russie etc. cosanguineo nostro carissimo. — Illustrissimo et excellentissimo principi Manueli impera-
50 tori et moderatori Romanorum Paleologo et semper augusto fratri nostro carissimo. —

Illustrissimo principi domino Ladislao dei gracia regi Ungarie Jherusalem et Sicilie fratri nostro carissimo. — Illustribus viris senatori ac conservatoribus alme Urbis amicis nostris carissimis. — Illustri et magnifico principi Michaheli Stieno duci Veneciarum amico nostro sincere dilecto. — Magnifico et potenti viro Nicolao marchioni Estensi nostro et sacri imperii in Mutina vicario et fideli dilecto. — Magnifico Johanni nato quondam 5 Francisci de Gontzaga nostri et sacri imperii in Mantua vicario et fideli dilecto. — Magnifico et potenti principi Theodoro marchioni Montisferrati nostro et imperii sacri fideli dilecto. — Venerabili et religioso viro fratri Philiberto de Naliack magno magistro sacre domus hospitalis sancti Johannis Jerusalemitani devoto nostro sincere dilecto. — Magnifico et potenti Karolo de Malatestis sancte Romane ecclesie vicario etc. nobis sin- 10 cere dilecto. — Magnifico et potenti viro Pandolffo de Malatestis sancte Romane ecclesie vicario nobis sincere dilecto. — Magnifico et potenti viro Paulo de Ursinis sancte Romane ecclesie capitaneo generali nobis sincere dilecto. — Honorabilibus viris prioribus arcium et vexillifero justicie populi et communis civitatis nostre Florencie nostris ac sacri imperii fidelibus et devotis predilectis. — Honorandis viris ancianis et gubernatoribus 15 populi et communis civitatis Januensis nostris et sacri imperii fidelibus dilectis. — Magnificis et spectabilibus viris vicario et duodecim provisionum capitaneis sex portarum, quadraginta duobus super intratis et expensis deputatis, ac triginta sex subsidiariis reipublice necnon toti populo et comunitati civitatis nostre Mediolani fidelibus nostris dilectis. — Honorandis viris capitaneis populo et prioribus nostre civitatis Senarum nostris 20 et sacri imperii fidelibus dilectis. — Honorandis viris proconsulibus et consulibus populo atque communi civitatis Pysane nostris et sacri imperii fidelibus dilectis. — Honorandis viris proconsulibus et consulibus populo atque communi civitatis Pergami nostris et sacri imperii fidelibus dilectis. — Magnifico Raynuccio comiti de Corbario ac domino in Cytonio nobis sincere dilecto. — Magnifico et potenti viro Petro de Polenta Ravenne do- 25 mino nobis sincere dilecto. — Magnifico et potenti viro Paulo de Guinisiis nostro et imperii sacri in Luca etc. vicario et fideli dilecto. — Magnifico et potenti Opizoni [cod. Opizani?] de Polenta pro ecclesia sancta Ravenne vicario nobis sincere dilecto. — Magnificis et potentibus Gentili Pandolffo et Berardo de Varano Camerini dominis nobis sincere dilectis. — Magnificis viris Brûnorio Jacobo et Luczinburgo Esii dominis nobis 30 sincere dilectis. — Magnifico viro Reynero militi Esii domino nobis sincere dilecto. — Magnificis viris Ottoni de Bontherzo et Petro Russe nostris et sacri imperii in Parma et Placentia civitatibus etc. fidelibus dilectis. — Magnificis viris Bartholomeo et Johanni Bentschon nostris et sacri imperii in civitate Crema etc. fidelibus dilectis. — Spectabili viro Jacobo de Pisinie militi nobis sincere dilecto. — Nobili Nicolao de la Turri nobis 35 sincere dilecto. — Magnifico viro Rassoni Malatres [cod. Malacrea?] nostro et sacri imperii in civitate Kauma etc. et fideli dilecto. — Magnifico et potenti principi Jacobo de Ursinis comiti Taliacocii nobis sincere dilecto. — Magnifico viro Johanni de Cimis de Cingulo nobis sincere dilecto. — Nobili viro Ludovico de Melioratis domicello in civitate Tudertina etc. rectori nobis sincere dilecto. — Nobili viro Gentili de Melioratis 40 domicello Sulmonensi in civitate Urbetanensi etc. rectori nobis sincere dilecto. — Nobili viro Coccho Salimbeni domicello Senensi in terra Radicofani etc. in temporalibus vicario generali nobis sincere dilecto. — Magnificis viris Zacharie [cod. -a] Tervisani potestati et Johanni Mauro capitaneo nostro et sacri imperii civitatis Verone fidelibus nostris dilectis. — Magnifico et potenti Ugolino de Cavalcaboni Vitaliane marchioni Cremone etc. 45 fideli nostro dilecto.

A. Ausschreiben nr. 275-277.

275. *K. Ruprecht an gen. Städte einzeln, lädt ein auf 27 August nach Nürnberg.* ¹⁴⁰² *Juli 22*
1402 Juli 22 Heidelberg.

An Köln: K aus Köln St.A. Kaiserbriefe or. ch. lit. cl. c. sig. in verso impr.; nach dem in
Düsseldorf befindlichen Repertorium ist es nr. 10, 10 nt. 10 in caps. roth D Hauptarchiv.
An Basel: S coll. Straßb. St.A. an der Saul I partie ladula B fasc. X nr. 33 cop. ch. coaev.,
mit Verschickungsschnitten die sich kreuzen, ist doch wol die im Brief vom 12 Aug. 1402 nr. 280
(w. m. s.) von Basel nach Straßburg verschickte Abschrift; die Adresse lautet Unseren lieben getruwen
burgermeistern und rate der stat Basel, in der Anrede fehlt Ersamen.

Ruprecht von gots gnaden Romischer
kunig zu allen zijten merer des richs ^a.

Ersamen lieben getruwen. wir laßen uch wißen, daz wir von großer trefflicher und mergclicher sache wegin uns und dem heiligen riche anligende uwer und
ander unser und des heiligen richs getruwen rades wol bedorffen. herumbe begern wir
mit ernst, daz ir uwer rete zu uns schickent uff den sontag nach sand Bartholomeus ¹⁴⁰² ^{Aug. 27}
tag des heiligen zwolffbodten nehstkommende gein Nurenberg, da wir auch uff denselben
tag sin wollen. und haben unser und des richs fursten und andere stedte auch dahin
beschickte, und wollen ^b da zu rade werden uff soliche sache, die uns und dem heiligen
rich anligende sind, und meynen auch die mit uwerm und ander unser und des richs
getruwen rade zu hanndeln. und lassen uch darinne nichts sumen noch hindern, daran
erczeugent ir uns besunder behegelichkeid. datum Heidelberg ipso die beate Marie
Magdalene anno domini millesimo quadringentesimo secundo regni vero nostri anno ¹⁴⁰² ^{Juli 22}
secundo.

[in verso] Den ersamen unsern lieben getruwen   Ad mandatum domini regis
burgermeistern und rate zu Collen dari debet.   Ulricus de Albeck decretorum doctor.

276. *K. Ruprecht an einen ungen. Fürsten, wie nr. 275. 1402 Juli 22 Heidel-* ¹⁴⁰² ^{Juli 22}
berg.

P aus Prag erzbisch. Biblioth. cod. epist. Ruperti regis fol. 85ᵃ letztes Blatt cop. chart.
saec. 17. Die fehlenden Stellen sind im Abdruck in Kursive ergänzt worden, das
letzte Blatt des Kodex ist zerrissen. Die verschiedenen Vokalzeichen auf u in dieser
späten Abschrift sind bei uns durch û oder gar nicht gegeben.
Gedruckt Martène et Durand ampliss. coll. 4, 97 f. nr. 66 in lateinischer ohne Zweifel
moderner Übersetzung, wobei noch zu bemerken daß die dort voranstehenden Adressen
margravio Balthasari — eorum veniat nicht hieher sondern zu dem Schreiben K. Ru-
prechts vom 2 Mai 1402 (bei uns nr. 212) gehören, s. unsere nr. 212 Quellenangaben;
Schöttgen und Kreysig dipl. und curieuse Nachlese der Historie von Ober-Sachsen 1,
592 aus Martène l. c. mit derselben irrthümlichen Voranschickung der übrigens un-
vollständig gegebenen Adressen; Horn Friedrich der Streitbare 710 aus Schöttgen
und Kreysig l. c., so aber daß vorne als erster Anfang noch willkürlich hinzugefügt
ist Rupertus Romanorum rex etc. — Regest Georgisch 2, 867 nr. 38 aus Martène,
Schötigen inventar. dipl. hist. Sax. superioris 338 nr. 10 aus Horn, Chmel reg. Rup.
nr. 1246 aus Martène, Lichnowsky Gesch. des Hauses Habsburg 5 reg. nr. 499 aus
Martène, Janssen Frankf. R.K. 1, 703 nr. 1123 aus Martène.

Hochgeporner lieber vetter und furste. wir laßen dine liebe wissen, daß wir
von großer trefflicher und merklicher sache wegen unß und dem heiligen riche anligende

---

a) *Vertheilung der Inscriptio auf zwei Zeilen war in unserer Abschrift nicht beachtet und die Vorlage neuerdings*
nicht aufzufinden; unser Druck gibt die regelmäßige Form wider. b) *S om. und haben unser — und wollen*
aus Versehen wegen des Homoioteleuton wollan.

dins und ander unser und deß heiligen richs fürsten rades wol bedürfen. herûmb *begeren* und bitden wir din liebe mit ernst, daß du *sû unß* kommen wollest gein Nuremberg ûf sun*dag nach* sant Bartholomeuß tagh nechstkompt, da *wir auch* uf denselben
tag sin wollen. und haben ander *unser* und deß richs fürsten auch dahin beschickte, *und* wollen da zu rade werden uf solche sachen, *als* unß und dem heiligen riche anligende sint, un*d* meinen auch die mit dinem[a] und ander unser und deß richs fürsten rade zû handlen. und laße dich darinne nichts sûmen noch hindern, alß wir *des* din liebe besunder woll getrûwen. datum Heydelberg ipso die beatae Mariae Magdalenae
anno domini 1400 secundo regni vero nostri anno secundo.

5

277. *Weitere Adressen von Fürsten und Städten für das Einladungsschreiben nr. 275* 10 *und 276. [1402 Juli 22 Heidelberg.]*

*P aus Prag erzbisch. Biblioth. cod. epist. Ruperti regis fol. 85ᵃ-85ᵇ cop. chart. saec. 17;
vgl. über die Beschaffenheit des Kodex und unsere Abschreibung die nr. 276 Quellenangabe. Durch wagerechte Striche sind im Kodex die Städte in Gruppen getheilt,* 15
*die Gruppe Heilbronn Wimpfen Weinsberg hat den Zusatz una, dabei ist zu ergänzen
litera wie aus der Schlußnota von den Elsäßischen Städten hervorgeht, d. h. jede
dieser Gruppen bekam Einen Brief, sicherlich ist es allemal die erstgenannte Stadt in
einer solchen Gruppe welche den übrigen Städten der gleichen Gruppe den Brief
weiter mitzutheilen hatte. Eine Anzahl von Städten kommt dabei vor, welche so zu* 20
*sagen jede für sich eine Gruppe bilden, d. h. einen Brief für sich allein empfangen.
Da das una im Kodex nur bei einer einzigen Gruppe vorkommt, haben wir es bei
den übrigen in Kursive ergänzt. Worms steht im Kodex mit Nürnberg Windsheim
Schweinfurt Weißenburg in Einer Gruppe zusammen, offenbar unrichtig, es hat unstreitig wie Mains Speier Köln Straßburg Basel seinen eigenen Brief bekommen, und* 25
so haben wir dasselbe denn im Abdruck auch behandelt.
*M coll. Martène et Durand ampliss. coll. 4, 98f. sub nr. 66 in moderner lateinischer
Übersetzung.*

Diesen nachgeschriben hern ist also [1] geschriben:

marggrave Wilhelm } *gebrüder* [2]
marggrave Balthasar

marggrave Friederich
marggrave Wilhelm der jung } *gebrüder* [3] } von Myssen 30

item herzog Stephan
herzog Heinrich
herzog Ernst 35
burggrave Hansen von Nurembergh
burggrave Friederich
bischof von Saltzpurg
dem marggraven von Baden
dem von Wirtemberg [b]. 40

a) *P* dinen. b) *M* add. aut Herbipolensi, *gleichwol aber steht der folgende Posten* episcopo Herbipolensi *dennoch da.*

---

[1] *Bezieht sich auf die im Kodex vorausgehende nr. 276: K. Ruprecht an einen ungen. Fürsten 1402 Juli 22.*
[2] *Dieses Wort von uns zugefügt; gemeint sind Markgraf Wilhelm I der Einäugige und sein älterer Bruder Balthasar, die Oheime Friedrich des Streitbaren.*

[3] *Dieses Wort steht im Kodex nach Friederich, bezieht sich aber zusammen auf ihn und Wilhelm den jungen, jener ist Friedrich der Streitbare, dieser ist dessen Bruder Wilhelm II der Reiche.* 45 *Martène hat m. W., m. B., m. Fr., margravio Wilhelmo inter fratres juniori, als ob es vier Brüder wären.*

Diesen nachgeschriben ist aůch geschriben:
  bischof von Wurtzpůrg
  bischof von Bamberg
  bischof von Eystetten
  bischof von Augßpurg
  bischof von Straßpurg
  bischof von Basell
  bischof von Kostentz
  herzog Lupolt von Osterich.

10 In der obgeschriben forme [1] mutatis mutandis ist diesen nachgeschriben stedten [2]
geschriben:

  Gemünde ⎫
  Nordlingen ⎪
  Dinckelspuhel ⎬ *una*
15 *Popfingen* [a] ⎪
  Alen [b] ⎭

  Kostentz ⎫
  Uberlingen ⎪
  Ravenßpurg ⎪
20 *Wangen* ⎬ *una*
  Lindauwe ⎪
  Santgalle ⎪
  Buchorn ⎭

  Heilpron ⎫
25 Wimpfen [c] ⎬ una
  Wainsperg [d] ⎭

  Eßlingen ⎫
  Růtlingen [e] ⎬ *una*
  Wile [f] [3] ⎭

30 Franckfůrt ⎫
  Friedberg ⎪
  Geilinhusen ⎬ *una*
  Wetflar ⎪
  Rotwile *una* ⎭
35 Spire *una*

---

a) *M* Popfingam.   b) *von diesem Wort ist im Kodex gar nichts mehr zu erkennen*, *M* hat Calam.   c) *P* Wainsheim, *M* Womshemium.   d) *M* Wansbergam.   e) *P* Růckingen, *M* Rickingam.   f) *P add.* in Torgauw, *M* Nilam in Turgavia.

---

[1] *Bezieht sich ebenfalls auf die im Kodex vor-*
40 *ausgehende nr. 276: K. Ruprecht an einen ungen.*
Fürsten 1402 Juli 22.
  [2] *Die Schreiben an die Städte Köln und Basel*
sind noch erhalten, bei uns nr. 275 1402 Juli 22.
  [3] *Wenn der Kodex hier Weil im Thurgau hat,*
45 *und weiter unten einfach Wile sagt, so ist unter*
letzterem Weil der Stadt im Glemsgau zu ver-
stehen. Die Lage der beiden Wile zeigt aber, daß
sie hier verwechselt sind, und deshalb haben wir
sie umgesetzt. Wenn die kön. Kanzlei wirklich
selbst den Fehler schon gemacht hätte, wäre es
doch stark; vielleicht fällt er nur dem Abschreiber
zur Last, obschon mir das nicht recht einleuchtet.
Martène's Vorlage theilt den Irrthum ganz mit
unserem Kodex.

[1402
Juli 22]

Ulme
Bibrach
Pfullendorff
Memmyngen [a]
Kempten
Kauffburen
Yßni [b]
Lutkirchen
Giengen [c]
Wile in Torgauw [d]   10
Bûchauwe

una

Aûgßpurg *una*
Worms *una*
Nurembergh
Winsheim   15
Swinfurd
Wissenburg

una [e]

Rottenburg
Halle

una

Straßburg *una*   20
Mentz *una*
Colne *una*
Basell *una*
Bern
Zurch   25
Soloturn

una

Nota: den stedten in Elsaß ist auch ein brief geschrieben.

B. Städtebriefe über Besuch des Tags nr. 278-281.

[1402]
Aug. 4
278. *Stadt Mainz an Stadt Köln: ist ebenfalls wie Köln von K. Ruprecht nach Nürn-*
berg auf Aug. 27 beschieden worden, und wird in Betreff der gegenüber etwaigen 30
königlichen Anmuthungen verabredeten gemeinsamen Haltung der Städte berichten
wenn sie erst Antwort von Worms Speier Straßburg hat.   [1402] Aug. 4 [Mainz].

> *Aus Köln St.A. Städtebriefe ohne weitere Signatur, or. ch. lit. cl. c. sig. in verso impr.*
> *laeso; bei den Vokalzeichen über u ist im Abdruck û durchgeführt.*
> *Auszug bei Ennen Gesch. der Stadt Köln 3, 124 nt. 2 ebendaher; falsch angesetzt ins* 35
> *Jahr 1400, und auch da wäre nicht der 7 sondern der 6 August zu berechnen.*

Unsere fruntliche dienste und waz wir eren und liebez vermogen zuvor. fursiechtigen ersamen wijsen besundern lieben frunde. als ir uns geschri*eben* hant [1], daz
unser gnediger herre der Romsche konig uch beschri*eben* und an uch begert habe [2],
[1402]
Aug. 27
daz ir uwere rete uff den sondag nach sant Bartholomeus dage nestkommet bij yme zu   40
Nûrenberg haben wollent etc.: uwere begerunge davon gein uns han wir wole verstan-

a) *M* Meyningam. b) *P* YBû, *M* Jlssum. c) *P* Guengen, *das G ist sehr verschnörkelt; M* Enengam. d) *P* om.
in Torgauw, *M einfach* Wilam. e) *M gibt irrthümlich* Nürnberg *una und den 8 folgenden Städten zusammen*
ebenfalls una.

[1] *Dieser Brief fehlt uns.*   [2] *nr. 275.*   45

den, und laßen wir uwer ersame wijsheit wißen, daz uns unser herre der konig in seme- [1402]
licher maße auch verschrieben hait. und als der stete frunde formals in reden gewest ^{Aug. 4}
und von ein gescheiden sint [1] in solicher maße, obe unser herre der konig den steten
yd anmûtende wurde [2], daz dan eine stat ane der ander stete wißen darczu nit ant-
5 wurten wulte, als ir daz auch in uwerm brieve gerûrt hant: darumb han wir uns be-.
sunder uff die sache nit bedacht. want wir han unsere frunde und eitgnoßen die von
Worms und von Spire darumb beschrieben uff soliche meynunge, daz die von Spire
daz unsern guden frunden den von Straißburg forbaßer verschreiben wollen. und waz
uns von den egnanten steten zu antwerte entstet, daz wullen wir uch so wir kûrczlichs
10 mogen verschrieben wieder laßen wißen, uch auch darnaich mogen wißen zu riechten. [1402]
datum feria sexta post beati Petri ad vincula. ^{Aug. 4}

[in verso] Den fursiechtigen ersamen wissen burger-
meistern rade und andern burgern der stat zu Collen   Burgermeistere und
unsern besundern guden frûnden.   rait zu Mencze.

15 **279.** *Mains an Köln, lädt ein zu einem Wormser Tag der Städte Straßburg Speier* [1402]
Worms Mains Köln auf 19 Aug., betr. die Einladung dieser Städte durch den ^{Aug. 12}
König zu sich auf 27 Aug. nach Nürnberg. [1402] Aug. 12 [Mains].

Aus Köln St.A. Städtebriefe or. ch. lit. cl. c. sig. in verso impr.; gleichzeitiger wol Köl-
nischer Kanzleivermerk auf der Rückseite pro dieta cum civitatibus superioribus in
20 *Wormatia servanda.*
Verwendet bei Ennen Gesch. der Stadt Köln 3, 128f., aber falsch zum Jahr 1400, als
ob auf So. n. Barthol. (im Jahr 1400 der 29 August) K. Wenzel einen Städtetag
angesetzt hätte.

Unsere fruntliche dienste und waz wir eren und liebes vermogen zuvor. fursiech-
25 tigen ersamen wisen besundern lieben frunde. wir laßen uwer ersame wijßheit wißen,
daz unsere guten frunde die von Straißbûrg unsern frunden und eitgnoßen den von Spire
und die von Spire den von Worms und die von Worms uns forbaßer ire meynunge
von der sache wegen, als unser herre der Romsche konig uch die egnanten stete und
auch uns beschriben [3] und gebeten hait umb unsere rete und frunde bij yme uff den
30 sondag nach sant Bartholomeus dage nestkompt zu Nurenberg zu haben, geschriben ^{Aug. 27}
hant, also daz yn wole gefiele, daz wir stete von der sache wegen uff den samßtag ^{Aug. 19}
nach unser frauwen dage genant zu latine assumptio nestkompt unsere frunde zû Worms
bij einander haben wûlten [a], von der sache wegen einhelleclich zu uberdragen waz uns
steten zu den sachen zûm besten zu dûn und zu antwerten sij, nach deme als der stete
35 frunde formals in reden gewest und gescheiden sint [4] daz eine stat ane die andern zu
anmutûnge unsers herren des konigs nit meynten zu antwerten. und want uns der
egnanten stete meynunge auch wole gefellet, also daz wir unsere frunde zu deme
egnanten dage auch [b] gerne gein Worms schicken wollen, so were unsere meynunge, obe
iß uwer wijsheit gelegelich und gefellich were, daz ir uwere erbern frunde auch zu deme
40 dage schicken woltent, want, so der stete mee in den und andern sachen eindrechtig gesin mochten, so uns nûczer und beqwemelicher duchte sin. und waz uwere meynunge

a) wûlten? Strich.   b) Zeichen über u?

---

[1] *Auf dem Mainzer Tage vom 13 Juli 1402, s.*   [3] *nr. 275.*
nr. 268 art. 5.   [4] *S. nr. 268 art. 5.*
45   [2] *Vgl. lit. D unseres Nürnberger Tages.*

[1402] darumb ist, daz wollent uns verschríben wieder laßen wißen.   datum sabbato ante
Aug. 12 festum assumptionis beate Marie virginis gloriose.

[*in verso*] Den fursiechtigen ersamen wijsen burger-   Burgermeistere ᵃ und
meistern rade und andern burgern der stat zu Collen   rait zu Mencze.
unsern besundern guden frunden.

1402 **280.** *Stadt Basel an Straßburg, bittet, sie wegen Ausbleibens auf dem Nürnberger*
Aug. 12   *Tage vom 27 Aug. zu entschuldigen. 1402 Aug. 12 [Basel].*

> *Aus Straßb. St.A. an der Saul I partie ladula B fasc. X nr. 34 or. mb. lit. clausa c. sig.*
> *in verso impr.*

.. Únseren willigen dienst bevor .. lieben gûten frúnd und getrúwen eydgenoßen. 10
úns hat únser herr der Rômsche kúnig einen brieff[1] gesant, des wir úch ein abge-
schriffte sendent in disem versloßen, an der ir wol sechent sin meynung, die er úns
verschriben hatt. dazû wir ouch willig werent, als billich ist. so habent wir ietzunt
sôlich vyentschaft, von der wegen wir die únsern, die zû sôlichen sachen nútze werent,
nút von úns geschiken kônnent noch môgent sicher, wond sy sicherer wandelunge nút 15
hettent noch haben môchtend. harumbe, lieben frúnde, wir úch bittent mit erenst, sye
daz ir úwer frúnde uff denselben tag gen Nûrenberg werdent senden, das ir den entphelchen wellent, sye daz únser daselbes gedacht werde, dazz si úns denne entschul-
degen und verantwúrten wellent nach dem besten, als wir úch wol getrúwent, durch
únsers dienstes willen.   ouch, lieben frúnd, geviele es úch wol, ob úwer botten sechent 20
wege da zû han, dazz sy an únsern herren den kúnig wurbent von der koufflúten wegen
sicher mit ir kouffmenschaft ᵇ laßen daharuff varen und dasselbe entphelchen und
1402 heissen etc.   úwer antwúrt by disem botten verschriben.   datum anno etc. qua-
Aug. 12 dringentesimo secundo sabbato ante assumpcionis Marye etc.

[*in verso*] .. Den ersamen wisen unsern   25
besundern gûten frúnden und getrúwen   Arnold von Berenvels ritter burgermeister
eidgenoßen dem burgermeister und ratte   und der rate der statt Basel.
der statt ze Straßburg etc. dari debet.

1402 **281.** *Basel an Straßburg, bittet um Nachrichten von dem Nürnberger Tage vom*
Spt. 25   *27 August. 1402 Sept. 25 Basel.*   30

> *Aus Straßb. St.A. an der Saul I partie ladula B fasc. X nr. 23 or. mb. lit. clausa c. sig.*
> *in verso impr.*

.. Úwer gûten frúntschaft sye únser williger dienste vor geschriben .. lieben gûten
frúnd und eydegenoßen.   als wir úch vormales verschriben hattent[2] und gebetten,
úwer erbern bottschaft, die ir zû únserm gnedigen herren dem núwen Rômschen kúnig gen 35
Nûrenberg schiken wurdent uff den tag als úch andern und úns verkúndet wart als úch
wol kunt ist, ze entphelchende úns ze verantwúrtent nach dem besten, wond wir uff dieselben zitte von vyentschaft wegen únser erbern botschaft daselbs nút gehaben kondent,
ob daz were daz von únser wegen útzit gerett wurde, und úns von úch geantwúrt

---

ᵃ) burgermeister? abgekürzt.   b) im or. verändert aus — schacz.   40

---

[1] *Die Einladung K. Ruprechts an Basel 1402*   [2] *nr. 280.*
Juli 22 nr. 275.

ward wie ir das gern tûn wôltent etc.: da bittent wir úch mit flîße, sye daz úwer bot- ¹⁴⁰²
schaft harwider komen sye, daz ir úns laßent wißen verschriben by diesem botten, ob ^{Spt. 25}
únser útzit gedachte sye worden und si úns verantwúrt haben und waz der lôiffen und
sachen daselbs gewesen syent die úns ze verschriben standent, durch únsers dienstes
5 willen; des wir úch ouch wol getrúwent etc.   datum secundo ante Michabeilis etc. ¹⁴⁰²
anno domini millesimo quadringentesimo secundo.   ^{Spt. 25}

[in verso] .. Den ersamen wisen besundern
gûten frúnden und getrúwen eydegnoßen ..   Arnold von Berenvels ritter burgermeister
der burgermeister und rate der statt ze   und der rate der statt Basel etc.
10 Straßburg etc. dari debet.

C. Zumuthungen P. Bonifacius IX an K. Ruprecht nr. 282.

282. *Schriftliche Aufzeichnung über die von P. Bonifacius IX an K. Ruprecht ge-* ^{[1402}
stellten Zumuthungen in 3 Artikeln, welche der letztere den Städten auf dem _{Aug. 27}
Nürnberger Tag vom 27 Aug. 1402 mündlich erzählt hatte. [1402 zwischen Aug. ^{und}
15 *27 und Sept. c. 3 Nürnberg* [1]*.]*   _{Spt. c. 3]}

K *aus* Köln Stadtarchiv, *Einschluß in dem Briefe von Mainz an* Köln *vom 21 Sept.*
1402 nr. 284 w. m. s., also Kaiserbriefe *ohne weitere Signatur, cop. chart. coaev.; von*
Ennen *mitgetheilt an uns.*
S *coll.* Straßb. St.A. *an der* Saul I P. ladula C fasc. XIV *liasse* II nr. 18 ^{c2} *cop. chart.*
20 *coaev., ohne Verschickungsschnitte, ziemlich fehlerhaft. — Eine Abschrift befand sich*
in der verbrannten Straßb. St.-Bibl. Wenckeri Exc. 2, 548 ^b.

Dis sint die artikele, die unßer heilger vatter der babst gemutet hait, als sich
unse here der konig ime verbinden sweren und verbriefen solte uber^a soliche gewonliche
eide die andere Romische konige bißher getan hant.
25 Der erste [2]: daz sich unse here der konig mit nicht underwinden solte dieser ge-
ginwertigen zweitracht in der heiligen kirchen, und solte auch daruf keine funde ^b oder
wege, der von den ungehorsamen oder imand anders wurde furgeben, ofnemen, noch
gestaden nach sinem vermogen daz er von andern ofgenomen worde, in deheine wege,
ane wolgefallen des babstes, ußgenomen daz unse here der konig die ungehorsamen zu
30 des babstes egenante und der kirchen gehorsamkeit brechte.
Der andere [3]: daz unse here der konig solte globen sweren und verbriefen deme
babste und sinen nachkommen, uß deme lande Italie nicht zu ziehen, biß daz aller des
von Meilon gewalt also getrucket und vernichtet wurde, daz der babst und sine nach-
kommen vor siner gewalt billich kein forchte dorften han. und were daz unse here der
35 konig von etzlichen ubernotigen sache wegen uß deme lande Italie ziehen wurde, daz
er dan solte setzen einen mechtigen zu sinen und des richs gemeinen vicarien derselben

---

a) om. S.   b) S kein sünde.

---

[1] *Wenn wir den Brief der Stadt Mainz an*
Köln *vom 21 Sept. [1402] nr. 284 richtig ver-*
40 *stehen, so wurde diese Aufzeichnung den Mainzern*
durch ihre Gesandten vom Nürnberger Tage [vom
27 August 1402] mitgebracht. Auf dem Nürn-
berger Tage hatte vorher der König den Städten
die obigen Artikel des Pabstes mündlich erzählt.
45 *Der Nürnberger Tag dauerte wahrscheinlich c. 8*

Tage, s. Einleitung pag. 356 lin. 20 ff., d. h. etwa
vom 27 August bis c. 3 Sept. Daraus ergibt sich
die Datierung; denn daß in nr. 284 der Nürn-
berger Tag des Jahres 1402 gemeint sei, ist durch
den Inhalt der Artikel durchaus sicher gestellt.
[2] *S.* RTA. 4 nr. 72.
[3] *S. ibid. nr. 73 art. 1 und 2.*

[1402
zu.
Aug. 27 lande, der des babstes getruwer andechtiger und gnemer were und also mechtig were mit folke daz er deme babste sin nachkommen die kirche und des rich mit mechtiger

und
Spt. c. 3] gewalt mochte und wolte beschirmen.

Der dritte [1]: daß unse here der konig mit deme [a] von Meilon deheine sune oder tedinge solte angeen durch sich selbs oder durch andere oder sinen willen zu solcher tedinge geben in deheine wege, dan mit mitlunge und durch die hende [b] des babstes oder den er darzu beschieden; und daz auch in solche sune oder frieden der babst und die kirche mit iren undertanen solten begriffen werden.

D. Forderungen des Königs an die Städte nr. 283-286.

1402
Aug. 24
bis
1403
Fbr. 22 **283.** *Einnahmen der königlichen Kammer zur Zeit des Nürnberger Tages und nachher. 1402 Aug. 24 bis 1403 Febr. 22.*

Aus Karlsruhe G.L.A. Pfälz. Kop.-B. 111, s. Quellenbeschreibung zu nr. 168, die Einnahmen des Jahres 1402 stehen pag. 88-95, die des Jahres 1403 pag. 95-97. Gedruckt Janssen Frankfurts R.K. 1 pag. 722-724 nr. 1142 art. 40-63 und pag. 745-746 nr. 1177 art. 1-8 aus Kodex eigenen Besitzes Acta et Pacta 401 bezw. 404.

1402
Aug. 24 [1] Item grave Emich der hofemeister hat dem camerschriber zu Heidelberg geantwert in die beati Bartholomei apostoli 500 gulden, die herzog Ludewig darlehe.

Aug. 25 [2] Item Johannes Winheim hat dem camerschriber geantwert zu Luden [2] crastino Bartholomei 200 gulden, die im der vicztûm von der Nuwenstad geben hatte.

Aug. 28 [3] Item hat Johannes obgenant ingenommen 100 gulden von mim herren von Spijer uf mandag vor Egidii zu Nuremberg.

Spt. 4 [4] Item 40 gulden von dem hoffemeister, die im der Stromeyer gab an mandag nach Egidii zu Nuremberg.

Spt. 13 [5] Item 3278 rinischer gulden hat Johannes camerschriber zu Nuremberg ingenommen, die der schultheiß von Heidelberg von dem lantfaut in Elsaz und von Bacherach bracht uf mitwoch vor exaltacionis sancte crucis.

Spt. 15 [6] Item 2000 gulden rinischer hat Johannes egenant ingenomen von dem rate zu Nuremberg in octava nativitatis Marie zû Nuremberg [3].

Spt. 16 [7] Item 500 gulden hat Johannes egenant genommen von minre frauwen der kuniginne und der Stromeyerin zu Nuremberg uf samßtag vor Mathei apostoli.

Spt. 18 [8] Item 60 gulden von den von Swinfûrt, die sie mime herren schenkten uf mandag vor Mathei apostoli zu Swinfurt.

Spt. 27 [9] Item 500 gulden hat er ingenommen von dem lantgraven von Hessen zu Hersfelden, die er mim herren geluhen hat uf mitwoch vor Michaelis [4].

a) S den. b) K diehenne; S die dheine oder die dheme?   35

[1] S. RTA. 4 nr. 73 art. 3.
[2] Lauda an der Tauber. K. Ruprecht urkundete dort auch am 25 Aug., s. Chmel nr. 1283.
[3] Nürnbergs Reichssteuer betrug 2000 Gulden. Mit den 4000 fl., die Nürnberg dem Könige auf seine Muthung zahlte, s. art. 17, hat obige Einnahme wol nichts zu thun.

[4] Damals vermittelte K. Ruprecht in Hersfeld die vorläufige Sühne zwischen dem Erzbischof von Mainz und den Seinen einerseits, und dem Landgrafen von Hessen den Braunschweigischen Herzögen und dem Bischof von Hildesheim andererseits, s. nr. 330.

[10] Item 40 gulden hat er ingenommen zu Nuremberg uf dinstag nach Michaelis [1402 Okt. 3] von dem hoffemeister, die der Stromeyer dargeluhen hat [1].·

[11] Item hat er ingenomen 29 gulden und 92 dn. vor 27 ungerisch, die meister Albrecht an siner zerûng überblieben [2], uf den dunrstag vor Galli. [Okt. 12]

[12] Item anno domini 1400 secundo in Nûremberg in die beati Luce ewangeliste [1402 Okt. 18] hat der camerschriber ingenommen von Reinhard von Sickingen faude zû Heidelberg fünftusent minre funfzig gulden, die herr Swarcz Reinhard herufgeschickt hat von den stedten in Elsaß [3].

[13] Item uf dieselbe zit und von demselben hat er ingenommen 313 gulden, die von des vicztums wegen von der Nuwenstad herufkommen sint.

[14] Item 50 gulden hat er ingenommen von dem Stromeyr, die er dargeluhen hat, vigilia omnium sanctorum in Nuremberg [4]. [Okt. 31]

[15] Item 40 gulden hat Johannes obgenant ingenommen von miner frauwen der kunigin feria sexta ante Martini episcopi zu Nuremberg. [Nov. 10]

[16] Item 90 gulden von dem lantschriber von Amberg, die er umbe den kamerer entlehent, feria quarta post Martini zu Nuremberg. [Nov. 15]

[17] Item 2000 gulden hat Johannes ingenommen von den von Nuremberg an den viertusent gulden, die sie mim herren solten geben, of dinstag nach Katherine zu Nurem- [Nov. 28] berg [5].

[18] Item 8 gulden hat er von mimm herren von Spire ingenommen, der gab imm Reinhard von Sickingen faût zû Heidelberg 5 und der Schrecker [a] 3 gulden, feria torcia post Katherine. [Nov. 28]

[19] Item 18 gulden hat er ingenommen von mim herren dem kunige, die imme Henne Turhuter [b] gab, Barbare virginis. [Dec. 4]

[20] Item 300 gulden hat er ingenommen von mim herren von Spire of samßtag [Dec. 16] nach Lucie zû Nuremberg.

[21] Item 150 gulden hat er inngenommen zu Dinckelspûhel, die die stat daselbs [Dec. 18] schanket, of montag vor Thome apostoli [6].

[22] Item hat er ingenomen 1000 gulden uf sant Thomas tag vor wihenachten [Dec. 21] zu Nurenberg, die die von Franckfurd mime herren gaben als von der mutung wegin [7].

[23] Item uf dem sontag vor dem Cristage hat er ingenomen 1270 gulden hie zu [Dec. 24] Nurenberg, die der vogt von Heidelberg als von den zollen herufschickte.

[24] Item of den samßtag nach dem Cristage hat er ingenommen 400 gulden, die [Dec. 30] die von Rotenburg gaben [8], die im der hofemeister gab.

a) scheint so verbessert aus Strecker.   b) turhuter?

[1] Vgl. art. 14. Ulman Stromer war der Wirth K. Ruprechts. — K. Ruprecht bekennt, daß ihm Ulman Stromeyer sein Wirth zu Nürnberg ausbringen und nehmen soll um 6000 fl. um Wein Fleisch und Gewürze in die Krem und um Hafer und Heu, welche 6000 fl. er nächste Lichtmesse [1403 Febr. 2] bezahlen will, wofür er die Städte Amberg Nuwenmarkt Sultsbach und Hersprück zu Bürgen setzt; dat. Heidelberg Mo. v. Petri vinc. [Juli 31] 1402 r. 2; Karler. G.L.A. Pfälz. Kop.-B. 53 pag. 65-66 cop. ch. coaev., durchstrichen. K. Ruprecht bekennt, daß Ulman Stromeyer sein Wirth zu Nürnberg ihm die Kost, für welche ihm der König im voraus 6000 fl. verschrieben hatte, ußgewonnen und geben hat, so daß jene Verschreibung nunmehr in Kraft tritt;

dat. Nuremberg fer. 3 post epiph. [Jan. 9] 1403 r. 3; Karler. l. c. pag. 91 cop. ch. coaev., durchstrichen. — Vgl. Anm. zu nr. 457.

[2] Die hier erwähnte Gesandtschaftsreise Meister Albrechts können wir nicht weiter nachweisen.

[3] Wol das Ergebnis der Muthung bei den Elsäßischen Städten, vgl. nr. 285.

[4] Vgl. art. 10.

[5] Vgl. Geschenke Nürnbergs an den königlichen Hof nr. 323.

[6] Vielleicht auch auf die Muthung des Königs.

[7] Vgl. Frankfurts Kosten nr. 326 art. 9, und die Anm. zu nr. 285.

[8] Wol ebenfalls als Geschenk auf die Muthung des Königs.

49 *

1402
Jan. 4
[25] Itemᵃ hat er ingenommen von den von Winßheim 175 gulden of dûnrstag
vor epiphania domini zu Nuremberg, die die *egenanten* von Wynßheim geben haben
[1402]
Spt. 29
von der mûtung wegen, die min herre an sie getann hat of Michaelis.

1403
Jan. 17
[26] Item hat er ingenommen 150 gulden, dafur man mins herren crone versetzt
hat, circa Anthonii zu Nuremberg ¹.   5

Jan. 18
[27] Item hat er ingenommen von den von Wissenburg 175 gulden zu Nuremberg
crastino beati Anthonii, die sie geben haben von der gutlichen mutunge wegen, alz min
[1402]
Spt. 29
herre an sie getann hat of Michaelis ².

1403
Jan. 19
[28] Item hat er ingenommen of fritag nach Anthonii von Johannes Kircheim 760
gulden, die er bracht von den stetten, die herzog Ludewig gefallen solten sin.   10

[29] Item hat er ingenommen von mimm herren von Spire 640 gulden, und 13
gulden zu dem ofwechsel, die nit werunge waren, die im die von Augspurg gaben von
Jan. 29
ir sture wegen, zu Nuremberg of mantag vor purificacionis.

[Jan.
29]
[30] Item 72 gulden hat er ingenommen von mim herren von Spire, die Bertholt
Pfinczig uberverlieben an der Juden stûre ³, eodem die.   15

Fbr. 20
[31] Item 150 gulden hat Johannes kammerschriber ingenommen von den von
Esselingen of dinstag vor kathedra Petri zu Nuremberg ⁴.

Fbr. 22
[32] Item 1000 gûlden werunge hat er ingenommen von den Juden zu Nuremberg, dafur mins herren silberin geschirre versatzet ist, of cathedra Petri zu Nuremberg.

[1402]
Spt. 2
284. *Mainz an Köln: auf dem Nürnberger Tag vom 27 Aug. 1402 hat der König*   20
den Rath der Reichsstände über die Zumuthungen des Pabstes, und von Straßburg
Mainz Worms Speier 50 Mann mit Glefen begehrt. [1402 ⁵] *Sept. 21 Mainz.*

Aus Köln Stadtarchiv Kaiserbriefe ohne weitere Signatur, or. chart. lit. clausa c. sig.
in verso impr., auf Rückseite gleichzeitiger Vermerk der Kölner Kanzlei Maguntini
rescripserunt de punctis per dominum papam domino regi propositis. Eine Kopie der   25
Aufzeichnung über die vom Pabst an den König gerichteten Zumuthungen lag in dem
Briefe, es ist die Aufzeichnung zwischen 27 Aug. und c. 3 Sept. 1402 nr. 282 w. m. s.

Unsern frûntlichin dienst und waz wir liebes vermogen zuvor. fursiechtigen ersamen wijsen besundern lieben frunde.   als ir uns geschrieben und an uns begert
hant, ûch wollen verschrieben laßen zu wißen, waz unsere frunde, die wir zu unserm   30
gnedigen herren deme Romschen konige gein Nurenberg gesant hatten ⁶, uns von den
sachen zu boitschaff bracht haben, davon laßen wir uwere ersamen wisheit wißen, daz
uns eine vertzeichnunge etzlicher artikele ⁷, die unser geistlicher vatter der babest an
unsern herren den konig det gesynnen und fordern da er sine krone an yme mit siner
erber boitschaff det ersûchen und fordern, beschrieben bracht ist ⁸, als unser herre der   35

ᵃ) *am Rande neben der mit Item beginnenden Zeile von anderer Hand die Jahreszahl 1403.*

---

¹ Item anno domini 1403 feria secunda ante
Valentini [Febr. 12] hat die Detzlin geantwart
Fricze Beheim burger zu Nuremberg mins allergnedigisten herren des kunigs crone mit 14 lilien
an steinen und perlin ganze und unverrucket,
presentibus domino Ulrico de Albeck decretorum
doctore Johanne Elwanger cive Nurenbergensi et
Bertholdo de Durlach; *Karler. G.L.A.* Pfälz. Kop.-B.
8¼ fol. 156ᵇ *not. ch. coaev.*
² *Vgl. nr. 286.*
³ *Vgl. Chmel nr. 1178 und nr. 1363.*

⁴ *Vielleicht auch noch wegen der Muthung?*
vgl. nr. 286.
⁵ *Das Jahr ist gesichert durch den Inhalt des*
Stücks und besonders auch durch die einliegende
Aufzeichnung nr. 282, die sicher in diese Zeit zu
setzen ist.
⁶ *Eingeladen war zum 27 August 1402,*
275 und 276.
⁷ *nr. 282.*
⁸ *D. h. doch wol durch die fr*

konig dieselben artikele vor der andern stete frunden und auch den unsern montlich zu *[1402]*
Nurenberg det ertzelen; derselben artikele wir uch abeschrifft in diesem unserm brieffe *Spt. 21*
versloßen senden.   und meynte unser herre der konig, daz yme nit beqwemelich were
soliche artikele gein unserm geistlichen vatter deme babeste uffzunemen ane raid und
₅ wißen unser herren der kurfursten und andern des rijchs fursten herren und der stete
zum rijche gehorig.   und begerte darnach unser herre der konig an der stete Straißburg Worms Spire und unsere frunde, daz wir stete yme mit dienste zu hulffe kommen
wulten und funfftzig man mit gleven yme bestellen und halten wulten, uff daz er daz
heilge rijch deste baß in eren und frieden gehalten mochte. und waz der egnanten stete
₁₀ und auch unsere meynunge noch darczu sij, dez han wir uns noch nit undersprochen,
also daz wir uch der egnanten stete noch unsere meynunge davon nit wißen zu ver- *[1402]*
schrijben.   datum in die beati Mathei apostoli et ewangeliste.   *Spt. 21*

     [*in verso*] Den fursiechtigen ersamen wijsen bur-
germeistern rade und andern burgern der stat zů   Bürgermeistere und
₁₅ Collen unsern besundern lieben frunden.   rait zu Mentze.

---

285. *Swartz Reinhart von Sickingen Ritter Landvogt im Elsaß quittiert an des Königs* *1402*
Statt Stadt Mülhausen i. E. über 500 genger und guter Gulden, die sie ihm von *Spt. 29*
des Königs wegen gegeben hat [1]. *1402 Sept. 29 o. O.*

     Aus Mülhausen im Elsaß St.A. L. IV P. 8 or. mb. lit. pat. c. sig. pend. laeso, nach
     Abschrift des Herrn Stadtarchivars Prof. Jos. Coudre.
     Gedruckt X. Mossmann cartulaire de Mulhouse 1, 433 nr. 446 aus der gleichen Vorlage;
     hat sinen costen den —.

     Es geschieht, als von K. Ruprechts wegen eine Anmuthung geschehen ist an die Elsäßischen
Reichsstädte ihm ein Schenke und Stüre zu thun zu seinem Kosten den er gehabt hat gen Lamparthen
₅ *zu fahren. Dat. mit Briefstellers anhangendem Sigel Mich. 1402.*

---

[1] *Vgl. nr. 283 art. 12. — Man hat auch eine
Quittung von demselben Landvogt Swarts Reinhart von Sickingen über 1540 rheinische Gulden,
welche die Hagenauer aus besonderer Freundschaft
₅ an K. Ruprecht bezahlt haben; dat. Do. vor Marie
Geburt [Sept. 7] 1402 o. O.; nach Wattenbach
Regesten der auf der Universitätsbibliothek zu
Heidelberg verwahrten Urkundensammlung, in
Zeitschrift für die Gesch. des Oberrheins 24, 183
₁₀ nr. 130, aus der Urkundensammlung auf der Universitätsbibliothek zu Heidelberg nr. 301. — Ferner
quittiert K. Ruprecht dem Rath zu Frankfurt
über 1000 fl., die dieser ihm auf besonderes Begehren gegeben habe; dat. 1402 in die Thome
₁₅ apost. [Dec. 21]; Regest bei Janssen Frankf. R.K.*

*1, 719 nr. 1139 aus Frankf. Stadtarchiv Mittel-
gewölb F 6 orig.; vgl. nr. 283 art. 22. — Vielleicht gehört auch noch in diesen Zusammenhang
die Quittung, welche K. Ruprecht den Rotweilern
ausstellt um 1000 Gulden rhein., die sie ihm bezahlt haben von solcher gütlicher Anmutunge und
Forderunge wegen, als wir an sie und ander unser
und des h. Reichs Städte gemeinlich gethan haben,
und verspricht ihnen fernere dergleichen Forderungen zu erlassen; dat. Heidelberg Mi. vor assu.
Mar. [Aug. 13] 1404 a. r. 4; aus Karler. G.L.A.
Pfälz. Kop.-B. 4 fol. 271ᵃ; vgl. dazu den Posten
der Kämmereirechnungen vom 22 Aug. 1404 Janssen R.K. 1, 760 nr. 1212 art. 28, bei uns in
Bd. 6.*

[1403 Jan. 1-16] **286.** *Quittungen betr. außerordentlichen Geldbeitrag von Eßlingen Weißenburg Weins-berg. 1403 Jan. 1-16 [Nürnberg].*

Aus Karlsruhe G.L.A. Pfälz. Kop.-B. 8¼ fol. 159ᵃ cop. chart. coaev.

Quitancie von der mutunge wegen etc.

Item 400 gulden dem von Swartzburg von der stûre, die die von Esselingen 5 ietzunt mim herren geben wollent [1]. datum Nureinbergᵃ festo circumcisionis domini *1403 Jan. 1* anno etc. 403.

Item Cuntz Birgheiner 159 gûlden auch von derselben stûre zu Esselingen.

Item 241 gulden hern Rabann bischof zu Spire canzler auch von derselben sture zu Esslingen.   10

Item herr Wernher Nothafft 164 gulden.

Item Jorge Liechtenberger 46 gulden pro CCᵇ.

Item 2 flor. Cuntzen von Welnrude.

Item Fritze Schober 7 flor.

Item dem Pflesmydᶜ 5 flor.   15

Item 15 flor. Peter Urgelern fur ein pfert.

Item 175 gulden von den von Wißenburg, die sie mime herren geentwert hant [2].

Item den von Winsperg ein quitancie fur 160 gulden von der gutlichen mutunge wegen. sub sigillo majestatis et dato Nuremberg feria tertia ante beati Anthonii con- *1403 Jan. 16* fessoris anno 403.   20

E. Verhältnis zů Frankreich nr. 287-293.

[1402 Aug. 23] **287.** *K. Ruprecht bevollmächtigt 3 Genannte zu Verhandlungen mit K. Karl VI von Frankreich über Bündnis etc. 1402 Aug. 23 Heidelberg.*

Aus Karlsruhe G.L.A. Pfälz. Kop.-Buch 5 fol. 66ᵇ-67ᵇ cop. ch. coaev., mit der Über-schrift Generale procuratorium ad regem Francie.   25
Steht auch Wien H. H. St.A. Registraturb. A fol. 62ᵃᵇ cop. ch. coaev., und Karlsr. G.L.A. Pfälz. Kop.-B. 143 pag. 178-180 cop. ch. coaev.
Regest Chmel nr. 1281 aus Wien l. c., und Janssen Frankf. R.K. 1, 711 nr. 1129 aus gen. Kop.-B. 143.

K. Ruprecht verkündet, daß er seinen Oheim Herzog Ludwig von Baiern, Johannes Camerarius 30 *gen. von Talburg Ritter Schultheißen in Oppenheim, und Job Vener utr. jur. Doctor seinen Protho-notar, seine Räthe, bevollmächtigt habe mit K. Karl von Frankreich oder dessen Bevollmächtigten zu verhandeln und abzuschließen* quascunque et qualescunque ligas uniones confederaciones pacta conven-ciones et obligaciones quibuscunque eciam specialibus vocabulis nominentur super quibuscunque materiis tractatibus et controversiis et contra quascunque personas ecclesiasticas aut seculares cujuscunque 35 status dignitatis aut preeminencie existant, *diese Verträge in seinem Namen auf die Evangelien zu beschwören und ihre Beobachtung unter Festsetzung schwerer Strafen zu versprechen, dafür von K. Karl Gelöbnis und Sicherheiten entgegenzunehmen, ferner schiedsrichterliche Entscheidung aller Streitig-keiten zu vereinbaren, auf alles was diese Abmachungen ungiltig machen könnte zu verzichten, über-haupt alles zu thun was ihnen angemessen erscheint, wozu etwa nothwendige Specialvollmacht hiemit* 40 *gegeben und etwaiger defectus juris ergänzt sein soll, verspricht die genannten Verträge und alles was*

---

a) *cod. sabbato infra oct. ausgestrichen.* b) *cod.* p *mit dem Schweifs für* pro; *folgt* co, *für deren jedes auch* t, *wol kaum* e, *gelesen werden könnte; das zweite dieser Zeichen oder vielmehr Buchstaben hat den Schweif in Schlingenform an sich.* c) *doch wol nicht* Pfile Smyd? *wol aber* pfile-smyd *oder* Pflesmyd.

[1] *Vgl. nr. 283 art. 31.*   [2] *Vgl. nr. 283 art. 27.*   45

die Gesandten thun werden sowie auch die schiedsgerichtlichen Entscheidungen genau zu beobachten 1402
und alles dieß persönlich ratificieren beschwören und durch Urkunde unter Majestätsseigel in meliori Aug. 22
forma bestätigen zu wollen sobald er darum ersucht wird, unter ausdrücklichem Verzicht auf alles was
ihm Grund geben könnte die Abmachungen der Gesandten als ungiltig zu betrachten, und mit der
5 *Vollmacht für die Gesandten, was dieser Vollmacht substancie vel solempnitatis fehlt, zu ergänzen.*
datum et actum Heydelberg vicesima tercia die mensis augusti anno domini millesimo quadringentesimo 1402
secundo regni vero nostri anno tercio. [*Unterschrift*] Ad mandatum domini regis || Ulricus de Aug. 23
Albecke.

288. *K. Ruprecht und sein Sohn Pfalzgraf Johann bevollmächtigen 3 Genannte zu* 1402
10 *Heirathsverhandlungen mit K. Karl VI von Frankreich. 1402 Aug. 23 Heidel-* Aug. 23
berg.

Aus Karlsruhe G.L.A. Pfälz. Kop.-B. 5 fol. 66ᵃᵇ *cop. ch. coaev., mit der Überschrift*
Procuratorium ad regem Francie super matrimonio inter dominum Johannem ducem
et filiam regis Francie.
15 *Steht auch Wien H.H. St.A.* Registraturb. A fol. 61ᵃᵇ *cop. ch. coaev., und Karlsr.*
G.L.A. Pfälz. Kop.-B. 143 pag. 176-177 *cop. ch. coaev.*
Regest Chmel nr. 1280 aus Wien l. c., und Janssen Frankf. R.K. 1, 711 nr. 1130 aus
gen. Kop.-B. 143.

Die Vollmacht schließt sich im Wortlaut auf das engste derjenigen vom 5 August 1401 nr. 153
20 *an, die Abweichungen sind folgende: a) bevollmächtigt werden Herzog Ludwig von Baiern, Johannes*
Camerarius, und Job Vener, wie in nr. 287 vom gleichen Datum; b) statt Isabellim heißt es Micha-
helam; c) Ruprecht und Johann versprechen (ohne wie in nr. 153 den Notar zu erwähnen) alles halten
zu wollen was ihre Vollmachtträger (nicht aber, wie in nr. 153: oder deren Mehrheit) thun; d) der
Schluß der Urkunde hält sich an die gewöhnliche Form. König und Pfalzgraf sigeln. datum et
25 actum Heydelberg vicesima tercia die mensis augusti anno domini millesimo quadringentesimo secundo 1402
regni vero nostri Ruperti regis predicti anno tercio. [*Unterschrift*] Ad mandatum domini regis || Aug. 23
Ulricus de Albecke etc.

289. *K. Ruprechts Anweisung für seine Gesandten Herzog Ludwig von Baiern, Johann* [1402
Kämmerer von Dalberg, und Job Vener zu Verhandlungen mit K. Karl VI von wahrsch. nach
30 *Frankreich, betr. Widerherstellung der Kircheneinheit und eventuell ein Bündnis* Aug. 27]
und eine Familienverbindung. [1402 wahrsch. nach Aug. 27 Nürnberg ¹.]

Aus Karlsr. G.L.A. Pfälz. Kop.-Buch 146 fol. 61ᵇ-62ᵇ *cop. ch. coaev.*
Coll. Janssen R.K. 1, 712-714 nr. 1131 aus einem in seinem Privatbesitz befindlichen
Kodex Acta et Pacta 61-67.
35 *Moderne lateinische Übersetzung bei Martène ampliss. coll. 4, 104-106 nr. 72; daraus*
erwähnt Chmel nr. 1280.

Bezeichenunge zu werben gein Frankriche.

[1] Zum ersten als die kuniginne von Franckrich ir botschaft mit namen her
Stephan Smyeher zu unserm herren dem Romischen kunige gesant und demselben un-
40 serm herren auch dicke und vil verschriben hat, daz er sin erber ᵃ botschaft mit namen
iren bruder herzog Ludewig gein Franckrich senden solle of ein ganze fruntschaft und

a) erbern? abgekürzt.

¹ *Da in dem undatierten Stück art. 1 Herzog*
Ludwig von Baiern erwähnt wird, mit dem nach
45 *art. 5 noch einige andere die Gesandtschaft bilden,*
so ist kaum zweifelhaft, daß diese Instruktion zu
den beiden Vollmachten vom 23 Aug. 1402 nr. 287
und 288 gehört. Die Stellung im Kodex stimmt
damit überein. Näheres s. in der Einleitung
lit. E.

[1402
wahrsch.
nach
Aug. 27]einunge zuschen unserm herren obgenant und dem kunige von Franckrich zu machen, und sunderlich mit einander zů uberkommen wie man ein eintrecktickeit in der heiligen kirchen machen můge; item und wann nu unser herre zu aller fruntschaft und einunge mit dem kunige von Franckerich ᵃ geneigt ist, und sunderlich nach allem sinem vermögen gerne darzu hulfe und dete, das ein enickeit in der heiligen kirchen wurde, darinne er   5 auch weder lip noch guter ᵇ sparen wolte: so hat unser herre obgenant ᶜ sinen vetter herzog Ludewig zu imme gesant, soliche fruntschaft und einunge von sinen wegen mit dem kunige von Franckrich zu understen und zu tedingen und dez kunigs von Franck- rich willen darinne zu merken, sunderlich zu versuchen ob man deheine gotliche und redelich wege finden můge, die beiden herren und der ganzen Cristenheid zu tůnde mu-   10 geliche und bequemlich sien, damit die heilig kirche vereiniget werde, daz sich die bede herren darinne zusamen verbinden und einander bistendig und getruwlich beholfen darzu sient.

[2] Item und ob sie sprechen wurden, waz wege unser herre vor imme hetde die heilige kirche zu vereinigen: item darof sal man entwerten: unser herre der habe keinen   15 sunderlichen weg fur sich genommen zů dieser zit, sunder, waz gotlich můglich und redelich were, da wer' er zu genzlich geneiget ᵈ allez sin vermogen zu tůn, daz die heilig kirche vereinet wurde.

[3] Item und sunderlich so meinet unser herre darzů zu tůn als verre daz muge- lich si, daz die sache also gehandelt und ußgetragen werde, daz ez beden teilen erlich   20 und bequemlich si.

[4] Item und darnach so mochte min herre herzog Ludewig als von imme selber dann anfahen und reden, wie er beden herren gewant were und sunderlich gerne sehe ein ganze fruntschaft und einigunge zuschen in. und mochte darumbe der kuniginne von Franckrich rate han, wie er daz understan furbaz mohte umbe hiraut oder anders,   25 als von imme selber, und darnach an in herfaren waruf sie geneiget oder wie ir sachen gestalt weren.

[5] Item und ob sie dann fragen wurdent, ob er und die mit im da werent keinen gewalt hetten sich zu verbinden oder zu tedingen und besließen oder ußzutragen etc.: item daruf sal man in entwerten: unser herre herzog Ludewig si sunderlich unserm   30 herren also gewant, daz, waz er, und die mit imme do sint, von unsers herren wegen besließe, dez getruwe er sich wol zu mehtigen; und sunderlich wann sie uf ein ende kumment, in welchem artikel das dann ist, daz sie dann selber gedenken, wie man sich dez mechtigen sulle und versichern, daz solle folleclich vollebracht werden.

[6] Item und also wurde man mit in uberkommen, wie sie sich versichern und   35 verbinden wolten, und wie man sich wieder gein in verbinden und versichern oder mechtigen solte, und das wurde man alsdann unserm herren eigentlich enbieten, soliche machtbriefe oder sicherheit hinach zu schicken. wolten sie aber nit enberen, sie wol- ten gewaltsbriefe sehen, so sal man in den gewaltsbrief zeigen etc.

[7] Item wolten sie dann, daz man seite, waruf unser herre geneiget si, so sal   40 man in sagen, daz unser herre zu einem consilium ᵉ geneiget si, als verre er daz zuwege- bringen můge etc.

[8] Item es ist auch zu gedenken, das, ob man mit den Frantzosen uberein wurde in der heiligen kirchen sache, daz unser herre mit solicher hulfe und bistande versorgt werde, daz er daz znbringen můge, wann er den babist und andere große hilf begibt.   45

---

a) Franckrich mit Überstrich. b) cod. und Janssen guten. c) cod. t mit Schweif, Janssen obgenant. d) so
wollen wol die Versetzungszeichen und nicht da wer' er zu geneiget genzlich, statt des ursprünglichen da wer'
er genzlich zu geneiget; letztere Lesart bei Janssen. e) Janssen einen consilien.

sunderlich mag ᵃ man in dann auch sagen, wie der von Padaw geschriben hat ¹, als man dez abschrift hat.

[9] Item wûrde man von der hirat wegen umbe ein buntniße reden, so ist unsers herren des kunigs meinunge, uf daz letzste daruf zu verliben daz er sich zu dem ku-
5 nige von Franckrich verbinde wider allermenglich der in an sinem riche irret mit un-recht, ußgenommen den kunig von Engellant, und der kunig von Franckrich sich wie-derumbe zu unserm herren wieder allermenclich verbinde, sunderlich wieder den von Meylan und alle die des richs gût innehant. doch were daz der kunig von Franckrich und der von Engelland zu kriege quemen, so solte unser herre ein glicher mitler dar-
10 inne sin, zu versûchen ob er sie vereinen möchte. wolte imme aber die vereinikeit nit volgen, so solt er darûnder stillesitzen. were auch daz man dehein buntniße machen worde, so sal der von Burgûndie und der von Orliens bede ire ingesigel daran henken.

[10] Item von des von Meylan wegen sal man zuleste darûf verliben, daz man
15 drier gemeiner uberqueme die den von Meylan gein unserm herren setzen, daz ez darbi verlibe und auch versûchert werde ire beider leptage also zu halten, doch also daz unser herre in nit bestetige zu eime herzogen, wann daz wieder unsers herren ere were und kunig Wenczlaw darumbe entsetzt ist. und meint unser herre der sachen zu verliben an herzog Ludewig von Beyern, herzog Lupolt von Osterrich, dem kunige von Engel-
20 land, dem bischof von Colle, bischof von Saltzpûrg, der ᵇ von Wirtemberg, die dri von Hollant, uß den allen einen oder dri, oder zwene ob der von Orliens dabi sin wil ².

[11] Item von der hirat wegen, ob sie fragen werdent, wie unser herre herzog Hannsen ußwisen wolle, daruf sal man entwerten: unser herre wolle sinem son herzog Hansen geben daz herzogtûm zu Beyern, und sal er heißen ein herzog zu Beyern und
25 sin frauw ein herzoginne, und davon sal imme gefallen zehentusent gulden gelts jerlichs, und die hunderttusent gulden, die man der dochter zu wiedem geben wirt, sal unser herre den kinden beiden ᶜ anlegen zu nûtze. und sturbe die dochter ane libs-erben, so sal daran kein anfal gein Franckrich sin, sunder daz gelte sal herzog Hannsen und sinen erben verliben etc.

30 [12] Auch were daz unsere herre daz gelte fur sich gebruchen wûrde, so sal er herzog Hansen und siner frauwen daz von dem sinen belegen, also daz in daz zûvorûß uber ire erbteil werde.

---

a) cod. mit Überstrich. b) auffallendes Verlassen der Konstruktion, vielleicht durch nachträgliche Einschiebung zu erklären. c) cod. eher beider, Janssen beiden.

---

35 ¹ Wahrscheinlich ist der Brief vom 4 August nr. 247 gemeint, in welchem Franz von Carrara berichtet, eine Ligue zwischen Pabst Venetianern und Florentinern sei im Werk, Ruprecht möge sich an deren Spitze stellen.

² Damit die Zahl dann immer noch eine un-gerade bleibt.

[1402 wahrsch. nach Aug. 27] **290.** *K. Ruprechts Anweisung, wol für dieselben Gesandten wie in nr. 289, zu Verhandlungen mit der Königin Elisabeth von Frankreich, betr. ein Bündnis zur Herstellung der Kircheneinheit und eventuell wider den Herzog von Mailand.*

[1402 wahrsch. nach Aug. 27 Nürnberg [1].]

Aus Karlsr. G.L.A. Pfälz. Kop.-Buch 146 fol. 63 [a] cop. ch. coaev.

Coll. Janssen R.K. 1, 714-715 nr. 1132 aus einem in seinem Privatbesitz befindlichen Kodex Acta et Pacta 61-67.

Gedruckt moderne lateinische Übersetzung Martène amplies. coll. 4, 106-107 nr. 73; daraus erwähnt Chmel nr. 1280.

Werbunge an die kuniginne von Franckriche.

[1] Zum ersten sal man ir erzelen, daz unser herre an iren manichfeltigen brieven und geschrifte, und sunderlich an der botschaft die herr Stephan Smyeher geworben hat, wol merket und vernomen hat gnze truwe und liebe die sie zu im hat; dez er ir auch danket nach allem sinem vermogen, und erbutet sich und waz er vermag zu allem irem wolgevallen.

[2] Item wann nû der obgenante herr Stephan Smyeher of sinen glaubsbrief geworben und gesagt hat: wolle sich unser herre der kunig mit dem kunige von Franckrich vereinen umbe ein enikeit in der heiligen kirchen zû machen, so sal unser herre der kunig sicher gemacht werden, daz er mit dem von Meilan vereinet solle werden nach sinem willen, und ob der von Meilan dez nit tûn wolte, so solle imme der kunig von Franckrich wieder in beholfen sin, und darzû auch mit volke und mit gelte helfen wieder alle sin wiedersachen an dem riche, und auch mit namen dem babst daran helfen zu wisen daz ein enikeit [a] in der heiligen kirchen werde, und unserm herren solle soliche hilf von dem kunige von Franckerich und den Frantzosen gescheen und mee dann er begerend si; und die kuninne unserm herren etwie dicke darauf geschriben habe, daz er iren bruder herzog Ludewig gein Franckrich sende, so hoffe sie ez solle mim herren in allen sinen sachen vaste nutze sin: item darauf hat unser herre sinen [b] vetter herzog Ludewig iren brûder zu dem kunge von Franckrich gesant, wann unser herre in aller fruntschaft etc., als in der werbunge an den kunig stet in dem andern artikel [2].

[3] Item und bidtet sie unser herre obgenant, daz sie darzu geraten und beholfen sin wolle, daz ein solich einunge zuschen den beiden herren geschee, daz es der heiligen kirchen zu troste der ganzen Cristenheit zu nutze dem Romischen riche der cronen von Franckrich und sunderlich dem huse von Beyern zu eren und ewigem rûme komme, als unser herre ir des sunderlich und genzlich getruwet und auch gen ir nimmer vergeßen wil.

a) cod. einkeit? undeutlich. b) herre sinen om. cod., ergänzt aus Janssen; entsprechend bei Martène dominus noster suum consanguineum.

[1] Das undatierte Stück ist nach Inhalt und Stellung im Kodex mit der Werbung an Frankreich nr. 289 gleichzeitig.

[2] In nr. 289 art. 1 beginnt die Vorlage ein zweites Alinea mit item und wann nu unser herre zu aller fruntschaft, *dieß ist die Stelle die oben bezeichnet wird als in dem andern artikel stehend, wir selbst konnten wegen der Satzkonstruktion kein zweites Alinea an dieser Stelle von nr. 289 beginnen.*

291. *Jakob von Carrara an seinen Bruder Franz III: theilt ihm von Seiten Herzogs* [1403 Jan. 26] *Ludwig VII von Baiern eingetroffene Nachrichten über Bairische und Französische Verhältnisse mit. 1403 Januar 26 Padua.*

Aus Venedig Markusbibl. mss. lat. cl. 14 cod. 93 fol. 124ᵇ cop. ch. coaev.

Magnifice frater carissime.   el magnifico nostro padre [1] questa nocte e stato bene. mostra, che, quando el a recevuto el cibo, el se altere e rescalde uno pocho, e dure ge el caldo per tre hore.   Ubertino e Marsilio [2] stano bene.   l'a mandato al segnore el duxe Lodovigo de Bayvera uno so fameglio che fo chi cum luj, el quale vene de França et ha porta al segnore una letera de la quale ve mando la copia.   ha dicto a bocha, chel ave comandamento dal duxe Lodovigo, che lo recomandasse al segnore.   item chel ge dicesse el facto del matrimonio del quale la letera fa mentione.   item che le facto acordo tra el duxe Hornest [3] e luj e tuti li altri de la casa de Bayvera e convegnudo, che, se alcuno vegnisse alcuna volta contra questo acordo, tuti li altri ge deno [4] esser incuntra; e tuti li baron de la cha de Bayvera a çura e da letere e sigilla de fare el esser contra quello che contra vegnisse a lo acordo; e façando loro contra questo cosai facto no ge po esser opposto, che li habiano facto cativamente ne contra lo honore so over ª alcuna altra cossa.   item chel duxe Lodovigo e facto grande conestabele del regname del re de França e tuti li baron de França hano ge dato soe letere e sigillade excepto lo duca de Orliens.   e chel re fo l'altro di uno pocho sano, e jostro [5] luj el duxe Lodovigo quello de Orliens misser Mastino e altri.   e chel duxe Lodovigo parlo cum lo duca da Orliens e sape ge tanto dire e tegnire si bon modo cum luj, chel ge promesse anche luj de sigillare.   item chel re ge ha dona per casone de questo officio al duxe Lodovigo che vale bene 140000 ducati.   misser Aricoan cavalca [6], ne se crede chel viva fin doman.   datum Padue 26 januarii 1403. [1403 Jan. 26]

Domino Francisco tertio
ex parte Jacobi de Cararia.

292. *K. Ruprecht an K. Martin III von Aragonien: eine dem Herzog Ludwig von* [1403 Mai 17] *Baiern und einigen ungen. kön. Räthen zur Wiederherstellung der Kircheneinheit aufgetragene Gesandtschaft an K. Karl VI von Frankreich sei erfolglos geblieben, er bitte um Rath in der kirchlichen Frage [7]. 1403 Mai 17 Heidelberg.*

Aus Martène thesaur. nov. anecd. 1, 1705-6 nr. 69, mit der Überschrift Martino regi Aragonum; dann De missa ad regem Francorum legatione ad sopiendum schisma. coll. Janssen Frankf. R.K. 1, 735 nr. 1161, aus Kodex eigenen Besitzes Acta et Pacta 354-356, aber nur gedruckt von ceterum, preclare princeps, cum nil an bis Schluß. Regest bei Georgisch 2, 871 nr. 29 und Chmel nr. 1483, beidemal aus Martène l. c.

Illustrissimo principi domino Martino dei gratia regi Aragonum Valentiae Majoricae Sardinensi et Corsicae comitique Barchinonensi Rossiliensi et Ceritanensi consanguineo

a) *korrigiert, wol so zu lesen, gleich overo, ovvaro.*

[1] *Franz II Novello.*
[2] *Ebenfalls Söhne Franz' II.*
[3] *Ernst von Baiern.*
[4] *Gleich* devono, debbono.
[5] *Giostrare, turnieren.*
[6] *Schwankend, in der Schwebe sein.*
[7] *Unter gleichem Datum schreibt K. Ruprecht, unter Mittheilung seines an den König von Aragon*

gerichteten Briefs, an Jacob de Pratis und bittet ihn um Nachrichten; gedruckt Martène thes. nov. anecd. 1, 1706 nr. 70; Regest Georgisch 2, 871 nr. 28 und Chmel nr. 1479 (hier irrig unter Mai 7) aus Martène l. c., Janssen R.K. 1, 735 nr. 1162 aus Kodex eigenen Besitzes Acta et Pacta 354-356.

1403
Mai 17 suo carissimo Rupertus eadem gratia Romanorum rex semper augustus in utriusque hominis sospitate salutem et sincerae dilectionis affectum.   illustrissime princeps consanguinee carissime.   quia ferventi animo incessanter de vostri status qualitate salubria
desideramus audire praeconia, ideo claritatem vestram obnixius deprecamur, quatenus
vestrae serenitatis inclytae vestrae conthoralis et serenissimi filii vestri ac totius regiae &
domus circumstantias (utinam felici ubertate foecundatas), signanter an et qualiter vestra
dilectio dura, ut non sine moerore intelleximus, aegritudine agitata convaluerit, nobis
frequenter intimare velitis singularissimum per hoc cordi nostro tripudium causaturi ᵃ.
et quia de nostrorum prosperitate successuum sublimitatem vestram aequo animo gratu-
lari non ambigimus, eidem praesentibus significamus personam nostram dulcissimam 10
consortem et placidissimam prolem nostram corporum dante altissimo congrua potiri
armonia subditasque nobis regiones opulenta pace et requie stabiliri.   ceterum, praeclare
princeps, cum nil adeo mentem nostram a longis jam temporibus citra perturbaverit
sicut sanctae matris ecclesiae lamentabilis scissura, nos ejusdem reintegrationi possetenus
intendentes illustrem Ludovicum Bavariae ducem principem et agnatum nostrum dilectum 15
nonnullosque ex consiliariis nostris ad illustrissimum principem dominum Carolum Francorum regem in solemni ambassiata nostra super hac materia duximus destinandos ¹.
qui nuper redeuntes ² ultra semestre tempus in Francia moram pertraxerunt, nullam
tamen a Francigenis in praedicta dei causa determinatum reportavere responsum.   dicti
quoque Francigenae suis quibusdam adinventionibus, dudum per orbem publicatis, ad 20
ecclesiae tamen unionem minus nostro videre convenientibus, adhuc inhaerent.   quocirca
serenitatem vestram rogamus attente, quatenus, si in tanto et tam communi negotio vestra
extollenda prudentia aliquid salubre inspirante ᵇ domino cogitavit aut in futurum vobis
contingat desuper ministrari, hoc nobis pro dei causa maturius agitanda communicare
velit vestra dilectio praecipua ³, cujus personam omnipotens dirigere et tueri dignetur 25
1403
Mai 17 per tempora longiora.   datum Heydelberg 17 die mensis maji anno domini 1403 regni
vero nostri anno 3.

[1403]
Juni 10 **293.** *Nikolaus Becherer aus Straßburg an den Straßburger Protonotar Wernher*
Spatzinger, über die Haltung Frankreichs in der großen Kirchenfrage, über die
Pläne des Herzogs von Orléans gegen K. Ruprecht, und über anderes mehr. 30
[1403 ⁴] Juni 10 Paris.

    Aus Straßb. St.A. an der Saul I partie lad. C fasc. XIV liasse II nr. 18 ᵒ⁴ or. ch. lit.
    cl. c. sig. in verso impr.
    coll. gleichzeitige freie Übersetzung ib. nr. 18 ᵇ chart.
    Stand auch Straßburg St.Bibl. Exc. Wenckeri 2, 547 ᵃ-548 ᵃ, jetzt verbrannt. 35

    Servicium meum vestre insignitati in singulis habitis et habilibus foret affecciona-
liter repetitum.   venerabilis domine.   serie vestre missive sane habita et intellecta,
precipue quoad punctum principalem ad novorum Parisius ventulancium ᶜ reseracionem

    a) *Vorlage* causaturus. b) *Vorlage* inspirare, *ebenso Janssen.* c) *Parisios oder* Parisienses ventulancium? *der*
    Sinn richtig in der Übersetzung was lõiffe unde meren zů Paris gingent.   40

¹ *nr. 287-289 (290).*
² *Nach einem Posten der Münchener Kammer-*
rechnungen scheint Herzog Ludwig gegen Mitte
Merz nach Deutschland zurückgekehrt zu sein, s.
St.-Chr. 15, 554 nt. 4.
³ *Im nächsten Jahre schickte K. Martin an K.*

Ruprecht eine Gesandtschaft mit Vorschlägen zur
Beseitigung des Schismas, s. nr. 405 art. 6 und
Anm. dort.
⁴ *Das Jahr fehlt, ist aber gar nicht zweifelhaft.*
Die Wandlung der Obedienz in Frankreich er- 45
folgte 1403. Vgl. auch die nächsten Anmerkungen.

intentantis (cum etenim multi multa dicunt etc., verumptamen major fides conjecturacio- [1403]
que verisimilior magis sunt aliquibus adhibenda), hinc certum est et luce clarius, ut ^{Juni 10}
forte vobis constat, substraccionem a Benedicto ipsorum papa, quem nos intrusum repu-
tamus, longo tempore quasi per sex annos vel ultra in Francie regno viguisse [1]. quam
5 quidem substraccionem dominus rex domini duces aliqui prelati una cum universitatis
majori parte[a] concluserunt, attamen quamplurimis tacite non consencientibus ut duce
Aurelianensi pluribus prelatis doctoribus magistrisque universitatis alme Parisiensis[b].
nuper vero circa medium maji[2] tres cardinales, quasi omnes prelati, numero quasi 80
episcopi et archiepiscopi et quasi centum et 60[c] abbates, cum capitularibus deputatis
10 capitulorum ambassiatoribusque aliarum universitatum regni Francie deputatis[d], per regem
Francie vocati ad consilium Francie et congregati affuerunt[3]. ad obedienciam Benedicto
restituendam et ad concordiam ipsorum obediencie avisandam in dicto consilio avisave-
runt. rex vero protunc sanus et incolumis a duce Aurelianensi ab aliquibus prelatisque
magistris plene pro restitucione informatus fuerat, quod restitucio esset expediens. quod-
15 propter ipse dominus rex cum duce Aurelianensi et aliis prelatis quibusdam obedienciam
Benedicto restituerunt. quam restitucionem subditis suis per parere suo mandato regali
precipiendo promulgavit. et sic opportuit quod dux Burgundie plures alii prelati et
magistri, qui oppinioni substraccionis fuerant pertinaciter affixi, se cum rege, ipsius
mandato parentes, plene conformarent, ipsis aliquibus invitis et tacite dissencientibus.
20 quare restitucio in isto Francie consilio protunc fuerat conclusa. rursum ultra refertur
Benedictum fore celebraturum consilium cum omnibus prelatis aliorum et Francie rengno-
rum de sua obediencia existencium. et ibi speratur avisari medium et appunctuamentum
pro unione universalis ecclesie. sed quando fiet et ubi, adhuc edicto caret divulso[e].
ulterius, isto facto et celebrato, dominus rex in infirmitatem solitam prochdolor iterato
25 illicitus ac incidens[4] tres milites vel quatuor letaliter vulneravit et lesit. quod sub ve-
lamine ab aliquibus secretariis percepi. verum est, quod multa similia contingunt in
sua habitacione, quando incidit. que omnia propter honestatem et non inmerito suppri-
muntur. item refertur, ducem Mediolanensem fore perversum seu condescendisse ad
obedienciam Benedicti cum oppinione ducis Aurelianensis. et ejusdem oppinionis, ut
30 verisimile, est, quia sororius suus est ipsorumque idem velle et idem nolle[f]. sic enim
pretextu practicatorum per ducem Aurelianensem, quia ambassiatam solempnem habuit

---

a) Übers. mit dem merren teile der gemeinde zů Paris.   b) Übers. unde lerer und meister von Paris.   c) et 60
hineinkorrigiert statt cum dimidio.   d) Übers. unde ouch ander der gemeinden botten us dem riche ů Frang-
rich.   e) sic: Übers. das weis man noch nůt für wor.   unde noch dem rote das das also usgetragen wart
so ist der künig aber in sinen gewönlichen siechtagen gefallen und het wol drige oder viere ritters töt-
lichen gewundet.   f) Übers. unde ist öch in derselben meinunge, wenne er ist des h. swoger vůn Oriens.

---

[1] Doch nur 5 Jahre; denn die Entziehung der
Obedienz erfolgte 1398.
   [2] Nach dem Bericht des Mönches von St. Denis
(Chronique du religieuse de St. Denis Bd. 3 in
der Collection de documents inédits pag. 86 ff.)
erklärte der König Karl VI den an ihn gesandten
Kardinälen Pabst Benedikts am 25 Mai 1403
episcopos regni sui congregasse qui concluderent
in brevi quid inde agendum esset.
   [3] Vgl. über die Verhandlungen auf dem Konzil
den ausführlichen Bericht des Mönches von St. Denis l. c., der die Nachrichten unseres Stücks bestätigt und ergänzt. Zwei die Rückkehr zur

Obedienz Pabst Benedikts betreffende Urkunden
K. Karls VI sind vom 28 und 30 Mai datiert,
die erste ist gedruckt bei Martène et Durand
ampl. coll. 7, 677-680 und (ein etwas abweichen-
der Text) bei Bréquigny Ordonn. des rois de
France de la 3me race 8, 593 nt., die zweite bei
Leibnitz cod. dipl. 274-277, Dumont corps un.
dipl. 2, 1, 285 f. aus Leibnitz, (Bréquigny) Ordonn.
l. c. 593, Recueil des traités de paix et d'autres
actes publics 1, 365 aus Leibnitz.
   [4] Vgl. die Chronik des Mönches von St. Denis
l. c. pag. 102: rex Karolus, qui a restitucione
obediencie solitam egritudinem incurrerat.

[1408]
Juni 10

secum, ipse Mediolanensis instat pro filia regis, que regina Anglie fuerat[a][1], quod aliquibus placet, aliquibus non, ipso duce Aurelianensi laborante et intercedente. nichil adhuc in illo contractu matrimoniali perfectum dinoscitur.   item dicitur regem Scecilie regemque Naverre venturos fore Parisius, forte eciam super certis factis arduis que non constant.   verumtamen rex Naverre petet unum comitatum in Normania situm, qui jure 5 hereditario sibi debetur, quem rex Francie longo tempore manu detinuit[2].   ulterius refertur, quod, si nos de nostra obediencia non velimus laborare ad unionem ecclesie, tunc dux Aurelianensis vi armorum et violencia intendit practicare[b] cum aliis sue obediencie, ut Benedictus Romam intret et papa dominus noster destituatur[c] et Benedictus in kathedra Petri installetur, et ut ipse dux Aurelianensis coronetur a Benedicto cum 10 adjutorio Mediolon*ensis*[d] in imperatorem universalis mundi dominum[e].   quod inter omnia alia spero esse ficticium et falsum, quia multum durum ut mihi apparet et difficile estimo, eo quod nimis ab Anglicis occupantur, quoniam cottidie pugne et gwerre in mari inter eos insurgunt, et magna strages hominum Gallicorum pretextu cujusdam particularis belli noviter est visa in mari fluctuans[f], ut percepi ab uno domino studente, qui noviter 15 peregre ibi fuit et vidit.   scio tamen, quod dominus Aurelianensis multa nititur et affectatur attemptare et practicare, si regni Francie provisor esset, ut sibi regnum in agitando per eum coassisteret et ut cicius, quod mentaliter presumit, et facilius persequeretur[g]. nam sicut alias vobis scripsi, allicit, ubicumque potest, personas notabiles, ecclesiasticos et militares.   propterea estimo eum fore contrarie oppinionis ab Almanis et novo electo 20 precipue, cujus processum, si posset, impediret[g], ut ex circumstanciis variis conjecturor et sillogiso.   spero tamen, unione et concordia Germanie patrie[h] presupposita, neminem posse Germaniam molestare ac injuriare.   que quidem unio non est bene possibilis, quoniam revera proprii vicini Argen*tinensium* et eciam aliqui de curia novi electi[i] non afficiunt civitatem Argen*tinensem*, ut pluries percepi.   verum est, quod quidam milites 25 et domini supplicaverunt michi tempore gwerre inter dominum electum et marchionem, ut quasdam literas destinarem: et quia timui quod forsitan fuissent in prejudicium alicujus vel aliquorum de oppinione electi: quare nolui me interponere et excusavi me dicens quod pro nunc non scirem aliquem nuncium.   et aliqui fuerunt Almani inter illos.   quos non nomino, sed si contingeret nominarem.   insuper me vobis recommendo, 30 rogitans ut me recommendare, quibus exspedit, minime tardetis.   conservet vos prospere,

[1408]
Juni 10

cujus etc.   scriptum Parisius octava penthecostes.

[*in verso*] Eximie sagacitatis viro notabilisque prudencie domino Wernhero Spatzinger insigni civitatis Argen*tinensis* prothonotario domino et fautori meo predilecto.

Nicolaus Becherer de Argen*tina* paratus ad beneplacita 35 dominorum Argen*tinensium*.

a) *Obers.* unde alse von süchendes wegen des herzogen von Orlens, wenne er ein erliche botschaft bi imme gehebet hat, so wirbet der herzoge von Mey·lon umbe des küniges dohter, die do was künigin ut Engellant. b) *Obers.* ünderston unde werben. c) *or.* destituatur. d) *Obers.* mit hilfe des von Mediolan. e) *dum mit Oberstrich, das 2 letsten Schäfte falsch mit Überpunkten; die Obers. hat nur zu keiser.* f) *Obers.* und ist gros 40 volk von Walhen uf eime sundern battellen oder vehtende ernclagen uf dem mere. g) *Obers.* vil dinges sich flisset unde begeret zu ünderstonde und zu werbende, were er pfleger der kronen zu Franckrich, das man imme von der kronen behülfig were, das er das, das er in sime sinne het, deste lihtelicher vollefüren unde vollebringen möhte. h) *Obers.* Tásche lant (wenne — in einhellekeit und friden gesetzet werent). i) *Obers.* etteliche in des nuwen gewelten küniges hofe. 45

[1] *Isabella die Wittwe K. Richards II von England heirathete 1406 Karl den Sohn Herzog Ludwigs von Orléans.*
[2] *Vgl. den Bericht des Mönches von St. Denis l. c. pag. 150 ff.*

[2] *Seine Absichten auf Deutschland, Stälin 3, 382, Mone Qu.-Samml. I, 255. 287 (Fortss. des Königshofen). Vgl. bei uns lit. L und M dieses Nürnberger Tages.*

50

F. Verhältnis zu England nr. 294-295.

294. *K. Ruprechts Anweisung für ungen. Gesandte [1], die K. Heinrich IV von England [1402* *seine Verhandlungen mit P. Bonifacius IX und K. Karl VI von Frankreich aus-* *wahrsch. nach* *einandersetzen, über Herstellung der Kircheneinheit verhandeln, und um beschleunigte Aug. 27]* *Zahlung der nächsten Rate der Mitgift Blanka's sowie um Hilfe wider Mailand* *bitten sollen. [1402 wahrsch. nach Aug. 27 Nürnberg [2].]*

> *Aus Karlsr. G.L.A. Pfälz. Kop.-Buch 146 fol. 63ᵇ·65ᵇ cop. ch. coaev.*
> *coll. Janssen R.K. 1, 703-707 nr. 1125 aus einem in seinem Privatbesitz befindlichen*
> *Kodex Acta et Pacta 39-50.*
> *Moderne lateinische Übersetzung bei Martène amplis. coll. 4, 107-110 nr. 74. — Regest*
> *Chmel nr. 1121 aus Martène l. c.*

Werbünge an den kunig von Engelland etc.

[1] Item zu dem ersten sollent ir im mins herren dez kunigs glaubsbrief antwurten und daruf imme sagen mins herren miner frauwen und aller ir kinde und mit namen des freuwlins von Engelland siner dochter wolmogende gesuntheid und sterke, desglichen mine herre zu allen ziten von imme begernde[a] si zu wißen etc., uf daz bequemste etc.

[2] Item sollent ir imme darnach erzelen: min herre der kunig habe uch zū imme gesant und heißen erzelen[3]: als die gnade des almechtigen gots minen herren darzu geschicket und geordnet hat, das er ein Romischer kunig ist worden, so wolt er auch mit gutem willen gerne tūn allez daz, das einem Romischen kunig angehöret. und herumbe, daz er soliche sachen dester dogentlicher getūn möcht, da ward er eins zoges uberein gein Lamparthen umbe sin keiserliche cronunge zu entphaen, und schickt auch darumbe gein Rome zu dem babst sin botschaft, mit namen den bischof von Verden, den min herre diesen ganzen winter bi dem babist zu Rome gehabt hat in siner botschaft und auch noch hat. und hat auch darnach hern Philips graven von Falkenstein und siner protonotarien einen[4] zu dem babst gein Rome gesant und in laßen bitden

a) cod. und Janssen begerne.

---

[1] *Vielleicht waren es Johann von Hirschhorn und Ulrich Albeck. — K. Ruprecht schreibt an K. Heinrich IV von England: hat literas per egregium militem nostrum Johannem de Hirßhorn et Ulricum de Albeck decretorum doctorem nostrum prothonotarium consiliarios et fideles nostros dilectos ac Georium Sentlinger vestrum seutiferam nobis successive destinatas erhalten und sich über Heinrichs Erfolge gegen die Schotten gefreut, berichtet über seine Familie, dankt für gute Aufnahme seiner Gesandten und bittet um baldige Nachricht über Heinrichs voluntas et deliberacio in betreff des ihm durch diese Gesandten auseinandergesetzten, etc.; dat. Nuremberg 7 Januar 1403 r. 3; Karlsr. G.L.A. Pfälz. Kop.-B. 146 fol. 113ᵇ·114ᵃ cop. ch. coaev.; gedruckt Martène thes. n. anecd. 1, 1704-1705 nr. 67; Regest Georgisch 2, 869 nr. 1 und Chmel nr. 1392 beide aus Martène, Janssen R.K. 1, 724 nr. 1143 aus Kodex eigenen Besitzes Acta et Pacta 354-356.*

[2] *In dem Schreiben K. Ruprechts an den König von England vom 22 Juli 1402 nr. 258 ist eine solche Gesandtschaft in Aussicht gestellt; nach art. 5 des obigen Stückes scheint der Mainzer Tag vom Juni 1402 vorüber zu sein; in art. 10 ist wahrscheinlich die Gesandtschaft nach Frankreich vom August 1402 gemeint, und diese ist nach artt. 10 und 12 noch im Gange. Überdies steht obiges Stück im Kodex unmittelbar hinter den beiden Werbungen an König und Königin von Frankreich von [1402 n. Aug. 27] nr. 289f., so daß es nicht viel später anzusetzen sein wird. Janssen: nach Juli 22 (offenbar wegen unserer nr. 258). Chmel: scheint vom Herbst 1401 zu sein. Für unsere Datierung s. Einleitung lit. F.*

[3] *Zu dem folgenden Bericht über die Verhandlungen mit dem Pabst vgl. nr. 207 art. 1-6, wo wir im einzelnen auf die Akten RTA. 4 verwiesen haben.*

[4] *Nikolaus Buman, RTA. 4 nr. 48.*

[1402 wahrsch. nach Aug. 27] und ermanen, daz er sine persone approberen als einen Romischen kunig und imme auch sin keiserliche cronunge geben wolte. und min herre der kunig wiste auch nit anders, dann das in der babste unverzogenlich approberte und imme sin keiserlich cronunge geben[a] solte hann, als minem[b] herren des babsts botden, die er zu imme gesant hat, zusageten und zu erkennen gaben, und auch als sinem ritter mit namen   5 herr Johann Colvile [1], der dazůmale zu Rome waz, daz eigentlich zu wißen ist etc.

[3] Item daruf schrieben mins herren dez kunigs ambasiatores[c], die er gein Rome gesant hatte, mime herren dem kunige, und sagten ime auch selber muntlich, als sie herwieder ußquamen, daz der babste begerte, daz sich mine herre der kung gein im verschrieben solte under sinem majestat-ingesigel und auch zu den heiligen sweren, uber   10 soliche gewonliche eide die er nach dem rechten dun solte, diese nachgeschrieben artikel zu halten und genzlich zu follenfuren. item und dieselben artikel [2] lesent imme dann von worte zu worte als sie der babst begert hat etc.

[4] Item und wann die obgeschrieben wege und sachen minen herren den kunig nit allein antreffent, sunder die heiligen kirchen das ganze riche und auch alle die die   15 der Cristenheid zugehorent und getrulich bistendig und beholfen sin wollent: item darumbe wart min herre der kunig mit sinen reten zu rate, daz er in den obgenanten artikeln mit dem babist nit besließen wolte ane siner kurfursten und ander fursten rat und wißen. und darumbe erhube er sich von Welschen landen wieder hinuß gein Dutschen landen zu ziehen, und hat die obgenante sache und artikel den kurfursten   20 und andern fursten zu wißen getann als der babste von imme begerte etc.

[5] Item und die obgenanten kurfursten [3] und ander fursten, als sie das von mim herren dem kunige verstunden, sprachen, daz er da zůmale wol getan hette, daz er sich in der vorgenannten maße gein dem babste nit verbunden hette, sunder sie getruweten im wol, daz er sich getrulich arbeite umbe ein einunge zu machen in der heiligen   25 kirchen.

[6] Item und daruf ist mine herre der kunig genzlichen geneiget, wie er mit gotlichen rechten wegen die heiligen kirchen in einikeit brenge, und wil daran weder lip noch gůt sparen.

[7] Item und wann nů der kunig von Engelland mime herren dem kunige in   30 sinen briefen ernstlichen geschrieben hat von derselben sache wegen, daz er hoffe daz mine herre der kunig genzlich darzů dů, daz die kirche vereinet werde, als in got darzu erfordert habe, darzů wolle er auch důn allez sin vermogen (dabi min herre der kunig wol verstet, daz der kunig von Engelland darzů genzlich geneiget ist umbe einen gemeinen nutze der ganzen Cristenheit):   35

[8] Item und herumbe hat tich min herre der kunig gesant zu dem kunige von Engellant als zu sinem liebsten bruder, zu dem er ein luter ganze getruwen hat, und in heißen ernstlichen bitden, daz imme die sache zu herzen laße geen und minem herren dem kunige getrulich beraten beholfen und bigestendig wolle sin umbe ein enikeit in der heiligen kirchen zu machen.   40

[9] Item und so ir sin antwert daruf horent, daz er darzů genzliche geneiget und mim herren bistendig wolle sin, alz vor geschrieben stet, so erzelent imme, wie der

---

a) wolte *bis* cronunge geben om. *Janssen.*   b) *Janssen* mines.   c) *cod.* ambasitor, am *Schluß abgekürst.*

---

[1] *Vollmacht für diesen vom 28 Okt. 1401 s. nr. 158. — Vgl. auch Nachschrift zum Briefe vom 24 Mai 1402 in Anm. zu nr. 256.*
[2] *RTA. 4 nr. 71-73; vgl. nr. 70.*
[3] *Diese werden das auf dem Mainzer Tage vom Juni 1402 gethan haben, die anderen Fürsten vielleicht zum Theil schon früher, zum Theil vermuthlich auf unserem Nürnberger Tage. Daß auf letzteren hier Bezug genommen wird, ist zwar nicht ganz sicher, aber doch wahrscheinlich, vgl. Einl. lit. F.*

kunig von Franckriche ain botschaft getan habe zu mime herren dem kunige, die an in [1402 geworben hat: wolle min herre der kunig gedenken ein enikeit zu machen in der *wahrsch.* heiligen kirchen mit gotlichen und gerehten wegen, darzu wolle er imme raten helfen *Aug. 27)* und bistendig sin umbe einen gemeinen nütze der heiligen kirchen.

5 [10] Item und darumbe so hat min herre der kunig sin treffelich botschaft gen Franckerich getan, die eigentlich erfaren sal, wie und in welicher maße und wege er minem herren in den obgenanten sachen geraten hilflich und bistendig sin wolle.

[11] Item so der kunig von Engelland mit uch wurde uß den sachen reden und etwaz in tedinge und wege mit uch queme, daz ir vernemet wie und ob er zu den 10 sachen geneiget were, so sal uwer einer als von im selber darinne reden also: „die sache ist große und hat lange gewert, und, sal man nü den sachen nachgeen, so were notdorft großer bistendickeit, und dunket mich, wann ir eins werent von der sache wegen und mit einander darzü getruwlich tün woltent, daz were ein großer anfang. nu verstan ich wol, daz das also nit wol gesin mag, ir und min herre der kunig werent 15 von der sache wegen dann übereine."

[12] Item zu gedenken: ob des von Engelland frunde worden reden mit uch als von einer a vereinunge zu machen zuschen unserm herren und dem kunige von Engelland und ob uns icht davon befolhen si, so sollen wir reden und herzelen, wie der kunig von Franckrich sin botschaft zu unserm herren getann und etwie dicke geschriben 20 habe „wolle unser herre der kunig gedenken ein enikeit zu machen in der heiligen kirchen mit gotlichen und gerechten wegen, darzü wolte er imme geraten beholfen und bistendig sin umbe einen gemeinen nutze der ganzen Cristenheit". nu fürcht unser herre: solte er zu dieser zit ein buntniße mit dem konige von Engelland machen ee soliche sache geendet worde, der kunig von Franckrich wurde darumbe von solichen gemeinen 25 nutzlichen wegen der Cristenheit laßen unde die abeslahen, und wurde gehindert der kirchen sache, darzu unser herre doch genzlichen geneiget ist. doch so meint unser herre, daz er von solicher fruntschaft wegen, alz sich zwuschen in ergangen hat von der hirat wegen, dem kunige von Engellande also verbunden si, daz er mit 'libe und güte dun wolle daz imme liebe ist, alz billich ist. und hat unser herre kein ander 30 forcht in den b sachen, dann daz ein gemeiner nütze der Cristenheit mocht damit gehindert werden. und wolte darnach dann der kunig von Engellant ie, daz sich min herre solte zu imme verbinden, so solt er innan werden, daz mine herre dann solte dün allez daz sich zu liebe und fruntschaft geziehen mochte.

[13] Item sollent ir imme auch sagen und erzelen, so ir genzlich antwert hant of 35 die vorgeschrieben werbunge: als min herre der kunig sich dez heiligen richs underwunden hat, da habe er manigfeltige und große zerünge und kosten darumbe gehabt und noch teglichen habe von anliegender gebrechen wegen und notdorft dez richs, daz er ez gerne zu sinem state wieder brechte. darzu so hat er auch sider der obgenanten zit als er kunig wart große kriege in sinen landen zu Beyern gein dem kunige von 40 Beheim und sinen helfern gehebt und auch mit sin selbs libe mit einer großen menige siner fursten graven herren rittern und knechten gein Lamparthen gezogen, daz er in noch vil schuldig verlibet [1]. herumbe bidet in min herre der kunig, daz er imme soliche gelte, als er noch hinderstellig und schuldig verlibet of die ostern nehstkompt zu [1403 bezalen [2], ußrichten itz und bezaln wolle, als er siner bruderlichen truwe besunder wol *Apr. 15*

[1] Vgl. beim Augsburger Tage lit. L.   zum Augsburger Tage lit. J. K. Heinrich gieng
[2] Als zweite Rate der Mitgift Blanka's mußte   auf K. Ruprechts Wunsch nicht ein, blieb ihm
K. Heinrich bald nach Ostern, genauer am 13 Mai,   vielmehr die Summe noch einige Zeit schuldig, s.
1403 in Köln 16000 Nobeln zahlen, s. Einleitung   nr. 295 art. 3.

*[1402
wahrsch.
nach
Aug. 27]* getruwe, daz er damit siner schulte etlicher maßen gestillen und den krieg gein Beheim von dez richs wegen gehanthaben und getriben moge [1]. daran erzeuget er imme soliche liebe und fruntschaft, die er imme sůnderlich wisse wol zu danken etc., of daz bequemste.

[14] Item sollent ir auch imme erzelen: als der von Meilan sich frevelich under- 5
zogen habe des richs lande und lůte in Italien und minem herren dem kunige wolle
damit nit gehorsam sin, sunder in hindert daz er bißher in Italien nichts geschaffen
mochte in dez richs sachen, meinet min herre ie darnach gedenken einen zog zu důn
of in mit macht uud dez richs gůt erfodern. und ob er daz also wurde důn, so bitte
in min herre der kunig, daz er imme darzu bistendig und beholfen sin wolle mit sinen 10
schützen und volke, daz er die sache dester baß vollebringen moge.

[15] Item und wann der herzog von Gelre [2] sin lehen nit enphangen hat von
mime herren als von eime Romischen kunig und auch noch also die nit gerůchte
enphaen, sunder wieder minen herren wirbet gein Franckrijch und anderswo, so meint
mine herre in auch darzu halten etc. herumbe begert mine herre von imme, daz er im 15
mit sinen schutzen und volke beholfen wolle sin etc.

[16] Item wolte der kunig von Engelland wißen waz wege min herre vor handen
hette etc., mogen ir ime sagen mins herren meinunge und einem [a] oder zwein der sinen,
daz die sweren daz in geheim zu halten. doch so getruw imme mine herre wol, wisse
er besser wege, daz er imme daz zu erkennen gebe. und meint mine herre, der weg 20
etc. si der gotlichst, und darumbe begert er, waz derselbe wege erfordre [b], daz der
kunig von Engellant mit sinem riche mit minem herren wolle dabi verliben.

a) *Vorlage und Janssen* einon. b) *Vorlage und Janssen* erfinde; *Martine* quare et petit, quaecumque viae inveniantur, ut in iis rex Angliae —.

---

[1] *K. Ruprecht erklärt: da er viele Ausgaben
für das Reich gehabt hat um Gebrechen und
Notdurft zu heben, da er große Kriege in Baiern
gegen den König von Böhmen und seine Helfer
geführt, den Lombardischen Zug gemacht, und
um das alles seine eigenen Besitzungen verkauft
versetzt und verpfändet hat, da er auch vom
Lombardischen Zug sowol als vom Böhmischen
Krieg etlichen die ihm gedient haben noch groß
und viel schuldig ist, und um nun dieselbe seine
Schuld doch etlichermaßen zu stillen und auch
seine und des Reichs Sachen sowol mit seinem
Kriege gegen Böhmen als auch sonst besser hand-
haben und betreiben zu können, hat er die 40000
Engl. Nobel, die* K. Heinrich *von England dem
Herzog Ludwig als Heiratsgut gegeben hat und
die sich wol treffen an 100000 Rhein. fl., von
Letzterem entliehen und die obg. Schulde, so gut
er konnte, damit gestillt; er hat dafür ihm und
seinen Erben nach Rath seiner Fürsten Grafen
Herren und Getreuen folgende des h. Reichs Städte
Burgen und Dörfer eingegeben und eingesetzt,
Oppenheim und Odernheim Burgen und Städte,
Swabsberg die Burg, Nierstein Ingelnheim und
Ingelnheim Winterheim und andere Dörfer die
dazu gehören mit allen Nutzen Zöllen und Zugehorungen, dazu auch Lutern die Stadt mit allem
Zubehör, als er (K. Ruprecht) das bis heute innegehabt und besessen hat, bis auf Widerlösung* 25
*durch ihn oder seine Nachkommen; dat. Heidel-
berg Barthol. Abend [Aug. 23] 1402 r. 3; Wien
H. H. St.A. Registraturb. C fol. 110ᵃ-111ᵃ cop.
ch. coaev., Karlsr. G.L.A. Pfälz. Kop.-B. 4 fol.
129ᵃ-ᵇ cop. ch. coaev., ibid. Pfälz. Kop.-B. 98 fol.* 30
*59ᵃ-60ᵃ cop. ch. saec. 15 med. bis ex., ibid. Pfälz.
Kop.-B. 44 fol. 225ᵃ-226ᵇ cop. ch. saec. 15 ex.;
gedruckt Lehmann Urkundl. Gesch. von Kaiserslautern 214-216 nr. 11, Höfer Zeitschr. f. Archive
2, 506-509 nr. 20 aus Kopialb. in Karlsr.; Regest* 35
*Chmel nr. 1282 aus Wien, Scriba 3 nr. 3575. —
Vgl. Chmel nr. 1272-1275 und unsere Einleitung. — Die Willebriefe der Kurfürsten zu dieser
Verpfändung wurden erst nach längerer Zeit ausgestellt; die des Mainzers des Kölners und des* 40
*Trierers s. Franck Gesch. von Oppenheim 398 ff. sub
nr. 145; man findet diese drei Briefe und dazu
den des Herzogs von Sachsen dat. 1415 Do. v. oculi
[Febr. 28] o. O. [wol zu Konstanz] unter anderm
Karlsr. G.L.A. Pfälz. Kop.-B. 44 fol. 226ᵇ-230ᵃ.* 45
[2] *Vgl. nr. 236. — K. Heinrich IV von England
bevollmächtigt 6 Genannte (s. nr. 256) mit Herzog
Reinald von Geldern über Leistung des Lehneides
durch diesen zu verhandeln und abzuschließen;
dat. [Westminster] 27 April [1402]; gedruckt* 50
*Rymer Foedera 8, 254. Vgl. dazu die Vollmacht
von 1401 Mai 3 ibid. 191f.*

[17] Item ob die Engelschen fregten von der kurfursten bistendickeit in den sachen etc., mogent ir antwerten, daz mine herre in der wißheit si, daz er soliche sache ane iren rate und wißen nit handel, diewile sie nehst gelieder sien des richs.

[1402 wühtsch. nach Aug. 27]

295. *K. Ruprechts Anweisung für Friderich zur Huben seinen Gesandten an K. Hein-* *1403* *rich IV von England, betr. Zahlung der für Heinrichs Tochter Blanka versprochenen* *Aug. 10* *Heirathsgelder sowie Feindseligkeiten des Herzogs von Orléans wider England.* *1403 August 10 Trier.*

Aus Karlsr. G.L.A. Pfälz. Kop.-Buch 146 fol. 73 ᵇ - 74 ᵇ cop. ch. coaev.
coll. Janssen R.K. 1, 742-745 nr. 1172 aus Kodex seines Privatbesitzes Acta et Pacta 87.
Moderne lateinische Übersetzung bei Martène ampliss. coll. 4, 123-125 nr. 83. — Regest
Georgisch 2, 872 nr. 91 und Chmel nr. 1524, beide aus Martène.

Werbunge an den kunig von Engelland Friderich ᵃ zur Huben enpholhen. Laurencii *1403* Treveris anno etc. 403.   *Aug. 10*

[1] Item zum ersten sollent ir in mins herren dez kunigs glaubsbriefe antwurten, und daruf sagen: min herre der kunig habe imme sin liebe und fruntschaft enbotden und nach sinem gestande und wolmogen getrûlichen laßen fragen; und daz ez in in allen sinen sachen und gescheften glucklichen und wol gee, des si mine herre der kunig sunderlich begerende, und habe in auch fließlichen heißen bidden daz er imme dicke davon verschriben und enbieten wolle, wann er allzit sunderliche freude davon enphae.

[2] Item und sagent im darnach: daz min herre der kûnig ᵇ mine frauwe die kuniginne und alle ire kinder und mit namen frauwe Blanchia mins herren herzog Ludewigs hußfrauwe sin dochter von gnaden des almechtigen gots gesûnd starke und wolmôgende sin.

[3] Item und als er als von der hirad wegen zuschen siner dochter frauwe Blanchia obgenant und mime herren herzog Ludewig mins herren des kunigs sone of den sundag *1403* alz man singet in der heiligen kirchen cantate vier wochen nach ostern nehstvergangen *Mai 18* in der stad ᶜ zu Colle sechzehentusent nobile bezalt solte bann nach ußwisunge der briefe uber die obgenant hirad gemacht [1], des doch nit gescheen si: des haben in min herre der kunig und mine herre herzog Ludewig fließlichen laßen bidden, daz er die- selben 16 000 nobile noch unverzogenlichen zu Colle bezalen wolle [2] nach ußwisunge der

---

a) cod. Friderch.   b) cod. künig mit zwei schrügliegenden Punkten über l.   c) etwas undeutlich, doch ohne Zweifel so zu lesen; Janssen stadt.

---

[1] *Vgl. Einleitung zum Augsburger Tag lit. J, und im vorigen Stück nr. 294 art. 13.*

[2] *K. Ruprecht bevollmächtigt Friderich von Mitra [deutsch: von der Huben] 16000 Nobeln zu begehren und in Empfang zu nehmen als Rate der 40000 Nobel des Heirathsgutes der Prinzessin Blanka; dat. Alzeye 17 Juli 1403; Karlsr. G.L.A. Pfälz. Kop.-B. 5 fol. 75 ᵃ ᵇ cop. ch. coaev., mit der Notiz Item in simili forma mutatis mutandis do- minus dux Ludewicus dedit procuratorium, Wien H. H. St.A. Registraturb. A fol. 69 ᵃ cop. ch. coaev., mit derselben Notiz, Karlsr. G.L.A. Pfälz. Kop.-B. 143 pag. 199 cop. ch. coaev., ohne die Notiz; Regest Chmel nr. 1515 aus Wien l. c. Die Voll- macht des Pfalzgrafen steht in extenso Karlsr. G.L.A. Pfälz. Kop.-B. 149 ᵇ fol. 285 ᵇ cop. ch.*

coaev.; in der Überschrift, die aus dem 15 Jahrh. stammt, ist hier der Berollmächtigte Friderich von der Huben genannt. — K. Ruprecht weist Friderich von der Huben an: da er ihn jetzt in seiner Botschaft gen Engellant sende und ihm auch seine Procuratoria und Briefe gegeben habe, ihm eine Summe Geldes die ihm noch ausstehe vom Könige von England zu fordern und zu ge- winnen, so solle Friderich, sobald er das Geld ganz oder theilweise erhalte, davon Heinrich Hars- dörfer zu Nürnberg Schreiber 2073 fl. oder deren Werth an Nobeln etc. bezahlen gegen Quittung desselben; dat. Heidelberg Galli [Okt. 16] 1403 r. 4; Karlsr. G.L.A. Pfälz. Kop.-B. 53 pag. 156 cop. ch. coaev., durchstrichen, darüber solutum. Vgl. dazu einen Posten der Kammereinnahmen

51 *

1402
Aug. 10

obgenanten briefe. daran bewise er mime herren dem kunige besunder dankneme fruntschaft und liebe und mime herren herzog Ludewig besunder gnade und furderniße, wann sie itzund dez geltes wol bedorfen, sunderlich von großer kriege wegen die sie itzund wol drü ganze jare wieder den kunig und daz kunigriche zu Beheim gehabt und auch noch tegelichen haben, als er selber wol wißen möge. und sagent imme auch: bedorften sie des gelts nit alz wol, sie wolten gerne lenger gebitden [1] und of diese zit nit zû imme gesant hann.

[4] Item und das er auch die dusent nobeln damit bezalen wolle [2], die min herre herzog Ludewig sinen frunden zu jare zu Colle liehe als sie mit mins herren herzog Ludewigs husfrauwen heruber gefaren waren [3].

[5] Item so ir das dem kunige also eigentlichen erzelet hant, wer' ez dann daz der kunig von Engeland segete, er hette auch ietzund kriege gein den Frantzosen, und meinte, daz im mine herre der kunig umbe daz gelte lenger ziele solte geben, oder mit waz worten und sache er die bezalunge verziehen wolte, so sprechent: „lieber gnediger herre. min herre der Romische kunig und mine herre herzog Ludewig sin sûn uwer dochterman hant mich uwern gnaden heißen sagen, daz sie uwern gnaden wol getruwen, ir bezalent in daz gelte zu dieser zit, wann sie in der warheid große kriege und kosten gein den Beheimen und iren wiedersachen itzund lange zit gehabt und noch tegelichen haben, alz ich uwern gnaden vor erzelet hann. und sie hant sich aûch of daz gelte verlaßen, und hant sunderlichen zuversichte zu uwern gnaden und getruwent uch auch genzlichen wol daz ir in daz zu dieser zit bezalent. wann wo des nit geschee, des sie ummers uwern gnaden nit getruwent, so wißent fur warheit, daz in solicher schade davon queme der in zûmale schedeliche were. wann min herre sin diener und soldener alsdann nit bezalen mochte, und die worden dann von in riten, daz gar schedelichen were, und mochte auch sunderlichen min herre herzog Ludewig zu großem schaden kommen umbe des willen daz lichte min herre der kunig etliche sloße siner erbeherschaft versetzen oder veružern muste, daz alles verhalten wirdet ob das gelte bezalet wirdet. und darumbe so hant sie ein ganze getruwen zu uwern gnaden, daz ir ez darzû nit laßent kommen".

[6] Item so ir die rede alle also in vorgeschriebener maße erzelet habent, were es dann das der konig von Engeland spreche, er wolte das gelte gerne bezalen, ez wer' im aber gar ungefuglichen und zu swere zu Colle zu antwerten: darof sollent ir im sagen: wiewole daz si daz die hiradbriefe clerlichen ußwisen daz man daz gelte zu Colle bezalen solle, so wollen doch mine herre der Romisch kunig und min herre herzog Ludewig umbe fruntschaft und liebe willen des kunigs von Engeland die bezalunge gerne zu Dordrechte nemen, also daz die unverzogenlichen geschee.

[7] Item und sagent im auch, das ir mins herren des kunigs und auch mins herren herzog Ludewigs quitsbriefe habent, die zu Colle oder zu Dordrhte ubergeben sollent, so uch daz obgenant gelte bezalt wirdet.

[8] Item so ir die rede alle in vorgeschriebener maße erzelet und geworben habent, wer' es dann daz der kunig von Engelant darof fiele und meinte, daz er das gelte zu Londen bezalen wolte und nit gein Colle noch gein Dordrechte antwerten, und daz ir im auch die quitsbriefe zu Londen dargein ubergeben soltent: item so ist mins herren des kunigs meinunge, daz ir dann sprechent: ir sit nit in der maße von mime herren

---

vom 12 April 1404, Janssen 1, 759 f. nr. 1212 art. 13, bei uns in Bd. 6, wonach Friderich erst im Frühjahr 1404 zurückkehrte, nur 1000 Nobel mitbrachte und davon den Harsdörfer bezahlte. Vgl. ferner oben art. 4 und Anm. zu art. 8.

[1] *Gebiten, warten, zuwarten, Lexer.*
[2] *Dieß that K. Heinrich auch, s. Schluß der vorletzten Anm.*
[3] *Vgl. Mainzer Tag vom Juni 1402 Einleitung lit. K.*

dem kunige und herzog Ludewig gescheiden und geturret des auch nit ofnemen, dann mine herre der kunig und herzog Lud*ewig* getruiten ime wol, das er in daz gelte bezale an den stetden und enden nach ußwisunge der briefe daruber gegeben [1].

[9] Item ir sollent dem kunige von Engelant auch sagen, wie das der herzog von
5 Orliens etwievil fursten graven und herren in Dutschen landen geschrieben und sie gebetten habe, im volke wieder den kunig von Engeland zu schicken, als er daz wol sehen werde in den abeschriften der briefe, die der bischof von Colle der bischof von Straßburg grave Symond von Spanheim etc. mime herren dem kunige gesant hant. und dieselben abeschrifte laßent in alle lesen.

10 [10] Item und so er die gelesen und gehoret hat, so sagent im: daz min herre der kunig denselben herren allen darof wiedergeschrieben und in verbotden habe, daz sie dem herzogen von Orliens wieder den kunig von Engelant nit zu hulf riden noch beholfen sin sollen, daz sie auch also dûn wollen; wann min herre der kunig wol verstee, nach

---

[1] *Diese Erwartung wurde getäuscht; vgl. zweite*
15 *Anm. zu art. 3 gegen Ende. Anfang Mai 1404 war von der zweiten Rate noch nichts gezahlt. Damals wurde Friderich de Mitra abermals nach England geschickt. Die vom 7 Mai 1404 datierten Beglaubigungsschreiben die ihm K. Ruprecht und*
20 *Pfalzgraf Ludwig mitgaben sind gedruckt Martène et Durand thes. n. anecd. 1, 1707-1709 nr. 72-74, regestiert daraus Georgisch 2, 876 nr. 15-17; das des Königs steht Karler. Pfälz. Kop.-B. 146 fol. 115ᵃ cop. ch. coaev., und ist auch bei Chmel nr.*
25 *1736 aus Martène l. c. und bei Janssen R.K. 1, 747 nr. 1162 aus Kodex eigenen Besitzes Acta et Pacta 361 regestiert. Friderich erhielt vom König und vom Pfalzgrafen je eine Vollmacht 24000 Nobel zu empfangen und darüber zu quittieren,*
30 *und desgleichen je eine auf 16000 Nobel lautend, ferner von denselben je 2 Quittungen, nemlich über 16000 und [für den Fall daß er den ganzen Rest von 24000 Nobel erhalten hätte] über 40000 Nobel. Die Vollmachten und Quittungen des*
35 *Königs stehen (die Vollmacht betr. 16000 Nobel nur als Notiz unter Verweis auf die andere) Wien H. H. St.A. Registraturb. A fol. 169ᵃᵇ cop. bezw. not. ch. coaev., alle 4 mit der Notiz non transivit; sie sind regestiert Chmel nr. 1738. Die Voll-*
40 *machten und Quittungen des Pfalzgrafen stehen in derselben Weise Karler. G.L.A. Pfälz. Kop.-B. 149ᵇ fol. 286ᵇ-287ᵃ, alle mit derselben Notiz non transivit. Ob man aus dieser Notiz schließen darf, daß die Gesandtschaftsreise Friderichs ganz unter-*
45 *blieb, lassen wir dahingestellt (vgl. aber Chmel nr. 1784); sicher ist, daß man damals noch kein Geld erhielt. Am 5 Oktober 1404 wandten sich K. Ru-precht und Pfalzgraf Ludwig abermals an K. Heinrich IV, letzterer auch an die Englischen*
50 *Herren die Bürgen des Vertrages waren, mit der Bitte um Zahlung des Restes der Mitgift. Ihr Gesandter war wider Friderich de Mitra. Die Briefe sind gedruckt Martène l. c. 1710-1713 nr. 76-78, Scriptores rer. Brit. corresp. of Th. Be-*
55 *kynton vol. 2 app. pag. 381-383 nr. 311-313 aus*

Martène, regestiert Georgisch 2, 878 f. nr. 42-43; der Brief des Königs steht Karler. G.L.A. Pfälz. Kop.-B 146 fol. 115ᵃ cop. ch. coaev., ist regestiert bei Chmel nr. 1862 aus Martène und bei Janssen 1, 752 nr. 1205 aus Kodex eigenen Besitzes Acta et Pacta 368. — Die erste Zahlung erfolgte aber, scheint es, erst im Frühjahr 1405, die nächste im Herbst 1406. Die Quittung des Königs vom 11 Mai 1405 über 6000 Nobel steht als Notiz unter Verweis auf die vorhergehende Quittung vom 8 Mai 1404 (s. oben) Wien l. c. fol. 169ᵇ und ist darnach regestiert bei Chmel nr. 1978. Die Quit-tung des Pfalzgrafen vom gleichen Datum über den gleichen Betrag steht ebenso Karler. G.L.A. Pfälz. Kop.-B. 149ᵇ fol. 286ᵇ. Zu dieser Zahlung vgl. den Posten der Kammereinnahmen vom 18 Juli 1405 Janssen R.K. 1, 781 f. nr. 1227 art. 19, bei uns in Bd. 6. Am 17 Sept. 1406 quittierten K. Ruprecht und Pfalzgraf Ludwig, jeder einzeln, über 4000 Nobel, mit der Klausel, daß noch 14000 Nobel zu zahlen seien. Die Quittung des Königs findet man Wien l. c. cop. ch. coaev., und darnach bei Chmel nr. 2192 regestiert, die des Pfalzgrafen Karler. l. c. als Notiz ch. coaev. — In den nächsten Jahren müssen dann noch wei-tere 4000 Nobel bezahlt worden sein, über die wir keine Quittung haben; denn am 7 Febr. 1411 be-vollmächtigte Pfalzgraf Ludwig den Friderich de Mitra, die noch übrigen 10000 Nobel der Mitgift Blanka's in Köln in Empfang zu nehmen und zu quittieren (Karler. l. c. fol. 291ᵇ cop. ch. coaev.), und mahnte unterm 8 Febr. auch die Bürgen des Vertrages um die noch ausstehenden 10000 Nobel (ibid. cop. ch. coaev.) — Vgl. die undatierten Schreiben K. Heinrichs IV bei Williams Official corresp. of Th. Bekynton (SS. rer. Brit.) 2, 373 ff. nr. 304. 306. 309. Der eine Brief erwähnt Krank-heit K. Heinrichs und Zahlung von 2000 Mark. Von einer Krankheit die K. Heinrich im April 1406 befiel erzählt Pauli Gesch. von England 5, 65-66. Haben die 2000 Mark mit den 4000 Nobeln zu thun über die am 17 Sept. 1406 quittiert wird?

1402
Aug. 10 dem als er mit dem kunige von Engeland in fruntschaften si, daz er dann unmuge-
lichen gestetde, daz die fursten graven und herren, die under im sin und der er mechtig
ist, dem herzogen von Orliens wieder den kunig von Engeland zu dinste und zu hulfe
riten solten; und wolle das auch understen und weren, wo er des geware werde, nach
allem sinem vermogen, als er auch billichen dûe. und was er dem kunige von Engeland *5*
zu liebe und fruntschaft getûn moge, da si er allzit willig und bereite zu; und desglichen getruwe er ime auch sunderlichen wol.

G. Verhältnis zu Italien nr. 296-304.

1402
Aug. 31 **296.** *Beschluß des Raths zu Venedig: höflich ausweichende Antwort an den Gesandten
des K. Ruprecht in Betreff seines neuen Zuges nach Italien. 1402 August 31* *10*
Venedig.

> *Aus Venedig St.A. Deliberazioni, secreta, senato 1, registro 1 fol. 73ª mb. coaer., links
> zu Anfang am Rande* Sapientes consilii.
> *Gedruckt Mone* Zeitschrift für die Gesch. des Oberrheins 5, 305 *ebendaher.*

1402 indictione decima die ultimo mensis augusti. *15*

Capta.   quod respondeatur ambaxiatori domini regis novi Romanorum [1] ad oblationem ipsius domini regis, qui offert posse suum pro honore favore et augmento nostri
dominii, et ad ea, que fecit dici domino duci Leopoldo et domino archiepiscopo de
Salcispurch [2] de permittendo [a] nos soldare gentes armigeras de suis territoriis et de
transitu gentium de aliis territoriis per suos passus in casu quo forent nobis necessarie *20*
et cetera: [1] quod cognoscimus predicta procedere a magna clementia sua et a cordiali dilectione, quam habet nostre dominationi, que tamquam devota amatrix honoris et
prosperi status sue excellentie tenet pro constanti, quod intentio ipsius domini regis sit
optime disposita ad grata et comoda nobis, et propterea referimus sue excellentie devotas
actiones gratiarum quantum scimus et possumus.   [2] ad significationem vero suarum *25*
prosperitatum et novorum partium Alemanie respondeatur, quod de omnibus suis prosperis successibus habemus teste deo et semper haberemus magnam leticiam et consolationem tamquam de nostris propriis, rogantes altissimum creatorem nostrum, quod dignetur
conservare suam excellentiam et natos suos illustrussimos in sospitate et prosperitate
secundum quod corda sua desiderant.   [3] ad ultimam partem sui descensus in Italiam *30*
1401 et quod velimus esse illius constantis animi et intentionis, cujus fuimus quando sua
excellentia descendit anno proxime preterito, respondeatur, quod omni vice, qua sua
regalis serenitas descendet in Italiam pro accipiendo coronam imperii, inveniet nos
dispositos ad faciendum ea que videbimus honeste posse facere cum honore nostro.

De parte alii, non 0, non sinceri 8. *35*

a) *cod. sic: auch Mone liest bis* necessarie et cetera *ganz ebenso.*

---

[1] *Am 24 Aug. 1402 schreibt Franz von Carrara
an seine Gesandten in Venedig: soeben sei eingetroffen Aycardus (sein Gesandter), der vom
König der Römer kommt und ihm mündlich berichtet, daß demnächst in Venedig anlangen werde
Giuelmo quello marescalcho riço [ohne Zweifel
Wilhelm Marschall von Pappenheim], el quale at-
tendeva chi a ma dona la imperatrice, ambasiatore*
*de misser lo re, der gute Nachrichten bringe; sie
sollen dieß der Signorie mittheilen, sowie daß er
dieselbe wissen lassen werde, was der Gesandte
ihm bringt; Venedig Markusbibl. mss. lat. cl. 14
cod. 93 fol. 96ᵇ cop. ch. coaer.*
[2] *S. die Instruktionen an die gen. von c. 25
Juli 1402 nr. 252f., wo aber von Venedig nicht
die Rede ist.*

297. *Franz von Carrara an Gerardus de Boiardis, beantwortet dessen Anfragen wegen* 1402 *der in Venedig verhandelten Ligue, wegen K. Ruprechts der große Dinge auf einer* Spt. 2 *Versammlung in Nürnberg betreibe, wegen dessen Gesandtschaft nach Italien, wegen der Könige von Böhmen und Ungarn und wegen des K. Ladislaus.* 1402 Sept. 2 *Padua.*

Aus Venedig Markusbibl. mss. lat. cl. 14 cod. 93 fol. 99ᵃ *cop. ch. coaev., mit der Notiz Ser Zilius scripsit, Lucas de Leone comisit, Baldus·cursor portavit.*

Egregie amice carissime. vui me scriviti e pregati stretamente, chio ve scriva de quello chio sento de le cosse infrascripte. [1] e prima desiderati de sapere, sel se
¹⁰ concludera la paxe che se tracta a Venexia etc.; e a questo io ve respondo, che le cosse sono in termene che io non ve poria scrivere ne notificare cossa alcuna, se io non me trovasse esser cum vui e che io ve dicesse a bocha. ma a vesino ¹ ve *sera dicto*ᵃ. [2] al facto del novo ellecto etc. ve respondo, che li fati soi sono in boni termene, e prospera grandemente, e obedisse ge tuta l'Alemagna; e de mo ² havere fato
¹⁵ uno parlamento in Nurimberg, ove lo haveva convocha e chiama tuti li principi electoreᵇ de lo imperio e molti altri gran*di* principi baroni e segnori. in lo quale parlamento de esser concluxo et tracta de grande e ardue facende. [3] al facto de liᶜ ambasiatore del novo electo etc. ve respondo, chel e sta chi uno ambassiatore del dicto novo electo et e anda a Venexia ³ per grande et alti facti, li qualeᵈ non seraveno da scrivere.
²⁰ [4] al facto del re de Hungaria e del re de Boemia non besogna che per questo io ve scriva, perche io ve mando intro una altra letera incluxe le copie de alcune letere recevute da Vienna ⁴, per le quale vederiti novelle de quilli. [5] al facto de maistro Andrea da Pixa etc. ve respondo, che maistro Andrea e venuto de le parte de Puglia, ove lo e anda e retorna per doe volte per certi gran*di* facti che se tractano de la, li
²⁵ quale io non ve poria scrivere ne significare, se io non me abochasse cum vui e che io medesemo le dicesse a vui in persona. ma per quello che me pare el re Ladislao e la segnoria da Venesia sono facti una anima e un corpo. va el dicto maistro Andrea a le parte de Alemagna per grande facti e per grande facende che se tracta. ultra de ço ve significo, chel re Ladislao e per havere el regname de Hungaria, e li baroni e
³⁰ principi de quello regname ha mandato a offerir ge el regname, e pregarlo chel se voya fare a Zara, e li metere la seça soa, ove tuti li baroni e principi del regname vegnira a çurarge ne le mane de esser fidele e obediente. e quilli che foreno caxone de la morte del re Karlo sono commissi e metudi ne le mane del papa. el quale ge ha promesso, chel re Ladislao non piglera mai vendeta de quilli, a li quale lo re da mo ha 1402
³⁵ perdona. datum Padue 2 septembris 1402. Spt. 2

Gerardo de Boiardisᵉ.

a) cod. *eher* secunda statt s. d., *undeutlich abgekürzt.* b) *sic.* c) *sic.* d) *sic hier und weiter unten.* e) *vgl. Broiardis, vgl. RTA.* 4 nr. 99 *und nr.* 68 a *nt.* 2, *auch* 5, 407, 41 b *und* 408, 47 a.

¹ *A vicino, nächstens.*
⁴⁰ ² *D. h. modo, jetzt.*
³ *S. das vorgehende Stück nr. 296 mit Note.*
⁴ *Am 4 Sept. 1402 dankt Franz dem magistro Galeaço de Santa Sofia für dessen Brief, worin Neuigkeiten vom neuerwählten Könige (Ruprecht)* *und von den Königen von Böhmen und Ungarn; Venedig Markusbibl. l. c. fol.* 99ᵇ. *Am 1 Sept. sendet Franz an Gerardus de Boiardis, am 2 Sept. an Michael de Rebata im Einschluß Kopie eines aus Wien erhaltenen Briefes; Venedig l. c. ful.* 99ᵃ.

[1402] **298.** *Brieflicher Bericht der Florentiner Gesandten an die Signorie über die Verhand-*
Spt. 6   *lungen wegen der Ligue in Rom.* *[1402 [1]] Sept. 6 Rom.*

> *Aus Florenz St.A.* Konvolut in 4° von Konzepten der Florentiner Gesandtschaftsbriefe
> an die Signorie u. a. vom Jahre 1402 fol. 7ᵃ conc. ch. coaev.

Bei den Verhandlungen über eine Ligue mit dem Pabst und eventuell K. Ladislaus u. a.[a] **1**
hat Pabst Bonifacius IX namentlich zwei Ausstellungen an den von Florenz vorgeschlagenen Kapiteln
vorgebracht: [1] cioe il primo vi dicemmo che contiene che contra qualunche il quale delle parti
d'Italia offendisse, non aggiugnevamo[a] „ove che di fuori d'Italia venisse e offendisse in Italia alcuno
de collegati". questo dicono per lo duca d'Orliente e simili.   [2] l'altro capitolo e quello che ex-
cetta il nostro commune dal fare contro lomperadore nuovo, ove vuole al tutto s'aggiungha, che, se **10**
lomperadore per qualunche modo attentasse contro allo stato suo, voi siate obligati a fare contro il
detto re e difendere il papa. a questo noi abbiamo saputo male rispondere, perche non sappiamo, se
l'obligo che avete con lui e come con imperadore o come re de Romani o come privato o in che forma.
ben abbiamo detto, che questo che domandate v'e debito, perche siete huomini suoi, e anche il papa
non se ne debba curare pero ch' esendo con voi in lega per vostro meço non sia[b] bisogna dubitare, **15**
e altre ragioni. ma come si sia di questo ove pretende, lo stato suo non si mutera, perche sente, il
[1402] re non e molto bene di lui. *Die Gesandten ersuchen dringend um Instruktion[3].*   dat. Rome 6 sept.
Spt. 6   hora prima noctis.

1402 **299.** *Franz von Carrara an K. Ruprecht: hält nach den ihm zugegangenen Nachrichten*
Spt. 8   *den Tod Johann Galeazzo's von Mailand für sehr wahrscheinlich, macht auf die* **20**
ersten Anzeichen des Sturzes der Mailändischen Herrschaft aufmerksam, und er-
mahnt den König die günstige Gelegenheit zum Handeln und Durchsetzen seiner
Pläne sich nicht entgehen zu lassen. 1402 Sept. 8 Padua.

> *Aus Venedig Markusbibl.* mss. lat. cl. XIV cod. 93 fol. 101ᵃ cop. ch. coaev., mit der
> Notis Paulus de Leone comisit, ser Zilius scripsit, Ancellinus Aycardi portavit.   **25**
> *Gedruckt bei Valentinelli im Archiv für Kunde österr. Gesch.-Qu. 26, 365 ebendaher.*

Gloriosissime ac invictissime princeps et mi domine singularissime. serenitati
vestre significo, quod his diebus elapsis insinuatum fuit mihi, comitem Virtutum graviter

---

a) Vorlage aggiugnevano.   b) undeutlich eingeflickt.

---

[1] *Das Jahr ergibt sich aus dem Datum mehre-*
rer dazugehöriger Briefe des Konvoluts.
[2] *Von der Ligue schreibt schon Franz von*
Carrara am 4 August, s. nr. 247; am 9 August
berichten dieselben Florentinischen Gesandten von
Verhandlungen zwischen dem Pabst und Herzog
Johann Galeazzo durch Karl de Malatesta zur
Vereitelung der obigen Ligue: der Herzog soll
Perugia frei lassen, dagegen soll der Pabst ihm
Bologna, nicht unter dem Titel des Vikariats
sondern als Markgrafen oder Herzog, zuerkennen;
andere Schwierigkeiten ergeben sich wegen der
Truppen-Stellung und -Besoldung. Über weitere
Schwierigkeiten ähnlicher Art berichten die Ge-
sandten am 9 Aug. nochmals, dann am 19. 21.
28 Aug., 3. 5 Sept.; alle diese Schreiben Florenz l. c.
fol. 1ᵇ-3ᵇ. — Am 22 Aug. 1402 schreibt Franz
von Carrara an Gerardus de Boyardis: die Ge-
sandten des K. Ladislaus sind in Eintracht von

der Signorie geschieden, sie haben 15000 Dukaten **30**
gleich und 15000 auf einen sicheren Termin er-
halten; es handelt sich auch um de le cosse
anchora fora de Italia; Dalmatien und Zara
sollen in Begriff stehen dem Könige [Ladislaus]
zu gehorsamen; der Graf von Carrara meldet **35**
ihm aus Rom, daß eine Ligue zwischen Pabst
Florenz u. a. im Werke sei; Venedig Markusbibl.
mss. lat. cl. 14 cod. 93 fol. 96ᵃ cop. ch. coaev.
Am 6 Sept. derselbe an Michael de Rebata und
Petrus de Alvarotis: er hat Nachricht von einem **40**
seiner Diener, daß der Pabst und K. Ladislaus
nicht geneigt seien mit Florenz in eine Ligue ein-
zutreten, falls die Venetianer nicht mit eintreten;
Venedig Markusbibl. l. c. fol. 100ᵃ.
[3] *Die Fortsetzung dieser Verhandlungen s. in* **45**
den Berichten derselben Gesandten RTA. 4 nr.
77ᵃ. 77ᵇ. 77ᶜ. 77ᵈ vom Sept. 15. 22. 25, Okt. 4;
dann schreiben dieselben an die Signorie [nach

infirmari; his autem duobus diebus elapsis dictum est, ipsum mortuum esse; verum hodie
de pluribus partibus de ipsius morte nova recepi, que de territorio suo et ejus subditis
manaverunt, et inter ceteros a quodam nobile[a] Gallassio de Corrigia, qui de Lombardia
veniens ipsum mortuum esse affirmavit. cujus rei causa quidam ejus frater ad quedam
5 castra sua sibi per comitem ipsum ablata et domino Ottobono Tercio data repente equi-
tavit et illa recuperavit. et alium quendam dicitur similiter fecisse. hujus rei maximum
est indicium, quod dominus Mantue, dominus Pandulfus de Malatestis, et omnes majores
caporales et capita brigatarum dicti comitis, qui erant Bononie, inde cum celeritate
maxima discesserunt et festini cum brigatis eorum in Lombardiam profecti sunt. egoque
10 ex habitis teneo ipsum mortuum[b] esse vel in extremis laborare, de quo regiam mage-
statem vestram advisare decrevi, quia, dum facta et res sue erunt in motu conquassione
et turbine (in quo maxime future sunt de proximo si istud erit), esset tempus facta
vestra faciendi magis quam unquam, ut disponere, sicuti videbitur et placebit, serenitas
vestra possit. que autem ulterius me habere contigerit, celsitudini vestre significare
15 curabo, cui me obnixius recomendo. datum Padue 8 septembris 1402.
Romanorum regi.

_1402_
Spt. 8

300. *Frans von Carrara an K. Ruprecht bzw. an die Königin Elisabeth (s. Quellen-*
angabe), berichtet mit voller Sicherheit den Tod Johann Galeazzos von Mailand,
und ermahnt den König unter den obwaltenden günstigen Umständen schleunigst
20 *wider nach Italien zu kommen. 1402 Sept. 10 Padua.*

_1402_
Spt. 10

Aus *Venedig Markusbibl.* mss. lat. cl. XIV cod. 93 fol. 102[b] *cop. ch. coaev., mit der*
Notis dat. Florius *scripsit ut supra* [*es sollte wol richtiger heißen wie in dem darauf*
folgenden Stücke im Kodex dat. et comissum ut supra, Florius scripsit], Ançellinus ab
Arpa portavit. — *Darunter die Bemerkung* Similia nova missa fuerant domine regine.
25 *Gedruckt Valentinelli im Archiv für Kunde österr. Geschichtsquellen 26, 365-366 eben-*
daher.

Gloriosissime et invictissime princeps et mi domine singularissime. per alias meas
literas[1] nuperime significavi majestati vestre, qualiter habueram quod dux Mediolani
graviter egrotabat et quod in magna infirmitate consistebat. nunc vero serenitati vestre
30 significo quod de pluribus locis et partibus habeo, quod ex certo prefatus dux penultima
die mensis augusti hora 9[c] noctis mortuus est[2]. cujus rei causa dominus Mantuanus,
dominus de Malatestis, dominus Jacobus a Vincenza, Facinus Canis, dominus Ottobonus
Tercius, et omnes alii capitanei sui cum omnibus gentibus Bononie et alibi residentibus
propere in Lombardiam se contulerunt, ubi rationabiliter et sine dubio ingentes motus
35 magne subversionis erunt. propterea ad majestatis vestre memoriam reduco, quod nunc
tempus esset quo vestra majestas negotia sua posset adimplere et obtinere intentionem
suam ac multa bona facere, unum vestre serenitati recolens: quod plerique remanserunt
serpenticuli, qui per majestatem vestram sunt radicitus extirpandi. ideo debet vestra
serenitas solicitari[d] et ad Italiam accedere protinus[e] et sine mora se exponere[f]. nam

_1402_
Aug. 30

40 a) *sic.* b) *om. cod.* c) *sic.* d) *cod.* solicitare. e) *cod. penit mit Schleife, Val. em.* protinus. f) *Val. em.* opponere.

4 *Okt. 1402]: nachdem bis auf die Klausel, die* | *Blatt fehlt und ist daher undatiert, aber nach*
sie den Abend vorher erhalten haben, alles in | *Stellung im Manuskript und Inhalt nach dem*
Ordnung war, komme der Pabst auf einmal mit | *Schreiben vom 4 Okt. 1402 zu setzen. Weiteres*
45 *neuen Schwierigkeiten wegen der Zahl der zu* | *s. unten nr. 303 vom 19 Okt.*
stellenden Truppen; aus Florenz l. c. fol. 11[b], | [1] nr. 299.
bricht unten mit der Seite ab, da das folgende | [2] *Richtiger am 3 September.*

ego et filii mei et quidquid habeo pro honore et statu majestatis vestre cum propriis et bonis omnibus prompti et parati sumus ad beneplacita et mandata vestra, cui me impensius recomendo.   datum ut supra ª.

Romanorum regi [1].

*1402
Sept. 14* **301.** *K. Ruprecht gewährt mit Rath der Fürsten trotz der zwischen ihm und dem Herzog von Mailand und anderen Herren in der Lombardei bestehenden Zwietracht allen Lombardischen Kaufleuten in Deutschland freies Geleit bis auf Widerruf [2]. 1402 Sept. 14 Nürnberg.*

> *A aus Karlsr. G.L.A. Pfälz. Kop.-Buch 8½ fol. 53ᵇ-54ª cop. ch. coaev., mit der Über-*
> *schrift* Ein gleitsbrief, daz die kauflute von Lamparten heruß gein Dutschen landen *als lange wandeln mogen, biß min herre daz vor gein Straßpurg dri manet verkundet hat ufzusagen. Am Rande der ersten Textzeile* Nota.
> *B coll. Karlsr. G.L.A. Pfälz. Kop.-Buch 149 pag. 46 cop. ch. coaev., mit gleicher Über-*
> *schrift.*
> *Regest bei Janssen Frankf. R.K. 1, 716 nr. 1136 aus A.*

Wir Ruprecht etc. bekennen und dún kunt offenbar mit diesem briefe allen den die in ummer sehent oder horent lesen: daz wir mit wolbedachtem mút rechter wißen und auch mit rate unser und dez richs fursten und lieben getruwen allen und iglichen kaufluten ᵇ von Lamparthen, sie sin uß unsern und dez richs stetden die der von Meylan oder ander herren in Lamparthen ietzunt innehant oder uß andern unsern und dez richs oder iren stetten in Lamparthen, keinen ᶜ ußgenommen, die von Lamparthen mit ire kaufmanschaft gein Dutschen landen oder von Dutschen landen wieder gein Lamparthen wandern sint, fri geleite und trostunge vor uns und alle die unsern ungeverlich geben haben, und geben in auch die in crafte diß briefs und Romischer kuniglicher mechte, also daz sie oder ire deheiner uns oder die unsern von solicher zweiunge und uneintracht wegen, so zuschen uns und den unsern uf ein sit und dem von Meilan und andern die uns und dem riche in Lamparthen ungehorsam sint uf die ander site sint ᵈ, nit schuwen dorfen noch sollen, mit ire selbs libe und gute und mit ir kaufmanschaft zu wandern und zu faren gein Dutschen landen, als lange biß wir daz gein Straßpurg offinlich dri ganz mende bevor ufsagen, ane alle geverde und argelist.   urkunde diß briefs versigelt mit unserm kuniglichem anhangendem ingesigel, geben zu Nurenberg uf des heiligen *1402 Sept. 14* cruces tag exaltacionis in dem jare als man zalte nach Cristi gepurte 1400 und 2 jare unsers richs in dem dritten jare.

Per dominum *Rabanum* episcopum Spirensem cancellarium ᵉ

Emericus de Moscheln.

---

a) *vorhergeht Brief vom 10 Sept. 1402 aus Padua ; Val. dat. Florentia irrig statt Florius, s. die Quellenangabe.*
b) *AB —e und —s —s. c) A keine mit Abkürzungszeichem, B keiner. d) om. AB. e) add. B.*

[1] *Am 10 Sept. wurde der Tod Johann Galeas-zos noch an verschiedene gemeldet: es heißt nach einem Briefe vom 10 Sept. an K. Ladislaus, dem die Todesnachricht kurs gemeldet wird fol. 108ᵇ in dem oben bezeichneten Kopialbuch, l. c.:* Similia nova scripta fuerunt infrascriptis: episcopo Tridentino ser Zilius scripsit; duci Leopoldo, domine Catherine de Cararia, duci Giullelmo, duci Alberto ser Marcus scripsit, Anzellinus de Salzipurch portavit; domino Conrado de Potestain magistro sancte Marie de Pruscia, duci Stefano Bavarie, domino Federico purcravio, duci Lodovico Bavarie, lofmaster [*ohne Zweifel korrigiert aus* lo hofmeister] episcopo Spirensi *Florius* scripsit, Ançellinus ab Arpa portavit.

[2] *Vgl. die entgegengesetzten Maßregeln gegen dieselben 1401 Dec. bis 1402 Merz in der Einleitung zu lit. C beim Augsburger Tage.*

302. *Frans von Carrara an K. Ruprecht: freut sich der vom König erhaltenen gün-* *1402*
stigen Nachrichten, kann den Tod Johann Galeazzo's von Mailand als ganz sicher *Spt. 17*
melden sowie den Abbruch der Verhandlungen Mailands mit Florenz u. a. in Folge
dieses Todesfalls; dagegen werde die Ligue zwischen dem Pabst und Florenz bald
zum Abschluß kommen; berichtet über Abzahlung der Schulden des Königs und der
Königin an ihn. 1402 Sept. 17 Padua.

Aus Venedig Markusbiblioth. mss. lat. cl. XIV cod. 93 fol. 105ᵃ cop. ch. coaev., mit der
Notis Ser Zilius scripsit, Paulus comisit, suus nuncius portavit.
Gedruckt von Valentinelli im Archiv für Kunde österr. Gesch.-Qu. 26, 366 ebendaher.

Gloriosissime ac invictissime princeps et mi domine singularissime. regie majestatis vestre literas ea qua decuit reverentia nuper accepi. per quas scribitis quod serenitas vestra percipere optat, quomodo et qualiter lige tractatus fieri debeat de qua inter
papam Venetos et Florentinos ratiocinatum extiterat. in quibus etiam literis regios suc-
cessusᵃ vestros nunciavistis etc. ad quas respondeo, me prospera nova successuum
majestatis vestre libenti animo audivisse, et inde cor meum ingens leticia conplexa est.
nec rem quippe mundi posset animus meus accipere gratiorem, et que me profecto majori alacritateque jocunditate repleret, quam felices regie serenitatis vestre successus, regii
vestri culminis incrementa. de ipsorum itaque significatione novorum celsitudini vestre
ago gratias quantas possum. super vero lige tractati respondens significo, quod revera
et sic pro constanti potest serenitas vestra tenere, quod comes Virtutum mortuus est.
et si quid obᵇ hoc suggereretur et diceretur regie majestati vestre, esset a veritate
semotum. hoc enim certitudinaliter ex multis partibus habitum est, sed certius per
archiepiscopum Mediolanensem et dominum Petrum de Curte, qui sui fuerunt super
pacis praticis tentis Venetiis oratores, qui de ejus obitu literas receperunt et eum de-
functum scivisse dixerunt. constat hoc preclare per literas passus patentes scriptas sub
nomine domini Johannis Marie ejus nati, que semper sub patris nomine scribebantur, in
hac civitate Padue presentatas. cujus causa mortis oratores mei, qui super pratica ista
fuerunt cum licentia domini illius, habentes de certo quod comes ipse sit mortuus discesserunt, et sunt Florentini de proximo discessuri, et hac ipsa causa interruptus est
lige pretacte tractatus, itaqueᶜ scribere serenitati vestre super ipsa aliud non possum.
verum per ea que habeo deficere non potest quin liga inter dominum papam et Florentinos fiat et in brevius concluxionem accipiat[1]. atᵈ quicquid ulterius et amplius de liga
ipsa et rerum emergentiis ad honorem statum et augmentum celsitudinis vestreᵉ et imperii sacri tendentibus contigerit me sentire, protinus majestati vestre significare curabo.
postremo notificoᶠ, quod illi Canicer et Conradus Soyler cives Nurimbergenses, de quibus
scripsit mihi serenitas vestra, insinuaverunt michi, quod pecuniam, que michi per majestatem vestram regiamᵍ debebat, mitterem acceptum, quia solverent michi in medio
mensis instantis. ob quod Venetias misi ⁱ unum meum, pecuniam ipsam acceptum, cum

---

a) cod. successos.　b) cod. ab.　c) cod. sic.　d) cod. ad.　e) cod. vestri.　f) cod. notificans.　g) cod. regina.

---

[1] S. nr. 298 und nr. 303.

[2] Am 15 Sept. 1402 macht Franz von Carrara
als Reichsvikar durch offenen Brief bekannt, daß
er Berthinum ab Armis zu seinem factorem nuncium missum et procuratorem mache, um in seinem
Namen petere habere et recipere von den Nürnberger Bürgern Chanicer und Conradus Sohiler

5000 Dukaten im Namen des K. Ruprecht, die
ihm derselbe in Folge Darlehens schuldet, sowie
300 Dukaten von denselben im Namen der Königin Elisabeth, und um Quittung darüber zu geben
u. s. w., dat. Padue s. meo sig. die veneris 15 sept.
1402 decima indictione; aus Venedig Markusbibl.
l. c. fol. 105ᵃ. Vgl. nr. 127 und nr. 168 art. 61.

52 *

1402
Sept. 17   pleno mandato ad faciendum finem et quietationem de ipsis pecuniis, ut fuerit opportunum, et puto nunc ipsum meum ipsos denarios recepisse. insuperque recepi, quod
michi serenissima domina mea regina debebat.   ceterum me servitorem serenitatis vestre
eidem serenitati obnixius recomendo, quicquid in me est offerens prompta mente ad
1402   cuncta que vestre majestatis sapiant voluntatem.   datum Padue 17ª septembris   5
Sept. 17   1402 [1].

1402
Okt. 19   **303.** *Entwurf* [1] *einer Ligue zwischen Pabst Bonifacius IX und der Stadt Florenz.
1402 Okt. 19 Rom.*

Aus Florenz St.A. Riformagioni, atti pubblici, *6 fol. mb. coaev., mit Notariatszeichen,
aber ohne jede Spur von Sigelung.*   10
Erwähnt Gregorovius Gesch. der Stadt Rom 3 Aufl. 6, 540.

1402   In nomine sancte — noverint universi —, quod anno nativitatis 1402 ind. 10 die decima
Okt. 19   noua mensis oct. pontificatus Bonifacii anno 13 Rome apud S. Petrum in palatio *u. s. w. Außer den
Bestimmungen, welche uns hier nicht angehen, wird bestimmt, daß namentlich dem K. Ladislaus der
Eintritt in die Ligue vorbehalten sein soll; das Bündnis gilt ohne Ausnahme, besonders heißt es im*   15
*vorletzten Artikel, daß alle Verträge der Kontrahenten mit irgend welchen weltlichen oder geistlichen
Personen seu comitibus baronibus marchionibus ducibus principibus regibus reginis vel ad Romanum
vel aliquod aliud electis imperium vel imperatoribus quibuslibet nemine prorsus excepto, soweit dieselben diese Ligue beeinträchtigen oder irgendwie aufheben, nicht gelten sollen* [2]. *Der letzte Artikel
besagt, daß dieß alles in Kraft trete und gelte, wenn und insofern es in 14 Tagen von den Floren-*   20
tinern durch instrumentum publicum ratifiziert und approbiert werde.

a) *cod. ursprünglich* XXVII, *aber die erste* X *ausgestrichen; das Datum 17 passt auch richtiger zur Stellung des
Stückes im Kodex zwischen Briefen vom 17 und 18 Sept.*

[1] *Es folgt hierauf die Notiz* Litere regraciatorie
cum notificatione, quod comes Virtutum de certo
mortuus est, scripte fuerunt infrascriptis per ser
Zilium, ser M. Florium, et me Antonium, Paulum
de Leone comisse, date ut supra [*1402 Sept. 17*]:
serenissime et excelentissime principi et domine
domine Helisabeth dei gratia Romanorum regine
semper auguste domine sue singularissime; reverendo in Christo patri domino domine Rabbano
dei gratia episcopo Spirensi cançellario etc. amico
carissimo; reverendo in Christo patri et domino
domino Conrado de Potestain *magistro* sancte Marie
de Pruscia amico carissimo; illustri et excelso principi et domino domino Ludovico Reni comiti pa-
latino dei gratia duci Bavarie etc.; magnifico et
potenti domino domino Federico purcravio Nurimbergensi etc. amico carissimo. — *Am 18 Sept.
1402 schreibt Franz von Carrara dem ducale
dominium von Venedig seinen Dank für Übersendung einer Kopie eines Schreibens mit Neuigkeiten aus Deutschland, das demselben kürzlich*

zugegangen; aus Venedig Markusbibl. l. c. fol.   25
106b.
[2] *Daß dieß nicht die definitive Urkunde ist,
folgt aus dem oben angeführten letzten Artikel
und der mangelnden Sigelung; aber dieser Entwurf hat die vorgesehene Bestätigung durch Florenz
erlangt, denn am 29 Okt. 1402 zeigt die Zehner-*   30
*balei von Florenz dem Herrn von Lucca Paul
Guinigi an, daß am 19 des Monats firmata et
conclusa fuit publicis documentis in urbe confede-
ratio atque liga zwischen dem Pabst und Florenz
in forma plenissima et nobis amicisque nostris*   35
*gratissima, dat. Florentie die 29 octobris 1402;
aus Lucca Bibl. pubblica mss. 112 Lettere di vari
a Paolo Guinigi nr. 59 or. ch. lit. cl.*
[3] *Also hat Florenz die gewünschte Ausnehmung
K. Ruprechts, derentwegen der Pabst so hart-*   40
*näckige Schwierigkeiten machte, s. vorhin nr. 298
mit den Noten daselbst, nicht durchgesetzt. Dieses Umstandes wegen interessiert uns die Ligue
hier.*

304. *Glaubsbriefe des Franz von Carrara für den gen. Gesandten an den Hof K. Ru-* 1402
prechts. 1402 December 23 Padua. Dec. 23

Aus Venedig Markusbibl. mss. lat. cl. 14 cod. 93 fol. 118ᵃ cop. ch. coaev.

Litere credentiales in personam nobilis viri Dorde de Gumbertis [1] pincerne magni-
5 fici domini nostri ad infrascriptos mutando mutanda, dat. Pad*ue* die 23 decembris 1402;
ser Marcus scripsit:

illustri principi domine Helisabeth dei gratia Romanorum regine,
domino Rabano episcopo Spirensi cançellario etc.,
domino Federico purcravio Nurimbergensi etc.

10 **H. Verhältnis zu K. Wenzel, K. Sigmund, Mf. Jost, nr. 305-322.**

305. *Vertrag zwischen K. Sigmund von Ungarn und den Herzögen Wilhelm Albrecht IV* 1402
und Ernst von Österreich ². 1402 August 16 Wien. Aug. 16

Aus Wien H.H. St.A. Repertorium 16 or. mb. lit. pat. c. 4 sig. intus subtus impr.
Gedruckt Pelzel Wenzel 2 Urkdb. pag. 84-86 nr. 182 ebendaher.
15 *Regest Lichnowsky Gesch. des Hauses Habsburg 5, 47 nr. 500; Kurz Albrecht IV 2, 110,*
Fejér cod. dipl. Hung. tom. 10 vol. 4 aus Pelzel l. c.; ausführliche Widergabe bei
Aschbach Gesch. Kaiser Sigmunds 1, 177-179 aus Pelzel l. c.

[1] K. Sigmund verspricht einem der gen. 3 Herzöge das Königreich Ungarn im Falle seines
unbeerbten Ablebens zu vermachen. [2] Die von altersher bestehenden Gemächtnisse Böhmens Mäh-
20 *rens und Brandenburgs mit den gen. Herzögen will K. Sigmund erneuern und bessern, wenn er jetzt*
nach Böhmen kommt. [3] Er wird trachten, daß die Mark Brandenburg in seine Gewalt komme
um dieselbe einem der gen. zu überantworten. [4] Die Gemächtnisse der Lande Österreich Steier
Kärnthen Krain Tirol mit K. Sigmund wollen die 3 gen. Herzöge erneuern und bessern, so daß die-
selben an K. Sigmund bzw. dessen männliche Erben fallen, wenn die 3 Herzöge unbeerbt ableben.
25 *[5] Verabredung wegen der zu gewinnenden Schlösser, die Markgraf Jost in seine Gewalt gebracht*
hat. [5ᵃ] K. Sigmund will sich mit Markgraf Jost nicht richten ohne der 3 Herzöge Rath Willen
und Wissen. [6] Betreffs K. Wenzels ist K. Sigmunds Wille und Meinung, daß alle Händel un
das Reich und alle Gewalt nach aller Kontrahenten Rath Willen und Wissen gänzlich werden ge-
handelt, und daß K. Wenzel werde besetzet mit Amtleuten und Räthen, die zu solchen Sachen gehören
30 *und ouch ümb sein [Wenzels] geveerte keen Rome. [6ᵃ] Auch vergönnt K. Sigmund den gen* ·
Herzögen von Österreich vor männiglich zu taidingen zwischen seinem gen. Bruder und Herzog Ru-
precht von Baiern. [7] Der K. Sigmund und die gen. Herzöge von Österreich wollen und sollen
auch kräftiglich darauf sein stehen und bleiben nach allem ihrem Vermögen um eine Einigung der

---

¹ Sic; sonst heißt derselbe gewöhnlich Gambertis,
35 s. pag. 63 lin. 45 und öfter. Beiläufig ließ Franz
am 17 Nov. 1402 ausstellen Litera recomendationis
in personam Eborardi de Franch hujus exhibitoris,
dat. Pad*ue* 17 novemb. an den Römischen König,
Venedig l. c. fol. 113ᵇ. — Die obige Gesandtschaft
40 hängt vielleicht mit dem Friedensschluß zwischen
Franz und der Mailänder Herzogsfamilie zusammen,
der unter dem 7 December verkündet wird in Padua,
s. Venedig l. c. fol. 118ᵃ, und welchen Herzog
und Herzogin von Mailand am 8 December den
45 Behörden der Kommune Mailand mittheilen, dessen Veröffentlichung auf den 25 December an-
ordnend, Mailand Archivio municip. Registro delle
lettere ducali 1401-1403 fol. 86ᵃ und ibid. Registro

u. s. w. 1395-1409 fol. 106ᵇ, gedruckt Osio docum.
diplom. 1, 376-377 ebendaher. — Über einen Vermittlungsversuch zwischen K. Ruprecht und den
Visconti s. die Instruktion zur Botschaft an Herzog Karl von Lothringen von c. Febr. 20 im
Jahre 1403 nr. 353. — Briefe von Franz von
Carrara an K. Ruprecht über die Italienischen
Verhältnisse, besonders über die in Rom, s. RTA.
4 nr. 100. 101, wo man überhaupt vgl.
² Dieser Vertrag bildet namentlich in den Artikeln 5. 6. 7 die Grundlage der Sigmund-Wen-
zel'schen Politik besonders betreffend das Verhältnis
zu K. Ruprecht und Italien. Die Ausführungs-
urkunden vom 14 Sept. ff. s. in der Note zu nr.
310 vom 17 Okt. 1402.

1402
Aug. 16 *heiligen Christenheit zu machen, also daß das gegenwärtige Schisma werde gewendet.*   *[8] Die Lande der Kontrahenten sollen beiderseits friedlich gegen einander stehen und bei ihren Rechten und Gewohnheiten bleiben.*   *[9] Beider Seiten Kontrahenten geloben, mit allen ihren Landen und Leuten bei einander zu bleiben, sich in allen Sachen getreulich zu helfen, und die gen. Stücke und Artikel stät*
1402
Aug. 16 *zu halten und zu vollführen[1].   Geschehen zu Wien Mi. nach assumptio Marie 1402.*   5

1402
Aug. 29 **306.** *Beschluß des Raths zu Udine, betreffend Italienischen Zug der Könige Sigmund und Wenzel. 1402 Aug. 29 Udine.*

Aus Udine St.A. Annal. civit. tom. 14 fol. 372 b conc. ch. coaev.

Der Rath hat ein Schreiben pridie vom Patriarchen von Aquileja [Anton II Panciera] empfangen, welches dieser von den Grafen von Görz hat, des Inhalts, daß der Herzog von Mailand 10
beabsichtige, in kurzem mit Heeresmacht in diese Gegend zu kommen; und ferner ist Kunde zu ihm gedrungen, daß der König von Ungarn und der imperator antiquus in kurzem nach Italien zu ziehen beabsichtigen, und daß mit denselben die Grafen [Friderich] von Ortenberg und [Hermann] von Cilly kommen sollen[2], von denen allen, besonders von dem von Ortenberg, man nichts gutes zu erwarten habe. Deshalb, auf Vorbringen der Herren 7 deputati, beschließt das consilium plenum der 15
Stadt Geld zu Rüstungen und Vertheidigungsbauten aufzubringen[3].

1402
Aug. 30 **307.** *K. Ruprecht bevollmächtigt 2 gen. Gesandte zu Unterhandlungen mit Markgraf Jost von Mähren. 1402 Aug. 30 Nürnberg.*

Aus Karlsr. G.L.A. Pfälz. Kop.-B. 4 fol. 180ᵃ cop. ch. coaev., mit der Überschrift Ein   20
machtbrief uf herr Rudolff von Zeißenkeim und Johannes Winheim, mit marggrave Josten von Merhern zu tedingen.
Steht auch Wien H.H. St.A. R.-Registr.-Buch C fol. 111ᵇ cop. ch. coaev.
Regest Pelzel Wenzel 2, 470 ex regestis Ruperti, und Chmel reg. Rup. nr. 1291 aus Wien l. c.   25

Wir Ruprecht [u. s. w., *gibt* Vollmacht] Rudolff von Zeißinkeim ritter und Johannes
von Winheim unserm prothonotarien unsern reten und lieben getruwen [*wörtlich wie in Band 4 nr. 393 vom 8 Juli 1401 mut. mut., natürlich mit Auslassung der Worte* oder
dem merern teil under in *und* oder der merer teil under in]. geben zu Nuremberg uf
den nehsten mitwochen nach sant Johans baptisten tag als er entheubt wart in dem   30

---

[1] *Franz von Carrara schreibt am 31 Aug. 1402 an den Bischof von Trient: er hat den Brief Sr. Väterlichkeit erhalten, per quod nova habita de rege Hungarie et rege Bohemie michi libuit rescrare; dankt sehr dafür, auditurus libenter que super tractatibus illis habitis cum illustribus principibus duce Guilielmo et duce Alberto contigerit vos sentire; sein Sohn Jakob ist in Gefangenschaft; folgen noch Lokalnachrichten; dat. Padue ultimo augusti 1402; aus Venedig Markusbibl. mss. lat. cl. 14 cod. 93 fol. 98ᵇ cop. ch. coaev., gedruckt von Valentinelli im Archiv für Kunde österr. Geschichtsquellen 26, 377 f. ebendaher.*
[2] *Vgl. nr. 148 vom 1 Jan. 1402.*
[3] *Hieran knüpfen sich noch folgende Beschlüsse des Raths zu Udine: 1402 Sept. 1 mit Bezug auf die durch Schreiben des Johann von Rabatta Kapitäns von Görz an den Patriarchen zugegangenen*

Neuigkeiten [es sind die obigen vom 29 Aug., die hier nur widerholt werden], und da im Paduanischen und Trevisanischen Gebiete surgum et millium gesammelt werde, auch ein Zeichen magnorum novorum: so wird beschlossen, zur nöthigen 35 *Sicherung des Staates gans außerordentliche Abgaben zu erheben, Udine l. c. fol. 372ᵃᵇ. — Am 4 Sept. 1402 bringt Ser Johannes de Fagano vor, er habe von einem zuverlässigen Manne, daß der imperator antiquus und der König von Ungarn* 40 *mit den Herzögen von Österreich geeinigt seien und völlig beabsichtigen in das Land zu ziehen, dispositi intrare specialiter hanc terram cum bonis verbis et ficticiis, sed revera intendunt ponere eam totam ad focum et flammam. Deshalb wählen* 45 *sie einige boni viri, um wegen dieser Dinge sich mit domino nostro [d. h. dem Patriarchen von Aquileja] zu benehmen, Udine l. c. fol. 374ᵃ.*

jare alz man zalte nach Christi geburte 1400 und zwei jare unsers richs in dem ᵃ *1402 Aug. 30*
dritten jare.

Ad mandatum domini regis
Nicolaus Buman.

⁵ **308.** *K. Ruprechts Anweisung für Verhandlungen mit Mf. Jost von Mähren, dem er* [*1402
eventuell bei der Besitzergreifung des Königreichs Böhmen behilflich sein will. ᶜ· ᴬᵘᵍ·
[1402 c. August 30 Nürnberg ¹*.]*   ³⁰]

*Aus Karlsr. G.L.A. Pfälz. Kop.-B. 146 fol. 60*ᵇ-*61*ᵃ *cop. ch. coaev.*
coll. Janssen Frankf. R.K. 1, 594-595 nr. 1004 aus Kodex in eigenem Besitz Acta et
¹⁰   Pacta 184.
Moderne lateinische Übersetzung Martène ampliss. coll. 4, 102f. nr. 70.

Gedechtniß an margrave Josten von Merhern ².

[1] Item daz der kunig von Beheim mime herren kunig Ruprecht von dem riche
genzlich abtrete, und auch allen fursten herren und stetden die zu dem riche gehorent
¹⁵ und war ez dann noit ist schribe daz er also abegetreten habe.

[2] Item und das marggrave Joste mime herren dem Romischen kunige Rupreht
das heiligtûm, in aller der maßen alz es zû dem riche gehoret, und unberaubet, und
darzû alle register und brieve, und mit namen die brieve uber Bravant und allez daz
zu dem riche gehoret, unverzogenlich und genzlich wiedergebe.

²⁰ [3] Item und das der kunig von Beheim auch sin lehen von mime herren dem
Romischen kunige solle enphaen. und were ez daz er nit mit sin selbs libe zu mime
herren dem kunige kommen mochte die zu enphahen, so wolle imme min herre der
kunig die er sinen brieven lihen, also daz er auch mime herren dem kunige brieve
wiederumbe gebe von siner lehen wegen, alz sich daz heischet.

²⁵ [4] Item daz margrave Joste von Merhern ᵇ minen ᶜ herren kunig Ruprecht auch
vor einen Romischen kunig halte, und sin lehen von imme enphahe, und imme auch
getruwlich bigestendig und beholfen si wieder alle die die in an dem riche understen
zu irren.

[5] Item were ez dann das der kunig von Ungern oder iemand anders wer der
³⁰ were dem kunige von Beheim wolte sten nach dem kunigriche zu Beheim und in unter-
stunde davon zu dringen, so sal imme mine herre der kunig wieder dieselben getrûlich
bigestendig und beholfen sin nach allem sinem besten vermogen ane geverde.

[6] Item und ob margrave Joste, so der weg ginge, fordern worde die lantvogtie
in Elsaß, da sal man reden umb ᵈ die drû sloße Keysersperg Munster Dorenkeim, die
³⁵ nutze davon ime zu laßen. ob er dez nit ufnemen wolte, so sal man reden uf ein
summe gelts davon laßen zû fallen.

a) *om. cod.* b) *cod. und Janssen Mernhern.* c) *so scheint korrigiert aus myrm; Janssen myrm.* d) *cod. und
Janssen ob.*

---

¹ *Das undatierte Stück gehört wol zu der Voll-*
⁴⁰ *macht vom 30 August 1402, wofür die Stellung*
im Kodex spricht: nach der Werbung an Herzog
Leopold von Österreich nr. 253 [1402 c. Juli 25],
und vor der Werbung an Markgraf Wilhelm von
Meißen nr. 284, die Mai bis Aug. 1402 fällt.
⁴⁵ *Janssen l. c. setzt dasselbe in den Juli 1402, Pelzel*
Wenzel 2, 462f. erwähnt es c. April 1402, Höfler

pag. 217 bringt es offenbar mit den Vollmachten
vom 8 Juli 1401 RTA. 4 nr. 393 und 394 in Zu-
sammenhang; der ganze Inhalt dürfte aber ent-
schieden dafür sprechen, daß diese Anweisung
aus der Zeit der Gefangenschaft Wenzels ist.
² *Vgl. die theilweise gleichlautenden Artikel in*
den Anweisungen RTA. 4 nr. 340 und nr. 392,
sowie in diesem Bande nr. 312 und nr. 408.

[7] Item und ob der weg gen worde, so ist mins herren dez kunigs meinunge, daz sich marggrave Jost von Merhern gein mime herren dem kunige verschribe und verbinde mit den sloßen die er ietzund in Beheim innehat oder furbaz innegewinnet, daz er dem kunige von Beheim dieselben sloße nit ingeben solle, mime herren kunig Ruprecht si dann gescheen und follenfurt als vor geschriben stet.

[8] Item wolte margrave Joste den weg nit angen, und wolte daz kunigriche zu Beheim fur sich selber behalten [1], und begerte daz sich mine herre kunig Ruprecht zu imme solte verbinden [a] und imme beholfen sin daz er daz kunigriche zu Beheim mochte behalten und dabi verliben etc.: item daruf ist zů reden: wil marggrave Joste minen herren kunig Ruprecht vor einen Romischen kunig halten, und sin lehen von im enphaen, und imme auch daz heiligtům daz zu dem riche gehoret unberaubet und die registere und brieve innegeben als vor geschriben stet, und sich auch mit den sloßen und lande, die er in Beheim ietzunt innehat oder furbaz innegewinnet, zu mime herren dem kunige verbinden, und daz auch wol versichern, so wil sich min herre der kunig wiederumbe zu im verbinden und im zu dem kunigriche zu Beheim getrulich beholfen sin, doch also daz er ime umbe die hůlfe auch dů daz zitlich si. und daz man dann auch davon rede, nach dem als er begeret daz im mine herre der kunig solte helfen, daz er imme darnach dů, und daz mine herre der kunig dez auch versichert werde.

1402
Sept. 3
309. *Die Söhne des verstorbenen Herzogs Johann Galeazzo von Mailand Johann Maria und Philipp Maria an K. Wenzel als Römischen König. 1402 Sept. 3 Mailand.*

Aus Mailand Bibl. Ambros. cod. ms. H 211 parte inferiori (früher T 11) fol. 5ᵇ-6ᵇ cop. ch. saec. XV.

Wegen ihres Vaters Tode [2], dessen Verdienste sie rühmend hervorheben (u. a. scit enim nobis conscia majestas vestra, quia alios testes negligimus: non nisi per illum in [om. cod.] Italia Romanum stat imperium), bitten sie ihn um Theilnahme und Schutz, und versprechen, dem Beispiele ihres Vaters
1402
Sept. 3
in Treue gegen das Reich zu folgen; dat. Mediolani die 3 sept. 1402.

a) *cod. verbinden mit zwei Punkten über i ?*

---

[1] *Am 31 Okt. 1402 fordert Markgraf Jost von Brandenburg und Mähren nebst Conrad Erwähltem zu Verden und Jan Krusschina gen. von Luchtemberg den Landgrafen Balthasar zu Thüringen auf, er soll mit ihnen dem Römischen König Wenzel aus seinem Gefängnis helfen, wofür ihnen dann durch den König oder, wenn dieser binnen der Zeit stürbe, durch Markgraf Jost, falls dieser zum Königreich Böhmen gelangte, Ausrichtung nach der Briefe Ausweisung werden solle; dat. Riesenburg omn. sanct. abend 1402; aus Dresden Archiv nr. 5232 or. ch. c. 3 sig.; NB. der hier gen. Conrad von Verden ist natürlich nicht Conrad von*

Soltau, sondern der vorher 1398 gegen Dietrich von Niem aufgestellte aber nicht durchgedrungene Gegenbischof.
[2] *Wol an demselben Tage (denn der Herzog starb erst am 3 September und der obige Brief fällt doch wol nach dem zu erwähnenden) theilen die beiden oben gen. Söhne dem Römischen König Wenzel den Tod ihres Vaters mit, ohne politische Bemerkungen; dat. 1402 s. d.; aus Mailand l. c.; Regest bei Giulini memorie spettanti alla storia di Milano, nuova ed., 6 doc. pag. 273, ebendaher.*

310. *Beschluß des Raths zu Venedig: Antwort auf eine Gesandtschaft des Herzogs* 1402
Albrecht IV von Österreich, namentlich betreffend Versöhnung zwischen K. Wenzel Okt. 17
und K. Ruprecht. 1402 Okt. 17 Venedig.

Aus Venedig St.A. Deliberazioni, secreta, senato 1, registro 1 fol. 77ᵇ *mb. coaev.; zu An-*
fang links am Rande Sapientes omnes consilii excepto ser Thoma Mocenigo qui non
interfuit.
Auszug bei Mone Zeitschrift für die Gesch. des Oberrheins 6, 305-306 ebendaher.

Die suprascripto [1].

Capta.   quod fiat responsio domino Vencislao de Spilinbergo ambaxiatori domini
10 ducis Alberti ad ambaxiatam nobis expositam parte sua.   [1] et primo ad primam
partem, per quam ipse dominus dux comunicat nobiscum tamquam cum amicis suis
carissimis honorem et exaltationem suam, que est quod ipse ᵃ est in concordio ᵇ cum
domino rege Hungarie de consensu multorum ex prelatis et baronibus regni, quod mo-
riente eo domino rege sine heredibus ipse dominus dux Albertus debeat esse rex et
15 succedere in regno [2], et quod exnunc constituit eum vicarium suum in dicto regno
quamdiu absens fuerit [3], propter quam causam deliberavit de proximo intrare ipsum
regnum et cetera: quod nos regraciamur illustri domino duci Alberto de domestica significatione et participatione predictorum, quia illa procedere cognoscimus a sincera caritate
quam gerit versus nos, quemadmodum facere potest, quia sic certe gerimus versus eum,
20 reddentes eum certum, quod omnis exaltacio sua placet nobis, cum propriam reputemus.
[2] ad aliam partem, in qua tangit quod facta sua sint nobis recomissa et quod habet
magnam spem in nobis: respondeatur, quod in his, que videremus honeste et cum nostro
honore posse facere, facta sua semper forent nobis recomissa.   [3] ad ultimam, divisionis que est inter reges Romanorum veterem et novum pro factis imperii, uterque
25 quorum est amicus et attinens suus strictissimus, et quod videret libenter quod inter eos
foret bonum concordium et bona conposicio, et propterea vellet habere consilium nostrum
et sentire a nobis, si videremus aliquam viam et aliquem modum per quem posset labo-

a) *cod. widerholt* quod ipse.   b) *sic, wie öfter in diesen Rathsbüchern neben* concordia *auch* concordium *vorkommt.*

---

[1] *Über der Seite steht* Die 17 octobris.
30 [2] *Am 14 Sept. 1402 verschreibt K. Sigmund (in*
Ausführung des Vertrages vom 16 Aug. nr. 305)
im Falle seines Ablebens ohne männliche Erben
dem Herzog Albrecht IV das Königreich Ungarn;
dat. Presburg in festo exalt. crucis 1402; aus
35 *Wien H.H. St.A.* Ungarn or. mb. mit Vikariats-
sigel; gedruckt ebendaher Fejér cod. dipl. Hungariae
tom. 10 vol. 4 pag. 132-134 und Kurz Albrecht IV
1, 120-122 nr. 19; dasselbe in deutscher Ausfer-
tigung Wien l. c. or. mb.
40 [3] *Am 17 Sept. 1402 erklärt K. Sigmund den*
Herzog Albrecht IV zu seinem stellvertretenden
Verwalter in Ungarn so oft er selbst abwesend ist
und eventuell zum Regenten seiner unmündigen
männlichen Erben; dat. Presburg So. n. exalt.
45 *crucis 1402; aus Wien H.H. St.A.* Ungarn or.
mb. mit Vikariatssigel; gedruckt Fejér cod. dipl.
Hung. l. c. 140-142 nr. 49 und Kurz l. c. 1,
222-225 nr. 20 ebendaher; dasselbe in deutscher
Ausfertigung, dat. Presburg Mo. nach exalt. crucis,

Wien l. c. or. mb. — Ferner verspricht K. Sig-
mund Herzog Albrecht am 17 Sept., ihm bei seiner
Rückkehr nach Ungarn eine Residens und 12000
Gulden anzuweisen, aus Wien l. c. or. mb., ge-
druckt Fejér l. c. 144-145 nr. 50 und Kurz l. c.
1, 225-226 nr. 21; dasselbe in deutscher Ausfer-
tigung vom 18 Sept. 1402 Wien l. c. or. mb. —
Am 21 Sept. erkennen die Stände Ungarns die
Verfügung K. Sigmunds an, gedruckt Fejér l. c.
134 ff. nr. 47 und Kurz l. c. 1, 226-228 nr. 22
aus or. in Wien, Katona Historia critica regum
Hungariae tomus 4 ordine 11 pag. 535-540 ex.
mss. Cornidesiana, Kovachich Supplementum ad
vestigia comitiorum apud Hungaros 1, 295-299
ex. coll. dipl. ms. com. Fran. Széchenyi t. 6 nr. 30,
woselbst indirekt ex. or. — Am 23 Sept. befiehlt
K. Sigmund, dem Herzog Albrecht während seiner
Abwesenheit als Vikar zu gehorchen, gedruckt Fejér
l. c. 142 ff., Kurz l. c. 1, 228 ff. aus or. in Wien. —
Alle gen. Urkunden erwähnt Aschbach Gesch. K.
Sigmunds 1, 180-182 aus den angeführten Quellen.

1402
Okt. 17 rare ad tractandum concordium antedictum: respondeatur, quod nobis displicet, et debet
displicere cunctis bene dispositis et bene vivere optantibus, quod divisio ipsa vigeat inter
duos serenissimos principes antedictos, et laudamus sicut merito debemus intentionem et
dispositionem excellentie sue ad volendum procurare de reconciliando ipsos simul. et si
nos videremus ad hoc modum ample ᵃ, certe ad memoriam sue magnitudinis duceremus. ₅
sed nos sumus ita remoti a partibus eorum et utriusque ipsorum et de factis predictis
ita modicum informati, quod non videmus posse aliud dicere superinde, nisi quod, si
sua excellentia, cui omnia ipsa facta et omnes differentie eorum note sunt, videbit posse
ipsos reducere ad concordium et conpositionem, certe ex illo aquiret in hoc mundo
magnam laudem et bonum premium in eterno.   10

De parte 106, non 1, non sinceri 4.

1402
Okt. 19 **311.** *K. Ruprecht bevollmächtigt 2 gen., mit Herzog Albrecht IV von Österreich auf*
einem Tage zu Linz am 28 Oktober von dessen wegen und von wegen K. Sigmunds
und K. Wenzels zu verhandeln ¹. 1402 Okt. 19 Nürnberg.

> *Aus Karlsr. G.L.A. Pfälz. Kop.-B. 4 fol. 188ᵇ cop. ch. coaev., mit der gleichzeitigen* 15
> *Überschrift* Ein gewaltsbrief uf burggrave Friderich von Nuremberg und den von
> Swartzpurg mit herzog Albrecht von Osterrich etc. zu tedingen.
> *Steht auch Wien H.H. St.A. R.-Registr.-Buch C fol. 118ᵇ cop. ch. coaev.*
> *Regest Pelzel Wenzel 2, 473 aus reg. Ruperti (d. h. wol aus Wien l. c.), Chmel nr. 1336*
> *aus Wien l. c., Lichnowsky 5 nr. 513 und Monum. Zoller. 6, 158 nr. 169 aus Chmel* 20
> *l. c.*

Wir Ruprecht etc. bekennen und dun kunt offenbar mit diesem briefe: als
wir einen tag hann ofgenomen mit dem hochgeborn Albrechte herzogen zu Osterrich etc.
1402
Okt. 28 unserm lieben oheim und fursten gein Lincze uf der heiligen zwolfboten Symonis und
Jude tag nehstkumpt, das wir dem ᵇ hochgeborn Friderichen burggraven zu Nuremberg 25
unserm lieben swager und fursten und dem edeln unserm lieben getruwen grave Gun-
theren von Swartzburg herren zu Raniß unsern vollen gewalt und ganze macht geben
haben und geben in die auch in craft diß briefs, of dem obgenanten tag mit dem
egenanten herzog. Albrecht von sin selbs und auch von der kunige von Beheim und
von Ungern als von dez Romischen richs und andere sachen wegen zu tedingen [*und* 30
was dieselben auf demselben Tage von unsern wegen aufnehmen beschließen für uns
verbriefen und versigeln, wollen wir also halten vollführen und verbriefen.   Mit Ma-
1402
Okt. 19 *jestätsigel gegeben zu Nürnberg auf den Donnerstag nach St. Lucas des Evangelisten*
Tag 1402, des Reichs anno 3].

Ad mandatum domini regis 35
Johannes Winheim.

a) *cod. hat ein Komma nach* certe. b) *cod.* den.

¹ *Vgl. art. 6ᵃ des Vertrages vom 16 Aug. 1402,   Ruprecht pag. 290; s. auch art. 3 des vorigen*
vorhin nr. 305, '*gegen die Bemerkung Höflers* K.   *Stückes vom 17 Okt. nr. 310.*

312. *K. Ruprechts Anweisung für seine Gesandtschaft, Burggrafen Friderich VI von* [1402 *Nürnberg und Grafen Günther von Schwarzburg, mit Herzog Albrecht IV von* c. Okt. *Österreich wegen Vereinbarung mit K. Wenzel K. Sigmund und den Österreichischen Herzögen zu verhandeln. [1402 c. Okt. 19 Nürnberg* [1]*.]*

> *Aus Karlsruhe G.L.A. Pfälz. Kop.-B. 146 fol. 66* b *- 68* a *cop. ch. coaev.*
>
> *coll. Janssen Frankf. R.K. 1, 717-719 nr. 1138 aus Kodex in eigenem Besitz* Acta et Pacta 68.
>
> *Moderne lateinische Übersetzung bei Martène ampliss. coll. 4, 112-114 nr. 76.*

Gedechtniß an herzog Albrecht von Osterrich [2].

[*1*] Item das der kunig von Beheim mime herren dem Romischen kunig Ruprecht von dem riche genzlichen abetrede, und auch allen fursten herren und stetten die zu dem riche gehorent, und ware es dann not ist, schribe das er also abegetretden habe.

[*2*] Item und das mime herren dem Romischen kunig Ruprecht das heiligtum, in aller der maßen als es zu dem riche gehoret, und unberaubt, und darzu alle registere und briefe, und mit namen die briefe uber Bravant und alles das zu dem riche gehoret, zuvoran unverzogenlichen und genzlichen zu sinen handen und in sinen gewalt geben und geantwurtet werde.

[*3*] Item ob der kunig von Beheim bi demselben kunigriche blibe, das er dann auch sine lehen von mime herren als von eime Romischen kunige enphae. und ob er mit sin selbs libe nit zu mime herren komen mochte die lehen zu enphaen, so wolle im die min herre mit sinem brieve verlihen, also das er mime herren dem kunige brieve widerumbe gebe von siner lehen wegen, als sich das heischet.

[*4*] Item wolte aber der kunig von Ungern das kunikriche a zu Beheim fur sich selber behalten, daruf ist zu reden, das er minen herren den b Romischen kunig Ruprechte fur einen Romischen kunig halten und sine lehen von ime enphahen sulle und im auch das heiligtum das zu dem riche gehoret unberaubet und die register und brieve zuvoran ingeben als vor geschriben stet.

[*5*] Item und welcher under den zweien kunigen von Beheim und von Ungern bliben wirdet, der sal auch mime herren dem Romischen kunige Ruprechte getrulichen bigestendig und beholfen sin wider alle die die in an dem riche understen zu irren. und das min herre der kunig des auch alles wol versichert werde.

[*6*] Item und ob die artikele also geen worden als vor geschriben stet, und man von der sicherheit wegen reden worde, meinten sie dann minen herren zu versichern mit briefen und burgen wez sie sich gein ime verschriben worden, also das min herre desglichen in auch widerumbe tun solte das er sich gen in verschribe worde: darof ist zu reden, das mime herren kunig Ruprecht das heiligtum und register und brive, als

---

a) *cod. kunigtkriche.* b) *cod. und Janssen dem.*

---

[1] *Das undatierte Stück gehört vermuthlich zu dem Vollmachtsbrief K. Ruprechts vom 19 Oktober 1402 für seine Gesandten zum Tage von Linz nr. 311, wie auch Martène und Chmel Reg. nr. 1336 annehmen; im Kodex steht das Stück nach der Instruktion zum Tage von Cleve [1402 zw. Mai und Aug.] nr. 236 und vor den Werbungen in der Kurtrierischen Angelegenheit [zw. 1402 Herbst und 1403 Frühjahr], s. Einleitung zu diesem Tage*

lit. K gegen Ende, worauf die Antwort an den Herzog von Lothringen [1403 c. Febr. 20] nr. 353 und K. Ruprechts Brief an denselben vom 22 Merz 1403 nr. 180 folgen. [2] *Vgl. die sehr ähnlichen Artikel der Anweisung von [1402 c. Aug. 30] nr. 308, ferner RTA. 4 nr. 340 und nr. 392 und später in diesem Bande 5 nr. 468.*

vor geschriben stet, zuvoran geantwurt werden solle. und man sulle daran lange halten.
doch das man es of das leste auch darumbe nit laßen zustoßen.

[7] Item wer' ez auch das sie meinten ª, sie wolten mime herren kunig Ruprechte
nit verbunden sin gein Lamparthen ᵇ zu helfen oder zu dienen, da sal man es auch nit
umbe laßen zurstossen, ob die andern artikle gen worden als vor geschriben stet.

[8] Item were ez auch daz derselbe, der also bi dem kunigriche zu Beheim verliben worde, widerumbe hulfe forderte von mime herren dem kunig, daruf ist mins
herren des kunigs meinunge: gen die artikel in der maß als vor geschriben stet,
so wolle er sich verschriben demselben beholfen zu sin zu dem kunikriche zu
Beheim nach allem sinem besten vermogen ane geverde, ob in iemant daran understunde
zu irren.

[9] Item ob der kunig von Ungern sich des kunkrichs zů Beheim nit underwinden
wolte, weder mit vicariate oder anders, so sal er doch die marke von Brandenburg von
mime herren dem Romischen kunige enphaen, diewile sie sin ist.

[10] Item ob gefordert worde von mime herren dem Romischen kunige hulfe zu
dem lande zu Merhern, das sal man abslahen. ee man aber die tedinge darumbe mit
einander laße zurslahen, so sal man das umbe hulfe gein Merhern zu tune auch geen
laßen.

[11] Item worden sie auch fordern ᶜ, das min herre der kunig ine folke solte
zuschicken und beholfen sin das heiligtum und register und brieve zu Beheim zu holen
und in mins herren des kunigs gewalt zu antwurten, das sal man ine auch genzlich
abeslahen, wann mins herren des kunigs meinunge ist, das ime das alles zuvoran
ane sine můwe und hilfe zu sinen handen und in sinen ᵈ gewalt geantwurt werden
sulle, ee er ine ichts phlichtig si zu tun, und das das auch in einer zit geschee ¹.

[12] Item das die herzogen von Osterrich auch ire lehen von mime herren
enphaen sullen, und in fur einen Romischen kunige halten, und ime getruwelichen
bigestendig und beholfen sin wider alle die die in understeen an dem riche zu irren.

[13] Item ob man reden worden von der hirat zuschen mins herren des Romischen
kunigs Ruprechts sůne einem und herzog Hansen seligen des kunigs von Beheim bruder
dochter ˢ etc., daruf ist mins herren des kunigs meinung: geen die artikel in der maß
als vor geschriben ᵉ stet, so wolle min herre der kunig sime sône und dem fraulin
geben das lande fur dem walde das er dem kunig von Beheim angewonnet hat, und
darzu wolle er auch sime sône als viel hiratgutes geben als man dem fraulin gibt.

[14] Item und das sie dem fraulin of das minste zu hiratgut geben 40000 florin,
und das man mins herren son und dem fraulin den Brackstein die Wijden Bernauwe
Eger etc. genzlichen darfur innegebe.

[15] Item ob die sache zu ende treffen wurdet, so sollent ir gedenken, das die
marggraven von Missen, herzog Hans ·bischof von Lutich und sin vizdum und lande
zu Beyern, lantgrave Hans vom Luchtenberg, der apt von Waldsaßßen, und auch alle
die die mins herren des Romischen kunigs Ruprecht helfere in dem kriege gewest sin,
auch versorgt werden.

[Zusatz] Nota. ob man einen andern tage machen worde, dorof min herre der
kunig mit sin selbs libe komen solte, so ist mins herren des kunigs meinung, das
man denselben tag mache gein Strubingen gein Filtzhofen gein Scherdingen oder gein
Saltzburg.

a) cod. menten. b) cod. Lamparthem. c) cod. und Janssen forden. d) Janssen siner. e) cod. vergeschriben
statt v. g.

¹ Vgl. nr. 317.   ² Elisabeth, die Tochter des 1396 verstorbenen
. Herzogs Johann von Görlitz.

[*Nachtrag*] Item [a], ob sin noit wurde, uf dem tage herzog Lupolts von Osterich des erzbischofs von Salczpurg und der andern, die des krieges und sachen gein den kunigen von Beheim und von Ungern zu schaffen gehabt hant von mins herren wegen, auch zu gedenken und zu versorgen etc.

[1402 c. Okt. 19]

5 **313.** *Burggraf Friderich VI von Nürnberg an einen Fürsten, theilt mit, daß K. Sig-* *mund Herzog Albrecht IV von Österreich zum Vikar in Ungarn einsetzen und* *mit dessen Hilfe Böhmen an sich reißen wolle; hofft unter dessen Vermittlung* *zwischen K. Ruprecht und Sigmund Eintracht auf einem bevorstehenden Tage am* *28 Okt., wozu er von K. Ruprecht beauftragt ist, herzustellen. [1402 zwischen* 10 *Okt. 19 und 28 [1] o. O.]*

[1402 Okt. 19 bis 28]

Aus Eichstädt. Kgl. Bibliothek cod. ms. 159 fol. 23 vor Ende, cop. ch. saec. 15 in. mit
der Überschrift Intimacio novitatum unius ad alterum.

Votive [b] prosperitatis continuum incrementum. magnifice ac potens spectabilis ac predulcis amice confidentissime.   generositati vestre declaramus per presentes, serenis-
15 simi domini nostri Romanorum regis ac nostrum statum validum existere atque bonum; quod eciam de vobis quamplurimum cordialiter affectamus. sane vero de novellis hic in partibus ad presens volantibus vos cupimus non latere, videlicet regem Ungarie cum nobilibus [c] et baronibus ejusdem regni quodamodo discordare necnon ad predictorum nobilium Ungarorum instanciam illustrem principem *Albertum* ducem Austrie in prefati
20 regni perpetuum vicarium concorditer electum fore [2] et subrogatum ad defendendum ipsum regnum. prememoratus namque rex Ungarie per subsidium dicti ducis Austrie regnum Bohemie, quod frater suus N. quondam rex Romanorum hactenus possedit, habere pretendit et ipsum sibi nititur usurpare. pro cujus rei evidencia eundem fratrem suum unacum marchione Moravie Procopio de dicto regno Bohemie corporaliter velut
25 captum in regnum Ungarie transduxit, ita quod multum de ipsius regressu et reversione dubitatur.   demum sciendum, quod firmiter speramus de amicabili concordia inter dictos dominum regem Romanorum et regem Ungarie facienda per ducem Austrie awunculum nostrum prescriptum. nam ex commisso pretacti domini nostri Romanorum regis ituri sumus ad ipsum ducem Austrie ad tractandum secum super 28 die mensis
30 octobris de unione et pace querenda inter reges predictos. revera namque confidimus, quod status dicti domini nostri Romanorum regis favente altissimo de die in diem sublimetur et crescat salutis cum augmento atque foliciter ab eo qui regibus dat salutem gubernetur.   scriptum etc.

[1402] Okt. 28

Fridericus dei gracia
burggravius Nurenbergensis.

35

---

a) *dieser letzte Absatz von anderer aber gleichzeitiger Hand beigefügt; Schreiber wollte statt Lupolts erst Albrechts schreiben, das dann aber durch Lupolts ersetzt wurde.* b) *cod.* vor votive *schon einmal* magnifice ac potens, *durch Unterstreichung getilgt.* c) *cod. add.* hic in partibus *ausgestrichen.*

---

[1] *Das Jahr 1402 ergibt sich aus den im Briefe*
40 *berührten Thatsachen; ferner steht die Verhandlung nach dem Briefe selbst am 28 Okt. bevor, und vom 19 Okt. ist die vom König dazu gegebene Vollmacht nr. 311.*

[2] *Dieß war bereits geschehen am 16 Aug. bzw. 14 Sept. 1402, s. Höfler Ruprecht pag. 289 und bei uns vorhin nr. 305 und pag. 417 nt. 2.*

314. *Beschluß des Raths zu Venedig: Antwort auf die Gesandtschaft des K. Wenzel betreffs seines beabsichtigten Romzuges. 1402 Nov. 24 Venedig.*

Aus Venedig St.A. Deliberazioni, secreta, senato 1, registro 1 fol. 115ᵇ mb. coaev.; zu Anfang links am Rande 6 sapientes consilii.

Die 24 novembris.   ᵇ

Capta.   quod fiat responsio istis ambaxiatoribus domini Vencislai Boemie regis ad partes sue ambasiate quibus non est data responsio.   [1] et primo ad primam partem significationis quam nobis facit, deliberasse cum serenissimo domino rege Hungarie ejus fratre tribus ex ducibus Austrie et marchione Jodaco ᵃ Moravie ¹ venire in Italiam ad accipiendum coronam suam et cetera: quod nos regraciamur excellentie regie, cui ¹⁰ placuit predictam suam deliberationem nobis facere manifestam, quia istud procedere cognoscimus a clementia sua et ab amore quem gerit nostro dominio.   [2] ad aliam partem, per quam dicunt et requirunt pro parte ipsius domini regis, quod debeamus ipsum dirigere in isto suo descensu: respondeatur, quod nos scimus ipsum dominum regem esse sapientissimum, et habere solemne consilium penes se, cum quo habebit ¹⁵ tantam informationem rerum sibi pro dicta sua intentione adimplenda necessariarum, quod ipsa ᵇ nostra directio non est nec erit sibi necessaria. nichilominus, si casus daret quod sua serenitas deliberaret in dicto suo descensu transire per partes et territoria nostra, nostra dominatio videbit eum et gentes suas illari vultu et bono corde, honorando personam suam secundum decentia ᶜ sue serenitatis et honorem nostri ²⁰ dominii.

315. *K. Ruprecht an Köln, begehrt daß die von Kölnern an seinen Feind K. Sigmund von Ungarn gemachten Lieferungen bestraft und für künftig abgestellt werden. 1403 Jan. 5 Nürnberg.*

Aus Köln St.A. Kaiserbriefe or. chart. lit. cl. c. sig. in verso impr. del.; auf der Rück- ²⁵ seite die gleichzeitige Kanzleinotiz domini regis conquerencia de mercatoribus eo quod subsidium regi Ungarie debuissent impendisse.

Ruprecht von gots gnaden Romischer
kunig zu allen czijten merer des richs.

Ersamen lieben getruwen.   uns ist vorkommen und vor ein eigenschafft zu ³⁰ wißßen getan, daz etliche uwer mitburgere und kauffmanne dem kunige von Ungern mit gewant gelte und anders zu Wyene zu staden komen sin und geluhen haben, damit er sich wieder uns zu sin stelle und ruste, und des er doch ane soliche der uwern sture und hulffe nit zuwege mochte bracht han.   daz uns fast fremde und unbillich von uch und uwern kauffluten dunckt sin, und hetten uns auch des zu uch und yn nit versehen ³⁵ nachdem als ir uns gewant sint.   und herumbe so begern und gesynnen wir an uch mit ganczem ernste und ist unser meynunge, ob uwer kaufflute daz ane uwer sunderlich

---

a) cod. Jedaco.   b) cod. widerholt.   c) em. decentiam?

---

¹ *Die Wenzelsche Gesandtschaft scheint also nach dem Vertrage mit den 3 Herzögen nr. 305 vom 16 Aug. 1402 und vor bald darauf erfolgendem erneutem offenen Auftreten des Markgrafen Jost gegen K. Sigmund und diese Partei entsandt*   *zu sein, falls nicht die Erwähnung des Markgrafen Jost hier ein Irrthum und vielleicht Prokop* ⁴⁰ *gemeint ist, vgl. Palacky Gesch. von Böhmen 3, 1 pag. 145 und bei uns vorhin nr. 306 vom 29 Aug. 1402.*

erlaubunge getan haben, als wir uns doch wol versehen, daz ir sie dann darumbe zu *1403*
rede seczent und also straffent, daz sie innen werden daz sie daz unbillich getan haben *Jan. 5*
und wir auch befinden mogen daz ez uch nit lieb sij, und daz in solicher massen
underkomment daz ez vorbaz nit me geschee. und begern heruff uwer beschriben
5 antwert mit diesem boden.   datum Nurenberg sexta feria ante epiphanie ᵃ domini
millesimo quadringentesimo secundo regni vero nostri anno tercio [1].   *1403*
                                                                                       Jan. 5
[*in verso*] Den ersamen unsern lieben getruwen burgermeistern
rate und andern burgern der stat zu Colne dari debet.

316. *Herzog Stefan von Baiern, Markgraf Wilhelm von Meißen* [2]*, und Burggraf Fri-* *1403*
10   *derich VI von Nürnberg fordern Erzbischof Johann II von Mainz (und in gleicher* *Jan. 22*
        Form Erzbischof Friderich III von Köln und Werner von Trier, s. Stückbeschrei-
        bung) auf Grund eines zwischen ihnen bestehenden Vertrages zur Hilfeleistung
        wider K. Sigmund von Ungarn auf [3]*.   1403 Januar 22 Nürnberg* [4].

          Aus Karlsr. G.L.A. Pfälz. Kop.-B. 146 fol. 14ᵃ cop. chart. coaev.; unter dem Text die
15   *Notiz* Item in der obgeschrieben forme habent die egenanten dri fursten geschrieben
          den erzbischoffen zu Collne und zu Triere.
          Gedruckt bei Obrecht Appar. jur. et hist. 103-104; Janssen Frankf. Reichskorresp. 1,
          724-725 nr. 1116 aus eigenem Kodex Acta et Pacta 70. — Moderne lateinische Über-
          setzung bei Martène ampliss. coll. 4, 121 nr. 81; daraus gedruckt bei Schöttgen und
20   *Kreyssig hist. Nachlese von Obersachsen 1, 504 f. und Monum. Zoller. 6, 169 f. nr. 185,*
          wol auch aus Martène l. c. bei Minutoli Kurfürst Friedrich I, p. 98 nr. 43. —
          Regest Georgisch 2, 870 nr. 8 und Chmel p. 183 nr. 26 aus Martène l. c.

        Unsern fruntlichen dinste zuvor. erwirdiger lieber herre und fründ er Johann
erzbischof zu Mentze.   als wir vormals mit uch und andern uwern mitkurfursten
25 daran bliben sin, daz unser einer dem andern in sulchen sachen, die uns von dez
heiligen Romischen richs und der kore wegen eins nuwen kunigis antreffende weren,
vesticlichen bistendig und behulfen und beraten sin solde mit ganzer macht, alz daz
die briefe die ir und ander uwer mitkurfursten uns daruber gegeben habt [5] eigentlicher
ußwisen, und wenn uns nû der kunig von Ungern dûrch derselben sache wille, als wir
30 vernemen, meint zu hindern und zû irren und darumbe sinen argen willen zu uns zu
wenden, gein dem wir uwer hulfe nicht enberen mogen noch wollen: davon bitden wir

<hr>

a) *or.* ephiani *mit Haken über dem letzten Buchstaben.*

<hr>

[1] *Das dritte Jahr des Königs geht von 1402*
Aug. 21 bis 1403 Aug. 21, und da die Jahreszahl
35 *1402 ausdrücklich genannt ist, so fiele das Schrei-*
ben auf 1402 zwischen Aug. 21 und Dec. 31.
Damit stimmt aber die Tagesangabe sexta feria
ante epiphanie nicht, denn das wäre der 5 Jan.
1403. Man darf doch wol annehmen, daß die
40 *Tagesangabe das Recht für sich hat, und daß*
der Schreiber, wie ja häufig vorkommt, sich nur
noch nicht an die neue Jahreszahl 1403 statt 1402
gewöhnt hatte. Das Regierungsjahr passt auch
so noch.
45 [2] *K. Sigmund von Ungarn Markgraf zu Bran-*
denburg Vikar des h. Röm. Reichs Verweser des
Königreichs Böhmen ersucht am 24 Jan. [1403]
Albrecht Fürsten zu Anhalt, Wilhelm den älteren

Markgrafen zu Meißen zu mahnen und zu unter-
weisen, daß derselbe denen von Donin, denen er
ihr Haus abgenommen, als Mannen der Krone zu
Böhmen den zugefügten Schaden widerkehre; dat.
auf dem Berg zum Chutten Mi. nach Agneten
ohne Jahr; aus Dresden Archiv nr. 5240 or.
chart. [3] *Mit den Kurfürsten hatte K. Ruprecht zuletzt*
im Juli 1402 zu Bacherach über das Verhältnis
zu den Luxemburgern unterhandelt, s. Einleitung
zum Mainzer Tage lit. M. Über die Stellung
Erzbischof Johanns vgl. Einleitung zu diesem
Nürnberger Tage lit. M. [4] *Damals war eine Versammlung in Nürnberg,*
s. Einleitung zu diesem Tage lit. K. [5] *S. RTA. 3 nr. 60, und vgl. zugehöriges.*

1403
Jan. 22
und manen und heischen uch bi sulchin glubden die ir uns an eides stat getan habt,
daz ir uns von stunden wieder denselben kunig von Ungern behulfin sid, und uch
darûf richtet daz ir uns mit ganzir macht folgit, alsbalde wir sampt oder besundern
uch botschaft tûn und uch darzû heischin werden, nach dem alz wir dez uwer briefe
und insiegel haben, daz wir uch darzû nicht anders manen noch heischen durfen. daz 5
wollen wir gerne verdienen; und bitten uwer entwerte, darnach wir uns gerichten
1403
mögen. gegebin zu Nuremberg am mantage nach Agnetis anno domini millesimo
Jan. 22
400 tercio.

> Von gotis gnaden Stephan pfalzgrave bi Rine und herzog
> in Beyern, Wilhelm marggrave zu Missen und lantgrave   10
> in Doringen, und Friederich burgrave zu Nuremberg.

1403
Apr. 9
317. *Seyfreid von Cherpen an Köln: eine Botschaft K. Wenzels sei mit einem Hilfc-*
gesuch bei K. Ruprecht, dessen Antwort noch niemand wissen könne. 1403 April 9
Frankfurt.

Aus Köln St.A. Städtebriefe or. ch. lit. cl. c. sig. in verso impr. delapso; gleichzeitiger 15
Kanzleivermerk auf der Rückseite Siberti van Kerpen de novis regis Bohemie.

Gnedige herren. ich laes uir weishait wiissen, das ich han verstanden von
erberen lûden von Noerenbergh, de ez haben gehoert von unsers genedigen herren des
chûninghs kenczeler, das des choninghs von Peham potschaft hey uis ist by unssen
genedigen herren des choninghs genaeden. und der choningh von Peham pegert an 20
unseren genedigen den choningh, das er eym bystendigh sy mid[a] sinre hilf. so
will er unserem genedigen[b] herren dem choningh williklichen uftragen und geben de
klenz[1] des richs. und nyemant noch enkan gewissen de antword, want unser genedigher
her der chûningh eyczunder fiil czû schaffen haet[c], als uir weishait aûch wol fur
verstanden haet. geschrefen czû Franckenfort des maentaghs nach palmen anno etc. 25
1403
Apr. 9
tercio.

[*in verso*] Den erberen weissen herren bûrgemaisteren
und dem raed der steid czû Koelne debet.   Seyfreid von Cherpen.

a) *or.* und. b) *or.* gendigen. c) *om. or.*

[1] *Es sind damit ohne Zweifel die Kleinodien des Reiches gemeint. Vgl. dazu nr. 312 art. 2* 30
und 11.

318. *Wolter van den Dijck an Köln, gibt Nachrichten über Böhmische Dinge* [1].   *[1403]* [1403]
April 11 o. O.   Apr. 11

Aus Köln St.A. Städtebriefe or. chart. lit. clausa c. sig. in verso impr. delapso, auf der
Rückseite von zeitgenössischer Hand Wolteri vamme Dijke.

Minen schuldigen bereyden dienst alzijtz vurscreven. gnedige heren.   uren
gnaden genuycht zo wissen, dat lude vur waer geseicht, de[a] van Beim ind van Wein
comen sin ind sint bij unsen heren den cuninck[2] ind saent, dat de konninck van
Beim[3] overgeven wilt Prevobergge[b] ind heyld doin dat he eme bijstandich sin wil, want
et deit eme noit, sy moegen byde de cuninckrich verliesen. der konninck van Napel[4]
hait etzlich stat ingenomen van Ungeren, de Unger moyssen heim de in Beim siin.
liefven heren. dorffent ir mins huys, als mir min[c] nebe gescreven hait, dat sal uch
willentlich bereit sin, ind alles[d], dat dae in is, dat is zo urme gebode. de sachen van
Beim de scryven ich uch van hoerensachen. ouch senden ich uch in desen bryve al
zydinge van onsen heren dem coninck mit enen bryve den der amptmeister Rutger
gesant hait. got bewar uch.   scriptum die mensys apryllis 11.   ich han uch
Wolters van Moylsberch quittanse ouch gesant; as der eirber lude gelt bereit is, so sol
wir uch den brief senden.

[*in verso*] Den vursichtigen wisen heren burgermeister ind ge-   Wolter van den Dyck
mein rayt der stat zo Côllen mynen gnedygen heren debet.   ur burger.

319. *K. Ruprecht bevollmächtigt je 2 gen. zu Unterhandlungen mit Markgraf Jost von*   1403
Mähren[5] oder mit Markgraf Wilhelm von Meißen[6] in dessen Namen, wie in   Apr. 16
nr. 307 vom 30 Aug. 1402.   *1403 April 16 [Heidelberg].*

Aus Karlsruhe G.L.A. Pfälzer Kop.-B. 4 fol. 153[b] not. ch. coaev.
Steht auch in Wien H.H. St.A. R.-Registraturbuch C fol. 231[b] ebenso not. ch. coaev.
Regest Chmel reg. Rup. nr. 1462 aus Wien l. c.

Item ist Altmann Kemnater und Conrad Kastner lantschriber zu Amberg ein
gewaltsbrief geben, mit marggraven Josten von Merhern, oder mit marggrave Wilhelm

a) *or. sic.*   b) *or.* Prevolergge?   c) *or. num.*   d) *or. aller.*

[1] *Vgl. die Briefe desselben Mannes rom 3 und*
7 April 1403 nr. 361 und 362 und den des Sey-
fried von Cherpen rom 9 April 1403 nr. 317.
   [2] *König Ruprecht.*
   [3] *König Wenzel.*
   [4] *König Ladislaus.*
   [5] *Am 14 April 1403 bekennt Jost Markgraf zu*
Brandenburg und Mähren den Abschluß eines
Waffenstillstandes rom Osterabend [April 14] bis
nächsten Sonntag vor dem Auffahrtstage [Mai
20] mit K. Sigmund von Ungarn und den Her-
zögen Wilhelm und Albrecht von Österreich; auch
ist beredet, daß alle Schlösser Vesten und Städte
Wenzels Römischen und Böhmischen Königs in
den Waffenstillstand eingeschlossen sein sollen;
dat. Olmütz am heiligen Osterabend 1403; aus
Wien H.H. St.A. Repertorium 12 or. mb. lit. pat.
c. sig. pend.; gedruckt Kurz Albrecht IV Band
1, 230 f. nr. 24, Fejér cod. dipl. Hung. X, 4, 223

nr. 100 ex originali, Regest Lichnowsky 5 nr. 546
aus Wien l. c.
   [6] *Am 28 April 1403 wird von Balthasar und*
Wilhelm dem jüngeren Landgrafen zu Thüringen
ein Frieden zwischen K. Sigmund von Ungarn etc.
für sich und das Königreich Böhmen einerseits
und Wilhelm dem älteren Markgrafen zu Meißen
andererseits bis Joh. bapt. [Juni 24] vermittelt,
binnen welcher Zeit ein Tag zu Brüx gehalten
werden soll; dat. Samstag n. Georg. 1403 zu Jhene;
aus Dresden Arch. nr. 5263 or. ch. — Am 29 Mai
1403 gibt Sigmund König von Ungarn Markgraf
zu Brandenburg Vikar des h. Römischen Reichs
und Verweser des Königreichs Böhmen einen
Glaubsbrief für Thimen Bischof zu Meißen seinen
Kanzler an Markgraf Wilhelm zu Meißen; dat.
Pilsen Di. n. Auffahrtstag 1403; aus Dresden
Arch. nr. 5269 or. ch.

1403
Apr. 16 von Myssen von sinen wegen, zu tedingen als von hulfe bistands buntniße und fruntschaft wegen etc., in der forme als Rudolff von Zeißinkeim ritter und Johannes von Winheim an dieselben herren einen gehabt hant, der da vor geschriben stet, sub data feria secunda post festum pasche anno domini millesimo quadringentesimo tertio regni

1403
Apr. 16 vero nostri anno tertio.

Item in der forme ist auch ein machtbrief of Wilhelm Reydenbucher und Cunrad Kastner etc. sub eodem dato etc.

Ad mandatum domini *regis*
Johannes Winheim.

1403
Aug. 17 **320.** *K. Ruprecht bevollmächtigt 3 gen. zu Unterhandlungen mit Markgraf Jost von Mähren über Bündnis zwischen ihm und K. Wenzel. 1403 Aug. 17 Heidelberg.*

> *Aus Karlsr. G.L.A.* Pfälzer Kop.-B. 4 fol. 164ᵃᵇ *cop. ch. coaev., mit der gleichzeitigen Überschrift* Ein gewaltsbrief of Hartung von Egloffstein u. s. w. mit grave Josten von Merhern umbe hulf bistand etc. zu tedingen.
> *Steht auch Wien H.H. St.A.* R.-Registr.-Buch C fol. 139ᵇ *cop. ch. coaer.*
> *Regest Pelzel Wenzel 2, 477 f. aus reg. Rup. (d. h. wol Wien l. c.), und Chmel nr. 1527 aus Wien l. c.*

Wir Ruprecht [*u. s. w., gibt*] Hartung von Egloffstein ritter dem jungen zu Waldeck, Wilhelm Reidenbucher zu Heimberg unsern pflegern, und Cunrad Kastener unserm lantschriber zu Amberg und lieben getruwen [*Vollmacht*] mit dem hochgebornen Josten marggraven zu Merhern unserm lieben swager und fursten zu tedingen als von hulfe bistandes und ander büntniße und fruntschaft wegen zuschen uns und dem durchluchtigen hochgeborn fursten Wentzlauw kunig zu Beheim und im zu machen [*fast wörtlich im übrigen wie die Vollmacht vom 30 Aug. 1402 nr. 307 (bzw. 8 Juli 1401 Bd. 4 nr. 393), auch mit Auslassung der Worte* oder dem merern teil under in *und* oder der merer teil under in *aus der letztgen. Vollmacht v. Bd. 4*]. geben zu Heidelberg uf den nehsten fritag nach unser frauwen tag als sie zu himmel fure in dem jare als man zalte nach Cristi gepurte 1400 und dru jare unsers richs in dem dritten jare.

Ad mandatum domini *regis*
Johannes Winheim.

1403
Nov. 26 **321.** *Friderich Mager aus Frankfurt an seine Stadt: nach Nürnberg ist die Nachricht von König Wenzels Befreiung am 11 Nov. gekommen, die sofort dem K. Ruprecht mitgetheilt worden ist, für den es, wie man meint, günstig sein soll. 1403 Nov. 26 Nürnberg.*

> *Aus Frankfurt St.A.* Reichssachen Acten fasc. XIII nr. 782 *or. ch. lit. cl. c. sig. in verso impr. del. Im Abdruck* ů *durchgeführt, was vorherscht, während es zweifelhaft ist, ob ein paarmal* ú *gemeint ist.*

Fürsichtigen erbern weysen liben gnedigen hern. mein willig untertenig dinst sy ewren gnaden alczit vorhin beraijt. ich lasse ewer gnad wissen, daz dem rat hir wor potschaft van Wien ist komen, di si fürbas zu stunden liessen wissen unsern <div style="text-align:left">*1403*
Nov. 11</div> gnedigen hern den Römischen kůnk, wie daz der kůnk van Peheim als gestern 14 dage ůmb di noncziet zu Wien selbsechst darvan ist komen über di Tonaw, und ist gen dem Karlstein komen, und allermenlichen ist sein froe, und man maint es sül für unsern hern den Römischen kůnk sein. lieben gnedigen hern. ich bit ewer gnad, dieweyl

ich ussen bin, daz ir ewch wölt mein husfrawen befolhen lassen[a] sein ob si ewer zu
einigen sach bedörft.   geben zu Nürnberg uf dem nehsten mendag nach Katherine *1403*
anno tercio [1].   *Nov. 26*

[in verso] Den fürsichtigen erbern weisen burgermeystern   Fridrich Mager ewer
5   schoffen und rat der stat Frankfurt meinen gnedigen hern.   williger diner.

322. *K. Ruprecht bevollmächtigt 3 gen. zu Unterhandlungen mit Markgraf Jost von* *1403*
Mähren oder anderen Räthen K. Wenzels auf dem Tage zu Eger über Bündnis *Dec. 30*
zwischen ihnen. 1403 Dec. 30 Heidelberg.

> *Aus Karlsr. G.L.A. Pfälzer Kop.-B. 4 fol. 184*[a][b] *cop. ch. coaev., mit der gleichzeitigen*
> 10   *Überschrift Ein gewaltsbrief of minen herren von Spire u. s. w. uf dem tage zu Eger*
>   *zu tedingen.*
> *Steht auch Wien H.H. St.A. R.-Registr.-Buch C fol. 156*[b] *cop. ch. coaev.*
> *Regest Pelzel Wenzel 2, 474 aus reg. Rup. (ohne Zweifel Wien l. c.), aber im Text irrig*
>   *unter dem 31 Dec. 1402; Chmel nr. 1377 aus Wien l. c. und Pelzel, aber irrig unter*
> 15   *dem 30 Dec. 1402; das Datum im Wiener Registr.-Buch ist ebenso wie im Karlsruher*
>   *Kop.-Buch das angegebene.*

Wir Ruprecht [u. s. w., gibt] dem erwirdigen Rabann bischof zu Spire unserm
canzeler, Rudolff von Zeißenkeim ritter unserm kamermeister, und Hanman von Sickingen
unserm vitzdûm zur Nuwenstad unsern reten und lieben getruwen [Vollmacht], mit dem
20   hochgebornen fursten Josten marggrafen zu Merhern oder andern des kunigs von Beheim
reten, die ietzund zu dem dage gein Eger kommen werdent, zu tedingen als umbe hulf
bistande und ander buntnüße und fruntschaft zuschen uns und dem kunige von Beheim
und auch dem obgenanten marggrave Jost von Merhern zu machen [fast ganz wörtlich
im übrigen wie die Vollmacht vom 17. Aug. 1403 nr. 320, nur daß es heißt und was
25   die obgenanten unser rete oder ire zwene in den vorgeschriben sachen u. s. w.]. geben
zu Heidelberg of dem sontag nach dem heiligen cristage nach Christi geburte 1400   *1403*
und dru jare unsers richs in dem vierden jare.   *Dec. 30*

Ad mandatum domini regis
Johannes Winheim.

30   a) om. or.

[1] *Um diese Zeit, bald nach seiner Befreiung,*
also nach 1403 Nov. 11, erläßt K. Wenzel ein
Schreiben, worin er sich über seinen Bruder K.
Sigmund beklagt, der öffentlich vorgebracht habe,
35   *daß er ihn nach Rom führen und zum Kaiser*
krönen lassen wolle, und ihn statt dessen gefangen
nach Wien gebracht habe. Da er glücklich befreit
ist, mache Sigmund noch obenein Anstalt, ihn
und seine Anhänger mit Heeresmacht zu über-
40   *ziehen. Er ersucht die ungen. Adressaten, wo-*
möglich dahin zu wirken, daß sich Sigmund wie
ein Bruder zeige, dann sei er bereit, demselben
die Krone Böhmens unverkürzt nach seinem Ab-
gange [post decessum nostrum] zu hinterlassen.
45   *Wenn Sigmund nicht so thue, könne es dahin*
kommen, daß er gezwungen würde vom Römischen
Reich abzutreten, das er mit seiner Hilfe zu be-

halten hoffe, und von den Dominien der Krone
Böhmens so viel zu entfremden und zu vergaben,
daß er sich gegen ihn halten könne. Es sei also
in ihrer Beider Interesse, daß er sich solcher
Schädigung enthalte, denn sie könnten sonst sowol
des Römischen Reichs wie der Krone Böhmens
verlustig gehen. Es seien einige Böhmische Ba-
rone und andere falsche Anhänger Sigmunds, die
in schlechter Absicht Unfrieden zwischen ihnen
stiften, und es wäre für sie Beide ersprießlich,
dieselben [bricht mit etc. ab], datum Wratis-
lavie etc.; aus Pelzel Wenzel 2 Urkdb. p. 103-104
nr. 198 ex copiario Przemisl. fol. 136. Vgl. Pa-
lacky Gesch. von Böhmen 3, 1 pag. 202 f., speziell
pag. 204 Note 263. Vgl. die Klageschrift Wen-
zels gegen Sigmund in Eberhard Windeck bei
Mencken scriptores 1, 1078 ff.

J. Städtische Kosten nr. 323-326.

[1402
Aug. 27
bis
1402 ex.]

323. *Geschenke Nürnbergs an den königlichen Hof beim Aufenthalte K. Ruprechts da-*
selbst Aug. bis Sept. 1402 und später. *[1402 Aug. 27 bis 1402 ex.* [1]*]*

Aus Nürnberg Kr.A. cod. msc. nr. 487 Schenkbuch fol. 3ᵃᵇ ch. coaev., mit der Über-
schrift Kúnig Ruprecht anno etc. secundo.

1402
Aug. 27

Propinavimus unserm herren kúnig 100 guldein, do er her kam vom Reyn
dominica ante Egidii anno 2. item desselben mals unserer frawen der kúnginne
100 guldein, wann man ir nicht geschenkt hette, do sie von Lamparten komen was.
item herzog Otten unsers hern künigs sun zwei grüne tuch von Damasco, kosten
42 guldein, do er ritter was worden. item herzog Ludwigs gemahel des kunigs von [10]
Engellant tochter zwen vergült kopf, kosten 94 guldein. item bischoffen Raban von
Speyer canzler ¹/₂ fuder Franckenweins, kostet 16 lb. hl. *novorum.* item dem von
Leyningen hoffmeister ¹/₂ fuder weins, kostet 16 lb. hl. *novorum.* und ist zu wissen,
das unser herre der kúnig ein vordrung tete an gemein stette des reichs, das sie hülfen
mit 40000 guldein von notdurft wegen des reichs. und das geschah umb Michaelis [15]

1402
Spt. 29

anno etc. 2 [3]. und da verzugen im die stette die antwurt etwie lang. da wurden die
burger hie zu rate und schankten im von unserer statt wegen hie für dieselben vordrung und mütung 4000 guldein [3]. item dedimus 1 lb. hl. *novorum* einem newen
türhüter [4].

Summa der vorgeschriben sach *[dazu gehören außer diesen noch die Geschenke* [20]
bei der Anwesenheit des Königs im Mai 1402, s. nr. 213] 4750 guldein und 32 lb. hl.
novorum. facit in hallensibus 5614 lb. *novorum* 5 sh.

1402
Aug. 16
bis
1404
Mrz. 26

324. *Andere Geschenke Nürnbergs bei und nach dem Tage daselbst von Aug. und Sept.*
1402. *1402 August 16 bis 1404 Merz 26.*

Aus Nürnberg Kr.A. cod. msc. nr. 489 Schenkbuch 1393-1422 fol. 73ᵃ-86ᵃ ch. coaev.; [25]
im Abdruck tz durchgeführt.

1402
Aug. 16
bis
Spt. 13

[Zehnte Bürgermeisterperiode des Rechnungsjahres 1402 feria 4 post Marie as-
sumptionis bis feria 4 post Marie nativitatis.] primo propinavimus F. Mager 2 qr.,
summa 5 sh. 4 hl. propinavimus Wilhelm Raydempucher und des von Padaw diener
6 qr., summa 16 sh. hl. propinavimus dem Lantschaden vitztum zu Amberg 6 qr., [30]
summa 16 sh. hl. propinavimus dem von Laber 6 qr., summa 16 sh. hl. propinavimus den von Winsheim und Sweinfurt 6 qr., summa 16 sh. hl. propinavimus
den von Weissemburg 4 qr., summa 10 sh. 8 hl. propinavimus dem official von
Bamberg 4 qr., summa 10 sh. 8 hl. propinavimus dem maister Tewtsch ordens
12 qr., summa 1 lb. 12 sh. hl. propinavimus hern Fridrich Hayden 4 qr., summa [35]
10 sh. 8 hl. propinavimus denᵃ funfen vom capitel zu Bamberg 10 qr., summa 1 lb.

a) cod. dem.

---

[1] *Der erste Posten wird bald nach dem 27 Aug.*
1402, der letzte Ende des Jahres eingetragen sein,
vgl. folgende Anmerkungen.
[2] *Vgl. Einleitung zu lit. D dieses Tages. Als*
dieser Posten eingetragen wurde, war der 29 Sept.
also schon einige Zeit vorbei.

[3] *Die Hälfte von diesen ist am 28 Nov. unter*
den Einnahmen der königlichen Kammer verrech-
net, s. nr. 283 art. 17. [40]
[4] *Dieser Posten wird später als der vorher-*
gehende aber doch noch 1402 (s. Quellenbeschr.)
eingetragen sein.

6 sh. 8 hl.   propinavimus den prioren unser frawen brüdern, do sie hie warn nach ₁₄₀₂
assumptionis Marie zum capitel, 2 cimer weins, summa 4 lb. 10 sh. 8 hl.   pro-^(Aug. 15)
pinavimus den von Ulm von Esslingen und von Gemünd 12 qr., summa 1 lb. 12 sh. hl.
propinavimus dem Parsperger ᵃ 4 qr., summa 10 sh. 8 hl.   propinavimus den von
5 Rafenspurg Ueberlingen Lyndaw und Weissemburg 12 qr., summa 1 lb. 12 sh. hl.
propinavimus den von Rotweyl 4 qr., summa 10 sh. 8 hl.   propinavimus dem bischof
von Wirtzpurg 16 qr., summa 2 lb. 2 sh. 8 hl.   propinavimus dem Turner und dem
Wachter dez bischofs von Saltzpurg rat 8 qr., summa 1 lb. 1 sh. 4 hl.   propinavimus
dem bruder Andres custer zu den Parfussen 4 qr., summa 10 sh. 8 hl.   propinavi-
10 mus ᵇ dem jungen von Haidegk 6 qr., summa 16 sh. hl.   propinavimus meister Johan
Abundi 4 qr., summa 10 sh. 8 hl.   propinavimus dem tumprobst und dem capitel
von Bamberg 20 qr., summa 3 lb. hl.   propinavimus den von Rotemburg und Halle
6 qr., summa 16 sh. hl.   propinavimus den von Meintze Wurms und Speir 14 qr.,
summa 1 lb. 17 sh. 4 hl.   propinavimus den von Strassburg 8 qr., summa 1 lb.
15 1 sh. 4 hl.   propinavimus meister Johan dem newen juristen 4 qr., summa 10 sh.
8 hl.   propinavimus den von Augspurg 8 qr., summa 1 lb. 1 sh. 4 hl.   propinavimus der markgrafen rat von Meichsen 6 qr., summa 16 sh. hl.   propinavimus
dem von Weinsperg und dem Schenken von Erpach 6 qr., summa 1 lb. 6 sh. 8 hl.
propinavimus margraven Wilhelm von Meichsen des eltern rat 8 qr., summa 1 lb. 1 sh.
20 4 hl.   item propinavimus dem bischof von Bamberg 16 qr., summa 2 lb. 2 sh. 8 hl.
propinavimus den von Winsheim und Sweynfürt 6 qr., summa 16 sh. hl.   propinavimus
den von Frankenfurt und Fridberg 8 qr., summa 1 lb. 1 sh. 4 hl.   propinavimus
den von Memmingen und Kempte und dem von Schellemberg 8 qr., summa 1 lb. 1 sh.
4 hl.   propinavimus graven Fridrich und graven Herman von Hennemberg und
25 Dietzen Marschalk 10 qr., summa 1 lb. 6 sh. 8 hl.   propinavimus dem bischof von
Uetricht 12 qr., summa 1 lb. 12 sh. hl.   propinavimus burggraven Johan 16 qr.,
summa 2 lb. 2 sh. 8 hl.   propinavimus dem bischof von Eysteten 16 qr., summa
2 lb. 2 sh. 8 hl.   propinavimus burggraven Fridrich 16 qr., summa 2 lb. 2 sh. 8 hl.
propinavimus herzog Steffan 24 qr., summa 3 lb. 4 sh. hl.   propinavimus dez jungen
30 von Meichsen rat 6 qr., summa 16 sh. hl.   propinavimus dem von Oetingen und
seinem sun 12 qr., summa 1 lb. 12 sh. hl.   propinavimus dem Töter von Nördt-
lingen ᶜ 4 qr., summa 10 sh. 8 hl.   propinavimus den von Dynkelspühel 6 qr., summa
13 sh. hl.   propinavimus dem von Hürnheim dez von Wirtemberg rat 6 qr., summa
16 sh. hl.   propinavimus graven Herman ᵈ von Tyerstein 10 qr., summa 1 lb. 6 sh.
35 8 hl.   propinavimus hern Burkart von Elerbach ᵉ und eime ᶠ tumherren von Augspurg
10 qr., summa 1 lb. 6 sh. 8 hl.   propinavimus dem von Sickingen 6 qr., summa
16 sh. hl.   propinavimus dem Kagrer 4 qr., summa 10 sh. 8 hl.   propinavimus
dem abt von Waltsachsen 6 qr., summa 16 sh. hl.   propinavimus den burgern von
Bamberg 8 qr., summa 1 lb. 1 sh. 4 hl.
40   Summa 61 lb. 8 sh. hl.

[*Elfte Bürgermeisterperiode* feria 4 post Marie nativitatis *bis* feria 4 post Dyonisii ₁₄₀₂
anno 1402.]   propinavimus dem von Laber 8 qr., summa 1 lb. 1 sh. 4 hl.   pro-^(Spt. 13 bis)
pinavimus dem von Helffenstein ᵍ 8 qr., summa 1 lb. 1 sh. 4 hl.   propinavimus dem ^(Okt. 11)
capitel grawes ordein im Holsprunner hof 24 qr., summa 3 lb. 8 sh. hl.   propinavimus
45 den von Sweynfurt und Winsheim 6 qr., summa 16 sh. hl.   propinavimus den von
Weissemburg 4 qr., summa 10 sh. 8 hl.   propinavimus meister Heinrich Nesel den

a) cod. Parspergerer, abgekürzt. b) neben diesem Posten am Rande zwei kleine wagerechte Striche, wol gleichzeitig.
c) oder Nordlingen? d) cod. kürzt Herman durch H mit Haken für er ab, H mit Überstrich lesen wir Heinrich.
e) wol so und nicht Eberbach. f) cod. eine, korrigiert. g) cod. Heffenstein.

1402 von sant Jacob und sant Steffan etc.[a] 6 qr., summa 1 lb. 6 sh. 8 hl.   propinavimus
Spt. 18 graven Günther von Swartzburg und dem von Pewningen[b] dez von Meichsen rat 12 qr.,
bis *Okt. 11* summa 1 lb. 12 sh. hl.   propinavimus dez von Wirtemberg rate 8 qr., summa 1 lb.
1 sh. 4 hl.   propinavimus dem[c] graven zum Heiligenberg 8 qr., summa 1 lb. 1 sh.
4 hl.   propinavimus graven Eberhart[d] von Wertheim 8 qr., summa 1 lb. 1 sh. 4 hl.   5
propinavimus den von Dinkelspuhel und von Gemünde 6 qr., summa 16 sh. hl.   propinavimus den von Rotemburg 4 qr., summa 10 sh. 8 hl.   propinavimus dem Töter
von Nördlingen 4 qr., summa 10 sh. 8 hl.   propinavimus den dreien graven von
Oetingen 12 qr., summa 1 lb. und 12 sh. hl.   propinavimus dem lantschreiber von
Awrbach und dem Ulrich Weissemberger 4 qr., summa 10 sh. 8 hl.   propinavimus   10
hern Conrat von Witaw hern Hansen Röder 6 qr., summa 16 sh. hl.   propinavimus
dem Tobeschen Waldawer und dem[e] Nothaften und Wilhelm Zenger 8 qr., summa
1 lb. 1 sh. 4 hl.   Summa 18 lb. 17 sh. 4 hl.

1402 [*Zwölfte Bürgermeisterperiode* feria 4 post Dyonisii anno 1402 *bis* feria 4 ante   15
Okt. 11 Martini.]   Propinavimus dem Ulrich Kagrer 4 qr., summa 10 sh. 8 hl.   propinavimus
bis *Nov. 8* den von Weissenach 2 qr., summa 3 sh. 4 hl.   propinavimus graven Fridrich von
Hennemberg 6 qr., summa 17 sh. hl.   propinavimus dem bischof von Bamberg 16 qr.,
summa 2 lb. 10 sh. 8 hl.   propinavimus graven Heinrichs von Hennemberg wirtin
8 qr., summa 1 lb. 4 sh. hl.   propinavimus den burgern von Bamberg 8 qr., summa   20
1 lb. 4 sh. hl.   propinavimus dem bischof von Eysteten 16 qr., summa 2 lb. 8 sh. hl.
propinavimus hern Albrecht von Hohenloh und den[f] Schenken von Lympurg 8 qr.,
summa 1 lb. 5 sh. 4 hl.   propinavimus den von Rotemburg 12 qr., summa 1 lb.
18 sh. hl.   propinavimus den von Ipshoven 2 qr., summa 6 sh. 4 hl.   propinavimus
lantgraven Johan seniori 12 qr., summa 1 lb. 18 sh. hl.   propinavimus dem bischof   25
von Wirtzpurg 16 qr., summa 2 lb. 10 sh. 8 hl.   propinavimus graven Heinrich von
Hennemberg 8 qr., summa 1 lb. 5 sh. 4 hl.   propinavimus dem von Lewenstein 6 qr.,
summa 19 sh. hl.   propinavimus den von Münrstat 4 qr., summa 12 sh. 8 hl.   propinavimus den von Weissemburg 4 qr., summa 12 sh. 8 hl.   propinavimus hern
Andresen vogt zu Künigsperg 4 qr., summa 12 sh. 8 hl.   propinavimus graven   30
Thomas von Rienekk 6 qr., summa 19 sh. hl.   propinavimus Eberhart von Grunbach
4 qr., summa 12 sh. hl. 8 hl.   Summa 22½ lb. hl.

1402 [*Dreizehnte Bürgermeisterperiode* feria 4 ante Martini *bis* feria 4 in die Nycolai
Nov. 8 anno 1402.]   Propinavimus den von Eger dem statschreiber von Frankfurt und einem   35
bis *Dec. 6* priester von Lübek 10 qr., summa 1 lb. 8 sh. 4 hl.   propinavimus Albrecht Perln
4 qr., summa 11 sh. 8 hl.   propinavimus hern Walther Schubel 4 qr., summa 11 sh.
4 hl.   propinavimus hern Weyprecht von Helmstat[g] 6 qr., summa 17 sh. hl.   propinavimus dem general der prediger 8 qr., summa 1 lb. 10 sh. 8 hl.   propinavimus
den von Winsheim 4 qr., summa 11 sh. 4 hl.   propinavimus Johann Raben und hern   40
Hügen von Siglitz dez von Meichsen rat 8 qr., summa 1 lb. 2 sh. 8 hl.   propinavimus
graven Günther von Swartzburg 8 qr., summa 1 lb. 2 sh. 8 hl.   propinavimus burggraven Fridrich 16 qr., summa 2 lb. 10 sh. 8 hl.   propinavimus markgraven Balthasar
rat von Meichsen junioris 6 qr., summa 17 sh. hl.   propinavimus den von Sweinfürt
und von Winsheim 6 qr., summa 17 sh. hl.   propinavimus den von Weissemburg   45
4 qr., summa 12 sh. 8 hl.   propinavimus hern Ortolf Güssen 4 qr., summa 12 sh.

---

a) den — etc. *an der Rand geschrieben.* b) *cod.* Pewninger. c) *cod.* den? *abgekürzt.* d) *cod. hier und sonst*
Eb *mit Haken für* er, *von uns* Eberhart, *nicht* Eber *gelesen.* e) *cod.* den? *abgekürzt.* f) *sic.* g) *cod.* Harni-
stat.

8 hl.   propinavimus dem statschreiber von Velkirchen 4 qr., summa 12 sh. 8 hl. *1402 Nov. 8*
propinavimus aber den von Weissemburg, die zu der hohzeit hie warn, 8 qr., summa *bis*
1 lb. 5 sh. 4 hl.   propinavimus dem lantschreiber von Awrbach 4 qr., summa *Dec. 6*
12 sh. 8 hl.

Summa 15 lb. 16 sh. und 4 hl.

[*Vierzehnte Bürgermeisterperiode* feria 4 in die Nycolai anno 1402 *bis* feria 5 post *1402 Dec. 6*
Erhardi anno 1400 tercio.]   Propinavimus den von Fridberg und von Geylnhawsen *bis*
und dem von Rotenstein ritter 8 qr., summa 1 lb. 5 sh. 4 hl.   propinavimus den von *1403 Jan. 11*
Kulmach[a] 2 qr., summa 4 sh. hl.   propinavimus dez von Oesterreich rat 8 qr.,
summa 1 lb. 5 sh. 4 hl.   propinavimus graven *Heinrich*[b] von Hennemberg 8 qr.,
summa 1 lb. 5 sh. 4 hl.   propinavimus dem Sweyker von Gundelfingen 4 qr., summa
12 sh. 8 hl.   propinavimus dem bischof von Bamberg 16 qr., summa 2 lb. 10 sh.
8 hl.   propinavimus dem von Witzleben des[c] alten von Meichsen rat und der jungen
von Meichsen rat[d] 8 qr., summa 1 lb. 5 sh. 4 hl.   propinavimus her Balthasar 6 qr.,
summa 19 sh. hl.   propinavimus dem von Hohenloh 6 qr., summa 19. sh. hl.   propinavimus graven *Herman*[e] und graven *Fridrich* von Hennemberg 8 qr., summa 1 lb.
5 sh. 4 hl.   propinavimus dem bischof von Wirtzpurg 16 qr., summa 2 lb. 10 sh.
8 hl.   propinavimus dem von Pickembach und dem probst von Trieffenstein 6 qr.,
summa 19 sh. hl.   propinavimus her Steffans gemahel 16 qr., summa 2 lb. 5 sh. 4 hl.
propinavimus den von Ulm und von Nordlingen und von Gemünde 8 qr., summa 1 lb.
2 sh. 8 hl.   propinavimus den von Bamberg 8 qr., summa 1 lb. 2 sh. 8 hl.   propinavimus den von Sweynfürt 4 qr., summa 11 sh. 4 hl.   propinavimus graven Johan
und graven *Albrecht* 16 qr., summa 2 lb. 5 sh. 4 hl.   propinavimus dem vitztum
von Strawbingen 6 qr., summa 17 sh. hl.   propinavimus der alten lantgrafin vom
Lewtemberg 6 qr., summa 17 sh. hl.   propinavimus dez herzogen rate von Lutringen
6 qr., summa 17 sh. hl.   propinavimus graven *Wilhelm* von Montfort und hern
Eberhart von Landaw 8 qr., summa 1 lb. 2 sh. 8 hl.   propinavimus hern *Wilhelm*
Frawemberger 8 qr., summa 1 lb. 2 sh. 8 hl.   propinavimus graven *Johan* dem
burggraven 16 qr., summa 2 lb. 5 sh. 4 hl   propinavimus den von Kemptun 4 qr.,
summa 11 sh. 4 hl.   propinavimus hern Walther von Dorffmünd 6 qr., summa
17 sh. hl.   propinavimus dem bischof von Verren[f] 6 qr., summa 16 sh. hl.   propinavimus dem bischof von Regenspurg 16 qr., summa 2 lb. 2 sh. 8 hl.   propinavimus
dem herzogen von Deck 12 qr., summa 1 lb. 12 sh. hl.   propinavimus dem von
Rotemburg 4 qr., summa 10 sh. 8 hl.   propinavimus[g].   Summa 36 lb. 4 hl.

[*Die Schenkungen der ersten Bürgermeisterperiode des Rechnungsjahres 1403,* *1403 Jan. 11*
1403 *Jan. 11—31, s. unter lit. K. nr. 331.*]   *bis 31*
[*Zweite Bürgermeisterperiode* feria 4 ante purificacionis Marie *bis* feria 4 in die *1403*
cineris 1403 jar [1].]   propinavimus graven *Ludwig* von Oetingen 12 qr., summa 1 lb. *Jan. 31 bis*
12 sh. hl.   propinavimus dem[h] graven vom Heiligenperg 8 qr., summa 1 lb. 3 sh. *Fbr. 28*
8 hl.   propinavimus dez bischofs von Côln kanzler 4 qr., summa 11 sh. 4 hl.   propinavimus dem Pessrer von Ulm 4 qr., summa 10 sh. 8 hl.   propinavimus dem abt

---

a) *nicht ganz deutlich wegen eines Fleckes, aber doch wol so zu lesen.* b) *H mit Überstrich.* c) *der? cod. den.*
d) *cod. rkt? über dem a ein Strich in Gestalt eines Hakens oder eines nach rechts geöffneten Bogens.* e) *H mit Haken für er.* f) *sm. Verden?* g) *sic.* h) *cod. den? abgekürzt.*

---

[1] *Daß während dieser Bürgermeisterperiode so   dort anscheinend einen Hof hielt, s. nr. 325 art.*
sehr viele Herren in Nürnberg beschenkt wurden,   7, d. h. Turnierfestlichkeiten etc. veranstaltete.
rührt vielleicht daher, daß K. Ruprecht damals

1402 von Ebrach 8 qr., summa 1 lb. 1 sh. 4 hl.   propinavimus dez von Lutringen capplan
Jan. 31
bis 6 qr., summa 16 sh. hl.   propinavimus den von Rotemburg 4 qr., summa 10 sh. 8 hl.
Fbr. 28 propinavimus der grevin von Castel, und den frawen die mit ir warn, 12 qr., summa
1 lb. 8 sh. hl.   propinavimus Wolfᵃ und F. den Truchsezzen von Baldersheim und
Hansen von Seckendorff 6 qr., summa 19 sh. hl.   propinavimus hern Herdegen von   5
Hůrnheim und Wilhelm von Hůrnheim und C. von Pfalnheim und einem von Rosenberg
8 qr., summa 18 sh. 8 hl.   propinavimus hern Hansen und hern Conrat von Rosem-
berg 6 qr., summa 14 sh. hl.   propinavimus hern Hansen und hern Conrat von
Veningen Dietzen Zobel und Rapolt von Gebsetel 8 qr., summa 18 sh. 8 hl.   propinavimus hern Hilpolt Nolt und seinem sun von Seckendorff 4 qr., summa 9 sh. 4 hl.   10
propinavimus Wigeleis und Burchart von Monheim 6 qr., summa 14 sh. hl.   propinavimus Hansen und Otten von Seckendorff 6 qr., summa 14 sh. hl.   propinavimus
Fritzen von Kyensperg und Eberhart von Kotzaw 6 qr., summa 14 sh. hl.   propinavimus hern Apeln und Arnolt von Seckendorff 6 qr., summa 14 sh. hl.   propinavimus Mertein von Sawnsheim 4 qr., summa 9 sh. 4 hl.   propinavimus hern   15
Wilhelm von Rienhofen 4 qr., summa 9 sh. 4 hl.   propinavimus hern Heinrich von
Důrrwank und seinem sun und einem Preysinger und Hansen von Parsperg 8 qr.,
summa 18 sh. 8 hl.   propinavimus Paulus Hôrauf und Mertein von Eglofsteinᵇ 4 qr.,
summa 9 sh. 4 hl.   propinavimus hern Fridrich Wolfskels wirtin 4 qr., summa 9 sh.
4 hl.   propinavimus hern Burchart von Seckendorff und Eberhart von Kůlsheim 6 qr.,   20
summa 14 sh. hl.   propinavimus hern Steffan von Abtsperg Philipp Uetenhofer 6 qr.,
summa 14 sh. hl.   propinavimus Wilhelm von Maiental senioriᶜ und seinem sun 4 qr.,
summa 9 sh. 4 hl.   propinavimus hern Hansen von Sparrneck Burchart von Seckendorff Marschalk Walnroder 6 qr., summa 14 sh. hl.   item propinavimus zwein von
Hanaw und einem von Eysemberg zwein von Stockheim 16 qr., summa 1 lb. 17 sh. hl.   25
4 hl.   propinavimus dem Schenken von Erpach hern Hermanᵈ von Rotenstein 6 qr.,
summa 14 sh. hl.   propinavimus hern Conrat von Gebingen und hern Conrat Sawrn
4 qr., summa 9 sh. 4 hl.   propinavimus dem Trawner Camerberger Peter Fůchsen-
keim 6 qr., summa 14 sh. hl.   propinavimus Dyetrich Stawffer 4 qr., summa 9 sh.
4 hl.   propinavimus zwein von Witzleben 6 qr., summa 14 sh. hl.   propinavimus   30
hern Conrat Layminger Oswalden Tôrringer 6 qr., summa 14 sh. hl.   propinavimus
dem von Haydeck 8 qr, summa 18 sh. 8 hl.   propinavimus einem Truchsezzen und
ein Degemberger 6 qr., summa 14 sh. hl.   propinavimus Sygmund Frawenberger
Arnolt von Kamer 6 qr., summa 14 sh. hl.   propinavimus Zacharie Oebsser und
Ulrich Etkerᵉ 6 qr., summa 14 sh. hl.   propinavimus hern Rudolt und hern Heinrich   35
den Preysingern 6 qr., summa 14 sh. hl.   propinavimus hern C. Truchsezzen vom
Holnstein und seinem sun und dem Jobs Trewchtlinger 6 qr., summa 14 sh. hl.   propinavimus hern Hansen von Wolfstein und hern Hartung von Eglofstein Fridrich von
Eglofstein und Albrecht seinem sun und Heinrich von Aufsezz 12 qr., summa 1 lb.
9 sh. hl.   propinavimus zwein Sweykern und einem Frawenberger 8 qr., summa   40
18 sh. 8 hl.   propinavimus dem abt von Haidenheim und hern Hansen von Vestemberg einem von Rotenhan und einem Fuchs 8 qr., summa 18 sh. 8 hl.   propinavimus
einem von Grůnbach zwelifen von Ehenheimᶠ 16 qr., summa 1 lb. 17 sh. 4 hl.   propinavimus Dyetrich und Hansen von Eglofstein 6 qr., summa 14 sh. hl.   propinavimus
Jacob Turner Cunrat Wispeck Wilhelm Nustorffer von Saltzburg 8 qr., summa 18 sh.   45

---

a) cod. Wolf mit Abkürzungshaken; doch kommt kein Wolfram etc. Truchseß von Baldersheim in jener Zeit vor,
während sich 1392 ein Wolff findet, s. Biedermann Geschlechtsregister der fränkischen Reichsritterschaft Orts
Ottenwald Taf. 420. b) cod. Eglofstein. c) cod. senior (abgekürzt). d) ? cod. II mit Überstrich, was sonst Abkürzung für Heinrich. e) oder Ecker? f) cod. add. ausgestrichen von Swaben.

8 hl. propinavimus hern Wilhelm Marschalk von Pappenheim Hans Marschalk von *1408* *31* Byberbach und Wilhelm Marschalk von Poksperg und Fritz Marschalk 8 qr., summa *Jan.* *bis* 18 sh. 8 hl. propinavimus dem Wilhelm Fuchs und einem vom Rotenham 6 qr., *Fbr. 28* summa 14 sh. hl. propinavimus Rudolf Wildensteiner 4 qr., summa 9 sh. 4 hl.
5 propinavimus hern Wilhelm Püchberger 4 qr., summa 9 sh. 4 hl. propinavimus Hansen von Abtsperg und Hadmar von Abbtsperg dem Schenken in der Aw und einem von Knöringen 8 qr., summa 18 sh. 8 hl. propinavimus hern Arnold[a] Fuchs 4 qr., summa 9 sh. 4 hl. propinavimus hern Ruprecht Frewdemberger Albrecht von Wolf-stein und Erhart Loterpeck 6 qr., summa 14 sh. hl. propinavimus hern Leupolt
10 Wilhelm und Arnolt von Seckendorff hern L. Kuchenmeister Erkinger von Sawnsheim und hern Hartung von Eglofstein und zwein Wilhelmen von Dürrenpuch 12 qr., summa 1 lb. 8 sh. hl. propinavimus Arnolt von Seckendorff von Abemberg 4 qr., summa 9 sh. 4 hl[b]. propinavimus Hilpolt und Wilhelm von Knöringen 6 qr., summa 14 sh. hl. propinavimus sechsen vom Stein von Swaben und dreien von Abelfingen
15 einem von Westersteten 12 qr., summa 1 lb. 8 sh. hl. propinavimus graven Wilhelm von Montfort dreien von Elerbach 12 qr., summa 1 lb. 8 sh. hl. propinavimus drein Ranispergern[c] dem Nothaften Wilhelm und Wigeleis von Wolfstein 12 qr., summa 1 lb. 8 sh. hl. propinavimus dem graven von Ryenneck hern Hansen und hern Wilhelm und Weyprecht von Grunbach und Paulus von Elb und Eberhart Rüden 12 qr., summa
20 1 lb. 8 sh. hl. propinavimus Ludwig von Hornstein und hern Burchart Schilling und Albrecht von Reinhartsweyler 8 qr., summa 18 sh. 8 hl. propinavimus hern Albrecht herr Heinrich hern Veyten von Rethemberg Caspar von Freyberg und Eytel von Steltzheim 12 qr., summa 1 lb. 8 sh. hl. propinavimus dem herzog von Deck und drein von Freyberg und Hansen Putendorffer 16 qr., summa 1 lb. 17 sh. 4 hl.
25 propinavimus dem von Laber und sein zwein sünen 8 qr., summa 18 sh. hl. 8 hl. propinavimus hern Erkinger von Rethemberg Herman von Vestemberg 6 qr., summa 14 sh. hl. propinavimus Paulus von Elb hern Walthers fraw von Seckendorff 6 qr., summa 14 sh. hl. propinavimus dez bischofs bruder von Speir und hern Hansen von Helmstat hern Eberhart von Meintz[d] 8 qr., summa 18 sh. 8 hl. propinavimus
30 hern Raynhart von Sickingen hern Herman von Rotenstein 6 qr., summa 14 sh. hl. propinavimus hern Ulrich Inprucker und Eberhart Satelpoger 6 qr, summa 14 sh. hl. propinavimus dem graven von Morsch[e] 12 qr., summa 1 lb. 8 sh. hl. propinavimus den von Weissemburg 4 qr., summa 9 sh. 4 hl propinavimus graven Hansen und graven Fridrichen den burggraven 24 qr., summa 2 lb. 16 sh. hl. propinavimus
35 graven Gunther von Swartzburg 12 qr., summa 1 lb. 8 sh. hl. propinavimus graven Fridrich von Hennemberg hern Hansen Zollner von Rotenstein und hern Görgen von Liehtenstein und Hansen vom Steyn Diecz Truchsezz Heinrich Fuchs Karl von Liehten-stein 16 qr., summa 1 lb. 17 sh. 4 hl. propinavimus herzog Steffan und seiner frawen 44 qr., summa 5 lb. 2 sh. 8 hl. propinavimus burggraven Hansen tochter und
40 burggraven Fridrichen gemahel 32 qr., summa 3 lb. 14 sh. 8 hl. propinavimus graven Heinrich von Hennemberg 16 qr., summa 1 lb. 17 sh. und 4 hl. propinavimus graven Berchtolt[f] von Hennemberg 12 qr., summa 1 lb. 8. sh. hl. propinavimus dem von Abemsperg und seiner gesellscheft 10 qr., summa 1 lb. 3 sh. 4 hl. pro-pinavimus hern Hansen von Hohenloh 8 qr., summa 18 sh. 8 hl. propinavimus dem[g]
45 von Wertheim 8 qr., summa 18 sh. 8 hl. propinavimus zwein von Oetingen 16 qr.,

a) mit Überstrich, Arnolden? b) cod. widerholt hl. c) oder Rainspergern? d) cod. Menitz? die Stellung des i-punktes spricht mehr für Menitz, doch setzt der Schreiber die i-punkte oft sehr weit seitwärts. e) fast wie Moisch. f) B mit Haken für er. g) cod. den? abgekürzt; dem ist sonst im cod. ausgeschrieben, den öfter ab-gekürzt.

1402 summa 1 lb. 17 sh. 4 hl.   propinavimus dem[a] graven von Eberstein 6 qr., summa
Jan. 31 14 sh. hl.   propinavimus hern Markx Warter 6 qr., summa 14 sh. hl.   propinavimus
bis
Fbr. 28 zwein Frawemberger 8 qr., summa 18 sh. 8 hl.   propinavimus *Eberhart* von Frey-
berg 6 qr., summa 14 sh. hl.   propinavimus *Eberhart* und her[b] *Fridrich* von Frey-
berg 8 qr., summa 18 sh. 8 hl.   item Stoffel von Freyberg 4 qr., summa 9 sh. 4 hl. 5
propinavimus hern *Wilhelm* von Tüngen Hiltprant seinem bruder und Fritzen von
Tüngen und 20 frawen mit in 12 qr., summa 1 lb. 8 sh. hl.   propinavimus zwein
Nothaften und 2 von Awrbach 8 qr., summa 18 sh. 8 hl.   propinavimus Gorgen von
Freyberg und dem Zorn von Strassburg 8 qr., summa 18 sh. 8 hl.
Summa 91 lb. 2 sh. hl.   10

[In der dritten vierten und fünften Bürgermeisterperiode keine Schenkungen von Belang.]

1403   *[In der sechsten Bürgermeisterperiode feria 4 post Nerei et Achillei bis feria 4*
Mai 16 *ante Viti Schenkungen im Gesammtbetrage von 20 lb. 19 sh. 4 hl., unter andern: denen[c]*
bis
Juni 13 *von Winsheim; denen von Weissemburg; dem Rath des Markgrafen von Meichsen;* 15
zweien Predigerordens von Walhen; Herrn Hansen von Pryntsen von Welschen Lan-
den; dem Schreiber des Bischofs von Eysteten; Burggraf Johan.]

1403   *[In der siebenten Bürgermeisterperiode feria 4 ante Viti bis feria 4 ante Margarete*
Juni 13 *Schenkungen im Gesammtbetrage von 7 lb. 2 sh. hl., unter andern: Herrn Yban und*
bis
Juli 11 *seinem Gefährten des Königs von Krackaw Diener.]*   20

1403   *[Die Schenkungen der achten Bürgermeisterperiode 1403 Juli 11 bis Aug. 8 s.*
Juli 11 *unter den königlichen Landfriedenstagen nr. 424.]*
bis

Aug. 8   *[In der neunten Bürgermeisterperiode feria 4 ante Laurencii anno 1403 bis feria 4*
1403
Aug. 8 *post Egidii Schenkungen im Gesammtbetrage von 5 lb. 2 sh. 4 hl., unter andern: dem*
bis
Spt. 5 *Kriechen von Constantinopel.]*   25

1403   *[In der zehnten Bürgermeisterperiode feria 4 post Egidii bis feria 4 post Michelis*
Spt. 5 *Schenkungen im Gesammtbetrage von 16 lb. 5 sh. hl., unter andern: dem Bischof von*
bis
Okt. 3 *Neyffenland; Burggraf Fridrich; Schenk von Lymburg; denen von Sweinfurt; denen*
von Winsheim; denen von Rotemburg; denen von Weissemburg; Graf Wilhelm von
Montfort und Herrn Wolfram vom Steyn; Graf Ludwig von Oetingen; denen von 30
Regenspurg; Herzog Ludwig von Beyrn; Herzog Wilhelm von Beyrn; denen von Augs-
purg; Wilhelm von Hall; denen von Múnichen.]

1403   *[In der elften Bürgermeisterperiode feria 4 post Michelis bis feria 4 in vigilia*
Okt. 3 *omnium sanctorum Schenkungen im Gesammtbetrage von 22 lb. 19 sh. 4 hl., unter an-*
bis
Okt. 31 *dern: dem Bischof von Rige; denen von Nordlingen; Herzog Ludwigen; Herzog Ernsten;* 35
Burggraf Fridrich; dem von Otingen; denen von Múnichen; denen von Augspurg;
Burggraf Johan; dem Bischof von Aysteten; Graf Fridrich von Oetingen; Graf Gün-
thren von Swartzburg.]

1403   *[In der zwölften Bürgermeisterperiode feria 4 in vigilia omnium sanctorum bis*
Okt. 31 *feria 4 ante Andree apostoli Schenkungen im Gesammtbetrage von 7 lb. 11 sh. hl., unter* 40
Nov. 28 *andern: Herrn Hansen von Degemberg Vitztum zu Amberg Dyetrich Stawffer dem*
Waldawer dem Rewssen von Plaben zu Grewtz und Meister Matheis des Königs ober-
stem Schreiber.]

[In der dreizehnten Bürgermeisterperiode keine Schenkungen von Belang.]

1404   *[In der ersten Bürgermeisterperiode des Rechnungsjahres 1404 sabbato in vigilia* 45
Jan. 5
bis 29 *epiphanie[d] Christi anno 1404 bis feria 4 post Vincentii Schenkungen im Gesammtbetrage*

von 7 lb. 9 sh. hl., unter andern: Graf Herman von Hennemberg; dem Schenken von 1404
Lympurg; dem von Weinsperg juniori; denen von Dynkelspühel; Herrn Rudolf von Jan. 5 *bis 29*
Zeisichken des Königs Rath und dem Vitztum zu der Newenstat; denen von Regensburg.]

[*In der zweiten Bürgermeisterperiode keine Schenkungen von Belang.*]

5 [*In der dritten Bürgermeisterperiode feria 4 ante Petri kathedre bis feria 4 ante* 1404 *Fbr. 26*
Ambrosii anno etc. 1404 Schenkungen im Gesammtbetrage von 17 lb. 18 sh. 8 hl., unter bis
andern: Burggraf Fridrich; dem Bischof von Neyffenland; denen von Rotemburg.] Mrz. 26

325. *Kosten Augsburgs bei und nach dem Tage zu Nürnberg von Aug. und Sept. 1402.* 1402
1402 Aug. 13 bis 1404 Febr. 3. Aug. 13 bis 1404 Fbr. 3

10 *Aus Augsb. St.A. Baurechnung von 1402 und 1403, nemlich art. 1-8ᵃ aus Jahresrechnung*
1402, art. 9-24ᵃ aus Jahresrechnung 1403; und zwar art. 3. 6. 7. 21 unter der Ru-
brik generalia, art. 1. 2. 4. 5. 6ᵃ. 8. 8ᵃ unter legationes nostre, art. 9. 11-20. 22. 23.
24. 24ᵃ unter legationes nostre ritend und gend.

[*1*] Respice, Bernhardi *bis* protector abunde [1]: item 28 sh. dn. dez von Prunswig Aug. 13 Aug. 20
15 pfiffern, Bernhardi. — item 1 guldin dez kûngs potten, der uns mant zû chomen gen bis 19, 20
Nûrnberg post Bartholomei. — item 10 guldin dem Jäcklin zû den fûrsten und herren, Aug. nach 24
zû bestellen gelait in die herbst-messe. — item 9 guldin dem Venden gen Ulm von
7 tagen zû den stetten, Laurenci, von ainer ainung ᵃ. — item 13 guldin dem Langen- Aug. 10
mantel und dem Lieber pumaister gen München mit 7 pfäriten von vier tagen zû
20 herzog Stephan, von der manung ᵇ wegen unsers herren dez kûngs gen Schonberg,
Afre. Aug. 7

[*2*] Protector abunde ᵃ *bis* justus es, da pacem: item 1½ guldin ainem potten, der Aug. 19 *bis*
uns prief praht von herzog Stephan zû dem von Hirshorn. — item 2 lb. dn. ainem Spt. 10
potten gen Nûrnberg zû dem kûng, post Anne. — item 1 lb. dn. ainem potten gen Spt. 17 *nach*
25 Ulme mit ainem prief von der Rinischen stette wegen. — item 28 sh. dn. ainem potten Juli 26
gen Ulm zû den stetten mit ainem briefe. — item 1 guldin dez kûngs potten, der uns
brief praht, Afre. — item 2 guldin ainem potten gen Strubingen gen Amberg und gen Aug. 7
Nûrnberg, von unsers herren dez kûngs wegen.

[*3*] Nativitatis beate virginis Marie *bis* justus es ᶜ, da pacem: item 2 lb. dn. gen Spt. 8 *bis*
30 Regenspurg, do der alt kûng lag vor Schowenberg. — item 1 guldin ainem potten gen 10, 17
Regenspurg von dez alten kûngs wegen, in nativitate beate virginis Marie. — item 6 lb. Spt. 8
13 sh. dn. umb wein-geschenk siben rittern, die hie wauren und riten wolten mit herzog
Ludwigen gen Franckenrich ᵃ. — item 2 lb. dn. umb wein geschenkt dem von Tierberg
herzog Ernsten von Oesterrich hoffmaister. — item 24 lb. dn. 12 sh. dn. haben wir
35 bezalt kostgelt, dez mauls do der Gewolff und der Habsperger hie oben uf dem huse
tâdingten, daz ᵈ unser herre der pischof der herzog von Tegg die von Rechberg die von
Ulm und ander ritter und kneht und stett hie oben verzarten, Mauricii. Spt. 22

[*4*] Justus es, da pacem *bis* Michahelis: item 51 guldin Hansen dem Langenmantel Spt. 10, 17 *bis*
de Wertungen Johansen dem Venden gen Nûrnberg mit 9 pfäriten von zwôlf tagen, Spt. 29
40 dez mauls do der kûng die mûtung an die stett tett ᵃ. — item 2 lb. dn. der von Ulm
potten mit ainem prief von der Rinischen stett wegen, Michahelis. Spt. 29

a) cod. ainug. b) cod. manmg. c) cod. es. d) cod. add. ist.

[1] *Abend oder Vigil des 14 Sonntags nach Pfing-*   [2] *Siehe vorige Anm.*
sten (Protector noster), also Aug. 19. Da muß   [3] *Vgl. Einleitung lit. E.*
45 *doch ein Fehler sein.*   [4] *Dieß ist offenbar die Gesandtschaft zum königl.*

1402
Spt. 29
bis   [5] Michahelis *bis* adorate [1]: item 30 sh. dn. ainem potten von Ulme, der uns prief
[1403]   praht der manung [a] gen Pibrach. — item 1 guldin unsers herren dez kûngs potten, der
Jan. 21   uns prief praht der vorderung. — item 7 guldin dem Spâten gen Praug von fünf
1402   wochen, in kuntschaft-wise. — item 7 guldin dem Spâten gen Schonberg, do der kûng
Aug. 10   davor lag, und lag lang stille in kuntschaft-wise, Laurenci. — item 14 guldin aber dem   5
               Spâten gen Wiene und gen Pressburg, dem kûng von Ungern nach, von 8 wochen,
Juli 26   Anne. — item 26 guldin Johansen Radawer und Johansen dem Venden gen Pibrach
               von 7 tagen mit 8 pfâriten zû den stetten, von der mûtung wegen unsers herren dez
Okt. 16   kûngs, ante Galli. — item 1 guldin haben wir geben dez kûngs potten, der uns ainen
Nov. 11   prief praht, Martini. — item 2 guldin Petern dem Mansperger gen Nûrnberg von der   10
Nov. 11   guldin wegen, Martini. — item 2 guldin dem Jâcklin gen Nûrnberg mit dem taimprost [b]
Nov. 11   zû userm herren dem kûng, Martini. — item 24½ guldin Hansen dem Venden zwiro
               gen Pibrach zû den stetten von unsers herren dez kûngs mûtung wegen. — item 14
Nov. 11   sh. dn. dez kûngs potten zergelt, Martini. — item 1 lb. 6 sh. dn. ainem potten gen
Dec. 8   Ulm von der Rinischen stett wegen, ad te levavi. — item 3½ lb. dn. dem Frowendienst   15
               gen Passaw von dez kûngs wegen, altz geltz. — item 30 guldin dem Henslin mit dem
               Engen mund gen Ungern gen Wiene dem alten kûng und dem kûng von Ungern
               nach und ainist gen Schowenberg, und ist die zwo fert ain halb jare usgewesen. —
Dec. 17   item 1 guldin haben wir geben dez kûngs potten, gaudete. — item 2½ guldin dem
               Spâten gen Ravenspurg gen Costenczen [c] gen Sant-Gallen von irs kriegs wegen, Mar-   20
Nov. 11   tini. — item 4 guldin dem Spâten gen Basel und gen Pforczhain, und lag vil tag
               stille. — item 27 guldin dem Langenmantel Mûlin gen Nûrnberg von 9 tagen zû dem
Dec. 6   kûng von der mûtung wegen die er an uns taun [d] haut, mit 6 pfâriten, vor Nycolai. —
               item 4 guldin gelaitgelt uf dieselben fart.

[1403]   [6] Adorate *bis* circumdederunt: item 1 lb. dn. ainem potten gen Ulm mit priefen   25
Jan. 21   von der Rinischen stett wegen. — item 2 lb. dn. unsers herren dez kûngs lôufel, Pri-
bis
Fbr. 11   gide virginis. — [6ᵃ] item 1 guldin dem Eberlin gen Ulm zû Peter Pachen [e] zû erfarn
[1403]   wie die stett geantwûrt hetten. — item 1 lb. dn. ainem potten von Ulm, der ain nottel
Fbr. 1   praht der von von Strausburg. — item 1 guldin und 22 sh. dn. ainem potten [f], der
Jan. 21   ainen prief praht von den von Straussburg, adorate, von der Rinischen stett wegen. —   30
               item 25 sh. dn. ainem potten, der uns praht ainen prief aber von der [g] Rinischen stett
               wegen. — item 1 lb. dn. aber ainem potten gen Ulm von der Rinischen [h] stett wegen.

Fbr. 11   [7] Circumdederunt *bis* exurge: item 2 guldin unsers herren dez kûngs herolt von
bis 18
Fbr. 11   dez hoffs wegen zû Nûrnberg, circumdederunt.

Fbr. 18   [8] Exurge [2]: item 20 guldin haben wir geben Petern dem Scherer gen Nûrnberg [3]   35

a) cod. manmg. b) schwerlich taunprost; an anderer Stelle dieser Rechnungen taimprost; Dompropst, vgl. tain für
   taun Lexer 2, 1575. c) cod. Costenczend. d) cod. taun? e) cod. Pathen? f) ainem potten om. cod. g) cod.
   den. h) cod. Rinischer?

*Tage vom 27 August. Dieselbe ist im Nürnberger
Schenkbuch, bei uns nr. 324, nicht nachzuweisen.
Ähnlich s. hier nr. 325 art. 8ᵃ mit Anm. Auch
die Präsenzliste, die sich aus nr. 332 und 338
für den Tag vom Jan./Febr. 1403 ergibt, stimmt
nicht mit der Schenkung Nürnbergs. Wurden
denn nicht jedesmal Alle beschenkt? und welche
nicht? Die Frage kann z. B. dann wichtig werden, wenn es sich darum handelt ein undatiertes
aber mit Namen versehenes Stück chronologisch
einzureihen; ob da die Namen im Schenkbuch vorkommen müssen oder nicht.*
[1] *Die zwischen diesen beiden Terminen liegenden*

Sonntage sind nicht als Titel aufgeführt. Unter   40
adorate ohne Zusatz ist der erste Sonntag adorate
(der dritte Sonntag nach epiphanie) zu verstehen.
[2] *Der So. exurge als Titel der letzten Ausgaben-
Serie unter der Rubrik legationes nostre vom Jahre
1402 ist der Anfangstermin für den Zeitraum, in
den die Verrechnung der obigen Ausgaben fällt;*   45
*als Endtermin ist der So. esto michi [1403 Febr.
25] anzusehen, mit welchem in den Augsb. B.R.
das neue Rechnungsjahr zu beginnen pflegt.*
[3] *Diese Augsburger Gesandtschaft ist im Nürnberger Schenkbuch, bei uns nr. 324 und 331, nicht*   50
nachzuweisen.

zů dem kůng von der můtung wegen die er uns tet, von 13 tagen mit 3 pfåriten, [1403] Jan.
post epiphaniam domini. — item 7 guldin Petern Scherern gen Ulm zů den stetten von
4 tagen, Agathe, von der Rinischen stett wegen. — item 24 sh. dn. ainem potten gen Fbr. 5
Nůrnberg. — [8ᵃ] [1] item 8 guldin Petern dem Mansperger gen Haidelberg zů unserm
5 herren dem kůng von vorderung wegen dez kůngs [2]. — item 2 lb. dn. ainem potten
gen Nördlingen gen Rotenburg von dez kůngs wegen [3]. — item 30 sh. dn. ainem potten
gen Ulm und gen Memmingen von der guldin můnß wegen [4]. — item 1 guldin ainem
potten gen Dinckelspůhel zů unserm[a] herren dem kůng [5]. — item 5 guldin Petern
Manspergern gen Straussburg von der Rinischen stett wegen [6].

10   [9] Invocavit[b] bis resurrexi: item 1 guldin ainem potten von Strausburg von der 1403 Mrs. 4-
Rinischen stett wegen, reminiscere. — item 1 lb. dem Spåten gen Ulm mit der von Apr. 15
Strausburg prief, oculi. — item 4 guldin unsern spiesern und schůzzen zergelt mit dem Mrs. 11
Mrs. 18
bischof von Spir gen Schongaw, oculi. — item 5 guldin Petern Mansperger gen Straus- Mrs. 18
burg von der Rinischen stett wegen, esto michi. — item 4 lb. dn. dem Henslin mit Fbr. 25
15 dem Engen mund gen Strausburg von der Rinischen stett wegen, judica. — item 1[c] Apr. 1
guldin 23 sh. dn. ainem potten under daz gesinde, do unser herre der kůng uf den
margrafen zoh. — item 1 guldin unsers herren dez kůngs potten, der uns ainen prief
praht von dez margraven von Baden wegen, judica.   Apr. 1

   [10] Oculi bis letare: item 15 lb. dn. 3 sh. dn. umb wein und umb visch geschenkt Mrs. 18 bis 25
20 dem bischof von Spir, oculi in der vastun, do er hie waz.   Mrs. 18

   [11] Resurrexi bis quasimodo: item 1 guldin und 14 sh. dn. dem Henslin mit Apr. 15 bis 22
dem Engen mund gen Regenspurg von dez kůngs wegen zů Behaim. — item 21 sh.
dn. dem Henslin Spiesen gen Ulme von der stat und der purgermaister haissen. — item
6 guldin dem Lemlin gen Prag von der purgermaister haissen. — item 3 guldin dedi-
25 mus Lemlin gen Prag, recepit Hylarie martiris.   Aug. 12

   [12] Misericordia domini bis jubilate: item 3 lb. 2 sh. dn. Petern dem Mansperger Apr. 29 bis
gen Aichach gen Ynngolstat und dez wegs gen Aichstetten, do herzog Ludwig von Mai 6
Franckenreich chom, misericordia domini.   Apr. 29

   [13] Jubilate bis cantate: item 4 guldin Petern Scherer gen Tachaw mit 4 pfåriten Mai 6 bis 13
30 zů herzog Ernsten von dez kriegs wegen der herren von Bairn, jubilate.   Mai 6

   [14] Cantate bis vocem jocunditatis: item 1 guldin dem Abersdorffer gen Ynngol- Mai 13 bis 20
stat, dez mauls do die herren von Bairn sich da mit ainander betagten. — item 2 lb.
3 sh. dn. dem Abersdorffer gen Tachaw, dez mauls do der purggraff von Nůrnberg
da waz.

35   [15] Vocem jocunditatis bis exaudi: item 12 guldin dem Spåten gen Pråg von Mai 20 bis 27
sehs wochen, resurrexi.   Apr. 15

   [16] Exaudi bis respice: item 2 guldin dem Henslin mit dem Engen munde gen Mai 27 bis
Wiene. — item 2 lb. dn. dem Spåten gen Rotenburg in kuntschaft-wise.   Juni 24

---

a) cod. unsern.   b) cod. invocavi.   c) cod. 4, hatte ursprünglich nur 23 sh. dn., das andere über der Zeile mit
40   anderer Tinte hinzugefügt.

[1] Die in art. 8ᵃ zusammengestellten Ausgaben
gehören zu den Nachträgen der Rubrik legationes
nostre von 1402; die Zeit, in welche die einzelnen
Posten fallen, läßt sich, wenn auch nicht mit
45 völliger Sicherheit, mit Hilfe der chronologischen
Angaben, welche einigen beigefügt sind, einigermaßen bestimmen. So: —
[2] Fällt wahrscheinlich zwischen Joh. bapt. und
Mar. Magd. [Juni 24 bis Juli 22].

[3] [4] Zwischen nativ. Mar. u. Agnetis [1402
Sept. 8 bis 1403 Jan. 21].

[5] [6] Nach Agnetis [Jan. 21] folgt als einzige
chronologische Angabe in den Nachträgen der
Rubrik legationes nostre nur noch in excelso throno
[Jan. 7]; die beiden Posten, die unter den letzten
dieser Nachträge stehen, dürften daher etwa in
den Jan. 1403 zu setzen sein.

1403
Juli 8
bis Aug.
        [17] Exaudi [1] *bis* ecce deus, Hylarie: item 2½ guldin dem Jäcklin gen Rotenburg von unsers horren wegen dez kůnk. — item 2 lb. dn. dem Uelin Knepser gen Hůtingen

5, 12
gen Nördlingen herwider von der semenung wegen zů Francken, quod vel[a] fuit Mar-

Juli 13
garete. — item 2 guldin dem Plůckern[b] gen Nůrnberg gen Weisenburg in kuntschaft-

Juli 13
wise, Margarete. — item 2 guldin dem Eberlin gen Rotenburg in kuntschaft-wise, Mar-   5

Juli 13
garete. — item 2 guldin dez Langenmantels von Wertungen tohterman potten, do er uns warnot ez wär semenung zů Francken. — item 24 sh. dn. dem Henslin uf kunt-

Juli 13
schaft gen Francken, Margarete.

Aug. 12
bis 19
        [18] Dum clamarem *bis* deus in loco: item 3 lb. dn. dem Henslin mit dem Engen mund gen Regen*spurg* von erfarn mär von Behaim.   10

Aug. 19
bis
Spt. 2
        [19] Deus in loco *bis* respice: item 3 guldin dem Lemlin gen Prag in kuntschaft-wise. — item 1 guldin und 7 sh. dn. ainem potten von Straussburg, der uns ainen prief

Okt. 16
praht von der Rinischen stett wegen umb[c] den tag uf Galli.

Spt. 2
bis
Dec. 9
        [20] Respice *bis* populus Syon: item 1 lb. dn. dem Spåten gen Ulm mit der von Strausburg brief von dez tags wegen zů sůchen uf Galli. — item 19 guldin Petern   15 Schorer gen Nůrnberg mit 3 pfäriten von 12 tagen, herzog Lud*wigen* zů dienst, ante

Spt. 29
Okt. 9
Michahelis. — item 2 lb. dn. zwain potten gen Ulm, Dyonisii. — item 2 lb. dn. zwain potten gen Ulme von der frůntschaft wegen. — item 3 lb. dn. ainem potten von Straus-

Okt. 16
burg, der uns den tag absagt uf Galli. — item 2 guldin dem Plůckern gen Strausburg

Okt. 16
uf Galli, do er widerkert und der tag abgesagt warde. — item 36 guldin 1 ort haben   20 wir geben Johansem dem Langenmantel gen Nůrnberg von 17 tagen mit 4 pfäriten zů herzog Ernsten, dez mauls do die herren von Pairn mit dem rehten von ainander

Okt. 11
chomen, und den gelaitzlůten, quinta[d] feria ante Galli. — item 25½ guldin Petern dem

Okt. 16
Tůchscherer gen Nůrnberg uf die obgnant fart mit 3 pfäriten von 17 tagen, Galli. —

Nov. 30
item 1 lb. dn. ainem potten von Ulme, der uns ainen prief praht, Andree.   25

Nov. 4
bis 11
        [21] Si iniquitas *bis* dicit dominus[e]: item 30 sh. dn. dem Radawer purgerm*aister* und dem Lieber gen Uetingen zů den von Ulm.

Dec. 9
bis 16
        [22] Populus Syon *bis* gaudete: item 6 guldin 4[e] phapphart Petern Scherer gen Ulm von 4 tagen mit 3 pfäriten von der ainung wegen.

1403
Dec. 16
bis
        [23] Gaudete *bis* exurge: item 21 sh. dn. dem Henslin Spiesen gen Menchingen   30 von der semenung[f] wegen zů Bairn. — item 4 sh. dn. ainem potten von Strausburg. —

[1404]
Fbr. 3
item 1 guldin und 30 dn. ainem potten von Strausburg von der Rinischen stett

Fbr. 3
wegen von dez tags uf purificacionis. — item 1 lb. 8 sh. dn. ainem potten gen Ulm

Jan. 16
von der von Strasburg[h] wegen, Marcelli.

[1404]
Fbr. 3
        [24] Exurge[g]: item 7 ducaten dem Spåten gen Venedy nach unserm burgermaister   35 Laurenczen Egen. — [24[a]][4] item 30 sh. dn. dem Singer under dez von Wirtenberg

[1403]
Apr. 1
gesinde, do er semenung[i] hett, judica. — item 4 lb. dn. aber dem Singer under dez margraffen von Baden gesinde gen Pfortzhain[5]. — item 2 lb. dn. Henslin mit dem

---

a) *sic.* b) *cod.* Plücken*?* c) *om. cod.* d) *doch wol sicher nicht* quarta. e) *cod.* ?[f] f) *cod.* semenmg. g) *sic.*   40
h) *cod. anfangs* Contents, *ausgestrichen.* i) *cod.* semenmg.

---

[1] *Hier ist der So. exaudi II gemeint, 5 Wochen nach Pfingsten; ferner in art. 19 der So. respice domine, 13 Wochen nach Pfingsten, dagegen in art. 16 respice in me, 3 Wochen nach Pfingsten.*
[2] *Über dicit dominus vgl. RTA. 2, 360 nt. 5.*
[3] *Titel der letzten Ausgabenserie der Rubrik legationes 1403 und Anfangstermin für den Zeit-*

raum in den die Verrechnung der obigen Ausgabe fällt; vgl. die Anm. zu art. 8.
[4] *Es folgen unter art. 24[a] die Nachträge der Rubrik legationes 1403.*
[5] *Fällt wahrscheinlich zwischen judica und cor-*   45
poris Cristi (April 1 bis Juni 14) 1403.

Engen munde gen Regenspurg mit ainem priefe [1]. — item 8 guldin dem purgermaister *(1404)*
Radawer und dem Lieber gen Uetingen zů den von Ulm [2]. — item 7 ducaten dem *Fbr. 8*
Spåten gen Venedig nach dem purgermaister [3]. — item 43 guldin haben wir geben dem
Röhlinger gen Strausburg von 19 tagen mit 4 pfåriten von der Rinischen stette wegen, *(1404)*
5 uf unser frawen tag purificacio. *Fbr. 2*

326. *Kosten Frankfurts bei und nach dem Tage zu Nürnberg von Aug. und Sept.* *1402*
    1402.   1402 Sept. 9 bis 1403 April 28. *Spt. 9*
                                                                                    bis
                                                                                    1403
Aus Frankfurt St.A. Rechnungsbücher, art. 1. 3. 4. 5. 6 unter der Rubrik uzgebin *Apr. 28*
zerůnge, art. 1ᵃ unter ußgebin pherdegeld, art. 2. 8. 9 unter besundern einzlingen
10 *ußgebin, art. 7 unter ußgebin nachtgeld, art. 10 unter ußgebin suldenern und die*
der stad virbunden sein.

[1] Sabb. post nativitat. Marie: 45 gulden virzerten Johan von Holczhusen und *1402*
Heinrich Herdan selbseste mit sehs pherden 15 dage gein Nůremberg zu userm herren *Spt. 9*
dem konige, als er etzliche fursten und stede-frunde dar zu ime verbotschaft und ver-
15 schriben hatte von etzlicher artikele wegen in zu erzelen, wie er wider uß Welschen
landen heruß gein 'Dutschen landen von dem babste kommen were. — [1ᵃ] item 9 gulden 9 sh. von drin pherden 15 dage gein Nůremberg, als Johan von Holczhusen und
Heinrich Herdan zu userm herren dem konige dahin geridden waren, als er etzliche
fursten und der stede frunde dar beschriben hatte.
20 [2] Sabb. post Francisci: 3 gulden Sacciferen, die ime her Wilhelm zum Affin *Okt. 7*
leich zů Nurenberg von unsers herren des kuniges wegin zů laufen, daz die Bravanschen
stede felig mochten ziehin zůr messe gein Franckenfurt vor dem herzogin von Gelren.
[3] Sabb. ante Elizabeth: 8½ gulden virzerte Peter schriber selbander mit 2 pher- *1402*
den gein Nurenberg zu userm herren dem konige. *Nov. 18*
25 [4] Sabb. post Nicolai: 15 gulden hern Herman von Rodinstein von 6 pherden *Dec. 9*
12 nachte zů userm herren dem kůnige gein Nurenberg. — item 6½ gulden virzertin
Peter schriber und Krauwel mit 2 pherdin uf dieselben zid mit hern Herman vorgenant
zů userm herren dem kůnige.
[5] Sabb. post Lucie: 14 sh. 1 hl. virzerten die rechenmeister zu zwein malen, *Dec. 16*
30 als sie userm herren dem konige die dusent gulden gein Nuremberg schichten.
[6] Sabb. post purific. Marie: 18 gulden Peter schriber selbander von 24 tagen *1403*
gein Nuremberg zu userm herren dem konige, als die fursten da waren; des geburte *Fbr. 3*
sich ime zerunge 14½ gulden, 1 gulden einem boden, als er schichte an den bischof von
Mencze den gutlichen stant zu erlengen, item 1 gulden als Diederich da virzerte, als er
35 in bi behielt, item 1 gulden unsers herren des koniges schribern, item 5 groß zwein
boden geschenkt, als er herabe sante und schichte.
[7] Item [4] primo 27 lb. hern Herman von Rodenstein mit 6 pherden von 18 nachten *(1403*
gein Nuremberg, als [a] unser herre der konig mit faste fursten und herren da waren, *nach*
als man dem bischof von Mencze und dem lantgraven da ußsprach. *Fbr. 3)*

40   a) cod. add. er.

---

[1] *Zwischen Urbani und Oswaldi (Mai 25 bis* *1402 unter der Rubrik ußgebin nachtgeld, ohne*
Aug. 5) 1403. *Datum, als einziger Posten der dritten rechenunge,*
[2] *Zwischen Partholomei und purificacionis (1403* *welche den Zeitraum von sabb. post Nicolai [1402*
Aug. 24 bis 1404 Febr. 2). ' *Dec. 9] bis sabb. ante Perpetue [1403 Merz 3]*
45 [3] *Zwischen Partholomei und purificacionis (1403* *umfaßt; überdieß dient als Anhaltspunkt zur Da-*
Aug. 24 bis 1404 Febr. 2); vgl. oben art. 24. *tierung die Erwähnung der Sühne zwischen Kur-*
[4] *Dieser Posten steht im Rechnungsbuch von* *mainz und Hessen vom 3 Febr. 1403 nr. 336f.*

[*8*] Sabb. post Valentini: 1 gulden eim boden, als her Herman von Rodenst*ein* von Nuremberg herschichte, als er bi unserm herren dem konige da waz.

[*9*] Sabb. ante Perpetue: 1000 gulden unsers gnedigen herren kunig Ruprechts gnaden geschenkt zů sunderlicher behegelichk*eit* und dinste zů stůre, des wir sinen kuniglichen quitbr*ief* han [1].

[*10*] Sabb. ante Walpurgis: 12 gul*den* hat man hern Herman von Rodenst*ein* gegeben, als er gein Nuremberg zu unserm herren dem konige reit, sinen gnaden des landes und auch sunderlich der stede not zů erzelen.

K. Erster Anhang: Verhandlungen wegen der Tödtung Herzogs Friderich von Braunschweig, Tag zu Nürnberg 1403 Jan. Febr. nr. 327-341.

327. *K. Ruprecht setzt einen Tag zu Hersfeld auf den 21 Sept. an zur Schlichtung der Streitigkeiten zwischen Erzbischof Johann II von Mainz Kunsmann von Falkenberg Friderich von Hertingshausen und Genossen einerseits und Landgraf Hermann von Hessen gen. Herzogen von Braunschweig und Genossen andererseits, und bestimmt daß die Betheiligten freies Geleit haben sollen. Beide Parteien (vgl. Quellenangabe) bestätigen die Urkunde. 1402 Aug. 12 Oppenheim.*

> *Aus Karlsr. G.L.A. Pfälz. Kop.-Buch 8½ fol. 49*b*-50*a *cop. ch. coaev., mit der Überschrift* Als ein tag bescheiden ist zuscheu dem bischof von Mentze etc. und Herman lantgraven zu Hessen etc. und den von Brunswig. *Unter dem Text* In der obgeschriben forme ist ein ander brief von worte zu worte biß uf die conclusio: und wir Johann erzbischof. an der stat ist die conclusio darfur gesetzet: und wir Hermann lantgrave zu Hessen Bernhard und Heinrich gebrudere herzogen zu Brůnswig und zu Lunenburg und Otte herzog zu Brunswig obgenant bekennen allez daz hievor geschriben stet fur uns und alle unsere helfere und auch alle unsere helfere stete feste und unverbrochen zu halten und dawieder nit zů suchen noch zu tůn heimlich oder offenlich durch uns selber oder iemand anders in geheine wise, ane alle geverde, und han daz auch als fur uns und sie bi unsern furstlichen truwen und g*l*oben in craft diß briefs. und dez zu urkůnde und größer gezugniße so hat unser iglicher sin eigen ingesigel bi dez obgenanten unsers gnedigen herren dez Romischen kunigs
ingesigel an diesen brief tůn henken, der geben ist zu Oppenheim uf den samßtag nach Laurentien dag etc. ut supra.

Wir Ruprecht von gots gnaden etc. bekennen und dun kunt offenbar mit diesem briefe: want der erwirdige Johann erzbischof zu Mentze unser lieber oheim und kurfurste Cuntzman von Falkenberg und Friederich von Hertingshusen rittere und ire helfere of ein site und die hochgepornen Herman lantgrave zu Hessen Bernhard und Heinrich gebrudere herzogen zu Brůnswig und zu Lunenburg und Otte herzog zu Brunswig unser lieben swager oheimen und fursten uf die andere site ietzund lange zit große kriege und fientschafte mit einander gehabt und ir lande und lute ietwedersit verderplichen gemacht haben, und want uns dieselbe ire kriege und fintschaft getruwelichen leit sint und die auch gerne underkommen und sie mit einander verrichten und versunen wolten nach allem unserm vermogen: so haben wir zuschen dem obgenanten unserm oheim und kurfursten dem erzbischof zu Mentze Contzmann von Falkenberg und Friederich von Hertingshusen rittern allen iren helfern und ir helfer helfern of ein site und den hochgebornen Hermann lantgraven zu Hessen Bernhard und Heinrich gebrüdern herzogen zu Brunßwig und zu Lunenburg und Otten herzogen zu Brunßwig vorgeschriben allen iren helfern und ir helfer helfern of die andere sit einen gutlichen

---

[1] *Vgl. nr. 283 art. 22.*

tag beret und gemacht bereden und machen in craft diß briefs, der da sin sal zu Herß- *1402*
felden of sant Matheus des heiligen zwolfbotden tag nehstkompt zu nacht daselbs zu *Spt. 21*
sin und of den andern tag darnach die tedinge anzůfahen. und sollent auch die obgenanten beide partien alle ire helfere und ir helfer helfere, die den obgenanten dag
5 sůchen und darzů kommen wollen, sie und die iren, von huse uß zu dem tage zu
kommen da-of zu sin und wieder heime zu riten ire libe und gute ie ein partie fur
der andern sicher und felig sin und verliben. und dieselben alle, die also von beiden
siten zu dem tage kommen und riten wollen, sollent auch von huse uß zu dem tage
und wieder heim zu riten dieselben zit alle frieden und felikeit halten und der andern
10 partien dazwuschen keinen schaden tůn oder zufügen in deheine wise, ußgescheiden in
allen vorgeschriben stucken punten und artikeln allerlei argelist intrag wiederrede hinderniße und geverde. und des allez zu orkund und vestem gezugniße so han wir
kunig Ruprecht obgenant unser kuniglich ingesigel an diesen brief tun henken. und
wir Johann erzbischof zu Mentze obgenant bekennen fur uns Cuntzman von Falkenberg
15 und Friederich von Hertingshusen, daz alles, daz hievor geschriben stet, von uns und
in* allen unsern und iren helfern und auch allen unsern und iren helfere-helfern stete
feste und unverbrochen gehalten werden sal, und daz wir und sie auch dawieder nit
suchen noch tun sollen noch wollen heimlich oder offenlich durch uns selber oder iemand
anders in dehein wise, ane alle geverde, und han das auch alles fur uns und sie bi
20 unsern furstlichen trůwen und eren globt und globen in craft diß briefs. und dez zu
urkund und größer gezügniße so han wir unser eigen ingesigel bi dez obgenanten unsers
guedigen herren dez Romischen kunigs ingesigel an diesen brief důn henken. geben
zu Oppenheim uf den samßtag nach sant Laurencien tag dez heiligen mertelers nach *1402*
Cristi gepůrte 1400 und zwei jare unser kunig Ruprechts riche in dem andern jare. *Aug. 19*
25 Ad mandatum domini regis
Johannes Winheim.

328. *K. Ruprecht bestätigt den Landfrieden in Sachsen Hessen Thüringen für den* *1402*
Rest seiner Ablaufszeit. 1402 Sept. 26 Hersfeld. *Spt. 26*

> *W aus Wien H.H. St.A.* König Ruprechts Registraturbuch C fol. 117ᵃ *cop. chart. coaev.,*
> 30 *mit der Überschrift* Bestetigunge dez lantfrieden zu Sachssen zu Hessen und zu Do-
> ringen etc.
> *K coll. Karlsr. G.L.A.* Pfälz. Kop.-B. 4 fol. 136ᵇ-137ᵃ *cop. chart. coaev., mit der Über-*
> *schrift wie W.*
> *Regest Chmel nr. 1324 aus W.*

35 Wir Ruprecht etc. bekennen und dun kunt offenbar mit diesem briefe allen den
die in sehent oder hörent lesen: das uns furkommen ist, wie das die hochgebornen
fursten .. die edeln .. grefen herren ritter knechte stette und ander der lande Sachssen
Hessen und Doringen durch gemeines nützes beschirmunge und friedes willen allermeng-
lichs und besunder unser und dez richs strassen einen gemeinen lantfrieden under ein
40 gemachet und den zu halden gesworn und verbriefet haben [1], derselbe lantfrid etwie

a) d. h. ihnen.

[1] *Es ist hier sicher ebenso wie in nr. 228, vgl.*
Anm. dort, der 12jährige Landfriede vom 7 Febr.
1393, Sudendorf Urkb. 7, 144-148 nr. 126, gemeint.
45 *Nachdem derselbe abgelaufen, schloßen am 20 Merz*
1405 Kurmainz Braunschweig und Hessen einen

neuen ab, den wir weiter unten in diesem Bande
mittheilen. Auf den Landfrieden von 1393, die
Zusätze die er 1398 erhalten hatte (s. Sudendorf
8, 320-322 nr. 234) und seine obige Bestätigung
durch K. Ruprecht ist offenbar auch zu beziehen

1402
Spt. 26
lange geweret habe und noch etwievil zite weren solle, als dann das soliche briefe, die
dorüber gegeben sin, wol ußwisen. wann wir nü eigentlich erkennen, daz derselbe
lantfrid gemeinen landen und luten unser und dez richs straßen geistlichen unde werntlichen personen und nemlich den bilgrin kaufluten und gebürsluten nutzlich und bequemlich ist, und auch guter friede und einikeite davon kommet: darumbe mit wol- 5
bedachtem müte, gutem rate unser und dez richs fursten edeln und getrüwen, haben
wir denselben lantfrid mit rechter wißen bestetigt bevestigt und confirmeret bestetigen
bevestigen und confirmeren den in craft diß briefs und Romischer kuniglicher mechtevolkommenheid. und meinen setzen und wollen, daz derselbe lantfrid in allen sinen
begriffungen puncten und artikeln, als der von den obgenanten fursten graven herren 10
rittern knechten stetden und andern, die dorin gehoren, gesetzet gemachet gesworn begriffen und verbriefet ist, nach inhalt solicher briefe die dorüber gegeben sind, die zit
gar uß als er noch zu weren gemachet ist, ganze stete und veste bliben und weren
solle von allermenclich ungehindert. und gebieten dorumbe[a] allen und iglichen fursten
geistlichen und werntlichen grafen frien-herren dinstluten rittern knechten burggraven 15
amptluten burgermeistern reten und gemeinden ernstlich und vesticlich mit diesem brief
bi unsern und dez richs hulden, daz sie die egenanten fursten grefen frien[b]-herren ritter
knechte stete und ander, die in den vorgenanten lantfrid gehoren, an demselben lantfrid
nit hindern noch irren in dehein wise, sunder sie dabi getrülich schützen schirmen und
gerülich bliben laßen und in den auch vesticlich hanthaben und behalden helfen, als 20
liebe in sie unser und dez richs swere ungnade zu vermiden.　orkund diß briefs versiegelt mit unser kuniglicher majestat ingesiegel, geben zu Herßfelden nach Cristus
1402
Spt. 26
geburte vierzehundert jare und darnach in dem andern jare dez nehsten dinstags
vor sant Michels tag unsers richs in dem dritten jare.

Per dominum Rabanum episcopum Spirensem 25
Otto de Lapide.

1402
Spt. 26
329. *Erzbischof Otto von Bremen und die Herzöge Bernhard und Heinrich von Braunschweig-Lüneburg erklären, daß sie wegen ihrer Ansprüche an Friderich von Hertingshausen und Kunzmann von Falkenberg sich dem Schiedsspruch König Ruprechts,
den dieser bis 15 April 1403 fällen wird, unterwerfen werden*[1]. *1402 Sept. 26* 30
Hersfeld.

K *aus Karlsruhe G.L.A. Pfälz. Kop.-B. 139 pag. 154 cop. ch. coaev.*
H *coll. Hannover St.A. Celler Orig.-Archiv Design. 8 Schrank 4 caps. 20 nr. 1ª cop.
ch. coaev.*
Gedruckt Sudendorf Urkundenb. 9, 260 nr. 184 aus H. 35

　　Wir Otto von gotts gnaden erzbischof zu Bremen und wir Bernh*a*rd und Heinrich
von denselben gnaden herzogen[c] zu Brunßwig und zu Lünenbürg bekennen und dun
kunt offenbar[d] mit diesem brief fur uns unser erben und nemlich des hochgebornen
herzog Friderichs seliger gedechtniße herzogens zu Brunswig unsers lieben bruders
erben:　das wir aller und iglicher forderunge und ansprache, die wir und die ege- 40

---

a) *K* darumben.　b) om. *W.*　c) *H* herzog.　d) *H* uffinlich.

*was in der Bulle Pabst Gregors XII vom 19 Dec.
1406 (Sudendorf 10, 402-407 nr. 159) über einen
in Sachsen Thüringen Westfalen und anderen
Gegenden errichteten Landfrieden gesagt ist.*

[1] *Die entsprechende Urkunde Friderichs von
Hertingshausen und Kunsmanns von Falkenberg
ist vom 27 Sept., s. Anm. zu nr. 333.* 45

nanten erben han an Friederich von Hertingshusen und Cunczmann von Falkenberg ritter als von der geschicht wegen als der egenant herzog Friederich selige dot verlieben ist und waz sich sither dorin und von derselben geschicht wegen verlaufen und ergangen hat, wie das gescheen ist, nichts ußgenommen, an dem[a] allerdurchluchtigsten[b] fursten
5 und herren herrn Ruprecht von gotes gnaden Romischer kunig zu allen ziten merer des richs unserm lieben gnedigen herren genzlich und gar zu der minne verlieben sin[c], also, waz derselbe unser gnediger herre der Romisch kunig darin machet und ußspricht hie zuschen und ostern die schierst komen, daz wir daz ganze stete und veste halten und ein benugen daran haben sollen und wollen ane allez[d] widersprechen.   des zu
10 urkunde haben wir obgenante Bernhard und Heinrich fur den[e] obgenanten hern Otten uns und die egenanten herzog Friederichs seligen erben unser iglicher sin eigen inge-siegel an diesen brief gehangen, und wir egenant Otto bekennen uns aller vorgeschriebener dinge under der[f] egenanten herzog Bernharts und herzog Heinrichs unser lieben brudere insiegele.   geben zu Herßfelden[g] nach Christi geburte vierzehenhundert und
15 dornach in dem andern jare des nehsten dinstages vor sant Michels tag.

1402 Spt. 26

1403 Apr. 15

1402 Spt. 26

330. *K. Ruprecht beredet eine vorläufige gütliche Berichtigung zwischen Erzbischof Johann II von Mainz einerseits, und den Herzogen Bernhard und Heinrich zu Braunschweig und Lüneburg, deren Bruder Erzbischof Otto von Bremen, ihrem Vetter Herzog Otto d. j., Landgraf Hermann zu Hessen und Bischof Johann III*
20 *von Hildesheim andererseits [1], mit Aufhören aller Fehde bis 15 April 1403, binnen welcher Zeit der König auf einem Tage zu Nürnberg durch gütlichen Entscheid oder durch Rechtsausspruch die Sachen beilegen wird; in derselben Frist wird er auch gütlichen Entscheid treffen zwischen den drei Braunschweigischen Brüdern einerseits und Friderich von Hertingshausen und Kunzmann von Falkenberg an-*
25 *dererseits. 1402 Sept. 27 Hersfeld.*

1402 Spt. 27

H aus Hannover St.A. Celler Orig.-Arch. Design. 8 Schrank 4 caps. 20 nr. 2 or. mb. c. 6 sig. pend.; es findet sich einmal ausgeschrieben diener *und zweimal* helffere, *das eine mal in der Verbindung* helffere-helffer, *wir haben* e *mit Haken durch* er *und nicht durch* ere *gegeben, außer in* helffere-helffer *und im Gen. Plur.* brudere.
30 *K coll. Karlsr. G.L.A. Pfälz. Kop.-B. 139 pag. 147-153 cop. ch. coaev. Bei den art. 3-11 stehen links am Rande gleichzeitige Vermerkzeichen.*
W coll. Würzb. Kreis-Archiv Mainz-Aschaffenb. Ingrossatur-Buch nr. 13 cop. chart. coaev. fol. 279ᵃ-281ᵇ; Überschrift Die beredunge die zu Hersfelden gescheen ist zuschen mime hern und den hern sinen fienden.
35 *Wolfenbüttel Herzogl. Landeshauptarchiv nr. XXV hat im Datum den Mittwoch nach Michaelis, also Okt. 4, wol verschrieben.*
Gedruckt Sudendorf Urkb. 9, 255-260 nr. 183 aus H. — Regest Janssen R.K. 1, 716 f. nr. 1137 aus K. — Erwähnt Joannis rer. Mog. 1, 720.

Wir Ruprecht von gotis gnaden Romischer kunig zů allen zcijten merer des rijchs
40 bekennen und tůn kunt[h] uffinbar mit diesem brieve allen den die in sehint ader horent lesen[1]:   daz wir umbe soliche stoße missehel und krieg, die gewesen sin und sich

---

a) *om.; K* den. b) *H add.* hochgebornen. c) *H* verlieben sin zu der minne und ausgestrichen verlie statt zu — sin. d) *K add. ausgestrichen* wollan. e) *H übergeschrieben, ausgestrichen* die. f) *om. H.* g) *H* Herfelden etc. statt Herßfelden — tag. h) *om. K.* i) *W hat nur* Wir Ruprecht etc. bekennen etc.

---

45 [1] *Über die Streitigkeiten des Herzogs Otto von Braunschweig und des Bischofs Johann von Hildesheim mit Erzbischof Johann von Mainz scheint K. Ruprecht in Nürnberg keinen Schiedsspruch* gefällt zu haben; vielleicht hatten sie sich in der Zwischenzeit gütlich mit ihm verglichen; darauf läßt, was den Bischof anbelangt, nr. 335 art. 5 schließen.

1402
Sept. 27 ergangen han zuschen deme erwirdigen Johanne erczbischoff zů Mencze unserm lieben
oheim und kurfursten und allen sinen helffern und sinre helffere helffern uff eyne sieten
und deme erwirdigen Otten erczbischoff zů Bremen den hoichgeborn Bernharte und
Heinrich hierczog zů Brunßwig und zů Luneburg gebrůdern Otten hierczogen zů Brunßwig
dem jungen Hermanne lantgrave zu Hessen und dem erwirdigen Johan bischoff zů 5
Hieldenssem unsern lieben oheimen swager und fursten und allen iren helffern und ire
helffere helffern[a] uff die andern sieten, mit derselben beyder parthien wissen und willen
cyn gutliche berichtunge zuschen in getedingt und beredt han in der maßen als hernach
geschrebin steht: [1] czum ersten: daz alle und iglich fhede, die zuschen den obgenanten partyen und allen iren helffern landen und luten clostern phaffen und mit 10
namen Friederich von Hertingshusen und Cunczmann von Falkinberg rittern und Heinrich und Wernher von Gudinburg[b] gewesen ist, genczlich abesin sal, und sal zewůschen
denselben partyen allen iren helffern dienern und den iren zulegern, und die darinne verdacht sin ader verdacht muchten werden, umbe alle sache, die sich in der obgenanten
1402
Sept. 27 mißhell und kriegen ergangen hant biß uff diesen hutigen tag, eyne berichtunge sin[c] 15
in der maßen als hernach geschrebin steht.   [2] item sollent alle und iglich gefangen,
sie sin edel ader unedel phaffen monich burger gebuere ader wer die weren, die von
beyden sijten in dem obgenanten kriege gefangen sin wurden, zile und[d] tag habin biß
1403
Apr. 15 uff ostern nehstkumpt, edele lute und reysige[e] uff ire eyde, und phaffen monich burger
gebuere uff reddeliche burgen und umbe ein zcijtlich gelt-uzgebin, ane geverde.   [3] und 20
sal auch alle schaczunge von brandis wegen von gefangen ader andere, wie man die
genennen mûge, ane geverde, sie sin verbrieft verburgit globt ader anders versichert,
den obgenanten beyden partyen iren helffern amptluden den iren ader andern den sie
cz danne furter verschafft hetten, in willichen weg daz were, die nach[f] ungegebin und
ungericht ist biß uff diesen hutigen tag, und daczů alle und iglich brieff burgen globede 25
ader ander verspruchniß ader verbuntniß, wie man die genennen muchte, die vor soliche
schaczunge gegebin gesatzit und besichert geweren, und ab eynich gefangen in dem obgenanten kriege zu keynem verbuntniße gedrungen weren heimlich ader uffinbar ader
wie daz gescheen were, und auch ab einch in dem obgenanten kriege von beyden partien gefangen weren die nit fiend weren: daz[g] daz allis semptlich und besundern[g] sal 30
1403
Apr. 15 bestehin und verliehen biß uff ostern nehstkumpt; doch wanne wir in den obgenanten
sachen uzsprechen werden, daz danne die gefangen und alle schaczunge und anders, als
davore geschrebin steht, genczlich und gar zů unser hant gestalt werden sullen; und
waz wir danne darinne und damydde tun ader lassen, daz sie des auch von beyden
sieten gefolgig sin und daz follenczijhen tun und follenfuren sullen[h] ane widderrede und 35
geverde.   [4] item haben wir auch geredt: willich helffer der obgenanten parthien von
des obgenanten kriegs wegen ire lehene, die sie han gehabt von den obgenanten herren,
in uffgegebin han, ader solich verbuntniß, als sie denselben herren vor dem egenanten
kriege verbunden sin[i] gewesen mit slossen ader anders wie daz were, in uffgesagit
habin, ader der anders meynen ledig worden sin von der egenanten hulffe wegen, und 40
abe dieselben icht verbuntniß darumbe mit briefen ader anders getan hetten: daz daz
1403
Apr. 15 allis auch also sal blijben stehin biß uff ostern nehstkumpt und zů unser hand gestalt
werden zu der czijt und in aller maßen als in deme nehsten artikel davor begriffen ist,
also, waz wir darinne uzsprechen, daz sie[k] daz von beyden partien halten follenfuren

a) und — helffern om. W, H iren helffern helffer; auch lin. 2 ist emendiert, H hat dort ire helffere helffer. 45
b) K Gutenburg, W Gudenburg. c) HKW add. sal. d) K sullen für zile und. e) reysigen? mit Haken.
f) sic. g) W bestender. h) H nur verschrieben sallen. i) K weren. k) so KW; H wir.

[1] *Anakoluth:* und sal auch — daz daz allis sal bestehin.

und tun sullen.   [*5*] wer' es auch daz etliche der obgenanten partien ire helffere un- *1408*
dertanen ader der iren ader ymand von irer wegen der andern parthien iren helffern *Spt. 27*
undertanen ader den iren etliche liginde gûte, wie die genant ader wo die gelegen weren,
gnommen bekommert ader verbotden hetten von des obgenanten kriegs wegen mit ge-
⁵ richte ader ane gerichte, wie daz geschen were: daz sal auch blieben stehin biß uff
ostern nehstkumpt und zû unsern handen gestalt werden in der zcijt und in der maßen *1408*
als vôr geschrebin steht, also, waz wir darinne uzsprechen, daz sie daz von beyden *Apr. 15*
sijten halten follenfuren und tun sullen, ez weren danne guter die eyns herren weren
ader sine aldern uff in bracht hetten.   [*6*] auch ist geredt, daz die obgenanten par-
¹⁰ thien aller ansprache, mit namen die unser oheim der erczbischoff von Mencz obgenant
an unsern swager den lantgraven von Hessen egenant ader derselbe unser swager an
unsern oheim den erczbischoff von Mencz widderumbe meynen zû habin[a] von solicher
sache wegen die sich erhabin und ergangen han sint der zcijt daz derselbe unser oheim
zû syme bischofftûm zû Mencz kommen ist, an uns verlijben sin zum rechten in aller
¹⁵ maßen als hernach geschrebin sted: mit namen daz die vorgenanten partien ire igliche
der andern umbe soliche ansprache, die sie an einander meynen zu habin als davor
geschrebin steht, tun sullen waz sie einander nach beyder sijte ansprache und widderredde von eren und rechtis wegen tun sullen nach unserm erkentniß; und wie wir auch
erkennen nach redde und widderrede, willich der obgenanten partie ansprache entwurte
²⁰ und recht vor ader nach sulle gehin, dabij sollent sie ez auch laßen blieben und deme
also nachgehin.   [*7*] auch ist geredt, daz soliche ansprache, als Otte erczbischoff zû
Bremen Bernhart und Heinrich hierczogen zû Brunßwig gebruder[b] unsere oheimen obgenant meynen zû habin an den obgenanten erczbischoff Johan von Mencze als von der
geschicht wegen die sich ergangen han von ire bruder hierczog Frederichs seligen wegen
²⁵ und waz sich darinne und sint derselben zcijt verlouffen hat, und die derselbe erczbischoff Johan an die egenanten erczbischoff Otte und die hierczogen von Brunßwig
widderumbe meynet[c] zu habin von sache wegen die sich erhabin und ergangen hant
sint der zcijt daz die egenant geschicht von hierczogen Frederich seligen wegen geschen
ist, auch an uns verlijben sin zum rechten in aller maßen als hernach geschrebin stet,
³⁰ mit namen daz die vorgenanten partien ire iglich der andern umbe soliche ansprache,
die sie an einander meynen zu habin als davor geschrebin sted, tûn sullen[d] waz sie
einander nach beyder sijt ansprache und widderrede von eren und von rechtis wegen
tun sullen nach unserm erkentniß; und[e] wie wir auch erkennen nach redde und widderredde, willich der obgenanten parthien ansprache entwurte und recht vor ader nach
³⁵ sulle gehin, dabij sullen sie ez auch laßen blieben und deme also nachgehin.   [*8*] auch
sint der erwirdige erczbischoff Johan von Mencze unser lieber oheim und Otte hierczoge
zû Brunßwig obgenant solicher ansprache, als irer eyner an den andern meynen zû han
und die sich in diesem kriege verlouffen han, genczlich an uns verlijben.   [*9*] ouch
ist geredt: wer' es daz der vorgenanten beyde partien amptlute diener ader die iren[f]
⁴⁰ ymande friedde gebin hetten, darumbe in gelt wurden were und daruber die beschediget
weren wurden, da sal man hie zuschen und deme tage den wir bescheiden werden von
beyden sieten daczû schicken und besehin, daz daz henegelacht und verrichtet werde.
geschee des nit, so sin die obgenanten beyde parthien des an uns auch zûm rechten
blieben, darumbe uff dem obgenanten tage uzczûsprechen.   [*10*] und heruff sollen und
⁴⁵ wollen wir den egenanten parthien tage vor uns bescheiden gein Nuremberg hie zûschen
und deme heiligen osterntage nehstkumpt, und uff demselben tage irer aller ansprache *1408*
und entwurte beschrebin nemen, und danne versuchen ab wir sie mit irem wissen und *Apr. 15*

---

a) *K* add. und. b) *so KW; om. H.* c) *em. aus* meynen. d) *H verschrieben* sallen. e) *om. K.* f) *H* irenn, *darnach etwa zwei Buchstaben ausradiert.*

1402
Spt. 27 willen umbe dieselben sache mit der mynne gutlich entscheiden mûgen. muchte abir
des nicht gesin, so sollen wir in daz recht uff demselben tage uzsprechen in der maßen
als vor geschrebin steht.   [*11*] doch ist mit namen in diesem rechten[a] uzgeseczit, waz
in deme obgenanten krijge in fhede gescheen ist, ez sij mit name brande toden ader
wunden, wie man daz nennet.   [*12*] item ist auch sunderlichin geredt und getedinget   5
als von der burge genant Allrberg wegen: wie wir den erwirdigen erczbischoff Johan
und Hermann lantgrave zû Hessen obgenant darumbe mit der mynne entscheiden und
sie darinn heißen tun ader laßen, daz sie des von beiden sijten gefolgig sin[b] und daz
tûn[c] vollenczihen und follenfuren sullen ane widderredde intrag und geverde.   [*13*] item
von solicher ansprache wegen, als Otte erczbischoff zû Bremen Bernhart und Heinrich 10
hierczogen zû Brunßwig gebruder unsere oheimen obgenant habin an Frederich von
Hertingshusen unde an Cunczman von Falkinberg ritter von der geschicht wegen als
ire bruder hierczog Frederich seliger tod ist verlieben und waz sich sinther darinne
ergangen hat, ist geredt und getedinget, daz unsere oheimen erczbischoff Otte und Bernhart und Heinrich hierczogen zû Brûnßwig obgenant vor sich alle ire erben und hier- 15
czogen Frederichs seligen ires bruder erben ire frunde diener helffer und die iren uff
eyne sieten und Friederich und Cûnczman egenant vor sich und all und iglich die mit
in waren und von irer wegen bij der obgenanten geschicht ire erben frund helffer und
die iren uff die andern sieten dieselbe sache genczlich an uns habin gestalt zû der
mynne, also, wie wir sie darinne entscheiden, daz sie daz beydersijt uffnemen halten 20
und genczlich follenfuren sullen.   diese entscheidunge sollen wir auch tûn hie zuschen
und[d] ostern nehstkumpt ane geverde.   und sal auch heruff von der obgenanten unser
oheimen erczbischoff Otten und der hierczogen von Brunßwig wegen gein Frederich
und Cunczman[e] und all und iglichen die mit in und von irer wegen bij der obgenanten
geschicht waren ader darinne verdacht sin iren erben helffern frunden und dienern ein 25
gancz luter verczig sin, also wanne wir darinne uzsprechen und die obgenanten Friederich und Cunczman daz getan und follenfuret habin.   doch sollen sie uff beyde sieten
under einander sicher sin hie zuschen und[f] ostern nehstkumpt.   [*14*] auch wer' es
daz wir hie zuschen und ostern nehstkompt von todis wegen abegingen, ee danne wir
die egenanten uzspruche und entscheidunge getetden als vor geschrebin steht[g], so sullen 30
alle und iglich obgenante partien von irer zuspruche wegen, die sie an einander meynen
zu habin und der sie an uns verlijben als vor geschrebin steht, zû allen iren rechten
stehin und dieselben ire zuspruche vor in han als hute zû tag ee diese bereddunge und
tedinge gescheen waz, und sollen doch die fhede abesin und die gefangen zile und tag
habin hie zuschen und ostern nehstkumpt, an allermenlichs widderredde hinderniß und 35
intrag ane alle geverde.   [*15*] ouch sollen mit namen grave Heinrich von Hoenstein
sine sone[h] die von Northusen und alle ire helffer und helffere-helffer auch in dieser sune
begriffen und die fhede genczlich abesin; und waz der vorgenant grave Heinrich von
Hoenstein gefangen hat, ez sin edel reysig burger gebuer phaffen monich etc., die sollent
zile habin hie zuschen und ostern nehstkumpt in aller maßen als die andern gefangen 40
vorgeschrebin.   [*16*] ez sal auch Wernher Ernst und Hans von Ußler[i] uff dem Nûwen-
huse[k] und Herman von Ußler uff dem Aldenhuse in der fhede, die abegetan ist, begriffen sin in helffers-wiese.   [*17*] ez sal auch daz geslechte von Reden[l] in der fhede,
die abegetan ist, begriffen sin in helffers-wiese.   [*18*] item als vor geschrebin steht
daz die fhede abesin sal, ist gered, daz uff datum diess briefs alle fhede von allen 45
partien und allen iren helffern und ire helffere helffern[m], wie daz davor begriffen ist, gencz-

1402
Apr. 15 (margin)
1402
Apr. 15 (margin)
1402
Apr. 15 (margin)
1402
Apr. 15 (margin)
1402
Apr. 15 (margin)
1402
Spt. 27 (margin)

a) *H* rechtem. b) om. *H.* c) *W* dann. d) om. *K.* e) *W* add. von Falkinberg. f) om. *K.* g) als — steht om.
K. h) *K* sin sune; *W* sin son. i) *K* Usla, *W* Ußlar; ebenso das nächste mal. k) *H* Nûwenhûse? *Punkt*
über u. l) *K* Rieden. m) em.; *H* helffer.

lich und zůmale abesin sal. und daz sal von stund von den die hie zů Hersfelde und _1402_
zůr Eyche von beyden sieten zů deme tage gerieden sin gehalden werden[a], und sal _Spt. 27_
igliche parthye[b] iren helffern und helffers-helffern daz verbotschaffen hie zuschen und deme
nehsten frytage zů nacht nach datum diess briefs. wer' es abir daz darbynnen ymand _1402_
5 ungeferlich und unwissintlich uff beyde sieten gefangen wurde ader schade geschee an _Spt. 29_
name, daz danne dieselben gefangen ledig und die name gekarit werde; waz abir von
brande todslegen ader wůnden dazuschen ungeferlich und unwissintlich geschee, darumbe
sal eyne parthie von der andern ane nodtedingen verlijben. und dieser dinge aller
zů warem orkunde und geczugniß han wir unser koniglich majestat-ingesiegil tůn hencken
10 an diesen brieff. und wir Johan von gots gnaden erczebischoff zů Mencze des heiligen
Romischen rijchs in Duczschen landen erczcanceler vor uns unser nachkomen und unsern
stifft zů Mencze unser frunde helffere und helffere-helffer diener und die unsern uff ein
sieten, und wir erczbischoff Otte und Bernhart und Heinrich hierczogen zů Brůnßwig
und zů Luneburg obgenant wir Otte hierczog zů Brůnßwig der junge wir Herman lant-
15 grave zů Hessen und wir Johan bischoff zů Hildenssem vor uns unser erben nachkomen
unser frunde helffer und helffere-helffer diener und die unsern uff die andern sieten,
bekennen und tun kunt uffinbar mit diesem briefe allen den die en sehint ader horen
lesen: daz der allrdurchluchtigist hoichgeborn furste und herre herre Ruprecht Romischer
kunig zů allen czijten merer des rijchs unser gnediger lieber herre die obgenant be-
20 richtunge mit unser aller wissen und willen zůschen uns gered und getedingit hat in
aller maßen als hievore von wurten zů wurte begriffen und geschrebin steht. und
darumbe habin wir alle und unser iglicher besunder vor uns unser nachkomen und
erben vor alle und iglich unser frunde helffer diener und die unsern von beyden sijten
versprochen und bij unsern furstlichen eren und[c] trůwen globt, versprechen und globen
25 auch also in crafft diess briefs, die obgenant berichtunge mit allen und iglichen puncten
und artikeln, wie die hievore von wurten zu wurten innehalden und geschrebin stehint,
stete veste getrůwelich und unverbruchlich zů halten, und besundern soliche uzspruche,
die der obgenant unser herre der Romische kunig tun sal als vor geschrebin stęt, genczlich zů halden zů tůn und zů follenfuren, als danne unser iglichen wirdet antreffen und
30 zůgeboren, und dawidder nicht tun nach schaffen getan werden mit gerichte geistlich
ader werntlich ader ane gerichte in dheine wiz, alle argelist und geverde uzgescheiden.
und des zů warem orkunde und sicherheid han wir Johan erczbischoff zů Mencz obgenant und wir Bernhart und Heinrich hierczogen zů Brůnßwig gebruder vor uns und
die erwirdigen in gote vetter hern Otten erczbischoff zů Bremen unsern lieben bruder
35 und Johan bischoff zů Hildenssem und wir Otte hierczoge zů Brunßwig der junge und
wir Herman lantgrave zů Hessen unser iglicher sin eygen ingesiegil zů des obgenanten
unsers gnedigen herren des Romischen kunigs ingesiegil an diesen brieff tun hencken.
und wir Otte von gots gnaden erczbischoff zů Bremen bekennen uns aller vorgeschrebin
dinge under der[d] vorgenanten hierczogen Bernharts und hierczogen Heinrichs vil
40 lieben brudere ingesiegil, und wir Johan bischoff zů Hildenssem under[e] hierczogen
Heinrichs yczunt genant[f] ingesiegil. geben zů Hersfelden uff den nehsten mitwochen
vor sende Michels tage des erczengils in deme jare als man zcalte nach Cristi gebůrte _1402_
vierczehinhundert und zcwey jare unsers rijchs in deme dritten jare. _Spt. 27_

Ad mandatum domini regis
Otto de Lapide.

45

a) W werde. b) H 'e über y kolumniert. c) W in. d) so KW; H her. e) W und. f) om. H.

1403
Jan. 11
bis
[Fbr. in.]

331. *Kosten Nürnbergs bei dem königlichen Tage daselbst im Januar und Februar*
1403. 1403 Jan. 11 bis [Febr. in.[1]] Nürnberg.

Aus Nürnberg Kr.A.; und zwar art. 1 aus cod. msc. nr. 489 Schenkbuch 1393-1422 ch.
coaev., s. Quellenbeschr. zu nr. 324; art. 2 aus cod. msc. nr. 487 Schenkbuch fol. 3ᵇ
ch. coaev., mit der Überschrift König Ruprecht anno etc. tercio, einziger Posten aus 5
dem Jahre 1403.

1403
Jan. 11
bis 31

[*1. Erste Bürgermeisterperiode des Rechnungsjahres 1403* feria 5 post Erhardi
anno 1400 tercio *bis* feria 4 ante purificacionis Marie[2].] propinavimus hern Hansen
vom Hirßhorn 6 qr., summa 16 sh. hl.   propinavimus Gorgen und Fridrich den Awern
und F. Satelpoger 6 qr., summa 16 sh. hl.   propinavimus dem Gewolff vitztum zu 10
Amberg 6 qr., summa 16 sh.   propinavimus hern Johan Raben der von Meichsen
diener 4 qr., summa 10 sh. 8 hl.   propinavimus den von Fridberg 4 qr., summa
10 sh. 8 hl.   propinavimus dem alten von Weinsperg 6 qr., summa 16 sh. hl.   propinavimus graven Wilhelm von Montfort hern Wernher Nothaft hern Burchart von
Elerbach hern Veiten von Rechberg her Pupulin von Elerbachᵃ Caspar von Freyberg 15
Heinrich von Eysemberg und hern Burchart von Awrbach 12 qr., summa 1 lb. 12 sh.
hl.   propinavimus dem lantgraven von Hessen und herzog Otten von Prawnsweig
24 qr., summa 3 lb. 8 sh. hl.   propinavimus herzog Heinrich von Prawnsweig dem
alten 24 qr., summa 3 lb. 8 sh. hl.   propinavimus den von Meichsen den jungen
24 qr., summa 3 lb. 8 sh. hl.   propinavimus markgraven Wilhelm von Meichsen den 20
alten 24 qr., summa 3 lb. 8 sh. hl.   propinavimus herzogen Steffan 24 qr., summa
3 lb. 8 sh. hl.   propinavimus dem bischof von Eysteten 16 qr., summa 2 lb. 5 sh.
4 hl.   propinavimus graven Eberhart von Wertheim 6 qr., summa 16 sh. hl.   propinavimus dem bischof von Wirtzpurg 16 qr., summa 2 lb. 5 sh. 4 hl.   propinavimus
dem von Haideck und seinem sun 8 qr., summa 1 lb. 2 sh. 8 hl.   propinavimus den 25
von Nördlingen von Ulm von Dinkelspühel und von Gemünde 12 qr., summa 1 lb.
14 sh. hl.   propinavimus den von Weissemburg 4 qr., summa 11 sh. 4 hl.   propinavimus den von Mansfelt und Querfürt 8 qr., summa 1 lb. 2 sh. 8 hl.   propinavimus
dez bischofs von Bamberg reten 8 qr., summa 1 lb. 2 sh. 8 hl.   propinavimus dem
provisor von Ertfürt 6 qr., summa 17 sh. hl.   propinavimus dem abt von Fulde 30
12 qr., summa 1 lb. 14 sh. hl.   propinavimus dem herzog von Deck 12 qr., summa
1 lb. 14 sh. hl.   propinavimus dem von Haideck tumprobst 8 qr., summa 1 lb. 2 sh.
8 hl.   propinavimus den von Rotemburg 4 qr., summa 11 sh. 4 hl.   propinavimus
graven Fridrich von Hennemberg 8 qr., summa 1 lb. 2 sh. 8 hl.   propinavimus
graven Philipps von Nassaw und des bischofs von Meintz reten 20 qr., summa 2 lb. 35
16 sh. 8 hl.   propinavimus burggraven Fridrich 16 qr., summa 2 lb. 5 sh. 4 hl.
propinavimus burggraven Johan 16 qr., summa 2 lb. 5 sh. 4 hl.   propinavimus dem
techant von Bamberg und dreien Stiebern 8 qr., summa 1 lb. 2 sh. 8 hl.   propinavimus dem graven von Eberstein 6 qr., summa 16 sh. hl.   propinavimus graven
Fridrich von Oetingen 12 qr., summa 1 lb. 12 sh.   propinavimus graven Heinrich 40
von Hennemberg 8 qr., summa 1 lb. 1 sh. 4 hl.   propinavimus den von Augspurg

a) *nicht ganz deutlich; zwischen E und l scheint ein Buchstabe ausgestrichen zu sein.*

[1] *Die in art. 2 verzeichnete Ausgabe ist wahr-*
scheinlich Anfang Februar gemacht.
[2] *Obgleich der Tag noch bis in die nächste*
Bürgermeisterperiode hinein dauert, sind die dazu
erschienenen Fürsten und Gesandten doch wol alle
in dieser ersten beschenkt worden; die früheren
und späteren Schenkungen Nürnbergs s. nr. 324. 45

und Swebischen - Werd 6 qr., summa 16 sh. hl.   propinavimus dem von Witzleben *1403*
dez von Meichsen rat 6 qr., summa 16 sh. hl.   propinavimus hern Hansen von Hohen- *Jan. 11 bis*
loh 6 qr., summa 16 sh. hl.   propinavimus der herzogin von Deck 16 qr., summa *(Fbr. in.)*
2 lb. 2 sh. 8 hl.   propinavimus den von Herschfelden 4 qr., summa 10 sh. 8 hl.
5 propinavimus dem herzogen von Deck dem eltern 12 qr., summa 1 lb. 12 sh. hl.

                                     Summa 60 lb. 7 sh. 8 hl.

[*2*] Item dedimus 4 guldein unsers herren künigs hoffmeisters knechten von des
gestüls wegen, das man unserm herren künig gemacht hette, do er den von Prawnsweig
und dem lantgrafen von Hessen ire lehen lihe [1], jussu consilii, wann der hoffmeister
10 mainte, das ez seinen knechten zugehorn solte.

332. *Aufzeichnung über einen Versuch Rotenburgs an der Tauber bei dem königlichen* *1403*
    Hofgericht zu Nürnberg während des königlichen Tages daselbst eine Bestätigung *Jan. 17*
    gewisser kaiserlicher und königlicher Privilegien zu erwirken [2]. 1403 Jan. 17.

        Aus Nürnb. Kr.A. Saal V Lade 365 (Rotenburg tit. 2 kaiserl. Privil.) nr. 98 [b] chart.
15   *coaev.; ein Blatt ohne Sigel und Schnitte, so daß der Schlußabsatz Auch sol man*
        dise — mohten werde auf der Rückseite steht.

    Anno quadringentesimo tercio in die sancti Anthonii monachi. *1403*
    Es ist zu wizzen daz Heinrich Toppller burgermeinster [a] zu Rotenburg und mit *Jan. 17*
im Richolf Nurenberger etc. gein Nurenberg [b] riten zu dem allerdurchleuhtigistem fursten
20 unserm genedigen hern kunig Ruprehten etc. von etwiviel sach wegen, sunderlichen
mit zwen keiserlichen briffen und mit des egnanten kunig Ruprehtz etc. confirmirung-
brief [3], darinne er uns all unser freihaut und briefe di wir haben von keisern und
kunigen seinen vorfarn an dem reich bestetiget und confirmiret hat, als daz derselb
confirmirung - brief clerlichen wol uzweiset etc.   da maht sich uf diselben zeit daz
25 derselb unser obgenanter genediger her der kunig etc. sumliche fursten uf di zeit auch
darbescheiden hat sunderlichen von des bischoffes von Meincz und der von Brünssweig
des lantgraffen von Hessen wegen, und mit in [4] drei markgraffen von Meissen mit namen
markgraff Wilhelm der alt und di zwen jungen seins bruder süne der bischof von
Wirczburg und der von Eystet zwen von Aetingen [5] und auch ander hern und stet-
30 boten vil.   darum sich viel furzihens wart, daz wir und [c] der stet boten nichtz in den
sachen [d] geschikken konden, da iht nutzes anleg oder darum wir uzkumen waren, biz

        a) *sic.* b) *Vorlage* Nurenburg. c) *Vorl. un.* d) *om. Vorl.*

---

[1] *S. nr. 339 und Chmel nr. 1413-1415, alle vom*
4 Febr. 1403.

35 [2] *Dieses Stück ist von uns aufgenommen worden*
wegen der darin enthaltenen Nachrichten über
Besuch des Nürnberger Tages von Jan. Febr. 1403.

[3] *S. Chmel nr. 1070 vom 30 Okt. 1401. Die*
Rotenburger hatten damals außer dieser Urkunde,
40 *die ihre Freiheiten allgemein ohne sie einzeln auf-*
zuführen bestätigte, auch die Bestätigung bestimm-
ter einzelner Privilegien etc. erhalten, s. Chmel
nr. 1018 ff. Darunter fehlt das wichtige Privileg
der Befreiung von fremden Gerichten, und vielleicht
45 *bezogen sich darauf die beiden Kaiserurkunden*
die die Rotenburger jetzt bestätigt zu haben
wünschten. Man kann an Karls IV Urkunden

Böhmer-Huber Reg. nr. 2179 und 2314 oder 2180
denken.

[4] *Der Schreiber fällt nun aus der Konstruktion*
und fährt im Nominativ fort; zu ergänzen ist
wol: waren anwesend. Daß der Nominativ aus
Versehen statt des Accusativs gesetzt wäre, so daß
der Schreiber die folgenden Herren und Städte-
boten als eingeladen hätte bezeichnen wollen, ist
nicht anzunehmen, die andere Interpretation ist
an sich die natürlichere und passt besser zu un-
seren sonstigen Nachrichten, vgl. Einleitung.

[5] *Diese finden wir als während der ersten*
Bürgermeisterperiode 1403 in Nürnberg beschenkt,
mit Ausnahme des einen Grafen von Öttingen, s.
nr. 331 art. 1.

1403 Jan. 17 an den ahten tag. also wart Heinrich Toppler zu rat mit dem hofgerihtz-schreiber Johansen Kircheymen und mit Richolfen, da in kein hoffgeriht moht werden wol in vier tagen, daz der burgermeinster wolt haimreiten und wolt den Richolfen da lazzen mit den briefen und des hoffgerihtes warten lassen, ob uns diselben unser keiserliche briefe confirmiret mohten werden, als si auch des von dem hofschreiber furtrostet waren worden. also bleib der Reicholf zu Nurenberg und wart des hofgerihtes unz an den dritten tag. da maht der von Weinsperg hofrihter ein hofgeriht, daran sazzen di hernachgeschriben [1]: Schenk Eberhart von Erpach her Burkart von Seckendorff zu Franckenberg her Albreht von Egelolfstein her Erhart von Merkingen her Walther von Stophenhein von Seckendorff genant Rupreht Fraudenberg her Lutz von Eybe [a].

Also trat der obgenant Richolf fur daz hofgeriht, und bat den hofrihter um einen ritter, der sein wort sprech von der stat wegen zu Rotenburg, wann er briefe do wolt lassen lesen von der [b] von Rotenburg wegen. di las auch des hofgerihtz schreiber. do di also gelesen wurden, da fraget her Albreht von Eglolfstein uf den ersten brief, der da kunig RupFEhtz confirmirung was uber alle unser briefe, ob man uns di iht muglich, di wir in gegenwart in gerliht gelesen hetten lassen, mit des hoffgerihtz briefen und insigellen iht billich confirmiren und bestetigen · solt. da stunden di ritter uf nach des hoffrihters frage und beriten sich darum. wes sie sich aber beriten etc.; denne irer zwen Schenk Eberhart und her Walther von Stopffenheim gingen von den rittern und gingen hinein zu unserm hern dem kunige, und da si wider in gericht kamen, da hischen si di ritter wider zu in und kamen wider in di schrannen des hofgerihtz und liessen in den confirmirung-brief kunig Ruprehtz wider lesen und stunden da aber uf und beriten sich. da sassen si danider, und fragt der hoffrichter. da teilten di ritter semptlich: di confirmirung unsers hern des kuniges hett in ir selbs begriffen alle unser briefe craft und maht; man solt uns diheinerlei confirmirung daruber geb noch tûn, denne wolt wir einen semlichen, der des briefes und confirmirung gleich wer [c], von dem hoffgeriht, den solt man uns billichen geben, um daz ez sorglichen wer' denselben briefe hin und wider zu furen zu einer beweisung, wa uns sein not geschehe, wenn er doch usweiset bestetigung alle unser briefe one [c] kunig Wenczlawes [2] etc.

[*in verso*] Auch sol man dise keiserliche briefe darum nit lazzen ligen, sunder wenne man mag und der burggraffe [3] und etlich ritterschaft nit zu hoffe weren, ob [d] si noch confirmiret mohten werde.

a) Rupreht — Eybe von anderer gleichzeitiger Hand hinzugefügt. b) Vorl. wiederholt von der. c) Vorl. e über a kolumniert. d) Vorl. add. man.

---

[1] *Vgl. das Verzeichnis der Spruchrichter nr. 338.*

[2] *Die Privilegien K. Wenzels bestätigte K. Ruprecht grundsätzlich nicht, s. RTA. 4 nr. 397 und Einleitung zum Mainzer Tage von 1402 Juni bis Juli lit. O.*

[3] *Von diesem setzten die Rotenburger also voraus, daß er die Erfüllung ihres Wunsches zu hindern suche. Burggraf Friderich wird gemeint sein; denn mit diesem waren sie damals in Streitigkeiten verwickelt. Am 24 Februar 1403 vermittelte K. Ruprecht zwischen dem Burggrafen Friderich und den damals in Streitigkeiten verwickelten Rotenburger Rathsfreunden einen Tag auf Montag nach reminiscere [Merz 12] zu Windsheim vor ihm zu leisten, s. Mon. Zollerana 6, 184 f.*

nr. 192. *Zur angegebenen Zeit war der König dann auch in Windsheim anwesend, s. Chmel nr. 1448-1450. Welchen Erfolg seine Vermittlung hatte, wissen wir nicht. Wegen der weiteren Entwickelung der Beziehungen Rotenburgs zum Burggrafen ist auf Bd. 6 zu verweisen; wir müssen aber schon hier vorweg bemerken, daß die Erklärung der Reichsacht, die in Folge der Streitigkeiten mit dem Burggrafen am 21 Juli 1407 gegen Rotenburg erfolgte, von Chmel nr. 1242 und Höfler pag. 283 irrthümlich auf den 20 Juli 1402 verlegt worden ist. Die Quelle des Irrthums ist bei Wencker zu finden. Die von ihm app. et instr. arch. 275 Ann. mitgetheilte Urkunde ist die vom 21 Juli 1407; aber durch einen Lese-, Schreib-*

338. *K. Ruprecht thut einen gütlichen Ausspruch zwischen Friderich von Hertings-* 1403
hausen und Kunzmann von Falkenberg einerseits und den Herzogen von Braun- Fbr. 3
schweig andererseits wegen der Tödtung des Herzogs Friedrich. 1403 Febr. 3
Nürnberg.

> *K aus Karlsr. G.L.A. Pfälz. Kop.-B. 139 pag. 139-140 cop. chart. coaev., mit der Über-*
> *schrift Ußspruche zuschen den herzogen von Brunßwig und Friderich von Hertings-*
> *husen und Contzman von Falkenberg.*
> *G coll. Guden cod. dipl. 4, 12-16 nr. 7 aus dem Mainzer Originale (membranaceum*
> *autographum in Mogunt. archivo).*
> In Wolfenbüttel Gesammtarchiv Kop.-B. ⊙ f. 157*b*, Kop.-B. ☾ f. 139, Kop.-B. D pag.
> 327.
> *Gedruckt Meibom rer. Germ. tom. 3, 426; Steinruckius disq. de Friderico caeso 32-35*
> *nr. 9 aus Meibom; Guden cod. dipl. 4, 12-16 nr. 7 hat neben seinem Text zum Erweis*
> *von dessen höherem Werthe den Meiboms wider abgedruckt. — Regest Hempel invent.*
> *dipl. 3, 8-9 aus Meibom und Guden; Chmel nr. 1411 aus Guden. — Erwähnt auch*
> *Serarius Mog. rer. 1, 869 und Joannis rer. Mog. (ad Serarium) 1, 716, Oertel diss.*
> *de Ruperto 23 nt. h (gibt falsch an: Meibom 462 statt 426 und 1400 statt 1403).*

Wir Ruprecht von gots gnaden Romischer kunig zu allen ziten merer des richs[a]
bekennen und dun kunt offenbar mit diesem briefe allen den in sehen oder horen
lesen: als Friederich von Hertingshusen und Cuntzmann von Falkenberg ritter sich
verschrieben haben eins hindergangs hinder uns den sie mit hantgeben truwen an eides
stat geloßet haben zu halten nach ußwisunge dez anlaßbriefs[1] den sie uns daruber gegeben haben, von der geschichte und handelunge wegen als der hochgeborn furste herzog
Friederich zů Brůnswig und zu Lunenburg unser lieber oheim schaden genommen hat
und erslagen ist worden, daran man sie beschuldiget, also, wie wir in darumbe besserunge scheiden und ussprechen, daz sie daz bi denselben iren truwen halten und follenfuren sullen und wollen ane geverde: also scheiden und sprechen wir uß als hernach
geschrieben steht: [1] zum ersten daz dieselben Friederich und Cuntzman eine ewige
messe und einen altare wiedem und stiften sollen, da eine erberger priester ein redelich
gute narunge wol gehaben möge, mit namen zu dem minsten vierzig gulden ewiges gelts
jerlicher gulte, und die also gewidemt werde of solichen guten, da ez gewißlichen und
vollenclichen gefallen moge. und dieselbe messe sol gemacht und gewiedemt werden in
dem stifte zu Friczlar, und dieselben pfrunde und altare sollen auch gemacht und ge-
widempt werden ane dez pferrers schaden, ußgenommen allein[b] als hernach geschrieben
stet. und dieselbe messe pfrunde und altare sollen gemacht und gestiftet werden in der
jares-friste nach datum diß briefs. und wann die also gemacht und volliclich gestiftet
werden, so sal ein iglicher herzog von Brunswig, der dann der eltste ist, dieselben
pfrůnde und altare lihen furbaz ewiclichen alz ofte die ledig werden. und diese ob-

---

a) von — richs *ergänzt aus G*; *K hat etc.* b) *Meibom* allein, *Guden* alleine, *Steinruckius* allem, *K* allen.

---

oder Druckfehler steht bei ihm das Jahr 1402. —
Die Acht, die in den Urkunden vom 21 Okt. 1405
Mon. Zoll. nr. 299 f. erwähnt wird, ist mit der
Reichsacht nicht zu verwechseln.
       [1] Friederich von Hertingshusen und Cunczman
von Falkenberg versprechen, daß sie sich von der
geschichte wegen als der herzog Friederich dot
ist verliehen dem Ausspruch K. Ruprechts, den
dieser bis Ostern [1403 April 15] thun werde,

unterwerfen wollen; stürbe aber K. Ruprecht vor
Ostern, so sollten der Erzbischof von Bremen die
Herzöge von Braunschweig und sie von beiden
partien als von der obgenanten ansprache sache
und geschicht wegen sten zu allem rechten als
hute zu tage ee dise tedinge gescheen was; dat.
Mi. v. Mich. [Sept. 27] 1402; Karlsr. G.L.A.
Pfälz. Kop.-B. nr. 139 pag. 155 cop. ch. coaev. —
Den Anlaßbrief der anderen Partei s. nr. 329.

genante Friederich von Hertingshusen und Cuntzman von Falkenberg ritter sollen auch
daz ußtragen mit dem bischof und dem pfarrer, in der gebiete dieselbe messe dann gestiftet ist, das daz ir gute wille und worte si, doch also daz ein iglicher caplann derselben pfrunde eime pfarrer, darunder [a] dieselbe pfrunde gestiftet ist, undertenig und gehorsam sin sal, also, ob er nicht dete und follenfurte alz dann der pfrunde und messe   5
zugehoret, daz in dann der pferrer darûmbe zu straffen habe nach bescheidenheit als
zimlich ist ane geverde.   [2] auch sprechen und entscheiden wir: daz die obgenanten
ritter zu den heiligen sweren sullen, daz sie diewile sie leben wieder die vorgenanten
von Brunßwig und ire nachkommen und die iren nummermer sin noch getun sollen in
deheine wise ane bescheiden fruntlich recht mit geverde noch ane geverde.   [3] wir   10
scheiden und sprechen auch: daz die vorgenanten ritter in einen turne sullen faren,
dahin wir oder der dem wir daz an unser stat enphelhen sie bewisen und heißen; und
sollen darin sin und liegen als lange biß wir oder dem wir daz enphelhen sie [b] daruß
heißen und in daz verkunden; und wann sie dann uß dem tûrne also kommen, so sullen
sie sich erheben uß Dutschen landen zû riten und in Dutsche lande nicht wiederkommen 15
in zehen jaren die schierst nach einander kommen, die ersten vier jare ane genade, und
die ander sehß jare sullen zu unsern gnaden sten, also, wann wir sie nach denselben
vier jaren heischen oder in erleuben herheim zu ziehen, daz mogen sie dann wol dûn;
wer' aber daz wir in den egenanten vier jaren von tods wegen abgiengen, da got vor
si, so sal fûrbaz dieselbe gnade sten an unserm eltsten son.   [4] item wir scheiden   20
und sprechen auch: daz die vorgeschrieben besserunge mit nammen die meße in der
jarefriste nach datum diß briefs bereidet und gefertiget sal werden als vor geschrieben
stet, und daz auch die buntniße wieder [c] die vorgenanten unser oheim von Brunswig
angen sal zu stunden alz in der egenant brief geantwert wirdet, und sollen sich auch
in dem nehsten halben jare nach datum diß briefs bereiten und erheben in den turne 25
zu ziehen, dahin wir sie dann bewesen, und darnach zu stunden vom lande riten und
ziehen als ob geschrieben stet und begriffen ist, ane geverde.   [5] wir scheiden und
sprechen auch: daz unser oheimen von Brunswig alle ir nachkommen und die iren umbe
die vorgenante date und geschichte den obgenanten rittern und iren erben deheins argen
warten noch tun oder zufugen sullen in deheine wise furbaz ewiclichen [d].   und aller 30
vorgeschrieben stûcke und artikel zu orkunde und vester stetikeit han wir unser kunigliche majestat ingesiegel an diesen brief tun henken.   geben zu Nuremberg of
den [e] samßtag nach unser frauwen tag lichtmesse purificacio zu latin in dem jare alz
man zalte nach Christi geburt 1400 und darnach in dem dritten jare, unsers richs in
dem dritten jare.   35

[a tergo] R. Bertoldus Durlach [f].   Ad mandatum domini regis
Ulricus de Albecke [g] decretorum doctor [h].

---

a) *G* darin; *Meibom* darunter, so auch *Steinruckius*, *K* darunder.   b) om. *OK*, *fehlt* auch bei *Meibom* und *Stein-*
ruckius.   c) *K* und *Steinruckius* wieder, *Meibom* und *Gudenus* wider.   d) *Meibom* und *Steinruckius* wo das
möglich *statt* furbaz ewiclichen, *aber falsch*.   e) *G* off de nehsten.   f) R. B. D. *add. G*, om. *K*, *fehlt* auch 40
bei *Meibom* und *Steinruckius*.   g) *G* Albeck.   h) d. d. *aus G*; *K* etc.; bei *Meibom* und *Steinruckius fehlt*
Ad — doctor.

334. *K. Ruprecht thut einen Rechtsausspruch zwischen Erzbischof Johann II von Mainz* 1403 *einerseits und den Herzogen Bernhard und Heinrich zu Braunschweig und Lüne-* Fbr. 3 *burg und deren Bruder Erzbischof Otto von Bremen andererseits, und entscheidet insbesondere die Klagen der drei Braunschweiger gegen Kurmainz.* 1403 Febr. 3
5 *Nürnberg.*

> *H aus Hannov. St.A. Cell. Orig.-Arch. Design. 8 Schrank 4 caps. 20 nr. 3 or. mb. lit.*
> *pat. c. sig. pend.; natürlich ohne Alineas die für den Abdruck erst gemacht wurden;*
> *abgekürztes antwt nach Analogie des ausgeschriebenen stets mit antwort aufgelöst.*
> *P coll. Karlsr. G.L.A. Pfälz. Kop.-Buch 139 pag. 89-91 cop. ch. coaev., von keinen scha-*
> 10 *den bringen etc. an (Ende von art. 4); der Anfang fehlt, da ein Blatt im Kodex*
> *ausgerissen.*
> *coll. Gudenus cod. dipl. 4, 22-26 nr. 9 ex autogr., im Drucke gekürzt.*
> *KWD coll. König Ruprechts Ausspruch vom gleichen Tage nr. 335 (s. Quellenangabe*
> *dort), und zwar zum Anfang bis art. 3 incl., ferner zu art. 5, und zum Schluß von*
> 15 *art. 11 incl. an.*
> *A coll. König Ruprechts Ausspruch zwischen Kurmainz und Hessen vom gleichen Tage*
> *nr. 336 (vgl. Quellenangabe dort), und zwar zum Anfang bis art. 3 incl.*
> *B coll. König Ruprechts Ausspruch zwischen Kurmainz und Hessen vom gleichen Tage*
> *nr. 337 (vgl. Quellenangabe dort), und zwar zum Anfang bis art. 3 incl.*
> 20 *Gedruckt Sudendorf Urkb. 9, 269 ff. nr. 197 aus H. — Regest Hempel invent. dipl. 3,*
> *8 aus Guden, Chmel nr. 1409 ebendaher, dazu unter falschem Dat. Jan. 17 Chmel*
> *nr. 1395 ebenfalls aus Guden (undeutlich zusammengefaßt hier mit unseren nrr. 335.*
> *336. 337).*

Wir Ruprecht von gots gnaden Romischer kunig zu allen czijten merer des richs
25 bekennen und tun kunt offinbar mit diesem brieffe allen den die yn sehent[a] oder horent
lesen: als wir vormals zu Hirasßfelden zwuschen dem erwirdigen Johann ertzbischoff
zu Mencze unserm lieben oheim und kurfursten an einem und dem erwirdigen Otten
erczbischoff zu Bremen den hochgepornen Bernhart und Heinrich geprudern herczogen
zu Brunsßwig und zu Lunenburg an dem andern teile ein gutlich berichtunge beredt
30 und mit yre beider wißßen und willen betedingt haben, also daz sie aller und iglicher
ansprach, die sie beidersijt an einander czu haben meynten, an uns zu dem rechten
komen und gegangen sind, als daz alles in solichen anlaßßbriefen daruber gegeben
eigentlich begriffen ist, und als wir in darumbe beidersijt uff den nehstvergangen sand
Anthonii tag fur uns gein Nurenberg, sie daselbst zu entscheiden, tage gesetzt hatten: 1403
35 also haben wir daselbst ire beider ansprach und antwert eygentlich verhoret. und   Jan. 17
wannt wir sie mit der mynne und gutlichkeid darumbe nit entscheiden mochten, darumbe haben wir sie mit guter vorbetrachtunge und rate unser und des richs fursten
graven herren edeln und getruwen und mit rechter wißßen und auch nach lute ire ansprach antwort und des egenanten anlaßßbrieffes mit rechte und als hernach geschriben
40 stet entscheiden und gesprochen[b].

[1] Czum ersten, wan[c] diese nachgeschriben dry sprüche in dem anlaßßebrieffe[1]
also begriffen sind daz wir die sprechen sollen, darumbe sprechen und entscheiden wir[d]:
daz alle und igliche gefangen[2], sie sin edel oder unedel pfaffen munich gepure burgere
oder wer die weren, die von beiden sijten[e] in dem obgenanten kriege[f] gefangen wor-

45

[1] *Damit ist offenbar unsere nr. 330 vom 27 Sept.*   [2] *Vgl. im Ausspruch vom 27 Sept. nr. 330*
1402 gemeint.   *art. 2.*

den sin, genczlich und gar ledig und loys sin sollen uff ein alte urfehde, und ᵃ auch
daruff alle und igliche schatzûnge ¹, ez sy von gefangner fridschatzung prandschatzunge
wegin oder anders ᵇ wie man daz genennen mag ane geverde, sie sin verbrievet verburget glqbt oder anders versicherd, den obgenanten beiden parthien iren ᶜ helffern
amptluten den iren oder andern den sie ez dann vorbaz verschafft hetten, in welchen   5
weg daz were, die vor der obgenanten unser berichtung ² noch ungegeben und ungericht
waren ᵈ, und darczû alle und igliche briefe glubde oder ander verspruchnis oder verpuntnis, wie man die genennen moge, dy vor soliche schatzunge geben gesatzt und gescheen weren, und ob eniche gefangen in dem obgenanten kriege zu keinem verbûntnis
getrungen weren heimlich oder offinliche ᵉ wie daz geschehen were, und ob eniche in 10
dem obgenanten kriege von beiden parthien gefangen weren die nit fyend gewest weren,
samentlich und sunderlich und genczlich und gar ledig abe tod und crafftloys sin
sollen.

[*2*] Auch sprechen und entscheiden wir ³: welche helffere der egenanten parthien
von des egenanten kriegs wegin ire lehen, die sie gehabt haben von denselben parthien, 15
yn uffgeben han, oder solich verpuntnis, als sie yn ᶠ vor dem egenanten kriege verbunden ᵍ waren mit sloßen oder anders wie daz were, yn uffgesagit haben, oder der
anders meinen ledig worden sin von der egenanten hulffe wegin, und ob dieselben ichts
verpuntnis darumbe mit briefen oder anders getan hetten: daz daz ʰ alles abe und tod
sin sal, und daz die soliche lehen von den egenanten parthien von den sie ruren wieder 20
enphaen und yn auch gewonlich huldunge manschafft und eide ⁱ darumbe tun sollen,
und daz auch dieselben parthien ᵏ und ire igliche yn dieselben lehen lihen sollen ˡ ane
verczihen und wiedersprechen.

[*3*] Auch sprechen und entscheiden wir ⁴: wer' es sache daz etliche ᵐ der obgenanten parthien irer ⁿ helffere undertanen oder der ᵒ iren oder ymand von yren wegin 25
der andern parthien iren helffern undertanen oder den yren etliche ligende gutere, wie
die genant oder wo die gelegen weren, genomen bekummert oder verpotten hetten
von des obgenanten kriegs wegin mit gericht oder ane gerichte wie daz geschehen were:
daz solich kummer ᵖ abe und tod sin, und denselben, den soliche gutere genomen ᑫ
weren, wieder werden sollen ʳ, ez weren dan gutere die eins herren weren oder sin al- 30
tern ˢ uff yn bracht hetten.

[*4*] Item als dann die egenanten Ott erczbischoff zu Bremen Bernhart und Heinrich
geprudere dem egenanten Johann erczbischoff czû Mencze in solichen artikeln, als sie
uns versigelt gegeben haben ⁵, czum ersten und in dem ersten artikele zugesprochen und
gemeinet haben, daz derselbe Johann nach lute des egenanten anlaßebriefs selber solte 35
hie gewesen sin etc. ⁶; und als uns von desselben Johans wegin in siner antwort, die
uns daruber auch versigelt gegeben ist ⁷, geantwort ist, daz beide parthien in das recht
getreten sin etc.: doruff sprechen wir: sytdemmale daz die egenanten beide parthien ire

ᵃ) *KWDAB add.* daz, auch *Gudenus in nr.* 8 (unserer nr. 385) *hat* daz. ᵇ) *A* brantschecze frideschecxe oder 40
andern wegen. ᶜ) *H* ire. ᵈ) *H* wurden, *Gudenus l. c.* worden, *em. nach KWDAB.* ᵉ) *WDAB add.* oder, daz
auch bei *Gudenus l. c.* steht. ᶠ) *om. WD.* ᵍ) *B add.* gewest. ʰ) *B add.* auch. ⁱ) *WD* manschaft eide und
huldigunge. ᵏ) *H* darselben parthie, so auch *Gudenus l. c.*, em. nach *AB.* ˡ) *H* solle, *Gudenus l. c.* sulle,
em. nach *AB* (sullen). ᵐ) *AB* eine. ⁿ) *Gudenus l. c.* ir, *H* ire, jedenfalls ist der Genitiv gemeint, abhängig
von etliche. ᵒ) *AB* die. ᵖ) *A add.* auch. ᑫ) *A* dot sin sal, und denselben s. g. die in genomen. ʳ) *A add.*
ane verzihen. ˢ) *Gudenus l. c.* eltern. 45

¹ *Vgl. ebend. art. 3. Die Übereinstimmung ist
zum größten Theil eine wörtliche.*
² *Vom 27 Sept. 1402 nr. 330.*
³ *Vgl. ebend. den zum größten Theil wörtlich
gleichlautenden art. 4.*

⁴ *Vgl. ebenso dort art. 5.*
⁵ *Diese Artikel sind nicht aufgefunden.*
⁶ *Die gleiche Beschwerde brachte auch Landgraf Hermann von Hessen vor, s. nr. 336 art. 4.*
⁷ *Auch diese haben wir nicht.* 50

ansprach und antwort beidersijt beschriben gegeben haben und des rechten hinder uns ¹⁴⁰⁸ gegangen sind nach inhalte des egenanten anlaſsbriefs, und sijtdemmale daz in demselben anlaſsbrief nicht begriffen ist daz der egenant Johan mit sin selbs libe hie sin solle, daz dann derselbe Johan den egenanten von Brunsßwig darumbe nichts schuldig sin solle, ez 5 sal ym auch keinen schaden bringen etc.

[5] Item auch sprechen wir ª: daz der egenanten von Brunsßwig ansprach, die sie an den egenanten Johann haben oder zu haben meynen, vorgeen solle ¹.

[6] Item als sie denselben Johan angesprochen und beschuldiget haben: als sie Friderich von Hertingshusen und Cunczman von Falkinberg rittere, die yn iren lieben 10 bruder herczog Friderich seligen ermordet haben etc. und die sie darumbe verlantfridet haben, darumbe mit herescrafft uberzogen hatten sij nach lantfrides-recht zu ervolgend, enhette in derselbe Johan nicht behulfflich und vorderlich gewest etc., daz yme ᵇ doch nit enfugte, diewile er den lantfriden auch selbs globt und gesworn hatte als sie meinen etc. ², und sich auch von der egenanten geschit wegin gein des richs fursten 15 mit sinem eide und gein yn und andern in sinen brieffen entschuldiget ᶜ hatte, daz yme die egenant geschicht leid were ³ etc., als dann derselbe artikel vorter innhelte; und als in des egenanten Johanns antwort daruff geantwort ist: daz die egenanten Friderich und Cunczman sin und sins ᵈ stiffts amptlute in solicher maß nicht sin, daß er yn als andern sinen ledigen amptluten gebieten sie straffen oder abgesetzen moge, wan sie ir 20 gelte uff slosßen haben in pfantschafft-wise und lange gehabt haben etc., und darumbe, hetten sie den egenanten von Brunsßwig und ᵉ dem egenanten herczog Friderich seligen yrme bruder und den sinen icht schaden getan mit nyderlage gefengnis totslegen oder wie man das genennen mag etc., das hetten sie nicht von des egenanten Johans wegin sunder ane alle sin wißßen willen oder zutun getan, als yn auch des derselben geschicht 25 heuptlute entschuldiget haben ⁴ etc.; er sy auch noch hutes tages derselben geschichte wort wißßen rats und alles zutuns unschuldig; yme sy auch solich geschicht getrulich und genczlich leid gewesen etc.; sin auch die obgenanten Friderich und Cunczmann von der egenanten geschicht wegin verlantfridet erwonnen ᶠ und verwiset, daz sij yme nicht ver-kundet; er sy auch darczu nit geheischen als recht ist etc., als dann dieselbe antwort 30 vorter innhelt etc.: daruff sprechen und entscheiden· wir: getorr der egenant Johann erwisen als recht ist, daz er die egenanten Friderich und Cunczman und ire helffere, die den dotslag und geschicht an dem egenanten herczog Friderich seligen getan haben, nachdem und er erfure daz solich geschicht gescheen was, nicht gehuset noch mit wißßen geheimet habe, usßgenomen uff den slosßen da sie ire gelt uff haben, als lange 35 biß daz die egenanten von Brunsßwig sin fynde worden, so sal er des zuspruchs ledig sin nach dem urhab ⁵.

[7] Item als dann die egenanten von Brunsßwig in der egenanten ire ansprach setzen: derselbe Johan sij den egenanten Friderich und Cunczman etc. behulfflich ge-west etc., uber daz daz sie verlantfridet erwunnen und verwiset weren etc.; und aber 40 desselben Johans antwort inheldet: ez sy yme nicht verkundet, er sy auch darczu nit

---

a) *KWD* wir sprechen auch. b) *Gudenus* in. c) *H* beschuldiget, *Gudenus* entschuldiget. d) *H* sin, *Gudenus* sins e) *H* add. an, auch *Gudenus*. f) *Gudenus* erwunnet.

---

¹ *Vgl. im Hersfelder Ausspruch nr. 330 art. 7 am Schluß.*

45 ² *Vgl. nr. 228 und 229.*

³ *S. RTA. 3 nr. 189 und 195.*

⁴ *S. RTA. 3 nr. 192.*

⁵ *Erzbischof Johann von Mainz bestellt uls Vor-* *mund des Stiftes von Fulda den Contzman von Falkinberg zum obersten Amtmann des genannten Stiftes, dat. 1403 fer. 6 p. pentec. Cloppe; gedr. Würdtwein nova subs. 4, 262-263 nr. 83, Regest Joannis rer. Mog. 1, 718.*

1402
Fbr. 3 gefordert als recht ist etc.: daruff sprechen und entscheiden wir: daz die egenanten parthien daz usßtragen sollen und eine der andern genugtun sal nach innhalte und usß-wisunge desselben lantfridens etc.

[8] Item als die von Brunsßwig die von Geismar, die des egenanten Johans un-dersesß sin, beschuldiget haben, daz sie by der egenanten geschicht gewesen sin etc.; 5 und als in des egenanten Johans antwort geschriben stet und geantwort ist, daz die-selben von Geismar des unschuldig sin und haben des nit getan und sollen des un-schuldig werden wie wir erkennen etc.: daruff sprechen wir und entscheiden: getorren [a] dieselben von Geismar ire unschult erwisen mit dem rechten, so sal man die von yn nemen; und daz auch zwen usß dem rate zu Geismar, die iren vollen gewalt haben, 10 solliche unschult erwisen mogen mit dem rechten.

[9] Item [1] als die egenanten von Brunsßwig die von Hainstein [b], die des egenanten Johanns man sin, auch beschuldiget haben, daz sie bij der egenanten geschicht gewesen sin etc.; und als in des egenanten Johans antwort geschriben und geantwort ist, daz sie des unschuldig sin [2] etc.: daruff sprechen wir: getorren sie ire unschult erwisen als 15 recht ist, man soll sie billich nemen etc.

[10] Item als dieselben von Brunsßwig vorter beschuldigen den egenanten Johann: daz die sinen mit namen Hans und Wernher von Hainstein [c] etc. yn die iren mit namen Sigbanden [d] und Ylten ire man und dienere bynnen dem friden zu Hirsßfelden gemacht [3] abgefangen haben, und daz auch sin manne die Glichenstenischen mit namen 20 Gunther Heinrich Bott [e] und Heinrich von Budenhusen [f] und die yren bynnen dem egenanten friden yn abegefangen haben einen kauffman iren knechte genant Albrecht von dem Borne [g] und haben dem genomen sehs pferde etc.; und als in des egenanten Johans antwort geschriben und geantwort ist: das man ein duncken habe, daz sollliche gefengnis und geschichte in fehede gescheen sint, und daz derselbe Johan daruff nit 25 antworten sulle nach lute des anlasß [h]; doch heischt man und vordert in derselben antwort von des egenanten [i] Johans wegin in die kuntschafft uff gelegelich tage: erfinde sich dann in der warheit, daz sollich gefengnis und geschichte nach der fede und von desselben Johans wegin gescheen sij, waz ym dan gebure zu tun oder zu nemen nach lute des egenanten anlasß [k], daz sol er uff den egenanten legenlichen [l] tagen tun und 30 getan nemen: daruff sprechen und entscheiden wir: daz man daz also in ein kuntschafft ziehen solle uff gelegelich tage; erfinde sich dann daselbst, daz die egenant [m] geschicht in fede gescheen sin, so sal die habe, die sie den gefangen genomen haben, verloren sin; ist ez aber in friede bescheen, so sal man keren mit dem name nach lute des ege-nanten anlasßbrieffes; doch wann wir am anefang in diesem unserm brieff und usß- 35 spruch gesprochen haben, daz alle gefangen von beiden parthien ledig sin sollen uff ein alte urfehde, darumbe sprechen wir dasselbe auch von den egenanten gefangen in aller der masß als wir am anfang disß brieffs gesprochen haben etc.

[11] Wannt nu alle und iglche vorgeschriben sachen stucke und auch diese unser usßspruch und entscheiden durch manicherley sache willen darczu nodturfftig uff diese 40 czijt nicht vollenczogen und geendet [n] werden mochten nach lute derselben unsers usß-

a) *H* getorre; *P* geturren, *so auch Gudenus.* b) *Gudenus* Hanstein. c) *Gudenus* Hanstein. d) *Gudenus* Sigeban-der. e) *Gudenus* Potte. f) *Gudenus* Bodenhusen. g) *P* Borren, *ebenso Gudenus.* h) *Gudenus* der anlasse. i) *om. H, ergänzt aus P, in Gudenus durch zwei Punkte ersetzt.* k) *Gudenus* des egen. anlasse. l) *Gudenus* gelegelichen. m) *legenlichen tagen tun — egenant om. P.* n) *K* noch folendet; *P* noch geendet, *so auch* 45 *Gudenus in nr. 8 (unserer in nr. 335).*

[1] *Vgl. Urkundl. Gesch. von Hanstein 1, 2, 35 nr. 200, wo vielleicht obige Urkunde gemeint ist.*
[2] *Werner von Hanstein scheint bei dem Über-fall zugegen gewesen zu sein, s. RTA. 3 nr. 189,* *vielleicht aber nur um Ernst von Hohenstein zu fangen, der seinen Sohn Hans gefangen hielt, s. ibid. nr. 193.*
[3] *nr. 330.* 50

spruchs und entscheiden: darumbe setzen wir den egenanten parthien tage gein Mulhusen in Doringen uff den sontag dry wochen nach dem ostertag nehstkomende als
man singet in der heiligen kirchen jubilate daselbst zu sin und alle diese vorgeschriben
sache zu vollenden, die igliche parthy der andern nach eren nach rechte nach kunt-
5 schafft und nach innhalt und lute diß unsers uaßspruchs und entscheidung zu vollenden
hat und vollenden sal, ane geverde.

*1403
Mai 6*

Und aller vorgeschriben stucke punte und artikele zu urkunde und vester stetikeid
han wir kunig Ruprecht obgenant unser kuniglich majestat-ingesigel an diesen brieff
tun hencken.   geben ᵃ zu Nurenberg uff den ᵇ samßtag nach unser frauwen tag licht-
10 mes purificacio zu latine ᶜ nach Cristi gepurte vierczehenhundert ᵈ und darnach in dem
dritten jare ᵉ unsers richs in dem drytten jare.

*1403
Fbr. 3*

[*in verso*] R. Bertholdus Dürlach.

Ad mandatum domini regis
Ulricus de Albeck decretorum doctor.

335. *K. Ruprecht thut einen Rechtsausspruch zwischen Erzbischof Johann II von Mainz
15 einerseits und den Herzogen Bernhard und Heinrich zu Braunschweig und Lüneburg und deren Bruder Erzbischof Otto von Bremen* ¹ *andererseits, und entscheidet
insbesondere die Klagen von Kurmainz gegen die zwei Herzoge. 1403 Febr. 3
Nürnberg.*

*1403
Fbr. 3*

20   *K aus Karlsruhe G.L.A. Pfälz. Kop.-B. 139 pag. 185-188 cop. ch. coaev., mit der Überschrift Ußsprüche zuschen dem von Mentze und den herzogen von Brůnswig. Im
Eingang fehlen hier und ebenso in W und D die Worte den erwirdigen Otten erz-
bischoff zu Bremen, die aber bei Gudenus ex autogr. stehen; vgl. darüber erste Anm.
zu diesem Stück. Anfang und Schluß der Urkunde coll. mit nr. 334, wo man die
25   Varianten sehe.*
*W coll. Wolfenbüttel L.H.A. Kopialbuch ⊙ fol. 153-157 beglaubigte Abschrift aus dem
Jahr 1571 nach dem noch in Wolfenbüttel befindlichen zur Zeit nicht zugänglichen
Original des Braunschweig.-Lüneb. Ges.-Archivs. Eine Abschrift dieser Vorlage erhielten wir durch Herrn Archivar Kons.-Rath v. Schmidt-Phiseldeck.*
30   *D coll. ibid. Kopialbuch D pag. 319-327 ebenfalls beglaubigte Abschrift aus dem Jahr
1571 nach demselben Original. Herr v. Schmidt-Phiseldeck kollationierte für uns diese
Vorlage mit W. — Ein kurzes Regest steht auch ibid. Kop.-B. ⫤ fol. 141.
coll. Gudenus cod. dipl. 4, 17-22 nr. 8 Druck mit Kürzungen ex autogr.
Regest Hempel inv. dipl. 3, 8 und Chmel nr. 1408 beide aus Gudenus, ferner unter dem
35   falschen Datum 1403 Jan. 17 Chmel nr. 1395 (hier undeutlich zusammengefaßt mit
unseren nrr. 334. 336. 337) ebendaher.*

Wir Ruprecht [*weiter wörtlich wie in dem Nürnberger Ausspruch K. Ruprechts
vom selben Datum nr. 334 (wo man die Varianten sehe unter KWD) bis art. 3 zu
Ende, dann weiter:*]

40   a) *KWD der geben ist.* b) *KWD add. nehsten.* c) *KWD om. zu latine.* d) *KWD add. jare.* e) *in KWD steht
die Tagesangabe Sa. n. purif. zwischen jare und unsers.*

¹ *Der Name Erzbischof Otto's fehlt in der
Abschrift des königlichen Kopialbuches K und
ebenso offenbar in dem Braunschweigischen Original, aus dem die Abschriften W und D genom-
45   men sind; der Druck bei Gudenus dagegen nennt
ihn, und man wird daraus schließen müssen, daß
er in dem Kurmainzischen Original gestanden hat.
Trotz der Übereinstimmung zwischen KW und D*

*wird Gudenus in diesem Punkte der Vorzug ver-
dienen. Die allgemeinen Bestimmungen der Urkunde, die gleichlautend sich auch in nr. 334
finden, gehen den Erzbischof ebenso sehr an wie
seine Brüder; nur in den Klagen, die gegen diese
vom Erzbischof von Mainz erhoben wurden, war
er nicht betheiligt. Der Umstand, daß Erzbischof
Otto in art. 4 ff. nicht mehr genannt wird, scheint*

[4] Item alz danne der obgenant Johann den obgenanten Bernharten und Heinrichen in solichen artikeln, als er uns versigelt gegeben hat [1], zum ersten und in dem ersten artikel zugesprochen hat: daz sie in mit unrecht geschuldigt und in iren offen briefen von im geschriben haben, das er solichs todslags und ubeltad als ir bruder selige herzog Friderich erslagen ward etc. ein anleger gewesen si als sie dunke, als man 5 das in allen landen gemeinlichen sage, und wie auch sin burgere damit gewesen sin etc., als dann derselbe artikel fürter inheldet; und als die egenanten Bernhard und Heinrich in ir antwurt die sie uns daruber auch versiegelt gegeben haben [2] geantwurt haben: das sie bedunke, das in der clage zu der zit wol noit were und auch noch hüt des tages wol noit si, wann ir[a] lieber bruder selige herzog Friderich und ir prelat Heinrich 10 Lese dumprobste zu Verden von sinen mannen und underseßen mit namen Friederich von Hertingßhusen und Cunczman von Falkinberg rittern und andern iren gesellen ermort und erslagen sin etc., als dann in derselben antwurt furbas begriffen ist[3]: darof sprechen und entscheiden wir: siddemmale daz der[b] egenant Bernhard und Heinrich in ir antwurt schriben, sie dunke etc., und siddemale das sich der egenant Johann vormals 15 an dem rechten oder mit urteil nicht[c] entschuldiget hat als recht ist, so sollen im die egenanten Bernhard und Hinrich keins wandels darumbe pflichtig sin, wann sie nu[d] irs egenanten bruders seligen tode geclaget haben und clagen etc.

[5] Item als der egenant Johann den egenanten herzog Heinrich sunderlich beschuldiget hat: das er habe laßen rennen fur sin sloß Tuderstad und den sinen großen 20 schaden tün gelaßen habe etc. und das er mit sin selbs libe und den sinen ofseczelichen darhinder gehalten habe; und als der egenant Heinrich in siner egenanten antwurt darof schribet und antwurt[4]: er bedorfe dem egenanten Johann von rechts wegen[e] darof nit antwurten, siddemmale das er der geschichte und schulde mit dem erwirdigen[f] Johann bischof zu Hyldensheim, der der egenanten reise ein hauptman[g] und anleger 25 were[h], dem er zu der zit nachgevolget und nachgeriten hette, fruntlichen geeint und gericht si etc., solt aber er er von rechts wegen darzu antwurten, so were das vorgeschriben sin antwurt etc.: darof sprechen und entscheiden wir: siddemmale das derselbe Heinrich in siner antwurt schribet, er were zu der zit dem bischof von Hyldensheim nachgeritten[i] etc. und der egenant Johann si darumb mit demselben von Hyldensheim gut- 30 liche gerichtet etc., si in derselben richtunge begriffen „fur sich und sin helfere etc. und die darunder verdacht sin etc.", und als dann der egenant Heinrich des egenanten von Hyldensheim helfer gewesen oder si im nachgeriten etc., so si er dem egenanten Johann darumb nichts schuldig zu antwurten, si er aber ein hauptman gewesen und si in der richtunge ußgeseczet, so sal er billich keren als recht ist. item als dann der- 35 selbe Heinrich geschriben hat in siner antwurt: das er dem egenanten Johann noch[k] den sinen zu derselben zit nichts genomen oder schaden getan habe etc.: darof sprechen wir: getür er das erwisen als recht ist, so solle er des billich genießen.

einen überklugen Schreiber bewogen zu haben, seinen Namen auch im Eingang der Urkunde zu streichen.

[1] *Diese Artikel haben wir nicht.*

[2] *Ein Entwurf dieser Antwort der Herzöge ist uns offenbar in RTA. 4 nr. 335 erhalten, wie eine Vergleichung der einzelnen Artikel zweifellos zeigt; aber die Schrift ist dem Könige dann doch in* etwas anderer Fassung eingereicht worden; denn zwischen jenem Entwurf und den Erwähnungen in unserem obigen Schiedsspruch Ruprechts zeigen sich doch Abweichungen, die nicht alle nur auf 45 freierer Widergabe beruhen können.

[3] *Vgl. RTA. 4 nr. 335 art. 1.*

[4] *Vgl. ebend. art. 2.*

[*6*] Item als der egnant Johann den egenanten Heinrich aber sunderlich beschuldigt ¹⁴⁰⁸
hat: das er mit sin selbs libe und den sinen geherfertet gereiset und zu felde gelegen ^{Fbr. 3}
habe fur sinen sloßen Geismar und der Nuwenburg [1], und habe füre darinne geschoissen,
die genotiget und understanden im die anzugewinnen etc., den flor verzert und gediliget,
5 mul verbrant und ander großen schaden getan habe, den er geacht hat an achtduset
guldein etc., und si im daz gescheen wider recht und ane gericht und in den dingen
als er mit dem egenanten Heinrich nichts wuste zu schaffen han etc.; und als der
egenant Heinrich darof antwurt [2]: er were mit sinen herren und frunden gereist und geherfertet of gene, die im sin egenanten lieben bruder herzog Friederich seligen und den
10 egenanten prelaten ermordet und die sinen gefangen haben etc., die er auch mit rechten
urteln an lantgerichten [a] erwunnen und verwisen gelaßen habe etc., und auch of die, die
dieselben verwisten huseten und hegten etc., er habe auch sin ere gein dem egenanten
Johann wol bewart und si des schadens sind gewesen, das er wol erwisen moge etc.:
item darof sprechen wir: moge derselbe Heinrich erwisen, das er daz in fehede getan
15 habe, als man dann ein fehede billich bewisen sol, und nach dem als der anlaßbriefe
ußwiset, so sol er des ane wandel sin.

[*Art. 7 wörtlich wie art. 5 im Ausspruch K. Ruprechts vom gleichen Datum
nr. 334.*]

[*Art. 8 und Schluß wörtlich wie art. 11 und Schluß ebendort.*]

20 **336.** *K. Ruprecht thut einen Rechtsausspruch zwischen Erzbischof Johann II von Mainz* ¹⁴⁰⁸
und Landgraf Hermann zu Hessen, und entscheidet insbesondere die Klagen von ^{Fbr. 3}
Hessen gegen Kurmains. 1403 Febr. 3 Nürnberg.

    A aus Karlsr. G.L.A. Pfälz. Kop.-B. 139 pag. 92-104 cop. ch. coaev., mit der Überschrift
    Ußspruche zuschen dem bischof von Mentze und dem lantgraven zu Hessen uf dez
25   *lantgraven zuspruche. Das Original hat sicher keine Absätze, die der Vorlage sind*
    im Druck nur theilweise beibehalten worden. Der Anfang coll. mit nr. 334, wo man
    sehe die Varianten unter A.
    B coll. König Ruprechts Ausspruch zw. den beiden Fürsten vom gleichen Tage nr. 337,
    vgl. Quellenangabe dort, und zwar zum Schluß von art. 28 incl. an.
30   *Regest Guden cod. dipl. 4, 30-31 unter nr. 10 (ziemlich ausführlich), Kopp Hess. Ge-*
    richtsverfassung 1 Beilagen pag. 64 nr. 32 (wo art. 16 wörtlich mitgetheilt ist), Chmel
    nr. 1410 aus Guden (vgl. Quellen bei unserer nr. 337), unter dem falschen Datum
    1403 Jan. 17 Chmel nr. 1395 ebendaher (undeutlich zusammengefaßt hier mit unseren
    nrr. 334. 335. 337).

35   Wir Ruprecht [*und weiter wie im Ausspruch K. Ruprechts zwischen dem Erz-*
bischof und den Braunschweigischen Brüdern vom gleichen Tage nr. 334 bis art. 3
incl., vgl. dort die Varianten unter A, nur heißt es gleich im Eingang statt erwirdigen
Otten — Lunenburg *hier* hochgebornen Hermann lantgraven zu Hessen' unserm lieben
swager und fursten, *dann weiter:*]

40 [*4*] Item als dann der egenant Herman dem egenanten Johann erzbischof in solichen artikeln, als er uns versiegelt gegeben hat [3], zum ersten und in dem ersten ar-

    a) *K* langerichten.

---

[1] *Naumburg war nach dem Chr. Waldecc. Anon.*   *Vereins für Niedersachsen von 1847 pag. 368 ist*
(Hahn coll. 1, 828) das 1401 zuerst belagerte   *in hohem Grade unkritisch.*
45 *Schloß. Im übrigen wird es kaum möglich sein*   [2] *Vgl. RTA. 4 nr. 335 art. 3.*
den Verlauf der Feldzüge genau festzustellen.   [3] *Sind uns nicht erhalten.*
Havemanns Darstellung im Archiv des histor.

*1402
Fbr. 8*

tikel zugesprochen hat und beschuldigt, das derselbe Johann of disem tage mit sin selbs
libe sin solte etc. [1]: darof sprechen und entscheiden wir: sitdemmal das uns von beider
partien wegen ansprachen und antwurten verschriben gegeben sint und ubertragen ist
diesen tage zu leisten, und sitdemmale das in den egenanten anlaßbriefen [a] [2] nemlich nit
begriffen ist daz der egenant Johann mit sin selbs libe hie sin sulle, und sitdemmale daz 5
er sin frunde mit voller macht hergesant hat, so solle ez im keinen schaden bringen
das er selber nit hie ist; er si [b] auch dem egenanten Hermann darumbe nicht schuldig.

[5] Item und in dem andern artikel, wie daz derselbe Johann von siner und siner
kirchen von Mencze wegen ingenomen und sich underwunden habe desselben Hermans
stette mit namen Eschinwege und Suntra [3] mit iren zugehorungen, die zu dem furstin- 10
dume zu Heßen geboren und von dem riche zu lehen ruren, und die desselben Hermans
eltern gehabt haben hundert jar und lenger und er gehabt habe biß das er von sime
oheim dem lantgraven in Doringen ane gericht und recht derselben stette frevenlich
entweltigt warde [c] etc., und das im doch dieselben stette mit recht zugedeilt sin von
unserm lieben vettern herzog Stephan von Beyern [d] als von einem ubermann von beiden 15
partien gekoren und gewilkurt etc., und wie der egnant lantgrave [d] in Doringen uber
soliche zugesprochen rechte im die egenanten stette frevenlich und mit unrechter gewalt
vorenthalten habe etc., und wie er sich des oft beclagt habe vor dem riche und wo im
das geburte vor fursten herren und andern und nemlich zu Forcheim [5] etc., und wie
der egenant Johann das alles nit angesehen habe, sunder er habe die egenanten sloße 20
ingenomen, des er doch nit getan habe solte, wann er sin und der kirchen zu Mencze
mann gewesen si, darumbe er in billichen verteding haben solte gen allermenclich, und
auch darumb das er in sunderlicher verbuntniße mit im sasse und noch siczt, und nem-
melichen [e] darumbe das er das demselben Johann, desmals do er die stete innemen
wolte, verkundet und zu wißen det, derselbe Herman habe auch alwege ansprache daran 25
gehabt, sie sin im auch mit recht nie abgeklagt [f] noch angewonnen etc., als dann derselbe artikel und beschuldigung eigentlichen inhaldet etc.; und entwurt des egnanten
Johans [6]: wie das der egnant lantgrave in Doringen die egnanten stette wol zwolf jare
besessen und innegehabt habe und haben in auch burgmann burger und ander daselbs
fur iren herren erkant etc., des sin die halben teile derselben stette mit iren zugeho- 30
rungen an denselben Johann und sinen stifte zu Mencze von dem egenanten von Doringen in wessels und kaufs wise komen etc. [7] da man zalt nach Crists geburt im
vierzehenhundertigesten jar etc., es sin auch er und sin stifte derselben stette in fride-
licher und nuczlicher [g] gewere ane rechtliche ansprache geseßen lenger dann lands-recht
und -gewonheit ist etc., er sulle auch sin gewere daran verdretten und behalten als 35
recht ist etc.: darof sprechen und entscheiden wir: sitdemmale das der egnant Hermann
in dem vorgeschriben artikel geschriben hat, das ime der lantgrave von Doringen die
egnanten stette mit unrechter gewalt abgenomen und nach dem egnanten ußsproche
herzogs Stephans des obermans und uber denselben ußsproch furbehalten habe, wann
in demselben ußspruche dieselbe stette mit iren zugehorungen dem egnanten Hermann 40

a) A dem eg. anlaßbriefe [f] abgekürzt; vgl. art. 7 und Eingang. b) A sij, korrigiert aus sie. c) A scheint aus
worde korrigiert. d) A lantgraven. e) A nemlich mit zwei Überstrichen. f) A abgeklag. g) A nuczliche.

[1] Vgl. nr. 334 art. 4.
[2] nr. 330 vom 27 Sept. 1402.
[3] Über die Eschwege und Sontra betreffenden
Streitigkeiten s. Horn Gesch. Friedrichs des Streit-
baren 113 ff. Im vorliegenden Bande vgl. nr. 475
art. 5 und nr. 477 art. 6 ff.

[4] Vgl. Lindner Gesch. des Deutschen Reichs 1,
358.
[5] Vgl. ibid.
[6] Diese haben wir auch nicht.
[7] Vgl. Gudenus cod. dipl. Mog. 4, 43 nr. 16.

wider zugesprochen und zugeteilte sint, als wir das in des egenanten obermans briefe ¹⁴⁰³
daruber gegeben eigentlich verhoret haben, und sinddemmale das das demselben Her-^{Fbr. 8}
mann nicht geschehen noch follenzogen ist nach innehalt desselben ußspruchs, und er
das vor uns den kurfursten fursten und andern etc. geklagt hat bede mit briefen und
5 worten, und auch of die egnanten stette ansprache und forderunge allwege gehabt und
in rechten ziten getan hat nach allen dingen die uns vorbracht und in artikeln verschriben gegeben sint etc.: das dann der egenant lantgrave von Doringen dieselben
stette nicht mit rechte innebehalten und innegehabt haben moge, wann, als balde als
sie im abgesprochen wurden als vor begriffen ist, do waren sie mit recht nimmer sin
10 und darumbe habe er auch von rechts wegen daran nichts gehabt zu verkaufen, und
das darumbe die egenanten stette mit allen iren zugehorungen billich und von rechts
wegen des egenanten Hermans sin sullen, und das im auch der egenant Johann billich
wider ingeben sulle als fil im der egenant lantgrave von Doringen daran ingegeben hat,
wann derselbe Johann die auch mit recht nit habe mogen kaufen oder innemen durch
15 der vorgeschriben sachen willen, und darumb hab er auch kein recht gewere daran gehaben mogen noch von rechts wegen besessen.

[6] Item und in dem dritten artikel, wie das des egenanten Johans amptlute
nemlich Friderich von Hertinshusen ritter und ander, die der von Mencze von dem
Rine gein Hessen geschickt hatte etc., den egenanten Herman und sin lande beschedigt
20 haben etc.; und entwurt: habe herr Friderich und die andern etc. dem egenanten
Herman ichts schaden getan, das haben sie von ir selbs wegen getan etc.: darof sprechen
und entscheiden wir: mag der egenant Johann erwisen mit sim rechten, das Friderich
und die andern egenant das nit getan haben von sinem oder sins heißens wegen, noch
das er die sinen von dem Rine mit wißen darzu geschickt habe, so sulle er des zu-
25 spruchs billich ledig sin; was er aber darinne ußlasen oder ußseczen wil, das mag
er dun.

[7] Item und in dem vierden artikel, wie die von Geißmar des egenanten Hermans
finde worden sin, und die gehoren zu dem stule zu Mencze, und das geschee wider
buntbriefe etc.; und entwurt: wie desselben Hermans lute den von Geißmar uß sinen
30 sloßen großen schaden deten etc.: sprechen und entscheiden wir: si das in vecheden
geschen, so sullen die von Geißmar und auch der egenant Johann des zuspruchs ledig
sin nach lute dez egenanten anlaßbriefs etc.; gedorre dann derselbe Johann vor den
egenanten schaden komen als recht ist, so si er des auch ledig, so mogen die von
Geißmar dem egenanten Herman darüber^a darlegen, waz sie dunkt das sie im schaden
35 getan haben, und fur das uberig komen als recht ist.

[8] Item und in dem funften artikel, wie des egenanten Johans amptlute nemlich
Cunczman von Falckenberg der von Hertinshusen und ander die geschichte von herzogs
Friderichs seligen wegen von Brunßwig etc. uf des richs und des egenanten Hermans
straße getan haben etc.; und entwurt: was die getan haben, das haben sie von ir selbs
40 und nicht des egenanten Johans wegen getan und ane sin wißen etc.: darof sprechen
und entscheiden wir: tü derselbe Johann den von Prunßwig solich rechte als wir in
uber ir zespruche gesprochen han¹, so si^b er dem egenanten Herman darumb nichts
schuldig, du er aber des nicht, so sulle er das wandeln als recht ist.

[9] Item und in dem sessten artikel, do der egenant Herman die egenanten Cuncz-
45 man und die andern von der vorgenanten geschicht^c wegen wolte gerechtfertigt^d haben,

---

a) *sollte anfangs darumb heißen, das su darüber verändert wurde mit Belassung des Überstrichs.* b) *A sij korri-*
giert aus sie. c) *A geschickt.* d) *A gerechtfertig.*

¹ *nr. 334 art. 6 und 7.*

das sie do der egenant Johann vertedingt habe etc.; und entwurt: das derselbe Johann
des nit getan habe, als in des dieselben Cunczman etc. wol entschuldigen sullen, sunder
er habe sin lande gewert etc., er si auch des schadens unschuldig etc.: daruf sprechen
und entscheiden wir: geturre der egenant Johann erwisen als recht ist, das er den zûge
und were, die er getan hat wider den egenanten Hermann zu derselben zit, demselben   5
Cunczman etc. weder zu hilfe noch zu schirm getan habe, sunder sin und sins stifts
sloß und lande damit zu weren, so sulle er des billich geniessen, tû er aber dez nicht,
so sulle er daz wandeln als recht ist.

    [10] Item und in dem sibenden artikel, wie Friderich von Hertinßhusen ein burg-
lichen buw buwe of den Widdelberg und das dû mit des egenanten Johans volwort 10
und geheiße, derselbe berge des egenanten Hermans si etc.; entwurt: wie derselbe berge
des stifts zu Mencze erbe si, und habe auch den in fridlicher gewere besessen und innegehabt lenger dann lands-recht ist an alle rechtliche anspruche etc.: daruf sprechen und
entscheiden wir: geturre derselbe Johann sin gewere behalten und erwisen das der
egenant berge mit beßern ᵃ sin si denn des egenanten Hermans, so geniesse er des 15
billich ¹.

    [11] Item und in ᵇ dem achten artikel, wie der egenant Johann des egenanten
Hermans finde worden si wider recht und buntbrief etc.; und entwurt: er habe sin ere
bewart, er si auch darzu getrungen etc.: daruf sprechen wir: er si demselben Herman
nichts schuldig daruf zu entwurten, wann der egenant anlaßbrief wise, das alle vechde, 20
und waz vechde anrûret und davon komen ist, absin sulle.

    [12] Item und in dem 9 artikel: der egenant Johann habe den egenanten Herman
mit unrechter vechde getrungen zu einer notwere, das habe ime geschatt etc.: daruf
sprechen wir zu gelicher wiß als wir of den 8 artikeln gesprochen haben.

    [13] Item und in dem 10 artikel: der egenant Herman si von des egenanten 25
Johann luten geschindt von dem sloße zur Czappinburg etc., das solt nit sin gescheen
von burgfriden wegen etc.; und entwurt: daß si gescheen in fintschaft etc.: daruf
sprechen wir: si das in vechden gescheen, so sulle ez absein; si des nicht, so kere
derselbe Johann denselben Herman billich nach lute des burgfridenbrief den sie under
einander haben. 30

    [14] Item und in dem 11 artikel: der egenant Johann habe die von Falckenberg
mit demselben sloße wider den egenanten Herman zu kriege ingenomen, und das si
wider puntbriefe und ander briefe etc.; und entwurt: habe derselbe Johann iemant ingenomen, das habe er in disem kriege getan: daruf sprechen wir: si das in dem
kriege beschehen, so sulle ez absein; habe aber imant briefe oder puntnisse von oder 35
mit dem andern, die sullen billich bi iren kreften bliben, als sie vor dem kriege
waren.

    [15] Item und in dem 12 artikel: der egenant Johann habe ingenommen wider
den egenanten Herman die Schencken von Swinßperg etc.: herof sprechen wir zu
glicher wise als wir in dem 11 artikel zunehst vorgeschriben gesprochen haben. 40

    [16] Item und in dem 13 artikel: wie der ᶜ egenant Johann und sine geistlichen ᵈ
richter zu Mencz haben des egenanten Hermans underseßen vor geistlich ᵉ gericht geheischen in wertlichen sachen etc., und das si wider briefe die er habe etc.; und entwurt: derselbe Johann habe sin geistlich gericht erberlichen bestalt etc., derselbe Herman hette auch billich benent in welicher maße den sinen das gescheen were etc.: 45

---

a) *sic A.*   b) *A* im.   c) *A* dir.   d) *A* geischlichen.   e) *A* geischlich.

¹ *Vgl. nr. 475 art. 10.*

daruf sprechen wir: waz in vechten geschen ist, das sulle abesin nach lute des anlaß- *1408*
briefs etc.; waz sie aber beidersit briefe daruber haben, die beliben und werden billich *Fbr. 8*
gehalden nach ir innehalt etc.; sind aber des egenanten Hermans lute mit dem egenanten gericht vor der vechte geladen oder beswert, das sol man ußtragen und beidersit
5 halten nach ußwisung der briefe daruber gegeben.

[*17*] Item und in dem 14 artikel, der da lutet von dem sloß Allrberg^a, darumbe
vormals beredt ist ¹, das wir das gutlichen scheiden sullen: also sprechen und scheiden
wir das in solicher maße: das dem egenanten Herman sin teile, das er an dem egenanten sloß werden sal mit sinen zugehorunge ane intrage; dann
10 umbe das ander teil, das der von Honstein von herzog Otten von Prunßwig verpfant
hatte, da wollen wir vesten^b: rüret ez den friden, so solte grave Philips von Naßauwe
dasselbe deile dem von Honstein widergeben nach kuntschaft dez vorgenanten grave
Philips; wer' ez aber in dem fride ußgenomen, so solte der von Mencze dasselbe teil
als lange innebehalten biß man es von ime loset umbe als vil gelts als es dem von
15 Honstein von herzog Otten stet, und dasselbe gelt solt der egenant Herman dargeben,
und, wann er das also dargibt, so sal er daz teil innehan bis herzog Ott oder sin erben
daz von im oder sinen erben geloßen; doch sol das von dem Johann in sehs jaren
nicht gelözet werden ².

[*18*] Item und in^c dem 15 artikel, wie das Cüno von Scharffenstein des egenanten
20 Johans vicztum 2000 schaffe genomen habe vor Wetter etc., dasselbe sloße desselben
Johans und des egenanten Hermans si etc.: darof sprechen wir gelicher wise als wir
in dem^d 10 artikel vorgeschriben gesprochen haben ³.

[*19*] Item und in dem 16 artikel, wie das grave Engelbrecht von Zigenheim des
egenanten Hermans finde wurde und beschedigt in und sin lande, und der were des
25 von Mencze burgman, und wie öch derselbe Herman im darumb geschriben hette und
buntbrie*fe* ermant etc.; und entwurt: wer' der egenant grave des egenanten Hermans
finde gewesen, das were nit bescheen von des egenanten Johans wegen etc., auch si
die sache langest verricht gewesen etc.: darof sprechen wir: si der egenant Herman
mit dem egenanten graven vericht, und si der grave sin finde nicht worden von des
30 egenanten Johans wegen, und findt sich daz, so sal der egenant Johann dem egenanten
Herman darumbe nichts schuldig sin. [*19*^a] aber als der egenant Johann vorzühet in
siner entwurt: er si dem egenanten Herman nach lute der puntbriefe nicht schuldig
gewest zu helfende, sitdemmal der egenant grave das recht vor in gebotten habe etc.:
daruf sprechen wir: findet sich das also, so ist der egenant Johann nichts schuldig herof
35 zu entwurten; erfindet ez sich aber nicht, so moge er dem egenanten Herman umb den
schaden jehen oder laügen als recht ist.

[*20*] Item und in dem 17 artikel, wie das Friderich von Hertinßhusen des egenanten Johans amptman der hochgeboren der egenanten Hermans gemahel ire dorfere
gebrant geschint etc. und kirchen und kirchhoffe gebrant habe^e etc.; und entwurt: des
40 egenanten Johans frunde wissen anders nit, dann das das in vechde bescheen si; hette
aber der egenant Friderich das ußwendig vehde getan, daz het er nicht von des egenanten Johans wegen getan, und des solle er in auch wol entschuldigen ob es noit

a) *wol so zu lesen und nicht* Awrberg. b) *A* beschen. c) *A* im; *das* dem *über der Zeile nachgetragen.* d) *zu emend.* of den *statt* in dem*?* e) *A* haben.

45 ¹ *In der Hersfelder Sühne nr. 330 art. 12.*
² *Vgl. nr. 475 art. 6.*
³ *S. art. 13. Da beide Fürsten Antheil am*
Besitz des Schlosses haben, so wird hier in art.
18 ebenso wie in art. 13 der Burgfriede in Frage
gekommen sein.

tut etc.: daruf sprechen wir: si das in vehede bescheen, so sulle es abesin etc.; ist des nicht, so mag der egenant Johann dem egenanten Herman jehen oder laūgen als recht ist; wil er auch vor dem rechten ichts dar geben oder legen, das mag er dun.

[*21*] Item und in dem 18 artikel, wie der egenant Johan und die sinen dem egenanten Herman blinde[a] fure in sin sloß haben schießen laßen bi nacht und bi nebel etc.;   5
und entwurt: were das also bescheen, so were es in veheden gescheen etc.: daruf sprechen wir gelicher wise als wir of den 4 artikel vorgeschriben gesprochen haben[1].

[*22*] Item und in dem 19 artikel, als der egenant Herman geistlich[b] lute in sinem furstentume wonende von rechts[c] wegen vertedingen sulle etc., des habe der egnant Johann und die sinen im abgefangen sin priestere und geistlich[d] lute etc.; und entwurt: 10
der egnant Herman solle noch enmoge[e] keinen des stiftes pfaffen wider den egnanten Johann vertedingen, auch so si[f] soliche gefengniße in vehede gescheen etc.: daruf sprechen wir, das das in dem ersten artikel diß briefs von uns ußgesprochen ist[2].

[*23*] Item und in dem 20 artikel, wie das die burger von Geißmar schedelich lute ingenomen haben an allerleie vehede des egenanten Johans, dieselben lute Burckharten   15
von Schonenberg des egnanten Hermans heimlichen mannigfelticlich beschediget haben wider recht und puntbr**ief** etc.; entwurt: das si[c] in vehede gescheen etc.; were aber des nichte, sidemmal dann der egnant Herman der lute nicht benennet, so sie man im nit schuldig daruf zu entwurten etc.: daruf sprechen wir: si das in veheden bescheen, so sulle es abesin; ist des nicht, so sulle der egnant Herman die egnanten schedelichen   20
lute billich nennen, und sulle ime der egnant Johann die von Geißmar zu recht stellen und halten, und die sollen dem egnanten Herman darumb entwurten als recht ist.

[*24*][h] Item und in dem 21 artikel, als der egnant von Schonenberg die Czappinburg verloren hette ane rechte etc., das do der egnant Johann die zu ime gekaufte habe von genen, die sie also wider recht genomen hatten, umbe das achtendeile einer kleinern   25
summe etc., und habe das getan wider br**ief**e daruber gegeben etc.; und entwurt: der egnant Johann habe die Czappinburg in fremder hande fonden, und habe die gekauft und in stiller gewere beseßen lenger dann lands-recht ist ane rechtlich ansprache etc.: darof sprechen[i] wir: das derselbe Johann das wol habe tun mögen, das er das egenant sloße an sich bracht habe, und er si darumbe nit schuldig zu entwurten, doch, habe   30
der von Schonenburg[k] egnant von dem egnanten Johann oder sinen forfaren eincherleie br**ief**e und ingesigel ober[l] das egnant sloß Czappenburg, die halte man im[m] billich[3].

[*25*] Item und in dem 22 artikel, wie das Heinrich von Rusteberg des egnanten Hermans man und diener gefangen si mit sinen knechten etc. von[n] des von Mencze amptman vor der zit als man von Hirßfelden schiede, und si das gescheen ane alle   35
vehede und eischet karung etc.; und entwurt: der egenant von Rustenberg hette dem egenanten Johann das sin genomen rauplichen unbewarter[o] dinge, und wurde bi dem name gefangen etc.: item daruf sprechen wir: ist das bescheen zuschen dem tage als die richtunge anegenge zu Hirßfelden biß of den fritag darnach, das was sant Michels

tage[p], oder biß an denselben sant Michels tag zu nacht nach innehalt des anlaß-   40
briefs etc.[4], so sol man es keren; ist es aber darnach gescheen, so haben wir darumbe in diesem spruche nicht zu sprechen.

---

a) *sic A; conj.* blide *(Steinschleuder); oder mit Gudenus l. c. 81 „machinas exploserit bellicas — glandibus licet non instructas".* b) *A* geischlich. c) *A* rechs. d) *A* geischlich. e) *A* einnoge. f) *A* sij *korrigiert aus* sie.
g) *A* sij *korrigiert aus* sie. h) *links am Rande zu Anfang dieses art. ein Vermerkzeichen in A.* i) *A* zweimal.   45
k) *A* Schomenburg. l) *A* oder. m) *A* in. n) *om., A und.* o) *A* unbewarten. p) *A das e vielleicht ausradiert.*

---

[1] *S. art. 7.*

[2] *S. art. 1 bei nr. 334.*

[3] *Vgl. nr. 475 art. 8.*

[4] *S. nr. 330 art. 18.*

[*26*] Item und in dem 23 artikel, wie das Ludolff von Gertenrade des egnanten *1403* Johans amptman in diesen nehstvergangen vierzehen tagen oder drin wochen Herman *Fbr. 3* egenant ein burger von Smalkalden gefangen und in das ir genomen habe etc.: sprechen wir: sitdemmal das das nach dem egnanten fritag sant Michels tage bescheen ist, das *1403* *Spt. 29*
5 wir dann darumbe in diesem spruche nicht zu sprechen haben.

[*27*] Item nach diesen vorgeschriben artikeln, die uns der egnant Herman wider den egnanten Johann gegeben hat, volget ein langer artikel, darinne manicherlei beschuldigunge an den egnanten Johann und die sinen von dem egnanten Herman geschriben und geben sint. [*27ᵃ*] zum ersten, wie derselbe lantgrave von dem egnanten
10 Johann gekert und widergetan fordert, was im und den sinen von demselben Johann und den sinen und sinen helfern und helfers-helfern in gekauften[a] friden, und sider der zit als man von Hirßfelden schiede, gescheen ist, nach innehalt des egenanten anlaßbriefs etc., wann, wiewol das, das in veheden gescheen ist, absin sulle, doch si das vorgenant nicht abgetan und eischet darumbe karung etc.; nemlichen klagt derselbe Herman,
15 das ime grave Johann von Naßauwe der junge des egnanten Johans helfere vil siner armen lute beschaczt habe, und nennet der nemlichen etwevil etc.; darauf aber von des egnanten Johans wegen in siner antwurt von sinen frunden geschriben ist, das in von soliche schaczunge wegen nicht wißenlich si[b], und heischen darumbe gelegenlich tage in kuntschaft; waz sich dann da erfinde, das sulle der egenant Johann gern halten und
20 gehalten nemen etc.: item of das erste von den[c] gekauften friden sprechen und entscheiden wir also: waz in kauftem[d] friden gescheen ist, den der egnant Johann oder sin oberster hauptmann[e] oder die[f] die des macht hatten gegeben haben, das sal man keren und widergeben; heten aber andere soliche gekaufte friden gegeben, das si der egnant Johann nicht schuldig uszurichten; was auch erfunden wirdet, das solichen gefangen,
25 die in dem egnanten kriege gefangen sint, sider der egnanten richtung zu Hirßfelden abgescheczt oder in genomen ist, das man das auch billich keren und widergeben sulle. [*27ᵇ*] item als der egnant Herman in dem egnanten langen artikel geclagt hat, das einer der sinen von dem egenanten grave Johann von Naßauwe in dem stocke erwurget si etc.: daruf sprechen wir: findet sich in kuntschaft, das das gescheen si sider
30 datum des anlaßbriefs, so wollen wir vorter darumbe sprechen. [*27ᶜ*] item als der egnant Herman in dem egnanten artikel furbaß geklagt hat, das der sinen vil (und benennet[g] auch die daselbs mit namen) von des egnanten Johanns amptluten und helfern in dem egnanten kriege[h] gefangen und in der egnanten berichtunge beschaczt sint etc.: daruf sprechen aber wir, als wir auch vor gesprochen haben: was sich erfindet das
35 sitder derselben richtunge also abgescheczt oder ingenomen ist, das solle man keren etc. als dann vor geschriben stett. [*27ᵈ*] item als der egnant Herman in dem egnanten langen artikel aber klagt, das vil der sinen gefangen und bescheczt sin sider der egnanten richtunge etc.; darof aber von des egnanten Johanns wegen geentwurt und das in eine kuntschaft uf gelegenlich tage zu wisen begert ist etc.: darof wir aber
40 sprechen, das wir darumbe in diesem spruche nit zu sprechen haben. [*27ᵉ*] item darnach ist aber von dem egnanten Hermann in dem egnanten artikel vil geklagt, daz kaufte fride und fride-bruchte, als sich in dem egnanten kriege und nach der berichtunge verlaufen hat, antriffet; das aber von des egnanten Johans wegen in kuntschaft geforderet wirt in siner entwurt etc.: daruf wir aber sprechen glicher wiße als wir in
45 dem vierden artikel vor diesem artikel geschriben von gekauften[i] friden gesprochen

---

a) *A* gekauftem*f* abgekürst. b) *A* sij korrigiert aus sie. c) sic *A.* d) *A* kauften. e) *A* haupmann. f) *A* mit zwei schräg liegenden Punkten über dem i. g) *A* bennet. h) *A* über dem i zwei schräg liegende Punkte. i) *A* gekauftem*f* abgekürzt.

1402
Fbr. 8

haben etc. [1].   [*27 f*] item nemlich beschuldiget der egnant Herman Friderichen von Hertinßhusen, diewile er das sloß of dem Widdelberg buwet, das er im da sin armen lute beschedigt habe mer dann of 4000 guldin etc.; darof[a] aber von des egnanten Johans wegen in siner entwurt geschriben und geentwurt ist: sitdemmale der egnant Herman in damit nit beschuldigt, so bedurfe er darof nit entwurten etc.: darof sprechen [5] wir und entscheiden: ist das vor dem egnanten kriege gescheen, so sulle der egnant Johans dem egnanten Herman von den sinen, die das demselben Herman und den sinen getan haben, des rechten helfen; wolten aber dieselben des rechten nicht gehorsam sin, so sulle derselbe Johan als vil darzu dun als er durch recht dun sal etc.   [*27 g*] item desgelichen sprechen wir auch of den artikel, darinne der egnant Herman klagt, das [10] Wiganten von Silß[b] sinem manne schade gescheen si ane vehede etc.   [*27 h*] item als auch der egnant Hermann in dem egnanten artikel sunderlich geklagt hat, wie das die Leuwensteinischen sin armen luten verdinget und in velikeit[2] gegeben hatten fur den egnanten Johann und sin helfere, und das doch desselben Hermans armen luten schade daruber gescheen si etc.; darof aber in des egnanten Johans entwurt stet: das er darof [15] nit zu entwurten habe, wann die Leuwenstenischen[c] sin des von Waldecke helfere ge-wesen, und sin auch mit im abegesunet worden, ee man of den tag gein Hirßfelden qwame etc.[3]: darof sprechen wir: findet sich das also, so solle der egnant Johann des ane ansprache beliben; ist des nicht, so sprechen wir daruf glicher wiß als wir of die nehsten vorgeschriben zwene artikel gesprochen haben etc.   [*27 i*] item zum lesten [20] klagt der egnant Herman, das sinen armen luten vil schaden gescheen si von des egnanten Johans amptluten, und nennet auch solicher siner armer lute vil mit namen etc.; daruf aber von des egnanten Johans wegen geentwurt ist: sitdemmal derselbe Herman desselben Johans amptlute, die das getan sullen haben, nicht nennet, so sie im derselbe Johann nit schuldig daruf zu entwurten etc.: daruf sprechen wir als wir in dem[d] 20 [25] artikel vorgeschriben desgelichen gesprochen haben etc.[4].

[*28*] Item nemlich sprechen wir und entscheiden: weliche der egnanten partie ire zuspruche in den egnanten artikeln begriffen mit recht ledig wirdet samentlich oder sunderlich, das die auch der scheden in solichen artikeln benennet ledig sin sal.

[*29*] Item auch sprechen und entscheiden wir mit rechter wißen: waz eide[5] an- [30] triffet und aneruret in den anspruchen als dann iglicher partien ansprache und artikel in ordenung nach einander begriffen sint ane geverde, das der egnant Herman dem egnanten Johann den[e] ersten eide darin[f] dun sal als recht ist, und das derselbe Johann demselben Herman darnach zu stunde den andern eide also dun sal, und das also ie ein eide nach dem andern geen und gescheen sal nach innehalt der egnanten artikele, [35] biß das sie garuß gescheen sin als recht ist; und desgelichen und mit solicher orde-nunge sol auch umbe alle und iglíche andere artikel, die karunge-gelt oder anders waß das ist antreffen, von beiden partien gescheen und gehalten werden, also das dem ege-nanten Johann der erste vorgeen und dem egnanten Herman zu stund darnach der ander vorgeen sal ane geverde, biß es also garuß geendet ist. were aber das einer [40]

---

a) *A* daruf?   b) *A ohne Zweifel nicht* Gilß.   c) *A* Leuwensteinschen?   d) *zu emend.* of den?   e) *A* der, *B* den.
f) *B* darumbe, *A schwerlich* darum.

---

[1] S. art. 27a.

[2] Vêlic-heit, *Sicherheit, Lexer mhd. HWB.*

[3] *Über die Aussöhnung des Grafen Heinrich von Waldeck mit dem Landgrafen von Hessen und den Herzögen von Braunschweig haben wir sonst keine Nachrichten.*

[4] S. art. 23.

[5] *Gudenus l. c. 31* bemerkt: „*Veruntamen omnes hi, et longe plures controversiarum articuli, tanto fervore mutuo agitati, sponte cessarunt, eo quod Rupertus praevio sacramento illos dijudicare sta-tuerit.*"

partie mere eide zu tun geburten dann der andern nach lute der artikeln, wann dann *1403 Fbr. 8* der einen partie eide ußkomen sin, so sal die ander partie soliche eide, als ir dannocht zu tun geburen, alle nach einander tun als recht ist, man welle sie dann der uber- heben; und desgelichen sal auch gescheen in allen andern artikeln, ob ein partie mee 5 hette dann die ander.

[30] Item [1] wann nu alle und igliche vorgeschriben sachen stucke und auch dieß unser ußsproche und entscheidunge durch kuntschaft verhorunge karung und anders willen darzu notdurftig of diese zit nicht vollenzogen noch geendet werden mochten nach derselben unsers ußspruchs und entscheidung lut, darumbe seczen wir den egnanten 10 partien tage gein Mulhusen in Doringen of den sontag dri wochen nach dem ostertag *1403 Mai 6* nehstkomende daselbs zu sin und alle diese vorgrurten sachen zu vollenden, die iglich partie der andern nach eren nach recht nach kuntschaft und nach innehalt und lute diß unsers ußspruchs und entscheidunge zu folleenden hat und vollenden sal, ane alles geverde.

15 [31] Item wann auch vil sachen in den egnanten artikeln of kuntschaft gezogen sint, darumbe haben wir den egnanten partien beiden und ir iglicher zu eim kuntschaft- verhorrer gegeben unsern lieben getruwen Herman von Rotenstein [a] ritter, und dem bevolhen das er soliche kuntschaft hiezwuschen und dem egnanten ostertag von beider *1403 Apr. 15* partien wegen ofnemen verhorren und eigentlich verschriben laßen und damit of den *1403 Mai 6* 20 egnanten sontag dri wochen nach ostern, als man in der heiligen kirchen singet jubilate, zu Mulhusen sin und dun sulle was sich damit zu tun geburt; und welich partie dann besser kuntschaft hat, die genieße des als recht ist. were aber, das keinerleie stoße darinne wurde, so sal iglighe partie zweine oder dri darzu geben, und sal dann der egnant kuntschaft-verhorer ein funfter oder ein sibender sin, und was dann die oder 25 das merer teile under in sprechen und erkennen, dabi sal das beliben und gehalten werden.

Und aller vorgeschriben stucke punkten und artikele zu orkund und vester steti- keit haben wir kunig Ruprecht obgnant unser kuniklich majestat-ingesigel an diesen briefe dun henken, der geben ist zu Nurenberg of den sambßtag nach unser frauwen 30 tag liechtmeße purificacio zu latine nach Cristi geburt vierzehenhundert und drü jare *1403 Fbr. 8* unsers richs in dem dritten jare.

Ad mandatum domini regis
Ul*ricus* de Albeck [b] etc.

a) *B Rodenstein.* b) *A Albecks ? Schleife.*

35 [1] *Vgl. in nr. 334 den fast wörtlich gleichlautenden art. 11.*

1402 **337.** *K. Ruprecht thut einen Rechtsausspruch zwischen Erzbischof Johann II von Mainz*
Fbr. 3   *und Landgraf Hermann zu Hessen, und entscheidet insbesondere die Klagen von*
        Kurmainz gegen Hessen. 1403 Febr. 3 Nürnberg.

>   *B aus Karlsr. G.L.A. Pfälz. Kop.-B. 139 pag. 117-134 cop. ch. coaev., mit der Überschrift*
>   *Ußspruche zuschen Johann erzbischof zu Mentze und Hermann lantgraven zū Hessen*   5
>   *of des von Mentze zusprūche. Der Anfang coll. mit nr. 334, der Schluß coll. mit*
>   *nr. 336, s. dort die Varianten unter B.*
>   *Regest Guden cod. dipl. 4, 27-29 unter nr. 10 (recht ausführlich); im Regest bei Chmel*
>   *nr. 1410 ist Gudenus 4, 27 citiert, also eigentlich unser Stück mit den Kurmainzischen*
>   *Beschwerden, aber als Gegenstand der kön. Entscheidung sind nicht diese sondern die*   10
>   *Hessischen Beschwerden genannt, die doch erst bei Gudenus 4, 30-31 vorkommen,*
>   *Chmel hat eben die 2 Theile der nr. 10 des Gudenus (Kurmainzische Beschwerden*
>   *p. 27-29 und Hessische Beschwerden p. 30-31), die freilich als 2 verschiedenen Urkun-*
>   *den angehörig auch bei Gudenus von Rechts wegen in 2 verschiedenen Numern stehen*
>   *sollten, ungeschickt zusammengemischt, und weiter hat er unsere nr. 337 undeutlich*   15
>   *zusammengefaßt mit unseren nrr. 334. 335. 336 in seiner nr. 1395, noch dazu unter*
>   *dem falschen Datum 1403 Jan. 17.*

        Wir Ruprecht [*und weiter wie im Ausspruch K. Ruprechts zwischen dem Erz-*
bischof und den Braunschweigischen Brüdern vom gleichen Tage nr. 334 bis art. 3
incl., vgl. dort die Varianten unter B, nur ist auch hier wie in nr. 336 gleich im   20
Eingang statt der drei Braunschweigischen Brüder der Landgraf Hermann von Hessen
eingesetzt, dann weiter:]
        [*4*] Item als dann der egenant erzbischof[a] Johann von Meincze dem egenanten
lantgrave Herman zū Hessen in sulichen artikeln, als er uns versiegelt geben hat[1], zugesprochen hat zum ersten, und in dem ersten artikel hat zugesprochen: wie daz der-   25
selbe lantgrave, als sie mit ein in gutlicheit und einunge seßen, verbotd in sine lande
und gerüht geleget habe, daz niemand dehein fruchte oder ander dinge verkaufen solte
dann in sinem lande, und daz man sinem lande nichtes zufuren solte, daz im gescheen
si wieder rechte sūnebriefe etc.; und der egenant lantgrave in siner antwert, die er uns
darüber auch versiegelt gegeben hat[2], geantwert hat: daz er in sinem furstentūm ge-   30
richte habe, darinne er gebotden habe, hohe und nieder, alz die für in und die sinen
sin etc.: daruf sprechen und entscheiden wir: daz der lantgrave dem bischof[b] von
Mencze darumbe nicht schuldig zu sin zu entwerten.
        [*5*] Item und als der von 'Mentze in dem andern artikel den lantgraven beschul-
diget: daz er und die sinen zu Melsungen und andern sinen slossen verbotden haben,   35
daz man im sine pfaffen botden und andern die sinen nit inlaßen solde[c], daz gescheen
si wieder die einunge etc.; und der lantgrave antwert: daz ein lūmont were, daz der
von Mentze sine sloße Eschinweg und Sūntra innemen wolte als er dete, da wurde er
crank, darumbe sich sine sloße verwaren wolten, und hette in dez nit verbotden etc.:
daruf sprechen und entscheiden wir: bewise der lantgrave mit sim rechten, daz er daz   40
nit verbotden habe noch geheißen verbieten, so blibe er dez billich ane wandel.
        [*6*] Item und als der von Mentze in dem dritten artikel den lantgraven beschul-
diget: daz er im den[d] berg den man nennet den Heiligenpergk[3], der sin und sines
stiftes eigen si alz lantkondig si, mit burglichem buw verbuwet habe und understee im

---

a) *cod. erbisschoff.* b) *cod. hier und öfter abgekürzt bisch.* c) *cod. sollde korrigiert aus solle.* d) *cod. dem.*   45

---

[1] *Haben wir nicht.*   [2] *Dryperg, nach Guden l. c. 27.*
[3] *Haben wir ebenfalls nicht.*

den mit gewalt furzubehalten wieder rechte buntniße etc.; und der lantgrave antwert: ^{1408 Fbr. 8} daz derselb berg sin si und der bischof nichtz daran noch darumbe habe als lantkondig si etc.: daruf sprechen und entscheiden wir: sitdemmale sie beidersit schriben, daz daz lantkundig si, daz man ez dann in der kuntschaft erfaren solle alz landes-recht ist, und
5 die kuntschaft wieder fur uns bringen, und daz dann geschee waz rechte si ¹.

[7] Item und als der von Mentze in dem vierden artikel den lantgraven beschuldigt: daz die sinen sine burger zu Geißmar verhauwen erslagen in stocken erwürget und darnach einen unverschuldigter dinge erhangen haben, und die andern beschetzt und zu schaden bracht, den er achtet of funftusent und hundert gulden, wieder bunt-
10 niße und sunebriefe etc.; und der lantgrave antwert: die von Geißmar wurden sin fiende ee dez bischofs fehde wieder die einungsbriefe, die sie globt und gesworn hatten zu halten, und die sin binnen dem gutlichen sten fur sin slosse gerant und ᵃ zwene burger gefangen etc.: daruf sprechen und entscheiden wir: si soliche geschichte in fehden gescheen, so si der ᵇ lantgrave des anspruchs ᶜ ledig; si ez aber in gutlichem sten gescheen,
15 so sal es von beiden siten wiedergegeben und gekert werden. umbe den doten sprechen wir: si der mit dem rechten getödet ᵈ, so blibe der lantgrave dez ane wandel; findet sich aber in der kuntschaft, daz er nit mit rechte getodet ᵉ si, so wollen wir forter darinne ußsprechen.

[8] Item und als der von Mentze in dem funften artikel den lantgraven beschul-
20 digt: daz die sinen binnen einem gutlichen steen in sinem ampte zu Nuwenburg ᶠ siner werglute zwene, die im einen kalke brenten, an dem Wiedelberge bi nachte habe laßen ermorden etc.; und der lantgrave entwert: daz die kalkbrenner breneten kalke zu dem buwe an dem Wiedelberge, der sin halb si; dieselben wurden erslagen von den von Corbecke, als er vernomen habe, und die sin sine manne noch diener nit etc.: daruf
25 sprechen und entscheiden wir: bewise der lantgrave mit sinem rechten, daz daz die sinen nit getann haben noch geheißen habe, so si er nichts darumbe schuldig; dete er dez nit, so wollen wir fort darinne ᵍ ußsprechen.

[9] Item und als der von Mentze in dem sechsten artikel den lantgraven beschuldiget: daz sin amptlute zu dem Wolffhan und sine burger daselbst in eim gütlichen
30 sten im und den sinen zur Nuwenburg ein steine-warte haben abgeprochen wieder rechte einunge etc.; und der lantgrave antwert: daz Friederich von Hertingßhûsen wieder sunebriefe, die er ime in truwen und zû den heiligen gesworn hette zu halten ee der geschichte, das gutliche sten an den sinen verbrochen hette etc.: darof sprechen und entscheiden wir: hette unser oheim von Mentze Friederich von Hertingshusen in sin
35 gutliche sten genommen und gezogen daz sie zu der zit hetten, daz sie dann beider site billich keren und wiedergeben, waz sie einander darinne getan haben; hette er in aber darin nit genommen, so dorfte der lantgrave dem von Mentze darumbe nit entwerten.

[10] Item und als der von Mentze in dem siebenden artikel den lantgraven be-
40 schuldiget: daz er sinen mannen den von der Malspurg ire erbe genommen habe und sie daran verderplich betranget wieder rechte sûnebriefe etc.; und der lantgrave antwert: daz er in kein erbe genommen habe, und daz sin frunde und dez bischofs frunde darumbe zu Wirckel of einem tage weren, und wolte getann und genommen han nach inhalt der bûntbriefe etc.: darof sprechen und entscheiden wir: als der lantgrave ant-

45   a) *fehlt hier ein oder hetten im cod.* b) *om. cod.* c) *cod. anspruchs unvollständig korrigiert aus der ansprache.* d) *cod. getödet.* e) *cod. getodet.* f) *auch Nuwenburg möglich, aber gleich in art. 9 ist deutlich —burg.* g) *so scheint korrigiert aus darumbe.*

¹ *Vgl. nr. 475 art. 10.*

1402
Fbr. 3
wert, daz sin frunde und dez von Mentze frunde darumbe zu Wirckel of eim tage
gewesen sin, daz sie noch darumbe zu tagen komen sollen, und der lantgrave den von
der Malspurgk wiederfaren laßen, waz er in von rechts wegen gedihen laßen solle.

[*11*] Item als der von Mencze in dem achten artikel den lantgraven beschuldiget:
daz sin amptlute und die sinen zu Wolffhan in eim gutlichen sten siner burger einem
von Nuwenburg zwei pfert genommen, einen gefangen und fur funfundzwenzig gulden
geschetzet, und einem andern vier pferde genommen haben etc.; und der lantgrave
antwert alz of den sechsten artikel von der steinin wart wegen: darof sprechen und
entscheiden wir glicher wise alz of den ietzgenanten sehsten artikel.

[*12*] Item und als der von Mencze in dem nůnden artikel den lantgraven schuldiget: daz sin amptlute im genommen haben in dem gutlichen steen die wůstunge genant
Hellpoldis wieder recht einunge etc.; und der lantgrave antwert: daz er die in sin
erplich gewer herbracht habe als wissentlich si etc.: daruf sprechen und entscheiden
wir: getorre der lantgrave ᵃ bewisen ᵇ als rechte ist, daz er die in gewere ane rechtlich
ansprache herbracht habe, daz er dann billich dabi verlibe; dete er dez nit, daz er
dann sin engelte alz rechte ist.

[*13*] Item und als der von Mentze in dem zehenden artikel den lantgraven beschuldiget: daz er Friederich von Hertingshusen binnen einem gutlichen sten alle sine
erbe-guter und -gulte in Hessen hinder im gelegen genommen habe, dez derselbe Friederich schaden habe of zwolftusent gulden, und heischet den schaden gekert etc.; und
der lantgrave antwert: daz er im ᶜ darof nit entwerten dorfe, wann der egenant Friederich ein verlantfrieder ¹ echtloß mann si; und ob dez nit were, so habe er im nichts
genommen, sunder waz er habe, daz habe er mit recht etc.: darof sprechen und entscheiden wir: ist ez in einem gutlichen sten, darin der von Mencze Friederichen genommen hat, bescheen, daz er dann imme ᵈ die billich wiedergebe und darumbe antwert;
si dez nit, so dorf er im nit entwerten, und umbe den schaden sal er im leugnen oder
jehen alz recht ist.

[*14*] Item und als der von Mentze in dem eilften artikel den lantgrave schuldiget:
daz die ᵉ sinen von Grefenstein mit namen Sanctus und sin gesellen den sinen von
Geißmare in einem gutlichen sten uß sinen sloßen und darinne eilf pfert genommen
haben wieder rechte sunebriefe etc.; und der lantgrave antwert, daz sie sin burger noch
knecht nit sin etc.: daruf sprechen und entscheiden wir: leůghen der lantgrave alz recht
ist, daz sie sin knechte burger noch diener noch siner helfer knechte oder diener nit
gewesen sin und in sine sloße nit gescheen si, daz er dez billich genieß; důw er dez
nit, so engelte er sin als recht ist.

[*15*] Item als der von Mencze in dem zwolften artikel den lantgraven beschuldiget:
daz sin amptlute von Gudenßberg in dem gutlichen sten sinen burgern Eberhard Homberg und Cunrad Wamsch von Fritzlar ire erbe genomen haben etc.; und der lantgrave
antwert: daz er im darumb nit entwerten dorfe, wann die geschichte bi bischof Adolff
gescheen si etc.: daruf sprechen und entscheiden wir: daz der lantgrave den armen
luten von dez erbs wegen ein rechte wiederfaren ᶠ laßen solle, warzu sie rechte haben
daz sie dabi verliben, warzu sie niet ᵍ recht haben daz sie davon laßen.

[*16*] Item alz der von Mentze in dem 13 artikel den lantgraven beschuldiget: daz
er sinen mannen den von Westerhane ire zehende genommen und furbehalten habe zu

a) cod. langrave. b) *korrigiert aus* bewesen? c) cod. in. d) cod. ime *mit Abkürzungshaken am e und Überstrich.* 45
e) om. cod. f) cod. wederfaren *mit zwei schräg liegenden Punkten über dem ersten e.* g) cod. nit *mit zwei*
schräg liegenden Punkten über dem i.

¹ *Verlandfriedeter.*

Mildingenfelden zo[a] Huffental und ander die sie von im und sinem stifte zu lehen 1403
haben etc.; und der lantgrave entwert: er dorfe darumbe nit entwerten, wann daz allez Fbr. 8
bi bischof Cunrads ziten gescheen si etc.: daruf sprechen und entscheiden wir: daz der
lantgrave mit dem von Mentze, diewile ez sin und sines stiftes lehen ist alz er meinet,
5 und auch mit den von Westerhan zu tagen kommen solle, und hette er rechte darzu,
daz er dann dabi verlibe, hette er aber darzu nit rechte, daz er dann in ire gûte
wiedergeben solle, und die nutze die er davon ufgehaben hette keren alz rechte ist.

[*17*] Item als der von Mentze in dem 14 artikel den lantgraven beschuldiget: daz
er und die sinen sich vor der fehde underwûnden haben der wiesen und gûte gelegen
10 zu Ebichendorff, die im zugehoren, wieder recht sunebrief etc.; und der lantgrave[b] entwert: er dorf daruf nit entwerten, wann daz bi sinem bruder und bischof Conrad seligen
gescheen si etc.: daruf sprechen und entscheiden wir: daz der lantgrave mit dem von
Mentze darumb zu tagen kommen und imme darin wiederfaren laßen solle, waz im von
rechts wegen gedihen und wiederfaren solle.

15 [*18*] Item alz der von Mencze in dem 15 artikel den lantgraven beschuldiget: daz
er und die sinen vor und nach der fehde dez dorfs zu Langenstein sich underwunden
haben und in daran understanden zu hindern wieder recht sunebriefe etc.; und der
lantgrave antwertet: waz er da habe, daz haben sin altern und er bi sinen furfarn her-
brachte etc.: daruf sprechen und entscheiden wir glicherwiße alz of den nehsten hievor
20 geschriben artikel.

[*19*] Item als der von Mentze in dem 16 artikel den lantgraven beschûldiget: daz
er mit sin selbs libe und den sinen fur sin[c] sloße Nuwenburg geherfart und zu felde
gelegen habe und darinne fûre geschoßen etc. wieder recht einunge und gûtlich sten etc.;
und der lantgrave antwert: daz uß demselben sloße uf[d] dez richs und sin straßen Frie-
25 derich von Hertingshusen, der daz zu der zit inhet und noch hat [1], fursten und geistlich
lute [2] gemordet etc., darumbe er verlantfriedt wart etc.: darof sprechen und entscheiden
wir alz of den sechsten artikel von der steinwart [3].

[*20*] Item als der von Mentze in dem 17 artikel den lantgraven[e] beschuldigt, daz
er mit sin selbs lib und den sinen geherfart und zu felde gelegen habe fur sine sloße
30 Geißmar etc. wieder recht sûnebriefe etc.; und der lantgrave antwert: daz er im darumbe
nicht pflichtig si zu antwerten, wann sie sin fiende worden weren uber ire eide, der er
selbs bekentlich ist, und nemen zu in verlantfride lute etc.: daruf sprechen und entscheiden wir: si ez in fehden gescheen, so blibe er sin billich ane ansprache; si dez
nit, daz er dann billich kere alz recht ist.

35 [*21*] Item als der von Mentze in dem 18 artikel den lantgraven schuldiget: daz
er sich siner closter nit allein in werntlichen, sunder auch in geistlichen sachen, probste

---

a) *cod. so korrigiert aus* ze. b) *cod.* langtgrave. c) *cod.* sinen. d) *om. cod.* e) *hier und noch mehrmals abgekürzt*
lantgr.

---

[1] *Erzbischof Adolf von Mainz hatte am 11 Mai*
40 *1384 das Amt Naumburg dem Friderich von Her-*
tingshausen verschrieben, s. Landau Hess. Ritter-
burgen 2, 222; eine gleichzeitige Abschrift der
Urkunde Wirzb. Kr.A. Mainz-Aschaff. Ingr.-B. 10
fol. 258[b], der Schluß mit dem Datum ist dort
45 *abgerissen, aber Landaus Zeitangabe ist um so*
weniger zu bezweifeln als Erzbischof Adolf am
10 Mai (fer. 3 post cantate) 1403 wegen der Wal-
deckischen Pfandansprüche an Schloß und Stadt
Naumburg mit Friderich von Hertingshausen über-

kommt, München R.A. Mainz Erzstift VII 2/6 fol.
127[a] or. mb. — Bei Gudenus l. c. 28 heißt es in
dessen Auszug unserer Urkunde respondit [Herman-
nus], ab Hertinghusio, castri hujus sibi oppigno-
rati possessore, in via regia ac ditione Hassiaca
enecatos fuisse viros principes et ecclesiasticos —.
[2] *Gudenus l. c. 28 bemerkt dazu* Henr. Les
(Lesch) praep. Verdensis. *Vgl. bei uns nr. 335*
art. 4.
[3] *S. art. 9.*

1402
Fbr. 3
und anders zu setzen, alz er dez nit zu tůn hat, underwůnden habe wieder recht sůne-
briefe etc.; und der lantgrave entwert: er habe daz nit getann und habe auch keiner
geistlichen gewalt da zu schaffen etc.: daruf sprechen und entscheiden wir: getore[a] der
lantgrave darfur kommen mit dem rechten, daz er dez nit getan habe noch heißen tůn,
daz er sin billich genieße; dete er dez nit, daz er sin dann engelte alz rechte ist.   5

[22] Item als der von Mentze in dem 19 artikel den lantgraven beschuldigt: daz
er einen brief innehabe, den im bischof Swinderlauff[1] geben und dem closter Germenrode genommen habe, der uber daz dorf Germenrode sage, und[b] muße dasselbe closter
dez dorfs enberen wieder die einunge etc.; und der lantgrave antwert: daz daz dorfe
sin were und loset ez umbe pfenninge nach lute siner eltern briefe etc.: daruf entschei-   10
den und sprechen wir: daz sie darumb zu tagen kommen sollen; findet ez sich in der
kuntschaft, daz der lantgrave daz dorfe zu losen gehabt hat und gelosen möchte und
ez dann geloset hat alz er schribet, daz in dann der bischof billich dabi verliben lase;
findet sich aber dez nit, und daz er daz mit gewalt in hat gehabt, so sal er denjenen
ir briefe und gůt wiedergeben.   15

[23] Item als der von Mentz in dem 20 artikel den lantgraven beschuldiget: daz er
sine closter in sinem lande zu ungewonlichen dinsten getrungen habe wieder einunge etc.;
und der lantgrave antwert: daz daz[c] dinste si und sitliche si, und wisse wol daz die
closter nit uber in clagen etc.: daruf sprechen und entscheiden wir: weliche closter der
lantgrave in schirmeß-wise[2] vom riche inhat und in sinem furstentume ligen und den   20
etwaz beswerniße an dinsten dut, daz er dem bischof darumbe nit, sunder einem Romischen kunige zu antwerten hat.

[24] Item als der von Mentze in dem 21 artikel den lantgraven beschuldiget: daz
er einen dechan zu Rotenberg mit verbiedunge aller gemeinschaft getrongen habe in
sinem stiefte nuwe und unredelich statuta zu machen wieder gesecze und ordenunge etc.;   25
und der lantgrave antwert: daz er ein patron der kirchen zu Rodenberg sin und habe
nicht getan, ein patrone moge ez dann[d] mit rechte getůn etc.: daruf sprechen und entscheiden wir: si ez daz der lantgrave deheine gesecze gemacht habe wieder geistlich
ordenunge und gerichte, daz dem von Mentze zugehoret, und wieder die buntnůß, die
sie mit einander han, darumbe mag er im wol zusprechen mit geistlichem gerichte, und   30
dut daz billich abe; hette er aber gesetze gemacht in werntlichen sachen alz ein patrone,
darumbe hat er im nit zů antwerten.

[25] Item als der von Mencze in dem 22 artikel den lantgraven beschuldigt: daz
er dem pferrer zu Grefenstein ane redelich sache verbotden habe daz er in Cassel nit
riten oder gen torste, und muste darumbe siner pfrunde enbern etc.; und der lantgrave 35
antwert: daz Cassel sin si und wolle darin uß- und in-laßen wen[e] in gelust etc.: daruf
sprechen und entscheiden wir: daz der lantgrave in sinem lande wol mag setzen ver-
botde und gebotd[f] in werntlichen sachen und die im zugehoren wie er wil[f]; hette er
aber einich verbott getan die wieder geistlich gerichte weren, darumbe mag im der von
Mentze wol mit geistlichem gerichte zusprechen.   40

a) cod. getorre, das zweite r ausgestrichen. b) cod. un mit Überstrich korrigiert aus nů. c) hier fehlt offenbar ein
Wort; etwa gewonliche? oder werntliche? vielleicht soll der ganze Satz nur heißen daz daz sitliche dinste
sien. d) om. cod. e) cod. wen mit Abkürzungshaken an dem e. f) mit zwei Überpunkten über i.

[1] Ist vielleicht Bischof Johann von Schleswig,
Kurmainzischer Chorbischof. Joannis vol. prim.
rer. Mogunt. 2, 431 sagt von diesem „de Schonde-
leff (alias Hes) cognominatus"; er erhielt 1410
Jan. 1 Frauenstein von Erzbischof Johann; starb
1421. Nach Schmincke Urk.-B. des Kl. Germerode

pag. 97 nr. 249 war 1394 Burghard, Bischof zu
Grunlant, Vormunder des Kl. Germerode; eine   45
solche Stellung scheint der Bischof Swinderlauff
innegehabt zu haben.
[2] Guden l. c. 28 übersetzt quorum protectionem
et advocatiam habet ab imperio.

[*26*] Item als der von Mentze in dem 23 artikel den lantgraven beschuldiget: daz ¹⁴⁰³ er, lang zite ee er mit im zu feden queme, verbott getann habe in sinem lande uber ^{Fbr. 3} sin pfaffheit zu Fritzlar, daz sin undertanen der egenanten pfaffheid zehenden etc. nit umbe besten solten etc.; und der lantgrave antwert: daz die domherren zu Fritzlar ire 5 zehenden verlihen, dez gonne er in wol, also daz sie die sinen, die sie von in nemen oder verburgten, ungeplauget^a ließen etc.: daruf sprechen und entscheiden wir: daz der lantgrave den sinen wol verbieten moge daz sie keinen zehenden besteen^b sollen; hette er aber andern luten verbotten^c daz sie soliche zehenden nit besteen solten, und in selbs geweert^d daz sie ez weder sammen noch fordern^e solten, diewile er dann sprichet 10 daz er daz nit getan habe, dût er dann sin rechte darfur, so blibet er billich ane rede, dût er dez nit, so engelte er^f sin alz rechte ist.

[*27*] Item als der von Mencze in dem 24 artikel den lantgraven beschuldiget: daz er geboten habe, daz die lantsiedel of der pfaffheid gut gesessen derselben pfaffeheid ir jerliche gulte nit gen Fritzlar bringen solten etc., getan wieder rechte sunebriefe etc.; 15 und der lantgrave antwert alz of den ersten artikel uber die gebotd etc. ¹: daruf sprechen und entscheiden wir: sint die gebotd gescheen in der fehde, daz der lantgrave im darumbe zu antwerten nit pflichtig si; si ez aber vor der fede geschen, so sal er in die offenen und lute laßen geben alz dez landes rechte ist.

[*28*] Item alz der von Mentze in dem 25 artikel den lantgraven beschuldiget: daz 20 er sich der pfaffheid zu Fritzschlar zehende zu Graen underwinde, und habe die vor der fehde andern luten gegeben; [*28ᵃ*] und in einem andern artikel den lant*graven* auch beschuldiget: daz er der egenanten pfaffheit ire zehende zu Lone Ludewigen von Wildunge, und den ratzehende zu Balhorn Heinrich von Schutzberg verschriben habe, wieder rechte sunebriefe etc.; und der lantgrave antwert: daz die zehende ratzehende 25 sin und haben die sin eltern of in bracht etc.: daruf sprechen und entscheiden wir glicherwise alz of den 14 artikel ².

[*29*] Item als der von Mentze in dem 26 artikel den lantgraven beschuldiget: daz er der egenanten siner pfaffheit zehende zu Meinhartzhusen zu Odolffßhusen und anderswo sich underwinde wieder rechte sunebrief etc.; und der lantgrave antwert: daz er sich 30 sines erbes underwinde etc.: daruf sprechen und entsch*eiden* wir alz of den vorgeschriben virzehenden artikel.

[*30*] Item als der von Mencze in dem 27 artikel den lantgraven beschuldiget: daz er vor langer zit in sinem lande bi einer pene habe laßen verbieten, wann ein lantsiedel of der pfaffheit gut geseßen dieselben gut ufgebe^g, so getôrre dez guts niemant anders 35 umbe sie besteen etc.; und der lantgrave antwert alz of den ersten artikel uber die gebotde etc.: daruf sprechen und entscheiden wir glicherwise alz of den 24 artikel.

[*31*] Item alz der von Mentze in dem 28 artikel den lantgraven beschuldiget: daz er und die sinen binnen den zwein nehsten vergangen jaren siner pfaffheid zu Fritzlar ire gulte verbotten, ire zehende mit gewalt laßen nemen, und in ir winberge laßen ver- 40 hauwen etc.; und der lantgrave antwert: ez si in fehde gescheen etc.: daruf sprechen und entscheiden wir: sint ez in fede gescheen ist, alz sie beide erkennen, daz ez dann sal abesin.

[*32*] Item als der von Mentze in dem 29 artikel den lantgraven beschuldiget: daz er dem closter Annenberg sine altaria abgezogen habe, daz er die selber lihet, wieder

45   a) *cod.* ußgeplanget. b) *das dritte* e *übergeschrieben.* c) *cod. add.* under andern herren *ausgestrichen.* d) *das dritte* e *übergeschrieben.* e) *cod.* foren. f) *om. cod.* g) *cod.* ufgeben.

¹ *S. art. 4.*   ² *S. art. 17.*

recht einunge etc.; und der lantgrave antwert: daz er altaria zu Cassel zu lehen habe, die habe er mit gotde und rechte alz er wol wisen wolle etc.: daruf sprechen und entscheiden wir: diewile der von Mencze sprichet, ez sin geistlich lehen, und der lantgrave schribet, er wolle daz ußtragen da solich sachen hingehoren, daz sie daz dann also mit geistlichem gerichte ußtragen sollen.   5

[33] Item als der von Mentze in dem 30 artikel den lantgraven schuldiget: daz er einem priester genant Heinrich von Elgerßhusen genommen habe ein forwerk, daz da gehore zu einem altare zu Nidenstein, wieder rechte einunge etc.; und der lantgrave antwert:. daz er in schuldige alz ez eine[a] ander spreche, und of eins andern sprache dorf er nit entwerten: daruf sprechen und entscheiden wir: daz man darumb zu tagen   10 kommen solle in die kuntschaft, und, vindet sich daz er ez nit mit rechte genomen habe, daz er ez im dann wiedergebe.

[34] Item als der von Mentze in dem 31 artikel den lantgraven schuldiget: daz er einen moniche genant Forbin[b] zu Germenrode selber gestraffet und im hundert gulden abgenommen habe; und der lantgrave antwert: daz kein monch zu Germenrode si,   15 sunder closterfrauwen[1] etc.: daruf sprechen und entscheiden wir: moge der lantgrave dafur kommen, daz er dem munch nichts wieder rechte genomen habe, so genieße er sin billich; moge er aber dez nit getůn, daz er daz dann kere alz recht ist.

[35] Item alz der von Mentze in dem 32 artikel den lantgraven schuldiget[c]: daz er siner pfaffheid in sinem lande zugeleget habe wieder ir gewonliche[d] ofsetzunge, die   20 man nennet subsidia; und der lantgrave antwert: daz sich die pfaffen in dem lande zu Hessen dez beruffen hatten in dem hoff zu Rome, die in baden daz er irer appellacien, die sie wieder ein unrecht beswerunge getann hetten, zuhangende si[e]; daz dete er etc.: daruf sprechen und entscheiden wir: ist daz also alz er geantwert hat, so ist er darumbe nichts schuldig.   25

[36] Item alz der von Mentze in dem 33 artikel den lantgraven schuldigt: daz er zu Grunenberg wieder cristenlich ordenunge verbotden habe, daz man sins geistlichen *gerichts* gebotd und brief nit nemen solle; und der lantgrave antwert: daz man sin[f] nicht also finde: daruf sprechen und entscheiden wir: gotörre der lantgrave dafur kommen alz rechte ist, daz er sin nicht getan habe, so genieße er sin billich.   30

[37] Item alz der von Mentze in dem 34 artikel den lantgraven schuldiget: daz er dem pferrer von Witzenhusen sine pfarre ane schulde genommen habe; und der lantgrave antwert: daz er sich daran vergesse etc.: daruf sprechen und entscheiden wir: ist ez in feden gescheen, so sal ez absin; ist ez aber ane fede gescheen, mag der lantgrave dann dafur kommen alz recht ist, daz er dem pferrer nichts wieder rechte ge-   35 nommen habe, daz er sin billich genieße, hette er im aber ichtz wieder recht genommen, daz er daz kere alz rechte ist und in wieder insetze.

[38] Item alz der von Mentze in dem 35 artikel den lantgraven beschuldiget: daz er verbotden habe daz man Streckwin canonik zu Rotenberg nichts antwerten solle von siner pfrunde; und der lantgrave antwert: daz er sich daran vergeße etc.: daruf sprechen   40 und entscheiden wir: hette der lantgrave im ichts verbotten oder genommen wieder rechte, daz er im daz offen und keren solle, ez were dann in der fehde gescheen.

a) *sic! für ein.* b) *Gudenus l. c. 28 Probenio — mulctam ipse dictarit.* c) *cod. schuldige.* d) *cod. wieder in in gewonlicher.* e) *om. cod.* f) *cod. sie.*

[1] *Gudenus l. c. 29 bemerkt "exceptio subdola,*   [2] *Vgl. Weinhold Grammatik § 460.*   45
dum satis constat, in monasteriis virginum degere
passim fratres ejusdem ordinis, qui rem divinam
administrant et oeconomicam".

[*39*] Item als der von Mentze in dem 36 artikel den lantgraven beschuldiget: daz ₁₄₀₃
sin diener und helfer einen subdiaken gefangen haben genant Cunrad Wiedelberg etc.; Fbr. ⁸
und der lantgrave antwert: daz der zu der zit kein subdiacon were etc.: daruf sprechen
und entscheiden wir: habe der lantgrave den pfaffen in gefengniße und nit tag geben,
⁵ daz er im dann billich tag geben solle nach dez anlaße lute.

[*40*] Item als der von Mentze in dem 37 artikel den lantgraven beschuldiget: daz
er und die sinen im sin dorfe Altenstett, den kirchoff und die kirche darinne; [*40ᵃ*] und
in einem andern artikel: die kirchen zum Hettenberge, den kirchofe und kirche zu
Wiedelberg; [*40ᵇ*] und in einem andern: daz sie die zwei dorfer Aldendorffᵃ und
¹⁰ Belderßhusen verbrant haben etc.; und der lantgrave antwert: daz Friede*rich* von Hertingshusen, der die dorfer in nûtze und gewer ¹ hattᵇ, sin vient zu der zit wer' etc.:
daruf sprechen und entscheiden wir glicherwise als of den sehsten artikel.

[*41*] Item als der von Mencze in dem 38 artikel den lantgraven beschuldigetᶜ: daz
sin burger zu Grefenstein im sin holze genant daz Kelderholze abgehauwen haben ane
¹⁵ fede etc.; und der lantgrave antwert: daz daz holze ein teil zum Schonenberge gehore,
den Friede*rich* von Hertingshusen inhat ² etc.: daruf sprechen und entscheiden wir: waz
dez in fede gescheen si, daz daz abesin solle; waz aber ane fede gescheen si, daz sal
man keren alz recht ist.

[*42*] Item alz der von Mentze in dem 39 artikel den lantgraven beschuldiget: daz
²⁰ sin vogt zu Elheim sinen burgern zu Geißmar iren geswornen botten gefangen habeᵈ in
einem gutlichen sten etc.; und der lantgrave antwert: daz er keinen voigt da habe und
wisse auch von keinem Elheim nit zu sagen etc.: daruf sprechen und entscheiden wir:
diewile der lantgrave dežᵉ nit weiße und daruf nit antwert, daz wir dann daruber nit
gesprechen konnden.

²⁵ [*43*] Item als der von Mentze in dem 40 artikel den lantgraven beschuldigetᶠ: daz
sin amptlute zu Grefenstein sinen burgern zu Geißmar korn- und pfennig-gulte genomen
und furbehalten haben ane fehde etc.; und der lantgrave antwert: waz dez bescheen si,
daz si in fede bescheen etc.: daruf sprechen und entscheiden wir: si daz in fehden gescheen, so si ez abe; si ez ane feden gescheen, so sal er ez keren alz recht ist.

³⁰ [*44*] Item alz der von Mentze in dem 41 artikel den lantgraven beschuldiget: daz
sin amptlute von Grefenstein sinen burgern von Geißmar ir holze abgehauwen haben;
und der lantgrave antwert: ez si in feden gescheen: daruf sprechen und entscheiden
wir alz uf den nehsten artikel davor.

[*45*] Item alz der von Mentze in dem 42 artikel den lantgraven schuldiget: daz
³⁵ sin amptlute zu Cassel und Immenhusen etc. ane fede sechs siner burger von Geißmar
gefangen und geschetzet haben; und der lantgrave antwert: daz die von Geißmar sin
finde worden weren etc.: darof sprechen und entscheiden wirᵍ alz of den nehsten obgeschriben artikel.

[*46*] Item alz der von Mentze in dem 43 artikel den lantgraven beschuldiget: daz
⁴⁰ Eckebreht von Griffde sin mann uß sime sloße Gutensperg siner burger einen von

---

a) *Guden. l. c. 29 Allendorf.* b) *das zweite t durchstrichen im cod.¹* c) *cod. bschuldiget.* d) *cod. haben.* e) *cod.*
so statt des ausgestrichenen darumb. f) *cod. beschuldiget mit Überstrich.* g) *om. cod.*

¹ *Gudenus l. c. 29 fügt bei als eigene Ansicht* | Mainz-Aschaff. Ingr.-B. 14 fol. 52ᵃ-53ᵃ cop. ch.
„*jure pignoris*". | *coaev. — Derselbe schuldet dem Grafen Heinrich*
⁴⁵ ² *Erzbischof Johann von Mainz gibt dem Fri-* | *von Waldeck 5800 fl. und verpfändet ihm dafür*
derich von Hertingshausen, den er als Helfer an- | *das Schloß Schonenberg bei Geißmar; dat. 1404*
genommen hat wider die Herzöge von Braunschweig, | *fer. 4 p. omn. sanct. [Nov. 5]; l. c. fol. 87ᵃᵇ cop.*
den halben Theil von Schonenberg; dat. sabb. ante | *ch. coaev.*
reminiscere [Febr. 23] 1404; Wirzburg Kr.A.

Geyßmar gefangen und geschatzt[a] hab; und der lantgrave antwert: daz im daz un-
wissentlich si etc.: daruf sprechen und entscheiden wir: getörr der lantgrave dafur
kommen, daz er sin helfer nit si[b] und von im und zu im in sine sloße nit geschehen
si, so si er im nichts schuldig; dete er dez nit, so sal er sin engelten alz recht ist.

[47] Item als der von Mentze in dem 44 artikel den lantgraven schuldigt: daz er
und die sinen im sine kirchoffe ane fede verbrant haben; und der lantgrave antwert
uf den alz of daz Kelterholz: daruf sprechen und entscheiden wir alz of den 38 artikel [1].

[48] Item alz der von Mentze den lantgraven in dem 45 artikel beschuldiget: daz
sin amptlute und die sinen zu Kirchan vor und nach der fehde in sine welde gefaren
und im sin holze abgehauwen haben; [48a] und in dem andern artikel: daz dieselben
von Kirchan im sin dorfer und kirchen geprant haben; und der lantgrave antwert: waz
da gescheen si, daz si in fede gescheen: daruf sprechen und entscheiden wir: waz
in feden gescheen si, darumb si er im nicht schuldig zu antwerten; si ez aber ane fede
und ane rechte gescheen, so keren sie ez billich.

[49] Item alz der von Mentze in dem 46 artikel den lantgraven beschuldiget: daz
Gilbrecht von Nordecke und sin gesellen im und den sinen uß sinen sloßen verderplichen
schaden getan haben; und der lantgrave antwert: daz im daz unwißentlich si, und habe
vil sloße, darin Gilbrecht nie keme etc.: daruf sprechen und entscheiden wir: diewile
er im die sloße nit genant hat, daz er im dann zu dieser zit nit entwerten solle.

[50] Item als der von Mentze in dem 47 artikel den lantgraven beschuldiget: daz
die von Hoemburg vor und nach der fede im in sin und sines stiftes welde gefaren
und daz holz abgehauwen haben etc.; und der lantgrave entwert: daz den von Hoemburg der walt entlegen si, und meine daz sie dez unschuldig sin: daruf sprechen und
entscheiden wir: daz der lantgrave im die von Hoemburg zûm rechten stellen sôlle;
und haben sie ez getan, daz sie ez dann keren alz recht ist; haben sie ez nit getan,
daz sie dann dafur kommen alz recht ist.

[51] Item als der von Mentze in dem 48 artikel den lantgraven beschuldiget: daz
er und die sinen sinen mannen und bûrgmannen mit namen Wolprecht Hobeherren[c] etc.
umbewart [2] dri kirchoffe verbrant haben; und der lantgrave antwert: ez si in feden
gescheen etc.: darûf sprechen und entscheiden wir: findet ez sich daz ez in feden gescheen ist, so sal ez absin; ist ez ane feden gescheen, so engelte er sin alz recht ist.

[52] Item alz der von Mentze in dem·49 artikel den lantgraven beschuldiget: daz
er den von Swynsperg großen schaden vor und nach der fehde getan habe, und neme
in daz Kirchedorfer gericht etc.; und der lantgrave antwert: daz dieselben Schencken
von Swinßperg zu im und sinem furstentûm gehoren, dez er ir eltern und ir besiegelt
geben[d] brief habe; [52a] und in dem 50 artikel beschuldiget: daz er die von Swinßperg an dem gerichte zu Ratzperg[e] hinder; und der lantgrave antwert: daz er darin
eigen lute habe, der gebruche er sich etc.; [52b] und in dem 51 artikel auch beschuldiget: daz er den von Swinsperg ire frien ecker fur Hoenburg zehenhaftig mache;
und der lantgrave antwert: daz er ez damit halte alz daz an in kommen si: daruf
sprechen und entscheiden wir: waz dez schadens in fehde gescheen si, daz daz absin
sal; ist ez ane fede gescheen, darumbe sollen sie zu tagen kommen in die kuntschaft;

---

a) cod. geschatz. b) nit si om. cod. c) Hobehren mit Überstrich durch das zweite h. d) cod. bes. g. abgekürzt.
e) Batsperg ?　　　　　　　　　　　　　　　　　　　　　　　　　　　　　　　　　　　45

[1] S. art. 41.　　　　　　　　　　[2] Für unbewart, d. h. ohne seine Ehre durch
Absagen gewahrt zu haben, Lexer mhd. WB.

und habe er in icht wieder recht genommen, daz er in das wiedergebe; habe er sin
nit getann, daz er dez dann ane rede si.

[*53*] Item als der von Mentze in dem 52 artikel den lantgraven beschuldiget: daz
dieselben von Swinsperg brief haben fur schult, die er in nit gelten wolle etc.; und der
5 lantgrave antwert: daz er gern briefe wolle halten und briefe wiederumbe^a nemen gehalten etc.: daruf sprechen und entscheiden wir: waz die von Swinßperg briefe von
dem lantgraven haben, daz er in die halten solle oder ein redeliche rechte darumbe
wiederfaren laße.

[*54*] Item alz der von Mentz in dem 53 artikel den lantgraven beschuldiget: daz
10 er sich ane der von Swinssperg wissen und willen in ire gerichte, daz man nennet daz
Einberger gerichte, gekauft habe etc.; und der lantgrave antwert: daz er kein gericht
wiße, daz das Eimberger gericht heiß, darin er sich gekauft habe: daruf sprechen und
entscheiden wir: und stellen daz in die kuntschaft, daz man darnach erfaren solle; ist
ez als sie clagent, so sal er in wieder recht nit nemen und rechte wiederfaren laßen.

15 [*55*] Item als der von Mentze in dem 54 artikel den lantgraven beschuldiget: daz
er sich vor der fede mit andern fursten [1] und herren wieder in verbunden habe etc.;
und der lantgrave antwert: diewile soliche herren nit genant habe, daz er daruf nit
antwerten dorfe: darof entscheiden und sprechen wir: sitdemmale sie schriben gein einander von ire^b briefe und anders, darumb dunket uns, daz wir daruber nit teilen sollen;
20 dann wez sie sich einander verschriben haben mit buntbriefen oder anders, dunket uns
daz sie daz billich halten of beide siten.

[*56*] Item als der von Mentze in dem 55 artikel den lantgraven beschuldiget: daz
er und die sinen den edeln grave Johann von Ziegenhan, zu der zit alz er sin domherre
zu Mencze were, ane fehde gefangen und zu unredelicher verbuntniße getrungen haben etc.;
25 und der lantgrave entwert: ez si in feden gescheen etc.: daruf sprechen und entscheiden
wir: si daz in feden gescheen, so dörfe er dem bischof darumbe nit antwerten; habe er
im^c dann ane recht ichts genommen oder zu buntnisse getrungen ane rechte, daz er im
daz billich kere und abetû alz rechte ist.

[*57*] Item alz der von Mencze in dem 56 artikel den lantgraven beschuldiget: daz
30 sin manne Heinrich von Hoemberg sinen burgern von Sûntra ee der fede genommen
habe sechzehenhundert schaff; und der lantgrave antwert: Suntra si sin etc.: darof
sprechen und entscheiden wir: diewile Sûntra dez lantgraven ist, alz wir im daz zugesprochen haben, daz er dann daruf den von Mentze nit entwerten dörfe.

[*58*] Item als der von Meentze^d in dem 57 artikel den lantgraven beschuldiget:
35 daz sine diener sinen armen luten in dem ampte zu Rustenberg ire viehe mit namen
schaffe kûwe swine etc. genommen haben; und der lantgrave antwert: daz sin amptlute
in dem Russtenberge sin fiende worden weren und griffen in an etc.: daruf sprechen
und entscheiden wir alz of den 40 artikel.

[*59*] Item alz der von Mentze in dem^e 58 artikel den lantgraven beschuldigt: daz
40 sine diener sinen burgern zu Heiligenstat uß sinem sloße Bylnstein vor der fehde dru
phert genommen haben etc.; und der lantgrave antwert: ez si in feden gescheen: daruf
sprechen und entscheiden wir alz of den 40 artikel.

a) *cod. fehlt ein Balken für das* m. b) ir *mit Abkürzungshaken.* c) *cod.* in. d) *cod.* Mentze *mit zwei schräg-*
liegenden Punkten über dem e. e) *cod.* den.

45 [1] *Gudenus l. c. 29 gibt der Sache bestimmte*   archiepiscopo bellum, foedus percusserit cum
Richtung: „quod Hermannus, ante denuntiatum   Brunsvicens."

1408
Fbr. 8 [60] Item als der von Mentze in dem 59 artikel den lantgraven beschuldiget: daz
er dem apte von Hiersfelden, der im zu versprechen stee [1], swerliche beschediget habe
und großen schaden zu Landecke in dem gerichte [2] getan an name brande etc.; so habe
er den münchen ire gulte, die sie zu Rodenberg han, vor nach und in der fede bekummert; und der lantgrave entwert: daz er darzû nit entwerten dörfe, wann der apte   5
dez riches furste si und gehore under den stûle zu Rome etc.: daruf sprechen und entscheiden wir: findet ez sich, daz der apte von Hirsfelden dem von Mentze von rechts
wegen zu versprechen stet, waz im dann der lantgrave schadens getan hat in fede, daz
ist abe; waz er aber dez ane fede getan hat, dez keret er im billich als recht ist.

[61] Item als der von Mentze in dem 60 artikel den lantgraven beschuldiget: daz   10
sine diener mit namen Eckard Lankknechte und sin gesellen etc. sinen burgern zu
Geißmar genommen haben drû pfert; und der lantgrave antwert: waz in feden gescheen
si, daz si abgetann: daruf sprechen und entscheiden wir als of den 40 artikel.

[62] Item als der von Mencze in dem 61 artikel den lantgraven schuldiget: daz
sinem closter zu der Celle binnen einre felickeit zehen pferde genomen sin; und der   15
lantgrave antwert: daz die von Butler, die daz getan haben, sine helfer nit weren;
[62ᵃ] und auch beschuldiget: daz im und sinen armen luten zum Stein in dem gerichte
zu Lengenfelt etc. binnen eime kauften frieden verderpliche schade gescheen si; und
der lantgrave antwert: daz er vor den Gliechen [a] lege, und waz da gescheen si, daz si
in fede gescheen;   [62ᵇ] und alz auch er in beschuldiget: daz sinen armen luten zu   20
Mengelrode in einem kauften frieden schade gescheen si; und der lantgrave antwert:
daz er zu der zit zu felde lege etc.;   [62ᶜ] und als er in auch beschuldigt: daz er
sinen armen luten zu Kalden binnen eim kauften frieden iren turne habe laßen nieder-
brechen etc.; und der lantgrave antwert: in welicher maße sie in [b] gefelikeit sin, daz si
gehalten von im etc.;   [62ᵈ] und als er in auch schuldiget: daz herzog Otte von   25
Brûnßwig sin amptlute und die sinen binnen demselben gekauften frieden in daz dorfe
Kalden gefallen si und dem großen schaden getan haben; und der lantgrave antwert:
daz herzog Otte sine helfer nit were etc.;   [62ᵉ] und er in auch schuldiget: daz der
von Schönenberg den von Lammerden felikeit geben habe [c], und die sinen in daruber
schaden getan haben;   [62ᶠ] und als er in auch anders von solichen kauften frieden   30
wegen beschuldiget und der lantgrave darûf entwert: daruf sprechen und entscheiden
wir: waz in felickeit und gekauftem frieden, die der lantgrave sine [d] oberste [e] heuptman
oder die dez macht hatten geben haben, gescheen si, daz man daz keren und wiedergeben solle alz recht ist, ez si in der fede oder uß der fede gescheen.

[63] Item als der von Mentze den lantgraven auch beschuldiget: daz er einen alten   35
apte zu Hasungen abegesetzt und einen andern gekorn hab etc.; und der lantgrave
antwert: daz closter stee im in werntlichen sachen zu versprechen, und die munche
haben einen apte gekorn nach ires ordens gewonheit, der auch von dem babst bestetiget
si etc.: daruf sprechen und entscheiden wir: mag der lantgrave dafur kummen [3], daz er

---

a) cod. Gliachen mit zwei schrägliegenden Punkten über dem i.   b) om. cod.   c) korrigiert aus halte?   d) cod. sinen.   40
e) cod. so korrigiert aus obersten.

---

[1] Gudenus l. c. 29 verweist dabei auf seinen
cod. dipl. Mog. 3, 574.
[2] Gudenus l. c. 29 übersetzt das wol nicht richtig „in castro Landeck".
[3] Gudenus l. c. 29 fügt bei: „Similes articuli
numerantur pene 80, quorum pars plurima, quia

per jusjurandum solidanda esset, ac decidenda,
a Landgravio primum, Archiepiscopo exinde secundum, sicque alternatim praestari, Rupertus
pronuntiat". Bezieht sich auf unsere nr. 336   45
art. 29, der auch in der obigen Urkunde steht,
siehe unsere Schlußangabe.

nichts anders darzu getan habe dann alz er geantwert hat, so blibe er sin billich ane $_{1403}^{Fbr. 3}$
rede; dû er dez nit, daz er dez engelte nach geistlichen rechten.

[*64*] Auch als der von Mentze den lantgraven beschuldiget und zusprichet in
etwievil artikeln von name und geschicht wegen, die sich sint sant Michels tag her, als $_{Sept.}^{1402}$ ^{29}
5 die sûne zu Hirsfelden getedingt wart, ergangen hant, daruber dorfen wir nit sprechen,
wann wir dez nit beladen sin.

[*art. 65-68 und Schluß ganz wie im Nürnberger Ausspruch K. Ruprechts zwischen den* $_{1403}^{Fbr. 3}$
beiden vom gleichen Datum, nr. 336 art. 28 bis zu Ende, wo m. s. die Varianten.]

Ad mandatum domini regis
10 Ulricus de Albeck etc.

---

338. *Verzeichnis der Spruchrichter zu Nürnberg zwischen Mainz Braunschweig Hessen.* $_{Fbr. 3]}^{[1403}$
[1403 Febr. 3 Nürnberg [1]*.]*

K aus Karlsr. G.L.A. Pfälz. Kop.-B. 139 pag. 105 cop. ch. coaev.

Nota. diese nachgeschriben sassen[a] am rechten zu Nuremberg, do der usspruche
15 geschach zuschen dem von Mencze von Brunswig und dem lantgraven von Hessen [2]:
item burggrave Friederich von Nurenberg
graff Gunther von Swarczpurg herre zu Ranis
grave Emich von Lyningen
her Con*rad* von Egloffstein meister Dutsch ordens
20 herr Engelhard herre zu Winsperg
herr Friederich Schenck von Lympurg
herre Dietherich von Bickenbach
Schenck Eberhard herre zu Erpach
her Albrecht vom Egloffstein
25 herr Friederich von Uffseße
her Eckhard von Merckingen
Berthold Pfintzing von Nuremberg.

a) *K* sassem.

---

[1] *Das Verzeichnis folgt im Kodex auf K. Ru-*
30 *prechts Nürnberger Ausspruch zwischen Kurmainz*
und Hermann von Hessen von 1403 Febr. 3 nr.
336.
[2] *Im Nürnberger Schenkbuch kommen während*
der fraglichen Periode von diesen Spruchrichtern

nur Burggraf Friderich und Engelhard von
Weinsberg vor, s. nr. 331; und auch in den
Schenkungen der nächstvorhergehenden und der
nächstfolgenden Perioden ist obige Liste nicht
vollständig enthalten, s. nr. 324.

1403
Fbr. 4

339. *Herzog Bernhard von Braunschweig und Lüneburg gelobt K. Ruprecht die von seinem Bruder Heinrich zugleich in seinem Namen empfangene Belehnung und geleistete Huldigung auch für sich als rechtsgiltig und bindend betrachten zu wollen* [1].
1403 Febr. 4 o. O.

> *Aus Münch. Staatsarchiv Urkk. betr. die äußeren Verhh. der Kurpfalz* $\frac{120}{b\,39}$ *or. mb. lit.* [5]
> *pat. c. sig. pend. delapso; auf Rückseite von Hand des 15 Jahrh. Regalia vom rich.*
> *Steht Karlsr. G.L.A. Pfälz. Kop.-B. 44 fol. 99* a *als Regest ch. saec. 15 ex.*
> *Regest Janssen R.K. 1, 725 nr. 1149 aus Karlsr. l. c.*

Wir Bernhard von gotes gnaden hertzog zu Brunswige und Lunenburg bekennen offenlich mit disem brief: als der hochgeborn fürste und herre hertzog Heinrich [10] unser lieber brüder von dem allerdurchluchtigosten fursten und herren hern Ruprecht Romischem kunig zu allen zijten merer des richs unserm gnedigen lieben herren und oheim an sin und unser stad die vorgeschriben hertzogtum und furstentum Brunswig und Lunenburg mit allen iren herscheften frijheiten rechten gewonheiten nutzen renten und zugehorungen zu lehen enphangen, und auch für sich und uns demselben unserm [15] gnedigen herren als einem Romischen kunig mit eiden huldung getan hat in der maß als der brief daruber gegeben daz ußwiset: das wir sölich enphahen der vorgeschriben furstentum Brunswig und Lunenburg und auch huldunge, als der vorgeschriben hertzog Heinrich unser bruder von unsern wegen getan und mit eiden gelobet hat, stete und veste halden wollen in aller wise als ob wir libblich dieselben lehen von unserm vor- [20] geschriben gnedigen herren kunig Ruprecht enphangen und im gehuldet hetten, ane alle geverde. und wann wir zu unserm vorgeschriben gnedigen herren komen, so sollen wir selb unser lehen mit der hande enphahen und huldung tun in aller maß als unser bruder hertzog Heinrich getan hat und als vor geschriben stet. und globen auch in craft diß briefs dawider nit zu tun in dehein wise oder [25] wege heimlich oder offenlich.   mit orkund diß briefs versigelt mit unserm eigen an-

1403
Fbr. 4
hangenden ingesigel, geben an sonntag nach unser frawen tag liechtmeß purificacio zu latin nach Christi geburte viertzehenhundert und dru jare.

a) *doch nicht trüwen.*

[1] *Am gleichen bezw. am folgenden Tage ertheilt K. Ruprecht den Herzögen Bernhard und Heinrich die Belehnung, bestätigt ihre Privilegien, bewilligt ihnen einen Zoll auf der Ilmenau, ebenso die Hälfte der jährlichen Steuer und des goldenen Opferpfennigs der Juden in Sachsen, und befiehlt den Städten Lübeck Goslar und Herford ihnen an seiner Statt zu huldigen (Chmel nr. 1413. 1416. 1412. 1418. 1419). Letzterwähnte Urkunde haben wir RTA. 4 nr. 320 schon mitgetheilt. Zu dem die Juden betreffende Privileg (Chmel nr. 1418) bemerken wir noch, daß die Abschrift im Karlsr. G.L.A. Pfälz. Kop.-B. 4 fol. 149* a b, *woraus das* Regest Mone Zeitschrift 9, 929, im Datum offen-* [30] *bar irrthümlich Mo. vor purif. [Jan. 29] statt Mo. nach purif. [Febr. 5] hat. — Ein Revers der zwei Herzöge zu dieser Urkunde vom gleichen Datum München St.A. äußere Verhh. der Kurpfalz* $\frac{186}{a\,1}$ *or. mb. c. 2 sig. pend., als Regest Karlsr.* [35] *G.L.A. Pfälz. Kop.-B. 44 fol. 249* a *ch. saec. 15 ex. — Am 4 Febr. 1403 verleiht K. Ruprecht ebenfalls Herzog Otto von Braunschweig und Landgraf Hermann von Hessen ihre Lehen und bestätigt Letzterem seine Privilegien (Chmel nr. 1414.* [40] *1415. 1417).*

340. *Kosten Frankfurts bei den von K. Ruprecht zur Beilegung der Mainzisch-Hessischen* 1403 *Streitigkeiten angesetzten Tagen daselbst im Juli 1403 und im Februar 1404.* Juni 23 *1403 Juni 23 bis 1404 April 26.* bis 1404 Apr. 26

*Aus Frankfurt St.A. Rechenbücher, und zwar art. 1. 2. 3. 4. 5 unter besundern einze-
lingen uzgeben, art. 1ᵃ und 2ᵃ unter uzgeben zerunge.*

[1] In vigilia nativitatis Johannis: 8 grosse von 2 ferten unserm herren dem ko- 1403
nige, als der her solde sin kommen, holz zu furen.   [1ᵃ] item 4 groß unsers herren Juni 23
des konigs portenern geschenkt.

[2] Sabb. post Margarethe: 1 gulden den boden von fleschen zu tragen, als man Juli 14
10 den fursten und herren win schenkte, als unser herre der konig hie waz [1].   [2ᵃ] item
3 lb. 7 sh. 4 hl. virzerten der stede diener und auch die burger, als die mit unserm
herren dem konige, als der heim wolde, ridden.

[3] Sabb. ante Marie Magdalene: 40 gulden 2 sh. umb ein maß lang faß voll Juli 21
Elsessers, hilt 7½ ame und 3 virteil, und dann 40 lb. umb hūndert achteil habern,
15 unserm herren dem kunige geschenkt, als er hie waz und unserm herren von Mencze
und unserm junghern dem lantgraven zū Hessen her bescheiden hatte sie zū richten,
und der bischof doch nit qwam. — item 38 sh. koste der win und habern unserm
herren dem kūnige hinuber gein Sassinhusen zū schicken. — item 30½ gulden han wir
unsers herren des kunigs dienern zū derselbin zid geschenkt: mit namen den schribern
20 in die canzli 16 gulden als die der stad faste geschriben hatten und besundern die
richtbriefe gemacht hatten zuschen dem bischof von Mencze und der paffheid zū
Franckenfurd und uns, den zwein innersten dorhutern 3 gulden, den zwein darnach 2
gulden, dem ußersten dorhuter ½ gulden, den funf ridenden boden 3 gulden, den seß
laufenden boden 2 gulden, den piffern und bosunern 4 gulden. — item 13 lb. minus
25 1 sh. han wir uzgegebin umb win fursten herren rittern und knechten und andern erbern
luden zū schenken, als unser herre der kunig hie waz den bischof von Mencze und
lantgraven mit ein zū vereinigen.

[4] Sabb. post Jacobi: 14 sh. von 3 ferten unserm herren dem konige holz zu Juli 28
furen, und 8 sh. von drin firten.

30 [5] Sabb. post Marci: itemᵃ 36 gulden 12 hl. umb 7 ame und 2 vierteil Elsessers 1404
und dann 42½ lb. umb hundert achteil haferns unserm herren dem konige geschenkt, als Apr. 26
er unserm herren von Mencze und dem lantgraven herbescheiden hatte zu tedingen [2]. —
item 31 sh. 3 hl. von dem hafern zu messen und in und auch den win unserm herren
dem konige in sin herburge zu schicken. — item 5 lb. 25 schūczen zwen dage in unsers

35   a) am Rande neben diesem Posten k mit Abkürzung, wol konig, und ein Kreuz.

[1] *Nach zwei Posten der Kammereinnahmen vom
2 bezw. 4 Juli 1403 scheint der König damals
erst in Frankfurt, gleich darauf in Worms gewesen zu sein, s. Janssen 1, 746 nr. 1177 art. 14.
40 15, bei uns in Bd. 6. Das urkundliche Itinerar
läßt die Zeit vom 27 Juni bis 9 Juli, an welchen
beiden Tagen Ruprecht in Heidelberg urkundete,
s. Chmel nr. 1508 f., frei.
[2] Es ist hier sicher der Tag vom Februar ge-
45 meint, vgl. nr. 341 und Anmerkungen dort. —*

*Lersner Frankf. Chr. 1, 90 berichtet zwar, K.
Ruprecht sei So. n. Ostern [April 6] 1404 in
Frankfurt gewesen und sehr stattlich empfangen
worden; vermuthlich beruht aber diese Angabe
nur auf obigem Posten der von Lersner benutzten
Stadtrechnungen, und es ist dabei noch, wie öfter
bei ihm, eine Flüchtigkeit untergelaufen, ohne die
seine Datumangabe aus dem Rechenbuch nicht
zu erklären ist.*

1408
Juni 28
bis
1404
Apr. 26

herren des konigs herburge zu hůden. — item[a] 44 lb. 15 sh. 4 hl. hat man an anderm
wine verschenkt andern fursten herren rittern knechten und steden etc. zu derselben
zit. — item 24 sh. 6 hl. den knechten, die fleschen zu tragen, den win zu tragen. —
item[b] 4 sh. die storm zu luden und 10 sh. die kirzen zu haben, als man unsers herren
des konigs dochter die grevinne beging[1]. — item[c] 1 gulden unsers herren des konigs   5
herald geschenkt, und 4 grosse sinem ußerportener. — item 8 lb. 15 sh. 2 hl. virzerten
des rads frůnde, als die uf die zit bi einander bescheiden waren, der sache zu andelogen
als dan not waz.

1404
Jan. 20

341. *Frankfurt ertheilt dem Erzbischof Johann von Mainz für eine mit K. Ruprecht*
am 17 Febr. in Frankfurt zu haltende Zusammenkunft Geleit[2]*. 1404 Jan. 20*   10
[Frankfurt].

> *Aus Frankfurt St.A. Imperatores 1, 208 conc. ch.; am Rande steht* dem lantgraven; *in*
> *verso deutliche Sigelspuren, die aber wol vom Sigel eines andern lange darauf ge-*
> *legenen Stückes herrühren, oder unsere Vorlage war ursprünglich bestimmt als Original*
> *(lit. pat. c. sig. in v. impr.) zu dienen, man korrigierte aber noch nachträglich und*   15
> *kratzte dann das Sigel wider ab.*
> *Regest Janssen Frankf. R.K. 1, 117 nr. 282 aus unserer Vorlage.*

Wir der schultheisse die burgermeistere scheffene und rad zů Franckenfurd důn
kunt allin luden: wand die erwirdige furste und herre her Johan von gots gnaden
erzbischof zů Mencze des heilgin Romischen richs in Dutschen landen erzcanzler[d] unser   20
liebir gnediger herre zů des allirdurchluchtigsten fursten und herren hern Ruprechts von
gots gnaden Romischen kunigs zů allin ziden merer des richs unsers liebin gnedigen
herren gnaden gein Franckenfurd kommen wirt uf den suntag als man in der heilgen
kirchen in der fasten singet invocavit nestkomet[e] [3], so bekennen wir urkunde disses
briefis, daz wir dem vorgnanten unserin gnedigen herren von Mencze und allin die er   25
mit ime brengen wirt und die von sinen wegen her komen werden[f], geistlich und
werntlich, zů lande odir zů wasser, ein gut fri strag geleiden[g] gegebin han und gebin
in daz[h] mit disem briefe, herzůkommen, und als lange[i] sie uf die vorgnante zit[k] hie
sin, und wider von dannen zů riden odir zů faren, ane allirlei argelist und geverde.

Fbr. 17

---

a) *neben diesem Posten am Rande ein Kreuz.* b) *ebenso.* c) *ebenso.* d) *übergeschrieben.* e) *uf — nestkomet an*   30
den Rand geschrieben und hierher verwiesen. f) *und die — werden an den Rand zwischengeschrieben.* g) *ein —*
geleiden übergeschrieben. h) *in daz zwischenkorrigiert.* i) *Vorlage eigentlich* briefe *men g* kommen und als
lange; *es heist zuerst* briefe als lange, *dann ist übergeschrieben* herin g *her zů kommen und, endlich ist aus-*
gestrichen her zů *offenbar irrthümlich statt* herin g. k) *uf die vorg. zit an den Rand geschrieben statt eines*
ausgestrichenen icsunt.   35

<table>
<tr><td>

[1] Sabb. ante Perpetue virginis [1404 Merz 1]:
item 4 sh. von der stormglocken zu luden man
unser frauwen von Cleve unsers herren des konigs
dochter zů begen [*Anakoluth!*], als unser herre
der konig das begerte; *Frankfurt St.A.* Rechen-
bücher *unter besundern einzelingen uzgeben.*

[2] *Vermuthlich wurde ein gleicher Geleitsbrief*
dem Landgrafen von Hessen ausgestellt, s. Quellen-
beschreibung. Die Zusammenkunft war, wie die
hierher gehörigen Frankfurter Kosten (s. nr. 340
art. 5) zeigen, vom König veranstaltet, um einen
Ausgleich der Mainzisch-Hessischen Streitigkeiten
herbeizuführen. Ob die beiden Fürsten erschienen,
ist nicht mit Sicherheit zu ersehen.

</td><td>

[3] *K. Ruprecht war zur angegebenen Zeit wirk-*
lich in Frankfurt; eine Urkunde, durch die er
Friderich Mager zu Frankfurt in seinen Schutz
nimmt, ist datiert Franckfurd fer. 2 p. invocavit
[Febr. 18] 1404 r. 4; Kurler. G.L.A. Pfälz. Kop.-B.   40
8½ fol. 76ᵃᵇ cop. ch. coaev., und ibid. Pfälz.
Kop.-B. 149 pag. 70-71 cop. ch. coaev. Ausgaben
Frankfurts bei Anwesenheit des Königs sind im
Frankfurter Rechenbuch nach dem Januar 1404
(s. nr. 435) erst wieder unterm 26 April verrech-   45
net, doch kann es nicht zweifelhaft sein, daß diese
hierher zu beziehen sind, s. nr. 340 art. 5 und
Anm. dort.

</td></tr>
</table>

auch flehen und biden wir unsers herren von Mencze gnade vorgnant, obe imands were [1404]
in des heilgin richs achte odir verwiset odir virlantfridt oder obe imands umb mort odir [Jan. 20]
totslege virzalt odir verwiset were, daz uns dann sin gnade darinne gnedeclich virsorgin
wûlle, uf daz wir an eide odir an eren nit geleczit werden. und gebin in[a] doch daz
5 geleide als vor geschriben stet.   und han des zû urkunde und bekentnisse der vorgnanten stede Franckenfurd ingesigel an diesen brief tûn drucken.   datum anno [1404]
domini 1000 quadringentesimo quarto ipsa die Fabiani et Sebastiani martirum[b]. [Jan. 20]

L. Zweiter Anhang: nachfolgende Verhandlungen mit den Rheinischen Städten über die Forderungen K. Ruprechts nr. 342-352.

10 **342.** *Speier an Straßburg, über eine dem König wegen der zu Nürnberg an die Städte* [1402]
gerichteten Anmuthung zu gebende Antwort eine Berathung mit Mainz und Worms [Spt. 13]
zu halten in Speier; auch die neue Guldenwährung betr. [1402 [1]] Sept. 13
Speier.

15   *Aus Straßb. St.A. AA corresp. polit. art. 112 or. ch. lit. cl. c. sig. in verso impr. mutil.;*
mit fünf anderen Zetteln zusammengeheftet, von denen einer die mitabgedruckte Nach-
schrift enthält, die nach Handschrift und Inhalt passt; auch der eine Verschickungs-
schnitt, von dem die Inlage dreimal getroffen ist, mag dem einen der 2 Versiegelungs-
schnitte des Originals seinen Ursprung verdanken; ein anderer dieser zusammengehef-
20   *teten Zettel enthält das Protokoll des Speirer Städtetags vom 27 September [1402]*
nr. 343.

Unsern fruntlichen dienst bevor. ersamen lieben frunde.   als uwer der von
Meintze und von Wormß und ouch unsere erbern frunde von unserm herren dem konige
zu Nuromberg gescheyden sint von der anmûtunge wegen die er an uns stetde getan
hat, als uch daz uwer erbern frunde wol gesagit habent, des wir hoffen, des hant uns
25 unsere frunde von Meintze und von Wormß geschriben, daz sie gut duncke sin, daz
wir stetde von solicher anmûtunge wegen unsere erbern botden widir zu tage schicken,
als ouch uns daz wolgefellet zu tunde, und uff demselben tage zu ratslagen umb eyne
gliche gemeyne entwurte unserm herren dem konige zu gebende.   herumb, lieben frunde,
wer' uwer wisheit ouch zu synne uwer erbern frunde umb die sachen zu tage zû schicken
30 bij uns gein Spire in unsere stat, daz wollent uns furderlichen widir laßen beschriben, und uff welchen tag, uff daz wir daz unsern frunden von Meintze und von
Wormß ouch furbaz verkunden mogen, daz sie sich ouch darnach gerihten mogen ire
frunde zu demselben tage ouch zu schickende. auch, lieben frunde, so hant uns die
von Meintze eine abeschrifft eins briefes[2], den die von Franckenfort der stetde frunden
35 schickten[c], als die zuleste zu Wormß warent, in irre briefe versloßen gesant. dieselbe
abeschrifft, und ouch daz biien gulden-gewihte als sie uns gesant hant, wir uch furbaz
in disem unserm briefe versloßen senden daz sich uwer wisheit darnach wiße zu rihtende. [1402]
datum quarta feria ante diem exaltacionem sancte crucis. [Spt. 13]

      [in verso] Den ersamen wisen meister und rate   Burgermeister und
40 zu Straßburg unsern besundern lieben frunden.   rat zu Spire.

---

a) *sic.* b) *ipsa — martirum korrigiert statt des ausgestrichenen dominica post Anthonii [auch Jan. 20].* c) *om. or.*

---

[1] *Die Datierung ist gesichert durch den Zu-*   [2] *nr. 273 vom 24 Aug. 1402.*
sammenhang obigen Briefes mit dem Städteproto-
koll des Speirer Tages vom 27 Sept. [1402] nr.
45 *343.*

[1402]
Spt. 13 [*auf einem besonderen Zettel*] Auch, lieben frunde, so hant uns unsere frunde von Meintze und von Wormß hie mit geschriben, daz sie ez bij yn in iren stetden von der nuwen gulden werunge wegen [1] gehalten habent und bestalt habent furbaz zu haltende wie der von Franckenfort briefes abeschrifft [2] herinne versloßen ußwiset. und wir han dazselbe ouch also gehalten und meynen daz furbaz also zu haltende. und, lieben *5* frunde, wer' uns dise botschafft von unsern frunden von Meintze und von Wormß e kommen, wir hetden uch daz ouch zijtlichir laßen wißen.

[1402] **343.** *Protokoll der Berathung der Städte Mainz Straßburg Worms Speier zu Speier*
Spt. 27 *über eine dem König wegen der zu Nürnberg geforderten Kriegshilfe zu gebende Antwort, worüber eine neue Versammlung zu Speier auf 9 Okt. [1402] sitzen soll.* *10* *[1402 b] Sept. 27 Speier.*

Aus Straßb. St.A. AA corresp. polit. art. 112 cop. ch. coaer., mit 5 andern Zetteln zusammengeheftet, von denen 2 den Brief und die Nachschrift Speiers an Straßburg vom 13 Sept. [1402] nr. 342 enthalten, mit letzteren von gleicher Hand, aber ohne Verschickungsschnitte; zwei wegen Wasserflecken unleserliche Stellen; coll. mit dem Brief *15* *Straßburgs an K. Ruprecht [1402] Okt. 11 nr. 344, vgl. dort die Varianten.*

[1402]
Spt. 27 Alse die von Mentze Strasburg Wormß und Spire ire frunde uf mittewochen vor sant Michels dag zu Spiere bi einander gehabt hant, und daran einmütig sint unserm herren dem konige umb den dienst den er an ire frunde zů Nůrenberg gefordert hat gelimphlich abezusagende, des hant derselben stetde frunde uf ein entwurte geratslaget *20* und dez dise hienachgeschriben zwo noteln begriffen, daz heimzubringende an die rete die daz mit irre wisheit baß besinnen mögen. und wie danne iglicher stetde rat daz beste dunket sin unserme herren dem konige zů entwurten, und auch ob ez bequemelicher sie die entwurte in zid zu gebende oder daz zů verziehende obe unser herre der könig die stetde umbe den dienst beschribende oder verbotscheftende wurde odir nit, *25*
[1402] darumbe sol igliche stat ire frunde mit vollem gewalte ires rades und meinunge under
Okt. 9 wiset wider zu Spire haben von mandage nehstkompt uber aht dage zů abende [4].

Nach der furschrift als danne igliche stat phlieget unserme herren dem könige zů schribende: gnediger lieber herre. unser frunde, die wir uf uwern [*weiter wie in nr. 344 bis* gnade wider wissen, *nur ist* Straßburg *nach* Mentze *hinzugefügt und* Spire *30* *ausgelassen* [5], *dann*] daz uns soliche sachen anliegende sint und uns also gelegen ist daz wir dez nit wol staden haben [6] den vorgenanten dienst zů tůnde. darumbe so bitden [*weiter wie in nr. 344 bis* überhaben wellen, *dann*] und auch anzusehende solichen kosten den wir furhin gehabt hant in uwer gnaden dienste den wir willeclichen und gerne haben getan. und uwer gnade, in die wir uns allezit befelhen, wolle geruchen *35* dise entwurte gnediclichen von uns ufzunemende. datum etc.

---

[1] *Das kön. Gesetz von 1402 Juni 23 nr. 225.*
[2] *nr. 273, vgl. Quellenbeschr. dort unter S.*
[3] *Die Vergleichung des am Schluß des Stückes stehenden Straßburger Antwortsentwurfes mit dem Wortlaute der von Straßburg unterm 11 Okt. [1402] an den König wenigstens ausgefertigten Antwort nr. 344 läßt an dem Jahr 1402 für unser Stück nicht zweifeln.*
[4] *Wencker, der dieses Stück in seinen Excerpten auszüglich benützte, besieht wol dazu die Notiz*

Nürnberg vermeinte, man solte dem kaiser den dienst tun und nit absalgen das volk zu schicken etc., *ehem. Straßb. Sem. Bibl. Wenckeri excerpta 2,* *365a. Woher er diese Notiz hat, sehe ich nicht; *40* *vielleicht gehört sie gar nicht hierher.*
[5] *Dieser Antworts-Entwurf ist also von Speier ausgegangen.*
[6] *Daß es die Umstände uns nicht gestatten, s. Lexer mhd. HWB. 2, 1145.* *45*

Ein ander begriff nach der von Straßburg frunde meinunge: gnediger lieber herre. *[1402]*
unsere erbern botden, die wir uf uwern [*und weiter wie in nr. 344 bis zum Schluß* *Spt. 27*
von uns uffnemmen]. datum etc.

344. *Straßburg an K. Ruprecht, lehnt die zu Nürnberg auf dem Tag vom 27 August* *[1402]*
5   *geforderte Kriegshilfe ab.* [*1402* [1]] *Okt. 11* [*Straßburg*].   *Okt. 11*

> *Aus Straßb. St.A. an der Saul I partie ladula B fasc. XI[a] nr. 47 or. mb. c. sig. in verso*
> *impr., das fehlende Jahr anno 1402 ist von späterer Hand eines Archivars beigesetzt.*
> *Es ist auffallend, daß dieses Original im Straßb. St.A. blieb, da es doch für den*
> *König bestimmt war; man muß annehmen, daß eine Antwort der Straßburger gar*
10 *nicht abgieng (s. pag. 484, 24 f.) oder doch in einem anderen Exemplar und vielleicht*
> *auch mit verändertem Wortlaut; möglicherweise hat man sich schließlich doch noch der*
> *Fassung angeschlossen, die von Seite Speiers auf dem Speirer Städtetag vorgeschlagen*
> *war, s. Protokoll dieses Tages [1402] Sept. 27 nr. 343.*
> *Coll. die beiden Entwürfe in nr. 343 dem Protokoll vom 27 Sept.*

15 Dem allerdurchluhtigisten hochgebornesten fürsten und herren herren Rûperehte
Rômischem kúnige zû allen tzijten merer des riches unserm gnedigen herren embieten
wir Hesseman Hesse der meister und der rat von Strazburg unsern undertenigen gewilligen dienst.   gnediger fúrste.   unser erbern botten, die wir uf uwern brief und
botschafft, die uns[a] uwer gnado darumbe detd, zû Nürenberg haben gehapt, hant uns
20 wol ertzalt und geseit[b] solicher rede und sachen die uwer gnade uf dieselb zijt der
stette frúnden detde ertzelen und vúrlegen, und ouch wie uwer gnade súnderlich damitte
begerte und gesônne das unser gûten frúnde die von Mentze Worms Spire und wir mit
einre benanten summen mannen mit glefen ein vierteil jares oder lenger uwern gnaden
zû dienste wolten schicken [2].   haruf so welle uwer kúniglich[c] gnade wider wissen, das
25 wir semlicher sachen tegeliches wartende sind, das uns notdurfftig ist die unsern bij uns
zû behebende. darumb so bitten wir uwer[d] gnade demûteklich mit[e] flizz, das ir uns
soliches dienstes úberhaben wellen, als wir uwern gnaden wol getruwen, und das uwer
gnade, in der wir allezijt hoffen ze sinde, welle dise antwurte gnediglich von uns uffnemmen.   datum feria quarta ante diem sancti Gally confessoris.   *[1402]*
30 [*in verso*] Dem allerdurchluhtigisten hochgebornesten fursten   *Okt. 11*
und herren herren Rûperehte Rômischem kúnige zû allen tziten
merer des riches unserme gnedigen herren.

---

a) *in dem Entwürfen in nr. 343 steht* uns *nach* gnade. b) *in dem Entwürfen in nr. 343 heißt es* gesagit und
ersalt. c) *in den Entwürfen in nr. 343 heißt es* allerdurchluhtigiste *statt* kuniglich. d) *Straßburger Entwurf*
35 *in nr. 343 add.* allerdurchluhtigiste, *Speierer add.* allerdurchluhtigiste. e) *Entwürfe in nr. 343 add.* allem.

---

[1] *S. die nächste Anm.*
[2] *Ohne Zweifel ist die Forderung gemeint die*
K. Ruprecht auf dem Nürnberger Tage vom 27

Aug. 1402 an die genannten 4 Städte stellte, vgl.
nr. 284 vom 21 Sept. [1402].

1402
Nov. 11 **345.** *K. Ruprecht an Straßburg, lädt ein zu einem königlichen Städtetag nach Speier auf Dec. 13 wegen Einnahme Luxemburgs durch den Herzog von Orléans, und beglaubigt seinen Hofmeister Albrecht von Berwangen bei der Stadt* [1]. *1402 Nov. 11 Nürnberg.*

Aus Straßb. St.A. G. U. P. lad. 50 fasc. 36 or. ch. lit. cl. c. sig. in verso impr.   5
Eine Abschrift stand auch Straßb. St.-Bibl. Exc. Wenckeri 1, 260[b]*-261*[a]*, jetzt verbrannt.*

> Ruprecht von gots gnaden Romischer
> kunig zů allen tzijten merer des richs [a].

    Ersamen lieben getruwen.   uns ist furkomen, wie daz der hertzog von Orliens 10
die graveschaffte zů Lutzelnburg innegenomen habe [2], und daz faste herren graven rittere
und knechte von unserm lannde danyden zů ym rijten [3], des sich etliche unfertige lute
faste uberheben und sich offrucken, darumb es auch in dem lannde danyden etwas
unfriedelichen understee zu werden.   herumb begeren wir mit ernste, daz ir uwere
1402
Dec. 13 erber frunde off den mitwochen [4] nach sand Niclaus tag nehstkumpt zů tagetzijt zů 15
Spier haben wollent bij unsern retden, die wir als dann dahin schicken werden, und
auch ander stetde frunden danyden, die wir off die tzijt auch verschriben han dahin zů
komen sich mit yn zů underreden, umbe ein folgk zů machen, daz in dem lannde
umbetrabe, und, were daz kein zůgriffe geschee, daz das lanntd in frieden verliben und
der gemein kauffman auch nach siner notdurffte deste baß gewandeln moge, darzů wir 20
auch meynen zů tůn nach allem unserm vermogen, und daz mann auch off demselben
tage rede und zů rade werde, wie mann den sachen furbaz nachgene und den zů dem
besten in der tzijt wiedersten moge.   und wollent auch hiezůschen [b] in uwerm rade
under einander davon reden, daz ir uwere frunde zů dem obgenanten tage deste vol-
leclicher underwiset geschicken mogent.   daz ist uns besunder wol von uch zu dancke, 25
wanne wir von unsern und des heiligen richs wegen als treffliche und merckliche sache
zů dieser tzijt hie oben in dem lannde zů schicken und fur hannden han, die auch uns
dem heiligen riche uch und den gemeinen lannden, als wir unserm herren got getruwen,
nutzlichen werden sollen, daz wir off diese tzijt nit selber hinabekomen mogen, als unser
retde, die wir zů dem obgenanten tage gein Spier schicken werden, uwern frunden, die 30
dann zů yn komen, wol eigentlichen erzelen sollen.   und senden auch darumbe zů
uch Albrechte [c] von Berwanngen unsern hoffmeister tzů Heidelberg und lieben getruwen.
dem wollent glauben, waz er uch davon zů dieser tzijt von unsern wegen sagende sij.
1402
Nov. 11 datum Nurenberg in die beati Martini episcopi anno domini millesimo quadringentesimo
secundo regni vero nostri anno tercio.   35

    [*in verso*] Den ersamen unsern lieben getruwen   Ad mandatum domini regis
meister und ratd der statd zů Straßburg.   Johannes Winheim.

---

a) *die Vertheilung der Inscriptio auf zwei Zeilen war in unserer Abschrift nicht beachtet und die Vorlage bei einer späteren Gelegenheit nicht aufzufinden; unser Druck gibt die regelmäßige Form wider.* b) *or. ein Punkt oder Strichelchen uber* u; *lauter ähnliche in diesem Stuck.* c) *or.* Abrechte.   40

[1] *Überbracht durch Albrecht von Berwangen (s. Straßb. an Basel dat. 6 Dec. nr. 346) und von Straßburg abschriftlich an Basel mitgetheilt (ib.).*   [2] *Vgl. Publications de la section historique de l'institut de Luxembourg 25, 107 ff. nr. 397 ff., wo weitere Nachweisungen gegeben sind.*

[3] *Vgl. Mone Quellens. 1, 255 und 287, Chronique du religieux de Saint-Denis liv. 23 chap. 7 (Bd. 3 pag. 42 ff. in der Collection de documents inédits), vgl. auch lit. M Einleitung.*   [4] *Dec. 13, da Nikol. (Dec. 6) selbst auf Mi. fällt.*

346. *Straßburg an Basel, betr. den Herzog von Orléans und den auf 13 Dec. bevor-* [1402] *stehenden kön. Städtetag zu Speier.* [1402 [1]] *Dec. 6 Straßburg.* Dec. 6

Aus Basel St.A. Neben-Registratur G III Straßburger Briefe *or. mb. lit. cl. c. sig. in verso impr. paene deleto.*

5 Unsern sundern gûten frúnden und eitgenossen [2] dem burgermeyster und dem rate zû Basel embieten wir Hesseman Hesse der meister und der rat von Strazburg unsern frúntlichen gewilligen dienst. lieben frúnde. [1] als ir uns verschriben und unsere erbern botschafft gedancket hant und domitte in uwerme briefe begriffen von des hertzogen von Orliens und ouch hern Frideriches von Hatdstat wegen, habent wir alles verstan-
10 den. [2] sollend ir wissen : das wir unser botschafft bi úch gehept hant, das haben wir mit gûtem willen getan, wanne, waz úch anegat, duncket uns daz uns daz selbs angange. [3] umbe den hertzogen von Orliens wissent wir nit waz der willen het. wir haben wol vernommen, das er vaste grossen unwillen habe gegen unsern gûten frúnden der stat zû Metze. sie hant ime abgeseit daz si ymme nútzit geben wellen,
15 und besorgent ir stat glich als obe er iegenote vúr sie ziehen wolte. so haben wir ouch wol vernomen, daz er noch etlichen Westerrichen[a] herren gestellet het und ymme die verbúntlich habe gemaht, und daz ouch ander fúrsten und herren zû ime geritten sind [3], und besunder der marggraff von Baden ist by ime gewesen. und hat uns ein gût frúnd, der zû Lútzelnburg ist, verschriben von den leuffen und gewerbe des hertzogen.
20 und under andern dingen hat er uns verschriben, daz der hertzoge dem marggrafen grosse zubt gebotten habe, als wir úch des briefes ein abgeschrifft senden. doch so wissent, das der gûte frúnd ein erber man ist, der nit by den reten mag sin, und, was er uns schribet, das er uns das schribet zû gûter massen von hôrsagende als er von dienern und andern erbern lúten in dem hofe hôret, wenne er aldchar dem hofe ist
25 nachgefolget warzenemmende des gewerbes soverre er sach oder erfaren kunde. des botschafft sol uns aber kúrtzlich kommen. waz wir danne empfinden, begernt ir sin, danne wellen wir úch ouch lassen wissen. [4] darnach by alite tagen hat uns unser gnediger herre der Rômische kúnig ein brief geschriben [4], brahte uns Albrelt von Ber-
30 wangen. darynne bittet unser herre der kúnig, das wir unser erbern botten by sinen reten haben zû Spir von hûte über ahte tage von sach wegen des hertzogen von Or- 1402 liens, als ir wol vernemen in der abgeschrifft die wir úch des briefes senden. uf den Dec. 13 synn des briefes rette Albreht ouch mit uns. und verstunden in siner rede wol, daz unsern herren den kúnig daz gar úbel verdrússet, daz der marggraff von Baden so frúntlich mit dem hertzogen von Orliens ist etc. uf den tag meinen wir unser erbern
35 botten ze schickende. waz wir do empfinden, das uns ze verschribende ist, wellen wir úch ouch gern lassen wissen. [5] der hertzoge von Orliens schreip uns nuwelingen frúntlich, und begerte an uns mit unserm herren dem byschove zû redende, daz er widerkeren wolte grafe Johanse von Lyningen den schaden, den er ime geton hette, in

a) *or. Westerricho mit größerem Überstrich, daher vielleicht* Westerrichischen *gemeint.*

40 [1] *Das Jahr fehlt, ergibt sich aber mit Sicher-*
heit aus den übrigen hieher gehörigen Stücken.
[2] *Basel und Straßburg verlängern ihr dreijäh-*
riges Bündnis vom 12 Juni 1396, das sie am 11
Nov. 1399 um 4 Jahre verlängert hatten, aber-
45 *mals, und zwar um 5 Jahre, dat. 1403 Martini*
[*Nov. 11*]; *Straßb. St.A. G. U P. lad. 45/46 nr.*

91 *or. mb., Basel St.A. Ob. Gew. Laden VV. (6.)*
or. und ib. g. w. B. fol. 113ᵇ-115ᵃ cop.; daraus
Regest Amtl. Sammlung der ält. eidg. Absch. 1
(2 *Aufl.*), 461 *nr. 379.*
[3] *Vgl. die vorige nr.*
[4] *Das Schreiben vom 11 Nov. nr. 345.*

[*1402*]
Dec. 6 demme das graff Johans zû ime geritten was. daruf antwurtetet wir ime. und unser
botte, der ime den brief brahte, kam alse gester. der seite uns, daz der hertzoge den
brief gnediglich empfangen hette, und das der hertzoge wider yn gen Franckenrich daz
houpt gekert hette, und daz er von dem hertzogen schiet zû Ybische, und daz der
hertzoge wol mit fúnfdusent pherden do was, und daz er mengelichem urlop gab von   5
ime ze ritende untz an sin hofegesinde. unser botte seite uns ouch, das gemein rede
in dem hofe louffe, daz er kúrtzlich harwider uß welle[1]. so haben wir es ouch gehört
sagen von andern lúten.   [6] also wissend ir alles was wir wissent. und ist notdurftig das ir andere stette und wir in disen lôffen[a] uns bewaren und besorgen und vúr
[*1402*]
Dec. 6 uns sehent. danne vil wilder leuffe und merren[b] wider und vúr louffent. datum ipsa   10
die sancti Nicolai episcopi.

[*in verso*] Unsern sundern gûten frúnden und
eytgenossen dem burgermeyster und rate zû Basel.

[*1402*
Dec. 13] **347.** *Protokoll des kön. Städtetags zu Speier von [1402 Dec. 13[2]].*

Aus Straßb. St.A. G. U. P. lad. 50 fasc. 36 not. chart. coaev., auf der Rückseite steht   15
von anderer Hand Also der Swartz grofe von Zolre und Reinhart von Remchingen
bi uns gewesen sint und mit uns geretd hant von der rede der einunge wegen, also
der marggrofe zû Wormesse ingeritten was und die von Wormesse mit ime geretd
sollent haben, mit den stetten Mentze Wormesse Spire und uns. Das Stück ist mit
dem Schreiben K. Ruprechts an Straßburg vom 11 Nov. 1402, zu dem es passt, zu-   20
sammengeheftet.
Eine Abschrift stand auch Straßb. St.-Bibl. Exc. Wenckeri 1, 261[a b], jetzt verbrannt.

[*1*] Unsers herren dez kôniges rete hant uf disen dag zû Spire der stetde frúnden,
die zûgegen warent, voran erzalt, glich als unser herre der kônig ietliche stat beschriben

---

a) lôffen? *schwerlich.*   b) abgekürzt, *kann auch* meren *gelesen werden.*   25

---

[1] *Schultheiß und Rath zu Berne an Bürger-*
meister und Rath der Stadt Basel: Wir sind
gewarnet und laufent Rede bei uns, wie der Her-
zog von Orléans sich gesammet habe mit großem
Volke, und meine nemlich heraus in diese Gegene
zu ziehen; auch so ist es wissentlich daß der
Herzog von Osterich sin Stette und Vestinen vaste
warnet und rüstet mit Geschütze und andern
Sachen; hievon aber wir entsitzent, käme das Volk
heraus als man sagt, daß denne die 2 Herren
vielleicht zusammen spinnent. Darum bitten wir
euch, falls ir etwas vernommen habt oder weiter
vernehmt, daß ir uns das fürderlich lassent wis-
sen, und auch in semlicher Maßen sitzent, ob es
Not beschehe und jemand seinen Mutwillen trei-
ben wollte, daß ir und wir dest tröstlicher wären,
und auch wir dis andern unsern Eidgenossen und
allen den unsern in Städten und auf dem Lande
also verkündet haben; dat. die Blasii 403 [1403
Febr. 3]; aus Straßb. St.A. lettres des magistrats
de Bâle de Fribourg Augsbourg, Corresp. avec
la Suisse, G. U. P. lad. 81 or. ch. lit. cl. c. sig.
in v. impr.
[2] *Die Datierung dieses Stückes ergibt sich durch*

Vergleichung mit den übrigen hierher gehörigen,
besonders mit dem Schreiben K. Ruprechts vom
11 Nov. 1402 nr. 345. — Besondere Beachtung
verdient die Dorsualnotiz, s. Quellenangabe. Der
Sinn derselben ist trotz der Härte der Konstruk-
tion ganz klar. Die beiden königl. Abgesandten
waren in Straßburg wegen angeblicher Beredung
einer Einung zwischen dem Markgrafen und den
Städten Mainz Worms Speier Straßburg, über
die die Wormser mit dem Markgrafen bei seiner
Anwesenheit in Worms verhandelt haben. —
In welcher Beziehung steht aber diese Notiz zu
unserem Stück? Inhaltsangabe ist sie nicht, ob-
schon sie mit also beginnt; vielleicht aber ist der
Vorgang von dem sie berichtet dem Speirer Tage
vom 13 Dec. 1402 ungefähr gleichzeitig. Zum
Vergleich mag man den sechsten Punkt folgender
auch sonst interessanten Aufzeichnung herbeiziehen.
Ein Verzeichnis der vielen Sünden die sich Hein-
rich Kemerer gegen K. Ruprecht hat zu Schulden
kommen lassen: 1. Er war auf Seite der Städte
wider Ruprecht I und Ruprecht II. 2. Er ver-
waltete die ihm von Ruprecht II anvertrauten
Lande zu Lautern so, daß er entsetzt werden

hat umbe ire fründe zů disem tage gein Spire zů schicken. [2] und als in daruf [*1400 Dec. 18*] von der stetde fründen nach andern glymphigen reden geantwurt wart, daz sie darge-sant weren zů verhörende waz darumbe unsers herren dez königes begerunge were, und daz wolten sie an ire fründe die rete wider heimbringen: also hant unsers herren dez königes rete laßen erluden, das iecliche stat ein zal reisiger lúde bestelte, daz die sinre súne eime oder eime andern heubtmanne, den unser herr der künig auch mit sime volke darzů gebe, furderlich zugeschickt wurdent, so in des notdurftig duchte sin, ime lande zů ridende und dem gemeinen friden fürzůsinde, das damitde denjenen, die den unfriden gerne sehen und hetden, widerlacht mochte werden in der zit, e großer inbruche in den friden qwement, dem darnach, ob daz nit vorsehen würde, nit also wol zů tůnde were. [3] und dez begerten unsers herren dez koniges rete an der stetde fründe, daz sie darumbe eins andern dages mit in überkommen wolten von den sachen vorbaß zů reden und zů uberkommen. daruf hant sie in geantwurt, daz sie dez nit maht hetdent, danne sie woltent die rede und sache gerne heim an ire frunde bringen. [4] heruf hant der stetde fründe geratslagt uf der rete wolgefallen, ob unser herre der künig den stetden darumbe einen andern dag beschiede und sie ire fründe dahin schickende wur-den, daz ez danne glimphlich zů verentwurtende were, also das unser herre der künig sine fursten herren und stetde des richs in Dútschen landen in solichen mechten weren, obe der von Orlyens oder ieman anders daz rich und Dútsche lant ziehende würde, daz sie[a] wol widersten möhtent; und was danne den stetden darzů geburte zů tůnde, das wolten sie mit gůtem willen tůn, wanne sie unsers herren des königes des richs und Dútschen landes ere und frommen allezit gerne sehen. auch so stůnde ez noch also von unsers herren des königes gnaden, das allenthalbe gůter fride were; und hoffeten die stetde daz sich niemans darwider setzen solte. qweme ez aber darzů daz des not were den stetden widerstunde den den friden krenken wolten und unser herre der künig die stetde darumbe verbotschefte, sie wolten ire frunde darzů schicken und davon laßen reden waz sich zů friden und zů frommen dez landes dreffen möchte. [5] item das es ein notdurft were das es[b] die frien stede uf dem Ryne eins werent in den und in andern semlichen sachen, die von unsers herren dez königes wegen an sie qwement, gemeine entwurte zů gebende und ir eine der andern bistendig und geraten zu sinde, und, obe auch daz gůt were, an andere dez richs stede zů sůchende oder nit. [6] und gebúrte den stetden ire frunde umbe dise sache wider zů tage zů schicken, daz sie danne zwen dage vorhin an dieselbe stat zůsammenquemen[c] sich nach ietlicher stede rates meinunge vorhin zů underredende und daz beste darinne zů kerende.

---

35   a) daz sie om. *ms.*   b) *sic, Genitiv, Weinhold mhd. Gramm. 453.*   c) ms. zůsammenqueme.

---

mußte. 3. Er erwarb sich vom König von Böhmen einen Zoll zu Worms. 4. Er ritt zum Herzog von Orliens und warb Sachen die großlichen wider den König und das Reich waren. 5. Nach seiner Rückkehr warb er Ritter und Knechte für den Herzog von Orliens. 6. Er warb bei denen von

Worms um feilen Kauf für Orliens und um offene Fahre über den Rhein. Darum hat ihn der König lassen fahen, und meinte ihn so zu strafen, daß er solcher Sache und Geschicht von ihm fürbaß überhoben wäre. Notiz in Karlsr. G.L.A. Pfälz. Kop.-B. 139 pag. 181-183.

1403
Jan. 25   **348.** *K. Ruprecht an Straßburg* [1], *lädt ein zu einem kön. Städtetag in Speier auf 1403*
         Febr. 9.   1403 Jan. 25 Nürnberg.

         Aus Straßb. St.A. G. U. P. lad. 50 fasc. 36 or. ch. lit. cl. c. sig. in verso impr.
         Eine Abschrift befand sich in der verbrannten Straßb. St.-Bibl. Exc. Wenckeri 1, 261 [b].

         Ruprecht von gots gnaden Romischer
         kunig zu allen czijten merer des richs [a].
   Ersamen lieben getruwen.   wir begern mit ernst, daz ir nit wollent laßen, ir
schickent uwer erbere und treffliche frunde gein Spire, daz die von morn fritag uber
1403
Fbr. 9 vierczehen tage mit namen uff den fritag nach unser frauwen tag lichtmesse purificacio
zu latin nehstkumpt zu tagezijt daselbst zu Spire sin.   alsdann wollen wir unsern son [10]
herczog Ludwigen und unser treffliche rete mit yme zu denselben uwern und ander
stedte frunden, die wir uff die zijt auch verschriben han dahin czu kommen, darselbs
gein Spire schicken, von unsern wegen etliche sache mit denselben uwer und ander
stedte frunden zu reden, die uch auch wol gevallen sollen als wir meynen.   datum
1403 Nurenberg in die conversionis sancti Pauli apostoli anno domini millesimo quadringen- [15]
Jan. 25 tesimo tercio regni vero nostri anno tercio.
   [*in verso*] Den ersamen unsern lieben getruwen   Ad mandatum domini regis
   meistere und rate czů Straßpurg dari debet.   Johannes Winheim.

[1403
Fbr. 9] **349.** *Protokoll des kön. Städtetags zu Speier von [1403 Febr. 9* [a]*].*

         Aus Straßb. St.A. G. U. P. lad. 50 fasc. 36 not. ch. coaev., ist mit dem Schreiben K. [20]
         Ruprechts vom 25 Jan. 1403 nr. 348, zu dem es passt, zusammengeheftet.
         Eine Abschrift befand sich in der verbrannten Straßb. St.-Bibl. Exc. Wenckeri 1, 261 [b]*-*
         262 [a]*.*

   Der bischof von Spire und andere unsers herren des koniges treffenliche rete hant
uf dise zid zů Spire der stetde frunden furgeleit und angemůd semeliche sache als sie [25]
ouch vormals uf dem tage zu Spire der stetde frunden erzalt hant, als des iegelicher
stetde frunde uf die zid eine verzeichenunge und, wie sie daruf ratslagtent, mit in heim
brahtent [3].   und als der stetde frunde darumb abir hinder sich uf die rete gezogen hant
und ouch von unsers herren des koniges frunden verstanden hant daz den stetden andere tage bescheiden werdent umb semeliche sache ire entwurt zu vernemende, daruf [30]
hant der stetde frunde geratslagit, ob ez den reten wolgefellet, daz sie zu rate werden,
wie man zum besten uf die sache geentwurten moge, und ouch waz iegelicher stetde
rates meinunge ai umb die verzeichenunge die der stetde frunde darumb furhin heim-
braht hant, und daz iegeliche stat ire frunde mit irer meinunge underwiset zů Spire
[1403]
Fbr. 19 habe von mantage nehst ubir aht tage zu abende daz ist uf den mantag fur sant Peters [35]

         a) *die Vertheilung der Inscriptio auf zwei Zeilen war in unserer Abschrift nicht beachtet und die Vorlage später nicht*
         wider aufzufinden; unser Druck gibt die regelmäßige Form wider.

[1] *K. Ruprecht an Straßburg: beglaubigt bei*   *burg St.A. an der Saul I partie ladula B fasc.*
ihnen Swartz Reinhard von Sickingen Ritter s.   *XI* [a] *nr. 8 or. ch. lit. cl. c. sig. impr.*
Landvogt im Elsaß u. l. Getreuen, ihnen etliche   [2] *Die Datierung unterliegt wol keinem Zweifel,* [40]
Sache von des Königs wegen zu erzählen, sie sollen *alle Angaben des Stückes passen dazu, und unsere*
dieselbe Sache auch heimlich halten und dazu thun *Vorlage ist mit nr. 348 zusammengeheftet, vgl.*
als er ihnen sunderlichen wol getrauet, dat. Nuren- *auch die folgenden Anmerkungen.*
berg oct. Joh. ewang. [Jan. 3] 1403 v. 3. Ad   [3] *Das Protokoll vom 13 Dec. 1402 nr. 347.*
mandatum domini regis Johannes Winheim; Straß-   [45]

tage nehste [1], zu besehende ob die stedte einer gemeinen bequemen entwurt ubirkommen *[1403 Fbr. 9]*
mohtent, e unser herre der konig darumb den stetden andere tage beschiede. welcher
stat abir nit zu sinne were ire frunde zu dem vorgenanten tage also gein Spire zu
schickende, die solte ez furhin zitlichen mit irme briefe die von Spire laßen wißen, daz
5 sie den tag den andern stetden ouch widirbieten mohtent.

850. *Anweisung für die Straßburger Gesandten zu einem Städtetag in Speier auf* [1403
[1403 Febr. 19 [a]]. [1403 kurz vor Febr. 19 Straßburg.]* *Fbr. 19]*

A aus Straßb. St.A. G. U. P. lad. 50 fasc. 36 not. ch. coaev.
B coll. ibid. an der Saul I partie lad. C fasc. XIV liasse II nr. 15 conc. chart.
10 *Eine Abschrift befand sich auch in der verbrannten Straßb. St.-Bibl. Exc. Wenckeri 1,*
262 [a,b].

Die herren die bi einander woren von der vorderunge wegen, die unsers herren
des kúniges rete zů Spire getan hant an die stette, die duhte gůt, das unser botten
antwurten sóllend: das unser herre der kúnig mit andern sinen frúnden fürsten und
15 herren in der wurdikeit in den eren und in der mehte ist, wer' ieman· der wider sine
gnade oder das lant tůn wolte oder ieman in daz lant bringen wolte, das er dem wol
widerston mag; und wande wir vaste anstoß umbe uns habint von wilden zůgriffigen
lúten, den wir allezit widerston můssent und bitzhar köstlich widerstanden haben, das
wol wissentlich ist, darumbe so bitten wir unsers herren des kúniges gnade uns zů
20 diser zit [a] der vorderunge ze erlassende. und domitte sollend unser botten der nidern [b]
stette botten antwurten und meinungen verhören. und was si von den empfinden, das
sóllend si wider an uns bringen. nach demme wir das danne ouch verhörent und vernement, mögen wir vúr uns nemmen und daruf zů rate werden.

351. *K. Ruprecht an Straßburg, lädt ein zu einem Tag auf 18 Merz in Heidelberg,* 1403
25 *um Antwort auf seine Forderung zu erhalten. 1403 Merz 1 Nürnberg.* *Mrz. 1*

Aus Straßb. St.A. an der Saul I partie ladula B fasc. XI [a] nr. 13 or. ch. lit. cl. c. sig
in verso impr.

Ruprecht von gots gnaden Romischer
kunig zu allen czijten merer des richs.
30 Ersamen lieben getruwen. als uwer und ander stete an dem Ryne erber frunde
nehst zu Spire off einem tage gewest sint bij unsern trefflichen reten, die wir off denselben tage gesant hatten yn unser meynung von etlichen leuffen eigentlichen zu erczelen, die vorbaß an uch zu bringen, uch daruff zu bedencken und uns dann auch

a) z. d. z. add. aus B. b) B scheint zu haben andern.

---

35 [1] *Darnach muß das Stück zwischen dem 5 und*
11 Februar geschrieben sein, so daß der 19 Febr.
der übernächste Montag war.
[2] Datum fehlt. Fällt nach dem Speirer Tag
vom 9 Febr. 1403, wo eine neue Zusammenkunft,
40 *und zwar der Städte unter sich, auf Mo. vor*
Kathedra Petri = 19 Febr. verabredet wurde.
Zu dieser Versammlung ist dieß sichtlich die An-
weisung der Straßburger Boten; mit dem Proto-
koll des Speirer Tages vom [9 Febr. 1403] nr. 349

ist das Stück auch passend zusammengeheftet, dort
wird eine solche Instruktion in Aussicht genom-
men für die künftige Versammlung vom 19 („mit
irer meinunge underwiset“). Nach dieser einseitigen
Städte-Zusammenkunft fand dann noch ein königli-
cher Tag mit denselben über diesen Gegenstand
statt. Was dabei herauskam, ist nicht über-
liefert, ohne Zweifel war aber die Straßburgische
Meinung, die sich zu der kön. Forderung einer
Kriegshilfe verneinend stellte, in der Mehrheit.

1403
Mrs. 1 uwern willen und antwurt daroff zu geben, so wir uch off einen andern dage zu uns oder unsern reten verschriben und wißen ließen, als die obgenanten uwer frunde uch das alles auch eigentlichen erczelt haben als wir meynen: laßen wir uch wißen, das wir uns zu stund hinabe in unser lannde an den Rine meynen zu fugen. und herumbe *1403* begern mir mit ernste, das ir uwer erber frunde zu uns gein Heidelberg schicken wol- 5 *Mrs. 18* lent, das die off den sontag als man in der heiligen kirchen singet oculi zu latin nehst-kumpt zu nacht zu Heidelberg sin off den montag früwe uns uwer entwurt off die obgenante unser forderunge zu geben. und wollent auch in uwerm réte davon reden und darczu tun als wir ye sunderlichen wol getruwen. das ist uns besunder von uch zu dancke. und wollen das auch hinfur geren* gnediclichen gein uch bedencken. 10 *1403* datum Nurenberg feria quinta ante dominicam invocavit anno domini millesimo quadrin-*Mrs. 1* gentesimo tercio regni vero nostri anno tercio.

[*in verso*] Den ersamen unsern lieben getruwen   Ad mandatum domini regis
meister und rate der state Straßpurg.   Johannes Winheim.

1403
Dec. 23
bis
1403
Mrs. 25
352. *Frankfurts Kosten bei den königlichen Städtetagen zu Speier im December 1402,* 15 *ebendaselbst im Februar 1403, und zu Heidelberg im Merz 1403.   1402 Dec. 23 bis 1403 Merz 25.*

Aus Frankfurt St.A. Rechnungsbücher, art. 1. 2. 3 unter der Rubrik uzgebin zerünge, art. 1ᵃ. 2ᵃ. 3ᵃ unter ußgebin pherdegeld.

1403
Dec. 23 [1] Sabb. ante nativitatis Christi: 21 gulden virzerten Idel Drutman und Heinrich 20 Herdan mit seß pherden 7 dage gein Spire, als unsers herren des konigs gnade uns und ander stede dar verbotscheftit hatte [1] unser frunde zu sinen reden zu schicken von des friden wegen etc. — item 2 lb. 4 sh. ubir Rin zü farn und den pherden uf die zit zu beslahen. — item 10½ gulden 3 sh. virzerte her Herman von Rodenstein mit seß pherden 7 dage gein Spire uf die vorgnante zit.   [1ᵃ] item 7 lb. Idel Drutman 25 und Heinrich Herdan von 4 pherden 7 dage gein Spire zu unsers herren des konigs reden, als er uns und ander stede dar virbotscheftit hatte.

1403
Fbr. 17 [2] Sabb. post Valentini: 18 gulden virzerten Johan von Holczhusen und Heinrich Herdan selbseste mit 6 pherden seß tage gein Spire zu eim tage [2], als unser herre der konig den steden dar bescheiden hatte umb den friden zu bestellen. — item 6 lb. hern 30 Herman von Rodenstein von 4 pherden auch seß tage zu derselben zit. — item 33½ sh. von den pherden zu beslahen und ubir Rin und den Necker zu farn.   [2ᵃ] item 4½ lb. von drin pherden Johan von Holczhusen und Heinrich Herdan 6 tage gein Spire, als unser herre der konig den steden dar bescheiden hatte umb einen fridden zu bestellen.

1403
Mrs. 25 [3] Ipsa die annunciationis Marie [3]: 25 gulden virzerten Johan von Holczhusen 35 und Heinrich Herdan mit 8 pherden funf dage, einen dag mit seß pherden und dan einen tag mit funf pherden, gein Heidelberg an unsern herren den konig, als er der stede frunde dar virbotschaft hatte [4] im zu antworten von des friden wegen als er in diesem lande meinte zu bestellen, und auch von der paffen sache wegen da zu werben,

a) gerne?   40

---

[1] Zum 13 Dec., s. nr. 345. .347.
[2] Vom 9 Febr., s. nr. 348-349.
[3] Dieser Tag ist ein Sonntag, während sonst damals in den Frankfurter Rechenbüchern an den Samßtagen eingetragen wird. Vielleicht liegt ein

Versehen des Schreibers vor; doch sind auch in den übrigen Rubriken die Eintragungen dieser Woche unter obigem Datum gemacht.
[4] Zum 18 Merz, s. nr. 351.   45

und dan 9½ grosse pherde zu beslahen, und dan 3 grosse unsers herren des konigs portenern geschenkt, und 3 sh. Heilen dem boden fur 1 imsse. [*3ª*] 3½ lb. zwein pherden von sieben tagen, als Johan von Holczhusen und Heinrich Herdan gein Heidelberg zu unserm herren dem konige geschicht waren.

^{margin:} *1403 Mrz. 25*

---

5 **M. Dritter Anhang: nachfolgendes Verhältnis K. Ruprechts zu mehreren Reichsfürsten und dieser zum Herzog von Orléans nr. 353-376.**

353. *K. Ruprechts Antwortsanweisung an Herzog Karl I den Kühnen von Lothringen durch dessen Gesandten Kaplan und Sekretär Friderich von Walderfingen [1], betr. Vermittlung eines Übereinkommens zwischen Ruprecht und Mailand durch den Herzog, einer Heirat zwischen Ruprechts Sohn Johann und der Schwester des Grafen Amadeus VIII von Savoien, der Versöhnung mit Achen, der Anerkennung durch Mets. [1403 um Febr. 20 [2] Nürnberg [3].]*

[1403 c. Fbr. 20]

> *Aus Karlsr. G.L.A. Pfälz. Kop.-B. 146 fol. 71ᵇ-72ᵇ cop. coaev.*
> *Coll. Janssen Frankf. R.K. 1, 725 nr. 1150 aus Kodex seines Privatbesitzes Acta et Pacta 73.*
> *Moderne lateinische Übersetzung gedruckt Martène ampliss. coll. 4, 118-120 nr. 79.*

Entwert of soliche werbunge als herr Friederich des herzogen von Luthringen cappellan [1] getan hat.

[1] Zum ersten als er geworben hat an minen herren den kunig, daz etliche lute bi sinem herren dem herzogen von Luthringen gewesen sin die mit im geredt haben als von einer rachtunge zuschen mim herren dem kunige und den von Meylan zu versuchen, und, ob daz minem herren dem kunige ein gefallen were, so wolte sich der herzog von Lothringen darumbe annemen und getruwlichen arbeiten etc.; item und als er darûf wirbet, daz minem herren dem kunige das wol zu tûn si, wann der herzog von Burgundie in rede si als von eins hiratds wegen zu machen gein Meilan etc.: das allez hat mine herre der kunig wol verstanden, und prufet wol das sin sûn der herzog von Luthringen genzlich und getruwelich zû im geneiget ist, und verstat auch sinen guten willen, den er zû im hat, und daz er mit ganzen truwen darzu willig ist allez daz zu tûn und zu furwenden daz minem herren erlich und nutzlich ist, dez mine herre siner liebe faste danket, und meinet daz gnediclichen gein im zu bedenken als wol billich ist. wann nû die sache groß ist, und min herre siner rete wenig bi im hat [4], die doch uf diese vastnacht trefflich zu im her gein Nuremberg kommen werden, so konne er sich daruf zu dieser zit nit eigentlich bedenken umbe ein entwurt imme zu geben. doch alsbalde sine rete zu im kommen als vor geschrieben stet, so meinet mine herre darûf zu rate zu werden und alzdann sine genzliche meinunge mit siner eigen botschaft zu wißen dûn sinem sûn, daz er sich dester baß darnach wiße zu richten.

[1403] Fbr. 27

[2] Auch als der vorgenante her Friederich geworben hat von dez graven wegen von Sophoy umbe ein hirad zu machen zuschen dem hochgepornen herzog Hannsen etc.

---

¹ K. Ruprecht gibt dem Fridrich von Walderfingen Kaplan und Sekretär des Herzogs Karl von Lothringen einen Kaplanatsbrief, Chmel reg. Rup. 1426, um diese Zeit: 1403 Febr. 20 Nürnberg.

² Aus art. 1 ergibt sich die Zeit vor 27 Febr. 1403, und aus art. 2 die nach 23 Aug. 1402, welch letzterer Termin aber schon länger vorüber zu sein scheint. In dem Schreiben K. Ruprechts

vom 22 Merz 1403 nr. 180 wird Bezug auf die Botschaft des Kaplans genommen. — Vgl. nt. 1.

³ Der Ausdruck lin. 32 zu im her gein Nuremberg ergibt diesen Ausstellungsort; stimmt mit dem Itinerar bei Chmel.

⁴ Einige derselben, darunter der Kanzler der Bischof von Speier, waren am 9 Febr. auf dem kön. Städtetage zu Speier anwesend, s. nr. 349.

mins herren dez kunigs sone und desselben graven von Sophoy [a] dochter [1] etc.:   hat
mine herre wol verstanden. und laßet sinen son den herzogen von Luthringen wißen,
daz im dieselbe hirad zumale wol zu sinne were.   aber mine herre der kunig hat langes
ein treffliche botschaft gein Franckriche getann mit namen den hochgepornen fursten
und herren hern Ludewig pfalzgrave bi Rin und herzogen in Beyern hern Johann [5]
Kemerer von Talburg ritter und meister Joben [2] etc. als umbe ein hirad zu machen
zuschen dem [b] vorgenanten herzog Hannsen mins herren dez kunigs sûn und des kunigs
von Franckrich dochter, und dieselbe bottschaft habe mim herren noch nichts verschrieben
ob derselbe hirad fur sich gee oder nit.   doch versicht sich mine herre daz sie ee abe
dann fur sich gee. und alsbalde dieselbe botschaft, der min herre tegelichen wartende [10]
ist [3], kummet und minen herren eigentlich davon underwiset, ist dann von desselben
hirads wegen nit geendet noch gewilkoret zu follenden, so wil mine herre alsdann sine
botschaft zu dem vorgenanten sinem sune dem herzogen von Lothringen dûn und besunder sinen rat darinne haben als von des hirats wegen mit dem graven von Sophoy [c]
und dem auch nach sinem rad nachgen, wann der minem herren wol zu sinne si. [15]

[3] Item als der vorgenante her Friederich geworben hat von der von Ache [4]
wegen,   ist ez mim herren gefellig, daz sin sôn von Lothringen besehe ob er sie zû
mins herren gehorsam bringen môge etc., wann mine herre der kunig sinem sone von
Luthringen vor andern sinen frunden des besunder wol gûnnen wolle. so weiß auch
sin son wol, das die von Ache sich als frevenlich wiederspennlichen und ungehorsame- [20]
lichen gegen mimme herren gehalten und soliche smacheit erzeûget haben, das sie im
und dem riche billich ein große buße verfallen sin. doch gefellet mime herren wol: obe
sin vorgenanter sone von Luthringen mit den, die von der von Ache wegen mit im
geredt haben, reden wolt, erfindet er dann daz sie zu guten glichen dingen geneiget
sint, das er dann einen tag daran wohin er wil machen wolle, so wil mine herre sin [25]
frunde auch dahin schicken und uß den sachen laßen reden. wil auch min herre sinem
sûn in den sachen ferrer [d] folgen dann iemand anders, als das wol billich ist.

[4] Item als auch her Friederich vorgenant geworben hat als von der von Metze [5]
wegen, ob minem herren gefiele, so wolte sin sûn von Luthringen auch besehen ob er
sie mocht in mins herren gehorsam bringen: dezglichen wil imm min herre auch [30]
gunnen fur andern sinen frunden. und wolten die von Metze mim herren tun alz andern
Romischen kunigen, und, wann er mit der gots hilf keiser wird, als andern keisern sinen
furfarn an dem riche, und alz sie auch einem Romischen kunige von alter herkomen
gewonheit pflichtig sind zu tun, so wil in min herre ire friheid und brief etc., alz sie
haben von Romischen kunigen und keisern, besteten. und wer' aber daz dehein [e] [35]
zweiunge darin were, wann dann der obgenante von Luthringen minem herren dem
kunige enbutet, so wil er sin rete zu im schicken, die alzdann mit im uß den sachen
reden sullen, ob sie zu einem ußtrage kommen mogen. und habe in auch fruntlichen
heißen bitden, das er in den sachen flißlichen arbeiten und dûn wolle, alz mine herre

a) cod. Sophay. b) Janssen den. c) cod. Sophay. d) cod. ferren. e) cod. und Janssen deheim.   [40]

[1] *Wahrscheinlich ist dieß ein Schreibfehler oder
sonst ein Irrthum, und es ist wie in der Anweisung
nr. 394 von [1404 c. Juni 25] die Schwester des
Grafen gemeint. Graf Amadeus VIII war erst
1383 geboren.*
[2] *Job Vener, s. die Vollmachten vom 23 Aug.
1402 nr. 287 und 288.*

[3] *Die Gesandtschaft blieb über ein halbes Jahr
aus, s. Einleitung zu diesem Nürnberger Tage
lit. E.*
[4] *Vgl. Mainzer Tag vom Juni 1402 lit. F.*
[5] *Vgl. RTA. 4 nr. 383 und Anmerkungen dazu.* [45]

dez ein besunder gût getruwen zu im habe. daz wolle min herre gern gnediclichen _[1403 s. Fbr. 20] gein im bedenken, alz billich si [1].

354. *Friderich von Sachsenhausen an Frankfurt: Bemühungen des Markgrafen von* _{[1403] Mrz. 8} *Baden um eine Vereinung wider K. Ruprecht.* *[1403] Merz 8 o. O.*

Aus Frankf. St.A. Imperatores 1, 220 *or.* *ch.* *lit. clausa c. sig. in verso impr.*
Gedruckt Janssen R.K. 1, 111f. nr. 265 ebendaher.

Minen willigen schuldigen dinst. lieben herren und besunder frunde. als ir mir
geschriben hat, wie daz der marggreffe von Baden [2] und etzliche ander herren hie
nidden in dem lande siu gewest mit iren frunden etc., laßen ich uch wißen, daz der
10 marggreffe von Baden und greffe Philips [3] an fastnacht die nacht zû Nidder-Lonstein _{[1403] Fbr. 27}
waren. und santten an eschedag frûe zû mir zu Covelentz [a], daz ich sie dede geleiden _{Fbr. 28}
gein Andernach, als ich deet. und sie meynten, sie wolden wallen gein Ache, und
ridden zû myme herren von Collen. waz sie da wûrben, da enweiß ich uch nicht von
zu schriben, dan ich han virnommen von eyme myme heimlichen frunde, daz yme
15 greffe Philips gesagit habe, daz myn herre von Mentze und der marggreffe und der
von Wirtenberg mit ein virbûnden weren [4]. fragite ich in, abe er icht virnommen hette,
gein wem das sie das virbûntniße gedan hetten. da meynte er: myn herre der konig

a) *ausgestrichen* zu Covelentz.

[1] *Die ganze Anweisung und auch der Brief*
20 *vom 22 Merz 1403 nr. 180 lassen das Verhältnis*
K. Ruprechts zum Herzog von Lothringen keines-
wegs als gespannt erscheinen, trotzdem der letztere
zum Herzog von Orléans in ein freundschaftliches
Verhältnis getreten war. Die Röteler Fortsetzung
25 *des Königshofen berichtet sogar (Mone Quellens. 1,*
287), der Herzog von Lothringen sei wie der
Markgraf von Baden des Herzogs von Orléans
Mann und Diener geworden, und, wenn das auch
wol ein Irrthum ist, so muß doch etwas thatsäch-
30 *liches der Nachricht zu Grunde liegen. Am*
6 Juni 1402 versprach der Graf von Salm dem
Herzog von Orléans für 200 lb. jährlich zu dienen
gegen Jedermann ausgenommen die Herzöge von
Bar und Lothringen, dat. Château de Beauté
35 *1402 Juni 6; das Original der Urkunde liegt im*
Pariser Staatsarchiv Mon. hist. K. 56. nr. 5.
Dazu ist zu vergleichen der Bericht des Mönches
von St. Denis in seiner Chronik Bd. 3, 42 in
der Collection de documents inédits.
40 [2] *Bernhard I.*
[3] *Janssen erklärt: von Nassau. Graf Philipp*
von Nassau wäre dann wol als Vertreter Erzb.
Johanns von Mainz zu betrachten. Vielleicht ist
aber Philipp VII von Falkenstein der Bruder
45 *des verstorbenen Erzbischofs Kuno von Trier, seit*
1397 Graf (s. Grote, Stammtafeln pag. 137), ge-
meint; vgl. nr. 358. Es liegt näher, zuerst an
einen Falkensteiner zu denken, da Friderich von
Sachsenhausen, Schreiber obigen Briefes, Amtmann

Werners von Falkenstein Erzbischofs von Trier
war; Philipp VIII Bruder Werners kann aber
nicht in Betracht kommen, da er nicht den Grafen-
titel führte.
[4] *Erzbischof Johann von Mainz und Markgraf*
Bernhard von Baden verbünden sich auf 5 Jahre
zu gegenseitiger Förderung, zu Hilfe bei Angriff
von Jedermann und zu friedlichem Austrag von
Streitigkeiten; dabei nehmen aus Pabst und Rom,
König und Reich, Böhm. König und Krone, und
zahlreiche Fürsten und Herren; dat. Sohnen fer.
2 p. nat. Marie [Sept. 11] 1402; Wirzburg Kr.A.
Mainz-Aschaffenb. Ingr.-B. 13.fol. 284a-285b cop.
ch. coaev. — Einung zwischen Markgraf Bern-
hard von Baden und Graf Eberhard von Wirtem-
berg auf 2 Jahre; dat. Weil (Stadt) Sa. n. Andreae
[Dec. 2] 1402; Stuttgart St.A. Fürstliche Einungen
or. mb. c. 2 sigg., gedruckt Sattler Gesch. von
Würtenberg Bd. 3 Beilagen pag. 38-39 nr. 21 —
Dieser letztere Vertrag hat aber durchaus nicht
den Charakter eines politischen Bündnisses und
auch der andere wol nur geringe Bedeutung. Der
Graf von Wirtemberg leistete Ruprecht dann so-
gar Beistand im Kriege gegen den Markgrafen,
s. nr. 360. Die gleichzeitige Abschrift einer Ur-
kunde, dat. Augsburg an unser Frauen Abend
assumpcio [Aug. 14] 1401 r. 1, in der K. Ruprecht
die Einung, die er mit Graf Eberhard von Wir-
temberg auf 1 Jahr geschlossen hatte, auf 3 Jahre
verlängert, steht Karlsr. G.L.A. Pfälz. Kop.-B.
149b fol. 62a,b, ist aber durchstrichen.

[1403]
Mrs. 8   der hette ein recht gesprochen zwischen myme herren von Mentze und dem lantgreffen [1], des rechten hette sich myn herre von Mentze berůffen an den[a] babiste [2], vort so hette myn herre der konig des marggreffen schloß eins in sin hant gnommen, auch so wůrde der von Wirtenberg vorter gedrenget dan er bisher gedrengt were worden. auch qwam
Mrs. 7   myn herre von Mentze uff den důnrstag zů obende nach dem eschdag zu Nidder- 5
Loinstein, und beite da des marggreffen und greffe Philips. nů ist myn meynunge: wolde myn herre von Collen der reden gelustert han, so were myn herre von Mentze
Mrs. 8   zů yme abewirt gefaren [3]. und qwam der marggreffe an dem samstage widder zů
Mrs. 4   Loinstein by mynen herren von Mentze und ridden des sundages frůe widder uffwert. auch sin sie by myme herren von Triere nit gewest. und han auch nit virnommen, 10
daz keine andere herren adir ire frunde hie nidden sin gewest zů dieser zijt. nit me
[1403]   weiß ich uch davon itzunt mee zu schriben. lieben herren, wan ir diesen brieff geleset,
Mrs. 8   so zurisset in [b].   gegeben undir myme ingesigel des donrstages noch invocavit.

[in verso] Den ersamen wiesen dem rade zů Franckenfůrd   Friederich von
mynen lieben herren und besundern frůnden debet.   Sassenhusen ritter. 15

[1403] **355.** *Markgraf Bernhard I von Baden an Straßburg, ersucht die Stadt widerholt und*
Mrs. 19 *dringend, Boten zu dem Tage in Speier zwischen ihm und dem Könige zu senden,*
um ihm beizustehen. [1403 [4]] Merz 19 Baden.

Aus Straßburg St.A. AA 103 nr. 21 or. ch. lit. cl. c. sig. in verso impr.

Bernhard von gotts gnaden   20
marggrave zu Baden etc.

Unsern frůntlichen grus voran. erbern wisen besondern gůten frůnd. als ir
uns ytzund under andern sachen widergeschriben und geantwurtet hand, daz ir uns
ůwere erbern boten sollicher trefflichen sachen halp, die ir under handen hånd[c], gen
Spier nit geschicken mogend uff den tag, als wir uch danne gebeten hatden: lieben 25
frůnde, wann wir nů die ůwern sůnderlich gerne bij uns haben und yne auch baß
gonnen zwuschend unserm herren dem konig und uns zu redend dann yemand anders,
dorumb so bitten wir uch so wir fruntlichest mogend, daz ir uns von den uwern, weliche
Mrs. 23 ir wellend, uff den obgnanten dag, mit namen uf disen nehsten fritag zů nachte, gen
Spier schicken wőllend, uns denselben unsern dag von uwern wegen in vorgeschribener 30

---

a) or. dem. b) diesen Wunsch haben die Frankfurter zwar nicht erfüllt, aber doch den unterzeichneten Namen ausgestrichen, der übrigens trotzdem noch deutlich zu lesen ist. c) hånd?

[1] *S. nr. 336 f.*
[2] *Vgl. Fichard Wetteravia 1, 175, auch unsere Einleitung lit. M gegen Ende.*
[3] *Aus einer Archivnote ohne Datum, die zw. Fehdebriefen des J. 1403 stehe, theilt Janssen R.K. 1, 116 nt.* [4] *zu nr. 272 folgende Stellen mit: ouch ist uns gesagt, daz der erzbischof von Mencze unserm herren dem konige viend werde, und sulle unser herre von Colle zuschen unserm herre dem kunige und unserm herre von Mencze tedingen; es heiße weiter: und sulle unser herre von Mencze baten gein Beheim geschicht han zu dem entsacsten kunig von Beheim. Es ist nicht gelungen diese Archivnote wider aufzufinden. — Vgl. nr. 365 von [1403 April 22].*

[4] *Das Jahr ist ziemlich unsicher. Markgraf Bernhard I, in dessen Zeit das Stück der Schrift nach sicher gehört, regierte von 1372 bis 1431, der 35 Name des Königs ist nicht genannt. Die in dem Briefe angedeuteten politischen Verhältnisse treffen für das Jahr 1403 zu, und wir setzen das Stück daher versuchsweise hierher. Vom Tage zu Speier wissen wir zwar sonst nichts, und der Tag zu 40 Bruchsal (s. nr. 357) würde bedenklich schnell auf ihn folgen, doch wäre das immerhin nicht unmöglich, auch könnte der Tag im letzten Augenblick von Speier nach Bruchsal verlegt sein.*   45

massen helffen zū leistend und auch zu verhoren unsern glimpf und unglimpff. daran bewisend ir uns semliche besonder fruntschaft, die wir umbe uch gerne verschulden wollen. uwere fruntliche verschriben antwurte.   datum Baden feria secunda post do- *[1403]* minicam oculi.   *Mrz. 19*

5   [*in verso*] Den erbern wisen unsern besundern
guten frunden meister und rate der stat zū Straßburg.

356. *Straßburg an Metz: über einen vergeblichen Vermittlungsversuch zwischen K. Ru-* *[1403* *precht und dem mit dem Herzog von Orléans verbundenen Markgrafen Bernhard I* *xw.* *Mrz. 26* *von Baden auf einem Tage zu Bruchsal, und den Ausbruch des Krieges zwischen* *und* 10   *beiden. [1403 zwischen Merz 26 und April ex.* [1] *Straßburg.]* *Apr. ez.]*

> *Aus Wencker Collecta Archivi p. 405-407 nr. 2 mit der Überschrift* Civitas Metensis de variis imperii novis certior fit.
> *Gedruckt auch bei Sattler Gesch. des Herzogthums Würtenberg u. d. Rg. d. Graven 3 Beylagen pag. 39f. nr. 22 aus Wencker l. c.*

15   Quemadmodum noviter nobis scripturis vestris insinuastis qualiter duo reges pro Romano imperio intenderent litigare, nos rogantes, ut illa, quae nobis de hiis vel aliis consimilibus negotiis vel rumoribus constarent et quae scribenda existerent, vestris prudentiis notificaremus (et eodem tempore quae nobis de talibus nota erant vobis scripsimus), et cum hoc, si quae deinceps de talibus perciperemus, quod ea vobis etiam de-
20   mandare vellemus: .. vestram amicabilem prudentiam cupimus non latere, quod dominus noster Romanorum rex suam indignationem generoso domino marchioni de Baden imposuit pro eo quod ut dicitur idem marchio illustris principis domini ducis Aurelianensis vasallus effectus existat. et propterea idem dominus noster rex a praefato domino marchione requisivit, ut quavis dilatione semota feodum seu fidelitatem, ad quam eidem do-
25   mino duci Aurelianensi tenetur, resignaret, et ab illicitis theoloneis, quae idem dominus marchio in dominio suo instituit, de cetero desisteret, ipsique domino regi de hiis talem cautionem praestaret, ut praefatus dominus rex certus existeret, quod exinde nec sibi nec sacro imperio quaevis dampna exsurgerent, quia cottidie ad notitiam dicti domini regis deduceretur quod praefatus dominus marchio tractaret negotia Romano imperio ad-
30   versa; et, si dominus marchio talia praefati domini regis ab eo requisita facere non curaret, dominus rex praefatus talia ab eo nollet nec posset ulterius sustinere et de illis ab ipso marchione habere vellet [a] respectum. ad quae dictus dominus marchio valde humiliter dicto domino nostro regi respondit, se fore innocentem, et quod nihil adversus dominum nostrum regem aut sacrum imperium machinatus esset, quodque ipse, ratione
35   ejus quod dicti domini ducis Aurelianensis vasallus foret factus [b], specialiter ipsum dominum nostrum regem proprio nomine nominatim excepisset, et propterea ipse dominus marchio vellet contentari quod [c] principes electores et alii imperii principes certa haec decernerent. reduxitque ad memoriam domini nostri regis de cognatione et hereditaria colligatione quibus ad invicem colligati existerent [d], ut ei propitius existeret devote de-

40   a) *add. em.*   b) *Wencker add et.*   c) *Wencker quodque.*   d) *Wencker add. et.*

[1] *Das Jahr ist nach dem Inhalt des Briefes unzweifelhaft 1403; der 26 Merz wird als vergangen erwähnt, und auch schon über kriegerische Vorgänge berichtet die auf dieses Datum folgen,* 45 *dagegen nichts von weiteren Verhandlungen; der Tag zu Worms vom 29 April war also wol noch nicht vereinbart. Vielleicht kann man auch den Tag zu Bruchsal vom 2 April, von dem nr. 360 berichtet, für die Datierung herbeiziehen. Das Stück schließt mit etc., wir haben bei der Bestimmung des Datums angenommen, daß am Schluß wie am Anfang nur Formelhaftes zu ergänzen ist.*

[1403 zu. Mrs. 26] precando. sibique nihilominus scripsit, quod suos honestos consiliarios ad ipsius domini regis consiliarios ad opidum Bruchsal ad episcopatum Spirensem pertinentem vellet *und Apr. ez.]* transmittere ad habendos ibidem tales tractatus, per quos si fieri posset ipse marchio in ipsius domini nostri regis gratia valeret permanere. et talium tractatuum dies placiti *[1403] Mrs. 26* fuit feria secunda proxima post dominicam letare [1]. ibique ambarum partium consiliarii 5 convenerunt et infecto negotio ab invicem recesserunt. sicque deinde praefatus dominus noster rex, domini episcopus Argentinensis [2], et comes Wurtenbergensis, advocatus imperii in Alsatia, et duo domini de Lichtenberg adversus marchionem direxerunt gressus suos. et ipse dominus rex ipsius marchionis territoria ab infra ad partes superiores, episcopus Argentinensis, advocatus imperii, et domini de Lichtenberg a supra ad partes 10 inferiores, comes vero Wurtembergensis ipsa marchionis territoria versus Sueviam ignis incendio multipliciter devastarunt et destruxerunt et dampnificarunt; ad haec domicellus Maximinus dominus in Rapelstein amici nostri karissimi Basilienses ac civitates imperii in Alsatia opidum et castrum Gemer obsederunt et finaliter ceperunt [3] etc.

1403 Mrs. 28 **357. K. Ruprecht an Köln:** *über Markgraf Bernhard I von Baden, der des Herzogs* 15 *von Orléans Mann geworden.* 1403 *Merz 28 Heidelberg.*

Aus Köln St.A. Kaiserbriefe or. ch. lit. clausa c. sig. in verso impr.

Ruprecht von gots gnaden Romischer
kunig czu allen czijten merer des richs [a].

Ersamen lieben getruwen.   als der hochgeporn Bernhard margrave zu Baden 20 fur czijten von uns als eyme Romischen kunige sinem rechten herren sin lehen, die er von dem riche hat, enphangen und uns auch darüber zu den heiligen gesworn hat, des ist er darnach czu dem herczogen von Orliens geridten und ist des mann und yme auch verbuntlich worden [4], als er uns daz in sinen brieffen die er uns gesant hat selber geschriben und bekand hat. und wannt wir von unsern und des richs mannen und 25

a) *die Vertheilung der Inscriptio auf zwei Zeilen war in unserer Abschrift nicht beachtet und die Vorlage 1862 nicht aufzufinden; unser Druck gibt die regelmäßige Form wieder.*

---

[1] *Diesen Tag zu Bruchsal erwähnt auch K. Ruprecht in seinem Schreiben an Köln vom 28 Merz 1403 nr. 357.*

[2] *K. Ruprecht bekennt, Bischof Wilhelm von Straßburg für Dienste die er ihm und dem Reich gethan hat und noch thun soll 2000 fl. schuldig zu sein, die er ihm nächste Ostern bezahlen will; dat. Heidelberg Mo. nach Ostern [April 16] 1403 r. 3; Karler. G.L.A. Pfälz. Kop.-B. 189 pag. 129 cop. ch. coaev., ausgestrichen.*

[3] *Ähnliche Berichte über den Krieg s. Mone Quellensammlung 1, 287 und 3, 514. Die an letztgenannter Stelle nt. *** gegebene Darstellung vom Verlauf des Krieges ist ziemlich werthlos. Die dort am Schluß bezweifelte Angabe ist aus obigem Briefe Straßburgs genommen. Einen eigentlichen Operationsplan wird man kaum herausbringen können, vgl. übrigens unsere Anmerkungen zu nr. 359. 360. 363. — Über Schloß Gemar entscheidet der Sühnespruch vom 5 Mai nr. 366 in art. 5.*

[4] *Ein Bericht über die Zusammenkunft des Ludwig von Orléans mit dem Markgrafen Bernhard von Baden in Luxemburg im Sept. 1402 wird von Schöpflin hist. Zaringo-Bad. 2, 85 nach Reinboldus Slecht Chron. msc. ad a. 1402 und tabul. Bada-Badense gegeben. Die beiden Fürsten schließen darnach ein Bündnis wider K. Ruprecht, Bernhard will die ihm von K. Wenzel ertheilten von K. Ruprecht nicht anerkannten Privilegien wider erlangen, Ludwig will das Herzogthum Mailand seinem Schwiegervater erhalten, Ludwig führt Bernhard Truppen zu um K. Ruprecht anzugreifen, Bernhard erhält von Ludwig eine jährliche Pension von 2000 fl. — Das Original der Dienstverschreibung des Markgrafen dat. Thionville 1402 Nov. 7 liegt im Pariser St.A. Mon. hist. K. 56. nr. 6. — Vgl. nr. 345 und Anmerkungen dazu.*

dienern die uns mit eiden verbunden sin dicke und vile gewarnet worden sin, das daz *1403*
obgenant sin buntnis grosßlich wieder uns und daz riche were, und daz er auch tege- *Mrz. 28*
lichen mit sachen und leuffen umbginge und worbe die grosßlichen wieder uns und das
rich weren, darumbe wir auch dem obgenanten Bernhard margraven zu Baden etwie-
5 dicke geschriben [1] und yn uff daz lebst off eyme tage zu Bruchssel [2], darczu wir unser
treffliche rete geschickt hatten, ermant haben lassßen, das er soliche buntnisß und manschafft wolte abetun oder uns aber sicher machen, das uns und dem riche davon keyn
schade geschee oder czugefuget worde, wan uns eigentlichen vorkomen were, daz dasselbe sin buntnis und leuffe damit er umbginge grosßlich wieder uns und daz rich weren,
10 daz er alles uaßgeslagen hat und nit dun wolte, daran uns und dem riche von im un-
gutlichen gescheen ist und geschit, und wan uns swere were solicher sache und leuffe
von ime czû wartende: so meynen wir, wiewol wir des doch lieber uberhaben weren,
yn daran czu wisen und darczu zu bringen, ob wir mogen, daz wir und daz riche von
ime und den sinen grosßers schadens uberhaben sin und verliben mogen. und begern
15 mit ernst und getruwen uch auch genczlichen wol, ob einche rede davon an uch queme,
daz ir uns dann daruff verantwurten wollent, nach dem ir uns und dem riche gewant
sint. datum Heidelberg quarta feria post dominicam letare anno domini millesimo *1403*
quadringentesimo tercio regni vero nostri anno tercio. *Mrz. 28*

[*in verso*] Den ersamen unsern lieben getruwen   Ad mandatum domini regis
20 burgermeistern rate und andern burgern der stat   Johannes Winheim.
czû Colne dari debet.

---

358. *Frankfurt an K. Ruprecht, betr. das Verhältnis des Erzbischofs Johann II von* [1403
Mainz zu Markgraf Bernhard I von Baden u. a. m. [1403 vor April 2 [3] Frank- *vor*
furt.] *Apr. 2]*

25   *Aus Frankf. St.A.* Imperatores 1, 203 *conc. chart., mit der Überschrift* Domino nostro
regi Romanorum.
    Gedruckt Janssen Frankf. R.K. 1, 113 nr. 267 ebendaher.

Uwern allirdurchluchtigsten koniglichen gnaden embieden wir unsern schuldigen
willigen undertenigen dinst mit ganzem flißße und truwen zuvor. allirdurchluchtigster
30 furste lieber gnediger herre. als uwere konigliche gnade uns hat tun schriben und
warnen von eins gewerbis wegen, daz uf dinstag vor dem palmentage nestkompt zugen [1403]
und vor uns gen solle etc.: gnediger lieber herre, des danken wir uwern koniglichen *Apr. 3*
gnaden solicher gnediger versorgunge mit ganzem flisße. auch han wir vormals und
auch iczûnt tun irfarn nach den sachin, und kan uns kein eigenschaft davon werden,
35 dan unser herre von Falkinstein [4] hatte bi 100 und 80 mit gleven, daz waren jungher

---

[1] Etlich missiven wie konig Ruprecht und marggraf Bernhart von Baden einander geschrieben
haben umb das der marggrave des herzogen von
Orliens man und diener worden si, daz der konig
40 nit meint sin solt den pflichten nach als [*conj.,*
cod. om. als] der marggrave dem rich und einer
majestatt verwant wer', besunder in den sweren
leufen und so eim widderwertigen des richs als
der von Orliens wer'; *Notis in Karlsr. G.L.A.*
45 Pfülz. Kop.-B. 51 fol. 104[a] *ch. saec. 15 ex., steht*
zwischen Regesten vom Mai 1403.
[2] *Nach dem Bericht Straßburgs an Metz nr.*

356 *fand der Tag zu Bruchsal am 26 Merz statt,*
er war offenbar schon vorüber als obiger Brief
vom 28 Merz geschrieben wurde, kann also nicht
bis zum 2 April gedauert haben, wie man nach
K. Ruprechts Brief vom 3 April nr. 360 vielleicht
vermuthen könnte; vgl. dort die Anm.
[3] *Die Datierung ergibt sich aus den beiden*
folgenden Stücken vom 2 bzw. 3 April; Janssen
datiert (nicht unrichtig) 1403 Merz.
[4] *Wol Graf Philipp VII, vgl. nr. 354 und*
Anm. dort, oder aber Philipp VIII Bruder Erz-
bischof Werners von Trier.

[1403 ***Johan von Solms und die Westerweldischen.***   auch, lieber gnediger herre, nuwelingen
vor
Apr. 2] zů Miltenberg, so ist uns in heimlich*keit* vůrkomen, daz der bischof von Mencze gesagit
solle haben, er wolle den marggraven intschudden und solde er sinen stift daran seczen,
wan er habe sich zů im verbůnden.   auch, gnediger lieber herre, so ist uns gesagit,
daz der bischof von Mentze iczunt zů Asschaffinburg si und habe bi hundert pherde 5
bi ime.   auch, gnediger lieber herre, wer' es sache daz vor uns gezogen wůrde und
genodiget, so bidden und flehin wir uwern gnaden mit underteni*keit* schuldigen dinstes,
uns dan gnedigen trost und hulf zu bewisen, als wir des zu uwern hochwirdigen koniglichen gnaden ein ganze getruwen han.   datum.

    (Item in eim zedel:) auch, gnediger herre, so ist uns zu wissin worden, daz grave 10
Philips von Nass*auwe* in den sachen zuschen dem herzogen vom Berge dem grefen von
Seyne und den[a] von Hengstberg umb sune und fridden getedingt habe, und dem mochte
iz nit gefolgen, und si ane ends gescheiden.

1403 **359.** *Hermann von Rodenstein an Frankfurt, über das Verhältnis der Stadt zum König,*
Apr. 2   *noch keine Richtung zwischen diesem und Markgraf Bernhard I von Baden.* *1403* 15
    April 2 Munichauweßheim [1].

        Aus Frankf. St.A. Imperatores 1, 199 or. ch. lit. cl. c. sig. in verso impr.
        Regest mit wörtlicher Widergabe einer Stelle Janssen Frankf. R.K. 1, 113 nr. 268 eben-
        daher.

    Minen schuldigen dienst zuvor. lieben frunde.   als ir minem herrn dem kunig 20
geschriben hant[2], das hab ich wol vernomen das er das wol zu dancke von uch off-
nymt. und rate uch in ganczen truwen als ich uch schuldig bin, das ir uch keine
bottenlon laßent beduren, und zu allen uweren heimlichen schickent, und an alle die
ende da ir truwen zu erfaren von eincher werbung die sich in den lannden mache, das
ir das myn herrn den kunig laßent wißen so tage so nacht. daran bewisent ir mynem 25
herrn großen willen und fruntschaft. auch als von der gesellen[b] wegen die ir yme geschickt hant[3], daran hat myn herre ein gut benugen und nymt das wol zu dancke.
so hab ich sinen gnaden auch gesagt, als mich sin gnade hat laßen werben von des
gelts wegen als ir wol wist[4], das ir das geren verfahen welt, war er uch hin wise das
gelt abezulegen zwuschen hie und pfingsten. und han yme uwer notdurft eigentlichen 30
erzalt, und als vil mit sinen gnaden auch davon geret, das er das auch wol zu dancke
nymt. und meint, er wolle uch laßen wißen, wen er an uch von des gelts wegen wisen

1403
Juni 8

---

       a) conc. dem oder den[f] abgekürst.   b) scheint gesellen, und nicht gefellen zu lesen.

---

[1] *Wir können den Ort einstweilen nicht bestim-*
*men. Mone meint Quellens. 3, 514 nt. *** Min-*
golsheim oder Münzesheim, aber ersteres hieß
Munigoldesheim, letzteres Minzesheim.
  [2] *Der Brief nr. 358 ist gemeint, auf den K.*
Ruprecht in nr. 360 einen Tag später und vom
gleichen Ort wie oben Hermann von Rodenstein
antwortet.
  [3] *Im Frankfurter Rechenbuch (Frankf. St.A.)*
unter der Rubrik besundern einzlingen ußgebin
sind verrechnet: in vigilia pasche [1403 April 14]
Ausgaben für Glefner Einspännige und Schützen
von 14 tagen als sie unserm herren dem konige
ubir den marggraven von Baden von der stede

wegen gedient han; sabb. ante Urbani [Mai 19]
Ausgaben für Glefner und Einspännige von 18 35
tagen und nachten, als sie unserm herren dem
konige uber den marggraven von Baden von der
stede wegen zur andern reise dinten. Da die
Gesellen, die Rodenstein oben erwähnt, doch wol
diejenigen sind die Frankfurt das erste mal 40
schickte, so führt die zweite „Reise“ hart an den
Wormser Tag und die Sühne vom 5 Mai heran.
  [4] *Wahrscheinlich handelt es sich hier um Vor-*
ausbezahlung der am 11 Nov. fälligen Reichssteuer,
die im Frankfurter Rechenbuch sabb. ante Wal- 45
purgis [1403 April 28] unter besundern einzlingen
ußgebin verrechnet ist.

wolle. auch laße ich uch wißen, das ich von keiner richtung mich nit versten zuschen ¹⁴⁰³
mynem herrn obgnant und dem margraven, dann das der zuge als noch vor sich get. ^{Apr. 2}
und wurdent ir keiner werbung oder samunge geware als vor geschriben stet, da bit
ich uch umbe mins herrn wegen und auch umbe miner dienste wellen, und ob ir ichts
5 geware worden, das ir das minen herrn zu stund und auch mich laßent wißen. datum Munichauweßheim feria secunda post dominicam judica anno etc. quadringentesimo
tercio. ¹⁴⁰³
^{Apr. 2}

[*in verso*] Den erbern wisen burgermeister und   Herman von
rate der stat zu Franckfurt mynen guten frunden.   Rotenstein.

10 **360.** *K. Ruprecht an Frankfurt, über den Krieg gegen Markgraf Bernhard I von* ¹⁴⁰³
Baden und über ergebnislose Verhandlungen mit demselben.   1403 April 3 ^{Apr. 3}
Munichawsheim [1].

Aus Frankfurt St.A. Imperatores 1, 196 or. ch. lit. cl. c. sig. in v. impr. del.
Gedruckt Janssen Frankf. R.K. 1, 114 nr. 269 aus unserer Vorlage. — Theilweise ge-
15 *druckt Schöpflin Hist. Zaringo-Badensis 6, 16 f., und daraus Sattler Gesch. des Her-*
zogthums Würtenberg u. d. Rg. d. Graven 3 Beylagen p. 40 nr. 23 mit der, wie Stälin
3, 383 bemerkt, falschen Überschrift 1403 April 4. — Regest Chmel nr. 1458 aus
Schöpflin und Sattler ebenfalls unter April 4.

Ruprecht von gots gnaden Romischer
20 kunig czů allen czijten merer des richs.

Lieben getruwen. als ir uns wieder geschriben hant [2] uff die warnung als wir
uch geschriben hatten, und auch als verre ir vernomen hettent von werbungen und
andern reden die uch vorkomen sin, han wir wol verstannden, und dancken uch des
mit ernst. und begern, daz ir uwer kuntschafft deste baß habent, ob ir keinerley
25 gewerbe oder samenunge vernement von wem daz were und besunder daz uch dûchte
daz daz wieder uns gen mochte. wann unser czog uff den margraven von Baden vor-
ganck hat und unser volcke etwievile itzunt uff ym ligent und yme sin lannd besche-
digent. so meynen wir selber und auch unser oheim von Wirtemberg uff morne mit- ^{Apr. 4}
woch auch in sin lannd zu ziehen und zu komen [3]. und unser helffere und volke hant
30 dem margraven sin stat angewonnen in Elsaß [4]. unser oheim grave Johann von Spanheim [5] des margraven mutter-brûder hatte zuschen uns und dem margraven ein richtung
getedingt, und hat uns die under syme und andern ingesigeln verschriben geben und
auch von etlichen unsern reten von unsern wegin wiederumbe verschriben und versigelt
genomen, und er sprach daz er des von dem margraven geheiß und macht hette. und

---

35 [1] *S. Anm. zu nr. 359.*
[2] *nr. 358.*
[3] *Man darf dieß wol kaum so verstehen, als ob*
der König und der Graf von Wirtemberg sich vor
dem 4 April an dem Zuge gegen den Markgrafen
40 *nicht persönlich betheiligt hätten. Am 24 Merz*
urkundete K. Ruprecht in Richen (Chmel nr.
1454), am 25 in Steinsberg (Chmel nr. 1455), dann
kehrte er anscheinend nach Heidelberg zurück
(s. unsere nr. 357 und Chmel nr. 1456), um, nach-
45 *dem die Unterhandlungen sich zerschlagen, wieder*

ins Feld zu ziehen. Am 6 April urkundete er
in Königsbach (Chmel nr. 1459), am 10 aber schon
wider in Heidelberg (Chmel nr. 1460). Vgl. nr.
356 und nr. 363 und unsere Anmerkungen dort.
[4] *Gemar wird gemeint sein, vgl. Schreiben Straß-*
burgs an Metz nr. 356.
[5] *Graf Simon von Sponheim, der Schwager*
Johanns, fällte dann mit dem Erzbischof von Köln
und dem Bischof von Utrecht zusammen den
Schiedsspruch nr. 366.

1403
Apr. 8
was des gesternt ein tag zū Brūchssel [1] daz zu vollnfuren und zu enden, und waren auch
unser rete uff dem tage, der richtung von unsern wegin genczlichen zū volgen als die
verschriben und versigelt ist, und der margrave wolte da nit daby verliben und ist des
usßgangen.   begeren wir, wo ir unsers krieges mit dem margraven rede horent, daz ir
uns darūff aūch verantwertet, als wir uch in den und andern sachen besunder wol 5
1403   getruwen.   datum Munichawsheim tercia feria post dominicam judica[a] anno domini
Apr. 8   millesimo quadringentesimo tercio regni vero nostri anno tercio.

[*in verso*] Unsern lieben getrūwen ·burgermeistern   Ad mandatum domini regis
und rate unser und des richs stat Franckfurd.   *Mathias* Sobernheim[b].

[1403] **361.** *Wolter van den Dijck an Köln, betr. K. Ruprechts Zug gegen Markgraf Bern-* 10
Apr. 8   *hard I von Baden u. a. m. [1403] April 3 o. O.*

Aus Köln St.A. Kaiserbriefe ohne weitere Signatur, or. ch. lit. cl. c. sig. in verso impr.,
auf Rückseite über der Adresse von anderer gleichzeitiger Hand Wolteri vamme Dijke
geschrieben; Wirttenb *und* Straesb *nur mit dem Zeichen für* ur, *statt* sūn vurste *im*
Druck die Verbesserung gesetzt, ebenso einmal statt herzo, *auch* etz *ohne weiteres* 15
durch etc. ersetzt nach verbrant, *und in der Adresse* mym lieve *durch* myn lieven.

Vursichtige wijse heren.   uren gnaden genūycht zo wissen, dat uns hero der
koninck is gezogen op den marckgraven van Baden mit dem van Wirttenberg mit den
van Straesburg Baesel de Sweyfschen steden [2]. ind der marckgrave de hait al siin
vurstet selve ofgebrant, ind ein stat is mit der vurstat verbrant etc. doch ist noch goeit 20
vrede um Vranckefort ind Mencz. ouch saet men, dat herzoge Ernstz ind herzoge
Willem van Beyeren liggen vur Monchen [3]; darum eylde herzoge Lodewich heim [4]. niet
[1403]   me inweys ich uch ze deser zijtz zo scrijven, dan got bewar ur wishcit gesont.
Apr. 8   scryptum mensis aprylis 3.

[*in verso*] Den vursichtigen wysen heren burgermeister   25
inde gemein rait der stat zo Collen myn lieven heren etc.   Wolter van den
debet.   Dijck.

a) *auf Rasur, der erste Buhstabe scheint zuerst ein* r *gewesen zu sein.*   b) *das Stück ist unten eingerissen, der Name*
ein wenig verletzt.

---

[1] *Man wird diesen Tag zu Bruchsal und jenen*
um 8 Tage früheren, von dem in nr. 356 und
nr. 357 berichtet wird, auseinander zu halten ha-
ben, und es liegt keine Veranlassung vor durch
Annahme von Schreibfehlern oder sonst den Unter-
schied der Daten zu beseitigen. Die Vermittelung
des Grafen Johann von Sponheim ist in nr. 356
und nr. 357 gar nicht erwähnt.
[2] *Diese Angabe ist wahrscheinlich ungenau.*
Straßburg nahm allem Anschein nach an dem
Kriege nicht theil, vgl. den Brief Straßburgs an

Metz nr. 356 und den Brief K. Ruprechts an 30
Straßburg 1403 April 15 nr. 364, und auch von
einer Betheiligung der Schwäbischen Städte wissen
wir sonst nichts. Dagegen wären die Elsäßischen
Reichsstädte zu nennen gewesen, s. nr. 356, und
ebenso Frankfurt, s. nr. 359.   35
[3] *Vgl. Jörg Kazmair's Denkschrift § 169 ff.*
St.Chr. 15, 502 f., auch den Anhang ibid. pag.
553 f.
[4] *Aus Frankreich, wohin er als Gesandter Ru-*
prechts gegangen war, vgl. lit. E.   40

362. *Wolter van den Dijck an Köln, betr. K. Ruprechts Zug gegen Markgraf Bern-* [1403]
hard I von Baden u. a. m. [1403] *April 7 o. O.* Apr. 7

*Aus Köln St.A. Städtebriefe or. chart. lit. clausa c. sig. in verso impr. delapso, auf
Rückseite die gleichzeitige Kanzleinotiz* Woltere upme Dijke.

⁵ Minen schuldigen bereyden dienst. vursichtige gnedige heren.   uren gnaden
genûicht ᵃ zo wissen, dat unse here der koninck op den marckgraven gezogen is als ich
vur gescreven hain.   ind de van Straesborch hant eme 1 stat aingewonnen ¹ also wir
hoeren sagen, de mere vervolget vast.   de heren ind stede hant groes volck.   ouch so
wilt uns here der koninck dat pater-noster ain de want ein zijt hangen, ind wilt den
¹⁰ heren wederstaen de weder dat ryche sin.   darum, gnedyge heren, so weir't goit, as
vere as ur vursichticheit goit duycht, dat ir de sachen mit dem heren, den ur gnade
wael weys, mit gelimp dryven, noch em zijt leist.   wat men mit goeden worden doein
mach, dae in sal men gein swert zeyn noch budel opdoen.   dese sachen insal ur wisheit niet vur arch nemen, in besint sy bas dan ich uch scryven mach.   got spaer ur [1403]
¹⁵ wisheit gesont.   scryptum mensys apryllis 7. Apr. 7

[*in verso*] Den vursichtigen wysen heren burgermeister
inde gemein rait der stat zo Collen mynen lieven gnedy-   Wolter van dem Dijck
gen heren debet. ur burger.

363. *Straßburg an Basel, über den Krieg K. Ruprechts mit Markgraf Bernhard I von* [1403]
²⁰ *Baden u. a. m.* [1403 ²] *April 10 Straßburg.* Apr. 10

*Aus Basel St.A. Neben-Registratur G III Straßburger Briefe or. mb. lit. cl. c. sig. in
verso impr. laeso.*

Unsern sundern gûten frûnden und eytgenossen dem burgermeister und dem rate
zû Basel embieten wir Burckart von Mûlnheim dem man sprichet von Rechberg der
²⁵ meister und der rat von Strazburg unsern frûntlichen willigen dienst.   lieben frûnde.
als ir uns verschriben hant ûch ettewas loßen ze wißende von disen lôffen und meren
also von unsers herren des kûniges und der marggraven wegen, do wissent, daz her
Johans Heilman unser ammanmeister uns geseit hat, daz er das alles gûter moße uwerme
ôbersten zunftmeister und Jocop Zibollen verschriben habe; den brief er meinet daz in
³⁰ der hiezwûschen, daz uwer brief underwegen was, wol geantwurtet sy, und das er ouch
geloube daz sie in ûch haben loßen hôren.   darumbe so lossen wir ûch dovon nit me
wißen danne sovil daz unser herre der kûnig und die andern herren von dem velde
gezogen sint ².   und meinet man daz die herren ein tegelichen krieg wellent haben und
lantwere legen.   also ir uns ouch geschriben habent von der kouflûte von Lamparten

³⁵ a) *or. über u ein kleiner Strich oder Punkt.*

¹ *Diese Nachricht ist wahrscheinlich falsch, vgl.*   ² *K. Ruprecht urkundet am 10 April wider in*
Anm. zu nr. 361; zu Grunde liegt ihr vielleicht   *Heidelberg, s. Chmel nr. 1460f.; vgl. den Bericht*
die Einnahme von Gemar durch den Herrn von   *Mone Quellensammlung 1, 287, wonach die König-*
Rappoltstein die Basler und die Elsäßischen   *lichen am Palmabend [April 7] wider heimgezogen*
⁴⁰ *Reichsstädte, vgl. nr. 356.*   *wären; eine andere Angabe s. Mone l. c. 3, 514.*
¹ *Über das Jahr kann nach dem Inhalt des*   *Nach dem Frankfurter Rechenbuch (s. Anm. zu*
Briefes kein Zweifel sein; auch daß Johans Heil-   *nr. 359) scheint es, als ob dann noch ein zweiter*
man als Ammanmeister genannt ist passt dazu,   *Zug unternommen wäre.*
vgl. Mone Quellensammlung 3, 514.

[1402]
Apr. 10 wegen, do wißent, daz wir des nit müßig sint gegangen. ee das uns uwer brieff kam,
do hettent wir unserme herren dem kúnig dem byschof von Strazburg und dem lantvogt zů Eilsazz dovon verschriben und abgeschriften unsers herren des kúniges trostbrief
geschicket. und hant sovil darzů geton das unser herre der kúnig der byschoff und
der lantvõgt die kouflúte und ir gůt sicher geseit habent. die briefe wir Paulus von   ⁵
Camercio den koufman habent loßen hören lesen, der ein gůt benůgen dovon het.
wissent ouch: daz wir disen uwern botten so lange by uns behept hant, daz dotent wir
darumbe das wir úch ettewas deste me embieten möhtent. wenne wir alles unsere botschaft uff dem velde habent. und so ir uns ettewas ernstliche verschribent oder an uns
begerent úch ze schribende, so loßent es uns wissen mit uwern loffenden botten, die ¹⁰
uwere antwurten gewarten mögen, und nit mit schifknehten. danne die schifknehte der
antwurten nit warten wellent. so kommet es zůwilen, das wir úch nit ze stund ver-
[1403] schriben kúnnen alles, daz wir úch gerne schribent oder uns danne bedurcket notdurftig
Apr. 10 sin úch ze schribende.   datum hora prime feria tertia post diem festi palmarum.   ´¹⁵
     [*in verso*] Unsern gůten fründen und eytgenossen
     dem burgermeister und dem rate zů Basel.

1403 **364.** *K. Ruprecht an Straßburg: die Stadt soll ihm ihren Fehdebrief wider den Mark-*
Apr. 15   *grafen Bernhard I von Baden schicken, der ihn und das Reich wegen des*
     Bundes mit dem Herzog von Orléans nicht sicher machen will. 1403 April 15
     Heidelberg.   ²⁰

     Aus Straßb. St.A. an der Saul I partie lad. B fasc. XI ᵃ *nr. 11 or. ch. lit. cl. cum sig.*
       in verso impr.
     Ein Auszug befand sich in der verbrannten Straßb. St.Bibl. Exc. Wenckeri 2, 405 ᵃ.
     Benutzt offenbar Wencker app. et instr. arch. 294 nt. ᵃ.

          Ruprecht von gots gnaden Romischer   ²⁵
          kunig czu allen czijten merer des richs.
     Ersamen lieben getruwen.   als wir Swartz Reinhard von Sickingen ritter unsern
lantvogt in Elsaß und lieben getruwen zu uch geschickt hatten ¹ umbe hulffe uns zu
tun widder den margraven von Baden, der hat uns uwer antwert und meynunge wol
wiedder gesagit. und wir lassen uch wißßen, daz wir von dem margraven egenanten ³⁰
nit anders begerd noch gefordert han allczijt, ee wir gein yme zu fintschafft kommen
sin, dan daz er uns sicher gemacht hette, daz uns und dem riche soliche manschafft
und verbuntnis, als er dem hertzogen von Orliens getan hette, unschedelich weren gewesen, als uns dem riche und dem gemeynen lande ein nodturfft gewesen und noch

---

¹ *K. Ruprecht an Stadt Straßburg: sendet*
Swarts Reinhard von Sickingen königl. Landvogt
in Elsaß um mit ihnen zu reden und um Hülfe
gegen den Markgrafen von Baden zu bitten und
beglaubigt denselben, dat. Heidelberg 3 fer. p.
dom. palm. [April 10] 1403; Straßburg St.A. AA
126 nr. 24 ᵇ *or. ch. — Vom gleichen Tage ist der*
Brief K. Ruprechts für Basel, s. Anm. zu nr. 366
art. 11, und ferner folgende Urkunde. K. Ru-
precht bekennt: was uns Wyprecht von Helmstad
ritter der junge unser vogt zu Bretheim — koste
ußgewinnet welcherlei die sin wirdet, der wir be-
dorfen in diesem unserm kriege wider den [cod.

der] marggraven von Baden, waz sich darumbe ³⁵
an gelt geboret und der obgenant Wyprecht of
sich nimpt umb dieselben koste, daz sollen und
wollen wir und unsere erben ime und sinen erben
alles bezalen of die zil als er das von unserm we-
gen verheißet und ine — damit gutlichen ledigen ⁴⁰
und losen; für den Fall, daß Ruprecht stirbt,
nehmen seine Söhne Ludwig und Hans diese Ver-
pflichtung auf sich; dat. Heidelberg Di. nach dem
Palmtage [April 10] 1403 r. 3; Karler. G.L.A.
Pfälz. Kop.-B. 53 pag. 127-128 cop. ch. coaev., ⁴⁵
ausgestrichen.

were, nach dem als uns furbracht ist und noch tegelichen vorbracht wirt, daz er mit   *1403*
sachen und leuffen umbgee und steticlich schicke und werbe, daz swerlichen wieder uns   *Apr. 15*
und das rich sij und auch alle die die dem riche zugehoren, und davon diesen gemeynen
landen verderpclicher[a] schade ensten und komen mochte ob solich sin gemechde und
5 werbe nit underkomen wûrde. daz er uns doch ussßgeslagen hat und nit tun wolte.
und herumbe so begern und bitden wir ûch aber mit flißßigem ernst, daz ir uns wieder
den egenanten margraven beholffen sin wollent, und uns auch uwern entsagits-brieff an
yn schicken, und uch in diesen sachen, darinne wir doch anders nit meynen noch suchen
dann einen gemeynen notz des richs und zu vorkomen verderpclichen schaden diesen
10 landen, als willeclich und vorderlich wollent bewisen, als wir uch des besunder wol
getrûwen. daz wollen wir auch hinvor gein uch nit vergeßßen sunder gnedeclichen und
gerne bedencken und uns auch von uch nit scheiden czu uwern noten und geschefften.
und begern heruff uwer beschriben antwert mit diesem bodten.   datum Heidelberg
in festo pasche anno domini millesimo quadringentesimo tertio regni vero nostri anno   *1403*
15 tercio.   *Apr. 15*

[*in verso*] Den . . ersamen unsern lieben   Ad mandatum domini regis
getruwen meister und rate czu Straßßpurg debet.   Johannes Winheim.

---

365. *K. Ruprecht an Frankfurt: gütlicher Tag zu Worms auf 29 April bevorstehend* [1403
mit Markgraf Bernhard I von Baden wegen des Bündnisses des letzteren mit dem[Apr. 22]
20 *Herzog von Orléans, u. a. m.* [1403 April 22 Bacherach [1].]

Aus Frankf. St.A. Imperatores 1, 221 *or. ch. lit. cl. c. sig. in verso impr., unten be-*
schädigt; gleichzeitige Kanzleibemerkung auf der Rückseite unser herre der kunig . .
. . . || bij ime bliben . . . . . .
Gedruckt Janssen 1, 115 nr. 272 aus unserer Vorlage. — *Theilweise gedruckt Schöpflin*
25   *Hist. Zar. Bad. 6, 15-16 und daraus Sattler Gesch. des Herzogthums Würtenberg 3*
Beylagen p. 41 nr. 24ᵃ. — *Regest Chmel nr. 1473 aus Schöpflin.*

Ruprecht von gots gnaden Romischer
kunig zu allen tziten merer des richs.

Lieben getruwen.   wir laßen uch wißen, daz wir und der erwirdige unser lieber
30 neve und korfurste der erczbischoffe von Colle ytzund hie zu Bacherach bij einander
gewest sin, und haben uns von allen sachen und leuffen mit einander underretd. und
wir finden yn in allen unsern sachen gerecht, also daz er lib und gût und alle sine
vermogen zu uns seczen wil und in allen unsern sachen getruelichen bijgestendig und
beholffen sin.   auch sint des herzogen von Gelre retde bij uns hie zu Bacherach ge-
35 west. und zuschen uns und dem herczogen von Gelre[2] ist als ferre getedinget worden,

---

a) verderpclicher? verderpclicher? das e ist undeutlich, kann auch ein c sein, wie weiter unten im gleichen Worte
sicher.

---

¹ Dem was Janssen über die Datierung dieses   delberg Do. v. judica [Merz 29] 1403 r. 3; Karls-
Stückes in nt.* zu demselben bemerkt hat ist   ruhe G.L.A. Pfälz. Kop.-B. 4 fol. 153ᵇ cop. ch.
40 durchaus zuzustimmen: es heißt im Stück hie   coaer., Wien H.H. St.A. Registraturb. C fol. 131ᵃᵇ
zu Bacherach und nachher, der Tag zu Worms   cop. ch. coaev., Regest Chmel nr. 1456 aus Wien
solle hute sontag uber achtage sein, daraus er-   l. c. — Bischof Friderich von Utrecht vermittelt
geben sich Ort und Zeit.   dann auf dem Wormser Tage zwischen K. Ru-
² König Ruprecht bevollmächtigt Johann von   precht und dem Markgrafen von Baden, s. nr.
45 Hirschhorn und Johann von Winheim mit Bischof   366. — Wegen des Verhältnisses zu Reinald aus
Friderich von Utrecht und dem Herzog von Jülich   Geldern vgl. beim Mainzer Tage von 1402 Juni
und Geldern oder ihren Räthen zu teidingen um   lit. F und RTA. 4 nr. 230 ff.
Freundschaft Einung und Verbündnis; dat. Hei-

[*1403
Apr. 22*] daz wir uns genczlichen versehen er werde korczlichen in unser gehorsam komen und uns auch getruelichen bijgestendig und beholffen sin[a] wieder die von Ache und allermengliche.	auch ist grave Hanman von Bitsche bij uns gewest.	und hat sich entschuldiget von der sache wegen als er zu dem herczogen von Orliens geritden und dem verbuntliche worden ist, daz daz nit wieder uns und daz riche sij.	und hat uns auch 5
anderwerbe gelobt und gesworn getruelichen bij uns zu verliben und bijgestendig und beholffen zů sin.	auch hat der obgenant unser neve der erczbischoffe von Colle einen
[*1403
Apr. 29*] gutlichen tag zuschen uns und dem margraven von Baden gemacht, der da sin sal von hute sontag uber achtage nehstkumpt zu Wormße [1]; darczu auch die von Straßburg Mentze Wormße und Spier ir erber frunde schicken werden, wann sie uns auch lange- 10
czijt darumb nachgeritden sin und sich flißeclichen darunder gearbeit haben [2].	und der obgenant unser neve von Colle meynt ye mit der stete frunden den margraven daran zu wisen, daz er uns und daz riche sicher mache von des buntniße wegen daz er dem herzogen von Orliens *getan hat, und auch*[b] sost due waz er uns billich und von rechte *dun* solle.	auch wirdet uns vil . . . . *von unserm* 15
oheim dem erczbischoffe von Mentze . . . .
. . . . , des richs wegen und auch sost . . . .
	[*in verso*] Unsern lieben getruwen *burgermeistern und rate*
unser und des heiligen richs *stad Franckenfurd.*

1403
Mai 5	**366.** *Erzbischof Friderich III von Köln Bischof Friderich II von Utrecht und Graf* 20
Simon IV von Sponheim errichten eine gütliche Sühne zwischen K. Ruprecht und
Markgraf Bernhard I von Baden[3]. *1403 Mai 5 Worms.*

	K aus Karlsruhe G.L.A. Badisches Archiv fasc. Verträge mit Pfalz 36/232 or. mb. lit.
	pat. c. 3 sig. pend., von denen das Sigel des Bischofs von Utrecht abgefallen ist; in 25
	verso wol von ungefähr gleichzeitiger Hand in der Ecke unten links b registrata,
	darüber von derselben oder späterer Hand 1403, in verso auch noch andere spätere
	Registraturvermerke.
	M coll. München St.A. Urkk. betr. äußere Verhältnisse der Kurpfalz $\frac{132}{9/10}$ *or. mb. lit. pat.*
	c. 3 sig. pend. Eine Abschrift dieser Vorlage erhielten wir durch Herrn Neudegger 30
	Archivsekretär am Staatsarchiv zu München.
	S coll. Karlsr. G.L.A. Pfälz. Kop.-B. 139 pag. 141-143 cop. ch. coaev.
	T coll. Karlsr. G.L.A. Pfälz. Kop.-B. 51 tol. 61ᵃ-63ᵃ cop. ch. saec. 15 ex., mit der Über-
	schrift Wie zwuschen konig Ruprechtten und marggrave Bernhart zu Baden vehde
	und fintschaft abgeteidingt und vertrag gemacht ist.
	Gedruckt Schöpflin hist. Zar. Bad. 6, 7-12 nr. 319. — Regest Chmel pag. 183 nr. 27 35
	aus Schöpflin l. c.

	Wir Frederich van goitz genaden der heiliger kirchen zo Colne ertzebusschoff des
heiligen Romisschen rijchs in Italien ertzcanceller hertzoge van Westfalen ind van En-

---

a) *or. om.* b) *das Stück ist unten beschädigt, die letzten Zeilen schließen mit buntniße, mit rechte, mit Mentze,* 40
mit sost; wir haben, soweil es mit einiger Sicherheit geschehen konnte, in Kursive ergänzt; die durch Punkte
bezeichnete Lücke nach vil hat Raum für etwa 26, die nach Mentze für etwa 72 Buchstaben; wegen der Er-
gänzung verweist Janssen nt. ¹ *zu dem Stück auf eine Archimole, s. bei uns pag. 496 Anm. 3.*

---

¹ *K. Ruprecht urkundet zu Worms am 30 April,*	² *Vgl. Mone Quellensammlung 3, 515, wo statt*
1 Mai und 5 Mai, s. Chmel nr. 1470ff. und An-	*Geriun tag [Okt. 10] sicher Georien tag [April*
merkungen zu unserer nr. 366; vgl. auch einen	*23] zu emendiren ist; vgl. ferner K. Ruprechts* 45
Posten der königlichen Kämmereirechnung vom	*Schreiben an Köln vom 6 Mai nr. 368.*
1 Mai 1403 Janssen R.K. 1, 746 nr. 1177 art. 9,	³ *Die Röteler Fortsetzung des Königshofen*
bei uns in Bd. 6. — Die Ortsangabe Alzei in	*(Mone Quellens. 1, 287) urtheilt über den Wormser*
Chmel nr. 1475 vom 1 Mai wird auf einen frühe-	*Schiedsspruch, er sei dem Markgrafen sehr gün-*
ren Aufenthalt dort im April zurückgehen.	*stig gewesen, und wol mit Recht; gans anders* 50

ger etc. und wir Frederich van derselven genaden busschoff zo Utricht und Symon greve zo Spainheim und zo Vyanden duin kunt allen luden die diesen brief sullen sien oder hoeren leisen und bekennen offentlichen in desen brieve: daz wir den alredurch-luchstigen fursten ind herren hern Ruprecht Romisschen konyng zo allen zijden merer
5 des rijchs unsern leven genedigen herren vur sich syne erven und nakomelinge an die eyne sijte und den hogebornen fursten hern Bernart marggreven zo Baden vur sich syne erven und nakomelinge an die ander sijte, vur alle ire helfere und helferhelfere under-saissen lande und lude und vur alle diegene die in bijstendich und[a] behulfen und be-raden geweist sijn und van beiden partijen weigen vurschreven[b] und umb iren willen
10 vyant worden und in diese vyantschaft die nu tusschen in beiden geweist is komen sijnt, und wat van dieser veden ufferstanden ist, myt derselver beider partijen und irre yclicher wissen willen und gehenenisse gentzlichen gesoynt und verslicht hain[1], as wir sij auch gentzlichen sonen und slichten myt kraft dis briefs myt sulchen vurwerden punten ind artikelen as herna geschreven steent: [1] in dem yrsten sal de[c] vurge-
15 nante[d] unse genedige herre der Romissche konyng umb unser flielicher beiden willen duchteren des vurgenanten marggreven sulche genade doin, ob der vurgenanten marg-grave ayn lijfsleenserven sturbe off aflivich wurde, datz sij asdan an dat furstendom der marggraschaft[e] van Baden und alle steide burge slosse zolle lande und lude wir-dicheit und herlichkeit darzo und darin gehoerende erben und komen sullen gelijch off
20 sij manageburt weren, und in darup syne brieve in der bester formen mit synre maje-

---

a) om. *MST.*   b) *hier und sonst überall in* K *vurschreven besw. vur schreven abgekürzt vurs.; einmal kommt ge-schreven ausgeschrieben vor.*   c) *MST* die; *der oberdeutsche Schreiber verstand den niederdeutschen Dialekt seiner Vorlage nicht recht.*   d) *in* K *überall abgekürzt* vurgan.   e) *sic* K; *M* marggraischaft.

eine Straßburger Fortsetzung (ibid. 3, 515), die
25 *auch von einem Schadenersatz in der Höhe von 100000 fl. zu berichten weiß den der Markgraf den oberen [d. h. oberrheinischen, Elsäßischen?] Städten habe leisten müssen. Vgl. dazu folgenden Brief: Basel an Frankfurt betr. die Nahme die*
30 *Mf. Bernhart von Nieder-Baden Baseler Kauf-leuten früher im Rhein. Landfrieden gethan hat, und um die der Landfriede erkannt hat, daß sie zu kehren sei, bittet um Hilfe und Rath, wenn die Sache zu Rede käme; dat. 1403 fer. 4 p. quasim.*
35 *[April 25]; Frankf. St.A. Reichssachen Acten XIII nr. 749 or. ch. lit. cl. c. sig. in v. impr.*
¹ *Über die Sühne wurde noch ein besonderes Schriftstück aufgesetzt, wie folgt: Es ist zu wis-sen: die Sühne zwischen K. Ruprecht und Mark-*
40 *graf Bernhard ihren Helfern und den Ihren, die bei ihnen hie zu Worms gegenwärtig sind, ist angegangen auf heute Samstag [Mai 5], und jeder unter ihnen zweien soll es seinen Helfern und den Seinen baldmöglichst verkünden, so daß es hie*
45 *zwischen und nächstem Montag zu Sonnenunter-gang geschehen ist; und würden bis dahin Schlösser gewonnen oder Leute gefangen von irgend einer Seite, die sollen alsbald (zu stunt) restituiert wer-den; auch jede nachher etwa noch eintretende*
50 *Beschädigung mit Nahme Brande gewonnenen Schlössern Gefangenen oder anders soll restituiert*

werden mit der Nahme oder mit dem Werthe; auch als min herre der kunig Heintz Druchseßen von Hefingen und Conrad von Stein sinen dochter-man sunderlich entsagit hatte, daz ist auch genz-lich verricht und versunet vor sie ire helfer und die iren von beiden siten; datum et actum Wor-macie sabbato ante jubilate [Mai 5] 1403; aus Frankf. St.A. Imperatores 1, 205 cop. ch. coaev., mit Schnitten, steht auch Karler. G.L.A. Pfälz. Kop.-B. 139 pag. 145, Regest Janssen R.K. 1, 116 nr. 274 aus Frankfurt l. c. — Diese Aufzeichnung wurde von K. Ruprecht an Frankfurt übersandt. Er theilt der Stadt mit, daß er mit Markgraf Bern-hard gesühnt ist als diese ingeslossen zedel uß-wijset; dat. Wormacie sabb. a. jubilate [Mai 5]; aus Frankfurt St.A. Imperatores 1, 204 or. ch., theilweise gedruckt Schöpflin hist. Zar. Bad. 6, 16 und daraus Sattler Grafen 3 Beylagen p. 41 nr. 24[b], Regest Janssen 1, 116 nr. 273 aus Frankfurt l. c. — Philipps von Falkinstein Herr zu Minczen-berg berichtet an Frankfurt, der König und der Markgraf seien gütlich gerichtet nach des Königs Willen; dat. sabb. p. invenc. s. crucis s. a. [1403 Mai 5]; aus Frankfurt St.A. Imperatores 1, 201 or. ch., Regest Janssen 1, 116 nr. 275 ebendaher. — Die Frankfurter hatten auch selbst einen Ge-sandten in Worms, s. Anm. zu nr. 368.

1403
Mai 5 stait ingesegele besegelt unverzogelichen geiben [1].   [2] auch sal unse genedige herre
der konyng vurschreven den[a] marggreven vurschreven verdadingen und verantworden
as synen und des rijchs fursten und in by[b] synen furstendom wirden herlichkeiden und
reichten laissen und yme des syne brieve in der bester formen under synre majestait
ingesegele auch unverzoicht geiben [2].   .[3] item so sal de[c] vurschreven unse genedige   5
herre der konyng dat sloss Staffort mit allen synen zobehoeren in unss ertzebusschofs
van Colne vurschreven hande und umb unser flijsslicher beiden willen stellen und uns
gantze macht geiben die dem vurschreven marggreven zo leveren und oerverzogeiven.
und der vurschreven marggreve sal doin bestellen ain geverde, datz dem vurschreven
unsem genedigen herren hern Roprecht Romisschen konynge diewijle er leibet yme noch   10
den synen eynich schade daruyss noch darin nyet geschie, sunder alle argelist, und yme
daruff syne brieve in der bester formen geiben unverzoicht [3].   [4] auch sal unser herre
der konyng vurschreven dat sloss Muckestorm und alle andere slosse die he syne undersaissen off syne helfere oder helferhelfere dem marggraven off synen undersessen
helferen off helferehelferen angewonnen hait unverzoicht wedergeiven, und dessgelijchs   15
sal der marggreve auch wederumb doin, ain geverde. und wat slosse dem marggraven
synen undersaissen und helferen as vur schreven is afgebrochen synt, die mogent sij
wederbuwen wanne sij des lustet.   [5] item sal unse herre der konyng datz halbe
deil der stat und sloss zo Gemer [4] myt allen yren zobehoeren dem marggreven vurschreven wedergeiven unverzoicht. und asdan sal der marggrave eynen burchfreden   20
sweiren und den halden mit Maxmijn herren zo Ropelstein. und[d] des[e] ander halbe
deil dat Maxmijn vurschreven hait sal unse herre der konyng dem marggreven vur-
Juni 24 schreven und synen erben tusschen he und sente Johanss baptisten dage as er geboiren
Juli 1 wart neistkomende off bynnen eicht dagen darna umbevangen [5] auch mit allen synen
zobehoeringen wedergeiven aber[f] er kan. und konde he des nyet gedoin, so sal unser   25
herre der Romissche koining[g] vurschreven deme marggreven vurschreven und synen
erven bynnen der vurgenanten zijt versicheronge und genüegde doin vur sulche gelt als
vur datz halbe deil geburt, gelijcher wijss und in alle der maissen[h] as der marggrave
·vurschreven Rodolfe van Hoenstein rittere gedain hait, ain alle geverde [6].   [6] auch

---

a) *unsere Abschrift aus K hat (wol irrig) dem;* MST den. b) *übergeschrieben in K.* c) MS die, *s. weiter oben den-*   30
selben Fehler. d) KMST add. vur. e) *sic* K. f) *sic* KMS. g) *in K hier anscheinend Rasur, die vier Schäfte*
ini mit dunklerer Tinte nachgezogen. h) *in K hier wie in dem gerade darüber stehenden Worte* koining *die*
Buchstaben mais *zum Theil mit dunklerer Tinte nachgezogen.*

---

[1] *Diese Urkunde K. Ruprechts, noch vom glei-*
chen Tage aus Worms datiert, steht Karlsr. G.L.A.
Pfälz. Kop.-B. 4 fol. 155[a][b] *cop. ch. coaev., Wien*
H.H. St.A. Registraturb. C fol. 182[b] *cop. ch.*
coaev., gedruckt Schöpflin hist. Zar. Bad. 6, 6-7
nr. 318 und mit dem Datum So. n. Walp. [Mai 6]
inseriert in den Willebrief Johanns von Mainz
gleichen Datums Würdtwein nova subs. 4, 260 f.,
Regest Chmel nr. 1476 aus Wien l. c.
[2] *Diese Urkunde K. Ruprechts, ebenfalls noch*
vom gleichen Tage aus Worms datiert, steht Karlsr.
l. c. fol. 155[b] *cop. ch. coaev., Wien l. c. fol.* 133[a]
cop. ch. coaev.; gedruckt Schöpflin l. c. 5 nr. 37;
Regest Chmel nr. 1477 aus Wien l. c.
[3] *Diese Urkunde des Markgrafen, ebenfalls vom*
gleichen Tage aus Worms datiert, befindet sich in
München St.A. äußere Verhh. der Kurpfalz 132/e 9

or. mb., steht auch Karlsr. G.L.A. Pfälz. Kop.-B.   35
139 *pag.* 144 *und als Regest ibid. Pfälz. Kop.-B.*
51 *fol.* 104[a], *gedruckt Schöpflin l. c. 14-15 nr. 321,*
Regest Chmel Anhang 1 pag. 183 *nr.* 28 *aus*
Schöpflin.
[4] *Vgl. nr.* 356.   40
[5] *Unbefangen, auf keine nachtheilige Art ein-*
geschränkt, s. Adelung Gramm. krit. Wörterb.
[6] *Vergleich zwischen K. Ruprecht und Mark-*
graf Bernhard betr. Schloß Gemer, dat. Germers-
heim Martini [Nov. 11] 1403; *München St.A.*   45
Urkk. betr. äußere Verhh. der Kurpfalz 132/e 11 *or.*
ch., Karlsr. G.L.A. Pfälz. Kop.-B. 46 fol. 207[b]-
209[b] *cop. ch. saec. 15 med., als Regest auch ibid.*
Pfälz. Kop.-B. 51 fol. 39[a]; *gedruckt Schöpflin*
Als. dipl. 2, 309-311, erwähnt Schöpflin hist. Zar.
Bad. 2, 88, Regest Chmel nr. 1611.   50

as unser herre der konyng meynet, datz der marggrave vurschreven etzlige zolle habe, *1403 Mai 5*
die nyet sijn ensullen, also sal der marggrave zo gesynnen unss herren des konyngs
vurschreven syne brieve kunde unde vermess die he daruff hait vur in und die drij
kurfursten uffme Rijne uff dage brengen. und watz die drij kurfursten[a] abe zwene van
5 in, off der drijtte darby nyet syn enmochte, erkennent und den marggraven besagent,
darmede sal er sich laissen genuegen und datz asdan also vort halden. und der marggrave sal in syme besesse und upboeringen der vurschreven zolle blijben als er bissher
geweist is biss as lange datz der uysspruch as vur schreven is geschiet ist. [7] auch
sal der marggravo vurschreven as van des cloisters weigen van[b] Frauwenalbe [1] zo ge-
10 synnen unss herren des konyngs vurschreven syne brieve kunde unde vermess zo dage
brengen vur die vurschreven kurfursten. und watz die kurfursten als vur schreven ist
darynne na anspraichen und antworden beiden[c] partijen vurschreven erkennent, darmede sal sich der marggrave vurschreven genuegen laissen und datz vort also halden.
[8] auch sullent alle gefangenen van beiden sijten mit eynre alder urveden ledich und
15 loss syn, und alle brantschatz und umbezailt gelt sullen quijt syn. und were in deser
vyantschaft yeman doit bleven, datz sal van beiden sijten gesoynt und daruff gentzlichen
verzegen sijn. [9] auch sullent alle diegene die umb dieser vyantschaft willen yre
leene uffgegeiven hant, off in genomen were, van beiden sijten yre lene weder entfain,
und man sal sij weder darin setzen und beleenen unverzoicht zo yrme gesynnen as
20 reicht ist, ain geverde. [10] auch sullen beide herren vurschreven by irme verbunde.
und erf-eynongen na ynnehalt sulcher brieve darup gemacht gentzlichen verliben
[11] auch sullen die burgere und statt zo Basel [2] in dieser[d] soene begriffen und gentzlichen gesoint syn, beheltniss dem marggraven und den van Basel yrre anspraichen als
irre eyn an den anderen vur dieser veden hatten [3]. und umb die vurschreven an-
25 spraichen, off man sij mit vruntschaften nyt gescheiden enkunde, sullen beide partijen
vurschreven zo gesynnen unsers herren des konyngs vur in und die drij kurfursten
anme[e] Ryne zo dage komen. und wess sij unser herre der konyng und die drij kurfursten vurschreven off yrre zwene, off der dritte darby nyet komen enmochte, na anspraichen und antworden beider partijen vurschreven besagent, datz sal mallich van in
30 dem anderen gentzlichen doin und halden ain alle geverde. alle diese vurschreven
stucke und artikele so wie de vur schreven steent sullent unse genedige herre her Roprecht Romissche konyng vur sich und alle die syne als vur schreven is und her Bernart
marggrave zo Baden vur sich und alle die syne as vur schreven is, mallich van in so
wie die an yrre yclichem geburrent, dem andern doin und vollenfueren unverzoicht und
35 vur eyne gantze sone und slichtonge stede vaste und unverbruchlichen halden sunder

a) *K kurfusten.* b) *übergeschrieben in K.* c) *MNT beider.* d) *die Worte sulcher brieve — dieser sind in K ungewöhnlich breit geschrieben, nach dieser folgt ein überflüssiger Schnörkel wie er in der Vorlage sonst nicht vorkommt; der Schreiber scheint zuerst Raum frei gelassen zu haben, den er dann nur schwer ganz ausfüllen
konnte.* e) *sie K.*

40 [1] *Über die Zerstörung Frauenalbs in diesem
Kriege vgl. Mone Zeitschrift für Gesch. des Oberrheins 23, 294 mit Anm. 1. Die Urkunde vom 6
(nicht 7) Juni 1403, in der K. Ruprecht wegen
der Zerstörung Frauenalbs dem Abt von Herrenalb
45 gestattet das Kloster zu befestigen, steht Karlsr.
G.L.A. Pfälz. Kop.-B. 8¼ fol. 64ᵇ-65ᵃ cop. ch.
coaev., wegen der Drucke vgl. Mone l. c., Regest
auch Georgisch 2, 872 nr. 35.
[2] K. Ruprecht verspricht der Stadt Basel, die
50 ihm wider den Markgrafen Bernhard von Baden*

*Helfer geworden ist, mit dem Markgrafen keine
Richtung aufnehmen zu wollen, es sei denn daß
der Stadt um ihre Ansprüche an denselben ge-
schehe nach zeitlichen und möglichen Dingen; die
Stadt soll während des Krieges auf ihre Kosten
10 Glefen halten; dat. Heidelberg Di. n. Palmtag
[April 10] 1403 r. 3; Basel St.A. Geh. Reg. C.
D. or. mb. lit. pat. c. sig. pend., Karlsruhe G.L.A.
Pfälz. Kop.-B. 53 pag. 128 cop. ch. coaev.
[3] Vgl. pag. 507 lin. 25 ᵃff.*

1403
Mai 5 alle argelist und geverde.　und alle deser vurschreven stucke und artikele zo urkunde
so hain wir Frederich ertzebusschoff zo Colne Frederich busschof zo Utricht und Symon
greve zo Spainheim alle vurschreven mallich van uns sijn ingesegele an diesen brief
doin hancgen.　gegeiven geschiet und uyssgesprochen zo Wormtze in der stat in den
1403 jaren unss heren dusent vierhundert und drij jare des neisten sampstags na sente Wal-　5
Mai 5 purch dage der heiliger jonfrauwen^a.

1403
Mai 5 **367.** *Markgraf Bernhard von Baden verspricht dem K. Ruprecht, fortan in keiner*
Verbindung mit dem Herzog Ludwig von Orléans, K. Sigmund von Ungarn, K.
Wenzel von Böhmen und den Mailändern, sondern treu zu ihm und dem Reich
zu stehen.　1403 Mai 5 Worms.　10

> *M aus Münch. Staatsarchiv Urkk. betr. äußere Verhh. der Kurpfalz* $\frac{190}{140}$ *or. mb. lit. pat.*
> *c. sig. pend., auf Rückseite von gleichzeitigen Händen* Als marggrave Bernhart von
> Baden widder kunig Ruprecht und das riche nit sin sal etc. *und darüber* Expiravit.
> *K coll. Karler. G.L.A. Pfälz. Kop.-Buch 139 p. 143-144 cop. ch. coaev.*
> *Steht als Regest auch Karler. G.L.A. Pfälz. Kop.-B. 51 fol. 104*^b.　15
> *Regest Janssen Frankf. R.K. 1, 735 nr. 1160 aus Karler. Kop.-B. 139.*

Wir Bernart marggrave zo Baden doin kunt allen luden die diesen brief solen
sien oder horen lesen:　daz wir deme alredurchluchtigsten fursten ind herren hern ..
Roprechte Romisschen konige zo allen zijten merrer des rijchs unserm lieben gnedigen
herren versprochen hain und versprechen mit krafft dis briefs, daz wir van nû vortan,　20
als lange wir leben, deme hertzougen von Orliens deme konige van Ungeren deme
konige von Beheim ind den van Meylan noch allen den, die den obgenanten bistendich
syn behelfen oder zolegen wolten, nyet solen helfen oder zolegen weder den vurgenanten
unsern gnedigen herren hern .. Roprecht Romisschen konig ind daz ryche in dehenre
wijs, ain geverde.　und ensolen auch die obgenanten alle oder eyns deils nyet husen　25
noch halten in unsern slossen noch landen weder den obgenanten unsern herren den
Romisschen konig ind daz rijche.　auch ensolen^b wir uns mit den obgenanten noch mit
yrre eynchem nyet behelffen in dehenre wijs weder den obgenanten unsern herren den
Romisschen konig ind daz rijche.　auch solen wir bij deme vurgenanten unserm herren
deme Romisschen konig ind deme rijche getruwelichen ind vestelich verliben als andere　30
des rijches fursten die unserm herren deme Romisschen konige gesworen haint schul-
dich synt zo doin ain alle geverde.　alle ind ycliche stucke ind artikele vurgenant hain
wir .. Bernart marggrave zo Baden vurgenant unserm herren hern .. Roprecht Romisschen konige vurgenant geloibt in guden truwen ind den heilgen gesworen, geloben
ind sweren mit crafft dis briefs die stede ind vaste^c zo halden.　und hain des zo　35
gantzer steitgeit unser ingesiegel an diesen brief doin hangen, der geben ist zo Wormtze
1403 in den jaren unss herren dusent vierhûndert ind dry jair des neisten samstages na sent
Mai 5 Walpurgh dage der heilger joncfrauwen.

---

^a) *sic K; M* juncfrauwen. 　^b) *M* enfolen. 　^c) *vaste in den 2 entsprechenden Urkk. vom 4 Dec. 1404 nr. 875 f.*

368. *K. Ruprecht an Köln, er sei zu Worms mit Markgraf Bernhard I von Baden* 1403
gerichtet worden, dieser habe ihm Sicherheit gethan wegen des Bundes mit dem Mai 6
Herzog von Orléans. 1403 Mai 6 Heidelberg.

Aus Köln St.A. Kaiserbriefe or. ch. lit. cl. c. sig. in verso impr.

Ruprecht von gots genaden Romischer
kunig zu allen zijten merer des riches*.

Ersamen lieben getruwen. als wir uch nehst verschrieben und verkundet han
von des hanndels wegen zuschen dem marggraven von Baden und dem herczogen von
Orliens, darumbe wir auch mit dem marggraven zů fintschafft kommen waren, laßen
10 wir uch wißen, daz der erwirdige Friderich erczbischoff zu Colne unser lieber neve und
kurfurste der bischoff von Utrecht und grave Symond von Spanheim zuschen uns und
unserm oheim dem marggraven von Baden obgenant getedingt und uns off eyme tage
zu Wormß genczlichen mit einander verricht haben [1], daby auch der stette Straßpurg
15 Mencze Wormeß und Spire frundc gewest sin [2]. und unser oheim der marggrave hat
uns auch von der obgenanten sache wegen sicherheit getan nach ußwisunge sins besiegelten brieffs, des wir uch abeschrifft herinne versloßen senden. und hette er uns
soliche sicherheit getan, ee wir zu fintschafft mit yme kamen, wir weren nit zu kriege
mit yme kommen, wann wir doch nie anders von yme begert haben dann einer sicherheid, damit wir und daz riche versorget weren, daz uns und dem riche von des ob-
20 genanten handels wegen kein schade geschehe oder zugefuget wurde. datum Heidelberg dominica jubilate anno domini millesimo quadringentesimo tercio regni vero nostri 1403
anno tercio. • Mai 6

[*in verso*] Den ersamen unsern lieben getruwen
burgermeistern rade und andern burgern der stad Ad mandatum domini regis
25 zu Colne. Johannes Winheim.

369. ·*Kosten Frankfurts zu verschiedenen Tagen der Stadt und K. Ruprechts mit dem* 1403
Erzbischof Johann von Mainz im Mai und Juni 1403. 1403 Mai 19 bis Mai 19
Dec. 31. bis
Dec. 31

Aus Frankf. St.A. Rechnungsbücher, art. 1 und 3 unter der Rubrik uzgeben zerunge,
30 *art. 1ᵃ unter ußgeben pherdegeld, art. 2 unter ußgeben nachtgeld, art. 4 und 5*
unter besundern einzlingen uzgeben.
Gedruckt art. 4 bei Kriegk Frankfurter Bürgerzwiste und Zustände 501f. nt. 85.

[1] Sabb. ante Urbani: 75 gulden virzerten her Herman von Rodenstein her Ru- 1403
dolff der schultheisse Erwin Hartrad Herman Burggreve Conrad Wiße Heinrich Herdan Mai 19
35 und Johan Erwin und Peter schriber seß tage mit 27 pherden gein Winheim uf einen
dag, als unser herre der konig und der bischof von Mentze mit ein leisten. — item

---

a) *die Vertheilung der Inscriptio auf zwei Zeilen war in unserer Abschrift nicht beachtet und die Vorlage später nicht
aufzufinden; unser Druck hält sich an die regelmäßige Form.*

---

[1] *Sühnespruch 1403 Mai 5 nr. 366.*
40 [2] *Vgl. K. Ruprechts Schreiben an Frankfurt
vom 22 April nr. 365. Übrigens waren auch
Frankfurter Gesandte anwesend, wie folgender
Eintrag des Frankfurter Rechenbuchs unter uz-*

geben zerunge zeigt: Sabb. ante Urbani [1403
Mai 19]: hat Johan Erwin selbander 9 lb. nůn
tage virzert gein Worms, als unser herre der konig
und der marggrave von Baden da gerichtit wurden und er von der stede wegen da was.

1403
Mai 19
bis
Dec. 31
11 lb. 16 hl. virzerten her Rudolff der schultheisse her Herman von Rodenst*ein* der voigt von Heidelberg mit den burgermeistern und andern des rades frunden und dienern, als man zu dem dage gein Winheim solde, und als man von dem tage qwam, und als man uf dem tage, als unser herre der konig den burgmannen von Friedeberg von Geilnhusen und den Wedreubschen steden bescheiden hatte, waz, von virbuntnisse wegen under ein zu machen [1]. [1a] item 18 lb. von 12 pherden seß dage gein Winheim uf einen tag, als unser herre der konig mit dem bischofe von Mentze leiste,

1403
Mai 19
sabb. ante Urbani.

1403
Mai 26
[2] Sabb. post Urbani: 3 lb. 4 sh. den dienern von 16 pherden, als sie ein nacht des rades frunde pherde geleideten biz gein Oppenheim, als man zu eim tage gein Winheim solde, als unser herre der konig und der bischof von Mencze mit ein leisten.

1403
Juni 23
[3] Sabb. in vigil. nativ. Johannis: 100 gulden 97 gulden han virzert her Herman von Rodenst*ein* her Rudolff von Sassinhusen Jacob Weibe Erwin Hartra*d* Conra*d* Wiße Heinri*ch* Herdan und Johan Erwin mit 30 pherden 14 tage gein Winheim und Heidelberg, als man den tag zu Hemspach leiste und man mit dem bischof von Mencze und der paffheit zu Franck*enfurt* gerichtit wart.

1403
Juli 21
[4] Sabb. ante Marie Magdalene: item so han wir dan [a] dusent gulden geschenkt unserm herren dem künige zu besundrer behegelichk*eit*, umb des willin daz er itzunt nülinge zu Winheim und zu Hemspach mit herzoge Ludewigen herzogen Stephans son und burggrave Fridri*ch* von Nurenberg und andern sinen reten, die er volleclich dabi hatte, grossen kosten und arbeit von unsern und der stede wegin gehabt, als wir mit unserm herren von Mencze und der paffheid zu Franck*enfurd* gericht wurden, und als er auch vor in derselbin sache grossen kosten und muwe uf tagin von unsern wegin gehabt hat zu Winheim und zu Oppinh*eim* [b], und auch sin son herzog Ludewig als des richs vicari*e* zu der zid auch zu Winheim und zu Oppinh*eim* von derselbin sache wegin unser tage geleist hat, darumb wir in vor nicht geschenkt noch gegebin hatten. — item 40 lb. umb hundert achteil habern geschenkt herzog Ludewig herzog Stephans son von Beiern und burggrave Friderich von Nürenberg [a], umb daz sie von unsers herren des kunigs wegin unsern tag zu Winheim und zu Hemspach gar gnedeclich geleist han, als wir mit dem bisch*of* von Mencze und der paffheid zu Franck*enfurd* gericht würden [a].

1403
Dec. 1
[5] Sabb. post Andree: 20 gulden meister Job Vener unsers herren des kunigs doctor geschenkt, als er sich [b] in den sachin und auch uf dem dage zu Hemspach, als wir [c] mit dem bischofe von Mencze und der paffh*eit* gericht wurden [d], furderlich bewiset hat.

a) *cod. add. geschenkt, durch untergesetzte Punkte gestrichen.* b) *cod. om.* c) *als wir übergeschrieben; cod. eher wer als wir.* d) *cod. wart.*

---

[1] *Vgl. Landfriedensthätigkeit K. Ruprechts Einleitung lit. C zu Anfang. Auf diese Angelegenheit beziehen sich vielleicht die beiden Schreiben K. Ruprechts vom 22 und 27 Mai 1403, Janssen R.K. 1, 116 nr. 276 und 277.*

[a] *Nämlich als der König im Juli 1403 in Frankfurt war, vgl. Kriegk Frankf. Bürgerzwiste 501 nt. 85 und Einleit. zu diesem Tage lit. K.*

[3] *Gesandtschaftskosten zu diesen früheren Tagen*

findet man ebenfalls im Frankfurter Rechenbuch eingetragen, vgl. auch Kriegk Frankf. Bürgerzwiste 129.

[4] *Schwierigkeiten bei der Ausführung des Vertrages veranlaßten noch mehrere Gesandtschaften, deren Kosten im Frankfurter Rechenbuch eingetragen sind, vgl. auch Kriegk l. c. 129 und 502 nt. 86.*

370. *Erzbischof Johann II von Mainz beurkundet die Vereinbarung vom gleichen Tage,* ₁₄₀₃ *welche er und die Frankfurter Geistlichkeit mit der Stadt Frankfurt getroffen* Juni 18 *haben.* 1403 Juni 18 Hemsbach.

> *P aus Karlsr. G.L.A. Pfälz. Kop.-B. nr. 139 pag. 162-164 cop. chart. coaev., mit der Überschrift* Als min herre der kuning und der bischof von Meintze uberkomen sint zuschen der stad und pfaffheid zû Franckfûrd.
>
> *W coll. Würzb. Kr.A. Mainz-Aschaff. Ingross.-B. 14 fol. 21ᵃ cop. chart. coaev., mit der Überschrift* Conposicio facta inter dominum Maguntinum et clerum Franckinfurdensem ex una et cives Franckinfurdenses ex alia parte.
>
> *F coll. Frankfurt St.A. Kop.-B. über Varia 1328-1403 fol. 67 nr. 89 cop. ch. coaev.*
>
> *Gedruckt Lersner Franckf. Chr. 2, 2 pag. 4 wol aus F. — Darnach erwähnt bei Kriegk Frankf. Bürgerzwiste 129 und Janssen R.K. 1, 738 nt.* *zu nr. 1166.*

Wir Johann von gots gnaden des heiligen stûls zû Mentze erzbischof des heiligen Romischen richs in Dûtschen landen erzkanzler bekennen und tûn kûnt offenbare mit diesem brief: das [*Eingang weiter wie in der königlichen Beurkundung der Vereinbarung vom gleichen Datum nr. 371, nur ist a) statt* zuschen dem erwirdigen — kurfursten *gesetzt* zwuschen uns, b) *statt* unsern lieben getruwen *gesetzt* den, c) *hinzugefügt* scheffen *nach* burgermeistern, d) *nach* rate *ausgelassen* unser und.]

[*Art. 1 wie art. 1 in der genannten Urkunde; nur ist a) statt* zuschen uns beiden — von Mentze obgenant *gesetzt* zwüschen dem allerdurchluchtigisten fursten und herren hern Ruprechte Romischem kunige unserm lieben gnedigen herren und uns und auch uns, b) *nach* zuspruche *statt* als unser oheim von Mentze obgenant *gesetzt* als wir, c) *an* uns *statt* an in, d) *an* den egenanten unsern gnedigen herren kunig Ruprecht *statt* an uns kunig Ruprecht.]

[*Art. 2 wie art. 2 ebendort; nur a) statt* ander — unsers oheims von Mentze geistlichen *ist gesetzt* andern unsern undertanen und unsern geistlichen, b) *statt* sullent unser — lebtage *heißt es* sollent des egenanten unsers herren kunig Ruprechts und unser erzbischofs Johanns lebetage, c) *nach* Gerlachs *ist hinzugefügt* unsers vettern, d) *nach* Adolphs *hinzugefügt* unsers brûder.]

[*Art. 3 wie art. 3 ebendort; nur ist nach* die von Franckfurd *hinzugefügt* unserm vorfarn.]

[*Art. 4 wie art. 4 ebendort; nur ist statt* es sal auch — erzbischof Johann *gesetzt* auch sollen wir.]

Bi dieser beredunge und tedinge sin gewesen die hochgebornen fursten herr Ludewig pfalzgrave bi Rine und herzog in Beyern unser lieber besunder frund, und her Friderich burgrave zu Nurenberg unser lieber oheim, die edeln Philips grave zû Nassauw und zû Sarbrucke unser lieber vetter, Philips von Falkenstein herre zû Mintzenberg ᵃ unser lieber swager, der ersame Johann von Schonnburg schulmeister des dûms zû Mentze unser lieber andechtiger, der edel Conrad herre zû Bickenbach unser lieber getruwer, und Rudolff von Zeißenkein ᵇ ritter, und viel ander des egenanten unsers herren des kunigs und unser rete, und der stete Mentze Wurmße Spire und Franckfûrt frunde unsere lieben getruwen und besundern. des zû orkunde haben wir unser ingesigel an diesen brief dûn henken, der geben ist zû Hemspach uf den mantag nach unsers herren lichams tag in dem jare als man zalte nach Cristi geburte vierzehenhundert und drû jare.

₁₄₀₃
Juni 18

1403 **371.** *K. Ruprecht beurkundet die Vereinbarung vom gleichen Tage, welche Erzbischof*
Juni 18   *Johann II von Mainz und die Frankfurter Geistlichkeit mit der Stadt Frankfurt*
      getroffen haben. 1403 Juni 18 Hemsbach.

     K aus Karlsr. G.L.A. Pfälz. Kop.-B. nr. 8½ fol. 65ª·ᵇ cop. chart. coaev.; Überschrift
     Beredünge zuschen mim herren von Mentze der pfaffheid zu Franckfurd und der stat   5
     zu Franckfurd.
     PWF coll. die Urkunde Erzbischof Johanns II von Mainz über dieselbe Vereinbarung
     nr. 370 vom gleichen Tage (mit Ausnahme der Anwesendenliste), vgl. dort die Quellen-
     Angaben.
     Gedruckt Janssen Frankf. R.K. 1, 737f. nr. 1166 aus K.   10

Wir Ruprecht etc. bekennen und tun kunt offenbar mit diesem briefe: das
zuschen dem erwirdigen Johann erzbischof zu Mentze unserm lieben oheim und kurfursten und unsern lieben andechtigen der pfaffheit zu Franckfurd of ein site und unsern lieben getruwen burgermeistern und rate unser und des heiligen richs stat Franckfurd of die ander site geretd und getedingt ist als hernach geschriben stet: [1] zum   15
ersten umbe des willen daz ez deste luterer und clerer zuschen uns beiden und auch
unserm oheim und kurfursten erzbischof Johann von Mentze obgenant und den von
Franckfürd verliben moge: daz soliche zusprüche, als unser oheim von Mentze obgenant
und die pfaffheid zu Franckfurd an die von Franckfurd und die von Franckfurd
wieder an in und die pfaffheid meinen zu haben, die da vergangen und verlaufen   20
sachen antreffen, das die an uns kunig Ruprecht gestalt und hingelacht sin.   [2] aber
die zusprüche, die von solichen sachen sint die sich tegelich furbaz verhandeln mogent,
und von zukunftigen dingen von der pfaffheid wegen zu Franckfurd und den von
Franckfurd gegen einander, und irer guter wegen, und auch von des richs gerichte
wegen zu Franckfurd gein der pfaffheid und ander unsers oheims von Mentze under-   25
tanen, und des obgenanten unsers oheims von Mentze geistlichen und werntlichen gerichte wegen wo die sint gen den von Franckfurd, die sullent unser kunig Ruprechts
und des obgenanten unsers oheims erzbischof Johanns lebtage (also, wann unser einer
abeget, da gotde lange fursi, daz das dann absi) gehalten werden, als sie gehalten und
gehandelt worden sint bi bischoffe Gerlachs [1] und Adolphsª·[2] seligen etwann erzbischofe   30
zu Mentze geziten, ane geverde, unverlustig darnach iedermann an sinen rechten.
[3] doch ob sich die von Franckfurd bischof Conrad [3] seligen von Mentze etwaz verschriben haben ein zit, daz sal auch die zit also uß gehalten werden und nach der
zit furbaß als fur geschriben stet.   [4] es sal auch der obgenant unser oheim und
kurfurste erzbischof Johann schaffen und bestellen, daz der von Franckfurd schriber   35
mit namen Heinricus, der zu Hoffheim gefangen ist [4], und Petrus, den Herman Schelriß
gefangen hat [5], of eine alte urfehde unverzogenlich und ungeschetzt irs gefengniße, und
sie und ire burgen irer verbuntniße und glubde von der gefengniße wegen, genzlichen
ledig gesaget, und der brief, den der obgenant Peter schriber Herman Schelriß fur
vierhundert gulden von der gefengniße wegen geben hat, wiedergeben werden, ane   40
geverde.   bi dieser beredunge und tedinge sint gewesen die hochgepornen Ludewig

    a) *K* Adolps.

---

[1] *Erzb. Gerlach von Mainz 1346-1371.*
[2] *Erzb. Adolf I von Mainz 1373 (1381) - 1390.*
[3] *Erzb. Konrad II von Mainz 1390-1396.*
[4] *Vgl. Kriegk [Frankf. Bürgerzwiste 127 und*
500 *nt. 80.*

[5] *In dieser Angelegenheit hatte K. Ruprecht am*
25 Jan. 1403 an den Erzbischof geschrieben, s.
Janssen R.K. 1, 111 nr. 264. Eine umfangreiche   45
Korrespondenz über die Angelegenheit s. Frankf.
St.A. Reichssachen Acten XIII nr. 736, 1-60.

pfalzgrave bi Rin und herzog in Beyern, Friederich burggrave zu Nuremberg unser
lieber vetter swager und fursten, die edeln unser lieben neven und getruwen Philips
grave zu Nassauwe und zu Sarbrucken, Philips von Falkenstein herre zu Mintzenberg,
der ersame Johann von Schonenburg schulmeister des domes zu Mentze, der edel
5 Conrad herre zu Bickenpach, und Rudolff von Zeißikeim ritter, und vil ander unser
und des obgenanten unsers oheims von Mentze rete, der stetde Mentze Wormiße
Spire und Franckfurd frunde unser lieben getruwen.   dez zu urkunde haben wir
unser kuniglich ingesiegel an diesen brief tûn henken, der geben ist zu Hemspach of
den mandag nach unsers herren lichams tag in dem jare alz man zalte nach Cristi
10 gepurte viersehenhundert und drû jare, unsers richs in dem dritten jare.

1403
Juni 18

Ad mandatum domini regis
Job Vener utriusque juris doctor.

372. *Erzbischof Johann von Mainz verabredet sich mit K. Ruprecht wegen verschiedener* 1403
zwischen ihnen obschwebender Streitpunkte. 1403 *Juni 19 Weinheim.* Juni 19

15   *Aus Münch. Staatsarchiv Urkk. betr. die äußern Verhh. von Churpfalz* $\frac{191}{11}$ *or. mb. c. sig.*
pend.; auf Rückseite steht von gleichzeitiger Hand Als zuschen mynem herren kunig
Ruprecht und erczbischoff Johann zu Mencze beteidingt ist. Es heißt immer obgen
und vurgen mit dem Abkürzungszeichen, was im Druck einfach aufgelöst ist ohne
besondere Auszeichnung.
20   *Auch befindet sich Abschrift im Würsb. Kreis-A. Mainz-Aschaffenb. Ingross.-B. 14 fol.*
21 und im Karlsr. G.L.A. Pfälz. Kop.-B. 189 pag. 161-162; in letzterer Abschrift
fehlt art. 5, wol nur aus Nachlässigkeit des Schreibers.
Der Gegenbrief K. Ruprechts vom gleichen Tag und Ort ist nicht mehr im Original vor-
handen, lautet aber mut. mut. wie die Urkunde Johanns die wir aus dem Original
25   *entnehmen konnten. Eine Abschrift desselben befindet sich im Karlsr. G.L.A. Pfälz.*
Kop.-B. nr. 8¼ fol. 65ᵇ-66ª und hat die Überschrift Etliche artickele zuschen mim
herren deme kunige und dem bischofe von Mencze. Nach dieser Abschrift hat ihn
Janssen Frankf. Reichskorresp. 1, 738-740 nr. 1167 abgedruckt; erwähnt ist er Joannis
rer. Mog. 1, 718 nt. 18. Die Verpflichtungen des Königs sind in beiden Urkunden
30   *dieselben; und ebenso die des Erzbischofs; es genügt also am Abdruck der Urkunde*
des Einen der beiden.

Wir Johann von gots gnaden des heilgen stuls zu Mencze erczbischoff des heilgen
Romschen riechs in Dutschen landen erczcanczeler bekennen und thun kunt offenbare
mit dießem brieve: daz zuschen deme allerdurchluchtigsten hochgebornen fursten
35 und herren hern Ruprechteª Romschem konnige zu allen zijten merer des riechs unserme lieben gnedigen herren und uns beredt und getedinget ist von dießer hienach-
geschrieben artikel wegen in aller der maßen als hernach geschrieben stet.   [1] zum
ersten als der obgenant unser gnediger herre konnig Ruprecht Jacobo[1] syme schriebere
sine primarias precas und erste bedte uff den dechend und capittel des stifftes zu sante
40 Bartholomeo zu Frankenfurd geben hait[2], darumbe auch derselbe Jacobus eine prunde,
die uff dem vurgenanten stiffte ledig wart, acceptiret und anfiele, darane dechen und
capittel desselben stifftes und sine widdersachen in bißher gehindert haben und ime die
nit laßen folgen: des sollen wir erczbischoff Johann obgenant bestellen, daz die vur-

a) *wol kein Vokalzeichen über u.*

45   [1] *Jacobus Heymersheim von Alzey, s. Chmel nr.*   [2] *1401 Jan. 8 Chmel nr. 92.*
92. — Vgl. zu art. 1-3 die Darstellung bei Kriegk
Frankf. Bürgerzwiste 128; außerdem auch Janssen
R.K. 1, 133 nr. 309.

65 *

genanten dechen und capittel ime dieselbe oder eine ander pfrunde daselbs zu sante
Bartholomeo únverczogelichen ingeben und in darin seczen ane widderstandt und hinderniße, ane geverde.   [2] und als unser geistliche riechtere von unsern wegen Hermann
von Rodenstein ritter landtvoget in der Wederauwe und burgermeistere und rait der
stad zu Frankenfurd und etliche andere, die dem obgenanten Jacobo zu sime rechten   5
beholffen gewest sin, von derselben sachen wegen in den banne getan haben: des sollen
wir dieselben alle und darczu alle die, die von der sachen wegen in den banne getan
wurden oder verfallen sin, zu stund und unverczogelichen uß dem banne dûn und verkunden laßen ane geverde, und sollen auch bestellen, daz alle processe und pene, die
daruff gemacht und ußgeben wurden sin, unverczogelichen und genczlichen abegetan   10
werden und verlieben, und sal auch ein verrichte sache darumbe sin, ane alle geverde.
[3] auch sal der obgenant unser gnediger herre der Romsche konnig Ruprecht soliche
processe, die er uber die paffeit zu Frankenfurd ußgeben [1] und darinne in ire zehenden gutere und fryheit die sie von dem rieche han widderruffen hait, abethun, und sie
bie denselben iren zehenden gutern und fryheiden die sie von dem rieche han verlieben   15
laßen, ungeverlichen.   [4] auch sollen wir den obgenanten unsern gnedigen herren
den Romschen konnig Ruprechte an sinen primariis precibus und erster bedte und auch
die, den er dieselben primarias [a] preces und erste bedte geben hait oder furbaß geben
wirdet, nit hindern noch irren in unserm bischtum ane geverde.   [5] auch sollen wir
unser amptlude oder die unsern uff der straßen zuschen Frankenfurd und Mencze fur-   20
baß nymanden dringen geleitgelt zu geben ane geverde.   [6] auch als ein igilich
Judde und Juddinne, die uber zwelff jare alt sin, dem obgenanten unserme gnedigen
herren dem Romschem konnige Ruprechte jerlichen schuldig sin einen gulden oppfer-
pfennig zu geben, und wir meynen daz das uns und unserme stiffte von dem rieche
verschrieben sij [2]: des sollen wir dieselben brieve iczund gein Frankenfurd vur den ob-   25
genanten unsern gnedigen herren konnig Ruprechte bringen. haben wir dann recht
darczu, so sal er uns dabie verlieben laßen; haben wir aber nit recht darczû, so sollen
wir in und die sinen denselben gulden pfennig von den obgenanten unsern Judden
laßen nemen und uffheben und darane nit hindern, ane geverde.   [7] auch, als von
der almende wegen bie dem fare zu Wormße, sollent des obgenanten unsers gnedigen   30
herren konnig Ruprechts und unser amptlude eins gemeinen obermannes uberkommen,
und igliche parthie sal zwene zu deme gemeinen obermanne seczen, die funffe zu den
wapen geboren sollent sin. und darczu sal auch igliche parthie zwenczig unverspro-
chener manne, den kuntlichen darumbe ist, fur die obgenanten funffe bringen. die
sollent ire kuntschaffte davon von beiden sijten verhoren. und so sie daz getan hant,   35
waz dann die funffe oder daz merer teil under in darumbe zum rechten erkennent und
ußsprechent, dabie sal es auch verlieben.   aller vurgeschrieben stucke puncte und
artikele zu orkunde und vestem gezugniße haben wir Johann erczbischoff zu Mencze
obgenant unser ingesigel an dießen brieff thun hencken, der geben ist zu Winheim uff
den dinstag nach unsers herren lichenams tag in dem jare als man zalte nach Cristi   40
geburtte vierczehenhundert und dru jare.

---

[1] *1402 Nov. 27 Chmel nr. 1359.*   [2] *Vgl. Klageartikel Erzb. Johanns [1406 Jan.
8 oder 9] Bd. 6 nr. 11 art. 3.*

373. *Einung zwischen K. Ruprecht und Erzbisch. Johann II von Mainz auf Lebens-* **1403**
zeit [1]*: sie sollen einander treu sein, bei Streitigkeiten zwischen beiden als Territorial-* **Juni 19**
herren soll ein bestimmtes Rechtsverfahren stattfinden, und Ruprecht darf mit Johann
nur dann von des Reichs wegen zu Feindschaft kommen wenn dieser andere Reichs-
5 *glieder verunrechten wollte. 1403 Juni 19 Weinheim.*

> *M aus Münch. kön. Staatsarchiv äußere Verhh. der Kurpfalz* $\frac{137}{k\,17}$ *or. mb. lit. pat. c. 2*
> *sig. pend., auf Rückseite von gleichzeitiger Hand* Eynunge *zuschen mynem herren*
> *kunig* Ruprecht *und* erczbischoff Johann *zu* Mencze *ir beider lebtage; mit kleinen*
> *Korrekturen von anderer Tinte, aber wol ganz oder ziemlich gleichzeitig, von uns im*
> 10 *Druck acceptiert, unwesentlich.*
> *W coll. Wirzburg Kr.A. G 11 or. mb. lit. pat. c. 2 sig. pend., auch Unterschrift und*
> *Registraturvermerk wie in M; in verso von gleichzeitiger Hand* Unio inter regem
> Rupertum et dominum Johannem de Nassauw archiepiscopum Maguntinum *datum* [a]
> Winheim feria tercia post corporis Christi anno 1403, *und ebenfalls von gleichzeitiger*
> 15 *Hand* Ad ladulam P in Hoest.
> *A coll. Würzb. Kr.A. Mainz-Aschaff. Ingross.-B. 14 fol. 22* [a]*-23* [a]*, mit der Überschrift* Unio
> inter dominum regem Romanum et dominum archiepiscopum Maguntinum, *ohne Unter-*
> *schrift und Registrata.*
> *B coll. Karlsr. G.L.A. Pfälz. Kop.-B. 139 pag. 164-167, mit der Überschrift* Einunge
> 20 *zuschen* mime herren *dem* kunge als von siner Pfalcz wegen *und* dem bischof von
> Mencze, *ohne Registrata.*
> *C coll. ib. Pfälz. Kop.-B. 8¼ fol. 66* [b]*-67* [b]*, ohne Registrata.*
> *Gedruckt Würdtwein nova subs. dipl. 4, 264-269 nr. 84. — Daraus Regest Chmel nr*
> *1505 und Scriba 3 nr. 3592.*

25   Wir Ruprecht von gots gnaden Romischer konig zu allen zijten merer des richs
und wir Johann von denselben gnaden des stuls zu Mencze erczbischoff des heiligen
Romischen richs in Dutschen landen erczcanceler bekennen und thun kunt offinbar mit
diesem brieve: als wir vor zijten uns mit eyne verbrieffet han [2] eyne fruntliche

a) *sic.*

---

30   [1] *Es folgte dann 1403 Dec. 20 noch eine Ur-*
kunde Johanns von Mainz: da Ruprecht *der*
ältere [II] und Ruprecht *der jüngste [Pipan] ge-*
storben sind, so geloben wir bei unseren fürstlichen
Treuen und Ehren in Kraft dieses Briefs, daß
35 *wir dem K.* Ruprecht *[Pfalzgraf Ruprecht III]*
und seinen Söhnen Ludwig *und* Hannsen *und*
allen ihren Erben den ersten Brief (der hier in-
seriert ist) auf unsere Lebenszeit halten; auf seine
Bitte Mitsigler Johann von Schonemberg *erwählter*
40 *Dompropst und Schencke* Conrad von Erpach *und*
Johann Hoffart *Domherren des Mainzer Stifts;*
dat. Heidelberg Thom. 1403; aus Münch. St.A.
äußere Verhältnisse der Kurpfalz 137/k 18 or. mb.
c. 4 sig. pend. (1 deperd.). — Der hier inserierte
45 *„ erste Brief" ist gedruckt in RTA. 2 nr. 248 dat.*
1396 Okt. 24 (RTA. l. c. falsch Okt. 23 angegeben)
aus Gudenus cod. dipl. 3, 615-617 nr. 389; ein
Original findet sich im Münch. St.A. äußere Verhh.
der Kurpfalz 137/k 16 or. mb., und wird in den
50 *ersten Nachträgen zu den RTA. aus diesem Or.*
erscheinen. — In einem hier nicht inserierten

zweiten Brief vom 24 Okt. 1396 sagt Graf Johann
von Nassau Grafen Adolfs *seligen Sohn und Dom-*
herr zu Mains: wenn ich von Gnaden unseres
Herrgotts Bischof zu Mains werde und den Stift
innegewinne, so soll ich dann zu stunt den 3 Ru-
prechten und ihren Erben von Bibelnheim und
Dramersheim wegen vollziehen und enden wie wei-
land Bischof Conrad *dem* Ruprecht *dem ältern*
verschrieben und versiegelt hat; dazu weitere Zu-
geständnisse betr. die Eigenleute in den Ämtern
Lyndenfels *und* Starckenberg, Rockenhusen *die*
Stadt, Beheimschford *das hus; auf seine Bitte*
Mitsigler sein lieber Vetter Philipp Graf zu Nas-
sau und zu Sarbrücken; dat. Oppenheim Di. vor
Sim. u. Jud. 1396; aus Münch. St.A. äußere Ver-
hältnisse der Kurpfalz 137/k 15 or. mb. lit. pat.
c. 2 sig. pend. (deperd. sigillum Johannis).

   [2] *Am 20 August 1400 und dann abermals am*
14 Dec. 1400, s. RTA. 3 nr. 201 art. 6 und RTA.
4 nr. 208 art. 6. Daraus sind die Worte daz —
siczen hier citiert.

eynunge mit eynander zu begrieffen und zu machen, daz wir ane krige mogen bliben
siczen, des sin wir umbe unsern und [a] unser beider lande und lute frûmen eren nûcze
und besten willen derselben fruntlichen eynunge uberkommen, die wir auch beidersijt
unser lebtage mit eyne getruwelichen halten sollen und wollen ane alle geverde, in der
maße als hernach geschriben stet.   [1] zum ersten sal unser iglicher den andern in   5
gutten ganczen truwen allezijt meynen und yme auch getruwelichen thun an alle argelist
und geverde.   und wer' ez sache daz furbaß nach datum dieß brieves dheinerley
zweyunge stoße und broche zuschen uns offerstunden von unser konig Ruprechts erbe-
herschafft der Palcz bij dem Ryne wegen und unser Johanns erczbischoff stiffts zu
Mencze wegen oder derselben unser Palcze und stiffts zû Mencze mannen burgmannen   10
und dienern geyn eynander, dieselben broche zweyunge und stoße sal man entscheiden
und uzrichten als hernach geschriben stet.   [1ᵃ] mit namen: were die clage und ansproche von uns konig Ruprecht ader den unsern als vor geschriben stet off dieß sijte
Rynes als Wynnheim und Heppenheim gelegen sin, so sollen wir konig Ruprecht, oder
die unsern als vor geschriben stet die daz anget, eynen obemann nemen uz des ob-   15
genanten unsers oheimen und kurfursten erczbischoff Johanns rade, mit namen unsern
lieben getruwen Gotzen von Aschûsen [b] amptman zu Balnbûrg und Crûtheim, und den
sal er in den nehesten vierzehen tagen darnach so er des ermanet wirdet off eynen benanten tag schicken geyn Wynheim, und sollen wir, ader die unsern als vor geschriben
stet die daz angeet, zwene ratmanne darzu schicken, und unser oheim und korfûrste   20
egenanter [c], oder die sinen als vor geschriben stet die daz andriffet, auch zwene ratmanne darzu schicken.   die funffe sollen beider parthien ansprache und antworte verhoren und die sache gutlichen verrichten mit beider parthien wißen und willen abe sie
mogen ader mit deme rechten off ir eyde die sie irme herren [d] getan hant als sich daz
heischet in deme nehesten mande als sie dann geyn Wynheim kommen weren, und   25
sollen auch nit von dannen kommen sie haben dann daz recht gesprochen und versigelt
geben off ir eyde abe sie ez nicht gutlichen gerichten mochten als vor geschriben stet.
welicher ratmann auch in den sachen daz recht uzsprichet verschriben und versigelt
gibet deme obmanne anegeverlichen, der mag von dannen rijden wann er wiel.   [1ᵇ] were
aber die clage und ansproche von uns erczbischoff Johann vorgenantem ader den unsern   30
als vor geschriben stet off diese sijt Rynes als Heppinheim und Winheim gelegen sint,
so sollen wir erczbischoff Johann, ader die unsern als vor geschriben stet die daz
angeet, eynen obemann nemen uz des obgenanten unsers gnedigen herren konig Ruprechts rade, mit namen unsern lieben getruwen Johann vom Herczhorn [e] ritter, und
den sal er in den nehesten vierzehen tagen darnach so er des ermanet wirdet off eynen   35
benanten tag schicken geyn Heppinheim, und sollen wir, ader die unsern als vor geschriben stet die daz angeet, zwene ratmanne darzû schicken, und unser herre konig
Ruprecht obgenanter, ader die sinen als vor geschriben stet die daz andriffet, auch
zwene ratmanne darzu schicken.   die funffe sollen beider parthie ansproche und ant-
wortte verhoren und die sache gutlichen richten mit beider parthien wißen und willen   40
abe sie mogen oder mit deme rechten off ire eyde die sie iren herren getan hant als
sich daz heischet in deme nehesten mande als sie dann geyn Heppinheim kommen
weren, und sollen auch nit von dannen kommen sie haben dann daz recht gesprochen
und versigelt geben off ire eyde abe sie ez nicht gutlichen gerichten mochten als vor
geschriben stet.   welicher ratmann auch daz recht in den sachen uzsprichet verschriben   45
und versigelt gibet deme obmann [f] anegeverliche, der mag von danne rijden wann er
wil.   [1ᶜ] were aber die clage von uns konig Ruprecht ader den unsern als vor ge-

a) *W add. umb.*   b) *W Aschehusen, A Aschehuse, B Aschhusen, C Aschusen.*   c) *W obgenanter.*   d) *A iren*
herren.   e) *W Hirßhorn, A Hirsshorn.*   f) *M noch mit Überstrich von anderer Tinte.*

schriben stet off yne[a] sijte Rynes als Wormaße gelegen ist, so sollen wir, ader die ¹⁴⁰⁸ unsern als vor geschriben stet die daz angeet, aber eynen obemann nemen uz unsers ^{Juni 19} vorgenanten oheims und kurfursten erczbischoffs Johanns rad, mit namen den edeln unsern lieben getruwen Schencke Conrad herren zu Erppach burggraven zu Starcken-
5 berg, und den sal er in den nehesten vierzehen tagen darnach so er des ermanet wirdet off eynen benanten dag schicken geyn Alczey in unser stad, und sollent wir, ader die unsern als vor geschriben stet die daz angeet, zwene ratmanne darzu schicken, und unser oheim von Mencze, ader die sinen als vor geschriben stet die daz andriffet, auch zwene ratmanne darzu schicken. und sollent da obemann und ratlude uns, ader
10 die unsern als vor geschriben stet die daz angeet, mit eyne entscheiden und ent-richten[b] in aller maße als hie vor von Winheim geschriben stet. [*1ª*] were aber die clage von uns erczbischoff Johann ader den unsern als vor geschriben stet auch off yene sijt Rynes als Wormeße gelegen ist, so sollen wir, ader die unsern die daz angeet, eynen obemann nemen uz unsers herren konig Ruprechts rade, mit namen Syfrid vom
15 Steyne ritter amptmann zu Odernheim, und den sal er in den nehesten vierzehen tagen darnach so er des ermanet wirdet off eynen benanten tag schicken geyn Bingen, und sollen wir, oder die unsern als vor geschriben stet die daz angeet, zwene ratmanne darzu schicken, und unser herre konig Ruprecht obgenanter, oder die sinen als vor geschriben stet die daz andriffet, auch zwene ratmanne darzu schicken. und sollent da
20 abemanne[c] und ratlude uns, oder die unsern als vor geschriben stet die daz andriffet, mit eyne entscheiden und verrichten in aller der maße als hier vor von Heppinheim geschriben stet. [*2*] ez sal auch der herre unser under uns, der den obemann also geben sal, denselben obemann, der darzu gekorn wirdet, darzu halten daz recht zu sprechen als vor geschriben stet. ez were dann daz er verredet hatte recht zu sprechen ader
25 abelibig ader uzlendig wurde ane geverde, so sal und mag man eynen andern kysen und geben an desselben stad als vor geschriben stet ane geverde. [*3*] ez mag sich auch der obemann, der also von uns herren obgenanten oder den unsern als vor ge-schriben stet zu eyner iglicher zijt genant und gnomen wirdet, des rechten erfaren in den nehesten vierzehen tagen noch deme obgenanten mande. [*4*] und waz dann die
30 obgenanten ratlude und obemann ader daz merer teyl under yn zum rechten wysent verschriben und versigelt gebent, daz sal von beiden sijten gehalten und follenzogen werden ane alle geverde. [*5*] und welichs herren von uns manne burgmanne und dienere als vor geschriben stet die daz andriffe[d] daz nit halten und follenzihen wolten, deme oder den sal derselbe herre, dez mann burgmann oder diener als vor geschriben
35 stet der ader die weren, von der sache wegen nit zulegen noch beholffen sin ane alle geverde. [*6*] auch sollen wir konig Ruprecht obgenanter mit deme vorgenanten un-serm oheim und kurfursten erczbischoff Johann von des richs wegen nit zu fintschafft kommen; ez were dann daz er fursten[e] graven herren ritter knechte stete ader andere die zu deme richs gehoren verunrechten wolte, deme[f] mogen wir zu deme[g] rechten
40 beholffen sin. [*7*] auch sal diese[h] eynunge nit krengken soliche brieff die unser iglicher deme andern vor datum dieß brieves versigelt geben hat, sunder dieselben brieve alle sollent in ganczer macht und crafft[i] bliben, und sal unser iglicher deme andern die in allen iren puncten und artickelen sementlichen und besunder getruwe-lichen veste und stede halden und nummer uberfaren noch darwidder sin ader getůn
45 nach schaffen getan werden in dheinerley wyse uzgescheiden allerley argelist und ge-verde. [*8*] alle und iglige vorgeschriben stucke puncte und artickele sementlichen und besundern reden und versprechen wir konig Ruprecht obgenanter in gutten truwen

---

a) W yen. b) W verrichten. c) W obman, A oberman. d) M *sic*; A antreffe. e) or. frusten. g) M hat zu deme *zweimal*. h) M diesere *durch Abkürzungshaken*, A diese. i) W crafft und machte *statt* m. u. c.

*1402
Juni 19* und rechter warhaid und wir Johann erczbischoff zu Mencze versprechen und globen bij unsern furstlichen truwen und eren die in aller maße als vor geschriben stet war veste und[a] stede und unverbrochlichen zu halten zu thune und zu follenfuren und nummer dawidder zu thun nach schaffen getan werden heymelichen oder offinlichen in dheinerhande wyse sunder alle argelist widderrede hindernisse und geverde.   und des [5] zu urkunde und ganczer stedekeid han wir konig Ruprecht unser koniglich und wir erczbischoff Johann unser eygen ingesigel an diesen brieff tûn hencken, der geben ist zu Winheim off den dinstag nach unsers herren lichams tage in deme jare als man zalte nach Cristus geborte vierzehenhundert und drû jare unser konig Ruprechts richs *1403 Juni 19* in deme dritten jare. [10]

[in verso] R. Bertholdus Dûrlach.

Ad mandatum domini regis
Johannes Winheim.

[vor 1404 Dec. 4] **374. Aufzeichnung der Bedingungen K. Ruprechts für eine von Graf Eberhard von Wirtemberg zu vermittelnde Sühne mit Bischof Friderich IV von Eichstädt [1] und dessen zwei Brüdern Ludwig und Friderich Grafen von Öttingen [2]. [vor 1404 [15] Dec. 4 [3].]**

Aus Karlsr. G.L.A. Pfälz. Kop.-Buch 8¼ fol. 155ª cop. ch. coaev.

Item als unser herre der kunig meint, daz der bischof von Eisteten und sin brudere die zwene von Otingen großlich wieder in und daz riche getan haben etc. [4], des ist unsers herren dez kunigs meinunge, daz er unserm herren von Wirthenberg zu [20] liebe, diewile er darunder meine zu tedingen, die von Otingen daz gegen im wolle laßen abtragen in der maße als hernach geschriben stet: also daz der bischof von Eisteten unserm herren dem kunige fur die sache hinderniße und schaden etc. geben solle 6000 gulden und im darzu 6000 gulden libe of gute sicherheid zu genanten zielen wiederzugeben, und daz die zwene graven von Otingen sine brudere nummer wieder [25] unsern herren den kunig und daz riche getun sollen, und daz sie unserm herren dem kunige alle ire sloße sin lebtagen offen sollen wieder allermenglich und einen iglichen. und wann unser herre der kunig oder siner sone einer von sinen wegen gein Lamparthen ziehen wurde, daz sie imme dann beide oder ir einer mitvolgen und dienen mit 24 mit gleven of iren kosten dri maned.   und wer' ez daz unser herre der kunig [30]

a) om. W.

[1] *K. Ruprecht weist seine Amtleute in Baiern an, zu verhindern, daß Bisch. Friderich von Eichstädt von irgend Jemandem geschädigt werde, da derselbe sich bereit erklärt habe alle seine Streitigkeiten vor dem König austragen zu lassen; dat. Amberg Fr. n. Pfingsten [Mai 19] 1402 r. 2; Karlsr. G.L.A. Pfälz. Kop.-B. 8¼ fol. 20ᵇ cop. ch. coaev., ibid. Pfälz. Kop.-B. 8¼ fol. 20ᵇ cop. ch. coaev.*

[2] *K. Ruprecht bestimmt daß zur Schlichtung der Streitigkeiten zwischen den Grafen Friderich und Ludwig von Öttingen und Dinkelsbühl zwei seiner Räthe mit je zweien von der beiden Parteien zusammentreten sollen, deren Entscheidung sich beide Parteien zu fügen haben, und ernennt hierzu seinerseits den Burggrafen Fride-*

rich von Nürnberg und Conrad Egloffsteiner Meister Deutschen Ordens; dat. Nuremberg fer. 3 post Agnetis [Jan. 23] 1403 r. 3; Karlsr. G.L.A. Pfälz. Kop.-B. 8¼ fol. 59ª cop. ch. coaev., Regest [35] Mon. Zoll. 6, 170 nr. 186 nach Or. in Nürnberg.

[3] *Die Aufzeichnung ist wol jedenfalls vor dem 4 Dec. 1404 anzusetzen, s. nr. 375, und wahrscheinlich nicht vor 1402 Mai 19, vgl. erste Anm., und wol auch nicht vor Frühjahr 1403, s. nächste [40] Anm.; näheres läßt sich kaum mit einiger Sicherheit bestimmen.*

[4] *Es sind hier doch wol die Ruprecht feindseligen Bestrebungen gemeint von denen Ulman Stromer berichtet, s. unsere Einleit. p. 371, 27 ff. [45] Dann ist obige Aufzeichnung kaum vor dem Kriege gegen den Markgrafen von Baden entstanden.*

oder sin son einer ir uber die dri mande lenger bedorfte, so sollen sie in solt geben [vor 1404 Dec. 4]
nach margzal als andern iren dienern ane geverde.

375. *Bischof Friderich IV von Eichstädt verspricht dem K. Ruprecht wie der Markgr.* 1404 Dec. 4
Bernhard von Baden am 5 Mai 1403 gethan [1]. *1404 Dec. 4 Heidelberg.*

> *Aus Münch. Staatsarchiv Urkk. betr. die äußern Verhh. der Kurpfalz $\frac{120}{b\,44}$ or. mb. lit.*
> *pat. c. 3 sig. pend.; auf Rückseite, vielleicht noch gleichzeitig, verbuntniss richs.*
> *Steht als Regest auch Karlsr. G.L.A. Pfälz. Kop.-B. 44 fol. 191ᵃ ch. saec. 15 med.-ex.*
> *Regest Janssen Frankf. R.K. 1, 754 nr. 1209 aus Karlsr. l. c.*

Wir Friederich von gots gnaden bischoff zu Eysteten dun kunt [*weiter wie in*
10 *der Urkunde des Markgr. Bernhard von Baden von 1403 Mai 5 nr. 367, doch*
nach verliben als andere des richs *steht* geistliche fursten, *und nach* han wir *heißt es*
Friederich bischoff zu Eysteten; *nach* dun hencken *schließt das Stück folgendermaßen*]
und darczû zû merer sicherheide gebeten die edeln Ludwig und Friederichen gravent
zû Othingen unsere lieben brûdere das yre iglicher sin ingesiegel bij daz unser zû
15 gezûgnisse und uns zû besagen aller vorgeschriebenn dinge auch an diesen brieff han.
gehangen, des wir Ludwig und Friederich graven zû Othingen vorgenant uns erkennen
geben zû Heydelberg uff sant Barbaren tag der heiligen jungfraûwen in dem jare nach 1404 Dec. 4
Cristi gebûrte vierczehenhundert und darnach in dem vierden jare.

376. *Die Grafen Ludwig und Friderich von Öttingen versprechen dem K. Ruprecht* 1404 Dec. 4
20 *wie der Markgr. Bernhard von Baden am 5 Mai 1403 gethan* [2]. *1404 Dec. 4*
Heidelberg.

> *Aus Münch. Staatsarchiv Urkk. betr. äußere Verhh. der Kurpfalz $\frac{120}{b\,45}$ or. mb. lit. pat.*
> *c. 3 sig. pend., auf Rückseite von Hand des 15 Jahrh. verbuntnis.*
> *Steht als Regest auch Karlsr. G.L.A. Pfälz. Kop.-B. 44 fol. 190ᵇ-191ᵃ ch. saec. 15*
25 *med.-ex.*
> *Regest Janssen Frankf. R.K. 1, 754 nr. 1208 aus Karlsr. l. c.*

Wir Ludwig und Friederich gebrudere graven zu Othingen dun kunt [*weiter wie*
in der Urkunde des Markgr. Bernhard von Baden von 1403 Mai 5 nr. 367, doch
nach verliben als andere des richs *steht* graven, *und nach* han wir *heißt es* Ludwig
30 und Friederich graven zû Othingen; *nach* dun hencken *schließt das Stück folgender-*
maßen] und darczû zû merer sicherheide gebeten den erwirdigen hern Friederich
byschoff zû Eysteten unsern lieben bruder das er sin ingesiegel bij die unsern zû
gezugnisse und uns zû besagen aller vorgeschriebenn dinge auch an diesen brieff hat
gehangen, des wir Friederich byschoff zû Eysteten vorgnant uns erkennen. [*Datum* 1404 Dec. 4
35 *wie in der Urkunde des Bischofs Friderich nr. 375.*]

---

[1] *Vgl. nr. 374 und Anmerkungen dort sowie*   [2] *Vgl. ibid.*
Einleitung zu dieser Litera.

N. Vierter Anhang: nachfolgendes Verhältnis K. Ruprechts zu den Schwäbischen Städten nr. 377-378.

1403
Mrz. 2

377. *K. Ruprecht an Stadt Konstanz und die mit ihr verbündeten Seestädte (bzw. Ulm und dessen Bundesstädte, s. Quellenangaben), verbietet die Annahme der Leute von Klöstern und geistlichen Personen zu Ausbürgern. 1403 Merz 2 Nürnberg.*　　5

A aus Karlsr. G.L.A. Pfälz. Kop.-Buch 8½ fol. 62ª *cop. ch. coaev., mit der Überschrift*
Daz die von Costentze und von Ulme, und die mit in in einunge sint, der closter lute
nit zu burgern enphahen etc. *Unter dem Text* Item in der forme ist der stat zu Ulme
und den andern stetten, die mit in in einunge sint, auch ein brief geschrieben de verbo
ad verbum etc.　　10

B coll. ib. Pfälz. Kop.-Buch 149 p. 52-53 *cop. ch. coaev., mit gleicher Über- und Nachschrift.*

Wir Ruprecht etc. enbieten den burgermeistern und reten unser und des heiligen
richs stad Costentze und den andern stetden am See, die mit in in einunge sint, unser
gnade und alles gûte. lieben getruwen. wir laßen uch wißen, das uns zu wißen
getann ist, wie das ir faste lotig, die unser und des heiligen richs clostern und geist-　　15
lichen luten zugehoren, zu burgern bi ûch in unsern und des heiligen richs stetden
enphahent und ofnement und die auch versprechent und verentwertend sie und daz ire
fur uwer burger, wiewol sie doch nit bi ûch wonende noch seßhaft sin, davon auch
dieselben closter vergenglich und die geistlichen lutde verderplich gemacht werden.
und herumbe so begern und gesinnen wir an uch alle und uwer igliche besunder mit　　20
ganzem ernste und wollen auch, das ir uch solicher ußburger, die ir also enphangen
und ingenommen hant, genzlich entslagent und urlaubent und der auch in solicher
maßen keinen furbaßer zû burger enphahent oder ofnement noch sie oder das ire versprechent oder verantwurtent, ez wer' dann daz sie stetiges bi ûch in unsern und des
heiligen richs stetden seßhaftig und wonende weren, sunderª unsern und des richs　　25
lantfaud in Swaben [1] der ietzunt ist oder in ziten wirdet die verentwurten und versprechen laßent, als dem das auch von unsern und des richs wegen zugehoret [2]. und
laßent uch daz also mit ernste enpholhen sin, ûch solicher ußburger, die nit bi uch
wonend noch seßhaft sint, in deheinerlei wise zu underwinden zu versprechen oder
zu verentwerten, das uns davon furbaßer keine clage furkommen dorfe, als wir uch　　30
des wol getruwen und als liebe uch unser hulde si und swere ungnade zu vermiden.
orkund diß briefs versiegelt mit unserm kuniglichem ufgetrucktem ingesiegel, datum

1403
Mrz. 2

Nuremberg ᵇ feria sexta ante dominicam invocavit anno domini millesimo quadringentesimo tercio regni vero nostri anno tercio.

　　　　　　　　　　　　　　　　　　　　　　　Ad mandatum domini regis　　35
　　　　　　　　　　　　　　　　　　　　　　　　Johannes Winheim.

a) *AB add.* dieselben.　b) *A* Nureinberg ?

---

[1] *K. Ruprecht setzt Gf. Hug von Werdemberg zum Landvogt in Schwaben ein; dat. Heidelberg Mi. n. assu. Marie [Aug. 16] 1402 r. 2; Wien H.H.St.A. Registraturb. C fol. 109ᵇ, Karlsr. G.L.A. Pfälz. Kop.-B. 4 fol. 127ᵇ-128ª, Regest Chmel nr. 1269 aus Wien l. c. — Am 30 Aug. 1402 bevollmächtigt er denselben, den Bodensee- und Allgäustädten die Reichslehen zu verleihen und Huldigung entgegenzunehmen, s. Chmel nr. 1287. Vgl. im vorliegenden Bande nr. 13.*

[2] *K. Ruprecht verbietet genannten Schwäbischen Klöstern sich in ihren Angelegenheiten und zu ihrem Schutze an andere Amtleute und Vögte als an den königlichen Landvogt in Schwaben zu wenden ohne seine ausdrückliche Erlaubnis; dat. Nuremberg Fr. vor invocavit [Merz 2] 1403 r. 3; Karlsr. G.L.A. Pfälz. Kop.-B. 8½ fol. 61ª·ᵇ cop. ch. coaev.*

378.—*Aufzeichnung über die Werbung K. Ruprechts an die Schwäbischen Bundesstädte,* [1403
*welche er auf einem Tage zu Eßlingen durch genannte Räthe hat vorbringen las-*Juni 18]
*sen, und über die von den Städten durch genannte Abgeordnete am 18 Juni 1403
in Heidelberg ertheilte Antwort.* [1403 Juni 18 Heidelberg [1].]

Aus Karlsr. G.L.A. Pfälz. Kop.-Buch 139 p. 184 cop. ch. coaev.
Gedruckt Janssen R.K. 1, 736-737 nr. 1165 ebendaher.

Als der stetde frunde zu Swaben geantwert hant.

Zu wißen: als mine herre der kunig die von Ulme und andere sin und des richs
stetde die in einunge mit in sint [2] verbotschafte hatte, ire rete of einen tag gein Ess-
10 lingen zů schicken [3], als sie auch ire rete of den tag dahin geschicket hatten, und
mins herren gnade sine rete mit namen den Schencken von Lympurg her Eberhard
von Nypperg und Cuncz Müniche bi in of dem tage hatte, die an der stetde rete von
mins herren dez kunigs geheiße brachten und forderten, imme quemen dicke manicherlei
bruche und geschefte von des richs wegen an, darzů er ire hůlfe und dinste furderlich
15 bedorfte; wolten sie dann allzit berad daruf nemen, der verzog were imme und dem
riche zu den sachen unbequemlich und schedelich. und darumbe begerte mins herren
gnade, daz sie imme zu verstende geben, ob in soliche brüche leufe und gescheftniße
von des richs wegen anquemen, daz er ir hulfe und dinste darzu bedorfte, wez er sich
dann darinne zů in versehen möchte, daz er sich darnach wissen mochte zu richten.
20 des gaben der obgenanten stetde rete of dem obgenanten tage mins herren dez kunigs
reten obgenant zu antwert, sie wolten das an ir stetde bringen und die solten mins
herren gnaden daruf ein antwert mit iren fründen laßen wißen. item also sint dise
nachgeschriben der stetde frunde mit namen Heinrich Peßler von Ulme, Wernher
Ungelter von Rütlingen, Hans Hug von Gemunde, und Hans Eyerer von Heilpronn
25 von der obgenanten stette wegen uf hute mandag nach corporis Christi anno domini   1403
Juni 18
1403 zu Heidelberg bi mim herren dem kunige gewest, und hant imme of die vorgenanten sachen selber geantwert: daz die stetde imme williclichen zu dinste und zu
hulfe kommen wollen, wann soliche geschefte in von des richs wegen ankommen [a] und
er ir darzu beger und dorf, als sie sinen kuniglichen gnaden daz auch billich tun
30 sollen und schuldig sin. item antwerten und sprachen sie auch von der obgenanten
stetde wegen: were ez daz min herre zu schaffen gewunne von raubs oder solicher
geschicht wegen, so wolten sie sinen gnaden in derselben maßen darzu zu dienen und
zu helfen auch willig und bereit sin. item damit boden sie auch: wann daz were das
mine herre der kunig ire hulfe und dinste also begert, daz er sie das dann etwaz
35 bevor wolte laßen wißen, daz sie soliche dinste und hulfe anlegen und bestellen möchten,
daz sinen gnaden und dem riche nutzlich und in erlich were, so wolten sie daz dann
also williclichen und zu dem besten důn.

---

a) cod. ankomme, Janssen ankommen.

---

[1] Die Aufzeichnung ist in der königlichen Kanz-
40 lei, und zwar gleich am 18 Juni wahrscheinlich
in Heidelberg entstanden, vgl. die Worte uf hude
mandag etc.

[2] Vgl. pag. 42 nt. 2.
[3] Zum 27 Mai, s. Einleitung zu dieser lit. N.

O. Fünfter Anhang: Vorbereitung eines zweiten Romzuges, Verhältnis zu Italien, 1403-1404, nr. 379-407.

1403
Aug. 19
379. K. *Ruprecht an Franz von Carrara*[1]: *derselbe soll in dem Krieg zwischen P. Bonifacius IX und Mailand sich auf Seite des ersteren schlagen.* 1403 Aug. 19 *Heidelberg.*

A aus Karlsr. G.L.A. Pfälz. Kop.-B. 5 fol. 76ᵃ cop. chart. coaev.
B coll. Wien H.H. St.A. Ruprechts Registr.-Buch A fol. 69ᵃ cop. ch. coaev.
C coll. Karlsr. G.L.A. Pfälz. Kop.-B. 143 pag. 200 f. cop. ch. coaev.
Regest Chmel pag. 89 nr. 1531 aus B, und Janssen Frankf. R.K. 1, 745 nr. 1174 aus C
(Datum falsch Aug. 21 statt 19).

Rupertus etc. magnifico et potenti Francisco de Carraria nostro et sacri imperii in Padua vicario generali et fideli dilecto graciam regiam et omne bonum. intellexit noviter cesarea nostra majestas, brigam et guerram inferri per sanctissimum dominum nostrum papam et ecclesiam Romanam contra Katherinam que se ducissam Mediolani ᵃ vocat et Johannem Mariam ejus filium ducem Mediolani se appellantem ac Philippum Mariam ejus filium se Papie comitem nuncupantem, causa reacquisicionis et recuperacionis civitatum et terrarum ecclesie sancte dei que per illos occupantur contra omne debitum juris atque justicie. et quoniam majestas nostra tenetur ex debito tutari atque defendere ecclesiam ipsam dei, manutenere illam, et juvare recuperare defendere et sustinere jura ejus que detinerentur et occuparentur per quemcumque principem dominum et comitem mundi, quia eciam dicta Katherina et ejus filii prenominati nostras et sacri imperii civitates et terras illicite et de facto detinent occupatas fueruntque et sunt sacro Romano rebelles imperio et nostre cesaree majestati: nos teste deo summe optaremus posse personaliter adesse contra dictos Katherinam Johannem Mariam et Philippum Mariam natos ejus ad juvandum recuperare et acquirere ecclesie id quod per illos de bonis et juribus ecclesie, et nobis ac sacro imperio id quod de bonis et juribus imperii detinetur et occupatur. sed cum ad presens majestas nostra ad hoc interesse non possit propter certas justas et racionabiles causas et occupaciones imperii, occasione ejus, in quo ecclesie dei tenemur et obligamur ut pretactum est, tibi, qui ab ipsa majestate nostra dependes ac es vicarius et membrum nostrum et sacri imperii nostri, stricte precipimus et mandamus, certissimos nos reddentes quod nostre serenitatis mandatis parebis uti teneris ᵇ et semper fecisti, quatenus, non obstantibus ulla pace vel pactis per te initis factis et firmatis cum ipsa Katherina et dictis filiis ejus Johanne Maria et Philippo Maria, tu eis et cuilibet eorum auctoritate cesarea nostro et sacri imperii nomine inimicari debeas, ac ipsis civitatibusque terris et subditis eorum ac successoribus suis et habentibus regimen aut gubernacionem ipsarum civitatum terrarum atque locorum brigam et guerram inferre, civitatesque terras et loca ad nos et sacrum imperium spectancia nostro et sacri imperii nomine in tuam gubernacionem et protectionem recipere et usque ad nostram revocacionem retinere, et insuper quod ecclesie sancte dei et gentibus suis prebere debeas quodcumque tibi possibile auxilium et favorem ac ipsis gentibus suis tuos passus aperire et victualia ministrare veluti serenitatis nostre gentibus faceres, cum ecclesie gentes nostras proprias reputemus contra sepedictos Katherinam Johannem Mariam et

a) A Mediolanam; BC Mediolani. b) BC tneris, A mit anderer Tinte aber gleichzeitig korrigiert in teneris.

[1] Anfang August hatte K. Ruprecht Briefe von Frankfurt vom 11 August 1403 Einleitung zu Franz von Carrara erhalten, s. sein Schreiben an diesem Tage lit. K pag. 368 lin. 34 ff.

Philippum Mariam, et ipsis aut alicui eorum vel gentibus suis non dare passus victualia *1403* *Aug. 19* auxilium aut favorem modo aliquo vel forma mundi sub pena gracie nostre, salvis in omnibus et singulis premissis et circa ea nostris et sacri imperii juribus illesis. ceterum quia pacta aliqua sacramentum penam obligacionem nec ullum alium contractum facere

5 potuisti neque potes, tu aut vicarius quispiam noster et sacri imperii, que et qui preterirent aut preterire possent majestatis nostre voluntatem, et, si qua fecisses, de jure essent invalida, exnunc te natosque tuos ex certa nostra sciencia et de nostre cesaree plenitudine potestatis ab ipsis pactis sacramento penis et obligacione qualibet, eciam que forent[a] solempni celebrata contractu, absolvimus et totaliter liberamus. harum sub nostre

10 regie majestatis sigilli appensione testimonio literarum.   datum Heydelberg die decima nona mensis augusti anno domini millesimo quadringentesimo tercio, regni vero nostri *1403* anno tercio[1].   *Aug. 19*

Ad mandatum domini regis
Job Vener utriusque juris doctor.

15 **380.** *K. Ruprecht bevollmächtigt den Deutschordensmeister Konrad von Eglofstein, mit* *1403* *den Reichsangehörigen in Italien zu verhandeln, Verträge zu schließen, Unter* *Spt. 29* *werfung und Treueide entgegenzunehmen, und verspricht, alles, was derselbe thut,* *ratifizieren zu wollen. 1403 Sept. 29 Alzey.*

> *A aus Karlsr. G.L.A. Pfälz. Kop.-B. 5 fol. 78[a b] cop. ch. coaev., ohne Überschrift.*
> 20   *C coll. Wien H.H. St.A. R.-Registr.-Buch A fol. 71[b] cop. ch. coaev., mit der gleich*
>   *zeitigen Überschrift Procuratorium Conradi de Eglofstein.*
>   *Steht auch Karlsruhe G.L.A. Pfälz. Kop.-B. 143 pag. 205-206 cop. ch. coaev.*
>   *Regest Chmel reg. Rup. nr. 1569 aus C, Janssen Frankf. R.K. 1, 745 nr. 1175 aus Karlsr.*
>   *Kop.-B. 143.*

25 Rupertus etc. notum facimus tenore presencium universis: quod nos, de probitate fidei constancia legalitate circumspectione ac rerum experiencia venerabilis Conradi de Egloffstein ordinis Theutonicorum beate Marie per Alamaniam et Italiam magistri consiliarii nostri fidelis et dilecti indubitatam fiduciam obtinentes, facimus constituimus et ordinamus omnibus modo via jure et forma, quibus efficacius possumus aut debemus,

30 per presentes, non per errorem aut inprovide sed ex certa nostra sciencia, specialiter et expresse nostrum verum et legitimum procuratorem factorem actorem negociorum gestorem et nuncium specialem dictum Conradum, presentem et onus hujusmodi sponte in se suscipientem, ad tractandum placitandum iniendum concordandum concludendum et consumandum vice et nomine nostris ac pro nobis cum omnibus et singulis dominis vicariis

35 communitatibus universitatibus nobilibus magnatibus proceribus officialibus rectoribus gubernatoribus prioribus ancianis et consulibus civitatum terrarum et castrorum ac villarum et vallium Italie, ad nos et sacrum Romanum imperium spectancium seu pertinen

---

a) *A* forent, *BC* foret.

---

[1] *Friedensschluß mit Pabst Bonifacius und*
40 *dessen Verbündeten zeigen Hzg. und Hzgin. von*
Mailand am 29 Aug. 1403 den Behörden Mai
lands an; Mailand Arch. municip. Registro delle
lettere ducali 1401-1403 fol. 138[b] und ib. Registro
1395-1409 fol. 124[b] cop. ch. coaev. — Am 13 Sept.
45 *theilen dieselben denselben Behörden mit, daß der*
Herr von Padua, der ihre Stadt Brescia einige

Zeit inne hatte, mit seinen Truppen heimlich von
dort entwichen ist und sich nach Deutschland zu
gewandt hat, worauf sie die Stadt eingenommen
haben; Mailand l. c. 140[b] und ib. Registro 1395-
1409 fol. 125[a] cop. ch. coaev., gedr. Osio docum.
diplom. 1, 380 nr. 253 ebendaher. Dazu vgl.
Odorici storie Bresciane 7, 253 ff.

1402
Spt. 29
cium, ipsorumque et ipsarum civibus inhabitatoribus seu incolis et personis privatis, viis et modis legitimis quibuscunque, per quas vel quos dicte persone communitates aut universitates vel alique aut aliqua earum ad nostram et sacri imperii obedienciam et subjectionem pervenient aut possint pervenire, et quecunque pacta convenciones et obligaciones quibuscunque eciam specialibus vocabulis nominentur circa hec nostro nomine   5
faciendum et promittendum, ab eisdem quoque personis comunitatibus seu universitatibus vel pro parte eorumdem et qualibet vel cujuslibet earum fidelitatis juramenta ac alias promissiones quascunque recipiendum nostro nomine et pro nobis, omniaque alia et singula faciendum gerendum procurandum et agendum, que in predictis et infrascriptis et circa ea et connexis seu dependentibus ab eisdem dicto nostro procuratori videbuntur 10
expedire, et que necessaria fuerint quomodolibet vel oportuna, eciam si talia forent que mandatum exigerent magis quantumcunque speciale et de quibus secundum leges plenam de verbo ad verbum in presenti procuratorio oporteret fieri mencionem; supplentes de plenitudine regie potestatis omnem defectum juris, si quis in premissis et infrascriptis vel eorum aliquo videretur admissus, ac legibus, quarum pretextu talis posset obstare 15
defectus, et que premissis seu alicui eorum viderentur quomodolibet obviare, quoad presens nostrum procuratorium ex certa nostra sciencia derogantes; ratum et gratum perpetuo habituri, quidquid per dictum nostrum procuratorem actum gestum seu factum fuerit in premissis et quolibet eorum.   harum sub nostre regie majestatis sigilli appensione testimonio literarum datum Altzey die penultima mensis septembris anno domini 20
1402
Spt. 29
millesimo quadringentesimo tercio regni vero nostri anno quarto.

Ad mandatum domini regis
Johannes Winheim.

1403
Nov. 22
381. *Beschluß des Raths zu Venedig: Antwort auf die Gesandtschaften K. Ruprechts und Herzog Friderichs von Österreich* [1] *betreffs gemeinsamen Romzuges.   1403 Nov. 22*   25
Venedig.

Aus Venedig St.A. Deliberazioni, secreta, senato 1, registro 1 fol. 115[b] *mb. coaer.; zu Anfang links am Rande 6 sapientes consilii.*

1403 inditione 12 die 22 novembris.

Capta.   [1] quod detur responsio isti ambasiatori serenissimi domini Ruperti 30
Romanorum regis ad ambasiatam nobis portatam parte sua, per quam principaliter[a] significat nobis deliberationem suam factam de veniendo cum illustri domino duce Federico Austrie filio suo, qui est factus unum secum, ad partes Italie pro eundo ad accipiendum coronam suam et pro providendo de ea, ut tenetur, et de terris imperii, et specialiter de ista Lombardia ne amplius ad tiranidem regatur et gubernetur, intendens 35
omnia ista facta sui adventus comunicare nobiscum, et propterea nos requirit et rogat quod demus sibi nostrum consilium auxilium et favorem [2] et cetera: quod nos devote regraciamur majestati sue regie que dignata fuit velle ita domestice et benigne comuni-

a) *cod.* prioipaliter.

---

[1] *Am 21 Nov. 1403 schreibt die Zehnerbalei von Florenz an Franz von Padua: nach Rückkehr ihrer Gesandtschaft von Padua habe sie eben von ihm briefliche Nachricht erhalten, daß Gesandte K. Ruprechts und des Hzgs. von Österreich nach Padua gekommen seien; sie erwarte näheres durch seinen schon angekündigten Boten; Florenz*
St.A. Classe X distinzione 8, num. 2 fol. 40[a] *cop.*   40
ch. coaev.

[2] *Dieselbe Formel, welche 1401 so viel Schwierigkeiten machte; der Rath beeilt sich, dieselben nichtssagenden Phrasen wie damals aufzutischen, vgl. Einleitung zum Augsburger Tage lit. E.*   45

care nobiscum velut cum devotis et singularibus amicis imperii sui deliberationem istam *1403 Nov. 22* quam fecit volendi descendere ad partes Italie, quia istud clare procedere cognoscimus ab immensa benignitate et clementia sua et ab amore quem ad nos gerit nostrumque dominium. ad alias partes consilii auxilii et favoris quem requirit dicatur: quod nos 5 cognoscimus tantam sapientiam esse in persona sua serenitatis, scimus etiam ipsum habere tantam praticam rerum mundi et talem informationem de factis Italie et specia- liter Lombardie necnon ita solemne consilium penes se, quod nostrum non est eidem modo aliquo oportunum, imo similia et majora mature et maxima providentia sciret disponere regere et gubernare. sed quia petit auxilium et favorem nostrum, nos dici- 10 mus: quod, si sua majestas in isto suo descensu aliquo casu deliberaret venire et transire per partes et territoria nostra, debet esse certissima, quod nostra devocio semper videbit eum et gentes suas illari vultu et bono corde, honorando personam suam secundum decentiam majestatis et honoris nostri dominii.   [2] ambasiatori autem ducis Federici Austrie dicatur: quod, ut sue excellentie potest esse notorium, nostra comunitas semper 15 dilexit bono corde et tenera caritate[a] illustrem domum suam Austrie et omnes principes et dominos ejus, ac semper habuimus magnam consolationem et placere de omnibus exaltationibus et prosperitatibus eorum, et ita habemus et sentimus de eo quod dicit nobis, ipsum dominum ducem Federicum esse effectum unum et concurrere in unam intentionem cum serenissimo domino imperatore patre suo, quia sic eum habere et repu- 20 tare debet, cum certi simus, quod versa vice illum in filium habeat et teneat, nec aliam responsionem videmus esse sibi necessariam[b], quia fuit presens et audivit ea que diximus in responsione serenissime regie majestatis.

De parte alii, non 2, non sinceri 2.

---

382. *K. Ruprecht bevollmächtigt 3 gen. Räthe zu Abmachungen mit Herzog Friderich* *1403 Nov. 29* 25 *von Österreich besonders in Betreff Italiens.   1403 Nov. 29 Heidelberg.*

Aus Karler. G.L.A. Pfälz. Kop.-B. 4 fol. 183[a] cop. ch. coaev.
Steht auch Wien H.H. St.A. R. Registr.-Buch C fol. 155[b] cop. ch. coaev.
Regest Chmel reg. Rup. nr. 1627 aus Wien l. c., und aus Chmel Lichnowsky Gesch. des Hauses Habsburg 5 nr. 578.

30 Wir Ruprecht [*u. s. w. bekennen und thun kund: daß wir*] dem edeln Gunthern graven zu Swartzpurg und herren zu Ranis Hannsen vom Hirßhorn ritter und meister Job Vener lerer in geistlichen und weltlichen rechten unsern reten und lieben getruwen [*ganze Macht und volle Gewalt geben in Kraft dieses Briefes*] mit dem hochgebornen Friderich herzogen zu Osterrich etc. unserm lieben son und fursten oder den sinen von 35 sinentwegen zu tedingen und zu uberkommen von unserntwegen als von sachen wegen uns und das riche antreffende und sunderlichen in Lamparthen und in Italien, und sich auch von unsern wegen zu vereinen zu verschriben und zu verbinden. [*Und was die-selben von unsern wegen zu dieser Zeit mit dem obgenannten oder den Seinen von seinet-wegen aufnehmen beschließen und versigeln, wollen wir halten und auch verbriefen.* 40 *Mit anhangendem Majestätsigel gegeben zu Heidelberg auf St. Andreas Abend 1403,* *1403 Nov. 29* *des Reiches anno 4.*]

Ad mandatum domini regis
Johannes Winheim.

---

a) cod. caricate.   b) cod. necessaria?

1403
Nov. 29   **383.** *K. Ruprecht bevollmächtigt 3 gen. Räthe (dieselben wie in nr. 382) zu Verhand-*
lungen mit Hzg. Friderich von Österreich und Italienischen Herren und Städten
auf einem Tage zu Innsbruck [1]. 1403 Nov. 29 Heidelberg.

> *Aus Karlsruhe G.L.A. Pfälz. Kop.-B. 4 fol. 183 ᵃ cop. ch. coaev.*
> *Steht auch Wien H.H. St.A. R. Registr.-Buch C fol. 155 ᵇ cop. ch. coaev.*   5
> *Regest Chmel reg. Rup. nr. 1628 aus Wien l. c., und aus Chmel Lichnowsky Gesch. des*
> *Hauses Habsburg 5 nr. 579.*

Wir Ruprecht [*u. s. w. bekennen u. s. w.: als wir den edeln Gunthern, u. s. w.*
wie in der Vollmacht von demselben Tage nr. 382, jetzund zu einem Tage gen Inns-
bruck geschickt haben, daß wir denselben ganze Macht und volle Gewalt gegeben haben   10
und geben in Kraft dieses Briefes] mit dem hochgebornen Friderich herzogen zu Osterrich etc. unserm lieben sone und fursten des von Padaw der von Florentze und ander
herren und stette von Welschen landen fründen von unsernt wegen zu tedingen und zu
uberkommen als von sache wegen uns und das riche antreffende und sunderlich in
Lamparthen und in Italien. [*Und was sie von unsern wegen zu diesen Zeiten mit den* 15
genannten aufnehmen beschließen und versigeln, wollen wir halten und auch verbriefen.
1403
Nov. 29 *Mit anhangendem Majestätsigel gegeben zu Heidelberg auf St. Andreas Abend 1403, des*
Reiches anno 4].

> > Ad mandatum domini regis
> > Johannes Winheim.   20

1403
Dec. 19   **384.** *Instruktion der Stadt Florenz für ihre Gesandten Pieroço di Biagio delli Strozi*
und Piero di Johanni di Firenze zu Verhandlungen in Padua. 1403 Dec. 19
Florenz.

> *Aus Florenz St.A. Classe X, distinzione 1, num. 14 fol. 25 ᵃ-26 ᵇ conc. ch. coaev. Das*
> *bei uns in runde Klammern gesetzte ist im Kodex durchstrichen.*   25

1403
Dec. 19   A di 19 di dic. 1403 ind. 12. *Nach Begrüßung des päbstlichen Legaten [Balthasar Cossa] in*
Bologna und des Markgrafen in Ferrara sollen sie in Padua dem Herrn [Franz von Carrara] sagen,
daß sie gekommen seien, um die Gesandten des imperator [2] und des Herzogs von Österreich sowie der
Herren und Edeln aus der Lombardei dort zu treffen und sich mit denselben zu benehmen, und sol-
len die Absicht der Florentiner, das Unternehmen gegen die Tyrannen zu fördern, kundgeben, (wozu 30
die andern aber auch gehöriges leisten müßten, da die Florentiner schon so große Kosten gehabt ha-
ben); der Legat in Bologna bemühe sich um Frieden, sie haben aber abgelehnt darauf einzugehen ohne
völlige Einsicht in die Sache zu haben. (Wenn die Gesandten die Boten von Österreich und die
Herren aus der Lombardei dort treffen, sollen sie recht freundlich gegen dieselben sein. In jedem
Falle wollen die Florentiner zweierlei: daß sie keine höheren Spesen als angegeben auf sich zu nehmen 35
haben, und daß Friede und Treuga frei bei ihnen stehe.)

---

[1] *Die Verhandlungen mit den Italienern sind erst zu Padua in Gang gekommen, s. die hier folgenden nrr.; ob in Innsbruck überhaupt ver- handelt worden ist, muß dahingestellt bleiben. Jedenfalls waren wol nicht die obigen Gesandten in Padua, s. nächste Note.*

[2] *Es wird der Deutschordensmeister Konrad von Eglofstein gewesen sein, wie aus dem in der Note zu nr. 386 vom 12 Merz 1404 mitgetheilten Schrei- ben der Florent. Zehnerbalei vom 10 Merz 1404 hervorzugehen scheint, wo es (p. 532, 41ᵃ) heißt, daß der frate di Prussia nach Padua vom K. Ruprecht zurückgekehrt sei. Die Vollmacht für denselben ist vom 29 Sept. 1403 nr. 380.*

885. *Die Zehnerbalei von Florenz an ihre Gesandten in Padua [1], gibt Instruktion zu* 1404
Verhandlungen mit einem dort befindlichen Gesandten K. Ruprechts [2] und mit Jan. 12
Frans von Carrara namentlich wegen gemeinsamen Angriffs gegen Mailand. 1404
Jan. 12 Florenz.

> *Aus Florens St.A.* Classe X, distinzione 3, num. 2 Instruzioni agli ambasciatori e lettere
> a forestieri de dieci di Balia 1402-1406 fol. 44 a b *cop. ch. coaev.*

Noi abbiamo ricevute ne di passati piu vostre lettere, per le quali ci avete avisati
delle cose occorrenti e delle pratiche tenute col magnifico signore di Padova e con lo
ambasciadore dello serenissimo imperadore, e tra l'altre cose, come il signore di Padova
10 diliberava d'andare personalmente con uno de figliuoli et con la sua gente in quello di
Milano, avendo oltre a quella lance secento e balestrieri trecento, de quali vorrebbe da
noi lance trecento e balestrieri centocinquanta, e altrettante lance e balestrieri n'avrebbe
dallo ambasciadore dello imperadore. di poi dite della lega che ragionava il detto ambasciadore che si facesse, e avisateci delle risposte fatte e delle parole usate. di che vi
15 rispondiamo, che i modi i quali avete tenuti ci piacciono e commendianvene. e perche
l'animo nostro e buono e bene disposto, vi risponderemo quello che abbiate a dire.
e prima vogliamo che ringratiate l'ambasciadore del serenissimo imperadore predetto
della ambasciata, la quale v'a sposta per sua parte, in nome del nostro comune, dicendo
che noi veggiamo bene che egli ci ama come suoi divoti e figliuoli, e certi ci rendiamo
20 che egli ci fara ogni gratia e piacere in grandeça e honore del comune nostro, che fac-
cendolo a noi il fa a uno de suoi principali membri; pregandolo [3] che cordialmente ci
raccomandi alla sua majesta come coloro che sempre fummo siamo e saremo disposti
al suo stato e honore e magnificentia. di poi sarete col magnifico signore di Padova
e col detto ambasciadore e direte loro, che a noi pare di non avere a perdere tempo,
25 ma avançarne quanto si puo. e che il seguire hora il ragionamento di lega non ci pare
cosa utile ne presta [4]; ançi e cosa lunga e non bisognevole al presente, peroche non
bisogna altra collegatione che noi siamo con gli animi e con gli effecti disposti e pronti
a fare ogni cosa possibile per disfacimento del tiranno di Milano e de suoi, come per
lo serenissimo imperadore si desidera e per lo signore di Padova e per noi. ma quello
30 che e utile e fructuoso si e quello che dice il signore di Padova dello andare egli con
la gente di sopra ragionata in quello di Milano sança perdere tempo, della quale andata
seguira il disfacimento de Visconti. e pero direte, che, se il signore di Padova e disposto d'andare, come egli dice, sança indugio in quello di Milano, menando tutta la sua
gente che a oltre a quella che egli mando a Cremona, e avendo di nuovo dallo impe-
35 radore o da duchi d'Osterich o da chi altri gliele desse lance trecento e balestrieri centocinquanta, e quando questo si facesse realmente: noi siamo contenti dargli noi lance
trecento e balestrieri centocinquanta di nostra gente oltre a quella che noi abbiamo in
Lombardia. ma dite bene chiaramente al signore di Padova, che noi non vorremmo
essere in questo ingannati, che la nostra intentione e che di nuovo egli abbia le dette
40 trecento lance e centocinquanta balestrieri, non mettendovi entro alcuna gente che egli
abbia al presente o nel paese suo o verso Cremona o altrove. e ingegnatevi saperne
bene la verita, mettendovi a sentire, se la detta gente si conduce a meço soldo o a soldo
intero, e avisandoci d'ogni cosa chiaramente e prestamente.

---

[1] *Vgl. nr. 384 rom 19 Dec. 1403.*   [3] *D. h. den Gesandten K. Ruprechts.*
45 [2] *Wahrscheinlich der Deutschordensmeister,* s.   [4] *Hier soviel wie günstig,* s. *Manuzzi Vocabo-*
pag. 528 Note 2.   *lario s. v. § 3.*

E tutto questo che vi scriviamo, abbiamo detto a messer Ognibene, ambasciadore del signore di Padova che e qui.

1404
Jan. 12   Datum in Firençe a di 12 di gennajo 1403 di notte.

Pieroçio Blasii de Stroçis et Piero
Johannis Firençis in Padua[a].

1404   **386.** *Bericht gen. Gesandter der Stadt Florens über ihre Verhandlungen vom December*
Mrz. 12   *1403 in Padua mit einem Gesandten König Ruprechts und dem Herrn von Padua*
betreffs des ersteren Absicht nach Italien zu kommen und Eingehung einer Ligue
zwischen ihm, dem Herzog von Österreich, dem Herrn von Padua und Florens.
1404 Merz 12 Florens.   10

Aus Florens St.A. Classe X, distinzione 2, num. 7 Relazioni di ambasciatori 1395-1407
fol. 46[b]-49[a] cop. ch. coaev.

1404   1403 a di 12 di març̧o.
Mrz. 12   Questo e il raporto che si fa per Pieroço̧ di Biagio degli Stroç̧i et per Piero di
Giovanni di Firençe di tutto cio che eglino anno facto secondo la loro commissione [1]   15
nella andata da Padova.

[1403]   A di 20 del mese di dicembre partimo di Firençe. [*Nachdem sie ihre Aufträge*
Dec. 20
Dec. 29 in *Bologna und Ferrara ausgerichtet, kommen sie am 29 Dec. nach Padua und be-*
rühren nach einigem nebensächlichen den eigentlichen Gegenstand ihrer Gesandtschaft
Dec. 30 am 30 December wie folgt:] e dicemogli [2], come noi eravamo mandati, imperoche suoi   20
ambasciadori et egli ancora per sua lettera aveva richiesti i nostri magnifici et excelsi
signori, che mandasseno a Padova loro ambasciata per ritrovarsi cogli ambasciadori dello
imperadore et del duca di Sterlich [3] e d'altri signori et gentili huomini di Lombardia,
et che noi eravamo[b] mandati da nostri magnifici et excelsi signori et da dieci della balia
per intenderci [c] colloro et udire et praticare quanto volessono dire; mostrando al signore,   25
che la intentione de nostri magnifici et excelsi signori et de dieci era di seguitare lampresa contra al tiranno, et di mantenere la força[d] avevano et ancora di crescerla, dove
per gli altri si facesse el simile. [*Weiter sagen sie ihm gemäß ihrem Auftrage, daß*
die Florentiner sich auf die vom Kardinallegaten von Bologna eingeleiteten Verhand-
lungen mit der Herzogin von Mailand nicht einlassen wollten, wenn sie nicht im ein-   30
zelnen die Absichten genau zu wissen bekämen, dann:] alla parte dello esere mandati,
come noi diciavamo, per acoç̧arci con lui et con gli altri ambasciadori, disse, che questo
era ordine dato per messer Filippo Maghalotti et per Vieri Guadagni, e che li ambasciadori dello imperadore e quelli del duca di Sterich ci avevano aspettati lunghamente, et
che, vedendo la nostra tardança del venire, che gli ambasciadori del duca di Sterich [4]   35
s'erano partiti et promisono di tornare prestamente. alla parte di quello, che elegato[e]
avea mandato a dire a nostri magnifici et excelsi signori, rispuose, che, quando ci aco-
1403   cassimo cogli altri ambasciadori, noi lo [e] dovessimo dire. et di poi a di 31 del mese di
Dec. 31 dicembre ci acoç̧amo collo ambasciadore del serenissimo imperadore e col signore di
Padova e col suo consiglio et dicemo le cagioni perche noi eravamo mandati, et che   40

a) die Adresse steht über dem Stück. b) cod. eravano. c) cod. interderci. d) cod. foroa. e) cod. eher la.

[1] Vgl. nr. 384 vom 19 Dec. 1403.   [4] sic, wol zusammengezogen für el legato, nem-
[2] Dem Herrn von Padua.   lich der Kardinallegat in Bologna, s. oben.
[3] Österreich, s. Blanc Grammatik der italieni-
schen Sprache pag. 104.   45

noi eravamo presti a udire et praticare et intendere quanto volessuno [1] dire. volle lom- 1404
bascciadore dello inperadore in luogho de nostri magnifici et excelsi signori sporci per Mrz. 12
parte del [a] serenissimo imperatore una ambasciata. e mostrocci una lettera suggellata,
et era soscripta a nostri magnifici et excelsi signori priori dell'arte et gonfalonieri della
5 justicia della citta di Firençe, e disse che era lettera che el serenissimo imperadore
scriveva loro di credença. poi ci spose, el serenissimo inperadore salutava i nostri
magnifici signori si chome suoi cari et divoti figliuoli, et che la sua intentione era di
passare in Italia a primo tempo con ogni sua força, disposto a danni et agli stermini
della duchessa et de figliuoli et di tutti i loro adherenti, et che la sua intentione era
10 d'avere el consiglio della comunita di Firençe. di questo fu risposto per noi quello che
noi‛ pensiamo che si convenisse alla materia, soggiugnendo che noi faremo avisati e
nostri signori di quanto egli ci avea detto, et cosi facemo. di poi vennero el signore
et l'ambasciadore a ragionare et praticare con noi, et dissero, che egli era bene a creare
una legha nella quale venisse [b] a intervenire il serenissimo imperadore el dugio di Sterich
15 el signore di Padova et la comunita di Firençe, e che si lasciasse il luogho a tutti
quelli che in quella volessono esser, ma che si facesse dumilia dugento lancie, delle [c]
quali lo imperadore ne paghasse mille, si veramente [d] chelle secento fusseno de' taliani,
e le quatrocento menasse di sua gente, et che il signore di Padova mettesse dugento
lancie, e la comunita de Fiorentini mettesseno mille lancie. et qui furono moltissimi ra-
20 gionamenti, tra quali fu che noi rispondemo, che non era per niuna cagione convenevole
che il comune mettesse mille lancie nella quantita di dumilia dugento, assegnando quante
ragione noi ponsamo che fusseno utili al fatto, affermando che gia e 14 anni i Fiorentini
erano stati tanto gravati per le spese, che eglino avevano fatto nella guerra che avevano
avuto col duca di Melano, che questa graveça delle mille lancie non [d] sarebbe loro pos-
25 sibile a poterla portare. e dicievano, che queste dumilia dugento lancie non sarebbono
sufficienti a tenere campo, ma che ragionavano, chelle stessono nelle terre rubellate [e] et
facessono la guerra a Melano e l'altre terre della duchessa, et per questa via diciavano
che la duchessa verrebbe a disfacione. noi affermamo semper nelle nostre risposte, che
egli era justa cosa et ragionevole che s'avesse grandissimo raguardo [4] alle grandi et
30 diverse spese che aveva [e] avute la comunita de Fiorentini gia e quattordici anni passati. finalmente tutti i loro ragionamenti si vennero a riducere a quanto insino a qui
s'e scripto, e domandareci, se noi avavamo [f] mandato. a che rispondemo di no. a
questo ci rispose il signore di Padova, che egli aveva grandissima maraviglia considerato i ragionamenti che erano stati tenuti intorno a questa materia per messer Filippo
35 Maghalotti et per Vieri Guadagni. a questo rispondemo [g], che noi non eravamo informati di quelli ragionamenti *[bricht hier ab]* [5].

a) cod. de. b) im ersten Theil korrigiert, nicht deutlich. c) cod. della. d) cod. enon; oder enno? e) cod. avevano.
f) cod. avavano. g) cod. rispodemo.

[1] sic, wol nicht Schreibfehler, sondern Verdunk-
40 lung des o statt volessono.
[2] D. h. ea conditione ut, s. Tommaseo e Bellini
disionario s. v. si § 13.
[3] Für ribellate, s. Manussi Vocabolario.
[4] Für ragguardo gleich riguardo, s. ib.
45 [5] Die hier abbrechenden Nachrichten werden
ergänst durch folgendes: am 27 Jan. 1404 schreibt
die Zehnerbalei von Florens an ihre Gesandten
in Padua, daß sie auf ihren Brief vom 12 Jan.
[nr. 385] noch keine Antwort erhalten habe; in-

zwischen habe sich Ottobon Terzo erboten in Florentinischen Dienst mit 600 Lanzen und 300
fanti und balestrieri su treten unter der Bedingung, Zahlung von Florens su erhalten; da man
den Untergang der Visconti davon erhoffen könne,
sind die Florentiner dasu bereit, wenn der imperadore oder der Herr von Padua oder wer sonst
die Hälfte des Soldes für jeden Monat sicher auf
die Banken von Venedig anweise; dat. Firençe a
di 27 di gennajo 1403 a hora 23; aus Florens
St.A. Classe X, distinzione 3, num. 2 fol. 45 b cop.

1404
Apr. 26 **387.** *Vollmacht K. Ruprechts für 3 gen. zu Verhandlungen mit Franz von Gonzaga.*
1404 April 26 Heidelberg.

> *Aus Karlsr. G.L.A. Pfälz. Kop.-B. 5 fol. 83 b -84 a cop. ch. coaev.*
> *Steht auch ib. Kop.-B. 143 pag. 216f. cop. ch. coaev. Ferner Wien H.H. St.A. R.-*
> *Registr.-Buch A fol. 76 a b cop. ch. coaev.*
> *Regest Chmel reg. Rup. nr. 1729 aus Wien l. c., Janssen Frankf. R.K. 1, 747 nr. 1181*
> *aus Karlsr. Kop.-B. 143.*

K. Ruprecht verkündet, daß er Konrad Beyer von Bopparten, Eberhard v. Hirtzhorn milites,
und Job Vener utriusque juris doctor seine Räthe und Getreuen bevollmächtigt habe, mit den Bevollmächtigten des Franz von Gonzaga Mantue etc. über Unterwerfung Treueid und Hülfe zu unterhandeln abzuschließen und Versprechungen entgegenzunehmen, sowie alles zu thun was ihnen angemessen
scheint, wozu auch etwa erforderliche Spezialvollmachten hiermit ertheilt sein sollen, und verspricht,
1404 alles was die genannten thun werden innehalten zu wollen.   dat. Heydelberg 26 die mensis aprilis
Apr. 26 anno domini millesimo 400 quarto regni vero nostri anno quarto.

Ad mandatum domini regis
Johannes Winheim.

1404
Mai 12 **388.** *K. Ruprecht an Franz von Carrara. 1404 Mai 12 Heidelberg.*

> *Aus Verci storia della marca Trivigiana e Veronese. tom. 18 ed. 1790 Documenti pag.*
> *63 nr. 2028 ex principum et illustrium virorum epist. p. 283, welche Quelle von uns*
> *nicht aufgefunden wurde.*

Belobt und beglückwünscht ihn wegen der Eroberung Veronas und seiner Bemühungen zur
Wiedererlangung der übrigen vom Reich abgefallenen Städte, und ermuntert ihn auf diesem Wege

ch. coaev. — 1408 a di 28 di febr. [1404 Febr. 23]
Instruktion der Zehnerbalei von Florenz für ihren
Gesandten nach Bologna: er soll u. a. in Ferrara
den Condottavertrag mit Ottobon Terzo abschließen,
600 Lanzen zu 3 Mann und 3 Pferden und 300
fanti wovon die Hälfte balestrieri auf 4 Monate
16 fl. pr. Lanze u. s. w. den Monat; e siamo contenti che la condotta si faccia sotto nome del
serenissimo re de Romani, e noi abbiamo a pagare
la meta, e l'altra meta paghi il detto re o 'l signore
di Padova o altri, come sono d'accordo; Ottobon
soll sofort den Krieg gegen Mailand beginnen;
aus Florenz l. c. fol. 49 b -50 b. — Am 10 Merz
1404 schreibt die Zehnerbalei an ihren Gesandten
in Bologna: sie hat zwei Briefe von ihm aus
Ferrara vom 4 und 7 Merz erhalten nebst einer
Antwort des Herrn von Padua, der schreibt, daß
er den Soldantheil nicht zahlen könne, wie er
früher in der Hoffnung chel frate di Prussia tornasse dallo imperadore con danari gesagt habe.
Sie wundert sich sehr über diese Sinnesänderung
des von Padua; der Gesandte soll sofort nach
Padua gehen und denselben auf jede Weise um-
zustimmen und ihn von Friedensverhandlungen
mit der Hzgin. von Mailand, unter Vermittlung
der Venetianer, abzubringen suchen. Im äußersten Nothfall wollen die Florentiner Ottobon Terzo
auf ihre Kosten allein anwerben, dann soll der von

Padua sich wenigstens verpflichten, 300 Lanzen in
der Lombardei, in Lodi und Cremona, von den
Seinen zu halten; dat. Firençe di 10 di março
1408 a hora 15; aus Florenz l. c. fol. 50 b -51 a. —
Am 20 Mers 1404 schließt sich daran der Auftrag
seitens der Zehnerbalei, mit Ottobon Terzo für
etwas geringere Truppenzahl abzuschließen; Florenz l. c. fol. 52 a b. — Dann Firençe a di 8 di
maggio 1404 [8 Mai 1404] Instruktion der Zehnerbalei von Florenz für ihren Gesandten nach Bologna, wo ein Kommissar des Herrn von Padua
sein wird: er soll mit Ottobon Terzo den Condottavertrag abschließen für 600 Lanzen und 300 fanti
wovon die Hälfte balestrieri, auf 4 Monate u. s. w.
la detta condotta farete, con la meta sia in nome
del serenissimo re de Romani o del signore di
Padova, et essi se l'abbino a pagare, e l'altra meta
in nome del comune di Firençe u. s. w., aus
Florenz l. c. fol. 59 b -60 a. — Endlich am 25 Mai
1404 Instruktion der Zehnerbalei für ihren Gesandten nach Bologna: er soll die Florentiner bei
Ottobon Terzo entschuldigen, der Herr von Padua
habe sich zurückgezogen per cagione de modi di
Viniçiani, und sie können wegen einiger dazwischen-
getretener Dinge die Condotta nicht unternehmen;
sie machen ihm Entschädigungsvorschläge; aus
Florenz l. c. fol. 61 a b, cop. ch. coaev. wie alle
vorhergehenden.

fortfahrend Vicenza der Herzogin Katharina von Mailand und ihren Söhnen zu entreißen. Er hat *1404*
Franz dem Pabste, dem Dogen von Venedig[1], *dem Patriarchen von Aquileja und anderen Bundes-* *Mai 12*
genossen seiner und des Reichs empfohlen, daß sie ihn in jeder Weise unterstützen sollen. quos et
certiores fecimus, nos ad te legationem cum locupletissimo mandato decreturos ac in Italiam quam-
5 primum venturos; Verone autem residebimus ad negocia et imperii munera uberius obeunda. vale. *1404*
in castro nostro Heydelberg mensis maji die duodecimo 1404 regni vero nostri anno quarto. *Mai 12*

389. *Hzg. Leopold IV von Österreich bevollmächtigt seinen Bruder und ihrer beider* *1404*
Räthe zu Verhandlungen mit K. Ruprecht[2]. *1404 Mai 18 Gratz.* *Mai 18*

Aus Wien H.H. geh. St.A. Repert. XII Kasten 409 Lade 69 *or. mb. lit. pat. c. sig.*
10 *pend.*
Regest Lichnowsky Gesch. des Hauses Habsburg 5 Regesten nr. 617 ebendaher.

Hzg. Leopold IV von Österreich bevollmächtigt seinen Bruder Herzog Friderich und die den-
selben begleitenden Räthe Leopolds und Friderichs, mit K. Ruprecht oder dessen Räthen zu teidingen
und Teiding aufzunehmen nach unserm und seinem nutz und nodurfften wie in unser und sein råt *1404*
15 das gut dunchet; *datum Graets am Pfingsttage 1404.* *Mai 18*

390. *K. Ruprecht bevollmächtigt den Deutschordensmeister Konrad von Eglofstein und* *1404*
Graf Günther von Schwarzburg[3], *Verona für ihn und das Reich in Besitz zu* *Mai 31*
nehmen und festzuhalten, sowie alle Reichsgeschäfte in Italien und der Lombardei,
die einzeln aufgeführt werden, zu übernehmen. 1404 Mai 31 Heidelberg.

20 *A aus Karlsruhe G.L.A.* Pfälzer Kop.-B. 5 fol. 84ᵃᵇ *cop. ch. coaev., ohne Überschrift.*
C coll. Wien H.H. St.A. R.-Registr.-Buch A fol. 76ᵇ-77ᵃ *cop. ch. coaev., mit der glchs.*
Überschrift Procuratorium, ut venerabilis Eglofsteiner per Alamaniam et Ytaliam or-

[1] *Am 23 Juni 1404 schreibt Franz von Carrara,*
Paduae Veronae et districtus imperialis vicarius
25 *generalis, an die Venetianer: nach einem Kapitel*
des Vertrages, den sie miteinander haben, seien
sie verpflichtet, ihn gegen Jedermann zu verthei-
digen; deshalb wundere er sich sehr, daß sie ohne
Grund die Bastei von Anguillara eingenommen
30 *haben und ihn als Feind behandeln, Krieg gegen*
ihn betreiben; er könne somit zu seinem Leid-
wesen auch ihr Freund nicht mehr sein u. s. w.;
dat. Paduae 23 junii 1404; aus Gataro bei Mu-
ratori script. rer. Ital. 17, 890f., daraus wol bei
35 *Lünig cod. Ital. dipl. 4, 1669f. nr. 74 und bei*
Cappelletti storia di Padova 1875 1, 408, Regest
bei Georgisch 2, 891 nr. 4 aus Lünig. — In die
Zeit fällt wol auch ein Schreiben des Consilium
ancianorum et officium provisionis Genuensium an
40 *die Venetianer, worin sie vom Kriege mit Franz*
abrathen, der mit ihnen und ihrem König [dem
K. Karl VI von Frankreich, nicht K. Ruprecht
wie Senckenberg l. c. meint] eng verbunden sei;
dat. Genuae 1404 o. T.; aus (Senckenberg) Imperii
45 *Germanici jus ac possessio in Genua ed. 1751. 1,*
254. — S. im allgemeinen über die in Frage kom-
menden Verhältnisse Cappelletti storia di Padova
1, 399ff.
[2] *Aus einem Posten der Kämmereirechnung vom*
50 *19 Juni 1404 (s. Janssen R.K. 1, 760 nr. 1212*
art. 18 und bei uns Bd. 6 Kämmereirechnung

unter 1404 Juni 19) geht hervor, daß um diese
Zeit ein Gesandter K. Ruprechts in Gratz war.
Auf Grund der mit diesem gepflogenen Verhand-
lungen wurde dann wol obige Vollmacht von Hzg.
Leopold ausgestellt. Die nächsten Verhandlungen
fanden dann wahrscheinlich auf dem Tage zu
Füssen statt, wo K. Ruprecht in nr. 396 am
6 Juli seine Räthe bevollmächtigt. Der obigen
Vollmacht Leopolds entspricht die Ruprechts in-
sofern, als sie voraussetzt, Friderich, nicht aber
Leopold werde vielleicht in Füssen zugegen sein.
Hzg. Leopold urkundete in der nächsten Zeit
widerholt in Gratz, s. Lichnowsky Gesch. d. H.
Habsburg 5 Regg. nr. 622. 623. 636.
[3] *Am 28 Mai 1404 nimmt K. Ruprecht den*
Gfen. Gunther von Swarczpurg Herrn zu Raniß
zu seinem Hofmeister und will demselben zu jeg-
licher Fronfasten 250 fl. Gehalt geben; auch ver-
spricht er demselben jeden Schaden, den er als
Hauptmann gein Lamparthen leiden würde, zu
keren; auch K. Ruprechts Söhne Ludwig und
Hans bekennen, daß sie mit ihrem Vater dem
Gfen. Gunther fur schaden gesprochen hann; dat.
Heidelberg feria quarta ante festum corporis Cristi
1404, regni 4; aus Karlsr. G.L.A. Pfälz. Kop.-B.
149ᵇ fol. 203ᵇ durchstrichen das Ganze. Vgl. das
Privileg an den gen., Chmel nr. 1760, vom 28 Mai
1404.

dinis Theutonicorum [*em. add.* magister?] et nobilis Guntherus comes de Swartzpurg et dominus in Ramis ad assumendum quoscunque principes dominos vicarios etc. in Ytalia et Lombardia ad sacrum imperium et homagium Romanum valeant requirere[a] et inducere. *Steht auch Karlsr. l. c.* Pfälzer Kop.-B. 143 pag. 217f. *cop. ch. coaev.*
Regest Chmel nr. 1761 aus C, Janssen Frankf. R.K. 1, 748 nr. 1185 aus Karlsr. Kop.-B. [b] *143 l. c.*

Rupertus etc.   notum facimus tenore presencium universis: quod, de probitate fidei constancia circumspectione et rerum experiencia venerabilis Conradi Eglolffsteiner per Alamaniam et Italiam ordinis Theutonicorum necnon nobilis Guntheri comitis de Swarczpurg et domini in Raniß nostre curie magistrorum capitaneorum consiliariorum et [10] fidelium nostrorum dilectorum indubitatam fiduciam obtinentes, eosdem et quemlibet eorum in solidum, ita quod non sit melior condicio occupantis sed quod per unum eorum inceptum fuerit per alterum prosequi valeat et finiri, constituimus creamus facimus et ordinamus nostros veros et legitimos actores factores negociorum gestores et nuncios seu legatos speciales ad capiendum manutenendum defendendum et conservandum pro [15] nobis et sacro imperio Romano civitatem Verone cum omnibus suis terris fortaliciis ac pertinenciis suis[1], necnon ad gerendum faciendum et procurandum nostra et sacri imperii negocia in Italia et Lombardia, ad recipiendum et assumendum quoscumque principes dominos vicarios officiales civitates comunitates terras loca et opida universitates et singulares personas Italie ad nos et Romanum imperium pertinentes et pertinencia [20] nostro et sacri imperii nomine ad nostram et sacri imperii homagium et fidelitatem, eosdemque et eadem super hoc requirendum et inducendum, et ne hujusmodi civitates comunitates terre loca aut universitates a quovis alio invadantur molestentur aut occupentur seu occupari attemptentur pro posse impediendum et prohibendum, cum hujusmodi principibus dominis vicariis officialibus civitatibus comunitatibus et aliis supradictis [25] nostro nomine et pro nobis super certis auxiliis subsidiis et pecuniarum summis nobis prestandis aut porrigendis concordandum et paciscendum, fidelitatis juramenta et alias obligaciones seu obsequia nostro nomine ab eisdem acceptandum et recipiendum, vicariosque et officiales de novo creandum et constituendum eosdemque ac alios nostros vicarios et officiales consolandum et confortandum et eis quecunque licita et honesta pre- [30] cipiendum et injungendum, eosque ac omnia et singula contra nos et sacrum imperium attemptata revocandum, contra quoscumque nostros et sacri imperii rebelles procedendum insultandum et animadvertendum, juramenta quecumque temeraria et illicita ac que sine interitu salutis eterne servari non possunt super quibuscumque conspiracionibus conjuracionibus obligacionibus et stipulacionibus seu alias a quibuscumque prestita, quantum de [35] jure possumus, necnon ipsas conspiraciones conjuraciones[b] obligaciones et stipulaciones relaxandum et super hiis dispensandum, infamie quoque et cujuscumque note maculam abolendum et ad famam pristinam reintegrandum et restituendum, omniaque alia et singula faciendum tractandum gerendum et procurandum que circa premissa aut aliquod eorum necessaria fuerint quomodolibet seu oportuna, eciam si mandatum exegerint[c] magis [40]

---

a) *C* require.   b) *A* adjuraciones.   c) *A* exigerint.

---

[1] *Am 1 Juni 1404 schreibt K. Ruprecht den proconsulibus consulibus populo ac conmuni civitatis Verone, er habe Conrad von Egloffstein und Günther von Schwarsburg mit der Regierung der Stadt beauftragt und denselben in solidum seine vices übertragen, und fordert zum Gehorsam gegen dieselben auf; dat. Heidelberg mensis junii die prima anno 1404 r. v. n. anno quarto; Ad mandatum domini regis || Johannes Winheim; aus Karlsr. G.L.A. Pfälz. Kop.-B. 5 fol. 84*[b]*-85*[a] cop. ch. coaev.; auch ibid. Kop.-B. 143 pag. 218f.* [45] *und Wien H.H. St.A. R. Registr.-Buch A fol. 77*[a] *cop. ch. coaev.*

speciale, et que nos faceremus seu facere possemus si persona propria presentes foremus; *1404 Mai 31* ratum et gratum habituri quidquid ut sic circa premissa seu aliquod premissorum actum gestum tractatum seu procuratum fuerit quovismodo.   harum sub nostre majestatis si-gilli appensione testimonio literarum datum in castro nostro Heydelberg mensis maji die 5 ultima anno domini millesimo quadringentesimo quarto regni vero nostri anno quarto. *1404 Mai 31*

Ad mandatum domini regis
Johannes Winheim.

391. *Antonius de Nerlis, Abt zu S. Andreas in Mantua und Geschäftsträger des Fran-* *1404* *ciscus de Gonzaga Reichsvikars daselbst, verspricht im Namen des letzteren eidlich* *Juni 6* 10 *Reichsvikars-Treue. 1404 Juni 6 Heidelberg.*

M aus Münch. St.A. Urkk. betr. äußere Verhh. der Kurpfalz $\frac{120}{b\,43}$ or. mb. lit. pat. c. sig. pend., auf Rückseite von Hand des 15 Jahrh. buntniß.
A coll. Karlsr. G.L.A. Pfälz. Kop.-B. 5 fol. 86ᵇ-87ᵃ cop. ch. coaev., Einschaltung in die 15 *Ernennung zum Reichsvikar gleichen Datums bei Chmel nr. 1769 und Janssen 1, 749 nr. 1190; beginnt mit Ego Anthonius.*
B coll. Karlsr. G.L.A. Pfälz. Kop.-B. 143 pag. 223-225 (cop. ch. saec. 15 in.), ebenso ein-geschaltet und ebenso beginnend wie A.
Steht auch als Einschaltung in Wien H.H. St.A. R.-Registraturbuch A fol. 78ᵃ-79ᵇ cop. ch. coaev.

20 In nomine redemptoris amen.   cum dignum et justum sit graciose dotatos gracias recongnoscere et ad debitam gratitudinem obnoxios se reddere, hinc est quod ego Anthonius de Nerlis monasterii sancti Andree Mantue dei gracia abbas et magnifici domini Francisci de Gonczaga jam dicte civitatis pro sacro Romano imperio vicarii procurator [1] et procuratorio nomine sacrosanctis per me corporaliter tactis ewangeliis

---

25 [1] *Die Vollmacht, in welcher Franciscus de Gon-zaga Mantue etc. imperialis vicarius generalis bestellt Anthonium de Nerlis abbatem monasterii sancti Andree de Mantua consiliarium suum ibi-dem presentem et hujusmodi mandatum sponte* 30 *suscipientem als seinen certum nuncium actorem factorem verum et legittimum procuratorem: ad se personaliter presentandum coram Roperto Ro-manorum rege et profitendum omnem et totalem obedientiam subjectionem et fidellitatem quas et* 35 *pro quibus prefatus dominus constituens gerit et obligatus est, ad petendum investituras confirma-tiones et renovationes omnium privilegiorum feu-dorum u. s. w., ad impetrandum de novo novas dignitates jura et jurisdictiones feuda privilegia* 40 *et bona quecumque, ad prestandum fidellitatis obedientie et homagii sacramentum et omne aliud cujuscumque alterius generis debitum jusjurandum, ad firmandum et contrahendum cum rege confede-rationem, ist datiert vom Jahre 1404 ind. 12 die* 45 *mercurii 23 apr. in civitate veteri Mantue in contrata Acquile Nigre in audientia posita intra palatia habitationis domini Mantue, und befindet sich im Münch. St.A. Urkk. betr. äußere Verhh. der Kurpfalz 120/b 41 als sigelloses Original eines* 50 *Notariatsinstruments auf Pergament. — Im Karlsr. G.L.A. Pfälz. Kop.-B. 44 fol. 190ᵇ steht von einer*

Hand aus der zweiten Hälfte des 15 Jahrh. das Regest: Ein brief, wie Franciscus de Gonczaga vicarius des heiligen richs ein procuratorem ge-macht und befolhen hat konig Ruprechtten fur ein Romischen konig zu erkennen, an siner statt zu hulden, lehen zu entphahen, und sunst zuzu-sagen hilf von den slossen und landen sins inn-habens zum vicariat gehorig sins Mantus gehorig etc.; in urkunde sins anhangenden ingesigels, datum in opido Heydelberg mensis juni die sexta anno 1400 quarto. *Dorther hat Janssen sein Regest in der Frankf. R.K. 1 nr. 1187. Das alte Kopialbuch hat sicher unsere Vollmacht vom 23 April 1404 gemeint, derselben aber irrthümlich das Datum der oben von uns abgedruckten Urkunde gegeben, mit der jene wol in der Vorlage des Kopialbuch-schreibers zusammen geschrieben war. Das richtige Datum hat derselbe dem andern Regest gelassen, das er ibid. fol. 187ᵃ mittheilt:* Ein instrument, wie grave Ludwig von Mantua sin procuratorem setzt, sich zu konig Ruprechtten zu fügen, obe-diencz zu thun etc.; stet datum anno millesimo quatrincentesimo quarto die mercurii vigesima tercia mensis aprilis. — *Vgl. hiezu die 3 Urkunden K. Ruprechts vom 6 Juni 1404: 1) Chmel 1768, Janssen 1 nr. 1188, Karlsr. G.L.A. Pfäls. Kop.-B. 5 fol. 85ᵃ-86ᵃ, 2) Chmel 1769, Janssen 1 nr. 1190,*

*1404
Juni 6* promitto et loco ipsius domini constituentis et in ipsius animam juro [a] et firmiter
spondeo: quod idem dominus meus constituens ab hac ‾hora inantea, quamdiu sibi fuerit
vita comes, firmiter et inconcusse tamquam fidelis subditus et legalis vicarius ad honorem statum bonum et reverenciam serenissimi et invictissimi principis et domini
domini Ruperti Romanorum regis semper augusti ac sacri Romani imperii omnia et　5
singula castra civitates loca territoria jurisdicciones et jura sibi per eundem serenissimum dominum regem ad instar suorum predecessorum Romanorum imperatorum et
regum concessa et renovata in vicariatum et sub vicariatus titulo et honore tenebit
defendet et conservabit pro toto [b] suo posse, ac amministracionem eorundem [c] sollicite et
fideliter gerebit, jurisdiccionem quoque rite et juridice exequetur nulli contra justiciam　10
parcendo vel quemquam injuriose ledendo sed jus suum unicuique tribuendo; quodque
continuo et inconcusse prefato serenissimo regi ejusque partibus adherebit, amicus amicorum ejus erit et inimicus inimicorum publicorum et eciam [d] privatorum quibuscumque
titulo nomine vel dignitate fungantur, salva semper tamen alme nostre fidei et orthodoxe ecclesie puritate; quodque mandatis et imperiis prefati domini regis et successorum　15
ejus canonice intrancium ejusque sive ipsorum veris litteris et imperialibus decretis
obediet parebit efficaciter et cum effectu; veniente quoque prefato domino rege vel
altero filiorum suorum ad partes Lombardie omnes et singulos passus pontes portus
portas transitus civitates loca castra territoria et districtus, quos quas et que obtinet
aut obtinere continget, ipsi domino regi et gentibus suis apperiet tutosque tutas et tuta　20
cum omni sibi possibili et expediente libertate faciet conservabit et reddet, omni sui et
suorum impedimento penitus cessante; assistet quoque ipsi domino regi partibus amicis
et fautoribus ejus favoribus et auxiliis sibi quibuscumque possibilibus, hostilitatem et
guerram inferendo adversariis et inimicis presentibus et futuris, sive gentibus et complicibus eorundem, prefati domini regis publicis et privatis, quicumque fuerint prout　25
supra; ipsique [e] domino regi vel altero [f] filiorum suorum et gentibus suis intra territorium
Mantuanum existentibus, et quamdiu ibi fuerint, annonam [g] et victualia juxta omnem

---

a) *M* vero, *AB* juro.　b) *M* proto statt pro toto.　c) *AB* earundem.　d) om. *AB*.　e) *AB* ipsi quoque.　f) sic.
g) *MAB* annonas.

Karlsr. ib. fol. 86ᵃ-87ᵇ, 3) Chmel 1770, Janssen
1 nr. 1189, Karlsr. ib. fol. 87ᵇ-88ᵃ; alle 3 stehen
auch Karlsr. l. c. Pfälz. Kop.-B. 143 p. 219-222
bzw. 222-225, 226-227, und Wien H.H. St.A.
Registraturb. A fol. 77ᵇ-78ᵃ bzw. 78ᵃ-79ᵇ, 79ᵇ-
80ᵃ cop. ch. coaev.; alle 3 in Mantua Arch. der
Gonzaga, die dritte B XII or. mb., die 2 andern
B III bzw. IV cop. mb. mit Vidimus vom 3 Aug.
1433. — Ferner: am 6 Juni 1404 theilt K. Ruprecht dem Reichsrikar Mgf. Nikolaus von Este
mit, daß er auf Bitten des Pabstes und des Kar-
dinals [Balthasar Cossa] in Bologna sowie interpositione des Hzgs. Stefan den Franz von Gonzaga
zu Gnaden aufgenommen und demselben den Vikariat von Mantua und die Reichslehen verliehen
hat nebst zwei Schlössern die zum Vikariat Verona
gehören und die bis zum ingressus des Königs in
Italien in seinem Besitz waren; Franz habe ihm
durch seinen procurator geschworen amicis amicus
et inimicis esse et fieri inimicus, der König ersucht Nikolaus, den Franz dem entsprechend zu
behandeln; dat. in castro nostro Heidelberg 6 die
mens. junii anno 1404 r. 4; aus Mantua Arch.

der Gonzaga E II, 2 or. ch. lit. cl. Ein späteres　30
Privileg für Franz von Gonzaga vom 21 Dec. 1404
s. Chmel nr. 1913. — Übrigens ließ sich derselbe
aus Vorsicht auch die Wenzelschen Privilegien
bestätigen: am 10 Dec. 1403 bestätigt P. Bonifacius IX dem Franz von Gonzaga auf dessen　35
Bitte alle von K. Wenzel erhaltenen Privilegien,
auch si qua ex illis per eundem regem post amo-
tionem sive depositionem ejusdem regis a prefato
regno Romano per venerabiles fratres nostros et
dilectos filios sacri imperii electores auctoritate　40
nostra suffultos factam etiam usque ad kal. octobris
proximo preteriti — — — concessa ac quecunque
inde secuta rata habentes et grata kraft aposto-
lischer Autorität; dat. Rome apud s. Petrum 4
id. decembr. pontif. anno 15; aus Mantua Archiv　45
der Gonzaga B IV or. mb. c. bulla plumb. pend.;
es ist ohne Zweifel dieselbe Bulle, welche L. C.
Volta compendio della storia di Mantova 2, 85
unter dem Datum ultimo decembr. 1404 aus derselben Quelle erwähnt, und aus Volta Höfler　50
Ruprecht pag. 324 unter dem 31 Dec. 1403.

suam possibilitatem et pro decenti precio per dictum dominum regem et gentes suas *1404 Juni 6*
persolvendo impendet et dabit, darique a suis subditis faciet et impendi; predictos predictas et predicta passus pontes portus portas transitus civitates loca castra territoria et
districtus victualia quelibet et omnem annonam inimicis et hostibus publicis vel privatis,
5 et quibuscumque ire volentibus et attemptantibus aut quoquo modo mollientibus in
dampna et quevis prejudicia prelibati domini regis et suarum gencium, claudendo ex-
presseque et hostiliter denegando; insuper et prefatum dominum regem et gentes suas
eundo veniendo stando et transeundo bene honorifice humaniterque tractabit juxta
omnem decenciam et posse suum; impendet quoque prefatus ipse constituens prefato
10 domino regi et successoribus suis, quidquid tam per ipsum quam predecessores suos
ceteris hactenus[a] Romanis imperatoribus et regibus ac sacro Romano imperio secundum
concessorum sibi et ejus vicariatuum formas investituras et condiciones tam in honoribus
quam ceteris aliis prestacionibus solitum est et debet impendi; item quod omnia et
singula opida castra terras loca et districtus, que quos et quas de presenti possidet ad
15 vicariatum Mantue et Regii ab antiquo non spectancia, cum omnibus juribus et pertinenciis eorundem ad manus prefati domini regis aut alterius filiorum suorum ejus
nomine dilacionibus postpositis presentabit, necnon possessionem realem et integram con-
signabit eidem dolo et fraude quibuslibet penitus exclusis, servatis illis que habet in
feudum ab imperio eo modo quo feudalis habere debet; quodque, prefato domino rege
20 Romam proficiscente pro imperii dyadematis recepcione, prefatus dominus meus constituens personaliter cum decenti et sibi possibili comitiva tam eundo quam redeundo
eundem concomitabitur[b], nisi justa esset et racionabili prepedicione detentus domini
regis judicio arbitranda; item quod prefato domino rege intra Italiam existente prefatus
dominus constituens, vocatus et requisitus ab eo, ad quemcumque locum sibi ydoneum
25 et securum accedet, nisi impeditus fuerit racionabili causa et prepedicione legitima;
item quod, domino rege non veniente ad Italiam, adherebit amicis et complicibus ac
capitaneis et gentibus domini regis et favebit[c] eisdem amicabiliter ipsos benigne tractando, prout facere tenetur et debet tamquam sacri Romani imperii vicarius et vasallus
et ipsius domini regis servitor fidelissimus; item quod non faciet pactum convencionem
30 confederacionem unionem vel ligam contractum sive amiciciam cum aliqua persona,
cujuscumque condicionis existat, ecclesiastica vel seculari vel cum aliquo principe seu
domino aut videlicet cum aliqua universitate vel communitate, cujuscumque status vel
condicionis existat, ex quibus principaliter vel incidenter premissis omnibus et singulis
derogaretur aut derogari posset pro toto vel parte, sed semper ea omnia et singula in-
35 violabiliter pure et simpliciter observabit; demum, dante deo domino rege ad Italiam
veniente, ipse dominus constituens hujusmodi juramentum, prout superius continetur, in
omnibus et per omnia corporaliter et per se prestabit in ipsius manibus, si ipsius
presenciam habere potuerit corporalem et ipse dominus rex hujusmodi juramentum
duxerit requirendum.   in cujus rei testimonium sigillum prefati domini mei Francisci
40 de Gonczaga presentibus est appensum, datum in opido Heydelberg mensis junii die *1404*
sexta anno domini millesimo quadringentesimo quarto.   *Juni 6*

---

a) *M* hattenus? *AB* hactenus.   b) *M* concamitabitur? *AB* concomitabitur.   c) *M* fovebit, *AB* favebit.

1404 **392.** *Antonius de Nerlis, Abt zu S. Andreas in Mantua und Geschäftsträger des Fran-*
Juni 6   *ciscus de Gonzaga Reichsvikars in Mantua und Reggio, verspricht im Namen des*
           letzteren eidlich Vassallen-Treue. 1404 Juni 6 Heidelberg.

> *M aus Münch. R.A. Haus- und Familiensachen XV ¹/₄ f. 40ᵇ or. mb. lit. pat. c. sig.*
> *pend. abrepto, auf Rückseite noch aus 15 Jahrh. registrata 51 [oder h?] buntniß.*   5
> *A coll. Karlsr. G.L.A. Pfälz. Kop.-B. 5 fol. 85ᵇ-86ᵃ cop. ch. coaev., Einschaltung in die*
> *Belehnungsurkunde gleichen Datums bei Chmel nr. 1768 und Janssen 1, 148 nr.1188;*
> *beginnt mit Ego Anthonius.*
> *B coll. Karlsr. G.L.A. Pfälz. Kop.-B. 143 pag. 221 (cod. ch. saec. 15 in.), ebenso ein-*
> *geschaltet und ebenso beginnend wie A.*   10
> *Steht auch als Einschaltung in Wien H.H. St.A. R.-Registr.-Buch A fol. 77ᵇ-78 cop.*
> *ch. coaev.*
> *Reg. Boic. 11, 343.*

    In nomine redemptoris amen.   cum dignum et justum sit graciose dotatos gra-
cias recongnoscere et ad debitam gratitudinem obnoxios se reddere, hinc est quod ego   15
Anthonius de Nerlis abbas monasterii sancti Andree Mantue procurator et nomine procuratorio magnifici domini Francisci de Gonczaga pro sacra imperiali majestate in civitatibus Mantue et Regii vicarii generalis sacrosanctis corporaliter tactis ewangeliis promitto et in animam ipsius mei principalis juro atque firmiter spondeo: quod prefatus
dominus meus et principalis constituens ab hac hora inantea usque ad ultimum presentis   20
vite sue exitum constanter continue ᵃ et inconcusse serenissimo principi et domino domino Ruperto Romanorum regi semper augusto pro sacro Romano imperio et successoribus suis canonice intrantibus fidelis et legalis ac bonus vasallus erit, quodque tamquam bonus et fidelis vasallus numquam erit in facto consilio vel tractatu ᵇ ex quibus   25
vel quorum altero prelibatus dominus rex amittat vitam aut incurrat periculum amit-
tendi vitam aut membrum aliquod sive ex quo ᶜ in persona recipiat aliquam lesionem
injuriam vel contumeliam aut fame vel honoris aliquale prejudicium vel jacturam rerum
aut qualecumque corporis detrimentum, et, si sciverit vel audierit de aliquo quod aliquod predictorum contra prelibatum dominum regem moliatur aut machinetur verbo vel
facto, omnem suam operam et impedimentum ne illud fiat efficaciter et pro posse pre-   30
stabit, aut, si impedimentum prestare ᵈ non posset, attemptantem attemptare volentem
speciem modumque et circumstancias, prout ad ipsius noticiam pervenerint, ipsi domino
regi quamtocius intimabit, contra talem attemptacionem et machinacionem ᵉ ipsi domino
regi prestando ᶠ omne sibi possibile auxilium consilium et favorem. quecumque eciam
sibi per ipsum dominum regem aut literas vel nuncios ejus commissa aut significata   35
extiterint in secreto, illa vel eorum aliquod nemini pandet nec faciet ᵍ ut pandantur
absque ipsius domini regis expressa licencia. dabit quoque ipsi domino regi, de quibuscunque ʰ ipsum duxerit requirendum, verum bonum sanum utile et maturum consilium
bono animo ad rectam ipsius consciencian omnibus prorsus fraude et dolo malo cessantibus. sed nec umquam ⁱ scienter dicet vel faciet per se vel alium publice vel private   40
quod ad injuriam contumeliam vel discrimen ipsius domini regis vel Romani imperii
quoquomodo principaliter vel consequenter pertineat vel resultet, sed semper memor
erit verbo et opere id agere consulere et operari quod sit incolume tutum honestum
et utile prefato domino regi et sacro Romano imperio in omnibus et per omnia ad
suum posse, et generaliter nichil ullo tempore dicet vel faciet (sed nec dicenti vel   45

---

a) *AB* continuo. b) *AB* erit in tractatu facto vel consilio c) *MAB* quod statt ex quo. d) *M* patrare, *AB* prestare. e) *AB* attemptantem et machinantem. f) *MAB* prestaverit. g) *AB* faciet, *M* faciat. h) *AB* quibuscunque, *M* quibusque. i) *M* numquam, *AB* nunquam.

facienti aut facere volenti consenciet) quod sit aut esse possit explicite vel implicite [1404 Juni 6]
principaliter vel dependenter contra hoc presens juramentum jus morem et consuetudinem fidelitatis homagii et feudorum, sed tam prescripta omnia et singula quam alia
quecumque, ad que quilibet vasallus bonus et fidelis de jure tenetur[a], secundum na-
5 turam presentis investiture dicet faciet et efficaciter observabit. ita ipsius mei[b] constituentis animam deus adjuvet et hec sancta ewangelia. in cujus rei testimonium
sigillum prefati domini mei Francisci de Gonczaga presentibus est appensum. datum
in opido Heidelberg mensis junii die sexta anno domini millesimo quadringentesimo [1404
quarto. Juni 6]

10 **393.** *K. Ruprecht versetzt 28 genannten Räthen und Getreuen, welche ihm zu einem* [1404
zweiten Zuge nach der Lombardei, welchen er vorbereitet, 17500 Gulden geliehen Juni 21]
haben, Burg und Stadt Caub nebst dem Rheinzoll daselbst[1]. *1404 Juni 21*
Heidelberg.

15 *Aus Karlsr. G.L.A. Pfälz. Kop.-B. 53 pag. 203-206 cop. chart. coaev., mit der Überschrift*
Als min herre sinen reten[c] Cube den zolle und burg und stad verkauft hat fur 17000
und 500 gulden of einen wiederkauf. Die Urkunde ist ausgestrichen, darüber steht
redempta est.

Wir Ruprecht etc. bekennen und dun kunt offenbar mit diesem briefe allen den
die in immer sehent oder horent lesen: als wir diesen nachgeschrieben unsern reten
20 und lieben getruwen, mit namen den edeln Schencke Eberharten dem eltern herren zu
Erpach, Friederich Schencken herren zu Lympurg unserm heuptman zu Francken,
Wiprechten von Helmstad dem alten, Hansen vom Hirczhorn, Diether von Gemmyngen,
Eberhart von Niperg, Johann Kemerer den man nennet von Talburg unserm schultheißen zu Oppinheim, Otte Knebil unserm burggraven zu Stalberg, Swarcz Reinhard
25 von Sickingen unserm lantvogt in Elsaß, Wiprecht von Helmstad dem jungen unserm
vogt zu Bretheim, Hansen von Helmstad, Ulrich Lantschaden unserm burggraven zu
Altzey, Tham Knebel unserm marschalke rittern, Cuntze Munichen von Rosenberg
unserm vogt zu Steinßberg, Hanman von Sickingen unserm viczdum zůr Nuwenstad,
Hennel Wißkreiße von Lyndenfels, Cuntze Lantschaden, Wilhelm von Waldecke un-
30 serm burggraven zu Staleck, Hansen von Venyngen dem alten, Gerlach Knebil,
Wernher Knebel den man nennet Itelknebil, Reinhard von Sickingen dem jungen unserm vogt zu Heidelberg, Reinhard von Helmstat, Symon Grans, Hanman schultheißen
von Winheim, Ulrich Salczkern, Heinrich von der Huben unserm hußhofemeister
zu Heidelberg, und Wernher von Albiche unserm burggraven zu Stromburg, unser große
35 und trefflichen notsachen als von eins zuges wegen gein Lamparthen zu dun, der auch
iczund von gnaden dez almechtigen gots, nach dem wir eigentlichen vernomen han, wol
geschicket und gestalt ist in Lamparthen zu widerbringunge dem heiligen riche solicher[d]
stette sloße und lande die ime frevenlichen und wieder recht entweltiget sint, furgetragen

---

a) *MAB add. et.* b) *add. MB; om. A (bzw. ist es durchgestrichen).* c) *cod. rete.* d) *cod. sollich.*

---

40 [1] *Von anderen Schuldverschreibungen aus dieser*   *andere Schuldverschreibung des Königs an den-*
Zeit erwähnen wir nur noch: K. Ruprecht will   *selben über 3945 fl. die ihm der Ersb. geliehen*
Ersb. Johann von Riga die 1745 fl. 15 flemische   *hat, dat. Heydelberg fer. 4 p. Mich. [Okt. 1] 1405,*
gr., die ihm dieser geliehen hat, künftige Weih-   *steht ibid. pag. 233, ebenfalls ausgestrichen. Des-*
nachten bezahlen; dat. Heidelberg fer. 6 p. Kyliani   *gleichen über 345 fl., dat. Wissenloch fer. 2 a.*
45 *[Juli 10] 1404 r. 4; Karlsr. G.L.A. Pfälz. Kop.-B.*   *Mathei [Sept. 19] 1407 r. 8, ibid. pag. 310-311.*
53 pag. 215 cop. ch. coaev., durchstrichen. — Eine

68 *

1404
Juni 21

haben in ganzen truwen umbe rate hulfe und stûre darzû von in zu nemen: das die vorgenanten[a] unser rete und lieben getruwen dieselbe unser treffliche notsachen bedacht und bedracht und auch angesehen haben das ire eltern und sie bi unsern eltern und uns allzit gnediclichen und getrulichen herkommen sint. und herumbe, und auch umbe daz wir unser sloße rente und felle nit in fremde hende, gelte daruf ufzubringen, wenden und versetzen dûrften, so sin wir mit wolbedachtem mute und gutem rate eins slechten kaufes mit in uberkommen, also daz wir in unser sloße Cube burg und stat mit allen durfern und gulten nutzen rechten renten vellen gerichten und aller andern zugehorunge große und cleine nichts ußgenommen und mit namen auch unsern zolle an dem Rine zû Cube rechte und redelichen fur uns und alle unser erben pfalzgraven bi Rine verkauft und zu kaufe geben haben, und verkeufen in die auch in craft diß briefs, uf einen wiederkaufe fur siebenzehendusent und funfhundert guter rinischer gulden gute von golde und mûnze und swere gnûge an gewichte, die wir darumbe in bereiten und gezalten guldin von in enphangen und auch furbaßer in unsern und unser erben obgenant schinbern und großen nûtze und notdorft gewant und gekert hant[1]. der vorgenant kaufe bescheen ist in aller maße als hernach geschrieben stet. zum ersten sollen wir kunig Ruprecht obgenant alle unser amptlute zu den vorgenanten sloßen gehorende und unser burger in unser stad Cube und auch unsern zolschriber zollere und alle knechte und diener des vorgenanten sloßes ire eide die sie uns und unser Pfaltze getann hant uber die vorgenanten ampte zu der stat Cube und dem zolle genzlich ledig und loße sagen und sie den obgenanten unsern reten und lieben getruwen und iren erben dun hulden globen und sweren als von diß kaufs wegen getruwe holt gehorsam verbunden zu sinde zu gewartende und zu tûn als sie uns bißher pflichtig sint gewesen, alle die wile der wiederkaufe der obgenanten sloße und zols nit bescheen ist, ane geverde[2]. und die obgenanten unser rete sollen und mogen auch dazuschen dieselben ampte und sloße mit amptluten und zollern bestellen und besetzen wie sie bedunket daz in dann allerbequemlichste si, doch Symond Grans der itzund unser amptmann zu Cube ist an sinen rechten nach lude siner briefe die er von uns hat unschedelichen ane geverde. und von den obgenanten siebenzehentusent und funfhundert gulden sollen wir kûnig Ruprecht und unser erben den obgenanten unsern reten und

Nov. 11 lieben getrûwen und iren erben alle jare jerlichen of sant Martins tag des heiligen bischofs eilfhundert sechs und sechtzig gulden und achte große zu gulte geben[3]. und dieselben gulte, und auch den kosten der da get und sich gebûrt den amptluten und von den obgenanten sloßen zu behuden und zu bewaren und burgmann und mann derselben sloße und zolschriber und ander diener des zoles ußzurichten, und auch was

---

a) *hier und weiterhin meist abgekürzt vorgen.*

---

[1] *K. Ruprecht bezeugt dem Mathias von Sobernheim seinem Prothonotar, daß er ihm die Summe von 17500 fl. und 15 fl., die ihm dem König seine Räthe zu einem beabsichtigten Zuge nach Lombardien geliehen haben, und die Mathias einsammelte, ordentlich verrechnet und ihm Nachweise gegeben habe, wohin das Geld gekommen und wozu es ausgegeben worden sei; dat. Heidelberg fer. 6 ante Thome [Dec. 19] 1404 r. 5; Karlsr. G.L.A. Pfälz. Kop.-B. 149 pag. 85-86 cop. ch. coaev., mit der Bemerkung, die 15 fl., von denen der Bischof von Speier 13 der Johann Kemmerer 2 gegeben, seien deshalb nicht zur Hauptsumme gerechnet,*

weil dieselben viel zu leicht gewesen, ibid. Kop.-B. 8¼ fol. 87ᵇ cop. ch. coaev.

[2] *Am 25 Juni 1404 befiehlt K. Ruprecht seinem Burggfen., Zollschreiber, Kellner u. s. w. zu Caub sowie Stadt Caub, da seinen Räthen die ihm eine Summe vorgestreckt haben dafür Zoll Burg und Stadt zu Caub eingegeben worden, an deren Statt dem Reinhard von Sickingen dem Jungen Vogt zu Heidelberg zu huldigen; dat. Heidelberg Mi. n. nativ. Johann. bapt. 1404; aus Karlsr. G.L.A. Pfälz. Kop.-B. 53 pag. 206-207 cop. ch. coaev., durchgestrichen.*

[3] *D. h. 1 auf 15 oder 6⅔ %; 1 fl. = 12 gr.*

vor datum diß briefs ungeverlichen of demselben unserm zolleᵃ verschrieben ist, sol man *1404 Juni 21*
alles nemen und ußrichten von dem gelte das of dem vorgenanten unserm zolle und
auch in die vorgenanten sloße und ampte gehöret und gefellet, also doch daz sie eins
iglichen jars ire gulte eilfhundert sechs und sechtzig gulden und acht große nit ee dann
⁵ of sant Martins tag vorgenant von demselben unserm zolle nemen sollen. und was *Nov. 11*
gelts eins iglichen jars uber dieselben gulte eilfhundert und sehs und sechtzig gulden
und achte große und auch die amptlute burgmanne und ander die vor daruf verschrieben sint als vor geschrieben stet von dem vorgenanten unserm zolle und auch
dem ampte gefellet, daz sollen sie alles unverrucket und aneabegetan ganze bi eine
¹⁰ laßen ligen und behalten zu Cube zur losunge und wiederkaufeᵃ derselben slosse und
zolles mit iren zugehorungen ane alle geverde. und wann die heuptsumme siebenzehentusent und funfhundert gulden also bi ein bracht wirdet von dem obgenanten unserm
zolle und ampten, so sollen sie die obgenanten unser rete nemen und uns oder unsern
erben dieselben sloße und zolle zu Cube mit allen nutzen und zugehorungen alz sie die
¹⁵ innehant und auch diesen brief lediclich und loße wieder darumbe zu kaufeᵇ ingeben
ane allen verzog wiederrede und hinderniße und ane alle geverde, ob wir oder unser
vorgeschrieben erben anders die mit anderm unsermᶜ gelte umbe die obgenanten siben-
zehentusent und funfhundert gulden vor nit wiedergekauft und gelöset hettent ane
geverde, des wir uns und unsern erben vorgeschrie*ben* auch macht behalten haben zu
²⁰ dûn die sloße ampte und zolle vorgenant eins iglichen jars wann wir wollen mit siebenzehentusent und funfhundert guterᵈ gulden wieder zu keufen und zu lösen, doch daz
wir in daz einen mande bevor verkunden, ane alle geverde; und wann und welichs
jars wir oder unser erben der Pfalczgraveschafte bi Rine den wiederkaufe und die
losunge also dûn wollen, der sollent sie und ire erben uns auch gehorsam sin ane allen
²⁵ verzoge intrage wiederrede und hinderniße ane alle geverde. [*Alle diese Punkte verspricht K. Ruprecht getreulich zu halten und die genannten ungehindert im Besitz des
Schlosses Caub etc. zu belassen.*] und des allez zu warem stetem vestem urkunde
haben wir unser Pfaltze ingesiegel an diesen brief tûn henken, wann die vorgenanten
sloße ampte und zolle auch derselben unser Pfaltze zûgehören. [*Die Pfen. Ludwig
³⁰ Johann Stefan und Otto des Königs Söhne bekennen daß die vorstehende Verschreibung
mit ihrem Wissen Willen und Verhängnis geschehen ist, geben ihre Einwilligung dazu
und hängen ihre Sigel zu dem des Königs an den Brief.*] der geben ist zu Heidelberg
uf den nehsten samßtag vor sant Johanns baptisten tag des heiligen deufers in dem
jare als man zalte nach Cristi gebûrte vierzehenhundert und vier jare unsers richs in *1404*
³⁵ dem vierden jare. *Juni 21*

Ad mandatum domini regis
Johannes Winheim.

ᵃ) cod. u *über* a *kolumniert.* ᵇ) cod. add. und. ᶜ) cod. unserm *ausgeschrieben*, aber *mit Abkürzungshaken am* s.
ᵈ) cod. add. rinischer *gleichzeitig ausgestrichen.*

[1404
c. Juni
25] **394.** *Anweisung K. Ruprechts für Johann Kämmerer gen. von Dalberg, Reinhard von*
Sickingen, und Job Vener zu Unterhandlungen mit den Räthen des Gfen. Ama-
deus VIII von Savoien auf dem Tage zu Solothurn [1] *über Anerkennung Ruprechts,*
Heirat zwischen dessen Sohn Johann und einer Schwester des Grafen, und Unter-
stützung des Königs bei einem etwaigen Zuge nach Italien. [1404 c. Juni 25 **5**
Heidelberg [2]*.]*

       *Aus Karlsruhe G.L.A. Pfälz. Kop.-B. 146 fol. 74*b*-75*b *cop. ch. coaev.; vorhergeht im*
       Kodex die Werbung an den König von England vom 10 Aug. 1403 nr. 295, nachher
       folgt die Werbung an die Schweizer von [1404 c. Juni 25] nr. 395, dann die An-
       weisung zum Tag von Augsburg von [c. 25 Nov. 1404] nr. 407. **10**
       Coll. Janssen Frankf. R.K. 1, 749-751 nr. 1193 aus eigenem Kodex Acta et Pacta 79.
       Moderne lateinische Übersetzung bei Martène ampliss. coll. 4, 125f. nr. 84; daraus er-
       wähnt Chmel reg. Rup. nr. 1788.

    Werbunge, darnach sich unsers herren dez kunigs frunde richten sollen mit dez
graven reten von Sophoye of dem tage zu Solothern. **15**

    [1] Zum ersten sollen sie vast daran ligen, das der grave von Sophoye unserme
herren dem kunige hulde globe und swere und sin lehen von imme enphahe als von
eim Romischen kunige, und dez selber zu unserm herren dem kunige of einen tag gein
Basel komme daz zu follenden. und ob sich daz verziehen wurde, so sal er doch sich
von stunt verschriben daz er unsern herren den kunig fur einen Romischen kunig **20**
halten und haben wolle, und im von siner graveschaft und herschaft tun gehorchen
und gewarten als ander graven von Sophoye keisern und kunigen unsers herren furfarn
getan hant.

<hr>

[1] *Aus einem Posten der Kammereinnahmen vom*
15 August 1404, Janssen R.K. 1, 760 nr. 1212
art. 27, bei uns im Bd. 6, erfahren wir, daß Jo-
hann Kämmerer und Job Vener in Lausanne ge-
wesen waren. Der Ort legt es sehr nahe an eine
Gesandtschaft an den Grafen von Savoien zu
denken, und die Namen der Gesandten wie auch
das Datum lassen vermuthen, daß es dieselbe war,
zu der die Vollmachten vom 25 Juni (s. nächste
Anm.) und obige Anweisung gehören. Ruprechts
Gesandte hätten dann die des Grafen nicht wie
sie erwarteten in Solothurn sondern erst in Lau-
sanne gefunden.
  [2] *Vom 25 Juni 1404 aus Heidelberg sind die*
beiden Vollmachten, denen auch die Namen der
Gesandten in unserer Überschrift oben entnommen
sind: 1) eine Vollmacht, mit Gf. Amadeus von
Savoien dessen Räthen oder Gesandten zu ver-
handeln und abzuschließen jedwedes Bündnis und
Übereinkommen gegen jedermann, diese Verträge
im Namen K. Ruprechts zu approbieren und zu
bekräftigen, den schuldigen Treueid wie andere
eidliche Versprechungen vom Gfen. oder dessen
Bevollmächtigten entgegenzunehmen, diesem dafür
jegliche kgl. Gnaden Privilegien Freiheiten Immu-
nitäten zu verleihen, wie überhaupt alles erforder-
liche zu thun, auch wenn dazu Spezialvollmachten
nöthig sind, die hiemit gegeben sein sollen; was

die Gesandten thun, verspricht der König inne-
halten zu wollen; datum in castro nostro Heydel- **25**
berg mensis junii die vicesima quinta anno domini
millesimo quadringentesimo quarto regni vero nostri
anno quarto. || Ad mandatum domini regis || Jo-
hannes Winheim; aus Karlsr. G.L.A. Pfälz. Kop.-
*Buch 5 fol. 89*a b*, steht auch ib. Kop.-B. 143 pag.* **30**
229f., auch Wien H.H. St.A. R.-Registr.-Buch A fol.
*80*b*-81*a*, überall cop. ch. coaev., aus letztgenannter*
Quelle Regest bei Chmel nr. 1788, aus vorletztgen.
bei Janssen Frankf. R.K. 1, 749 nr. 1191. 2) Eine
Vollmacht für dieselben zu Verhandlung einer Ehe **35**
zwischen K. Ruprechts Sohn Johann und der nicht
mit Namen genannten ledigen älteren Schwester
des Gfen. Amadeus, die sich im Wortlaut mut.
mut. ganz der Vollmacht vom 23 Aug. 1402 nr.
288, französ. Ehe betreffend, anschließt, nur daß **40**
hinzugefügt ist, es sollen auch alle etwa nöthigen
Spezialvollmachten hiemit als gegeben gelten, und
(vor der Sigelankündigung) der König und sein Sohn
ergänzen allen defectus juris; datum wie in der
*andern Vollmacht lin. 25*f ff*.; aus Karlsr. G.L.A.* **45**
*Pfälz. Kop.-B. 5 fol. 89*b*-90*a*, steht auch ibid.*
Kop.-B. 143 pag. 230ff., auch Wien H.H. St.A.
*R.-Registr.-Buch A fol. 81*a b*, überall cop. ch. coaev.,*
aus letztgen. Quelle Regest bei Chmel nr. 1789,
aus vorletztgenannter bei Janssen Frankf. R.K. 1, **50**
749 nr. 1192.

[2] Item man sal auch of dem obgeschriben stücke also verliben, daz keinerlei ⁽¹⁴⁰⁴
fruntschaft buntniße oder einunge nit besloßen noch betedingt werde, die huldunge oder ᶜ· ᴶᵘⁿⁱ
verbriefunge geschee dann als vor geschriben stet. ²⁵⁾

[3] Item man mag in wol lesen und eßgen, ob sie ez begerent, die bullen der
⁵ bostetigunge unsers herren dez Romischen kunigs von dem stule zu Rôme ¹ und den
urteilsbrief alz die kurfursten kunig Wentzislaw abgesetzt hant ², doch sal man in der
kein abschrift geben.

[4] Item von der hirad zuschen herzog Hannsen und dez graven swester ist besloßen, daz man ·nit minner zu zugelt neme dann 60000 rinischer ᵃ gulden of daz
¹⁰ minste, und das die summe halbe mit der dochter ³ bezalt werde und daz ander halb in
dem nechsten jare darnach, mit einander oder zu zweien zielen in eim jare, oder zum
lengsten daz ander halbteil in anderhalbem jare, oder in zwein jaren zum allerlengsten.
doch daz das wol versichert werde und man sich darinne richte die ziele of daz
kurzste oder daz lengste fur sich zu nemen, nachdem alz sich die andern tedinge
¹⁵ schicken werdent. es ist auch unsers herren meinunge, daz die dochter zu kunftigen ᵇ ¹⁴⁰⁵
meien oder zu phingsten mit dem halben zugelte ußgevertiget und irem gemahel gesant ᴹᵃⁱ ¹⁴⁰⁵
werde; doch schicket ez sich anders in den tedingen, so laße man ez darumbe nit zer- ᴶᵘⁿⁱ ⁷
slahen daz ez lenger verzogen werde, doch nit mere dann ein jare.

[5] Item man sal auch das zugelt und wideme widerlegen und bewisen of lande
²⁰ und luten, die zwirnont als vil wert sint als der dochter zûgelte. dieselben lande und
lûte die gemechde ᶜ ⁴ haben und nießen sollen ire lebtagen, und nach irer beider dote
ir kinde. ob sie aber nit kinde hettent, so sollent die lande und lûte nit ir eim of
das ander fallen. und so sie bede abgent von dots wegen, so sal iglicher teil hinder
sich fallen, da er her ist kommen. doch, ob ez zu falle keme, das man nit durfte zu
²⁵ stunt daz mit barem gelt ußrichten, sunder daz die lande und lute als lange in der
hant bliben da sie dann hinfallen, biß daz man sie loset fur so vil gelts als dem dann
gebôret da der falle hin geschicht.

[6] Item von der gezierde wegen des kopfes der jungfrauwen etc. ist unsers herren
des konigs meinunge of daz leste, daz man daz zu in stelle, das der greve sin swester
³⁰ selber ußrichte mit solicher gezierde in eime und im andern als ime und siner herschaft
das wol anstet.

[7] Item von der sachen wegen gein Lamparthen ist unsers herren meinunge, daz
man die lenge ᵈ ⁵ und ofhalte of den sine, daz unser herre der konig zu diesen ziten
nit eigentlich wiße was im geburen werde zu tûnde, sunder, wann sie der ander sachen
³⁵ uberkommen, werde dann unser herre der kunig zu rade etwas gein Lamparthen zu
understen, so habe er des greven von Sophoye rate und hilfe gerne darzû, und solle
alzdann mit im wol uberkommen aller der stucke die darzû not sin.

[8] Item wolten sie baß darof ligen und ie wissen unsers herren meinunge darinne,
so mag man mit in tedingen, ob und wann unser herre der kunig des graven von
⁴⁰ Sophoye wege und stege bedorfend werde, daz im der greve von Sophoye dieselben
wege und stege und sine sloße in Lamparthen offen, daz im unser herre der kunig
darumbe verspreche alsdann 10 oder 12000 gulden zu geben, und, ob er sin bedorfen

---

a) *Janssen* runscher *(offenbar verlesen).* b) kunftigem? *abgekürzt.* c) *cod.* gemechde? gemechtere? *korrigiert.*
d) *Karlsruhe und Janssen* lene.

⁴⁵   ¹ *RTA. 4 nr. 104.*
  ² *RTA. 3 nr. 204 f.*
  ³ *Sollte hier und lin. 15 wol swester heißen wie*
lin. 8 und 29. Vgl. pag. 494 nt. 1. Oder dochter
ist vom Standpunkte Ruprechts des künftigen
Schwiegervaters aus gesagt.

  ⁴ *Gemechede, Person mit der man ehelich ver-*
bunden ist, Mann, Frau; Lexer.
  ⁵ *Lengen, in die Länge ziehen, aufschieben;*
Lexer.

[1404
c. Juni
25]
wurde, daz er im dann dez mandes 1000 gulden fur sin persone und sinen rittern und knechten solt gebe als andern unsers herren des kunigs rittern und knechten. man sal sich dem graven auch nichts versprechen zu geben oder zu bezalen, min herre werde sin dann bedorfen.

[1404
c. Juni
25]
395. *Anweisung K. Ruprechts für ungenannte Gesandtschaft zu Verhandlungen mit* 5
*den Schweizern über Öffnung der Wege nach der Lombardei, wofür ihnen aber
kein Bündnis wider Österreich zu gewähren ist.* [1404 c. Juni 25 Heidelberg [1].]

Aus Karlsr. G.L.A. Pfälz. Kop.-Buch 146 fol. 75 b cop. ch. coaev.
Coll. Janssen R.K. 1, 605-606 nr. 1015, mit der als fraglich bezeichneten Datierung 1401
etwa Juli, aus einem in seinem Privatbesitz befindlichen Kodex Acta et Pacta 188. 10
Moderne lateinische Übersetzung bei Martène ampliss. coll. 4, 127 nr. 85.
*Regest bei Chmel nr. 2114 aus Martène l. c., datiert es vermuthungsweise c. December
1405.*

Gedechtniße mit den Switzern.

[1] Item man sal in sagen, daz unser herre der kunig gar fruntliche an sie beger, 15
ire wege und stege gein Lamparthen im zu offen. daz meine er gein in vast gnediclich und ewiclich zu bedenken und allwegent dest gerner zu in geneiget sin in allen
sachen.

[2] Item was sie darin ziehen werden, da sal man in glimpflichen antwerten.
doch würden sie buntniße gein der herschaft von Osterrich begern, daz sal man in 20
hubschlich abslahen of den sine, daz unser herre der kunig nit gerne kein buntniße
wider sinen dochterman und herzog Lupolt von Osterriche angene wolle, wann sie selber
wol versteen daz unserm herren dem kunig daz nit wol gezeme, diewile ir einer sin
dochter hat; sunder kemen sie zu zweinge, so wolle unser herre sie understene gutlich
zu verrichten und sich sust in allen sachen als fruntlich gein in aßgen daz sie ez billich 25
von im zu danke ofnemen.

[3] Item wolten sie dann darof ligen, das unser herre sich verspreche, dem herzogen wider sie nit zu helfen, daz sal man ine auch hubschlich abslahen of den siene,
daz unser herre ·der konig, wann er in dez verbunden were, nit als wol dazuschen
gereden künde als sust; sunder unser herre der meine sich ie also gein in zu bewisen, 30
daz sie ez ob got wil nit beruwen solle ob sie unserm herren in den sachen zu statten
kommen.

---

[1] *Das Stück steht im Kodex nach der Anwei-*
sung zum Tage von Solothurn nr. 394 von [c. 25
*Juni 1404] und vor der Anweisung zum Tage von
Augsburg nr. 407 von [c. 25 Nov. 1404]; dasselbe
gehört also wahrscheinlich ins Jahr 1404 Juni
bis Nov. Und da in der erstgenannten Anweisung art. 8 dasselbe Begehren des freien Durchzuges an den Gfen. von Savoien gestellt wird
(man beachte den gleichen Wortlaut wege und stege),
liegt es nicht fern zu vermuthen, daß unsere Anweisung gleichzeitig derselben Gesandtschaft mit-*
*gegeben wurde. Zwar nennt in art. 2 K. Ruprecht
den Hzg. Friderich von Österreich seinen dochter-
man, das darf uns aber nicht veranlassen, die* 35
*Anweisung etwa erst ins Jahr 1406, nach Vollzug
der betreffenden Ehe, setzen zu wollen, denn K.
Ruprecht nennt wiederholt den Hzg. Friderich
schon viel früher, z. B. in den Vollmachten vom
29 Nov. 1403 nr. 382 f., seinen Sohn, und in den* 40
*Werbungen zu den betr. Eheverhandlungen wird
ebenso die Tochter Ruprechts proleptisch schon
uxor genannt.*

396. *K. Ruprecht bevollmächtigt 4 gen. zu Unterhandlungen mit dem Hzg. Friderich* 1404
von Österreich oder dessen und Hzg. Leopolds Räthen auf dem Tage zu Füssen [1]. Juli 6
1404 Juli 6 Heidelberg.

> *Aus Karlsr. G.L.A.* Pfälz. Kop.-B. 4 fol. 205ᵃ *cop. ch. coaev., mit der glchs. Überschrift*
> Ein gewaltsbriefe gein herzog Friderich von Österrich of den tag gein Fußen.
> *Steht auch Wien H.H. St.A.* R.-Registr.-Buch C fol. 177ᵇ *cop. chart. coaev.*
> *Regest Chmel nr. 1799 aus Wien l. c., Lichnowsky Gesch. des Hauses Habsburg 5 Regesten*
> *nr. 632 aus Chmel.*

Wir Ruprecht etc. bekennen etc.:   als wir den edeln Hadmar herren zu Laber
Hannsen vom Hirczhorn ritter Reinhard von Reinchingen ᵃ ² und Johannes von Wynheim
unsern prothonotarien unsere rete und lieben getruwen of diese zit zu eime tage schicken
gein Fußen gein dem hochgeborn Friderich herzogen zu Osterrich etc. unserm lieben
sone und fursten oder des hochgebornen Lupolts herzogen zu Osterriche etc. unsers
lieben oheims und fursten und des vorgenanten unsers sons herzog Friderichs reten ob
derselbe unser son herzog Friderich selbs zu dem dage nit kommen mochte, [*daß wir*
den vorgenannten Vollmacht geben mit den obgenannten auf dem obgenannten Tage] von
unsern wegen zu tedingen zu uberkommen und genzlichen zu besließen; [*und was die-*
selben auf dem obgenannten Tage also mit ihnen teidingen überkommen beschließen und
von unsern wegen verbriefen und versiegeln, wollen wir also halten und darnach auch
verbriefen und versiegeln.   Mit anhangendem Majestätssigel gegeben zu] Heidelberg do-   1404
minica post beati Odalrici episcopi [*1404*].   Juli 6

Ad mandatum domini regis
Johannes Winheim.

397. *K. Ruprecht bevollmächtigt 4 gen., auf einem Tage zu Gratz mit des K. Sigmund* 1404
Räthen, sowie dieselben, dort mit Hzg. Leopold und Friderich von Österreich Juli 28
oder deren Räthen zu verhandeln. 1404 Juli 28 Heidelberg.

> *Aus Karlsruhe G.L.A.* Pfälz. Kop.-B. 4 fol. 210ᵃᵇ *cop. ch. coaev., bzw. not. ch. coaev.,*
> *mit der glchs.* Überschrift Ein gewaltsbrief of grave Gunthern von Swartzpurg etc.
> gein des kunigs reten von Ungern, *rechts zu Anfang am Rande von derselben Hand*
> Non transivit.
> *Steht auch Wien H.H. St.A.* R.-Registraturbuch C fol. 177ᵇ *cop. ch. coaev., bzw. not.*
> *ch. coaev.*
> *Regesten Chmel nr. 1820 und unter nr. 1820 aus Wien l. c., Lichnowsky Gesch. des*
> *Hauses Habsburg 5 nr. 637 aus Chmel.*

Wir Ruprecht [*u. s. w., geben*] dem edeln grave Gunthern von Swartzpurg herren
zu Raniß unserm hofemeister, Thamme Knebil ritter unserm marschalke, Hanman von
Sickingen unserm viczdum zur Nuwenstad, und Johannes von Winheim prothonotarien
unsern reten und lieben getruwen [*Vollmacht*], mit des durchluchtigen hochgebornen
fursten fursten ᵇ hern Sygemonts kunigs zu Ungern etc. reten die ietzund zu dem tage

a) *kann auch Remchingen heißen.* b) *das zweite* fursten *wol zu streichen.*

---

[1] *Die Gesandtschaft gieng wirklich ab und war*
vor dem 22 Juli wider in Heidelberg, wie ein
Posten der Kämmereirechnung von diesem Datum
zeigt, s. Janssen 1, 760 nr. 1212 art. 24, bei uns
in Bd. 6. — Vgl. nr. 389.

² *Hofmeister Hzgs. Johann, kommt in den Nürn-*
berger Stadtrechnungen oft vor, in der Form
Renchingen und (sicher) Reinchingen.

1404
Juli 28 gein Gretze komen werdent [*zu verhandeln wörtlich wie in der Vollmacht vom 30 Dec. 1403 nr. 322, nur heißt es* zwischen uns und dem obgenanten kunige zu Ungern *und* was die obgenanten unser rete in den vorgeschriben sachen]. geben zu Heydelberg of den nehsten mandag nach sant Jacobs tag des heiligen zwolfbotten in dem jare alz man *1404*
Juli 28 zalte nach Christi gepurte 1400 und darnach in dem vierden jare unsers richs in dem   5 vierden jare.

Item in der obgenanten forme ist ein gewaltzbrief geben of die obgenanten viere mit den hochgepornen Lupolt und Friderich herzogen zu Osterrich etc. oder iren reten die sie von iren wegen darzu schicken werdent.

Ad mandatum domini *regis*   10
Ulricus etc. [1].

1404
Juli 28 **398.** *K. Ruprecht bevollmächtigt einen gen. bzw. drei gen. Gesandte zu allen Verhandlungen und Verträgen in Italien und besonders in Tuscien und der Lombardei. 1404 Juli 28 Heidelberg.*

> *Aus Karlsr. G.L.A. Pfälz. Kop.-B. 115 pag. 316 not. ch. coaev.*   15
> *Regest bei Janssen Frankf. R.K. 1, 751 nr. 1194 ebendaher, aber irrig pag. 315 [b] angebend.*

Item in prescripta forma [*d. h. wie die Vollmacht vom 6 Merz 1403 RTA. 4 nr. 86*] data sunt duo procuratoria, unum super dominum Spirensem solum [2], et aliud super dominum Spirensem magistrum Nicolaum Bettenberg et Reinhardum de Sickingen,   20 *1404*
Juli 28 mutatis mutandis, sine testibus et subscripcione, sub data Heidelberg mensis julii die 28 anno etc. 404.

1404
Juli 28 **399.** *K. Ruprecht bevollmächtigt Bischof Raban von Speier wie in nr. 390 am 31 Mai 1404 Konrad von Eglofstein und Günther von Schwarzburg [3]. 1404 Juli 28 Heidelberg.*   25

> *Aus Karlsruhe G.L.A. Pfälz. Kop.-Buch 5 fol. 84 [b] not. ch. coaev.*
> *Steht auch ib. Kop.-B. 143 pag. 218 ebenso nur not. ch. coaev. Ferner Wien H.H. St.A. R.-Registr.-Buch A fol. 77 [a] auch not. ch. coaev.*
> *Regest Chmel nr. 1819 aus Wien l. c., Janssen Frankf. R.K. 1, 751 nr. 1195 aus Karlsr.*   30
> *Kop.-B. 143 l. c.*

Item in simili forma [*d. h. wie die Vollmacht nr. 390*] datum est procura-
1404
Juli 28 torium domino Spirensi mutatis mutandis. sub data Heydelberg mensis julii die 28 anno etc. 404.

Ad mandatum domini regis
Ulricus de Albeck etc.   35

---

[1] *Die zwei Unterschriftszeilen beziehen sich ohne Zweifel auf beide Vollmachten.*

[2] *K. Ruprecht empfiehlt dem Dogen von Venedig Michael Steno seinen nach der Lombardei abgeschickten Gesandten, den Bisch. Raban von Speier, dat. Heidelberg die penultima julii [Juli 30] 1404; nach dem Regest von Mone Zeitschrift f. d. Gesch. des Oberrheins 22, 189 nr. 27 aus or. mb. in Karlsruhe G.L.A., das von uns nicht gefunden wurde. — Den in Einleitung lit. C mitgetheilten Posten des Nürnberger Schenkbuchs wird man kaum auf diese Gesandtschaft beziehen dürfen.*

[3] *Am selben Tage schreibt K. Ruprecht an die Stadt Verona, Karlsr. G.L.A. Pfälz. Kop.-B. 5 fol. 85 [a], In simili forma [d. h. wie der Brief vom 1 Juni 1404, s. Note unter nr. 390 vom 31 Mai 1404] data est litera domino Spirensi ad Veronenses sub data Heydelberg 28 die julii anno etc 1404; dieselbe Notis steht auch Wien H.H. St.A. R.-Registr.-Buch A fol. 77 [a] und Karlsr. l. c. Kop.-Buch 143 pag. 219, überall not. ch. coaev., Regest Chmel nr. 1819 aus Wien l. c., Janssen Frankf. R.K. 1, 751 nr. 1196 aus Kop.-Buch 143 l. c.*

400. *P. Bonifacius IX befiehlt dem Abte von Schönau und den Dekanen von Worms* 1404 *und Neustadt a. d. H., die Ausführung der beiden Bullen vom 1 und 2 Okt. 1403* Aug. 4 *RTA. 4 nr. 107 und 108 in Betreff des dem K. Ruprecht auf 2 Jahre zugestandenen kirchlichen Zehnten durch scharfes Einschreiten zu bewirken* [1]. *1404 Aug. 4 Rom.*

> *D aus Münch. Staatsarchiv Urkk. betr. äußere Verhh. der Kurpfalz* $\frac{120}{b\,13}$ *or. mb. lit. pat.*
> *c. bulla plumbea in filo cannab. pend.; was nach dem Datum unter der Urkunde*
> *selbst steht, ist alles auf den Bug geschrieben; mit vergrößerter Schrift steht in den*
> *Ecken oben links | , oben rechts B, unten rechts XVI; auf Rückseite mitten oben*
> *sehr groß Registrata mit Jac (wol für Jacob) im unteren Theil des R, ebenda rechts*
> *unten an den Schnurlöchern Solvit michi Francino, und weiter oben rechts ebenfalls*
> *gleichzeitig wol Bemerkung des deutschen Archivs Brachium seculare contra inobedientes*
> *super decima etc., endlich links unten in der Ecke mit umgekehrter Schrift noch ein-*
> *mal wie auf dem Bug der Vorderseite G. Stoter.   Unter dem Buge rechts Franciscus*
> *de Montepoliciano mit zwei über einander gestellten C über F; links A. de Benevento*
> *(et?), darunter N. de Rugis, und über A zwei über einander gestellte C, nahe rechts*
> *von diesen beiden Namen mit vergrößerter Schrift 9, und ganz am linken Rande Aug*
> *mit Überstrich. — Vgl. RTA. 4 nr. 107 var. D (Quellenangabe dort).*
> *J coll. Karler. G.L.A. Pfälz. Kop.-B. 61 fol. 211* b *-214* a *cop. ch. saec. 15; mit der glchs.*
> *Überschrift* Wie babst Bonifacius executores setzt, zehende und gulte der geistlichen
> inzubringen, konig Ruprechtten zu furderung sin keisercron zu Rome zu holen etc.,
> *die Unterschriften des or. fehlen, dagegen steht von glchs. Hand darunter* Collationata
> [abgekürzt] est.
> *Regest bei Janssen Frankf. R.K. 1, 751 nr. 1197 aus J.*

Bonifatius episcopus servus servorum dei dilectis filiis .. abbati monasterii in
Schonowe et .. Wormatiensis ac Novecivitatis Wormatiensis diocesis ecclesiarum decanis

---

[1] *In Koblens St.A. Erzstift Trier or. mb. A 1081*
liegt eine Urkunde vom 18 Febr. 1405 (1404 nach
Trier. Style): Notariatsinstrument über den Bei-
tritt des Stifts S. Florini zu Koblens zu der in-
serierten Appellation und Protestation des ganzen
Trierischen Klerus wider den Bischof Eckard zu
Worms als angeblichen Kommissarius zur Erhebung
des Zehnten von allen geistlichen Beneficien an
P. Innocens VII und seinen apostolischen Stuhl;
es ist der Zehnte, der von P. Bonifacius IX dem
K. Ruprecht verwilligt sei pro gentibus armigeris
in suscepcione imperialis diadematis secum pro-
fecturis ac pro aliis oportunitatibus propterea im-
mersuris, mit Beziehung auf den Brief date in
Rome apud sanctum Petrum kalendis octobris
pontificatus domini Bonifacii anno tercio decimo
concedentis illius anni decimam reddituum in
er verwilligt wurde; mit schonungsloser Härte sei
dieser Zehnte ihnen vom König abverlangt worden,
sie seien jedoch bei der durch den Krieg zwischen
dem Herzog von Orléans und dem Ersb. von Trier
herbeigeführten gänzlichen Verarmung ihn zu lei-
sten durchaus außer Stande. — Über geringen
Ertrag des Zehnten klagt K. Ruprecht in der
Anweisung von [1405 c. Merz 7] nr. 470 art. 11.
Doch wissen wir auch von einigen Beträgen die
eingiengen. K. Ruprecht quittiert dem Dechanten

und dem Stift zu Worms über 1000 fl.; dat. Hei-
delberg fer. 3 a. corp. Chr. [Mai 27] 1404; Karler.
G.L.A. Pfälz. Kop.-B. 149 pag. 77 und ibid. Pfälz.
Kop.-B. 8¼ fol. 80 b *cop. ch. coaev.; vgl. dazu*
die beiden Posten der kön. Kämmereirechnung von
30 Mai bzw. 5 Juni 1404 Janssen R.K. 1, 760
nr. 1212 art. 19. 20, bei uns in Bd. 6.   Johann
de Noet und Nicol. Burgmann als Bevollmächtigte
K. Ruprechts quittieren dem Bischof und dem
Klerus von Eichstädt über 1200 fl. am 18 Sept.
1404, s. Reg. Boic. 11, 350.   K. Ruprecht quit-
tiert dem Dechanten und Kapitel von Mains über
3000 fl.; dat. 1405 r. 5 Heidelberg fer. 2 a. Fab.
et Seb. [Jan. 19]; Karler. G.L.A. Pfälz. Kop.-B.
149 pag. 87-88 und ibid. Pfälz. Kop.-B. 8¼ fol.
88 a *cop. ch. coaev.   K. Ruprecht quittiert der*
Pfaffheit zu Costenz über 1900 fl.; dat. Heidel-
berg Fab. u. Seb. [Jan. 20] 1405 r. 5; Karler.
G.L.A. Pfälz. Kop.-B. 8¼ fol. 88 b *und ibid. Pfälz.*
Kop.-B. 149 pag. 88 cop. ch. coaev.; vgl. den Posten
der kön. Kämmereirechnung von 29 Jan. 1405
Janssen 1, 780 nr. 1227 art. 1, bei uns Bd. 6;
darnach zahlte der Klerus zu Konstanz mehr als
jene 1900, mindestens 2054, Gulden.   K. Ru-
precht quittiert der Pfaffheit zu Triere über 1500 fl.;
dat. Heidelberg vig. penthec. [Juni 6] 1405 r. 5;
Karler. G.L.A. Pfälz. Kop.-B. 8¼ fol. 92 a *und*

69 *

1404
Aug. 4

salutem et apostolicam benedictionem. sicut in exordio nascentis mundi provida et ineffabilis dei sapientia, cui consilia non communicant aliena, in firmamento celi duo statuit luminaria, majus et minus, majus ut preesset diei, minus vero ut preesset nocti, que duo sic ad propria officia diriguntur, quod unum alterum non offendit, ymmo, quod est superius inferiori suam communicat claritatem: a simili autem eterna provisio in firmamento terre duo voluit esse regimina, sacerdotium scilicet et imperium, unum ad cautelam, reliquum ad tutelam, ut sic homo, qui erat ex duobus componentibus, duabus potestatibus regeretur, fieret pax orbi terrarum suppressa peccandi licentia et hominum sceleribus sub censura justicie refrenatis. quamobrem decet et expedit, ut potestates ipse mutuis se favoribus et auxiliis confoveant, ne, quod absit, si contrarium fieret, cum teste veritate omne regnum in se divisum desoletur in se, per consequens divisum negotium orthodoxe fidei turbaretur. dudum siquidem ex certis et arduis causis tunc expressis volentes carissimo in Christo filio nostro Ruperto regi Romanorum illustri, pro consummatione felici arduorum negotiorum sibi ratione Romani imperii tunc et nunc notorie incumbentium, et per que eciam status universalis ecclesie, cui auctore domino presidemus, reformari non mediocriter sperabatur prout speratur, et presertim pro expensarum oneribus per eum in ejus adventu ad presentiam nostram, ut consecrationem unctionem et imperiale dyadema secundum canonicas sanctiones more cesareo de manibus nostris celerius recipere posset, per eum commodius supportandis[a], de alicujus sub-

1403
Okt. 1

ventionis auxilio providere, per nostras litteras sub dato kalendis octobris pontificatus nostri anno quartodecimo decimam omnium fructuum reddituum et proventuum ecclesiasticorum illius anni, ab omnibus archiepiscopis et episcopis ceterisque personis ecclesiasticis quibuscunque [*weiter wie in der Zehnten-Bulle desselben Papstes von 1403 Okt. 1 RTA. 4 nr. 107, nur mit den nöthigen stilistischen Veränderungen; derselbe Gleichlaut ist auch im folgenden durch Gedankenstriche angezeigt*] exigendam et colligendam per venerabiles fratres nostros .. Wormatiensem Augustensem Herbipolensem Brixinensem et Verdensem episcopos [1] et singulos eorum — quos eorum nominibus propriis non ex-

a) *DJ supportandum.*

---

ibid. Pfälz. Kop.-B. 149 pag. 92 cop. ch. coaev. K. Ruprecht quittiert der Pfaffheit zu Collen über 733 fl.; dat. Heidelberg dom. p. Martini [Nov. 15] 1405 r. 5; Karlsr. G.L.A. Pfälz. Kop.-B. 8½ fol. 98ᵃ und ibid. Pfälz. Kop.-B. 149 pag. 101 cop. ch. coaev. — Es gehören noch weiter hierher folgende Urkunden. K. Ruprecht befiehlt dem Pfarrer zu Heidelberg Niclaus Burgmann, seinem Schreiber Mathis und seinem Hofmeister Heinrich zur Huben, welche den ihm vom Pabst vergönnten Zehnten einzunehmen haben, in von den Bisthümern Straßburg und Speier einkommenden 2000 fl. an Heidelberg zu überweisen, um dieses sich damit von der Versetzung an Eberhard von Hirzshorn und Reinhard von Sickingen lösen zu lassen; dat. Heidelberg fer. 6 p. corp. Chr. [Mai 30] 1404 r. 4; Karlsr. G.L.A. Pfälz. Kop.-B. 58 pag. 200ᶜ cop. ch. coaev., ausgestrichen. K. Ruprecht erklärt, daß er dem Meister Niclaus Burgmann Lehrer in geistl. Rechten, der den ihm vom Pabst vergönnten Zehnten von der Geistlichkeit in Deutschen Landen aufgehoben und ihm darüber Rechnung abgelegt hat, 265 fl. schuldet, die er mehr ausgegeben als eingenommen hat, dazu 100 fl. als

Gebühr für die Erhebung des Zehnten und für ein in des Königs Dienst abgegangenes Pferd; diese 365 fl. verschreibt er ihm auf die noch ausstehenden Zehnten in etlichen Bisthümern und quittiert über die abgelegte Rechnung; dat. Heidelberg vig. Sim. et Jude [Okt. 27] 1406; Karlsr. G.L.A. Kop.-B. 53 pag. 276 cop. ch. coaev., ausgestrichen. K. Ruprecht bezeugt seinem Prothonotar Mathias, den er beauftragt hatte den Zehnten einzunehmen, den ihm der Pabst auf der Pfaffheit gemeinlich in Deutschen Landen aufzuheben gegeben hatte, daß derselbe dieses Geschäft vollzogen und ihm über Ausgabe und Einnahme ordentlich Rechnung gelegt habe; dat. Heidelberg vig. Sym. et Jude [Okt. 27] 1406 r. 7; Karlsr. G.L.A. Pfälz. Kop.-B. 149 pag. 109, mit der Notis, daß derselbe Brief dem doctori Johanni Noet gegeben wurde, und ibid. Pfälz. Kop.-B. 8½ fol. 105ᵃ cop. ch. coaev.

[1] Die Namen s. in den Noten zu RTA. 4 nr. 107; in Augsburg war inzwischen Burkhard von Ellerbach gestorben und Eberhard II von Kirchberg ihm nachgefolgt (1404-1413); vgl. dazu Janssen R.K. 1, 747 nr. 1178.

pressis ad hoc collectores et receptores auctoritate dictarum litterarum deputavimus, — *1404 Aug. 4*
imposuimus, solvendam prefatis episcopis vel aliis, quos ad hoc deputarent, in locis per
eos ad solutionem hujusmodi assignandis, in festo annuntiationis beate Marie tunc pro- *1404 Mrs. 25*
xime secuturo, ac eisdem episcopis districte precipiendo mandavimus, quatinus — leva-
5 rent et eciam exigerent in termino prefato decimam supradictam —. [*weiter wie in
der genannten Bulle bis zu den Worten* per ipsorum episcoporum litteras et proprios
nuntios referendi plenam concessimus facultatem[a]; *dann führt unsere Urkunde selbständig fort:*] et successive per nos intellecto, quod hujusmodi decima unius anni, pro
relevatione et subventione hujusmodi expensarum circa adventum predictum ipsius regis
10 ad presentiam nostram imposita exigenda et solvenda ut prefertur, ad consummationem
celerem et votivam premissorum minime suppeteret ac de amplioris subventionis auxilio
rex ipse proculdubio indigere nosceretur, nos tunc eciam ad supplicationem predicti
regis per alias nostras litteras sub dato 6 nonas octobris anno predicto decimam extunc *1408 Okt. 2*
proxime sequentis anni a fine primi anni predicti exigendam et ab illis ac per illos et
15 in eisdem partibus[b] in festo purificationis ejusdem beate Marie virginis solvendam sub *1405 Fbr. 2*
illis modis conditionibus et formis, sicut vigore dictarum primarum litterarum dictis
episcopis et aliis competeret, eciam de ipsorum fratrum nostrorum consilio auctoritate
predicta imposuimus. prefatis episcopis nichilominus et cuilibet eorum ac illis, quos ad
hoc ipsi in succollectores, clericos duntaxat, ducerent deputandos, dictam decimam pro
20 dicto sequenti anno imponendi exigendi recipiendi et alia omnia et singula faciendi, que
in eisdem primis litteris continentur, et prout de ipso primo anno competeret, plenam
concessimus facultatem, prout in ipsis litteris plenius continetur. cum itaque, sicut
nuper pro parte dicti regis fuit expositum coram nobis, licet predicti episcopi sive nonnulli ex eis ad executionem dictarum primarum litterarum duntaxat procedentes quos-
25 dam processus fecerint in talibus fieri consuetos, canonice monendo in eis nonnullos
ecclesiasticos prelatos et ecclesiasticas personas in predictis Alamanie Brabantie et
Flandrie partibus[c] cohstituteos ut de suis proventibus ecclesiasticis pro rata eos contingente dictam decimam regi prefato persolverent in certis terminis peremptoriis com-
petentibus tunc expressis, alioquin in ipsos ac contradictores quoslibet et rebelles diversas
30 excommunicationis et in capitula ecclesiarum suspensionis necnon in ipsas ecclesias inter-
dicti sententias in eisdem processibus contentas promulgarent ac prelatos et personas ex-
communicatos capitula suspensa[d] ac ecclesias hujusmodi interdictas mandarent et facerent publice nuntiari, et licet eciam hujusmodi processus ad indubitatam noticiam
eorundem monitorum legitime pervenissent, tamen nonnulli ex prelatis capitulis et per-
35 sonis hujusmodi monitis, dictis processibus temere vilipensis, dictam decimam pro eadem
rata eos contingente infra dictos terminos seu eciam postea regi prefato contumaciter
solvere pro ipso primo anno non curaverint neque curent, sed in elusionem litterarum
predictarum nonnulli prelati ex eisdem capitulis et personis monitis ad sedem prefatam
ab eisdem processibus in vocem appellationis dicantur[e] quamvis fraudulenter sive dolose
40 prorupisse eciam in non modicum dicti regis et rei publice detrimentum: pro parte dicti
regis nobis fuit humiliter supplicatum, ut super hoc ei oportune providere de speciali
gracia dignaremur. nos igitur, attendentes quod onera presertim in necessariis et
utilibus expensis in partes divisa facilius supportantur, et cum per hoc ut speramus
communibus occurratur periculis et ejusdem universalis ecclesie statui provide[f] consu-

1404
Aug. 4 latur, dictas primas et secundas litteras effectum sortiri volentes, hujusmodi supplicatio-
nibus inclinati, discretioni vestre per apostolica scripta mandamus, quatinus vos vel duo
aut unus vestrum per vos vel alium seu alios ad executionem ipsarum primarum et
secundarum litterarum juxta ipsarum tenores et formas procedentes legitimis super hijs
habitis servatis processibus eos auctoritate apostolica ratione previa quotiens expedierit   5
aggravetis contradictores auctoritate nostra appellatione postposita compescendo, invocato
ad hoc si opus fuerit, citra tamen eorundem prelatorum et personarum personalem captionem, hujusmodi auxilio brachii secularis, non obstantibus predictis et hactenus ut
premittitur interpositis et eciam aliis quibuscunque ad eandem sedem premissorum occasione forsitan interponendis appellationibus per prelatos et personas antedictos ac con-   10
stitutionibus apostolicis et aliis contrariis quibuscunque, cum ad iniquum non debeat
trahi dispendium quod in oppressorum remedium extitit provide ª adinventum, seu si
eisdem prelatis et personis vel quibusvis aliis communiter vel divisim a sede predicta
sit indultum quod interdici suspendi vel excommunicari non possint per litteras aposto-
licas, non facientes plenam et expressam ac de verbo ad verbum de indulto hujusmodi   15
mentionem.   datum Rome apud sanctum Petrum 2 nonas augusti pontificatus nostri
1404
Aug. 4 anno quintodecimo [1].

G. Stoter.

Pro Zuccharo
N. Heynlini.

1404   **401.** *K. Ruprecht bevollmächtigt Gf. Günther von Schwarzburg und Johannes Win-*   20
Spt. 12   *heim zur Führung aller Reichsgeschäfte in Italien der Lombardei Tuscien und der*
Romagna [2]. *1404 Sept. 12 Heidelberg.*

Aus Karlsruhe G.L.A. Pfälz. Kop.-Buch 5 fol. 91 ª ᵇ *cop. ch. coaev.*
Steht auch Wien H.H. St.A. R.-Registr.-Buch A fol. 82 ᵇ *cop. ch. coaev.   Ferner Karlsr.*
l. c. Kop.-Buch 143 pag. 234-236 cop. ch. coaev.   25
Regest Chmel nr. 1851 aus Wien l. c., Janssen Frankf. R.K. 1, 752 nr. 1201 aus Kop.-B.
143 l. c.

K. Ruprecht verkündet, daß er Günther Gfn. von Schwarzburg Herrn zu Ranis seinen Hof-
meister und Johannes Winheim seinen Prothonotar, seine Räthe und Getreuen, insgesammt und jeden
einzeln bevollmächtigt habe, seine und des Reichs Geschäfte in Italien der Lombardei Tuscien und der   30
Romagna (Romandiola) *zu führen, zu verhandeln und Verträge abzuschließen mit allen* conmunitatibus
universitatibus dominis nobilibus magnatibus et proceribus officialibus rectoribus et gubernatoribus
necnon singularibus et privatis personis locorum predictorum aut eorum procuratoribus et sindicis,
Treueid und andere eidliche Versprechungen von ihnen entgegenzunehmen, ihnen dafür quoscunque
regios favores privilegia libertates et emunitates *zu ertheilen, mit ihnen über Hülfe und andere Lei-*   35
stungen übereinzukommen, die Besitzungen des Reichs einzunehmen zu schützen etc., Vikare ein- und
abzusetzen, ligam unionem confederacionem et fraternitatem cum quibuscunque principibus dominis
conmunitatibus et aliis suprascriptis locorum predictorum seu eorum procuratoribus et sindicis *einzu-*
gehen unter Bedingungen wie sie ihnen gut scheinen, den König dabei mit seinen gegenwärtigen und
zukünftigen Gütern zu verpflichten und für ihn zu schwören, ferner in jede Ligue etc. die sie schließen   40
alle Fürsten Herren und Gemeinden die eintreten wollen aufzunehmen, Anleihen bei wem sie wollen
aufzunehmen und jede passende Sicherheit für dieselben zu gewähren, überhaupt Alles zu thun was
ihnen angemessen erscheint auch wenn dazu Spezialvollmachten nothwendig sind, die hiemit gegeben

ª) *D scheint nicht* proinde, *J* provide.

[1] *Vom gleichen Datum ist das Schreiben des*
Pabstes betr. Achen, s. Einleitung zum Mainzer
Tage vom Juni 1402 lit. F.
[2] *Daß diese Gesandtschaft wirklich ausgeführt*
wurde, zeigt ein Posten der Kämmereirechnung   45
vom 29 Nov. 1404, Janssen 1, 761 nr. 1212 art.
34, bei uns in Bd. 6. Vgl. auch den Posten vom
3 Sept. 1404 Janssen l. c. art. 30, bei uns Bd. 6.

sein sollen, mit dem Versprechen alles was die Gesandten thun innehalten zu wollen. datum in castro nostro Heydelberg mensis septembris die duodecima anno domini millesimo quadringentesimo quarto regni vero nostri anno quinto. [*Unterschrift*] Ad mandatum domini regis ‖ Ulricus de Albeck etc.

*1404
Spt. 12*

402. *K. Ruprecht bevollmächtigt Gf. Günther von Schwarzburg und Johannes Winheim allgemein ähnlich wie in nr. 401 und speziell zu Verhandlungen mit Mailand. 1404 Sept. 12 Heidelberg.*

*1404
Spt. 12*

Aus Karlsruhe G.L.A. Pfälz. Kop.-Buch 5 fol. 91ᵇ-92ᵃ cop. ch. coaev.
Steht auch Wien H.H. St.A. R.-Registr.-Buch A fol. 83ᵃ cop. ch. coaev. Ferner Karlsr.
l. c. Kop.-Buch 143 pag. 236f. cop. ch. coaev.
Regest Chmel nr. 1852 aus Wien l. c., Janssen Frankf. R.K. 1, 752 nr. 1202 aus Kop.-B. 143 l. c.

Die Vollmacht schließt sich dem Wortlaut der ganz allgemein gehaltenen vom gleichen Datum nr. 401 sehr eng an: die Gesandten werden bevollmächtigt die Geschäfte des Reichs in Italien und besonders in der Lombardei und in Tuscien zu führen, zu verhandeln und Verträge abzuschließen mit allen Gemeinden etc. et specialiter cum magnifico conmuni civitatis Mediolanensis aut ejus procuratoribus et sindicis; dann wird die Vollmacht ganz wie in nr. 401 spezialisiert, doch mit besonderer Beziehung auf Mailand in den die Entgegennahme von Eiden, Privilegienertheilung, Übereinkunft wegen Hilfe, Errichtung einer Ligue und Aufnehmung von Anleihen betreffenden Sätzen. Datum und Unterschrift wie in nr. 401.

403. *K. Ruprecht und sein Sohn Stefan bevollmächtigen Gf. Günther von Schwarzburg und Johannes Winheim über Ehe zwischen Stefan und Lucia von Mailand zu verhandeln und abzuschließen. 1404 September 12 Heidelberg.*

*1404
Spt. 12*

Aus Karlsruhe G.L.A. Pfälz. Kop.-B. 5 fol. 92ᵃᵇ cop. ch. coaev.
Steht ebenso ib. Kop.-Buch 143 pag. 237-238 cop. ch. coaev. Ferner Wien H.H. St.A.
R.-Registr.-Buch A fol. 83ᵇ cop. ch. coaev.
Regest Chmel nr. 1853 aus Wien l. c., Janssen Frankf. R.K. 1, 752 nr. 1204 aus Kop.-B. 143 l. c.

*Die Vollmacht schließt sich dem Wortlaut derjenigen vom 25 Juni 1404 (s. Anm. zu nr. 394 die zweite Vollmacht) auf das engste an, theilt deren Zusätze zu nr. 288; nur die Namen der Gesandten sind Günther von Schwarzburg und Johannes Winheim wie in den andern Vollmachten vom 12 Sept. nr. 401ff, und sie werden bevollmächtigt zu verhandeln und abzuschließen de et super sponsalibus seu matrimonio et copula conjugali inter nos predictum Stephanum nostri Ruperti supradicti natum naturalem et legitimum ex una et magnificam dominam Luciam de Vicecomitibus de Mediolano nondum nuptam parte ex altera; die Vorlage fährt dann selbst abkürzend fort: etc. mutatis mutandis ut supra 89 folio in procuratorio inter dominum Johannem comitem Palatinum Reni et sororem comitis Sabaudie¹ etc. datum et actum in castro nostro Heydelberg mensis septembris die duodecima anno domini millesimo quadringentesimo quarto regni vero nostri anno quintoᵃ. [*Unterschrift*] Ad mandatum domini regis ‖ Ulricus de Albeck etc.*

*1404
Spt. 12*

a) *korrigiert aus quarto.*

¹ *Dieß ist die lin. 29 erwähnte Vollmacht vom 25 Juni 1404, s. pag. 542 lin. 35ᵇff.*

1404
Sept. 12 **404.** *K. Ruprecht bevollmächtigt Gf. Günther von Schwarzburg und Johannes Win-
heim allgemein, und speziell zu Verhandlungen mit Pavia, wie in nr. 402 mit
Mailand. 1404 Sept. 12 Heidelberg.*

> *Aus Karlsruhe G.L.A.* Pfälz. Kop.-B. 5 fol. 92ᵃ *not. ch. coaev.*
> *Steht auch ebenso an den in der Quellenangabe zu nr. 402 angeführten Stellen.*   5
> *Regest Chmel unter nr. 1852 aus Wien Registr.-Buch A, Janssen Frankf. R.K. 1, 752
> nr. 1203 aus Karlsr. Kop.-B. 143 l. c.*

Item in simili forma [d. h. *wie die Spezialvollmacht betr. Mailand nr. 402*], nichil
mutato nisi isto verbo „Papiensis"ᵃ, datum est dictis procuratoribus procuratorium ad
comune Papiense de verbo ad verbum et eciam sub eadem data.   10

[1404
Okt.] **405.** *K. Ruprechts Anweisung für seinen Gesandten Ulrich von Albeck zu Unterhandlungen mit dem Kardinalkolleg betreffs Herbeiführung der Kircheneinheit und
-reform auf dem Wege eines allgemeinen Konsils, bzw. nach bereits erfolgter Wahl
eines neuen Pabstes zu Unterhandlungen mit diesem, selbst falls es der Gegenpabst
Benedikt XIII sein sollte. [1404 Oktober ¹.]*   15

> *Aus Karlsruhe G.L.A.* Pfälz. Kop.-B. 115 p. 328-332 *cop. ch. coaer.*
> *Gedruckt Janssen Frankf. R.K. 1, 754-758 nr. 1211 ebendaher.*

Werbünge an die stule zů Rome, herr Ulrichen von Albecke enpholhen.

[*1*] Zum ersten: ist, daz die stule noch ledige ist, so sal man den cardinalen erzelen von unsers herren des kunigs wegen, daz im getrulich leit si, daz unser heiliger   20
vatter der babst Bonifatius seliger gedechtniße von dieser welt gescheiden und die heilig
kirche also zu dieser zit irs heuptes beraubet ist, da unser herre der konig billich ein
mitliden hat etc.

[*2*] Item unser herre der kunig erkennet und lobet sich des gein dem almechtigen got und allermenglich, das er an dem obgenanten babst Bonifatii selige vetterlich   25
truwe gunst und gnade allewegent funden habe und manigfalticlich gewar worden si
in sinen und dez heiligen richs sachen und sie ime auch derselbe babst schinberlich
und großlich erzeuget habe.

[*3*] Itemᵇ desglichen lobet und erkennet sich unser herre auch von der heiligen
samenunge der wirdigen cardinalen und von ir iglichem besunder, daz sie darzu mit   30
worten und werken furderlich getan hant und sich in unsers herren und des richs
sachen vetterlich und gunstlich bewiset. und diß mag man dann folliclicher sagen den,
die dann mins herren guten fründe sint.

[*4*] Item als unser herre der kunig die heilig kirche den obgenanten babst selige
sinen furfaren und die wirdige samenunge der cardinale alwegent mit sunderlicher an-   35
dacht fur aůgen gehebt, sie von herzen geeret, und zu irer und des bebstlichen wesens
ñůtz furderunge und erhöhe mit großer begirde stetikeit und vestikeit genzlichen willen
gehabtᶜ, darzu er auch sin vermogen dicke und oft bewiset habe, alz daz sie zu guter
maßen wol mogent gemerket haben und sich in vil sachen schinberlich funden hat:

> ᵃ) *cod.* Papiensi. ᵇ) *cod.* Idem. ᶜ) *cod. und* Janssen habe.   40

---

also si unser herre der kunig noch hutistages zu der heiligen kirchen unser gehorsame [1]   *[1404 Okt.]*
und zu der heiligen samenunge der cardinalen als zu den die zu diesen ziten der heiligen kirchen vorsint genzlich mit luterer meinunge großer begirde und sunlicher andacht geneiget.

5 [5] Item und wann unser herre der kunig ein gut zuversicht hat zu irer erberkeit
und wißheit, und auch des von ganzem herzen begirlich ist, daz sie die heilige kirche
und Cristenheit mit eime solichen heupt versehent, davon got geeret cristenglaube gehanthabt und gemeret und der heiligen kirchen wesen gebeßert und erhohet werde: so
erbûte sich unser herre der kunig nû demselben heupt, wen sie darzû kiesent, son-
10 lich gehorsam andechticlich zu tûn als er sinen furfarn getan hat, also daz im vetterlich trûwe gûnste und gnade widerumbe geschee als er des ein gût getruwen und hoffen
zu im habe und auch von im selber billich ist.

[6] Item man sal in auch erzelen, wann unser herre von ganzem herzen begirlich
si einer einikeit und widerbringunge der heiligen kirchen, die in clegelichem wesen nit
15 allein von der zweiunge sunder auch von manicher ander gebrechen wegen leider lange
zit gewesen ist, so begere unser herre und bidde sie, haben sie deheinerlei wege fur-
handen die darzû gût sient [2] und da er moge nûtze zu sin, daz sie im daz zu verstend
geben, so wolle[a] er also darzu tûn und sich darinne halten nach sime vermôgen daz
sie ez billich von ime zu danke haben sollen. doch gefiele ez in wol, so dûchte unsern
20 herren geraten sin daz sie darzû geneiget werent und einen kunftigen babist auch
daran wisen woltent, daz, sit in langer zit die vetter der Cristenheit nie bi einander
gewesen sint, sie sich doch einest in eime gemeinen rate samentent und aller lande
gebrechen furbrechtent sich darumbe underretdent und zu einer bequemlichen ver-
sehunge gedechtent. darzu wolte unser herre auch gerne allez sin vermogen tûn. und
25 dunket unsern herren den kunig ein gemeine rat sunderlich darumbe gût und bequemlich sin, wann ez der Cristenheit trostliche were manicherlei sachen da zu handeln und
zu besorgen die der Cristenheit swerlich anligende sint, darzu auch vil lute geneiget
sint. ez ist auch des kunigs von Aragonien erber botschaft bi unserm herren dem
kunige gewesen [3] und hat an in geworben, das des kunigs von Arrogonien und auch
30 dez widerbabstes Benedicti meinunge si, daz, der heiligen kirchen zweiunge nieder-
zulegen, der bequemlichst weg sie dunke der weg des ußtrags dez rechten beider partien die umbe daz babstume zweien. und meinen, zu dem weg zu kummen, si not,
das unser herre der kunig Benedicti recht zu dem babstûm eigentlich inneme und verhore, so môge er erkennen, ob er recht habe oder unrecht. und meinet, daz unser

35   a) *cod.* woller.

herre das unbillich ußslahe zu verhoren. sie meinent auch, daz unser herre der kunig
sin cronunge des keisertums nit enphaen solle von Benedicti widersachen an dem
babstůme, wann, dete er das, so macht' er sich teilhaftig in der sachen und were nit
ein guter mitteler als er sin solte. sie meinent auch furbaz, das unser herre der kunig
den cardinalen zu Rome und andern mechtigen in den landen anliegenᵃ solte, ob unser ⁵
heiliger vatter der babst abginge, daz sie die wale eins kunftigen babstis verzugent als
lange biß sie Benedicti meinunge verstundent, wann Benedictus meinte alsdann redeliche
wege furgeben die heilige kirche zu vereinen. und die botschaft begert unsers herren
dez kunigs meinunge of die stucke zu wissen. nů hat unser herre der kunig noch nit
daruf geantwert, und meint, er wolte uch die botschaft vor zu wißen tůn ¹. ¹⁰

[7] Item wurdent die cardinale oder etlicher daruf reden und erfarn wollen, of
waz personen unser herre der kunig geneiget were zu eime babst etc., mag man in
antwerten, daz davon nit bevolhen si; doch wollen sie dez einen underscheit haben in
der wale eins kunftigen babstes, so sient sie wol in der wißheit und fursichtikeit, so
kennen sie auch die personen in der maßen, daz sie selber wol versten mogen wie sie ¹⁵
daz versorgen sollen.

[8] Item wurde man merken daz sie sich an den widerbabst it neigen oder fugen
woltent mit einer wale oder anders wie sich daz schickte, so sal man sunderlichen den
die unsers herren dez kunigs gůte frunde sint darumbe anliegenᵇ und an sie bringen
so man beste mag, daz sie unsern herren den kunig und daz riche versorgent etc. ²⁰

[9] Item desselben glich ist auch not, wurde man daruf gen, daz sich der widerbabst dez babstums begeben wolte und bede samenunge der cardinale ein kunftigen
welen solten.

[10] Item were ein babist erwelt von den cardinalen uß irer samenunge oder sust
einer von unser gehorsam, an dem unser gehorsam verliben wôlte und dez wale auch ²⁵
ane widderrede der unsern were, so sal man im erzelen, daz unser herre der kunig sin
wale nit gewist sunder im alz einem cardinale geschriben habe, ist daz er ein cardinale
gewesen ist. und wie daz si daz unser herre der kunig billich betrubet gewesen si von
dem abgange babst Bonifatii seligen, so si er doch genzlich begirlich und hoffend gewesen einer guten snellen versehůnge eins hauptis der Cristenheit. so habe er auch ein ³⁰
ganze zuversicht gehebt zu got und den wirdigen cardinalen, sie wurdent die kirche
versorgen nach dem besten. und darumbe so habe er auch sunderlich enpholhen, daz
man sin sůnlich gehorsame mit inniger andacht demselben erbieten, und an in von sinen
wegen werben solle of den nachfolgenden sine, und im sagen wie man an der cardinale
samenunge solte geworben han, were noch kein babst erwelt worden; ane als in dem ³⁵
funften artikel stet „also daz im vetterlich truwe" etc., da sal man sprechen, daz unser
herre begere und bitte getruwe und hoff auch daz im vetterlich truwe gunst und gnade
erzeuget werde.

[11] Item darzů mag man als von im selber legen, ist ez ichtᶜ also geschicket:
daz, wuste unser herre die wale wer gewelt were, er were sin von ganzem herzen fro, ⁴⁰
und wann er dez gewar werde, so wiße man wol daz er dez sunderlich erfreuwet
werde.

[12] Item darnach sal man im sagen: „heiliger vatter, nů hant ir wol gehort, wie
unser herre der kunig bevolhen hat an die samenunge der cardinale zu werben, und

---

a) cod. anligen mit zwei schrägen Punkten über i. b) desgleichen. c) cod. scheint acht verbessert in icht; Janssen ⁴⁵
setzte auch.

¹ Vgl. beim Mainzer Reichstag von 1404 Dec. nr. 470 art. 2.

auch uch oder eime andern der gewelt were die werbunge zu erzelen; daruß mugent [1404
ir wol prûfen, wie ganze luter und veste unsers herren dez kunigs meinunge und wille Okt.]
gein der heiligen kirchen, seliger gedechtniß uwern furfaren, uch, der samenunge der
cardinale und ir iglichem besunder bißher gewesen und noch ist, und was daruf uwer
5 heilikeit wille und meinunge si zu verstend geben".

[13] Item wer' ez das der widerbabst erwelt oder die sache in solichen furwurten
were daz ir zû dem babstûm kommen solte, darnach man auch eigentlich erfaren sal,
so sal man daz zu stûnt unsern herren den kunig wißen laßen, daz er sich darnach
wiße zû richten, und darzû furbaz erfaren ob und wie unser herre der kunig und daz
10 riche in den sachen it besorget sint in der gemeinde oder besunder, und daz dann
aber unsern herren den kunig wißen laßen.

[14] Item und wann es darzu keme, so mochte man mit demselben widerbabst,
ob man zu im kommen mochte, oder mit ieman anders von sinen wegen, doch alz von
im selber, reden: unser herre hette zu den cardinalen gesant ein mitliden mit in zu
15 han und zu clagen babst Bonifacii seligen tôt. nu were unser herre bißher in gehorsam babist Bonifatii und sines furfarn gewesen nach dem als von sinen obersten eltern
und furfarn an in kommen were, und hettent die cardinale einen andern gewelet, er
were auch bi demselben blieben ª. doch mochte er in of gûte wege zu einer einikeit
gewiset han, daz hette er auch getann, wann er allwegent von ganzem herzen einer
20 einunge begirlich gewesen si und darzû auch allez sin vermogen gerne getan hette,
wann ez also geschickt gewesen were, als er auch dicke daz an herren und fursten
ernstlich bracht hette. sit nû die cardinale umbe dez besten willen in gekorn hetten
und damit die heilige kirche ob got wil vereinigt sin sôlte, dez were unser herre von
ganzem herzen frô ᵇ und hette auch kein ding als gerne gelebet ᶜ alz daz. nu hett
25 unser herre vor ziten wol vernomen daz er vor langen ziten her zu gerechtikeit geneiget si und einen guten lûmût ᵈ gehebt habe; darumbe habent ir keinen zwifel, so
unser herre daz verneme, er solle gerne sin andechtiger sûn gehorsamclichen sin, also
daz er im auch vetterlich truwe erzeûge, als unser herre der kunig imme dez getruwe
und ein gut hoffen zû im habe.

30 **406.** *K. Ruprecht bevollmächtigt 3 gen. Räthe zu Unterhandlungen mit den Räthen* [1404]
des Erzb. Eberhard III von Salzburg ¹. *[1404] Nov. 25 Heidelberg.* Nov. 25

Aus Karlsr. G.L.A. Pfälz. Kop.-B. 4 fol. 210 ᵇ *not. ch. coaev.*
Steht ebenso Wien H.H. St.A. Reichs-Registr.-Buch C fol. 177 ᵇ *ch. coaev.*
35 *Regest Chmel nr. 1893 aus Wien l. c., daraus erwähnt Janssen Frankf. R.K. 1, 754*
*Note * zu nr. 1207.*

In der forme [*wie nr. 397 von 1404 Jul. 28, welche im Kodex vorhergeht*] ist ein
machtbrief geben under dem cleinen ingesigel of den ersamen Egloff von Knoringen
dumprobste zu Spire prothonotarien, Tham Knebel marschalk, und Ravann von Helm-

a) cod. bliben mit zwei schrägen Punkten über i. b) cod. fro mit zwei schrägen Punkten über o. c) cod. scheint
40 gebebet. d) Janssen setzt lûmunt.

¹ *Ein Posten der Kämmereirechnung vom 19 Dec.*   *Zueinandergehörigkeit obiger Vollmacht und der*
1404, Janssen 1, 761 nr. 1212 art. 37, bei uns in   *Anweisung nr. 407 wol gegen jeden Zweifel ge-*
Bd. 6, zeigt, daß diese Gesandtschaft nach Augs-   *sichert.*
burg gieng. Dadurch wird unsere Annahme der

[1404] stat, mit dez erwirdigen Eberharts erzbischofs zu Saltzpurg reten, sub data Heydelberg
Nov. 25 in festo Katherine virginis.

Ad mandatum domini regis
Emericus de Mosscheln.

[1404 407. Anweisung K. Ruprechts für seine Gesandten [Egloff von Knoringen, Marschalk
c. Nov. Tham Knebel, und Raban von Helmstat], um auf dem Tage zu Augsburg mit den
25] Räthen Eberhards III erwählten Erzbischofs von Salzburg zu unterhandeln betreffs
dessen Bestätigung, Bündnis, und Hilfe zu Italienischem Zuge. [1404 c. Nov. 25
Heidelberg [1].]

Aus Karlsr. G.L.A. Pfälz. Kop.-Buch 146 fol. 76ᵃᵇ cop. ch. coaev. 10
Coll. Janssen R.K. 1, 752-754 nr. 1207 aus einem in seinem Privatbesitz befindlichen
Kodex Acta et Pacta 76.
Moderne lateinische Übersetzung bei Martène ampliss. coll. 4, 127f. nr. 86; daraus er-
wähnt Chmel nr. 1893.

Gedechtniß, darnach sich unsers herren des kunigs ᵃ fründe sollen of dem tage zu 15
Augspurg richten mit dez von Saltzpurg frunden.

[1] Zum ersten als der tag gemacht ist sich von beiden siten zu underreden of
einunge und fruntschaft, da ist unser herre der kunig wol zu geneiget, wann er auch
von angends der wale dez von Saltzpurg ᵇ allwegen sunderliche neigünge zu imme gehabt hat, daz er auch wol bewiset hat mit botschaften und briefen die er gein Rome 20
und auch zu imme von sinen und dez stiftes wegen gesant hat ᵇ.

[2] Item wurden sie dann fordern oder begern, das unser herre der kunig dem
von Saltzpurg sin lehen lihe etc., da sal man in of antwerten, daz unser herre der
kunig wolt gerne daz ez also gestalt were daz er daz ane verwiße tûn solte oder
mochte, so were er gewillig darzû und solte daz nit verzieben; aber unser herre der 25
besorge, diewile der stule von Rome in noch nit bestetigt sunder einen andern fur-
gewant habe zu dem stifte ᶜ, daz unserm herren dem kunige doch nit liebe ist, luhe er
im dann die lehen, ez mochte ᵇ im von dem stule zu Rome verwissen werden, sunder-

a) cod. dekunigs statt des kunigs. b) cod. vielleicht mochte.

[1] Das undatierte Stück gehört ohne Zweifel, wie
auch schon Janssen vermuthet, zu dem Machtbrief
von [1404] November 25 nr. 406, wohin auch die
chronologischen Anhaltspunkte des Stückes weisen,
vgl. die nächsten Anmerkungen. Dasselbe steht
im Kodex nach der Werbung an die Schweizer
von [1404 c. Juni 25] nr. 395 und vor der Anweisung betr. K. Wenzel von [c. 3 Febr. 1405] nr.
468. Die Namen der Gesandten in unserer Überschrift sind aus der gen. Vollmacht entnommen.
[2] Erzb. Gregor von Salzburg war am 10 Mai
1403 gestorben, Eberhard III von Neuhaus am
21 Mai gewählt.
[3] Bezügliche Schreiben K. Ruprechts an Pabst
Bonifacius IX bzw. an einen ungenannten Kardinal, beide vom 8 Juni 1403, stehen Karlsr.
G.L.A. Pfälz. Kop.-B. 115 pag. 324 bzw. 325,
Regesten Janssen 1, 736 nr. 1163 bzw. 1164 ebendaher. Ferner: K. Rupr. verwendet sich im Namen

und im Interesse des Klerus und der Stadt zu 30
Salzburg bei Pabst Bonifacius IX für die Approbation des nach Erzb. Gregors Tode erwählten
Eberhard Nuwenhauser Präpositus der Salzburger
Kirche, und ersucht den Pabst dringend den von
demselben Providierten fallen zu lassen, sonst be- 35
fürchte er, daß in Kirche und Reich novitates
insurgant inauditae, undatiert, aus Karlsruhe
G.L.A. Pfälz. Kop. coaev., Regest Janssen Frankf. R.K. 1 nr. 1180
ebendaher. Dieses Schreiben ist jedenfalls später 40
als die vom 8 Juni 1403, die die päbstliche Pro-
vision nicht erwähnen, und steht im Kodex zwischen Stücken aus dem Jahre 1404. Vgl. Höfler
K. Ruprecht pag. 301f.
[4] Berthold Wechinger, den Kanzler Hzgs. Al- 45
brecht IV von Österreich, s. Höfler Ruprecht pag.
301f.

lich diewile der babst dote ist [1], daz man spreche, unser herre der neme sich gewaltes an der im nit zugehöret und machte dem stůle zu Rome infelle anders dann herkommen und recht were, und wurde der stule von Rome nů dest herter wider den von Saltzpurg sin sin recht und sin herkommen zu behalten.

[3] Item luhe unser herre der kunig dem von Saltzpurg sin lehen, waz er dann furbaz schribe oder enbůtte gein Rome von sinen wegen, daz würde nit alz gutlich ofgenomen und were auch dem von Saltzpurg nit als furderlich alz hett er'z im nit geluhen, wann er sich also teilhaftig machte.

[4] Item man findet wol ander wege daz sich die herren zusamendůnt, die doch in [a] nit als uneben kumment, mit buntniß und einungen, darinne man eigentliche begriffet wie sie sich gegen einander halten sollent. und mag doch diewile unser herre der kunig mit briefen und botschaften fur den von Saltzpurg ernstlichen werben daz er bestetigt werde; und wann daz ob got wil geschicht, so luhe dann unser herre dem von Saltzpurg sin lehen.

[5] Item wolten sie dann of die einunge und büntniße mit uch reden, so mag man daruf gen, daz unser herre herzog Ludewig sich zu im verbinde wider allermenglich der im mit gewalt in den stifte ziehen wolte und sunderlich wieder den von Frysingen die von Osterrich und andere die im dann woltent beholfen sin, also daz er sich widerumbe verschribe und verbinde dem kunge wider den kunig von Ungern von Beheim die von Osterrich und andere, die unserm herren dem kunige widerwertig weren, beholfen zu sin, und daz das begriffen werde mit sulichen stucken und artikeln die darzů gehorent.

[6] Item daz er sich auch verschribe, ob unser herre der kunig gein Lamparthen ziehen würde, daz er ein zale folkes zum minsten 50 mit gleven of sinen kosten zum minsten 6 maned furte und unserm herren dem kunige und den sinen sin lant pesse und stege offene dadurch zu ziehen, wann ez unserm herren dem kunige not si, und feilen kauf da zu finden.

[7] Item daz er unserm herren dem kunige beholfen und furderlich were den zehenden von der pfaffheit in sinem erzbistům, die under in gehorent, ofzuheben.

[8] Item diese stucke mag man alle also melden und ir meinunge daruf erfaren und zuleste sprechen: wir wissent wol, daz unser herre der kunig wol zu im geneiget si, und, wiewol ir mit macht gefertiget sint, so ist doch gůt, die stucke wider hinder sich an die herren zu bringen und of eime andern tage, dez ir dann uberkumment, zu enden und zu besließen, wann die sache doch bißher ire [b] gewesen si und nit also stumpflich ane der herren wissen von den reten ofzunemende si.

a) cod. in doch mit Versetzungszeichen, Janssen in doch   b) sicher so und nicht we, wie bei Janssen steht. zu lesen: Martene liest oder versteht fälschlich irre, indem er übersetzt cum haec negotia suis fuerint subjecta erroribus.

[1] Bonifacius IX starb am 1 Okt. 1404, Innocens VII wurde am 17 Okt. gewählt. Der König wußte zur Zeit der Abfassung unserer Instruktion wol schon von der Widerbesetzung des apost. Stuh-les, doch war es bequemer, sich nichts davon anmerken zu lassen, um diesen guten Vorwand zu haben; oder aber obige Anweisung ist früher abgefaßt als die vom 25 Nov. datierende Vollmacht nr. 406.

Königlicher Kurfürstentag, mit Städten, zu Boppard

im Merz 1404.

Es ist ein vom König bestellter Kurfürstentag, aber nur die drei geistlichen Kur-
fürsten hat er eingeladen (nr. 409). Nicht der Münze allein wegen kommt man zu-
sammen, aber von den sonstigen Gegenständen der Berathung haben und wissen wir 5
freilich nur wenig.

A. Vorbereitung des Tags nr. 408-409.

Am 23 Juni 1402 nr. 225 war das neue Münzgesetz erlassen worden. Die Freude
dauerte nicht lange, sogar die kön. Goldgulden, die zu Frankfurt geschlagen wurden,
waren schlecht, und noch vor 18 Nov. 1403 hatten sich die Kölner deshalb klagend an 10
den König selbst gewendet, s. dessen Antwort von diesem Tag nr. 408. Er berief,
ohnedieß wie es scheint, bald darauf seine Rheinischen Mitkurfürsten nach Boppard
auf 2 Merz 1404 zu einem Tag zusammen, wo auch den Klagen der Bürger wegen
der Münze abgeholfen werden sollte, s. Brief K. Ruprechts an die Stadt Köln 1404
Febr. 25 nr. 409. Daß auch Städte eingeladen werden, ändert doch an dem Charakter 15
der Versammlung als Kurfürstentag nichts: die Städte sind nur da wegen der Sache,
die sie besonders interessiert und die sie besonders verstehen, wegen der Münzsache, und
auch darin sind sie eigentlich nicht politisch und selbständig vertreten; nicht für einen
Akt der Gesetzgebung oder Vertragschließung bevollmächtigte Gesandte der Bürgerschaften
werden dazu entboten sondern nur ire erbere frunde die sich der sachen versten, man 20
will offenbar mehr nur ihre Sachkunde und ihren Rath dabei haben, ibid., während der
Akt des Münzvertrags nr. 414 nur zwischen den 4 Rheinischen Kurfürsten vor sich
geht. Es ist doch bis auf einen gewissen Grad ähnlich wie bei dem Mainzer Tag vom
Juni 1402, wir haben den Tag daher auch bezeichnet als königlichen Kurfürsten-
tag mit Städten. 25

B. Städtische Münzproben nr. 410-413.

Die vier hier mitgetheilten Münzproben gehören nicht zu den Münztagen des Jahres
1402, wie sich in den Anmerkungen bei jeder einzelnen gezeigt hat. Sie beschäftigen
sich alle mit den Goldmünzen des Gesetzes vom 23 Juni 1402 nr. 225 und verurtheilen
sie bereits. Da nun gerade die Übereinkunft der vier Rheinischen Kurfürsten vom 30
5 Merz 1404 nr. 414 Maßregeln trifft zu deren richtiger Ausprägung, so liegt es sehr
nahe unsere vier Proben hieher zu setzen. Natürlich können sie schon etliche Zeit vor
unserer Versammlung gemacht sein, vgl. eben nr. 408. Aber es ist doch wahrscheinlich,
daß sie auf derselben wenigstens vorgelegt oder benützt wurden. Jedenfalls gehören sie

in diesen Zusammenhang. Und daß sie von den Städten ausgiengen, deren Handel und Verkehr am ersten durch diè Unordnung im Münzwesen litt, daran zweifle ich schon der Fundorte unserer Vorlagen wegen nicht; bei nr. 413 ist es wol ohne Zweifel, daß die ausdrücklich als Ort der Probe genannte Stadt Frankfurt auch die Urheberin
5 *derselben war. Von diesen Betrachtungen aus sind die vier Stücke in ihren Über-schriften von uns charakterisiert worden. Dabei ist freilich zu bemerken: die theilweise vorhandene Ungleichheit der Ergebnisse dieser vier Münzproben läßt vielleicht schließen, daß sie nicht ganz gleichzeitig sind und nicht alle von vornherein für den Bopparder Tag etwa kurz vorher gemacht wurden.*

10 ## C. Münzvertrag der vier Rheinischen Kurfürsten nr. 414.

Die Form dieser neuen Münzverordnung ist eine ganz andere als die des letzten königlichen Goldmünzgesetzes vom 23 Juni 1402 nr. 225. Es ist nicht mehr die Form des einseitigen königlichen Gesetzes sondern die der freien Übereinkunft (uberkommen) zwischen den vier Rheinischen Kurfürsten, unter denen der König mitsteht, ausdrücklich
15 *als ein pfalzgrave bi Rine, am Eingang der Urkunde. Man kann nur annehmen, daß die Autorität des kön. Gesetzes nicht ausgereicht hatte, und man deshalb zu diesem Modus herabstieg. Die Einführung regelmäßiger Kontrole oder Münzprobe und anderer einschlägiger Maßregeln (art. 2. 4-8) zeigt, woran es gefehlt hatte. — Der Goldgulden ist hier in art. 1 der gleiche wie im gen. kön. Münzgesetz vom 23 Juni 1402 nr. 225*
20 *und wie in der Münzvereinigung der vier Rheinischen Kurfürsten vom 19 Sept. 1399 RTA. 3 nr. 62. Hegel in St.-Chr. 1, 234 hat also ganz Recht, daß Ruprecht sich bemühte den (höhern) Münzfuß aufrecht zu erhalten. Es ist jetzt nur noch beizufügen, daß es sich dießmal nicht etwa um einen noch höheren als den von 1399 und 1402, wo es 22½ Karat sind, gehandelt hat, wie dort aus dem Gudenus'schen Abdruck unseres*
25 *Münzvertrags geschlossen ist. Denn die Angabe des Gudenus zeigt sich als falsch; es ist sowol in art. 1 wie in art. 2 unseres Stücks, wie unsere neue Ausgabe zeigt, statt der Gudenus'schen Lesart 23 beidemal nur 22½ zu lesen. Da über das Bild der Münze nichts im Vertrag gesagt ist, so darf man annehmen, daß es auch in diesem Punkt bei den Bestimmungen des Gesetzes von 1402 blieb. — Ganz neu aber, gegenüber von 1399*
30 *und 1402 wo davon nicht die Rede ist, kommt nun hier in art. 3 die Regelung der Silbermünze hinzu: Weißpfennige und Engelsche. Die münzgeschichtliche Verwerthung dieser Dinge muß andern Händen überlassen bleiben.*

D. Anerkennung K. Ruprechts durch deutsche Reichsstände nr. 415-417.

Aus dem Schreiben K. Ruprechts an die Stadt Köln von 1404 Febr. 25 nr. 409
35 *dürfen wir schließen, wenigstens mit Wahrscheinlichkeit ergibt dieß die Fassung der Ausdrücke, daß es auf diesem Bopparder Tag nicht etwa bloß auf die Münze abgesehen war. Wenigstens einen dieser sonstigen Gegenstände können wir in dem Schreiben nr. 415 vom 5 Merz 1404 aufzeigen, das noch aus Boppard selbst verfaßt und vom gleichen Tag wie der Münzvertrag datiert ist. Die Anerkennung Ruprechts war ja*
40 *noch nicht in ganz Deutschland durchgedrungen. Nicht der König selbst, von dem wir aus diesen Tagen kein solches Schreiben haben, sondern der Kurfürst von Mainz ist es, welcher den Markgrafen Wilhelm I von Meißen auffordert, endlich seine Lehen von dem neuen König zu nehmen. — Zwei andere Urkunden in dieser Anerkennungsfrage, die eine wenigstens noch vom gleichen Jahr, schließen sich hier passend an. Sie betreffen*
45 *Metz und den Bischof Johann III von Hildesheim. Die Metzer Sache spielte schon*

*länger und mag auch hier auf der Versammlung in Boppard behandelt worden sein.
Für sie soll bei dieser Gelegenheit noch einiges beigebracht werden, wie folgt.
Was also Metz insbesondere betrifft, so ist zunächst anzuknüpfen an RTA. 4 nr.
383 und die dortigen Anmerkungen. — Von einem noch früheren Schreiben K. Ruprechts
an die Stadt vom 17 Merz 1401 und der vorläufigen Abfertigung seiner Gesandten da-* [5]
*selbst und ihrem dortigen Verfahren ist die Rede in Les chroniques de la ville de Metz
publ. par Huguenin 1838 pag. 121. — Am 12 Nov. 1404 schreibt K. Ruprecht an
Straßburg: der von Mecze Freunde seine lieben Getreuen seien jetzt bei ihm in Heidelberg gewesen, und seien auf dem Wege wider heimzureiten; er begehrt, wenn sie verlangen ihnen jemand der Straßburger zuzuschicken mit ihnen zu reiten daß sie sicher* [10]
*reiten, daß diese das um seinetwillen thun wollen; dat. Heidelberg fer. 4 post Martini
1404 a. r. 5 Ad m. d. r. Emericus de Moscheln. Aus Straßb. St.A. an der Saul I
P. lad. B fasc. XI[a] nr. 18 or. ch. lit. clausa c. sig. in verso impr. — Die Privilegien
der Stadt Metz werden von K. Ruprecht konfirmiert 1404 Nov. 26 zu Heidelberg, bei
Huguenin l. c. pag. 130 erwähnt. — Derselbe verspricht der Stadt Metz am gleichen* [15]
*Tag ebenda, nach Erlangung der kaiserl. Krone ihre Privv. unter gold. Bulle zu be-
stätigen; Chmel nr. 1895 aus A (d. i. R.-Reg.-B. A in Wien), auch Karlsr. G.L.A. Pfälz.
Kop.-B. 5 fol. 93[a b] mit Einfügung der künftigen Urkunde, ib. Pfälz. Kop.-B. 143 pag.
239-241. — Die in RTA. 4 nr. 383 art. 6 erwähnte Angelegenheit Fritze Hoffmans
kommt weiter vor bei Chmel nr. 1896 von 1404 Nov. 26 aus A, auch Karlsr. G.L.A.* [20]
*Pfälz. Kop.-B. 5 fol. 93[b]-94[b]; dann bei Chmel nr. 1907 von 1404 Dec. 13 aus A, auch
Karlsr. G.L.A. Pfälz. Kop.-B. 4, 221[b]. Etwas früher schon, 1404 April 12, verkündet
K. Ruprecht, daß er Fritz Hofeman, auf dessen Klage Metz von dem Hofgericht in
die Acht gethan ist in der es sich noch befindet, gestattet habe, die von Metz und ihre
Güter sowie alle ihre Helfer aufzuhalten, und befiehlt, da Hofeman klagt man kümmere* [25]
*sich vielfach nicht um die Entscheidung des Hofgerichts, dem Genannten mit seinen Genossen
überall behilflich zu sein wider die von Metz; dat. Altzey Sa. vor miseric. dom. 1404
a. r. 4; aus Karlsr. G.L.A. Pfälz. Kop.-B. 8½ fol. 79[a b], und ib. Pfälz. Kop.-B. 149
pag. 75-76. Endlich haben wir noch eine Urkunde von 1405 Jan. 30, in welcher K.
Ruprecht den Fritz Hofemann von Nürnberg, zu Frankfurt gesessen, zu seinem Diener* [30]
*und Hofgesinde annimmt, und ihn aller Privilegien seines Hofgesindes theilhaftig macht;
dat. Heidelberg fer. 6 ante purif. Mar. 1405 a. r. 5; aus Karlsr. G.L.A. Pfälz. Kop.-B.
8½ fol. 88[b]-89[a], und ib. Pfälz. Kop.-B. 149 pag. 89. Vgl. weiter Janssen R.K. 1,
134 f. nr. 313. 317. 320. — In (Tabouillot) hist. de Metz 4 preuves p. 605 gehört der
dort mitgetheilte Brief vom 18 Juni nicht zum Jahr 1407 sondern 1507. — Über das* [35]
damalige Verhältnis der Stadt Metz zu Deutschland s. noch Revue historique 3, 160.

Wir nehmen hier Veranlassung, noch einiges was sich auf Anerkennung K. Ruprechts im Reich seit dem Jahre 1402 bezieht zusammenzustellen ohne indessen Vollständigkeit in dieser Beziehung erreichen zu wollen. Man wird im allgemeinen Chmels
Regesten zu vergleichen haben. — Mehreres der Art aus dem angegebenen Zeitraum [40]
haben wir auch schon an anderer Stelle gebracht. So ist wegen der Huldigung der
Braunschweigischen Herzöge Bernhard und Heinrich im Februar 1403 auf nr. 339 zu
verweisen. Gleichzeitig erfolgte vermuthlich auch die Huldigung seitens des Landgrafen
von Hessen, s. Anm. zu nr. 339. — Einige Urkunden betr. Anerkennung durch Goslar
Herford Lübeck Mühlhausen und Nordhausen findet man schon Bd. 4 nr. 320 ff. Es [45]
ist dazu noch nachzutragen, daß die Huldigung Goslars erst Ende December 1409 oder
Anfang Januar 1410 erfolgte. Im Karlsr. G.L.A. Pfälz. Kop.-B. 44 fol. 144[a] steht
folgendes Regest: Ein brief wie die statt Goßlar schickt ir botschaft zu konig Ruprechten
von iren wegen obedienz zu tun; datum under ir statt anhangenden ingesigel anno 1409
in die Lucie virginis [Dec. 13]. Am 8 Januar 1410 erhielt die Stadt dann Privilegien- [50]

bestätigung etc., s. Chmel nr. 2844ff. — Ebenfalls schon im 4 Bande unter nr. 230ff. ist das Material über die Anerkennung durch Achen und den Herzog von Geldern zusammengestellt. Einen Nachtrag dazu s. hier in Bd. 5 Einleitung zum Mainzer Tage vom Juni 1402 lit. F. — Wir werden im folgenden uns im wesentlichen auf diejenigen
5 *Fälle beschränken, in denen ausdrücklich von Huldigung die Rede ist.*

Das Beglaubigungsschreiben der Proconsuln und Consuln der Stadt Dortmund für zwei genannte Kollegen, dat. Tremonie Kath. [1402 Nov. 25] steht Karlsr. G.L.A. Pfälz. Kop.-B. 5 fol. 150ᵃ, Wien H.H. St.A. Registraturb. A auf dem letzten Blatt; Regest Chmel nr. 1355 aus Wien l. c. In Karlsr. l. c. ist dazu bemerkt Nota in pre-
10 scripta litera nominati jurarunt nomine dicte civitatis Tremoniensis fidelitatem et obedienciam domino nostro regi in crastino Thome apostoli [Dec. 22] anno 1400 secundo. *Eine Notiz desselben Inhalts und sehr ähnlichen Wortlauts steht auch Wien l. c., wonach sie von Chmel l. c. erwähnt ist. Vgl. weiter Chmel nr. 1373. 1374. 1502, Fahne Dortmund Urkb. an versch. Orten, Frensdorff Dortm. Statuten u. Urtheile p. CXf.*
15 *Dem Bischof Humbert von Basel gebot K. Ruprecht in einem Schreiben, dat. Heydelberg lesten dag Aug. 1403 r. 4, die Lehen vor dem königlichen Hofgericht nach Martini [Nov. 11] zu empfangen und dafür Huldigung zu thun etc.; Karlsr. G.L.A. Pfälz. Kop.-B. 4 fol. 168ᵃᵇ, Wien H.H. St.A. Registraturb. C fol. 142ᵇ; gedruckt Lünig R.A. 21, 1, 1382f., Schilter comment. ad jus feud. Alem. 407 „ex regesto Ruperti imp."*
20 *wol aus Wien l. c.; Regest Chmel nr. 1544 aus Wien l. c. Unter gleichem Datum (mit r. 3) ergieng in einem besonderen Briefe an Luczelmann von Raczenhusen der (auch in dem vorigen Schreiben erwähnte) Befehl, dem Bischof von Basel zu verkünden, daß Ruprecht als Römischer König denselben vor sich geladen und gefordert habe zu Recht auf einen genannten Tag; Karlsr. G.L.A. Pfälz. Kop.-B. 149 pag. 59, ibid. Pfälz.*
25 *Kop.-B. 8½ fol. 69ᵃ. Der Belehnungsbrief mit der Anweisung einstweilen dem Schwarz Reinhard von Sickingen zu huldigen und dem Vorbehalt persönlicher Belehnung, dat. Wissenburg Mi. v. Mart. [Nov. 7] 1403, steht Karlsr. G.L.A. Pfälz. Kop.-B. 4 fol. 181ᵃ, Wien H.H. St.A. Registraturb. C fol. 152ᵃᵇ; gedruckt Lünig R.A. 21, 1, 1383, Lünig corp. jur. feud. Germ. 1, 543f., Schilter l. c. „ex regesto Ruperti imp." wol aus*
30 *Wien l. c.; Regest Georgisch 2, 873 aus Lünig, Chmel nr. 1597 aus Wien l. c., und auch wol (ungenau) Trouillat monuments de l'évéché de Bâle 5, 713.*

Auf die Huldigung der Bischöfe von Metz und Toul[1] beziehen sich folgende Urkunden. K. Ruprecht trägt dem Herzog Karl von Lothringen auf, dem Bischof Rudolf de Couciaco von Metz die Regalien zu leihen und seine Huldigung entgegenzunehmen;
35 *dat. Heidelberg 1405 die 1 sept. r. 6; Karlsr. G.L.A. Pfälz. Kop.-B. 5 fol. 102ᵇ, ibid. Pfälz. Kop.-B. 143 pag. 264, Wien H.H. St.A. Registraturb. A fol. 92ᵇ-93ᵃ; Regest Chmel nr. 2052. Unter gleichem Datum erhielt Herzog Karl auch eine Urkunde gleichen Inhalts für Bischof Philipp von Toul; Karlsr. ll. cc. und Wien l. c., an allen drei Stellen nur als Notiz unter Verweis auf die vorhergehende Urkunde; Regest Chmel nr.*
40 *2053. — Am 9 Dec. 1405 gestattete K. Ruprecht dem Bischof von Metz Rudolf de Couciaco, die Regalien einstweilen vom Herzog von Lothringen zu empfangen, unter Vorbehalt persönlicher Belehnung; Regest Chmel nr. 2106 aus Wien l. c. fol. 97ᵃ; die Urkunde steht auch Karlsr. G.L.A. Pfälz. Kop.-B. 5 fol. 106ᵇ-107ᵃ und ibid. Pfälz. Kop.-B. 143 pag. 275-276. Es folgt dann Wien l. c. und Karlsr. ll. cc. die Notiz, daß*
45 *eine gleiche Urkunde dem Bischof Philipp von Toul ausgestellt ist; Regest Chmel sub nr. 2106.*

K. Ruprecht beauftragt Hzg. Heinrich von Braunschweig und Lüneburg von seinen (K. Ruprechts) und des Reichs wegen der Äbtissin von Gandersheim Gelübde und

---

[1] *Wegen der Stadt Toul vgl. Bd. 4 pag. 356, 42ᵃ ff.*

*Huldigung abzunehmen; dat. Heydelberg Di. n. Nicol. [Dec. 8] 1405 r. 6; Karlsr.
G.L.A. Pfälz. Kop.-B. 4 fol. 245ᵇ, Wien H.H. St.A. Registraturb. C fol. 205ᵇ; gedruckt
Harenberg hist. Gandersh. 521; Regest Chmel nr. 2104 aus Wien l. c.; das Original
und eine Abschrift befinden sich auch im H.L.A. zu Wolfenbüttel. — K. Ruprecht
nimmt die Äbtissin Sophie von Gandersheim in seinen und des Reiches Schutz, bestätigt   5
alle Regalien etc., und weist sie an, Herzog Heinrich von Braunschweig und Lüneburg
Huldigung zu schwören, der befähigt ist diesen Eid im Namen des Königs entgegenzunehmen; dat. Heidelberg 1405 fer. 3 p. Nicol. [Dec. 8] r. 6; Karlsr. G.L.A. Pfälz.
Kop.-B. 5 fol. 104ᵃ, ibid. Pfälz. Kop.-B. 143 pag. 268-269, Wien H.H. St.A. Registraturbuch A fol. 94ᵇ; gedruckt Harenberg hist. Gandersh. 863, Leuckfeld antiq. Gand.   10
436; Regest Chmel nr. 2103 aus Wien l. c.; das Original und eine Abschrift der Urkunde im H.L.A. zu Wolfenbüttel.*

*   K. Ruprecht beauftragt Herzog Heinrich von Braunschweig und Lüneburg, da
Otte von dem Retberge Bischof zu Minden verhindert ist zu ihm zu kommen um die
Regalien zu empfangen, die Huldigung von dem Bischof einzunehmen, dem Ruprecht   15
auf seine Bitte in seinem Brief die Regalia verliehen und gesandt hat; dat. Heidelberg
1406 r. 6 achten Tag Petr. d⁵ Pa. [Juli 6]; gedruckt Sudendorf Urkb. 10, 309 nr.
123 nach dem Original in Hannover; Regest Chmel nr. 2169 nach Wien H.H. St.A.
Registraturb. C fol. 210ᵇ-211ᵃ; steht auch Karlsr. G.L.A. Pfälz. Kop.-B. 4 fol. 252ᵇ-
253ᵃ. — K. Ruprecht zeigt Bischof Otto von Minden an, daß Herzog Heinrich von   20
Braunschweig und Lüneburg ermächtigt ist, ihm in seinem Namen die Regalien zu
leihen, unter Vorbehalt persönlichen Empfangs derselben; dat. Heidelberg 9 jul. a. r. 6;
Karlsr. G.L.A. Pfälz. Kop.-B. 5 fol. 109ᵇ-110ᵃ, Wien H.H. St.A. Registraturb. A fol.
99ᵇ; Regest Chmel nr. 2170. — Bischof Otto von Minden starb sehr bald darauf, sein
Nachfolger Wilbrand empfing Belehnung und leistete Huldigung ebenfalls durch Ver-   25
mittlung Herzog Heinrichs von Braunschweig. Die bezüglichen Urkunden K. Ruprechts
datieren aber erst vom 3 Juli 1408, s. Chmel nr. 2589 und 2590. Erstere Urkunde
ist gedruckt Sudendorf Urkb. 10, 309f. in der Note zu nr. 123.*

*   K. Ruprecht an die Städte und entsprechend an die Herren in Brabant: nach
dem kürzlich erfolgten Tode der Herzogin Johanna sei Brabant dem Reich anheim-   30
gefallen, sie sollen ihn als rechten Herrn anerkennen, er werde seine Bevollmächtigten
schicken; dat. Heidelberg 22 Dec. 1406 r. 7; Karlsr. G.L.A. Pfälz. Kop.-B. 146 fol.
119ᵃˑᵇ cop. ch. coaev., mit Adressen von Städten und Herren, der Text ist der des
Schreibens an die Städte und darin ist an den Stellen geändert wo angeredet wird;
gedruckt Martène et Durand thes. n. a. 1, 1718-1719 nr. 80; Regest Georgisch 2, 890   35
nr. 49 und Chmel nr. 2245 (beide aus Martène), Janssen R.K. 1, 793 nr. 1238 aus
Kodex eigenen Besitzes Acta et Pacta 108. — K. Ruprecht an dieselben, beklagt sich,
daß sie auf seinen Brief keine Antwort gegeben und auch keinen Boten geschickt haben,
droht mit Maßregeln des Rechts; dat. Altzey 26 nov. 1407 r. 8; ad mand. d. r. Job
Vener doctor etc.; Karlsr. G.L.A. Pfälz. Kop.-B. 146 fol. 120ᵃ cop. ch. coaev., mit der   40
vorhergehenden Notiz unter dem Schreiben vom 22 Dec. 1406 Iterato scriptum est predictis opidanis et dominis in forma sequenti; gedruckt Martène l. c. 1722f. nr. 83:
Regest Georgisch 2, 894 nr. 40, Chmel nr. 2423, Hermans Analytische opgave der ge-
druchten charters 167, alle drei aus Martène l. c., Janssen R.K. 1, 797 nr. 1247 aus
Kodex eigenen Besitzes Acta et Pacta 372. — Brabant kam nach dem Tode Johanna's   45
auf Grund früherer Verträge an ihren Großneffen Anton Bruder Johanns von Burgund; vgl. Höfler pag. 360 und Bd. 3 der Chronik Dynters in collect. des chroniques
Belges.*

*   K. Ruprecht ermächtigt Bischof Johann von Hildesheim, Erzbischof Johann von
Bremen die Regalien zu leihen und seine Huldigung entgegenzunehmen; dat. Wißenloch   50*

*1407 21 sept. r. 8; Karlsr. G.L.A. Pfälz. Kop.-B. 5 fol. 113ᵃ, ibid. Pfälz. Kop.-B. 143
pag. 292-293, Wien H.H. St.A. Registraturb. A fol. 102ᵃ; Regest Chmel sub nr. 2361
aus Wien l. c. — K. Ruprecht leiht Erzb. Johann von Bremen die Regalien durch Bischof
Johann von Hildesheim unter Vorbehalt persönlicher Huldigung; dat. ut supra [1407*
5 Sept. 21]; Karlsr. G.L.A. Pfälz. Kop.-B. 5 fol. 113ᵃ (mit Verweisung auf entsprechenden
Brief von 1405 Dec. 9 an den Bischof von Metz), ibid. Pfälz. Kop.-B. 143 pag. 293
(desgl.), Wien l. c. (desgl.); Regest Chmel nr. 2361 aus Wien l. c. — Erzbischof Johann
war der Nachfolger des am 30 Juni 1406 verstorbenen Erzbischofs Otto.*

E. Kosten Frankfurts nr. 418.

10   *Die Frankfurter Stadtrechnung bietet die Namen der zwei Abgesandten der Stadt
zu dem Bopparder Tage, von der monze wegen, denn sonstige Berathungsgegenstände
scheinen hier die Bürgerschaften nichts anzugehen. Sie werden die Münzprobe nr. 413
mitbekommen haben. Die anderen Vertreter der Städte kennen wir nicht.*

F. Anhang: kön. Münze zu Frankfurt nr. 419-422.

15   *Die hier vereinigten vier Stücke fallen einige Monate nach unserem Tag, aber sie
haben eine Vorgeschichte. In nr. 419 heißt es als wir auch mit den von Franckfurd
müntlich davon geredt haben, nr. 420 art. 1 sagt dez u. a. h. der konig und sin rad
und auch etzlich stede die im virbunden sin geordineret han, ib. art. 2 vort so hat
unser herre der konig und sin vorgnante stede und rad geordeneret, und in nr. 421
20 art. 1 sagen die Frankfurter als u. kon. gn. mit unsern fründen vormals geredt hat —,
dieselbin unser frunde uns uwer gnade meinunge in den sachen wol irzalt haben. Das
alles weist auf vorausgehende Verhandlungen hin, bei denen der König und Frankfurt
und andere Städte betheiligt sind, der König und Frankfurt mündlich, vermuthlich auch
die anderen Städte bei derselben Gelegenheit. Man kann das recht wol auf unsere
25 Bopparder Versammlung beziehen, für deren Geschichte dann also noch einiges Material
gewonnen wäre.
      Nur eines dieser vier Stücke ist undatiert, doch kann es nicht zweifelhaft sein in
welche Zeit es zu setzen ist. Wir meinen die Werbung nr. 420. Sie gehört zu den
beiden Schreiben vom 4 und 21 Aug. 1404 nr. 419 und nr. 421; es ist eine Kopie der
30 im letzteren Schreiben art. 1 erwähnten artickel, welche die antreger und werber der
Angelegenheit dem Frankfurter Rath geschrieben gegeben haben, und wovon die Frankfurter ib. ein Exemplar an König Ruprecht senden. Dieß ergibt sich folgendermaßen.
Was in dem genannten Schreiben vom 21 Aug. vom Inhalt dieser artickel erwähnt
wird, deckt sich dem Inhalt und auch der Reihenfolge nach mit den einzelnen Artikeln
35 unseres Stückes: der erste Artikel berührte (gemäß dem Schreiben nr. 421 art. 2) die
Prägung eines Guldens, der Dukaten heißen sollte, das thut art. 1 unseres Stückes;
dann war in den Artikeln (gemäß dem Schreiben art. 3) die Prägung von neuen Tornosen Engelschen und Hellern vorgeschlagen, das thun art. 2. 3. 4 unseres Stückes;
endlich betraf der letzte Artikel (gemäß dem Schreiben art. 4) die Prägung eines rhei-
40 nischen Guldens, der den kurfürstlichen gleich sein sollte, das thut art. 5 unseres Stückes,
der in der That der letzte ¹ ist. Das Schreiben vom 21 August ist demnach ohne Zweifel*

---

¹ *Denn art. 6 ist in der Vorlage mit art. 5 zusammengeschrieben, also nicht besonders gerechnet.*

die „*Antwort*", *welche in art.* 5 *unseres Stückes am Ende von den Frankfurtern begehrt wird; und auch darauf nimmt das Schreiben in art.* 5 *offenbar Bezug, indem es sagt diese unser antworte. Auch ist zu dem Eingange der Werbung, wo es heißt, daß der König sein Rath und etliche Städte die Artikel ordiniert haben, zu vergleichen der Anfang des Schreibens art.* 1, *wo gesagt wird, daß der König vormals mit Städtefreunden* 5 *von dem Projekte geredet habe. Ferner ergibt sich der Charakter des Stückes aus folgendem. Diejenigen, welche darin als wir redend und handelnd auftreten, legen gemäß art.* 5 *des Stückes die Artikel im Namen des Königs den Frankfurtern zur Berathung bezw. Beantwortung vor; es sind aber keine königlichen Räthe, vielmehr diejenigen, welche die projektierte Münze selber schlagen sollen, denn sie sagen in art.* 1 *daz wir —* 10 *slahen sullin zû Franckinfurd und in art.* 5 *auch sollin wir slahen. Ganz dem entsprechend erfahren wir in dem Schreiben vom 21 Aug. nr.* 421 *art.* 1, *daß die antreger und werber die Artikel in Frankfurt vorgelegt haben, und diese antreger und werber sind, wie aus dem Schreiben vom 4 August nr.* 419 *hervorgeht, jener Niederländer und Genossen, welche die projektierte Münze in Frankfurt dann auch selber schlagen wollten,* 15 *wenn das Projekt durchgieng. Auch dieses in seiner Art gewiss selten vorkommende Verhältnis stimmt demnach völlig mit unserer Annahme. Daran, daß es in art.* 4 *unseres Stückes heißt* wan wir ser clagen *u. s. w., wird man keinen Anstoß nehmen; allerdings würde sich dieses* wir *besser im Munde königlicher Räthe ausnehmen, allein die Werber gerieren sich als Mandatare des Königs und reden daher wol so in dessen* 20 *Namen. Die Schrift unseres Stückes ist von Frankfurter Hand, und zwar von einer in den Münzakten aus König Ruprechts Zeit im dortigen Archiv öfter, namentlich in Konzepten, vorkommenden Hand; gemäß dem Schreiben vom 21 Aug. nr.* 421 *sandten die Frankfurter eine Kopie der Artikel an den König, eine andere werden sie für sich behalten haben, das ist dann unser Stück. In dem Schreiben vom 4 Aug.* 1404 *nr.* 419 25 *empfiehlt K. Ruprecht den Niederländer mit seiner Werbung an Hermann von Rodenstein: zwischen August 4 und 21 ist die Werbung also den Frankfurtern vorgelegt worden.*

A. Vorbereitung des Tags nr. 408-409.

408. *K. Ruprecht an Stadt Köln, will ihre Klage wegen der in Frankfurt geprägten* 1403 *unterhaltigen neuen Gulden untersuchen lassen und einschreiten.* 1403 Nov. 18 ^{Nov. 18} *Heidelberg.*

Aus Köln St.A. Kaiserbriefe ohne weitere Signatur or. chart. lit. clausa c. sig. in verso impr. delapso; auf Rückseite gleichzeitige Registraturbemerkung domini Romanorum regis ex suorum florenorum Franckfordie monetatorum.

Rûprecht von gots gnaden Romischer
kunig zû allen zijten merer des richs.

10 Ersamen lieben getruwen. als ir uns geschrieben hant, wie das ir von uwern paymentzmeistern verstanden habent, das unser gûlden, die nû zu Franckfurd geslagen werden, nit halten als die nûwe gûlden-mûntze uffgesatzt sij [1], und das mit namen yeder derselben gulden sechß pfenninge arger sij dann er sin solte: denselben ûwern brieff haben wir wol verstanden und laßen ûch wißßen das wir davon bißher nit gewist 15 hann. und haben darumbe den unsern zu stûnd geschrieben und auch ernstlichen enpholhen unsern mûntzmeister darumbe zu rede zu setzen der die guldin slecht und uns der sache ein gantze eigenschafft zû herfaren, wand uns als leid sin sal als ûch wo unser muntzmeister die gulden geringer und arger slûgen dann die nûwe guldemmûntze uffgesatzt und mann der uberkommen ist, und wolten des auch nit gestatden. 20 datûm Heidelberg dominica ante beate Elizabeth vidue anno domini millesimo quadrin- 1403 gentesimo tertio regni vero nostri anno quarto.   Nov. 18

[*in verso*] Den ersamen unsern lieben getrûwen
burgermeistern rate und andern burgern der stad
zu Colne debet.

Ad mandatum domini regis
Emericus de Mosscheln.

25 **409.** *K. Ruprecht an Köln* [2], *die Stadt soll Sachverständige schicken wegen kürzlich* 1404 *geprägter mangelhafter Gulden zu einem Tag in Boppard auf 2 Merz, zu dem er* ^{Fbr. 25} *auch die drei geistlichen Kurfürsten bestellt hat.* 1404 Febr. 25 Heidelberg.

Aus Köln St.A. Kaiserbriefe ohne weitere Signatur, or. chart. lit. clausa c. sig. in verso impr. delapso; bei den Vokalzeichen über u ist im Druck û durchgeführt.

30 Ruprecht von gots gnaden Romischer
kunig zu allen zijten merer des richs.

Ersamen lieben getruwen. uns ist vorkomen, das etwaz gebrechens sij an den gulden die itzunt kurtzlichen geslagen und gemüntzet worden sin. want wir nu die erwirdigen Johann zu Mentze Friderich zu Colne und Wernher zu Triere ertz- 35 bischoffe unser lieben oheimen neven und kurfursten uff sontag nehstkumpt als man ¹⁴⁰⁴_{Mrz. 9} singet in der heiligen kirchen oculi zu latine zu uns gein Boparten verbodt han uff einen tag, herumbe begern wir mit ernst, daz ir uwer erbere frunde, die sich der sachen versten, off den sontag oculi zu uns und den vorgenanten unsern kurfursten

---

40 [1] *Im Münzgesetz vom 23 Juni 1402 nr. 225.*
[2] *K. Ruprecht an Köln, beglaubigt Symond Grauß [Granß ?] seinen Burggr. zu Oube und lieben Getreuen zu mündlicher Botschaft die Münze be-* *treffend; dat. Heidelberg sabb. ante esto mihi 1404 a. r. 5 [Febr. 9]; ad mandatum domini regis Johannes Winheim. Aus Köln Stadtarchiv Kaiserbriefe or. chart. lit. clausa c. sig. in verso impr.*

gein Boparten schickent; so wollen wir von den sachen laßen reden, wie man das dem gemeinen lannde zu notze und frommen in dem besten versorgen moge. datum *1404 Heidelberg* secunda feria post dominicam reminiscere anno domini millesimo quadrin-*Fbr. 25* gentesimo quarto regni vero nostri anno quarto.

[*in verso*] Den ersamen unsern lieben getruwen burgermeistern rate und andern burgern der stat czů Collen dari debet.

Ad mandatum domini regis
Johannes Winheim.

B. Städtische Münzproben nr. 410-413.

[1404 **410.** *Münzprobe einer ungenannten Stadt, vermuthlich verwendet auf dem Tag von 1404*
c. Mrz. *c. Merz 5 Boppard* [1].
5]

Aus Straßb. St.A. J. D. G. lad. 61 fasc. Münztag zu Mainz Juni 1402 fol. 16ª chart.,
mit entwurfartigen Korrekturen.

Von der gúldin múnße wegen.

[*1*] Es ist zů wissende: also die gúldin abegeton sint die die vier fúrsten uf dem Rine slûgent mit irer vier zeichen *a 2* und man zů der zit meinde dieselben guldin mit den vier zeichen die werent zů kranke, do wort man zů rate daz man ander nuwe guldin slahen und ieder fúrste mit sime zeichen allein múnßen solte [3] die besser werent denne die vorgenanten guldin werent die mit der vier fúrsten zeichen gemúnßet worent. also sint derselben guldin, die mit der vier fúrsten zeichen gemúnßet sint, zwene ufgesetzet zů versůchende und zů zimentende; und sint ouch domitte uffegesetzet unsers herren des kúniges guldin zwene die mit sime zeichen allein gemúnßet sint, item zwene die der erzbischof von Mencze sleht und die mit sime zeichen allein gemúnßet sint, item zwene die der erzbischof von Kôlne sleht und die mit sime zeichen allein gemúnßet sint, item und zwene guldin die der erzbischof von Triere sleht und die ouch mit sime zeichen allein gemúnßet sint. [*2*] do ist zů wissende, das der vorgenanten guldin, die mit der vier fúrsten zeichen gemúnßet worent, einre 9 pf. besser gewesen denne der nuwen guldin einre den die drie geistlichen fúrsten iegenote slahent uf den nuwen slag und den ieglich mit sinem zeichen allein múnßet. [*2ª*] item so ist unsers herren des kúniges nuwer guldin einre, die er mit den vorgenanten drien fúrsten aneving zů slahende und die er mit sime zeichen allein múnßet, ieder guldin 16 strazburger pfenninge besser denne der vorgenanten drier geistlichen fúrsten nuwer guldin einre ist. [*2b*] und besunder so ist des erzbischofs von Triere nuwester guldin einre zweier strazburger pfenninge krenker denne der andern zweier geistlichen fúrsten von Mencze und von Colne gúldin sint. [*2c*] und also ist an den 6 guldin, die die vorgenanten drie geistlichen fúrsten iegenote uf den nuwen slag slahent, abegegangen

---

a) *ziechen, col verschr., z. 14.*

---

[1] *Ohne Datum. Die Korrekturen im Stück scheinen ein Konzept anzudeuten. Es könnte also eine Straßburger Probe sein. Dafür spricht der Umstand, daß mit Straßburger Pfennigen gerechnet wird. Das ganze ist eine Vergleichung der nach dem Vertrag vom 19 Sept. 1399 geprägten Münzen mit den nach dem Gesetz vom 23 Juni 1402 geprägten, nur von diesen beiden ist die Rede. Diese Münzprobe muß also erst gemacht* worden sein, nachdem längst nach dem Gesetz vom 23 Juni 1402 gemünzt worden war. Also kann sie nicht zu denjenigen Münzproben gehören, die schon auf dem Tag vom 13 Juli 1402 vorgelegt wurden. Vgl. Einl. sub B.
[2] *Münzvertrag vom 19 Sept. 1399 RTA. 3, 110 nr. 62 art. 3.*
[3] *In art. 2 des Münzgesetzes vom 23 Juni 1402 RTA. 5, 305 ff. nr. 225.*

9 sch. strazburger pfenning wert goldes, ôbe sú zû 22½ grade ᵃ von dem zimente [1404
kommen sint.   [3] und sint ouch die vorgenanten 10 guldin in eime geschirre gelegen ᶜ· ᴹʳˢ·
und glich lange in dem fúre gestanden. ⁵)

411. *Münzprobe einer ungenannten Stadt, vermuthlich verwendet auf dem Tag von 1404* [1404
5   *c. Mers 5 Boppard* ¹. ᶜ· ᴹʳˢ·
⁵)

Aus Straßb. St.A. J. D. G. lad. 61 fasc. Münztag zu Mainz Juni 1402 fol. 15ᵃ cop. ch.
coaev., mit Verschickungsschnitten; beschädigt, daher im Druck Ergänzungen in
Kursive.

Als ein gemeiner alter rinscher gûldin zwenzig und drithalben grade *haben* sol ²,
10   daruf haben wir getan versûchen dirre nachgeschriben fúrsten nûwe gúldin die si nu ³
túnd schlahen.

[1] Des ersten so ist ze fúre gesetzet worden unsers herren des kúniges nuwer
gúldin einer ᵇ, und der ist eins halben grads swecher denne der vorgeschribener alter
gemeiner rinscher gúldin einer; und also sint hundert derselben nuw*en* gúldin umb
15   2 lb. und 20 pf. unsers geltes swecher denne hundert der alt*en* gemeinen rinschen
gúldin sint.

[2] Darnach ist versûht worden des bischofs von Cölln nuwer gúldin einer, *und*
der ist anderhalb grads ze swach usser dem fúre kommen; und also sint hu*ndert* derselben nûwen gúldin umb sechs phunt und fúnf schilling unsers geltes swecher denne
20   hundert der alten gemeinen rinschen gúldin sint ⁴.

[3] Darnach ist ze fúre gesetzet worden des bischofs von Triere nuwer gúldin einer,
und der ist ze glicher wise usser dem fúre ze swach kommen als des bischofs von Cölln
nuwer gúldin.

[4] Darnach ist ze fúre gesetzt des bischofs von Mentz nuwer gúldin einer, und
25   der ist allerswechest, wand er ist zweier grade ze swache usser dem fúre kommen; und
also sint hundert derselben nuwen gúldin umb acht phunt siben schilling minre vier
phenninge unsers geltes swecher denne hundert gemeiner alter rinscher gúldin sint, die
zwenzig drithalb grad hand, als vor geschriben stat.

a) *Vorlage, wol verschrieben,* **23** *grade.*   b) *einen.*

---

30   ¹ *Ohne Datum. Im Hefte zusammengebunden*
mit den Münzsachen von 1402, und besonders zu-
sammengeheftet mit der andern Münzprobe nr. 412,
die auch undatiert, vielleicht ein Straßburger
Gutachten ist. Die Disposition und das Urtheil
35   *über die verhältnismäßige Güte der Gulden der*
4 Rheinischen Fürsten stimmen überein. Sollte
auch obiges auf Straßburg oder einen Straßburger
Sachverständigen zurückzuführen sein? Die Ver-
schickungsschnitte im Papier sprechen dagegen.
40   *Daß aber hier Gulden des Münzgesetzes vom 23*
Juni 1402 verglichen werden mit solchen des Münz-
vertrages vom 19 Sept. 1399, scheint mir zweifellos.
Die obenstehende Probe kann also nicht schon auf

den Tag vom 13 Juli 1402 angesetzt werden, son-
dern fällt später. Vgl. Einl. sub B.
² *Münzvertrag vom 19 Sept. 1399 RTA. 3, 110*
nr. 62.
³ *Ohne Zweifel die nach dem Münzgesetz vom*
23 Juni 1402 geprägten.
⁴ *In art. 1. 2. 4 ist die Voraussetzung: 1 Gul-*
den = 240 Pfennige = 1 Pfund. Das stimmt
nicht zu der Straßburger Währung, in welcher
1 Gulden = c. ½ Pfund = c. 10 Schillinge ist
(vgl. Hanauer études écon. sur l'Alsace). Somit
bestätigt sich was wir bereits aus anderem Grund
angenommen haben, daß diese Münzprobe nicht
Straßburger Ursprungs ist.

[1404 **412.** *Münzprobe einer ungenannten Stadt, vermuthlich verwendet auf dem Tag von 1404*
c. Mrz.
5]   *c. Merz 5 Boppard* [1].

> *Aus Straßb. St.A. J. D. G. lad. 61 fasc. Münztag zu Mainz Juni 1402 fol. 15ᵃ unten*
> *angeheftet, cop. ch. coaev.*

Es ist zu wissende, daz wir haben geton ufsetzen unsers herren des kúniges gul-   5
din zwen. do ist einer wol 6 pf. besser dann der ander, und sind bede des nuwen
slages.

     Item zwene von Colne   }   sind etwaz krenker dann unsers herren des kunges
     Item zwene von Triere   }   guldin.
     Item zwene Mentzer die sind die krenkesten under allen ehtwen [2].   10

     Als ist an den 8 guldin abgangen einen guldin swer goldes und zweier schilling
strazburger pfennige wert goldes. und als wir's hant geton zymmenten, so ist das golt
als vin worden als duckatengolt.

[1404 **413.** *Münzprobe Frankfurts, vermuthlich vorgelegt durch die Abgesandten der Stadt auf*
c. Mrz.
5]   *dem Tag von 1404 c. Merz 5 Boppard* [3].   15

> *Aus Frankfurt St.A. Münze I conc. ch. coaev., mit der Münzprobe von 1401 c. Mai 1*
> *(Joseph nr. 70 bei uns im Supplementband 1) in neuerer Zeit zusammengeklebt, wol*
> *beide von Frankfurter Hand.*
> *Gedruckt Joseph Goldmünzen des 14 und 15 Jahrhunderts (Archiv für Frankfurts Gesch.*
> *und Kunst, neue Folge Bd. 8, auch separat) pag. 215 f. sub nr. 70 in eckigen Klam-* 20
> *mern aus unserer Vorlage.*

Nota. als die monze zû Frankfurd besehin ist, so halden itzunt die nuwen unsers
herren des kuniges und nuwen unsers herren von Colne gulden uf halbem teile zuschen
22½ grat und 22 grat, und sin gar nahe glich, doch so ziehin die Colschen etzwaz vûr, 25
daz daz kûm zû merken ist.

     So halden unsers herren von Mencze und unsers herren von Triere nûwen gulden
22 krat, und sin gar nahe glich, doch so ziehin die Trierschen etzwaz vûr, daz daz
kûm zû merken ist.

     Als dan daz gewicht [4] zû Franckfurd ist, so halden 66½ gulden ein marg, als man
sie wiget in dem cloben, doch so gibet man etzlicher masse einen vûrslag, daran der 30
halbe gulden wider inkûmmet.

---

[1] *Ohne Datum. Das Ergebnis, daß die Kur-*
mainzischen Gulden die schlechtesten sind, stimmt
mit der andern Münzprobe, die auf demselben
Blatte steht und auch ohne Bezeichnung der Her-
kunft ist, bei uns nr. 411. Läßt die konzeptartige
Schrift ein Konzept vermuthen, so spräche das für
Straßburger Ursprung. Auch wird nach Straß-
burger Pfennigen gerechnet. Die Hand, welche
auch mehrere Überschriften in dem betreffenden
Hefte beigefügt hat, scheint eine Straßburgische
zu sein. Allein strenge Beweise sind das nicht.
Ich zweifle nicht, es seien auch hier oben unter
den probierten Gulden solche zu verstehen, die
nach dem Münzgesetz vom 23 Juni 1402 geprägt
wurden. Die Probe kann also nicht schon für
den Tag vom 13 Juli 1402 gemacht sein, sondern
fällt später. Vgl. Einl. sub B.

[2] *Acht, octo.*

[3] *Die widerholt erwähnten neuen Gulden, die*
offenbar 22½ Karat halten sollten, können auf das 35
kön. Münzgesetz von 1402 Juni 23 bezogen werden,
und zwar um so mehr, da kein gemeinsames Ge-
präge (Dreipass oder Vierpass) erwähnt wird. Auf
den städtischen Münztag zu Mains vom 13 Juli
1402 wird dann ihre Prüfung noch nicht gehören, 40
weil bis dahin die neue Prägung wol nicht schon
so weit vorgeschritten war. Joseph scheint der
Ansicht zu sein, daß die Probe c. 1401 Mai ge-
macht ist. Es liegt nahe, an eine Bestimmung
des Gutachtens zu denken wie sie oben angegeben 45
ist. Die Frankf. Gesandten s. nr. 418.

[4] *Siehe die Anm. zu nr. 274.*

C. Münzvertrag der vier Rheinischen Kurfürsten nr. 414.

414. *Münzvertrag der 4 Rheinischen Kurfürsten auf 10 Jahre: einheitliche Goldgulden* ₁₄₀₄
zu 22¼ Karat fein Gold, 66 auf 1 Mark im Gewicht, mit halbjährlicher Münz- ^{Mrz. 5}
probe, und einheitliche silberne Weißpfennige und Engelsche zu 9 Pfennigen fein,
5   *104 Weißpfennige auf 1 Mark Silbers im Gewicht, nebst einschlägigen Maßregeln.*
1404 Merz 5 [1] *Boppard.*

> *A aus Karlsr. G.L.A. Pfälz. Kop.-B. nr. 8¼ fol. 77*^{a b} *cop. chart. coaev.; Überschrift* Als
> mine herre mit sinen kurfursten einer müns uberkommen ist etc.
> *B coll. ibidem Pfälz. Kop.-B. nr. 149 pag. 73-75 cop. chart. coaev.; mit gleichlautender*
10 *Überschrift.*
> *W coll. Würzb. Kr.A. Mainz-Aschaff. Ingross.-B. 14 fol. 55*^b*-56*^a *cop. chart. coaev.;*
> *Überschrift* Als die fursten einer nûwen gulden und silbern munze uberkommen
> sin etc.
> *Gedruckt Gudenus cod. dipl. Mog. 4, 35-37 nr. 13 mit Auslassungen. — Regest bei*
15 *Joannis ad Serar. 1, 721 nr. 2, und aus ihm (Wölckern) Hist. Norimb. dipl. prodr.*
> *335 nt.* [*]; *Würdtwein dipl. Magunt. 2, 159, Chmel nr. 1701, Scriba Abth. 4 pag. 41,*
> *Weidenbach reg. Bing. pag. 38 nr. 397, Görz Regesten der Erzb. zu Trier pag. 128,*
> *diese fünf aus Gudenus; übrigens hat wol auch Joannis seinen Auszug aus Gudenus,*
> *aber aus dessen Manuskript, reperies eas (tabulas) in codice diplomatico sagt er, und*
20 *damit ist natürlich Gudenus gemeint.*

Wir Ruprecht von gots gnaden Romischer kûnig zu allen ziten merer dez richs
als ein pfalzgrave bi Rine, und wir Johann des heiligen stuls zu Mentze erzbischof in
Dutschen landen, und wir Friederich der heiligen kirchen zû Colle erzbischof in Italien,
und wir Wernher des heiligen stuls zu Triere erzbischof in Walschen landen und durch
25 daz kûnigriche zu Aralad, des heiligen Romischen richs erzcanzlere^a, dun kunt und
bekennen: das wir uns selbis^b unser lande lûte und underseßen des gemeinen kauf-
mans und iedermans beste besonnen han, und sin semptlich einer munze uberkommen
von golde und von silber dûn zu slahen in eime glichen werde und of einen stalen
und manier, welche mûnze wir gesatzt han zehen ganze jare nehst nach einander na
30 datum diß briefs folgende zu halden und nit zu niedern noch zû ergern laßen, in der
forme als hernach geschrieben stet: [1] zû dem ersten sollen wir herren und iglicher
von uns in siner mûnze dûn slahen gulden, die halden sollen of die assaie und loie
zwenzig und drittehalp^c grait^d fines goldes und nit darunder.   und der gulden sollen
gan sehsundsechszig uf die marke gewegen und nit me.   und die gulden sollen gliche
35 geschroden und gewigen werden, ee sie uß der munze kommen.   [2] und umbe daz
die gulden nit geergert werden, sollen unser iglichs herren frunde munzmeistere und
brûvere zusamenkommen unverbot of iglichen dûnrstag in der fronefasten und of den
nechsten dornstag vor^e sant Martins tag, daz ist zu wißen daz die erste prube zu
Andernach, die ander zu Cobelencze, die dritte zu Bacherach, die vierde zu Bingen,
40 und die funfte wiederumbe zu Andernach sin sal, und also furter alle fronefasten und
alle donrstag vor sant Martins tage zusamenkommen und semptlichen pruben und versuchen iglichs von uns herren munze.   und viere von unser herren frunde sollen in dez

<hr/>

a) *W* und wir Johan zu Mentze des heiligen richs in Dutschen landen, Friderich zu Colne des heiligen richs
durch Italien, und Wernher zu Triere in Walschen landen und durch daz konigrich von Arelad alle von
45   denselben gnaden erzbischofe und erzkanzelere; *so auch Gudenus*, doch mit h (für heiligen) beidrmal vor
richs. b) *W* dusselbs *statt* uns selbis. c) *Gudenus falsch* 23. d) *W* krait. e) *AB* nach, *W* vor.

<hr/>

[1] *Gudenus rechnete in marg.* 8 mart. *heraus,*   geblieben. Joannis *und dengemäß* Hist. Norimb.
und ist in diesem Irrthum nicht ohne Nachfolge   dipl. *haben nur das Jahr ohne Tag.*

gemeinen kaufmanns budel und ᵃ gelte tasten und von unser igliches herren munze vier
gulden daruß nemmen ane geverde, und auch von unser iglichs herren nalden ¹ ein
stucke da ᵇ mit nemen und die in dem fure und zemente pruben und versuchen. und
weliche von uns herren pruben und stalen dann funden wurde nach erkentniße und
wisunge unser frunde und prubere, die dann ᶜ darzu geschicket weren ᵈ oder des meisten
deils von in, of ir eide, das soliche golt, als er na dem stalen gemünzet hette, nit
folliclich und gerecht uz dem fure und zemente enqueme uf zwenzig unde drittehalp ᵉ
grat ᶠ fines goldes, alz ez in dem fure na der nalden versucht und geprüfft were, ane
geverde: und gebreche eins greins daran, daz sal an unsern gnaden gemeinlichen sten;
und gebreche daran zwei greine, so sal der munzmeister uns herren gemeinlichen verfallen ᵍ sin in hundert gulden; und gebreche daran drû greine, so sal er verfallen sin
uns herren gemeinlichen in zweinhundert gulden; und gebreche daran vier greine, so
sal er uns in ʰ drûhundert gulden verfallen sin; und gebreche daran funf greine oder
mee ⁱ, so sal er verfallen sin in dusent gulden uns herren gemeinliche. und herzu sal
der herre, dez munzmeister ᵏ er were, sin zu stunt sicher werden ane geverde, und in
darzu halden daz er bessere na dem vor geschrieben ist.　　[3] und sollen igliche ˡ
unser herren munzmeistere einen silberin wißen phening und einen engelschen slahen,
die halden sollen nûn pheninge fins nach gebûre. und der wißen pheninge sollent geen
hundertundvier of ein marke silbers gewegen und nit mee ², und die sollen gliche
geschroden werden, und drilinge und heller nach gebûr, ane geverde. und der wiß ²⁰
phenning sal vón niden heruf biß gein Bacherach zwolf heller gelten und zu Bingen
eilfe ᵐ ³. 　　[4] und sal iglicher von uns herren bestellen an siner mûnze, daz er herzu
habe einen verstendigen birben ⁿ ⁴ prûber und einen birben wardin, die darbi sin als
man das golt und silber pruben und munzen sal; die zu den heiligen sweren sollen,
die sachen zu bewaren in der munzen assaien striche und gewichte an dem golde und ²⁵
ôuch an dem silber, und kein golte noch silber uß der munze zu geben ez ensi ge-
prûvet overmitz ⁵ die prûvere vorgeschrieben und wardin.　　[5] item sal unser iglichs
mûnzmeister globen und zu den heiligen sweren, daz er deheiner ᵒ unser oder unser
furfaren gulden wiße pheninge oder engilschen, die binnen zwenzig jaren gemûnzt sint,
nit versmelzen sollent, und daz ir iglicher nit me umbe einich golt zu keufen geben ³⁰
sal dann umb die marg echteundsechßzig der vorgenanten gulden ⁶, noch auch gabe
miede schanke dinste noch einicherlei sachen mit sich selber oder overmitz ieman
anders von sinen wegen darumbe dun oder laßen gescheen sollen.　　[6] auch ist gefur-
wort: ob sache were daz eincher unser munzmeister moe umbe golte ᵖ gebe dann fur
geschrieben ist oder iemants von sinen wegen, das dann der, sowanne das in der war- ³⁵
heit fûnden worde, fellig sin sal vor funfzig gulden; der sollen unser iglichem von uns
herren zehen, und dem der das kunt dût zehen, erfallen und werden, als dicke und
manichwerbe daz gescheen.　　[7] item sollen wir herren in unsern stetden und landen

a) W gût für und. b) W doit? Gudenus in marg. quasi drit. c) om. W. add. AB. d) W werden. e) Gudenus
falsch 23. f) W krait. g) W hier und die folgenden male erfallen. h) uns in om. AB. i) oder mee om. W. ⁴⁰
k) W munzer. l) W item sal iglicher. m) W add. heller. n) W hier und das nächste mal birven. o) W
keine zu om. deheine? p) B gelt, W golt.

¹ Verstellt statt nadel, Lexer. .
² Das ist der gleiche Feingehalt aber ein etwas
geringeres Gewicht wie im Vertrage von 1400
Merz 12 RTA. 3 nr. 65 art. 1.
³ Vgl. ibid. art. 3.
⁴ Birbe und birve gleich biderbe, Lexer 3 Nachträge col. 86 und 87.

⁵ Übermittes, übermitz = vermittelst, mit gen.
oder acc., Lexer Mhd. HW. 2, 1646.
⁶ Vgl. RTA. 1 nr. 286 art. 1. Im Vertrage von ⁴⁵
1399 RTA. 3 nr. 62 fehlte eine derartige Bestimmung.

mit unsern amptluten und underseßen bestellen, als ferre wir ummer mögen, daz kein ₁₄₀₄
gebrant golt oder silber uß unsern landen gefürt und keine gemunzet golt oder silber _{Mrz. 5}
gesmelzet werde; doch so mogent fremde kauflute und wandelere, die beidersit fremde
sint, ir[a] kaufmanschaft under in driben[b] mit golde und silber ane geverde.   [8] item
5 sollen wir herren und iglicher von uns bestellen daz kein bislag geslagen werde in
sime lande nach siner macht ane geverde.   alle und igliche diese vorgeschrieben
pünte und artikel han wir obgenante herren iglicher von uns dem andern globt in
guden truwen und globen mit craft diß briefs die ware feste stete und unverbrochen-
lich zu halten und zu follenfüren und darwider nit zu dün sunder alle argelist und
10 geverde.   und dez zu urkunde und ganzer stetikeit[c] hat iglicher von uns sin ingesiegel an diesen brief gehangen[d], der geben ist zu Boparten of den mitwoch vor dem
sondag alz man singet in der heiligen kirchen letare zu latine in dem jare alz man ₁₄₀₄
zalte nach Cristi gebürte 1400 und vier jare[e].   _{Mrz. 5}

D. Anerkennung K. Ruprechts durch deutsche Reichsstände nr. 415-417.

15 **415.** *Erzb. Johann II von Mains an Markgr. Wilhelm I von Meißen Landgr. in* ₁₄₀₄
Thüringen: derselbe soll vertragsmäßig dem K. Ruprecht beistehen und von ihm _{Mrz. 5}
die Reichslehen empfangen[1]. *1404 Merz 5 Boppard.*

Aus Dresd. St.A. Urk. nr. 5297 or. ch. lit. pat. c. sig. in verso impr. paene deleto.

Hochgeborner furste her Wilhelm marggrave zu Missen und lantgrave in Doringen
20 der elter.   als uch wol wißentlich ist, wie ir unde etzliche andere des richs fursten
uch vor tzijten zu uns unde andern unsern mitkurfursten verbünden habent als von
erwelunge wegen eins Romischen koniges[2], daruff wir auch den durchluchtigen fursten
hern Wentzelauwe etwann Romischen konig mit orteil abegesetzt und darnach den aller-
durchluchtigen fursten unde herren hern Ruprechte Romischen konig zu allen czijten
25 merer des rijchs unsern lieben gnedigen herren zu eyme Romischen konige gekorn unde
erwelt haben, dieselbe unser wale auch unser heiliger vatter der babist von Rome
Bonifacius approbieret und beweret hait, als ir daz in sinen brieven unde bullen, die
er uch daruber schicket, eigentlicher vernemen mogent, unde want der obgenant unser
gnediger herre der Romische konig uns zu wißen getan hait, daz ir uwer lehen, die ir
30 von deme riche habent, von yme als eyme Romischen konige noch nit enphangen
habet: herumbe so ermanen wir uch mit diesim geinwurtigen unserme offen brieve
solicher buntnisse, als ir uch dann zu deme obgenanten unserme gnedigen herren demo
Romischen konige uns und andern unsern middekurfursten verbunden habent, daz ir
demselben unserme herren deme Romischen konige zu sinen und des heiligen richs
35 sachen getruwelichin bijgestendig unde beholffen sint, und auch uwere lehen, die ir von

a) AB in? b) W und Gudenus iro k. triben under sich.   c) W stergheit.   d) W tün henken.   e) W hat das
Datum lateinisch datum Bopardie feria quarta post dominicam oculi anno domini millesimo quadringentesimo
quarto; diese Fassung auch bei Gudenus.

[1] *Vgl. die früheren Aufforderungen RTA. 4 nr.*
40 *219. 220.   Über das Verhältnis der Meißener*
Markgrafen insbesondere auch Wilhelms des ältern
su K. Ruprecht und su Erzb. Johann von Mains
s. den Briefwechsel Fichard Wetteravia 1, 158 ff.
besonders 177. 180. 186. 195. 200; vgl. auch Ein-
45 *leitung sum Nürnb. Tage lit. K p. 367, 38 und*
ibid. lit. M p. 374, 7.

[2] *RTA. 3 nr. 106 und 107 ist hier wol gemeint,*
es ist Wilhelm der elter, also nicht zu denken an
RTA. 3 nr. 108 (mit 111) und Wilhelm II. —
Über den Vertrag RTA. 3 nr. 59 bzw. 60 s. Quidde
in v. Sybel's Hist. Zeitschr. 51, 117 f.

1404
Mrz. 5
deme riche habent, von yme als eynem Romischen konige ane lenger verziehen enphahent, und dunt nach deme ir uch dann gein yme und uns verschreben und mit uwerm ingesigel versigelt habent.   datum Boparten feria quarta post dominicam oculi

1404
Mrz. 5
anno domini millesimo quadringentesimo quarto sub nostro appresso sigillo.

Johann erczbischoff   5
zů Mencze.

1404
Dec. 16
416. Die Stadt Metz [1] erkennt K. Ruprecht an.   1404 Dec. 16 Metz.

Aus Münch. Staatsarchiv Urkk. betr. äußere Verhh. der Kurpfalz $\frac{120}{549}$ or. mb. c. sig. pend. laeso; auf Rückseite gleichzeitig der von Mecze brief; im Druck sind alle Vokalzeichen unterschiedslos durch e gegeben.   10
Regest im Karler. G.L.A. Pfälz. Kop.-B. nr. 44 fol. 144ᵃ.

Wir der meister scheffen die drützehen geswornen die geslechte und die gemeinde gemeinliche der stat zu Metzen bekennen uns offenlich an disem brieff und tůn kunt allen luten: das wir mit wolbedachtem můte gutem rate und vereintem willen überkomen und eintrechtig worden sint, das wir den durchlutigen fursten hern Wentzlawe 15 kuning zů Beheim, der etwanne ein Romischer kuning gewesen ist, wann derselbe herre Wentzlawe mit der kurfursten ortel von dem Romischen riche abegesetzet und der allerdurchluchtigiste furste und herre herre Ruprecht von gots gnaden Romischer kuning zů allen tzijten merer des richs zů einem Romischen kuninge von denselben kurfursten erwelt ist, dieselbe absetzůnge und wale auch von dem stůle von Romme bestetiget 20 sint, nů furbas nit mee fur einen Romischen kunig haben oder halten ensullent, sunder wir der meister scheffen die drutzehen geswornen die geslechte und die gemeinde gemeinlichen der obgenanten stat zů Metze bekennen den allerdurchluchtigesten hochgebornen fursten herren Růprechten Romischen kůnig obgenant fur einen rechten waren Romischen kůning und zůkunfftigen keiser, und wollen und sullen yn auch vesticlichen 25 darfur haben und halten.   und wanne er mit gots hilff sine keiserliche cronůnge enphehet, so sullen wir im alsdanne auch důn alles das, das wir ymme důn sullen und andern Romischen keisern sinen furfaren getan han, ane alle geverde.   dez zů urkunde so han wir der vorgenanten stat von Metzen groiße ingesigel an disem[a] brieff gehangen, datum anno domini millesimo quadringentesimo quarto die decima sexta 30

1404
Dec. 16
mensis decembris.

1407
Juni 19
417. Bischof Johann III von Hildesheim erklärt, daß er dem K. Ruprecht geschworen, nachdem ihm Graf Julius von Wunstorf in dessen Auftrag die Regalien gegeben[2]. 1407 Juni 19 o. O.

Aus Münch. Staatsarchiv Urkk. betr. äußere Verhh. der Kurpfalz $\frac{120}{549}$ or. mb. lit. pat. 35 c. sig. pend.
Regest ib. auf einem Papierstreifen bei der Urkunde vom 19 Jan. 1386, worin K. Wenzel den Pf. Ruprecht I und II den Westf. Landfr. gibt und konfirmiert (RTA. Suppl. Bd. 1), welchen sein Vater 1371 Nov. 25 aufgerichtet hat, sign. 121/b12, Hand des 15-16 Jahrhunderts; lag wol ursprünglich bei unserem Original vom 19 Juni 1407.   40

Wij Johan van godes gnaden unde des stoles Rome bisschop to Hildensem don witlik alle den de dussen breff seen eder horen: alse de allerclårste unde unvor-

a) or. dusem.

---

[1] Siehe Einleitung lit. D p. 560, 3 ff.
[2] K. Ruprecht ermächtigt Gf. Julius von Wuns-

torf, dem Bisch. Johann von Hildesheim an seiner Statt die Regalien zu leihen und dessen Huldigung 45

wintlikeste vorste unse allergnedigeste here her Ruprecht Romscher konincg to allen [1407 Juni 19]
tijden merer des richs deme edelen Julio greven to Wunstorpe unsem leven oheme
gescreven bevalen unde macht gegheven heft uns van siner majestad unde des hilgen
Romschen richs weghene unse regalia unde herlicheit to gevende, also hebbe wij de
5 willichliken mit plichtighliker horsamicheit unde ere van demsulven greven Julio
genomen unde entfangen unde alsodane ede horsam unde getruwe ome to unses vorgnanten allergnedigesten heren hand gedan unde gesworn alse dat wontlik unde recht
is na utwisinge der breve de darupp gegheven sin.   dusses to orkunde hebbe wij
unse ingesegel gehengt heten an dussen breff, geven na godes bort verteinhundert jar
10 darna in deme seveden jare des sundages na sunte Viti dage des hilghen martelers. [1407 Juni 19]

E. Kosten Frankfurts nr. 418.

418. *Kosten Frankfurts bei dem Kurfürstentage zu Boppard vom Merz 1404.*   **1404** [1404 Mrz. 15]
Merz 15.

Aus Frankf. St.A. Rechnungsbücher unter der Rubrik uzgeben zerunge.

15   Sabb. ante Gerdrudis: 24 lb. virzerten Erwin Hartrad und Herman Burggrave
selbseste 8 dage gein Boparten zu userm herren dem konige und den fursten von der
monze wegen, und dan 3 gulden zu schifflon zuschen Mencze und Boparten, und dan
2 grosse unsers herren des konigs ußerstem dorhůder.

F. Anhang: kön. Münze zu Frankfurt nr. 419-422.

20 **419.** *K. Ruprecht an Hermann von Rodenstein Landvogt in der Wetterau, schickt ihm* [1404 Aug. 4]
einen Niederländer, welcher in Frankfurt kön. Münzmeister werden möchte und
dort Gulden schlagen will so gut als Dukaten an Gold und Gewicht, begehrt seine
und der Frankfurter Meinung darüber. 1404 Aug. 4 Heidelberg.

Aus Frankfurt St.A. Münze I or. ch. lit. cl. c. sig. in verso impr.
25 *Gedruckt Joseph Goldmünzen des 14 und 15 Jahrhunderts (Archiv für Frankfurts Gesch.*
und Kunst, neue Folge Bd. 8, auch separat) pag. 124 f. nr. 2 aus unserer Vorlage. —
Regest Janssen Frankf. R.K. 1, 751 nr. 1198 aus Frankf. St.A. Uglb. A., 71, C or.,
also wol aus unserer Quelle.

    Ruprecht von gots gnaden Romischer
30   kunig zů allen ziten merer des richs.
    Lieber getruwer.   eß wirbet ein Nyderlender an [a] uns das er gerne unser
munczemeister zů Franckfurd were, und meinet gulden da zů slahen als gut als
ducaten an golde und an gewichte. nu wißen wir nit ob eß dem lande nuczlich sij,
und haben yen bescheiden zů dir gein Franckfurd zů komen. und da solt du und

35   a) or. ans.

entgegensunehmen; dat. Heidelberg 1407 Mai 18
r. 7; Karlsr. G.L.A. Pfälz. Kop.-B. 5 fol. 110 b-
111 a, ibid. Pfälz. Kop.-B. 143 pag. 286, Wien
H. H. St.A. Registraturb. A fol. 100 a; Regest Chmel
40 nr. 2311 aus Wien. — K. Ruprecht leiht dem
Bisch. Johann von Hildesheim, der verhindert ist
zu ihm zu kommen die Regalien unter Vorbehalt
persönlicher Huldigung; dat. Heidelberg 18 maji

a. 7; Karlsr. G.L.A. Pfälz. Kop.-B. 5 fol. 111 a
(mit Verweisung auf entsprechende Urk. für den
Bisch. v. Metz vom 9 Dec. 1405, s. Einleitung p.
561, 40), ibid. Pfälz. Kop.-B. 143 pag. 286-287,
Wien l. c. fol. 100 a b; Regest Chmel nr. 2312 aus
Wien. — Gf. Julius von Wunstorf hatte selbst
erst am 14 Mai 1407 die Belehnung durch einen
Bevollmächtigten erhalten, s. Chmel nr. 2309.

1404
Aug. 4 unser burger von dem rade zů Franckfurd yen verhoren und sine meynunge von derselben můncze wegen genczlichen innemen als wir auch mit den von Franckfurd
můntlich davon gèredt haben. und waß uch dann důncket das uns in den sachen zů
tůnde oder uffzůnemen sij, das dann auch dem lande nůczlich were, des folgeten wir
gerne, danne wir ye des landes nůcz darinne meynen. und schicken auch darumbe 5
zů dir Hansen [1] unser můnczemeister zůr Nuwenstad [2]; den nymme zů den sachen und
habe sinen rad darinne. und waz dann uwer meynunge in den sachen sij und darinne
zů rade werdent, daz laßent uns verschriben wißen; so wollen wir uns hie oben mit
unsern reten auch beraten, waz uns in den sachen zů dunde sij.   datum Heydelberg
1404   feria secunda post diem invencionis sancti Stephani anno domini millesimo quadringen- 10
Aug. 4   tesimo quarto regni vero nostri anno quarto.

[*in verso*] Herman von Rodenstein ritter unserm   Ad mandatum domini regis
lantvogt in der Wederauwe und lieben getruwen.   Johannes Winheim.

420. *Werbung des Niederländer Münzers und Genossen an Frankfurt im Auftrag K.
Ruprechts und einiger Städte wegen Prägung neuer Dukaten und Silbermünzen 15
daselbst. [1404 zwischen Aug. 4 und 21 Frankfurt [3].]*

> *Aus Frankf. St.A. Münze I conc. chart., von Frankfurter Hand; auf der Rückseite ein
> ausgestrichenes Datum, wol nur Vermutung des späten 15 oder des 16 Jahrhunderts,
> scheint 1404 gelautet zu haben; ebenda wol ebenfalls aus letztgenannter Zeit des spä-
> ten 15 oder des 16 Jahrhunderts hat kain datum, quere diligenter; die von uns ge- 20
> gebene Datierung ist begründet in unserer Einleitung.*
> *Gedruckt Joseph Goldmünzen des 14 und 15 Jahrhunderts (Archiv für Frankf. Gesch.
> und Kunst, neue Folge Bd. 8, auch separat), pag. 223f. nr. 79 aus unserer Vorlage.*

[1] Zů wissin si, daz unser allergnedigs*ter* herre der konig und sin rad und auch
etzlich[a] stede die im virbunden sin geordineret han, daz wir einen finen gulden slahen 25
sullin zů Franckinfurd, der geheissen sal sin ein ducate. und der sal sin als gůt als
ein ducate von golde und als swer von gewichte. derselbe ducate uf gulden sal gelden 13 tornose. daz were uf daz hůndert achte rinsche gulden und 4 tornose[4]. daz
bat[5] den[b] kaufman an dem hůndert 3 rinsche gulden und 8 tornose[6]. und doch so
sollin die gulden alle[c] als gůt sin als ducaten. diz[d] were ir, unsers gnedigen herren 30
und der stat von Franckenfurd, ein gemein nütz des~landes und der kauflůte.
[2] Vort so hat unser herre der konig und sin vorg*nante* stede und rad geordeneret einen silbern phennig, den man nennit einen tornoß. der sal halden an silber
14 lot silbers. und der tornoß sal man sniden uf ein marg gewegen 74, und sal sie
glicherwise[e] schroden. und sal der 12 geben umbe einen rinschen gulden, und 13 vůr 35
der ducaten einen. da sal die stat von Franckenfurd einen wardyn mit setzen, umbe
des willin daz daz deste vester und steder gehalden werde[f].
[3] Vort einen engel*schen*. der sollin 3 gelden einen tornoß. und die engel*schen*
sollin als gůt sin als die vorg*nanten* tornose. der sal man sniden 19 sh. uf die marg
gewegen. daz kompt glich den vorg*nanten* tornosen, uzgnommen 6 der cleiner phennig, 40

---

a) *der Haken für er nur halb vorhanden, also nicht wol statlicher.* b) *Vorlage dem? abgekürzt.* c) *Vorlage add. ducaten.* d) *Vorlage der?* e) *Vorlage om. wise.* f) *Vorlage umbe des willin daz deste vester und stede halden.*

---

[1] *Joseph l. c. pag. 54 nt. 2: wahrscheinlich Hans
Mergentheimer.*
[2] *Joseph l. c. pag. 54: Neustadt an der Hardt.*
[3] *Datierung s. Einl. lit. F. Joseph dat. 1404.*
[4] *D. h. Kursdifferenz zw. 100 neuen Duk. und
100 rh. fl. (letztere je 12 Tornose).*

[5] *Baten, nützen, helfen, Lexer.*
[6] *Also 100 Duk. an wahrem Werth eig. gleich
112 rh. fl. (100 rh. fl. + 8 rh. fl. 4 torn. + 3
rh. fl. 8 torn.) gerechnet; stimmt zu dem was wir
sonst über den Kurs der Dukaten wissen.*

der werden 3 dem knappen nûr ᵃ zû lon, und 3 vûr abegang, daz sie cleiner sin dan *[1404 zw. Aug. 4 und 21]*
die ander phennig.

[4] Auch wer' es sache daz die stat und der rad von Franckenfurd einen heller,
oder einen phennig der 2 heller gulde, oder einen der 3 heller gulde, slahen wolte ᵇ,
⁵ des lit unser allergnedig*ster* herre der konig obe der stat rad und in dem besten wie
sie daz ordeneren mogen, und daz were allermeiste ᶜ nuczte dem lande wan wir ser
clagen umbe ᵈ des gebrechs willen.

[5] Auch sollin wir slahen einen rinschen gulden glich den korfursten oder besser.

[6] Herobe ᵉ begert unser aller*gnedigster* herre der konig ein antwort ze han ᶠ uf
¹⁰ uwern rad, wie uch damyde begnuget.

421. *Frankfurt an K. Ruprecht: er möge die vorgeschlagenen neuen Dukaten und* *1404*
Silbermünzen in Frankfurt nicht schlagen lassen, wogegen man wider den Rheini- *Aug. 21*
schen Gulden, wenn er richtig gemacht werde, nichts einzuwenden habe. 1404
Aug. 21 Frankfurt.

¹⁵   *Aus Frankfurt St.A. Münze I conc. ch. coaev., mit der gleichzeitigen Überschrift* Domino
      nostro regi Romanorum.
      *Gedruckt Joseph Goldmünzen des 14 und 15 Jahrhunderts (Archiv für Frankf. Gesch.
      und Kunst, neue Folge Bd. 8, auch separat) pag. 125 ff. nr. 3 aus unserer Vorlage.*

Uwern allerdurchluchtigsten hochwirdigen koniglichen gnaden entbieden wir unsern
²⁰ schuldigen willigen undertenigen dinst mit rechter gehorsam und ganzer truwen zuvor.
allerdurchluchtigster fûrste gnediger lieber herre.   [1] als uwer konigliche gnade mit
unsern frûnden vormals geredt hat von einer gulden monze wegin bi uns zû Franckenfurd ᵍ zû slahen, dieselbin unser frunde uns uwer gnade meinunge in den sachen wol
irzalt haben, und sunderlich daz uwer gnade meinte, die uwern mit denjenen, die solich
²⁵ sache an uwer gnade bracht und geworben hetten, bi uns gein Franckenfurd zû
schicken zû hern Herman von Rodinstein ritter uwerm lantvoigt in der Wetereyb und
zû uns, uns der sache eigentlich zû berichten, und daz wir uns vûrter daruf hirfarn
und bedenken solden, obe solich sache ein gemein nûcz wer' landen und luten uwer
und des richs stad Franckenfurd und uns und auch dem gemeinen kaufman: gnediger
³⁰ lieber herre, des sin die-jhenen, die der sache antreger und werber sin, zû hern
Herman vorgnant und uns kommen, und han uns von solicher gulden und auch einer
silbern monze wegin eczlich artikel ¹ beschriben gegeben und auch ir meinunge daruf
muntlich irzalt, als wir truwen daz her Herman vorgnant und auch wir die wol vir-
standen haben, derselbin artikel wir uwern koniglichen gnaden abeschrift hie-inne
³⁵ virslossin senden.   [2] und als sie in dem ersten artikel ruren von eim gulden zû
slahen, der ein ducate geheissin solle sin, und als derselbe artikel uzwiset: gnediger
lieber herre, daruf han wir uns bedacht und auch an me luten irfarn. und dûnket
hern Herman vorgnant und auch uns, daz solich monz landen luten und dem gemeinen
kaufman und auch uns zû grossem schaden qwem, wann daz beste golt darzû kommen
⁴⁰ muste und alle ander gulden monze so rinsche so ander davon uzgefeimet und irseiget
worden, und ein iglich kaufman von ˡdem andern mit solicher sweren monze gewert
wolte sin, daz ein grosse irrûnge brechte, und auch alle ander gulden monze davon

---

a) *sie, auch* aûn *ist möglich.* b) *Vorlage om.* slahen wolte. c) *allermeist mit Schlußhaken.* d) *Vorlage das* umbe
statt u. d. e) *herabe ?* herobe *? f, Vorlage* gehan *statt* ze han. g) *hier und weiterhin abgekürzt* Franck *mit*
⁴⁵ *Schleife.*

---

¹ *Werbung des Niederländers [1404 zw. Aug. 4 und 21] nr. 420.*

1404
Aug. 21 virgenglich und virtilget wurden, und dem gemeinen manne edeln und unedeln an
werschaft gulte rente und zinse und iglicher sache und an zerunge zů swer wer', als
wir truwin daz uwer konigliche gnade baß virste dan wir geschriben konnen. und
getruwen auch uwern gnaden wol, des nit zů gestaden bi uns oder auch anderswo[a]
und darin einen gemeinen[b] nucz zu virsorgen.　　[*3*] auch, gnediger lieber herre, als　5
in den artikeln steet und sie begert han, ein silbern monze[c] zů slahen uf tornose
eng*else*he und heller uf den sin und wege als dan dieselbin artikel uzwisen: daruf
bidden wir uwer gnade wissin, daz ein erbere alte gute silbern monze zů Mencze zů
Wormße bi uns und durch die Wetereyb und den Meyn uf eins teils und in andern
landen umb uns vor langen[d] jaren und lenger dan imand gedenken kan gewest ist　10
und geweret hat, damidde dem lande den vorgnanten steden und uns bißher wol gnuget
hat und noch gnůget. und bidden und flehin uwern koniglichen mildek*eiten*, uns dabi
lassin zů blüben und zů hanthaben, want wir besorgen, wo ein ander silbern monze
und werunge ufirstunde[e], daz dan die alten tornose eng*else*hen und gude[f] heller vir-
smelzet und virtilget worden, davon dan[g] dem gemeinen lande und uns grosser virderp-　15
licher schade und abegang allermentlichs gulte und rente gedihen mochte. und bidden
und flehen auch uwern koniglichen wirdek*eiten*, uns und .die gemeinen[h] lande des zu
virheben und darinne gnediclich zu virsorgen.　　[*4*] auch, gnediger lieber herre, als
sie in dem lesten artik*el*[i] ruren, einen rinschen gulden zů slahen glich den[k] korfursten,
da mag uwer konigliche gnade[l] zu tůn nach uwerm wolgefallin. dan wir meinen, wan　20
solich gulden sin an golde striche und gewichte als daz von uwern gnaden und unsern
herren den korfursten uberkommen und ufgeseczt ist[1], daz man die gern nemen solle.
[*5*] gnediger herre, uwer gnade wolle diese unser antworte gnediclich ufnemen und ungeverlich virsten, und die gemeinen[m] lande und kaut lute und uns in den[n] sachen
gnediclich virsorgen, als wir des zů uwern hochwirdigen koniklichen[o] gnaden ein ganz　25
getruwen han und mit schuldiger truwe und dinstberkeit allezit williclich und gern
1404 yirdienen wollin als billich ist.　　datum feria[p] quinta ante Bartholomei anno 1400
Aug. 21 quarto.

1404　**422.** *K. Ruprecht an Frankfurt: will das Projekt neuer Münzprägung auf der Frank-*
Aug. 23　*furter Münze fallen lassen.　1404 Aug. 23 Heidelberg.*　30

　　　Aus Frankfurt St.A. Münze I or. ch. lit. cl. c. sig. in verso impr.
　　　Gedruckt Joseph Goldmünzen des 14 und 15 Jahrhunderts (Archiv für Frankf. Gesch.
　　　und Kunst, neue Folge Bd. 8, auch separat) pag. 127 nr. 4 aus unserer Vorlage. —
　　　Regest Janssen Frankf. R.K. 1, 752 nr. 1200 aus Frankf. St.A. Uglb. A, 71, C or.,
　　　also wol aus unserer Quelle.　35

　　　　　Ruprecht von gots gnaden Romischer
　　　　　kunig zu allen zijten merer des richs.
　　　Lieben getruwen.　als ir uns verschriben hant von der guldin můntze wegen,
und das diejenen, die der sache antreger und werber sin, zů Herman von Rodenstein

　　　[1] *Münzvertrag der 4 Rhein. Kurfürsten 1404 Merz 5 nr. 414 , vgl. K. Ruprechts Münzgesetz 1402*
Juni 23 nr. 225.

ritter unserm lantvogt in der Wederauwe und lieben getruwen und uch kommen sin,   1404
Aug. 23
und haben uch von sölicher gúlden und auch einer silbrin múntze wegen etliche
artickele beschriben geben, der ir uns auch abschrifft gesant hant, und das ir uch
daruff bedacht und an me lúten erfaren habent, das sölich guldin und und auch silbrin
5 muntze, als dann dieselben artickel ußwisent, lannden und lúten und dem gemeynen
kauffman und auch uch zu großem schaden queme etc.: haben wir wol verstanden.
und laßen uch wißßen, das wir alletzijt dartzů geneiget sin, in den und andern sachen
einen gemeynen nútze lannden und lúten zu versorgen, und wölten auch ungern darwider tůn. und wann ir nů uch eigentlich daruff entsynnet hant, das von sölichem
10 slahen großer schade úfferstunde, so meynen wir zu dieser tzijt, das underwegen zu
laßen und alte múntze laßen slahen [1].   datum Heidelberg in vigilia beati Bartholomei   1404
Aug. 23
apostoli anno domini millesimo quadringentesimo quarto regni vero nostri anno quinto.

[in verso] Unsern lieben getruwen burgermeistern und rate unser und des heiligen
15 richs stat Franckenfůrt.

Ad mandatum domini regis
Ulricus de Albeck decretorum doctor.

[1] *Zu Anfang des Jahres 1407 ließ Ruprecht*   *ablehnend antworteten, s. Brief vom 15 Febr. 1407*
den Frankfurtern aufs neue Vorschläge betreffs   *in Bd. 6.*
Münzprägung unterbreiten, auf die dieselben wider

K. Ruprechts Landfriedensthätigkeit in Franken und der Wetterau
1403-1407.

Die erste Erwähnung der Landfriedensthätigkeit K. Ruprechts findet sich, wenn wir nicht irren, bei Pontanus historiae Gelricae libri 14 (erschien 1639) pag. 361. Darnach hätte der König einen Landfrieden für das ganze Reich errichtet, Hauptleute der Bezirke ernannt und Friderich Schenken von Limburg die Sorge für die ganze Einrichtung übertragen. Pontanus bezieht sich auf eine königliche Urkunde, und eine solche liegt seiner Nachricht auch zu Grunde, ist aber von ihm flüchtig gelesen und falsch widergegeben worden. Einer der beiden Fränkischen Landfrieden wird ihm bekannt gewesen sein, und zwar wahrscheinlich der vom Jahre 1403 nr. 425; denn der Eingang des andern vom Jahre 1404 nr. 426 schließt die Möglichkeit des Misverständnisses, daß in ihm ein Reichslandfriede vorliege, wol so ziemlich aus. Etwa 60 Jahre später heißt es dann bei Schurtzfleisch disputat. histor. civil. pars 2 disput. nr. 49 pag. 21: Ejus [scil. Ruperti] reperitur edictum de pace publica per imperium ordinanda, sermone vernaculo Lantfriede appellatum, quod tamen non memini vidisse apud novitios scriptores nec ipsum Goldastum. Wo dieses edictum gefunden wird, ist nicht gesagt, und vermuthlich ist hier einfach Pontanus ausgeschrieben. In der Literatur der nächsten Jahrzehnte (s. Gladov's Versuch einer vollständigen und accuraten Reichshistorie 2, 100 lib. 6 cap. 8 § 3; Oertel dissert. de Ruperto rege 67 mit nt. c; Glafey hist. Germ. polemica 497 f.) begegnen wir dann mehrfachen direkt oder indirekt durch Schurtzfleisch's Angabe veranlaßten Erwähnungen des Ruprecht'schen Landfriedens, zugleich aber wurden, da kein Text desselben aufgefunden ward, Zweifel erhoben, ob ein solcher Landfriede überhaupt existiert habe, bis 1738 in (Wölckern) historia Norimb. diplom. 516 ff. ausführliche auf urkundlichem Material beruhende Mittheilungen über den Fränkischen Landfrieden von 1404 gemacht wurden. Schon vorher 1713 bezw. 1718 waren zwar von Ludewig die Geschichtsschreiber Fries und Hoffmann ediert, aber deren Angaben über die Fränkischen Landfrieden waren so verwirrt, daß aus ihnen über Ruprechts Gesetzgebung nichts zu ersehen war. Oertel's und Glafey's Zweifel waren, was den angeblich für das ganze Reich errichteten Landfrieden anbelangt, ganz berechtigt. Ein solches Gesetz ist, wie wir jetzt mit voller Bestimmtheit sagen können, von K. Ruprecht nicht erlassen worden, und, so viel wir wissen, war während der ganzen Zeit seiner Regierung von einem ähnlichen Projekte nie die Rede.

Auf die Entwicklung der Landfriedensgesetzgebung in Norddeutschland übte K. Ruprecht überhaupt nur einen ganz geringfügigen Einfluß. Es waren autonome Gebilde die dort entstanden und dem Könige nur zur Bestätigung vorgelegt wurden. Wir haben uns trotzdem zur Aufnahme der betreffenden Urkunden entschlossen; denn die Landfriedensfrage hängt 1402 und 1405 mit den Verhandlungen über die Tödtung

Herzog Friderichs von Braunschweig zusammen, wie wir deshalb auch äußerlich diese Dinge vereinigt haben, beim Nürnberger Tage v. 1402 lit. K u. beim Mainzer v. 1404 lit. G. Da nun der Landfriede von 1405 aufzunehmen war, können die späteren aus ihm sich entwickelnden nicht gut übergangen werden, und wir werden sie im folgenden Bande
5 *bringen. Dagegen fällt die sogenannte Femgerichtsordnung K. Ruprechts nicht in den Bereich unserer Sammlung. Sie stellt keine Reform oder auch nur eine Verordnung des Königs dar, ist auch nicht aus Berathung mit irgend welchen Reichsständen hervorgegangen, sondern es sind die von mehreren genannten Freigrafen dem Könige auf seine Fragen über das Recht der Feme ertheilten Antworten. Das Stück ist gedruckt*
10 *bei Datt de pace publica 777-780, Müller Reichstagstheatrum 1, 477-482, Hahn coll. mon. ined. 2, 611-618, Neue Sammlung der Reichsabschiede 1, 105-110, Senckenberg corp. jur. Germ. publ. ac priv. 1, 2, 71-76 und ibid. 128-130, Goebel Marq. Freheri de secretis judiciis commentariolus 181-190, Wigand Wetzlarer Beiträge 3, 34-52, Seiberts Urkb. zur Westfäl. Gesch. 3, 6-20. Diese Drucke weichen in mannigfacher Weise von*
15 *einander ab; sie zerfallen in zwei Hauptgruppen, zur einen gehören Datt Müller Hahn N. Sammlung Senckenberg 71-76 und Goebel, zur andern Senckenberg 128-130 Wigand und Seiberts, und die erste Gruppe steht der ursprünglichen Fassung näher als die zweite. Auch die Datierung ist in den verschiedenen Drucken, sowol was das Jahr wie was den Tag anbelangt, sehr verschieden; in Übereinstimmung mit Wächter Beitr.*
20 *zur Deutschen Geschichte insbesondere zur Geschichte des Deutschen Strafrechts 134f. sind wir zu dem Resultat gekommen, daß man sich für den 30 Mai 1408 zu entscheiden hat. Eine kritische Bearbeitung des Textes mit Herbeiziehung der Handschriften wäre in hohem Grade erwünscht und auch lohnend.*
Die eigentliche Landfriedensgesetzgebung K. Ruprechts erstreckte sich nur auf
25 *Süddeutschland oder genauer nur auf Franken und die Wetterau; und, wie die Geltungsgebiete seiner Landfrieden provinziell begrenzt waren, so waren es auch die Versammlungen auf denen sie berathen wurden. Diese Landfriedensthätigkeit des Königs, die wir hier zusammenfassen, findet auf keinen Reichstagen statt. Aber sie kann in unserer Sammlung nicht entbehrt werden, wenn wir hier nicht etwas ausschließen*
30 *wollen, was sowol früher als später die Reichstage beschäftigt und worauf auch künftig wider zurückgekommen wird. Es schien am besten, sie unter dieser besondern Abtheilung hier zu vereinigen. Nachrichten über vorhergehende und nachfolgende provinzielle Versammlungen, die sich mit diesen Dingen beschäftigen, schließen sich dabei zweckmäßig an, da sie zur nothwendigen Erläuterung der Thätigkeit des Königs dienen.*
35 *Wir theilen dabei allerdings auch Stücke mit, die sich erst auf spätere Verhandlungen über Erneuerung bezw. Reform des Fränkischen bezw. Wetterauischen Landfriedens beziehen; aber auch sie greifen doch nur wenig über die Periode dieses Bandes hinaus. Die Absicht, hier alles zu vereinigen was über die selbständige Landfriedensthätigkeit K. Ruprechts Aufschluß gibt, konnte nur in einem Punkte nicht durchgeführt werden.*
40 *Auf dem Nürnberger Tage vom Oktober 1408 wurde über Besserung des Fränkischen Landfriedens berathen, aber dieser Tag widmete sich nicht ausschließlich dem Landfrieden und die Akten desselben durften nicht auseinandergerissen werden. Wir müssen deshalb auf den nächsten Band verweisen.*

A. Mergentheimer Landfriede für Franken 1403 August 26 und Zugehöriges nr. 423-425.

45   *Daß K. Ruprecht schon im Jahre 1402 einen Landfrieden in Franken errichtet habe, ist ein durch eine Ungenauigkeit Wölckern's veranlaßter Irrthum Chmel's (Chmel nr. 1235), den von ihm dann Stälin (Wirtemberg. Gesch. 3, 384) und Höfler (Ruprecht*

285) übernommen haben.   K. Ruprecht griff mit seiner Landfriedensthätigkeit in Franken vielmehr erst im Jahre 1403 ein.   Damals bestand daselbst ein am 16 Januar 1401 für 3 Jahre zwischen Bischof Albrecht von Bamberg Bischof Johann von Wirzburg [1] und Burggraf Johann von Nürnberg abgeschlossenes Bündnis (gedruckt Monumenta Zollerana 6, 95 ff. nr. 94), das ähnliche Zwecke wie die königlichen Landfrieden verfolgte.   Auch die Einigung der Fränkischen Ritterschaft vom 8 November 1402 (gedruckt Lünig R.A. 12, 2, 226 ff. nr. 112) und das fünfjährige Bündnis Erzbischof Johanns von Mainz Bischof Friderichs von Eichstädt der Burggrafen Johann und Friderich von Nürnberg und der Grafen Ludwig und Friderich von Öttingen vom 2 Februar 1403 (München R.A. Neub. Kop.-B. nr. 21 fol. 261 b cop. ch. coaev., Karlsruhe G.L.A. Pfälz. Kop.-B. 139 pag. 113-115 cop. ch. coaev., gedruckt Mon. Zoll. 6, 174 ff. nr. 190) mögen hier erwähnt sein, obschon sie einen wesentlich anderen Charakter tragen.   Über das letzterwähnte Bündnis vgl. auch Einleitung zum Nürnberger Fürsten- und Städtetage von 1402 Aug. bis Sept. lit. M p. 371, 39 ff.

Die Sache beginnt aber nun wirklich mit einer vom König berufenen Versammlung im Jahr 1403.   Von ihr haben wir noch die bisher unbekannte undatierte Aufzeichnung nr. 423.   Sie ist der bloße vorläufige Beschluß einen Landfrieden zu machen, aber von bestimmtem Inhalt, der ins einzelne ausgeführt ist.   Die Übereinstimmung mit dem Mergentheimer Landfrieden K. Ruprechts vom 26 August 1403 nr. 425 ist so groß, daß man hier den Entwurf des letzteren zu erkennen hat.   Es ist die Aufzeichnung über Beschlüsse einer Nürnberger Versammlung Fränkischer Fürsten und Herren, die im Eingang zum Theil namentlich aufgeführt sind.   Nach art. 1 steht der 15 August bevor; ob dieß aber der 15 August des Jahres 1403 oder ein früherer ist, ob zwischen der Nürnberger Versammlung und der Errichtung des Landfriedens vom 26 August 1403 längere oder kürzere Zeit verfloß, bleibt zunächst unbestimmt.   Behufs näherer Datierung sind wir darauf angewiesen aus dem Nürnberger Schenkbuch nachzuweisen, wann vor dem 15 August 1403 die hier genannten Fürsten und Herren gleichzeitig in Nürnberg anwesend waren.   Sie sind alle in jenen Jahren häufig dort anzutreffen, und doch kommen wir zu einem ganz sicheren Resultat; denn nur in der achten Bürgermeisterperiode des Jahres 1403 (s. nr. 424 bei uns) d. h. zwischen dem 11 Juli und dem 8 August 1403 ist die ganze Versammlung lückenlos nachweisbar.   Dabei sind natürlich die Räthe des Bischofs von Brandenburg, von denen die Handschrift unserer Aufzeichnung nr. 423 spricht, in solche des Bischofs von Bamberg zu verwandeln.   Überall sonst weist das Schenkbuch nur annähernd die gleiche Liste auf wie nr. 423.   In der zweiten Bürgermeisterperiode des Jahres 1401 sind statt der Räthe von Wirzburg und Bamberg die Bischöfe selbst anwesend und ferner fehlt Burggraf Friderich; ebenso in der elften Periode desselben Jahres, wo außerdem noch der Herr von Weinsberg fehlt; in der siebenten Periode 1402 finden wir ebenfalls die beiden Bischöfe persönlich und vermissen Heinrich von Henneberg; in der ersten Periode 1403 endlich auf dem Nürnberger Fürstentage sind zwar alle andern Betheiligten nachweisbar, auch die Räthe des Bischofs von Bamberg, nur war auch hier der Bischof von Wirzburg persönlich anwesend und statt Konrads von Weinsberg der Alte d. h. Engelhard von Weinsberg.   Es ist immerhin einigermaßen auffallend, daß Ruprecht nicht für die Zeit, wo er selbst in Nürnberg war (vom August 1402 bis zum Merz 1403 hielt er sich dort mit kurzer Unterbrechung auf), diesen Tag zusammenberief, aber darum dürfen wir doch nicht an dem Zeugnis des Schenkbuches rütteln.   Die Versammlung fand statt,

---

[1] *Zu friedl. Austrag der Streitigkeiten ihrer beiders. Unterthanen etc. hatten sich auch Erzb. Johann v. Mainz u. Bisch. Johann v. Wirzburg am 14 Okt. 1402 (dat. Wertheim sabb. a. Galli 1402) auf 3 Jahre vereinigt; Wirzburg Kr.A. Mainz-Aschaff. Ingross.-B. 13 fol. 285 b - 286 a cop. ch. coaev.*

so müssen wir annehmen, während der Bürgermeisterperiode, in der die Schenkungen verrechnet sind, oder doch kurze Zeit vor Beginn derselben, also kaum früher als in den ersten Tagen des Juli; auf der andern Seite werden wir über die letzten Tage dieses Monats wol nicht hinausgehen dürfen um genügende Frist bis zum 15 August
5 *zu lassen. Wir setzen nr. 423 also in den Juli 1403.*

Trotz der Ähnlichkeit mit dem Landfrieden vom 26 August 1403 (nr. 425) zeigen sich doch solche Verschiedenheiten, daß die einzelnen Artikel in nr. 423 nicht durch bloße Verweisung auf den letzteren erledigt werden konnten. Wir geben also vollständigen Abdruck und zwar mit stetem Hinweis auf genannten Land-
10 *frieden und mit gleicher Artikelzählung; eine Anzahl Artikel des letzteren fehlen ganz. Die Abschrift hat viele Schreibfehler, die durch Emendationen auf Grund des aus- gefertigten Landfriedens ins reine gebracht werden konnten.*

Die Aufzeichnung nr. 423 spricht nur von einer Übereinkunft der Fürsten und Herren; als Theilnehmer der Vereinigung waren aber, wie eine ganze Reihe
15 *von Artikeln zeigen, auch Städte gedacht (die dann am 26 August ja auch als Mitglieder des Landfriedens erscheinen), und aus den Nürnberger Schenkungen nr. 424 er- sehen wir, daß nicht nur Fürsten und Herren sondern auch die Reichsstädte Frankens Rotenburg Weißenburg Windsheim und Schweinfurt gleichzeitig in Nürnberg vertreten waren (wobei sich die Betheiligung Nürnbergs von selbst versteht). Vermuthlich waren sie*
20 *ebenso wie die Fürsten und Herren vom Könige eingeladen, konnten sich aber wol mit diesen nicht über gemeinsame Vorschläge verständigen. Daß der Nürnberger Rath mit dem nach Maßgabe der fürstlichen Übereinkunft errichteten Landfrieden nicht zufrieden gewesen, berichtet auch Wölckern, vgl. in dieser Einleitung lit. B zu Anfang.*

Bald kam es aber noch im gleichen Jahr zu einem wirklichen Akte königlicher
25 *Gesetzgebung. Der Landfriede K. Ruprechts für Franken nr. 425 ist vom 26 August 1403 aus Mergentheim datiert. Auch am 25 und 27 urkundete Ruprecht daselbst (s. Chmel nr. 1534. 1535. 1540. 1541), vorher zum letzten mal am 19 und nachher zuerst wider am 31 in Heidelberg, (s. ibid. nr. 1532. 1542), dazwischen am 23 (s. ibid. nr. 1533) und am 26 (s. ibid. nr. 1536 f.) ohne Ortsangabe. Daß nach*
30 *Mergentheim der Errichtung des Landfriedens wegen eine Versammlung berufen war und der König deshalb dorthin reiste, ist sehr wahrscheinlich, aber weitere Spuren dieses königlichen Tages für Franken fehlen gänzlich. Nachrichten über Besuch desselben bieten uns scheinbar Fries (Ludewig Geschichtsschr. v. d. B. Wirsburg p. 683 u. Ausg. von 1848 Bd. 1 p. 576) und Hoffmann (Ludewig nov. vol. script. Germ. 1, 224). Fries*
35 *berichtet von einer Versammlung die zu Mergentheim am 26 August 1403 stattgefunden, nennt aber als Theilnehmer derselben die im Landfrieden von 1404 nr. 426 art. 47 auf- geführten Mitglieder und außerdem statt Ruprechts K. Wenzel, und erzählt, diese hätten ein einjähriges Bündnis mit einander errichtet, das sie den Landfrieden zu Franken nannten, und hätten diesen im nächsten Jahre wider erneuert; er theilt dann Artikel*
40 *mit, die aus unserm Landfrieden von 1403 nr. 425 stammen. Diese Angaben sind, wie man sieht, ganz verwirrt und für den Mergentheimer Tag in keiner Weise zu verwerthen. Noch schlimmer sieht es mit Hoffmann aus. Er hat augenscheinlich Fries ausgeschrieben und dessen unstatthafte Kombinationen und Irrthümer, betr. Besuch des Tages Theilnehmer und Dauer des Landfriedens, übernommen, dann aber noch eigene*
45 *Fehler hinzugethan. Er gibt als Datum 31 August an und spricht von verschiedenen 1403 über den Landfrieden ausgestellten Urkunden sowie von vielen Gesetzen die 1404 hinzugefügt wären,* quarum aliquot de fracta pace de pignorantibus de furtis et rapinis adhuc extant. *Das sind gewiss nur die bei Fries mitgetheilten Artikel v. 1403.*

Der Mergentheimer Landfriede, der bisher nur durch Schannat's mangelhaften
50 *Abdruck bekannt war, schließt sich, wie schon bemerkt, an den Beschluß des Nürnberger*

Tages nr. 423 an, steht sonst aber in der damaligen Reichslandfriedensgesetzgebung für Süddeutschland ziemlich isoliert da, hält sich, wie der Rheinische von 1398 RTA. 3 nr. 10, mehr an Norddeutsche Muster; bei den einzelnen Artikeln haben wir auf die inhaltlich entsprechenden einiges anderen Landfrieden jener Zeit verwiesen.

B. Heidelberger Landfriede für Franken 1404 Juli 11 und 12 und Zugehöriges nr. 426-430.

Schon nach Verlauf nur eines Jahres wurde der Mergentheimer Landfriede durch einen neuen ersetzt. Daß dieser Maßregel Berathungen des Königs mit den Fränkischen Reichsständen vorangegangen sind, ist von vornherein anzunehmen, und im Eingang der neuen Urkunde nr. 426 sagt überdieß K. Ruprecht fursten stetde und ander des egenanten landes zu Francken *hätten ihm* furbracht das solich merklich gebresten in derselben einunge [d. h. dem Mergentheimer Landfrieden] gewesen sin; *er erklärt dann weiter, er hätte diesen neuen Landfrieden gegeben* mit gutem rate unser und des richs fursten, geistlichen und werntlichen, edeln und getruwen. *Diese letzte Wendung ist freilich formelhaft, aber mit der anderen ist doch unverkennbar auf Verhandlungen hingewiesen. Von solchen berichtet Wölckern in der hist. Norimb. dipl. 516 mit den Worten: Kaiser Ruprecht ist diß Jahr wiederum allhier [d. h. in Nürnberg] gewest, und mit etlichen Fürsten und Herren von einem Landfrieden tractiret in Beisein Friederich Schencken zu Limburg als Hauptmann der Einigung in Francken, mit welcher Einigung der Rat zu Nürmberg nit allerdings zufrieden gewest. Es fragt sich, auf welches Jahr wir diese Angabe beziehen sollen. Ganz kurz vorher, ohne daß eine neue Jahresangabe dazwischen läge, ist von einem Dekrete des Pabstes Bonifacius aus dem Jahre 1402 die Rede, und unmittelbar nachher von unserem Landfrieden, und zwar ist der Bericht über diesen letzteren auch mit den Worten diß Jahr an die eben citierte Stelle angeschlossen. Darnach sind die chronologischen Angaben bei Wölckern jedenfalls in Verwirrung. Da aber unter der Einigung, die dem Rathe von Nürnberg nicht zusagt und als deren Hauptmann der Schenk von Limburg zu den Berathungen hinzugezogen wird, sicher die vom 26 August 1403 nr. 425 zu verstehen ist, so muß die Versammlung von der Wölckern berichtet nach dem 26 August 1403 und vor dem 11 Juli 1404 (dem Datum des neuen Landfriedens) stattgefunden haben. K. Ruprecht aber war zwar vom August 1402 bis zum Merz 1403 fast ununterbrochen, nicht aber während der eben bezeichneten Zeit in Nürnberg anwesend, wie durch das urkundliche Itinerar und das Nürnberger Schenkbuch mit Bestimmtheit zu erweisen ist. Demnach ist Wölckern's Bericht nicht dahin zu verstehen, daß K. Ruprecht an den Verhandlungen theilgenommen hätte, sondern diese Verhandlungen und des Königs Anwesenheit in Nürnberg, von denen Wölckern doch in einem Athem berichtet, fallen zeitlich ziemlich bedeutend aus einander. Trotz dieser Verwirrung werden wir Wölckern's Angaben nicht einfach ignorieren dürfen. Wie dieser sich überall eng an sein Aktenmaterial hält, so sicherlich auch hier, und es ist anzunehmen, daß ihm irgend ein für uns verlorenes wahrscheinlich undatiertes Aktenstück vorgelegen hat, das von* Verhandlungen *sprach die über einen an Stelle des Mergentheimer zu setzenden Landfrieden* auf einem Nürnberger Tage *gepflogen wurden. Um die Zeit dieses Tages näher zu bestimmen, müssen wir das Nürnberger Schenkbuch herbeiziehen. Eine flüchtige Durchsicht zeigt, daß etwa in Betracht kommen könnten der September (10 Bürgermeisterperiode) 1403, der April (4 Bürgermeisterperiode) 1404, und der Juni (6 Bürgermeisterperiode) 1404, aber in keiner dieser Perioden ist die Liste der Schenkungen derartig, daß sich eine ganz sichere Entscheidung ergäbe. Die erstgenannte Periode, s. nr. 324, ist nach näherer Betrachtung auszuschließen; denn es sind zwar Friderich Schenk von Limburg die Fränkischen Städte* und Burggraf *Friderich*, außerdem auch noch zwei Baierische Herzöge, nachweisbar, aber außer dem Burggrafen gar keine Fränkischen Fürsten und Herren. Im April 1404, s. nr. 427, finden wir ebenfalls den Schenken die Fränkischen Städte und den Burggrafen *Friderich*, ferner aber auch Bambergische Räthe und Graf *Hermann* von

5 *Henneberg*, im Juni 1404 endlich, s. ibid., außer den Fränkischen Städten dem Burggrafen *Friderich* und Bambergischen Räthen, die abermals nachweisbar sind, noch den Burggrafen *Johann* und des Königs Sohn den Pfalzgrafen *Johann* der die Oberpfalz besaß. Es fehlt hier der Schenk von *Limburg*, den *Wölckern* ausdrücklich erwähnt; es wäre zwar möglich, daß dieser trotzdem zugegen gewesen und nur aus irgend einem

10 Grunde (vielleicht, weil er sehr oft nach Nürnberg kam) nicht beschenkt worden wäre (vgl. Anm. zu nr. 325 art. 4), doch bleibt eine solche Annahme immer bedenklich. Zu einer festen Entscheidung zwischen der vierten und der sechsten Bürgermeisterperiode gelangt man nicht; daß aber in einer dieser beiden die fragliche Versammlung stattgefunden habe, wird anzunehmen sein, trotzdem für beide die Liste des Schenkbuches

15 ein wenig mager erscheint; für jede andere Zeit passt das Schenkbuch noch weniger. Wir können auch annehmen, daß in beiden Perioden, also zweimal nach einander, in Nürnberg über diesen Landfrieden berathen worden sei. Ein Umstand ist nun noch zu beachten. Im April finden wir den Hofschreiber, im Juni (genauer in der Zeit vom 28 Mai bis 25 Juni) gar den Hofmeister und den Kanzler *K. Ruprechts* in

20 Nürnberg anwesend. Es liegt der Gedanke nahe, daß der König sich dies ich bei den Verhandlungen über den Landfrieden vertreten ließ. Vielleicht darf man noch eine Vermuthung wagen. Es ist doch auffallend, wie eng in *Wölckern's* Erzählung die Anwesenheit des Königs in Nürnberg und die Landfriedensverhandlungen wenigstens äußerlich verbunden sind. Sollte dieß etwa dadurch veranlasst sein, daß *Wölckern's*

25 Vorlage der Anwesenheit einer königlichen Gesandtschaft Erwähnung that? Es ist vielleicht gestattet, von einem königlichen Provinzialtag zu Nürnberg im April oder Mai-Juni zu sprechen, falls es nicht sogar deren zwei waren wie wir vermuthen durften. Aber über die Aufstellung einer bloßen Möglichkeit kommen wir doch, was die Betheiligung des Königs, wenn auch nur durch Bevollmächtigung, an diesem Tage oder

30 an diesen Tagen anbelangt, nicht hinaus. Wie weit die Verhandlungen auf diesem einen oder diesen beiden Tagen gediehen, können wir nicht angeben. Wir wissen dann aber, daß die Ausfertigung der Landfriedensurkunde nr. 426 durch den König in Heidelberg am 11-12 Juli 1404 stattgefunden hat, und daß in art. 47 derselben Bischof *Johann* von *Würzburg*, Abt *Johann* von *Fulda*, Burggraf *Friedrich* von *Nürnberg* und

35 zwei Vertreter des Bischofs *Albrecht* von *Bamberg* mit den fünf Fränkischen Städten von sich aussagen, daß sie den Landfrieden gelobt und geschworen haben. Ob diese alle damals sich in Heidelberg eingefunden hatten und dort geschworen und gelobt haben, muß dahingestellt bleiben. Man mag beachten, daß es nicht, wie sonst oft, hier heißt haben gelobt und geloben, haben geschworn und sweren, sondern nur haben gelobt und

40 haben geschworn. Es scheint also, daß Gelöbnis und Schwur schon vorher geleistet worden waren, folglich nicht erst in Heidelberg. Aber die Weglassung der beiden Präsentia kann auch an bloßer abgekürzter Formulierung liegen. Nur geht keinenfalls aus der Urkunde, auch nicht aus ihrem art. 47, mit Sicherheit der Ort Heidelberg für den Schwur-Akt hervor. Daß diese Fränkischen Reichsstände alle zu diesem Zweck nach Heidelberg

45 gepilgert sein sollten, ist auch nicht gerade sehr wahrscheinlich. Wo nun aber der Akt vor sich gieng, läßt sich eben nicht sagen. Vielleicht Mai-Juni in Nürnberg schon. Versammlung der betreffenden Stände ohne den König und Ausfertigung der Urkunde durch den König würden dann ähnlich wie beim Wetterauischen Landfrieden (vgl. diese Einleitung lit. C) nach Ort und Zeit zu trennen sein. *Würzburg* und *Fulda*, die in

50 art. 47 unter den Gelobenden und Schwörenden stehen, haben das jedenfalls nicht in

*Nürnberg geleistet, denn nach den Schenkbüchern waren sie weder im April noch im
Mai-Juni dort anwesend. Ist es etwa von anderen im Mai-Juni zu Nürnberg geschehen, so steht nichts im Weg, daß jene Zwei in der Zwischenzeit bis zum 11 Juli
irgendwie und irgendwo beigetreten sind. Für die Auskunft, daß in dieser Zwischenzeit noch eine weitere Versammlung stattgefunden habe, auf welcher sämmtliche betreffen-*   5
*den Reichsstände die Verpflichtung erst auf sich genommen hätten, wol in einer andern
Fränkischen Stadt, haben wir keinen Anhaltspunkt an irgendwelcher Nachricht. Auch
wäre die Zwischenzeit vielleicht etwas kurz dazu. Man könnte nun mehr Zeit dafür
zu gewinnen suchen, wenn man den 11 Juli, den die Urkunde im Datum führt, als
das Datum einer solchen Versammlung ansieht, auf der die Urkunde zu Stande kam*   10
*und beschworen wurde, während die Ausfertigung durch den König erst nachträglich
stattgefunden hätte, jenes Datum aber gleichwol auch für sich acceptierte. Aber es ist
auch das nur ein Mittel, über die Schwierigkeit hinauszukommen, das ebensoviel gegen
sich als für sich hat. Im ganzen kommt nicht sehr viel darauf an, ob wir von der
Chronologie und dem Zusammenhang dieser Dinge hier etwas mehr wissen oder etwas*   15
*weniger. Die Hauptsachen stehen doch fest. Man kann vorläufig, bis die Frage etwa
durch neues Material gelöst wird, die beiden Nürnberger Versammlungen vom April
und vom Mai-Juni als königliche Provinzialtage ansehen, auf denen die Sache im
wesentlichen zu Stande gebracht wurde, während der König nachher zu Heidelberg am
11 Juli die Urkunde des Landfriedens ausfertigte.*   20

*Der Heidelberger Landfriede von 1404 nr. 426 unterscheidet sich von
dem Mergentheimer von 1403 nr. 425 sehr bedeutend. Die Organisation ist eine viel
weiter entwickelte festere von den einzelnen Mitgliedern und den ordentlichen Gerichten
unabhängigere. Das Geltungsgebiet ist zunächst wie 1403 Franken, doch die Möglichkeit
weiterer Ausdehnung gegeben, s. art. 44, und diese erfolgte dann auch nach Baiern*   25
*hin, d. h. wol nur auf die Baierischen Besitzungen des Königs die Oberpfalz, vgl. in
dieser Einleitung weiter unten. Als Vorlage diente 1404 der Egerer Landfriede vom
Jahre 1389 (RTA. 2 nr. 72). Über die Umarbeitung die mit diesem vorgenommen
wurde sich ein Urtheil zu bilden mag dem Benutzer überlassen bleiben. Bei den einzelnen Artikeln ist von uns stetig auf die entsprechenden des Egerer Landfriedens ver-*   30
*wiesen, und zwar in der Weise daß der Benutzer auf etwaige Veränderungen Umfang
und Art derselben gleich aufmerksam gemacht wird. Auch auf andere Landfrieden,
insbesondere auf den Mergentheimer nr. 425 ist, wo dieß dem Verständnis dienlich
schien, verwiesen worden. So nahe auch unser Landfrieden mit dem Egerer verwandt
ist, so hätten sich doch nur die wenigsten Artikel hier in nr. 426 durch Verweisung*   35
*erledigen lassen. Ein vollständiger Abdruck war um so mehr vorzuziehen als schon für
K. Sigmunds Fränkischen Landfrieden vom 30 September 1414 (RTA. 7 nr. 147) das
abgekürzte Verfahren unter Bezugnahme auf den unsern angewandt wird, ferner der
Wetterauische Landfrieden von 1405 nr. 438 ebenso behandelt werden sollte, und endlich
bei der größeren Zahl der zu kollationierenden Handschriften in Ermangelung eines Ori-*   40
ginals die Varianten ziemlich zahlreich und zum Theil auch wichtig wurden.

*Für die Gestaltung des Textes des Fränkischen Landfriedens von 1404 nr.
426 sind wir nur auf Abschriften angewiesen. Von diesen kommt die Memminger M
zunächst außer Betracht, da sie nur scheinbar einen Ruprecht'schen Landfrieden gibt
und, wie nachher gezeigt werden wird, erst im Jahre 1414 entstanden ganz von N der*   45
*Abschrift des Neuburger Kopialbuches abhängig ist. Auch die Zusätze und Korrekturen
in N, die aus dem Jahre 1414 herrühren, interessieren uns hier zunächst nicht. Wir
haben nun 4 Handschriften: N die des Neuburger Kopialbuchs, L die Bamberger die
aus dem Archive Rotenburgs stammt, dann die beiden der königlichen Kopialbücher, W
jetzt in Wien, K jetzt in Karlsruhe befindlich. Diese vier Handschriften sondern sich,*   50

*wie eine Vergleichung bald ergibt, in zwei Gruppen, · NL einerseits, WK andererseits.
Zwar kommen Fälle vor, in denen K gegenüber W mit N oder L übereinstimmt (s.
art. 15. 16. 29. 41), aber sie lassen sich durch Nachlässigkeit beider Schreiber auch
bei voller Unabhängigkeit erklären* [1], *auch treffen NL und K niemals alle drei gegen-*
5 *über W in einem Fehler zusammen. Einmal (in art. 40) hat W allein ein Wort
aus Versehen ausgelassen. Schon aus dem gesagten ergibt sich für das Verhältnis
zwischen W und K, daß K nicht Vorlage für W gewesen sein kann, daß man entweder K von W oder beide aus gemeinsamer Vorlage herzuleiten hat, und dieß bestätigt
sich bei näherer Vergleichung, ohne daß man zunächst zwischen beiden Möglichkeiten*
10 *sich bestimmt entscheiden könnte. Da W und K Abschriften der königlichen Kanzlei
sind, so können sie mit oder ohne Vermittlung eines Originals auf das Konzept der
Kanzlei zurückgehen. N und L auf der andern Seite haben jedes seine eigenthümlichen
Inkorrektheiten, die kaum ein direktes Abhängigkeitsverhältnis des einen vom andern
zulassen, auch spricht die Provenienz beider Handschriften dagegen. Wir werden hier*
15 *auf eine gemeinsame Quelle hingewiesen, die von der für W und K anzunehmenden
Vorlage verschieden wäre. L und N weisen auch eine andere Datierung auf als W
und K. Letztere geben übereinstimmend Freitag vor Margareten d. i. Juli 11, L hat
Samstag v. Marg. d. i. Juli 12 und das gleiche Datum gibt auch Wölckern in der
Histor. Norimb. dipl. Wölckern schöpfte aus Nürnberger Archivalien, die Überein-*
20 *stimmung zwischen ihm und L läßt auf eine unterm 12 Juli erfolgte Originalausfertigung
schließen, die sich wahrscheinlich in Nürnberg befand, und aus der L (die Rotenburger
Abschrift) direkt oder indirekt abgeleitet ist. Nun finden wir in N ein drittes Datum
Sonntag v. Marg., das wäre, da wir als Margarethentag den 13 Juli rechnen müssen* [2],
der in diesem Jahre 1404 auf einen Sonntag fiel, der 6 Juli. Die Datierung ist an
25 *sich sehr auffallend, der 6 Juli liegt näher an Udalrici (4 Juli) und an Kiliani
(8 Juli), nach denen so häufig datiert wird, als an Margarethe, und letzterer Tag ist
die Octav desselben. Dann ist auch die Differenz von 5 resp. 6 Tagen gegenüber WK
L und Wölckern sehr auffallend. Da nun N im übrigen L so nahe steht, so möchte
ich glauben, daß es ebenfalls auf das Nürnberger oder ein diesem nahe verwandtes*
30 *Original zurückgeht und suntags für samstags (sunabends) verschrieben ist. So. v. Marg.
in N ist als Entstellung von Sa. v. Marg. in L leicht verständlich, nicht aber als ursprüngliche Datierung der dann frühesten Ausfertigung. Es kommt noch hinzu, daß
die Abschrift im Neuburger Kopialbuch schwerlich zu den ganz gleichzeitigen gehört
und daß, wenn ihr ein anderes Original zu Grunde liegt als das für L vermuthete,*
35 *dasselbe sehr wahrscheinlich nicht früheren sondern späteren Ursprungs ist. Der Landfriede war zunächst auf Franken beschränkt, dehnte sich erst nachträglich nach Baiern aus
(s. nt. zu art. 2), und erst diese Ausdehnung konnte Veranlassung geben, für Baierische
Herzöge ein Original auszufertigen oder auch nur nach anderen Vorlagen eine Abschrift
in das Neuburger Kopialbuch aufzunehmen. Auf keinen Fall kann die Datierungs-*
40 *differenz uns berechtigen in N einen Entwurf zu sehen, sondern direkt oder indirekt
geht N auf ein Original zurück, das entweder mit dem für L supponierten Nürnberger
identisch ist oder ihm doch näher steht als W und K. Daß ein Original N und L
zu Grunde liegt, ist eine für die Gestaltung des Textes nicht unwichtige Annahme.
N und L haben gemeinsam einen Zusatz zu art. 48 der in W und K fehlt. Wie er*

---

45 [1] *Die Auslassung in art. 29 z. B. haben sich, ebenso wie N und K, aber ganz unabhängig von
ihnen, auch zwei Handschriften des Egerer Landfriedens zu Schulden kommen lassen, s. RTA. 2, 163
nt. f.*
[2] *Wenn wir als Margarethe Juli 15 annehmen dürften, so käme So. v. Marg. als Juli 13 den
andern Datierungen näher.*

in sie hineingekommen sein sollte, wenn er nicht in einem Original gestanden hätte, ist unerfindlich, wir werden ihn dem Nürnberger Original vindicieren. Dieses geht natürlich auch letztlich auf das Konzept der königlichen Kanzlei zurück, und der Zusatz muß auch in diesem gestanden haben. Wie kommt es, daß er in W und K den königlichen Kanzleiabschriften fehlt? Er findet sich im Egerer Landfrieden, der Grundlage [5] des unseren, noch nicht, ist 1404 neu aufgenommen; da liegt nun die Vermuthung ziemlich nahe, muß aber doch zurückgewiesen werden, daß W und K zu einer Zeit aus dem Konzept schöpften, da dieses den Zusatz noch nicht erhalten hatte. Es ist unwahrscheinlich, daß am Text noch geändert wurde, als die Datierung schon feststand, der Fertigungsbefehl schon gegeben war, die Abschriften in den königlichen Kopial- [10] büchern schon gemacht waren; wäre dieß doch geschehen, so hätte man den Zusatz in W und K sicher nachgetragen. Wahrscheinlicher ist ein Irrthum in diesen beiden Abschriften, und das Versehen könnte leicht daher entstanden sein, daß der neu hinzugekommene Satz im Konzept an den Rand geschrieben war. — Zu den vier Abschriften des Fränkischen Landfriedens tritt nun O das Original der Erneuerung vom Jahre [15] 1407 nr. 429 hinzu. Dieses läßt den Zusatz zu art. 48 aus, gehört also in die Familie WK hinein und wird nicht direkt aus dem Konzept von 1404 oder einem andern Exemplar das diesen Zusatz noch besaß geschöpft haben, da eine Widerholung des Versehens mindestens unwahrscheinlich wäre. Wie die Varianten zeigen kann O nicht aus K, wol aber aus W abgeleitet sein. Daß O in art. 24 ein von W und K irr- [20] thümlich ausgelassenes und ergänzt, kann nicht als Beweis gegen die Ableitung aus W gelten; denn der Schreiber von O konnte das Versehen leicht bemerken. Auf der andern Seite wird man für O eine direkte Abhängigkeit von W zwar sehr wahrscheinlich finden aber sie doch nicht mit voller Bestimmtheit behaupten dürfen. Auffallend ist zwar, daß W und O beide ez in art. 40 auslassen, wo der Sinn das Wort nothwendig er- [25] fordert, durchaus beweisend aber ist dieß nicht; und noch weniger kann man aus dem Umstand, daß hinter W (nicht aber hinter K) eine Notiz über die Erneuerung steht (s. Quellenangabe zu nr. 429), einen ganz sicheren Schluß ziehen. — Der Fränkische Landfrieden wurde 1405 in den Wetterauischen umgearbeitet. Das Verhältnis, in dem die vier Handschriften des letzteren ABCD unter einander stehen, bleibt hier außer Betracht; [30] der ersten Umarbeitung aber, das ist klar, muß ein Exemplar des Fränkischen zu Grunde gelegen haben, und wir können dessen Lesarten zum größeren Theil durch Vergleichung der vorhandenen Handschriften beider Landfrieden bestimmen. Wir wollen die Untersuchung hier nicht im einzelnen vorführen, unsere Varianten geben das nöthige Material, und das Resultat läßt sich wie folgt zusammenfassen. Das fragliche Exemplar [35] des Fränkischen Landfriedens war näher mit WK als mit NL verwandt, ließ z. B. auch den Zusatz zu art. 48 aus, theilte aber doch nicht alle der Gruppe WKO eigenthümlichen Lesarten, stimmte vielmehr hie und da auch mit der Gruppe NL, also auch mit dem Nürnberger Original und dem Konzept der königlichen Kanzlei gegen WKO überein [1], oder mit andern Worten, wir haben eine Handschrift des Fränkischen Land- [40] friedens anzunehmen, aus der einerseits der Wetterauische Landfriede, andererseits WKO abgeleitet sind, und die noch nicht alle den Handschriften WKO gemeinsamen (irrthümlichen) Lesarten aufwies. Es ergibt sich nun auch die Entscheidung über die oben offen gelassenen zwei Möglichkeiten der Verwandtschaft zwischen W und K. Da nicht

---

[1] *Auch wo ABCD weder mit NL noch mit WKO ganz übereinstimmen, entscheiden sie doch* [45] *wol einmal für NL. In art. 16 z. B. dürfte die Lesart von NL dises lantfrids die ursprüngliche sein und sowol im Nürnberger Original wie im Konzept der königlichen Kanzlei gestanden haben, während diser lantfride einerseits in WKO, diß lantfrids wegen andererseits in ABCD Emendationen sind um die Härte des Ausdrucks zu heben.*

die mindeste Veranlassung vorliegt ein Zwischenglied zwischen ihnen und ihrer eben statuierten Vorlage anzunehmen, so ist ihre engere Verwandtschaft nur durch *Ableitung von K aus W zu erklären.* — *Die Resultate der Vergleichung werden dadurch zu weniger sicheren, daß dem ersten Entwurf des Wetterauischen Landfriedens in der uns*
5 *überlieferten Gestalt D die letzten Artikel von art. 47 an fehlen; es wäre also immerhin möglich, daß für den Schluß der späteren Ausfertigung ein anderes Exemplar als Vorlage gedient hätte als für die artt. 1-46. An bestimmten Anzeichen dafür fehlt es*

freilich ganz, und, wenn
wir diesen unwahrschein-
10 lichen Fall außer Betracht
lassen, so würde neben-
stehende graphische Dar-
stellung den Stammbaum
der Handschriften wider-
15 geben, wobei zu bemerken
ist, daß natürlich Zwischen-

Konzept der kön. Kanzlei
(mit Korrekturen).

Reinschrift des Konzepts
(wobei Zusatz zu art. 48
ausgelassen).

Nürnb. Or.

N   L   W   Wett. Ldfr.

K   O

glieder mehrfach existiert haben können, daß insbesondere die Verwandtschaft zwischen N und L vielleicht komplicierter zu denken ist, und daß O möglicherweise nicht aus W sondern aus der Reinschrift des Konzepts geschöpft hat. — Im Jahre 1414 wurde der
20 Ruprechtische Landfrieden von 1404 einem von K. Sigmund zu Nürnberg widerum für Franken errichteten Landfrieden (RTA. 7 nr. 147) zu Grunde gelegt. Die Umarbeitung können wir Schritt für Schritt in den Handschriften verfolgen. Die Abschrift des Landfriedens von 1404 im Neuburger Kopialbuch N weist eine ganze Reihe von Korrekturen auf, durch welche bis auf ganz geringfügige Abweichungen der Text des Sig-
25 mundischen Landfriedens hergestellt wird, ohne daß doch Protokoll und Eschatokoll, Name des Königs und Datierung, ebenso wenig der Name des Hauptmanns, geändert wären. Die Korrekturen rühren von zwei deutlich zu unterscheidenden Händen her. Die erste schrieb zu art. 2 und 14 die Verweisungsbuchstaben A und B hinzu; da die Zusätze ziemlich lang sind (vgl. Bd. 7 nr. 147), so wurden sie anscheinend auf eigene
30 Zettel geschrieben. Zu art. 47, der Liste der Theilnehmer, bemerkt dieselbe Hand am Rande non stat in litera, quere in papiris, und setzt hinter diese Worte ein Verweisungszeichen. Die weniger umfangreichen Änderungen zu art. 29. 30. 43 wurden dagegen von dieser Hand im Texte mit Hilfe der Buchstaben D¹ bis G nachgetragen. Die andere Hand fügte im Eingang und zu art. 1 bei der Aufzählung zwischen herren und
35 stete noch hinzu ritter knechte, ferner in art. 30 die Worte wider recht, in art. 40 nach gewunnen die Worte oder zu leipgedinge verkauft, in art. 45 die Worte und dienste nach keisers rechten, in art. 46 die Worte es were dann — den zu erlengern statt der ursprünglichen Lesart und darnach als lange — den wiederrüffen, sowie ebendort Marteins tag statt Michels tag. Eine der beiden Hände strich in art. 37 den
40 Passus hett aber iemant — es dann gern tün aus. Daß N erst als der Landfriede von 1414 fertig vorlag nach diesem umkorrigiert wäre, ist völlig ausgeschlossen. Schon daß die Korrekturen von zwei Händen herrühren spricht dagegen, noch entschiedener daß die Namen Ruprechts und des Hauptmanns sowie das Datum unverändert blieben, entscheidend aber fällt ins Gewicht, daß die Handschriften M und S, die, ohne korrigiert
45 zu sein, den Text von 1414 geben, und sogar das Original von 1414 selbst, soweit der verkürzte Abdruck eine Vergleichung gestattet, die N eigenthümlichen Lesarten und Versehen theilen, vgl. die Varianten zu unserer nr. 426 und im Landfrieden von 1414

¹ Ein Verweisungsbuchstabe C findet sich nicht.

*RTA. 7 nr. 147 art. 5[1]. 25. 26. 29. 48. In N haben wir offenbar das bei den Ver-
handlungen 1414 benutzte Exemplar vor uns, die Abänderungen über die man übereingekommen war wurden hier eingetragen, und das korrigierte N diente dann als Vorlage
für die Originalausfertigung und die 1414 verbreiteten Abschriften. M gibt genau
denselben Text wie N mit den Korrekturen der beiden Hände, nur in fortlaufender* 5
*Abschrift und mit einigen Abweichungen die nichts sind als Nachlässigkeiten des Ko-
pisten. Die bedeutendste derselben ist eine Umstellung der Artikel, und zwar in der
Weise, daß art. 24-33 (bis der sol in demselben sin) zwischen den Worten des
art. 14 und zu dem lantfride notdurft ist und auch weliche herren und stetde werke
stehen. Vermuthlich ist die Umstellung durch falsches Zusammenheften der Blätter in* 10
*der Vorlage von M (die also ein Zwischenglied zwischen N und M wäre) herbeigeführt.
Name des Königs und des Hauptmanns, Datum, etc., sind in M ganz wie 1404, so daß
wir scheinbar die Abschrift eines Ruprechtischen Landfriedens vor uns haben. Einen
Schritt weiter geht S, Protokoll und Eschatokoll sind hier fortgelassen, und der Name
des Königs in art. 5 ist durch den Buchstaben N ersetzt, Friderich von Limburg als* 15
*Hauptmann aber in art. 2 noch stehen geblieben. Auch in S finden wir alle N eigen-
thümlichen Lesarten, wie die Varianten ausweisen, so vollzählig wider, daß das Abhängigkeitsverhältnis nicht zweifelhaft bleibt. M und S sind Abschriften des Konzepts
des Sigmundischen Landfriedens, die 1414 vor der Originalausfertigung, als der Text
noch nicht endgiltig festgestellt war, verbreitet wurden. Ähnliches kommt auch beim* 20
*Egerer Landfrieden vor, s. RTA. 2 nr. 71. M und S sind von uns natürlich nur,
soweit sie den ursprünglichen Text von N enthalten, für die Varianten berücksichtigt.*

*Das Nürnberger Schenkbuch läßt vermuthen (s. nr. 427 achte Bürgermeisterperiode),
daß sehr bald nach Begründung des Landfriedens die Mitglieder in Nürnberg zusam-
menkamen. Auch von weiteren* **Tagen** *des* **Landfriedens** *sind Spuren im Schenk-* 25
*buch zu finden. Zu vergleichen ist dazu (Wölckern) hist. Norimb. dipl. 517f. Diese
Landfriedenstage stehen außerhalb des Bereichs dieser Sammlung; nur einen von ihnen
den* **Tag** *zu* **Schweinfurt** *vom* **November 1406** *haben wir hier zu beachten.
Wölckern berichtet darüber pag. 517: Anno 1406 hat Kaiser Ruprecht sich eines Einfalls
in seines Sohns Landschaft aus Böhmen besorgt, und bei den Landfriedensständen Hülf* 30
*gesucht, derowegen des Landfriedens Rat zu Nürnberg und nachmals Sontags nach
Martini [1406 Nov. 14] zu Schweinfurth zusammen kommen, der Rat zu Nürnberg hat
Wilhelm Mendel und Gerhardt Zollner aus ihren mittel darzu geordnet. Hierher gehören folgende zwei bisher unbekannte Briefe. Nürnberg an Fridrichen Schencken
Herren zu Lympurg und Hauptmann des Landfriedens: die Stadt kann an dem Tage* 35
*zu Sweinfurt So. n. Merteinstag [Nov. 14] nicht theilnehmen, weil sie gerade niemand
zu schicken hat; dat. in vigilia Symonis et Jude [1406 Okt. 27]; Nürnberg Kr.-A.
Briefbuch 7 fol. 153[b] conc. ch. Nürnberg an Gerhart Zollner Nürnberger Bürger
und Rathsgesellen: der König hat die Stadt gemahnt, auf So. n. Merteinstag [Nov. 14]
zum Gespreche zu Sweinfurt, an dem er selbst theilnehmen will, etliche ihres Raths zu* 40
*schicken; der Adressat und Wilhelm Mendell Nürnberger Bürger und Rathsgesell wer-
den nun abgeordnet; dat. fer. 6 a. Martini anno sexto etc. [1406 Nov. 5]; Nürnberg
l. c. fol. 154[a] conc. ch. Vom 14 bis zum 19 November urkundete K. Ruprecht in
Schweinfurt, s. Chmel nr. 2219-2224, und am 18 November auch Friderich Schenk zu
Limburg, s. Brückner Henneberg. Urkb. 4, 108f. nr. 156. Mehr können wir über diesen* 45
Tag nicht beibringen.

---

[1] *RTA. 7 nr. 147 ist zu diesem Artikel bemerkt: „und fügt bei und swere nach verbinde".
Statt dessen muß es heißen: „und läßt weg" etc.; denn Chmels Druck, der RTA. 7 nr. 147 der Kol-
lation zu Grunde liegt, hat ja und swere.*

Die Dauer des Fränkischen Landfriedens war nicht fest begrenzt; bis zum 29 Sept.
1407 sollte er unwiderruflich, dann aber weiter noch bis auf königlichen Widerruf be-
stehen. Trotzdem erfolgte, wie bereits erwähnt, schon am 19 Juli 1407 die Erneuerung
des Landfriedens. Wir können dafür außer der Urkunde nr. 429 selbst nur den
5 *Brief Nürnbergs vom 20 Juli nr. 430 beibringen, der gen. Fränkische Reichsstädte zu*
Berathungen über die vom König geplante Erneuerung auf den 22 Juli nach Nürnberg
einlud. In der neunten Bürgermeisterperiode des Jahres 1407 feria 4 ante Marie Mag-
dalene [Juli 20] bis feria 4 ante Sebaldi [Aug. 17] finden wir allerdings die von
Weissemburg dreimal, die von Winsheim zweimal in Nürnberg beschenkt (Nürnberg
10 *Kr.-A. cod. msc. nr. 489 Schenkbuch 1393-1422 fol. 107ᵃᵇ), die von Schweinfurt aber*
nicht. Mögen jene immerhin der Einladung Nürnbergs Folge geleistet haben, so konnten
ihre Berathungen doch die Entschließungen des Königs nicht mehr beeinflussen, wenn
anders die Urkunde nr. 429 nicht rückdatiert ist. Von Versammlungen des Land-
friedens, die dessen Erneuerung vorangiengen und mit derselben in Verbindung gebracht
15 *werden könnten, zeigt das Nürnberger Schenkbuch keine Spur. Ebenso wenig deutet die*
Urkunde selbst auf neue Verhandlungen hin, sie gibt vielmehr unverändert den Text
von 1404, wahrscheinlich nach der Abschrift des königlichen Kopialbuches (vgl. weiter
oben p. 586 lin. 16 ff.), nur ist die Dauer jetzt auf drei Jahre beschränkt. Im Druck
konnte daher ganz bedeutend gekürzt werden. Unter solchen Umständen, da die Er-
20 *neuerung ein ziemlich unwesentlicher Akt war und man von einer vorausgehenden Ver-*
sammlung nichts sieht, konnten die beiden Stücke nr. 429 und 430 einfach dieser Litera
angereiht werden.

Der Fränkische Landfrieden nahm im Jahre 1408 noch einmal die Sorge des
Königs in Anspruch. Wie schon zu Anfang dieser Einleitung dargelegt, müssen wir
25 *in dieser Beziehung auf Bd. 6 verweisen.*

C. Heidelberger Landfriede für die Wetterau 1405 Juni 16 und Zugehöriges nr. 431-449.

Es haben hier zunächst zwei Stücke ihre Stelle gefunden, die einer früheren Zeit
angehören und sich auf die Auflösung des Landfriedens für die Rheinlande
30 *und für die Wetterau vom Jahre 1398 beziehen. Schon im dritten Bande pag.*
44 nt. 1 und im vierten pag. 283, 39 und pag. 336, 14 haben wir angekündigt, daß
wir auf diese Angelegenheit zurückkommen würden, und speciell unsere nr. 432 sowie
das Regest vom 5 Mai 1401, das man jetzt in Anm. zu nr. 432 findet, noch zu geben
versprochen. Von dem übrigen hierhergehörigen Material glaubten wir nur nr. 431 und
35 *das Regest eines Schreibens vom 28 April 1401 (s. Anm. zu nr. 432) noch aufnehmen*
zu sollen; denn durch diese Stücke und die nrr. 18 und 19 des dritten Bandes wird
der Verlauf der Angelegenheit in der Hauptsache klargestellt. Das ungedruckte Material
im Frankfurter St.A. (Reichssachen Acten XI und XIII, auch Landfrieden 14-15 Jahrh.,
und Rechenbücher 1401. 1402. 1403) bietet zwar noch manches Détail, doch glaubten
40 *wir darauf nicht weiter eingehen zu sollen. Es mag nur bemerkt werden, daß man im*
Frankfurter St.A. Reichssachen Acten XIII nr. 762, 12; 13 zwei Entwürfe der Urkunde
RTA. 3 nr. 19 findet, die, durch mehrere bezügliche Briefe erläutert, uns zeigen, daß
ursprünglich zwischen dem König und den Städten Mainz und Frankfurt verabredet
war, der bisherige Höchster Landfriedenszoll solle von den beiden Städten halb in Mainz
45 *und halb in Frankfurt erhoben werden. Die Darstellung in der königlichen Urkunde vom*
11 Juli 1403 RTA. 3 nr. 19 ist übrigens eine Entstellung und Verdunkelung der
Wahrheit. Es wird in ihr behauptet, ohne daß irgend eine Unterscheidung gemacht
wäre, Herren und Städte hätten dem Hauptmann Forterhebung der Zölle gestattet, es

*wird verschwiegen daß die Städte ihn bezahlt hatten, nur die Kurfürsten ihm noch
schuldig waren, ganz allgemein heißt es und man nimmt schuldig verleib, und es wird
nun Aufhebung der Zölle überhaupt verfügt, während es sich nur noch um die von
Höchst und Castel handelte, die bis dahin forterhoben waren, trotzdem K. Ruprecht auf
dem Mainzer Tage vom Juni und Juli 1401 (s. RTA. 4 nr. 399) den Städten ver-*   5
sprochen hatte, sie sollten nur noch bis zum 11 November 1401 bestehen.

*Nachdem der von K. Wenzel 1398 errichtete Landfrieden am Rhein und in der
Wetterau sich im Frühjahr 1401 aufgelöst hatte, hören wir längere Zeit, über 2¼ Jahre,
nichts von der Absicht K. Ruprechts in diesen Gegenden wider einen eigentlichen Landfrieden zu errichten. An Maßregeln, die bestimmt waren den Verkehr und die*   10
***Sicherheit der Straßen zu schützen**, fehlte es aber doch nicht ganz. Das Ab-
kommen, das Pfalzgraf Ludwig des Königs Sohn am 15 Oktober 1401 mit den Städten
Mainz Worms Speier und Frankfurt traf, nr. 4 in diesem Bande, ist hierherzurechnen,
obschon es nur für die Zeit der Abwesenheit des Königs berechnet war und keine eigentliche Landfriedensorganisation schuf. Auf verwandte Bestrebungen stoßen wir dann bei*   15
*den Verhandlungen zwischen König und Rheinischen Städten Anfang 1403, vgl. Nürn-
berger Tag 1402 Aug. bis Sept. lit. L. Gelegenheit für den Landfrieden zu wirken
war dem Könige durch die im Elsaß und in der Wetterau bestehenden königlichen
Landvogteien geboten. Die Einsetzung eines Landvogts im Elsaß hatte K. Ruprecht
augenscheinlich schon im November 1400 beabsichtigt[1], dann aber aus nicht bekannten*   20
*Gründen wol noch verschoben. Am 1 Merz 1401 ernannte er statt des zuerst in Aussicht
genommenen Hanman von Sickingen den Schwarz Reinhard von Sickingen zum Landvogt im
Elsaß[2]. Derselbe begegnet uns dann häufig in dieser Stellung. Von Bestrebungen einen
regelrechten Landfrieden im Elsaß zu Stande zu bringen ist aus der ganzen Regierungszeit
Ruprechts nichts bekannt. Über die Einsetzung eines Landvogts in der Wetterau hatte*   25
*Ruprecht schon, wie ein Eintrag im Frankfurter Rechenbuch von 1401 unter uzgebin
zerunge sabb. post Viti [Juni 18] bezeugt, mit Frankfurt und vermuthlich auch den
andern dortigen Reichsstädten verhandelt, als er am 25 Juli 1401 (dat. Heidelberg Jacobi
1401 r. 1) dem Ritter Hermann von Rodenstein als seinem Hauptmann [sic, nicht
Landvogt] den Schutz von Frankfurt und Friedberg auf ein Jahr von Datum des*   30
*Briefes an gerechnet übertrug; Karlsruhe G.L.A. Pfälz. Kop.-B. 8¼ fol. 17ᵃᵇ und ibid.
Pfälz. Kop.-B. 149 pag. 13-14; die Urkunde ist mut. mut. gleichlautend mit der vom
25 Nov. 1402, s. weiter unten. Daß Rodenstein dem rade und der stad zū Frideberg
globete und swūre von der befelhunge wegin unsers herren des kunigs, erfahren wir
aus einem Eintrag des Frankfurter Rechenbuchs von 1401 unter uzgebin zerunge sabb.*   35
*post Laurencii [1401 Aug. 13]. Am 25 Nov. 1402 (dat. Nurenberg Kath. 1402 r. 3)
befahl dann Ruprecht abermals Rodenstein als seinem Landvogt in der Wetterau auf
ein Jahr vom vergangenen Michelstag [Sept. 29] an gerechnet die Stadt Frankfurt zu
schützen etc.; Karlsr. G.L.A. Pfälz. Kop.-B. 8¼ fol. 54ᵇ-55ᵃ und ibid. Pfälz. Kop.-B.
149 pag. 82-83; gedruckt Privil. et pacta der Reichsstadt Frankfurt pag. 256 (2 Aufl.*   40
*254f.), Bernhard antiquitates Wetteraviae 299f., Regest Chmel zw. nr. 1354 und 1355
und Böhmer im Archiv für Hess. Gesch. 1, 349. Am 29 Sept. 1404 (dat. s. l. Michelstag 1404 r. 5) gab Ruprecht demselben den gleichen Auftrag bis auf Widerruf und
auch als lange sie von beiden sijten gelustet; Frankfurt St.A. Reichssteuer 1400-1469*

---

[1] *Das zeigt die im Wiener Registraturb. stehende durchstrichene (also wol nicht vollzogene) Ur-*   45
kunde, die wir Bd. 4, 227 nt. 2 irrthümlich unterm 2 Dec. 1401 statt 26 Nov. 1400 registiert haben.
[2] *S. das Regest RTA. 4, 227 Anm. 2, wozu noch nachzutragen ist, daß das Original (wonach
Perlbach's Regest) sich in Heidelberg Univ.-Bibl. Urk. Schrank 1 nr. 243 befindet und daß die Urkunde bei Schilter comment. ad jus feud. Alam. 152 gedruckt ist.*

(früher Uglb. D 68) or. mb. lit. pat. c. sig. pend., Karlsruhe G.L.A. Pfälz. Kop.-B. 8½ fol. 86ª, ibid. Pfälz. Kop.-B. 149 pag. 82-83. Im Frühjahr 1403 war Hermann von Rodenstein beim Könige in Nürnberg um ihm des Landes und der Stadt Frankfurt Noth zu erzählen, s. nr. 326 art.

5 10, und bald darauf hören wir von dem Vorschlag des Königs, die Burgmannen von Friedberg und Gelnhausen und die Wetterauischen Städte sollten ein Bündnis mit einander schließen (Eintrag im Frankfurter Rechenbuch von 1403 unter uzgeben zerunge sabb. ante Urbani [1403 Mai 19]), wahrscheinlich doch unter Theilnahme und Führung des Landvogts und zum Zweck der Friedenswahrung. Weitere Spuren hat dieses Projekt nicht hinterlassen.

10 Von Verhandlungen über einen Wetterauischen Landfrieden erfahren wir zuerst durch das Einladungsschreiben K. Ruprechts vom 23 December 1403 nr. 433. Eine Versammlung zu Frankfurt, auf der königliche Räthe anwesend waren, und Besprechungen Ruprechts mit dem Erzbischof von Mainz sind vorangegangen. Der König ladet ein auf den 20 Januar nach Frankfurt, und sein Schreiben ist sicher auch an andere Städte 15 und Herren ergangen.

Wir haben nur ein einziges Stück das über die gepflogenen Verhandlungen Aufschluß gibt, unsere bisher unbekannte nr. 434. Diese Aufzeichnung über Verhandlungen steht, wie man sofort sieht, im engsten Zusammenhang mit dem Fränkischen Landfrieden von 1403 Aug. 26 nr. 425· Die Eingangsworte der Artikel des letzteren 20 werden hier widerholt citiert und die Zahlen am Rande korrespondieren mit denen in der Frankfurter Abschrift des Landfriedens. Es handelt sich hier aber nicht um eine Erläuterung oder Reform desselben für sein ursprüngliches Geltungsgebiet sondern um eine Übertragung nach andern Gegenden, das zeigt schon art. 12, wo vom Verhältnis zum Fränkischen Landfrieden die Rede ist. Die Erwähnung Frankfurts in art. 8 und 10 25 weist uns an den Rhein oder in die Wetterau; zugleich aber läßt der Umstand, daß hier Frankfurts besondere Interessen ganz allein hervorgehoben werden, in Verbindung mit dem Fundort, auf Frankfurter Ursprung schließen. Der Fränkische Landfrieden vom 26 August 1403 nr. 425 wurde am 11 Juli 1404 durch einen neuen von ihm sehr stark verschiedenen nr. 426 ersetzt und dieser mit geringen Abweichungen am 16 Juni 30 1405 nach der Wetterau übertragen (nr. 438). Daß man in der Wetterau oder am Rhein eine Organisation, die in Franken durch eine neue hatte ersetzt werden müssen, als Grundlage der Verhandlungen genommen hätte, ist wenig wahrscheinlich, unsere Aufzeichnung wird daher kaum nach dem 11 Juli 1404 entstanden sein; die Grenze nach der andern Seite gibt der 26 August 1403. Aus dieser Zeit ist uns von der 35 Absicht einen Rheinischen Landfrieden zu errichten nichts bekannt, die andern Numern dieser Abtheilung aber zeigen, daß 1403 Dec. bis 1404 Jan. über einen Wetterauischen Landfrieden verhandelt wurde. In die Zeit dieser Verhandlungen setzen wir unsere nr. 434; welchem Stadium derselben sie angehört, ist bei der Dürftigkeit des Materials nicht zu bestimmen. Einen Wetterauischen Landfrieden nach dem Muster des Frän- 40 kischen zu errichten ist von irgend einer Seite, wahrscheinlich vom König, in Vorschlag gebracht, die Frankfurter gehen allem Anschein nach auf den Grundgedanken ein, haben aber doch allerhand Wünsche und Bedenken, die in unserer Aufzeichnung vielfach nur angedeutet, nicht ausgeführt sind; diese war also vol bestimmt den Vertretern der Stadt bei den Verhandlungen als Instruktion zu dienen, nicht aber dem König oder sonst 45 jemandem als städtisches Gutachten vorgelegt zu werden.

Frankfurts Kosten nr. 435 zeigen, daß K. Ruprecht und der Erzbischof von Mainz auf der Versammlung erschienen. Auch urkundet der erstere am 21 Januar in Frankfurt, s. Chmel nr. 1671.

Schon im Februar 1404 fand wider ein königlicher Tag zu Frankfurt statt. Auf 50 diesem aber handelte es sich, so viel wir wissen, nur um die Mainzisch-Hessischen

*Streitigkeiten (vgl. darüber beim Nürnberger Tage von 1402 Aug. bis Sept. lit. K);
von Fortsetzung der Landfriedensverhandlungen ist nichts bekannt. Erst 1405 wurden
dieselben wider aufgenommen.*

    *Das erste der nun hier aus dem Jahr 1405 von uns veröffentlichten Stücke, die
Aufzeichnung von Berathungen nr. 436, steht inhaltlich und zeitlich im nächsten
Zusammenhange mit dem Zuge den König Ruprecht im Februar 1405 gegen die Raub-
burgen in der Wetterau unternahm. Als er nach Beendigung des Unternehmens zwei
Nächte in Frankfurt weilte, ist sie entstanden (s. Anm. zu nr. 436). Darauf, daß
gleichzeitig Herren und Städte dort versammelt gewesen wären, deutet in den Frankfurter Rechenbüchern und sonst nichts hin, im Eingang des Stückes heißt es ganz unbestimmt iß ist geratslagit, zwischen wem, wird nicht gesagt, vielleicht zwischen König
und Frankfurter Rath. Einen königlichen Tag für die Wetterau, der um den 25 Februar in Frankfurt gehalten wäre, anzunehmen, liegt keine Veranlassung vor. Ob ein
Vertrag, wie er hier beredet war, wirklich abgeschlossen wurde, ist mehr als zweifelhaft;
in nr. 436 ist nur das Resultat von Verhandlungen aufgezeichnet, das erst in anderer
Form hätte beurkundet werden müssen. Daß man sich, wenn das Bündnis wirklich zu
Stande gekommen wäre, mit dieser unbeglaubigten formlosen Aufzeichnung begnügt hätte,
ist kaum glaublich, am Schluß derselben heißt es auch nicht actum oder datum sondern
scriptum. Wir haben es hier also nicht mit einem Vertrag, sondern mit einer Rathschlagung zu thun, die für einen Vertrag erst als Grundlage zu dienen bestimmt war,
anscheinend aber nicht zu einem solchen führte.*

    *Was den Zug in die Wetterau anbelangt, so ist ein gleichzeitiger Bericht bei
Janssen Frankf. Reichskorr. 1 nr. 288 gedruckt; ebendort nr. 284-287. 290. 345 sowie
in den Noten zu nr. 288 und 290 findet man auch weiteres Material zusammengestellt.
Dieselben Akten und Briefe, die Janssen hier aus dem in seinem Besitz befindlichen
Kodex Acta et Pacta veröffentlicht hat, und außerdem noch einige andere, sind auch
Wencker bekannt gewesen, der sie in seinen jetzt verbrannten handschriftlichen Excerpten
benutzt hatte. Wir können daraus noch folgende Notizen geben: 1) Fehdebrief der
Glefner und 2) ein solcher der Einspennigen der Stadt Diener, beide unter Hermanns
von Rodenstein Sigel und in gleicher Form und vom gleichen Datum wie Frankfurts und
Rotensteins Fehdebriefe Janssen 1 nr. 286 und 287 (ehemals Straßb. St.-Bibl. Wenckeri
Exc. 2, 460*); 3) Ansprache an Rückingen, wo außer Johann auch Diederich von
Rüdengheim saß, und Bechtram von Vilwil, als er verlandfriedet war, lange Zeit von
dem ersteren behalten und bei ihm gehabt war, Rintfleisch hilft[1] (ibid. 462**); 4) Ansprache an Hoeste bi Lintheim, wo Conrad von Buches der alde und (weiter unten bei
Wencker) Henne Schencke von Sweinsperg und Conrad von Buches[2] vorkommen (ibid.
462*-463*); 5) Ansprache an Carben, wo Hartman Waltman war und wo eine Beziehung zu den räuberischen Knechten Wigands von Buches zu Flanstat[3] gesessen
stattgefunden haben soll [sic?] (ibid. 463*); 6) Erzählung von der Zerstörung des
Schlosses Hauenstein; der Vilstum des Erzbischofs von Mainz zu Aschaffenburg, der
es gewonnen hatte mit den Seinen und der es dem Könige ingeantwortet, bat letzteren,
im das zu laßen odir gonnen zu brechen, das sine gnade doch nit tun wolde, dan zu*

---

[1] *Das soll wol heißen, daß Rintfleisch in der Ansprache an Rückingen als Helfer Johanns v. R.
bei der Beschützung des verlandfriedeten Bechtram v. V. bezeichnet ist.*

[2] *Revers der Gebrüder Ruprecht und Conrad von Buchis gegen K. Ruprecht, vermöge dessen
sie auf ihren Antheil an dem Schlosse Hoeste bei Frankfurt verzichten und zugleich versprechen, ihre
Güter zu verkaufen und in den Deutschorden für Lebenszeit zu treten; dat. Georii [April 23] 1405;
München St.A. Urkk. betr. äuß. Verhh. d. Kurpfalz 145/k 10 or. mb. c. 4 sig. pend. deperd.*

[3] *Florstadt (Nieder- und Oberflorstadt) in Hessen bei Friedberg.*

besorgen was, ließ er iz in brechen, das er dan den budden fur sich hette behalden, den er im und dem riche lieber meinte zuzufrommen als das auch von rechte geburte und sin sulde, actum ut in datis literis precedentibus *[1405 Mai 18, da das Schreiben Janssen 1 nr.290 vorangeht]* (ibid. 463 ᵇ, *erwähnt Janssen 1 nt. zu nr.290); 7) Pf. Lud-*
5 *wig bezeugt, einen Verzichtsbrief in seinem Gewölbe zu haben, in welchem Johann von Rudenckeim unter Mitsigelung durch seinen Vetter Conrad von Spiegelberg und Josten Füsichin von Ortenberg 1405 fer. 2 p. exaudi [Juni 1] verspricht, gegenüber K. Ru-precht, der sein Schloß, daran er (Johann) teil und gemeine gehabt hat, gebrochen hat, und gegenüber den Städten Mentze Wormß Spire Franckenfurd Frideberg Geilnhusen*
10 *Wetflar, die demselben dazu gedienet haben, keinerlei Ansprache oder Forderungen zu thun; dat. Heidelberg 1410 Marg. [Juli 13]* (ibid. 464 ᵃ ᵇ). — *Auf den Gelnhäuser Bericht, den Bodmann Rheing. Alterth. 812 im Auszug mitgetheilt hat, ist auch von Janssen verwiesen worden; wir machen noch darauf aufmerksam, daß man durch ihn zu der Annahme verführt werden muß, König Ruprecht sei bei der Einnahme auch*
15 *von Höchst Carben und Membris persönlich zugegen gewesen, womit die Frankfurter Darstellung (Janssen nr.288) im Widerspruch steht. Aus dem Frankfurter Rechen-buche ersehen wir, daß Ruprecht vor Rückingen liegen blieb und von da aus nach Frankfurt zurückkehrte (vgl. Anm. zu nr.436). — Die erste Spur des beabsichtigten Zuges haben wir wol in einer Notiz des Frankfurter Rechenbuches. Dort heißt es Sabb.*
20 *ante convers. Pauli [1405 Jan. 24]*: 24 lb. hern Herman von Rodinstein und Heinrich Herdan burgermeister von 8 pherden von 5 tagen, als sie zů unserm herren dem konige geschicht waren im ein antwort zů tůn von der heimlichin sache wegin als er meint landen und luden fridden zů machen. *Zu beachten ist dann, daß des Königs Schreiben vom 3 Februar, in dem er die Hilfe der Städte forderte (Janssen nr.284), das Ziel*
25 *des Zuges nicht bezeichnete. Dieses Schreiben steht mit der Adresse Friedbergs Karler. G.L.A. Pfälz. Kop.-B. 8¼ fol. 90ᵃ und ebend. Pfälz. Kop.-B. 149 pag. 93-94. — Als bisher unbekannt erwähnen wir einen Brief der Stadt Mainz an Stadt Frankfurt, dat. fer. 6 a. Valentini 1405 [Febr. 13], aus dem hervorgeht, daß Frankfurt Sammelplatz der Truppen war und daß erst am 14 der König angeben wollte, wem das Unternehmen*
30 *gelten sollte; Mainz bat um Nachricht darüber, sowie um Abschrift der Fehdebriefe die Frankfurt schicken würde (Frankfurt St.A. Imperatores I, 223 or. ch.). — Zur Er-gänzung der Literaturangaben bei Janssen verweisen wir noch auf Lersner Franckfurter Chronik 2, 347 f., der besonders die Frankfurter Rechnungen benutzt hat, auf Dieffen-bach Gesch. der Stadt und Burg Friedberg 121, auf Scriba Regg. 2 nr. 1949, auf*
35 *Kirchner Gesch. Frankfurts 1, 640 f. nr. 25, auf Schmidt Gesch. des Großh. Hessen 2, 179 und 182 Anm. aa, auf Mader Nachr. von der Burg Friedberg 2, 58, auf Wencker Apparatus et instr. arch. 283 f., und auf Bernhard Antiquitates Wetteraviae 251 f. — Aus dem bei Wencker l. c. gedruckten Stücke geht hervor, daß K. Ruprecht wegen seines Zuges in die Wetterau mit dem Erzbischof von Mainz in Streitigkeiten gerieth, wenn*
40 *auch Janssen 1, 122 nt. * mit Recht gegen Höfler darauf aufmerksam gemacht hat, daß nicht das Mainzische Höchst zerstört worden sei. Wir werden dieses Stück beim Mainzer Reichstage vom Januar 1406 bringen (s. Bd. 6 nr. 19) und in den Noten dazu einiges über die Beziehungen des Erzbischofs zu den zerstörten Schlössern mittheilen.*
Die öffentliche Sicherheit in der Wetterau sollte nun aber auch durch einen förm-
45 *lichen Landfrieden befestigt werden. Aus einem im Frankfurter Rechenbuch unterm 11 Juli 1405 verrechneten Posten (s. nr. 439 art. 3) geht hervor, daß damals oder einige Zeit vorher auf einem* königlichen Tage zu Frankfurt, *den K. Ruprecht per-sönlich besuchte, Herren und Städte über einen Landfrieden in der Wetterau überein-kamen. Der Landfriede nr. 438 ist vom 16 Juni datiert, die Versammlung wird also*
50 *spätestens Mitte Juni stattgefunden haben. Zwei andere Einträge im Rechenbuch (s.*

nr. 439 art. 1. 2) weisen uns auf Ende Mai, zu einem bestimmteren Resultat aber führt folgende Betrachtung. Aus Einträgen des Rechenbuches, die auf jenen zuerst erwähnten Posten folgen, scheint hervorzugehen, daß der König von der Frankfurter Versammlung aus nach Westfalen ritt und dann auf der Rückreise abermals Frankfurt berührte. Damit ist folgendes, sich aus den Urkunden und den Kammereinnahmen ergebende, Itinerar zu vergleichen. Mai 15 Alzei, Mai 16 Oppenheim, Mai 18 Sachsenhausen, Mai 21 und 22 Frankfurt, Mai 27 Gießen, Juni 5 Heidelberg (s. Chmel nr. 1983-1988, und zwei Posten der Kammereinnahmen vom 16 bzw. 22 Mai bei Janssen 1, 781 nr. 1227 art. 10. 11 und bei uns in Bd. 6). Die Angaben des Rechenbuches passen vortrefflich hierzu, und die Versammlung, auf der man den Landfrieden beschloß, werden wir also auf die für den Aufenthalt des Königs in Frankfurt und Sachsenhausen verfügbare Zeit zwischen dem 17 und dem 26 Mai anzusetzen haben. Auf diese Versammlung nun verlegen wir auch den Entwurf eines königlichen Landfriedens in der Wetterau nr. 437, und zwar aus folgenden Gründen. Um den 20 Mai etwa überkamen, wie wir sahen, Herren und Städte zu Frankfurt eines Landfriedens, die königliche Urkunde ist nun aber nicht, wie darnach zu erwarten wäre, aus diesen Tagen und auch nicht aus Frankfurt datiert, sondern am 16 Juni in Heidelberg ausgestellt. Diese Differenz erklären wir so, daß nicht die Urkunde nr. 438 sondern der Entwurf nr. 437 in Frankfurt vereinbart wurde, und eine Vergleichung beider Stücke wird uns in dieser Vermuthung bestärken sowie auf den Grund hinweisen, der den Aufschub von mindestens drei Wochen veranlaßte. Die Übereinstimmung zwischen nr. 437 und nr. 438 ist eine fast vollständige. Der Entwurf zeigt schon die Form einer vom König auszustellenden Urkunde und enthält auch schon die ganze Arenga. Das läßt ihn uns mit ziemlicher Wahrscheinlichkeit in die letzten Stadien der Berathung kurz vor Abschluß verweisen. Nur in einem einzigen wichtigen Punkte weicht der Entwurf von der Ausfertigung ab, er setzt die Theilnahme von Kurfürsten und Fürsten speziell die des Erzbischofs von Mainz voraus. An der Frankfurter Versammlung nahm der Erzbischof allem Anscheine nach nicht Theil, aber daß die Herren und Städte seinen Beitritt in Betracht gezogen, erscheint durchaus nicht widersinnig. War er doch bei den im December 1403 und Januar 1404 über Errichtung eines Wetterauischen Landfriedens gepflogenen Verhandlungen betheiligt gewesen (vgl. pag. 591), und hatte eben jetzt das von ihm eroberte Schloß Hauenstein dem König zur Zerstörung überantwortet (Janssen nr. 290), also sich dessen Bemühungen für Sicherung des Landfriedens angeschlossen. Nachträglich stellte sich heraus, daß man auf seine und anderer Fürsten Betheiligung verzichten müsse, und mit den dadurch nöthig gewordenen Abänderungen erhielt der auf dem Frankfurter Tage vereinbarte Landfrieden am 16 Juni 1405 seine Ausfertigung. — Bei der fast überall wörtlichen Übereinstimmung zwischen Entwurf nr. 437 und Ausfertigung nr. 438 konnten wir ersteren sehr kurz erledigen. Auch bei der Urkunde nr. 438 selbst war abgekürztes Verfahren anzuwenden, da sie sich in fast allen Artikeln an den Fränkischen Landfrieden vom 11 bzw. 12 Juli 1404 nr. 426 aufs engste anschließt. Dieser Vorgang, daß ein Fränkischer Landfriede auf die Rheinlande, zu denen im weiteren Sinne auch die Wetterau zu zählen ist, übertragen wird oder übertragen werden soll, ist in der vorangehenden und folgenden Zeit öfter zu beobachten.

Das einzige Exemplar D des Entwurfes ist zu dem Text der Ausfertigung umkorrigiert worden, es fragt sich, wann und zu welchem Zwecke dieß geschehen ist, ob wir im korrigierten D eine auf diesem Wege entstandene Abschrift oder ein Konzept der schließlichen Urkunde zu sehen haben. Da der Entwurf auf dem Frankfurter Tage entstanden ist und unser Exemplar D augenscheinlich in Frankfurt blieb, die Ausfertigung aber von Heidelberg datiert, wo der König schon seit 11 Tagen wider urkundete,

*ferner das korrigierte D (das wir D2 nennen wollen) schon mit Datierung und Unter-
schrift versehen ist, so werden wir uns für die erstgenannte Möglichkeit zu entscheiden
haben. Der Entwurf D ist also nach einem Original oder einer andern Abschrift durch-
korrigiert, und Korrekturen und Zusätze sind darin nach dem 16 Juni geschrieben.*
5 *In Frankfurt liegt nun noch eine zweite Abschrift C die mit D2 sehr genau übereinstimmt. Es erhebt sich die Frage, ob wir in C etwa die Vorlage haben nach der D
umkorrigiert ist, oder war D2 Vorlage für C? Die Entscheidung derselben ist für
die Textkritik nicht ohne Bedeutung. In C und D finden wir Randnoten, die kurz
den Inhalt der Artikel bezeichnen neben denen sie stehen. Manche von ihnen sind einer
10 der beiden Handschriften eigenthümlich, die meisten aber stimmen in beiden wörtlich
oder doch beinahe wörtlich überein. In einem Falle (zu art. 39) lesen wir in C* nota
obe man von disses lantfriden wegen fintschaft tragin wulde etc., *in D* nota obe man
den diss lantfriden fintschaft tragin wulde. *Letztere Lesart ist nur als Entstellung der
ersteren zu erklären, die Randnotizen in D sind also wahrscheinlich, da auf ein
15 Zwischenglied nichts hindeutet, aus denen in C abgeleitet. Das würde für das Verhältnis von C und D2 entscheidend sein, wenn der D hinzugefügte Schluß Korrekturen
und Randnotizen von derselben Hand wären, das ist aber, obgleich nicht völlig ausgeschlossen, doch, soweit man bei der Ähnlichkeit damaliger Kansleihände und den
naturgemäß zwischen fortlaufender Schrift Randnotizen und Korrekturen obwaltenden
20 Verschiedenheiten urtheilen kann, nicht der Fall. Die Vergleichung der Texte muß
also entscheiden, wobei auch die beiden andern Handschriften (aus den königlichen
Kopialbüchern) A und B herbeizuziehen sind. Die Einzelheiten der Untersuchung wollen wir hier nicht geben, die Varianten ermöglichen dem Benutzer die Nachprüfung
unseres wie wir glauben gesicherten Resultates, daß C von D2 abgeschrieben ist. Das
25 Entscheidende dabei ist folgendes: Die Handschriften sondern sich in zwei Gruppen,
A und B einerseits, C und D andererseits, die beide ihre besonderen Abweichungen von
ihrer Vorlage, dem Fränkischen Landfrieden, aufweisen; nun kommen aber einige Fälle
vor, in denen D ursprünglich die Lesart des Fränkischen Landfriedens hat, während
wir in A und B eine abweichende finden und diese nicht nur in C steht sondern in
30 D hineinkorrigiert ist. Versuche, sich dieses Verhältnis unter der Voraussetzung, daß
C nicht aus D2 abgeschrieben ist, klar zu machen, führen zu geradezu unmöglichen
Annahmen, entweder D oder A und B müßten zwei Vorlagen benutzt haben, eine die
die Eigenthümlichkeiten von C aufwies und eine andere die dem Fränkischen Landfrieden näher stand. Man kann sich das graphisch leicht klar machen, und wird mit
35 uns einen solchen Stammbaum verwerfen. Durch die Vermittlung von D2 stellt sich
die Sache sehr einfach. In D sind einige A und B eigenthümliche Lesarten, die sich
auch in der vom Korrigierenden benutzten Vorlage befanden, hineinkorrigiert und von
da in C übergegangen, andere Abweichungen des Entwurfes dagegen übersah der Kor-
rektor und ließ sie stehen, daher nehmen D2 und C eine Mittelstellung zwischen D
40 und AB ein. Daß in einigen Fällen D ursprünglich eine mit AB übereinstimmende
Lesart hat, die dann entweder zwecklos (wie art. 31 nicht in* nit, *art. 7* sal *in* sollte)
*oder geradezu falsch (wie am Schluß von art. 6) korrigiert ist, und daß mit dieser
korrigierten Fassung allein C übereinstimmt, ist daher zu erklären, daß die Vorlage,
nach der D korrigiert ist, diese Besonderheiten aufwies. In dieser Vorlage haben wir
45 doch wol das verlorene aus der königlichen Kanslei stammende Frankfurter Original
zu vermuthen. Was die Randnotizen betrifft, so wird es nach dem oben gesagten dabei
bleiben müssen, daß hier das Verhältnis zwischen C und D wahrscheinlich ein
umgekehrtes ist, d. h. daß die Randnotizen zuerst in C und zwar wol sofort vom
Schreiber des Textes, dann erst in D unter freier Benutzung von C hinzugefügt
50 wurden.*

Wie die Notizen des Frankfurter Rechenbuchs (nr. 439) zu verwerthen sind, haben wir bereits gezeigt. Andere Nachrichten über Besuch des Tages fehlen.

Alles bekannte Material, das sich auf den Beitritt zum Landfrieden bezieht, haben wir unter dem Verzeichnis der Schwörenden nr. 440, in Text und Noten zusammengenommen, vereinigt. Einundzwanzig Gelöbnisse den Landfrieden zu halten liegen im Original vor, s. Noten zu nr. 440. Es lassen sich zwei Formeln unterscheiden; die erste längere erwähnt die Einsetzung Eberhards vom Hirschhorn zum Hauptmann und enthält außer dem eigenen Gelöbnis auch das Versprechen den Landfrieden binnen 3 Monaten vom Datum des Briefes an gerechnet durch alle Amtleute Diener Vögte Richter Schultheißen und Gerichte beschwören zu lassen (I A), die zweite kürzere nur das einfache Gelöbnis den von K. Ruprecht in der Wetterau errichteten Landfrieden zu halten (II A). Manchmal erhalten beide Formeln den Zusatz von minen wegin und auch von ampts wegin (I B bzw. II B), oder die zweite auch nur von amptis wegen (II C).

Versammlungen des Landfriedens und ihre Akten werden zwar von uns nicht aufgenommen; anders aber stand es doch mit den Stücken die wir hier noch folgen lassen. Sie handeln in der Hauptsache von Versuchen den Landfrieden zu reformieren, unter Mitbetheiligung des Königs. — Die Aufzeichnung über Landfriedensbeschlüsse nr. 441 enthält organisatorische Bestimmungen zur Ausführung Erläuterung und Ergänzung der Landfriedensurkunde. Das nöthige zur Erklärung des Stückes sowie einige ergänzende Angaben über die Ausführung des Landfriedens wird man in den Noten finden. — Es schließen sich als zweite Gruppe an nr. 442-445. Schon gegen Ende des Jahres 1405 begegnen wir Klagen über die Handhabung des Landfriedens und Versuchen ihn zu bessern, an denen auch der König betheiligt ist [1]. Auf dem Mainzer Reichstage vom Januar 1406 nahm er Veranlassung die Angelegenheit mit Herren und Städten zu besprechen, und es folgen dann die von ihm in Anregung gebrachte Frankfurter Versammlung vom 9 Februar und die von ihm berufene Oppenheimer vom 25 April. Zwischen beiden liegt vielleicht noch ein Frankfurter Tag vom 18 Merz. Diese Tage sind von den gewöhnlichen Gesprechen und Gerichten des Landfriedens zu trennen, wie auch der Hauptmann Eberhard vom Hirschhorn selbst, als er am 13 Januar zum 9 Februar nach Frankfurt einlud (nr. 443), von dem für den 25 Jan. bevorstehenden Frankfurter Tage (vgl. Anm. zu nr. 442 art. 5) gar keine Notiz nahm. Von den Verhandlungen zu Oppenheim, von denen den Schluß dieser Episode bildeten, wissen wir fast nichts; ein wesentlicher Erfolg scheint nicht erzielt zu sein. Aus dem Sommer 1406 sind manche Schreiben erhalten (Frankfurt St.A. Reichssachen Acten XVI und Kopialbuch nr. 17), aus denen hervorgeht, daß die Versammlungen des Landfriedens sehr mangelhaft besucht waren. Vielfach entschuldigten sich Herren und Städte, sie müßten wegen Fehden vor Niederlage und Gefangennahme besorgt sein. Im September 1406, als Eberhard vom Hirschhorn zeitweilig erkrankt war, kam es dann zu einer Krisis, trotzdem der König einen Stellvertreter schickte, und der Landfriede, der bis zum 24 Juni 1408 noch zu Recht bestand, löste sich Ende 1406 faktisch auf. Einnahmen und Ausgaben des Landfriedens sind, da am 20 September eine Versammlung nicht zu Stande kam, am 20 December zum letzten mal verrechnet (Frankfurt St.A. Kopialbuch nr. 17 fol. 34ª. 35ª. 37ᵇ). Der Hergang wird aus unserer nr. 446 und den Noten zu diesem Stücke klar werden; die Schwierigkeiten, mit denen der Landfriede in den vorhergehenden Monaten zu kämpfen hatte, haben wir nicht weiter berücksichtigt.

---

[1] *Zweifelhaft ist, ob folgendes Schreiben ins Jahr 1405 gehört: Gelnhausen an Ritter Eberhard vom Hirtzhorn Hauptm. des Ldfr. i. d. Wett., ist vom König nach Frankfurt beschieden auf nächsten So. [1405 Dec. 13?] von des Ldfr. wegen, entschuldigt sich aber; dat. Fr. n. Frauentag concept. [1405 Dec. 11?]; Frankfurt St.A. Reichssachen Acten XV nr. 914 or. ch. lit. cl. c. sig. in v. impr.*

*Neue Verhandlungen beginnen im Mai 1407. Rechtlich bestand, wie bemerkt, der Land-
friede noch weiter, Eberhard war noch Hauptmann desselben und konnte Ansprüche auf
Besoldung machen, während thatsächlich alle Wirksamkeit aufgehört hatte. Diesem
Zustande wünschte Eberhard ein Ende zu machen und wandte sich deshalb an Herren*
5 *und Städte; am 23 Mai 31 Mai und 7 Juni waren diese in Frankfurt versammelt und
giengen dann zum König mit der Bitte den Landfrieden zu reorganisieren oder aufzuheben, vgl. nr. 447-449 sammt Noten. Lersner gibt in seiner Franckf. Chr. 2, 549 an,
K. Ruprecht habe 1407 Eberhard vom Hirschhorn auf seine Bitte der Hauptmannschaft
des Landfriedens in der Wetterau enthoben. Diese Notiz wird wol richtig sein, Ver-*
10 *handlungen, die im einzelnen zu verfolgen uns zu weit führen würde, gehen zwar noch
fort, aber sie betreffen nur Eberhards Forderungen wegen rückständigen Soldes. Frankfurt
St.A. Reichssachen Acten XVII und XVIII findet man bezügliche Briefe. Von der
Verständigung zwischen Frankfurt und Eberhard gibt folgende Notiz des Frankfurter
Rechenbuchs (unter einzlingen uzgebin) Nachricht:* In crastino Petri in kathedra [1409
15 *Febr. 23*]: 200 gulden han wir geben hern Eberhard vom Hirczhorn, als man mit im
gerichtit wart, als er ein lantvoigt [1] gewest was etzliche zit mit namen zwei jare, und
im von den zollen des lantfrids nit vollen gefiele ein gelt der lantfodi als das ufgesatzt
was, und han wir diser verziegunge einen quitbrief. — *Von den Aktenstücken dieser Verhandlungen sei hier noch eine Frankfurter Aufzeichnung angeführt, die auch sonst für*
20 *die Verhältnisse im Landfrieden von Interesse ist. Sie ist undatiert, bezieht sich aber
augenscheinlich auf einen Brief K. Ruprechts von fer. 3 p. Galli [Okt. 18] 1407 r. 8
(Frankfurt St.A. Reichssachen Acten XVII nr. 1054*) *und hat folgenden Inhalt: Betreffs des Begehrens von K. Ruprecht, der an die von Frankfurt geschrieben hat Herrn
Eberhard vom Hirczhorn von des Geldes wegen der Landvogtei genugzuthun, so ist ihre*
25 *Meinung den König wissen zu lassen: da die angesetzten Landfriedenszölle von einigen
Herren und Städten nicht wie beredet bestellt und erhoben sind, während Frankfurt es
gethan hat, und da an den Zöllen zu Frankfurt dem Landvogt zweimal so viel gefallen
ist als an den andern allen und mehr als ihr Antheil ausmacht, so hoffen sie, es werde
Herr Eberhard sie der Rede erlassen, besonders auch weil die von Frankfurt ihn nie*
30 *gerne gebeten haben zu reiten, da sie besorgten, wenn er niederläge, daß sie ihm dafür
Schadens stehen müßten, da sie von ihm nie die Briefe bekommen konnten, daß sie nicht
für den Schaden stehen sollten; wenn man vom König die Unterweisung, daß Herr
Eberhard sie der Rede erlassen solle, nicht erhalte, so wird ihnen genügen nach Erkenntnis der 7 (laut des Landfriedens) oder des Königs oder seines Rathes oder 7 aus*
35 *seinem Rathe, was sie Herrn Eberhard thun sollen (Frankfurt St.A. Undatiertes zum
Landfrieden in der Wetterau 1405-1407 conc. ch.).*

---

[1] *Die Ausdrücke Landvogt und Landfriedenshauptmann werden ohne Unterscheidung für Eberhard gebraucht, und der frühere Landvogt Hermann von Rodenstein erscheint seit Errichtung des
Landfriedens als solcher nicht mehr. Gemeinsam mit Eberhard lud dieser noch am Mi. n. Gilientag*
40 *anno etc. quinto [1405 Sept. 2] Stadt Frankfurt zu Besprechungen von des Königs und Landfriedens
wegen auf Frauentag nativ. [Sept. 8] nach Frankfurt ein (Frankfurt St.A. Reichssachen Acten XV
nr. 889 or. ch. lit. cl. c. sig. in v. impr. laeso); aber auch in diesem Briefe führte er den Titel eines
Landvogts nicht mehr.*

A. Mergentheimer Landfriede für Franken 1403 Aug. 26 und Zugehöriges nr. 423-425.

[1403 Juli] **423.** *Übereinkunft Fränkischer Fürsten und Herren auf einem kön. Tag wegen gemeinen Nutzens und Friedens der Lande auf 3 Jahre und weiter bis auf kön. Widerruf (Grundlage der dreijährigen Mergentheimer kön. Einungs- und Friedens-Übereinkunft vom 26 August 1403 nr. 425).* [1403 Juli [1]] *Nürnberg.*

N *aus Nördlingen St.A.* Kopialbuch fol. 65ᵃ-66ᵃ *cop. ch. prope coaev.; vielleicht statt* stât *(Subst. und Verbum)* hât abgân mächt *(faceret)* entsâgen jâr *(Plural) zu lesen* stât hât abgân mächt entsâgen jâr.

Es sol allermeniglich wissen, das unser gnediger herre der Romisch küng ein tag ₁₀ gen Nuremberg gemacht hat durch gemeines nüczs und frides wegen der lande. und uf demselben tag sein gewesen die hochgebornen fursten und herren Johans und her Friderich burggraven zû Nuremberg, der hochwirdigen fürsten und herren der bischof von Wirczpurg und von Bambergᵃ rete, die edeln und wolgebornen her Hainrich und her Friderich graven zû Hennenberg, her Johans herr zû Hohenloch, her Conrat herr ₁₅ zû Winsperg, und vil ander edeln ritter und knechte. und die sint da mit einander uberein worden als hernach geschriben stet.

[Merg. 1] [1] Zum ersten sol ein ieglich fürste und herre seiner diener und der sein mechtig seinᵇ und sich der mechtig machen, also, wer zû in icht ze sprechen habe, das sie demᶜ vorderlich des rechten von in beholfen sein, also: ₂₀ welichem fursten und herren der houptman von eines clagers wegen schribet, so sol derselbe fürste oder herre demselben clager vorderlich des rechten beholfen sein in eim mônat unverzogenlich von demselben, zû dem denn der clagend ze sprechen hat; und eins ieglichen fursten und herren diener sollen auch von den, zû denᵈ sie zû sprechen haben, auch recht vorderen und nemen an den steten, do dieselben, zû den man zû ₂₅ sprechen hat, des rehten billich gehorsam sein. werᶠ aber das dem clager das recht verzogen und nit beholfen würde in eim monatᵉ, zu den er dann zû sprechen het, so solt der houptman demselben clager dann beholfen sein, das im vorderlich das recht giengᶠ, zû den er zû sprechen hat. es sol auch ein ieglich fürste und herre sein [1403 Aug. 15] diener, der er mechtig gesein mag und wil, beschriben geben uf unser frawen tag ₃₀ assumpcionis nû schirst. welicher diener er aber nicht mechtig gesein möcht, die solt er auch beschriben geben uf den egnanten tag, und sol sich derselb fürste oder herre noch sust dehein ander furste noch herre derselben diener on des houptmans wort furbas nicht mechtig machen noch sich der underwinden. und so soltᵍ dann der houptman demselben fursten oder herren beholfen sein und dorzu tûn, das derselbe fürste oder ₃₅ herre derselben seiner diener auch mechtig würde, und das sieʰ dorzu gestraft und gehalten werden das sie sich an glich und an recht benugen lassen als vor geschriben stât.

a) N Brandenburg *falsch, ohne Zweifel zu lesen* Bamberg. b) *om.* N. c) N dann. d) N dem. e) *s. folgende Anm.* f) *s. Landfriede von 1403 Aug. 26 nr. 425 die Anm. zu diesem Wort, p. 604 Var. d.* g) N solsolt *statt so* ₄₀ solt, *nachgebessert und* 1 *zu tilgen veraluml.* h) N *om.* das sie.

¹ *Wegen der Datierung vgl. Einleitung.*   *Mergentheimer Landfrieden vom 26 Aug. 1403*
² *Diese Hinweisungen beziehen sich auf den*   *nr. 425.*

[*Merg. 2*] Wer' auch das deheiner furste herre oder stat zu dem andern [1403 oder dehein ritter oder knecht zu in icht ze vordern oder ze sprechen Juli] heten, das sollen sie auch an ein houptman bringen. der sol dann schriben demselben fursten herren oder steten, das sie einander glich und recht geen lassen als vor
5 geschriben stât. geschehe des nit, so solt der houptman mit hilfe ander fursten herren und stete dem clager beholfen sein, das im ein frûntlich reht wurde fûro von dem oder den zû dem oder den[a] er zu sprechen hete.

[*Mergentheim art. 3 fehlt hier.*]

[*Merg. 4*] Wer' auch das iemant dem andern schuldig blibe, das er
10 kûntlich und redlich bewisen môcht, so sol er das den houptman vor wissen lassen, ee er dorfur pfend, das er dem, der da schuldig ist, dorumb schrib, das er denn den[b], dem man also schuldig ist, gutlichen richt und bezale in den nechsten zweien monaten dornach. geschee des nit, so mocht dann derselb, dem man also schuldig ist, dornach pfenden in der wise als hernach geschriben stât. und wurde dann derselb, dem man
15 also schuldig ist, dorumb pfenden und[c] angriffen, so solt er mit denselben pfanden gefarn pfentlichen, und in das nechst schloß, da ein gericht inne ist, triben, das doch des, der do pfendt, noch des, den man pfendt hat, nicht si. und man sol in auch in demselben schlosse und gericht innemen und in darin triben lassen und des nicht weren. und sint es dann essende pfant, so sol er die steen lassen drei tag und drei
20 nacht; weren's aber ander pfant, die sol er vier wochen sten lassen. und sol auch kein mitreiter kein pfant noch teil davon nicht nemen noch nemen lassen. und sol auch also bi einander unverrucket bliben. und ist dann das iemant kûmpt der die pfant usnemen wil, dem sol man die uf recht oder gewissheit[d] oder burgen usgeben mit kuntschaft eins richters oder des amptmans in des gericht sie sint, oder ander
25 erberg lûte darzu nemen die dabi sint. nemen sie aber der pfant nicht us in der vorgenanten zit, so mag der pfender dieselben pfant darnach verkoufen ungevarlich so er durst[e] mag, auch mit kûntschaft eins amptmans oder ander erbar lûte in demselben gerichte. und dasselb gelt sol dann demselben, der do gepfendt hat, an seiner schuld abgân. was er auch koste uf dieselben pfandung gelegt hât, die redlich ist, und die
30 er kuntlichen macht, die sol im auch daran abgân; was aber unredlich wâre, das sol man an den houptman bringen, und was dann der houptman darûmb erkennt und spricht, dabi sol es bliben. wer' auch das von solicher pfandung wegen iemant gefangen wurde, dieselben gefangen sol man auch uf das recht und gewissheit[f] usgeben fur den houptman, und, ob sie der bûrgschaft und gewisheit mit einander nit einig
35 werden mochten, was dann das gericht, darinne das do wer', erkant, dabi solt es bliben. und ob das were daz der pfender dieselben pfant nicht[g] in das nechst[h] schlos, darinne ein gericht were, trib und es darinnen hielt als obgeschriben stet, so solt man das furbas fur ein raup halten. und worde[i] denn der amptman desselben schlosse angerufft, so solt er mit seinen gehilfen getrûlichen nachilen und darzu tûn, ob er die-
40 selben pfender und auch die pfant in sein slos und gericht bringen mochte. were auch das ein pfender mit den pfanden an[k] ein slos kôm und vordert das man in damit inlassen solt, wolt man dann in damit nicht inlassen, das er kûntlichen mâcht, so mocht er dieselben pfant do sten lassen, oder[l] die furbas aber in das. nechst gericht triben. und was er dho schaden neme, der redlich were und den er kuntlich bewiset, den solt
45 im der herre und die lute desselben sloßs, die in nicht inlassen wolten, usrichten. und sol auch nieman denselben[m], die die pfender in ir slos und gericht inlassen, nicht dester fiender sein oder in keines argen dorûmb gwarten.

a) *N* zû dem oder zû dem *statt von — den.* b) *N* dem. c) *om. N.* d) *N* gewonheit. e) *N* erst. f) *N* gewonheit. g) *om. N.* h) *N* necht. i) *N* werde. k) *N* in. l) *N* aber. m) *N* demselben.

[*Mergentheim art. 5. 6 fehlen hier.*]

[*Merg. 7*] Auch sollen alle clostere pfaffen und ander geistlich lûte und die iren nicht pfand fûr iemand sein[a] dann allein fûr sich selber, ob sie iemand schuldig wern. und man solt dann auch mit iren pfanden gefarn als obgeschriben stât. [5]

[*Merg. 8*] Auch sol ein ieglich koufman pilgerim[b] und waller von seim hûs bis wider haim sicher sein.

[*Merg. 9*] Es sol auch furbas nieman dem andern entsâgen noch fient werden noch im sust ichts tûn dann mit dem rechten als vor[c] begriffen ist.

[*ad Merg. 8*] Auch zû acker und wingarten, was zû arbeit gehort, sol sicher [10] sein von hûs bis wider haim.

[*Merg. 10*] Auch welich knecht ein eigen pfert oder mer hat, der sol ein erbern gesessen herren haben der in zû rechten versprech[d] und sein mechtig sei[e]. welicher aber kein herren hat der in zûm rechten versprech, derselb und auch alle andere verlâment und schädlich lûte sollen in des richs echt sein. und wo man die [15] ankûmpt oder begrifft, die sol man ufhalten und zû den richten als zû echtern und zû roubern von recht. wer auch dieselben huset hofet esset oder trenkt oder in sust deheinerlei hilf oder furderung tût, es sei heimlich oder offenlich, zû dem oder zû denselben sol man dann auch richten als zû in, und sol auch derselben keiner frid noch geleit haben in keiner stât. [20]

[*Merg. 11*] Und wer sich knecht oder diener eins oder mer underwindet und die verspricht, was dann die schedlichs tûnd, das sol man zû demselben[f], der sie helt und verspricht[g], wartend sein glich als zû dem[h] oder den, die das getan haben, on geverde.

[*Mergentheim art. 12 fehlt hier.*] [25]

[*Merg. 13*] Wer' auch daz der houptman reisen wûrde, so sol man nieman in derselben reise von den frûnden nichts nemen weder mit droûûng noch mit bete denn allein[i] zitlich kost und futer[k] die er uf dem velde zû siner[l] notdurft bedarf und nuczen wil on geverd, also das das nieman nichts heimfûren schicken noch verkoufen sol. wer das uberfûr, das solt man fur ein roup haben, und der houptman [30] darumb rehten als zû eim rauber. [*Merg. 13a*] und wann auch der hoûptman reiset, so sullen die fursten herren und stete iren hoûptluten, die von iren wegen uf dem felde sint, befelhen[m] uf ire eide, das sie den iren getrûlichen und mit ernst befelhen[n], daz sie den frunden anders nichts nemen dann allein zitlich kost und futer in der wise als vor geschriben stât. und were das sich[o] des iemand widerseczt, des[p] sie [35] nicht gewaltig mochten sein, das sollen sie dem hoptman zu wissen tûn, der sol denn mit dem oder denselben, die es getan haben, schicken und darzû tûn das sie das widerkeren, und sol dann den oder die, die[q] das getan haben, straffen dornach als sie[r] gedunkt daz[s] die tat gehandelt si.

[*Merg. 14*] Es sol auch nieman keinen prant in der reise on des hopt- [40] mans heissen und wort nicht tûn. wer aber das uberfûr, dorzû sol der hoptman tûn als recht ist.

[*Merg. 15*] Es sol auch ein ieglich furste herre und stat mit den irn schicken und bestellen, wenn sie reisen sullen, das sie sich doheimen mit wegen und andern sachen, die sie dann dorzu bedorfen, usvertigen, also das das andern luten on [45] schaden sin sol, und uf dem felde niemant nichts nemen dann zitlich kost und futer [1403 als vor geschriben stat. wer das uberfur, dorzu sol der hoptman tůn als zů eim Juli] rouber.

[*Merg. 16*] Es sollen auch alle herren und fursten und stete mit iren amptluten 5 schicken und bestellen, ob das were das[a] iemands wer der were[b] den andern angriffe oder beschedigt und damit nit gefur pfentlich als vor geschriben stet, wann dann die oder iemand von iren wegen sie anruften und menten, so solten dieselben amptlut und auch die ganz lantschaft darzů tůn nachilen und getrulichen beholfen sein, ob man dieselben, die das getan haben, begriffen zů gefangnůs bringen und was sie 10 auch genomen haben gehalten moge[c]. und wurden dann die also begriffen, uber[d] die solt man dann richten als zu roubern und ubeltatigen luten von recht. wörden sie[e] aber alsbald zů frischer tat nit begriffen, so solt dennoch der hoptman mit seiner maht darzů tůn und beholfen sein getrulichen, das demselben, dem der schad also geschehen wer', gekart und dorumb gnuggetan wurde als oft das not geschee, on geverde. 15 [*Mergentheim art. 17. 18 fehlen hier.*]

[*Merg. 19*] Es sol auch der houptman ganzen vollen gewalt haben, die fursten herren und stete, die denn in dem brief begriffen sint, zů manen umb hilf und andere[f] sachen, wann[g] und wo er der bedarf, als oft und als dicke in das gut sin důnket. und wenn denn die von im gemant werden, die sullen dann im mit ir anzale 20 getrulichen beholfen sein[h].

[*Merg. 20*] Und wenn man uf das velt kůmpt, so sol iderman dem houptman gehorsam sein. was er sie heist, das sollen sie tun und volfuren on geverde.

[*Merg. 21*] Wer' auch das iemant, der in disem frid begriffen ist, von solicher sachen wegen, als dann in disem frid[i] und bůntnůs gescheen ist, keinerlei 25 vientschaft uferstůnde, von wem oder wie das were, so sollen die fursten herren und stete, die denn darin gewesen sint, dem oder denselben getrulichen beholfen sein und mit irer macht darzů tůn das dieselbe vientschaft genzlichen hingelegt und verricht werden on geverde.

[*Merg. 22*] Wolt auch kein fůrste herr oder stat oder[k] iemant anders in dise 30 ainung komen, so mag in der houptman wol darin nemen.

[*Mergentheim art. 23 fehlt hier.*]

[*Merg. 24*] Es sol auch dise ainung und frid uf dise hutige drew jår an geveren bestan und behalten werden, die nehstkunftigen an einander, und darnach als lang bis das unser herr der Romisch kůng widerruft. 35 [*Mergentheim art. 25. 26 fehlen hier nebst dem Reste.*]

1403
Juli 11
bis
Aug. 8 **424.** *Kosten Nürnbergs beim königlichen Tage daselbst im Juli 1403.*   **1403 Juli 11**
bis Aug. 8.

> *Aus Nürnberg Kr.A. cod. msc. nr. 489 Schenkbuch 1393-1422 fol. 83 ᵃ ᵇ.*

1403
Juli 11
bis
Aug. 8 [*Achte Bürgermeisterperiode des Rechnungsjahres 1403* feria 4 ante Margarete *bis* feria 4 ante Laurencii anno 1403.]   Propinavimus dem lantschreiber zu Amberg [1] 4 qr., summa 9 sh. 4 hl.   propinavimus dem techant von Bamberg und hern Hansen Hörauf 6 qr., summa 14 sh. hl.   propinavimus dem Schenken von Lympurg und dem Eltel Kempnater und dem lantschreiber 8 qr., summa 1 lb. hl.   propinavimus burggraven Fridrich 16 qr., summa 2 lb. hl.   propinavimus graven Heinrich graven Fridrich und graven Berhtold von Hennemberg 16 qr., summa 2 lb. hl.   propina- [10] vimus Albrecht Frewdemberger und einem von Lantzhût 4 qr., summa 10 sh. hl.   propinavimus den von Gemund 4 qr., summa 10 sh. hl.   propinavimus burggraven Johan 16 qr., summa 2 lb. hl.   propinavimus den von Rotemburg 4 qr., summa 10 sh. hl.   propinavimus den ᵃ von Rafenspurg Dynkelspuhel und Hall 6 qr., summa 15 sh. hl.   propinavimus den von Nordlingen und Popfingen 6 qr., summa 15 sh. hl. [15] propinavimus dem abt von Hailsprunn 8 qr., summa 1 lb. hl.   propinavimus dem abt von Ebrach 8 qr., summa 1 lb. hl.   propinavimus dem jungen von Weinsperg 6 qr., summa 15 sh. hl.   propinavimus den von Weissemburg 4 qr., summa 10 sh. hl.   propinavimus [1] hern Hartung und hern Albrecht von Eglofstein und hern Fridrich von Aufsezz und zwein Wolfsteiner 10 qr., 1 lb. 5 sh. hl.   propinavimus dem von [20] Haideck juniori 6 qr., summa 15 sh. hl.   propinavimus dem von Haideck tumprobst 8 qr., summa 1 lb. hl.   propinavimus hern Hansen von Hohenloh 6 qr., summa 15 sh. hl.   propinavimus den von Sweynfurt und Winsheim 6 qr., summa 15 sh. hl. propinavimus des bischofs von Wirczpurg reten 8 qr., summa 1 lb. hl. Summa 19 lb. 18 sh. 4 hl. [25]

1403
Aug. 26 **425.** *K. Ruprechts Einungs- und Friedens-Übereinkunft mit seinen Fränkischen Reichsständen auf 3 Jahre bis 26 Aug. 1406 und weiter bis auf kön. Widerruf, mit Einsetzung Friderichs Schenken Herrn zu Limburg als kön. Reichshauptmanns derselben. 1403 Aug. 26 Mergentheim.*

> *B aus Berlin Hausarchiv I. K. 5. B. or. mb. lit. pat. c. sig. pend. Auf Rückseite von* [30] *Hand des 15 Jahrh. lantfridtsbrif darinne Schenck Fridrich zu einem haubtman gesaczt ist worden. Wo durch Brüchigkeit des Pergaments oder sonsther Veranlassung zu Zweifel war, ist im Drucke Kursive angewandt, die Ergänzung mit Rücksicht auf K gemacht. Vokalzeichen theilweis unsicher, im Druck alles, was als ein wirkliches Zeichen erscheinen konnte, durch kolumniertes e gegeben.   Die Vorlage hat keine* [35] *Alineas.*
> *K coll. Karlsr. G.L.A. Pfälz. Kop.-B. 4 fol. 165ᵃ-167ᵃ cop. chart. coaev., mit Überschrift Der lantfriede zu Francken.*
> *W coll. Wien H.H. St.A. Registraturbuch C fol. 150ᵃ-151ᵇ cop. ch. coaev., mit derselben Überschrift wie K.* [40]
> *F coll. Frankfurt St.A. Reichssachen Urkunden nr. 137 cop. mb. coaev., 8 Seiten Groß-*

a) *em., Vorl.* dem.

---

[1] Fr. v. Aufsezz *kommt in der elften Bürgermeisterperiode zusammen mit dem Dechanten von Bamberg vor, in der dreizehnten mit demselben dem Stieber und dem von Liehtenstein. Albrecht* von Egloffstein *und Hans von Liechtenstein erscheinen in nr. 426 art. 47 als Räthe des Bischofs von Bamberg.* [45]

quart, von denen die ersten 6¼ beschrieben sind; auf der letzten Seite von gleichzeitiger 1403
Hand lantfride etc.; *wo eine Zahl am Rande steht, beginnt immer ein neues Alinea.* Aug. 26
In Rotenburg St.A. Reichsrichteramtsacta tom. II fol. 83-85 cop. ch. coaev.
In Marburg St.A. Schannat's Kopiar (aus Fulda) fol. 41 b-44 b cop. ch. paene coaev.
Gedruckt Schannat Sammlung 1, 61-69 nr. 20 aus letztgenannter Vorlage. — Regest
Pontanus hist.·Gelr. pag. 361 (s. darüber Einleitung p. 578, 4 ff.), Friess ed. Ludewig
Geschichtsschr. v. d. Bischofth. Wirzburg pag. 683 u. Ausg. v. 1848 Bd. 1 p. 576 (s.
darüber Einleitung p. 581, 32 ff.), Hoffmann annales Bamb. ed. Ludewig novum vol.
script. Germ. 1, 224 (s. darüber ibid.), Georgisch 2, 873 nr. 44 aus Schannat l. c.,
10 *Chmel nr. 1538 aus W, Stälin Wirtemb. Gesch. 3, 384 aus Schannat und Chmel,*
Mon. Zollerana 6, 207 nr. 219 aus B, Höfler Ruprecht 334, Vogel Mitth. über einen
Sammelband im Anzeiger f. K.D. Vorzeit Bd. 22 pag. 362 aus Rotenburg St.A. l. c.

Wir Ruprecht von gots gnaden Romischer kunig zu allen czijten merer des richs,
bekennen und dun kunt offenbar mit diesem brieve allen den die in ymmer ansehent
15 oder hôrent lesen: wannt wir als ein Romischer kunig von unserm herren got
darczu geordent und geseczt sin allen und iglichen des heiligen richs undertanen und
getruwen frieden und gemache zu schaffen, darczu wir auch sunderlich neygunge[a]
haben, und uns[b] viel und menigerley clage vorkomen ist, wie das viel reuber und
schedelicher lûte sunderlichen in dem lannde zu Francken sin, die kaufluten bylgerynn[c]
20 und[d] inwoneren desselben landes yr gute und habe nement beraubet und verderplichen machent und auch etliche erdôtten: so sin wir nach rate unser und des heiligen
richs fursten graven herren rittere knecht stette und getruwen derselben lande zu
Francken einer einung und frides uberkomen, die wir auch von Romischer kuniglicher
mechte-vollekomenheid geseczt gemacht und geordent haben, seczen machen und orden
25 die in crafft diß brieves in aller[e] der maße als hernach geschriben stet, und haben
auch von unsern und des heiligen richs wegen den edeln unsern lieben getruwen Friderich Schencken[1] herren zu Lynpurg zu eime hauptman derselben eynung und friden
gesaczt und gemacht, die von unsern und des richs wegen zu hanthaben, den vorzusin
und die zu behalten in allen und iglichen iren meynunge und begriffe, als dann von
30 worte zu worte hernach geschriben stet.
[1] Czum[f 2] ersten orden und seczen wir und wollen auch, das ein igliche
furste und herre siner diener und der sinen mechtig sij und sich der
mechtig mache[g], ob yemant zu yn zu sprechen habe, das sie dem furderlichen[e] des
rechten von yn beholffen sin, also: welichem fursten oder herren der hauptman von
35 eins clagers wegen schribt, so sal derselbe furste oder herre demselben clager des
rechten furderlichen[h] beholffen sin in einem monet[i] unverczogenlichen von dem oder
denselben, zu den dann der clager zu sprechen hat; und eins iglichen fursten und

a) *B* meygunge, *KW* neygunge, *V* seigunge. b) *V add.* auch. c) *B* bylgeryn *mit Überstrich,* bylgerynen*I KW*
bilgerin. d) *WKF add.* auch. e) *B* jaller *statt* in aller. f) *V am Rande* 1. g) *K* sunderlichen, *BWF* furder-
40 lichen. h) *K* sunderlichen, *BWF* furderlichen. i) *B* momet.

[1] *K. Ruprecht verspricht dem Friderich Schenken zu Limburg, den er zum Hauptmann der
Einunge zu Franken gesetzt, daß ihm von dem
für die Einung errichteten Zoll jährlich, so lange
er Hauptmann ist, 2500 fl. zufallen sollen; wenn
der Zoll nicht so viel ergiebt, so soll ihm die
Summe anderwärts vollgemacht werden; dat. Heidelberg sabb. a. Galli 1403 r. 4 [d. h. Okt. 13];
im Karler. G.L.A. Pfälz. Kop.-B. nr. 8¼ fol. 70 b-
71 a, und ebend. Pfälz. Kop.-B. 149 pag. 62-68.
Friderich blieb dann auch Hauptmann im Fränk.*

*Landfr. von 1404 Juli 11, s. Eingang von nr.
426.*
[2] *Den ausführlichen Bestimmungen der Artikel
1. 2. 3. 9 entspricht ungefähr art. 10 im Egerer
Landfrieden von 1389 RTA. 2 nr. 72 und im
Heidelberger von 1404 nr. 426 dieses Bandes.*

*Vgl. Homeyer über die Formel der Minne und
des Rechts eines andern mächtig sein in den Abhh.
der Berliner Akademie von 1866 phil.-hist. Kl.
pag. 29-55, sowie die Erörterung in RTA. 2, 77 f.*

herren diener sollent auch von den, zu den sie dann zu sprechen haben, recht vordern und nemen an den stetten, da dieselben, zu den sie dann zu sprechen haben, des rechten billich gehorsam sin, mit namen vor den herren, der diener sie off die czijt *sin* und die auch in dieser eynung sin. were[a] es aber das eynem clager das recht verczogen und nit geholffen wurde in einem monet[b], zu dem er zu sprechen hette, so solte dann der hauptmann demselben clager beholffen sin, das yme furderlichen[c] das rechte gienge[d], zu dem oder den er zu sprechen hette, ane geverde. es[e] sal auch ein igliche furste und herre sin dienere, der er nit mechtig gesin mag, dem hauptmann beschriben geben, und darnach sal auch derselb furste oder herre noch sunst dhein ander furste noch herre derselben diener ane des hauptmans willen und wort nit under- winden noch sich der mechtig machen. *und* der hauptmann sal auch alsdann dem- selben fursten oder herren beholffen sin und darczu dun, das er derselben siner dienere mechtig werde, und das sie also gestrafft und darczu gehalten werden das sie sich an geliche und an rechte genugen laßen als vor geschriben stet.

[*2*] Were[f] es auch das dhein furste oder herre zu dem andern oder dhein rittere oder knecht zu yn ichts zu sprechen zu fordern oder zu klagen hetten, das sullen sie auch an den hauptmann bringen. und der sal dann demselben fursten oder herren schriben, das sie einander gliche und rechte gen laßen in einem monet als vor geschriben stet, mit namen vor des herren rate, der oder des diener dann angesprochen werden, ane geverde. bedorffen sie auch eins rechten wider von demselben, das sollent sie von yme nemen vor des herren rate, des diener er dann ist und der auch in dieser einunge ist, ane geverde.

[*3*] Hette[g] auch yemant an einen einczelingen burger, der yn einer stat gesessen were, icht zu sprechen, der[h] sal das recht von yme nemen an der stat, da er gesessen ist. hette aber ymant an ein gemeyne stat ichts zu sprechen, die uns und dem riche zugehoret, so sol der clager das recht von yn nemen vor uns und unserm rate. were es aber ein stat, die eins herren eigen were, so sol der clager das recht von derselben stat nemen vor dem herren, des dieselb stat ist, und sinem rate ane geverde. und mann sal auch dem cleger des rechten alleczijt in einem monet beholffen sin ane geverde. geschee des nit, so sal dann der hauptmann mit hilffe ander fursten herren und stette dem clager beholffen sin, das yme des rechten furderlichen beholffen werde, zu dem er dann zu sprechen hat.

[*4*] Were[i][i] es auch, das yemant dem andern redeliche und unlaugenbar schulde schuldig were, das er kuntlich und wißentlichen mechte, so sal er vor, ee er darumbe pfendet, dem hauptmann das zu wißen tun. und der hauptman sal dann dem, der die schulde schuldig ist, darumb schriben, das er sich mit dem clager in den nehsten zwen monet[k] fruntlichen oder rechtlichen richte nach rate des hauptmans und der die er dann zu yme nemen wirdet. geschee des nit, so mochte der clager in und das sin darnach pfenden und angriffen, also das er alsdann auch mit den pfanden pfentlich gebare, also das er dieselbe pfande alle ungeverlichen yn ein sloß tribe[l], da ein gerichte inne sij[m], das des, der da angriffet und pfendet, noch des, den er angrifft und pfendet, nicht sij. und man sal yn auch dann in demselben sloß und gericht

a) *F am Rande* 2. b) *B* momet, *W* maned. c) *K* sunderlichen, *BWF* furderlichen. d) *hier ist offenbar zu ergänzen von dem oder den. und ebenso fehlt vorher schon von dem nach monet; es ist aber kein Fehler sondern
Kürze.* e) *F am Rande* 3. f) *F am Rande* 4. g) *F am Rande* 5. h) *B* das, *WKF* der. i) *F am Rande* 6.
k) *B* momet, *W* mäaden, *F* maenden. l) *B* triben, *KP* dribe, *W* drijbe. m) *B* su oder sij (ohne Punkts, nur
zwei Kurzschäfte) ohne Zweifel aus sie geändert, *WKF* sij.

[1] *Vgl. Egerer Landfrieden von 1389 RTA.* 2   *Franken von 1404 Juli 11 in diesem Bande nr.*
nr. 72 art. 25 und Heidelberger Landfrieden für   *126 art. 29.*

innemen und yn[a] daryn triben laßen und yme des nit weren. und er sal auch diewile mit denselben pfanden fryde und geleide darinne han ane geverde. und sint es dann essende pfande, so sal er die sten laßen dry tage und dry[b] nacht; weren es aber andere pfande, die sal er vier wochen sten laßen. und sal auch kein mitrijtter weder bûte noch deyle davon nit nemen noch nemen laßen. und dieselbe name sal also bi einander unverruckt beliben[c]. und ist es dann das yemant kumpt der dieselben name und pfande ußnemen wil, dem[d] sal mann sie off recht und gewißheit ußgeben mit kuntschaft des richters oder des amptmanns in des gerichte sie sin, oder sol andere erber lute darczu nemen die dabij sin. wolte[e] aber nyemant die pfande ußnemen in der vorgenanten zijt, so mag der pfender dieselben pfande darnach verkauffen ungeverlich so er durste mage[f], auch mit kuntschafft eins amptmans des gerichts, in das sie gefuret sin, oder ander erber lute daselbs. und dasselbe gelte sal dann demselben, der da pfendet hat, an siner schulde abgeen. und was er auch koste off dieselben pfandunge geleget hat, die redelich ist, und die er kuntlich macht, die sal ym auch daran abegan; was aber unredelich daran were, das sal mann an den hauptmann bringen, und was dann der hauptmann darumbe erkennet und sprichet, dabij sal es beliben. were[g] es auch das von solicher pfandung wegen yemant gefangen wurde, dieselben gefangen sollen auch alle off das recht und gewißheit[h] ußgeben werden vor den hauptmann zu komen, und, ob sie der burgschaft und gewißheit mit einander nit eynig werden mochten, was dann das gericht, darinne das ist, erkennet, dabij sal es beliben. were[i] es auch das der pfender dieselben pfande nicht in das nehst sloße, da ein gericht inne were, trybe und die darinne hielte als vor geschriben stet, so solt mann das furbaß fur einen raube halten. und wurde dann der amptmann desselben sloßes angeruffet, so solte er mit sinen gehilffen getrulichen beholffen sin nahylen und darczu dun, ob er dieselben pfender und auch die pfande in sin sloß[k] und gerichte bringen môchte. were[l] es auch das ein pfender mit den pfanden an ein sloß kome und vordert das mann yn damit inlaßen solte, wolte mann yn damit dann[m] nit inlaßen, das er kuntlichen mechte, so mochte er sie daselbs sten laßen oder die furbaß aber in das nehst gericht triben. und was er des dann schaden neme, der redliche were und den er kuntlich mechte, den sulte yme der herre und die lute desselben sloßes, die yn nit inlaßen wolten, ußrichten. es[n] sal auch nymant denselben, die die pfentere also in ire sloße und gerichte inlaßen, darumbe deste finder sin noch argen willen bewisen in dhein wise. 1408 Aug. 26

[5] Auch[o] [1] was erbe und eigen antriffet, das sal man verantwurten, und darumbe zu rechte sten an den gerichten da sie ynn[p] gelegen sin und die muglichen daruber richten sollen.

[6] Was[q] auch lehen anruret, darumbe sal man rechten vor den herren, von den dieselben lehen rurent.

[7] Auch[r] [2] sullent alle closter pfaffen und ander geistliche lute und die iren

a) *om. K, steht in BWF.* b) *B* drye? c) *WF* verliben. d) *K* denn, *BWF* dem. e) *F am Rande* 7. f) *W* dûerst mag. g) *F am Rande* 8. h) *B* ungewißheit *statt* und gewißheit, *WKF* und gewißheid. i) *F am Rande* 9. k) *KW* sine sloße, *F* sin slosse. l) *F am Rande* 10. m) *WKF* danne [*F* dan] damit *statt* damit dann. n) *F am Rande* 11. o) *F am Rande* 12. p) *B* yn *mit Überstrich*, ynne? *WKF* inne. q) *F am Rande kaum noch sichtbar* 13. r) *F am Rande* 14.

[1] *In den Landfrieden von 1389 und 1404 fehlen Bestimmungen wie hier in art. 5 und 6; sie finden sich sonst nicht selten, vgl. z. B. RTA. 2 nr. 75 art. 24, RTA. 3 nr. 15 art. 5[b] und 5[c] und auch den Zusatz den art. 2 des Fränkischen Landfriedens von 1404 in dem Sigmunds von 1414 RTA. 7 nr. 147 erhielt, ebenso im vorliegenden Bande nr. 476 art. 14.*

[2] *Ähnlich RTA. 2 nr. 72 art. 27 und nr. 426 dieses Bandes art. 31; vgl. auch nr. 476 art. 2 und 3.*

1403
Aug. 36

nit pfant fur yemant ſin dann alleyne vor ſich ſelber, ob ſie ymant ſchuldig
weren. und ſo ſolte mann auch dann mit yren pfanden pfentlich gebaren als vor
geſchriben ſtet ane geverde.

[8] Es[a 1] ſullent auch alle[b] bylgryn und wallere, und auch ein iglich kaufmann mit ſiner kaufmannſchaffte, der pfluge mit ſiner zugehorungen, und auch mit
namen[c] alle und igliche, die fruchte und wyn off dem felde arbeiten und buwen,
ſicher ſin von iren huſeren uß biß wider heyme ane geverde.

[9] Es[d] ſal auch vorbaß nyemant dem andern entſagen noch finde werden noch
ſunſt ichtes tun dann mit dem rechten als vor begriffen iſt.

[10] Auch[e 2] ſal furbaß keiner, der nit zu den wappen geboren iſt und
ſich ritens[f] begeet, kein eigen reiſig pferde han, es were dann das er eins herren
oder ſtette diener were die ym koſt und futer geben. und dieſelben alle ſollent auch
in unſer und des heiligen richs achte ſin, und ſollent nyrgent keine geleide han. und
wa mann ſie ankumpt, ſo ſal mann ſie offhalten und einem[g] hauptman antwurten;
der ſal dann auch zu yn richten als zu echtern und zu ubeltetigen luten von recht.
und wer auch dieſelben huſet oder hoft eſſet oder drencket oder in ſunſt dheinerley
hilffe oder furderung důt, es ſij heimlichen oder offentlich, zu den[h] ſal mann auch
richten als zu yn, und ſal auch derſelben keiner weder[i] fride noch geleide haben an[k]
dheiner ſtat.

[11] Wer[l] ſich auch knecht und dienere eins oder mee underwindet
und verſprichet, was beſchedigung[m] dann dieſelben dun, des ſal mann zu demſelben,
der ſie heldet und verſprichet, wartende ſin geliche als zu dem oder den, die das getan
haben, an geverde.

[12] Auch[n 3] mag ein igliche herre zu höfen und geſprochnen kempffen
einem iglichen die wile geleide geben, als das von alter her gewonlichen geweſt iſt.

[13] Were[o 4] es auch das der hauptman reiſen wurd, ſo ſal nymant yn derſelben
reyſe von den frunden nichts nemen weder mit trauwen[p] noch mit bete[s] dann
alleyne zijtlich koſte und futer die er off dem felde zu ſiner notdurfte bedarff
und nuczen wil ane geverde, alſo das nymant nichts hinfuren[q] ſchicken noch verkaufen
ſal. wer das uberfure, das ſolte[r] mann fur einen raube haben und darczu dun alz zu
einem rauber. [13a] wann[s 5] auch der hauptman reiſet, ſo ſullen die furſten herren
und ſtete yren hauptluten, die von yren wegen off dem[t] felde ſint, gebiten off ir eide,
das ſie den iren getrulichen und mit ernſte bevelhen, das ſie den[u] frunden
nichts anders nemen dann alleyn zijtlich koſte und futer in der wyſe als vor
geſchriben ſtet. und were es[v] das ſich iemant darwider ſaczte, des ſie nicht gewaltig
geſin mochten, das ſollent ſie dem hauptmann zu wißen dun, und der ſal dann mit
dem oder denſelben, die das getan haben, ſchicken und darczu dun daz ſie daz wider-

6

10

15

20

25

26

30

35

---

a) *F am Rande ſtark verblaßt* 15. b) B albe, WKF alle. c) mit namen *du F übergeſchrieben*. d) *F am Rande
kaum noch ſichtbar* 16. e) *F am Rande ſtark verblaßt* 17. f) *WKF* rijtens, *B* rites. g) *WKF* dem. h) *K*
dem, BWF den. i) *K* wieder, BW weder, *F* wider. k) *F* in. l) *F am Rande kaum noch ſichtbar* 18. m) *K* beſcheidunge. n) *F am Rande kaum noch ſichtbar* 19. o) *F hatte ſicher hier am Rande* 20, *nicht mehr ſichtbar*.
p) *K* treůwen, WF treuwen. q) *s. v. a.* hinwegfuren. r) *F* ſal. s) *F am Rande* 21. t) *B* den, *WKF* dem.
u) *B* dem, WKF den. v) *F add.* auch.

---

[1] *Vgl. RTA. 2 nr. 72 art. 26 und nr. 426
dieſes Bandes art. 30; vgl. auch nr. 476 art. 4-7.*
[2] *Vgl. RTA. 2 nr. 72 art. 32 und nr. 426 dieſes Bandes art. 36; vgl. auch nr. 476 art. 11.*
[3] *Vgl. RTA. 2 nr. 72 art. 31 und in dieſem
Bande nr. 426 art. 35.*
[4] *Dieſer Artikel entſpricht inhaltlich RTA. 2*

*nr. 72 art. 15 und nr. 426 dieſes Bandes art. 18,
ſchließt ſich im Wortlaut aber an art. 12 reſp.
art. 15 derſelben Landfrieden an.*
[5] *Weder mit Drohen noch mit Bitten.*
[6] *Ähnlich RTA. 2 nr. 72 art. 16 und nr. 426
dieſes Bandes art. 20.*

keren, und sol den oder die, die daz getan han, straffen darnach alz in dunckt daz die
date gehandelt sij.

[*14*] Es [a] [1] sal auch nymant dheinen brand in der reise ane dez hauptmans heisen und wort nit dun. wer das uberfur, darczu sal der hauptman dun alz
5 recht ist.

[*15*] Es [b] [2] sal auch ein iglich furst herre und stat mit den iren schicken und bestellen, wann sie reisen sullen, das sie sich daheymen [c] mit wegen und andern sachen, die sie darczu bedorffen, ußfertigen, also das das anderen luten ane schaden sin sal, und off dem felde nyemant nichts nemen dann zijtlich koste und futer
10 als vor geschriben stet. wer das uberfure, darczu sal der hauptman dun als zu einem rauber.

[*16*] Es sullen auch alle fursten herren und stette mit iren amptluten und den iren schicken und bestellen, ob das wer' das yemant wer der were den andern angriffe oder beschedigt und damit nit gefure pfentlich als vor geschriben stet, wann
15 dann die oder yemant von iren wegen sie anruffen und manen, das dann dieselben amptlute und auch die gancze lantschaft darczu dun nachylen und getrulichen beholffen sin, ob mann dieselben, die das getan haben, begriffen zu gefengniß bringen und was [d] sie auch genomen haben gehalten moge. und wurden dann die [e] also begriffen, uber die solt mann richten als zu raubern und ubeltetigen luten zu recht. wurden [f] sie aber
20 alsbalde zu frischer getate nit begriffen, so solte dannocht der hauptman mit siner machte darczu dun und beholffen sin getrulichen, das dem, dem der schade also gescheen were, gekert [g] und darumb genugegetan wurde als dicke des noit geschee, ane geverde.

[*17*] Were [h] [3] es auch das ein fromde geselleschaft oder ymant anders, wer
25 der were, in das lannde ziehen, und herren und stette, die in dieser eynunge sin, einen oder me obercziehen und beschedigen wolte, so sullent [i] der hauptmann und auch die herren und stette, die in dieser einung sin, gemeinlichen mit iren lannden luten und ganczer machte zuzihen und das getrulichen helffen weren als dicke des noit geschicht ane geverde.

30 [*18*] Auch [k] sollent dem obgnanten unserm [l] und des heiligen richs hauptmann und sinen mitrijtern alle stette sloße und merckte in dieser eynunge begriffen offen sin daruß und darinn zu rijten als dicke yn des notdurfftig dunckel sin. und mann sal auch [m] yme und sinen mitrijtern alleczijt feilen kauffe da-inne geben umbe einen zijtlichen pfenning ane geverde.

35 [*19*] Ez [n] [4] sal auch unser und des richs hauptmann obgenant ganczen vollen gewalt haben, die fursten graven herren ritter knecht und stette, die in diesem fryden begriffen sint, zu manen umbe hulffe und ander sache [o], wa und wann er der bedarffe, als offte yn das gut oder noit sin [p] dunckel. und wann die dann gemant werden, so sollen sie yme mit irer anezal [q] getrulichen beholffen sin.

40 a) *F hatte sicher hier am Rande 22, nicht mehr sichtbar.* b) *F hatte sicher hier am Rande 23, nicht mehr sichtbar.* c) *B sig.* daheymme *(Überstrich über* daheyme*).* d) *B Zeichen über a!* e) *F* die dan *statt* dann die. f) *F am Rande 24.* g) *B Zeichen über dem zweiten* e, *von Bedeutung!* h) *F am Rande ziemlich stark verblaßt 25.* i) *F add.* dan. k) *F am Rande 26.* l) *F add.* ausgestrichen herren. m) *F auch nach* yme. n) *F am Rande 27.* o) *K andere* sachen, *BWF ander sache.* p) *F sin nach* dunckel. q) *B anezal, WK anzale, F anczale.*

45 [1] *Ähnlich RTA. 2 nr. 72 art. 17 und in diesem Bande nr. 426 art. 21.*
     [2] *Ähnlich nr. 426 art. 19.*
     [3] *Ähnlich RTA. 2 nr. 72 art. 18 und in diesem Bande nr. 426 art. 22.*

     [4] *Vgl. RTA. 2 nr. 72 art. 2 gegen Ende und art. 3, in diesem Bande nr. 426 art. 2 gegen Ende.*

1403
Aug. 26

[20] Und wann mann off das felde kumpt, so sal iedermann dem hauptman gehorsam sin. was er sie[a] heißet, das sullen sie dun und vollenfuren getrulichen[b] ane geverde.

[21] Were[c][1] es auch das yemant, der in diesem fride begriffen ist oder darczu dienet, von solicher sachen[d] wegen, als dann in diesem fryde und buntnuß ge- scheen weren, dheinerley fintschaft offerstunde, von weme oder wie das ge- schee, so sullent die fursten graven herren ritter knechte und stette, die dann darinne[e] gewesen sin, dem oder denselben getrulichen beholffen sin und mit ir macht darczu dun das dieselbe fintschafft genczlichen hingeleget und verricht[f] werde ane geverde.

[22] Was[g][2] auch fursten graven herren rittere knechte oder stette in diese eynunge und fryden komen wollen, die mag unser und des richs hauptmann ob- genant wol daryn nemen und enphahen.

[23] Wer[h][3] auch in dieser eynung und fryde nit ist, der sal der nit genießen, und der obgenant unser und des richs hauptmann sal auch denselben nichts schuldig noch verbunden sin zu helffen von dieser eynunge wegen.

[24] Und diß fryde und eynunge sollent angeen off datum diß briefs, und weren besten und gehalten werden drü gancze jare die schierest nach einander komen, und darnach biß off unser und[i] unser nachkomen an dem riche Romischer keysere und küng[k] widerruffen.

[25] Und were es das ichts darinne von notdurfft wegen zu bessern were, so geben wir dem obgenanten unserm hauptman vollen gewalt, das von unsern und des richs wegen nach rate der obgenanten fursten graven herren und stette, die in dieser eynunge und fryde sin, zu bessern nach zijtlichen und moglichen dingen ane geverde.

[26] Wir[l] gebieten auch allen und iglichen fürsten geistlichen und werntlichen graven fryen-herren ritteren knechten gemeinschaften der stette und sunst allen anderen unsern und des richs undertanen und getruwen vesticlichen und ernstlichen in crafft diß briefs, wider diß unsere ordenunge gesecze und eynunge nit zu tun noch schaffen getan werden heimlich oder offentlich in dhein wise, bij unsern und des heiligen richs hulden und bij den penen darinne begriffen.

Orkund diß briefs versigelt mit unser kuniglichen majestat[m] anhangendem in- gesigel, geben zu Mergentheim off den nehsten sontag nach sant Bartholomeus des hei- *1403*
Aug. 26 ligen zwolffpoten tage in dem jare als mann zalt nach Cristi geburt vierczehenhundert und dru[n] jare unsers richs in dem vierden jare.

[in verso] R. Bertholdus Dürlach.

Ad mandatum domini regis
Johannes Winheim.

---

a) *übergeschrieben in F.* b) *om. F.* c) *F am Rande 28.* d) *B sache, W sachen.* e) *F add. ausgestrichen be-*
griffen sin. f) *F bericht.* g) *F am Rande 29.* h) *F am Rande 30.* i) *F add. ausgestrichen des.* k) *B doch*
wol nicht kung. l) *B wol wir verbessert aus wer, WKF wir.* m) *B maiestag, WKF maiestad.* n) *B wol sicher*
kein Zeichen über n.

---

[1] *Ähnlich RTA. 2 nr. 72 art. 24 und in die-*
sem Bande nr. 426 art. 28.
[2] *Vgl. RTA. 2 nr. 72 art. 34 und in diesem*
Bande nr. 426 art. 38.

[3] *Vgl. RTA. 2 nr. 72 art. 46 gegen Ende und*
in diesem Bande nr. 426 art. 48 gegen Ende.

B. Heidelberger Landfriede für Franken 1404 Juli 11 und 12 und Zugehöriges nr. 426-430.

426. *K. Ruprechts gemeiner Landfriede in Franken auf 3 Jahre unwiderruflich bis* 1404
29 Sept. 1407 *und weiter bis auf kön. Widerruf, mit Einsetzung Friderichs* Juli 11
Schenken Herrn zu Limburg als kön. gemeinen Reichsobermanns desselben. 1404 bzw. 12
Juli 11 bzw. 12 Heidelberg [1].

> *W aus Wien H. H. St. A.* Registr.-Buch C fol. 175ᵃ-177ᵇ *cop. ch. coaev.; Überschrift*
> *Der nûwe lantfriede zu Francken etc. Ein Passus in art. 48 ist von uns aus N und*
> *L ergänzt. Unsere Artikeleintheilung ist im Abdruck von RTA. 7 nr. 147 wider von*
> *uns beobachtet worden.*
> *K coll. Karlsruhe G.L.A.* Pfälz. Kop.-Buch 4 fol. 206ᵇ-210ᵃ *cop. ch. coaev.; mit gleich-*
> *lautender Überschrift wie W.*
> *N coll. München R.A.* Neub. Kop.-Buch 30 fol. 357ᵃ-361ᵃ *cop. mb. coaev., auf den ersten*
> *9 S. eines in den Kod. offenbar erst nachtr. eingehefteten Perg.-Heftes v. 12 S.; dazu*
> *auf fol. 362ᵇ die Notiz Abschrift ettlicher lantfride kaiser Karls, kunig Rupprechtz, auch*
> *abschrift des prantbrief. Datum 1404 dez nehsten suntages vor s. Margareten tag* 1404
> *[Juli 6]. Von zwei von der ursprünglichen Hand verschiedenen, wenig späteren Hän-* Juli 6
> *den ist der größte Theil der Abweichungen des Landfriedens K. Sigmunds von 1414*
> *Sept. 30 (RTA. 7 nr. 147) nachträglich hineinkorrigiert worden; der ursprünglichen*
> *unkorrigierten Fassung ist gegenüber WK nur eigenthümlich der Zusatz zu art. 48.*
> *Wegen der Datierung und der Korrekturen vgl. Einleit. zu lit. B p. 585 587f.*
> *L coll. Bamberg Kr.-A.* Rothenb. Landfr.-Akten fasc. 1 nr. 49 AB *cop. ch. prope coaev.* 1404
> *Datum des nehsten sampstags vor s. Margarethen tag [Juli 12]. Von zwei verschie-* Juli 12
> *denen aber gleichzeitigen Händen geschrieben; die erste schreibt vom Anfang bis art. 5*
> *dem lantfrid nicht bequemlich; mit were: so sollen beginnt auf einem neuen Blatt*
> *die zweite, die bis art. 39 incl. schreibt, worauf von art. 40 bis zum Ende die erste*
> *Hand wider erscheint. Zusatz zu art. 48 wie in N.*
> *M coll. Memmingen St.-Bibl. früher cod. Tom. sign. XX. V. 10 Copia nova confedera-*
> *cionis civitatum imperialium, jetzt in einem Fascikel sign. 287 mit der RTA. 7 nr.*
> *147 angeführten Abschrift des Sigmundischen Landfriedens zusammen in einem Heft*
> *sign. 287/6 von 32 Folioseiten, von denen unsere Vorlage die ersten 14 Seiten ein-*
> *nimmt, während der Ldfr. Sigmunds pag. 17-28 steht und die übrigen Seiten leer*
> *sind, cop. ch. prope coaev. Die beiden Stücke sind wol von derselben Hand geschrie-*
> *ben. Durch das ganze Heft gehen Verschickungsschnitte, und es läßt sich auch noch,*
> *obschon undeutlich, erkennen, wie das Heft zur Verschickung gefaltet war. Wegen*
> *der abweichenden Anordnung der Artikel s. Einleitung lit. B pag. 588, 7. Die Datie-* 1404
> *rung lautet: 1404 dez nehsten suntags vor sant Margarethen tag. Im Eingang und* Juli 6
> *in art. 5 steht Rüprecht als König, in art. 2 Frydrich Schenk etc. als Landfriedens-*
> *hauptmann; im übrigen stimmt aber der Text vollständig mit dem des Landfriedens*
> *K. Sigmunds von 1414 RTA. 7 nr. 147 überein, auch die Namen in art. 47 sind*
> *dieselben wie dort.*
> *S coll. Straßburg St.A.* AA 150 *cop. ch. prope coaev., 12 Seiten Folio, von denen der*
> *Landfriede 9½ einnimmt; ohne Protokoll und Eschatokoll, inc. zum ersten, expl. ob*
> *man des begert, hat gans den Text von RTA. 7 nr. 147, ersetzt aber den Namen des*
> *Königs in art. 5 durch N, hat aber in art. 2 Friderich Schenk zu Limburg als Land-*
> *friedenshauptmann. Dieses Exemplar ist ein anderes als das RTA. 7 nr. 147 in der*
> *Quellenbeschreibung aus Straßburg angeführte.*
> *O coll. die Urkunde der Erneuerung dieses Landfriedens, von 1407 Juli 19, nr. 429;*
> *vgl. dort die Quellenangabe.*
> *ABCD coll. Landfriede für die Wetterau von 1405 Juni 16 nr. 438; vgl. dort die*
> *Quellenangaben.*
> *Gedruckt bei Chmel* Regesta Ruperti Anh. III nr. 17 pag. 205-210 *aus W. — Auszug*
> *bei (Wölckern)* hist. Norimb. dipl. 516f. *mit dem Datum Heydelberg sambstag vor*

---

[1] *Für die Datierung vgl. Quellenbeschreibung und Einleitung lit. B.*

[1404]
Juli 12

*Margarethen tag o. J. [1404 Juli 12]. — Regest Chmel nr. 1235 aus Wölckern unter
dem falschen Datum 1402 Juli 8; ibid. richtig unter 1404 Juli 11 nr. 1810 aus W;
Stälin Wirtemb. Gesch. 3, 384 zweimal unter den 2 verschiedenen Daten aus Chmel;
Höfler Ruprecht pag. 285 und 334 ebenso aus Chmel. — Kurze Erwähnungen ohne
Tagesangabe bei Fries ed. Ludewig Geschichtsschr. v. d. Bischofth. Wirzburg pag.   5
683 und Ausg. von 1848 Bd. 1 p. 576, Hoffmann Ann. Bamb. ed. Ludewig nov. vol.
script. rer. Germ. 1, 224, Voltz Chronik d. St. Weißenburg pag. 65.*

Wir Ruprecht etc. bekennen etc.: wann wir nehste zu Mergentheim mit rate unser
und dez richs fursten grafen herren stetde und getruwen einer einunge und friedes in
dem lande zu Francken uberkommen und die mit der bescheidenheit gesetzet und   10
gemachet hatten *a* [1]: ob das were das ichts dorinne notdurftig würde zu bessern, das
das unser heuptmann, den wir daruber gesetzt hatten, mit rate der fursten grafen
herren und stete, die in denselben einunge und friede weren, bessern möchte nach
mûgelichen dingen [2]; und wann uns die fursten stetde und ander des egenanten landes
zu Francken furbracht haben, das solich merklich gebresten in derselben einunge ge-   15
wesen sin, das uns und dem riche landen und luten ein große notdorft were die zu
bessern und ordenlicher zu besorgen: dorumbe, dem almechtigen gote zu lobe dem
heiligen riche zu eren und sust *b* landen und luten zu nütze zu friede und zu gemache,
mit wolbedachtem mûte gutem rate unser und des richs fursten geistlichen und werntlichen edeln und getruwen und von rechter wißen, sin wir, zu besseren und zu sterkende   20
die egenant einunge und friede und die vester beliplicher *c* und ordenlicher *d* zu machen,
eins gemeinen lantfriedes ûberkommen, und haben den gesetzt und gemacht in dem
lande zu Francken und andern der fursten greven herren und andrer, die in diesem
lantfrieden sin und dorin kommen werden, landen gegene und gebieten, setzen und
machen in craft diß briefs und Romischer kuniglicher machtvollekomenheit in der maße   25
als hernach geschriben stet:

[1] [3] Zum *e* ersten setzen und wollen wir von Romischer kuniglicher macht, das
fursten graven herren stete und ander, die in diesem lantfrieden sin und dorin kommen
werden, *f* einander vesticlich zulegen und *g* dez rechten und redelicher sachen
getrulich und ernstlich mit ganzem fliße und steten trûwen nach ußwisunge dieser nach-   30
geschriben artikel *h* desselben lantfriedes helfen sollen, als verre in libe und gûte
gereichen mag, ane alle argelist und geverde; und daz soliche fursten graven herren
stete und ander wider einander nicht sin sollen, diewile dieser lantfrid weret, anders
dann mit eim fruntlichen rechten an den stetten do daz billich sin sol.

[2] [4] Darnach [i] setzen und machen wir, daz der edel Friederich Schencke herre zu   35
Lympurg [5] unser und dez richs lieber getruwer desselben lantfriedes von unsern und

---

a) *W scheint so korrigiert aus hetten; KU hatten, NL heten.* b) *L fursten für sust.* c) *N billicher, M willik-*
   licher billicher, L und billicher. d) *N örlicher, M erlicher.* e) *N bemerkt hierzu am Rande [daz] alle die in*
   dem lantfrid sein getrewlich an einander helfen sullen. f) *NLS add. an.* g) *om. WKO.* h) *mit ganzem —*
   nachgeschriben artikel om. L. i) *K darzu statt darnach; N am Rande worumb der lantfrid zu richten hat.*   40

---

[1] *1403 Aug. 26 nr. 425.*
[2] *Vgl. ebend. art. 25.*
[3] *Ähnlich art. 1 im Egerer Landfrieden von
1389 RTA. 2 nr. 72.*
[4] *Ähnlich ebend. art. 2, doch ziemlich stark
umgearbeitet.*
[5] *Derselbe erscheint als Hauptmann neben den
Acht, die mit ihm über den Landfrieden in Franken und Baiern gesetzt sind, 1405 Jan. 16 Reg.
Boic. XI, 357 vgl. ib. 362 bis. Nur Baiern ist*

*genannt 1406 Jan. 13 ib. 376. Zehn sitzen mit
ihm über den Landfr. in Franken und Baiern
1407 Jan. 12 ib. 399 und 1408 Sept. 18 ib. XII
20, auch Okt. 29 ib. 22 (ohne die Zehn Nov. 23   45
ib. 25); vgl. die 3 Urkk. von 1409 Nov. 22 Reg.
Boic. XII, 51. 52. F. ist noch 1410 April 19
Hauptmann des Landfr. zu Franken ib. 64 f., vgl.
Juli 15 ib. 72, und war es auch schon im Landfrieden von 1403 Aug. 26.*

50

dez richs wegon ein gemeiner o b e r m a n n sin sol, und daz die egenanten fursten graven *1404*
Juli 11
bew. 12
und herren v i e r e und die stete auch v i e r darzû geben und setzen sollen; dieselben
echte und der egenant ª oberman oder der merer teil under in umbe raube mort brande
vahen und unrecht wicdersagen, die uns dem riche oder allen den die in diesen lant-
5 frieden gehören ufersten mogen ᵇ, und auch umbe anders, darûmbe dieser gegenwortig ᶜ
lantfriede billich richten sal, erkennen und sprechen sollen und mogen ane allermeng-
lichs hinderniße und widersprechen. mit solichem gedinge: ob wir daz riche oder
dehein furste grave herre stat oder ander, die in diesen lantfriede gehören, von imand
beschediget oder verunrecht würden wider soliche artikele als in diesem briefe
10 begriffen sind, das man das an den ᵈ obermann brengen sol: der sol ᵉ dann die
egenanten echte manne, die uber diesen lantfried gesetzt sin, darnach in vierzehen tagen
oder ee besenden ᶠ zu einander zu kommen in die vier stette eine gein W i r t z b u r g
N u w e n s t a t a n d e r E y s c h e B a m b e r g oder N u r e m b e r g, ob in duchte ᵍ of den
eide daz sin ʰ notdorftig were ⁱ. und erkennen sich dann die oder der merer teile
15 under in of ire eide, das den, die beschedigt sind, die getate wieder rechte geschehen
si, so sollen und mogen sie dann die fursten greven herren stete und ander, die in
diesem lantfrieden sin, manen ane geverde ᵏ wieder dieselben ˡ, die soliche getate ᵐ getan
haben, nach irem erkentniße of ir eide ⁿ. und dieselben fursten greven herren stete und
ander sollen in alsdann darzû beholfen sin of den eide getruwlichen, als lange biß daz
20 der schade ußgerichtet und gekeret wirdet, ane geverde nach erkentniße der die uber
diesen lantfriede gesetzt sin.

[3] ¹ Auch ᵒ sollen dieselben, die uber den lantfriede gesetzt sin, of ir eide den
fursten grefen herren steten ᵖ und andern, die in diesem lantfrid sint oder darin
kommen, h u l f e u n d d i n s t e, die man zu dem lantfriede tun sal, getrûlichen und
25 iedermann nach siner anzale, als vor in dem ᑫ nechsten lantfrieden beschehen ist, a n-
l e g e n ane geverde.

[4] ² Auch sollen d i e s e l b e n ʳ, die uber diesen lantfride gesetzet sind, und auch
der egenant oberman zu den heiligen s w e r e n ˢ gemeine richter zu sin dem armen und
dem richen getrulich und ᵗ ane ᵘ geverde.

30 [5] ³ Were ᵛ auch daz der obermann abeginge, als oft das geschicht, so
wollen wir kunig Ruprecht, oder wem wir das an unser stat bevelhen, mit gutem rate
und wißen ie einen andern setzen an des abgangen stat, der sich alles des verbinde
und swere ʷ dez sich derselbe abgegangen verbunden und geaworn hatte. und duchte
die egenanten echte oder den merern teile under in of ire eide das der oberman, der
35 also darzû gesatzet were, dem lantfrid nicht bequemlich were: so sollen und mogen wir
in mit gutem rate und wissen einen andern geben in dem nehsten mande als ez uns
verkundet wirdet one geverde, als oft in und dem lantfriede des not geschichte, der
auch swere als der erst gesworn hat ane geverde.

[6] ⁴ Auch ˣ sollen dieselben, die uber den lantfride gesetzet sin, alle male z u-

40 a) ABCD itzgenante. b) ABCD oder [B und] gescheen werden statt mogen. c) om. ABCD. d) ABCD add. egenanten. e) om. ABCD. f) M bescheu; ABCD add. sal. g) ABCD dunket. h) ABCD des. i) ABCD si.
k) ABCD ane geverde vor manen. l) ABCD d'e. m) N dazselbe für soliche getate, S dasselbe. n) ABCD
nach — eide vor wieder. o) N am Rande anlegung. p) steten om. L. q) so WKOS; den NLM. r) ABC die,
D die korrigiert aus dieselben. s) ABCD add. gliche und. t) om. CD. u) ABCD add. alles. v) N am
45 Rande ob der haubtman abgieng einen andern zu setzen. w) und swere om. NLMS; statt verbinde liest L
underwinde. x) N hat am Rande der lantfrid zusamen kumen; vor der ist nichts mehr zu erkennen, vielleicht
hat dort auch nichts mehr gestanden.

¹ Sehr ähnlich RTA. 2 nr. 72 art. 4.   ⁴ Sehr ähnlich ebend. art. 7, gegen Ende wesent-
² Ähnlich ebend. art. 5.   liche Abweichungen.
50 ³ Sehr ähnlich ebend. art. 6.

samen kommen an dem nechsten sûntag nach ieder goltvasten[a] in der
vorgeschriben vier stete einer und den lantfrieden da besitzen und alle clage und[b] was
landen und luten anligend ist da verboren ist da vorboren und uf ire eide[c] ußrichten getrulichen und
ane[d] geverde. duchte aber den oberman daz sin ofter not were, so möchte er den
egenanten echten zusamengebieten als oft dez not wirdet in der egenanten vier stette   5
eine oder anderswohin, wo dann sie oder den merern teile under in[e] duchte daz ez
allergelegenlichst were.

[7][1] Auch sollen ein gesworner schriber und gesworn botten zu diesem lantfriede
sin; derselbe schriber sol auch nimand kein furgebot[g] geben, ez haben dann fur die
nûne oder der merer teile under in erkant of die eide[f] daz ez umbe soliche sachen si   10
darumbe der lantfriede billich richten sal[g].

[8][2] Auch sol dieser lantfride ein eigen insiegel haben, und daz sol der obrist
schriber dez lantfriedes in siner gewalt haben.

[9][3] Auch[h] mag der merer teile under den itzgenanten nûnen an dem
lantfriede wol richten, ob der andern ein teile von ehafter not wegen darzû nicht   15
kommen möchten, ane geverde.

[10][4] Were[i] auch daz kriege missehellunge stoße oder ofleufe zwuschen herren und steten oder andern, die in diesem lantfride sin oder
noch darin kommen, uferstunden (do got vor si), daz sol man bringen an den oberman
und an die egenanten echte. und was die oder der merer teile under in dann zû rate   20
werden und sprechen of die[k] eide, dez[l] sollen in beide teile gevolgig sin, doch in
solichen sachen als vor geschriben stet. und were sich dez widert und sin nicht gehorsam were, so sollen die heren und stete und alle ander, die in diesem · lantfrieden
sin, dem andern beholfen sin und zulegen in der vorgeschriben wise.

[11][5] Auch[m] sollen der oberman und die egenanten echte an dem ersten lant-   25
friede, der nach datum diß briefs[n] besessen wirt, iglichen fursten herren und stat, die
in diesem lantfriede sin, nach iren anzalen anslahen eine summe geltes in einer
friste zu geben, damit man des lantfriedes notdurft ußrichten möge. und sol auch
alsdann der iglicher, er si furste herre oder stat, dieselbe summe, darumbe er dann an-
geslagen ist, zu stûnt bezalen und dem oberman antwurten oder dieselbe summe und   30
auch anders, daz solich gelte als zu des lantfrides notdorft gehoret antriffet, verburgen
in einer friste zu bezalen, als dann die egenanten echte und der obermann oder der
merer teile under in erkennen und machen. und sol auch daz allwege, als oft dez not
ist, beschehen one geverde.

[12] Es sol auch der oberman mit rate und wissen der egenanten echte oder des   35
merern teiles under in solich gelt zu des lantfrides notdurft ußgeben und auch
rechenunge davon dûn.

[13] Auch[o] sollen die zolle[7], die zû diesem lantfriede dienen sollen[p], glicherwise[q]
ufgesetzet bliben gefallen genommen und ufgehebt werden an den stetden und in aller

a) ABCD fronefasten. b) om. NMS. c) NL add. do, MS da. d) CD add. alles. e) teile under in om. L.   40
f) ABCD uf ire eide bevor erkant *statt* erkant of die eide. g) C solle, D add. am Schluß der Zeile solle
nach dem ausgestr. sal. h) N am Rande das der merer tell wol richten mage. i) N am Rande von aufliff
wegen in dem lantfrid. k) ABCD ire. l) ABCD das. m) N am Rande anlegung und ausgebens des lantfrids nôtdurft. n) W brief. o) N am Rande von der zolle wegen. p) om. NMS. q) wise om. L.

[1] *Ähnlich ebend. art. 8, Eingang abweichend,*
dann wörtlich gleichlautend.
[2] *Vurgebot, Ladung vor Gericht, Lexer mhd.*
WB. 3, 591.
[3] *Fehlt im Egerer Landfrieden von 1389.*
[4] *Ähnlich ebend. art. 9.*

[5] *Ähnlich ebend. art. 10, mehrere aber unwesent-*   45
liche Abweichungen.
[6] *Art. 11. 12. 13 fehlen im Landfrieden von*
1389; art. 11 und 12 sind auch im Wetterauischen
Landfrieden nr. 438 wider ausgefallen.
[7] *Wie sich der Nürnberger Rath über diese*   50

der maße als die in der egenanten einunge [1] gesetzt ufgehebt und genomen sint, und ¹⁴⁰⁴
nemlich an den steten als wir nützlich und zu dem letsten mal gesetzt und gemachet ^{Juli 11}
haben. und weren als solicher zolle einer oder mee noch nicht ufgesetzt, den und die
sol man noch zu stünt ofsetzen, als wir vor gebotten und gemachet haben. weren auch
5 daz etliche[a] straßen gegene oder lande mit solichen zollen noch nit besetzt weren, die
sollen und mögen die egenanten echte und der obermann gemeinlich of ir eide noch
ofsetzen, alz sie erkennen daz dem lantfrid und allermenglich allergliohist si. und waz
sie als ofsetzen und machen werden, dabi sal man das bliben laßen und daz vesticlichen
halten und fullenfuren. und waz auch dem obermann an den zollen abginge [2], daz
10 sollen imme die fursten herren und stette erfullen, iedermann nach siner anzale.
bliebe im[b] aber an den zollen ichts uberigs, daz sol dem gemeinen lantfrieden zu nutze
kommen.

[14] [3] Were[c] auch daz die echte und der obermann oder der merer teil under in
erkanten und sie düchte daz iemann, ez were herre oder stat, gesesse bedorfte:
15 wohin man dann dez bedorfen würde, so sollen dieselben, die uber diesen lantfriden
gesetzt sin, iglichen fursten herren und stete, die dann in diesem lantfride sin, iederman
nach siner anzale anslahen anlegen und daz auch bezalen heißen[d] und damit ußrichten
das zu dem geseße und zu dem lantfride notdurft ist. auch weliche herren und stedde
werke buchsen[e] und ander gezuge, daz zu dem geseße not ist, haben, die sollen daz
20 auch darzu lihen, so daz von dez lantfriedes wegen an sie gefordert wirdet, iderman
nach sinem anslag [f]. were aber daz ieman, er[g] were herre oder stat, uber sinen anslag
ichts[h] von gezüge darlihen würde, dem sol der oberman vergwissen[i] den gezüg wider
zu antwurten ane schaden.

[15] [4] Were[k] auch daz man von dez richs wegen oder diß lantfrids[l] reiste[m], in
25 denselben reisen sal niemand anders nicht[n] nemen noch den luten weder mit
dreßwen oder mit bede abegewinnen[o] dann zitliche koste und füter der er zu
sinen notdurften bedarfe und die er uf dem felde vernutzen mag; und sol auch dez
nicht[p] heimfuren noch verkeufen. wer aber daz uberfure, daz sal man fur einen raube
haben und zu dem[q] richten als dieser[r] lantfrid stet.

30 [16] [5] Auch[s] wollen wir, daz vor allen dingen, wann man von des richs wegen
oder dieses lantfrids[t] also reiset, daz[u] alle straßen kirchen closter pfaffen geistlich
lüte kauflute kirchhofe mulen und besunder alle pflüge mit pferden ochsen und was
darzu gehöret und die die[v] wingarten ecker und daz felt buwen sicher sin und friede

35 a) NM add. sölich, S soliche. b) om. NLMS. c) N am Rande anslahen von geseße wegen. d) B helschen.
e) B buschen. f) ABCD iderman — anslag vor so das. g) NLMSAB es. h) ABCD ichts nach gesuge.
i) N dofür gewissen, M dafur gewiß sin, S darfur gewissen, CD vor gewissen. k) N am Rande wie man sich
in den reisen halten solt. l) WKOABCD diser lantfride. m) ABCD reiset. n) ABCD nichts vor anders.
o) KNSABC angewinnen, D angewinnen korr. aus abegewinnen. p) ABCD nichts. q) ABCD ime. r) ABCD
40 der. s) NL haben hier ein gleichzeitiges Vermerkkreuz am Rande; in N rührt es aber wol nicht von der ersten
Hand her. t) WKO diser lantfride; ABCD add. wegen. u) L add. man. v) om. KL.

Zölle beschwert, s. (Wölckern) hist. Norimb. dipl.
517. Die ebendort erwähnten Streitigkeiten des
Markgrafen von Baden mit dem König haben natürlich mit den Zöllen des Fränkischen Land-
45 friedens nichts zu thun.
  [1] Mergentheimer Landfriede vom 26 Aug. 1403
nr. 425, vgl. dort die erste Anmerkung.
  [2] K. Ruprecht verschreibt dem Schenk Friedrich
von Lympurg als Hauptmann der Einung in
50 Franken vom Zoll, der wegen der Einung errichtet wurde, jährlich 2500 rhein. fl.; dat. Heidelberg

sabb. a. Galli 1404 [d. h. Okt. 11] im Karler.
G.L.A. Pfälz. Kop.-B. nr. 149 p. 62-63.
  [3] Vgl. im Landfrieden von 1389 l. c. art. 11;
der Grundsatz zunächst die Hülfe nur der Nächstgesessenen in Anspruch zu nehmen ist hier 1404
aufgegeben; vgl. auch Schluß von art. 2 hier und
dort.
  [4] Ähnlich im Landfrieden von 1389 l. c. art. 12.
  [5] Sehr ähnlich ebend. art. 13, doch bemerkens-
werthe Zusätze geistlich lüte kauflute, nachher
ochsen.

1404
Juli 11
ber. 12 haben sollen, und daz nimant, wer der ist, dieselben angriffen leidigen noch beschedigen solle in deheine wise. und wer daz uberfure, daz sol man fur einen raube haben und der lantfriede sol zû dem und[a] den richten als vor geschriben stet.

[17][1] Es[b] sol auch nimand futern weder mit bete noch mit[c] nemen, dann of dem sinen oder do er amptman ist. wer das uberfure, zu dem sol man richten mit   5 dem lantfriede, ußgenommen so man reiset, als vor geschriben stet.

[18][2] Auch[d] sol nimand in deheiner reise den frunden nichts nemen weder sackraube plunders[e] pferde noch nichtes anders, wie daz genante ist, daz er zu verkeufen meine und dann[f] koste darumbe zu[g] kaufen. er sol auch dez nicht ge-   10 nießen. man solle das fur einen raube haben und darumbe richten als der lant- friede stet.

[19][3] Wann man auch also reisen wil, so sol sich iedermann selber darzû ußrûsten und niemand weder pferde wegen noch anders daruf nemen.

[20][4] Auch wann daz ist daz dieser lantfriede also reiset, so sollen herren und   15 stetde iren heuptluten[h], die von iren wegen of dem felde[i] sin, bevelhen of die eide ane geverde, das sie den iren getruwlichen und mit ernste weren, daz sie den frûnden nicht[k] anders nemen dann zitlich koste und futer in der wise als vor geschriben stet. und were[l] daz sich iemant dawieder setzte, dez[m] sie nicht mochten gewaltig sin, daz sollen sie brengen an den heuptman des lantfriedes; der sol dann   20 darzu dûn daz das wiedertan werde. der oder die, die das getan hetten, sollen auch gestraffet werden wie die nûne oder der merer teil under in am lantfrid[n] erkennen.

[21][5] Auch[o] sal nimand in der reise deheinen brande tûn. wer das uberfure, zu dem sal man richten als der lantfrid stet, ez were dann daz der heupt- mann des lantfriedes, der dann of dem felde ist, daz hieße und of den vienden zu   25 tûnde erleubte.

[22][6] Were[p] auch daz deheinerlei geselleschaft oder einunge, die ane unser wißen und verhengniße, oder sust einicherlei macht oder volke oder anders, das wieder uns daz riche oder[q] gemeine nutze und friede were, oferstunde (daz got nicht enwolle) in den landen, dorin diser lantfrid ist, oder in diesen lantfrid queme[r] oder   30 zûge: wieder die sollen die fursten graven herren stetde und ander, die in diesem lantfrieden sint, mit allen iren machten ziehen und in[s] wiedersten sie zu vertriben und genzlich zu tilgen.

[23][7] Wann[t] auch der lantfrid einen redelichen zug oder geseße tûn wolte, so sol ein igliche herre und stat, die in diesem lantfrid sin, die, die an demselben   35 lantfrid von iren wegen sitzen, da mitschicken; die sollen auch dabi sin als lange derselbe[u] zûg und geseße weret und biß daz ein ende hat. und ob derselben deheiner,

a) K add. zu. b) N am Rande von fuetrung wegen. c) M niht. d) N am Rande [in ra]isen den frewnden nichts nemen. e) C add. adir, D odir übergeschrieben. f) ABCD add. furbas. g) om. NMS. h) L amptleuten. i) L lande. k) ABCD nichts. l) C wer' es. m) B das. n) ABCD om. am lantfrid. o) N am Rande in reiseu nicht prennen. p) N am Rande einung in dem lantfrid widersusten mit weren; L ein gleichzeitiges Vermerkkreuz am Rande. q) NLMS und. r) CD quemen. s) ABCD den. t) N am Rande die an dem lant- frid sitzen in reisen mit zu ziehen. u) AB der.

[1] Wörtlich gleichlautend ebend. art. 14.
[2] Sehr ähnlich ebend. art. 15.
[3] Fehlt im Landfrieden von 1389, vgl. dagegen nr. 425 art. 15; es ist dieß fast die einzige Ab- weichung unseres Landfriedens von seiner Vorlage dem von 1389, welche Berücksichtigung seines un- mittelbaren Vorgängers des Mergentheimer von 1403 verräth; vgl. unten art. 29.

[4] Sehr ähnlich im Landfrieden von 1389 art. 16, bis auf den letzten Satz beinahe wörtlich über- einstimmend.
[5] Sehr ähnlich ebend. art. 17.
[6] Vgl. ebend. art. 18, Wortlaut theilweise er- halten, aber Inhalt wesentlich verändert, 1404 viel mehr umfassend als 1389.
[7] Art. 23 und 23[b] ähnlich art. 19 ebend.

die an dem lantfride sitzen, von ehafter note wegen dabi nicht gesin mochte: so sollen ¹⁴⁰⁴ dieselben herren oder stete einen andern biderman[a], der den lantfrid gesworen hat, an ^{Juli 11} desselben stat setzen und schicken, als oft dez not were. [23[a]] auch sol der heupt- man des lantfrides, der[b] of dem felde ist, unser und dez richs banire haben, auch
5 alz ofte dez note wirdet.

[24][1] Were[c] auch daz[d] iemand, der in diesem lantfrid ist oder noch darin kommet, beschediget wůrde wider recht, alz dieser lantfrid stet, von wem daz geschehe; und wann die, die uber den lantfrid gesetzt sin, dorumbe bevor erkennen: so sollen sie daz kunt machen herren und[e] stetten, die in diesem lantfrid sin, und
10 verbotschaften mit iren briefen oder mit in selber. und wann die dez also geinnert[f] werden, zu wem dann derselben deheiner, der den schaden getan hat, kommet, der sol uf den eide gebunden sin denselben zu halten und ofzuheben mit ganzem fliße und ernste getruwelich und ane alles geverde. und sol auch nieman deheine geleite daran furtragen noch[g] darfur helfen.
15 [25][2] Wer[h] auch uns[i] dem riche und den, die uber diesen lantfriede gesetzet sin und dorin gehôren, deheinen schaden dût mit morde raube brande diebstal[k] vahen oder unrechtem[l] widersagen oder mit andern sachen als vor geschriben stet: wer die oder der deheinen hûset hofet etzet[m] trenket oder heimet mit wissen, der- selbe sol in denselben schulden sin als der selbeschuldig.
20 [26][3] Were[n] auch daz iemant mit dem rechten verderbet wůrde[o]: wolt iemand darumbe vint sin, der sol in denselben schulden sin als[p] der der mit dem rechten verderbet ist. [26[b]] wer[q] auch einen kůntlichen verlumpten[r] schedelichen mann, daz vor dem lantfride kuntlich gemacht were, wo man den weiße, ofheldet[s] oder angriffet, der ist dorumbe nicht[t] schuldig noch verfallen.]26[c]] wer sich aber sust
25 vor dem lantfrid[u] verantwurten solt oder[v] wolte, dem sol der lantfrid geleit geben dar und dannen ane geverde.

[27][4] Were auch daz der oflaufe oder stoße mer dann einer wůrden oder soliche sachen als vor geschriben stet uferstunden, so sol man den, die uber den lant- fride gesatzet sin, darumbe zûsprechen; und wez[w] dann die oder der mererteil under in
30 zu rate werden of die[x] eide daz allernotdorftigist si anzugriffen, des[y] sol man in gefolgig und gehorsam sin.

[28][5] Were[z] auch daz iemand, der in diesem lantfride ist oder noch dorin kommen wirdet, von den sachen, die in diesem lantfrid geschehen, deheine fint- schaft wůchse, der man an demselben zukommen wolte, so sollen demselben herren
35 und stete, die in diesem lantfride sin, zûlegen und getruwelichen beholfen sin of den eide, als lange biß[aa] er derselben vintschaft entladen wirdet, ane geverde.

[1] Ähnlich ebend. art. 20.
[2] Ähnlich ebend. art. 21, der Anfang verändert,
dann wörtlich übereinstimmend.
50 [3] Art. 26-26[c] bis auf wenige Worte übereinstimmend mit art. 22 ebend.

[4] Sehr ähnlich, beinahe wörtlich übereinstimmend
ebend. art. 23.
[5] Sehr ähnlich ebend. art. 24.

[29] ¹ Were⁰ man⁰ auch iemand kûntliche redeliche mûgeliche⁰ unleukenber⁰ schulde schûldig, der sal ez an den oberman und die echte des lantfriedes bevor bringen ee er⁰ davor pfendet, das man den der do schuldig ist von des lantfrides wegen dorumbe beschriben môge, daz er den dem man also schuldig were gutlichen bezalen und richten wôlle in den nechsten zwein manden darnach oder imme gerecht werden 5 an den steten do das billich ist ane geverde. wurde dann der darnach darumbe ⁰ pfenden und angriffen, mit denselben pfanden sol er pfentlich gefaren und die in daz nechst sloße triben oder fûren, dorinne ein gerichte ist, daz doch desselben der gepfendet ist nicht si. und ist ez essend pfande, so sol er die stan laßen dri tage und dri nacht; weren ez aber ander pfande, die sol er vier wochen stan laßen⁰. und ist 10 das⁰ das imand komet der soliche pfande ußnemen wolte, dem sol man sie of rechte und of gewissheit oder ⁰ burgen ußgeben, doch mit kuntschaft des richters oder amptmannes; in des gerichte die sin, oder ander erber lute, die dann dobi sin; nemen sie⁰ aber die pfande nicht uß in der vorgeschriben zite, so mag der pfender die verkaufen so er dûrest mag ungeverliche, auch mit kuntschaft als vor geschriben stet. und das-15 selbe gelt sol dem pfender an siner schulde abgan. was der auch koste getan hette mit der pfandunge, die redeliche were, die sal ime auch abgann ⁰; waz aber unredelich daran were, daz sal man fur den lantfrid brengen, und wie da erkennet wirdet, dabi sal ez beliben. were⁰ auch daz von solicher pfandunge wegen iemand gefangen wûrde, dieselben gefangen sollen⁰ of recht ußgeben⁰ werden. 20

[30] ² Doch⁰ so setzen wir mit rechter wißen, daz alle und igliche unser und des heiligen richs aller fursten graven herren oder⁰ der stete lûte geistliche und werntliche pfaffen leien ritter knechte burger kauflûte pilgerin gebûre und alle erber unversprochen lûte und allermenglich der die straßen bûwet oder wandert, von welichem lande der oder die sin, ire libe und ire gûte sicher sin sollen in dem⁰ 25 lantfrid. were aber das derselben dheiner beschediget wûrde uf waßer oder of lande an libe oder an gûte, so sol der nechste herre oder stat oder ander, die in diesen lantfrid gehôren, bi den es gescheen ist, alsbalde sie dez innen oder⁰ ermanet werden, zuilen mit⁰ allem irem vermôgen und sollen darzu dûn getrulich one alles geverde das daz wiedertan werde. und mogen sie ez also nicht uberkommen ³, so sal man in 30 furbas nach der rate die uber den lantfrid gesetzet sin, oder des merern teiles under in, als umbe einen rawbe beholfen sin als vor geschriben stet.

[31] ⁴ Auch⁰ sollen alle⁰ closter pfaffen und ander geistlich lûte ir libe oder⁰ gût nicht⁰ pfantber sin fur iemanden in deheine wise.

[32] ⁵ Es⁰ sol auch nimand, er si furste herre ritter oder knechte oder stete, die 35

a) *N am Rande von* schulde wegen. b) *ABC ein* mann *statt* man, *D das ein übergeschriben.* c) *NMS add.* und. d) *om. ABCD.* e) *NMS add.* dann. f) *ABC darumbe vor* darnach, *D ursprünglich* darnach *vor* darumbe, *dann ausgestrichen und dahinter übergeschrieben.* g) *ABCD laßen* sten vier wochen. h) *AB ex.* i) *A add.* gût *ausgestrichen.* k) *ABCD neme* man *statt* nemen sie. l) *was der auch* — abgann *om. KNMS.* m) *ABCD add.* es. n) *ABCD add.* auch. o) *D korrigiert aus* ußgegeben. p) *N am Rande auf die* strassen sicher zu sein, 40 *darüber sins Null.* q) *NLMS und.* r) *ABCD diesem* s) *NS werden* für oder. t) *WKO zu, S nach.* u) *N am Rande* geistlich lewt nicht pfantber zu sein, *darüber ein Vermerkkreuz; ein solches auch in L am Rande.* v) *om. AB.* w) *NLMS und; AB und* ire. x) *C nit; D nicht ausgestrichen, mit übergeschrieben.* y) *N am Rande* niemant versprechen.

¹ *Ähnlich ebend. art. 25; die Abweichungen sind unwesentlich bis auf einen Zusatz ziemlich zu Anfang (lin. 5f.) in den nechsten — geverde, für den der Mergentheimer Landfriede von 1403 nr. 425 art. 4 benutzt zu sein scheint.*
² *Sehr ähnlich im Landfrieden von 1389 art. 26, größere Abweichungen nur im Anfang.*

³ *Überwinden, Lexer mhd. HWB. 2, 1632f.* 45
⁴ *Wörtlich gleichlautend ebend. art. 27, vgl. die Erläuterung durch K. Ruprecht vom 13 August 1404 nr. 428.*
⁵ *Wörtlich gleichlautend ebend. art. 28.*
50

in diesem lantfrid sin oder dorin kommen, **niemanden verantwurten oder ver-** sprechen wieder diese ordenunge und lantfrid.

[*33*] [1] Es[a] sal auch kein **verlumpter kuntlicher**[b] **schedelicher mann,** der[c] vor dem lantfrid kuntlichen gemachet were, nindert weder friede noch geleit 5 haben. und wo man den nimet[d] und ofheldet, daran sol man wieder niemantz tůn noch getan haben. und wer in auch wissentlichen huset oder hofet oder imme verlichen hinhulfe, der sol in demselben[e] rechten sin. man[f] sal auch und mag einen verlůmpten kuntlichen schedelichen mann in allen vesten steten und gerichten wol verbieten und ofhalten of rechte; und von dem oder den sol man des rechten unver- 10 zogenlichen helfen.

[*34*] [2] Were[g] auch daz die herren oder ander lute **hôfe nemen** in des richs steten oder ander, so mag man allen den, die des muten und das fordern, ein frie sicher geleite geben, diewile der hoffe weret, ane geverde.

[*35*] [3] Were[h] auch daz iemant sin ere[i] **kempflichen verantwurten** wolte 15 oder můste vor den herren oder steten oder iren gerichten, den und iren frunden mag man auch wol ein frie sicher geleit geben of die tege als er furkommen[k] sol.

[*36*] [4] Auch[l] **weliche kneht** ein **reisig pferd** oder mer hat und **keinen herren hat** oder einen erbern gesessenen mann, der diesen[m] lantfrieden gesworn hat, der fur in sprache daz er landen und luten unschedelich si: dem sol der lantfrid vint 20 sin. man sol auch darzů dům als der lantfrid stet.

[*37*] [5] Auch sal man umbe keinen **alden kriege,** noch umbe keinerlei sachen die sich verlaufen haben vor datum ditz briefs, mit disem lantfrid nicht richten noch mit dem lantfrid daruber beholfen sin ane geverde. hett aber ieman in der egenanten einunge [6] vorher ichtz erclaget und erlangt, dem sol und mag man nachgen als recht 25 ist und als vor her kommen ist[n]; doch also das des[o] dez richs stete nit zu schicken haben, sie wollen es dann gern tůn.

[*38*] [7] Auch[p] sol noch mag der obermann des lantfriedes nieman **in den lantfrid enphaen** oder nemen ane rate dez merern teiles die bi imme an dem lantfriden sitzen. und die also enpfangen werden, sollen globen und sweren und ire besiegelte 30 briefe geben diesen lantfriede zu halten als der ußwiset. und dieselben sollen dann auch[q] dez lantfriedes genießen als ander die itzund dorinne sin ane geverde. und so sie also enphangen sin, so sol man das[r] in dem nechsten mannen oder ee den fursten herren und steten, die in diesem lantfriden sint, darnach[s] verkünden.

[*39*] [8] Auch sollen fursten herren und stete bi der **anzale beliben** als sie 35 vormals in den nechsten lantfrieden in[t] **Francken**[u] beliben sint.

a) *N am Rande* verlewmunde lewte nicht geleit zu haben; *L am Rande ein Vermerkkreuz.* b) om. *M.* c) *NLMS* das. d) *M* inset *für den nimet.* e) *NM* denselben. f) *L Alinea , am Rande Vermerkkreuz.* g) *N am Rande* von hofe wegen. h) *N am Rande* von kempfe wegen. i) sin ere om. *L.* k) *C* kommen. l) *N am Rande* von den reisigen knechten die nicht herren haben. m) *WK* diesem. n) om. *L.* o) das des om. *L.* p) *N am Rande* in den lantfrid zu nemen. q) *B* auch vor dann. r) *ABCD add.* darnach. s) om. *ABCD.* t) *K* zu. u) in Francken om. *L.*

[1] Beinahe wörtlich gleichlautend ebend. art. 29.

[2] Sehr ähnlich ebend. art. 30, fast nur die Anfangsworte verändert.

[3] Wörtlich übereinstimmend bis auf das jetzt zugesetzte oder iren gerichten ebend. art. 31.

[4] Sehr ähnlich ebend. art. 32.

[5] Bis geverde sehr ähnlich ebend. art. 33.

[6] Mergentheimer Landfriede vom 26 Aug. 1403 nr. 425.

[7] Ähnlich im Egerer Landfrieden von 1389 art. 34; dort aber kann der Hauptmann ohne Beisitzer neue Mitglieder aufnehmen.

[8] Art. 39 und 40 fehlen im Landfrieden von 1389; dagegen ist art. 35 desselben, der Städte- und Herrenbund verbot, in unserm ausgefallen, vgl. aber art. 22. Im Wetterauischen Landfrieden von 1405 nr. 438 ist art. 39 wider ausgefallen.

[40] Was[a] man auch mit[b] diesem lantfriden sloße gewinnet, die sal man brechen, es were dann daz ein furste oder herre ein solich sloße, das man gewûnne, versetzet hette: der mag darnach das gelte, daz dasselbe sloße stat, dem lantfrieden bezalen in jarsfrist und das sloße behalten. dasselbe gelte sol auch dem gemeinen lantfriden gefallen und zu[c] nutze kommen. der lantfrid sol auch dasselbe sloße, darnach   5
und ez gewonnen ist, ein jare inhaben, ob des der herre, des ez[d] ist, begeret. und loset es der herre dozwûschen, so sol man im das antworten; loset er es aber nit, so sol man es brechen. was auch schedelicher lûte daruf fûnden weren, uber die sal man zu stunt richten, als dieser lantfrid ußwiset. were aber das ein solich sloße, das gewunnen wurde, zu libdinge versetzt oder verkauft were, daz mag der furste oder herre,   10
der das versetzt oder[e] verkauft hat, mit dem gelde, das er darumbe enphangen hat, wider[f] lösen in jarsfrist. und dasselbe gelte sol auch dem[g] gemeinen lantfrid gefallen. wirt aber dasselbe[h] sloße also oder nach der die an dem[i] lantfride sitzen oder der merern teiles under in erkentniße nicht geloset, so sol man es brechen.

[41][1] Auch[k] weliche fursten herren oder stette itzund oder furbas in diesen   15
lantfrieden kommet, wolte den[l] imand vehde oder vientschaft dorumbe tragen oder in[m] deheinerlei schaden[n] zuziehen, den sollen die vorgenanten fursten herren stette und ander, die in diesem lantfrid sint, wieder dieselben zulegen und mit irem vermogen beholfen sin getruwlich und ane geverde.

[42][2] Auch[o] sollen alle und igliche pfalebürger, wer die hette, genzlich abe-   20
sin, und sol auch die furbaz nieman haben noch enphahen.

[43][3] Auch[p] sol nimand dez andern eigen lûte und unverrechende ampt-lute oder die nachfolgende kriege haben zu burgern enphahen. und wurde dorumbe kein stoße, daz sollen die, die[q] an dem lantfrid sitzen, erkennen.

[44][4] Auch sol dieser lantfrid sin und gen in Francken und in aller   25
der fursten graven herren und anderr[r], die in diesem lantfried itzund sin oder dorin kommen werden, landen gegene und gebieten[s], und auch[t] dorin vesticlich gehalten werden bi unsern und dez richs hulden.

[45][5] Auch sol dieser lantfride, der nûr zu gemeinem nûtze gesetzt und ge-machet ist, uns und dem heiligen riche den obgenanten fursten graven herren rittern   30
knechten steten pfaffen und leien, die in disem lantfrid sin, keinen[u] schaden bringen oder uns und in an unsern und iren furstentûmen grafescheften herscheften gerichten friheiden rechten und gewonheiten geistlichen und werntlichen[u] schade sin, ußgenommen der sachen die vor geschriben stent, doch mit beheltniße unsers als eins[v] Romischen kuniges zukunftigen keisers rechten, daz wir haben und von rechts wegen   35
haben sollen und mogen von Romischer kuniglicher mechte, sie sin geistliche oder werntlich.

a) *N am Rande Vermerkkreuz, darunter von slossen in disem lantfrid zu gewinnen, wie man sich domit halten sulle.* b) *D übergeschrieben, in ausgestrichen.* c) *W zu?* d) *om. WO.* e) *K und.* f) *ABCD widerumbe.*
g) *C an den.* h) *D urspi ünglich das, übergeschrieben selbe.* i) *ABCD diesem.* k) *N am Rande Vermerkkreuz.*
l) *om. NS; KNMS add. dann.* m) *om. B.* n) *om. L.* o) *N am Rande von pfalburgern.* p) *N am Rande eigen lewte.* q) *übergeschrieben in D.* r) *W anderr? anderer? abgekü:zt.* s) *om. AB.* t) *übergeschrieben in D.* u) *ABCD add. kein.* v) *W einen, abgekü:zt.*

[1] *Ähnlich im Egerer Landfrieden art. 36; kleine Abweichungen sind zu beachten.*
[2] *Bis auf die Worte sol auch die wörtlich über-einstimmend ebend. art. 37.*
[3] *Ähnlich ebend. art. 38; Auslassung zu be-achten.*
[4] *Entspricht art. 39 ebend.; art. 40-42 des*

Egerer Landfriedens, die das Verhältnis zu den andern Kreisen regelten, sind hier weggelassen.
[5] *Der Landfriede dehnte sich dann auch nach   45 Baiern aus, vgl. unsere zweite Anm. zu art. 2 und die Einleitung p. 585 unten.*
[6] *Ähnlich mit kleinen Abweichungen im Egerer Landfrieden art. 43.*

[46][1] Und[a] dieser lantfride sol weren in allen puncten und artikeln als er begriffen ist und vesticlich gehalten werden drû ganze jare an einander, von sant Michels tag, der schierst kompt nach datum dieß briefes, zû zelen, ane widerruffen, und darnach als lange biß wir oder unser nachkommen an dem riche den wieder-
5 rûffen[b].

[47][2] Und[c] wir Johanns von gots gnaden bischof zu Wirtzburg, Johans abt zu Fulde[d], Friderich burgrave zu Nuremberg, und wir Albrecht von Egloffstein und Hans[e] von Liechtenstein ritter[f] dez stifts zu Bamberg pfleger an stat des erwirdigen fursten und heren Albrechts bischofs und von dez stiftes zu Bamberg wegen,
10 haben alle gelobt bi unsern guten truwen ane arg; und wir dez richs stete Nurem-berg, Rotenburg of der Tuber, Swinfurt, Windsheim und Wissenburg mechtige botten haben auch alle bi unsern guten trûwen von derselben stete und burger wegen und an ir stat globet: diesen lantfriede in allen sinen puncten und artikeln, als er in diesem brief geschrieben begriffen und gemachet ist, genzlichen und vesticlichen zu halten
15 und zu follenfuren ane geverde; und haben auch daruber rechte eide liplich gesworn ane geverde.

[48][3] Wir[g] sollen auch bi denselben eiden bestellen und schaffen daz alle unser amptlute diener vogte richter schultheißen und gerichte, die in den landen gegene und gebieten, darin dieser lantfrid ist, wonen und gesessen sin, zu beheltniße desselben
20 landfrides und der artikel, die herinne begriffen sind[h], nach erkentniße der egenanten nûne semliche eide sweren ane geverde. und dasselbe sol geschehen und folfurt werden ungeverlichen inwendig drin manden nach datum diß briefs. es[i] sollen auch alle und igliche fursten graven herren ritter knechte und ander, die in diesem lantfride gesessen sin, denselben lantfrid auch sweren inwendig denselben drin monden. weliche
25 aber dez nit dun wollen, die sollen des lantfrides nit genießen, und süllen auch noch mûgen den fûrbas nicht sweren; si süllen auch noch mûgen sich fûrbas doran nicht verantworten[k]. wir wollen auch denselben und die dafur halten daz sie uns und dem riche ungehorsam sin, und wollen auch zu den und dem richten heißen als zu unsern und des[l] richs ungehorsamen luten und sie auch dafur halten heißen. und wurde[m]
30 sie auch ieman angriffen, das sol den lantfrid nit angene; es sol auch niman damit wieder uns das riche noch den lantfriden getan haben in deheine wise.

[49][4] Auch sol ein iglicher furste und herre, der in diesem lantfrid ist oder darin komen wirdet, und auch sin amptlûte gebûnden sin bi den eiden: weliche ire undertane diener und amptlûte diesen lantfrid sweren, daz sie die dem obermann desselben lant-
35 frides zu wissen tûn und beschrieben geben[n].

Und[o] wir kunig Ruprecht obgenant haben diss alles zu urkunde und ganzer vestikeit unser[p] kuniglicher majestat ingesigel an diesen brief gehenket, der geben ist

a) *L am Rande ein Vermerkkreuz.* b) *W ane widerruffen — den wiederrüffen gleichzeitig unterstrichen; am linken Rande mittels Verweisungszeichen dazu gleichzeitig mit anderer Tinte bemerkt* linea vacans in renovacione *(d. h.*
40 *in Erneuerung von 1407 Juli 19 nr. 429, s. daselbst).* c) *N am Rande* non stat in litera, quere in papiris, *dazu ein Zeichen.* d) *zu Fulde om. N.* e) *K und* Hans *zweimal.* f) *om. N.* g) *N am Rande den* lantfride *zu sweren.* h) *zu beheltniße — begriffen sind om. N.* i) *L* Alinea *und Vermerkkreuz am Rande.* k) *und süllen — verantworten aus N und L, om.* WKOABCD; *vgl. p. 586 oben.* l) *NLMS add.* heiligen. m) *M wur-*
den. *n)* AB add. *sollen.* o) *N am Rande 3 Nullen über einander, wol von einer der späteren korrigierenden*
45 *Hände.* p) *W* unser? unsrer? *abgekürzt.*

[1] *Vgl. ebend. art. 44.*
[2] *Vgl. ebend. art. 45.*
[3] *Vgl. ebend. art. 46, der hier kleinere beach-tenswerthe Abänderungen, dann am Schluß größere*
50 *Zusätze erhalten hat.*

[4] *Vgl. ebend. art. 47, dessen Schlußsatz hier fortgefallen ist.*

1404
Juli 11 zu Heydelberg nach Crists geburte vierzehenhundert jare und darnach in dem vierden jare des nechsten fritags vor sant Margreten tag, unsers richs in dem virden jare.

Ad mandatum domini regis
Emericus etc.ª.

1404 **427.** *Kosten Nürnbergs zur Zeit der Errichtung des Heidelberger Landfriedens für* ⁵
Apr. 2   *Franken. 1404 April 2 bis Aug. 20.*
bis
Aug. 20

          Aus Nürnberg Kr.A. cod. msc. nr. 489 Schenkbuch 1393-1422 fol. 86ᵇ-89ª ch. coaev.

1404   [*In der vierten Bürgermeisterperiode* feria 4 ante Ambrosii anno 1404 *bis* feria 4
Apr. 2 ante Walpurgis *Schenkungen im Gesammtbetrage von* 9 lb. 10 sh. hl.; *unter Andern:*
bis
Apr. 30 *dem Dechanten von Bamberg und Fridrich von Auffsess, Burggraf Fridrich, denen* ¹⁰
     von Sweinfurt und Winsheim, denen von Rotemburg, denen von Weissemburg, abermals
     denen von Rotemburg, Hansen von Kircheim Hofschreiber, Herman von Hennemberg,
     dem Schencken von Lympurg Hauptmann der Einung.]

1404   [*In der fünften Bürgermeisterperiode* feria 4 ante Walpurgis *bis* feria 4 post Ur-
Apr. 30 bani *Schenkungen im Gesammtbetrage von* 21 lb. 3 sh. hl.; *unter Andern: denen von* ¹⁵
Mai 28 *Dynkelspuhel, Graf Günther von Swartzburg, dem Probst des Bischofs von Speir, denen*
     von Rotemburg, denen von Winsheim, dem Landschreiber zu Amberg, dem Landschreiber
     von Awrbach, denen von Sweynfurt, denen von Dynkelspuhel,
     dem Vitztum von Amberg und Herrn Heinrich Nothaft und Herrn Heinrich Waldawer
     und dem Satelpoger, Herrn Hartung von Eglofstein.]   ²⁰

1404   [*Sechste Bürgermeisterperiode* feria 4 post Urbani *bis* feria 4 post Johannis baptiste
Mai 28 anno 1404.] Propinavimus dem official von Bamberg 4 qr., summa 10 sh. hl. pro-
bis
Juni 25 pinavimus der frawen von Haideck und dem jungen von Haideck 10 qr., summa 1 lb.
     5 sh. hl. propinavimus dem vitztum von Amberg und hern *Heinrich* Nothaft und
Heinrich Waldawer Erhart Satelpoger 10 qr., summa 1 lb. 5 sh. hl. propinavimus ²⁵
Albre*cht* Frewdemberger 4 qr., summa 10 sh. hl. propinavimus Dietri*ch* Kraen 4 qr.,
summa 10 sh. hl. propinavimus dem newen probst zu unser frawen capellen 6 qr.,
summa 15 sh. hl. propinavimus dem bischof von Speir unsers herren künigs kanzler,
Mai 30 do er herkom feria 6 post corporis Christi, visch, die costen 3 lb. 15 sh. hl. item
propinavimus ei iterum 16 qr., summa 2 lb. hl. propinavimus hern Hartung von ³⁰
Eglofstein und hern Hansen von Liechtenstein und hern Otten von Miltz techant 10 qr.,
summa 1 lb. 5 sh. hl. propinavimus burggra*ven* Fridri*ch* 16 qr., summa 2 lb. hl.
propinavimus graven Gûnther von Swarczburg 8 qr., summa 1 lb. hl. propinavimus
dem Sweycker 4 qr., summa 10 sh. hl. propinavimusᵇ dem jungen lantgraven vom
Lewhtemberg 12 qr., summa 1 lb. 10 sh. hl. propinavimus hern Wil*helm* Raydem- ³⁵
pucher 6 qr., summa 15 sh. hl. propinavimus Herman vom Gold 4 qr., summa
10 sh. hl. propinavimus dem von Haideck juniori 6 qr., summa 15 sh. hl. propinavimus burggraven Fridri*ch* 16 qr., summa 2 lb. hl. propinavimus burggra*ven*
Joha*n* 16 qr., summa 2 lb. hl. propinavimus herzog Hansen unsers herren kunigs
sun 24 qr., summa 3 lb. hl. propinavimus den von Weissemburg 4 qr., summa ⁴⁰
10 sh. hl. propinavimusᶜ den von Rotemburg 6 qr., summa 15 sh. hl. propinavimus C. Truchsezzen von Pomersfelden 4 qr., summa 10 sh. hl. propinavimus hern
Hansen von Liechtenstein hofmeister und hern Albre*cht* von Eglofsteinᵈ 6 qr., summa

---

a) *diese Unterschrift nur in* W, *sie steht dort neben der Notiz über die Erneuerung, vgl. Quellenbeschreibung zu nr.* ⁴⁵
429, gehört aber doch wol sicher hierher. b) *neben diesem Posten zwei kleine wagerechte Striche am Rande, wol*
gleichzeitig. c) *neben diesem Posten zwei kleine wagerechte Striche am Rande, wol gleichzeitig.* d) *Vorl. Eglof-*
stein.

15 sh. hl. propinavimus[a] Erhart Satelpoger Mertin Satelpoger und dem Markswarter *1404*
8 qr., summa 1 lb. hl. propinavimus hern Nyclas von Ror dez herzogen von Gelrr *Mai 8*
rat 6 qr., summa 15 sh. hl. propinavimus den von Winsheim Sweinfurt 6 qr., summa *Juni 25*
15 sh. hl. propinavimus iterum den von Rotemburg 4 qr., summa 10 sh. hl. pro-
5 pinavimus dem Krebs burgermeister zu Salvelt 4 qr., summa 10 sh. hl.

        Summa 31 lb. 15 sh. hl.

        [*In der siebenten Bürgermeisterperiode feria 4 post Johannis baptiste anno 1404* *1404*
bis feria 4 ante Jacobi anno 1404 nur wenige Schenkungen im Gesammtbetrage von *Juni 25*
9 lb. 10 sh. hl.; unter Andern an den Bischof von Eysteten, nicht aber an Fränkische *Juli 23*
10 *Städte.*]

        [*Achte Bürgermeisterperiode feria 4 ante Jacobi anno 1404 bis feria 4 post Se-* *1404*
baldi.] Propinavimus Peter von Schawemburg 4 qr., summa 10 sh. hl. propina- *Juli 23*
vimus dem Sweicker 6 qr., summa 15 sh. hl. propinavimus Albrecht Frewdemberger *Aug. 20*
lantrichter zu Aurbach 4 qr., summa 10 sh. hl. propinavimus dem tumprobst von
15 Augspurg 8 qr., summa 1 lb. hl. propinavimus dem jungen lantgraven 12 qr., summa
1 lb. 10 sh. hl. propinavimus dem lantschreiber von Awrbach 4 qr., summa 10 sh.
hl. propinavimus den von Rotemburg 8 qr., summa 1 lb. hl. propinavimus den
von Weissemburg 4 qr., summa 10 sh. hl. propinavimus den von Winsheim 4 qr.,
summa 10 sh. hl. propinavimus den von Nördlingen 6 qr., summa 15 sh. hl. pro-
20 pinavimus dem bischof von Eysteten 16 qr., summa 2 lb. hl. propinavimus dem
tumprobst von[b] Bamberg 8 qr., summa 1 lb. hl. propinavimus Dyetrich Stawffer
4 qr., summa 10 sh. hl. propinavimus[c] burggraven Fridrich 16 qr., summa 2 lb. hl.
propinavimus den von Hall 4 qr., summa 10 sh. hl. propinavimus hern Fridrich
Zollner 4 qr., summa 10 sh. hl. propinavimus hern Hansen von Liehtenstein und
25 hern Albrecht von[d] Eglofstein dem techant zu Bamberg und hern Fridrich von Aufsezz
10 qr., summa 1 lb. 5 sh. hl. propinavimus dem Schenken von Lympurg 8 qr.,
summa 1 lb. hl. propinavimus dem probst zu sant Steffan zu Bamberg 4 qr., summa
10 sh. hl. propinavimus den von Sweinfurt 4 qr., summa 10 sh. hl. propinavimus
dem Pairstorffer lantrichter zu Hirsperg 4 qr., summa 10 sh. hl. propinavimus den
30 von Dinkelspühel 4 qr., summa 10 sh. hl. propinavimus hern Eberhart von Hohen-
loch-Oringen[e] 6 qr., summa 15 sh. hl. propinavimus herzog Johan unsers herren
kunigs sun 24 qr., summa 3 lb. hl. propinavimus dem bischof von Wirczburg 16 qr.,
summa 2 lb. hl. propinavimus burggraven Johan 16 qr., summa 2 lb. hl. propinavimus graven Fridrich von Hennemberg 8 qr., summa 1 lb. hl. propinavimus
35 dem bischof von Eysteten 16 qr., summa 2 lb. hl. propinavimus graven Fridrich
von Oetingen 12 qr., summa 1 lb. 10 sh. hl. propinavimus hern Herdeger von Hürnheim 4 qr., summa 10 sh. hl.

        Summa 31 lb. hl.

---

a) *Vorl. add. ausgestrichen* hern. b) *wir haben, wol aus Versehen, abgeschrieben* vom. c) *neben diesem Posten wider*
40 *zwei kleine wagerechte Striche am Rande, wol gleichzeitig.* d) *Vorlage widerholt* von. e) *Vorlage ursprünglich von*
Oringen, *dann von* Hohenloch *nach* von *hineinkorrigiert.*

1404
Aug. 13 **428.** *K. Ruprecht erläutert den art. 31 des Fränkischen Landfriedens vom 11 bzw. 12*
       Juli 1404 nr. 426.   1404 Aug. 13 Heidelberg.

W aus Wien H.H. St.A. K. Ruprechts Registr.-B. C fol. 179 ᵇ-*180* ᵃ *cop. ch. coaev., mit
der Überschrift* Als mine herre den artikel des lantfrids zu Francken, geistliche lute
antreffende, declareret und gelutert hat.   5
K coll. Karlsr. G.L.A. Pfälz. Kop.-B. 4 fol. 213 ᵃ *cop. ch. coaev., mit derselben Überschrift.*
Regest mit wörtlicher Widergabe einer Stelle Chmel nr. 1830 aus W.

Wir Ruprecht etc. bekennen etc.:   als wir mit rate unser und dez richs
fursten graven herren steten und getruwen ᵃ eines lantfriedes in dem lande zu Francken   10
uberkommen und dem almechtigen gotde zu lobe dem heiligen riche zů eren und sust
landen und luten zu nutze zu friede und zu gemach gesetzet und gemacht haben nach
inhalt unsers briefs mit unserm koniglichen majestat-ingesiegel versiegelt, darinne wir
auch sůnderlich pfaffen und geistliche lute begriffen und bedacht haben umbe das daz
sie in schirme unser und dez heiligen richs gesetzt sin ᵇ und dem almechtigen gotde mit   15
gerugtem mute dester baz gedienen mögen, und mit namen under andern artikeln in
unserm vorgenanten brief begriffen haben, das alle closter pfaffen und geistliche lůte ir
libe oder gůt nicht pfantber sin sollen fur iemand in deheine wise ¹: daz wir umbe dez
willen, daz deheine zwifel ofersten möge ², denselben und auch ander artikel in dem
vorgenanten lantfridbrief, von der pfaffheid lutend, declarert gelůtert und auch volliclich   20
ußgescheiden haben, declarern lutern und ußscheiden sie auch wissentlich mit diesem
briefe, das sie nach aller irer inhalt und satzůnge alle dumstifte ander stifte capitel
prelaten dumherren chorherren vicarien capellan pfaffen und muniche geistliche frauwen
und alle ander geistlich lůte, wie die genant und in welichem gewertem ᶜ orden und
schine sie sin, in dem vorgnanten lande zu Francken begriffen und besließen sollen,   25
also daz sie dez lantfriedes genzlich gebruchen und genießen mogen und sollen in aller
maße als der vorgenante lantfriedbrief ußwiset, und sunderlich daz sie alle und iglicher
besunder ire libe lute und gůte nit pfantber sollen sin fůr ire bischof stifte oder
iemand anders in deheine wise, ez were dann daz sie sich dez under irs capitels ingesiegel sunderlich verschrieben hetten.   und gebieten herůmbe allen fursten graven   30
herren frien rittern knechten gemeinscheften und andern unsern und des richs getruwen,
daz sie bi unser declaracien luterunge und ußscheidůnge alle vorgenante pfaffheit und
geistlich lute, wie die genant sint, als vor geschrieben stet, samentlich oder sunderlich
verliben laßen und darwieder in deheine wise nit ᵈ důn, als liebe in si unser und dez
heiligen richs swere ungnade zu vermiden und darzů auch soliche pene als der vor-   35
genante lantfriede ußwiset.   orkunde diß briefs versiegelt mit unserm koniglichem
majestat anhangenden ingesiegel, geben zu Heidelberg of den mitwochen vor unser
1404
Aug. 13 frauwen tag assumptionem zu latin in dem jare als man zalte nach Cristi geburte vierzehenhundert und vier jare unsers richs in dem vierden jare.

Ad mandatum domini regis   40
Johannes Winheim.

a) W korr. getrwen. b) om. WK. c) K bewartem. d) add. K.

¹ *Art. 31 im Landfrieden vom 11 Juli 1404*   *Bevollmächtigten aber jede Änderung abgelehnt*
nr. 426.   *(vgl. RTA. 2 nr. 102). Sigmund sah sich eben-*
² *Gegen den gleichlautenden art. 27 des Egerer* *falls veranlaßt diesen Artikel seines Landfriedens*   45
Landfriedens von 1389 hatten die Rheinischen   *vom 30 Sept. 1414 zu erläutern (vgl. RTA. 7 nr.*
Städte Einwendungen erhoben, die königlichen   *150 art. 3).*

429. *K. Ruprechts gemeiner Landfriede in Franken auf 3 Jahre bis 29 Sept.* 1410, *1407*
mit Einsetzung Friderichs Schenken Herrn zu Limburg als kön. *Juli 19*
gemeinen Reichs-
obermanns desselben (Erneuerung des dreijährigen Heidelberger kön. gem. Land-
friedens vom 11 bzw. 12 Juli 1404 nr. 426). 1407 Juli 19 Heidelberg.

O *aus Nürnb. Kr.A. S. VII L. V Bd. 16 or. mbr. lit. pat. c. sig. pend.; ohne die in*
unserm Druck angewandten Alineas.
Nur das Datum, unter der Überschrift data litere renovate, in Wien H.H. St.A. Reg.-*
B. C fol. 177 und in Karlsr. G.L.A. Pfälz. Kop.-B. 4 fol. 210, beide male unmit-
telbar hinter der Abschrift des Heidelberger Landfriedens von 1404 Juli 11 bzw. 12
(bei uns nr. 426).
Gedruckt die Notiz aus Wien l. c. bei Chmel pag. 210 Anhang III unter nr. 17.

Wir Ruprecht von gotes gnaden Romischer kunig zu allen zijten merer des richs
bekennen und tun kunt offenbar mit disem brief allen den die yn sehent oder horent
lesen: wann wir [*Eingang weiter wie im Landfrieden von 1404 Juli 11 bzw. 12*
nr. 426].

[*Art. 1—45 wie art. 1—45 ebendort.*]

[*Art. 46 wie art. 46 ebendort; nur lässt O nach zů zelen aus* ane widerruffen —
den wiederrůffen[b].]

[*Art. 47—49 wie art. 47—49 ebendort.*]

Und wir kunig Ruprecht obgenant haben diß alles zu urkund und ganczer
vestickeid unser kuniglicher majestate ingesigel an diesen brief tun hencken, der geben
ist zu Heidelberg nach Crists geburt vierczehenhundert jare und dornach in dem
sybenden jare des nehsten dinstags vor sant Marien Magdalenen tage, unsers richs in *1407*
dem sybenden jare. *Juli 19*

[*in verso*] R. Bertholdus Důrlach.

Ad mandatum domini regis
Johannes Winheim.

430. *Nürnberg an Schweinfurt, desgl. an Weißenburg, fordert auf zu einer Vorbe-* *[1407]*
sprechung der vier Fränkischen Städte zu Nürnberg auf 22 oder 23 Juli wegen *Juli 20*
der vom König beabsichtigten Verlängerung des Landfriedens. [1407[1]] Juli 20
Nürnberg.

Aus Nürnberg Kr.A. Briefbuch 7 fol. 201 conc. ch., mit der Überschrift Sweinfůrtt;
unter dem Stück die Notiz Weißemburg similiter.

Lieben freunde. wir heten unsern lieben burger und ratgesellen Peter Haller
gevertigt auf den tag, der zu Mergentheim zwischen unserm herren burgraf Fridrichen
und den von Rotemburg auf den nehstvergangen montag gewesen sein sôlt, den unser *[1407]*
herre der kůnig gemacht[c] het und der abgangen ist[2]. und als der gen Winsheim kome, *Juli 16*
do haben sich die von Winsheim mit dem egenanten unserm ratgesellen unterredt von
des lantfrids wegen, den unser herre .. der kůnig zu erlengen maint, und daz in wol
geviel daz wir ewer weisheit und den von Weißemburg auch darůmb verschriben, daz
ir ew in ewern råten auch davon unterredt und auch ewr erber botschaft darumb auf *[1407]*
den nehstkůnftigen freitag zu naht oder aber auf den samstag vor mittag zu uns her- *Juli 22*
Juli 23

a) *Chmel hat verlesen hae.* b) *vgl. Variante b zu nr. 426 art. 46.* c) *cod. gemach.*

[1] *Die Stellung im Kodex ergibt das Jahr.* [2] *Vgl. Schr. Rotenburgs v. 21 Juli 1407 in Bd. 6.*

[1407]
Juli 20 geschickt het, daz sie sich mit uns und andrer stet freunden davon unterredt heten
waz uns darinne ze tun wer' (und das haben wir den von Weißemburg auch also
Juli 22 verschriben, wan die von Winsheim ir freunde darumb auf den egenanten freitag zu
uns ze schicken mainen [1], als uns der egenant unser burger gesagt hat), wer' aber daz
euch die zeit ze kurz wer', daz ir dann ewern freunden, die von ewern wegen gen
Bamberg auf den lantfrid kumen werden, befülhet, daz sie sich mit unsern freunden,
die auch doselbsthin kumen werden, unterredten, waz ew darinne das beste deuht sein.
[1407]
Juli 20 datum feria 4 ut supra [2].

C. Heidelberger Landfriede für die Wetterau 1405 Juni 16 und Zugehöriges nr. 431-449.

1400
Okt. 30 **431.** *K. Ruprecht theilt Stadt Frankfurt mit, daß er den Landfrieden [von 1398 am Rhein und in der Wetterau RTA. 3 nr. 10 und 15], der bisher gehandhabt ist, bis zum 3 April 1401 bestellt hat* [3]. *1400 Okt. 30 Mainz.*

Aus Frankfurt St.A. Reichssachen Acten XI nr. 643 or. ch. lit. cl. c. sig. in v. impr. laeso; in verso von gleichzeitiger Hand unser herre der konig daz er den lantfriden zuschen ostern bestedigit hat.

Rûprecht von gots gnaden Rômescher
konig zû allen zijten merer dez riches.

Ersamen burgermeister rat und burger gemeinlichen der stat Franckford unser
und dez richs lieben getruwen.   solicher lantfride der bijtzher gehandelt und gehanthabet ist, han wir umbe gemeynen nütz und urber von unsere koniglichen macht und
gewalt denselben lantfriden mit allen sinen púnten und artickeln uffgesatzt und bestalt
1401
Apr. 3 bitz ostern nehstkomende, und han ouch von der vorgnanten unsere gewalt dem edeln
Philippsen graven zû Nassowe und zû Sarbrûcken unserm und dez riches lieben getruwen und neffen gantze môge geben dem egnanten lantfriden vúrzûsyne in alle der
maßen alz er bijtzher ymme fúr gewesen ist.   und sal uff den nehsten mandag nach
1400
Nov. 15 sant Martins dage zû Mentze ein lantgerichte sin, daruff wir ouch dieselben unser
frúnde schicken wollent, die wir vúr uff den lantdagen gehabet haben.   dez begern
wir von uch daz ir ouch uwer frúnde zû dem vorgnanten dage und ouch andern dagen
die man zúschen hie und ostern haben wúrdet von dez lantfriden wegen schickent und
yn helffent handeln von unsern wegen bynnen diser vorgnanten zijt alz ir bitzher getan

---

[1] *Rotenburg, das doch auch im Landfrieden war, wird in diesem Schreiben gar nicht erwähnt, vielleicht weil man schon die Ächtung der Stadt, die am 21 Juli erfolgte, erwartete.*

[2] *Vorhergehen 2 Briefe von fer. 3 ante Marie Magdalene.*

[3] *K. Wenzel hatte den Landfrieden ursprünglich für 10 Jahre errichtet (RTA. 3 nr. 10 art. 16), die Mitglieder aber hatten nicht nur durch Vereinbarung mit dem vom König eingesetzten Hauptmann die Dauer auf 5 Jahre herabgesetzt, sondern von vornherein die Möglichkeit einer noch früheren Auflösung in Betracht gezogen, s. RTA. 3 nr. 15 art. 16 und ebend. pag. 42, 37. Obiges*

Schreiben nun ist sehr merkwürdig. Die Ausdrücke sind offenbar mit großer Vorsicht gewählt; K. Ruprecht bestätigt den Landfrieden nicht eigentlich, beschränkt seine Dauer auch nicht, sondern errichtet ihn aufs neue, gibt dem Hauptmann aufs neue Vollmacht bis Ostern 1401, als ob der frühere Vertrag durch die Thronveränderung seine Rechtsverbindlichkeit verloren hätte. Thatsächlich kam das einer Herabsetzung der Dauer von 5 auf 3 Jahre gleich, und Ostern [April 3] 1401 löste sich der Landfriede dann auch faktisch auf (s. RTA. 3, 43, 26), wie schon Menzel in der histor. Zeitschrift 41, 163 bemerkt hat.

hant.   gegeben zů Mentze uff aller heilgen abind in dem jare alz man schreip nach
Cristi gebúrte viertzehen hondert jare und unsers riches in dem ersten jare.

1400
Okt. 30

[in verso] Den ersamen burgermeistern rait und
burgern gemeinlichen der stat Franckford unsern
5 und dez richs lieben getruwen.

432. *K. Ruprecht fordert die Städte Mainz Worms Speier Frankfurt Friedberg Geln-*
hausen Wetzlar [als Theilnehmer am Landfrieden von 1398 am Rhein und in der
Wetterau RTA. 3 nr. 10 und 15] auf, den Gfn. Philipp von Nassau noch ferner
die Landfriedenszölle erheben zu lassen, bis dessen rückständige Schuldforderung
10 *gedeckt sei* [1]. *1401 Merz 11 Nürnberg.*

An Frankfurt Friedberg Gelnhausen Wetzlar: A aus Frankfurt St.A. Reichsangelegenheiten
Betreffendes I Acten Fascikel 11 nr. 660, 3 or. ch. lit. cl. c. sig. in verso impr. — B coll. ib. nr. 660, 3
cop. ch. coaev.
An Mainz Worms Speier: C coll. Frankfurt St.A. ib. 660, 1 cop. ch. coaev., auf der Rückseite
15 *die Adresse* Unsern lieben getruwen burgermeistern und reten zu Mencze Wormes und Spire debet
dari; Unterschrift wie AB. — Regest Janssen 1, 83 nr. 223 aus Frankfurt St.A. Lfd. i. d. W. 1381-
1406 Var. III und Lfd. 1403, 43 b; beide Faszikel sind jetzt aufgelöst, eine von Janssens Vorlagen war
vermuthlich die unsere.

Ruprecht von gots gnaden Romischer
20 konig zu allen zijten merer des richs.

Lieben getruwen.   uns hat der edel unser lieber neve unde getruwer Philipps
grave zu Nassauwe und zu Sarbrucken gesagit, daz yme noch etwie vile gelts ußstee
von der landvogtien wegin als er landvogt gewest ist.   herumbe so meynen wir, daz ir
den obgenanten unsern neven grave Philipps soliche zolle als bißher von dem lantfrieden
25 gefallen sin furbaß laßent offheben, biß daz er siner schůlde, die yme von desselben
landfrieden wegin noch ußstet, follen bezalt wirdet.   datum Nurenberg sexta feria
post dominicam oculi[a] anno domini millesimo quadringentesimo primo, regni vero nostri
anno primo.

1401
Mrz. 11

[in verso] Unsern lieben getruwen burger-
30 meistern und reten zu Franckefurt Frideberg
Geilnhusen und Wetflar detur.

Ad mandatum domini regis
Johannes Winheim.

a) C statt post — oculi hat ante dominicam letare, was den gleichen Tag gibt.

---

[1] Die Stadt Mainz und der Städte Worms
Speier Frankfurt Friedberg Freunde, die zu die-
35 ser Zeit in Mainz bei einander gewesen sind,
an K. Ruprecht: in Antwort seines Schreibens
über die Landfriedenszölle [nr. 432] ersuchen sie
ihn, wenn jemand ihn angienge die Zölle ferner
zu erheben, daß er seine Antwort darauf dem
40 gemeinen Lande zu Nutz und ihnen allen zu
Frieden und zu Gemach verhalten und versiehen
wolle bis auf der Städte künftige Botschaft, die
sie bald bei ihm zu haben hoffen, ihm zu sagen
waz brestens dem gemeinen lande und den steden
45 darinne anligende ist; dat. Do. n. Marcus-Tag
[April 28] 1401; Frankfurt St.A. Reichssachen
Acten XI nr. 660, 5 cop. ch. coaev. — K. Ruprecht an Stadt Mainz und der Städte Worms
Speier Frankfurt Friedberg Freunde, die dann

bei einander gewesen sind: zu Antwort ihres Briefes lässt er sie wissen, daß noch niemand in diesen
Sachen mit ihm geredet hat zu dieser Zeit, und,
falls es geschehe, werde er seine Antwort aufhalten, wie ihn beschrieben haben, da er gemeinen
Landes Nutzen gern sehe; dat. Nurenberg fer. 5
post. inv. crucis [Mai 5] 1401; Frankfurt St.A.
l. c. nr. 660, 7 cop. ch. coaev. — Vom Mainzer
Tage aus hatten die Städte auch an den Erzbischof von Mainz geschrieben, und das bei Janssen
R.K. 1, 110 nr. 263 registierte Schreiben ist die
Antwort des Fürsten. Daß dieses Stück 1401
Mai 27 und nicht, wie von Janssen geschehen,
1402 Mai 19 zu datieren sei, ist ganz zweifellos.
Janssens Vorlage haben wir nicht wider aufgefunden, der Fascikel aus dem er sie entnommen
hat ist seitdem aufgelöst worden.

433. *K. Ruprecht an Frankfurt: setzt zu Berathung eines Landfriedens in der Wetterau*
einen neuen Tag zu Frankfurt auf Jan. 20/21 an, stellt sein persönliches Erschei-
nen und das des Erzbischofs von Mainz in Aussicht. 1403 Dec. 23 Heidelberg.

Aus Frankfurt St.A. Reichssachen Acten fasc. XIII nr. 788 or. ch. lit. cl. c. sig. in v.
impr. del.; in verso von gleichzeitiger Hand unser herre der kung herbescheiden umb 5
einen friden.

Ruprecht von gnaden gots Romischer
kunig zu allen zijten merer des richs.

Lieben getruwen.   als wir unser rete nehst off einem tag zu Franckfurt gehabt
han, daroff ir auch gewest sint, als umbe ein eynung und lanntfriden in der Wederauwe 10
zu machen, des habent uns unser rete die wir zu demselben tag gesant hatten wol
gesaget, wie ir davon gescheiden sint. wannt nu wir ymmers genczlichen darczu
geneyget sin, fryden und gemach zu schaffen, so haben wir mit dem erwirdigen Johann
erczbischof zu Mencz unserm lieben oheim und kurfursten, als er iczund bij uns hie
zu Heidelberg gewest ist, davon geredt, der wil uns getrulichen darczu beholffen sin. 15
und darumbe so haben wir einen andern tage gein Franckfurt gemacht off den sontag
der heiligen Fabiani und Sebastiani tag nehstkumpt zu nacht daselbs zu sin und off
den montag frûe die teding anzufahen [1]. zu demselben tag wir auch mit der gotshilff
mit unser selbs libe komen wollen. und der obgnante unser oheim der erczbischof von
Mencze wil auch zu uns dahin komen. herumbe begern wir mit ernste, das ir auch 20
zu dem obgnanten tag zu uns gein Franckfurt wollent komen und beholffen sin, das
wir das lande in fryden und gemache geseczen und darinne gehalten mogen. da dun
ir uns besunderen dancknemen dienst an.   datum Heidelberg dominica ante festum
nativitatis Cristi anno domini millesimo quadringentesimo tercio regni vero nostri
anno quarto.   25

[in verso] Unsern lieben getruwen burger-
meistern und rate unser und des heiligen   Ad mandatum domini regis
richs stat Franckfurt.   Johannes Winheim.

---

434. *Frankfurter Aufzeichnung zu Verhandlungen über Errichtung eines Landfriedens*
in der Wetterau nach Muster des Fränkischen vom 26 Aug. 1403 nr. 425.   *[1403* 30
ex. oder 1404 in. Frankfurt [2].]

Aus Frankfurt St.A. Reichssachen Urkunden nr. 137 cop. ch. coaev., 4 Seiten Folio von
denen etwas mehr als 2 beschrieben sind, in Alineas denen sich im wesentlichen unsere
Artikeleintheilung anschließt; die Randnotizen von der gleichen Hand; zusammen-
geheftet mit der Frankfurter Abschrift des Fränkischen Landfriedens von 1403 35
Aug. 26 nr. 425.

[1] Nota zûm ersten wer lantvoigt odir heubtmann sin sulle.
[2] Nota wer dem beubtmann des lantfriden lonen sülle und wovon daz man daz
nemen sulle.

---

[1] Von Vorbereitungen zu diesem Tage erfahren   [2] Über Zweck und Datierung der Aufzeichnung 40
wir auch durch einen Posten der Kämmereirech-   handelt die Einleitung p. 591.
nungen vom 14 Januar 1404, Janssen 1, 758 nr.
1112 art. 1, bei uns in Bd. 6.

[3] Nota^a uf den art*ikel* wer' ez abir daz eim clagir daz recht virzogen wurde etc. [1] *[1403*
und als er ludet daz danne der heubtmann demselben clager beholfen sulde sin etc., *us. od.*
nota wie er ime beholfen sulde sin, daz ime furderlichen daz recht ginge zû dem odir *1404*
den er zû sprechen^b hette, obe er daz mit folke und macht tun sulde odir mit widir- *in.]*
5 sagen odir obe er daz nach ans*prache* und entwûrt tûn sulde mit einer uzsprache allein
odir obe imand mit ime sprechen sulde etc.

[4] Hette^c auch imand etc. [2], und obe eime des rechten nit unverzogenlich in eim
mande geholfen wûrde, so sulde danne der heubtmann mit hulfe anderer fursten herren
und stete dem clager beholfin sin daz ime des rechten furderlich beholfen wurde, nota
10 wie man ime beholfen sulle sin mit folk und macht odir mit widirsagen od*ir* obe
der heubt*man* allein odir mit andern luden nach ansprach und entwûrt darûbir sprechen sulde.

[5] Item nota wo die lantdage odir gespreche gehalden sulden werden.

[6] Item obe ander lude mit dem heubtman sprechen' sulden, wer die darzû geben
15 sulde^d.

[7] Wer'^e es auch daz von solicher phandûnge wegen imand gefangen wurde etc. [3],
nota^f wer' ez abir daz man soliche phandûnge weren wulde und obe da imand ge-
wondet wûrde od*ir* tod bliebe von welchir siten daz were, wie man daz dann halden
sulde etc.

20 [8] Auch^g waz eigen und erbe antriffet daz sal man etc. [4], nota daz were widir
der heubtman Franck*furt* gnade und friheid, wand die nirgen zû recht sten sollen dan zû
Franck*furt* etc., waz abir were umb lehen odir hoffig gud, daz wiset man dar iz horet.

[9] Ez^h sollen auch alle pilgerin etc. [5], nota alle die zû haûwe etc. und andere
soliche redeliche erbeid tûn des lantfri*den* auch geniessen.

25 [10] Auchⁱ mag ein iglichir herre zû hofen und gesprochen kempen etc. [6], nota^k
daz die von Franck*furt* irer messe friheid uznemen daz die bliben als herkommen ist,
und auch sust fürsten herren odir stede zu gesprechen als sich dicke virhandelt geleide
mogen geben, und auch zû der stede Franck*furt* node odir gesprechen etc.

[11] Wanne^l auch der hauptman reiset etc. [7], nota wer darzû dienen sal, und
30 waz iglicher furste herre etc. darzû dienen sal, und wer den dinst anslahen und ufseczin
sal iglichem sin anzal, item^m wer bussen bliden pulver etc. und andern gezug darzû
lihen sal, itemⁿ wer sulche bussen bliden etc. und waz daz kostet darnach bezaln sal,
und wer iglichem fursten herren stad etc. daz also^o iglichem zu bezaln anslahen sal,
und obe man daz vor der reise odir nach der reise also anslahen sal, und in welchir
35 benanten zit man das bezaln sal ane alliz virziehen.

[12] Wer'^p es abir daz ein fremde geselschaft etc. [8], nota obe darin geen mochte
daz die einunge und lantfri*den* in Francken auch darzû dienete und disser lantfri*de*

a) *am Rande neben diesem Artikel die Ziffer 2, ferner deletur und gleich unter diesem Worte nota wer sich vor dem*
40 *heubtman des lantfriden virentwerten sulde zum rechten das der vur die sache kein geleide und felikeit nit*
haben sulle. b) *Vorl. zûsprechen in Einem Wort.* c) *am Rande neben diesem Artikel die Ziffer 5, ferner nota*
wer messe und merkte suchet das die und ire habe sicher sin und des lantfriden geniessen. d) *korr. aus*
sulle. e) *am Rande neben diesem Artikel die Ziffer 8.* f) *Vorlage beginnt neues Alinea.* g) *am Rande neben*
diesem Artikel die Ziffer 12. h) *am Rande neben diesem Artikel die Ziffer 19.* i) *am Rande neben diesem Ar-*
tikel die Ziffer 19. k) *Vorlage beginnt neues Alinea.* l) *am Rande neben diesem Artikel die Ziffer 21.* m) *Vor-*
45 *lage beginnt neues Alinea.* n) *Vorlage beginnt neues Alinea.* o) *folgt ausgestr. bezaln sal.* p) *am Rande neben*
diesem Artikel die Ziffer 25.

[1] *Im Fränkischen Landfrieden von 1403 Aug. 26*   [5] *Ebend. art. 8.*
nr. 425 art. 1, ungefähr in der Mitte, p. 604, 4.   [6] *Ebend. art. 12.*
[2] *nr. 425 art. 3.*   [7] *Ebend. art. 13c.*
50 [3] *Ebend. art. 4, nach der Mitte, p. 605, 17.*   [8] *Ebend. art. 17.*
[4] *Ebend. art. 5.*

79 *

[1403
ex. od.
1404
in.] derselben einunge auch widirumb, und, obe ein einunge und lantfride des andern bedorfte zu besesse vor ein sloß etc., daz daz dan abir geschee und die einen den andern
zu helfe qwemen.

[13] Wer[a] auch in disser einunge und friden nit ist, der sal der nit geniessen etc. [1],
ußgescheiden pilgerin koûflude pluge etc., daz sin die geniessen und darinne begriffin   5
sollen sin, als vor geschriben steet.

[14] Nota[b] daz der da phendet mit den phanden phentlich gebaren sal und der
auch mit den phanden fride und geleide haben sal in der stad darinne er gelassin
were [2], nota daz der vûr die phandûnge fride und geleide haben sulle und nit verrer.

[15] Item[c] mit der zusprache in welchem gericht [3], da mag einer dem andern   10
in stad oder in slosse zûsprechen mit gericht und sulde damide der lantfride nit ubir-
faren sin.

[16] Wer[d] sich auch knechte etc. [4], nota wer sie nach der beschedigûnge als dieselben knechte getan hetten heldet odir virsprichet, des sal man zû demselben glich
wartende sin etc.   15

[17] Auch[e] [5] mag iglicher fûrste herre und stede geleide geben zu gesprechin zu
hofen gesprochen[f] kempen und iren messen und merkten diewile eim iglichen der wider
den lantfriden nit getan hette.

1404
Jan. 26 **435.** *Kosten Frankfurts bei dem königlichen Tage daselbst im Januar 1404.*   1404
Jan. 26.   20

Aus Frankf. St.A. Rechenbücher *unter der Rubrik* besundern einzelingen uzgeben.

1404
Jan. 26 Sabb. post convers. Pauli: 4 lb. 17 sh. 7 hl. han des rades frunde zû drien
malen virzert uf der Farporthen, als des rades frunde daruf bescheiden waren unsern
herren den konig zû intphahen und zu ratslagen uf igliche sache darumbe unser herre
der konig herbescheiden hatte, und auch die zû unserm herren dem konige zûgen. —   25
item 34 gulden 6 sh. 7 hl. umb 7 ame wins und 3 virteil Elseßers und dann 42½ lb.
umb hundert achteil hafern unserm herren dem kunige geschenkt, als er hie waz des
1404
Jan. 20 suntages nach dem achtzehenden tag, als er dem bischof von Mencze und sust den lantherren und stedin herbescheiden hatte[g] umb friden hieumbe zû machin. — item 26 sh.
von dem habern zû messen und zû furen gein Sassinhusen in unsers herren des kuniges 30
herberge. — item 27 sh. 6 hl. von holze zû fellen in dem walde und auch vorter zû
furen unserm herren dem kunige in sin herberge. — item 16 grosse unsers herren des
kûniges dorhutern zû schenken. — item 2 gulden unsers herren des kuniges quinter-
nern und lutenslegern geschenkt. — item 10 gulden 1 sh. umb fische die von der stede
wegin unserm herren dem bischof von Mencze geschenkt wûrden. — item 20 gulden   35
17 sh. als man an wine virschenkt hat unserm herren von Mencze unsers herren des
kûniges zwein sonen und der fursten reten und graven herren rittern knechten und
steden. — item 1 lb. den knechten zû lone die fleschen trugen den win zû schenken.

a) *am Rande neben diesem Artikel die Ziffer* 20. b) *am Rande neben diesem Artikel* nota 6. c) *am Rande neben
diesem Artikel die Ziffer* 5. d) *am Rande neben diesem Artikel die Ziffer* 15. e) *am Rande neben diesem Artikel* 40
die Ziffer 19. f) *em. aus* gesprochen. g) *om. Vorlage.*

[1] *Ebend. art. 23.*
[2] *Vgl. ebend. art. 4.*
[3] *Vgl. ebend. art. 3.*

[4] *Ebend. art. 11.*
[5] *Vgl. ebend. art. 12.*

436. *Aufzeichnung von Berathungen über ein Bündnis gen. Wetterauischer Reichs-* ¹⁴⁰⁵ *stände, besonders wegen der Folgen ihrer Theilnahme am Zuge K. Ruprechts in* ^{Fbr. 25} *die Wetterau, bis auf 29 Sept. 1405.   1405 Febr. 25 Frankfurt* [1].

A *aus Frankfurt St.A. Reichssachen Acten XV nr. 855, 3 cop. ch. coaev.; in Alineas, denen unsere Artikeleintheilung folgt.*
B *coll. ibid. nr. 855, 2 cop. ch. coaev., von derselben Hand wie A; Eintheilung in Alineas eine etwas andere.*
C *coll. ibid. nr. 855, 1 conc. ch., stark korrigiert, in verso von gleichzeitiger Hand* begriff des friden.

[*1*] Iß ist geratslagit, als der allerdurchluchtigste furste etc. unser gnediger herre der Romsche konig iczunt in der Wedreibe zu felde gelegen hat und etzliche slosse gewonnen, das dan die edeln herren her Philips von Falken*stein* herre zu Minczinberg, her Reinhart, und junger Johan herren zu Hanauw, und die stede Franckenfurt Frideberg und Geilnhusen die iren uf iren kosten ^a mit hern Herman von Rodenstein, den unser herre der konig zu eim heubtman und virweser darzu gegeben hat, schicken sollen zu weren und zu widersteen, obe imant die obgnanten herren und stede von des obgnanten legers und geschicht wegen oder sust zu unrecht kriegen wulde etc.; mit namen sal min herre von Falken*stein* darzu schicken sesse mit gleven selbsechzehenste gewapenter, item her Reinhart und junger Johan obgnante dri mit gleven selbachte gewapent, item die von Franck*enfurt* seß mit gleven selbsechzehenste gewapent, item die von Frideberg und von Geilnhusen echte gewapente.

[*2*] Item sollen die obgnanten herren und stede hern Herman von Rodenstein die iren vorgnant schicken und senden, so dicke er darumb schribit oder ermant, die im auch getrülich beholfen und gehorsam sin sollen etc.

[*3*] Auch sollen der obgnanten herren und stede slosse stede gerichte und gebiede dem obgnanten hern Herman und sinen mideridern offin sin zu nacht und zu dage, und in auch zu spisunge und sust ^b redelich feil kaûf ^c umb ire phennige gegeben werden, ane geverde [2].

[*4*] Auch sal igliche herre und die stede ^d noch ire amptlude oder die iren nimand geleide geben dan fur schult, ußgescheiden das fursten herren und stede zu torneien dagen und gesprechen und auch der messe friheit geleide mogen geben ^e.

a) *C* uf iren kosten *übergeschrieben.* b) *C* zu spisunge und sust *übergeschrieben.* c) *B add. ausgestrichen* gegeben. d) *C add. ausgestrichen* nim. e) *C* ußgescheiden — geben *an den Rand geschrieben.*

[1] *K. Ruprecht urkundet am 24 Februar 1405 zu Sachsenhausen bei Frankfurt (Chmel nr. 1940), und im Frankfurter Rechenbuch steht unter besundern einzelinge uzgeben folgender Eintrag:* Sabb. post Walpurgis [1405 Mai 2]: item 200 gulden 92 gulden han wir vûr unsern herren den kûnig dargeluhen und bezalt, als er hie virzert hatte mit den sinen, als er uss dem felde von Ruckingen gezogen was und zwo nachte hie lag. *Das war eben in diesen Tagen. Vgl. im übrigen wegen dieses Stückes die Einleitung p. 592.*

[2] *K. Ruprecht befiehlt der Stadt Friedeberg, seinen Landvogt Herman von Rodenstein und dessen Mitreiter Tag und Nacht zu Friedberg* aus und ein reiten zu lassen, denselben Kost und Futter zu geben um ihre zeitlichen Pfennige; *gebietet aber der Stadt zugleich, den Johann von Rudikeim Erwin von Swabach Rittern Ulrich und Dietherich von Rudikeim Henne Schelrijs Rudolff von Bleichenbach und Berthram von Filwil bei sich* nicht ein oder aus zu lassen und denselben noch nimand kein Geleit zu geben denn für Schuld, ausgenommen daß zu Torneyen Tagen und Gesprechen und nach ihrer Messe Freiheit Geleit geben mögen; *dat. Heidelberg fer. 3 post invocavit [Merz 10] 1405 r. 5; Karlsruhe G.L.A. Pfälz. Kop.-B. 8½ fol. 89^b cop. ch. coaev., und ibid. Pfälz. Kop.-B. 149 pag. 90-91 cop. ch. coaev.*

[5] Wulde sich aber imand mit den obgnanten herren oder steden understen zu richten und begerte daruf geleids, das geleide mochte man dem[a] wol geben, also das daz[b] vor ußgetragen wurde mit hern Hermans von Rodenstein willen und wissen oder wem er iz befelhe oder wem iz anders unser gnediger herre der Romsche konig dan befolhen hette als eim heubtman[c].

[6] Auch[d] wer' es das got sin gnade gebe das[e] her Herman und die obgnanten der herren[f] und stede dienere die sie darbi hetten[g] imants niderwurfen oder andern nůcz schichten an slossen oder sust, so sulden[h] der nůcz gefallen den herren und steden nach marczal der gewapenter als sie darbi gehabt hetten ane geverde, und sie auch mit orfride[1] und verbuntnisse glich versorgit werden ane geverde, ußgenommen was in die bute gehorit, das das blibe als buterecht und gewonheit ist[i]. doch obe hern Herman von Rodenstein, oder wer an sin stat dan von unsers herren des konigs gnade wegen darzu gesast were, beduchte, das solicher gefangen einer oder me als ubeltedig were, das man billich uber die richten sulde, des sulde er macht han und die vorgnanten herren und stede das verhengen und darwider nit sin.

[7] Auch sal disser obgnante begriff weren von hude datum disser schrift biz uf sant Michels tag[k] nestkompt, uf das, zu besehen, obe dise sache sich eczwas verandern wurde, das man sich darnach richten mochte nach hilfe und rade unsers gnedigen herren des Romschen konigs zu verandern oder zu meren oder zu minnern.

Scriptum Franckenfurt in crastino Mathie apostoli anno domini 1400 quinto.

---

437. *Entwurf eines königlichen Landfriedens in der Wetterau auf 3 Jahre unwiderruflich bis 24 Juni [1408] und weiter bis auf kön. Widerruf (Grundlage des dreijährigen Heidelberger Landfriedens vom 16 Juni 1405 nr. 438). [1405 zwischen Mai 17 und 26 Frankfurt[2].]*

> *D aus Frankfurt St.A. Reichssachen Urkunden nr. 139 conc. ch.; 12 Folioseiten, von denen die ersten 7 den Entwurf enthalten (nur die letzten 5 Worte desselben stehen auf der 8 Seite), die letzte die Liste derer die geschworen haben, s. Anm. zu nr. 440. Die Abweichungen des Entwurfs von der Ausfertigung nr. 438 sind später durch Korrekturen beseitigt, und auch der Schluß der Urkunde incl. der Unterschrift ist hinzugefügt. Auch Korrekturen an einzelnen Worten, die inhaltlich nichts ändern, finden sich, vgl. die Varianten D in nr. 426 und nr. 438. Die Schrift des später hinzugefügten Schlusses weist mehrere charakteristische Eigenthümlichkeiten auf, die sie von der des Entwurfes ziemlich sicher als eine andere Hand unterscheiden lassen; bei manchen der Korrekturen aber bleibt zweifelhaft, ob sie von der ersten oder zweiten Hand herrühren oder gar von einer dritten, die am Rande kurze Inhaltsangaben ähnlicher Art wie die in der Abschrift N des Fränkischen Landfriedens nr. 426 notiert hat; diese stimmen mit den Randnotizen der Abschrift C des Wetterauischen Landfriedens (vgl. Quellenbeschr. zu nr. 438) theilweise wörtlich überein; vgl. Einl. p. 595, 8 ff.*

Wir Ruprecht etc. bekennen etc.: wann wir [*und weiter wie im Landfrieden für die Wetterau vom 16 Juni 1405 nr. 438 bis zum art. 45 desselben einschließlich; mit*

---

a) *BC* demselben. b) *B* ls. c) *C* oder wem — heubtman *anscheinend am Schluß des Alineas nachträglich hinzugefügt.* d) *art. 6 in C nach Schluß des Stückes auf der zweiten Seite, durch ein Zeichen hierher verwiesen.* e) *C add. ausgestrichen* Herm. f) *B* herren korr. statt stede. g) *C* der herren — hetten *an dem Rand geschr.*, herren *im Text ausgestrichen.* h) *em.* sul denn? i) oder andern nůcz — gewonheit ist *in C Korrektur, ausgestrichen ist dort so sulde man solichin nůcz tun gefallin desilhenen, die dabi gewest weren, nach marczal der gewapenter; würde auch imand da gefangin, da sulden aber herren und stede an der schaczunge zů irm anzal steen und auch mit orfride und verbūntnisse glich virsorget werden ane geverde.* k) *C* sant Michels tag *übergeschrieben,* unser liben frauwen tag assumpcionis [*Aug. 15*] *ausgestrichen.*

---

[1] *Lexer:* urvride = urvêhede.   [2] *Über die Datierung s. Einleitung p. 594.*

folgenden Abweichungen: *a) bei Nennung der Landfriedensmitglieder ist vor* graven [1405
entweder hinzugefügt kurfursten fursten *(so art. 1. 2. 4. 12. 21. 42. 43), resp. nur* Mai 17
fursten *(so an der zweiten Stelle von art. 1), oder statt des hier im Entwurf fehlenden* und 26]
graven *heißt es* kurfursten fursten *(so art. 19. 23. 27. 37. 39), resp. nur* fursten *(so*
5 *art. 13 und 31);*   *b) in art. 2 ist an Stelle des Namens des Hauptmanns* unser —
ritter nur der gesetzt[a]*;*   *c) ebendort heißt es bei Bezeichnung der Versammlungsorte*
in der vier stete ein Mencze Franckfurd Aschaffinburg und Friedeberg *statt in* — Geilnhusen;   *d) am Schluß von art. 42 nach* richs hulden *folgt* ußgnommen waz der
erwirdig Johan erzbischof zů Mencze unser liebir oheim und sin stift zů Mencze in den
10 landen zu Hessen zů Sachsen und uf dem Eichsfelde haben;   *e) den Beschluß des*
Entwurfs bilden die Anfangsworte eines in der Ausfertigung fortgefallenen Artikels 46
der wol das Gelöbnis der Theilnehmer enthalten sollte Und wir Johann erzbischof etc.].

438. *K. Ruprechts Landfriede in der Wetterau auf 3 Jahre unwiderruflich bis 24 Juni* 1405
1408 und weiter bis auf kön. Widerruf, mit Einsetzung Eberhards vom Hirschhorn Juni 16
15 *als gemeinen kön. Reichshauptmanns und - Obermanns desselben. 1405 Juni 16*
Heidelberg.

    A aus Wien H.H. St.A. K. Ruprechts Registr.-Buch C fol. 295ᵃ-297ᵃ *cop. chart. coaev.,*
      mit der Überschrift Der lantfride in der Wederauwe; *coll. mit dem Fränkischen*
      Landfrieden von 1404 nr. 426, wo die Varianten A zu vergleichen sind; im Druck tz
20   *durchgeführt; der Eingang aus D ergänzt.*
    B coll. Karlsruhe G.L.A. Pfälz. Kop.-B. 4 fol. 232ᵃ-235ᵃ *cop. chart. coaev., mit der*
      gleichen Überschrift; vgl. Varianten B in nr. 426.
    C coll. Frankfurt St.A. Reichssachen Urkunden nr. 139 *cop. mb. coaev., 12 Folioseiten,*
      erste und letzte ganz, vorletzte zu fast zwei Drittel leer gelassen, auf der ersten von
25   *gleichzeitiger Hand* ufgericht *von könig Ruprecht; in Alineas mit Inhalts-*
      angaben am Rande; vgl. Varianten C in nr. 426.
    D coll. Frankfurt St.A. Reichssachen Urkunden nr. 139 *cop. ch. coaev., aus dem Ent-*
      wurf nr. 437 zu einer Abschrift des Landfriedens umkorrigiert, vgl. nr. 437 und
      Varianten D zu nr. 426; wegen des Verhältnisses zu C s. Einleitung p. 595.
30   *Regest* Chmel nr. 1999 *aus A und* Scriba 2 nr. 1953 *aus Chmel.*

    Wir Ruprecht[b] von gots gnaden Romischer kůnig zů allin ziden merer des richs
bekennen und tůn kunt uffinbar mit disem briefe allin den die in sehen oder horen
lesen[c]:   wand wir als ein Romischer kunig von dem almechtigen gote darzů geordent
und gesetzt sin allen und iglichen des heiligen richs undertanen und getruwen friede
35 und gemache zu schaffen, darzů wir auch sunderlich geneiget sin, und wand uns vil
und manicherlei clage furkommen sin, das vil rauberi und unfriedes in unser und des
richs gepieten mit namen in der Wederåuwe und doumbe sin, damit pilgerinne kauflůte
und auch ander[d] geistlich und werntlich swerlich beschediget und verderplich gemacht
werden: darumbe, dem almechtigen got zu lobe dem heiligen riche zů eren und landen
40 und lůten zu frieden zů nůtz und zu frommen, mit wolbedachtem mute gutem rate
unser und des richs fursten geistlicher und werntlicher edeler und getruwer und von
rechter wißen, haben wir einen lantfrieden gesetzet und gemacht setzen und machen in
craft diß briefs und Römischer kuniglicher mechtevolkommenheid in der maße als hernach geschriben stet.
45 [*Art. 1 wie art. 1 im Landfrieden für Franken von 1404 Juli 11 nr. 426 mit*
folgenden Abweichungen: a) machen setzen[e] *und* orden *statt* setzen und *wollen; b) in*

---

a) sic, ohne Spatium od. dgl. b) C Rupracht. c) von gots — lesen aus C; AB statt dessen etc. bekennen etc.; D urspr. ebenso, dann korrigiert. d) A add. lůte ausgestr. e) D setzin vor machen ausgestr., dann hier überpescht.

der zweimaligen Zusammenstellung fursten graven herren stede *ist fursten, wie überall in diesem Landfrieden bei Bezeichnung der Theilnehmer, ausgefallen, dagegen c) rittere knechte nach herren hinzugefügt; d) ausgefallen ist und steten trûwen; e) alle die zit und statt diewile; f) dem[a] rechten statt eim fruntlichen — sin sol.*]

[2] Darnach machen setzen und orden wir, das unser lieber getruwer Eberhard ₅
vom Hirßhorn ritter [1] desselben lantfrieden [*weiter wie art. 2 ebendort; nur a) vor obermann ist das erste mal hinzugefügt heuptmann und, später ist statt obermann regelmäßig, ausgenommen in art. 46, heuptmann gesetzt; b) zweimal dri statt viere; c) wie im ganzen Landfrieden sechs statt echte; d) andern statt allen den; e) add. ritter knechte nach grave; f) in der drier stetde eine Franckfurd Friedberg oder[b] Geiln-* ₁₀
hûsen statt in der vier — Nuremberg; g) und stetde zweimal statt stete und andere; h) add. und unverzogenlich nach getruwlichen, diese drei Worte g. u. u. dann vor beholfen gesetzt].

[3] Wann [2] auch iemand, der in diesen lantfrieden gehöret, beschediget oder wider diesen lantfrieden angegriffen werde[c] an lip oder an gût, so sollent die nehsten ₁₅
herren oder stetde oder ander die in diesen lantfrieden gehören, bi den ez gescheen ist, als balde sie des innen oder ermanet werden, nach frischer getate unverzogen-lich zûilen mit allem irem vermôgen und darzû tûn getrûliche ane alles geverde was sie môgen, die, die den schaden getann hetten, zu behalten und die name widerzu-brengen. ₂₀

[4] Auch [3] sollen dieselben, die uber diesen lantfrieden gesetzet sin, of ire eide den grafen herren und stetten, die in diesem lantfrieden sint oder darinne kommen wer-den, hilf und dinste, die zu diesem lantfrieden noit sin und die man darzu tun sal, iedermann sin anzale anslahen und anlegen getruwlichen und ane alles geverde.

[*Art. 5 wie art. 4 ebendort.*] ₂₅

[6] Wer' [4] es auch daz die egenanten sehs oder der mererteil under in of ire eide erkanten, das der egenante heuptman diesem lantfrieden nicht bequemlich were, oder das er abginge (da got vor si), so sollen und mogen wir in einen andern setzen und geben in dem nechsten manad darnach als uns das verkundet ist ane geverde. derselbe dann auch sweren sal als der vorder gesworn hatte ane geverde[d]. ₃₀

[*Art. 7 wie art. 6 ebendort; nur a) om. zweimal vier vor stete, b) add. die nach inhalt diß briefs vor uf ir eide.*]

[*Art. 8 wie art. 7 ebendort; nur die sehs und der heuptmann statt fur die nûne.*]

[*Art. 9 wie art. 8 ebendort.*]

[*Art. 10 wie art. 9 ebendort; nur, wie auch sonst regelmäßig, sieben statt nûnen.*] ₃₅

[*Art. 11 wie art. 10 ebendort; nur a) welicher teil statt were vor sich dez widert, b) alle die statt die heren — ander.*]

---

a) D dem *übergeschr.*, einem *ausgestr.* b) DC und. c) D wurde, C wûrde. d) derselbe — geverde *ausgestr. in* D, om. C.

---

[1] *Erscheint 1405/6 oft in seiner Eigenschaft als Landfriedenshauptmann. Zahlreiche Briefe von ihm und seinen 6 Beisitzern finden sich im Frankfurter St.A. Reichssachen Acten XV und XVI und ebend. Kopialbuch nr. 17. Wie er das Amt niederlegte und der Landfriede sich auflöste, vgl. nr. 446ff. und Einleitung p. 596 f.*

[2] *Vgl. im Egerer Landfrieden von 1389 RTA.*

[2] *nr. 72 art. 2 gegen Ende und art. 3. Im* ₄₀ *Fränkischen Landfrieden von 1404 nr. 426 war der Grundsatz, zunächst die Nächstgesessenen zur Hilfe aufzubieten, fast ganz aufgegeben (vgl. jedoch art. 30 dort).*

[3] *Vgl. art. 3 des Fränkischen Landfriedens nr.* ₄₅ *426.*

[4] *Vgl. art. 5 ebendort.*

[*12*] Auch [1] sollen die egenanten sehs und der heuptmann macht haben von unsern *1405 Juni 16*
und des richs wegen in begriff des lantfriedens an gelegen stetden zolle ofzusetzen,
als sie bequemlich dunket sin of ire eide, davon man dem heuptmann sin gulte und
ander sachen, die zu dem lantfrieden notdorftig sin, ußrichte. und was sie also ofsetzen
werden, dabi sal man das bliben laßen und das vesticlichen halten und fullenfuren ane
widersprechen. und ob von den zollen alz vil nicht gefiele, waz dann daran gebreche,
das sollen die egenanten graven herren und stetde erfullen nach erkentniße der egenanten
sieben oder des mererteils under in.

[*13*] Were auch daz dieselben sieben oder der mererteil under ,in erkanten, das
iemand, es were herre oder stad, beseß bedorfte, wohin das were, so sollen dieselben
sieben igliche grafen herren und stetde, die in diesem lantfrieden sint [*weiter wie art. 14
ebendort; nur* auch sollen *statt* auch weliche, *und* darliben *statt* haben — lihen *nach*
not ist].

[*Art. 14 wie art. 15 ebendort.*]

[*Art. 15 wie art. 16 ebendort; nur* und den die darzu gehören *statt* ochsen —
sicher sin und.]

[*Art. 16-18 wie art. 17-19 ebendort.*]

[*Art. 19 wie art. 20 ebendort; nur add.* graven *vor* herren.]

[*Art. 20-22ª wie art. 21-23ª ebendort.*]

[*Art. 23 wie art. 24 ebendort; nur add.* graven *vor* herren.]

[*Art. 24-26 wie art. 25-27 ebendort.*]

[*Art. 27 wie art. 28 ebendort; nur* graven herren stetde und andere *statt* herren
und stete.]

[*Art. 28 wie art. 29 ebendort; nur* vor diesem lantfrieden. geschee aber des nicht
statt an den steten — geverde.]

[*Art. 29 wie art. 30 ebendort; nur a) add.* kurfursten *vor* fursten, *das hier nicht
ausgelassen; b)* die die straßen büwen oder wandern, von welichen landen *statt* und
allermenglich — lande; *c)* die nehsten herren oder stetde oder andere *statt* der
nechste — ander.]

[*Art. 30 wie art. 31 ebendort.*]

[*Art. 31 wie art. 32 ebendort; nur* grave *statt* furste.]

[*Art. 32-35 wie art. 33-36 ebendort.*]

[*Art. 36 wie art. 37 ebendort bis* beholfen sin ane geverde, *der Schluß ausgelassen.*]

[*Art. 37 wie art. 38 ebendort; nur* graven *statt* fursten.]

[*Art. 38 wie art. 40 ebendort* [2]*; nur a) nach* zu nutze kommen *hier* derselbe
herre, dez das sloße ist, sal auch dem lantfrieden soliche gelte, daz dasselbe sloße stat,
in einem maned darnach und es gewonnen ist, versichern zů geben in jarsfrist. geschicht dez nit*, so sal man es brechen *statt* der lantfrid — brechen; *b) add.* und in
einem maned versichern als vor geschriben stat *nach* lösen in jarsfrist.]

[*Art. 39 wie art. 41 ebendort; nur a) zweimal* graven *statt* fursten; *b) add.* oder
dorinne kommen *nach* lantfrid sint.]

[*Art. 40 wie art. 42 ebendort.*]

a) in D folgt ausgestrichen sol.

[1] *Vgl. art. 13 ebendort; art. 11 und 12 des
Fränkischen Landfriedens sind hier ganz ausgefallen.*

[2] *Art. 39 des Fränkischen Landfriedens ist hier
ganz fortgefallen.*

[*Art. 41 wie art. 43 ebendort; nur a)* om. eigen lûte und; *b)* om. oder die nach-folgende kriége haben.]

[*Art. 42 wie art. 44; nur* in der Wederauwe *statt* und gen in Francken.]

[*Art. 43 wie art. 45 ebendort.*]

[*Art. 44 wie art. 46 ebendort; nur a) add.* und *nach* weren, *und* ganze und un- **5**
verrucket bliben *nach* gehalten werden; *b)* Johans baptisten *statt* Michels.]

[45] Es [1] sollent auch alle und igliche graven herren ritter knechte und andere,
die in diesem lantfrieden geseßen sin, diesen lantfrieden sweren inwendig zwei
manden nach datum diß briefes. weliche aber des nit tun wollen, die sollen des lantfrieden nit genießen.   **10**

[*Art. 46 wie art. 49 ebendort, nur* grave *statt* furste.]

Und wir kunig Ruprecht obgenant haben diß allez zu urkunde und ganzer vestic-
keit unser kunigliche majestad ingesigel an diesen brief tun henken, der geben ist zu
Heydelberg of den dinstag vor unsers herren lichams tag in dem jare als man zalte
nach Cristi gebûrte vierzehenhundert und darnach in dem funften jare unsers richs in **15**
dem funften jare.

> Ad mandatum domini regis
> Johannes Winheim.

---

439. *Kosten Frankfurts bei dem königlichen Tage daselbst im Mai 1405 und nachher.*
1405 Mai 23 bis Aug. 15.   **20**

Aus Frankfurt St.A. Rechenbücher unter der Rubrik besundern einzlingen ussgebin.

[*1*] Sabb. ante Urbani: 16 sh. drin portenern 17 tagelone an den porten zû huden,
als unser herre der kûnig hie was.

[*2*] Sabb. post Urbani: 19 sh. 19 tagelone an den porten zû hûden, als unser
herre der kunig hie was.   **25**

[*3*] Sabb. ante Margarethe: 13½ gulden 3 sh. umb 3 ame und ein virteil Elsessers,
als man schenkte unserm herren dem konige. — item 12 gulden umb 3½ ame Rinsch
wins, auch unserm herren dem konige mit dem *vorgnanten* Elsesser geschenkt als er
herren und stoden herbeschieden hatte und einen lantfriden uberqwamen in der Wedr-
eßbe. — item 29 gulden 11 sh. hl. hat man zû der *vorgnanten* zit virschenkt unsers **30**
herren des konigs zwein sonen den herren rittern knechten und steden. — item zu der
vorgnanten zit hat man geschenkt 2 gulden den innersten dorhudern, item ¼ gulden
dem ussersten dorhûter. — item 2 lb. 13 sh. 4 hl. hat man von unsers herren des
konigs winen zû arbeiden geben floschen zu dragen etc. uf die egnant zit. — item 21
gulden 42 hl. umb 5½ ame 4 firteil Elsessers als man unserm herren dem konige **35**
schenkte als er gein Westfolhen mit sinen zwein sonen geridden was und herwider
kommen. — item 6 gulden und 4 sh. hat man sust uf dieselben zit virschenkt unsers
herren des konigs sonen den andern fursten graven und herren und steden etc.

[*4*] Ipsa die assumptionis Marie 3 lb. 4 sh. 5 hl. virzerten rechenmeister und
des rades frunde, als sie die zolle von lantfrids wegen bestalten [2].   **40**

---

[1] *Vgl. art. 47 und 48 ebendort.*
[2] *Hier ist wol an die Bestellung speciell der Frankfurter Zollstätten und nicht an die allge-*   *meine Anordnung der Zölle nr. 441 art. 6-6[1] zu denken.*

440. *Verzeichnis derer die den Landfrieden in der Wetterau beschworen haben.* *[1405* [1405
bald nach Juli 11 bis bald nach Sept. 2 [1].] nach Juli 11

Aus Frankfurt St.A. Kopialbuch nr. 17 (früher das bûch des lantfryden zû Wedreyben) bis n. Spt. 2]
fol. 1-2, die erste Gruppe von 13 Namen auf fol. 1ᵃ, die andern drei Gruppen fol.
2ᵃᵇ durch kleine Zwischenräume von einander getrennt.

[1] Nota. dise hernachgeschriben han den lantfriden gesworn [2].
Primo grave Johan grave zû Kaczinelnbogen.
Item grave Heinrich grave zû Nassauwe herre zû Bilstein.
Item her Philips von Falkinstein herre zû Minczenberg.
10 Item jungher Johan von Isenburg herre zû Budingen.
Item her Reinhard herre zû Hanauwe.
Item die burgmann zû Frideberg [3].
Item die burgmann zû Geilnhusen ᵃ [4].
Item die stad Franckenfurd.
15 Item die stad Frydeberg.
Item die stad Geilnhusen.
Item die stad Weczflar.
Item Henne von Breidinbach schultheiß zû Geilnhusen.
Itemᵇ her Ebirhard Weyse ritter zû Frideberg von ampts und sinen wegin als ein
20   burggrave [5].
[2] Dise han den lantfriden gesworn.
Item Conrat von Spiegilberg.
Item Henne Forstmeister [6].
Item Henne von Bûna der junger [7].
25 Item Henne vom Wasen hern Johans son [8].

a) *Voit add. ausgestr. Item die burgmann zû.* b) *dieser Posten mit anderer Tinte als die vorhergehenden geschrieben und von ihnen durch einen kleinen Zwischenraum getrennt.*

---

[1] *Die Theile dieses Verzeichnisses sind offenbar zu verschiedenen Zeiten geschrieben, die erste Gruppe (mit Ausnahme des letzten Postens) wol bald nach Juli 11, die zweite (ebenfalls mit Ausnahme des letzten Postens) wol bald nach Juli 27, die dritte bald nach Aug. 1, die vierte zum größeren Theil bald nach Sept. 2. Vgl. die in den Anmerkungen mitgetheilten Urkunden. Zu einem Theil der Namen vgl. RTA. 4 Register und besonders nr. 160 dort.*
[2] *Frankfurt St.A. Reichssachen Urkunden nr. 139 auf der letzten sonst unbeschriebenen Seite des Heftes, das eine Abschrift des Landfriedens enthält, steht folgendes Verzeichnis: Han gesworn: grave Heinrich von Nassawe, Falkenstein, her Reinhart von Hanaû, Isenbûrg, burgman zû Frideberg, her Gilbrecht Weise, Winther von Vilmar, burgman zû Geilnhusen, Henne Forstmeister burggrave, Fridrich von Breidenbach bumeister, burgermeister zû Franckenfurd, burgermeister zû Frideberg, schultheiß und burgermeister zû Geilnhusen, burgermeister zû Weczflar*

[3] *Urkunde der bûmeister des Reichs zu Frideberg in der Form IA, dat. 1405 sabb. a. Marg. [Juli 11], Frankfurt St.A. Reichssachen Urkunden nr. 142 or. mb. c. sig. pend. laeso. Wegen der Form der Urkunden vgl. Einleitung p. 596 oben.*
[4] *Urkunde von Burggraf und bumeister der Reichsburg zu Geilnhusen in der Form IA, dat. 1405 sabb. a. Marg. [Juli 11], ibid. nr. 141 or. mb. c. 2 sig. pend. laesis.*
[5] *Urkunde in der Form IB, dat. 1405 Barthol. [Aug. 24], ibid. nr. 155 or. mb. c. sig. pend.*
[6] *Burggraf zu Gelnhausen. Seine und Conrads von Spiegelberg gemeinsame Urkunde in der Form IA, dat. 1405 fer. 3 p. Petri et Pauli [Juni 30], ibid. nr. 140 or. mb. c. 2 sig. pend. altero laeso.*
[7] *Urkunde (Aussteller Henne von Bunauwe der jonge) in der Form IA, dat. 1405 Margarethe [Juli 13], ibid. nr. 143 or. mb. c. sig. pend.*
[8] *Urkunde in der Form IIA, dat. 1405 fer. 2 p. Jacobi [Juli 27], ibid. nr. 145 or. mb. c. sig. pend. deperd.*

80*

Item Heinri*ch* von Swalbach [1].

Item[a] Friderich Forstmeister [2].

[3] Der stede Franckfurd amptlude:

Item her Rudolff von Sassinhusen ritter schultheisse zů Franckfurd,

Item Jorge von Sulczbach burggrave zů Bonemese von ampts und sinen wegin [3],   **5**

Item Clas von Bůchen burggrave zum Goltstein,

Item Diether von Selbold amptmann zů Nidernerlebach,

Item Concze Snyder schultheisse zů Nidernerlebach,

Item Eůgel Brenner schultheiss zů Bonemese,

Item Heincze Heilman schultheisse zů Durckelwyl.   **10**

[4] Dise han auch den lantfriden gesworn.

Item her Johan von Linden ritter amptman zů Minczenberg von sinen und von ampts

wegin [4].

Item Henne von Beldirsheim Wernhers selgin son [5].

Item Hanman von Rinheim amptman zů Urberg von sinen und von ampts wegin [6].   **15**

Item Johann von Werle[b] amptman zů Bilstein etc. von sinen und ampts wegen [7].

Item[c] her Herman von Carbin ritter [8].

Item[d] Ydel Weyse ritter
Item her Gilbre*cht* Weyse ritter   } 1 brief [9].   **20**
Item Winther von Vilmar
Item Henne von Cleen

Item her Godfr*id* von Stogheim } ritter } 1 brief [10].
Item her Con*rat* von Cleen
Item Henne von Selbold

Item her Joha*n* von Stogheim ritter von sins ampts wegin des Keucher gerichts [11].   **25**

Item Henne von Beldersheim amptman zů Bingenheim von sinen und ampts wegin [12].

Item Wernher Krieg von Altheim amptman zům Hayn von sinen und ampts wegin [13].

Item Mengoß von Dudelsheim der alde } amptlude zů Assinheim, von iren wegin und
Item Rucker Kelner   } auch von ampts wegin, 1 brief [14].

---

a) *dieser Posten mit anderer Tinte als die vorherpehenden.* b) *Werle oder Werla korrigiert aus Werlen, die Urkunde* **30** *(s. Anm. 7) schreibt Werle.* c) *dieser Posten von anderer Tinte.* d) *desgleichen.*

[1] *Urkunde in der Form II A, dat. 1405 fer. 2 p. Jacobi [Juli 27], ibid. nr. 144 or. mb. c. sig. pend.*

[2] *Urkunde in der Form II A, dat. 1405 fer. 3 p. decoll. Joh. bapt. [Sept. 1], ibid. nr. 156 or. mb. c. sig. pend.*

[3] *Urkunde in der Form II C, dat. 1405 Petri in vinculis [Aug. 1], ibid. nr. 146 or. mb. c. sig. pend.*

[4] *Amtmann Philipp's von Falkenstein, kommt unten p. 637, 2 noch einmal vor. Urkunde in der Form II B, dat. 1405 Laurencii [Aug. 10], ibid. nr. 147 or. mb. c. sig. pend.*

[5] *Kommt unten lin. 26 als Amtmann zu Bingenheim noch einmal vor.*

[6] *Urkunde in der Form II C, dat. 1405 Laur. [Aug. 10], ibid. nr. 148 or. mb. c. sig. pend. laeso.*

[7] *Urkunde in der Form II C, dat. 1405 Laur. [Aug. 10], ibid. nr. 154 or. mb. c. sig. pend. laeso.*

[8] *Urkunde in der Form II A, dat. 1405 Barthol. [Aug. 24], ibid. nr. 160 or. mb. c. sig. pend. del.*

[9] *Urkunde in der Form II A, dat. 1405 fer. 4 p. Egidii [Sept. 2], ibid. nr. 157 c. 4 sig. pend. 2 laesis.*

[10] *Urkunde in der Form II A, dat. 1405 fer. 4 p. Egidii [Sept. 2], ibid. nr. 158 or. mb. c. 3 sig. pend. 1 laeso.*

[11] *Urkunde in der Form II C (wegen des frühen gerichts zů Keůchen), dat. 1405 fer. 4 p. Egidii [Sept. 2], ibid. nr. 159 or. mb. c. sig. pend.*

[12] *Kam oben lin. 14 schon einmal vor.*

[13] *Amtmann Philipp's von Falkenstein. Urkunde in der Form II B, dat. 1405 Laur. [Aug. 10], ibid. nr. 151 or. mb. c. sig. pend.*

[14] *Amtleute Ph.'s v. F. Urkunde in der Form II B, dat. 1405 Laur. [Aug. 10], ibid. nr. 152 or. mb. c. 2 sig. pend.*

50

Item Adolff Rietesil amptman zů Bůczbach von sinen und ampts wegin [1].

Item her Johann von Linden ritter amptman zů Minczenberg von sinen und ampts wegin [2].

Item Conrat Peffersack amptman zů Laupach von sinen und ampts wegin [3].

5　Item Hartman von Drahe amptman zů Lieche von sinen und ampts wegin [4].

[1405 nach Juli 11 bis n. Spt. 2]

441. *Aufzeichnung über Beschlüsse der Vorsteher des Wetterauischen Landfriedens betr. Geleit Söldner Beschwörung Schreiber Boten und Zölle des Landfriedens. [1405 circa August 11 Frankfurt [5].]*

1405 circa Aug. 11

A aus Frankfurt St.A. Kopialbuch nr. 17 (früher das bůch des lantfryden zů Wedrey-
10　*ben) fol. 5ᵃ-6ᵃ cop. ch. coaev., in Alineas denen unsere Artikel 1-6 [1] entsprechen.*
B coll. ibid. Reichssachen Acten XV nr. 877 conc. ch., nur die Bestimmungen wegen der Zölle (unsere art. 6-6 [1]) enthaltend, ohne Actum.

[1] Nota [a]. die siebin sin ubirkommen, daz man den luden geleide moge gebin
vûr geltschuld und burgeschaft uzgescheiden den [b] lantfriden [c], doch daz man geleide
15　mag gebin zů hofen zů kemphen und sich vor dem lantfriden zů virentworten als daz
auch der lantfride cleret.

[2] Item [d] umb folg und reisege disem lantfriden zů schirme zů halden, darzů sollin
habin und schicken grave Johan von Kaczenelnbogen echt mit gleven [e], min herre von
Falkenstein echt mit gleven, und grave Heinrich von Nassauwe her Reinhard von Ha-
20　nauwe und junghern [f] Johan von Isenburg die dri mit ein echt mit gleven, die von
Franckfurd echt mit gleven, und die dri stede Frideberg Geilnhusen und Weczflar mit
ein vier mit gleven [e]. und ist doch der siebin meinunge, daz die herren und stede die

---

a) *A am Rande* umb geleide. b) *in A übergeschrieben.* c) *A hier und sonst in allen Casus abgekürzt lantfr., nur*
in art. 6 einmal lantfriden ausgeschrieben: den Gemüte haben wir lantfrids aufgelöst. d) *A am Rande* umb
25　folg. e) *A hier und noch dreimal sonst gleen mit Überstrich, einmal gleven ausgeschrieben.* f) *sic.*

---

[1] *Amtmann Ph.'s v. F. Urkunde in der Form*
II B, dat. 1405 Laur. [Aug. 10], ibid. nr. 153 or.
mb. c. sig. pend.
[2] *Kam oben p. 636, 12 schon einmal vor.*
30　[3] *Amtmann Ph.'s v. F. Urkunde in der Form*
II B, dat. 1405 Laur. [Aug. 10], ibid. nr. 149 or.
mb. c. sig. pend.
[4] *Amtmann Ph.'s v. F. Urkunde in der Form*
II B, dat. 1405 Laur. [Aug. 10], ibid. nr. 150 or.
35　*mb. c. sig. pend.*
[5] *Die Bestimmungen über die Zölle art. 6-6 [1]*
sind, wie am Schluß gesagt ist, am 11 August
1405 beschlossen worden. Damals waren augen-
scheinlich die Vorsteher des Landfriedens zum
40　*ersten mal zusammengekommen. Eine Notiz im*
Kopialbuch nr. 17 fol. 9ᵇ des Frankfurter St.A.
sagt: Anno domini 1400 quinto in crastino Lau-
rencii [Aug. 11] da hat man angehabin mit des
lantfrids ingesigel zů besigiln. Vom gleichen Da-
45　*tum sind auch die ersten Briefe der Sieben, ebend.*
Zwar wurden auch schon fer. 3 und fer. 4 p.
Jacobi [Juli 28 und 29] briefe von lantfrids wegin
gesant, aber unter Sigel des Hauptmanns (gleichz.
Regesten derselben ebend. fol. 9ᵃ). Auf dieser
50　*ersten Versammlung der Sieben sind wol auch die*

andern Beschlüsse art. 1-5 gefaßt worden, also um
den 11 August. Gienge der Beschluß wegen der
Zölle ihnen eine erhebliche Zeit voran, so wäre die
Ordnung im Kopialbuche wol eine andere. Wo die
Besprechung stattgefunden hat, ist nirgends an-
gegeben, die erwähnten Briefe vom 11 Aug. sind
ohne Ortsangabe, aber alle andern Versammlungen
des Landfriedens von denen wir wissen fanden
trotz Bestimmung von nr. 438 art. 2 in Frank-
furt statt, und, da wir das Konzept (Quelle B) der
Zollbestimmungen im Frankfurter Archive fanden,
so vermuthen wir, daß die Aufzeichnung von einer
dort gehaltenen Versammlung herrührt. Auf den
Rechnungsposten nr. 439 art. 4 dürfen wir uns
aber wol nicht berufen.
[6] *Die gleiche Veranlagung finden wir in einer*
gleichzeitigen Aufzeichnung unter der Überschrift
Item bi hern Eberhard vom Hirtzhorn im lant-
friden hielden (Frankfurt St.A. Reichssachen
Acten XI nr. 652). Voran gehen hier Notizen
über die Glefenstellung in den Landfrieden von
1389 und 1398. In letzterem stellten Fürsten und
Städte gleich viel, je 21 Glefen, betr. ersteren vgl.
die Landfriedensurkunde selbst RTA. 2 nr. 73
art. 4.

1405 circa Aug. 11 vorgeschriben zale halb tegelichen so des not ist habin sollin bi dem heubtmann mit ime zû riden, also doch, zû wilcher zid der heubtman schicket oder schribet nach dem andern teil, daz sie dann zû stunt und unverzoginlich die vorgnante zal vûr voll dem heubtman schicken sollin.

[*3*] Item[a] die sieben han geratslagit und sin ubirkommen, daz graven herren und 5 stede, die in disem lantfriden sin, vorter keinen iren amptman odir diener sullen den lantfriden lassin sweren noch vorter keinen zû amptman odir diener enphahin odir den lantfriden lassin sweren, sie enwißen dann nit anders dan daz er ein erber unverlumpter unbesprochener biderbe man si.

[*4*] Item[b] der lantschriber[1] hat globit und gesworn, niman kein vurgebot zû gebin, 10 iz habin dan die sieben oder die mererteil under in irkant, und des lantfrids heimlich-keit so ime das befolhin wirt zû verhelen nit zû melden und der sieben schaden zû warnen und bestes werbin ane geverde.

[*5*] Item[c] des lantfrids boden han globit und gesworn, vûrgebode und des lantfrids briefe, wilchirlei die sint, die in von lantfrids wegin befolhin werdin zû dragin, zû stunt 15 unverzoginlich iderman den die briefe zugehoren so sie snelles mogin ane geverde zû huse und zû hofe da iglicher wonhaftig ist oder eim iglichin in sin selbis hant zû ant-worten, und auch zû allin lantgerichten und gesprechin zû kommen, und uf ire eide zû sagin uf wilche zid sie iderman die briefe geentwort habin. und sollin auch ir keiner zû einer zit zwo botschaften odir me zû ime nemen ane laube des lantvoigts. und sal 20 man ir iglichem gebin von einer botschaft daz ein sache ist von iglicher mile einen alden tornosse, und sollin auch davon nit me nemen ane geverde, minner mogin sie wol nemen obe sie wollin.

[*6*] Nota[d]. umb die zolle[e] des lantfrids sin die sieben ubirkommen, daz ein zoll sin sal zû Sassinhusen bi Franckfurd, und alle kaufmanschaft die[e] zû Sassinhusen uss- 25 geet, iz gee den Mein uf odir abe zû wasser odir zû lande, und darzû waz zû Franck-furd an den porten ußgeet, sal dem lantfriden sinen zoll gebin. [*6a*] auch sollin zolle sin zû Frydeberg Weczflar Geilnhusen Buczbach Arheilgin Steyna und zû Selbold, also, waz kaufmanschaft[f] da ußgeet, daz die[g] auch iren[h] zoll zûm lantfriden gebin sal. [*6b*] doch waz kaufmanschaft[i] zû Steyna gezollit hette und gein Selbold qweme, da 30 sulde der fûrman von dem zolner zû Steyna ein zeichin brengen und gebin dem zolner zû Selbold, und darzû uf sinen eit behalden, daz daz zeichin gerecht si und zû dem verzollten gûde gehorte und nimand anders damide zû schûren odir zû schirmen, ane

a) *A am Rande* nota. umb die amptlude und diener. b) *A am Rande* lantschriber. c) *A am Rande* lantfrids 35
bodin. d) *A am Rande* umb zolle. e) alle — die *in B übergeschrieben*, *n*llis das dofûr ausgestr. f) *übergeschrieben in B.* g) *B das ausgestr.*, die *dafûr übergeschr.* h) *B* sinen *ausgestr.*, iren *übergeschr.* i) *übergeschrieben in B.*

---

[1] *Schreiber des Landfriedens wurde der Frankfurter Schreiber Heinrich. Am 2 Sept. 1405
schrieb Eberhart vom Hirßhorn ritter heuptman
des lantfriden zu der Wederauwe an Henrice
schriber des lantfriden zu der Wederauwe und
übersandte ihm Briefe, die an die Herren und
Städte des Ldfr.'s zu übermitteln seien, dat. Mi.
n. Egidii anno etc. quinto (Frankfurt St.A. Reichssachen Acten XV nr. 888). Unter der Überschrift
Nota als ich Heinricus der schriber von lantfrids
wegin ussgegebin han anno domini 1400 quinto
finden wir ebend. nr. 887 seine Ausgaben aus den
Jahren 1405 [und 1406] aufgezeichnet von einer*

*uns aus den Frankfurter Konzepten bekannten
Hand. Vgl. auch den Schluß von art. 6[1] unserer
Aufzeichnung.* 40
[2] *Die Einnahmen aus den Landfriedenszöllen
sind aufgezeichnet im Frankf. St.A. Kopialbuch
nr. 17 fol. 33a-34a, die Besoldung der Zöllner
ist ebend. fol. 37ab unter den Ausgaben verrechnet
und macht den größesten Theil derselben dort aus.* 45
*Die Zölle dienten besonders zur Besoldung des
Hauptmanns, und die Summen die an ihn von dem
Gelde, als von lantfrids wegin gefallin ist, abge-
führt wurden (im ganzen über 1400 fl.) sind
ebend. fol. 35a verzeichnet.* 50

alle geverde. [6ᶜ] waz ᵃ aůch zů Selbold gezollet hette und gein Steyna qweme ᵇ und sin zeichen brechte, daz sulde abir nit zollen in vorgeschribner masse unde under-scheide. [6ᵈ] waz auch zů Hasela bi Geilnhusen odir dazuschen biᶜ dem Ziegilhůse hinfůre, daz sulde doch biᵈ Geilnhusen zollen. [6ᵉ] wulde auch imand, ez were da
5 odir anderswo, an den vorgeschriben endenᵉ den zoll geverlich virfarn odir abhendig machen ᶠ, den sal man indringen, odir wulde ᵍ imand mit den zeichin unrechtlich umbgeen, der sulde man sicher sin und die darůmb straffen und bůssen an dem nesten lantgericht nach erkentnisse der siebin ubir den lantfriden gesast. [6ᶠ] auch sal man an den zollen nemen von iglichem pherde, daz zweier gulden wert kaufmanschaft zůhet
10 odir ʰ draget odir darůber, zwelf alde heller; item von eim oßen seß heller; item von einer kůwe dri heller; item von eim swin zwene heller; item von eim schaffe einen heller; item von eim iglichen Juden odir Judinnen, die zwelf jare alt sin odir eldir, einen alden tornosse ¹. [6ᵍ] auch, wo pherde under zweier gulden wert lastes ziehin odir tragin, davon sal man nichtes nemen. [6ʰ] auch ⁱ, was wins odir fruchte in stede
15 odir dorfer gefůrt werden, daz graven herren rittern knechten phaffen bůrgern odir gebůren uf irre eigin odir erbe gewassen ist odir in sůst von zehinden odir gulde gefiele, daz sie heim in ir hussᵏ und nit zů merkte furen wollin zů virkeufin, ane geverde, das sal nit zollen an den vorgnanten zollen. · [6ⁱ] was man aůch brods kolen strohes haůwe gense hůner duben ˡ holz odir obeß uf wagen odir karren vor zollen disses lant-
20 frids hinfůret, davon sal man nit gebin. [6ᵏ] auch sal der heubtman des lantfrids die slossele zů allin zolbůssen habin, unde sollin ᵐ alle zolner uf mantag nach iglicher fronfasten ire zolbußen schicken ᵐ an lantgericht, und sal man die bussen vor den siebin odir dem mererteil ufališßen und den zoll ⁿ daruß nemen. [6ˡ] und sollin auch graven herren und stede ᵒ ire zolner tůn globin und sweren, den zoll dem lantfriden ᵖ getrulich
25 ufzůhebin in die bussen zů werfin und vorter �q zů andelogen und damide recht umbzůgeen ʳ in vorgeschribener masse. und ˢ sollin auch die zolle also unverzoginlich bestalt und ufgehabin werdin, und die slossele zů den zolbůßen ᵗ auch zů stůnt dem ᵘ heubtmann des lantfrids odir dem lantschriber gein Franckfurd gesant werden. actum von der zoll wegen in crastino Laurencii anno 1405 ᵛ.

a) art. 6 c scheint in B nachträglich zwischengeschrieben zu sein. b) B add. ausgestr. das. c) B gein ausgestr., bi übergeschr. d) B zů. e) an — enden übergeschr. in B. f) odir steht in B am Schluß der Zeile, abhendig machin ist dort übergeschr. g) übergeschr. in B. h) kaufmanschaft zuhet odir in B übergeschr. i) art. 6 h steht in B am Schlusse des Stücks und ist durch ein Zeichen hierher verwiesen. k) in B in ir huss fůren ausgestrichen, dann in ir huss übergeschr. l) A wol nicht důben sondern důben, daher důben gedruckt. m) in B brengen ausgestr., schicken übergeschr. n) in B den soll übergeschr. o) in B übergeschr. p) dem lantfriden übergeschrieben in B. q) in B gein Franckfurt ausgestr., vorter übergeschr. r) und damide recht umbzůgeen übergeschrieben in B. s) das Folgende in B anscheinend nachträglich hinzugefügt, und zwar bis ufgehaben werden als Schluß der angefangenen Zeile, dann am Rande. t) B bussen. u) B add. ausgestr. lantschriber. v) actum — 1405 om. B.

¹ Vgl. den Zolltarif im Landfrieden von 1389 RTA. 2, 234 nt. 1, in dem von 1398 RTA. 3 nr. 17, und im Fränkischen von 1414 RTA. 7 nr. 149.

[1405
kurz
vor
Dec. 21] **442.** *Frankfurter Aufzeichnung zu einer bevorstehenden Versammlung des Wetterauischen Landfriedens, Handhabung des Landfriedens betreffend. [1405 kurz vor Dec. 21 Frankfurt [1].]*

Aus Frankfurt St.A. Undatiertes zum Landfrieden in der Wetterau 1405-1407 conc. ch.; die Alineas im Druck beibehalten.   1

[*1*] Zum ersten als herren und stede dem lantvoigt von des lantfriden wegin nit geriden so er sie ermanet als daz ubirkommen ist und nach uzwisunge des lantfriden.

[*2*] Item als die zolle des lantfriden nit als redlich bestalt sin und ufgehaben werdin als sie solden und mit namen zû Hasela Selbolden und auch zû Weczflar.   nota umb das far zû Ovenbach.   10

[*3*] Item als an eczlicher herren und stede zollen nit als vil gefellt als denselbin herren und stede nach anzal der gleven [a] geboret zû des lantvoigtes solde zû gebin, obe sie daz nit billich uz irme gelde irer [b] anzal erfullen sullen.

[*4*] Item wilch herre oder stad irer [c] anzal an des lantvoigtes solde gebin wulde, obe die nit ire zolle daruf mochten abetûn.   15

[*5*] Item als Peder Fußchin [2] und auch eczliche andere der seßer zû den lantgerichten und gesprechin nit kommen, und auch notdorft ist [d] redlich lûde daran zu seczin.

a) *Vorl. gleen mit Überstrich.*   b) *Vorl. abgekürzt, eigentlich iren, wol doch nicht sprachlich möglich.*   c) *wie eben im der vorigen nt.*   d) *folgt ausgestr. an.*   20

[1] *Nicht Beschlüsse sondern nur Berathungsgegenstände sind in dieser Aufzeichnung zusammengestellt, und eine Versammlung, die über die aufgeworfenen Fragen zu entscheiden hätte, haben wir als bevorstehend vorauszusetzen. Für den Frankfurter Ursprung spricht zunächst sehr entschieden der Fundort des als Konzept erhaltenen Stückes; dann treten auch gewichtige innere Gründe hinzu. Die in art. 3 und 4 gegebenen Anregungen entsprechen nämlich ganz Frankfurts Interessen und seinen mehrfach ausgesprochenen Wünschen (vgl. z. B. Schluß der Einleitung), und auch von der in art. 9 berührten Frage wissen wir, daß die Stadt sich mit derselben beschäftigte (vgl. ebend.). Für die Datierung ergibt die Vergleichung des art. 5 mit den in der Anmerkung dazu mitgetheilten Briefen sofort, daß wir über den 5 Juni 1406 als terminus ante quem nicht hinausgehen dürfen. Folgende Erwägung führt dann zu einem genaueren Resultat. Der Brief Reinhards von Hanau vom 25 Jan. und der Eberhards vom Hirschhorn und seiner Beisitzer vom 26 Jan. (s. Anm. zu art. 5) beziehen sich beide auf einen früheren Brief Eberhards, der erstens Peder Fußchin und zweitens die Zollerhebung betroffen haben muß. Letztere Angelegenheit wird dann in den folgenden Briefen nicht weiter erwähnt, dagegen finden wir in unserm Stücke beide Punkte berührt (vgl. art. 2 und 5, Selbold lag im Hanauischen Gebiet). Der fragliche frühere Brief Eberhards wird auf dem letztvorhergehenden Landfriedenstage geschrieben sein, und dieser fand (vgl. Anm. zu art. 7) in Übereinstimmung mit art. 2 des Landfriedens am 21 Dec. 1405 Montag nach der Fronfasten statt. Zu dieser Versammlung bringen wir unser Stück in Beziehung. Noch weiter zurück wird man nicht gehen dürfen, da art. 1 und 3 voraussetzen, daß der Landfriede schon seit einiger Zeit ins Leben getreten ist. Auch art. 7 weist uns auf diese Versammlung vom 21 Dec. 1405 hin.*

[2] *Reinhard Herr zu Hanau an Eberhard vom Hirschhorn Hauptmann etc., antwortet auf Schreiben wegen des Zolls, derselbe sei ordentlich von ihm bestellt, er habe mit Peter Fußgin geredet und wolle noch baß mit im reden, daz he noch ein czit da blibe siczen; dat. convers. Pauli [1406 Jan. 25]; Frankfurt St.A. Undatiertes zum Landfrieden in der Wetterau 1405-1407 or. ch. lit. cl. c. sig. in v. impr. del. — Ebirhard etc. und die sesse etc. an hern Reinhard von Hanauwe: da Peder Fußchin sinen eit daz lantgericht helfin zû besiczen ufgesagit hette, war Reinhard gebeten einen andern Vertreter zum Landgericht zu schicken, hat das aber nicht gethan, soll nun auf Di. n. unser Fr. Tag d. i. 8 Tage nach unser Fr. Tag [Febr. 9] zu Frankfurt einen Vertreter haben; so ist auch an Gf. Heinrich von Nassau und den Jungherrn von Isenburg geschrieben; dat. Di. n. Pauli convers. [Jan. 26] 1406; Frankfurt St.A. Reichssachen Acten XVI nr. 933 [a] conc. ch., dar-*

[6] Item als her Reinhard von Hanauwe sinen bri*ef* uber den lantfri*den* nit geben hat.

[7] Item umb die von Geilnhusen Heinrich vom Wasen etc. ¹.

[8] Item obe nit alle des riches manne in zielen des lantfri*den* den lantfri*den* 5 sweren sullen etc. ².

[9] Item als der lantvoigt sinen bri*ef* gebe ubir sinen dinst, und sunderlich, obe*t* er niderlege odir schaden neme, da got vûr si ᵇ, etc., wie man das halden sulde, und auch umb bûte etc.

[10] Item zû verbriefin ubir des lantvoigts solt, daz niman vur den andern behaft 10 si etc.

[11] Item das der herren und stede und auch des lantvoigts diener uber den lantfri*den* globin und sweren.

[12] Item nota: obe sich dieselbin diener nit bewart hettin und nit wulden zûgriffen etc.

15 **443.** *Eberhard vom Hirschhorn Hauptmann des Wetterauischen Landfriedens an Rein-* 1406 *hard von Hanau, und ähnlich an den Junker von Isenburg und an die Stad* Jan. 13 *Wetzlar einzeln: fordert auf zur Beschickung eines Tages in Frankfurt am 9 Februar, um auf Wunsch des Königs über Gebresten des Landfriedens zu berathen. 1406 Jan. 13 [Mainz ³].*

20 *Aus Frankfurt St.A. Reichssachen Acten XVI nr. 929 conc. ch., von der Hand eines Frankfurter Schreibers; gleichzeitige Überschrift* Hern Reinhard von Hanauwe; *am Schlusse des Stücks die Notiz* Item in consimili forma domicello de Isenburg et con-*silio* Weczflarie, *nach* Isenburg *ausgestrichen et* consulibus in Weczflaria; *in tergo von gleicher Hand* Herren und steden geschriben des dinstages acht dage nach unser [1406] 25 frauwen tage zû Frankfurt zû sin zû ratslagen etc. Fbr. 9

Regest Janssen R.K. 1, 125 nr. 296 aus Frankfurt St.A. *Landfrieden am Rhein, Varia IV, einem jetzt aufgelösten Fassikel; es ist augenscheinlich unsere Vorlage.*

Minen ᶜ dinst zûvor. lieber herre. ich lassin uch wissen, daz min gnediger herre der Romische kunig ᵈ uf dem tage ᵉ, der iczunt zû Mencze gewest ist ³, muntlich

30 a) *folgt ausgelöscht Anfang eines neuen Alineas, zum Theil nicht mehr lesbar* Item umb . . . far. . . . zû. b) odir — si *übergeschr.,* da — si *mit anderer Tinte.* c) *darüber ausgestr.* unsern. d) *folgt ausgestr.* iczunt. e) *übergeschrieben.*

unter die Notiz: nota. den von Frideberg und von Geilnhusen, als die die iren nit hie gehabt 35 han, in vorgeschribener masse auch zû schribin, das sie die iren herschicken. — *Eberhard vom Hirschhorn Hauptmann etc. an Herrn* Reinhard *von Hanau:* da ihm zusammen mit den Jungherren von Nassau und Isenburg gebührt einen 40 Vertreter zum Landfrieden zu schicken, Eberhard ihm öfter davon geschrieben und jetzt zu Oppinheim mit ihm davon geredet hat, so soll er jemanden bestellen, der die Landgerichte und andere Gespreche des Landfriedens besitze, und sich un-45 verzüglich darüber erklären; ebenso ist den vorgen. Jungherren geschrieben; dat. Mi. n. Marci [April 28] 1406; Frankfurt St.A. Reichssachen Acten XVI nr. 933 ᵇ conc. ch. — Reinhard Herr zu Hanau an Eberhard vom Hirschhorn Haupt-50 mann etc.: hat gegenwärtigen Hartman von Bel-

dirsheim zu ihm geschickt um für seinen Neffen Gf. Heinrich von Nassau für Johann von Isenburg und für ihn selbst das Landgericht zu besitzen; dat. Bonifacii [1406 Juni 5]; Frankfurt St.A. Reichssachen Acten XVI nr. 962 or. ch. lit. cl. c. sig. in v. impr. del.

¹ Die Siebener des Landfriedens an Heinrich vom Wasen: sie haben auf Klage der Stadt Gelnhausen ihn auf das Landgericht Mo. n. d. Fronfasten [Dec. 21] zu Frankfurt vorgeladen, er ist nicht gekommen, soll nun die Stadt binnen 14 Tagen unklagehaftig machen, sonst müssen sie richten nach Ausweis des Landfriedens; dat. Mi. n. Thome [Dec. 23] 1405; Frankfurt St.A. Kopialb. 17 fol. 12ᵇ cop. ch. coaev.

² Gegen Schluß des Briefes heißt es hie zû Mencze.

³ Reichstag zu Mainz 1406 Jan., s. Bd. 6.

1406
Jan. 18 geredt hat und betedingt die edila min herren graven Johan von Kaczinelnbogen[a], hern
Philipps von Falkenstein herren zů Minczenberg, der stede von Frankfurt Frideberg
und von Geilnhusen frunde, dabi ich auch waz, von eczlicher gebresten wegin disem
lantfriden zů Wederaůwe anligende.   und darumb so duchte sin gnade ein grosse notdorft sin, daz herren und stede des lantfriden darumb einen kurzlichen tag bi ein   5
beschieden und[b] daruf sich zů entsinnen und zů ratslagin. und daruf so sin die vorgnanten herren und der stede frunde und auch ich mit ein alda ubirkommen, daz dieselbin herren mit ir selbis liben und auch der stede frůnde gein Franckfurt zů eim
tage kommen sulden des dinstages frů nach unser liben frauwen tage purificacionis nest-
1406
Fbr. 9 komet das ist mit namen uf den achten tag nach unser frauwen tage vorgnant[1]. und   10
herumb so biden ich uch ernstlich mit flisse[c], das ir mit uwer selbis libe uf dem obgnanten tage sin wullet, mit den herren und der stede frunden von[d] den sachin helfin
ratslagin und besinnen, was das beste darinne vůrzůkerende si. und wullet uch kein
ander unmůsse daran lassen hindern und heruf uwer beschriben antwort mit disem
boden lassen wider wissen.   auch so han ich minnem jůnghern[e] von Isenburg in   15
solicher masse geschriben, und auch den von Weczflar geschriben, ire frůnde darzů zů
schicken, wand sie bi der obgnanten rede nit gewest sin[f]. so ist iz auch mit grave
Heinrich von Nassauwe hie zů Mencze muntlich geredt.   gebin under des lantfriden
1406
Jan. 18 ingesigel uf den achczehenden tag anno domini 1400 sexto.

Ebirhard vom Hirczhorn ritter heubtman   20
des lantfriden zů Wederaůwe.

1406
Fbr. 9 **444.** *Aufzeichnung über den Beschluß genannter Herren und Städte des Wetterauischen
Landfriedens, behufs Berathung von Landfriedensangelegenheiten auf den 18 Merz
eine Versammlung nach Frankfurt zu berufen. 1406 Februar 9 [Frankfurt.]*

[1406]
Mrz. 18 *Aus Frankfurt St.A.* Reichssachen Acten XVI nr. 940 conc. ch.; *in verso von der gleichen   25
Hand* herren und steden bescheiden des donrstages zů nacht vor halpfasten gen
Frankfurt.
*Regest Janssen R.K. 1, 125 nr. 297 aus Frankfurt St.A. Landfrieden am Rhein, Varia
VI, einem jetzt aufgelösten Faszikel; es ist augenscheinlich unsere Vorlage.*

1406
Fbr. 9   Zů wissin si: als graven herren und steden des lantfriden uf hude gein Franck-   30
furt bescheiden ist gewest zů reden und ratslagin von eczlichen gebresten und not-
dorften des lantfriden[g], nach dem als zůnest vor unsers gnedigen herren des Romischen kuniges gnaden[h] zů Mencze der tag ufgnommen und bescheiden wart, und die
edila herren grave Heinrich grave zů Nassauwe und her Reinhard herre zů Hanauwe
dar[i] nit komen sin noch auch die von Weczflar ire frunde dabi nit gehabt han: des   35
sin die graven herren und der stede frunde des lantfriden mit biwesen hern Ebirhards
vom Hirczhorn dem[k] lantvoigt ubirkommen eins andern tagis[l], uf den donrstag[m] vor
Mrz. 18
Mrz. 19 dem suntage letare zů halpfasten zů abinde zů Frankfurt zů sin und uf den fritag
darnach frů ein gespreche von lantfriden zů habin etc., und das die graven und[n]
herren[o] des lantfriden mit iren selbis liben und auch der stede frunde mit macht dabi   40
sin von den sachin zů ratslagin etc., und das der lantvoigt vorgnant unsers herren des

a) *folgt ausgestr.* den. b) *folgt ausgestr.* daruf daruf deste. c) ernstlich mit flisse *übergeschriebn.* d) *übergeschrieben; ausgestr.* uf. e) *folgt ausgestr.* grave Heinrich von Nassauwe und dem. f) *folgt ausgestr.* gebin.
g) *folgt ausgestr.* nach als von uns. h) *folgt ausgestr.* der tag. i) *Vorl.* darro? *ein rechtcrinkliger nach unten
und rechts offner Haken über* dar. k) *korr. aus* des. l) *folgt ausgestr.* und gespreches zů halden. m) *folgt   45
ausgestr.* nest. n) *übergeschr.* o) *folgt ausgestr.* und stede.

[1] *Vgl. die widerholte Einladung vom 26 Jan. in der Anmerkung zu nr. 442 art. 5.*

kuniges gnade biden wülle sin^a treffliche frunde uf die zid auch dabi zů habin^b, und   *1406 Fbr. 9*
daz auch her Ebirhard grave Heinrich von Nassauwe und herren Reinhard von
Hanauwe verschribe in solicher masse mit iren selbis liben darzů zů kommen, und den
von Weczflar zů schriben ire frůnde mit macht darzů zů schicken, wilcher herre aber
5 also darzů nit komen kunde das der sin frunde mit macht in vorgeschribener masse
darzů schicke, und sal auch die burgmannen zů Frideberg und zů Geilnhusen ver-
schriben^c. doch sol das neste lantgericht vůr sich geen also und damide nit ufgeslagen
sin.   scriptum feria tercia post Dorothee anno 1406.   *1406 Fbr. 9*

Presentibus dominis de Falkenstein Kaczinelnbogen Isenburg, opidis Frankfurt
10 Frideberg et Geilnhusen, et Johanne Werla ex parte comitis de Nassauwe.

445. *K. Ruprecht fordert Stadt Frankfurt auf, am 25 April Gesandte zu ihm nach*   *1406 Fbr. 27*
Oppenheim auf eine Versammlung der Herren und Städte des Wetterauischen Land-
friedens zu schicken. 1406 Febr. 27 Heidelberg.

Aus Frankfurt St.A. Reichssachen Acten XVI nr. 943 or. ch. lit. cl. c. sig. in verso
15   *impr. laeso.*

Ruprecht von gots gnaden Romischer
kunig zu alln^d czijten merer des richs.

Lieben getruwen   uns hat Eberhard vom Hirsßhorne ritter heuptman des lantfrieden in der Wederawe unser lieber getruwer furbracht, wie daz etwaz gebrechens in
20 demselben lantfrieden sij. darumbe wir herren und stedte, die denselben lantfrieden gesworen hant, verpod haben uff den sontag vierczehen tage nach ostern zu uns gein   *Apr. 25*
Oppenheim zu komen¹. herumbe so begern wir mit ernste, daz ir uwer frunde desta
trefflicher und mit machte zu uns uff den obgenanten sontag gein Oppenheim schickent.   *Apr. 25*
so wollen wir mit denselben und den andern die daz antriffet zu rade werden, waz das
25 beste sij vorbasßer^e dorczu zu dun und daz soliche gebrechen versorget und underkomen werden. und wollent uch heran keyne andere sache hindern lasßen als wir uch
wol getruwen, daz ist uns von uch zu dancke. datum Heidelberg sabato ante dominicam invocavit anno domini millesimo 400 sexto regni vero nostri anno sexto.   *1406 Fbr. 27*

[*in verso*] Unsern lieben getruwen burger-
30   meistern und rate unser und des heiligen richs   Ad mandatum domini regis
stad Franckfurd.   Emericus de Mosselln.

---

a) *folgt ausgestr. erbere.* b) *Vorl. korr. anscheinend habe aus habin.* c) *und sal — verschribeu übergeschrieben.*
d) *sic.* e) *or. hier in vorbasßer und nachher in lasßen statt ß ein langes s mit dem Einen sonstigen Ab-*
kürzungshaken.

---

35   ¹ *Daß die Versammlung zur angegebenen Zeit*   16 lb. virzerten Heinrich Wisse Erwin Hartrad
stattfand, zeigt das Schreiben Eberhards vom   Heinrich Herdan Peter schriber selbachte vier dage
Hirschhorn vom 28 April, s. Anm. zu nr. 442   gein Oppenheim zu unserm herren dem konige
art. 5. Auch Frankfurt beschickte dieselbe; im   von des lantfrids wegen und auch von andrer sache
Frankfurter Rechenbuch ist ipsa die Walpurgis   wegen mit unserm herren dem konige zu tedingen.
40 [*1406 Mai 1*] *unter ussgebin zerůnge eingetragen:*

1406 Sept. 20

446. *Aufzeichnung von einem wegen zu schwachen Besuchs ergebnislosen Frankfurter Tage: Besprechungen zwischen Gf. Johann von Katzenellenbogen und einem Frankfurter Rathmann wegen ungenügender Handhabung des Landfriedens. 1406 Sept. 20 [Frankfurt].*

Aus Frankfurt St.A. Kopialbuch nr. 17 (*früher* das bûch des lantfryden zû Wedreyben) fol. 18ᵃ *cop. ch. coaev. (oder conc.?), das Datum von anderer Hand.*

Als unser gnediger herre der Romisch konig sinen underhoffmeister iczunt gein Franckinfurd gesant hat[1] an hern Ebirhards vom Hirczhorn[a] des lantvogts stat, der von krangheid und libisnode wegen da nit gesin mochte[2], daz lantgerichte helfin besiczen mit den sehssin der herren und stede frunden, und als der sesse nit me darkommen sin dann die zwene grave Johans von Katzinelnbogen und der von Franck*in*furd ratmanne, davon daz lantgerichte nit besessin mochte werden[3], des han sie mit ein geratslagit: wulle unsers herren des koniges gnade den lantfr*iden* gehanthabt han, daz sie dann bedunke ein notdorft sin, daz sin gnade die herren und stede des lantfr*ids* ernstlich verschribe und verbotschafte zu eime tage gein Franck*infurd*, und daz die herren mit iren selbis liebin und der stede frunde mit macht da sin, und unser herre der konig[b] sin treffliche frunde darzu schicke mit herren und der steden frunden zu redden und zu virsorgen gebresten dem lantfr*iden* anligende, daz die vorter underkommen und der lantfr*ide* heftlich gehanthabit werde, und besondern daz die sehsse zu allin gesprechin und lantgerichten riden. sunderlich so han iczunt die zolner an dem Mein zu Franck*infurd* iren dinst ufgesagit[4], und meinen nit lenger des lantfr*ids* zolle ufzuhebin, und sagin, als der amptman von Hoste an dem Mein zu Franck*infurd* in

a) *Vorl. add. ausgestr.* stat. b) *Vorl. add. ausgestr.* und.

[1] *K. Ruprecht an die Sechs die das Landgericht des Landfriedens in der Wetterau nächsten Mo. [Sept. 20] besitzen werden: sendet auf Bitte des erkrankten Eberhart vom Hirßhorn als seinen Vertreter am Landgericht Heinrich von der Huben seinen Unterhofmeister; dat. Welrßauwe exalt. crucis [Sept. 14] a. mill. quadring. sexto r. sept. (Frankfurt St.A.* Reichssachen Acten XVI nr. 983 *or. ch. lit. pat. c. sig. in v. impr. del.).*

[2] *Schon den vorhergehenden Tag hatte Eberhard nicht besuchen können.* Nota: uf den vorgnanten tag des gesprechis [*es geht ein Brief Eberhards von 1406 Aug. 6 vorher, der einen Tag auf Aug. 16 ansetzt*] da wart her Eberhard vom Hirczhorn der lantvoigt faste swach, das er zû dem tage des gesprechis nit kommen kunde, doch so schreib ime Erwin Hartr*ad* daruf, wie daz gescheiden were, in nachgeschribner masse [*folgt Brief von 1406 Aug. 16*]; *Frankfurt St.A.* Kopialbuch nr. 17 fol. 17ᵇ *ch. coaev. Eberhard schrieb dann an* Erwin Hartdryt und Heinrice der stat schriber zû Franckefûrt und dez lantfriedes zû Wederauwe*: sie möchten die Sechse auf So. n. Fronfasten [Sept. 19] nach Frankfurt verbotten und die Zollgefälle vereinnahmen u. a. m.; dat. Do. n. fraûwen tag nativ. [9 Sept.] 1406; Frankfurt St.A.* Reichssachen Acten XVI nr. 982ᵃ *or. ch. lit. cl. c. sig. in v. impr. del. Das Konzept einer ablehnenden Antwort des Frankfurter Raths (dat. fer. quinta p. exalt. crucis [Sept. 16] 1400 sexto) findet man ebend. nr. 982ᵇ; dieselbe gieng nicht ab, wie die Dorsualnotiz zeigt, die von anderer gleichzeitiger Hand herrührt:* als man hern Eberhard von des lantfriden zollen etc. geschriben hat, sed non transivit; *inzwischen hatte man wol K. Ruprechts Schreiben vom 14 Sept. (s. vorige Anm.) erhalten.*

[3] Nota: innemen des mantages nach der fronfasten zû Lucie virginis [*Dec. 20*] anno domini 1400 sexto, als man mit namen zû der fronfasten nach exaltacionem sancte crucis davor [*1406 Sept. 15 ff.*] nit ufgeslossen hatte, wand nit lantgericht wart, besundern darumb das her Ebirhard der lantvoigt siech lag und auch die andern von den sessen nit als volleclich bi ein waren, das man ufgesliessen mochte; *Frankfurt St.A.* Kopialbuch nr. 17 fol. 34ᵃ *in der Aufzeichnung der Einnahmen von Landfriedenszöllen ch. coaev.*

[4] *Stadt Frankfurt meldete dieß fer. quinta p. Francisci [Okt. 7] anno 1400 sexto dem Hauptmann Eberhard vom Hirschhorn (Frankfurt St.A.* Reichssachen Acten XVI nr. 989ᵃ *conc. ch.). Eberhard antwortete darauf, der König werde*

der virgangen messe von den schiffin geleidegelt ufhube und die zolner dann darzu
dem lantfriden sinen zoll auch hischen, da gebin sie den zoll nit gerne, und trauweten
in zu erstechin, und sprechen, sie wurden von des lantfrids wegin nit geschirmet und
sehin nimand von lantfrids wegin uf der strassin riden zu schurfinge noch schirme,
5 dann virloren sie darubir daz ire, die von Franckinfurd müsten in daz keren.   nota:
scriptum feria secunda post exaltacionem sancte crucis anno domini 1406[a].

1406 Spt. 20

1406 Spt. 20

447. *Eberhard vom Hirschhorn an gen. Herren und Städte einzeln, lädt ein zu einem*
Tage in Frankfurt auf den 23 Mai behufs Besprechung von Landfriedensangelegen-
heiten. **1407 Mai 17.**

1407 Mai 17

10   *A aus Frankfurt St.A. Kopialbuch nr. 17 (früher das bůch des lantfryden zů Wedrey-*
ben) fol. 19[a] cop. ch. coaev.; Überschrift Hern Reinhard herren zů Hanauwe; unter
dem Stück In eadem forma grave Heinrich von Nassauwe, grave Johan von Kaczin-*
elnbogen, dem von Isenburg, Gilbrecht Rietesel amptman zů Buczbach und andern
den zů diser zid befolhin ist die herschaft von Falkenstein ußzůrichten, den von
15   *Franckfurd, den von Frideberg, den von Geilnhusen, den von Weczflar; ů und ů oft*
nicht zu unterscheiden.
B coll. Frankfurt St.A. Reichssachen Acten XVII nr. 1026, 1 conc. ch., mit vielen Kor-
rekturen von denen einige ganz unwesentliche nicht notiert sind; Überschrift Hern
Reinhard von Hanaůwe; die Adressen unter dem Stück etwas anders geordnet als
20   *in A.*

Minen willigen dinst zůvor. lieber herre.   als von des lantfrids wegin darumb
faste und vil gespreche und verhandelunge gewest sin und dem nit gefolgit und nach-
gegangen wirt als der lantfride uzwiset, des mich bedunket[b], und als auch mir als
eim heubtmanne[c] von des lantfrids wegen ein somme gelts ufgeseczit ist zů gefallin
25 und des zolle bestalt waren darzů zů dienen[1], die auch nit also gehabin und gehanthabit worden sin[d], und nach dem als sich die sache bissher virhandelt han, so gefiele
mir wol und biden uch, daz ir[e] uf mantag nestkompt frů zů Franckfurd sin[f] wullet
oder uwer frunde mit macht da haben[g], von den sachin zů ratslagen und zů ubirkommen, wie man sich darinne vorter halden wulle[h] und obe man mim herren dem

Mai 23

a) nota — 1406 *von anderer Hand.* b) B und dem — bedunket *an den Rand geschr., stark verwischt u. z. Th.*
abgerissen, dafür ausgestr. nach dem als sich da sache bißher virlaufen han und *[folgt ebenfalls ausgestr.*
offenbar früheste Lesart wenig imand rům] eczliche zum lantfriden gehorende darů nit als ernstlich getan han
odir tůn als sich dann darů geheischen hette als mich bedůnket, dar. c) als eim heubtmanne *in B über-*
35   *geschrieben.* d) die auch — ein *in B übergeschr. von lantfrids wegin.* e) B hatte *ursprünglich*
so gefiele mir das ir die uwern mit macht; *ausgestr.* ist das — macht, *dagegen odir nach ir zwischengeschrie-*
ben ohne ausgestrichen zu sein, ferner wol und biden uch das ir odir *übergeschrieben und odir ausgestr.* f) B
sin *übergeschr. statt ausgestr.* habin. g) B oder — haben *übergeschr.* h) B wulle *korr. aus* wulde.

nächstens Herren und Städten des Landfriedens
einen Tag gen Frankfurt bescheiden, die Stadt
40 möge die Zölle weiter erheben, ihm gehe es besser
und er wolle bald kommen; dat. dom. a. Galli
anno etc. sexto [1406 Okt. 10] (Frankfurt l. c.
nr. 989[b] or. ch. lit. cl. c. sig. in v. impr. del.).
In einem Schreiben von feria tertia post Luce
45 [Okt. 19] anno 1406 theilte Frankfurt Gelnhausen
mit, die Knechte, die das Landfriedensgeld aufheben, hätten ihre Eide aufgesagt, zum Theil den
Freunden des Königs als die neulich in Frankfurt waren, zum Theil dem Rathe von Frankfurt,
50 die Stadt habe an Eberhard vom Hirschhorn des-

halb geschrieben, dessen Antwort sie übersende,
zwei Knechte hätten bi zwein den gengsten porten
die Geschäfte wider aufgenommen (Frankfurt l. c.
nr. 987[b] conc. ch.).
[1] Eberhard vom Hirschhorn an den Schreiber
Heinrich zu Frankfurt: er soll Friderich von
Belderßheim schreiben, daß er So. n. Fronfasten
[Mai 23] die Zollbüchse des Landfriedens zu
Botspach nach Frankfurt bringe, ebenso allen
andern die zum Landfrieden gehören: dat. Di. n.
Pfingsten anno etc. septimo [1407 Mai 10]: Frankfurt St.A. Reichssachen Acten XVII nr. 1024 or.
ch. lit. cl. c. sig. in v. impr. laeso.

1407
Mai 17
kunige eincherlei botschaft muntlich oder in schriften tûn wûlde[a] und sin gnade biden
den lantfr*iden* lassin zû bliben oder anders zû virsorgen oder zûmale[b] abezûtun und
zû widerruffen, odir sust zû ratslagen, waz uch anders bedunket daz beste darinne vûr-
zûkerende sin, und auch[c] mit mir zû rechen und zû ubirkommen von mins gelts wegin
als mir noch davon ußesteet[d], wand, nach dem als man mir als eim heubtmanne von   5
des lantfr*ids* wegin mit reisegin luden[e] zû gewarten und sust die sesse die von der
herren und stede wegen daz lantger*icht* solden helfin besiczen und in ander wise[f]
bizher angelacht hat, so were ich vor eczlicher zid gerne der heubtmanschaft abegewest,
und der noch gerne unverzoginlich abewere, und der auch nit lenger after dem vorgnanten tage meinte zû tunde han, als verre ich des mit willin und verhengnisse mins   10
gnedigen herren des kunigs und mit gelimphe und bescheidinheit abegesin mochte[g].
und in solicher masse han ich andern herren und steden des lantfrids auch geschriben
und biden herumb uwer unverzogen[h] gûnstige beschriben antwort[i] mit disem boden
mich darnach zû richten[j].   gebin under mim ing*esigel* des dinstags in der phingst-
1407
Mai 17 wochen anno domini 1407.   15

Ebirhard vom Hirczhorn ritter.

1407
Mai 23 **448.** *Eberhard vom Hirschhorn an gen. Herren und Städte einzeln: theilt mit, daß die
jetzt in Frankfurt versammelten Herren und Städte beschlossen haben einen neuen
Tag in Frankfurt am 31 Mai abzuhalten um über Botschaft an den König in Sachen
des Landfriedens zu berathen, fordert zu Besuch dieses Tages auf. 1407 Mai 23* 20
[Frankfurt].

*An Frankfurt: A aus Frankfurt St.A. Reichssachen Acten XVII nr. 1026, 5 or. ch. lit. cl. c.
sig. in v. impr. laeso; in verso von derselben oder doch gleichzeitiger Hand* her Eberhard vom Hirczhorn bescheiden von lantfriden wegen.

An Reinhart von Hanau: B coll. Frankfurt St.A. Kopialbuch nr. 17 (früher das bûch des 25
lantfryden zû Wedreyben) *fol.* 19[b] *cop. ch. coaev.; Adresse über dem Stück* Hern Reinhart von Ha-
naûwe; *unter dem Stück die Notiz* Item in vorgeschribner forme grave Heinrich von Nassaûwe, item
den von Geilnhusen, item dem von Wecxßar, item Gilbrecht Rietesil und andern die der herschaft von
Falken*stein* iczunt etc[2], wand sie nimand bi dem gespreche hattin.   item grave Johan von Kaczinelnbogen, item dem von Isenburg, item den von Franckfurd, item den von Frydeberg, hatten die iren 30
bi dem gespreche, darumb schreib man in sûst auch daruf in vorgeschribner maße, ane daz man nit
rurete, daz sie niman da gehabt hettin.

An andere Herren und Städte: s. Quellenbeschr. unter B die Namen.

Minen fruntlichen[k] dinst zûvor. lieben frûnde[l]. als ich uch geschriben hatte[3]
Mai 23 und uch[m] gebeden uff hude mantag uwer frunde mit macht hie zu Franckenford zu[n] 35

<hr/>

a) B add. ausgestr. den lantfriden. b) in B übergeschr. c) B hatte ursprünglich widerrûffen und auch, nach
auch ist hineinborn. den uwern befelhin wullet, dann und — wullet ausgestr. und der Text von A an dem
Rand geschrieben, jedoch das letzte Wort auch anscheinend erst nachträglich eingefügt statt ausgestr. wullet auch
den uwern befelhin. d) B add. ausgestr. und. e) B add. ausgestr. und s. f) und — wine in B übergeschr.
g) als verre — mochte in B an dem Rand geschrieben und zwar mins — mit erst nachträglich nach verheng- 40
nisse eingefügt. h) übergeschr. in B. i) mich — richten übergeschr. in B. k) B willigen. l) B lieber herre
statt lieben frunde. m) om. B. n) B zu Franckfurd zu sin oder uwer frûnde mit macht dobi statt uwer — zu.

<hr/>

[1] *Johann von Isenburg Herr zu Budingen antwortet Eberhard vom Hirschhorn: will seine Freunde
Mo. nach Frankfurt schicken; dat. quarta feria
infra oct. penthec. [1407 Mai 18]; Frankfurt
St.A. Reichssachen Acten XVII nr. 1026, 3 or.
ch. lit. cl. c. sig. in v. impr. laeso. — Gylbracht
Rietesel Amtmann zu Buczbach antwortet demselben ablehnend; dat. sexta fer. p. penthec. [1407
Mai 20]; ibid. nr. 1026, 4 or. ch. lit. cl. c. sig.
in v. impr. laeso.*

[2] *Romelean von Coveren Hauptmann der Grafschaft Falkenstein etc. antwortet auf den Brief
Eberhards vom Hirschhorn an Gylbrecht Rietesel:* 45
*er will Freunde der Herschaft schicken; dat. auf
u. H. Leichnams Tag [1407 Mai 26]; Frankfurt
St.A. Reichssachen Acten XVII nr. 1026, 6 or.
ch. lit. cl. c. sig. in v. impr. del.*

[3] *Am 17 Mai, nr. 447.*   50

haben von lantfri*den* wegen zu reden und zu ratslagen[a], laßen ich uch wißen, daz der   *1407*
herren uwer[b] und anderer[c] stede frůnde zum lantfri*den* gehorende, die iczůnd hie[d] bij   *Mai 28*
ein gewest sin, von den sachen faste geredt und geratslaget han, und sie und mich gut-
důncket und uberkommen sin, daz man darůmb zu eym andern tage und gespreche
5 komme von morne dinstage uber achtage gein Franckfort, und daz yedirman selbs do   *Mai 31*
sij oder sin frůnde mit ganczer macht do habe zu ratslagen nach gelegenheid[e] der
sache und zu uberkommen, obe man ein botschafft muntlich[f] oder mit schrifften[g] an
mynen herren den kunig tůn wulle sin gnade zu biden den lantfriden abezutůn und zu
widerruffen oder die heubtmanschafft des lantfri*den* abezutůn, uff daz man auch des
10 gelts als eym heubtman dovon gebůret vorter abesiҫ, oder sust zu ratslagen und zu
uberkommen, waz sie anders důnket[h] daz beste darynne furzukerende sin, daz auch
der herren uwer[i] und ander[k] stede frůnde, die iczůnd dobij gewest sin, ernstlich meynent hinder sich[l] an yr herren und rede zu brengen. herumb[m] so bidden ich uch
frůntlich[n] uwer frunde mit macht darbij[o] zu schicken[p], uff daz uch keyn sumenisse
15 dovon zugemeßen werde, wand ich andern herren und steden des landfri*den* in solicher
maße auch geschriben han.   geben under myme inge*sigel* des mantages- vor sant   *1407*
Urbans tage anno domini 1407[q].   *Mai 23*

[*in verso*] Den ersamen und wysen borger-
meystern und rade zu Franckenford mynen   Eberhard vom Hirczhorn ritter.
20 besundern guden frůnden d*ari debet litera.*

---

449. *Die zu Frankfurt versammelten Herren und Städte des Landfriedens an Gf.*   *1407*
Heinrich von Nassau und ähnlich an die Städte Gelnhausen und Wetzlar einzeln: *Mai 31*
haben neue Zusammenkunft in Frankfurt auf den 7 Juni angesetzt um dann ge-
meinsam zum König zu reisen, fordern zur Beschickung des Tages auf. 1407
25 *Mai 31 [Frankfurt].*

    A aus Frankfurt St.A. Kopialbuch nr. 17 (früher das bůch des lantfryden zů Wedrey-
      ben) fol. 20ᵃ cop. ch. coaev.; Adresse über dem Stück; darunter Item in der vor-
      geschriben forme und datum den steden Geilnhusen unde Weczflar, wand sie niman
      uf disem gespreche hatten.
30   *B coll. Frankfurt St.A. Reichssachen Acten XVII nr. 1026, 9 cop. ch. coaev., mit der*
      Überschrift Grave Heinrich von Nassauwe, Geylnhusen, Wetflar; *unter dem Stück ist*
      bemerkt Item dem ersten tage waren mit grave Heinrich, Geylnhu*sen*, Wetflar, Gil-
      brecht etc., *in verso* herren und steden von lantfriden wegen einen tag bescheiden.

Unsern willigen dinst zuvor. lieber jungher. also als die herren und stede des
35 lantfriden uns uf hude gein Franckenfurd von des strengen ritters hern Ebirhards vom   *Mai 31*
Hirczhorn heubtman des lantfriden virbotscheftunge[1] wegen geschicht han, des lassin

---

a) *B add.* und ir oder nimant von uwern wegen darzu [*om. nicht*] kommen ist. b) *om. B.* c) *om. B.* d) *B do*
statt hie. e) *B nach* gelegenheit *mit anderer Tinte übergeschr.; ausgestr. hat.* f) *B* montlich *mit anderer*
Tinte übergeschr. g) *B* schriben. h) *B* důnket *nach* das beste. i) *om. B.* k) *om. B.* l) *B add.* ausgestr.
40   zu brengen. m) *B add.* lieber herre. n) *B* ernstlich, das ir auch uf die nit dobi sin wullet oder *statt*
frůntlich. o) *B* dar. p) *B add.* und uch kein ander unmuße daran laßen hindern. q) *B add. in kleinerer*
Schrift nota dies Urbani vigilia festivitatis corporis Christi; *ist kalendarisch richtig.*

---

    [1] *Vom 23 Mai, nr. 448. — Eberhard vom*   und zu rade werden, wie daß sie daz an myn hern
Hirschhorn an Stadt Frankfurt: ist durch Privat-   den konnig [od. koning?] brengen mit irn frůnden
45 *angelegenheiten verhindert Di. [Mai 31] zur Ver-*   oder mit schrifften daz der lantfriden gestergkt
sammlung nach Frankfurt zu kommen, bittet ihn   werde oder widerzuruffen oder den heubtman abe-
zu entschuldigen und Herren und Städten die   zudůnde, daz man des gelts forter abesiҫ, und
sich einfinden zu sagen, daz sie daruber siczen   herinne daz beste fůrwenden; dat. Sa. n. lichams-

1407
Mai 31 wir uch wissen, daz wir mit ein geratslagit han und uberkommen sin, daz die herren
und stede des lantfriden ire frunde mit macht von hude dinstage ubir acht dage zu
Juni 7 mittagezid zu[a] Franckenfurd haben sollen, die dan vorter mit ein zu unsers gnedigen
herren des Romischen konigs gnaden kommen sullen und sin gnade bidden den lantfriden baß[b] zu virsorgen oder sůst abezûtůn und zu widderruffen oder den heubtman [5]
des lantfriden abezutun[1]. und herumbe so dunket uns ein notdorft sin, daz ir nit
enlaßit, ir schickit auch uwir frunde mit macht zu dem obgnanten tage und sachen, uf
daz die sache uwernthalben keinen stoß neme, davon merer brost kommen mochte und
uch sumeniße davon zugemessen werden[c].   gebin under des lantfriden ingesigel des
1407
Mai 31 dinstags nach unsers herren lichams tage anno domini 1407.   [10]

An grave Heinrich   Von uns der herren und stede des lantfriden
von Nass*auwe*.   frunden als wir[d] zu disser zid zu Franckfurd
                                     bi ein gewest sin.

a) *A korr. aus* in.   b) *B übergeschr.; ausgestr.* lassin.   c) *A* worden *! B* werde.   d) *A übergeschrieben.*

tag a. sept. [1407 Mai 28]; Frankfurt St.A.
Reichssachen Acten XVII nr. 1026, 7 or. ch. lit.
cl. c. sig. in v. impr. laeso. Ähnlich schrieb Eberhard am folgenden Tage (dom. p. corp. Chr. a.
mill. quadr. sept.) an den Stadtschreiber Heinrich
zu Frankfurt, bat ihn außerdem mit Herren und
Städten des Landfriedens abzurechnen, das vorhandene Geld zu behalten und für das übrige ihm
Briefe zu verschaffen; Frankfurt l. c. nr. 1026, 8
or. ch. lit. cl. c. sig. in v. impr. del.
[1] Stadt Friedberg, durch ihren Rathsgesell Eigel
von Sassin über den Beschluß der Landfriedens-
versammlung einen neuen Tag zu Frankfurt
nächsten Di. [Juni 7] abzuhalten und zum König
zu schicken unterrichtet, bittet, da sie heimlich
gewarnt ist, Stadt Frankfurt, ihr Ausbleiben zu
entschuldigen; dat. Bonif. [Juni 5] 1407; Frank-

furt St.A. Reichssachen Acten XVII nr. 1026, [15]
or. ch. lit. cl. c. sig. in v. impr. laeso. Die Gesandtschaft zum König kam aber zu Stande.
Sabbato post Viti [1407 Juni 18]: item 4 lb. 3 sh.
virzerte Heinrich schriber dri tage selbander gein
Wysebaden zů unserm herren von Mencze und [20]
dan aber dri tage gein Wysebaden mit zwein
pherden zů unserm herren dem konige mit der
herren und stede frunden von lantfrids wegen;
Frankfurt St.A. Rechenbuch 1407 unter der
Rubrik ussgebin zerůnge. Ebend. ist unter der Ru- [25]
brik ussgebin pherdegeld schon sabb. post Urbani
[1407 Mai 28] eingetragen: 15 sh. Heinrich
schriber von eim pherde dri tage gein Wysebaden
zů unserm herren dem kůnige von lantfrids wegin;
schwerlich beruht dieses letzte Datum auf einem [30]
Versehen.

Reichstag zu Mainz
im December 1404.

Daß Anfang December 1404 oder etwas früher eine vom König berufene Versammlung zu Mainz stattfand, geht aus dem Frankfurter Rechenbuch hervor, s. nr. 450.
Die Zeit bestimmt sich nach dem Nürnberger Rechenbuch (s. nr. 453 art. 3) näher auf c. Dec. 6, und nach der Notiz Wencker's, die wir weiter unten am Schluß von lit. B dieser Einleitung mittheilen, auf Dec. 7. Dieses letztgenannte Datum bezeichnet vermuthlich den Tag an dem die Theilnehmer sich in Mainz einzufinden hatten.

Unser Material zu dieser Versammlung ist ungewöhnlich dürftig, kein Einladungsschreiben, keine Aufzeichnung über die Verhandlungen, kein Gesandtschaftsbericht, keine Korrespondenz über Besuch ist uns erhalten; nur aus städtischen Rechnungen und aus nachfolgenden Verhandlungen erfahren wir von ihr. Der eigenthümlichen Beschaffenheit des Materials mußten wir in der Anordnung Rechnung tragen; wir konnten nicht gut wie sonst eine Abtheilung städtischer Kosten bilden, da diese zum größeren Theil, mehr als mit dem Tage selbst, mit den nachfolgenden Verhandlungen zusammenhängen, und wir konnten von diesen Nachrichten der Rechnungsbücher diejenigen nicht trennen, die sich direkter auf den Verlauf des Tages selbst beziehen. In den vier Anhängen sind dann Dinge mitgetheilt, die sich theilweis an den Kreis der Reichstags-Angelegenheiten anschließen, theilweis als Gegenstände der Reichspolitik die Vermuthung für sich haben daß auch auf diesem Tag ihrer gedacht wurde, oder doch von allgemeinem Interesse sind.

A. Besuch des Tages nr. 450.

Es fragt sich, ob wir hier von einem Reichstage sprechen können. Das Nürnberger Schenkbuch, s. nr. 453 art. 3, erwähnt zwar, daß außer den Städten und den besonders namhaft gemachten Kurfürsten auch etlich ander fürsten und herren zugegen gewesen wären, das Frankfurter Rechenbuch aber sagt: als unser herre der konig unser herren die kurfursten und des richs und ander stede darzú virbot hatte. Vielleicht haben beide Quellen Recht und es sind die Fürsten und Herren nur zufällig anwesend gewesen ohne eingeladen zu sein; oder aber das Frankfurter Rechenbuch ist ungenau; denn die ausdrückliche Angabe des Schenkbuchs wird man nicht anzweifeln dürfen. Man kann über die Frage streiten und die von uns getroffene Entscheidung angreifen, wird aber mit dem jetzt vorliegenden Material zu einem anderen gewissen Resultat ebensowenig gelangen. Anwesend waren sicher der König selbst, der am 8 und 9 December in Mainz urkundete (s. Chmel nr. 1902-1906) und auch wol am folgenden Tage noch dort sich aufhielt (s. zwei Posten der Kammereinnahmen vom 10 Dec. 1404, Janssen R. K. 1, 761 nr. 1212 art. 34 u. 35, bei uns in Bd. 6), der Kurfürst

*von Mainz, der Kurfürst von Köln, des Kurfürsten von Trier Räthe (s. nr. 453 art. 3)
und Gesandte Frankfurts (s. nr. 450), wahrscheinlich auch Gesandte von Worms Speier
und dem Schwäbischen Städtebunde, s. weiter unten (am Schluß von lit. B dieser Einleitung) die Notiz Wenckers. Die Aufzeichnung des Schenkbuchs nr. 453 art. 3 läßt
vermuthen, daß auch Nürnberg Gesandte auf dem Tage hatte, und die Betheiligung der*   5
Mainzer versteht sich von selbst.

**B. K. Ruprechts Muthung an die Städte wegen Hilfsgeldes von 150000 Gulden,
nebst nachfolgender Haltung der letzteren dazu, nr. 451-457.**

*Auf dem Mainzer Tage brachte K. Ruprecht, wie auf dem Nürnberger vom Jahre
1402, eine an die Städte gerichtete Geldforderung vor. Sie ergieng, wie die frühere,*   10
*an gemein stette des reichs, s. nr. 453 art. 3. Ob K. Ruprecht sich außerdem auch
irgendwie an die Freistädte und an die Fürsten wandte, wissen wir nicht sicher;
doch ist darauf aufmerksam zu machen, daß das Frankfurter Rechenbuch (s. nr. 450)
dahin verstanden werden kann, daß zwischen hulfe und stûre mit gelde zu unterscheiden
wäre und daß K. Ruprecht in irgend einer Form auch Kurfürsten und andere als*   15
*Reichs-, d. h. also Freistädte, zu Leistungen hätte heranziehen wollen. Die fragliche
Stelle ist aber auch wol anderer Deutung fähig, und es ist sehr zu bedauern, daß uns
über diesen wichtigen Punkt keine Gewissheit ist. Auch über die Begründung der
königlichen Forderung ist uns nichts genaues überliefert. Im Nürnberger Schenkbuch
findet man die allgemeine Wendung domit er des reichs nûtz schicken wôlte. Es mag*   20
*sein, daß z. Th. Ruprecht die Mittel für künftige Unternehmungen, etwa für den noch
nicht ganz aufgegebenen zweiten Romzug, gewinnen wollte (vgl. nr. 470 art. 11 und
beim Nürnb. Tage v. 1402 Einl. lit. O), in der Hauptsache aber handelte es sich wahrscheinlich darum, alte Schulden, die vom Italienischen Zuge und von andern Veran-
lassungen herrührten, zu bezahlen. Zur Illustrierung der stehenden damaligen Finanz-*   25
*noth des Königs sei hier nur erwähnt, daß im Frühjahr 1404 er sich von Frankfurt
auf die drei nächstfälligen Reichssteuern der Stadt 2000 fl. (gleich 2400 lb. Frankfurter
Währung) vorschießen ließ. Seine drei bezüglichen Quittungen, alle drei Sa. n. Lichams-
tag [Mai 31] 1404 r. 4 datiert, befinden sich im Frankfurter St. A. Reichssteuer
1403-1427 früher Uglb. A 44; vgl. Chmel nr. 1762. Verrechnet sind die 2000 fl.*   30
*im Frankfurter Rechenbuch sabb. ante Bonifacii [1404 Mai 31] unter besundern ein-
zelnge uzgeben. Auch Wimpfen und Heilbronn zahlten im Jahre 1404 ihre Steuern
im voraus, s. Chmel nr. 1787, 1801. Im übrigen ist auf unsere Einleitung zum Nürnberger Tage vom Jahr 1402 lit. D zu verweisen. Was nun aber den Erfolg der
Muthung selbst anlangt, so finden wir in den kön. Kammereinnahmen keine ganz sicher*   35
*hierher gehörenden Posten; vielleicht kommen das Geld von Wile und die 500 Gulden
von Wetzlar (Janssen Frankf. R.K. 1, 781f. nr. 1227 art. 14. 21 und 25, bei uns
in Bd. 6 Kämmereirechnung unter 1404 Juli 2, Juli 23 und Nov. 7) in Betracht.
Die beiden Einträge Janssen 1, 794f. nr. 1239 art. 21 und 22, bei uns Bd. 6 l. c.
unter 1406 Nov. 16, wird man kaum herbeiziehen können. Sicher wissen wir nur, daß*   40
*nach einigen Verhandlungen im Mai 1405 Frankfurt 2000 fl. zahlte (s. nr. 457) und
Nürnberg desgleichen im Juni 3000 fl. (s. nr. 453 art. 3), während die Städte des
Schwäbischen Bundes (s. ebend.) und anscheinend auch Augsburg (s. Anm. zu nr. 455)
sich zu nichts verstanden. Unser Material gibt besonders Auskunft über weitere Verhandlungen mit den Fränkischen Städten, s. nr. 451-454 mit Anmerkungen. Als*   45
*K. Ruprecht auf der Reise in die Oberpfalz im Juli 1405 nach Nürnberg und an-
scheinend auch nach Windsheim kam, war die Angelegenheit zwar mit Nürnberg geregelt, mit den übrigen Fränkischen Städten aber wahrscheinlich noch nicht. Eine*

größere Versammlung wurde nun damals in Nürnberg jedenfalls nicht gehalten, doch immerhin kann die Gelegenheit zu Verhandlungen mit den Fränkischen Städten benutzt sein. Es schien daher gerechtfertigt, die hier in nr. 453f. aus den Nürnb. Schenkbüchern gemachten Mittheilungen auf diese Anwesenheit K. Ruprechts auszudehnen. — Die Geld-
5 *forderung des Königs erregte besonders Misstimmung bei dem Schwäbischen Städtebund*[1], *s. nr. 456. Janssen hat R. K. 1, 776 nt.* nach einer wol im Frankfurter Archiv befindlichen von uns nicht wider aufgefundenen Vorlage die anscheinend c. 1407 niedergeschriebene Notiz („Note auf einem Blatt, worauf Ausgaben von 1404-1407 verzeichnet sind" sagt Janssen) mitgetheilt: und wurdent vil stede faste unwillig und swere
10 gein den kung von sture und anforderungen wegen. Janssen verweist in der citierten Note auf frühere ähnliche Vorgänge unter K. Rudolf I, begeht aber den Fehler, die Steuer die K. Ruprecht in seinen Erblanden erhob nicht von jener zu unterscheiden die er von den Reichsstädten verlangte. Vermuthlich gab die Forderung des Königs und die dadurch wol auch bei anderen Städten hervorgerufene Unzufriedenheit Veranlassung
15 zu Verhandlungen über Erweiterung des Schwäbischen Städtebundes, s. nr. 456 und Anm. Auch Augsburg war anscheinend bei diesen betheiligt, s. nr. 455 art. 1. 3. 4. Weiterhin führte dann das Zerwürfnis zur Errichtung des Marbacher Bundes, vgl beim Mainzer Reichstage von 1405 Okt. Einleitung lit. A. Wir wollen hier noch auf die Reise aufmerksam machen, die K. Ruprecht vermuthlich Anfang 1405 nach Schwaben
20 unternahm, s. Anm. zu nr. 455 art. 2. Zeit und Veranlassung derselben sind freilich noch in ziemliches Dunkel gehüllt. — Auf die Stimmung der Schwäbischen Städte zu Anfang des Jahres 1405 übte es wol auch einigen Einfluß aus, daß ihr alter aus dem Jahre 1389 herrührender Streit mit den Städten Mainz Worms und Speier damals vor dem königlichen Hofgerichte wider aufgenommen wurde. In der Einleitung zum Nürn-
25 berger Tage lit. N haben wir die Angelegenheit schon berührt und geben hier in Anmerkungen zu nr. 455 noch einige Regesten. Zu beachten ist, daß des Königs Räthe vermittelnd eingriffen und daß man also doch darauf bedacht war, die Schwäbischen Städte nicht unnütz noch mehr zu verstimmen. Es ist nun aber noch eine Notiz Wencker's zu berücksichtigen, aus der hervorgeht, daß die Angelegenheit auch auf un-
30 serm Mainzer Tage vorkam. In den mit der Straßburger Stadtbibliothek verbrannten Exc. Wenckeri fol. 325ª hieß es: Reichstag zu Meintz uf ⊙ post Nicolai [Dec. 7] anno 1404 wegen der irrung zwischen den dreien städten Mentz Worms und Spir und der stadt Ulm, deswegen man auch zu Straßburg vor den raht getaget. Die Nachricht Wencker's zu bezweifeln liegt durchaus kein Grund vor, aber sie steht auch ganz ver-
35 einzelt da, wir wissen sonst von den bezüglichen Verhandlungen des Mainzer Tages gar nichts, und wir konnten daher auch keine eigne Abtheilung dafür bilden.

C. Erster Anhang: nachfolgende Besteuerung der Kurpfälzischen Lande 1405, nr. 458-462.

*Eine Parallele zur Geldforderung des Königs an die Reichsstädte bildet die bald
40 darauf ins Werk gesetzte Besteuerung seiner Erblande.* An der Auffassung, daß die betreffenden Anordnungen Ruprechts, die wir hier mittheilen, sich nur auf seine eignen Besitzungen bezogen (vgl. oben lin. 10-13 und Anm. zu nr. 460), darf man sich auch dadurch nicht irre machen lassen, daß im Jahre 1406 Hzg. Stefan von Baiern ebenfalls eine Steuer des zwanzigsten Pfennigs erheben ließ, s. Reg. Boica 11, 389 die Regesten

45 ¹ Vielleicht hängt der in den Seckelamtsbüchern von St. Gallen unter Do. n. Hylarii [1405 Jan. 15] erwähnte Tag der Schwäbischen Städte zu Biberach von unsers herren des kungs wegen (s. Wegelin Neue Beitr. z. Gesch. d. Appenzellerkrieges pag. 2) mit der Geldforderung zusammen.

vom 9 und 10 Sept. Der Ertrag dieser Steuer kam nicht etwa dem Könige sondern Stefan selbst zu gute. Was über die Durchführung der Maßregel des Königs beizubringen war, geben wir in nr. 458-462 und Noten. Auch einige Posten der Kämmereirechnung kommen in Betracht; außer den in Anm. zu nr. 459 citierten ist noch der vom 20 Sept. 1405 Janssen 1, 782 nr. 1227 art. 22 (bei uns in Bd. 6) zu nennen. — ⁵
Der Ertrag der Steuer sollte verwandt werden um K. Ruprechts verpfändete Schlösser etc. wider einzulösen, s. besonders nr. 462, vgl. dazu auch nr. 465 art. 11. Schon zur Zeit des Italienischen Zuges machten dem König seine Gläubiger in Baiern, von denen er Angriff und· Pfändung befürchtete, große Noth, und es war davon die Rede, daß die Städte der Oberpfalz sich für ihn verbürgen sollten, s. nr. 8 art. 4-7. Daß er zur Be- ¹⁰
streitung der durch die Reichsregierung ihm auferlegten Ausgaben seine eignen Besitzungen habe verpfänden müssen, wird z. B. auch bei der Verpfändung von Offenburg etc. am 23 Aug. 1402 von ihm erwähnt, s. pag. 402 Anm. 1.

D. Zweiter Anhang: vorhergehende und nachfolgende Verhandlungen wegen Österreichischer Heirat 1404-1406, nr. 463-466. ¹⁵

Die beabsichtigte Verheiratung der Tochter K. Ruprechts Else mit Hzg. Friderich von Oesterreich kam schon bei verschiedenen Tagen des Jahres 1401 in unserm 4 Bande, aber immer in engster Verbindung mit eigentlich politischen Fragen vor, s. Bd. 4 beim Kölner Krönungstag lit. G, beim Nürnberger RT. im Mai 1401 lit. B, und beim Mainzer RT. im Juni und Juli 1401 lit. D. Dann war es längere Zeit trotz fort- ²⁰
dauernder Verhandlungen über politische Dinge (s. zuletzt nr. 389. 396. 397) still von der Heirat, wir erfahren wenigstens nichts davon, und unsere nr. 463 ist das erste Aktenstück das wider davon handelt. Es treten nun in den Stücken die wir hier mittheilen politische Beziehungen sehr zurück. In der Vollmacht nr. 464 ist zwar noch von fruntschaft und einunge die Rede, die zugehörige Anweisung nr. 465 aber enthält ²⁵
nichts darüber, und in der letzten sehr viel späteren Vollmacht nr. 466 sind jene Worte auch ganz ausdrücklich ausgelassen. Und doch ist in diesen Verhandlungen ein reichspolitisches Moment enthalten, dadurch nemlich, daß die Anweisung der Mitgift auf Reichsstädte in Schwaben oder im Elsaß in Frage stund; und diese Seite der Verhandlungen erhält durch das Schreiben Basels an Straßburg vom 23 September 1404, das ³⁰
wir in Anm. zu nr. 463 art. 3 regestiert haben, eine eigenthümliche Beleuchtung. Fünf Elsäßische Reichsstädte sollten darnach in die Gewalt Hzg. Friderichs gebracht werden. Vielleicht gehört auch das andere merkwürdige Schreiben Basels an Straßburg vom 27 Okt. 1404 (s. ibid.) in diesen Zusammenhang. Die Namen fehlten doch wol auch schon in Wenckers Vorlage, die wahrscheinlich das Original war, und sie werden aus- ³⁵
gelassen sein, weil gerade bei dieser Mittheilung besondere Vorsicht und Heimlichkeit geboten war, die Adressaten aber doch wußten, um was es sich handelte. Wir können die Vermuthung nicht unterdrücken, daß man K. Ruprecht und Hzg. Friderich in diesen Brief an Stelle der Punkte einzusetzen hat. Wie weit die Alarmnachrichten der Baseler begründet waren, steht dahin. Im Mai 1405 dachte der König die Mitgift ⁴⁰
nicht auf die Elsäßischen sondern auf Schwäbische Reichsstädte, besonders auf die Bodenseestädte, anzuweisen (nr. 465 art. 10); vielleicht aber hatte er seine Absichten nur, weil man im Elsaß mistrauisch geworden war und Widerstand vorbereitete, geändert. Doch auch die Bodenseestädte scheinen von Ruprechts Plan Kunde erhalten und ihre Vorbereitungen dagegen getroffen zu haben. Auffallenderweise fanden sie darin, wenn ⁴⁵
wir nicht sehr irren, bei Hzg. Friderich selbst und seinem Bruder Leopold Unterstützung; denn die Verträge die Konstanz am 6 Merz 1405 mit den beiden Herzögen abschloß (s. Anm. zu nr. 465 art. 10) sind doch wol sicher mit jener drohenden Ver-

pfändung in Zusammenhang zu bringen. Die Herzöge scheinen eine Anweisung der Mitgift auf K. Ruprechts eigne Besitzungen oder Auszahlung in baarem Gelde vorgezogen zu haben. Von einer Anweisung auf Reichsstädte mußte K. Ruprecht denn auch absehen, vgl. die in Anm. zu nr. 466 citierten Urkunden. Es ist aber doch wol
5 *anzunehmen, daß durch die ganze leidige Geschichte die Misstimmung gegen ihn in den Kreisen der Reichsstädte bedenklich genährt wurde.*

E. Dritter Anhang: nachfolgende Verhandlung mit K. Wenzel 1405, nr. 467-468.

Seit und in Folge der Befreiung K. Wenzels haben sich die Beziehungen und Verhältnisse in und zu Böhmen wesentlich geändert. Nachdem Wenzel sich mit den
10 *Österreichischen Herzögen vertragen, die früher auf K. Sigmunds Seite standen (Waffenstillstand am 3 Nov. 1404 bei Pelzel Wenzel 2 Urkundenbuch pag. 104-106 nr. 199, und Revers im Böhm. Kron-Archiv zu Prag Verzeichnis nr. 376; an demselben Datum Erbeinung zwischen Wenzel Jobst Prokop und den Österreichern Lünig Teutsches R. Archiv 6, 2, 68 nr. 52 und anderwärts, Regest Chmel reg. Rup. pag. 185 nr. 17,*
15 *Revers Wien H. H. St.A. Repert. 12 or. mb., gedruckt Lünig cod. dipl. Germ. 1, 1415f. nr. 339; endlich ebenfalls 3 Nov. 1404 allgemeiner Verzeihungsbrief Wenzels bei Kurz Österreich unter K. Albrecht II Bd. 1 pag. 265 Beil. nr. 1), verband sich K. Sigmund am 7 Febr. 1405 mit Hzg. Leopold von Österreich gegen jedermann, ausgenommen von Sigmunds Seite K. Wenzel und Mgf. Jost, von Leopolds Seite der Röm. König Ru-*
20 *precht Hzg. Friderich von Österreich und der Erwählte von Salzburg Eberhard (bei Kurz Österreich unter K. Albrecht II Bd. 1, 266 Beil. nr. 2); ferner verband sich Sigmund am 29 Merz 1405 auf Lebenszeit mit dem Erwählten von Salzburg Eberhard, ihm gegen alle Nachbarn die ihn irgendwie schädigen oder angreifen würden, namentlich gegen Hzg. Wilhelm von Österreich und Berthold Wahinger Bisch. von Freising*
25 *beizustehen; beide wollen nur gemeinsam Frieden schließen und keiner ohne des andern Rath und Wissen Krieg beginnen; der König nimmt aus den Röm. und Böhm. König Wenzel, Mgf. Jost von Mähren, Hzg. Leopold von Österreich, Gf. Hermann von Cilli, und Friderich von Ortenburg; dat. Ofen So. letare 1405 (aus Wien H. H. St. A. Salzburg or. mb. c. sig. pend.; auch ibid. ms. 359 Salzb. Kammerbücher nr. 3 fol. 318ᵇff.*
30 *nr. 258 cop. mb. saec. 15). — Wodurch K. Ruprecht veranlaßt wurde im Februar 1405 wider Verhandlungen mit K. Wenzel anzuknüpfen, wissen wir nicht. Zu irgend welchem Resultat scheinen dieselben nicht geführt zu haben.*

F. Vierter Anhang: nachfolgendes Verhältnis zu P. Innocenz VII und zu Italien 1405, nr. 469-474.

35 *Die Beziehungen K. Ruprechts zu Italien waren im Jahre 1405 weit weniger lebhafte als im Jahre vorher. Von einem zweiten Romzug war zwar noch die Rede, s. nr. 469-471, doch keinerlei bestimmte Aussicht auf Verwirklichung desselben. Daß K. Ruprecht am 22 Nov. 1405 in nr. 474 zwei Gesandte für Italien bevollmächtigte, ist in dieser Beziehung sicher ganz ohne Bedeutung; denn eben damals war der König*
40 *durch seine Mishelligkeiten mit dem Marbacher Bunde vollständig in Anspruch genommen. Besondere Beachtung verdient art. 15 der Anweisung nr. 470. Daß K. Ruprecht jetzt bereit war Reichsgut an Mailand oder Venedig preiszugeben, um die Kaiserkrönung zu gewinnen, steht in seltsamem Kontrast zu den Gründen die Wenzels Absetzung hatten rechtfertigen sollen. — Einige der hier mitgetheilten Stücke beziehen sich*
45 *auch auf die Frage der Kirchenspaltung, nr. 470. 472. 473.*

G. Fünfter Anhang: Versöhnung über die Tödtung Hzg. Friderich von Braunschweig, mit Friedberger Landfrieden, 1405, nr. 475-480.

Wir bringen hier den Abschluß der Verhandlungen, die über die Tödtung Hzg. Friderichs von Braunschweigs und die sich daran anschließenden Händel geführt wurden. Auf einem Tage zu Friedberg kam am 18 Merz 1405 der Friede zwischen 5 *Kurmainz einerseits Hessen und Braunschweig andererseits zu Stande, s. nr. 475. — Kurz vorher scheinen Erzb. Johann und Lf. Hermann in Aschaffenburg beisammen gewesen zu sein, s. Bd. 6 Einl. zum Mainzer RT. vom Jan. 1406 lit. K den Brief von 1405 [zw. Merz 16 u. Merz 25]. Daß diese beiden Fürsten auf einer persönlichen Zusammenkunft den Frieden gelobten, zeigt auch nr. 475 art. 16. Es liegt am nächsten,* 10 *dieß so zu verstehen, daß sie in Friedberg anwesend waren; doch wäre es immerhin möglich, daß dieses Gelöbnis in Aschaffenburg früher als die urkundliche Fixierung der Friedensartikel in Friedberg geschehen wäre. Mit den Herzögen von Braunschweig hatte Erzb. Johann, wie aus dem art. 16 hervorgeht, keine Zusammenkunft gehabt. — K. Ruprecht, dessen Sühneversuche (vgl. dazu Einleitung zum Nürnberger Tage von* 15 *1402 lit. K) alle vergeblich gewesen waren, ist bei den Verhandlungen des Friedberger Tages anscheinend in keiner Weise betheiligt. Das Verhältnis zwischen ihm und Erzb. Johann beginnt gerade im Merz 1405 ein- sehr gespanntes zu werden, s. nr. 456, und es ist für den weiteren Verlauf der Dinge sicher nicht gleichgiltig, daß durch den Friedberger Frieden Erzb. Johann gegen den König freiere Hand bekam. Daß Ru-* 20 *precht trotzdem den ebenfalls auf dem Friedberger Tage vereinbarten Kurmainzisch-Hessisch-Braunschweigischen Landfrieden am 5 Juni bestätigte (s. nr. 479), ist leicht begreiflich; als König konnte er dem Friedenswerk seine Sanktion nur schwer versagen. Kurz vorher, Ende Mai, hatte er von Frankfurt aus eine Reise nach Westfalen, die ihn auch nach Gießen führte, unternommen (s. Einleitung zur Landfriedensthätigkeit* 25 *K. Ruprechts lit. C pag. 594); man darf vielleicht vermuthen, daß dieselbe mit diesen Angelegenheiten zusammenhängt und daß K. Ruprecht damals eine Zusammenkunft wenigstens mit dem Landgrafen hatte. — Menzel spricht seine Verwunderung darüber aus, daß der von uns mehrfach öfter erwähnten sehr erbitterten Korrespondenz Erzb. Johanns mit den Meißener Markgrafen so bald der Friedensschluß (nr. 475 art. 15) folgte,* 30 *s. Schliephake Gesch. v. Nassau fortges. v. Menzel 5, 166. Es ist aber zu beachten, daß die bisherigen Gegner sich auf Kosten Balthasars und Friderichs von Meißen verständigten und daß gleich am 20 Merz Erzb. Johann Lf. Hermann von Hessen und Hzg. Otto von Braunschweig sich gegen die beiden verbündeten, s. nr. 477. Daß die Meißener nach nr. 475 art. 15 in den Friedensschluß mit aufgenommen waren, bedeutete* 35 *also sehr wenig. In jener Korrespondenz möchten wir vielmehr ein Vorspiel dieser den Meißener Markgrafen feindlichen Wendung der Dinge erblicken.*

Der schon erwähnte Friedberger Landfriede vom 18 Merz 1405 nr. 476 gehört ganz in den Zusammenhang der übrigen hier mitgetheilten Stücke hinein, und da er am 5 Juni die Bestätigung K. Ruprechts erhielt, s. nr. 479, so war er an der Aufnahme 40 *in unsere Sammlung so wenig zu zweifeln. Er scheint nicht lange Bestand gehabt zu haben; denn am 1 December 1408 finden wir die drei Braunschweigischen Herzöge, am 20 Januar 1409 Erzb. Johann und Lf. Hermann an der Begründung neuer Landfrieden betheiligt. Diese beiden, die wir im 6 Bande bringen werden, zeigen mit dem unsrigen vom Jahre 1405 große Ähnlichkeit; bei Vergleichung der drei Ur-* 45 *kunden erwies es sich aber als nothwendig auch einen früheren Landfrieden vom 7 Februar 1393 (Sudendorf Urkb. 7, 144-148 nr. 126) sowie die beiden Besserungen desselben vom 28 Merz 1395 (Gudenus cod. dipl. Mog. 3, 605-613 nr. 387) und vom*

1 Juli 1398 (Sudendorf Urkb. 8, 320-322 nr. 234) heranzuziehen. Das Verhältnis des Landfriedens von 1405 zu dem von 1408 ist ohne diese Ausdehnung der Vergleichung nicht richtig zu verstehen, und eine Berücksichtigung des Landfriedens von 1393 ist um so mehr geboten, als dieser am 26 Sept. 1402 durch K. Ruprecht bestätigt
5 *worden war, s. nr. 328. An ihn schließt sich der hier vorliegende von 1405 im allgemeinen nahe an, doch sind auch manche Aenderungen, die theils den Inhalt theils auch nur den Wortlaut betreffen, zu bemerken. Sie entsprechen inhaltlich z. Th. den Zusätzen von 1395 und 1398, ohne aber der Form nach Anklänge an dieselben zu zeigen. In den Noten zu nr. 476 findet man bei jedem Artikel dieses Verhältnis zu*
10 *1393 wie zu 1395 und 1398 kurz charakterisiert und außerdem Verweisungen auf die entsprechenden Artikel des Landfriedens vom Jahre 1408, wo später in Bd. 6 die Noten zu vergleichen sind. Daß bei Errichtung unsres Landfriedens der von 1393 zum Muster genommen wurde, ist nicht verwunderlich, da die 1405 betheiligten fünf Fürsten sämmtlich Mitglieder desselben gewesen waren, s. Lindner Gesch. d. D. Reichs*
15 *2, 296-298.*

A. Besuch des Tages nr. 450.

450. *Kosten Frankfurts bei dem Reichstage zu Mainz im December 1404.* **1404** 1404
Dec. 18
Dec. 13 Frankfurt.

Aus Frankfurt St.A. Rechnungsbücher unter der Rubrik uzgeben zerunge.

20   Ipso die Lucie: 40 lb. minus 10 sh. han virzert Heinri*ch* Wisse Erwin Hartra*d*   1404
Heinri*ch* Herdann Johann Erwin und Peter schriber 6 tage gein Mencze, mit namen   Dec. 18
3 tage selb 13 und 3 tage selb 14, als unser herre der konig unser herren die
kurfursten und des richs und ander [1] stede darzû virbot hatte, als unser herre der
konig hulfe und stûre mit gelde an in begerte, und als man auch mancherlei sache da
25 mit unserm herren dem konige uzgetragen solde haben. — item 3 grosse unsers herren
des konigs portener geschenkt.

---

[1] *D. h. wol Freistädte.*

B. K. Ruprechts Muthung an die Städte wegen Hilfsgeldes von 150000 Gulden, nebst nachfolgender Haltung der letzteren dazu, nr. 451-457.

[1405]
Jan. 2
451. *Nürnberg an die 4 gen. Fränkischen Reichsstädte [einzeln], fordert auf zu gemein-samer Berathung auf 8 Jan. zu Nürnberg betr. die vom König zu Mainz an die Reichsstädte gestellte Muthung. [1405 ¹] Jan. 2 Nürnberg.*　　　　　　　　**1**

     Aus Nürnb. Kr.A. Briefbuch 7 fol. 4ᵃ conc. chart., mit der Überschrift Rotemburg Winsheim Sweinfûrt und Weißemburg.

    Lieben freunde. wir haben uns hie mit einander etwaz unterredt von des tags und der mutunge wegen als unser herre .. der Römisch kûnig an uns ew und andere des reichs stete zu Meincz getan hat. darumb rogamus ², daz ir ewr freunde und erber **10**
[1405]
Jan. 8 botschaft zu uns schicken wöllet, daz die auf den nehsten donerstag zu naht hie bei uns sei ³. so mainen wir uns davon mit in zu unterreden wie wir das verantwurten wöllen, wann uns dunkt daz ew und uns des vast notdûrft sei. und das haben wir
[1405]
Jan. 2 den und den etc. auch also veschriben.   actum feria 6 post circumcisionis domini.

1405
Fbr. 1
452. *K. Ruprecht an [Rotenburg an der Tauber]: wundert sich daß ihre Botschaft* **15**
anfänglich verweigert hat ihm auf seine Muthung etwas zu geben; da sie sich nun aber bereit erklärt haben zu einer Zahlung, so sollen sie ihm den Betrag derselben in 14 Tagen zu wissen thun ⁴. 1405 Febr. 1 Heidelberg.

     Aus Bamberg Kr.A. Rotenburg Landfriedensakten 1348-1447 fasc. 1 nr. 36 AB cop. ch. coaev.; einzelnes Blatt ohne Schnitte. **20**

        Rupprecht von gotes gnaden Romischer
        kunig zu allen ziten merer des reichs.

    Lieben getrûwen. als ir uns geschriben habent, wie das ewer botschaft, die ir zu uns herabe gen Heydelberg gesant hatend, wider zu euch kumen sei, und habe euch erzelt, das er uns von ewern wegen als von sulcher mûtûng wegen, als wir an **25** euch und ander unser und des heiligen reichs stette geton haben, abgesagt habe, daz ir uns zu diser zit nihtz geben woltent etc.: han wir wol verstanden. und wir be-kennen daz die obgenant ewer botschaft uns in sulcher mossen abgesagt hat, das uns doch von keiner andern stat gescheen, und meinten auch daz wir des gen euch niht verschuldet heten, wann wir euch zu allen ewern sachen und gescheften die ir an uns **30** brocht habent bisher furderlichen und hulflichen gewest sein, als wir auch gen euch hinfûr meinen zu tûn, als verre ir euch auch widerumb gen uns beweiset als ir bil-lichen sollent. und als ir schreibent, daz ir daz der obgenanten ewer botschaft niht

---

¹ *Das Jahr ergibt sich aus der Anordnung des Briefbuchs.*
² *Natürlich Abkürzung für die in der Rein-schrift weiter auszuführende Formel; ebenso nach-her den und den etc.*
³ *Geschenke an Gesandte der vier Städte sind zwischen Jan. 7 und Febr. 4 in Nürnberg ver-rechnet, s. nr. 454. Vgl. weiter das nächste Stück.*
⁴ *K. Ruprecht an Rotenburg: begehrt, die Hilfe und Steuer, die er zu Mains von ihnen gefordert hat und über die sie hier in Heidelberg durch ihren Gesandten haben verhandeln lassen, nicht*

länger zurückzuhalten, nachdem nun die Nürn-berger über ihre Quote mit ihm übereingekommen **35** *sind; er werde zu endlichem Abschluß auf Joh. Bapt. [Juni 24] seine Räthe zu ihnen nach Rotenburg schicken; Windsheim Weißenburg und Schweinfurt habe er aufgefordert, auch auf diese Zeit ihre Freunde zu seinen Räthen nach Roten-* **40** *burg zu schicken; dat. Heidelberg fer. 5 infra oct. penthec. [Juni 11] 1405 r. 5; Bamberg Kr.A. Acta über Rotenburg a. d. T. wegen des Land-friedens wol cop. ch. coaev.* **45**

befolhen habent uns solich antwurt[a] zu geben und daz ir uns gerne nach ewer anzale *1405* *Fbr. 1*
und vermogen tûn wollent waz die von Nûremberg Weissenburg oder Windshem[b]
tûnd: doruf lassen wir euch wissen, daz derselben stete frûnde, die auch mit ewer botschaft hie zu Heidelberg gewest sint [1], von uns gescheiden sint, das uns dieselben stete
5 in disen nehsten vierzehen tagen eigentlichen sullent lassen wissen was sie uns von der
obgenanten mûtung wegen tûn wollen [2]. und hirumb so ist unser meinûng, dieweil ir
euch nû in sulcher mossen gen uns erbietend, das ir uns dann auch in disen nehsten
vierzehen tagen nach datum ditz briefs eigentlichen lassent wissen, was ir uns fur ewer
anzal als von der obgenanten mûtung wegen tûn wollent, daz wir uns dornach wissen
10 zu richten; und wollent euch dorin in sulcher mossen gen uns beweisen, daz ir sulch
gut neigung und gûnst, die wir bisher zu euch gehabt haben, furbasser behalten, und
daz wir auch hinfur[c] deste williclicher und gerner[d] getûn mûgen daz euch nûtz und
bequemlichen sein mag.   datum[e] Heidelberg dominica ante festum purificacionis gloriose virginis Marie anno domini 1400 quinto, regni vero nostri anno quinto. *1405* *Fbr. 1*
15   Ad mandatum domini regis
                                Johannes Winheim.

453. *Geschenke Nürnbergs an K. Ruprecht und seinen Hof, veranlasst durch die Mu-* *1405* *Fbr. 9* *bis* *[nach Juli 25]*
thung des Königs an die Städte und seine Anwesenheit in Nürnberg im Juli 1405.
1405 Febr. 9 bis [nach Juli 25 [a] *] Nürnberg.*

20   *Aus Nürnberg Kr.A. cod. misc. nr. 487 Schenkbuch fol. 4*[a-b] *ch. coaev., mit der Über-*
              schrift kunig Ruprecht anno etc. quinto.

[1] Propinavimus graff[f] Gûnthern von Swartzpurg, do er unsers herren kunigs
hoffmeister worden was [4], 100 guldein, do man sein auch bedorft von etlicher sach
wegen, als der rate wol waiß [5]. actum feria 2 ante Scolastice virginis. *1405* *Fbr. 9*
25   [2] Propinavimus 20 guldein Johanni Weinheym, unsers herren kûnigs heimlicher[g] [6], *1405* *Fbr. 21*
sabato ante kathedra Petri.

[3] Und ist zu wissen, das unser herre kunig Ruprecht aber ein mutung tete an
gemein stette des reichs, sie solten im zu hilfe komen mit anderhalbhunderttawsent
guldein, domit er des reichs nûtz schicken wôlte. das was umb Nicolai anno etc. 4 zu *1404* *Dec. 6*
30 Meintz. dabei waren der bischof von Meintz, der bischof von Côln, des bischofs von

---

a) *Vorl. antwurt?* b) *Vorl. Windshein?* c) *Vorl. hinfur?* d) *Vorl. gern.* e) *Vorl. datûm.* f) *graffen? Häufig ist in unserer Handschrift dem letzten Buchstaben eines Wortes ein Haken angehängt, dessen Bedeutung nicht immer erkennbar ist.* g) *em. heimlichem?*

---

[1] *Die gemeinsame Gesandtschaft dieser Städte*
35 *ist wol auf dem Nürnberger Tage, zu dem Nürn-*
berg am 2 Januar in nr. 451 einladet, verabredet
worden.
    [2] *Die von Nürnberg an Rotemburg Sweinfurt*
und Weißemburg einzeln: da des Königs Hof-
40 *meister Gf. Gûnthere von Swarczburg bei ihnen*
gewesen ist und ihnen versprochen hat, bei dem
König ihre Meinung vorzulegen, so werden ihre
Freunde nicht bis zum nächsten Sonntag [Febr.
15] zum Könige hinabreiten; datum ut supra,
45 *d. h. fer. 3 a. Valentini [1405 Febr. 10]; Nürn-*
berg Kr.A. Briefbuch 7 fol. 8[b]*-9*[a] *conc. ch.*
    [3] *Der letzte Posten art. 4 ist wahrscheinlich*
kurz nach Juli 25 eingetragen worden.

[4] *Vgl. pag. 533 Anm. 3.*
    [5] *Gemeint ist wahrscheinlich die Muthung, s.*
Schreiben Nürnbergs vom 10 Febr. 1405 in Anm.
zu nr. 452. Weinschenkungen für den Grafen
sind zwischen 4 Febr. und 4 Merz und dann wider
zwischen 22 April und 20 Mai verrechnet, s. nr.
454.
    [6] *Weinschenkungen für Johannes Weinheim sind*
zwischen 4 Merz und 22 April verrechnet, s. nr.
454. Mit ihm zusammen wird dort Eberhart vom
Hirßhorn genant. Vielleicht waren beide zu
Verhandlungen über die Muthung in Nürnberg.

Trier rête, und etlich ander fürsten und herren. und da verzugen im die stette die antwurt etwie lang. und sagten im darnach die Swebischen stette des punds ab. da *1405 Juni 9* ward die statt hie zu rate, und schankten im 3000 guldein von derselben mutung wegen [1]. actum feria 3 ante Viti anno etc. 5.

1405 Juli 25 [*4*] Item propinavimus 100 guldein unserm herrn dem künig, als er Jacobi hie [5] was [2]. und was man dem hoffmeister kanzler und anderen geschenkt hat, vindt man im schenkpuch anno etc. 5 [3]. item 1 guldein unsers herren künigs innerstem türhüter. item ⅓ guldein dem awsserstem türhüter.

  Summa 3221½ guldein.

1405 Jan. 7 bis Spt. 9 **454.** *Andere Geschenke Nürnbergs, zum Theil bei Verhandlungen über die Muthung* [10] *K. Ruprechts und bei seiner Anwesenheit in Nürnberg im Juli 1405. 1405 Jan. 7 bis Sept. 9 Nürnberg.*

  Aus Nürnberg Kr.A. cod. msc. nr. 489 Schenkbuch 1393-1422 fol. 91[b]*-96*[a] *ch. coaev.; beim Abdruck tz durchgeführt.*

1405 Jan. 7 bis Fbr. 4 [*In der zweiten Bürgermeisterperiode des Rechnungsjahres 1405 feria 4 post epi-* [15] *phaniam domini bis feria 4 post Blasii Schenkungen im Gesammtbetrage von* 28 lb. 13 sh. hl.; *unter andern: denen von Rotemburg* [4], *denen von Weissemburg, dem Bischof von Bamberg, dem jungen Landgfn. Johan, dem von Weinsperg und Herrn Ulrich von Hohenloh, dem Meister Deutschordens und dem Komthur von Mergentheim, Herrn Hansen von Hohenloh, dem Bischof von Eysteten, Herrn Fridrich Schenken von Lym-* [20] *burg Hauptmann des Landfriedens, Herrn Emering des Bischofs von Speir Schreiber, Bürgern von Bamberg, Gf. Lyenhant* [a] *von Kastel, Burggf. Fridrich, denen von Wins-heim, denen von Sweynfürt, Hzg. Johan.*]

Fbr. 4 bis Mrz. 4 [*In der dritten Bürgermeisterperiode feria 4 post Blasii bis feria 4 in die Adriani Schenkungen im Gesammtbetrage von* 5 lb. 5 sh. hl.; *unter andern: Herrn Hawgen von* [25] *Herfurt des Bischofs von Cöln Rath, denen von Winsheim, iterum denen von Winsheim, Gf. Gunther von Swartzburg Hofmeister regis* [5], *denen von Weissemburg, denen von Rotemburg, iterum Gf. Güntheren von Swartzburg.*]

Mrz. 4 bis Apr. 22 [*In der vierten Bürgermeisterperiode feria 4 in die Adriani bis feria 4 ante Georii anno 1405 Schenkungen im Gesammtbetrage von* 26 lb. 17 sh. hl.; *unter andern: Herrn* [30] *Eberhart vom Hirßhorn und Herrn Hansen Weinheim* [6], *iterum Herrn Eberhart vom Hirßhorn und Herrn Hansen Weinheim, dem Bischof von Eysteten, denen von Regens-purg, Burggf. Fridrich, Herrn Fridrich Schenken von Lympurg Hauptmann des Land-friedens, Hzg. Hansen Hofmeister, denen von Dinkelspuhel, Herrn Walthasar derer von*

  a) *em.* Lyenhart!   35

[1] *Johan vom Hirßhorn bekennt, daß ihm die von Nürnberg 3000 fl., die sie meinem gnedigen herren hern Ruprehten Romischen künig durch frewntschaft willen geschenkt haben, gereicht und bezahlt haben; dat. Eritag n. Veitstag [Juni 16] 1405; Nürnberg Kr.A. Briefbuch 7 fol. 36*[b]*; ge-druckt Höfler Geschichtsschr. d. Hussit. Bew. 2, 463 nr. 3 aus München R.A. or. mb.*

[2] *K. Ruprecht urkundet in Nürnberg am 26 Juli, s. Chmel nr. 2009-2012 und 2015-2019, vorher in Heidelberg zuletzt am 11 Juli, s. Chmel nr. 2007, nachher schon am 27 Juli in Neumarkt, s. Chmel nr. 2025. Ein Posten der Kammereinnahmen*

läßt vermuthen, daß der König am 23 Juli in Windsheim war, s. Janssen 1, 782 nr. 1227 art. 21, bei uns in Bd. 6. Von Vorbereitungen zur Reise in die Oberpfalz berichtet ein Posten der Kammereinnahmen von 1405 Juli 18, Janssen [40] *R.K. 1, 781 nr. 1227 art. 18, bei uns in Bd. 6.*

[3] *S. unter nr. 454 die Schenkungen der achten Bürgermeisterperiode Juli 15 bis Aug. 12.*

[4] *Rotenburg Weißenburg Windsheim und Schweinfurt waren von Nürnberg aufgefordert am* [45] *8 Januar Gesandte zu schicken, s. nr. 451.*

[5] *Vgl. nr. 453 art. 1.*

[6] *Vgl. ibid. art. 2.*

Meichsen Rath, dem Bischof von Eysteten, denen von Sweynfurt und von Winsheim, denen von Weissemburg, denen von Regensburg, Hsg. Hansen Hofmeister.]

[*In der fünften Bürgermeisterperiode feria 4 ante Georii anno 1405 bis feria 4* ¹⁴⁰⁵ *ante Urbani Schenkungen im Gesammtbetrage von 6 lb. 5 sh. hl.; unter andern: Gf.* ^{Apr. 22}
5 *Gunther von Swartzburg, dem von Weinsperg jr., denen von Winsheim, denen von* ^{Mai 20} *Weissemburg.*]

[*In der sechsten Bürgermeisterperiode feria 4 ante Urbani bis feria 4 post Viti* ^{Mai 20} *Schenkungen im Gesammtbetrage von 18 lb. 17½ sh. hl.; unter andern: dem General* ^{bis Juni 17} *der Prediger der ein Kardinal werden sollte, dem jungen Landgrafen von Leutemberg,*
10 *denen von Weissemburg, denen von Rotemburg, denen von Weissemburg, dem Ehinger von Ulm, Gf. Herman von Hennemberg Domherrn und Herrn Hansen von Eglofstein und dem jungen Förtschen, Herrn Hansen vom Hirßhorn und Herrn C[onrat] Lantschaden, denen von Rotemburg.*]

[*In der siebenten Bürgermeisterperiode feria 4 post Viti bis feria 4 post Margarete* ^{Juni 17}
15 *Schenkungen im Gesammtbetrage von 13 lb. und 19 sh. hl.; unter andern: denen von* ^{bis Juli 15} *Rotemburg, iterum denen von Rotemburg, dem alten von Haideck, denen von Eger Herrn Hansen vom Hirßhorn und Herrn C[onrat] Lantschade, dem Bischof von Eysteten, denen von Regensburg.*]

[*Achte Bürgermeisterperiode feria 4 post Margarete bis feria 4 post Laurencii* [1].] ^{Juli 15}
20 Propinavimus dem bischof von Regenspurg 8 qr., summa 1 lb. hl.   propinavimus den ^{bis Aug. 12} von Lantzhut 4 qr., summa ½ lb. hl.   propinavimus dem tumprobst zu Bamberg 8 qr., summa 1 lb. hl.   propinavimus den von Winsheim 4 qr., summa ½ lb. hl. propinavimus den von Weissemburg 4 qr., summa ½ lb. hl.   propinavimus dem jungen lantgraven vom Lewtemberg 8 qr., summa 1 lb. hl.   propinavimus[a] den von
25 Herspruck 4 qr. Frankenweins[b], summa 4 sh. hl.   propinavimus den von Regenspurg 12 qr., summa 1½ lb. hl.   propinavimus unsers herren künigs kuchemeister 4 qr., summa 10 sh. hl.   propinavimus hern Hansen von Hohenloch 6 qr., summa 15 sh. hl. propinavimus dem Wayser von Fridberg 6 qr., summa 15 sh. hl.   propinavimus den von Winsheim 4 qr., summa 10 sh. hl.   propinavimus[c] graven Günther von Swartz-
30 burg hofmaister[d] 12 qr., summa 1 lb. 12 sh. hl.   propinavimus dem bischof von Speir unsers herren kunigs kanzler 16 qr., summa 2 lb. 2 sh. 8 hl.   propinavimus dem meister Tewtsch ordens 12 qr., summa 1 lb. 12 sh. hl.   propinavimus den von Weinsperg 6 qr., summa 16 sh. hl.   propinavimus graf[e] Wilhelm von Eberstat 8 qr., summa 1 lb. 1 sh. 4 hl.   propinavimus den[f] von Nördlingen 4 qr., summa 10 sh. 8 hl.
35 propinavimus den von Rotemburg 4 qr., summa 10 sh. 8 hl.   propinavimus den von Weissemburg 4 qr., summa 10 sh. 8 hl.   propinavimus dem probst zu sant Steffan und dem Stieber korherr zu Bamberg 6 qr., summa 16 sh. hl.   propinavimus dem bischof von Bamberg und zwein von Wertheim seinen vettern 24 qr., summa 3 lb. 4 sh. hl.   propinavimus hern Weiprecht von Helmstat dez bischof von Speir bruder
40 8 qr., summa 1 lb. 1 sh. 4 hl.   propinavimus dem Sweykker 6 qr., summa 16 sh. hl.   propinavimus dem Schenken von Lympurg hawptman dez lantfrids 8 qr., summa 1 lb. 1 sh. 4 hl.   propinavimus hern Fridrich von Lyesperg 4 qr., summa 10 sh. 8 hl.   propinavimus Johanni Kircheim hofschreiber 4 qr., summa 10 sh. 8 hl.
Summa 25¼ lb. hl.

---

45   a) *folgt ausgestr. graven Günther von Swarczburg.* b) *fr. über der Zeile.* c) *neben diesem Posten am Rande zwei kleine wagrechte Striche, wol gleichzeitig.* d) *übergeschr.* e) *übergeschr.; dem hern ausgestr.* f) *cod: korr. aus dem.*

---

[1] *In diese Periode fällt die Anwesenheit des Königs in Nürnberg, vgl. nr. 453 art. 4.*

1405
Aug. 12
bis
Spt. 9

[*In der neunten Bürgermeisterperiode feria 4 post Laurencii bis feria 4 post na-*
tivitatis Marie [1] *Schenkungen im Gesammtbetrage von 15 lb. 5 sh. hl.; unter andern:*
dem von Haideck Domprobst und dem Domprobst von Eysteten, dem von Haideck
juniori, dem Bischof von Passaw und seinem Bruder und dem von Weinsperg, Gf.
Herman von Hennemberg, dem Bischof von Rig, Burggf. Fridrich, denen von Rotem- 5
burg.]

1405
vor
Mrz. 1
bis
Okt. 18

455. *Kosten Augsburgs bei Verhandlungen mit K. Ruprecht und Reichsstädten und bei*
andern Gelegenheiten. 1405 vor Merz 1 bis Okt. 18 Augsburg.

Aus Augsburg St.A. Baurechnung *von 1405, und zwar art. 1. 3. 4. 6. 9. 10 unter der*
Rubrik legationes nostre, *art. 2. 5. 7. 8. 11 unter* generalia. 10

1405
vor
Mrz. 1

[1] Item 17½ guldin dem Langenmantel und dem Chúnczelman gen Ulm mit
8 pfäriten zú den stetten von ainer verpuntnús wegen [2], vor esto michi.

Mrz. 1
bis
Apr. 19

[2] *Esto michi bis* domine ne [3]: item 1 guldin haben wir geben dez kúngs
herolt. — item 1 guldin 1 lb. dn. haben wir geben unsers herren dez kúngs potten,
der uns ladprief [4] praht. — item 3 lb. und 3 sh. dn. umb wein her Purckarden von 15
Elrbach, do man mit im rett zú Uetingen von der hoptmanschaft wegen. — item
11 lb. dn. wahtern under den torn und uf den torn, do unser herre der kúng herin
rait [5]. — item 8 guldin haben wir gebn dez von Oesterrich [6] pfiffern und dromattern

---

[1] *Am 19 August urkundete K. Ruprecht, von*
Amberg nach Heidelberg zurückkehrend, abermals
in Nürnberg; im Schenkbuch aber finden wir keine
Spuren seiner Anwesenheit.

[2] *Vgl. pag. 663 Anm. 4.*

[3] *Die ersten Ausgaben - Serien bis auf* domine ne
in der Rubrik generalia *(art. 2) und bis auf* jubilate
in der Rubrik legationes nostre *(art. 3) sind ohne*
Zeit-Titel; ihre Verrechnung fällt daher vermuth-
lich vor domine ne, *bzw.* jubilate, *dem gewöhnlichen*
dem gewöhnlichen Anfangstermin der Jahresrech-
nungen; eine Ausnahme macht der sub art. 1
gegebene Posten, dessen Verrechnung, wie aus-
drücklich angegeben, vor esto mihi *fällt.*

[4] *Engelhard Herr zu Weinsberg Hofrichter K.*
Ruprechts ladet Regensburg auf kommenden Gre-
gorii-Tag [Merz 12] vor das Hofgericht, um sich
wegen der Klage zu verantworten, die Städte
Mains Worms Speier dort gegen die Städte des
sogenannten großen Bundes um 30000 fl. Schuld
und Hauptgut und 30000 fl. Schaden erhoben
haben; dat. Heidelberg Fr. n. Antonii [Jan. 23]
1405; Regest Gemeiner Regensb. Chr. 2, 363, Re-
gesta Boica 11, 358, Chmel nr. 1929 aus Gemeiner
l. c., Vochezer im Korrbl. d. V. f. K. u. A. von
Ulm und Oberschwaben 1876 nr. 3 aus Donau-
eschingen Hofbibl. Regensb. Bundpuch fol. 4,
Lindner in Forschungen z. D. Gesch. Bd. 19 pag.
56 ebendaher. — Derselbe desgleichen Rotenburg
a. d. T. und Memmingen unter gleichem Datum;
Regesten Reg. Bo. l. c. — Vgl. pag. 661 Anm. 3,
pag. 662 Anm. 6 und Einleitung. — Auch die
beiden Botschaften der Stadt St. Gallen nach

Heidelberg vom Merz und April 1405 (s. Wegelin
Neue Beitr. z. G. des Appenzellerkrieges pag. 10. 20
15) hängen vielleicht mit dieser Angelegenheit zu-
sammen.

[5] *Man kann dieß doch wol nicht anders ver-*
stehen, als daß K. Ruprecht um diese Zeit Merz
bis April 1405 oder kurz vorher in Augsburg ge- 25
wesen wäre. Es ist sonst nichts davon bekannt,
und auffallender Weise zeigt die Augsburger Bau-
rechnung auch nichts von Geschenken an den
König. Vielleicht waren diese noch in der ver-
lorenen Baurechnung von 1404 eingetragen. Zur 30
näheren Bestimmung der Zeit dient vielleicht der
Umstand, daß Wein für des Königs Räthe am
22 Merz verrechnet ist, pag. 661 lin. 2. Das uns
bekannte urkundliche Itinerar läßt die Tage vom
14 bis 21 Merz frei, vorher und nachher urkundete 35
Ruprecht in Heidelberg. Vielleicht fällt sein Besuch
in Augsburg in diese Zeit, vgl. aber pag. 661
nt. 6, wonach gerade damals ein Gesandter
Augsburgs beim Könige in Heidelberg war. Auf
jeden Fall kann der Besuch nur von ganz kurzer 40
Dauer gewesen sein, und K. Ruprecht muß die
Reise vom Rhein nach Schwaben und zurück in
großer Eile zurückgelegt haben; das zeigt das
urkundliche Itinerar aus dem Anfang des Jahres
1405. Um so mehr wird man nach einer triftigen 45
Veranlassung dieser Reise suchen. Vielleicht hängt
sie mit der Muthung des Königs der schwierigen
Haltung des Schwäbischen Städtebundes und den
damals schwebenden Verhandlungen über Augsburgs
Eintritt in diesen Bund zusammen. 50

[6] *Es ist hier doch wol an Hzg. Friderich von*

von siner hochzeit wegen. — item 1 lb. dn. dez kûngs potten kostgelt. — item 2 lb. 16 sh. dn. umb wein geschenkt unsers herren dez kûngs râten, oculi [1].

[3] *Esto michi bis* jubilate [2]: item 2 lb. dn. dem Spâten gen Regenspurg von unsers herren dez kûngs wegen von der ladung wegen [3]. — item 1 lb. dn. ainem potten gen Ulm mit priefen. — item 30 sh. dn. ainem potten, den uns Peter Scherer heruf von Haidelberg sant, invocavit [a]. — item 2 guldin 14 sh. dn. den soldner gen Schongaw mit unsers herren dez kûngs pottschaft [b] [4], reminiscere. — item 14 sh. dn. ainem potten von Haidelberg von Peter Scherer. — item 43 guldin haben wir geben Johansen dem Langenmantel Ulrich Kûnczelman und Ludwigen dem Hörnlin gen Ulm zû den stetten von der verainungen [c] wegen [5], reminiscere, mit 12 pfâriten von aht tagen. — item 1½ guldin dem Singer gen Haidelberg zu Peter dem Scherer, invocavit [d]. — item 15 guldin dem Mûlin und dem Chûnczelman gen Mûnchen zû herzog Ernsten [e] von ainer verainug [f] wegen, judica. — item 1 lb. dn. ainem potten von Ulm, der uns prief praht. — item 15 sh. dn. den soldner zergelt mit unsers herren dez kûngs pottschaft. — item 2 guldin dem vogt rosslon gen Haydelberg, quasimodo. — item 81 guldin Petern dem Scherer gen Haidelberg von 45 tagen mit 3 pfâriten zû [g] unserm herren dem kûng von der mûtung wegen [6]. — item 5 guldin dez kûngs dûrhûtern und von lesen

1405
Mrz. 22
Mrz. 1
bis
Mai 10

Mrz. 8
Mrz. 15

Mrz 15

Mrz. 8

Apr. 5

Apr. 26

a) *cod.* invocavi. b) *cod.* pottschaff. c) *cod.* von aynungen *statt* verainungen. d) *cod.* invocavi. e) *cod.* Ersten. f) *sic, desgl. auch* 662, 6. g) *cod.* bis.

Österreich zu denken; denn von der Hochzeit eines andern Österreichischen Herzogs ist, so viel wir sehen, in diesen Jahren nicht die Rede. Aber auch Hzg. Friderichs Hochzeit fand wahrscheinlich erst 1406 statt, vgl. lit. D. Hielt man sie etwa im Merz 1405 für nahe bevorstehend? Das Wort hochzeit kann man hier doch wol nur im jetzigen Sinne verstehen.

[1] Vgl. vorletzte Anm.
[2] Vgl. pag. 660 nt. 3.
[3] Vgl. folgenden Brief Augsburgs an Regensburg. Den gar vorsihtigen ersamen und weisen dem rat der stat zû Regenspurg unsern besundern gûten frûnden embieten wir die râtgeben der stat zû Augspurg unser frûntlich willig dienst. lieben frûnde. als ir uns nehst verschriben habet von der ladung wegen, so euch uns und ander stett, die den groussen pund vor zeiten mit ainander gehalten habent, getân habent die drei stette Mencz Worms und Speir fûr unsers genâdigen herren dez Römischen kûngs hofgericht, alz ew daz wol wizzent ist, uf daz wir ew wizzen tûn wie wir uns darinne halten wellen: sol ewr frûntschaft wizzen, daz wir unser erber pottschaft mit unser stat briefen freiheiten und genaden die ew von kaisern und von kûngen und besunder die genâde die uns der obgnant unser genâdiger herre der chûng selber getân und geben hât [an daz hofgericht tun wellen oder ähnlich zu ergänzen]; und wellen da hören laizzen, ob wir bei sôlichen genaden und freiheite beleiben mûgen. möhten wir dabei beleiben und der geniessen, daz sähen wir gerne. möhte ez aber dabei niht beleiben, so wellen wir ie rehten und uns daz reht wol und

we lazzen tûn. lieben frûnden. daz verchûnden wir ew darumbe daz ir ewch darnach wizzent zû richten; wann, waz wir getan chûnden daz ew lieb und dienst wâre, dez sien wir willig zû tûn. datum sabato post Mathie anno etc. quinto etc. [1405 Febr. 28]. Das Original des Briefes (or. mb. lit. cl. c. sig. in v. impr.) befindet sich in München R.A. Gemeiners Nachlaß R 296; ein kurzes Regest steht Gemeiner Regensb. Chr. 2, 363 nt. †††. — Wie an Augsburg so hatte Regensburg auch an Ulm geschrieben, s. Vochezer im Korrbl. f. K. u. A. v. Ulm und Oberschwaben 1876 nr. 3. Ulms Antwort an Regensburg vom 19 Febr. 1405 ist gedruckt von Vochezer l. c aus Donaueschingen Hofbibl. Regensb. Bundpuch fol. 4 [b]; ein Regest derselben gibt Gemeiner Regensb. Chr. l. c., desgl. Lindner in Forsch. z. D. Gesch. 19, 56 aus Donaueschingen l. c.
[4] Eine Botschaft des Königs, die von den Augsburgern nach Schongau geleitet wurde, kann doch wol nur nach Tirol, das damals Hzg. Friderich von Österreich verwaltete, oder nach Italien bestimmt gewesen sein; vgl. Anmerkungen zu nr. 464 und nr. 470.
[5] Vgl. art. 1.
[6] Sicherlich ist die Geldforderung K. Ruprechts gemeint. Der Gesandte war vermuthlich von Anfang Merz bis Mitte April unterwegs, vgl. weiter oben die Ausgaben für Boten, die von ihm kamen und an ihn giengen. Aus unserm Auszug aus den Baurechnungen scheint hervorzugehen, daß Augsburg der Forderung des Königs nicht entsprochen hat.

die prief vor unserm herren dem kûng. — item 2 guldin Petern dem Scherer, die er mit den stetten verzert haut. — item 25 sh. dn. ainem potten gen Ulm mit priefen. —

1405
Apr. 19 item 30 sh. dn. ainem potten von Ulm, der uns brief praht. — item 2½ guldin dem Spâten gen Strausburg, resurrexi, do er uns ainen brief von in braht.

Mai 10
bis
Juni 21. [*4*] Jubilate *bis* factus est[a], Petri et Pauli: item 6 guldin Petern dem Scherer gen Ulm ₅ von absagen den stetten von der verainug'wegen [1], jubilate [*Mai 10*]. — item 12 guldin
29 1 ort Petern Scherer gen Inngolstadt von 7 tagen mit 4 pfâriten, herzog Ludwigen zû
Juni 7 lieb uf ainen tag, spiritus domini. — item 9 guldin minus 1 ort Petern Scherer gen Ulm von 5 tagen mit 4 pfâriten zû den stetten von der von Strausburg wegen zû widersagen [2]. — item 6 guldin zwain potten gen Strausburg, do die von Straussburg ₁₀
Juni 21 und der pischoff mit in kriegt, factus est[b].

Juni 7
bis
Juni 28 [*5*] Spiritus domini *bis* respice, dominus illuminatio: item 1 guldin dez kûngs potten. — item 1 guldin der von Strausburg potten, der uns ainen brief[a] praht, spi-
Juli 5
Juni 7 ritus domini. — item ½ guldin der von Ulm potten, spiritus domini. — item 38 guldin haben wir geben unserm herren dem kûng halben judenstûr. *recepit* Mair ain Jude [4] ₁₅
Juni 10 quarta feria post spiritus domini.

Juni 21.
29 bis
Juli 26 [*6*] Factus est[c], Petri et Pauli *bis* omnes gentes: item 1 lb. dn. ainem potten gen Ulm mit priefen.

Juli 12. [*7*] Exaudi, dominus fortitudo *bis* omnes gentes: item 16 lb. und 3 sh. dn. umb
19
bis 26 wein geschenkt den zwain von Haideck dem tainprost [5] von Babenberg ainem Truh- ₂₀ sâzzen dem herzogen von Tegg unsers herren dez kûngs râten maister Matheus an
Juli 19 sunntag vor Marie Magdalene. — item 4 lb. umb wein, die[d] si trunken uf dem tage der
vor
Juli 22 von Haideck, vor Marie Magdalene.

Aug. 9
bis
23. 24 [*8*] Suscepimus *bis* deus in loco, Partholomei: item 1 guldin dem Spâten gen Regenspurg in kuntschaftwise. ₂₅

Aug. 16.
23 bis
Spt. 6
vor 14 [*9*] Dum clamarem, in vigilia Bartholomei *bis* respice, ante exaltacionis sancte crucis: item 3 guldin haben wir geben unsers herren dez kûngs schriber einzûschriben unser guldin pull in unsers herren dez kûngs registris[e], fecit Peter Scherer et Wie- lant. — item 39 guldin haben wir geben Hansen Wielant gen Haidelberg zû unserm herren dem kûng von 26 tagen mit 3 pfâriten von der ladung wegen unsers herren ₃₀ dez kûngs [6].

Spt. 13.
20 bis
Dec. 6 [*10*] Protector, inclina *bis* populus Syon: item 1 lb. dn. ainem potten von Ulm, der uns ainen brief praht. — item 1 lb. dn. ainem potten gen Ulm. — item 17 sh. dn. Stephan dem Tyschinger mit den von Ulm. — item 2 lb. 3 sh. dn. zwain potten gen
Okt. 4 Ulm mit briefen, justus es[f]. — item 2 lb. dn. dem Spâten gen München und gen Ulme ₃₅ mit priefen.

---

a) *cod. ez.* b) *cod. er.* c) *cod. ez.* d) *ein. den?* e) *cod. abgekürzt.* f) *cod. ez.*

---

[1] *Vgl. art. 1. 3.*
[2] *Dieß ist doch wol so zu verstehen, daß es sich um Stellungnahme zu Gunsten Straßburgs im Streite der Stadt mit dem Bischof handelte. Vgl. über diese Angelegenheit Einleitung zum nächsten Tage lit. A.*
[3] *Vermuthlich Bericht über den Streit Straß-burgs mit dem Bischof.*
[4] *Vgl. Chmel nr. 1911.*
[5] *art. 11 tûmprost, Domprobst.*

[6] *Vgl. pag. 660 Anm. 4. — Raban Bisch. von Speier und Günther Gf. von Schwarzburg erklä-ren, daß sie die Rheinischen Städte bewogen haben ₄₀ ihre Geldklage gegen die Schwäbischen Städte vor-läufig noch zu verschieben; dat. Heidelberg fer. 2 post Udalrici [Juli 6] 1405; Stuttgart St.A. Eßl. rot. Buch fol. 118[b]; Regest Gemeiner Regensb. Chr. 2, 364, Reg. Boica 11, 365, Chmel nr. 2004 ₄₅ aus Gemeiner.*

[11] Miserere, justus es *bis* da pacem, Luce: item 14 lb. dn. umb wein geschenkt *1405 Spt. 27* dem alten von Haidegg dem tümprost von Babenberg dem Schencken von Limpurg[a] *Okt. 4* den von Nürnberg von Ulm von Rotenburg Nördlingen und andern stetten, Galli, dem *bis Okt. 11. 18* Smeher und sinem wib. *Okt. 16*

456. *Ritter Hermann von Rodenstein an K. Ruprecht, über die dem König von gen.* [1405] *Mrs. 14 Herren Kurmainz und Schwäbischem Städte- und Herrenbund drohende Gefahr.* [1405 [1]] *Mers 14 o. O.*

Aus Frankf. St.A. Imperatores 1, 213 conc. chart.
Gedruckt Janssen Frankf. R.K. 1, 112 nr. 266 ebendaher.

Min schuldiger williger underteniger dinst uwern koniglichin gnaden allezit willic-lich bereit.   allerdurchluchtigster furste lieber gnediger herre.   uwere koniglich gnade bidden ich wissin, daz mir gesagit ist worden, wie daz die Ubir-hoe'schen [2] herren und auch die von Cronenberg bi ein gewest sin und auch zů dieser zit uf dem Westerwalde[b] bi ein sin sich mit ein zu verbinden und zu vereinigen widder uwern gnade und daz riche, wan sie sich faste besorgen von uwern gnaden [3].   und sunderlich so ist mir gesagit, daz sich die von Cronenberg faste vor uwern gnaden entsiczen und bevestigen ir sloß und werben in der Buchen nach hulfe und nach luden[c].   und daz ist mir in heimlichk*eit* gesagit von luden die uwern gnaden verbuntlich sin.   auch ist mir gesagit, daz min herre von Mencze sich vor uwern gnaden entsicze und stelle sich auch in sinen slossin darzů als er uwere gnade besorge, mit namen zu Haseloch und anderswo.   auch so sin kauflůte von Swaben eins teils iczunt zů Franckenfurd, die faste gesagit han von der anmutůnge wegin als uwere gnade an die Swebschen stede getan hat, und gebent vůr, sie wolden uwern gnaden gern tůn waz sie uch durch recht tůn solden, nů si uwere anmudunge zů grosse, und meinen sich darwidder zů seczen[d], und sin auch wol vierundzwenzig stede die sich zůsamen verbunden haben [4]

a) *cod.* Linpurg.   b) *uf dem* W. *auskorrigiert statt des ausgestrichenen* zů Windecken.   c) *ausgestrichen* daz auch widder uwere gnade were.   d) *ausgestrichen* und mit gnaden und friheiden zů behelfin.

[1] *Die Jahresangabe fehlt in der Datierung, und Janssen legt den Brief nach 1403, vermutet aber später pag. 776 nt.*[a], *daß er ins Jahr 1405 zu versetzen sei; Huckert Politik d. St. Mainz pag. 127 hat sich dann wider für 1403 erklärt. Die Erwähnung einer Muthung des Königs an die Städte würde allerdings wie ins Frühjahr 1405 so auch ins Frühjahr 1403 passen, vgl. Nürnberger Tag von 1402 Einleitung lit. D, ebenso die Nachricht über die Stellung des Erzbischofs von Mainz, vgl. ibid. lit. M. Dagegen stimmt der Brief nicht zu dem was wir über die Haltung der Schwäbischen Städte im Jahre 1403 wissen, vgl. ibid. lit. N; auch daß von Besorgnissen der Herren von Cronenberg und ihrer Verbündeten und von 24 verbündeten Schwäbischen Städten die Rede ist, wird 1405 besser verständlich, s. die folgenden Anmerkungen; gegen Schluß endlich dieses Briefes haben wir wol unsweifelhaft eine Anspielung auf Ruprechts 1405 geschehene Weigerung den Schwäbischen Städten zur Frankfurter Messe Geleit zu gewähren, s. letzte Anm. zu diesem Stück.*

[2] *Die über der Höhe d. h. jenseits des Taunus.*
[3] *Wegen seines Auftretens in diesem Frühjahr bei dem Zug gegen die Raubritter in der Wetterau, s. pag. 592f.*
[4] *Der Schwäbische Städtebund zählte noch als die Bundesurkunde am 27 Merz 1405 erneuert wurde nur 10 Mitglieder, d. h. ungefähr ebenso viel wie in den vorhergehenden Jahren; allerdings war er am 8 Merz 1404 zu dem Bund der Seestädte, dem damals 11 Städte angehörten, in ein nahes Verhältnis getreten. Eben im Frühjahr 1405 scheint über weitere Ausdehnung des Bundes verhandelt zu sein, vgl. auch Augsburgs Kosten nr. 455 art. 1. 3. 4. Am 27 Juni wurde schon dieser das sachlich nicht veränderte Bundesurkunde ausgefertigt, es waren jetzt 17 Theilnehmer, 7 Städte die wir 1404 im Bunde der Seestädte finden waren hinzugekommen. Ausführlicheres darüber s. zweite Anm. zum Marbacher Bunde vom 14 Sept. 1405 nr. 489.*

[1405] und auch eczlichin herren darzů uf die sie sich faste verlassin, und si iz wol daz sie
Mrz. 14 sich uwers landes nit konnen gebruchen, so meinen sie doch mit andern fursten und
herren durchzůkommen [1]. hernach mag sich uwere gnade richten. geben under mim
[1405]
Mrz. 14 ingesigel uf samßtag vor dem sontage reminiscere.

Uwer gnade Herman von Rodinstein rittere. **5**

1405 **457.** *Kosten Frankfurts, veranlasst durch die Muthung K. Ruprechts an die Städte.*
Mrz. 14
bis *1405 Merz 14 bis Mai 2 Frankfurt.*
Mai 2

Aus Frankf. St.A. Rechnungsbücher, art. 1 unter uzgeben zerunge, art. 1ᵃ unter uzgeben
pherdegelt, art. 2 unter besundern einzelinge uzgeben.

1405 [1] Sabb. post Gregorii: 42 gulden virzertin her Herman von Rodinstein Heinrich **10**
Mrz. 14 Herdan Johan Erwin und Heinrich schriber mit 12 pherden 7 tage gein Heidelberg zů
unserm herren dem kůnige von der stůre wegin, als er von uns und andern steden
forderte, und aůch sůst von mancherlei sache wegen. [1ᵃ] 3½ lb.: Heinrich Herdan
und Johan Erwin von 7 dagen von zwein pherden gein Heidelberg, als daz in der
zerunge geschriben stet wovon daz waz. **15**

1405 [2] Sabb. post Walpurgis: item 2000 gulden han wir unserm herren dem kůnige
Mai 2 zů sunderlicher beheigelichkeid zů stůre geschenkt als er an uns und ander des richs
stede zů des richs notdorft ein hulfe und stůre geforderet hatte, und han wir des sin
zwo quitancien und darzů Reinharts von Sickengen quitbrief uber die einen dusent
gulden und Jorgen Stromeiers von Nurenberg quitbrief [2] uber die andern dusent gulden **20**
als sie die enphingen.

---

[1] *Vgl. Bd. 6 nr. 13 Erklärung der Schwäb.*
Städte auf dem Mainzer Tage vom 6 Januar 1406,
wonach K. Ruprecht im Jahre 1405 ihre Bürger am
Besuche der Frankfurter Messen hinderte, und
dieß eben für die Städte Veranlassung zum Mar-
bacher Bunde war, da sie ihre Nahrung durch
Kaufmannschaft und andere Arbeit durch der
Fürsten und Herren Land suchen müßten.

[2] *Quittung des Jurge Stromeier von Nuremberg*
über 1000 fl., die er anstatt des K. Ruprecht em-
pfangen hat von Frankfurt, als die Frankfurter
dem König zu dieser Zeit gegeben haben von der
2000 fl. wegen als sie mit ihm überkommen sind

von solcher Muthung wegen als er an sie und
andere Städte des Reichs um eine Steuer und
Hilfe seinen Gnaden zu thun gethan hat; derselben
1000 fl. sie auch des Königs Quittung haben; und **25**
sollen diese 1000 fl. gelten als Abschlagszahlung
an der Schuld welche der König dem Vater des
Urkundenden Ulman Stromeier dem alten von
Nürnberg schuldig ist; dat. 1405 fer. 2 p. inv.
crucis [Mai 4]; Frankfurt St.A. Imperatores 1, **30**
210 or. ch. lit. pat. c. 3 sigg. subt. impr. del.;
Regest Janssen Frankf. R.K. 1, 123 nr. 289 eben-
daher.

C. Erster Anhang: nachfolgende Besteuerung der Kurpfälzischen Lande 1405, nr. 458-462.

458. *K. Ruprechts Vorschriften für seinen Sohn Hzg. Johann, die Verwaltung und* 1405
Rechtspflege der Oberpfalz betreffend [1]. *1405 Aug. 17 Amberg.*   Aug. 17

Aus Karlsr. G.L.A. Pfälz. Kop.-Buch 149 ᵇ fol. 312ᵇ-313ᵃ, *mit der Überschrift* Diese
nachgeschriben ordenunge und gesetze hat min herre der kunig mime herren herzog
Hansen bevolhen vesteclich zu halten und ußzurichten; *links am Rande Vermerk-*
striche bei art. 4 ex., 6, 7 ex.
Gedruckt Janssen R.K. 1, 773-775 nr. 1221 aus Kodex eigenen Besitzes Acta et Pacta
10   421-429.

[*1*] Zum ersten sollent Reinhard Ravan von Helmstad und Rafan Giener bi mim
herren [2] herzog Hansen hie oben zu Beyern sin und verliben und mit andern reten hie
oben zu Beyern diese nachgeschriben sachen mime herren herzog Hansen handeln und
ußrichten, nach dem in dann min herre der kunig die bevolhen und beschriben
15 geben hat.

[*2*] Item mins herren des kunigs meinunge ist, daz alle lantschriber hie oben zu
Beyern hie zuschen und sant Michelstag abegesetzt sollen werden, und daz derselben   1405
keiner die zinse und felle, die of sant Michelstag und darnach gefallen werdent, nit in-   Spt. 29
nemen noch furbaz lantschriber verliben sollen [3].

20   [*3*] Item und welichen under in min herre herzog Hans und sine rete ungerecht
oder unglich finden, das sie den darumbe mogen straffen nach dem sie dann dunket
und herfinden, daz sie und ir iglicher missetan hat und unglich funden wirdet.

[*4*] Item ez sollent auch furbaz nit mee dann zwene lantschriber gesetzet werden,
die alle gulte zinse und felle in mins herren lande hie oben zu Beyern uberal innemen
25 und auch rechenunge davon tůn sollen.   darzu sal man Gebhard, der bißher lantschriber
zu Sulczbach gewest ist, jerlichen ein genantes geben, daz er zu den lantgerichten Sulcz-
pach Urbach und Waldecke ride und die lantschrannen besitze und beschribe, so man
lantgericht hat.

[*5*] Item es sal auch min herre herzog Hans sin hoffmeister castner noch nimant
30 anders furbaz deheine gulte zinse oder felle nicht innemen, sůnder die lantschriber
sollent das allein innemen und auch rechenunge davon tůn, ußgenomen das ein iglicher
castener soliche fruchte und getreide als uf sinen casten gevellet allein innemen und
auch rechenunge davon tůn sal.   [*5ᵃ*] die lantschribere sollent auch nichts ußgeben
ane mins herren herzog Hansen oder sines hoffemeisters sunderlich geheiße.

35   [*6*] Item mins herren des kunigs meinunge ist auch, daz mine herre herzog Hans
und sine rete, die er ime zubescheiden hat, zu dem lande sehen und umbriten sollen
und auch die armen lute bi rechte getrulichen hanthaben und beschirmen und nit gestatden daz sie von iemant verunrecht werden.

---

[1] *K. Ruprecht erklärt, daß er seinem Sohn Hzg.*
40 *Hans alle seine Besitzungen in Baiern mit Land*
und Leuten übergeben hat; dat. Heidelberg fer. 4
a. corp. Chr. [Mai 28] *1404 r. 4; Karlsr. G.L.A.*
Pfälz. Kop.-B. 149 ᵇ *cop. ch. coaev.; ge-*
druckt Janssen R.K. 1, 748 nr. 1184 aus Kodex
45 *eigenen Besitzes* Acta et Pacta 421; *Regest Reg.*
Bo. 11, 342 unterm 21 Mai.

[2] *Der Redende ist also nicht der König sondern*
sozusagen sein Ministerium.
[3] *Diese Maßregel steht vielleicht doch mit der*
beabsichtigten Erhebung des zwanzigsten Pfennigs
in Zusammenhang.

1405
Aug. 17

[7] Item min herre herzog Hans und sine rete sollent auch die lantschrannen be-setzen mit erbergen fromen luten und auch bestellen, daz die orteiler, die an den lant-schrannen orteil sprechen sollent, zu den heiligen sweren recht zu sprechen nach irem besten versten dem armen und dem richen. und ob das were daz die orteiler nit zu den heiligen sweren wolten, so ist mins herren des kuniges meinunge, daz man alsdann   5 von dem rade zu Amberg vier urteiler zu den andern an die lantschrannen setzen solle, mit den andern rechte zu sprechen, umbe dez willen das daz rechte damit dest glicher und redelicher besetzet werde. und desselben glichen sal man auch zů Nappurg zu Lengenfelt und zu Nuwenburg an den lantschrannen bestellen und tůn.

[8] Item als auch von den lantschrannen zu Sultzpach und zu Aůrbach vil clage   10 fur minen herren den kunig komen ist, da ist mins herren des konigs meinunge, daz min herre herzog Hanns und sin rete, die er im zubescheiden hat, daruber sollent sitzen und gedenken daz dieselben lantschrannen in solicher redelichkeit besetzt und gehalten werden daz solicher clage furbaz nit mee not gescheen werde.

[9] Item mine herre herzog Hans und sine rete sollent auch den sachen mit den   15 pfentern und schuldenern ire schulde zu verburgen furbaz nachgeen als daz angefangen ist, und was briefe daruber gemacht werden die mime herren dem kunige geborent zu versigeln, die sal man imme alle hinabe gein Heidelberg schicken, so wil er die zu stunt heißen versigeln und wider heruf fertigen [1].

[10] Item sie sollent auch bestellen, das dem lantgraven vom Luchtenberge sin   20 brief mit den burgen versichert und besiegelt werden, nach dem im dann min herre der kunig das zugesaget hab.

Des alles zu urkunde haben wir Ruprecht von gots gnaden Romischer kunig unser kuniglich ingesigel of diesen brief heißen trůcken. actum Amberg secunda feria post festum assumpcionis gloriose virginis Marie anno domini millesimo 400   25

1405
Aug. 17 quinto.

1405
Spt. 8
459. *K. Ruprecht befiehlt genannten Städten und Dörfern der Rheinpfalz, genannten Bevollmächtigten die von ihm ausgeschriebene Steuer zu entrichten. 1405 Sept. 8 Heidelberg.*

Aus Karlsr. G.L.A. Pfälz. Kop.-Buch 149[b] *fol. 304*[a], *mit der Überschrift von späterer*   30 *Hand saec. 15 ein mandat an die stet jhensit Rins der stuwer halben.*
Gedruckt Janssen R.K. 1, 775-776 nr. 1222 aus Kodex eigenen Besitzes Acta et Pacta 421-429.

Wir Ruprecht von gots gnaden Romischer kunig zu allen ziten merer des richs enbieten den schulteißen burgermeistern reten und burgern gemeinlichen unser stete   35 Nuwenstad Germerßheim Anwilr Hagenbůch und Nuwenburg und auch schulteißen und gemeinden gemeinlichen aller und iglicher dorfer in die ampte Nuwenstad und Germerß-heim [2] gehörende und mit namen der dorfer Godramstein Siebeltingen Birckwilre und in dem dale die darzů gehörent unser gnade und alles gůt.   lieben getruwen. wir laßen uch wißen, das wir unsern lieben getruwen Cuntz Lantschaden unserm vogt zů   40 Trievels, Eberharten von Sickingen, Henne Werberge unsern vogt zů Germerßheim, und Jeckel von Dannstad unserm lantschriber zůr Nuwenstad bevolhen haben uch soliche stúre als wir in unser land gemeinlichen gesetzt han zu verkúnden und die von unsern wegen inzůfordern und inzugewinnen und auch glubde und eide darúber von

---

[1] *Vgl. erste Anm. zu nr. 462 vom 11 Sept. 1405.*   *im 6 Bande), wonach im Amte Germersheim die*   45
[2] *Vgl. die Posten der Kammereinnahmen Jans-*   *Steuererhebung theilweise schon vollzogen war, als*
sen R.K. 1, 781 nr. 1227 art. 5. 10. 17 (bei uns   *obiger Befehl erlassen wurde.*

eime iglichen zu nemen.   heißen wir uch mit ernste, das ir ine darinne von unsern   *1405 Spt. 8*
wegen gehorsam sint dieselben sture zů reichen und zů antwůrten und auch glúbde
und·eide darúber zů důnde, als sie uch dann von unsern wegen sagende sin, als lieb
uch unser hulde si und swere ungnade zů vermiden.   orkund diß briefs versigelt mit
5 unserm kuniglichen ufgedruckten ingesigel.   datum Heidelberg tercia feria post beati
Egidii abbatis anno domini millesimo quadringentesimo quinto, regni vero nostri anno   *1405 Spt. 8*
quinto.

Ad mandatum domini regis
Johannes Winheim.

10 **460.** *K. Ruprechts Bestimmungen über Erhebung des zwanzigsten Pfennigs von aller*   *[1405*
liegenden und fahrenden Habe [in Rheinpfälzischen Landen[1]]. [1405 c. Sept. 8   *circa Spt. 8]*
Heidelberg[2].]

Aus Karlsr. G.L.A. Pfülz. Kop.-Buch 149[b] fol. 303[a]-304[a], mit der Überschrift Diß ist
eine forme als man die sture des zwanzigsten pfennigs handeln sal; rechts am Rande
15 *des ersten art. die gleichzeitige Notis schatzung eidt.*
Gedruckt Janssen R.K. 1, 778-780 nr. 1224 aus Kodex eigenen Besitzes 'Acta et Pacta
421-429.

[1] Item diß ist als man einen iglichen underscheiden sal was er sweren sal.
[1[a]] zům ersten sal man einem iglichen vorsagen: „ dů salt globen uns ware und recht
20 zů sagen nach allen dinen besten sinnen als du darnach zů den heiligen behalten salt,
wes alles din gůt und habe úber dine schult ist die dů schuldig bist ane geverde wert
môge sin, und das es auch nit me wert môge sin ane geverde.   und salt uns under-
scheidenlich sagen, umb wievil dines gůts und diner habe si an farender habe, und
dann wie vil sin si an eigen und an erbe. . hast dů auch gúlte die zů abelosunge sint
25 oder rechtlich schulde, das salt dů auch nach sinem werde zelen und behalten zu diner
farenden habe.   hast dů aber zinse oder gúlte ewige, das salt du nach sinem werde zu
dinem eigen und erbe zelen". *[1[b]]* und wann ein iglicher also bekant und gesagt hat,
waran er sin gůt in der vorgeschriben maße geachtet und geschetzet hat, und also
gelobt hat, so sal man in die hende uf die heiligen legen heißen und sal man ime den
30 eid statden: „also, als dů hie mit truwen gelobt hast und dine guter geschatzt und
geachtet und vor uns hie bekant und gesagt hast, daz das alles also wâr si nach allem
dinen besten sinne ane alle geverde, so dir got helfe und die heiligen."

---

[1] *In obigem Stück ist nicht ausdrücklich gesagt,*
für welche Gebiete diese Bestimmungen gelten sol-
35 *len.   Daß die Erhebung des zwanzigsten Pfennigs*
nicht im ganzen Reich sondern nur in Ruprechts
Erblanden geschah, geht wol schon aus art. 5 mit
Sicherheit hervor, vgl. dazu Huckert Politik der
Stadt Mainz 127f.   Es fragt sich aber, ob hier
40 *in unserm Stück alle Pfälzischen Lande ins Auge*
gefaßt sind.   Die Divergenz zwischen art. 4 und
nr. 462 macht es unwahrscheinlich, daß diese Be-
stimmungen auch für die Oberpfalz gelten sollten;
wenn aber doch, so müßten sie aufgezeichnet sein
45 *ehe Ruprecht sich mit den dortigen Städten etc.*
über die Steuer verständigte, also vor Mitte August,
s. Anm. zu nr. 462.   Sieht man in ihnen Vor-
schriften die vor Beginn der ganzen Steuererhebung
mit allgemeinster Geltung für alle Pfälzischen

Lande erlassen wurden, so muß man sie minde-
stens schon in den April 1405 setzen; denn damals
war die Steuererhebung in der Rheinpfalz schon
im Gange, s. Janssen R.K. 1, 781 nr. 1227 art.
5; vgl. auch nr. 465 art. 11.   Damit stimmt die
Stellung im Kodex nicht überein, unmittelbar vor-
her geht nr. 461, das wir 1405 c. Sept. 8 datieren,
und es folgt nr. 459 vom 8 Sept. 1405.   Darnach
ist es vielmehr wahrscheinlich, daß diese Bestim-
mungen wenigstens in der vorliegenden Form zu
eben dieser Zeit und ausAnlaß des damals den in
nr. 459 erwähnten Gesandten K. Ruprechts ertheilten
Auftrages aufgezeichnet sind; womit aber durch-
aus vereinbar ist, daß es dieselben Vorschriften
sein mögen die für die ganze Rheinpfalz von An-
fang an zur Anwendung kamen.
[2] *Über die Datierung s. vorige Anm.*

[1405
circa
Spt. 8]
[2] Auch sal man diß an allen enden mit dem globen bekentniße und sweren, in aller maße als vor geschriben stet, glich halten, einen als den andern, also das nieman des uberhaben blibe oder kein fúrteil einer fúr dem andern [a] daran haben solle ane alle geverde.

[3] Waz iglicher also beheltet und mit dem eide berechtet, das sal man von iglichem besunder anschriben, die farende habe und was darzû gezalt ist besunder zu einer summe, und eigen und erbe und was darzû gezalt ist auch besunder zû einer summe.

[4] Auch darf niemand [b] sine sines wibes siner kinde harnasch geschútze und das zu sime libe gehôret ane geverde schetzen oder berechten noch davon geben, noch von reisigen pferden die des sattels warten, ane geverde, wer die hette [1].

[5] Item was auch dinstknechte oder ander biseßen weren, die in mins herren lande seßhaftig sint und in mins herren lande stetten merkten oder dorfern frucht oder wine ufschútten und kaufmanschaft drieben, die sollent auch den zwenzigsten pfennig davon geben als ander burger und inwonere.

[6] Item mins herren des kunigs meinunge ist, das ein iglicher den zwenzigsten gulden oder pfennig geben sal von aller siner habe ligende und farende, und das er das auch mit sinem eide behalten sal als vor geschriben stet. und wer' es das deheiner als arme were das er nit zwenzig gulden wert hette, hielt er dann eigen rauch, so sal er dannoch einen gulden zû hertgelt geben [2].

[7] Item mins herren des kunigs meinunge ist auch, das man uß iglicher stad dal oder dorf zwene oder dri die daselbs wonhaftig und geseßen sint, nach dem als sie gesworn und ire gût mit dem eide behalten hant als vor geschriben stet, darzû môgen nemen, so die andern sweren und ire gût behalten sollen, das sie dann dabi sin und zûhôren so die andern sweren, umb des willen das sie die kuntschaft baß wißen dann die die darúber gesetzet sin.

[1405
circa
Spt. 8]
461. *K. Ruprechts Anweisung an nicht genannte Kommissäre [3], in seinen Rheinischen Besitzungen die Erhebung des zwanzigsten Pfennigs von aller liegenden und fahrenden Habe unter Hinweis auf die besonders durch Ausgaben für das Reich hervorgerufene Noth des Königs zu betreiben. [1405 c. Sept. 8 Heidelberg [4].]*

Aus Karlsr. G.L.A. Pfälz. Kop.-Buch 149[b] fol. 302[b]-303[a], unter der Überschrift von späterer Hand saec. 15 Von einer sture.
Gedruckt Janssen R.K. 1, 776-778 nr. 1223 aus Kodex eigenen Besitzes Acta et Pacta 421-429.

Von mins herren des kunigs wegen mit sinen steten und lande zû reden und den armen-luten zu sagen etc.

[1] Item daz min herre der kunig, nach sins vatter seligen tode und sit der zit als er die herschaft an dem Rine innegehabt und beseßen hat, vil koste und zerunge

a) cod. andern. b) das e úbergeschrieben in Form der zwei schräg liegenden Punkte.

[1] *Das ist wol eine Konzession an den landsäßigen Adel. Vgl. nr. 462.*
[2] *Fast wörtlich gleichlautend nr. 461 art. 10.*
[3] *Vermuthlich die in nr. 459 genannten Bevollmächtigten, vgl. nächste Anm.*
[4] *Diese Anweisung stammt zweifellos aus dem Herbst 1405, sie muß erlassen sein, nachdem K.*

Ruprecht von seinen Bairischen Besitzungen an den Rhein zurückgekehrt war (s. art. 9 hie nieden an dem Rine und p. 669 Anm. 2), was Ende August 1405 geschah. Man wird kaum irren, wenn man sie mit dem am 8 Sept. an genannte Städte und Dörfer der Rheinpfalz gerichteten Befehl K. Ruprechts nr. 459 in nächste Beziehung

gehabt und gelieden habe mit den beseßen zů Waldecke Tannenberg Wolffstein etc., [1405 circa Spt. 8]
und auch fernod mit dem zoge uber den margraven von Baden.

[2] Item so habe er auch sit derselben zit mine frauwe selige von Cleve beraden,
als er die dem graven von Cleve zů der ee gab, das in auch me dann virzigtusent
5 guldin gekost habe.

[3] Item so habe er auch, sit der zit als er zů Romischen kunige erwelt wart
und er sich des richs umb der Cristenheit und notdurft willen der gemeinen lande
underwůnden habe, vil großer kostlicher und drefflicher zerunge gehabt, beide, mit
sinem zoge hininne gein Lamparthen, und auch mit vil und mancherlei botschaften, die
10 er sit der zit getan habe unserm heiligen vatter dem babst dem kunige von Engeland
dem kunige von Arogonie den herzogen von Osterich und andern trefflichen herren, zu
den er sin erber rete etwe dicke kostlichen gesant habe und noch tegelichen tůn můße
umb frieden und gemaches willen der gemeinen lande.

[4] Item so habe er auch, nach dem als er zů Romischem kunige erwelt wart als
15 vor geschriben stet, wol drů ganze jare an einander große treffliche kriege gehabt gein
dem kunige und lande zů Beheim, also das er dieselben drů jare stetiges wol druhundert mit gleven zů teglichem kriege haben můste, die er auch alle versolden můste,
zu dem das groß koste und zerunge mit in darof gangen si.

[5] Item [1] und mit den vorgeschriben sachen und gescheften ist min herr der kunig
20 umb groß gůt kommen, darumbe er auch siner sloße, die zu siner erbeherschaft gehören,
etwie vil versetzet hat. so ist er auch den soldenern und andern noch groß schult schuldig, darumbe man teglichen uf in eins teils leiste und auch eins teils pfende.

[6] Item nů meine min herre der kunig sine sloße, die zů siner erbeherschaft gehören, widder zů lösen und an sich zu bringen und auch die obgenante leisthaftig und
25 schadebar schult zu bezalen, umb des willen das die schuldiner nit darumbe důrfen angriffen und pfenden und daz das land in frieden und gemach verliben möge.

[7] Item und min herre der kunig ist mit sinen wisen und drefflichen reten
darúber geseßen und zů rade worden, wie man dem in dem besten in der zit nachgene
und großern schaden furkommen möge, und hat besloßen, das er darumbe sin land ge-
30 meinlichen zů Beyern und an dem Rine anrůffen und ein stúre von in heischen und
nemen můße, mit namen den zwenzigisten pfennig von aller ir habe ligende und farende
durch und durch in stetten merkten und dorfern, wann er anders die obgenanten ver-
setzten sloße nit gelösen noch die obgenante leistbare und schadbare schult nit bezalen
möchte.

35 [8] Item und darumbe so hat uch min herre der kunig heißen bitden ermanen
und erfordern, daz ir wollent ansehen wie sine sache zu dieser zit gestalt und gelegen
sin und das ir zu den sachen willig sin und ein mitliden mit im haben wollent. das
wolle er hernachmals gerne gnediclichen gein uch bedenken und uch deste gůtlicher
důn. und wer' es uch nit als harte gelegen und so große notdurft als vor berůret ist,
40 er wolte solicher stúre zu dieser zit auch nit an uch fordern.

[9] Item und sagent in auch, das sich das land zů Beyern williclichen darzů ergeben habe [2] den zwenzigisten pfennig also zu reichen als vor berůret ist, und min

bringt. *Die beiden Stücke sind im Kodex nur
durch nr. 460 von einander getrennt. Janssen*
45 *datiert 1405 Sept.*

[1] *Die Anweisung geht aus der indirekten Rede
(art. 1-4) plötzlich in die direkte über (art. 5-8);
diese ganzen Auseinandersetzungen, die des Königs
Gesandte den steuerpflichtigen Unterthanen vor-*
50 *tragen sollen, sind abhängig von zů reden und*

*zu sagen in der Überschrift; erst in art. 9 wer-
den die Gesandten selbst angeredet.*

[2] *Vgl. nr. 462 und die erste Anmerkung dazu.
Darnach sind die Verhandlungen über die Steuer
zwischen K. Ruprecht und den Städten etc. der
Oberpfalz vor dem 15 August 1405 zum Abschluß
gekommen, wahrscheinlich aber auch erst kurz
vorher und während Ruprechts Anwesenheit in*

[1405
circa
Spt. 8] herr der kunig getruwe den sinen hie nieden an dem Rine wol sie sin ime als willig
darzû als die zû Beyern.

[10] Item mins herren des kunigs meinunge ist, das ein iglicher den zwenzigisten
gulden oder pfennig geben solle von aller siner habe ligende und farende, und das er
das mit sinem eide behalten solle. und wer' es das deheiner als arme were das er **5**
nit zwenzig gulden hette, helte er dann eigen rauch, so sal er einen gulden geben zu
hertgelte [1].

[11] Item ir sollent auch iglicher stad dorfe oder gemeinde, da ir die verkûn-
digunge dûnt, sagen, das sie sich darzû schicken und stellen und ein iglicher in ieme[a]
selber betrachte, wie vil gûtes er habe an ligender und farender habe, das er daz mit **10**
sinem[b] eide behalten môge von demselben tage als ir die verkundigûnge getan habent
uber acht tage, wann ir alsdann die eide von in nemen und das eigentlichen anschriben wollent.

1405
Spt. 11 **462.** *K. Ruprecht und seine Söhne Ludwig und Johann treffen Bestimmungen über die*
Verwendung des zwanzigsten Pfennigs, den die Oberpfalz am 11 Nov. 1406 steuern **15**
wird [2]. *1405 Sept. 11 Heidelberg.*

Aus Karlsr. G.L.A. Pfälz. Kop.-B. 149[b] fol. 305[a] cop. ch. coaev., mit der Überschrift
von späterer Hand saec. 15 Was die im land zu Beyern vursturen sollen und wohin
man die wenden soll.

Wir Ruprecht etc. und wir Ludewig und Johanns gebrudere pfalzgraven bi Rine **20**
und herzogen in Beyern desselben unsers lieben herren und vatters des Romischen
kungs sone bekennen und tûn kunt offenbar mit diesem briefe: als unsere liebe
getruwen stetde merkte dorfere und land da oben in Beyern von besunder williger

a) *übergeschriebenes* e. b) *cod.* sinnem.

dieser Gegend, d. h. nicht vor Ende Juli. Das
ist für die Datierung unseres Stückes zu beachten.
[1] *Fast wörtlich gleichlautend nr. 460 art. 6.*
[2] *K. Ruprecht und sein Pf. Johann thun*
kund: als unsere stedte merkte dorfere und land
hie oben zu Beyern uns iezunt zugesagt hant von
sand Martins tag nehstkumpt uber ein jare [1406
Nov. 11] ein sture des zwenzigisten pfenniges zu
geben, und unsere — stad zum Nuwenmarckte
doruf unsern schuldnern — verheißent 3000 fl.
auf jenen Tag zu bezahlen, so wird, wenn es sich
zeigen sollte, daß die Steuer der Stadt weniger
ausmacht als diese von ihr verbürgte Summe, ihr
der Unterschied ersetzt werden; im entgegengesetz-
ten Falle soll sie den Unterschied alsdann auch
zur Stunde zulegen; dat. Amberg assu. Mar. [Aug.
15] 1405 r. 5; ad m. d. r. Johannes Winheim;
Karlsr. G.L.A. Pfälz. Kop.-B. 149[b] fol. 304[b] cop.
ch. coaev. Gleiche Urkunden desselben Datums
über 900 bzw. 3500 fl. erhielten die von Nappurg
und die von Amberg; Karlsr. l. c. kurze Notiz.
Das Original der Urkunde für Nabburg befindet
sich München R.A. Nabburg Stadt 2 Fasc. I,
43, 3. Eine Urkunde gleichen Datums und an-

scheinend gleichen Inhalts für Stadt Kamm, **25**
1600 fl. betreffend, ist regestiert Reg. Bo. 11,
367. — K. Ruprecht und sein Sohn Johann thun
kund, daß sie ihren Räthen und Dienern, die gegen
ihre Pfänder und Schuldner [d. i. Gläubiger]
auf die bis Martini [Nov. 11] von ihren Städten **30**
und Landen zu Beyern zu zahlende Steuer des
zwanzigsten Pfennigs, womit ihre Pfänder und
Schuldner da oben bezahlt werden sollen, ihre
Bürgen werden müssen, ihre Feste Hohenfels mit
allen ihren Zugehörungen verschreiben und ein- **35**
setzen; dat. Heydelberg Joh. ev. [Dec. 27] 1405
r. 6; Karlsr. l. c. fol. 305[a b] cop. ch. coaev. —
Vgl. auch nr. 458 art. 9. — Am 18 Sept. 1406
versprach K. Ruprecht seinen Vettern den Her-
zögen Ernst und Wilhelm in Baiern hinsichtlich **40**
der ihm von denselben verpfändeten Stadt Sulzbach
unter anderm, daß weder die der Stadt auferlegte
Steuer des zwanzigsten Pfennigs erhöht noch eine
andere ungewöhnliche Steuer auferlegt werden
solle; Regest Reg. Boica 11, 390; die Urk. steht **45**
Karlsr. G.L.A. Pfälz. Kop.-B. 8¼ fol. 104[a b] cop.
ch. coaer.

dinste und fruntschaft wegen und darumbe, daz lant und lute zu beßern fried nütze und fromen kommen möge, uns itzund willig sin gewesen und versprochen haben, eine sture dez zwenzigsten pfennings nû von sant Martins tag schirstkompt uber ein jare zu geben von aller irer habe, ußgesatzet kleider hüßrad silbergeschirre harnesch geschotz

5 und reisige pferde und was wir schult unsern armen-luten schuldig sin, daz alles unversturet bliben sol (doch hußrad, damit man arbeit, den sal man verstûren) [1], und die stûre auch zu sweren und inzunemen als mit alter gewonheit vor herkommen ist: darumbe so gereden und versprechen wir in craft diß briefs, daz wir dieselben stûre an kein stat nit wenden [a] noch gefallen laßen wollen, dann was man die pfenter alle, die

10 angriffen haben oder noch angriffen werden [2], davon vor allermenglich mit wißen der râte unser stedte und merkte zu Beyern richten und bezalen sol, als verre die gereichen mag. blibe aber icht uber an der obgenanten stûre uber die pfenter, dasselbe sol gevallen unsern armen-luten an iren schulden, die wir in schuldig sin. were aber daz daz [b] zurunne [3] und das die pfenter alle von der obgenanten stûre gar und genzlich

15 nit bezalt und ußgericht wurden, dasselbe sollen wir und unser erben erfullen und den pfentern ußrichten gar und genzlich of den obgenanten sant Martins tag, also das die obgenanten unser stedte merkte dorfere und land in Beyern von der vergangen schulde wegen ane alle zuspruche und bekummerniß furbas von allen pfentern sin und bliben sullen. orkund diß briefs versigelt mit unsern anhangenden ingesigel, der geben ist

20 zu Heydelberg of den nehsten fritag nach unser frauwen tag als sie geborne wart nativitatis zu latin in dem jare alz man zalte nach Cristi geburte 1400 und darnach in dem funften jare unsers richs in dem sechsten jare.

D. Zweiter Anhang: vorhergehende und nachfolgende Verhandlungen wegen Österreichischer Heirat 1404-1406, nr. 463-466.

25 **463.** *K. Ruprechts und Hzg. Friderichs von Österreich vorläufiges Abkommen über die Ehe des letzteren mit Elisabeth K. Ruprechts Tochter, worüber alles nähere auf einem Tage zu Wildberg [4] am 16 Merz 1405 beredet werden soll.* *1404 Sept. 29 Baden [5].*

Aus Wien H.H. St.A. Familienarchiv nr. 24 conc. oder not. ch. coaev.

30 *Regest Chmel nr. 1859 aus alter Notel im kais. Archiv, d. i. wol aus unserer Vorlage; Lichnowsky Gesch. d. H. Habsburg 5 Reg. nr. 645 aus k. k. g. A, wol ebendaher. — Stälin Wirt. Gesch. 3, 376 nt. 1 citiert fälschlich Lichnowsky 4, 52. 53 statt 5, 52. 53.*

Zeichnunge als zuschen unserm herren kunig Ruprecht uf ein und unserm herren

35 herzog Friderich von Osterrich of die ander siten hie zu Baden als von der hirat wegin beredt ist.

a) cod. werden. b) om. cod.

---

[1] *Vgl. art. 4 der Bestimmungen nr. 460. Hausrath und Silbergeschirr sind dort nicht steuerfrei,*
40 *und anscheinend liegt hier eine Konzession vor die der König in der Oberpfalz hat machen müssen.*
[2] *Das Objekt ist ausgelassen, vgl. dazu hier oben lin. 17 (und pag. 669 lin. 20. 26).*
45 [3] *Zerrinnen, zu Ende gehn, ausgehn, mangeln, Lexer.*

[4] *Wildberg südw. von Stuttgart an der Nagold wird gemeint sein, vgl. Bd. 4, 261, 9.*
[5] *Wol sicher Baden im Aargau. — K. Ruprecht war augenscheinlich dort zu den Verhandlungen mit Hzg. Friderich persönlich anwesend, s. das urkundliche Itinerar bei Chmel nr. 1856 ff. und einen Posten der Kammereinnahmen von 1404 Okt. 1, Janssen 1, 761 nr. 1212 art. 32, bei uns in Bd. 6.*

1405
Mrz. 15
1405
Mrz. 16

[1] Zum ersten sal unser herre der kunig und herzog Friderich von Osterrich ire
frunde treffliche und mit ganzer macht bi einander han uf den sontag zu nacht reminiscere in der fasten nehstkumpt zu Wilperg [1], und dornach an dem mantag frûwe anheben zu tedingen als von des zugelts [a] wiedems morgengabe und wiederfals wegin,
das von beider herren wegin, als verre und als vile iglichem geporte, zu bewisen zû   5
versorgen zu verbriefen und zu versichern in der besten forme.

[2] Item sal unser herre herzog Friderich einen besigelten brief bestellen von den
drien sinen brudern in der forme als man ime ein nottel geben hat, das die bewisung,
die er dûn wirdet, ire wißen verhengnis und guter wil si etc.   [2a] item und ob ez
nodturft si das herzog Albrecht denselben brief auch versigel, das stellet unser herre   10
der kunig an herzog Friderich und an sin rete, das selber zu dem besten zu versorgen.   [2b] item und wo man [a] unsers herren dochter bewisen wirdet, da sollen die
amptlute und auch die armen-lute daselbs sweren ire damit zu gewarten und gehorsam
zu sin, als dann die briefe ußwisent die man dann doruber geben wirdet.   [2c] item
und man sal sie bewisen als vile als man mag in der herschaft zû Hohenberg [a], und,   15
wer' es das man sie daselbst nit zumale bewisen mochte, so sal man sie doch des
ubirgen [b] in der nehede do umbe zu Swaben oder zu Elsaß bewisen.

[3] Item und wer' es das unser herre der kunig unsern herren herzog Friderich
sins zugelts zu siner dochter of des richs stedten in Swaben oder in Elsaß [4] bewisen
worde, das sal er dun mit der kurfursten am Rine wißen und willen, die auch die   20

a) zûgelts?   b) sic.

---

[1] Vom Zustandekommen dieses Tages wissen wir
nichts; wahrscheinlich wurde er auf den 10 Mai
verschoben, s. nr. 464 und Anm. dort.
[2] D. h. von Seiten der österreichischen Herzöge;
erst art. 3-3b handeln von der Anweisung der
Mitgift durch K. Ruprecht.
[3] Vgl. RTA. 4 nr. 217 art. 3 und nr. 289
art. 2.
[4] Basel an Wilhelm Metziger Ammanmeister zu
Straßburg: aus guter Quelle hätten sie, die Baseler, Nachrichten über das Vorhaben des Königs,
dem Hzg. Fridrich von Osterreich Hagnowe Sletzstat Colmer Keyserßperg und Mulhusen mit oder
gegen den Willen der Kurfürsten in die Hände
zu spielen; so glaube man auch am wirksamsten
den beiden Städten Basel und Straßburg entgegen-
treten zu können, die durch ihre Verbindung mit
einander zu mächtig und zu übermüthig geworden
seien, auf Basel insbesondere scheine es abgesehen
zu sein; es sei nun von befreundeter Seite der
Gedanke ausgesprochen worden, daß der feste
Rückhalt, den ein Bündnis mit Straßburg und
Basel jenen oben erwähnten Städten bieten würde,
die Gefahr vom Reich zu kommen und dem Herzog anheim zu fallen von ihnen abwenden würde;
die Straßburger möchten nun schriftlichen Bescheid
darüber geben, ob sie eine Zusammenkunft von
Vertretern Basels und Straßburgs für wünschenswerth hielten oder ob sie zuvor noch nähere Erkundigungen einziehen wollten; dat. fer. 3 post
Mathei [Sept. 23] 1404; eine Abschrift dieses

Briefes stand in Exc. Wenckeri 1, 311b, einst in
Straßb. St.-Bibl. — Straßburg an Basel: der . . . .
[Name ist bei Wencker nicht genannt] habe sich
mit . . . . [an Stelle des Namens ebenfalls nur   25
Punkte bei Wencker] Herren Rittern und Knechten auf dem Rhein verbunden, und diese haben
ernstlich vom Grafen von Wirtemberg verlangt,
daß er sein Bundesverhältnis zu den Städten löse,
der Graf aber habe sich geweigert; es gehe das   30
Gerücht, jene Verbindung sei gegen Straßburg und
Basel gerichtet und beabsichtige die Unterwerfung
der beiden Städte; dat. 1404 vigilia Symonis et
Jude [Okt. 27]; nach Exc. Wenckeri 1, 324b.
Vgl. Einleitung zu diesem Tage lit. D. — Basel   35
und Straßburg vereinigen sich, daß sie ohne einander während der Zeit ihres Bündnisses [s. p. 487
Anm. 2] sich mit der Herschaft Osterreich nur
mit beider Wissen und Willen verbinden
wollen; dat. Di. n. Valentini [Febr. 17] 1405;   40
Straßburg St.A. G. U. Pf. lad. 45/46 nr. 92 or.
mb., Basel St.A. oberes Gewölb Lade VV lose,
ibid. g. w. B. fol. 115b cop. coaev.; Regest amtl.
Sammlg. Eidg. Absch. Bd. 1 (2 Aufl.), 463 nr.
382b. — Dieselben beiden Städte verpflichten sich   45
unter demselben Datum mit Beziehung auf ihr
früheres Bündnis und für die Dauer desselben,
sich mit Leib und Gut nach allem Vermögen beizustehen, wenn jemand wer der wäre sie beide
oder eine von ihnen an ihren Freiheiten Gnaden   50
Rechten und Gewohnheiten drängen etc. wollte,
wie oder von wem das geschehe; Straßburg St.A.

briefe, die man doruber machen wirdet, mit unserm herren dem kunige versigeln *1404*
sollen.   [3ᵃ] item wurde er in aber des uf sinem erbegute bewisen, so sollen unser *Spt. 29*
frauwe die kuniginne und unser jungen herren unsers herren des kunigs sune die briefe
doruber mit unserm herren dem kunige versigeln.   und sal man in denselben briefen
5 versorgen, das min herre der kunig und sin erben die losung daran haben; und werden
sie ez losen, das man dann dasselbe gelt wieder‐anlege nach rate und willen mins
herren und siner erben, ob ez zu wiederfall queme, das sie daran sicher und habende
sin.   [3ᵇ] item wer' es aber das unser herre der kunig das zugelt bar geben worde,
so sal man das wieder anlegen in Swaben oder zu Elsaß mit unsers herren des kunigs
10 willen und rate, und sal das auch verbriefen und wol versorgen als dorzu noit ist, ob
ez zu wiederfall queme, das sie und ire erben des gelts auch sicher sin.

Actum Baden ipso die beati Michaelis archangeli anno domini millesimo quadrin‐
gentesimo quarto.   *1404*
                                                                             Spt. 29

464. *K. Ruprecht bevollmächtigt fünf genannte Räthe auf dem verabredeten Tage zu* *1405*
15 *Wildberg mit den Räthen Hzg. Friderichs von Österreich über die Heirat zwischen* *Mai 7*
diesem und des Königs Tochter Elisabeth sowie über Freundschaft und Einigung
zu verhandeln [1]. *1405 Mai 7 Heidelberg.*

> *K aus Karlsr. G.L.A. Pfälz. Kop.-Buch 4 fol. 227ᵃᵇ cop. ch. coaev., gleichzeitige Über‐*
> *schrift* Ein gewaltsbrief of den tag gein Wiltperg mit herzog Friderich von Oster‐
20 rich etc. zu tedingen.
> *W coll. Wien H.H. St.A. R.-Registr.-Buch C fol. 191ᵃ cop. ch. coaev., mit der gleichen*
> *Überschrift.*
> *Regest Chmel nr. 1975 aus Wien l. c.*

Wir Ruprecht etc. bekennen etc.   als wir und der hochgeborne Friderich
25 herzog zu Osterrich etc. unser lieber sone und furste unsere frunde von beiden siten
zu einem gutlichen tage gein Wiltperg mit macht senden sollen, of den sontag jubilate *1405*
nehstkompt da zu sin, und des morgens uf den mantag zu tedingen und zu handeln *Mai 10*
                                                                             Mai 11
als von der hirat wegen zuschen dem obgenanten herzog Friderich und der hoch‐
gebornen furstinen Elsen unser lieben dochter: des senden wir zu demselben tage
30 Johann Kemerer den man nennet von Talburg, Wyprecht von Helmstat den jungen
unsern amptmann zu Bretheim ritter, meister Job Vener lerer in geistlichen und wernt‐
lichen rechten, Albrecht[a] von Berwangen, und Hannsen von Venyngen unser rete und
lieben getruwen, und geben den ganze und volle macht in craft diß briefs, mit des ob‐

a) W Abrecht.

35 G. U. Pf. lad. 45/46 nr. 93 or. mb., ibid. lad. 50/51
nr. 81 *conc. ch.*, Basel St.A. g. w. B. fol. 115ᵃ
cop. coaev., *Regest Amtl. Samml. d. Eidg. Absch.*
1 (2 Aufl.), 463 nr. 382ᵃ. *Dieser letzte Vertrag*
war wenigstens zum Theil wol durch Straßburgs
40 *Streit mit seinem Bischof und dem König veran‐*
lasst, s. Einleitung zum nächsten Reichstage lit.
F. — Was Basel betrifft vgl. Amtl. Samml. l. c.
465 nr. 390.
   [1] *Am 29 September 1404 war verabredet wor‐*
45 *den, daß ein Tag zu Wildberg am 15 Merz 1405*
stattfinden sollte, s. nr. 463 art. 1; er kam wahr‐
scheinlich nicht zu Stande; denn nicht nur haben

wir keine Vollmacht K. Ruprechts dazu, sondern
auch die Gesandtschaftsanweisung nr. 465, die
allem Anschein nach auf den ersten Tag gehört
der nach den Abmachungen vom 29 Sept. 1404
abgehalten wurde, s. Anm. zu nr. 455, kann kaum
schon im Merz 1405 abgefaßt sein, s. dort Anm.
zu art. 11. In der Zwischenzeit muß nun aber
doch der Tag vom 10 Mai verabredet sein, viel‐
leicht dürfen wir die Botschaft des Königs die
im Merz von Augsburg nach Schongau geleitet
wurde damit in Verbindung bringen, s. Anm. zu
nr. 455 art. 3, vgl. aber auch Anm. zu nr. 470.

1405
Mai 7 genanten unsers sons herzog Friderichs frunden oder reten, die er zu dem tage mit macht schicken wirdet, von der obgeschriben sachen, und was sich zu fruntschaft und einunge zuschen uns und dem obgenanten unserm sone getreffen mag, of demselben tage von unsern wegen zu handeln zu tedingen zu uberkommen und genzlichen zu besließen. und was die vorgnanten unsere rete also of dem obgenanten tage handeln   5
tedingen uberkommen und[a] besließen und von unsern wegen verbriefen und mit iren ingesiegeln versiegeln werden, das wollen wir also veste und stete halten und darnach auch mit unsern briefen und ingesiegeln, nachdem das dann beretd wirdet, verbriefen und besiegeln ane alle geverde.   orkund diß briefs *versiegelt* mit unserm kuniglichem majestat anhang*endem* ingesiegel, der geben ist zu Heidelberg uf den nehsten dornstag 10
1405
Mai 7 vor dem obgeschriben sontage jubilate nach Cristi gepurte 1400 und darnach in dem funften jare, unsers richs in dem funften jare.

                                             Ad mandatum domini regis
                                                Johannes Winheim.

[1405
c. Mai?] **465.** *K. Ruprechts Anweisung für nichtgenannte Gesandte, auf einem Tage zu Wildberg* 15
mit Vertretern Hzg. Friderichs von Österreich über eine Ehe zwischen diesem und
K. Ruprechts Tochter Elisabeth zu unterhandeln. [1405 c. Mai 7 Heidelberg [1] *.]*

       Aus Karlsr. G.L.A. Pfälz. Kop.-Buch 146 fol. 78ᵃ-79ᵃ cop. ch. coaev.
       Coll. Janssen R.K. 1, 771-773 nr. 1219 aus einem in .seinem Privatbesitz befindlichen
           Kodex Acta et Pacta 96. 20
       Gedruckt moderne lateinische Übersetzung bei Martène ampliss. coll. 4, 130-132 nr. 89. —
           Erwähnt Chmel unter nr. 1975 aus Martène.

      Gedechtniße, darnach sich unsers herren des kunigs frûnde richten mogen of dem tage zu Wilperg.

      [1] Zum ersten als man sich underreden wirdet, mogent sie sprechen: unser herre 25
der kunig habe sie dargeschicket von den sachen zu reden und zu handeln, nachdem ez vor in reden gewesen ist zuschen beiden herren, daz jenne also anfahet, so wollen sie in helfen.

      [2] Item wurden die Osterrichschen dann fragen, ob wir mit macht da weren, sal man in antwurten: wes wir mit in besließent, des haben wir macht und wollen uns 30
des mechtigen und haben auch des unsers herren des kunigs brief, den mugen wir in dann ettgen, und desglichen auch von in fragen und erfaren.

      [3] Item woltent sie uns dann nit an helfen, oder ob sie daruf retden man solte irme herren sin husfrauwen fertigen, so mugen wir sprechen: wir versehen uns, sie wissen wol, daz vor rede gewesen si[2] von eime briefe, den die herzogen Wilhelm Lu- 35
polt und Ernst versiegeln solten of die bewisûnge[3], desselben briefs ducht uns ie not sin vor allen dingen daz sie uns den ettgten, so wolten wir dann furbas mit in von

     a) *W oder.*

---

    [1] *Diese Anweisung gehört wahrscheinlich zu der*   *bzw. 16 Febr. 1405 ausgestellt, s. Lichnowsky* 5
Gesandtschaft, deren Vollmacht wir in nr. 464   *Regg. nr. 678. 681, Herzog Ernst that dieß erst* 40
vom 7 Mai 1405 besitzen. Derselben Ansicht ist   *am 30 August 1407, s. ibid. nr. 933. Bei Erlaß*
Janssen. Für die Datierung sind auch die fol-   *obiger Anweisung scheint K. Ruprecht die Ur-*
genden Anmerkungen besonders.zu art. 3 und art.   *kunden vom 6 und 16 Febr. noch nicht gekannt*
11 zu beachten; vgl. Anm. zu nr. 464.   *zu haben; es werden also in der Zwischenzeit auch*
    [2] *S. nr. 463 art. 2.*   *kaum Verhandlungen stattgefunden haben. Vgl.* 45
    [3] *Die Herzöge Wilhelm und Leopold hatten die*   *Anm. zu nr. 464.*
verlangte Urkunde jeder einzeln für sich am 6

der sachen reden daz wir hofften daz sie merken solten das unsers herren des kunigs [1405 c. Mai 7]
meinunge zu den sachen geneiget were.

[4] Item wurdent sie dann daruf gen, das wir in zu verstende geben, wie und
wo unser herre sin dochter mit dem zugelte ußrichten wolte etc., sol man daruf ant-
5 werten: unser herre der kunig habe die wale daz zu tunde of dri wege [1], welhen er
wolle, als sie das wol wißen mogen; nû si gewonlich und lantleufig, ee ein herre sin
dochter mit zugelte ußvertige, daz er vor ein wißen habe, wo und wie man ir daz
widerlegen wolle und sie auch bewidemen; und darumbe sollen sie uns vor mit dem
brieve und anders underwisen, was wege ir herre vor imme habe die widerlegunge und
10 wiedemunge zu follenfüren; wann wir des mit in uberkommen, so wollen wir mit in
furbaz reden als dann not ist.

[5] Item wurden sie uns einen brief oder eine abschrift zeigen, der anders lûte
dann die nôtel als man vor davon geretd hat [2], so sal man in sagen: man si vor mit [a]
gutem berate der notdeln zu rate worden, und wir sin nit bescheiden von keiner an-
15 dern noteln darof zu reden, wann unser herre der kunig und sin rete haben auch vor
besloßen die notdel nit zu endern, und wir meinten auch nit, da wir von unserm
herren dem kunige schieden, daz man davon furbas reden solte oder durfte.

[6] Item wurden sie aber vast daruf ligen, daz man in zu verstand gebe, wie
und wo unser herre der kunig sin dochter mit dem zugelte ußwisen wolte, so wolten
20 sie uns of die andern stucke volliclichen antwurten: daruf sal man in antwurten: „zu
einer iglichen hirad, sunderlich zuschen großen herren, pfligt man vier stucke nach einander zu handeln: zum ersten die summe des zugelts und wiedemß, dez ist man uberkomen an der summe [3]; darnach der widerlegunge und der widemunge, wann der
dochter ie der not zu wißen ist ee man sie zulege; darnach begrifft man die zite der
25 zulegunge; und darnach, wann man bigeslaffet, so handelt man zûleste umbe die morgengabe. sit nû daz erste geschehen ist, so sin wir an dem andern, und kummen darnach
of daz dritte, und zuleste an daz vierde".

[7] Item wurden sie dann uß den briefen mit uns reden, als ez vor begriffen ist [4],
und furwenden, daz unser herre sin bewisunge vor tûn solte und sie erste alsdann
30 darnach daz ir follenfuren, da sol man in of entwerten: daz moge wol also sin, daz
man also daz nach einander follenfuren solle; aber man sal vor, ee man daz follenfurt,
dez uberkomen sin und ein wißen han wie man alle dinge follenfuren wolle.

[8] Item sprechen sie dann: so solten wir in auch vor zu wißen geben, wie unser
herre sin ding follenfuren wolte: da sal man in antwerten: daz unser herre doch ein
35 wale habe drier wege [5] die er vor ime hat biß of daz zulegen, so mag er der wege
einen fur sich nemen welhen er wil; nu sal er iemerß sin dochter nit zulegen, er wiße
dann vor, wie man ir die zûgabe widerlegen wolte und bewidemen.

[9] Item wurden sie dann daruf reden, daz man usernthalbe den briefen nit
nachginge als sie vor begriffen weren, so mag man in antwerten als von uns selber:
40 daz wir dez nit verstent, daz an userm herren dem kunige noch keine brust si nach
dem und ez sich noch bißher verlaufen hat; doch solt man dieselben briefe, die zum

a) Janssen uit.

---

[1] Nemlich Anweisung auf Reichsstädte in
Schwaben oder im Elsaß oder zweitens Anweisung
45 auf Erbgut oder drittens Auszzahlung in baar, s.
nr. 463 art. 3-3[b].
[2] Wol die nr. 463 art. 2 erwähnte nottel ist
gemeint.

[3] Die Summe von 40000 fl. war schon 1401
vereinbart, s. RTA. 4 nr. 217 art. 1, nr. 352 art.
9 und sonst.
[4] Es ist wol an RTA. 4 nr. 352 art. 9 und
nr. 353 art. 13 zu denken.
[5] S. Anm. zu art. 4.

ersten zuschen den herren begriffen wurden, eben fur sich nemen, so fünde man villicht[a], daz unserm herren dem kunige nit als follichlichen bescheen were als ime noit
were nach der briefe lûte[1], doch were uns nit befolhen davon zu reden.

[10] Item wurden sie aber mit dem briefe oder mit andern sachen uch etliche
meinunge zu verstende geben, die uch duchte vergenglich sin, so mogent ir in sagen: 5
man muße von vil wegen reden biß daz man of vergenglich wege komme; nû habent
ir als von uch selber gedacht, ob daz it ein weg were, daz unser herre der kunig mit
der kurfursten wissen und willen an dem Ryn siner dochter verschriebe zu zugelte
viertusent gulden gelts of den Sehestetten[2] und andern in der lantvogtie zu Swaben
stetden[b] vellen und gulten biß an die obgeschrieben summe; und wer' ez daz man daz   10
also fur sich nemen wûrde, so wurde unser herre der kunig die kurfursten an dem
Rine bitden daz auch also zu versiegeln. und gefiele in der weg nit, so mag man in
wol sagen, das uns dünke daz unser herre der kunig mit dem wege den briefen gnug-
tûwe alz ez vor verschrieben und begriffen ist[3].

[11] Item wurden sie dann of daz reden, daz unser herre sin dochter of siner   15
eigen herschaft bewisen solte etc., oder dezglich, so sal man in sagen: „unser herre hat
mit einer schatzûnge, die er nuwes ofgehebt habe, sin lant und sloße erste gelöset[4];
solte er die sloße nû wider versetzen, daz were dem lande swere und brecht unserm
herren infall und schaden, dez sin sûn selber nit gern solte noch gerne sehen; dann
so unser herre stathafter were, so er ime baß geraten und gehelfen kunde“.   20

a) *Janssen* hillicht (*wol nur Druckfehler?*).   b) *em.* der Sehestette und ander — stetde?

---

[1] *Es sind wol die Verträge vom 23 Juni bzw.
2 Juli 1401 gemeint, s. RTA. 4 nr. 352 ff.*

[2] *Stadt Konstanz verbündet sich auf 5 Jahre
mit den Herzögen Leopold und Friderich Brüdern
von Österreich, besonders wider die Appenzeller;
doch will sie auch gegen die Waldstädte Hülfe
leisten und gegen jedermann, ausgenommen K.
Ruprecht und Reich, die Städte des Bundes um
den See und im Allgäu und alle Reichsstädte in
Schwaben; dat. 1405 Fr. vor invocavit [Merz 6]
o. O.; Wien H.H. St.A. Rep. I Kasten 409 or.
mb. c. sig. pend.; Regest Lichnowsky 5 Regesten
nr. 683. — Dieselbe gelobt demselben, dem K. Ruprecht nicht wider sie zu helfen, wenn dieser sie
widerrechtlich bedrängen würde, und, wenn sie mit
den Städten, die den Bund um den See und im
Allgäu mit Konstanz halten, in Streit gerieten,
still zu sitzen; dat. wie oben; Wien l. c. or. mb.
c. sig. pend.; Regest Lichn. l. c. nr. 684. — Reg.
Friderich von Österreich bekennt, daß, nachdem
er und sein Bruder Lupold sich mit Stadt Konstanz verbunden und im Bündnis den K. Ruprecht
ausgenommen haben, sie im Fall, daß K. Ruprecht
die Stadt Konstanz von ihren Freiheiten drängen*

*wolle, demselben wider sie keine Hülfe thun sondern
still sitzen wollen; dat. Schafhusen Fr. vor invocavit [Merz 6] 1405; Karlsruhe G.L.A. Stadt
Konstanz Bündnisse nr. 30 or. mb. c. sig. pend.*   25

[3] *Vgl. RTA. 4 nr. 352 art. 9 und nr. 353
art. 13.*

[4] *Vgl. lit. C dieses Reichstages. Wir kennen
keine Spuren davon, daß die Erhebung der Steuer,
von der K. Ruprecht hier spricht, früher als im*   30
*April begonnen habe, vgl. erste Anm. zu nr. 460,
früher kann man also auch unser Stück kaum
ansetzen; man kann vielmehr zweifeln, ob man es
nicht dieser Stelle wegen wesentlich später zu datieren hat, da die Erhebung im Mai 1405 noch*   35
*lange nicht vollzogen war, vgl. nr. 459-462. Vgl.
aber unsere Anm. zu art. 3. Es kann auch K.
Ruprecht durch Anweisung der noch nicht voll
erhobenen Steuer seine Besitzungen eingelöst haben,
oder es können gerade die Besitzungen, die für*   40
*die Habsburger in Betracht gekommen wären (in
Schwaben und im Elsaß, s. RTA. nr. 352 art. 9),
schon eingelöst gewesen sein, als unsere Gesandtschaftsanweisung erlassen würde.*   45

466. *K. Ruprecht bevollmächtigt 4 gen. zu Eheverhandlungen mit den Räthen Hzgs. Friderich von Österreich auf dem Tage zu Wildberg am 24 Aug. 1406* [1]*.* *Aug. 22 Heidelberg.*

1406 Aug. 22

1406 Aug. 22

Aus Karlsruhe G.L.A. Pfälzer Kop.-B. 4 fol. 227ᵇ not. ch. coaev.
Steht auch Wien H.H. St.A. R.-Registr.-Buch C fol. 191ᵃ not. ch. coaev.
Regest Chmel nr. 2181 aus Wien l. c.

Item in der obgeschriben forme [*d. h. wie die Vollmacht vom 7 Mai 1405 nr. 464*] ist ein machtbrief geben of den edeln Engelhart herre zu Wynsperg, Johann Kemerer von Dalburg, Wyprecht von Helmstat den jungen, und meister Job zu dem tage gein Wiltperg, of Bartholomei nehstkompt da zu sin, und die tedinge uf den tag darnach anzufahen, zu tedingen etc., sub data Heidelberg in octava assumpcionis gloriose virginis anno domini 1406 regni vero nostri anno septimo, dempta ista clausula „und was sich zu fruntschaft" etc.

Aug. 24
Aug. 25

1406 Aug. 22

Johannes Winheim.

E. Dritter Anhang: nachfolgende Verhandlung mit K. Wenzel 1405, nr. 467-468.

467. *K. Ruprecht bevollmächtigt 3 gen. Räthe, mit K. Wensels Räthen auf einem Tage zu Eger zu unterhandeln. 1405 Febr. 3 Heidelberg.*

1405 Fbr. 3

Aus Karlsr. G.L.A. Pfälz. Kop.-B. 4 fol. 222ᵇ not. ch. coaev., mit der Überschrift Ein gewaltesbrief, mit dem kunige von Beheim zu tedingen *etc.*
Steht auch Wien H.H. St.A. R.-Registr.-Buch C fol. 187ᵇ not. ch. coaev.
Regest Chmel nr. 1936 aus Wien l. c.

Item in einer gemeinen formen [2] ist ein machtbrief geben of Eberhard vom Hirtzhorn ritter, Reinhard von Remchingen ᵃ[3], und Johannes Winheim, mit des durchluch-

a) kann auch Reinchingen heißen.

---

[1] *Auf diesem Tage scheinen die Verhandlungen dann zum Abschluß gediehen zu sein. Am 30 Sept. 1406 stellen K. Ruprecht und seine Söhne Ludwig Johann Stefan Otto die Verschreibung über die Mitgift aus, die Janssen R.K. 1, 790-792 nr. 1236 aus Karlsr. G.L.A. Pfälz. Kop.-B. 149ᵇ fol. 307ᵃ- 308ᵃ gedruckt hat. — K. Ruprecht und seine 4 genannten Söhne versprechen dem Johann vom Hirßhorn Ritter, ihm für allen Schaden, den er in der Bürgschaft für die 40000 fl. erleiden könnte, Ersatz zu leisten; dat. Heidelberg Do. n. Remig. s. a. [1406 Okt. 7]; Karlsr. G.L.A. Pfälz. Kop.-B. 149ᵇ fol. 308ᵇ mit der Notiz, in dieser Form sei jedem Bürgen ein Brief gegeben. Der dem entsprechend für Bgf. Friderich ausgestellte Brief ist gedruckt Mon. Zoll. 6, 367 f. nr. 355. — Elisabeth aber blieb noch bis gegen Ende des Jahres 1407 bei ihrem Vater. — Hierher gehörige Schuldverschreibungen etc. K. Ruprechts aus dem Okt. und dem Nov. 1407 stehen Karlsr. G.L.A. Pfälz. Kop.-B. 53 pag. 311-316 cop. ch. coaev. — In der Aufforderung K. Ruprechts an Heidelberg, mit 4 andern gen. Städten zusammen Bürgschaft für 6000 fl. zu übernehmen, die Hannan und Hans von Sickingen dargeliehen haben, dat. Alzey dom. p. 11000 virg. [Okt. 23] 1407 r. 8, heißt es l. c. pag. 314: daz wir — unser lieben dochter Elizabeth dem — herzog Friederich von Osterich zu der ee geben und ime auch dieselben unser dochter fur etwie langer zit zu Heidelberg zugeleget haben, des mußen wir den vorg. unserm sone von Osterich dieselben unser dochter itzund heime schicken, wann er ir nit lenger enberen wil. — Vgl. weiter Lichnowsky Bd. 5 Regesten nr. 933. 945. 946. 954. 956 und Chmel nr. 2417. 2426. 2560.*

[2] *Es geht im Kodex keine Vollmacht vorher, wie aus dem Item vermuthet werden könnte; das Formular war wol analog dem vom 30 Dec. 1403 nr. 322, bzw. dem vom 28 Juli 1404 nr. 397 w. m. s.*

[3] *Hofmeister des Hzg. Johann, kommt in den Nürnberger Stadtrechnungen oft vor in der Form Renchingen sowol wie (sicher) Reinchingen, doch auch so wie hier, daß die Form zweifelhaft bleibt.*

tigen fursten herren Wentzlauws kunigs zu Beheim reten, die itzund zu dem tage gein
Eger komen werdent, zu tedingen umbe hilfe bistande und ander buntniße und frunt-
schaft zu machen etc., sub data Heidelberg feria tercia post festum purificacionis beate
Marie virginis anno etc. 405.

*1405
Fbr. 3*

Ad mandatum domini regis   5
Emericus etc.

*[1405
c. Fbr. 3]*
   468. *K. Ruprechts Anweisung für nichtgenannte Gesandte zu Verhandlungen mit K.*
       Wenzel von Böhmen betreffend dessen Verzichtleistung auf das Reich und Familien-
       verbindung zwischen beiden Königen. [1405 c. Febr. 3 Heidelberg [1].]

         Aus Karlsr. G.L.A. Pfälz. Kop.-Buch 146 fol. 77 [a] [b] cop. ch. coaev.   10
         Coll. Janssen R.K. 1, 766-767 nr. 1215 aus einem in seinem Privatbesitz befindlichen
            Kodex Acta et Pacta 89-95.
         Moderne lateinische Übersetzung bei Martène ampliss. coll. 4, 129 nr. 87; daraus erwähnt
            bei Chmel sub nr. 1936.

       Diß sint die artikel, die min herre der kunig mit sinen reten besloßen hat gein   15
dem kunige von Beheim.

       [1] Item das der kunig von Beheim mime herren kunig Ruprecht von dem riche
genzlichen abedrette und daruf verzihe, und auch sin besigelten briefe gebe, darinne er
schribe und erkenne, daz er im also abgetreten und verziegen habe, und, als die kurfursten minen herren kunig Ruprecht zu Romischem kunige gekorn und erwelt haben,   20
das daz sin wille si [2].

       [2] Item und das er mime herren dem Romischen kunige Ruprecht daz heiligtům,
in aller der maßen als ez zu dem riche gehoret, und unberaubet, und darzů alle register
und briefe, und mit namen die briefe uber Brabant, und alles das zu dem riche gehoret, unverzogenlichen und genzlichen wiedergebe [3].   25

       [3] Item und das der kunig von Beheim auch sin lehen von mime herren dem
Römischen kunig Ruprecht solle enphahen. und were es daz er nit mit sin selbs libe
zu mim herren dem kunige kommen mochte die zů enphaen, daz dann min herre der
kunig imme die in sinen briefen lihe, also daz er auch mim herren dem kunige briefe
widerumbe gebe von siner lehen wegen, als sich daz heischet [4].   30

       [4] Item wer' ez dann das der kunig von Ungern oder iemand anders wer der
were dem kunige von Beheim wolte sten nach dem kunigriche zu Beheim und in understunde davon zu dringen, daz imme dann mine herre der Romische kunig Ruprecht
wieder dieselben getrůlichen bigestendig und beholfen si nach allem sinem besten vermögen ane geverde [5].   35

       [5] Item und das die fruntschafte deste großer zwuschen mim herren dem kunige
Ruprecht und dem kunige von Beheim werde, wil dann der kunig von Beheim sins

---

[1] *Das undatierte Stück gehört, wie auch Janssen
nr. 1215 nt. [a] annimmt, vermuthlich zu dem Vollmachtsbrief K. Ruprechts vom 3 Febr. 1405 für
die Gesandten zum Egerer Tage nr. 467. Das
Stück steht im Kodex zwischen zwei Urkunden
von 1404 Nov. 25 bzw. 1405 Dec. 21.*
[2] *Vgl. RTA. 4 nr. 340 art. 1, ibid. nr. 392
art. 1. 5. 7. 8, im vorliegenden Bande nr. 308
art. 1 und nr. 312 art. 1.*

[3] *Vgl. RTA. 4 nr. 340 art. 2, ibid. nr. 392
art. 4, im vorliegenden Bande nr. 308 art. 2 und
nr. 312 art. 2. 6. 11.*
[4] *Vgl. RTA. 4 nr. 340 art. 3, ibid. nr. 392
art. 5. 7, im vorliegenden Bande nr. 308 art. 3
und nr. 312 art. 3.*
[5] *Vgl. RTA. 4 nr. 340 art. 5, ibid. nr. 392
art. 3, im vorliegenden Bande nr. 308 art. 5 und
nr. 312 art. 8.*

brûder herzog Hannsen seligen dochter [1] des obgenanten mins herren kunig Ruprechts *[1405* sûne einem zu der ee geben, als vor ziten auch rede davon gewest ist [2], und ein *c. Fbr. 8]* bescheidenlich zugelte darzû geben, so ist es mime herren kunig Ruprecht auch wol zu sinne.

5 [6] Item und worden sie dann von dem zugelte fragen, so sollent ir sprechen: ir hoffent, min herre kunig Ruprecht laße sich daran wisen, daz der kunig von Beheim die pfantschaft uber Eger und Bargstein und Wijden den zwein kinden erblich verschribe, und daz mine herre kunig Ruprecht denselben kinden auch verschribe die sloße und stetde die er dem kunige und der cronen zû Beheim angewonnen hat, und daz 10 man von beiden siten briefe daruber mache in der besten forme.

F. Vierter Anhang: nachfolgendes Verhältnis zu P. Innocenz VII und zu Italien 1405, nr. 469-474.

469. *K. Ruprecht an P. Innocenz VII: wird eine Gesandtschaft zur Begrüßung des* *1405* *Neugewählten schicken, und bittet für seinen in Rom residierenden Gesandten* *Mrz. 7* 15 *Ulrich von Albeck um das [vermeintlich [3]] durch den Tod Konrads von Soltau erledigte Bisthum Verden. 1405 Merz 7 Germersheim.*

Aus Karleruhe G.L.A. Pfälzer Kop.-Buch 115 p. 301-302 cop. ch. coaev.
Regest Janssen Frankf. R.K. 1, 767 nr. 1216 ebendaher.

Beatissime pater et domine precipue. cum reverencia debita et devota pedum os-
20 cula beatorum. audito et non sine grandi cordis jubilo pro certo intellecto vestram sanctitatem ad summum apostolatus culmen sublimatam, mox ambassiatam nostram solempnem ad pedes vestre sanctitatis pro debita reverencia eidem impendenda proposuimus destinare. sed quia audivimus vestre sanctitatis oratores ad nos visitandum jam diu Roma [a] exivisse, distulimus hucusque, eorundem adventum exspectantes, nec
25 visum nobis fuit conveniens vestre sanctitati aliquid scribere priusquam eidem viva voce nostrum oraculum panderetur. et quoniam vestre sanctitatis ad nos directi oratores, nescimus ubi aut quomodo, adhuc tardant et ad nos non venerunt, idcirco legacionem nostram sollempnem de proximo versus Romam iter arrepturam jam expedivimus.

a) *cod.* Romam.

30 [1] *Elisabeth, des 1396 verstorbenen Hzgs. Johann von Görlitz Tochter.*
[2] *Vgl. RTA. 4 nr. 340 art. 5. 6, ibid. nr. 392 art. 2, im vorliegenden Bande nr. 312 art. 13. 14.*
[3] *Konrad von Soltau ist ganz sicher erst 1407*
35 *(Jan. 11) gestorben; es findet sich nirgends eine andere Angabe; s. die Stellen bei Wedekind Noten zu einigen Geschichtsschreibern des deutschen Mittelalters Bd. 1 Heft 2 pag. 130; auch begegnet er urkundlich als lebend bis Ende 1406 in Ur-*
40 *kunden a. a. O., ferner Sudendorf Urkundenbuch zur Gesch. der Herzöge von Braunschweig-Lüneburg 10 nr. 38, Hodenberg Lüneburger Urkundenbuch Abth. 7 Archiv des Klosters St. Michaelis pag. 555 und 562. Somit kann unserem Briefe,*
45 *dessen Datum ebenfalls sicher ist, nur eine irrige Nachricht zu Grunde liegen. Freilich ist es auffallend, daß man nicht eine authentische Bestä-*

tigung der Nachricht abwartete, ehe man den Brief abfaßte und wol auch absandte, allein es ist doch nicht unerklärlich: es hieß damals möglichst schnell sein, wenn man bei Eintritt einer Sedisvakanz einen Kandidaten durchbringen wollte, um einem etwaigen Gegenkandidaten zuvorzukommen, wie z. B. auch in der That nach dem wirklich erfolgten Tode Konrads 1407 von Seiten des Domkapitels am 21 Febr. 1407 ein Gegenkandidat gegen Ulrich von Albeck in der Person Heinrichs von Hoya aufgestellt wurde. Mit diesem Sachverhalt stimmt, daß in der Anweisung für P. Innocenz nr. 470 von der Sache nicht die Rede ist; ohne Zweifel hatte man inzwischen erfahren, daß Bisch. Konrad gar nicht gestorben sei. Auch verleiht K. Ruprecht erst am 25 Sept. 1407 die Regalien des Bisthums Verden an Ulrich, s. Chmel nr. 2363.

1405
Mrz. 7 omnino verum inmediate ecclesiam Verdensem suo esse pastore, de cujus obitu tamquam fidelis principis nostri merito dolemus, percepimus viduatam; et magister Ulricus
de Albeck noster in Romana curia orator [1] prothonotarius et fidelis dilectus nobis jam
pluries scripsit vicibus repetitis, quod vestra sanctitas se nobis valde graciosam obtulerit
et benignam. unde, graciarum accionibus possibilibus et debitis non omissis sumptaque 5
ex premissis et jam dudum intellectis audacia confidencie singularis, sanctitatem vestram
humili cordis affectu ex intimis supplicamus, quatenus prefato magistro Ulrico nostro
oratori, quem et vestra sanctitas ad hoc idoneum novit (et nos idem de ipso merito
testamur); de predicta ecclesia dignemini misericorditer providere. in quo vestra sanctitas sincerissime benivolencie indicium nobis primordialiter exhibebit. cetera in brevi 10
duce domino solempnis nostra ambasiata, de qua eciam dicto oratori nostro (et diem
exitus ejus vestre sanctitati intimandum) jam alias scripsimus et nunc scribimus iterato,
vestre sanctitati plenissime nunciabit. cujus extollendam personam pro felici regimine
ecclesie sue sancte dirigere et tueri dignetur omnipotens in longevum. datum
1405 Germerßheim septima die mensis marcii anno domini 1400 quinto, regni vero nostri 15
Mrz. 7 anno quinto.

Sanctissimo in Christo patri
ac domino domino Innocencio
digna dei providencia sacro-   Sanctitatis vestre devotus filius Rupertus dei gracia
sancte Romane ac universalis   Romanorum rex semper augustus.
ecclesie pontifici domino no-   Ad mandatum domini regis 20
stro precipuo.   Johannes Winheim.

[1405
c. Mrz.
7] **470.** *K. Ruprechts Anweisung für seine ungen. Gesandtschaft an Pabst Innocens VII,*
Begrüßung des Neugewählten sowie Verschiebung des geplanten neuen Zuges nach 25
Italien und die Frage der Kircheneinigung betreffend. [1405 c. Merz 7 [1].]

Aus Karleruhe G.L.A. Pfälz. Kop.-B. 115 fol. 383-386 cop. coaev.
Gedruckt Janssen Frankf. R.K. 1, 767-771 nr. 1217 ebendaher.

Werbünge an den babist zu Rome.

[1] Züm ersten sal man im sagen, daz nach sunderlicher großer betrûbniße, die 30
unser herre der kunig billich gehebt habe von dem dode [3] seliger gedechtniß hern Bonifatii etc., si er vast und unmeßlich erfrauwet von der wale [4] unsers heiligen vatters der
itzunt ist, so man daz dann allerglimpflichst und zu dem besten furbringen mag.

[2] Item sal man dann erzelen, als im herr Ulrich [5] wol moge gesagt haben, wie
botschaft von dem kunige von Arrogonien an unsern herren den kunig kommen si von 35
der heiligen kirchen sachen wegen gar trefflich und ernstlich in ersuchende [6], darzû
auch ander botschaft sither von etlichen dez richs undertanen die doch an jene gehorsam sint [7], die auch unsern herren den kunig vast darzû manent und erweckent daz er

---

[1] *Ulrich von Albeck war im Oktober 1404 nach*
Rom geschickt, s. nr. 405.

[3] *Die Gesandtschaft, der diese Anweisung mit-*
gegeben wurde, war nach art. 1 die erste an den
neuen Pabst geschickte; am 7 Merz 1405 war die-
selbe noch nicht abgegangen, ihre baldige Abreise
wurde aber doch angekündigt, und vielleicht hatte
sie Vollmacht und Anweisung schon erhalten, s.
nr. 469: legacionem de proximo iter arrepturam
jam expedivimus. Vielleicht kommt diese Gesandt-
schaft in nr. 455 art. 3 vor.

[2] *1404 Okt. 1.*

[4] *Am 17 Okt. 1404.* 40

[5] *Ulrich von Albeck, der als Gesandter K. Ru-*
prechts an der Kurie weilte, s. das vorhergehende
Schreiben nr. 469.

[6] *Vgl. nr. 405 art. 6.*

[7] *D. h. die zur Obedienz Pabst Benedikts XIII* 45
gehören.

etwaz in der heiligen kirchen sache tûn und in sin willen und meinunge zû verstende [1405
geben wolle: den allen unser herre der künig nit endlichs geentwertet hat. c. Mrz.
7]

[3] Item so sint auch mere[a] heruß gein Dutschen landen kommen, der sich vil
lutis und sunderlich unser herre der kunig vast erfrauwet hant, daz man meinet der
5 babst und die cardinale wollen ie zu der einunge tûn allez ire vermogen: bittet unser
herre den babst, daz er im darin raten wolle wie er sich halten solle, daz er sich wiße
darnach zu richten, wann er sich ie gerne sines rates gebruchen und sich nach siner
vetterlichen underwisunge sunderlich in der heiligen kirchen sachen richten wolle[b].

[4] Item sal man ime erzelen, daz sit mins herren von Spire zukûnfte von Rome[1]
10 unser herre der kunig sich stetis darzu gerichtet[c] und gestalt habe und auch ernstlich
darnach geworben, wie er gein Lamparthen ziehen und furbaz gein Rome kommen
möchte sin keiserlich cronunge zu enphaen[2].

[5] Item und wann unser herre zu der zit dem von Padauw wol getruwet und
sich genzlich of in ließe, so hette er stetis sin erber botschaft bi im, mit im zû handeln
15 und zu tedingen und die sachen darzû zu schicken, wie er gein Lamparthen kommen
mochte. und sante auch darumbe dem von Padaw bereitschaft[3] volke und anders
dinne[d][4] zu bestellen daz darzû noit were.

[6] Item und kame als ferre, daz unser herre der kunig sin folke hie-uß in Dutschen landen auch bestalt und sich in alle wege darzû gericht hette daz er ie gein
20 Lamparthen ziehen wolte. und waz auch dez folkes vil of den weg kommen, und alle
ding warent darzû eigentlich gestalt[e] als verre ez an unserm herren dem kunig was.
daz allez unsern herren den kunig ein große summe geltis, uber daz das er dem von
Padaw hinin gesant hatte, kostet hat.

[7] Item da unser herre der kunig also aller dinge bereit ward und in drien tagen
25 wolte ofgebrochen sin, da kame ime botschaft von den sinen die er vor hinin gar trefflich gesant hatte, daz die sachen nit also sich schicktent als der von Padaw im fur-
gegeben hette[5], und daz unser herre der kunig und sin rete wol pruftent daz in der
von Padauw nit in der maßen meinte alz sich unser herre der kunig an in gelaßen
hette, sunder das er allein sin forteil und sinen nutze mit unsers herren des kunigs
30 gelte und folke geschaft hette und auch nit anders tun wolte, alz daz eigentlich zu
merkend ist an solicher geschrifte und handelunge die sich zuschen unserm herren dem
kunige sinen reten und dem von Padaw verlaufen hat.

[8] Item da unserm herren dem konige daz also hinder sich ging, dez er zu
großem kosten und schaden kame, da saße er aber darûber mit sinen reten, und wart
35 aber wegen, ob und wie er mochte gein Lamparthen kommen, als er gerne getann

---

[1] Bisch. Raban von Speier kehrte nach Erlangung der Approbation 1403 Okt. 1 von Rom zurück,
40 s. RTA. 4 nr. 81ff., speziell nr. 110.
[2] Vgl. hierzu und zu dem folgenden beim Tage
zu Nürnberg 1402 nr. 379ff. und Einleit. ebendort lit. O.
[3] Baares Geld, Lexer.
45 [4] Dâ inne = dinne, Lexer.
[5] Es ist hier ohne Zweifel nicht an die Sinnesänderung des Franz von Carrara zu denken, über

welche die Florentiner sich am 10 Merz 1404 be-
klagten (s. die letzte Note zu nr. 386), denn daran
hatte K. Ruprechts Geldmangel mindestens ebenso
viel Schuld wie Franz' Rücksicht auf die Venetianer (s. ebenda). Vielmehr ist es das Verhalten
Franz' nach der Eroberung Veronas, das K. Ruprecht meint, s. die Einleitung lit. O beim Nürnberger Tag von 1402, und von diesem jüngsten
Romzugsplane redet er hier.

hette und noch gerne dete. da wart die sache also gewogen, daz unserm herren dem
kunige ie not were, solt er hininneziehen, sunderlichen in diesen ofleufen zuschen
Gwelffen und Gibelin, daz er einen ingang zu Lamparthen und etwaz gegen* herren
stetde oder sloße hette, daruf er sich gelaßen und darinne er sich enthalten mochte.

[9] Item diewile nû der von Padauw an unserm herren also gebrochen hette, und 5
unser herre der kunig nit wuste waz der Venediger meinunge were, wann sie dez richs
sloße ingenomen hatten und tegelich innemen [1], und unser herre mit den von Meylan
nit eins waz: so konnde unser herre und sin rete nit finden daz er sich gein Lamparthen erheben solte oder mochte, er wuste dann ieman der in inlaßen und behalten
und im bisten wolte, da er sinen fuß gesetzen mochte, ez were dann daz er mit so- 10
licher großer ubertrefflicher [2] macht zûge daz er keiner sunderlichen enthaltniße oder
bistandes also balde bedurfte.

[10] Item nû hant unser herre der kunig und sine rete auch gewogen: solte er
mit solicher macht ziehen, so bedurfte er zum minsten 2000 guter ritter und knechte,
daz werent 10000 pferde mit dem gezuge der darzu gehoret [3]; die musten dez mandes 15
wol 50000 gulden han; daz were ein große summe gelts, der daz kein wile beharren
solte [b], alz daz not were.

[11] Item nû wil unser herre der kunig dem babist nichtz bergen, wann er im,
ee er babst ward, nichts verborgen hat. unser herre der kunig brechte daz volke wol
uf, wann er daz gelte zuwegebringen mochte. nû sin [c] Dutsche lant als gar von kriege 20
und [d] anders verherget und verarmût, so hat unser herre auch siner [e] eigenen herschafte,
ee er kunig wart und sit er kunig worden ist, mit kriege und anders durch gemeines
nutzes willen solichen kummer getan, das er sovil gelts nit getruwet beide uß dem
riche und siner eigen herschaft ufzubringen daz darzû verfenglich were [4]. so ist auch
von dem zehenden, den unser heiliger vatter der babst unserm herren verluhen hat, als 25
gar eine geringe summe gefallen, daz kûme einen halben maned bestellen mochte [5].

[12] Item so sint auch die fursten und herren geistlich und weltlich, die zu dem
riche in Dutschen landen gehorent, nit geschicket noch gestalt mit unserm herren uf
iren kosten gein Lamparthen zû ziehen.

[13] Item und also wie gerne unser herre gein Lamparthen gezogen were und 30
noch dete, darinne in auch sins libs noch sines guts nit geduret hat und auch furbas
sinen lib und sin gût darinne nit sparen wil, wann er wol bekennet daz es der heiligen
kirchen und dem riche vast trostliche und nutzlich sin mochte: so ist ez doch bißher
in solicher maße verzogen, daz wol zû merkende ist daz an unserm herren dem kunige
daran nit bruches gewesen ist. 35

[14] Item wie dem allem si, so meint unser herre der kunig doch furbaz darnach
werben und stellen so er flißliclist und beste mag, und gedenket auch darnach tag und
nacht, das er gein Lamparthen und furbas gein Rome kumme etc. [6], und bittet den
babist demûticlich das er selber wege und fûnde vor sich nemen wolle und mime
herren raten und zû verstende geben nach aller gelegenheit, wann imme unser herre 40

a) em. gelegene? b) der — solte las auch Janssen. c) om. cod. d) cod. uns. e) Janssen siner, cod. sinen.

[1] Vicenza wurde im Mai 1404 von den Venetianern eingenommen, im Juni 1405 Verona.
[2] Hervorragend, überragend; Lexer.
[3] S. hierüber die Einleitung zum Augsburger
Tage von 1401 lit. L gegen Ende.
[4] Als K. Ruprecht obige Anweisung erließ, stand
er noch in Verhandlungen mit Reichsstädten über
die zu Mainz von ihm verlangte Steuer, vgl. lit.

B, und bald darnach begann die Erhebung der
Steuer des zwanzigsten Pfennigs in des Königs
Erblanden, vgl. lit. C.
[5] S. die Bulle vom 4 Aug. 1404 nr. 400 mit 45
den Noten.
[6] Vgl. nr. 407 art. 6 und nr. 471 art. 8, sowie
auch Einleitung zum Nürnberger Tage von 1402
lit. O.

der kunig nichts bergen wil, sunder er wil sich genzlich an in laßen, und begert sins 1405
rates was im furbas zu tünde si und wie er sich furbaz halten solle. und waz der c. Mrz. 7]
babst dann unserm herren furgibt, des ᵃ meint unser herre der kunig also zu tünde und
sich darinne also halten, das der babist wol prüfen sal und merken, das an unserm
5 herren dem kunig kein brüst sunder ein ganze gewillickeit und gehorsam (ob got wil)
sin sal, und daz er in der heiligen kirchen und dez richs sachen ᵇ sinen lip und sin gůt
nicht sparen sunder geringe achten wil nach allem vermogen.

[15] Item wurde dann der babist fragen was wege daz werent, so mochte man
imme als von imme selber sagen: ob er villicht die Venediger, die doch ane daz ¹
10 große gelte mußent ußgeben, daran wisen mochte daz sie unserm herren dem kunige
zu staten kemen, und daz sie doch von unserm herren und dem riche soliche widerlegunge nement damit sie auch vorsorget wurdent, daz sie doch etwaz recht oder
glimpfe zu des richs gutern gewonnen die sie doch sost ᶜ wider got und bescheidenheit inhabent und innement; oder ob man desselben glich mit den von Meilan finden
15 mechte etc.

[16] Item wurde dann der babist of die oder andere wege fallen und uch die
ernstlichen furgeben, so mogent ir wol von uch selber ein bequemlicheit darinne reden,
doch sollent ir die nit ußslahen sunder sprechen: ir wollent die wege gerne an unsern
herren bringen, der werde ie allez sin vermogen tůn daz der babst sehen und merken
20 moge daz an im kein brust si.

[17] Item wurde der babist dann wellen erfarn, of was weges unser herre der
künig in der heiligen kirchen sache ein einunge zu machen geneiget were, of einen anlaße oder ein wichen ² oder, wie daz were, da sal man entwurten: womit die heilig
kirche moge vereinet werden, sunderlich daz dem babst wol gefalle, daz gefalle unserm
25 herren auch wol, also daz unser herre der kunig und daz riche darinne versorget werde,
alz unser herre der kunig im dez wol getruwe.

[18] Item sal man auch dabi erzelen: gefiele es dem babst, so duchte unsern
herren den künig, nit allein umbe ein einkeit der heiligen kirchen zu machen sunder
auch von vil andrer gebrechen wegen in der Cristenheit, daz ein gemeine rate würde
30 oder zum minsten ein gemeine gespreche, damit die Cristenheit etwaz versorget werden
mochte.

[19] Item von der von Schonauwe wegen.

[20] Item von der von Nuwenburg wegen.

[21] Item von sant Benedicten ordens wegen.

35   a) cod. der. b) om. cod. c) cod. svst?

¹ D. h. ohnedieß.   ² D. h. via cessionis, durch Abdankung beider
                                       Päbste.

1405 471. *Otto von Eglofstein Domherr zu Würzburg verpflichtet sich gegen K. Ruprecht,*
Apr. 27 *unter anderm insbesondere zu persönlicher militärischer Begleitung auf dem Rö-*
mischen Krönungszug, falls ihm Ruprecht zum Patriarchat von Aquileja verhilft.
1405 April 27 Heidelberg.

Aus München k. Staatsarchiv Kasten roth 145 nr. 1 or. mb. lit. pat. c. 3 sigg. pend., 5
auf der Rückseite in der Mitte unten die gleichzeitige Kanzleinotiz buntniß.
Handschriftliches Regest in Karlsr. G.L.A. Kop -B. der Pfalz 44 fol. 191ab aus zweiter
Hälfte saec. 15.
Gedrucktes Regest bei Janssen Frankf. R.K. 1, 771 nr. 1218 aus Karlsr. l. c.

Ich Otte vom Eglolfsteine dumherre zu Wurczpurg bekennen und tůn kunt offin- 10
bar mit diesem brieve allen den die yn sehent oder horent lesen: das ich mich zu
dem allerdurchluchtigisten hochgebornen fursten und herren hern Ruprecht Romischem
kunige zů allen ziten merer des richs myme lieben gnedigen herren verbunden han und
verbinden mich auch yme in crafft diß brieves in aller der maßen als hernach geschrieben stet. [1] zum ersten: ob mir unser herre got hilffet das ich mit des vor- 15
genanten myns gnedigen herren des Romischen kunigs hulffe und furderunge patriarche
zu Aquilegien werde, so sal ich demselben myme gnedigen herren dem Romischen
kunige mit allen und iglichen des patriarchatůms sloßen stetten lannden und lůten, die
ich zu myner hannde innehan, allezijt, als lange ich geleben, getruwelichen gewarten
dienen und důn, als ein patriarche von Aquilegien eyme Romischen kunige von rechte 20
und gewonheide schuldig ist zu tůnde und billichen důn sal. [2] darczů sal ich auch,
als lange ich geleben, denselben mynen herren den Romischen kunig in rechten gůten
ganczen truwen meynen, yn allezijt vor syme schaden warnen, und sin bestez werben,
alle geverde und argeliste ußgescheiden. [3] ich sal auch alsdann soliche lehen, als
ein patriarche von Aquilegien von dem riche hat, von dem obgenanten myme gnedigen 25
herren dem Romischen kunige entpfahen mit solicher gezierde als dann von alter herkomen und gewonlich ist. [4] demselben myme gnedigen herren dem Romischen
kunige und den sinen von sinen wegen sollent auch, als lange ich geleben, alle und
igliche sloße stette merckte dorffere und lannde, die zů dem patriarchatůme gehoren und
die ich zů myner hannde innehan, offen sin, sich daruß und darinne zu behelffen zů 30
allen des obgenanten myns gnedigen herren des Romischen kunigs sachen und geschefften
widder allermenglich. [5] und ich sal auch yme und den sinen allezijt nach mynem
besten vermogen zijtlichen feylen kauffe darinne bestellen umbe yren pfennig ane alle
geverde. [6] ich sal auch, als lange ich geleben, dheinerley buntnisse nummer ge-
machen oder angen, daz widder den obgenanten mynen gnedigen herren den Romischen 35
kunig und daz riche desselben myns herren des kunigs lebetage gesin moge, in dheine
wise. [7] und sal auch sine offene fyende und widdersachen mit mynem wißen in
des patriarchatůms sloßen stetten und lannde nit ůß und inne laßen riten, noch geleite
darinne geben, noch sust gestadten, das yn von den, der ich mechtig bin, zůgelegt
werde, daz yme schaden bringen moge, und dieselben alle sollent auch kein geleite 40
darinne han, in dheine wise, ane alle geverde. [8] wer' eß auch das der obgenant
myn gnediger herre der Romische kunig gein Rome worde czihen sine keiserliche cronunge zů entpfahen, so sal ich alsdann mit myn selbs libe mit yme ziehen mit solicher
gezierde und volcke als dann eyme patriarchen von Aquilegien zugehoret und als andere
patriarchen vor mir furmals Romischen keisern und kunigen gedienet und getan haben 45
ane alle geverde. alleß, daz hievor geschrieben stet, versprechen gereden und globen
ich Otte vom Eglolfsteine obgenant mit guten trůwen an eydes stat dem vorgenanten
myme gnedigen herren dem Romischen kunige allezijt, als lange ich geleben, getruwe-

lichen veste und stete zů halten zů follenfuren und zů důn und nummer darwidder zů $^{1405}_{Apr. 27}$
suchen noch zu tůn durch mich selbs oder yemand anders heimelich oder uffenlich in
dheine wise ane alle geverde. und han daz auch allez uff dem heiligen gotes-ewange-
lium liplichen zů den heiligen gesworn. und des zů orkůnde und vester gezůgnisse so
5 han ich myn eigen ingesiegel an diesen brieff gehangen. ich han auch zů merer
sicherheide gebeten die erwirdigen hern Johann bischoff zu Wůrczpůrg [1] und hern
Conrad vom Eglolfstein meister Dutsches ordens in Dutschen und Welschen lannden
myne lieben herren und vettern, das sie yre ingesiegele bij daz myne auch an diesen
brieff hant dun hencken. und wir Johann bischoff zu Wurczpůrg und Conrad vom
10 Eglolfstein meister Důtsches ordens in Dutschen und Welschen lannden bekennen auch
uffinbar mit diesem brieve, das wir umbe flißiger bete willen des obgenanten Otten
vom Eglolfsteine unsers lieben vettern unser iglicher sin eigen ingesiegel bij daz sin an
diesen brieff hat důn hencken zů gezůgnisse aller vorgeschrieben dinge uns ane schaden.
geben zů Heidelberg uff den nehsten mantag nach dem soutage als man singet in der
15 heiligen kirchen quasimodogeniti nach Cristi gepůrte vierczehenhundert und darnach in $^{1405}_{Apr. 27}$
dem funfften jare.

---

472. *Ersb. Johann II von Mains an Bisch. Wilhelm II von Straßburg: nachdem er* $^{1405}_{Juli 20}$
selbst von Pabst Innocentius VII nach Rom auf 1 Nov. in Sachen der Kirchen-
spaltung eingeladen worden ist, lädt er seinerseits den angeredeten ein zu einer
20 *Provinsialsynode nach Mains auf 9 Sept. in derselben Sache* [2]. *1405 Juli 20*
Eltvil.

Aus Straßb. St.A. an der Saul I partie ladula C fasc. XIV liasse II nr. 18 c[3] cop.
chart. coaev.
Stand auch Straßb. St.-Bibl. Exc. Wenckeri 2, 548 b, im Jahre 1870 verbrannt.

25 Reverendo in Christo patri dei gracia Wilhelmo electo Argentinensi amico nostro
carissimo Johannes eadem gracia sancte Maguntinensis sedis archiepiscopus sacri imperii
per Germaniam archicancellarius sincere caritatis affectum. reverende pater et amice
carissime. qualiter inconsutilis domini salvatoris tunica sancta mater ecclesia in petre
quo Christus est firmitate fundata per longa nunc tempora periculosissime sit divisa,
30 dominicus grex in geminas caulas existat distributus, quot filiorum stragem quam[a] pars
contra partem patraverat Rachel nostra defleverit, quot animarum multitudinem insacia-
bilis suo Leviathon[b] ore voraverit[c], qualiter status ecclesiasticus qui quondam sublimium
et potencium colla propria virtute calcavit in desolacionis opprobrium sit mutatus, disciplina et censura spiritualis levipensa, et postremo caritas temporibus hujus dolendi
35 scismatis in cordibus refriguerit plurimorum, mundum non latet et evidens rerum experiencia, prochtolor, patefacit. levent in circuitu oculos suos universi, erigant filii
hominum aures suas, et doleant Christiani populi scandalum, dissidia gencium, et exci-
dium justicie generale, et quod mater ecclesia, que ab olim solebat esse domina regum
terre, ex tanta scissura diutina facta est, infidelibus moventibus capita sua, publicum
40 in derisum. et quamquam fiducia nobis sit et in eo spei nostre posuerimus fundamentum,
quod, licet beati Petri navicula per maris altitudinem flatibus rapta ventorum varia
paciatur naufragia tempestatum[d], tamen submersionem timere non debeat, tamen omnem

a) om. ms. b) sic ms. c) ms. voraverat. d) ms. add. et.

---

[1] *Auch ein Eglofsteiner; vgl. RTA. 4 nr. 191,* [2] *Die Synode scheint stattgefunden zu haben,*
45 *besonders daselbst p. 225 Note 1.* *s. Bericht der Straßburger vom 5 Sept. nr. 484.*

1405
Juli 30 salvari carnem difficilimum est in tanta turbine procellarum, nisi ei [a] grato placeamus
devocionis encenio, qui mari et ventis imperat et eisdem terminum constituit quem non
poterunt preterire, qui ad salvandum manum tanto paracior existit extendere quanto
unusquisque de mersione timens salutem attencius ceperit postulare. sed numquid sola
prece petendum? absit. nam qui dat omne bonum, non dat per cornua thaurum. est   5
quidem inanis voluntatis affectus, quem in debitore non comitatur [b] effectus in opere.
plurimos errare [c] et in hac re, velle paucos debere, paucissimos vero posse, comperimus.
plurimi simpliciores ex corde volebant qui nec tenebantur aut poterant, et ex alia parte
quidam potenciores quodammodo tenebantur attamen non valebant quia os in celum
ponere non licebat, et forsitan quibus posse non defuit aderat de non perficiendo vo-   10
luntas. sed, reverende pater, inter tanta et talia involucionum ambigua surrexit pastor
bonus omnium sanctarum virtutum insignitus ornancia sanctissimus dominus noster dominus Innocencius papa septimus a spiritu sancto preelectus, qui vult debet et potest.
vult ex spe consummacionis [d] optate, debet ex fidei stabilitate suscepte, et revera potest
ex infusa celitus caritate sanctam dei ecclesiam a tanta tribulacionum angustia feliciter   15
liberare.   idcirco idem dominus noster sanctissimus, cujus beatissimam vitam et mores
eo eciam in minoribus constituto ab experto cognovimus, ad uniendam sacrosanctam dei
ecclesiam sollempnes suos nuncios ad nos cum apostolice sedis literis materiam facti aliqualiter tangentibus adjuncta credencia circa finem [1], quarum copias vobis cum presentibus dirigimus, decrevit destinare, nos per predictos suos nuncios seriosius requirens et   20
exhortans, quatenus vel nos in propria persona veniremus [e] vel, nobis ex legitima causa
prepeditis, certos nostros oratores, de nostris intencione et voluntate sufficienter in-
structos, ad consulendum sue sanctitati super dicta materia unionis circa festum omnium
1405
Nov. 1 sanctorum instans de proximo ad Romanam curiam mitteremus, et hoc idem omnibus
suffraganeis et prelatis provincie nostre nobis metropolitico jure subjectis curaremus inti-   25
mare, ut, et ipsi nobiscum in hoc convenientes, et ipsi sic veniant sive mittant, ut tam
pia res et salutaris intencio, multorum exquesita consiliis, perduci queat consulcius ad
effectum.   sed quia tanta res et talis, quam expectantes expectavimus et desiderio
desideravimus, tam ex facti gravitate quam requirentis bonitate necessario requirit et
exigit, ut, quod sedulo gessimus in affectu, nostris temporibus ad effectum perducatur,   30
idcirco, ut debitum nostrum in hac parte reverencius exequamur, paternitatem vestram,
que onus tante rei quantumcumque difficilis per voluntatis aggressum reputare debet leve,
requirimus monemus et exhortamur in domino Jesu cujus geritur negocium in hac
parte, quatenus, primitus invocacione omnipotentis dei beatissime genitricis ejusdem et
tocius curie celestis omnibus subditis vestris indicta, vos in propria persona crastino   35
1405
Spt. 9 nativitatis ejusdem beate Marie virginis gloriose proxime future [f] veniatis, si saltem vos
legittima causa non excuset, alioquin certos sollempnes vestros sapientes secretarios et
potentes consulere in hoc facto nuncios ad civitatem nostram Maguntinensem cum prelatis
vestre dyocesis aut eorum nunciis dirigatis, ut, eis [g] hora primarum ejusdem diei nobis-

---

a) *ms.* es.   b) *ms.* committatur.   c) *ms.* erare.   d) *ms.* consumacionis.   e) *om. ms.*   f) *ms.* futuro.   g) *om. ms.*   40

---

[1] *Das Schreiben des Pabstes vom 27 December
1404 an den Erzb. von Köln und dessen Provinz
steht in Raynaldi annales ecclesiastici unter dem
Jahre 1404 § 12. 13, und es ist dort bemerkt, daß,
damit identisch, an die Erzbischöfe von Mainz
Trier Salzburg Prag u. a. geschrieben wurde, „tum
vero de conjunctione ecclesiarum restituenda ad
Wladislaum regem Polonie virosque principes Ger-
maniae Italiae Castellae Aragoniae Lusitaniae datae*
literae". Vgl. Hefele Konz.-G. Bd. 6 pag. 748 f.
*An die betr. Könige scheint also Innocens nicht ge-
schrieben zu haben, ohne Zweifel um freiere Hand
zu behalten; daher nimmt auch K. Ruprecht nicht
Bezug auf ein derartiges päbstliches Schreiben in
der Instruktion von [1405 circa März 7] nr. 470
und spricht vielmehr nur von einer mere die nach
Deutschland über des Pabstes Unionsbestrebungen
gelangt sei, s. dort art. 3.*

cum cum aliis suffraganeis nostris in refectorio ecclesie nostre Maguntinensis congre- ¹⁴⁰⁵ gatis [a], taliter inter nos diversorum modorum diligencius exquirere et optacius invenire possimus consilia, quibus sacrosancta uniri possit ecclesia et sanctissimus dominus noster papa predictus de tali tractata materia per nos plenius informari. et plenam de vobis 5 fiduciam obtinemus, quod, de quanto tante [b] rei altitudo deposcit, de tanto vos in execu- cionis diligencia adhibere debeatis prompciorem, ne apud sanctam apostolicam et no- stram metropoliticam sedes de negligenti desidia notari valeatis.   datum Eltevil feria secunda proxima ante festum beate Marie Magdalene anno domini millesimo quadrin- ¹⁴⁰⁵ gentesimo quinto. *Juli 20*

10 **473.** *Beschluß des Raths zu Venedig: Antwort an einen Gesandten K. Sigmunds von* ¹⁴⁰⁵ *Ungarn betreffs verschiedener Punkte, u. a. betreffs Sendung des Mgfn. von Mähren* [1] *Aug 3 zu dem auf 1 Nov. angesagten Konzil, dem die Venetianer ihre Gesandtschaft bei- ordnen und dem sie außerdem Geleit geben sollten. 1405 Aug. 3 Venedig.*

Aus Venedig St.A. Deliberazioni, secreta, senato 1, registro 2 fol. 184 [b] *mb. coaev.; zu
15 Anfang links am Rande* Ser Ludovicus Lauredano procurator, ser Rambertus Quirino,
ser Nicolaus Foschari sapientes consilii.

1405 inditione 13 die tercio augusti.

Capta. quod respondeatur isti ambassiatori serenissimi domini regis Hungarie: [*1*] et primo ad primam partem [*eine Ligue mit ihm zur Eroberung von Dalmatien* 20 *unter entschuldigendem Hinweis auf ihren Krieg mit dem Herrn von Padua abzu- lehnen* [2]]. [*2*] ad secundam partem, per quam dicit, quod sanctissimus dominus papa majestatem suam requisivit quod personaliter ire debeat vel mittere ad presentiam suam usque ad festum omnium sanctorum pro providendo super facto scismatis, et quod ¹⁴⁰⁵ dispositus est mittere illustrem dominum marchionem Moravie consanguineum suum, qui *Nov. 1* 25 est sapientior Theotonicus qui sit in Alemania [3], et rogat, ut nobis placeat, ut facta ecclesie melius fieri possint, quod mittamus duos nostros oratores qui cum suis ibi sint, respondeatur, quod super facto missionis ambasiate predicte nos fuimus requisiti a summo pontifice, cui promisimus quod dicto tempore, videlicet ad festum omnium sanc- ¹⁴⁰⁵ torum, nostri oratores erunt ad presentiam sue sanctitatis, ita quod oratores majestatis *Nov. 1* 30 sue poterunt esse simul et providere ad ea que erunt bona et utilia pro ecclesia sancta dei. [*3*] ad terciam partem [*Vermittlung für Frieden mit Franz von Carrara abzu- lehnen, weil sie die völlige Zerstörung seines Staates wollen, die Dank ihren großen*

---

a) ms. congregati. b) ms. tanti.

---

[1] *Nach Aschbach Gesch. K. Sigmunds starb 35 Prokop schon im Jan. 1405 (Band 1 S. 209); nach Palacky Gesch. von Böhmen 3, 1, 208 erst 24 Sept. 1405, und so wäre er also noch möglich. Seine und Josts Verhältnisse zu Sigmund machen es aber wahrscheinlich, daß der letztere zu ver- 40 stehen ist.*

[2] *Auch am 17 Okt. 1405 lehnen die Venetianer*

durch Rathsbeschluß eine ihnen von K. Sigmund angebotene Ligue gegen Jedermann ab, weil sie jetzt zum Glück in Frieden leben und eine Ligue nicht nöthig haben, durch die sie leicht in Ver- wicklungen kommen könnten, aus Venedig St.A. l. c. fol. 158 [b] mb. coaev.

[3] *Sic! unglaubliche Prahlerei.*

1405
Aug. 3 *Anstrengungen nicht mehr fern ist* [1].   [4] ad quartam partem [*auf seine Empfehlung*
der Söhne Herzogs Johann Galeazzo zu erwidern, daß sie die Söhne wie früher den
Vater als Brüder und Freunde haben und halten werden].   [5] ad quintam[a] partem,
· per quam requirit, quod nobis placeat salvum conductum facere domino marchioni predicto, ut secure possit per loca nostra venire et cetera, respondeatur, quod, considerato   5
perfecto amore quem gerimus illustri domino marchioni predicto, non esset ei necessarius
salvus conductus noster, nam semper posset secure et libere per loca nostra venire et
redire ad libitum suum, sed nichilominus pro contentamento suo sumus contenti, dicto
domino marchioni et comitive sue nostrum salvum conductum facere in forma necessaria.   De parte 77, non 12, non sinceri 13.   10

1405 **474.** *Vollmacht K. Ruprechts für 2 gen. Gesandte nach Italien. 1405 Nov. 22 Hei-*
Nov. 22   *delberg.*

        Aus Karlsruhe G.L.A. Pfälz. Kop.-B. 115 pag. 302 cop. ch. coaev.
        Regest Janssen Frankf. R.K. 1, 780 nr. 1225 ebendaher.   15

        K. Ruprecht bevollmächtigt den venerabilem Johannem archiepiscopum Rigensem und den peri-
tum Ulricum de Albeck decretorum doctorem prothonotarium, seine Räthe, als Unterhändler für seine
und des Reichs Geschäfte per Italiam Tussiam et Lombardiam, zu unterhandeln und abzuschließen
cum quibuscumque communitatibus universitatibus dominis nobilibus magnatibus proceribus officialibus
rectoribus et gubernatoribus necnon singularibus et privatis personis terrarum predictarum, *und alles*   20
1405 dabei zu thun, was rechte Prokuratoren thun können; er will giltig und genehm haben was sie oder
Nov. 22 Einer von ihnen in diesen Dingen thun; datum in castro nostro Heidelberg nov. 22 a. 1405, a. r. 6.

        a) cod. quartam.

[1] *Von verschiedensten Seiten wurden Bemühun-*   1, registro 46 fol. 169[a] mb. coaev.); um so auf-
gen zur Rettung des Franz von Carrara gemacht,   fallender ist es, daß sich von derartigen Bemühun-   25
auch von K. Ladislaus, von Florenz, von Hzg.   gen K. Ruprechts keine Spur findet, doch erklärt
Wilhelm von Österreich, dessen Gesandtschaft der   es sich wol durch die Erkaltung des Verhältnisses
Rath am 31 Jan. 1405 ablehnende Antwort er-   der beiden Fürsten, s. vorhin nr. 470 art. 7 ff.
theilte (Venedig St.A. Deliberazioni miste, senato

G. Fünfter Anhang: Versöhnung über die Tödtung Hzgs. Friderich von Braunschweig, mit Friedberger Landfrieden, 1405, nr. 475-480.

475. *Erzb. Johann von Mainz erklärt, daß zwischen den Herzögen Bernhard und* ₁₄₀₅ *Heinrich von Braunschweig-Lüneburg Landgraf Hermann von Hessen und Hzg.* *Mrz. 18* *Otto von Braunschweig auf einer Seite und ihm auf der andern Seite unter genannten Bedingungen Friede geschlossen ist*[1]. *1405 Merz 18 Friedberg.*

> *W aus Würzb. K.A. Mainz-Aschaff. Ingross.-B. 14 fol. 97ᵃ-98ᵇ cop. chart. et mbr. coaev., mit der Überschrift* Rachtunge und sune die geschen ist zu Frideberg zuschen mime herren dem lantgraven von Hessen und den herzogen etc.; *rechts davon am Rande gleichzeitig* Reversalis litera reperitur in Eltvil in camera domini; *desgleichen am Schluß der Urkunde die Notiz* Pars adversa dedit literam in consimili forma et reperitur in Eltvil etc. *Die abgekürzte Publikationsformel ist aus H ergänzt und dieß durch eckige Klammern bezeichnet.*
>
> *H coll. Hannover kgl. St.A. Celler Or.-Arch. Design. 8 Schrank 4 M. caps. 20 nr. 1ᵃᵃ cop. ch. coaev., in niederdeutschem Dialekt, aber durchsetzt mit hochdeutschen Formen, welche ohne Zweifel auf die ursprüngliche Vorlage deuten.*
>
> *C coll. Hannover ib. Cal. Orig.-Arch. Design. 62 nr. 29. III 5 (von Sudendorf Urkdb. 3 im Verzeichnis als Kopiar VIII bezeichnet) fol. 41ᵃ-44ᵇ (neue Bleistiftpaginierung unter dem Text pag. 82-89) cop. ch. coaev.*
>
> *Gedruckt Sudendorf Urkb. 10, 3-6 nr. 1 aus H. — Regest Joannis rer. Mog. 1, 721-722 nr. 8.*

Wir Johann [von gottes gnaden des heiligen stûles to Mentze erzebischof des hilgen Rômeschen rikes in Dudeschen landen erzekenzeler[a]] bekennen [vor uns unse nakômen und stift to Mentze unde dôn kûnt[b] offentlich mit dessem breve[c]]: daz zuschen den hochgebornen fursten hern Bernharte und[d] hern Heinrich herzogen zu Brunswig und zu Luneburg hern Hermann lantgraven zu Hessen und hern Otten herzogen zu Brûnswig uf eine site und uns uf die andern siten und[e] zuschen iren unde unsern helfern und helfershelfern unsern landen lûten und den unsern und gemeinlichen, die mit diesen feheden und kriegen, die zuschen uns gewesen sin[f], von beiden siten begriffen sin, von unser beider partien frunden uf diesen hutigen tag, als datum dis _{1405 Mrz. 18} brieves heldet, eine fruntliche ganze rachtûnge getedinget und auch uberkommen ist umbe soliche zweitracht missehelle spenne unde fintschaft, wie sich die zuschen uns obgenanten partien in denselben feheden und kriegen biß uf diesen hutigen tag verlaufen han und gescheen sin, in der maße und forme als hernach geschriben stet: [1] zûm ersten sollen soliche fintschafte und bewarûnge, wie eine partie die[g] an die andern getan hette, zuschen uns obgenanten partien unsern helfern helfers-helfern unsern landen[h] lûten und den unsern und gemeinlichen, die in den ·obgeschriben feheden und[i] kriegen begriffen weren, von beiden siten genzlichen und zûmale abein ane allerleie geverde.

---

a) W etc. statt von — erzekenzeler. b) v über u ſ c) W etc. statt vor — breve. d) om. H. e) om. H. f) om. statt und. g) om. H. h) H add. und. i) C ader.

---

[1] *Stadt Friedberg antwortet Stadt Frankfurt auf bezügliches Schreiben: nach den durch ihren Schreiber Dietrich beim Landgrafen eingezogenen Erkundigungen sei dieser mit dem Erzbischof von Mainz gänzlich gesühnt und in der Sühne seien alle Herzöge von Braunschweig die Markgrafen Wilhelm, Friderich der alte und Friderich der junge von Meißen und der Graf von der Marg* und sonst alle Theilnehmer der Fehde auf beiden Seiten mit begriffen; dat. fer. 5 post reminiscere [1405 Merz 19]; Frankfurt St.A. Reichssachen Acten XV nr. 858 or. ch. lit. cl. c. sig. in v. impr. laeso, gedruckt Fichard Wetteravia 1, 209-210 nr. 27 aus Abschrift in Frankf. St.-Bibl., das Datum dort irrig auf 1405 Merz 21 bestimmt.

1405
Mrs. 18 [2] item sollen alle gefangen, die in den vorgenanten feheden gefangen sin, ires gefengnisses von ᵃ beiden siten ledig und lois gesaget werden, sie sin geistlichin oder werntlichin, uf eine alde orfehede. oder, abe unser ᵇ obgenant partien eine swerer und herter
verbuntnisse von iren gefangen genommen hette oder noch haben wulte, haben wir und
die obgenanten fursten eines begriffes uberkommen, in wilcher maße dann igliche partie ⁵
sine gefangen verbinden mag (abe sie wil) und nicht verrer. doch sin ußgesatzet in
dieser beredůnge soliche marggravesche ¹ gefangen, die mit namen fur unserme sloße
Bischoffestein gefangen worden; dieselben uns unsern nachkommen und stifte zuvor von
desselben ires ᶜ gefengnisses wegen bezalen sollen 4000 gulden, dieselben summe auch
unsern frunden von den obgenanten fursten vormals abegeschetzet ist; und wanne die- ¹⁰
selben gefangen soliche obgenant summe 4000 gulden uns unsern nachkommen und
stifte also bezalt han, so sollen sie dann auch ires gefengnisses ledig und lois sin uf
eine alde orfehede oder uf soliche buntnisse, als vor geschriben stet, ane alle geverde.
[3] auch sal all unbezalt gelt, ez si von schatzunge brantschatzung oder gedingetze ᵈ ²
verburget verbrievet bestalt oder imant anders bewiset in oder uns unser oder iren ¹⁵
amptluden, quit ledig und lois sin, und sollen daruf alle gisel burgen und ander ver-
machůnge ledig und abe sin, und darzů soliche brieve die daruber geben weren widder
werden geben, die auch dann keine craft me haben sollen. doch ußgescheiden soliche
summe geltes, mit namen 4000 gulden, die uns die vorgenanten marggraveschen gefangen, die vor dem sloße Bischoffestein gefangen worden, noch geben sollen ²⁰
sollen, als vor geschriben stet. [4] wer' ez ᵉ auch daz etliche ᶠ unser obgenanten
fursten helfer oder die unsern, die in dieser obgeschriben feheden begriffen weren ᵍ,
eincherlei manlehen oder burglehen von dem andern fursten gehabt hetten ʰ: ist beredt,
daz wir obgenante fursten von beiden siten die denselben ᶦ widderumbe lihen und folgen
sollen laßen, sie haben soliche manlehen oder burglehen ufgeben oder nicht, doch mit ²⁵
solichem underscheide: wer' ez daz under uns obgenanten fursten einer ᵏ soliche lehen,
die ime in dieser obgenanten fehede und zweitracht nicht ofgeben weren, denselben nicht
widder lihen oder folgen wulte laßen, so mag der ander under uns daz auch in seme-
lichir maße halden mit solichin lehen, die ime aůch nicht ofgeben weren, also daz daz
eime si als dem andern, ane geverde. [5] aůch ¹ von der zweier sloße wegen Eschin- ³⁰
wege und Suntra, die halben teile derselben sloße mit iren zůgehorůngen an uns und
unsern stift von den hochgebornen marggraven Balthazar und marggraven Friderich
sime sone lantgraven in Doringen und marggraven zů Missen in kůdes ᵍ und ᵐ weschels
wise kommen waren ⁿ und sie doch kein recht darzů hatten, als uns die von dem aller-
důrchluchtigesten fursten und herren hern Ruprecht Romischen konige unserme lieben ³⁵
gnedigen herren mit rechte abegesprochin sin ⁴, und uns die nicht haben helfen schůren
schirmen und behirten, daz sie uns und unserm stift verschriben hatten: ist mit namen
geredt und betedinget, daz wir fur uns unser ᵒ nachkommen und stift zu Mentze mit
unsern offen und mit unserm und ᵖ unsers capitels ingesigel besigelten brieven in der

a) H an. b) H unsern u. s. w. c) om. HC. d) H gedinguisse. e) W am Rande gleichzeitig nota f) H etliker. ⁴⁰
g) b. w. add. om., ergänzt aus art. 1. h) C hetten, WH hette. i) W dieselben. k) H einen. l) W am
Rande gleichzeitig Eschinwege etc.; eine spätere Hand darüber Eschweegn Suntra. m) C add. in. n) W eine
spätere Hand bemerkt hierzu am Rande uti vidari potest lib. 1 Joannis Nass. fol 170 p. 2. o) H und. p) C
om. unserm und.

¹ D. h. wol markgräflich Meißensche.
² Gedingeze Vertrag, Brandschatzung, s. Lexer
mhd. HWB.
³ Kut Tausch, Kauf; Lexer mhd. HWB. 1,
1803.
⁴ S. nr. 336 art. 5. — Auch in der zwischen

Erzb. Johann und den Meißener Markgrafen vom ⁴⁵
Herbst 1404 bis zum Frühjahr 1405 geführten
Korrespondenz wird diese Angelegenheit öfter berührt, s. Fichard Wetteravia 1, 161f. 179. 194f.
202. 207. — Vgl. weiter nr. 477 art. 6ff.

⁵⁰

besten forme begriffen dieselben sloße in der obgenanten marggraven Balthazars und 1405
Mrz. 18 marggraven Fridericks sines sones hand und gewalt widder antwurten und geben sollen [1], abe sie die anders widder nemen wollen; und abe sie die[a] nicht widder nemen wulten[b], so sollen wir uns doch in den vorgenanten brieven vor uns unser[c] nach-

5 kommen und stift der vorgenanten sloße und waz wir und unser stift rechtes daran han eweclichin üßern und die sementlichen oder besundern zu unser unser nachkommen und stift zu Mentze gewalt und hant nummerme zu ewigen ziten nemen, und sollen darof die obgenanten[d] marggraven unde ire erben aller[e] burghůde und darzů alle manne burgmann amptlude rete burger und armen lůte, die zů den obgenanten sloßen

10 gehoren, ire eide und globde ledig und lois sagen [2]; und hetten wir dieselben sloße oder ampte[f] sementlichen oder besundern imande bevolhen verphandt oder verschriben, daz sollen wir abetůn und auch dieselben sloße sementlichen oder besundern furbaßme nicht vertedingen noch in kunftigen ziten in einche wise ansprechen, ane geverde.

[6] auch[g] umbe daz sloß den Allerberg [3], daz wir in diesen[h] vorgenanten kriegen[i] an

15 uns und unsern stift gewonnen han, want der obgenant her[k] Hermann lantgrave zu Hessen uf diesen hutigen tag clerlichen erwiset hat, daz dasselbe sloß sin und sines furstendůmes alt eigen und erbe ist, und daz halbe teil desselben sloß versetzt und verphandt was etwann herzogen Otten seligen von[l] Brunswig (dem got gnade), der es furter versatzet und in phandes wise ingeben hatte dem edelen Heinrich graven zu

20 Honstein hern zu Lare und zu Clettenberg: ist beret, daz wir dem egenanten hern Hermann sinen ledigen halben unversatzten teil von stund und unverzogelichen widder inantwurten und ingeben[m] sollen, und daz uberge teil mag der egenant her Hermann lantgrave zu Hessen von uns unsern nachkomen und stifte zu[n] Mentze losen und keůfen fur also viel geldes als es dem obgenanten grave Heinrich verpandt und versetzet waz.

25 und wir unser nachkommen oder stift zů Mentze sollen den egenanten graven Heinrich ermanen und ersuchen, daz er uns eigenlichen mit brieven oder[o] redelicher kuntschaft underrichte[p] und zu wißen tů, waz oder wieviel ime dasselbe sloß von herzogen Otten

---

a) C die, W der. b) H willen. c) H und. d) om. C. e) HC alle. f) C amptlude. g) W am Rande gleichzeitig
Allerberg: dasselbe von späterer Hand übergeschrieben. h) H diesem. i) H kriege. k) om. H. l) C zu.
m) H geven. n) H van. o) C und, H add. mit. p) C underrichten.

30

---

[1] Erzb. Johann Dekan Eberhard und das Dom-
kapitel von Mainz an Balthasar und Friderich
d. j. Lfn. in Thüringen und Mfn. zu Meißen:
erklären unter ausführlicher Begründung (ähnlich
35 der hier oben gegebenen), daß sie ihnen Eschwege
und Sontra wider überliefern, die Burghut auf-
sagen, alle Amtleute etc. ihrer Gelübde ledig spre-
chen, auf alle Rechte an den beiden Schlössern
versichten etc., fordern deshalb ihnen die Briefe
40 über den Umtausch wider ausauliefern und sie zu
ihrem Eigenthum kommen zu lassen; dat. Fride-
berg fer. 5 post reminiscere [Merz 19] 1405;
Wirzburg Kr.A. Mainz-Aschaff. Ingr.-B. 14 fol.
.102 a b cop. ch. coaev.; gedruckt, jedoch mit Kür-
45 zungen Gudenus cod. dipl. 4, 43-45 nr. 16, das
Datum hier auf Merz 20 berechnet.
[2] Erzb. Johann Dekan Eberhard und das Dom-
kapitel von Mainz thun der Stadt Eschwege unter
ausführlicher Begründung (sehr ähnlich wie in
50 dem Schreiben an die Markgrafen, s. vorige Anm.)
kund, daß sie den halben Theil von Eschwege
und Sontra den Markgrafen Balthasar und Fri-

derich von Meißen übergeben haben, sie sagen die
Stadt Eschwege der Burghut und aller Gelübde
los, und fordern Rückgabe ihrer Briefe die sie
über den Umtausch von Eschwege und Sontra aus-
gestellt haben; dat. Frideberg fer. 5 post reminis-
cere [Merz 19] 1405; Wirzburg Kr.A. Mainz-
Aschaff. Ingr.-B. 14 fol. 101 a-102 a cop. ch. coaev.,
mit der Notis In simili forma litera scripta et
data est illis de Suntra etc. — Erzb. Johann
Domprobst Johann von Schonenburg Dekan Eber-
hard und das Domkapitel von Mains erklären
unter ausführlicher Begründung, daß sie auf den
halben Antheil an Eschwege und Sontra für ewige
Zeiten versichten, und daß sie alle Amtleute etc.
dasselbet ihrer Gelübde ledig gesagt haben und
hiemit sagen [1405 Merz 19 Friedberg]; Wirzburg
l. c. fol. 101 a cop. ch. coaev., die Vorlage schließt
dieß zu urkunde etc. datum, das Datum aber ist
wol sicher dasselbe wie in den beiden im Kodex
folgenden Stücken, s. diese und die vorige An-
merkung.
[3] Vgl. nr. 336 art. 17.

87 *

1405
Mrz. 18 obgenant gestanden habe und wie hohe ime daz verschriben si, und daz er sinen teil
geltes, als ime von solicher losunge nach marczal[a] geboret, auch neme abe er wolle;
wulte er uns aber solicher underrichtunge selber nit tůn, als vor geschriben stet, wes
wir unser nachkomen und stift dann von dem obgenanten herzogen Otten, des egenanten herzogen Otten seligen son, davon mit brieven oder mit kuntschaft zweier oder 5
me siner erbern manne underwiset werden, wievil geltes daz obgenant sloß dem obgenanten von Honstein gestanden habe, fur also viel geltes mogen der egenant her[b]
Hermann lantgrave zu Hessen oder sine erben dasselbe sloß widder losen, dem wir daz
auch fur also viel geltes widder zu losen geben sollen, als vor geschriben stet; unde[c]
wann soliche losunge gescheen ist, sollen wir unser nachkommen und stift dem[d] vor- 10
genanten hern Hermann lantgraven oder sinen erben denselben halben teil, den wir
noch daran han, auch widder inantwurten und geben ane alle intrag und hindernisse.
[7] auch umbe daz sloß Schonenberg[e] bi Geißmar gelegen ist beredt, daz wir den vorgenanten herzogen Otten zů solicher erbeschaft und eigenschaft sins teils, daz er und
sine altern an deme vorgenanten sloße gehabt han, widder sollen laßen kommen ane 15
intrag und hindernisse, und darzu Hansen und Hermann von Haldesse zu ir pantschaft,
die sie an demselben sloße von dem egenanten herzog Otten hatten, zu allen iren
rechten und in aller maße als vor, sunder alle argelist und geverde[1]. [8] unde[f]
umbe die Zappinbůrg[2] ist beredt[g], daz wir dem obgenanten lantgraven Herman widder
inantwurten sollen sin teile, den er vor daran gehabt hait, und in oder weme er daz 20
von sinen wegen befilhet darzu laßen komen ane intrag und hderniße. [9] doch
ist mit namen geredt[h] von der obgenanten zweier sloße des Schonenberg unde der
Zappinburg wegen und auch umbe den Allerberg: als verre[i] daz halbe teil, als vor
geschriben stet, eine zit ungeloset blibet, daz wir und die obgenanten fursten unde die
den wir soliche obgenante sloße von beiden siten bevelhen wurden von stund bůrghůde 25
zusamen globen sweren bestellen unde nach dem besten besorgen, als dann uns oder[k]
die[l] unsern von beiden siten gůt und nützlich dunket und von alter herkomen ist, ane
geverde. [10] auch[m] umbe die zwei gebuweten sloße mit namen den Wydelberg[3]
unde den Heilgenberg[4] ist beredt und betedinget, daz die an der edeln Heinrichs graven
zu[n] Waldecke unsers lieben[o] swagers und Adolffs graven zu Nassawe unsers[p] lieben 30
vetern und getruwen hant und gewalt gestalt sollen werden, und, waz die darůß machen
und von derselben sloße wegen entscheiden, dabi sal es bliben und von beiden partien
gehalten werden ane geverde. [11] auch[q] ist beredt, daz uns und unserme stifte daz
sloß Gybeldehusen widder ingeben und ingeantwurt sal werden, als des tages da ez gewonnen wart, ane allerlei geverde. [12] unde[r] want die paffheit unsers stiftes zů 35
Fritzlar den obgenanten hern Herman lantgraven zu Hessen die hochgebornen frawen
Margareten sine husfrawen etliche ire amptlude und die iren in den hoff gein Rome

---

a) W marzal. b) om. H. c) unde — hindernisse om. HC. d) W den. e) W am Rande gleichzeitig Schonenberg,
darüber von Hand 17 saec. Schönenberg; C von späterer Hand am Rande nota, unten Schonepergk. f) W am
Rande gleichzeitig Zappinburg. g) H geredet. h) HC beredet. i) H add. also. k) C und. l) C den. m) W
am Rande gleichzeitig Wydelberg Heilgenberg. n) H van. o) om. C. p) C unser. q) W am Rande gleichzeitig Gybeldehüsen. r) W am Rande gleichzeitig paffheit zů Fritzlare.

[1] Ersb. Johann von Mains übergibt den dem
Hzg. Otto von Braunschweig gehörigen Antheil
an der Erbschaft Schonenberg dem Boden von
Adeleibessen in des Hzgs. Hand; bezüglich der
Rechte des Hans und des Herman von Haldesen
wird rechtliche Entscheidung noch vorbehalten;
dat. Fritzlar fer. 6 post mis. dom. [Mai 8] 1405;
Wirzburg Kr.A. Mainz-Aschaff. Ingr.-B. 14 fol.

102b cop. ch. coaev., Hannover St.A. Cal. Orig.
Arch. Design. 62 nr. 29 III 5 (von Sudendorf
Bd. 3 als Kopiar VIII bezeichnet); gedruckt Su- 45
dendorf Urkb. 10, 78-79 nr. 20 aus dem Original
in Hannover.
[2] Vgl. nr. 336 art. 24.
[3] Vgl. nr. 336 art. 10 und 27 I, nr. 337 art. 8.
[4] Vgl. nr. 337 art. 6. 50

geladen und mit bebistlichen brieven besweret han: ist beredt, daz sie soliche[a] beswe- 1405 Mrz. 18
runge und ladûnge abetûn und der von derselben sache[b] wegen nicht me understen
sollen; und sal des von beiden siten ein ganz lûter verzig sin, und sollen darnach die
obgenant paffheit und auch die egenant her Herman sine erben und land zû Hessen
igliche partie bi iren alten rechten und herkomen bliben, ane allerlei geverde.   [13] auch
ist mit namen beredt und betedinget, daz alle alde brieve und verbuntniße, mit namen
die vor diesen feheden und kriegen von beiden siten geben sin, gehalten werden und
folleclichen craft und macht haben sollen, glicherwise als abe sie iczünd von nûwens
geben oder als abe die in keine wise verbrochin weren, ane geverde.   [14] in[c] diese
fruntliche rachtûnge nemen wir Johann erzbischof zu Mentze Contzman von Falkinberg
und Friderich von Hertingeshusen ritter, als die in diese[d] fintschaft und kriege umbe
unsern willen kommen sin[1], doch ungesûnet solicher geschichte als herzoge Friderich
von Brunswig selige toid bleib, der sollen wir uns nicht annemen und sie der nicht
undirsten zu verantwurten, ane geverde[e]. auch[f] nemen wir in diese fruntliche rachtunge die[g] Schencken von Sweinsperg[2] die von Lewenstein[3] und alle ander unser
helfer helfers-helfer und die unsern, doch sollen wir die obgenanten Schencken gein
den egenanten lantgraven[h] nicht verrer vertedingen dann als verre[i] wir ir zu eren und
rechte·mechtig sin, an geverde.   [15] so haben die obgenanten fursten in diese geinwurtige[k] rachtunge genommen die hochgebornen fursten hern Wilhelm den eltern, hern
Friderich den eltern, und[l] hern Friderich den jungern marggraven Balthasars son lantgraven in Doringen und marggraven zu Missen[4], und anders alle fursten graven und
herren, sie sint geistlich oder werntlichen, die umbe iren willen fient worden sint; und
sal darumbe die fehede, als sie der obgenanten fürsten helfer gewest sin, auch abesin.
auch[m] haben sie in diese gutliche rachtunge genommen burgermeister rad und burger
zû Hersfelde.   [16] diese obgeschriben gutliche rachtunge mit allen und iglichen iren[n]
obgenanten puncten stûcken und artikeln, wie und in wilcher maße die davor begriffen
getedinget uberkommen sin und geschriben sten, reden und globen wir Johann[o] erzbischof obgenant fur uns unser nachkommen und[p] stift zu Mentze an[q] eins rechten
eides stad und bi unsern furstlichin wirden und eren (als wir daz dem[r] obgenanten
hern Herman lantgraven zu Hessen von sinen und der egenanten fursten von Brûnswig
und von Luneburg wegen hant in hant liplichin[s] in truwen an eins rechten eides stad
globet han und globen auch geinwurtlich in craft dis brieves) stete veste und unverbrochlichen zu halten und darwidder nit zu tûn noch schaffen getan werden heimlich
oder[t] offinlich mit einchem behelfe geistlichen oder werntlichen, wie man daz erdenken
und finden[u] mochte, ußgescheiden alle argelist und geverde[5].   und[v] des zû urkunde

a) H alsulke. b) C stifts. c) W am Rande gleichzeitig nota. d) om. H. e) C om. als die — geverde. f) W am Rande gleichzeitig nota. g) W radiert, H de. h) C add. Hermann. i) CH add. alse. k) H obgenanten. l) om. H. m) C add. so. n) om. C. o) W Johann mit Überstrich. p) om. H. q) W ane. r) H den, C dene. s) C add. zu den heiligen. t) C noch. u) H erfinden. v) om. H.

[1] Vgl. nr. 336 art. 6. 14. 20. 271.
[2] Vgl. nr. 336 art. 15, nr. 337 art. 52-54.
[3] Vgl. nr. 336 art. 27[h].
[4] Diese drei Markgrafen hatten dem Erzbischof Fehde angesagt, s. Anm. zu nr. 229. Mf. Bal-thasar hatte dieß nicht gethan (das geht auch aus den Schreiben Erzb. Johanns und des Dom-kapitels vom 19 Merz, die wir in Anmerkungen zu art. 5 regestiert haben, hervor), und deshalb ist er hier oben nicht erwähnt.

[5] Beglaubigte Aufzeichnung darüber, daß Erzb. Johann von Mains und Ldgf. Hermann von Hessen von der Sühne und Richtung wegen, die zwischen ihnen verbrieft und beredet ist, von beiden Seiten genannte Bürgen gestellt haben, die Sachen die beredet sind bis Pfingsten [Juni 7] zu vollziehen, soweit sie nicht auf diesem Tage schon vollzogen sind; der Landgraf und die oben genannten Bür-gen sigeln; dat. Fr. n. miseria dni. [Mai 8] 1405 o. O.; Wirzburg Kr.A. Mains-Aschaff. Ingr.-B. 14

*1405
Mrs. 18* und vester stedekeit han wir unser ingesigel an diesen brief tun henken, unde haben darzu gebeden die edelen Heinri*ch* graven zû Waldecke [1] unsern lieben swager und Adolff graven zu Nassawe unsern lieben vetern und getruwen, die auch diese fruntliche rachtunge zwischen uns obgenanten partien und mit unserm wißen und willen getedinget han, da*z*[a] ir iglicher sin eigen ingesigel zû gezûgnisse auch an diesen bri*ef* hat [5] gehangen: des wir die obgenanten Heinri*ch*[b] grave zu Waldecke und Adolff grave zû Nassawe auch also bekennen.   datum Frideberg feria quarta proxima[c] post dominicam *1405
Mrs. 18* reminiscere anno domini 1400 quinto.

*1405
Mrs. 20* **476.** *Landfriede zwischen Kurmainz, Bernhard Heinrich und Otto von Braunschweig, und Hermann von Hessen auf 6 Jahre schlechthin. 1405 Merz 20 Friedberg.* [10]

    H aus Hannov. Prov.-Archiv Celler Originalarchiv Auswärtiges Lantfriede or. mb. c. 5 sig. pend., von denen 2 fehlen; vorhanden: 1) Erzbischof, 4) Landgraf, 5) Otto, von 2 und 3 nur die Pergamentstreifen übrig.

    K coll. Kassel, eingeschaltet in die Bestätigung K. Ruprechts vom 5 Juni 1405 nr. 479, wo man sehe die Quellenangabe K. [15]

    B coll. Karlsr., ebenso eingeschaltet, s. ibid. Quellenangabe B.

    C coll. Wien, ebenso eingeschaltet, s. ibid. Quellenangabe C.

    Gedruckt Gudenus cod. dipl. Mog. 4, 39-42 nr. 15 mit bedeutenden Kürzungen (als Datum ist hier fer. 5 p. reminiscere [Merz 19] angegeben, dasselbe trotzdem aber mit Merz 20 berechnet), Sudendorf Urkb. 10, 6-12 nr. 2 aus H, Chmel Regesta pag. 215-218 Anh. [20] *III unter nr. 21 eingeschaltet in die Bestätigung (bei uns nr. 479) aus C. — Regest Joannis rer. Mog. 1, 722 nt. 11, Würdtwein nova subs. dipl. 7 praef. pag. XVIII, Hempel inv. dipl. 3, 16, Scriba Hess. Reg. 3, 243 nr. 3621, die letzten drei aus Gudenus. Scriba und ebenso Höfler pag. 332 haben als Datum (nach Gudenus) den 19 Merz.*

    Wir von gots gnaden Johan des heilgen stuls zu Mencze erczebischoff des hey- [25] ligen Romischen riches in Dutschen landen erczecanceller, Bernhard unde Heinrich herczogen ztu Brunswich unde zu Luneborg gebrudere, Herman lantgraffe zu Hessen, unde Otte herczoge ztu Brunswich herczogen Otten seligen son, bekennen uffintlich vor uns unser nachkummen unde erben an dissem briffe vor allen den die en sehen adir horen[d] lesen: da*z* wir, dem heilgen Romischen riche zu eren unde ouch umbe [30] nucczes willen unser aller[e] lant unde lute unser manne borgmanne unde undirsaße geistlich unde wertlich, eyntrechtlich ubirkummen unde zu rade worden sin eyns gemeynen lantfrides in der maße als hir nach geschreben steet[2].

    [1] Zum[3] ersten sollen alle kirchen unde kirchobe, dy da gewihet sin odir bynnen cziten disses lantfrides gewihet werden, unde ouch waz dar uff unde inne ist, [35] sicher unde felig sin, uzgescheiden reisener unde reisige have, ane geverde.

---

   a) *C dar.* b) *om. C.* c) *om. W.* d) *HKBC horen adir; so auch 1393 Sud. 7, 145, 26, richtig dagegen 1408 Dec. 1, bei uns in Bd. 6 nr. 270.* e) *H allen, KB aller.*

---

fol. 98b - 99, 1a cop. coaev.; gedruckt Gudenus cod. dipl. 4, 48-50 nr. 18; Regest Joannis rer. Mog. (ad Serarium) 1, 722 nt. 8, Scriba Hess. Regg. 3 nr. 3623 aus Gudenus.

[1] *Daß Gf. Heinrich von Waldeck hier als Vermittler auftritt, spricht entschieden dafür, daß er sich wegen des Überfalles, bei dem Hzg. Friderich von Braunschweig ums Leben gekommen war, mit dessen Brüdern ausgesöhnt hatte, vgl. Einleitung zum Nürnberger Tage von 1402 lit. K.*

[2] *Der Eingang ähnlich wie im Landfrieden vom 7 Febr. 1393, Sudendorf Urkb. z. Gesch. der Herzöge von Braunschweig und Lüneburg Bd. 7 nr. 126 pag. 145 lin. 25-29; ähnlich auch im Landfrieden vom 1 Dec. 1408, bei uns in Bd. 6 nr. 270.*

[3] *Ähnlich im Landfrieden von 1393 Sud. l. c. 145, 29-31, ähnlich auch Bd. 6 nr. 270 Landfrieden von 1408 art. 1.*

[*2*] Auch [1] sollen alle phaffen unde geistliche lude, dy sich phefflich unde geistlich halden, ir lyb unde ir gut, sicher unde felig sin uff der straße unde anders wor sy ryden adir wandern. unde sollen auch ir huse unde hoffe, darinne sy wanhafftig sin, mit irme gute, daz darinne ist, unde andirst, daz dar uz unde in geet unde ir eygen ist, an sehe unde an noßern, als gewontlich ist, an geverde felig unde sicher sin.

[*3*] Auch [2] sullen alle closter unde spital mit allen iren guten, dy daruz unde darin gen unde ir eygen sint, unde ir gebrote gesinde mit iren guten als gewontlich ist, unde ouch ir eygen höffe dy sy mit irme gebroten gesinde arbeyden, unde waz daruz unde darin geet daz ir unde irs gesindes eygen ist als ouch gewontlich ist, sicher unde felig sin ane geverde.

[*4*] Auch [3] sollen alle pylgerymme, ir lyb unde ir gut, uff der straßen felig sin, dy irs heren adir syns amptmannes, adir des rades ob[a] der in eynir stad geseßen were, und synes pherners briffe haben. unde dyselben pilgerymme sullen zu den heilgen auch sweren, daz sy uffe dem wege uz unde heym keyne bosheit adir ungerichte tryben adir werben wullen, ane geverde.

[*5*] Auch [4] sal der plug unde dy egede mit den pherden adir oassen mit den undirspennen und den fuln [5] dy en nachlauffen unde mit czwen menschen ztu iglichem pluge unde czwen ztu der egeden, der eyner sehe unde der andir egede, unde anders alle dy, dy arbeyden nach fruchten wynwas adir an hoppenbergen, von dem huse uz biz uff daz felt unde von dannen widdir heym, unde dywyle sy den agker buwen unde dy wynberge unde hopphenberge arbeyden, felig sin ane geverde.

[*6*] Auch [6] sollen alle tungwagen ernewagen unde wynwagen dy den wyn uz dem wyngarten tragen, unde waz den wyn von dem felde zu der keltern bringet, mit pherden oassen unde luden dy czu allen egenanten wagen gehornde sin, unde anders alle medere snedere unde fruchtbendere sicher sin ane geverde.

[*7*] Auch [7] sollen alle kaufflute, dy kaufflute sin und uber lant plegen zu wandern, dy irs heren darunder sy geseßen sin adir des heren lantrichters uffen vorsegelte brieffe han unde ir geleyde adir czol geben, ir lybe unde gude, sicher sin in unser[b] vorgenanten heren landen unde gebyten. unde sullen auch dyselben kaufflute solliche briffe alle jar nemen. unde sal auch nymant dy kaufflute adir ir gude kummern behindern adir uffhalden mit gerichte adir ane gerichte, her ensy den eyn selbschuldiger adir hette daz vorbrochen adir vorworcht[c] mit ungerichte, ane geverde.

---

a) add. *KBC* b) *H* unsern, *K* unser. c) *H* vorwocht, *KBC* vorworcht.

---

[35] [1] *Vgl. im Landfrieden von 1393 Sud. l. c. 145, 31-33, ferner RTA. 6 Landfrieden von 1408 art. 2. Unser Landfriede von 1405 (vgl. auch oben art. 4) ist hier bedeutend ausführlicher als der von 1393.*
[2] *Der Landfriede von 1393 Sud. 7, 145, 33-34 [40] und die Besserung desselben vom 1 Juli 1398 Sud. 8 nr. 234 pag. 321, 18-20 sind hier in einander verarbeitet; vgl. Bd. 6 Landfr. von 1408 art. 3.*
[3] *Vgl. Landfr. von 1393 Sud. l. c. 145, 31-33, Bd. 6 Landfr. von 1408 art. 2.*
[45] [4] *Der Landfr. von 1393 Sud. l. c. 145, 34-36 und dessen Besserung von 1398 Sud. l. c. 322, 8-10 sind hier in einander verarbeitet; vgl. Bd. 6 Landfr. von 1408 art. 5.*

[5] *Fohlen.*
[6] *Im Landfrieden von 1393 fehlt ein entsprechender Artikel, vgl. aber Besserung desselben von 1398 Sud. l. c. 321, 20 bis 322, 4, hier 1405 sehr gekürzt; vgl. Bd. 6 Landfr. von 1408 art. 5.*
[7] *Zum Anfang des Artikels bis gebyten vgl. Landfr. von 1393 Sud. l. c. 145, 36-39, im Wortlaut ziemlich abweichend; zum nächsten Satz unde sullen — nemen vgl. Besserung dieses Landfriedens von 1395 Gudenus cod. dipl. 3 pag. 612 lin. 11-13, und zum Schluß unde sal etc. vgl. ibid. pag. 607 lin. 13-15, im Wortlaut hier keine Übereinstimmung mit 1395. Vgl. Bd. 6 Landfr. von 1408 art. 6 und 6a.*

[8] Wer' [1] iz auch daz ymant so ubel tede, der sich vorgriffe an dem
pluge egeden tungwagen ernewagen wynwagen adir an den luden dy darczu horten
adir an den kouffluden adir pylgerymmen, also daz der pherde adir ossen daruz neme
adir an dem kauffmanne adir pylgeryme eynig ungerichte beginge adir tede: dy en-
solten nach enmochten[a] sich[b] der vorsaß nicht geledigen. sundern der clegir mochte [5]
zu yme nemen czwene bederbe unvorlumunte manne, dy den frydde gesworen hetten,
unde ztu den heiligen[c] sweren unde behalden daz em[d] der schade adir der smercze
von den also geschen sy. so solde der antworter den schaden adir smerczen bynnen
virczen tagen unvorczoglich richten unde keren. enthede her des nicht, so
mochte en der clegir darumbe von stunt vorwisen laßen.   [10]

[9] Auch [2] sal nymant ztu dem andern griffen adir en beschedigen, er
werde danne sin fygent unde beware sich des von eynir sonnen ztu der andern
kuntlich unde uffinbar, also daz ein tag unde eyn nacht vor deme zugriffe vorgangen
sy, ane geverde.

[10] Wer' [3] iz auch daz ymant fygintschaff hette, daz er abeclage thun wolde [15]
adir yme not were zu thunde, dy mag er thun zu dren tagen unde ses wochen alse
von alder gewontlich gewest ist; unde sal doch der dabynnen an des gut adir[e] dy sin,
an dem sollich abeclage geschen ist, nicht griffen adir en daran beschedigen, dy czijt
sy danne vor vorgangen alse vor geschreben stet.

[11] Auch [4] wer nicht zu dem wapen geborn ist, der sal keyne eygen pherde [10]
haben nach rouberige zu uben, nach keyne eygene rydde adir fede haben, uzgescheiden
dy stede dy in dissen lantfredde kommen.

[12] So [5] sal ouch nymant nach struderige gen adir strudere halden husen
hegen nach en keynerley fordernisse thun ane geverde.

[13] Auch [6] sal nymant kouffen nach ztu sich nemen sollich gut, daz ge- [25]
nommen adir geroubt were unde in dissen lantfride gehorte adir darvon felig
adir sicher sin solde. tede daz ymant da-ubir mit vorsaße adir ane vorsaße, der solde
daz demjhenen, dem daz genommen were, unvorczogelich widdir geben unde keren,
wan er sich darztu czoge mit rechte, unde sich ouch der vorsaße ledigen. enthede er
des denne nicht, so mag man en darumbe ztu stund vorwisen unvorfolget[f].   [30]

[14] Auch [7] waz lehen adir eygen unde[g] erbe antriffet, da sal keyn lantrichter ubir wisen adir richten, sundir daz wisen da daz hene gehoret.

a) H enmochte. b) add. BC. c) add. BC. d) em. statt en, das H hat. e) B und. f) B unerfolget. g) B oder.

---

[1] Ähnlich Bd. 6 Landfr. von 1408 art. 7; im
Landfrieden von 1393 und dessen Besserungen von
1395 und 1398 fehlt ein entsprechender Artikel.
[2] Ähnlich Landfr. von 1393 Sud. l. c. 145, 39-
41; im Landfr. von 1408 (RTA. 6).vgl. art. 16.
[3] Sowol im Landfr. von 1393 und dessen Zusätzen wie in dem von 1408 fehlt ein entsprechender Artikel.
[4] Vgl. Landfr. von 1393 Sud. l. c. 146, 16-18;
von Änderungen im Wortlaut abgesehen ist zu
bemerken, daß der Schluß von 1393 hier ausgelassen ist und daß andererseits die Städte 1393
noch nicht erwähnt sind sondern erst in den Zusätzen von 1395 Gudenus 3 pag. 608 lin. 22-27,
der Wortlaut hier oben hat aber keine Ähnlichkeit

mit 1395. Vgl. RTA. 6 Landfrieden von 1408
art. 37.
[5] Ein entsprechender Artikel fehlt im Landfr.
von 1393, vgl. aber Besserungen desselben von 1395
und 1398 Gudenus 3 pag. 609 lin. 1-3 bzw. Sud.
l. c. 322, 30-31, hier oben ziemlich verändert; vgl.
ferner RTA. 6 Landfr. von 1408 art. 38.
[6] Ein entsprechender Artikel fehlt sowol im
Landfr. von 1393 und dessen späteren Zusätzen
wie in dem von 1408.
[7] Ein entsprechender Artikel fehlt im Landfr.
von 1393, vgl. aber Besserung desselben von 1395
Gudenus 3 pag. 609 lin. 14-15, im Wortlaut keine
Übereinstimmung; vgl. ferner RTA. 6 Landfr. von
1408 art. 40.

[15] Auch [1] wer ztu dem wapen adir sust uz dem lande umbe ritterschaft ¹⁴⁰⁵
ridet, der sal frydde han uz unde heym mit allen synen knechten habe unde _{Mrz. 20}
geczuge die ztu dem wapen gehoren.

[16] Auch [2] sollen alle rechte weydelude frydde hann mit iren pherden
hunden veddirspel unde anderm geczuge der zu dem weydewerke gehoret, wanne sy
nach weydewerke in ires heren gebite uße sin, ane geverde; uzgescheiden nachtlußer,
dy sullen keynen fredde haben.

[17] Wer' [3] iz abir sache daz ymant so ubel thede unde[a] dissen frydde mit
vorsaße vorbreche, den adir dy sal men von stunt mit der tad in des riches unde
auch des landes, da daz geschen ist, achte unde feme thun, unde sollen auch
rechtelos unde von allen rechten ubirwunnen sin heymelich unde uffintlich. unde den
ader dy mag man frilichen anegriffen in allen stedden unde straßen. unde der adir dy
sollen ouch nirgen sicher adir fredelich sin. unde, dy den ader die anegriffen wolden,
sal allermenlich helffen die daby sin adir darczu[b] geeischet werden by des riches adir
des konyges banne. hetten der adir dy auch lehen adir gute von heren adir ymande,
dy solden vorfallen sin an syne erben adir uff dy an dy ez von rechte fallen sal. wer'
iz auch daz den adir dy ymant mit vorsaße adir wißentlich husete hegete adir keynir-
ley vordernisse thede, der adir dy sollen auch[c] in allen rechten ubirwonnen sin alse der
hanttedige mann.

[18] Wer' [4] iz auch daz wir fursten graven heren adir stede, dy in dissem lantfredde weren, uzczogen adir ztu felde legen, unde daz von uns den unsern adir
den eren disser fredde[d] vorbrochen wurde mit vorsaße, wer daz thede der mit
uns were, mochte man den gehaben[e], dem solde man sin recht thun. wan wir aber
von dem czoge widdir heym quemen, so solden wir adir sye bynnen dem nehisten
mande daz richten unde widdirthun mit fruntschaff adir mit rechte, uzgenommen hals
unde hant.

[19] Wer' [5] iz auch daz dissen fredde anders ymant vorbreche ane vorsaße, daz her war machen wolde uff den heilgen daz he daz ane vorsaße unde ane
geverde gethan hette, der sal daz widderthun mit fruntschaff adir mit rechte alse vor
geschreben stet, wan er darumbe angesprochen adir gemanet wirt, bin[f] den nehisten
virczehen tagen nach der ansproche ane vorczog. thede er danne des nicht, waz danne
der klegir mit czwen umbesprochen bidderben mannen mit den heilgen behilde, daz
salde yme der hanttediger widdirgeben unde gelden unvorczoglich ane geverde.

[20] Wer' [6] iz auch daz ymant beschuldiget worde umbe daz daz er dissen
fredde vorbrochen solde han, unde sin unscholt darvor bode adir sich des entschul-

a) KBC der. b) om. H; add. KBC. c) add. BC. d) so HKC, dagegen B lantfriede. e) so HK, dagegen BC gehalten. f) B bynnen.

[1] Ein entsprechender Artikel fehlt sowol im
Landfr. von 1393 wie in dem von 1408; vgl. aber
die beiden Besserungen des ersteren von 1395 und
1398 Gudenus 3 pag. 610 lin. 7-11 bzw. Sudendorf Bd. 8 pag. 322, 5-8; der Wortlaut zeigt
weder Übereinstimmung mit 1395 noch mit 1398.
[2] Ein entsprechender Artikel fehlt im Landfr.
von 1393, vgl. aber die beiden Besserungen desselben von 1395 und 1398 Gudenus 3 pag. 609
lin. 30 bis 610, 6 bzw. Sudendorf l. c. 322, 14-21,
hier oben viel weniger ausführlich als dort und
im Wortlaut keine Übereinstimmung.

[3] Sehr ähnlich, meist wörtlich, wie Landfr. von
1393 Sud. l. c. 146, 8-16, ähnlich auch RTA. 6
Landfr. von 1408 art. 17.
[4] Sehr ähnlich wie Landfr. von 1393 Sud. l. c.
146, 18-22; vgl. RTA. 6 Landfr. von 1408 art. 19
und 20.
[5] Fast wörtlich wie Landfr. von 1393 Sud. l. c.
146, 22-27; ähnlich auch RTA. 6 Landfr. von
1408 art. 21.
[6] Fast wörtlich wie Landfr. von 1393 Sud. l. c.
146, 27-31; sehr ähnlich auch RTA. 6 Landfr.
von 1408 art. 22.

1405
Nrs. 80

digen wolde, der solde czwene umbesprochen[a] biderbe manne ztu yme nemen, die
dissen fredde geswaren haben, die mit yme zu den heilgen sweren sollen, daz er des
nicht getan habe unde unschuldig sy.   [20[a]] auch[1] wer' iz sache daz ein rat unde
gemeynde geladen wurden vor den landfrydde, dy solde der borgermeystir
mit czwen umbesprochen[b] byderben mannen uz dem rade derselben stad, dy dissen
fredde gesworn hetten, vorantwurten mit iren eyden in derselben wise.   [20[b]] worden[2]
auch eyn burgir adir me bisundern uz eynir stat geladen[c], der adir dy sollen
czwene umbesprochen[d] byderbe manne ire middeburgere der stat, dar sy inne geseßen
weren, ztu in nemen, dy auch dissen fridde gesworn hetten, mit den si sich mit iren
eyden entschuldigen solden alse vor geschreben stet.   [20[c]] unde[3] solde man der auch
nicht mer eischen zu eynem male danne sesse.

[21] Theden[4] sy des nicht, wer' danne der klegir ein gut manne adir eyn rey-
sener[5], der solde ztu eme han czwene erbir manne; wer' iz abir ein rat unde
ein gemeynde[f] eynir stad, so solde der burgermeistir antwurten[g] mit czwen erbir mannen
uz dem rade; wer' iz abir eynir adir me burgir uz eynir stad, der adir dye solden
igliche czwene erbir manne syner myddeborger uz der stad, da er inne geseßen were,
zu yme haben, dy alle umbesprochen[h] lude weren.   unde waz ir iglicher sagete tede
unde[i] behilde als vor geschreben stet, daz solde yme der hanttediger gelden unde
beczalen bynnen virczehen tagen nehist darnach.

[22] Unde[5] wilche also geladen werden, dy er unschult thun wulden, waz
kuntschaff dy mit en furten unde darinne bedorfften ane geverde, dy sollen uz unde
heym felig sin dry tage vor unde dry tage nach, sy werden irwonnen adir nicht.
unde dyselben sollen ouch felikeit widderumbe halden an argelist.

[23] Es[6] sal auch unser iglicher undir uns obegenanten heren eynen richter
ubir dissen fridde in syme lande haben[k]. der sal ouch anders nicht richten dan
alse dissir briff uzwiset, unde sal daz der richter ouch globen unde sweren daz also
ztu halden. gescheе abir anders darubir dan disser briff uzwiset, so sal ez keyne
macht haben.

[24] Geborete[7] sich ez auch daz man ymant laden wolde, den sal men an daz
nehiste lantgerichte laden des heren undir dem der clegir geseßen ist unde da dy
geschicht geschen ist, unde anders nyrgen.

a) KBC unversprochen. b) KBC unverlumunten. c) H gelaten, em. geladen. d) KBC unverlumunte. e) KBC
reysiger. f) H add. in, om. KBC. g) add. em. h) KBC unverlumunte. i) BC oder. k) KBC halten.

[1] Sehr ähnlich Landfr. von 1393 Sud. l. c. 146,
31-33, auch RTA. 6 Landfr. von 1408 art. 22[a].
[2] Sehr ähnlich, fast wörtlich Landfr. von 1393
Sud. l. c. 146, 33-36, auch RTA. 6 Landfr. von
1408 art. 22[b].
[3] Fehlt im Landfr. von 1393, vgl. aber Besserung desselben von 1395 Gudenus 3 pag. 608 lin.
30-34, im Wortlaut keine Übereinstimmung; vgl.
ferner Landfr. von 1408 (RTA. 6) art. 24[b].
[4] Sehr ähnlich, fast wörtlich Landfr. von 1393
Sud. l. c. 146, 36-42, auch RTA. 6 Landfr. von
1408 art. 23.
[5] Fast wörtlich übereinstimmend Landfr. von
1393 Sud. l. c. 146, 42-45, desgl. auch RTA. 6
Landfr. von 1408 art. 24. — Vgl. auch in dem
hier vorliegenden Landfr. art. 29.

[6] Sehr ähnlich Landfr. von 1393 Sud. l. c. 146,
45 bis 147, 1, desgl. auch RTA. 6 Landfr. von 1408
art. 25. — Die Einsetzung des Johannes von
Breidenbach als Landfriedensrichters durch Erzb.
Johann erwähnt Gudenus cod. dipl. Mog. 1, 994
zum Jahre 1406 unter dem Datum fer. 2 p. Albani [Juni 28]; in der Jahresangabe steckt aber
vermuthlich ein Druckfehler (die Notiz steht in-
mitten anderer chronologisch geordneter nach einer
zum Jahre 1404 und vor einer zum Jahre 1405),
und man wird richtiger datieren: 1405 Juni 22.
[7] Abgesehen von dem Zusatz des heren — geseßen
ist unde fast wörtlich wie Landfr. von 1393 Sud.
l. c. 147, 1-3; vgl. auch RTA. 6 Landfrieden von
1408 art. 28.

[25] Worde[1] abir eynir uff czwey ende geladen zu eynir czijd, der ¹⁴⁰⁵ ^{Mrz 20}
adir dy sollen nicht antwurten danne an deme ende dar sy erst hin geeischet adir geladen wurden unde dy en nehist gelegen weren als vor ist gerurt.

[26] Wer'[2] iz auch daz unsir vorgenanten fursten, dy iczund in dissem
lantfredde sin adir nach darin kummen, eynir adir me geladen wurden, der adir
dy mogen eynen eren man adir amptmanne, der eyn byderbe manne unde ztu dem
wapen geborn sy, an syn stad senden unde yme[a] gancze macht geben vor en ztu ant-
wurtende unde ztu thunde unde auch widdirumbe ztu schuldigende wy sich daz geboret
ane geverde, alse vor geschreben stet.

[27] Auch[3] endarff der ergenante richter nymande richten, her habe den
dissen frydde vor gelobt unde geswaren ztu halden in der maße, alse wer vorgenante fursten daz gethan han, e der czijt daz dy geschichte geschen sin da er den
andern umbe beclagen wil ader beclagende wert; uzgescheiden phaffen unde geistliche
lude kaufflude vorlude[b] unde pilgerymme uz des riches adir andir heren lande dy undir
uns nicht siczczen, dy sollen disses freddes unde unsir straße gebruchen alse disser briff
uzwiset.

[28] Wer[4] ouch disses frydes gebruchen wolde, der sal daz bewisen mit
dem richter, adir mit dem amptmanne, adir mit dem burgermeister[c] unde[d] stad da her
inne gesessen ist, daz er dissen fredde in truwen globet unde ztu den heilgen gesworen
habe ztu halden er der cziet daz dy geschichte geschen ist da men yme umbe
richten sal.

[29] Wanne[5] man auch von disses fryddes unde gerichtes wegen ymandes
laden manen adir eischen wil, dem sal men dy sache virczehen tage vor vorkundigen, darumbe man den beclagen wil; unde sal ouch der, unde der clegir, unde
wer mit en[e] ridet der sy dartzu bedorffen uff beyden syden ane geverde, felig sin uff
dy stat, dahen sy werden geladen unde geeischet, unde widder von der stede, dry tage
vor unde dry tage nach, vor allen den dy in dissem fredde begreffen sint, er werde erwunnen adir nicht.

[30] Vortmer[6] were daz ymant ubirwunnen wurde vor der vorgenanten
unser richter eyme, daz sal der, vor dem daz geschen ist, unvorczoglich ztu wißen
thun den andern unser[f] vorgenanten hern lantrichtern allen dy in dissem[g] fredde geseßen weren; unde dy lantrichter sollen daz danne vorder unvorczoglich vorkundigen
allen ires heren undirsaßen, unde wir sollen getruwelichen ane vorczog dartzu[h] thun
unde dem fredebrecher folgen nach uzwisunge disses freddes[i]. unde der adir dy sollen
danne ouch in allen[k] unser heren landen erwunnen unde vorwiset sin.

a) K add. sine. b) HKBC om. vorlude, add. kauffman vor kaufflude; das richtige ergibt der Landfriede vom 1 Dec.
1408 RTA. 6 nr. 270 art. 81. c) KBC den burgermeistern. d) zu om. in der? e) Á korr. aus eme, KB yn.
f) HKBC unsern. g) B diessem, H diesen. h) om. BC. i) KBC brieffs. k) B aller, scheint korr. aus allen.

[1] Fast wörtlich wie Landfr. von 1393 Sud. l. c.
147, 3-5; vgl. auch RTA. 6 Landfr. von 1408
art. 29.

[2] Abgesehen von dem Zusatz und auch widdirumbe ztu schuldigende fast wörtlich wie Landfr.
von 1393 Sud. l. c. 147, 5-8; vgl. auch RTA. 6
Landfr. von 1408 art. 30.

[3] Sehr ähnlich, vielfach wörtlich, Landfr. von
1393 Sud. l. c. 147, 8-13; desgl. auch RTA. 6
Landfr. von 1408 art. 31. — Vgl. auch im vorliegenden Landfr. art. 37.

[4] Sehr ähnlich, meist wörtlich, wie Landfr. von

1393 Sud. l. c. 147, 13-17; vgl. auch RTA. 6 Landfrieden von 1408 art. 32.

[5] Sehr ähnlich, vielfach wörtlich, wie Landfr.
von 1393 Sud. l. c. 147, 17-21; vgl. RTA. 6 Landfrieden von 1408 art. 33. — Vgl. auch im vorliegenden Landfr. art. 22.

[6] Abgesehen von zwei Zusätzen (nämlich 1) unde
dy lantrichter — undirsaßen 2) am Schluß unde
der — sin) sehr ähnlich, auch im Wortlaut, wie
Landfr. von 1393 Sud. l. c. 147, 21-25; vgl. auch
RTA. 6 Landfr. von 1408 art. 34.

[31] Wer' [1] iz auch daz uns vorgenanten heren not were ztusamen ztu
schicken von sache wegen dy dissen lautfrede antreffen, wilchem undir uns heren des
not were, des lantrichter solde unser egenanten heren lantrichtere alle vorboden,
daz sy kegen Friczlar adir kegen Northeim komen wo daz bequemelichest hene
were nach gelegenheit der sache unde erkentnisse der lantrichtere, da zu abirkummende　5
waz daz beste sy in den sachen ztu thunde. unde sal daz derselbe lantrichter den andern lantrichtern allen unde ir[a] iglichen[b] bisundern vorkundigen dry wochen vor. unde
sollen auch alle lantrichter, den daz also geschreben unde vorkundiget wirt, an intracht[c]
darkommen, ez beneme eme dan lybes nod, daz der[d] bewisen sal mit syme eyde. unde
sollen ouch mit den yren, unde[e] mit den der sy darztu bedorffen in den unde in an-　10
dern sachen, wo sy hen ryden adir wandern von disses frydes wegen, uz unde heim
felig sin, ez sy orlouge adir nicht, ane geverde.

[32] Wer' [2] iz[f] ouch daz ymant obirwunnen wurde der eigen sloz hette in
unsern landen adir sloz innehette in phandes wise darinne adir daby, adir wer den husete adir hilde, so sollen wy, willich unser deme adir den andern daz aneeischet[g], unser　15
iglicher eynen synen frund, adir me ab des not ist, mit syme lantrichter darztu schicken
an der obgenanten stede eyne Friczlar adir Northeim[h], die zusamenriden unde ubir-
komen sollen waz daz beste sy daz man darinne thun solle. wurden abir dy, dy wer
also ztusamensentten, nicht eintrechtig, wor danne der meiste deil unde hene bestet
unde uff ir eyde[i] erkennen, dem solle wir getruwelich folgen. wer' iz abir daz sich dy,　20
dy wer also sentten, czweiten, daz ir glichevile weren, dy sollen uff iren eit eynen
kysen; wo der hene villet[k], daby solde daz bliben, unde deme sollen wir ouch also
volgen.

[33] Wer' [3] iz auch daz ymant ubirwunnen wurde der der heren sloß in
phands wise innehette, unde gewunnen wir daz sloß, so solden wir deme, der daz　25
innegehabt hette, sin gelt avegewunnen[l] han, unde dem hern syn erbeschaff nicht.

[34] Wer' [4] iz[m] ouch sache daz uns ymand von forsten graffen heren rittern
knechten adir steden, dy by uns adir in uns gesessen sin, duchte nuccze unde gut sin,
den adir dy mochten wir semptlich adir unser iglich bisundern ztu uns nemen unde
laßen sy dissen fridde auch globen unde ztu den heilgen sweren ztu halden in　30
der maße alse disse briff uzwiset unde inneheldet. unde solde auch derselbe, den wir
also innemen, uns des sin uffen vorsegelten briff geben dissen lantfredde ztu halden
nach uzwisunge disses briffes. unde wir sollen dem adir den widdirumbe vorbunden
sin dissen fredde ztu halden ane geverde.

a) *HK* irme, *B* ir. b) *B* iglichem. c) *B* intrag. d) *B* er. e) *BC add.* auch. f) *H* wercz. g) *H* abeeischet,　35
KBC aneheischet. h) *BC hier* Northusen *offenbar falsch.* i) *A* eyne, *KBC* eyde. k) *B* viel. l) *kann in H*
auch anegewunnen *heißen, und BC haben auch* angewonnen, *K hat deutlich* anegewonnen; *im Landfrieden vom*
1 Dec. 1408 art. 43 heißt es afgewunnen. m) *K* wercz.

[1] *Im Landfr. von 1393 Sud. l. c. 147, 25-31*
ist als Versammlungsort allein Hofgeismar genannt
und es fehlen dort die beiden Stellen wo das be-
quemelichest — lantrichtere und den daz also —
sollen ouch, sonst dort ähnlich, auch im Wort-
laut, wie hier; in der Besserung von 1395 sind
auch andere Orte außer Hofgeismar zugelassen, s.
Gudenus 3 pag. 612 lin. 1-3, vgl. auch ibid. lin.
4 ff.; vgl. ferner Landfrieden von 1408 (RTA. 6)
art. 41.
[2] *Abgesehen von dem Zusatz adir me — lant-*
richter *und der Angabe bestimmter Versammlungs-*
orte ähnlich, auch im Wortlaut, wie Landfr. von　40
1393 Sud. l. c. 147, 31-38; vgl. auch RTA. 6 Land-
frieden von 1408 art. 42.
[3] *Fast wörtlich gleichlautend Landfr. von 1393*
Sud. l. c. 147, 38-40; vgl. auch RTA. 6 Landfr.
von 1408 art. 43.　45
[4] *Ähnlich Landfr. von 1393 Sud. l. c. 145, 41*
bis 146, 8, der Schluß von 1393 hier ausgelassen;
vgl. auch RTA. 6 Landfr. von 1408 art. 17.

[35] Wer'[1] iz auch sache daz ez not were dissen lantfredde ztu beßern, so sollen unser lantrichtere alle darumbe by eyn kommen unde davon redden unde dan ir igklicher daz an syn hern brengen. so sollen wir hern selbes daby kommen adir unser erbern frunde mit fuller macht darztu schicken, unde, wes wy adir sy danne semptlich unde eintrechtlich ubirkommen unde nemelich dissen fredde ztu lengen adir ztu korczen, dem solen wer also folgen unde nachgen an argelist.

[36] Auch[2], was vor dissem lantfridde sich vorlouffen hette unde geschen were, da sal kein lantrichter von disses freds[a] wegen ubir richten.

[37] Auch[3] sal disses freds[b] nymant gebruchen, unde men darff den auch nymande halden, her habe den danne vor gelobet unde ztu den heilgen geswarn den ztu halden nach uzwisunge disses briffes, uzgescheiden phaffen unde geistliche lude.

[38] Unde[4] disser egenante lantfridde sal anegen uff datum disses briffes, unde sal weren unde gehalden werden sehs gancze jar nach gifft[c] disses briffes nehist nach eynander folgen in alle der maße alse davor geschreben stet unde begreffen ist.

[39] Alle[5] unde iglichen artikel unde puntte disses lantfredes vorgeschreben[d] unde ir iglichen bisundern haben wir vorgenantin fursten unsir eynir dem andern in truwen gelobet unde dy darnach mit uffgeruchten fingern lyblichen ztu den heilgen geswaren stede gancz unde unvorbrochen ztu halden an alle argelist und ane geverde.

Disses[6] czu orkunde geben wir fursten obegenanten dissen briff vorsegelt mit unsern ingesegeln vestlich hiran gehangen, der gegebin ist ztu Frydeberg uff den frytag nehist nach dem suntage reminiscere sub anno domini millesimo quadringentesimo quinto.

1405 Mrz. 20

---

a) *BC* lantfrieden.   b) *BC* lantfrieden.   c) *BC* datum.   d) *BC add.* die in diesem briefe begriffen sin.

---

[1] *Fehlt im Landfr. von 1393. Bei Besserung desselben am 1 Juli 1398 wird aber auf eine Stelle des Landfriedens Sud. 7, 148, 5 (vgl. unsere Anm. zu art. 39 hier) in einer Weise Bezug genommen, als ob dort der Fall, daß Bestimmungen geändert würden, schon vorgesehen wäre, s. Sud. 8, 321, 5 ff.; dabei wird aber anscheinend der Text des Landfriedens gefälscht, nach Sudendorfs Druck wenigstens stehen die 1398 citierten entscheidenden Worte oder werden im Landfrieden nicht. Vgl. RTA. 6 Landfr. von 1408 art. 48.*

[2] *Fehlt sowol im Landfr. von 1393 wie in dem von 1408.*

[3] *Fehlt sowol im Landfr. von 1393 wie in dem von 1408; vgl. aber Besserung des ersteren von 1395 Gudenus 3 pag. 609 lin. 21-24, Wortlaut stark abweichend. — Vgl. auch im vorliegenden Landfr. art. 27.*

[4] *Im Landfr. von 1393 Sud. l. c. 147, 46 bis 148, 1 ist die Dauer desselben auf 12 Jahre festgesetzt, sonst dort ähnlich wie hier.*

[5] *Ungefähr entsprechend im Landfr. von 1393 Sud. l. c. 148, 2-9, aber doch auch inhaltlich hier stark verändert; vgl. unsere Anm. zu art. 35. Sehr ähnlich Landfr. von 1408 art. 52.*

[6] *Die Beurkundungs- und die Datierungsformel hier anders als im Landfrieden von 1393.*

$M \begin{smallmatrix} 1405 \\ rs. 20 \end{smallmatrix}$ **477.** *Erzb. Johann von Mainz, Ldgf. Hermann von Hessen, und Hzg. Otto von Braun-schweig erklären, daß sie sich für ihrer aller Lebenszeit unter genannten Bedin-gungen besonders gegen die Markgrafen Balthasar und Friderich von Meißen verbündet haben* [1]. *1405 Merz 20 Friedberg.*

> *W aus Wirsburg Kr.A. Mainz-Aschaff. Ingr.-B. 14 fol. 99* [a]*-100* [b] *(zwei Blätter nachein-ander sind irrthümlich als 99 foliiert) cop. ch. coaev., mit der Überschrift* Einunge und bûntnisse zuschen mimme herren dem lantgraven von Hessen und herzog Otten von Brunswig widder die marggraven von Missen. *Am äußeren Rande unten ist die Schrift etwas verwischt. Die aus H genommenen Ergänzungen im Eingang in art. 7 und am Schluß sind durch eckige Klammern bezeichnet.*
>
> *H coll. Hannover St.A. Cal. Orig. Design. 62 nr. 29. III 5 (bei Sudendorf Urkb. 3 pag. III als Kopiar VIII bezeichnet) fol. 45* [b]*-51* [b] *cop. ch. coaev., mit der Überschrift* Mentzisch verbund.
>
> *Gedruckt Sudendorf Urkb. 10, 12-18 nr. 3 aus H.*

Wir von gots gnaden Johann [des heilgen stuls zu Mentze erzebischof des hilgen Romschen richis in Dutschen landen erzecanceler [a]] Herman [lantgrave zu Hessen [b]] und Otto [herzog zu Brunßwig [c]] bekennen [und tun kunt uffintlich in diesem briefe [d]]: daz wir angesehen und eigentlich betracht haben mancherlei verdirplich gebrechlichkeit und schedelich noit, die uns unsern landen luten und den unsern von kriege orlûgen und sweren angriffen manigfeldeclichin und gar ungetrulichin in unsern landen und ge-bieten gescheen sin, also daz uns noit nucz und gut ist und nit beßers gesin mag dann wie wir daz furbaße zu solicher ußrichtlicher [e] und ordenlicher satzunge stellen und wislichin fugen, daz wir unser lande lûde und die unsern in geruwelicher friedelichkeit seliglichin behalten und sie also in fridden verliben mogen. darzu uns nicht als furder-lichin gehelfen und gedienen mag dann unser obgenanter fursten eintrechtige einckeit und fruntliche verbûntnisse, damidde wir innern und ûßern widderwirtkeiden deste creftlicher widdersten mogen. und darumbe haben wir mit gutem furrade unser frûnde unsern sloßen landen luden und den unsern, sie sin geistlichin oder werntlichin, zu eren nütz frommen und gemach und umbe des besten willen, umb daz die deste baß in friddelichem schirme furbaß verliben und besten mogen, uns uf diesen hutigen tag als datum dis briefs heldet unser aller lebetage uß fruntlichin und gutlichin mit einander vereiniget und verstricket, vereinigen und verstricken uns geinwurtlich in craft dis briefs in aller maße als hernach geschrieben stet. [1] zum ersten sal unser iglicher den andern oder die andern eren und furdern und mit gûten ganzen truwen meinen [2]

a) W etc. statt des heilgen — erzecanceler. b) W etc. statt lantgrave zu Hessen. c) W etc. statt herzog zu Brunßwig. d) W etc. statt und — briefe. e) W ußricht lichter, H ußrichteclicher.

[1] *Bisch. Rudolf von Halberstadt verbündet sich mit Erzb. Johann von Mainz namentlich wider Balthasar und dessen Sohn Friderich Landgrafen in Thüringen und Markgrafen zu Meißen und alle die die sich den Krieg annehmen; sie wollen auch kein Bündnis eingehen welches diese Einung beeinträchtigen könnte; Rudolf nimmt in diese Einung seinen Bruder Fürst Bernhard von An-halt, den Edeln Ourt von Hademersleben und seine Städte und Lande; falls er mit den Sächsischen und Braunschweigischen Fürsten in Feindschaft komme, will der Bischof sich nicht ohne Johanns* Wissen und Willen sühnen; das Kapitel von Halber-stadt sigelt mit; dat. 1405 Gregorii [Merz 12]; Wien H.H. St.A. Kurerzkanzler-Archiv or. mb. lit. pat. c. 2 sig. pend. — Erzb. Johann von Mainz verbündet sich mit dem Bisch. Johann von Wirs-burg wider den Markgrafen Balthasar von Meißen und nimmt aus Pabst und König; dat. Miltinberg sabb. a. Petri et Pauli [Juni 27] 1405; Würzburg Kr.A. Mainz-Aschaff. Ingross.-B. 14 fol. 109 [b]-110 [a] cop. mb. et ch. coaev.

[2] *(Wohlwollend) gesinnt sein, lieben, s. Lexer mhd. HWB.*

mit worten und ^a werken und sollen auch einer dem andern oder den andern getrûwe- ¹⁴⁰⁵
lichen beraten und beholfen sin nemelichin in sachen da unser einer des andern oder ^{Mrz. 20}
der andern mechtig ist zûm rechten als hernach geschrieben stet ane geverde.　[2] so
sal auch unser einer widder den andern oder die andern nit sin oder tûn oder auch
5 des andern oder der andern finde in unsern sloßen und gebieten wißentlich nit hûsen
heimen halten spisen oder in zulege tûn und sollen auch die in unsern sloßen wedir
fride noch geleide han in dheine wise ane alle geverde. geschee aber daz unwißent-
lichen und ane geverde, wann man des dann innen wirdet, sal von stund und unverzogelich bestalt werden, daz das abesi und furbaß nit me geschee, ane geverde.
10 [3] wir sollen ^b uns auch mit nimand anders verbinden oder verstricken unser lebetage
uß, damidde diese unser einunge geswechet gekrenket oder abegetan mochte werden in
einche wise.　[4] und sollen auch die straßen in unsern landen und gebieten getruwelichen mit libe und gute schuren und schirmen, und mit nichte gestaden ^c oder verhengen, das daruf griefen ^d, kauflûten ^e pilgerin oder andern das ir daruf genommen
15 werde ^{f 1}.　[4^a] wer' ez aber das herûber mit unrechter gewalt imand wer der were
zu unsern straßen griffen ^g oder einem under uns oder me mit gewalt sine lande und ^h
lûde uberziehen angriffen sin sloß besitzen oder sus verbuwen wûlte, sal unser einer
dem andern oder den andern ⁱ, als balde ime das zu wißen wirdet getan, getruwelichen
darzu helfen und den gewalt beschôden mit landen und luten und unser ganzer macht,
20 glicher wise und in aller maße als abe ez unser selbs lande und lûte anginge, ane geverde.　[5] so sollen auch wir obgenante fursten unser keiner den andern oder die
andern diese vorgeschrieben buntnisse uß nit uberbuwen mit ^k nûwen burglichen bûwe
noch uberbuwen laßen in des andern oder der andern furstendûm oder lande anders
dann itzund begriffen oder ^l gebuwet ist.　[6] und want wir Johan erzbischof ^m und
25 lantgraff ⁿ Herman obgenant sunderliche ungleubliche untruwe befunden han an den
hochgebornen marggraven Balthasar und marggraven Friderich sime sone lantgraven in
Doringen und marggraven zu Missen ^o, damidde sie uns Johan erzbischof die sloße
Eschewege und Suntra mit hindergenglichen fûnden ² in eins weschels wise ufgesprochen
und uns die umbe unser und unsers stiftes rechtlich eigen und erbe mit namen Saltza
30 und Bischoffesguttern in kudes ^p wise ingeben hatten, wann sie zu denselben sloßen kein
recht gehabt han oder noch han, als sich daz in unsers gnedigen herren des Romischen
koniges ußsprochen ^q und etlichen andern ußsprüchen clerlich erfunden hait, und uns
lantgraven Hermann obgenant dieselben sloße, die zu userm furstentûm und dem lande
zu Hessen gehôren, mit unrechter gewalt angewonnen uns der entwert und uns die viel
35 jare und zit widder recht furbehalden hant ^q: haben wir uns obgenante fursten mit
sunderlichem underscheide widder die obgenanten marggraven Balthazar und marggraven
Friderich sinen son und ire erben, als verre anders diese hernachgeschrieben sache vor
irme tode nit geendet und sollen ußgetragen wurden, verbunden und verstricket ^r, verbinden und verstricken uns auch geinwurtlichen in craft dis briefs also, daz wir ob-
40 genante fursten die egenanten marggraven Balthasar und marggraven Friderich sin son
und ire erben als vor geschrieben stet ermanen erfordern und auch mit creftlicher

---

a) H add. mit. b) H woln. c) H schaden. d) H gegriffen. e) H konflude. f) H werden. g) H griffe. h) H
oder. i) H om. oder den andern. k) H add. einchome. l) H und; W add. gew ausgestr. m) W hörst das
Wort immer ab erzbisch wie hier, oder erzb. n) W hörst hier und sonst graff mit gr ab, die Überschrift des
45 Zusatzvertrages nr. 479 hat von derselben Hand graff. o) H add. und. p) H butes. q) em., WH hait. r) W
add. han, H add. hain.

---

¹ Vgl. Landfrieden nr. 476 besonders art. 2.　　² Funt, Erfindung Kunstgriff Kniff, s. Lexer
4. 7.　　　　　　　　　　　　　　　　mhd. HWB.
　　　　　　　　　　　　　　　　　　　³ S. nr. 336 art. 5.

1405
Mrz. 30 betwingünge darzu halten und als lange mit in kriegen und in feden sin sollen, biß
daz die egenanten marggraven uns Johan erzbischof vorgenant unsern nachkomen und
stift zu Mentze daz halbe teil unsers sloßes Saltza und waz wir rechte an Bischoffesguttern und andern güten die in dem vorgenanten wessel begriffen waren gehabt han,
und uns lantgraven Hermann obgenant und unsern erben die vorgenanten sloße Esche- 5
wege und Suntra mit iren zugehoren genzlichen und gar widder geantwurtet und ingeben han [1]. [6ᵃ] und sollen wir obgenante fursten unser keiner sich mit fridde süne
furwürten oder gutlichen stallungen von dem oder den ᵃ andern nit scheiden, sunder,
wann unser einer den andern oder die andern darumbe ermanet, sollen wir der obgenanten marggraven fiende werden, in fintlichen tun, und sie darzu halten daz sie alle 10
sachen tün und follenenden als vor geschrieben stet, und sal sich unser keiner ane des
oder der andern wißen und willen nit abesünen frieden oder furworten, ane geverde.
[6ᵇ] wann wir obgenante fursten in soliche fehde mit den vorgenanten marggraven
komen sin als vor geschrieben stet ᵇ, wer' ez dann (daz got nit wolle) daz unser einer
oder me von todes wegen vor abegingen ee daz soliche vorgeschrieben sachen zu 15
ganzem ende und ußtrage quemen, so sollen unser nachkomen unser stift und erben die
dann unser egenanten furstendumes ᶜ macht hetten in ᵈ derselben fehde und hulfe bliben
und den sachen plichtig sin nachzügen, in aller maße und forme als wir uns des verschrieben han, ane geverde [2]. [7] und uf daz wir denselben krieg, den wir als sicher
und versehenlich ᵉ vor handen han, und andere kriege, die uns obgenanten fursten 20
entsten mochten, deste baz bestellen und ußgerichten mogen, haben wir mit rechter
wißen und gütem furrade, wir Johan erzbischof obgenant dri unser frunde mit namen
Francken ᶠ von Cronenberg Johann Brymßer ᵍ ritter und Cünen von Scharpenstein unsern viczdum in dem Ringawe, und wir lantgraff Herman und herzog Otte egenant
auch dri unser frunde mit namen Boden von Adeleyvissen ʰ Dyderich Roden ⁱ ritter und 25
Bernhard Bernken, gekorn und gesatzt. dieselben sehs ratlude sollen von ständ nach
dem als eine partie des von der andern ermant wirdet [an eine benante staid komen,
mit namen, were de forderunge uffe unse erzbischof Johann sieten, so salden sei komen
kegen Friczlar, were aber de forderunge uffe uns lantgrave ᵏ Herman oder uf uns herzogen Otten sieten, so salden sei komen kegen Cassel ˡ], und dieselben sollen umbe be- 30
stellunge derselben kriege ratslagen tedingen und uberkommen wie starke oder in
wilcher maße man dieselben kriege ußrichten und furen sal, und sollen von dannen nit
kommen, sie sin dann solicher sachen eins worden und der uberkommen. mochte des
aber nit sin, so haben wir sementlichin als einen siebenden und ubermann darzu gekorn
die edeln Heinrich graven zu Waldeck und ᵐ Adolff graven zu Nassawe [und Borghard 35
von Schenebergh ⁿ] [3], die dann als ein oberman sin ᵒ zu den sachen kommen und die
auch ratslagen und verhoren sollen, und, wie dann der merteil von den sieben darumbe
entscheidet oder mit wilcher partien die oberlüte züvielen, dabi sal ez bliben und von
beiden siten gehalten und follenzogen werden ane intrag hindernisse und ane geverde.

a) H der.　b) H om. und sal sich — vor geschrieben stet.　c) W abgekürzt furstend mit Schleife, H furstendomes. 40
d) H an.　e) H unvorsehenlich.　f) W Franck mit Schleife am k.　g) H Kremsern mit Schlußüberstrich.　h) H
Adelevessen.　i) H Boden.　k) lantgrabe?　l) W bricht nach wirdet mitten in der Zeile ab, läßt den Raum
einer zweiten Zeile frei und hat am Rande (von derselben Hand?) die gleichzeitige Notiz defectus.　m) H om.
Heinrich — und.　n) W hat nach Nassawe nur etc.　o) om. H.

[1] Vgl. nr. 475 art. 5. 45
[2] Vgl. den Zusatzvertrag vom 8 Mai nr. 478.
[3] Der Text wie wir ihn hier geben ist nicht
ganz richtig; denn aus p. 705 lin. 3 geht hervor,
daß es nicht 3 sondern 2 Obmänner waren, trotzdem die ungerade Zahl so viel zweckmäßiger erscheint; doch ist der Zweifel über die Persönlichkeit des zweiten Obmanns, wenn man nicht eine
dritte Vorlage auffindet, kaum zu lösen. — Heinrich von Waldeck und Adolf von Nassau erscheinen auch in nr. 475 (gegen Ende) als Ver-
trauensmänner. 50

wer' ez auch daz der ratlude vorgenant einer oder me von todes wegen abegingen (daz *1405.*
got lange verhalde) ußer lande furen oder sus unnücz[a] weren, oder abe der obermann *20 Mrz.*
einer oder sie beide auch in vorgeschriebener maße abegingen, sal iede[b] partie under
uns einen oder me ratlüde oder wir semenlich einen oder zwene ander obermann an
5 des oder der abegangen stad widder setzen und kiesen binnen 14 tagen als eine partie
des von der andern ermanet wirdet ane geverde, die dan der sachen macht haben die
handeln und ußrichten sollen in aller maße als die andern getan hetten ane geverde.
[7[a]] und wilche unser heubtlude und diener zu solichin kriegen und sachin geschickt
werden, dieselben sollen in den sloßen, darinne sie dan zu tegelichim kriege bescheiden
10 werden, iede partie uf sins hern under uns koste schaden und verlüste[c], uf die obgenanten marggraven ire lande und lute riden dienen und daz beste tun, als sie dann
nach solicher erkentnisse[d] von unsern heubtluden bescheiden werden, ane geverde[e].
[7[b]] unde wer' ez daz die obgenanten marggraven oder andere sich mit hulfe und were
sterken wurden, sich zu ziehen stelten oder gestalt hetten, oder daz unser heubtlude
15 duchte, daz sie etwaz treffliches und redeliches schicken wulten, darumbe in stirkunge
uber die vorgenante zal lute, als die ratlute und überlute oder der merteil under in vor
erkant hetten, wol noit were: ist beredt und betedinget, daz wir nach uberkommen
derselben unser heubtlude soliche stirkunge und were auch tun und follenziehen sollen,
als verre sie des eintrechtig werden mochten. mochten aber unser heubtlude des nit
20 eines werden, so sal man darzu fordern die vorgenanten ratlüde und die obermann ab
des nöt were, die soliche sache dann besinnen[f] und ußrichten sollen zu unserm besten
unde nuczlichsten in der maße als vor geschrieben stet. und waz dann also erkant
oder uberkomen wirdet, dem sollen[g] wir von[h] beiden siten in solicher maße folgen, daz
kein hinderlich intrag oder sumenisse daran werde. [7[f]] auch sal under uns fursten
25 obgenant unser einer dem andern uf sine fiende die in mit unrechter gewalt kriegen
oder süst angriffen, wann unser einer des an dem andern gesinnet, nach gelegenheit der
sachen uf sine verluste und schaden dienen. doch wann sie in des sloße und lande,
der den andern also gebeden hait, kommen, so sal in derselbe under uns koste fůter
und hubslag[1] geben, und doch keine pantlosunge plichtig sin zu tůn. und waz from-
30 men da gewonnen wirdet, der sal des allein sin und bliben, der desselben krieges und
dinstes ein heubtman ist, doch ußgescheiden waz in die büte gehoret, ane geverde.
[8] auch wer' ez daz unser einer des andern oder der andern mann[i] burgman oder
diener kuntliche redeliche schult schuldig were: ist beredt, daz der herre under uns,
des mann burgman oder diener man[k] solich schult schuldig ist, den andern oder die
35 andern under uns darumbe beschrieben sal, daz man den oder deme ußrichtlich[l] bezalung tů. mochte ime des aber nit[m] gescheen binnen den nehsten zwein menden nach
solicher beschribunge, wurden dann dieselben mann bůrgman oder hinderseßen[n] phanden
fur soliche schült, so sollen die phende furen in des andern herren sloß dem angriff[o]
allernehst gelegen, mit den phanden pentlich gefaren, und die umbe ein mogelich gelt
40 ußgeben als verre man die ußnemmen wil. wulde man des aber nit tůn, so mogen sie
die uf daz dürste verkeüfen ane geverde und sollen daran ire redeliche mogeliche koste
abeslan, und, waz daran dann uberig blibet, daz sal demselben[p] herren an siner schulde

a) W unânez. b) W yedye. c) om. del. und. d) H bekentnisse. e) W läßt den Rest, etwa ein Viertel, der Zeile
frei am Ende der Seite. f) W beinnen. g) W solten, H soln. h) H uffo. i) W hier und öfter mann mit
45　Überstrich. k) H mer. l) W uß — übergeschrieben statt des ausgestrichenen under —. m) H aber des nicht,
om. ime. n) H undersaßin. o) H angegriffin. p) H am Rande nebun der mit diesem Worte schließenden
Zeile nota.

[1] *Wol* buofslac, *Hufschlag, Hufspur, Lexer mhd. HWB.*

abegen. wilche aber unser mann burgmann oder diener soliche forderunge nit tûn oder auch unredeliche schult heischen und darûber zu unser dheinem[a] griffen oder den beschedigen wulten, dieselben sal unser keiner nit hûsen oder heimen in sinen sloßen der er mechtig ist, sie nicht fordern oder in zulegen mit kosten oder andern sachen, und sollen auch keinen fridden oder geleide in denselben unsern sloßen und landen haben, [5] ane geverde.　　　[9] und wer' ez daz von dieser geinwurtigen einunge wegen und von den kriegen, die darin entsten mochten, wir obgenante fursten frommen nemen an sloßen oder an gefangen da unser einer alleine oder zwene under uns heûbtlude weren, so solten soliche gewonnen sloße und gefangen des oder der alleine sin unde bliben, der oder die under uns des krieges heûbtlude weren.　　　[9[a]] wer' ez aber[b] daz wir in der [10] vorgenanten marggraven kriegen, der versehenlich[c] vorhanden ist als vor geschriben stet, da wir alle glich heubtlude sin sollen, oder abe wir in einchem andern kriege glich heubtlûde, oder auch abe wir eins gemeinen zoges sementlichen zu rade wurden, da iglicher uf sin selbs koste were, nemen wir dann frommen an sloßen, die solten wir glich teilen; aber gefangen sollen wir teilen nach marczal[d] reisiger gewapenter lûde, die [15] dan unser iglicher in dem felde hette, ane geverde.　　　[9[b]] doch wer' ez daz wir in solicher maße sloß gewonnen die unser eins eigen weren oder von unser einem zu lehen gingen, dem solten sie bliben, des eigen sie weren oder von dem sie zû lehen gingen. [9[c]] gewonnen wir aber sloß die unser einer[e] versetzt hette, dem solten die bliben der die versatzt hette; und solte doch den[f] oder die, dem oder den sie angewonnen weren, [20] nit widder darzû laßen kommen, ane geverde, oder dan unser aller wille.　doch wer' ez daz derselbe herre sich des icht anders in brieven verschrieben hette, wie sich dann der herre under uns in derselben versatzunge oder pantschaft verschrieben hette, dabi solte es bliben und also gehalten werden, und den andern herren nicht darumbe verbunden oder verhaft[g] sin zu tûn, ane geverde.　　　[9[d]] gewonnen wir auch sloß, die unser[h] eins offen [25] weren, so solte man dem hern under uns dem sie offen weren[i] sine offenunge daran behalten.　　　[9[e]] gewonnen wir aber sloße, die unser keins eigen von uns nit versaczt oder auch unser[k] nit offen weren oder auch nit von uns zu lehen gingen, die solten wir gemein inhaben oder die brechen, wie wir des dann gemeinlich zu rade wurden, ane geverde.　　　[9[f]] gewonnen wir aber Eschewege und[l] Suntra oder ir eins, die solten [30] unser lantgraven Hermans und unser erben allein sin unde bliben.　　　[9[g]] gewonnen wir auch Saltza und Bischoffesgûttern oder ir eins, die solten unser erzbischof Johans unser nachkomen und unsers[m] stifts[n] allein sin und bliben ane geverde.　　　[10] und wiewol wir[o] Johan erzbischof und lantgraff Herman obgenant uns vor jaren und ziten zusamen frûntlich und gûtlich verbunden und vereiniget[p], dieselben einunge wir von [35] beiden siten nû furbaßme auch sunderlichin halten und follenziehen sollen,[q] darin eigentlichen begriffen ist und geschriben stet, wie wir alle brûche und forderûnge wie die zuschen uns unsern mann burgmann dienern und underseßen entsten mochten riechten unde halten sollen, doch, sintdemmale wir herzog Otto obgenant in derselben alten einunge nit begriffen und[r] nû in diese geinwurtige fruntliche[s] einunge mit den obgenanten fursten komen sin, uf daz wir uns deste eindrechlicher under einander gehalten [40] mogen, so sin wir obgenante fursten eintrechtlichin uberkommen, wie und in wilcher maße man zuschen uns soliche brûche und zweitracht entscheiden und entrichten sal, mit namen: wer' ez daz zuschen uns vorgenanten herren eincherlei zweiunge oder stoiße wurden, sal man darumbe von stund frûntliche tage bescheiden an soliche malstede, als [45] man zuschen unsern[t] obgenanter fursten landen und gemirken tage pleget zu leisten,

a) em. statt dheinen. b) om. H. c) W add. ausgestrichen ist. d) em. aus marzal. e) om. H. f) W der, H den.
g) H behaft. h) H add. de uns. i) H add. weren. k) H uns. l) om. H. m) om. H. n) H add. zu Mencze.
o) om. H. p) H add. habin. q) H add. und. r) H uns. s) W Überstrich. t) H uns.

und da mit allem früntlichen ernste versuchen und understen die sachen gutlichin zu ^{1405}
richten abe man mag.   [10ᵃ] mochte des aber nit gesin, so solde igliche partie uf$^{Mrz.\ 20}$
demselben tage zwene ir frunde darzů geben und kiesen.   dieselben vier gekorn ratlude
sollen binnen 14 tagen darnach in eine nemelich stad, mit namen, abe die ansprach
5 unser erzbischof Johans were, gein Fritzlar, und, abe die ansprach unser lantgraff Hermans oder unser herzog Otten were, gein Cassel komen, da bliben, und nit von dannen
kommen sie haben dan vor dieselben sache gutlich mit beider partien wißen und willen,
abe sie mogen, oder rechtlichin uf ir eide entscheiden und geriecht.   [10ᵇ] mochten
aber die viere des nit eins werden binnen 14 tagen nach dem als sie darkommen weren,
10 so solden dieselben vier ratlude eins gemeinen fünften und ubermans uberkomen; und
waz derselbe obermann oder der merteil under in nach verhorunge der sachen zům
rechten erkennen und under sinem oder irem ingesigel versigelt geben, dabi sal es bliben
und von beiden partien gehalten werden.   [11] wer' ez aber daz unser obgenanten
fursten mann burgmann oder diener under einander einche brüche oder zweitracht ge-
15 wonnen, die sal man auch in vorgeschriebener maße und an den steten als vorgeschrieben
stet riechten; doch mit solichem underscheide: [11ᵃ] wer' ez daz die viere ratlude
darzu gekorn des rechten als vor geschrieben stetᵃ nit eins werden mochten, so sal und
mag die clagehaftige partie einen funften und obermann nemen und kiesen uß des hern
under uns rade des mann burgmann oder diener angesprochen wirdet.   waz dann der-
20 selbe oberman oder der merteil under in die also darzu gekorn sin nach verhorunge
der sachen fur recht erkennen und ußsprechin und under sinem oder irem ingesigel
versiegelt geben, dabi salᵇ es bliben und von beiden siten gehalten und vollenzogen
werden.   [11ᵇ] und sal iglich under unsᶜ der sinen, die zu solichen sachen geheischenᵈ
werden, macht han soliche sache zů richten und zu entscheiden, ez were dann daz der
25 oder die verlobt hette oderᵉ hetten recht zu sprechen oder sust von ehaftigenᶠ sachen
sich der entslahen mochten.   [11ᶜ] und wann daz were, so solte man einen oder me
andere, als dicke des noit were, an derselben stad kiesen und nemen, die dann den
sachen nachgen und die handelnᵍ sollen in aller maße als vor geschrieben stet.   [11ᵈ] wulten auch einche der unsern solichen ußgesprochen rechten nicht gehorsam sin noch den
30 folgen, so solte der herre, des mann burgmann oder diener sie weren, sie nicht verantwurten versprechin hůsen heimen kein geleide geben noch dheinerlei zulege tůn, als
lange bißʰ sieⁱ solichin ußgesprochin rechten gnug getan hetten, ane geverde.   [11ᵉ] gewonnen auch unser vorgenanten hern burger oder armen lute icht an einander zu
sprechen, von waz sachen daz were, so solde ir einer dem andern nachfolgen in daz
35 geriechte, da der gesessen ist, dem zugesprochen wirdet.   und sal auch da dem clegere
unverzogenlich rechtesᵏ geholfen werden, damidde in auch beiderˡ siteᵐ gnugen sal,
ane geverde.   [12] in dieser fruntlichen einunge nemen wir fursten semenlichen uß
unsern heilgen vater den babist und die heilgen kirchin, unsern herren den Romischen
konig konig Ruprecht und daz riche.   [12ᵃ] so nemen wir erzbischof Johann sunder-
40 lichen uß den konig und dieⁿ crone zu Beheimᵒ, dieᵖ marg zu Brandenbůrg und Lusitz, hern Johan bischof und denᵍ stift zu Wirczpurg, hern Friderich bischof zu Eystete,
hern Bernhart marggraven zu Baden, hern Hansen und hern Friderich burggraven zu
Nůrenberg gebrüdere, Ludewig und Friderich herrenʳ zu Oitingen, Philips graven zu
Nassawe und zu Sarbrucken und Adolff graven zu Nassawe unser vetern ¹.   [12ᵇ] so

45   a) H om. stet, add. des rechten. b) in W gans verwischt. c) H add. herrn. d) H gekorn. e) H om. hette oder.
f) H haftigen. g) H halden. h) H daz. i) H add. al. k) W Schleife am t, H rechtis. l) H beiden. m) H
siden. n) om. H. o) H Bemen. p) H und. q) H daz. r) H graffin.

¹ *Vgl. die Ausnehmungen Ersb. Johanns im Marbacher Bunde nr. 489 art. 25.*

1405
Mrz. 20 nemen wir lantgraff Herman auch sunderlichen uß die hochgeborne fursten hern Bernhart und hern Hein*r*ich herzogen zu Luneburg und zu [a] Brunswig gebrudere, hern
Hansen und hern Friderich burggraven zu Nurenberg gebrudere. [*12*[c]] so nemen
wir herzog Otto sunderlichen uß die hochgeborn hern Bernhart und hern Hein*r*ich herzogen zû Brunswig und zu Luneburg gebrudere[b] und alle marggraven zu Missen und [c]
lantgraven in Doringen. [*13*] alle und igliche vorgeschrieben stucke puncte und
artikele, wie die davor benant sin und geschrieben sten, reden wir obgenante fursten[c]
mit guten truwen und bi unsern furstelichin eren[d] stede veste und unverbrochlichen zu
halten[e] und darwidder nit zu tûn noch schaffen getan werden heimelich oder offinbar
geistlich oder werntlich in einche wise sunder alle[f] argelist und geverde. des zu [k]
urkunde [haid unser iglicher sin ingesigel an dussen brief vestlich tûn henken[g]], datum
1405 Frideberg feria sexta proxima post dominicam reminiscere anno [domini millesimo[h]]
Mrz. 20 400 quinto.

1405
Mai 8 **478.** *Erzb. Johann von Mainz erklärt: wenn er etwa stirbt, ehe die Zwecke seines mit*
Ldgf. Hermann von Hessen geschlossenen Bündnisses erreicht sind, und wenn dann [k]
sein Nachfolger dasselbe nicht halten will, so soll auch Ldgf. Hermann dadurch
nicht länger gebunden sein. 1405 Mai 8 Fritzlar [1].

> *Aus Wirzburg Kr.A. Mainz-Aschaff. Ingr.-B. 14 fol. 100*[b] *cop. ch. coaev., mit der Über-*
> *schrift* Wer' ez daz mins hern nachkommen daz buntnisse nit halten wulten, so solde [2v]
> es der lantgraff auch ledig sin etc.

Wir Johann etc. bekennen etc.: als der hochgeborne furste her Hermann lantgraff zû Hessen unser lieber swager sich[i] fur sich und sine erben zû uns und unserm
capitel und stifte zu Mentze vereinet und verbunden hait uf und widder die hochgebornen
fursten hern Balthazar und hern Friderich sinen son lantgraven in Doringen und marggraven zu Missen nach inhalt des verbuntbriefs daruber gegeben[2], were nû daz wir [25]
todes halben abegingen (daz got lange verhalde), ee die sachin, darumbe wir und unser
capitel zu Mentze uns[k] zu ime und sinen erben verbunden han und er und sine erben
zu uns und unserm capitel widderumbe, nicht follenfûrt und ganz zu ende kommen
weren nach ußwisûnge und inhalt des vorgenanten verbuntbriefs[3], wulde dann ein erzbischof der nach uns queme dem obgenanten unserme swager und sinen erben dem[l] [30]
verbuntbrief und sachin nicht folgen und halden, als wir und unser capitel uns des
verschrieben han, und sich zu in in derselben maße verbinden und verschrieben, so sal
der egenante unser swager und sine erben des verbundes gein denselben erzbischof
unsern nachkomen auch ledig sin. des zu urkunde etc., datum Fritzlarie feria sexta
1405
Mai 8 proxima ante dominicam jubilate anno domini 1400 quinto. [35]

a) om. H. b) H zu Lüneborgh und Brunswigh obgnant *statt* zû — gebrudere. c) H add. unser eine deme andern.
d) H add. und wirden, om. stede — unverbrochliches. e) H add. und zu follen zu furende. f) H add. b'se
funde. g) W etc. *statt* haid — henken. h) W etc. *statt* domini millesimo. i) om. cod. k) om. cod.
l) im cod. korr. aus den.

[1] *Vom gleichen Tage sind auch die Urkunde*
und die Aufzeichnung die wir in Anmerkungen
zu nr. 475 art. 7 und 16 registiert haben; es fand
damals eine Versammlung in Fritzlar statt.
[2] *S. nr. 477.*
[3] *S. nr. 477 art. 6 ff., besonders auch art. 6*[b]*. —*

Über die weitere Entwicklung der
s. Horn Friedrich der Streitbare
Friedrich finden wir am 25
selben Landfrieden wie Erzb.
s. Bd. 6 nr. 274 Urk. von
Balthasar war inzwischen

479. *K. Ruprecht bestätigt den von Kurmainz, Bernhard Heinrich und Otto von* 1405 *Braunschweig, und Hermann von Hessen am 20 Merz 1405 geschlossenen sechs-* Juni 5 *jährigen Landfrieden nr. 476.   1405 Juni 5 Heidelberg.*

K aus Kassel kön. Preuß. und großh. Hess. Gesammt-A. (jetzt in Marburg) Repert. II 2
Schubl. 14 nr. 27 *or. mb. c. sig. pend.*
B coll. Karlsr. G.L.A. Pfälz. Kop.-B. 4 fol. 228ᵇ-231ᵃ *cop. ch. coaev.*
C coll. Wien H.H. St.A. K. Rupr. Registr.-B. C fol. 192ᵇ-194ᵃ *cop. ch. coaev.*
Gedruckt Chmel Regesta pag. 215-218 Anhang III nr. 21 aus C. — Regest Chmel nr.
1989 ebendaher.

¹⁰   Wir Ruprecht von· gots gnaden Romischer kunig zů allen ziten merer des richs
bekennen und dun kunt uffenbar mit diesem briefe allen den die yn ansehent oder
horent lesen: das uns der erwirdige Johann ertzbisschoff zu Mentze unser lieber
oheim und kurfurste, und die hochgebornen Bernhard und Heinrich gebrudere hertzogen
zu Brunßwig und zu Lunenburg, Herman lantgrave zu Hessen, und Otte hertzog zu
¹⁵ Brunßwig unsere lieben oheimen swager und fursten, furbracht haben: als ytzunt etwie
lange zijt vil unfriedes und kriege, die sie under einander gehabt haben, in yren landen
bij yn gewest sij, darumbe auch lande und lute verderplichen worden sin, und umbe
des willen das sie und dieselben yre lannde und lute und auch yre bijgesessßen und
anstoßer wieder zu frieden und gemache gesetzet werden, so haben sie uns und dem
²⁰ heiligen riche zu eren und dem gemeinen lande zu noitdorfft und fromen eines gemeynen
lantfrieden uberkomen. und haben uns demuteclichen gebeten, denselben lantfrieden zu
bestetigen, als sie den begriffen verschrieben und versiegelt haben, der von worte zu
worte hernach geschrieben stet also ludende [*folgt der Landfriede vom 20 Merz 1405
nr. 476*]. want wir nu als ein Romischer kunig von unserm herren gote dartzu geordent
²⁵ und gesetzt sin allen und iglichen des richs undertanen und getrůwen frieden und
gemache zů schaffen, dartzů wir auch sunderliche neygunge haben, darumbe, mit wolbedachtem mute rechter wißen und gutem rade unser und des heiligen richs fursten
edeln und getruwen, haben wir denselben lantfrieden bestetiget bevestiget und confir-
mieret, bestetigen bevestigen und confirmieren den in crafft dißß brieffs und Romischer
³⁰ kuniglicher mechtevollenkomenheid. und meynen setzen und wollen, das derselbe lantfriede in allen sinen begriffungen puncten und artikeln, als der von worte zu worte
hievor geschrieben stet, die zijt gar uß, als er dann begriffen ist zů weren, gancz stete
und veste bliben und weren solle von allermenglichem ungehindert. und gebieten herumbe allen und iglichen fursten, geistlichen und werntlichen, graven frijen-herren
³⁵ dinstluten rittern knechten burggraven amptluten burgermeistern reten und gemeynden
ernstlichen und vesteclichen mit diesem briefe bij unsern und des heiligen richs hulden,
das sie die obgenanten fursten und herren, und alle die die in den vorgenanten lantfrieden gehorent, an demselben lantfrieden nit hindern noch irren sollent in dheine wise,
sunder sie dabij getruwelichen schutzen und schirmen und yn den auch vesteclichen
⁴⁰ hanthaben und behalten helffen, als liebe yn sij unser und des heiligen richs sware
ungnade zu vermyden.   orkund dißß brieffs versiegelt mit unser kuniglicher majestat
anhangendem ingesiegel, geben zu Heidelberg uff den nehsten fritag vor dem heiligen
pfingstage nach Cristi geburte viertzehenhundert und darnach in dem funfften jare unsers   1405
richs in dem funfften jare.   Juni 5

⁴⁵ [*in verso*] R. Bertholdus Durlach.   Ad mandatum domini regis
                                                            Johannes Winheim.

1408
Juli 4 **480.** *Erzb. Johann II von Mainz und Lf. Hermann II von Hessen bestimmen, daß die zwischen ihnen über die gegenseitigen Sühnebriefe ausgebrochenen Streitigkeiten durch je drei ihrer Vertrauten, welche in Usingen zusammentreten werden, ge- schlichtet werden sollen; kommen dieselben nicht überein, so soll K. Ruprecht als Obmann die Entscheidung fällen. 1408 Juli 4 Amöneburg.*   5

Aus Würzb. Kr.A. Mainz-Aschaff. Ingr.-Buch 14 fol. 184ᵇ-185ᵃ cop. chart. coaev.; Überschrift Anlaße als min herre und der lantgrave ir fründe ir zu einander bescheiden han
die sune zů lutern.

Wir Johann etc. und wir Hermann von denselben gnaden lantgrave zu Hessen
für uns unsere erben bekennen offintlich mit diesem bri*efe*. · daz wir umbe soliche 10
stoiße und irrůnge, als wir von beiden siten han, von der sůnebri*efe*, die wir under
einander geben haben [1], gůtlich uberkomen sin: also daz unser iglicher siner frunde dri
1408
Spt. 9 gein Usůngen des andern tages nach unser frauwen tage nativitas schierstkommet, des
Spt. 10 abindes da zu sin und des andern morgens die sachen anzůgriffen, schicken sollen;
dieselben sechse von beiden siten sollen für sich nemen den sůnbri*ef* oder ᵃ ware abe- 15
schri*ft* desselben sůnbri*efs*, den ᵇ ersten artikel zůvor als der brief anhebet, den andern
und den dritten artikel, von eime an den andern von anfang biß zu ende uß [2], ußgescheiden den artikel als von des Wedelberges und des Heiligenberges wegen [3], der sal
bliben in aller maß als der in deme sunebriefe begriffen und auch sust geredt ist. und
sollen auch schulde und antwurte of iglichen artikel von beiden siten verhoren, des noit 20
ist, und daruber recht sprechen of ire eide daz sie sich nit beßers versteen. und waz
die sechse also fur recht of ire eide sprechen, daz sal unser einer dem andern halden
tůn und follenziehen ane allen intrag. worden aber die sechse nit eins und zweischil-
dig ᶜ [4] an dem rechten zů sprechen, so han wir von beiden siten zu eime obirmann
darzu gegeben gekorn geben und kiesen geinwurtlich mit diesem bri*efe* den allerdurch- 25
luchtigesten fursten unde herren hern Růprecht Romischen konig zů allen ziten merer
des richs unsern lieben gnedigen herren, den wir auch von beiden siten undterteniclich
bitten sollen sich des rechten zů underwinden. demselben unsern gnedigen herren danne
die obgenanten sehs unser frunde schulden antworte und ůßsproch, als vor gerůrt ist,
binnen vierzehen tagen als sie von dem tage zu Usungen scheiden under iren inge*siegeln* 30
versiegelt schicken sollen. mit wilcher partie danne der obgenant unser gnediger herre
der Romische konig ᵈ zůfellet und bestet, daz sal unser einer dem andern tůn halten
und follenziehen ane intrag. und sal auch der obgenant unser gnediger herre der Romische konig soliche entscheidunge und ußsproche tůn und uns beden beschriben geben
zuschen der zit als die obgenanten sechse sinen gnaden unser ansprache antwůrte und 35
Nov. 11 ire entscheidunge ubergeben haben und sand Martins ᵉ tag darnach nehstkommet. alle
und iglich sache stůcke puncten und artikele reden wir fur uns unser nachkom*men*
1408
Juli 4 und erben stede veste und unverbroch*lichen* zů halten.   des zů urk*und* etc., datum
Ameneburg ipsa die beati Udalrici anno etc. 408.

a) conj.; cod. der.   b) conj.; cod. der.   c) sic.   d) om. cod.   e) Martins ?   40

[1] S. nr. 475.   [2] D. i. art. 10 des Sühnebriefs nr. 475.
[3] Der Ausdruck ist etwas schwerfällig und leicht   [4] Hat nichts mit schilt zu thun; ist nur ver-
dahin miszuverstehen, daß die 6 Schiedsrichter   schrieben für zweischëllic, uneins, zwiespältig,
nur die 3 ersten Artikel vornehmen sollten; es ist   Lexer mhd. HWB.
aber sicher gemeint: alle Artikel des Sühnebriefes
der Reihe nach, zuerst den ersten, dann den
zweiten, dann den dritten u. s. w.

Reichstag zu Mainz
im Oktober 1405.

*Der Mainzer Reichstag vom 21 Oktober 1405 wurde von K. Ruprecht des Mar-
bacher Bundes wegen berufen, und wir eröffnen daher naturgemäß die Akten dieses
Tages durch Zusammenstellung des auf die Begründung jenes Bundes bezüglichen Materials. Bei der Wichtigkeit des Ereignisses, das für die Gestaltung der inneren Verhältnisse während mehrerer Jahre maßgebend war, mag es gestattet sein, hier in der
Einleitung zunächst kurz auf die Motive einzugehen, die die Marbacher Verbündeten
zusammenführten, sowie auf die Beziehungen, die in der letztvergangenen Zeit zwischen
ihnen bestanden; wir werden uns dann der Korrespondenz über die Vorbereitung des
Bundes zuwenden und weiter die Urkunde selbst, besonders aber die Entwürfe derselben,
einer eingehenden kritischen Betrachtung unterziehen, um aus diesem Material Aufklärung über die Entstehungsgeschichte des Bundes zu erhalten. Dann erst können die
Akten des Mainzer Tages selbst folgen.*

A. Vorläufiges: Marbacher Bund 1405 Sept. 14 und seine Entstehung nr. 481-490.

*Die Unzufriedenheit mit K. Ruprechts Regierung hatte sich schon öfter geregt,
und wir haben schon mehrmals Gelegenheit genommen auf die Entwicklung der Dinge,
die schließlich auf den Marbacher Bund hinauslief, aufmerksam zu machen. Es ist
hier vor allem wider an die Ereignisse zu erinnern, die zu Anfang des Jahres 1403
sich abspielten, vgl. Einleitung zum Nürnberger Tage von 1402 lit. M. Erzb. Johann
von Mainz und Mf. Bernhard von Baden waren damals die rührigsten Gegner Ruprechts, und wir finden die beiden im Marbacher Bunde wider, ebenso Gf. Eberhard
von Wirtemberg, der 1403 ebenfalls unter den konspirierenden Fürsten genannt wurde,
schließlich freilich den König gegen den Markgrafen unterstützt hatte. Über die besonderen Gründe, die im Jahre 1405 die neue gegen K. Ruprecht gerichtete Koalition
veranlaßten und außer den genannten drei Fürsten auch Straßburg und den Schwäbischen Städtebund ihr zuführten, mag man außer Höfler pag. 339-341 die neuesten
Darstellungen Huckert's (Politik der Stadt Mainz pag. 67-69) und Menzel's (Schliephake
Gesch. von Nassau fortges. von Menzel Bd. 5 pag. 170-171) nachlesen und dazu bei
uns vergleichen die Einl. zu den Landfrieden lit. C pag. 593, 38, dann die Einleitung
zum Mainzer Reichstage von 1404 Dec. lit. B, und die vorliegende Einleitung lit. F.
Aus unserer Einleitung zum Mainzer Reichstage l. c. geht auch hervor, daß Huckert,
wenn er gegen Janssen bestreitet, die Schwäbischen Städte seien durch die Steuerforde-
rungen des Königs dem Beitritt zum Bunde geneigt geworden, nur, was die Steuer des
zwanzigsten Pfennigs anlangt (vgl. dieselbe Einleitung lit. C), Recht hat. Am besten
sind wir über die Motive Erzb. Johanns und der Schwäbischen Städte unterrichtet;*

unsere und der früheren Bearbeiter Kenntnis gründet sich da auf die beim nächsten Reichstage mitgetheilten Aktenstücke RTA. 6 nr. 14. 19. 26. Es sind für die Erörterung der Ursachen des Bundes auch noch die Schiedssprüche zu beachten, durch die später die Zwistigkeiten zwischen dem König und den verbündeten Fürsten beigelegt wurden; wir bringen sie im nächsten Bande nr. 80 ff. Zum Theil waren es darnach auch wol [5] *gewöhnliche territoriale Streitigkeiten, die die Fürsten gegen Ruprecht aufgebracht hatten. Beim Markgrafen Bernhard und beim Grafen Eberhard erfährt man, so viel wir sehen, von andersartigen speziellen Motiven nichts. Was Straßburgs Motive anbelangt, so sind wir wie die früheren Forscher auf Vermuthungen angewiesen, werden aber kaum irren, wenn wir mit Höfler die Haltung des Königs im Streite der Stadt mit ihrem Bischof* [10] *in erster Linie betonen* [1], *s. lit. F dieser Einleitung. Einen bisher nicht beachteten Anlaß zur Misstimmung für Straßburg und die Schwäbischen Reichsstädte glauben wir in des Königs mit der Österreichischen Heirath zusammenhängenden Verpfändungsplänen zu finden, vgl. Einleitung zum vorigen Reichstage lit. D. Sie beunruhigten wie Basel sicher auch Straßburg, obschon beide als Freistädte direkt nicht bedroht waren. — Es* [15] *mag gestattet sein, an diese Hinweisungen auf die Motive der Marbacher Verbündeten eine allgemeinere Bemerkung anzuschließen und zum Vergleich die Klagen herbeizuziehen die man einst gegen K. Wenzel erhoben hatte. Diesem hatte man vorgeworfen, daß er die Reichsregierung vernachlässige, auf Besserung der Misstände im Reich nicht genügend bedacht sei, und vor allem, daß er die Rechte des Reichs nach außen hin und auch im* [20] *innern leichtfertig preisgebe. Von alledem ist Ruprecht gegenüber nicht die Rede; in den seitens der Marbacher Verbündeten und bei andern Gelegenheiten gegen ihn vorgebrachten Beschwerden spricht sich vielmehr eine ganz andere Beurtheilung seiner Regierung aus; sie lassen sich alle unter dem Gesichtspunkt zusammenfassen, daß die Verbündeten sich in ihren Rechten und Interessen durch den König verletzt fühlten;* [25] *und dem entsprechend ist es nach der Bundesurkunde in erster Linie Zweck des Bundes Eingriffe des Königs in die Rechte und Freiheiten der Verbündeten abzuwehren, und es verbreitete sich die Rede im Lande, daß der König ein harter Herr sei und die Reichsstände von ihren Herlichkeiten Freiheiten und Rechten drängen wollte. Man kann dieß dahin verstehen, daß K. Ruprecht durch energische Wahrung der Reichs-* [30] *rechte und durch Widerstand gegen Eigenmächtigkeit und unberechtigte Wünsche der mächtigeren Reichsstände derselben Feindschaft derselben zugezogen hätte, aber diese Ruprecht günstige Auffassung seiner Politik wird insofern zum mindesten einzuschränken sein, als es zum Theil seine Hauspolitik war* [2] *die das Misfallen der Reichsstände erregte.* [35]

Die Mitglieder des Marbacher Bundes standen zum Theil schon vorher in Bundesverhältnissen unter einander. Der Bund Schwäbischer Städte unter Führung Ulms hatte, seit er bald nach der 1389 erfolgten Auflösung des großen Rheinisch-Schwäbischen Städtebundes sich auf's neue gebildet hatte, nie aufgehört zu existieren, s. Anm. zum Eingang von nr. 489. Mit diesem Schwäbischen Städtebunde hielt Gf. Eberhard von [40] *Wirtemberg seit längerer Zeit eine Einung, s. Anm. zu nr. 489 art. 17. Auf der andern Seite waren Ersb. Johann von Mainz und Mf. Bernhard von Baden seit dem Herbst 1402 mit einander verbündet, s. Anm. zu nr. 354. Ein Bündnis des Erzbischofs mit dem Wirtemberger (s. Nürnb. Tag von 1402 Einl. lit. M am Schluß) und ein solches*

---

[1] *Huckert l. c. pag. 68 und Menzel l. c. pag. 171 sprechen nur von der Besorgnis Straßburgs* [45] *vor Ausbreitung der Pfälzischen Herschaft im Elsaß. Das trifft den Kern der Sache nicht, ist auch nicht ganz genau, da die Schlösser der K. Ruprecht erwirbt nicht im Elsaß liegen.*

[2] *Vgl. Einleitung zum Nürnberger Tage von 1402 lit. F, Einleitung zum Mainzer Reichstage vom Dec. 1404 lit. D, und vorliegende Einleitung lit. F.*

des Markgrafen mit demselben (s. Anm. zu nr. 354) waren dagegen ungefähr gleich-
zeitig Ende des Jahres 1404 abgelaufen und, wie aus dem Stillschweigen der Urkunde
nr. 489 zu schließen ist, noch nicht erneuert; die Beziehungen Eberhards und Bernhards
waren vielmehr in den letzten Jahren keineswegs immer die besten gewesen, s. Einleitung
⁵ *zum Nürnb. Tag 1402 lit. M. Straßburg war mit keinem der andern Theilnehmer*
vorher schon durch einen Vertrag verbunden, doch war, wie folgendes Schreiben zeigt,
im Jahre 1403 über ein Bündnis zwischen dem Grafen von Wirtemberg und Straßburg
unterhandelt. Gf. Eberhard von Wirtemberg an Gf. Eberhard von Kirchberg: was den
Freundschaftsbund mit Straßburg betrifft, so ist er dazu geneigt; doch von des Volkes
¹⁰ *wegen einander zu schicken, so will er, daß die von ihm zu stellenden Truppen auf*
Kosten Straßburgs verpflegt etc. werden sollen, wie umgekehrt seinerseits die von Straßburg;
Adressat soll einen Tag zwischen ihnen machen, aber mehr in der Nähe des Grafen v. W.,
weil es für diesen wegen der Läufe und Kriege ¹ nicht füglich ist seine Räthe weit zu
schicken; dat. Herrenberg a. d. h. Crutztag ze Maygen [Mai 3] 1403; Straßburg St.A.
¹⁵ *AA 120 nr. 4 or. ch. lit. cl. c. sig. Ins Jahr 1403 gehört auch wol folgender Brief: Gf.*
Eberhard v. W. an den Ammanmeister von Straßburg: nachdem seine Räthe in Straßburg
wegen der Freundschaft gewesen sind, sind seine Räthe jetzt nicht bei ihm, sie kommen
in kurzem, er hat Gf. Eberhard von Kirchberg zu sich entboten, wird durch diesen
völlige Antwort geben; dat. Stuttgart Mo. n. Martini o. J. [wol 1403 Nov. 12]; Straß-
²⁰ *burg l. c. or. ch.*

Wenn man beachtet, was wir über die Gründe der Entstehung des Marbacher
Bundes wissen, so kann man schon sagen, daß die vorbereitenden Verhandlungen schwer-
lich über die ersten Monate des Jahres 1405 zurückreichen werden; und in der That
erfahren wir im Merz 1405 zuerst von Bestrebungen, die wir mit dem späteren Bündnis
²⁵ *in direkte Beziehungen bringen können. Es ist hier besonders der beim vorigen Tage*
mitgetheilte Brief nr. 456 zu vergleichen. Einerseits bereiteten darnach der Erzbischof
von Mainz und die durch K. Ruprechts Zug in die Wetterau erschreckten Elemente
sich zum Widerstande, andererseits aber gieng, scheint es, die Bewegung vom Schwä-
bischen Städtebunde aus. Dieser suchte damals weitere Ausdehnung zu gewinnen, und
³⁰ *nicht ganz ohne Erfolg, s. Anm. zu nr. 489 ziemlich zu Anfang und Einleitung zum*
vorigen Tage lit. D. Es scheint fast, als ob damals die Gründung eines größeren
südwestdeutschen Städtebundes im Werk gewesen wäre. Die folgenden beiden Briefe
ergänzen unsere übrigen Nachrichten in erwünschtester Weise, und zeigen, daß auch
Straßburg bei diesen Verhandlungen betheiligt war. Arnolt von Berenfels Bürgermeister
³⁵ *und der Rath zu Basel an ihre Eidgenossen die von Straßburg: senden zu ihnen ihren*
laufenden Boten und bitten durch denselben ihnen Nachricht zu geben, ob die büntnisse
zwischen Straßburg und den Schwäbischen Städten, als ihnen vormals Straßburger Boten
zu verstehen gaben und die Straßburger ihnen auch zum Theil verschrieben haben, Für-
gang genommen habe oder gewinne, und ob den Straßburgern aus des Bisthums Schlössern
⁴⁰ *Schade geschieht; sie erbieten sich zu allen Diensten; dat. fer. 2 p. reminiscere [Merz*
16] 1405; Straßburg St.A. lettres des magistrats de Bâle de Fribourg Augsbourg,
corresp. avec la Suisse, G. U. P. lad. 81 or. mb. lit. cl. c. sig. in v. impr. Ulm an
Straspurg: wir schrieben euch nú nehst, daß die Städte kürzlich zusammenkämen, und
wann die von einander schieden, so wollten wir euch eine Antwort wissen lassen von
⁴⁵ *der Sache wegen als euch wol kund ist; also melden wir euch, daß die Städte unserer*
Vereinung bei uns gewesen sind, so sind auch ein Theil der Städte vom Sew zu uns
gekommen, und um das, wann die nicht gänzlich zu uns kommen mochten, so konnten
wir der Sach keinen vollkommenen Austrag geben; doch haben die Städte um den Sew

---

¹ *Der Krieg gegen den Markgrafen von Baden wird gemeint sein.*

gesprochen, daß sie jetzt nach diesen Ostern [April 19] gemeinlich zu uns kommen wollen vollkommenlich um die Sach zu antworten; darum wollten wir euch das melden, daß wir in den Sachen nicht säumig gewesen seien; u. a. m.; dat. Ostertag [April 19] 1405; Straßburg St.A. AA 132 nr. 1 or. ch. lit. cl. c. sig. in v. impr. — Aus den nächsten Monaten fehlen uns alle Nachrichten über Verhandlungen, und, als wir wider   5 von solchen erfahren, hat das Projekt eines Bündnisses offenbar eine etwas andere Gestalt angenommen. Ein Theil der Bodenseestädte war inzwischen dem Schwäbischen Städtebunde beigetreten, die übrigen zu gewinnen hatte man wol aufgegeben, dafür waren andere Reichsstände in die Verhandlungen eingetreten. Das nächste Stück, das wir beibringen können, ist ein Brief vom 3 August 1405, der uns erst so recht eigentlich   10 in die Zeit der Verhandlungen über Gründung des Bundes, wo das Projekt schon feste Gestalt angenommen hatte, versetzt. Seiner Wichtigkeit wegen ist er unter nr. 482 vollständig mitgetheilt. Es schließen sich dann nur noch zwei Briefe vom 5 Sept. nr. 484 und 485 an. Das ist alles was wir von der bei der Vorbereitung des Bundes gepflogenen Korrespondenz besitzen, und diese Briefe werden erst recht deutlich zu uns   15 sprechen und in ihrem vollen Werth erkennbar werden, wenn wir ihre Nachrichten mit dem Aktenmaterial, das in Gestalt dreier Entwürfe und der zu zweien derselben gemachten Randbemerkungen vorliegt, kombinieren. Um dieses richtig verwerthen zu können dürfen wir die Mühe einer ins einzelne gehenden Vergleichung nicht scheuen. Wir werden, wenn wir dieselbe durchgeführt haben, den Faden dort, wo wir ihn jetzt   20 fallen lassen, wider aufnehmen und speziell an die zuletzt erwähnten Briefe wider anknüpfen.

     Die drei undatierten Entwürfe bezeichnen wir als I (nr. 481) Iᵃ (nr. 483) und II (nr. 488); der Sinn und die Rechtfertigung dieser Bezeichnung werden sich im Verlauf der folgenden Untersuchung ergeben. Als Entwürfe charakterisieren sich alle   25 drei Stücke schon durch gewisse Lücken[1], die bei Abschriften einer Urkunde unerklärlich wären. Die Erwähnung K. Ruprechts in allen dreien[2] zeigt, daß sie aus dessen Regierungszeit stammen; und aus der folgenden Betrachtung ergibt sich, daß sie früher anzusetzen sind als die am 14 Sept. 1405 ausgestellte Urkunde des Marbacher Bundes nr. 489. Die Theilnehmer sind in ihnen fast dieselben wie in dieser; in I und II   30 fehlt nur der Erzbischof von Mainz, in Iᵃ ist dieser mit dabei und außer ihm noch die Städte Mainz Worms und Speier und nichtgenannte Herren. Der Marbacher Bund dauerte noch über das Ende der Regierung K. Ruprechts hinaus; daß während seines Bestehens diese Entwürfe zu einem neuen Bunde ausgearbeitet wären, ist an sich sehr unwahrscheinlich, wird aber dadurch wol ganz ausgeschlossen, daß derjenige von ihnen,   35 der, wie die Vergleichung mit Sicherheit ergibt, am spätesten entstanden ist, der Urkunde am nächsten steht. Die Entwürfe gehen demnach der Begründung des Bundes voran, und da sie nicht nur ungefähr dieselben Theilnehmer voraussetzen, sondern auch inhaltlich mit der Mehrzahl der Artikel und mit der Tendenz des Bundes übereinstimmen, so können wir sie ohne Bedenken geradezu als Entwürfe des Marbacher Bundes be-   40 zeichnen, obschon die Urkunde desselben im Wortlaut mit den Entwürfen kaum größere Ähnlichkeit zeigt, als bei Verträgen verwandten Inhalts, auch wenn sie unabhängig von einander zu ungefähr gleicher Zeit und in derselben Gegend entstanden sind, zu erwarten wäre. Wir werden auf dieses Verhältnis später zurückkommen; zunächst gilt es festzustellen, in welchem Verhältnis die drei Entwürfe unter einander stehen. Das, wie   45 sich später zeigen wird, älteste der uns vorliegenden Projekte (Entwurf I) ist das eines

----

[1] S. Entwürfe I und Iᵃ Eingang die Auslassung der Jahreszahl, Entwurf I art. 6, Entwurf Iᵃ art. 1ᵃ, Entwurf II art. 16. 23.

[2] Entwurf I art. 21, Entwurf Iᵃ art. 18, Entwurf II art. 22.

Bundes zwischen Mf. Bernhard von Baden Gf. Eberhard von Wirtemberg der Stadt Straßburg und dem Schwäbischen Städtebunde. Ungefähr gleichzeitig, wahrscheinlich etwas später, wurde auch der Entwurf einer Vereinigung dieses Bundes mit einem zweiten, als dessen Mitglieder Erzb. Johann von Mainz nichtgenannte Herren und die
[5] *Städte Mainz Worms und Speier gedacht werden, ausgearbeitet, d. i. unser Entwurf I^a. Die Übereinstimmung der beiden Entwürfe ist größer als es zunächst wol den Anschein hat, denn es sind folgende drei Umstände zu beachten. Erstens ergeben sich gewisse materielle Verschiedenheiten aus der ganzen Sachlage, daß I das engere, I^a das weitere Bündnis darstellt [1]. Zweitens war eine redaktionelle Umarbeitung aller Artikel*
[10] *deshalb nöthig, weil Entwurf I in der Form einer von allen Theilnehmern des Bundes gemeinsam auszustellenden Urkunde auftritt, Entwurf I^a aber als Verpflichtung der einen Partei gegen die andere, zu deren Ergänzung eine Reversurkunde gehört [2]. Drittens ist Entwurf I^a so wie er uns vorliegt unvollständig, wobei dahingestellt bleibt, ob unsere Vorlage nur eine unvollständige Abschrift ist oder ob überhaupt nie ein voll-*
[15] *ständig ausgearbeitetes Exemplar existiert hat [3]. Man vermisst nemlich eine Bestimmung, auf die an einer Stelle des Entwurfes selbst verwiesen ist [4], und außerdem noch andere, die ganz gewiss auch nach der Absicht desjenigen, der den Entwurf I^a redigierte, in der Ausfertigung nicht fehlen sollten [5]. Daß I^a wirklich unvollständig ist, zeigt sich noch deutlicher beim Vergleich mit I; die Artikel 1-15 des Entwurfes I kehren, von*
[20] *wenigen leicht erklärten Ausnahmen abgesehen, sämmtlich in I^a art. 1-17 wider, es fehlen aber hier I art. 16-24, mit einer Ausnahme die wir gleich berühren. Dem Bearbeiter oder dem Abschreiber des Entwurfes I^a wurde offenbar die Sache, als er bis art. 17 gekommen war, zu umständlich, er brach ab und fügte nur noch den besonders wichtigen art. 18 (in I art. 21) hinzu, schrieb aber auch diesen nicht ganz aus, sondern*
[25] *deutete den für das ganze so zu sagen entscheidenden Schluß desselben nur durch die ersten Worte an. Die fehlenden Artikel waren ja, wenn, wir wir annehmen, Entwurf I früheren Ursprungs ist, leicht aus diesem zu ergänzen. Wenn man diese drei Dinge berücksichtigt, so beschränken sich die noch übrigen Abweichungen zwischen I und I^a darauf, daß erstens in einigen Artikeln die aus angegebenem Grunde nöthige redaktio-*
[30] *nelle Umarbeitung über das dadurch geforderte Maß hinausgeht [6], meistens aber nur so weit, daß doch der Wortlaut immer noch sehr ähnlich ist, daß zweitens in I^a, wahrscheinlich weil er überflüssig war, fortgefallen ist, und daß drittens in I^a mehrere Artikel vorkommen, die in I fehlen [7]. Wenn wir nun diese Artikel in I^a betrachten, so ist es viel wahrscheinlicher, daß I^a später als I verfaßt und aus ihm abgeleitet ist,*
[35] *als daß es umgekehrt wäre. Es schiene sehr sonderbar, wenn diese Artikel, die zum Theil Bestimmungen enthalten, die nur schwer entbehrt werden können [8], in einem auf Grundlage von I^a ausgearbeiteten Entwurfe ausgelassen wären. Entscheidend aber für unsere Beurtheilung des Verhältnisses von I^a zu I dürfte folgende Beobachtung ins Gewicht fallen. Eine Korrektur in I^a art. 1 [9] gestattet uns einmal einen Schluß auf*

---

[40]   [1] *Daraus ist zu erklären, daß I art. 1^a. 2. 2^b. 6. 15^a. 20. 24 in I^a fehlen, zu beachten ist dieß ferner bei I^a art. 1. 1^a. 9. 12. 15. 17.*
    [2] *Daraus ergaben sich größere Änderungen des Wortlauts z. B. in I^a art. 4. 6. 7.*
    [3] *Auf ein vollständigeres Exemplar von I^a deutet vielleicht die sonderbare Fassung von II art. 17 hin, s. Anm. dort.*
[45]   [4] *S. Anm. zu Entwurf I art. 19.*
    [5] *Nemlich über den Austrag von Streitigkeiten entsprechend I art. 16 und 16^a und über Ausnehmungen entsprechend I art. 22 und 22^a.*
    [6] *So in I^a art. 3. 5. 7. 14. 18, stärker in art. 10. 11. 13. 16.*
    [7] *S. I^a art. 1. 1^b. 2. 8. 12^a. 14^a.*
[50]   [8] *Besonders I^a art. 1^a. 1^b und 2.*
    [9] *S. die zweite Anm. zu diesem art. 1 des Entwurfes I^a*

die Vorlage die für I^a benutzt ist, und wir bemerken, daß dieselbe hier genau denselben Wortlaut wie I an der betreffenden Stelle gehabt haben muß. Da nun irgend ein unbekanntes Mittelglied zu vermuthen durchaus keine Veranlassung vorliegt, so ergibt sich mit größester Wahrscheinlichkeit das schon vorher ausgesprochene Resultat, daß I^a auf Grundlage von I bearbeitet und etwas späteren Ursprungs ist. Andererseits aber haben wir I^a auch nahe an I heranzurücken; darauf werden wir nicht nur durch die große Übereinstimmung im Inhalt hingewiesen, sondern vor allem auch durch einige Randnotizen die sich in I wie in I^a übereinstimmend finden, s. nr. 486 und 487. Auf die Beziehungen von I^a zu dem dritten Entwurfe, dessen Besprechung wir uns jetzt zuwenden, werden wir später zu reden kommen. — Der Entwurf des engeren Bundes I erfuhr eine Umarbeitung, und diese liegt in Entwurf II vor. Die Theilnehmer sind dieselben hier wie dort, der Grundstock der Artikel ist auch geblieben, viele sind ganz unverändert beibehalten [1], bei einigen andern ist die Übereinstimmung eine so gut wie wörtliche [2] und bei andern ist trotz kleinerer oder größerer Veränderungen der Wortlaut doch sehr ähnlich [3]. Starke redaktionelle Verschiedenheit ist wol nur in einem Falle zu beobachten [4], ferner sind einige Artikel fortgefallen [5], andere hinzugekommen [6]. Die Reihenfolge der Artikel ist, von einer kleinen Umstellung [7] und einem in I nachträglich hinzugefügten Artikel [8] abgesehen, die gleiche. Daß II später als I und aus diesem abgeleitet ist, leidet gar keinen Zweifel, da in mehreren Fällen Randnotizen oder Korrekturen in I die Veränderungen andeuten, die dann in II vorgenommen sind [9], oder auch I Lücken läßt, die wir in II ausgefüllt finden [10]. Von bestimmten Tendenzen tritt bei der Umarbeitung wenig hervor. Für den Wegfall einiger Artikel sowie auch für manche Änderungen wird es schwer halten bestimmte Gründe zu entdecken [11]. Die neuen Artikel ergänzen großentheils [12] Bestimmungen, die sich auch schon in I finden und zum Theil dort augenscheinlich garnicht vollständig sein sollten [13]. Ähnlich ist bei manchen Änderungen innerhalb der beibehaltenen Artikel die Absicht zu bemerken den Sinn entschiedener herauszuarbeiten und Misverständnissen vorzubeugen [14]. Von besonderem Interesse sind die in II art. 22 gemachten Zusätze, die den eigentlich politischen Charakter des Bündnisses, die Absicht, Rechte Freiheiten etc. der Verbündeten gegen Eingriffe eines jeden namentlich auch des Königs zu vertheidigen, schärfer hervorheben. — In Entwurf II kehrt die Mehrzahl der Artikel die I^a gegenüber I eigenthümlich waren wider [15], möglicherweise ist die Umarbeitung direkt durch I^a beeinflußt worden, doch klingt der Wortlaut auffallend wenig an. Daraus, daß I^a und II einige Artikel ge-

---

[1] S. die Kürzungen in unserm Abdruck von I; auch II art. 24 ist hierher zu zählen.

[2] S. II art. 5. 8. 12. 15.

[3] S. II art. 2^a. 9. 15^a. 16. 16^a. 21. 22.

[4] S. II art. 16.

[5] S. Übersicht weiter unten.

[6] S. ibid.

[7] S. II art. 15-16.

[8] I art. 24, II art. 11.

[9] S. II art. 9^a. 12. 16; auch die Hinzufügung von I art. 24 (II art. 11) gehört hierher, ebenso die Durchstreichung von I art. 2^b. 7. 20.

[10] S. I art. 6.

[11] I art. 7. 9. 20 erschienen vielleicht als überflüssig, ebenso möglicherweise auch I art. 13, die in I art. 19 gegebene Beschränkung mochte als unzweckmäßig erscheinen, und I art. 2^b war den Schwäbischen Städten wol nicht genehm.

[12] So II art. 9^a. 10. 17. 18^b. 23. 23^a, in gewisser Weise auch art. 3. 4. 4^a. 15^b.

[13] Die Ausnehmungen, s. I art. 22 und 22^a, II art. 23-23^c.

[14] So etwa in II art. 9. 16. 21. 22.

[15] So I^a art. 1^a. 1^b. 2. 12^a; es fehlen in II nur I^a art. 8. 9. 14^a, und zwar art. 9 weil er nur für die Verhältnisse des weiteren Bundes passt, art. 14^a weil auch art. 14 (I art. 13) fortgefallen ist.

meinsam haben die in I fehlen, darf man nicht schließen, daß I[a] und II näher zu-
sammengehörten als I[a] und I. Es fehlen auf der andern Seite I[a] eine ganze Reihe
von Artikeln die in II hinzugekommen sind[1], und, was wichtiger als dieß ist, da wo
innerhalb der allen drei Entwürfen gemeinsamen Bestandtheile Verschiedenheiten zwischen
5 I und II bestehen stimmt I[a] niemals mit II, öfter aber mit I überein[2]. Auch die schon
mehrfach erwähnten Randnotizen weisen I[a] zu I, nicht zu II, und es kann also gar
keinem Zweifel unterliegen, daß I[a] früher als II entstanden ist. — Eine II entsprechende
Umarbeitung von I[a] besitzen wir nicht, und wenn wir auch aus dieser Thatsache allein
nicht mit Sicherheit schließen dürfen, daß das Projekt des weiteren Bundes damals, als
10 das des engeren in II seine neue Bearbeitung erhielt, aufgegeben war, so ist dieß doch
einigermaßen wahrscheinlich, wie sich auch weiterhin noch erweisen wird. Jedenfalls
kam das Projekt des Doppelbundes nicht zur Ausführung, vermuthlich weil die nichtgenannten Herren und die Städte Mainz Worms und Speier, auf die I[a] rechnete, ihren
Beitritt versagten; es wurde nur ein einfaches Bündnis nr. 489 abgeschlossen, zu dem neben
15 den in I und II genannten vier Theilnehmer-Parteien auch der Erzbischof von Mainz
gehörte. Eine gewisse Sonderstellung hatte dieser auch hier[3], aber doch ganz anderer Art
als nach dem früheren Projekt. — Das Verhältnis der ausgefertigten Bundesurkunde
nr. 489 zu den Entwürfen ist ein recht eigenthümliches. Wie zu erwarten, steht sie
dem letzten uns bekannten Entwurf II am nächsten. Alle Artikel des Entwurfes I die
20 in II fortgefallen sind[4] fehlen auch in der Ausfertigung, ebenso ein in II ausgestrichener
Artikel[5], während andererseits alle in II neu auftretenden Artikel sich auch in der
Ausfertigung widerfinden, soweit sie nicht mit andern daselbst übergangenen Artikeln im
Zusammenhang stehen[6]. Auch kann man bemerken, daß an einigen Stellen, wo I und
II verschiedene Fassung haben, die Ausfertigung mehr an II erinnert[7]. Daß I über
25 II hinweg auf die Ausfertigung eingewirkt hätte, ist nirgends der Fall. Einen Einfluß
von I[a] kann man allenfalls bei einem Artikel[8] vermuthen, doch mit Sicherheit ihn nicht
behaupten. In ihrem Inhalt kommt, wie schon die eben gemachten Bemerkungen zeigen,
die Ausfertigung dem Entwurfe II recht nahe, doch fehlt es in einigen Artikeln[9] auch
nicht an wesentlichen Änderungen. Ferner sind mehrere Artikel die in I und II stan-
30 den weggelassen[10], zum Theil wol weil sie als überflüssig erschienen[11], und eine größere
Zahl ist dafür neu hinzugetreten[12]. Nur einer von ihnen[13], wenn wir recht sehen, berührt
eine Frage die den Entwürfen fern lag, die andern dagegen schließen sich älteren Artikeln ergänzend an, sie bringen zum Theil[14] Bestimmungen die in den Entwürfen wol
nur weil ziemlich selbstverständlich fehlten, andere[15] füllen Lücken aus die in II mit
35 Bewußtsein noch gelassen waren, oder tragen dem Beitritt Erzb. Johanns Rechnung[16].

---

[1] S. die Übersicht am Schluß dieser Erörterung.
[2] S. I[a] Eingang art. 1. 6. 10; einige dieser Fälle sind jeder für sich allein schon entscheidend.
[3] S. Ausfertigung nr. 489 art. 3.
[4] S. die Übersicht am Schluß dieser Erörterung.
40 [5] II art. 5.
[6] Wie II art. 2[a]. 10. 15[b].
[7] S. Ausfertigung Eingang und ferner art. 2. 7. 11. 16.
[8] S. Ausfertigung art. 9.
[9] S. ibid. art. 7. 11. 15. 16[a]. 17. 26.
45 [10] S. die Übersicht.
[11] So etwa II art. 5. 9. 21. 23[c].
[12] S. die Übersicht.
[13] Ausfertigung art. 22.
[14] S. Ausfertigung art. 5[c]. 12[a]. 16[c]. 21.
50 [15] S. Ausfertigung art. 25. 25[a]. 25[b].
[16] S. Ausfertigung art. 3. 14. 24. 25.

*Seltsam aber ist es, daß, wie wir schon oben erwähnten, die Ausfertigung im Wortlaut
sich an die Entwürfe fast gar nicht anschließt. Nur ganz selten* [1] *ist eine mehr als
flüchtige Ähnlichkeit, häufig auch diese nicht, zu konstatieren, so daß es fast den Anschein hat, als ob man nur ein Inhaltsverzeichnis des Entwurfes II als Gerippe wider
benutzt, die Redaktion aber ganz unabhängig von jenem vielleicht im Anschluß an eine* 5
*andere Urkunde vorgenommen hätte. Es liegt nahe, das Verhältnis so zu erklären, daß,
als die Urkunde aufgesetzt wurde, die Entwürfe nicht zur Hand waren; doch ist das,
wie sich später zeigen wird, wenig wahrscheinlich. In das Gebiet der redaktionellen
Änderungen fällt es auch, daß (wol zu Gunsten einer mehr systematischen Anordnung)
vielfach die Reihenfolge der Artikel geändert* [2] *oder auch einer in den andern verarbeitet* 10
wird [3]. *Das ist besonders auch der Fall bei den grundlegenden Artikeln, die zu Anfang
der ganzen Urkunde stehen. Es widerholt sich hier dieselbe Erscheinung, die wir schon
bei II im Vergleich mit I konstatierten, daß nemlich die Tendenz des Bundes entschiedener betont und die gegen Übergriffe des Königs gerichtete Spitze desselben deutlicher
sichtbar geworden ist.* 15

*Die Zeitfolge der Entwürfe sowie ihr Verhältnis zu einander und zur Urkunde
haben wir jetzt festgestellt; es sind nun für einen jeden von ihnen noch die Fragen
nach dem Zeitpunkt und dem Ort der Entstehung aufzuwerfen, und sehr erwünscht
wäre es auch, wenn wir erfahren könnten, von welcher Seite die erste Ausarbeitung des
Entwurfes I ausgegangen ist, und wer die späteren Umarbeitungen beeinflußt hat. Um* 20
*diese letzteren Fragen zu beantworten liegt es nahe nach den früheren Urkunden sich
umzusehen, die doch vermuthlich dem ersten Entwurf zu Grunde liegen, sowie auch nach
solchen, mit denen etwa die späteren Zusätze und Veränderungen Verwandtschaft zeigen.
Wir haben einige Stücke verglichen, glaubten aber die gesuchten darunter nicht zu finden,
und müssen diese Nachforschung, die systematisch fortzusetzen uns zu weit geführt haben* 25
*würde, andern überlassen. Auch ohne sie glauben wir zu ziemlich sicheren Ergebnissen
gelangt zu sein. Der Umstand, daß wir alle drei Entwürfe nur aus dem Straßburger
Archive kennen, trägt natürlich sehr wenig aus; und auch, daß bei I und I^a die Randnotizen, die wol sicher Straßburger Ursprungs sind, von derselben Hand wie der Text des
betreffenden Entwurfes selbst herrühren* [4], *beweist nur, daß die vorliegenden Exemplare* 30
*wahrscheinlich in Straßburg geschrieben wurden. Wichtiger aber ist, daß Entwurf I
von den Ausnehmungen, die die Mitglieder des Bundes machen werden, nur die der
Straßburger kennt* [5], *die der andern Parteien dagegen garnicht berücksichtigt. Darnach
ist es wenigstens ziemlich wahrscheinlich, daß Entwurf I in Straßburg entstanden ist,
und das wird sich weiterhin noch bestätigen. Eine andere Spur scheint in Entwurf I^a* 35
*aufzutauchen. Bei Bezeichnung der Städte, wohin die Mahnung um Hilfe seitens der
andern Partei zu richten ist, werden (und zwar an zwei verschiedenen Stellen* [6]) *dort
nur Ulm und Stuttgart genannt, zwei Schwäbische Städte, während man erwarten
sollte, daß alle vier Verbündete gleichmäßig berücksichtigt wären, und während noch
dazu Straßburg oder Baden der andern Partei viel gelegener sein müßten. Es scheint* 40
*diese sehr auffällige Thatsache doch entschieden darauf hinzudeuten, daß die Schwäbischen
Städte und Gf. Eberhard von Wirtemberg, die ja schon im Bundesverhältnis mit ein-*

---

[1] *Am meisten Ähnlichkeit wol Ausfert. art. 20. — Eine ähnliche Beobachtung machten wir bei
dem Venetianischen Rathsbeschluß vom 28 Nov. 1401, s. Einl. zum Augsburger Tage von 1401 lit. E.*
[2] *S. die Übersicht am Schluß dieser Erörterung.*   45
[3] *S. Ausfertigung art. 2. 8.*
[4] *S. Stückbeschreibung zu nr. 486 und nr. 487.*
[5] *S. I art. 22 und 22^a.*
[6] *S. I^a art. 1 und 7.*

ander standen, bei der Ausarbeitung des Entwurfes I[a] vorzugsweise betheiligt waren. In Entwurf II sind wider die Ausnehmungen zu beachten. Zu denen Straßburgs tritt hier noch die hinzu, daß das Bündnis der Schwäbischen Städte mit dem Grafen von Wirtemberg ausgenommen wird[1]. Die Schwäbischen Städte machten, wenn wir richtig interpretieren[2], beim Abschluß des Bundes nr. 489 außer dieser Einen wirklich keine Ausnehmung, wol aber Gf. Eberhard[3] und ebenso der Mf. von Baden[4]. Diese jedoch sind in Entwurf II nur mit den Worten so neuen wir angedeutet[5]. Entwurf II berücksichtigt also in diesem Punkte außer Straßburg nur noch die Schwäbischen Städte vollständig, und wir glauben darin deren Einfluß zu erkennen. Diese Beobachtungen erhalten eine erwünschte Ergänzung und Bestätigung, wenn wir die Bestimmungen über den Austrag von Streitigkeiten in I in II und in der Ausfertigung vergleichen. I[a] muß hier leider, da die betreffenden Artikel dort (wenigstens in unserer Vorlage) fehlen[6], außer Betracht bleiben. Entwurf I stellt für Streitigkeiten unter allen Mitgliedern eine und dieselbe Norm auf[7]; Entwurf II behält diese im allgemeinen bei[8], setzt aber (vielleicht im Anschluß an I[a]) fest, daß Streitigkeiten der Schwäbischen Städte mit den beiden Fürsten gemäß dem früheren Vertrag der Städte mit dem Grafen entschieden werden sollen[9]; die Ausfertigung übernimmt diese Änderung, verweist aber auch für Streitigkeiten zwischen dem Grafen und dem Markgrafen auf einen früheren Vertrag der beiden[10] (entsprechend auch für solche zwischen dem Erzbischof von Mainz und den beiden genannten Fürsten auf einen Vertrag des Erzbischofs mit dem Markgrafen[11]) und läßt die ursprünglichen Bestimmungen nur für Streitigkeiten Straßburgs mit den Fürsten[12] und mit den Schwäbischen Städten[13] bestehen. Diese Entwicklung deutet doch wol auch auf die von uns vermuthete Entstehungsgeschichte hin: Straßburger Ursprung des Entwurfes I, Schwäbischer Einfluß bei Entwurf (I[a] und) II, gleichmäßige Berücksichtigung aller Theilnehmer erst in der Ausfertigung. Thatsachen, die mit diesem Ergebnis im Widerspruch stünden, haben wir nicht entdecken können, einen Einwurf den man vielleicht machen wird erörtern wir in Anm. zu I art. 2[b]. Dafür, daß Entwurf I in Straßburg entstanden ist, spricht auch noch der Umstand, daß dort im Eingang der Meister (d. h. Stadtmeister, nicht Ammanmeister) Straßburgs mit Namen aufgeführt wird; II, das im Wortlaut so wenig ändert, hat auch dieß wörtlich übernommen; I[a] und die Ausfertigung behandeln Straßburg in dieser Beziehung wie die Schwäbischen Reichsstädte. Der Name des Straßburger Stadtmeisters gibt uns gleichzeitig aber auch den bestimmtesten Anhalt zur chronologischen Fixierung der Entwürfe. Die Stadtmeister lösten sich in Straßburg vierteljährlich ab[14], wir müssen aber gestehen nicht zu wissen, an welchem Termin, und auch eine Liste der Stadtmeister ist, so viel

---

[1] S. II art. 23[a].

[2] S. Ausfertigung art. 27 und unsere Anmerkungen dort.

[3] S. Ausfertigung art. 25[b].

[4] S. ibid. art. 25[a].

[5] S. II art. 23.

[6] S. p. 715 über die Unvollständigkeit von I[a]. Vgl. aber Anm. zu II art. 17; wenn die dort vermuthete ursprüngliche Gestalt jenes Artikels etwa dem Entwurf I[a] angehört haben sollte, so würde das zu unserer Ansicht über die Entstehung desselben vortrefflich stimmen.

[7] S. I art. 16 und 16[a].

[8] S. II art. 18-18[b].

[9] S. II art. 17; zu beachten ist indessen die Möglichkeit anderer Interpretation, s. Anm. dort.

[10] S. Ausfertigung art. 15.

[11] S. ibid. art. 14.

[12] S. ibid. art. 16-16[f].

[13] S. ibid. art. 18 und 18[a].

[14] S. Chroniken D. Städte Bd. 8 pag. 40-41.

wir wissen, nicht gedruckt; doch findet sich in einem Briefe vom 9 Februar 1405 [1] und in einer Urkunde vom 23 Merz [2] Claus Zorn gen. Schultheiß als Stadtmeister erwähnt, in Stücken vom 21 April [3], 11 Mai [4], 6 Juni [5] und 1 Juli [6] Ulrich Bock jun., in einem vom 4 August 1405 [7] Gosse Burggrafe; und dieser letzte ist der in Entwurf I genannte. Die Amtszeit des Ulrich Bock muß bald nach dem 1 Juli abgelaufen sein, früher aber 5 *können wir andererseits Entwurf I nicht ansetzen; alle drei Entwürfe sind also aus der Zeit zwischen dem 1 Juli und dem 14 September 1405.*

Es müssen jetzt die Resultate, die wir aus der Betrachtung der Entwürfe gewonnen haben, mit den Nachrichten, die die Briefe uns bieten, in Verbindung gebracht werden. Wir werden da bald sehen, daß wir I und I^a vor den 5 Sept., II hingegen nach diesem 10 *Datum anzusetzen haben. Es gilt nun zunächst für die Entwürfe I und I^a innerhalb des Zeitraums vom 1 Juli bis 5 Sept. die Entstehungszeit näher zu bestimmen. Fassen wir zusammen, was wir über die Entstehung von I und I^a aus den Entwürfen selbst gewonnen haben: I, das Projekt des engeren Bundes, ist von den Straßburgern, I^a dagegen, das den Erzb. von Mainz die Städte Mainz Worms und Speier hinzuzieht, ist von den* 15 *Schwäbischen Städten und dem Grafen von Wirtemberg auf Grundlage von I, aber ohne Betheiligung der Straßburger, ausgearbeitet worden; es muß also I von Straßburg aus den Schwaben mitgetheilt sein, und, als dieß geschah, lag den Straßburgern anscheinend der Gedanke noch fern, auch der Erzbischof und die drei Rheinischen Städte würden dem Bunde vielleicht beitreten. Vergleichen wir damit nun den Brief vom 3 August* 20 *nr. 482. Die beiden Straßburger Rathsherren, an die der Brief gerichtet ist, hatten an zwei Ulmer über das Projekt eines Bundes geschrieben, und diese theilen in ihrer Antwort mit, daß auch der Graf von Wirtemberg schon darüber mit den Schwäbischen Städten verhandelt und außer von Straßburg auch von den Städten Mainz Worms und Speier (offenbar als Mitgliedern des projektierten Bundes) gesprochen habe. Bisher* 25 *hatte Ulm, wie der Brief sagt, aus diesen Verhandlungen auch Straßburg gegenüber ein Geheimnis gemacht, sie giengen also offenbar über den von Straßburg beeinflußten Bündnisplan hinaus. Das passt ganz vortrefflich zu unserer Ansicht über die Entstehung von I und I^a; für die Datierungsfrage aber gewinnen wir so viel, daß I^a, als der Brief vom 3 August geschrieben wurde, vermuthlich noch nicht existierte oder wenig-* 30 *stens doch den Straßburgern noch nicht mitgetheilt war, daß andererseits I vermuthlich früher ausgearbeitet ist als jener Brief nach Straßburg gelangte. Wir werden aber noch einen Schritt weiter gehen dürfen. Der Brief der Ulmer beginnt: als ir uns verschriben hand, dieselben iwer frwntlich geschrifft haben wir bracht. Daß hier der Ausdruck geschrifft und nicht brief gebraucht ist, läßt vermuthen, daß es mehr als ein* 35 *einfacher Brief war, was die Straßburger den Ulmern geschickt hatten, und wir wagen es, unter dieser geschrifft den Entwurf I, der unserer Annahme nach zu um diese Zeit von Straßburg nach Schwaben versandt sein muß, zu vermuthen; er mag dem eigentlichen Brief als Einlage beigegeben sein. Es stimmen nun weiter die Angaben des Briefes vom 3 August aufs schönste zur Ausarbeitung des Entwurfes I^a. Dieser Entwurf ist,* 40 *wie wir oben ausführten, unter dem Einfluß der Schwäbischen Städte und des Grafen von Wirtemberg, vermuthlich also doch auf einer Versammlung dieser beiden Parteien, entstanden, und eine solche Versammlung kündet unser Brief als bevorstehend an.*

---

[1] *Straßburg St.A. AA 1430.*
[2] *Ibid.*
[3] *Ibid.*
[4] *Ibid.*
[5] *Ibid.*
[6] *Straßburg St.A. G. U. Pf. lad. 145 fasc. 2.*
[7] *Ibid.*

*Während der Straßburger Bote noch in Ulm war, hatte der Graf die Schwäbischen
Städte gebeten, zur Fortsetzung der Verhandlungen auf den 11 August Gesandte nach
Stuttgart zu schicken, die von dort aus eventuell weiter reisen sollten zu einer Versammlung mit den übrigen Betheiligten. Daß Ulm dieser Aufforderung wirklich, wie der*
5 *Brief ankündigt, nachkam, ist nicht zu bezweifeln; und um den 11 August, wahrscheinlich in Stuttgart, vielleicht aber auch auf der in Aussicht genommenen größeren Versammlung, ist unserer Ansicht nach Entwurf I^a entstanden. Da am 5 September, wie
sich zeigen wird, derselbe schon in den Händen der Straßburger war, so bleibt nicht
sehr viel Zeit für eine andere Versammlung, auf die man seine Entstehung verlegen*
10 *könnte, und über den Monat August würde man nicht hinausgehen können, auch wenn
man unsere Hypothese verwirft. Da, wie der Brief vom 3 August nr. 482 ausdrücklich
bezeugt, in den früheren Verhandlungen des Grafen und der Schwäbischen Städte die
Städte Mainz Worms und Speier schon genannt waren, so ist es sehr begreiflich, daß
gerade der Entwurf I^a das Projekt des Bundes auf diese drei Städte ausdehnt. Den*
15 *Erzbischof von Mainz erwähnt der Brief vom 3 August nicht; trotzdem mag auch von
ihm schon früher die Rede gewesen sein; denn daß die Ulmer Straßburg gegenüber die
etwaige Theilnahme der drei Rheinischen Freistädte eher als die des Erzbischofs be-
tonten, ist ja leicht verständlich. — Die Ulmer setzten voraus, daß auch die Straßburger
vom Grafen geladen seien und die Versammlung besuchen würden* [1]*; ob sie es gethan*
20 *haben bleibt dahingestellt, bei ihrem Interesse für die Sache, das die Ausarbeitung des
Entwurfes I verräth, ist es wahrscheinlich; sie hätten dann von dort Entwurf I^a, das
Resultat vorheriger wol in Stuttgart geführter Verhandlungen des Grafen und der
Schwäbischen Städte, mit sich nach Hause gebracht. — Wir kommen nun zur Verwerthung der beiden letzten hierher gehörigen Briefe nr. 484 und nr. 485. Der letztere*
25 *läßt, worauf wir im Vorbeigehen aufmerksam machen, uns vermuthen, daß die eben
erwähnte Versammlung oder aber eine wenig spätere in Asberg nahe Stuttgart stattfand.
Wichtiger ist zunächst für uns der andere Brief; in ihm berichten die Straßburger
Gesandten, die auf der Reise zum Marbacher Tage sind, von Baden aus am 5 Sept.
nach Hause. Was sie von ihren Verhandlungen mit dem Markgrafen, das Bündnis*
30 *betreffend, melden, ist für uns jetzt nach der Untersuchung der Entwürfe in hohem
Grade werthvoll. Wenn man den Anfang des Briefes aufmerksam liest, so können wir,
denken wir, nicht zweifeln: die* artickele *die der Markgraf die Straßburger lesen läßt
stellen einen Badischen Entwurf des Bundes dar, und in den* geschriften *und dem rotslagen der Straßburger haben wir einen Entwurf oder Entwürfe, die diese mitbrachten,*
35 *also I und I^a oder auch nur I, zu erkennen (weshalb nicht II, werden wir gleich
sehen). Es erhellt aus den Worten des Briefes auch ganz unzweifelhaft, daß Mf.
Bernhard den Straßburger Entwurf erst am 5 September kennen lernt. Nun heißt es
in dreien der vier Randnotizen zu Entwurf I meinet der marggraf, und zwei von eben
diesen Randnotizen stehen ohne Nennung des Markgrafen auch auf Entwurf I^a, sind*
40 *endlich bei Ausarbeitung des Entwurfes II berücksichtigt. Daraus ergeben sich folgende
Resultate, die wir oben zum Theil schon vorweggenommen haben: Entwurf I und Entwurf I^a existierten schon am 5 September, und zwar waren die Exemplare die wir
kennen damals beide schon in Straßburger Händen; die Randnotizen zu I und I^a sind
mindestens zum Theil, vermuthlich aber alle, auf Grund der Verhandlungen mit dem*
45 *Markgrafen am 5 September oder bald nachher, wahrscheinlich, wie sich gleich zeigen
wird, noch in Baden, wo die Straßburger bis zum 7 Sept. bleiben wollten* [2]*, gemacht
worden, in I scheinen sie ursprünglicher zu sein als in I^a; Entwurf II ist nicht vor*

---

[1] *S. nr. 482 gegen Ende.*
[2] *S. die beiden Briefe vom 5 Sept. nr. 484 und 485.*

*dem 5 September ausgearbeitet worden. Nun weiter: unser Brief nr. 484 berichtet, dem
Markgrafen gefiele der Straßburger Entwurf vaste wol, und das stimmt ganz zu dem
was unsere Akten weiter aussagen. Der Markgraf zog seinen eigenen Entwurf vermuthlich zurück, machte zu dem Straßburger nur einige Abänderungsvorschläge, die auch
berücksichtigt wurden, und dieser, den die Schwäbischen Städte und Gf. Eberhard in*   5
*der Hauptsache dadurch schon gutgeheißen hatten, daß sie sich in I^a an ihn anschlossen,
blieb Grundlage der Verhandlungen. — Die Ausarbeitung des Entwurfes II ist, wie
wir schon oben sahen, wahrscheinlich unter Betheiligung der Schwäbischen Städte, aber
nicht in Baden, erfolgt; auch dieß stimmt vortrefflich zu unserm Briefe vom 5 September
sowie zu dem andern (nr. 485), den die Straßburger Boten am gleichen Tage an die*   10
*in Marbach schon versammelten Gesandten der Schwäbischen Städte richteten. Aus
beiden Briefen geht nemlich deutlich hervor, daß die Straßburger und die Schwaben
sich noch vor Beginn des eigentlichen Tages und der Verhandlungen mit den Fürsten
mit einander besprechen wollten. Am 9 Abends oder am 10 früh wollten die Straßburger in Marbach eintreffen, am 12 der Erzbischof von Mainz, die Tage vom 10 bis*   15
*12 dachten jene zur Verständigung mit den Schwäbischen Städten zu benutzen[1]. Erz-
bischof Johann scheint rechtzeitig in Marbach angekommen zu sein; denn schon vom 14
datiert die Bundesurkunde; zwischen 10 und 12 Sept. ist also vermuthlich Entwurf II
entstanden. — Daß die drei Rheinischen Städte nicht beitraten, hat sich schwerlich erst
in allerletzter Stunde entschieden; und wir dürfen den Entwurf, wol von I^a keine*   20
*zweite Bearbeitung kennen, wol so erklären, daß, als die Straßburger nach Marbach
kamen, man bereits wußte, auf die Betheiligung jener drei Städte dürfe man nicht
rechnen. Daß man nun Erzb. Johanns Namen nicht gleich in II hineinsetzte, ist nicht
verwunderlich; man mußte abwarten bis er kam, um zu wissen, wie sich jetzt seine
Betheiligung am Bunde gestalten würde. Deshalb ist es auch wahrscheinlich, daß die*   25
*Randnotizen zu I^a nicht erst in Marbach sondern schon in Baden gemacht sind. Sie
scheinen darauf hinzudeuten, daß damals die Straßburger die Idee des Doppelbundes
noch nicht aufgegeben hatten; das geschah erst in Marbach.*

*In dieser Untersuchung, die sich leider nicht kurz abmachen ließ, haben wir viel
mit Wahrscheinlichkeiten zu rechnen gehabt, und natürlich beanspruchen unsere Resultate*   30
*nur Hypothesen zu sein, die der weiteren Forschung zur Prüfung vorgelegt werden.
Trotzdem haben wir uns nicht gescheut diese Resultate auch in den Überschriften der
Stücke zum Ausdruck zu bringen; denn es sind, so hoffen wir, wolberechtigte und wol-
begründete Hypothesen, die erklären was zu erklären unsere Aufgabe war. Spätere
Bearbeiter, die der Entstehung des Bundes besonders in der oben pag. 718 lin. 20ff.*   35
*angedeuteten Richtung weiter nachgehen, werden hoffentlich die Gesichtspunkte, die wir
aufgestellt haben, nicht unbrauchbar finden.*

*Es erübrigen noch einige Worte über die Behandlung der Stücke. Die Rand-
notizen zu I und I^a haben wir der Übersichtlichkeit wegen als eigene Stücke abgesondert.
Den Marb. Bund selbst und II drucken wir unverändert ab, in I konnte vielfach durch*   40
*Verweis auf II gekürzt werden, ebenso hie und da in I^a durch Verweis auf I oder II,
einmal ist umgekehrt in I eine Kürzung durch Verweisung auf I^a bewirkt. Dieses
Verfahren ist wol nicht ganz consequent, der beabsichtigte Erfolg wird aber auch so
erreicht. Einige geringe Ungleichmäßigkeiten in der äußeren Behandlung bei Kürzungen
rühren von nachträglicher Änderung der Artikeleintheilung her. Bei jedem Artikel*   45
*haben wir in einer Note auf die entsprechenden Artikel der nächstverwandten Stücke,
nur in besonderen Fällen auch auf die der andern, verwiesen, und zwar in der Weise,
daß in der Regel bei dem späteren Stück, einzeln bei dem früheren, die Art der Ver-*

---

[1] S. die beiden Briefe vom 5 Sept., besonders nr. 485.

wandtschaft kurz charakterisiert ist. — Unsere Artikeleintheilung wird vielleicht ziemlich willkürlich erscheinen und bedarf einiger Worte der Rechtfertigung. Im allgemeinen müssen ja die inhaltliche Gliederung und der Satzbau für die Eintheilung maßgebend sein; in diesem speziellen Falle aber war daneben ein Hauptaugenmerk darauf zu
5 *richten, daß die Eintheilung für das Citieren, besonders auch beim Vergleichen der vier*
. *Stücke bequem sei. Die meisten irgendwie wichtigen Zusätze und Auslassungen und ebenso möglichst alle Umstellungen sollten auf der Übersicht die wir hier bringen sofort vors Auge treten. Diese verschiedenen Eintheilungsprincipien geriethen hie und da mit einander in Kollision, und es waren Konzessionen theils an die eine theils an die*
10 *andere Seite zu machen.*

Zum Schluß geben wir hier eine Übersicht der zusammengehörigen Artikel der Ausfertigung und der drei Entwürfe. Dieselbe ist etwas anders arrangiert als in früheren ähnlichen Fällen. Für die Anordnung war die Reihenfolge der Artikel in I maßgebend; die in I^a, II und der Ausfertigung hinzugekommenen Artikel sind dann
15 *aber nicht an den Schluß der Übersicht verwiesen, sondern suis locis eingereiht, weil erstens es so anschaulicher wird, wo Zusätze gemacht sind, und weil zweitens die andere Anordnung (wie z. B. RTA. 2 pag. 150. 281) bei der großen Zahl der Artikel hier dem Benutzer sehr unbequem gewesen wäre, wenn er zu einem bestimmten Artikel etwa der Ausfertigung den entsprechenden in I suchen wollte. Die Reihenfolge der*
20 *Artikel für die andern drei Stücke außer I wäre gar zu sehr gestört worden. Hie und da wird sie auch bei dem jetzigen Verfahren unterbrochen; da ist, wo es nöthig schien, durch die in Nonpareille gedruckten Verweisungen geholfen. Nonpareille ist ferner angewendet wo ein eigentlich entsprechender Artikel fehlt und ein anderer nur entfernt vergleichbar ist. Petite ist für diejenigen Fälle bestimmt wo ein und derselbe Artikel*
25 *(bzw. eine Gruppe von Artikeln) mehreren getrennten Artikeln eines andern Stückes wirklich entspricht und also mehrere male in der Übersicht zu erscheinen hat. Dann kommt er nur einmal in Garmonde, an den andern Stellen in Petite vor. Außerdem ist für die Artikel der Randnotizen Petite benutzt. Um besondere Kolumnen für diese zu sparen, haben wir sie durch runde Klammern von den übrigen unterschieden.*
30 *Ein Stern vor der Artikelzahl soll bedeuten, daß der Artikel in der Vorlage durchstrichen ist.*

Entw. I nr. 481	Entw. Iᵃ nr. 483	Entw. II nr. 488	Ausfertigung nr. 489	
1	fehlt	1	fehlt	
1ᵃ	1 in.	1ᵃ	5ᵇ	
fehlt	fehlt	fehlt	5ᶜ	
			1 s. nach 22	
2	fehlt	2	fehlt	
2ᵃ	1 ex.	2ᵃ	2. 8	
			2 s. auch nach 22 u. 28	
* 2ᵇ	fehlt	fehlt	fehlt	10
fehlt	vgl. 1a ff.	fehlt	3	
vgl. 6	1ᵃ	3 vgl. 8	3ᵃ vgl. 7	
	1a s. auch nach 4			
fehlt	1ᵇ	4ᵃ	5	
fehlt	2	4	4	15
3	vgl. 1	* 5	vgl. 2	
4	3	6	4ᵃ	
fehlt	(Randn. zu 3)	fehlt	fehlt	
5	4	7	5ᵃ	
			5bc s. vor 2	20
6	vgl. 1ᵃ in.	8	7	
* 7	5	vgl. 1a	vgl. 5ᵇ	
8	6	9	vgl. 2 ex.	
(Randn. zu 8)	(Randn. zu 6)	9ᵃ	vgl. 5a	
9	7	fehlt	fehlt	25
fehlt	(Randn. zu 7)	fehlt	fehlt	
(Randn. zu 9)	(vgl. Randn. zu 16)	fehlt	fehlt	
9ᵃ	(vgl.) 11	9ᵇ	(vgl.) 6	
			7 s. nach 5a *8 s. nach 2 u. 28*	30
fehlt	8	fehlt	(vgl.) 9	
fehlt	9	fehlt	fehlt	
vgl. 15a	vgl. 12 u. 12a	10	fehlt	
		11 s. nach 24		
10	10	12	fehlt	35
	11 s. nach 7 *12 s. nach 16*			
11	13	13	12	
fehlt	fehlt	fehlt	12ᵃ	
12	17	14	10ᵃ	40
12ᵃ	15	14ᵃ	10	
13	14	fehlt	fehlt	
fehlt	14ᵃ	fehlt	fehlt	

	Entw. I nr. 481	Entw. Iª nr. 483	Entw. II nr. 488	Ausfertigung nr. 489
	14	16	} 16	} 11
	(Randn. 1 zu 14)	(Randn. zu 16)		
5	(Randn. 2 zu 14)	*fehlt*		*fehlt*
		17 s. nach 18		12 u. 12a s. nach 9
	15	12	15	*fehlt*
	15ª	*vgl.* 12	} 15ª	*fehlt*
	fehlt	12ª		*fehlt*
10	*fehlt*	*fehlt*	15ᵇ	*fehlt*
	vgl. 16 u. 16a	*fehlt*	*vgl.* 17–18ᵇ	13
	fehlt	*fehlt*	*fehlt*	14
	vgl. 16 u. 16a	*fehlt*	*vgl.* 18–18ᵇ	15
	vgl. 16 u. 16a	*fehlt*	17	17
15	16. 16ª	*fehlt*	18. 18ª	16. 16ª
	fehlt	*fehlt*	18ᵇ	16ᵇ
	fehlt	*fehlt*	*fehlt*	16ᶜ. 16ᵈ
	vgl. 16 u. 16a	*fehlt*	*vgl.* 18–18ᵇ	16ᵉ
	fehlt	*fehlt*	*fehlt*	16ᶠ
20				17 s. nach 15
	fehlt	*fehlt*	*fehlt*	18
	vgl. 16 u. 16a	*fehlt*	*vgl.* 18–18ᵇ	18ª
	fehlt	*fehlt*	*fehlt*	19
	fehlt	*fehlt*	19	20
25	17	*fehlt*	20	20ª
	fehlt	*fehlt*	*fehlt*	21
	fehlt	*fehlt*	*fehlt*	22
	18	*fehlt*	21	*vgl.* 2 in.
	19	*fehlt*	*fehlt*	*fehlt*
30	* 20	*fehlt*	*fehlt*	*fehlt*
	21	18	22	1. 2 in.
				22 s. nach 26a
	fehlt	*fehlt*	*fehlt*	24
	fehlt	*fehlt*	*fehlt*	25
35	*fehlt*	*fehlt*	(*vgl.*) 23	25ª. 25ᵇ
	vgl. 22a	*fehlt*	*vgl.* 22c	25ᶜ
	fehlt	*fehlt*	23ª	27
	22	*fehlt*	23ᵇ	26. 28
40	*vgl.* 22a	*fehlt*	*vgl.* 22c	26ª
	22ª	*fehlt*	23ᶜ	*vgl.* 25c. 26a
	23	*fehlt*	24	23
	24	*fehlt*	11	2 med. u. 8

B. Ausschreiben des Mainzer Reichstages auf 21 Okt. 1405 nr. 491.

Darüber, daß die Mainzer Versammlung als Reichstag zu bezeichnen ist, läßt der Wortlaut des Einladungsschreibens nr. 491 gar keinen Zweifel. Die drei dem Marbacher Bunde angehörigen Fürsten hatten in ihrem Briefe vom 16 Sept. nr. 490 K. Ruprecht von der Gründung desselben Mittheilung gemacht und ihm zu verstehen gegeben, der Bund werde nur dann zu ihm dem Könige sich freundlich stellen, wenn er die Freiheiten und Rechte der Verbündeten achte und schütze. Auf ein Antwortschreiben warteten die Absender vergebens (s. nr. 492 und 493); K. Ruprechts Antwort bestand darin, daß er, und zwar schon am 23 Sept., einen Reichstag auf den 21 Oktober nach Mainz berief. Deutlich genug für uns spielt er auf die Gründung des Bundes an, und erklärt mit Kurfürsten Fürsten Grafen Herren und Städten des Reichs sich darüber berathen zu wollen wie man diesem für das Reich gefährlichen Akt begegnen könne. Die Einladung ergieng in derselben Form wie an die übrigen Reichsstände auch an die Mitglieder des Bundes, s. nr. 491 Quellenangabe und die Briefe nr. 492 und 493 im Eingang.

C. Vorversammlung des Marbacher Bundes zu Vaihingen auf 12 Okt. 1405 nr. 492-494.

Die Berufung des Reichstages veranlaßte sofort eine lebhafte Korrespondenz unter den Mitgliedern des Bundes, aus der uns die Briefe nr. 492-494 erhalten sind. Der Graf von Wirtemberg machte den Vorschlag in Vaihingen am 12 Oktober eine Versammlung zu halten, um sich dort über die zu beobachtende Haltung zu verständigen. Es ist in den Briefen nirgends ausdrücklich gesagt, daß auch Erzb. Johann theilnehmen sollte, man darf aus diesem Schweigen aber keinen Schluß ziehen; es ist vielmehr unwahrscheinlich, daß eine der fünf Parteien des Bundes in Vaihingen nicht hätte vertreten sein sollen. Vermuthlich kam die Versammlung zu Stande, doch wissen wir nichts darüber. Die Verbündeten nahmen jedenfalls der Einladung des Königs gegenüber gleichmäßig Stellung: sie beschickten alle den Reichstag, die drei Fürsten erschienen aber nicht persönlich.

D. Protokolle vom Mainzer Reichstag, 1405 Okt. 23, nr. 495-496.

Der letzterwähnte Umstand bewirkte, daß der Reichstag in der Hauptsache ganz resultatlos verlief, und Ruprecht sich veranlaßt sah sofort einen neuen auf den 6 Januar 1406 ebenfalls nach Mainz auszuschreiben. Über die Verhandlungen des Tages geben zum Theil die hier in nr. 495 und 496 mitgetheilten Protokolle Auskunft; zur Ergänzung aber muß man besonders die späteren Darstellungen des Königs und der Marbacher Verbündeten (s. im nächsten Bande nr. 19 und nr. 26) heranziehen. Aus der ersteren geht hervor, daß die Berufung des neuen Reichstages, die schon am 23 Oktober den in Mainz anwesenden Gesandten der Marbacher Verbündeten verkündet war (s. nr. 496) und unter dem Datum des 28 Oktober auch schriftlich erfolgte (s. Bd. 6 nr. 1), auf Grund einer Berathung des Königs mit den in Mainz versammelten Fürsten und Herren geschah. Diese scheinen also auf K. Ruprechts Begehren ihm zu rathen nicht so ausweichend geantwortet zu haben wie nach nr. 495 die Elsäßischen und Wetterauischen Reichsstädte. Welche Haltung die übrigen Städtegesandten einnahmen, wissen wir nicht.

Durch die beiden Protokolle sind wir auch über den Besuch des Reichstages recht gut unterrichtet. Es läßt sich aus ihnen eine Präsenzliste zusammenstellen, die, wenigstens was die bedeutenderen Reichsstände anbelangt, wol ziemlich vollständig sein wird; vgl. aber zweite Anm. zu nr. 495.

E. Städtische Kosten nr. 497.

Zur Ergänzung der Nachrichten über Besuch können wir von städtischen Kosten nur die Frankfurts beibringen. Augsburg beschickte den Reichstag nicht; die Nürnberger Schenkbücher geben nur über Versammlungen in Nürnberg selbst Auskunft, und andere städtische Rechnungen fehlen.

F. Anhang: Bund K. Ruprechts und Bisch. Wilhelms II von Straszburg 1405 Dec. 3. 4 nr. 498-499.

Der Streit, in den die Stadt Straßburg im Jahre 1405 mit dem Bischof und weiterhin auch mit dem König verwickelt wurde, macht, wie schon Höfler bemerkt hat, den Beitritt der Stadt zum Marbacher Bunde erst verständlich. Es fanden in dieser Angelegenheit im Frühjahr 1405 mehrere Versammlungen statt, die eine am 8 April zu Germersheim, eine zweite vom 10 bis etwa 13 Mai zu Worms, eine dritte in den ersten Tagen des Juni zu Hagenau; und es entstand für unsere Sammlung die Frage, ob die bezüglichen Akten aufzunehmen seien. Auf den beiden erstgenannten Tagen war allerdings K. Ruprecht persönlich und in Hagenau sein Hofmeister Gf. Günther von Schwarzburg, wahrscheinlich doch mit seinem Wissen und in seiner Vertretung, anwesend, auch waren diese Versammlungen von einer nicht unbedeutenden Zahl von Reichsständen besucht, besonders für Worms ergibt sich eine Präsenzliste eines Reichstages nicht unwürdig [1]. Trotzdem, und obwol interessante bisher unbekannte Materialien [2] zur Verfügung standen, glaubten wir von der Aufnahme absehen zu müssen, da es doch weder Reichstage noch reichstagsähnliche Versammlungen auf denen Reichsangelegenheiten berathen wären sind, sondern nur gütliche Schiedstage, die mit den streitenden Parteien verabredet wurden. Solche haben wir, von einzelnen besonders motivierten Ausnahmen abgesehen, immer als außerhalb des Bereichs unserer Sammlung liegend behandelt. Es folgen deshalb als selbständige Numern hier nur die beiden Urkunden über das zwischen K. Ruprecht und Bisch. Wilhelm von Straßburg geschlossene Bündnis vom December

---

[1] *Auf dem Tage zu Germersheim waren nach einem Straßburger Gesandtschaftsbericht vom 8 April, dat. Mi. n. Palmtag 1405 (Straßburg St.A. AA 1480) zugegen unter andern: K. Ruprecht, dessen Sohn Hzg. Ludwig, der Bischof von Straßburg, der Bischof von Speier, der Markgraf von Baden, Gf. Friderich von Leiningen, der Landvogt Schwarz Reinhard von Sickingen, Gesandte von Mainz Worms Speier Basel. — Ein Straßburger Gesandtschaftsbericht vom Wormser Tage, dat. Mo. n. jubilate, d. h. 11 Mai 1405, (Straßburg St.A. AA 1480) nennt als dort anwesend unter andern: K. Ruprecht, drei Söhne desselben und darunter Hzg. Ludwig, den Erzb. von Köln, den Erzb. von Mainz, vier Gesandte des Erzb.'s von Trier und darunter Gf. Gerhard von Kyrburg und des Grafen Diether seligen Sohn von Katzenellenbogen, den Bischof von Straßburg, den Bischof von Speier, den Abt von Weißemburg, den Markgrafen von Baden und in seiner Begleitung unter andern den Schwarzgrafen von Zollern und den Markgrafen von Röthein, den Grafen von Wirtemberg und in seiner Begleitung unter andern Mf. Hesse von Hochberg, den Grafen von Mörs, den Grafen von Veldenz, den Grafen Friderich von Leiningen, den Grafen von Schwarzburg, Gesandte der Städte Mainz Worms Speier Basel Rotweil und des durch Ulm und Gmünd vertretenen Schwäbischen Städtebundes als zufällig anwesend auch noch Gesandte der Stadt Metz. — Über den Besuch des Hagenauer Tages vgl. Anm. zu nr. 499 art. 2.*

[2] *Vieles davon erwähnen wir hier in der Einleit. und in Anmerkungen zu nr. 498 und 499.*

1405, und zwar diese deshalb, weil dieses Bündnis offenbar eine von den Maßregeln war, mit denen K. Ruprecht dem Marbacher Bunde entgegentrat, die Bekämpfung desselben aber von ihm durchaus als Reichsangelegenheit behandelt wurde und also von uns auch voll berücksichtigt werden muß. In den Anmerkungen zu diesen beiden Numern haben wir einiges über die vorangegangene und die nachfolgende Entwicklung mitgetheilt und fügen hier zur Orientierung des Benutzers noch das wichtigste aus dem Inhalt der uns bekannten Quellen bei. Die Beziehungen Bisch. Wilhelms zur Stadt Straßburg waren schon seit längerer Zeit nicht die besten [1]; den besonderen Ursprung ihres Streites stellen aber die Straßburger in einem Briefe vom 9 Februar 1405 [2] im wesentlichen wie folgt dar. Der Bischof hatte erklärt, er wolle sein Bisthum gern gegen das Lütticher vertauschen [3] und Straßburg dem Elekten von Augsburg Eberhard von Kirchberg überlassen. Die Straßburger, denen Eberhard anscheinend besonders genehm war, übernahmen die Bürgschaft für 12000 (ursprünglich 10000) fl., die dieser dem Bischof bezahlen sollte. Der letztere aber trat Anfang Februar, als die Verhandlungen ihren Abschluß finden sollten, plötzlich zurück; er hatte inzwischen heimlich Abmachungen mit andern getroffen, und entgegen früheren eidlichen Versprechungen hatte er ohne Wissen des Kapitels und der Stadt Besitzungen des Bisthums in fremde d. h. des Königs Hände gegeben und wollte auch die andern denselben überantworten, angeblich weil sonst die Straßburger das Bisthum an sich gezogen hätten. Auf diese Auslieferung von Schlössern an den König werden wir noch zurückkommen müssen, verfolgen aber zunächst den weiteren Verlauf der Angelegenheit. Kapitel und Stadt bemächtigten sich einiger Besitzungen des Bisthums nemlich Kocherbergs und Oberkirchs, verbanden sich mit letzterer Stadt auch durch einen Vertrag [4], und schloßen am 23 Merz untereinander ein Bündnis zum Schutze Oberkirchs und zur Behauptung der Rechte des Stifts wider Herrn Wilhelm von Dyest wilent bischoff zů Strazburg [5]. Deshalb klagte dieser nun seinerseits beim König gegen Stadt und Kapitel. K. Ruprecht verlangte auf den Tagen von Germersheim und Worms, die Parteien sollten sich seiner (bzw. seiner und der Kurfürsten) Rechtsentscheidung unterwerfen; der Bischof war dazu bereit, die Stadt aber weigerte sich, da K. Ruprecht an dem Streit als Partei interessiert sei [6]. Dieß führte dazu, daß der König, nachdem er am 15 Mai unter Androhung des Verlustes aller Privilegien mehreren Städten verboten hatte Straßburg irgendwie behilflich zu sein [7], am 18 Mai von Frankfurt aus

---

[1] *Das zeigt auch der in der vorletzten Anm. erwähnte Bericht vom Germersheimer Tag.*

[2] *Straßburg St.A. AA 1430, drei wenig verschiedene Konzepte, das eine mit Notizen, daß so an den Erzb. von Köln und mehrere gen. Reichsstädte zu schreiben sei; dat. fer. 2 a. Valentini 1405.*

[3] *Dazu vgl. folgende Urkunde: Gf. Joffrid von Lyningen Domherr zu Mainz erklärt, da Erzb. Johann von Mainz ihn bei seinem Streben nach dem Straßburger Bisthum unterstützt, daß, wenn er mit Hilfe Johanns zu dem Stift Straßburg oder andern Würden kommen sollte, er nichts gegen denselben thun wird; dat. Do. n. purif. [Febr. 5] 1405; Wirzburg Kr.A. neu aufgefundene Mainzer Urkunden G 2 or. mb. lit. pat. c. sig. pend.*

[4] *Straßburg St.A. AA 1430, dat. Mo. v. Gregorientag [Merz 9] 1405.*

[5] *Straßb. St.A. l. c., dat. Mo. v. annunc. [Merz 23] 1405; gedruckt Obrecht de foederibus imp. Germ. 340, Wencker disquis. de ussburgeris 227-231 nr. 2, Lünig R.A. 7, 5, 293-295 nr. 163, Dumont corps dipl. 2, 1, 292 aus Lünig.*

[6] *Nach den erwähnten Gesandtschaftsberichten, nach Briefen Straßburgs an Kurmainz (dat. fer. 3 a. Georii [April 21] 1405; Straßb. St.A. l. c.) und an Kurköln (dat. fer. 3 a. Georii [1405 April 21]; Straßb. St.A. l. c.), und nach den oben im Text citierten Briefen K. Ruprechts vom 15. 18. 21 Mai.*

[7] *Straßb. St.A. l. c. Abschriften von Briefen an Mainz Basel Zürich und eine nicht genannte Stadt, alle vier mit Verschickungsschnitten; dat. Altzey fer. 6 a. cantate [Mai 15] 1405. Vgl. Chmel nr. 1984.*

der Stadt seine Feindschaft ankündigen wollte [1] *und am 21 Mai wirklich Reichsstände
zu ihrer Züchtigung aufbot* [2]*. Inzwischen wurden die Versuche zwischen dem Bischof
und der Stadt zu vermitteln fortgesetzt; der Markgraf von Baden* [3] *und die Schwäbischen
Reichsstädte waren dabei betheiligt* [4]*, und auch der König wurde, vielleicht durch den*
[5] *Einfluß des Markgrafen* [5]*, wider in die Verhandlungen hineingezogen. So kam auf
dem Tage zu Hagenau am 6 Juni der Waffenstillstand bis zum 1 Mai 1406 zu Stande
(s. Anm. zu nr. 499 art. 2). Die Ereignisse der nächsten Monate liegen nicht ganz
klar. Dadurch, daß der König einlenkte und den Waffenstillstand vermitteln half,
scheint zunächst eine Entfremdung zwischen ihm und dem Bischof bewirkt zu sein* [6]*,*
[10] *wenigstens unterhandelte dieser in der folgenden Zeit mit der Stadt über Abschluß eines
Bündnisses, s. nr. 498 art. 2. K. Ruprecht aber, dem nach der Gründung des Marbacher Bundes daran gelegen sein mußte im Bischof einen Verbündeten gegen die Stadt
zu besitzen, durchkreuzte, wie es scheint, diese Verhandlungen mit Erfolg, und brachte
es zu dem in nr. 498 und 499 vorliegenden Vertrage vom 3 bzw. 4 December, der den*
[15] *Bischof verhindern sollte sich mit Straßburg zu verständigen. Trotzdem machte dieser
schon im Merz 1406 eine neue Schwenkung, s. Anm. zu nr. 498 art. 3, und als der
darüber zwischen ihm und dem Könige ausbrechende Streit im Oktober, wie es scheint,
beigelegt wurde, s. zweite Anm. zu nr. 498 art. 4, bedeutete dieß, so viel wir wissen,
doch nicht wider Feindschaft mit der Stadt.*

[20] *Wir können nicht umhin noch einige Bemerkungen über die Übergabe von Schlössern des Bisthums an den König hier anzuschließen. Bischof und König unterschieden
in den Verhandlungen zu Germersheim zwei Gruppen von Schlössern. Die linksrheini-
schen, sagten sie, hätte der König zusammen mit dem Bischof besetzt nur als Schirmer
bis auf Widerruf des Bischofs und ohne Nutzen daraus zu ziehen, andere aber auf*
[25] *dem rechten Rheinufer, nemlich Ortenberg Offenburg Gengenbach und Zell, die Reichspfandschaften waren, hatte er zur Hälfte eingelöst* [7]*. Was diese letzteren Schlösser
anbelangt, so machen wir hier auf zwei Fragen aufmerksam die wol eine nähere Untersuchung verdienen. Erstens, für wen hat K. Ruprecht 1405 den Antheil an ihnen
erworben, für das Reich oder für Kurpfalz? Er selbst stellte es mehrfach so dar, als*
[30] *ob er die Reichspfandschaft von Reichs wegen und für das Reich eingelöst hätte, so
z. B. nach dem Straßburger Gesandtschaftsbericht* [8] *auf dem Germersheimer Tage und*

---

[1] *Brief K. Ruprechts an Straßburg, dat. Franckfurd fer. 2 p. cantate 1405 r. 5; Wien H.H.
St.A. Registraturb. C fol. 192*[a]*, durchstrichen, am Rande oben die Notiz* non transivit; *vgl. RTA. 4*
[35] *pag. VII.*

[2] *Erhalten ist uns zwar nur der Brief an Basel, dat. Frankfurd fer. 5 p. cantate 1405 r. 5;
Straßburg St.A. AA 126 nr. 26*[b] *or. ch.; vermuthlich aber schrieb K. Ruprecht ebenso an andere
Reichsstände.*

[3] *Brief des Markgrafen an Straßburg, dat. Baden fer. 3 p. cantate [Mai 19] 1405; Straßburg*
[40] *St.A. AA 86 nr. 50. — Vgl. nächste Anm.*

[4] *Brief Straßburgs an Frankfurt, der auch über die Tage von Germersheim und Worms und
über kriegerische Vorgänge berichtet, dat. fer. 3 p. Urbani [Mai 26] 1405; Frankfurt St.A. Reichssachen Acten XV nr. 862. — Dieser Brief erzählt auch, daß die durch Ruprecht erfolgte Berufung
des Wormser Tages von Mf. Bernhard vermittelt war.*

[45] [5] *In dem erwähnten Briefe vom 19 Mai (s. Anm. 3) kündigt Mf. Bernhard an, er wolle an
seine guten Freunde, die zur Zeit beim Könige in Frankfurt seien, deshalb schreiben.*

[6] *Auch eine Straßburger Fortsetzung des Königshofen (s. Mone Quellens. 1, 271) berichtet von
einem Zerwürfnis zwischen König und Bischof, anscheinend in Folge des Hagenauer Waffenstillstandes; denn, so viel wir sehen, kann nur dieser mit der rahtunge die K. Ruprecht gemacht habe*
[50] *gemeint sein. Freilich übergeht die Darstellung dort ganz und gar das Bündnis vom 3 und 4 December 1405 und gibt von K. Ruprechts Haltung eine sehr falsche Vorstellung.*

[7] *Nach dem Straßburger Gesandtschaftsbericht vom 8 April (s. p. 727 Anm. 1).*

[8] *S. p. 727 Anm. 1.*

auch in Urkunden [1]; dem entsprechend verpfändete er auch nach drei Jahren die Schlösser seinem Sohne Ludwig aufs neue (s. Chmel nr. 2560) und entband sie noch später erst ihrer Gelübde gegen das Reich (s. Chmel nr. 2790). Auf der andern Seite aber läßt die in der ersten Anm. zu nr. 498 art. 4 mitgetheilte Urkunde vom 8 April 1405 gar keinen Zweifel darüber, daß K. Ruprecht von Anfang an die Erwerbungen als solche seines Hauses betrachtete. Anscheinend wagte er nur im Jahre 1405 noch nicht, dieß offen einzugestehen, sondern suchte die Reichsstände besonders Straßburg über seine Absichten zu täuschen [2]. Ob ihm dieß völlig gelang, mag billig bezweifelt werden. Im Jahre 1408, als er mit Straßburg und den Elsäßischen Reichsstädten verbündet war, benutzte er diese günstigen Verhältnisse, um durchzuführen was er drei Jahre früher begonnen hatte. Die Verpfändung von Reichsgut an seinen Sohn wurde damals sonderbar genug von ihm motiviert [3]. — Zweitens erhebt sich die Frage, ob K. Ruprecht dem Bischof die Pfandsumme von 23500 fl. wirklich bezahlt hat. Eine Straßburger Fortsetzung des Königshofen behauptet ausdrücklich, der Bischof habe die Schlösser dem König vergeben one gelt, das doch ein grosse sum geltis stunt. Man wird freilich wol thun dieser Quelle nicht zu viel Vertrauen zu schenken, aber ihre vorliegende Angabe scheint doch durch einige Umstände gestützt zu werden. Alles was wir von K. Ruprechts Finanzen wissen macht es trotz der Geldforderung an die Reichsstädte [4] und trotz der Steuer in seinen Erblanden [5] sehr unwahrscheinlich, daß er damals über eine so bedeutende Summe für einen solchen Zweck hätte verfügen können. Da ferner von den Gülten und Renten der Schlösser, wie Ruprecht sagt, viele versetzt und verpfändet waren, Ruprecht aber in dieser Beziehung sich aller Ansprüche an das Stift begab und von den vorhandenen Einkünften nur die Hälfte beanspruchte [6], so wäre es, scheint uns, wol sehr wunderbar, wenn er trotzdem dem Bischof die volle Hälfte der ursprünglichen Pfandsumme von 47000 fl. bezahlt hätte. Diese Bemerkungen wollen indessen die Frage nicht entscheiden sondern nur zu näherer Untersuchung auffordern. Gründe, die den Bischof veranlaßt haben könnten, dem König die Besitzungen ohne Geldzahlung oder doch für eine sehr viel geringere Summe als 23500 fl. zu überlassen, werden übrigens wol aufzufinden sein. Wahrscheinlich wünschte er sich seiner Unterstützung, sei es zur Erlangung des Lütticher Bisthums, sei es, wenn dieses Projekt wie es scheint aufgegeben war, für die zu erwartenden Streitigkeiten mit Stadt und Kapitel zu versichern. Letzteres ist die Auffassung zweier Fortsetzungen des Königshofen, Mone Quellens. 1, 260 und 1, 271; vgl. auch ibid. 3, 517 f.

[1] *S. Chmel nr. 1960. Nach unserer Notiz auch in der Chmel nr. 1961 regestierten Urkunde; Karlsr. G.L.A. Pfälz. Kop.-B. 4 fol. 225ᵇ-226ᵃ, Wien H.H. St.A. Registrb. C fol. 189ᵇ-190ᵃ.*

[2] *Zu beachten ist, daß die erwähnte Urkunde, die K. Ruprechts eigentliche Absicht klar erkennen läßt, vom Bischof ausgestellt, in des Königs Besitz blieb, während seine Gegenurkunde, die der Bischof erhielt (Chmel nr. 1961), wenn wir nicht irren, von Einlösung an das Reich spricht.*

[3] *S. Chmel nr. 2560. Die Mitgift für die Tochter K. Ruprechts war doch aus dem Hausbesitz zu bestellen und nicht aus Reichsmitteln zu erstatten!*

[4] *S. Einleitung zum vorigen Reichstage lit. B.*

[5] *S. ibid. lit. C. — Wenn K. Ruprecht die Einlösung aus den Einkünften seiner Erblande bewirkt hätte, so hätte er auch sicher nicht behauptet, sie sei ans Reich geschehen.*

[6] *S. Chmel nr. 1961.*

A. Vorläufiges: Marbacher Bund 1405 Sept. 14 und seine Entstehung nr. 481-490.

481. *Entwurf (I) eines Bundes zwischen Mf. Bernhard I von Baden, Graf Eber-* [1405
hard III von Wirtemberg, der Stadt Straßburg, und Schwäbischen Reichsstädten, Juli]
bis Weihnachten eines unbestimmt gelassenen Jahres. [*1405 Juli Straßburg* [1].]

> *B aus Straßburg St.-Arch. AA correspond. des souverains etc. art. 131 (alte Signatur*
> *Gewölb u. d. Pfalz lad. 50 fasc. 2) conc. ch. coaev., in Form einer Rolle von 5 an-*
> *einander gehefteten Folioblättern. An den mit Entwurf II nr. 488, bzw. einmal mit*
> *Entwurf I[a] nr. 483 wörtlich übereinstimmenden Stellen durch Verweisung auf jene*
> *verkürzt widergegeben; an solchen Stellen sind kleine Abweichungen von unserem Texte*
10 > *des Entwurfs II, die den Sinn nicht ändern, als Variante B dort angegeben (w. m. s.*
> *Quellenbericht), gegenüber dem Texte des Entwurfs I[a] war keine auch nur nennens-*
> *werthe Abweichung zu verzeichnen. — Das o über dem u erscheint in dem Stücke*
> *öfters als oben offener Halbkreis.*

Wir [*weiter wie im Entwurf II nr. 488 bis* brief gegeben ist, dann:] bitz wihi-
15 nachten nehestkumpt und von dem wihinahttage über [*Lücke für die Zahl gelassen*]
ganz jar [*weiter wie im Entwurf I[a] nr. 483 bis* stat] [2].

[*1. 1[a]*] [3] Des ersten [*weiter wie in Entwurf II nr. 488 art. 1 und 1[a] bis zu*
Ende].

[*2. 2[a]*] [4] Wer' es [*weiter wie art. 2 und 2[a] ebendort bis zu Ende, nur daß in*
20 *art. 2[a] ziemlich zu Anfang statt* danne unser ieglicher — zu Swoben *es hier heißt*
danne uf unsere fürstenliche truwe und ere, *oder wir die vorgenanten stette oder unser*
ieglich besunder, *und daß am Schluß von art. 2[a] hinzugefügt ist* one gevärde]. [*2[b]* [5] *durch-*
strichen:] wer' aber das der vorgenanten stette eine zu Swoben beduhte, das ir unrecht
gescheen were, und ir rete darumbe meinden ze bekennende und ze manende, das sol-
25 lend die rete derselben stette bringen an den rat zu Ulme. und ist, das der rat zü
Ulme mit dem rate der stette, die do meinet das ir unreht geschen sie, erkennent uf
ir eide oder der merre teil der beder rete, das sie billich ze manende habent: so sol
man der stat beholfen sin iglich als vor beschriben stat. doch get dis die von Ulme
nit an; wer', das den oder den iren unreht beschee, die mögent alleine in irem rate
30 bekennen, glich als von den von Strazburg do vor geschriben ist [6].

<hr>

[1] *Die Begründung der Datierung s. in der Ein-*
leitung lit. A pag. 720.
[2] *Über die mit dem Eingang in Entwurf II*
nr. 488 vorgenommenen Veränderungen vgl. Anm.
35 *dort.*
[3] *Zu art. 1 vgl. Entwurf I[a] nr. 483 art. 1 im.,*
art. 1[a] fehlt dort.
[4] *Art. 2 fehlt in Entwurf I[a], zu art. 2[a] vgl.*
art. 1 ex. dort.
40 [5] *Fehlt in den Entwürfen I[a] und II und in*
der Ausfertigung. — Da dieser Artikel Sonder-
bestimmungen für die Schwäbischen Städte trifft,
so wird man daraus vielleicht einen Entwurf gegen
unsere Ansicht, daß Entwurf I Straßburger Ur-
45 *sprungs sei (s. Einleitung pag. 718), herleiten und*
hier Schwäbischen Einfluß zu sehen glauben; aber
wol mit Unrecht. Es ist zu beachten, daß dieser
Artikel die Schwäbischen Städte außer Ulm
schlechter stellt als die übrigen Verbündeten, und
50 *die Möglichkeit liegt sehr nahe, daß man in*

Straßburg Bedenken trug, jeder kleinen Stadt des
Schwäbischen Bundes das unbeschränkte Recht
Hilfe zu verlangen zuzugestehen, während die be-
nachtheiligten Städte dagegen die Beseitigung des
Artikels in Entwurf II (I[a] kommt nicht in Be-
tracht) durchsetzten. Besonders günstig ist der
Artikel freilich für Ulm, dessen führende Stellung
innerhalb des Schwäbischen Bundes durch ihn
hätte befestigt werden müssen. Darum darf man
aber nicht entgegen den Gründen die für Ent-
stehung in Straßburg sprechen Ulmer Mitwirkung
bei der Ausarbeitung vermuthen. Unsere Ver-
muthung, daß Entwurf I von Straßburg aus zu-
nächst den Ulmern mitgetheilt sei, giebt auch für
diese Begünstigung Ulms eine ausreichende Er-
klärung.
[6] *Dieß steht nicht recht im Einklang mit dem*
was vorhergeht. In art. 2[a] ist nicht nur von
Straßburg sondern von den vorgenannten Städten
die Rede, und dieß sind außer Straßburg alle

[1405
Juli] [*3*] ¹ Wer' es [*weiter wie art. 5 des Entwurfes II nr. 488 bis auf die Auslassung zweier Worte, s. die Variante B ibid., bis zu Ende*].

[*4. 5*] ² Ouch sollen [*weiter wie art. 6 und 7 ebendort bis zu Ende*].

[*6*] ³ Wenne ouch unser ein teil das ander wurt manen, als vor bescheiden ist, darzů [*weiter wie in art. 8 ebendort bis zu Ende, nur daß für die dort angegebenen ⁵ Zahlen der Glefen hier Lücken gelassen sind*].

[*7 ⁴ durchstrichen:*] Wer' es ouch sache, das ieman wer der were unser dhein ᵃ teile oder unser lůte unsere burgere oder die unsern angriffe oder beschedigete bi uns oder umbe uns in welherhande wise das were: so sollen wir ze stůnd, so wir des innen und gewar werden, darzů ernstlich griffen und tůn samentlich ᵇ oder besunder das daz ¹⁰ widerton und gekeret werde, glicherwise als unser ieglichem teile das selber widerfaren und gescheen were, one alle geverde.

[*8*] ⁵ Wer' ouch das [*weiter wie art. 9 ebendort bis gesessen weren, dann:*] das wir den oder dieselben darumbe ouch angriffen und beschedigen sollen an libe und an gůte so balde wir des gewar werden [*weiter wie ebendort bis bescheen were; schließt:*] ¹⁵ one geverde.

[*9*] ⁶ Wer' ouch das unser dhein teil, das die andern vorgenanten teile gemanet het, und ime die hilfe geschicket ist darumbe es gemanet het, beduhte, das es ime notdurftig were, das es von uns den andern teilen me volkes und helfe bedörfte danne der summe die ime geschicket were als vor ist bescheiden: do mag der teil uns den ²⁰ andern drien teilen das verkünden und verschriben an die stette als vor erlutet, und mag uns tage darumbe bescheiden an eine bekümenliche stat, die wir die andern teile erreichen mögen, und das gelegenlich sie. uf den tag sollend wir, die andern drů teil, unsere erbern rete und frůnde zů des teiles reten und frůnden, das den tag aldar verkúndet hat, mehtiklichen schicken und senden, und sollend die erbern rete und frůnde ²⁵ sich von der hülfe wegen underreden, und, was die danne von der hülfe wegen vůrbazz ze tůnde einhelliklich überkoment das man darzů tůn und helfen sölle, das sollent wir die vorgenanten teile vůrderlich und one verzog tůn one geverde.   [*9ᵃ*] ⁷ doch [*weiter wie art. 9ᵇ ebendort*].

[*10*] ⁸ Welhes teil [*weiter wie art. 12 ebendort bis zu Ende; s. dort die Va-*³⁰ *riante B*].

[*11. 12. 12ᵃ*] ⁹ Wer' es ouch [*weiter wie die artt. 13. 14. 14ᵃ ebendort bis zu Ende*].

a) *Vorlage* dheim.   b) *Vorlage* samenclich.

---

dem Bund beitretenden Schwäbischen Städte, nicht etwa nur Ulm. Wäre art. 2ᵇ nicht ausgestrichen, so hätte art. 2ᵃ anders redigiert werden müssen.
¹ Hierzu eine Randnotiz, s. nr. 486; fehlt in Entwurf Iᵃ, zu vergleichen ist art. 1 dort; ist in Entwurf II durchstrichen.
² Vgl. Entwurf Iᵃ art. 3 und 4.
³ Fehlt in Entwurf Iᵃ, vgl. art. 1ᵃ in. dort.
⁴ Vgl. Entwurf Iᵃ art. 5; fehlt in Entwurf II, vgl. art. 1 dort.
⁵ Hierzu eine Randnotiz, s. nr. 486; vgl. art. 6 des Entwurfes Iᵃ.
⁶ Vgl. art. 7 ebendort; fehlt in Entwurf II; auch zu diesem Artikel eine Randnotiz, s. nr. 486.
⁷ Vgl. Entwurf Iᵃ art. 11. Dort lauten die

letzten Worte ähnlich wie obiger Artikel, und die ³⁵ Meinung ist dort die, daß, wenn beide Parteien (dort sind es nur zwei) Hülfe brauchen, die Mahnung der zuerst mahnenden vorgeht; dem Sinne nach ganz entsprechend heißt es in der Ausfertigung art. 6, daß, wenn einer Partei auf ⁴⁰ ihre Mahnung Hülfe geleistet ist, so lange die Hülfsleistung dauert, keine andere Partei solche beanspruchen kann. Hier in Entwurf I ist wahrscheinlich dasselbe gemeint, aber der Artikel ungeschickt an art. 9 angeschlossen, so daß man im ⁴⁵ Zusammenhang mit diesem etwas anderes herauslesen wird.
⁸ Vgl. ebendort art. 10.
⁹ Vgl. ebendort art. 13. 17. 15.

[13] [1] Wer' ouch das under uns den vorgenanten fürsten herren und stetten dheiner [a] [1405 Juli] oder dheine[a] dheim herren oder stat oder ieman anders, der nit in diser vereinunge[b] were, dienen wolte, was demme fürsten herren oder stat von des dinstes wegen geschee, darzu sollend wir die andern, die in dieser vereinungen[c] sind, nit beholfen sin, wir tünd
5 es danne gern, one geverde.

[14] [2] Man sol ouch dheinen herren oder stat in dise vereinigunge empfohen, wir vier teil habent danne unsere erbern rete frúnde und botten zesammenegeschicket, sich dovon ze underrredende. und was die danne darumbe erkennent und einhelliklich úberkoment, das si getruwen uns allen nútze und gūt sin, das habe vúrgang. wer' ouch
10 das dhein fúrste herre oder stat oder wer der were in dise vereinunge[d] keme, demme oder den sol man beroten und beholfen sin in der massen, als sie und wir danne mit einander úberkommen.

[15] [3] Gewunnen wir [weiter wie art. 15 ebendort, s. dort die Variante B, bis zu Ende]. [15[a]] [4] gewunne aber [weiter wie art. 15[a] ebendort bis nit beholfen weren,
15 dann:] uf dem velde, der teil mag domitte tūn, das ime füget ungeverlich.

[16. 16[a]] [5] Ouch ist zū wissende, das wir die vorgenanten teile frúntlich mit einander úberkomen sind: wer' es das unser dhein teil in der zit diser vereinungen mit dem andern teil oder den sinen [weiter wie art. 18 und 18[a] ebendort bis zu Ende, doch mit folgenden Abweichungen: die Worte in art. 18 der es vor nit geton het fehlen hier,
20 statt den der anesprecher nennet heißt es hier in art. 18 und den nennen, statt in den nehesten vierzehen tagen heißt es hier in art. 16[a] in dem nehesten monate, am Schluß von art. 16[a] folgen noch die Worte one geverde].

[17] [6] Item wer' es [weiter wie art. 20 ebendort bis zu Ende].

[18] [7] Wir die vorgenanten [weiter wie art. 21 ebendort bis gehapt hant, dann:]
25 one alle geverde, doch das alle obgenanten [weiter wie art. 21 ebendort am Ende].

[19] [8] Und sind dis die begriffe und zile, in den die hilfe gescheen sol: das ist zūm ersten [sehr großer Raum frei gelassen].

[20 [9] durchstrichen:] Item in diser vereinunge ist bedingliche beretd und überkomen: wer' es das unser dhein teil der vorgenanten fürsten[e] herren und stette mit
30 ieman tage gewunne ze leisten, do er der andern teile sementliche oder besunder zū bedorfte, und das der ander teile eime oder me verkúndet und verbotscheftet, und bittet sinre erbern rete und frúnde zū ime ze schickende, das sol der teil tūn, demme das verkúndet und verbotscheftet wurt, uf sin selbes kosten, und sollend ouch die rete und botten demme, der sie uf sine tage verbotscheftet het, daz beste und getruwelicheste
35 roten und sine tage helfen leisten, so verre sie kúnnen und mögent, ungeverlich.

a) dheiner oder dheine om. Vorlage. b) Vorlage vereimunge. c) Vorlage vereimungen. d) Vorlage vereynuge.
e) Vorlage fürsten?

[1] Vgl. ebendort art. 14; fehlt in Entwurf II.
[2] Vgl. Entwurf I[a] art. 16 und Entwurf II
40 art. 16; Randnotizen zu obigem Artikel s. nr. 486.
[3] Vgl. Entwurf I[a] art. 12.
[4] Fehlt in Entwurf I[a].
[5] Fehlen in Entwurf I[a].
[6] Fehlt in Entwurf I[a].
45 [7] Desgleichen.
[8] Desgleichen, durch den Eingang des Entwurfes

ist aber dort wie hier ein solcher Artikel vorausgesetzt, vgl. über Unvollständigkeit des Entwurfes I[a] die Einleitung. Der Artikel fehlt auch in Entwurf II, dort aber ist auch der Eingang entsprechend geändert.
[9] Fehlt in Entwurf I[a] (vgl. Anm. zu art. 15 dort), ebenso in Entwurf II und in der Ausfertigung.

[21] [1] Harinne [weiter, nur mit Auslassung der Worte und unsere dienere — stant und unwesentlichen Abweichungen (s. Varianten B in nr. 488), wie art. 22 ebendort bis lasse blíben, dann ein Raum in der Größe eines Quartblattes frei gelassen].

[22. 22ᵃ] [2] So nement wir die von Strazburg [weiter wie art. 23ᵇ und 23ᶜ ebendort bis zu Ende].

[23] [3] Alle vorgeschriben stücke puncte und artikele und ir ieglichen besunder sprechen wir die vorgenanten marggrafe Bernhart und Eberhart grafe von Wurtenberg bi unsern fürstenlichen truwen und eren und wir die vorgenanten burgermeistere und rate der obgenanten stette Strazburg Ulme [Raum frei gelassen] bi unsern eiden, die wir liplich darumbe geswaren haben, getruwelich und unverbrochenliche stete ze haltende und zu vollefürende one alle argliste und geverde.   und des zu eim urkúnde so haben wir die egenanten marggrafe Bernhart grafe Eberhart von Wurtenberg und wir die stette Strazburg Ulme [Raum frei gelassen] unsere grossen ingesigele an disen brief tûn henken.   datum [Raum frei gelassen, dann folgt nachträglich noch:]

[24] [4] Es ist ouch beretd [weiter wie art. 11 ebendort bis zu Ende].

482. *Zwei gen. Ulmer an zwei gen. Straßburger besonders über Verhandlungen der Schwäbischen Städte mit dem Grafen Eberhard von Wirtemberg* [5]. *1405 Aug. 3 [Ulm].*

S aus Straßb. St.A. AA 132 or. ch. lit. cl. c. sig. in verso impr.

Fúrsichtigen ersamen und wisen besunder lieben frwnd. unser willig dienst und waz wir eren und gûts vermugen wissent allzit von uns bereit voran. lieben herren und frwnde.   als ir uns verschriben hand, dieselben iwer frwntlich geschrifft [6] haben wir bracht an symlich unser herren da das hingehört, und die och darinne niht anders denne luter trúwe und gancz frwntschaft erkennent. und verkúnden iwer fúrsichtikait daruff, daz dezglich von unserm gnädigen herren von Wirtemberg an uns und ander [25] stete unser veraynung, die vormals bi uns gewesen sint [7] und nwlich zu dem vorgnanten unserm herren von Wirtemberg und uns darin getretten sint [8], och komen ist, und daz under anderm gewerbe iwer stat und darzu die stete Meencz [a] Worms und Spir benempt wurden. und als unser herren . . iwer stat gedenken horten, do wurden si und och ander stete zu den sachen fúrbas und mer genaigt denn vor, also daz si dem vorganten [30] unserm herren von Wirtemberg geantwúrt hand, daz si ir erbern botten und frwnde zu den sachen gerne zu tagen schiken wöllen, zu versûchen ob sôlichen sachen gûter und nuczlich usstrag mag werden. und das hetten och unser herren von Ulme vor

a) S Mencz anscheinend mit kolumniertem c.

[1] Vgl. Entwurf Iᵃ art. 18.
[2] Fehlen in Entwurf Iᵃ.
[3] Vgl. Entwurf II art. 24, der nach den ersten drei Worten abbricht; fehlt in Entwurf Iᵃ.
[4] Fehlt in Entwurf Iᵃ.
[5] Nur der Ausdruck genechern am Schluß des Briefes deutet ungefähr an, welchen Gegenstand die geschrifft der Straßburger und die Verhandlungen mit dem Grafen von Wirtemberg eigentlich betrafen; vielleicht ist diese vorsichtige Fassung absichtlich gewählt, um das Geheimnis besser zu hüten. Daß es sich um das Projekt eines Bundes

handelte, kann trotzdem gar nicht zweifelhaft sein; vgl. Einleitung lit. A.
[6] Nach unserer Vermuthung Entwurf I nr. 481.
[7] Dieß soll wol nicht heißen: die früher in Ulm Gesandte gehabt haben, sondern: die früher zum Schwäbischen Städtebunde gehörten.
[8] S. zweite Anm. zu nr. 489. Die dem Schwäbischen Städtebunde im Frühsommer 1405 beigetretenen Städte werden auch in das Bündnis mit dem Grafen von Wirtemberg (s. Anm. zu nr. 489 art. 17) aufgenommen sein.

ziten unsern gûten herren und frwnden von Straspurg gerne verkúnt und ze wissen ₁₄₀₅ getan, do waz aber das mit gelúpte als hoch und vast versorget daz das niht sin solt. ^{Aug. 3} aber nû, so wir uns dez gen iueh wol enblôssen súllen, so verkúnden wir iwer wißhait fúrbaz, daz uff dis zit, als iwer bott bi uns gewesen ist, unser herre von Wirtemberg
5 von der obgeschriben sach wegen tag verkúnt hat, unser erber botschafft und frwnd bi im ze haben uff den nehsten zinstag ze nacht vor unser frowen tag assumpcionis zenehst ^{Aug. 11} ze Stûggarten und fúrbaz mit im ze riten an die stete ab sich das aischen [1] werd, und daz wir das andern steten unser veraynung die darzû geordiniert sint och verkúndigen ze tûnd, das och unser herren allez also vollfûren wend.   und umb das, lieben herren,
10 versehen wir uns genczlich, daz iwer frwnd zû den tagen och gefordert sien und komen werden, mainent unser herren iren botten ze empfelhen mit iwern frwnden aigenlich von den sachen zû reden.   denn wie oder mit welhen sachen unser herren sich zû iwern und unsern gûten herren und frwnden von Straspurg genehern[a] mugen, dez sol man allwege an in gancz getrúwen und gûten willen finden.   geben an mentag vor Oswaldi ₁₄₀₅
15 anno 1400 quinto. ^{Aug. 3}

[in verso] Den fúrsichtigen ersamen und wisen unsern
besundern lieben herren und frwnden hern Uelrichen Bok   Peter Leo und Hanns
dem júngern und Wilhalmen Meczger altammanmaister   Strôlin burger ze Ulme.
der stete Straspurg.

20 **483.** *Entwurf (I[a]) eines Bundes zwischen Mf. Bernhard I von Baden Graf Eber-* _{[1405} *hard III von Wirtemberg der Stadt Straßburg und Schwäbischen Reichsstädten* ^{c. Aug.} *einerseits und Ersb. Johann II von Mainz nichtgenannten Herren und den Städten* ^{11]} *Mainz Worms Speier andererseits, bis Weihnachten eines unbestimmt gelassenen Jahres. [1405 c. August 11 Stuttgart [2].]*

25   *Aus Straßburg St.-Arch. Gewölb unt. d. Pfalz lad. 50-51 nr. 2[1] conc. ch. coaev., in Form einer Rolle von 3 aneinander gehefteten Folioblättern. An den mit Entwurf II (nr. 488) bzw. I (nr. 481) wörtlich übereinstimmenden Stellen durch Verweisung auf jene verkürzt widergegeben. Der einzelne Punkt über dem u, der durchweg im Stücke herscht, wurde durch den Strich im Drucke bezeichnet; das o über dem u erscheint*
30   *öfter aufgelöst in zwei zusammenhängende oder auch nicht zusammenhängende strichartige Punkte, die aber meist ganz deutlich von den schrägliegenden das e bezeichnenden Punkten zu unterscheiden sind.*

Wir Bernhart von gotes gnaden marggrafe zû Baden, wir Eberhart grave von Wurtenberg, unde wir die burgermeistere unde rete der stette Stroßburg und der riches-
35 stette in Swoben Ulme [leerer Raum gelassen [3]] erkennen öffenlichen und dûn [weiter wie im Entwurf II nr. 488 bis beschirmende, dann:] verbunden han und vereiniget worden sint mit dem hohwirdigen fúrsten unde herren herren Johan des heiligen stûles zû Mentze erzbischof des heiligen Rômschen riches in Dútschen landen erzcanzeler, den wolgebornen herren herren [Lücke gelassen] und den ersamen wisen lúten den burger-
40 meistern und reten der stette Mentze Wormesse und Spire von diseme hútigen tage, alz diser brief gegeben ist, bitze dem heiligen winnahttage schierestkúnftig unde von dem _{Dec. 25} winnahttage über [Lücke für die Zahl gelassen] ganze jore [weiter wie im Entwurf II

a) S genehern mit kolumniertem e.

---

[1] Ursprüngliche Form für heischen, s. Lexer
45 mhd. WB. 1, 533.
[3] S. Einleit. zu diesem Tage lit. A pag. 721.

[2] Die fehlenden Namen aus der Ausfertigung nr. 489 zu ergänzen.

bis geverde, *dann*:] in den zilen unde kreissen unde in der forme [*weiter wie Entwurf
II bis stot*] [1].

[*1*] [2] Also mit namen: wer' es das [*durchstrichen*: ieman wer der were uns [a]] sie
die vorgenanten fürsten herren oder stette sementlichen oder besunder oder die iren von
iemanne wer der were in dirre zit [*weiter wie im Entwurf II art. 1 bis weg das were*] [5]
oder mit maht uf sie ziehen wolte, und der vorgenante fürste und herre herre Johan
erzbischof zu Mentze uf sine fürstenliche truwe und ere, die egenanten herren uf ir
eide, und die stat oder stette die also anegegriffen weren in iren reten
oder mit dem merren teil in denselben iren reten uf den eit erkuntent, das in unrecht
geschehen were oder geschehe, und das die vorgenanten fürsten herren und stette sam- [10]
mentlich mit in oder mit dem merren teil under in uns das verkündigetent und erma-
netent gen Stutgarten unde gen Ulme [4] in den rot: [*1*ᵃ] [5] so sollen wir in getruwelichen geroten unde beholfen sin mit [*Lücke für die Zahl gelassen*] glefen erber wol
erzugeter lute, do ie die glefe dru pferde haben sol und ein gewoffenten kneht, die ouch
noch irer verkündunge in den nehesten vierzehen tagen von huse ußriten sollent und [15]
ouch förderlichen volleriten sollent in die stat, die sie uns danne benennent und ver-
kündent, ane alle geverde, es enwere danne das sie uns umbe minre glefen manetent,
die sollent wir in ouch senden in derselben forme, doch also das sie ire glefen drie tage
vorhin haben an der stat, dohin sie uns gemant hant bi iren glefen, der do [*Lücke für
die Zahl gelassen*] sin sol und nit minre.   [*1*ᵇ] [6] unde sollen in mit denselben unsern [20]
glefen getruwelichen geroten unde beholfen sin wider allermengelich, die sie also anegegriffen geschediget, oder in ire reht friheit herlicheit oder harkommen gegriffen, sie
daran geirret geleidiget oder geletzet hettent, alz vor geschriben stat, und die in denselben anegriffen [a] darzu geroten und beholfen hettent oder weren, alz lange biz in der
schade unde anegriff abegeleit unde gekert wurt. [25]

[*2*] [7] Unde sollen wir das dun uf unsern eigenen kost schaden und verlust, alz
dicke dez not geschiht, one alle geverde.

[*3*] [8] Auch das sie doch denselben unsern glefen in iren stetten unde slossen, so
in darinne gebüret zu ligende, herberge unde stallunge geben sollent, also das sie iren

[1] *Der Eingang mut. mut. wie in Entwurf I
nr. 481, ohne die Veränderungen die derselbe in
Entwurf II nr. 488 erfahren hat. Vgl. auch Anm.
zu Entwurf I art. 19.*

[2] *Der Anfang des Artikels mut. mut. fast wörtlich wie art. 1 in den Entwürfen I und II, von
und der vorgenante fürste an entsprechend art.
2*ᵃ *ibid., und zwar da wo Entwurf II von Entwurf I abweicht mit letzterem übereinstimmend.
Daß art. 1*ᵃ *der beiden Entwürfe I und II hier
fehlt, ist wol daraus zu erklären, daß für die
beiden hier auftretenden Parteien bei der Lage
ihrer Besitzungen gegenseitige Hülfe auf frischer
That außer in den art. 5 bezeichneten Fällen
kaum in Betracht kam.*

[3] *Mit diesen hier ausgestrichenen Worten wird
in den Entwürfen I und II fortgefahren. Das
ist für die Beurtheilung des Verwandtschaftsver-
hältnisses der drei Entwürfe zu beachten, besonders da es statt uns hier in Entwurf I*ᵃ *auf jeden
Fall auch bei aktivischer Konstruktion sie heißen
müßte. Der Schreiber fällt hier übrigens gleich*

*aus der Konstruktion und wider in die zuerst
beabsichtigte nichtpassivische Form zurück.*

[4] *Dieselben zwei Städte sind in art. 7 genannt.
Es muß auffallen, daß diese Bestimmung den
Markgrafen von Baden und die Stadt Straßburg,
die mit dem Grafen von Wirtemberg und den
Schwäbischen Städten zusammen die eine Partei
bilden, ganz unberücksichtigt läßt. Wenn nur ein
einziger Ort genannt wäre, von dem aus dann die
Mahnung an die Mitglieder des engeren Bundes
weiter zu befördern wäre, so wäre das leicht verständlich, daß aber zwei Schwäbische Städte genannt sind und keine Rheinische, bedarf besonderer
Erklärung, vgl. Einleitung p. 718 f.*

[5] *Fehlt in Entwurf I; vgl. Entwurf II art. 3;
zum Anfang des Artikels vgl. auch Entwurf I
art. 6, Entwurf II art. 8.*

[6] *Fehlt in Entwurf I; vgl. Entwurf II art. 4*ᵃ.

[7] *Fehlt in Entwurf I; vgl. Entwurf II art. 4.*

[8] *Vgl. Entwurf I art. 4 und Entwurf II art.
6, nur der Wortlaut hier etwas abweichend.
Randnotiz zu diesem Artikel s. nr. 487.*

eigenen kosten darinne haben; unde ouch bestellen, das sie in iren slossen unde stetten redelichen veilen kôf vinden umbe ire pfenninge, one geverde.

[4] ¹ Und ouch aber also, wanne wir von den vorgenanten fursten herren oder stetten ermanet werdent in zû helfen alz vor geschriben stat, das wir uns danne gegen 5 denselben, wider die wir den fursten herren unde stetten helfen sollent, mit widersagen bewaren môgen.

[5] ² Wer' ez aber sache das iemand sie oder die iren anegriffe oder beschedigete bi uns oder umbe uns, es weren kôflúte kôfmanschaft oder in welhrehande wise das were: so [weiter wie in art. 7 des Entwurfes I nr. 481 bis glicherwise, dann:] alz uns 10 das selber widerfaren und beschehen were, one alle geverde.

[6] ³ Wer' es ouch, das iemand den vorgenanten fursten unde herren herren Johan erzbischof zû Mentze die andern herren oder stette diser einunge sammentlich oder besunder oder die iren anegriffe oder uffe sie ziehen oder dienen wolte oder húlfe spise oder andern rot darzú dete oder gebe oder sie husete [weiter wie in art. 8 ebendort bis 15 gewar werden, dann:] es sie uns von den vorgenanten fursten herren unde stetten semmentlichen oder besunder verkúndet oder nit, ouch zû glicher wise alz uns dasselbe widerfaren oder geschehen were, one geverde.

[7] ⁴ Wer' es ouch das den vorgenanten fursten und herren herren Johan erzbischof zû Mentze die andern herren oder stette beduhte, das es in notdúrftig were, daz sie mit 20 volke unde húlfe von uns bedúrften danne der sommen als vor geschriben stot: das môgent sie uns gen Stûtgarten unde gen Ulme ⁵ in den rot verkúnden und uns darumbe tage bescheiden an eine stad, do sie getruwen die uns allergelegenlicheste si, uf ein bekúmmenlichen tag, den wir erreichen und erlangen môgen. uffe denselben tag wir ouch unsere erbern rete und frúnde mehteklichen schicken unde senden sollen zû in. 25 und was danne sie unde wir einhelleklichen úberkommen mit húlfe vúrbaß darzû ze dûnde, das sollen wir one verzog unde fúrderlichen dûn one alle geverde.

[8] ⁶ Ouch ensollent wir noch keinre der unsern nieman, der die vorgenanten fursten herren oder stette oder die iren geschediget hette oder anegegriffen, keinerlei veilen kôf spise gezúg harnesch noch keinerlei andern rot geben lihen noch dûn in 30 deheine wise one alle geverde.

[9] ⁷ Wer' es ouch das wir von den vorgenanten fursten herren oder stetten gemanet wúrdent, in unsere glefen zû ª húlfe zu schicken, alz vor geschriben stot, und in die gesendet hettent, alz ouch vor bescheiden ist, und das danne derselben fursten herren oder stette einen ᵇ eine oder me not aneginge: wie danne dieselben fursten herren unde 35 stette unde ire frúnde und rete die sie darumbe zûsammeneschicken sollen ᶜ oder mit dem

---

a) *wol nicht zû.* b) *Vorlage eime.* c) *hier fehlt wol einhelleklichen.*

---

¹ *Mut. mut. gleichlautend Entwurf I art. 5 und Entwurf II art. 7.*
² *Bis auf obigen Zusatz* es weren kôflúte kôfman-
40 schaft *oder mut. mut. gleichlautend wie Entwurf I art. 7; fehlt in Entwurf II, vgl. aber dort art. 1ª. Daß der in I ausgestrichene und in II fortgefallene Artikel hier in Iª widerkehrt, beweist nichts gegen die von uns behauptete Ableitung des*
45 *Entwurfes Iª aus I. Der Artikel war in I und II überflüssig, hier in Iª aber nicht, da I art. 1ª hier ausgelassen ist.*
³ *Mut. mut. gleichlautend Entwurf I art. 8; vgl. Entwurf II art. 9. Randnotis su diesem*

Artikel entsprechend der zu Entwurf I art. 8 s. nr. 487.
⁴ *Vgl. art. 9 des Entwurfes I, inhaltlich gans entsprechend und auch im Wortlaut ähnlich; fehlt in Entwurf II. Randnotis su diesem Artikel, aber andere als zu Entwurf I art. 9, s. nr. 487.*
⁵ *Dieselben zwei Städte sind art. 1 genannt.*
⁶ *Fehlt in den Entwürfen I und II; vgl. Ausfertigung art. 9.*
⁷ *Fehlt in den Entwürfen I und II und in der Ausfertigung.*

[1405 c. Aug. 11] merrem teile erkennent, das es notdurftig were, eime fursten herren oder stat zů hůlfe ze kommen oder mer fursten herren oder stette[a] zůzeteilen, das sollen unsere gleven unde volk gehorsam sin.

[10][1] Unde welchem fursten herren stad oder stetten unser volk also geschicket unde zůgeteilet worden[b], die söllen dem teile einen erbern houbtman geben das in zů- geschicket ist und dem ouch dazselbe deil gehorsam sol sin anezegriffen unde zů sche- digen zů des teiles nutze[c][2] one alle geverde.

[11][3] Und wanne ouch wir umbe hůlfe von in den vorgenanten fursten herren unde stetten ermanet werdent, e das wir sie umbe hilfe ermanet hettent, so sollen wir in doch mit unsere hůlfe, obe uns darnoch wol not aneginge, zů helfe kommen alz vor geschriben stot; also das die erste manunge mit nammen vorgon sölle.

[12][4] Und wer' es das sie mit demselben unserme volke und glefen, so wir in die also geschicket hettent, it slosse vesten und stette oder gefangenen gewunnen, mit denselben slossen unde gefangenen mögent die vorgenanten fursten herren unde stette wole leben unde dûn wie sie wöllen und das under sich teilen noch margzale, als danne iegelich furste herre oder stat under in darumbe uffe dem velde gewesen ist oder der sinen daruffe gehebet het ane alle unsere und der unsern widerrede und hindernisse.

[12a][5] doch so söllent sie versorgen so sie beste mögent one geverde, das uns oder den unsern von der vorgenanten slosse gefangen oder nome wegen dehein schade noch vigentschaft darnoch uferstande.

[13][6] Unde wer' es ouch das die vorgenanten fursten herren oder stette einer[d] eine oder me oder die iren ire viende uß und in unsere stette unde slosse sammentliche[e] oder besunder schedigen sůchen oder anegriffen wolten, des sollent wir in wol gûnnen und in darzů geraten und beholfen sin. unde sollen in ouch zů allen iren nöten diser vereinunge unde bundes alle unsere slosse offen sin sich darin und daruß zů behelfen one alle geverde.

[14][7] Wer' es ouch das die vorgenanten fursten herren oder stette oder die iren deheime herren oder ieman anders dienten, die zů diser vereinunge nit gehorten, was in von des dienstes wegen geschehe oder aneginge, darzů sollen wir in nit beholfen sin,

---

a) *Vorlage* stetten.   b) *Vorlage* werden.   c) *zů des teiles nutze nachträglich hineingeflickt.*   d) *Vorlage* einre.
e) *Vorlage* sammeneliche.

---

[1] *Vgl. art. 10 des Entwurfes I und art. 12 des Entwurfes II, inhaltlich ganz entsprechend, im Wortlaut ziemlich stark abweichend. Die Korrektur am Schluß des Artikels ganz ähnlich auch im Entwurf I. Die Behauptung, daß I[a] aus I ab- geleitet sei, wird dadurch, daß I[a] hier ursprüng- lich der nicht korrigierten Fassung von I ent- spricht, nicht widerlegt. Der Schreiber von I[a] übersah vielleicht zuerst die in I eingetragene Korrektur, oder diese ist auch in I erst gemacht, als I[a] schon existierte, und ist dann später auch hier nachgetragen worden. Für letzteres spricht die ungeschickte Fassung, s. nächste Anm.*

[2] *Es ist sicher wie in den Entwürfen I und II gemeint: zum Nutzen desjenigen Theiles der Verbündeten dem die Truppen zugewiesen sind. Da aber eben vorher unter teile und deil ein Truppentheil verstanden ist, so ist der Ausdruck möglichst ungeschickt gewählt und provociert ge- radezu ein Misverständnis.*

[3] *Vgl. art. 9[a] des Entwurfes I und art. 9[b] des Entwurfes II; zur Interpretation vgl. auch art. 6 der Ausfertigung und Anm. zu Entwurf I art. 9[a].*

[4] *Vgl. art. 15 der Entwürfe I und II; dort ist entsprechend dem Schluß des obigen Artikels Ver- theilung nach dem Verhältnis der Betheiligung bestimmt. Beachtung verdient vielleicht, daß hier nicht wie dort außer von Schlössern und Gefan- genen auch von Beute (nome) die Rede ist.*

[5] *Fehlt in Entwurf I; vgl. Entwurf II art. 15[a] med. — ex.*

[6] *Vgl. Entwurf I art. 11 und Entwurf II art. 13. Der Schluß des Artikels hier von unde solten an fehlt dort, auch sonst ist der Wortlaut etwas abweichend, obschon ähnlich.*

[7] *Vgl. art. 13 des Entwurfes I, der Wortlaut ähnlich aber doch etwas abweichend; fehlt in Ent- wurf II.*

wir dûn es danne gerne.   [14ᵃ]¹ doch das dieselben fürsten herren oder stette noch *[1405*
die iren niemanne dienen, das wider dise vereinunge unde bunt si, one alle geverde.   *c. Aug.*
11]

[15]² Ouch ensôllen wir uns mit niemanne umbe deheine sache, die sich von diser
vereinunge wegen verloufen hette oder beschehen were, friden seczen noch sûnen in
deheine wise one der vorgenanten fürsten herren unde stette willen unde wissen one
geverde.

[16]³ Ouch ensol man nieman in dise vereinunge und bunt empfohen, der egenante
fürste unde herre herre Johans erzbischof zû Mentze und die andern herren unde stette
unde ouch wir sien es danne vor einhelleklichen überkommen.

[17]⁴ Was krieges ouch in diser zit der vereinunge unde bondes von diser vereinunge wegen uferstünde unde von den vorgenanten fürsten herren oder stette eime
einre oder me anegefangen were, darzû sollent wir in beholfen sin, alz vor geschriben
stat, noch diser vereinunge ußgange ein jor das neheste glicherwise also in diser
vereinunge one alle geverde.

[18]⁵ Unde wir die vorgenanten fürsten herren unde stette alle sammentlich unde
besunder nement harinne uß den allerdurchlûhtigisten fürsten unde herren herren Rûp-
prehten Römschen kunig unsern gnedigen herren, also verre [*bricht hiermit ab* ⁶].

484. *Drei gen. Straßburger Gesandte an ihre Stadt: haben zu Baden sich mit Markgr.* *[1405]*
Bernhard I unterredet, wollen mit demselben nach Marbach reiten. [1405 ⁷]   *Spt. 5*
Sept. 5 Baden.

*Aus Straßb. St.A. G. U. P. lad. 50/51 fasc. 27 Missiven nr. 6 or. ch. kt. cl. c. sig. in
verso impr.*

Lieben herren.   wir embieten ûch unsern willigen dienst.   und land ûch wissen,
das wir hût frûge by unserm herren dem marggrafen und sinen reten uf der vestin *1405*
Baden gewesen sind.   und hant uns von der vereynunge wegen mit einander underretd *Spt. 5*
lange und vil.   und nachdemme er uns dise artickele, die in bedunckent gût sin, erzalt
het und geton lesen, und wir ime die unsern hinwider erzalt hant und ouch uwerᵃ
geschriften⁸ eins teils habent lazzen hören: so ziehent wir nit von einander, und gefellet
ime unser rotslagen⁹ vaste wol, als uns bedunckt.   und do wir unsere sachen eintrehtig
wurdent, do giengent wir essen und ohssent by ime uff der vestin.   und woltent darnach vûrbasser sin geritten; do seite er uns, das ime der byschof von Mentze verschriben *1405*
und verbotscheftet, das er nit e gen Martpach gekommen möhte danne von hûte sams- *Spt. 12*

a) *etwas flüchtig.*

¹ *Fehlt in den Entwürfen I und II.*

² *Vgl. art. 12 ᵃ des Entwurfes I und art. 14 ᵃ
des Entwurfes II; bemerkenswerth ist wol, daß
die Worte umbe deheine sache — beschehen were
dort fehlen (vgl. dazu die Auslassung von I art.
20), auch sonst ist der Wortlaut etwas abweichend.*

³ *Vgl. Entwurf I art. 14 und Entwurf II art.
16. Dort, besonders in Entwurf II, größere Aus-
führlichkeit als hier. Randnotiz zu diesem Artikel,
entsprechend der einen zu Entwurf I art. 14, s.
nr. 487.*

⁴ *Vgl. Entwurf I art. 12 und Entwurf II art.
14. Der Wortlaut ist zum Theil ähnlich, doch
ist die Fortdauer der Hilfsverpflichtung dort*

*wesentlich anders begrenzt, auch ist zu beachten,
daß dort die Worte von diser vereinunge wegen
fehlen.*

⁵ *Vgl. art. 21 des Entwurfes II, Wortlaut etwas
abweichend. Zu ergänzen ist der Rest des obigen
Artikels wol aus Entwurf I.*

⁶ *Es fehlt wol noch mehr als der Schluß des
Artikels und das Eschatokoll; s. Einleitung.*

⁷ *Jahr fehlt, aber vom Inhalt des Stückes aus
ist es zweifellos.*

⁸ *Wol Entwurf I nr. 481, vielleicht auch Entwurf Iᵃ nr. 483, s. Einleitung p. 721 f.*

⁹ *Wol identisch mit den geschriften.*

1405
Sept. 12
Sept. 9

tages über ahte tage, und mahte das der tag uf mitwoch nach unser frowen tage nativitas nehest, der do ist zů Mentze von der phaffheit wegen, do er von drützehen byståm
sine undertonen die phaffheit hin besant het [1], doby er sin můs.   und seite uns domitte,

Sept. 7
Sept. 9

das er uf mentag von hynnan riten wolte untz gen Pfortzheim und ouch mitwoch gen
Besinkeim, und wolte dozwuschent dem von Wurtenberg das ouch embieten, ob er uf
mitwoch oder dunrstag nehest gen Martpach kommen wolte.   wer' danne das er uf

Sept. 9
Sept. 10

Sept. 9

mitwoch gen Martpach wolte, so were doch nit me danne eine kleine mile von Besekeim

Sept. 10

gen Martpach, so ritte er darnnoch dar.   wer' des nit, so ritte er an dunrstag frůge dar.
und meynde, wolten wir mit ime riten, das wer' ime liep; wolten wir aber lieber sunder
oder e riten, das gefiele ime ouch wol.   und frogete uns, wie wir tůn wolten.   do sind
wir ze rate worden, nochdemme es zwuschent Pfortzheim und Martpach sörglich ist ze

Sept. 5
Sept. 7
Sept. 10
Sept. 11
Sept. 12
Sept. 9
Sept. 10

ritende, das wir danne mit dem marggrafen also riten wellen und hie zwuschent und
mentages hie zu Baden bliben; und meinent, das wir noch danne zites genůg haben
dunrstag fritag und samstag uns mit den Swebischen stetten zu underreden.   und hant
in ouch das verschriben, an mitwoch zu naht oder an dunrstage frůge nehest by in zu
sinde.   und hant in domitte geschriben und uns entschuldiget warumbe wir nit zů in
komen sind.   also wissent ir zů disen ziten, das wir wissent.   was wir vúrbaz empfin-

[1405]
Sept. 5

den, wellen wir úch ouch lassen wissen.   datum sabbato ante *nativitatis* beate virginis Marie.

[*in verso*] Den vúrsihtigen wisen dem
meister und rate zů Straspurg unsern
lieben herren.

Heinrich von Múlnheim ritter,   20
Uolrich Bock, und Wilhelm
Metziger altammanmeyster.

1405
Sept. 5

485. *Drei gen. Straßburger Gesandte an die Schwäbischen Städteboten zu Marbach:*
können auf den verabredeten 6 Sept. noch nicht zu Marbach eintreffen, denken aber
am 9 oder 10 Sept. in Gesellschaft des Markgrafen Bernhard I von Baden dort   25
zu sein.   1405 Sept. 5 Baden.

Aus Straßb. St.A. G. U. P. lad. 50/51 fasc. 2 conc. chart.

Lieben herren unde frunde.   wir embieten úch unsern frúntlichen gewilligen
dienst.   unde lont úch wissen: also ir und wir uns zů Aschberg [2] mitteinander under-

1405
Sept. 6

rettent, daz wir uf morne sunnentages zů naht zů Marpach sin woltent, uns do zů
underredende und uns der verbuntnisse ze vereinigende unde eintrehtig ze werdende etc.:

Sept. 4

do wir do uf gester fritag gen Baden kommen und woltent hůte gen Pfortzheim ge-

Sept. 6

ritten sin und uf morne sunnentag gen Marpach gekommen sin, so het uns der hoher-
borne furste der marggrofe ze Baden hůte geseit, das ime der bischof von Mentze

---

[1] S. beim vorigen Tage nr. 472.
[2] Ist doch wol Asberg mit dem Schloß Hohen-
asberg westl. Ludwigsburg bei Stuttgart. — Wenn
man nicht annehmen will, daß die Straßburger
und die Gesandten der Schwäbischen Städte in
Asberg auf der Heimreise von einer Versammlung
jene Verabredung getroffen hätten, so wird man
Asberg selbst als Ort einer Versammlung ansusehen
haben.   Schon die Lage des Orts läßt mit Bestimmtheit darauf schließen, daß auch der Graf
von Wirtemberg an derselben theilnahm.   Vielleicht
ist es dieselbe Versammlung zu der die Schwäbischen Städteboten sich am 11 August in Stuttgart

einfinden sollten, um von da mit dem Grafen   35
weiter zu reiten, s. nr. 482 u. Einl. p. 721.   Zeit
und Ort würdes vortrefflich stimmen.   Dann würde
man die Anwesenheit auch noch anderer Reichsstände zu vermuthen haben.   Mit Ersb. Johann
und Mf. Bernhard von Baden war der Marbacher   40
Tag augenscheinlich ebenfalls verabredet worden.
Das könnte freilich auch nachträglich schriftlich
geschehen sein; und daß Mf. Bernhard den Entwurf I erst am 5 Sept. kennen lernt (s. nr. 484
und Einl. p. 721f.) spricht einigermaßen gegen   45
seine Betheiligung an jener Versammlung.

verbotscheftet habe, das er erste von hûte samstages úber ahte tage gen Marpach kommen ¹⁴⁰⁵
welle, und das nit e getûn kúnne des tages halb der zû Mentze sin sol uf mittewoche ^{Spt. 12}
nehest noch unser frowen tage nativitas von der pfafheit wegen, der er von drizehen
bistûmen, die under ime sint, die pfafheit besaut habe, ze rotslagende umbe eintrehtikeit
5 der heiligen kirchen. und het uns der marggrofe geseit, daz er an mittewoche ze naht ^{Spt 9}
ze Marpach sin wölle oder an dunrestage frûge. und wenne wir unser selbes sorge ^{Spt. 10}
haben von ettelichen die uns ze Swoben bekriegen, darumbe ritent wir nit gerne alleine,
und meinent, obe got wil, mit demselben herren dem marggrofen ze ritende unde an
mittewoche ze naht oder an dunrestage frûge bi úch ze Marpach ze sinde und ze dûnde ^{Spt. 9}
^{Spt. 10}
10 also wir iegenote geton soltent haben, wanne wir noch danne zites gnûg haben. und
wande wir dis durch keinen mûtwillen lossen, so bittent wir^a uwere gûte frûntschaft
mit erneste, daz vúr kein arges von uns ze habende, alz wir úch daz besunder getruwent. besigelt mit min Uolrich Bockes ingesigel von unser aller wegen, datum in
opido Baden sabbato proximo ante diem festi nativitatis beate virginis Marie anno ¹⁴⁰⁵
15 domini 1400 quinto. ^{Spt. 5}

[in verso] Den gar erbern fúrsihtigen und wisen   Heinrich von Múlnheim ritter,
hern Heinrich Besserer burgermeister zû Ulme und   Uolrich Bock der júnger, und
den andern der Swebischen stette erbern botten,   Wilhelm Metziger altamman-
alz die ietze zû Marpach sint, unsern besundern   meister ze Stroßburg.
20 lieben unde gûten frúnden.

486. Randbemerkungen zu einzelnen Artikeln des Entwurfes (I) nr. 481, Meinungen ^{[1405}
des Mfen. Bernhard I von Baden enthaltend. [1405 zwischen September 5 und 7 ^{zw. Spt.}
^{5 u. 7]}
Baden ¹.]

25   *Am Rande des Entwurfes (I) nr. 481 abwechselnd rechts und links von derselben gleich-*
zeitigen Hand eingetragene Bemerkungen, s. d. Quellenangabe zu nr. 481.

[ad art. 8] meinet der marggrafe: do sol man sich bewaren ².

[ad art. 9] meinet der marggraf: daz man darzû fünfe setzen sol etc. ³.

[ad art. 14 nach dem Worte geschicket mit Verweisungszeichen] meinet der marggraf: das man ouch fünfe darzu schicken sol ⁴.

30 [nach art. 14 mit Verweisungszeichen] war man ime dienen sol und mit wie
vil etc. ⁵.

a) om. ms.

¹ S. unsere Erörterung in der Einleitung zu diesem Tage lit. A pag. 721f.

² Ist in der That ausgeführt im Entwurf II als art. 9ª; entsprechende Randbemerkung zu Entwurf Iª art. 6 s. nr. 487.

³ Dieser art. 9 erscheint überhaupt nicht mehr im Entwurf II; zu dem entsprechenden art. 7 des Entwurfes Iª ist keine Randnotis gemacht, vgl. aber Randbemerkung zu art. 16 dort, s. nr. 487.

⁴ Ist in dem entsprechenden art. 16 des Entwurfes II insofern berücksichtigt, als dort eine bestimmte Zahl genannt wird, aber es sind dort

zwei Vertreter für jede Partei, im ganzen also acht, nicht fünf wie der Markgraf vorschlägt. In welcher Weise sich dieser die Vertretung der vier Parteien durch fünf Gesandte gedacht hat, sieht man übrigens nicht; vielleicht sind auf die Schwäbischen Städte, die fast die Hälfte aller Spieße stellen sollten, zwei Gesandte gerechnet. Entsprechende Randbemerkung zu Entwurf Iª art. 16 s. nr. 487.

⁵ Es ist in der That in art. 16 des Entwurfes II am Schluß entsprechend geändert.

[1405 zw. Spt. 5 u. 7] **487. Randbemerkungen zu einzelnen Artikeln des Entwurfes (I*ᵃ*) nr. 483. [1405 zw. September 5 und 7 Baden ¹.]**

Am linken Rande des Entwurfes (Iᵃ) nr. 483 von derselben gleichzeitigen Hand zugefügte Bemerkungen, s. die Quellenangabe zu nr. 483.

[ad art. 3] Nota. daz man überkomme, was man von der herberge ein nahte ⁵ geben sol vúr heue stro holz und liecht: [weiter unten] ist geratslagt, 4 denare ᵃ sol man geben, die an der stat genge und gebe sint, oder in Niderlant ein engelschen.

[ad art. 6 nach den Worten verkúndet oder nit mit Verweisungszeichen] doch das wir uns gegen denselben one verziehen bewaren mögen ².

[ad art. 7 med.] nota. des überkomenden mannes oder stat ³.   10

[ad art. 16 ex.] nota. die funfe ⁴.

[1405 zw. Spt. 10 u. 12] **488. Entwurf (II) eines Bundes zwischen Mf. Bernhard I von Baden, Gf. Eberhard III von Wirtemberg, der Stadt Straßburg und Schwäbischen Reichsstädten bis Martini über 5 Jahre. [1405 zw. September 10 und 12 Marbach ⁵.]**

C aus Straßb. St.A. AA correspond. des souverains nr. 131 (alte Signatur G. U. P. lad. ¹⁵ *50 fasc. 2) conc. ch. coaev., 6 Blätter in fol., zusammengeheftet, auf Rückseite die Überschrift Vereinigung des marggraffen des von Wurtenberg uns und den Swebischen richesstetten. Die Absätze im Druck sind ohne Rücksicht auf die Vorlage gemacht. B coll. soweit übereinstimmend Entwurf I nr. 481, s. Quellenangabe dort.*

Wir Bernhart von gotes gnaden marggrafe ze Baden an eim teile, wir Eberhart ²⁰ grave von Wurtenberg an dem andern teil, wir Gosse Burggrafe ritter der meister der rat und die burgere gemeinlich der stette zů Strazburg zům dirten teil, und ouch wir die burgermeistere schultheißen und rete der richesstette in Swoben ⁶ mit namen Ulme etc. [leerer Raum, wol für die Namen und das fehlende zům vierten teil] tund kunt allen den die disen brief anesehent oder gehorent lesen: das wir, gotte zů lobe dem heil- ²⁵ gen Römischen riche zů wirde und eren und uns und den unsern zů nutze und zu frommen und uns und die unsern vor unrehtem gewalte ze beschirmende, uns zesamene verbunden und vereiniet habent verbindent und vereinigent uns ouch in craft dis briefes *Nov. 11* von hút disem tage als diser brief gegeben ist unz sant Martins tage nehestkumpt und von demme sant Martinstage über fünf ganz jar die darnach allernehest noch einander ³⁰

a) *Vorlage ausgestrichen Haidelberger, darüber geschrieben das Zeichen für denar.*

¹ *Vgl. Einleitung zu diesem Tage lit. A pag. 721f. Es ist noch darauf aufmerksam zu machen, daß die dort begründete Datierung in erster Linie für die Randbemerkungen zu art. 6 und 16 gilt, und daß immerhin die Möglichkeit vorliegt, die zu art. 3 und 7 wären zu anderer Zeit, d. h. früher, kaum aber später, gemacht worden.*

² *Vgl. die erste Randbemerkung zu Entwurf I nebst Note dazu unter nr. 486.*

³ *Diese Notiz ist wol auf das Wort stad in jenem art. 7 zu beziehen, und sie will wol besagen, daß die Versammlung in eine Stadt derjenigen*

der der Hilfe bedarf berufen werden soll; zu überkomenden ist als Objekt wol die hülfe zu ergänzen, und überkomen in der Bedeutung von gewinnen zu nehmen; vgl. Lexer mhd. HWB. 2, 1632. ³⁵

⁴ *Vgl. die zweite und die dritte Randbemerkung zum Entwurf I und unsere Noten dazu unter nr. 486.*

⁵ *S. Einleit. zu diesem Tage lit. A pag. 722.*

⁶ *Natürlich sind nicht alle Schwäbischen Reichs-* ⁴⁰ *städte sondern nur die die zum Schwäbischen Städtebunde gehören gemeint; die Namen sind aus der Ausfertigung nr. 489 zu ergänzen.*

komende sind, einander getruwelich ze meinende und beraten und beholfen ze sinde, [1405
one alle argliste und geverde, in der forme und mosse als harnach geschriben stat [1].

[*1*] [2] Des ersten: wer' es das ieman, wer der were, uns die vorgenanten fürsten
herren oder stette oder die unsern semmentlich oder besunder in dirre zit diser verei-
5 nungen angriffe oder beschedigete, es wer' mit roube morde brande gefengnüsse unrehtem
widersagende, oder uns sementlich oder besunder in unser herlicheit friheit rehte gewonheiten briefe unde harkomen griffen wolte oder griffe und uns daran irrete leidigete
oder letzete, in welhen weg das wer':   [*1ª*] [3] das danne wir die vorgenanten fürsten
herren und stette, oder wer zu uns gehoret, inen und den iren, den der schade das
10 unreht oder gewalt gescheen und widerfaren ist, darzů getruwelichen beraten und beholfen söllen sin, als balde wir oder die unsern des innen und gewar werden oder von
in oder den, den der schade widerfaren und gescheen wer', oder von ieman anders von
iren wegen darumbe gemanet werden, zů frischer getat mit nachilen mit zuschrien und
mit allen andern sachen die darzů gehorent nach allem irem besten, glicher wise als ob
15 uns das selb angienge und uns selbs widerfaren und gescheen were, one geverde.

[*2*] [4] Wer' ez aber sache das solich geschiht und anegriffe also gestalt und geschaffen weren das sie zů frischer getot nit erobert noch uzgetragen möhten [a] werden,
so sollent der oder die, den solicher schade unreht oder gewalt widerfaren und gescheen
wer', die sache bringen mit clage an uns die vorgenanten fürsten herren oder stette, der
20 diener oder burger er ist oder demme er zů versprechende stünde.   [*2ª*] [5] oder ob
das uns marggrave Bernharten grave Eberharten von Wurtenberg oder uns vorgenante
stette sementlich oder besunder selber angienge, bekanten wir marggrafe Bernhart oder
wir grave Eberhart von Wurtenberg danne unser ieglicher mit sehssen sins rates uf
unser fürstenlich truwe und ere und unsere rete uf ire eide oder wir die vorgenanten
25 meister und rat der stat ze Strazburg die danne sind oder ouch wir die rete gemeinlich
der stette zu Swoben uf unsere eide, das uns oder den unsern als do vor geschriben
stat an den egenanten stücken ir eime oder me unreht bescheen sie, und ist die bekentnüsse und manunge unser marggrave Bernhartz, so söllend wir das verkünden und
darumbe manen unsern öhemen grafe Eberharten von Wurtenberg gen Stůtgarten die
30 stat Strazburg in ire stat Straspurg und die stat Ulme in die stat zu Ulme, und sollend
die burgermeister und rete zů Ulme unverzogenlich den andern richesstetten in Swoben
die in diser vereiniunge sind das verkünden und lazzen wissen; ist aber die bekentnüsse
und manunge unser grave Eberhartes von Wurtenberg, so söllen wir das verkünden
und darumbe manen unsern öhemen marggrafe Bernharten zů Baden uf die vestin Baden
35 die stat Strazburg und die stat Ulme als vor geschriben stat, dieselben von Ulme das
aber den andern stetten in Swoben verkünden sollen; ist aber die bekentnüsse und
manunge unser der von Strazburg, so sollent wir das verkünden und darumbe manen
die vorgenanten fürsten und herren und die von Ulme an die stette als vor erlutet, und
sollend ouch die von Ulme das den andern stetten zů wissende tůn als vor beredt ist;

40   a) *B* möchtent, *C* möhte.

---

[1] *Der Eingang nahezu gleichlautend Entwurf
I, nur ist die Dauer des Bündnisses hier anders
bestimmt und es ist nicht mehr von Zielen und
Kreisen die Rede, da art. 19 des Entwurfes I
45 hier ausgefallen ist.*
  [2] *Gleichlautend Entwurf I nr. 481 art. 1; fehlt
in der Ausfertigung.*
  [3] *Gleichlautend Entwurf I nr. 481 art. 1ª; vgl.
Ausfertigung nr. 489 art. 5 b.*

[4] *Gleichlautend Entwurf I nr. 481 art. 2; ein
solcher Artikel fehlt in der Ausfertigung nr. 489.*
  [5] *Nahezu gleichlautend Entwurf I art. 2ª; vgl.
Ausfertigung art. 2 und 8. Die Veränderung die
Entwurf II gegenüber Entwurf I aufweist ist von
sachlicher Bedeutung und in die Ausfertigung
übergegangen.*

*[1405
zw. Spt.
10 u. 18]* ist aber die bekentnússe und manunge unser der von Ulme und der andern Swebischen stetto die in diser vereinunge sind, so sollent wir das den vorgenanten fürsten und herren und der stat Strazburg verkúnden und darumbe manen als vor bescheiden ist.

[*3*] [1] Und weders teil under den vorgenanten vier teilen die andern drú teil manet noch vorgeschriebener wise, so sollend die drú teil, die gemanet sind, unde ir iegliches besunder demme teil, das gemanet het, sine lúte mit glefen, die ieder teil haben sol, als harnach [2] geschriben stat, schicken und bestellen, und die ouch noch derselben irer ermanunge in den nehesten vierzehen tagen von huse uzriten unde ouch vúrderliche volleriten sollend an die stette, die uns den drien teilen von demme teile, das die manunge geton het, benennet und verkúndet werden, doch also daz der teil, der do manet, sine glefen drie tage vorhin habe an der stat do er danne hin gemanet het, one alles geverde.

[*4*] [3] Und sôllend ouch dis alles tûn unser ieglichs teil uf sinen eigen schaden kost und verlust, [*4a*] [4] als lange unz zum teile, das gemant het, der schade unreht und gewalt genzliche abgeleit und gekert wurt, glicherwise als in den andern teilen der anegriff und schade selber gescheen were, one geverde.

[*5 durchgestrichen*] [5] Wer' es ouch sache das ieman, wer der were, der vorgenanten unsere vier teile dheins sementlich oder besunder oder die [a] iren mit maht úberziehen wolte oder úberzúge, darumbe und dovon das unser dhein teil nit gestatten wolte ime in sine herlichheit [b] friheite rehte briefe [c] [6] gewonheit oder harkomen zu griffende, als balde uns den andern teilen sementlich oder besunder das verkúndet oder zû wissende geton wurt von demme teil, das man úberziehen wil oder úberzogen het, mit sime offenn briefe oder gewisser botschaft an die stette als vor bescheiden ist: so sollen wir die andern teile zû stund und one verzog, so wir vúrderlicheste môgen, zûziehen und demme teile zû helfe kommen das man úberzogen het oder úberziehen wil, glich als ob unser iegliches teil das selber anegienge und als unser iegliches teils eren wol gezimmet, ungeverlich.

[*6*] [7] Ouch sollen wir vorgenanten vier teile bestellen, wo unsern dienern und glefen, die wir einander zû hilfe schicket, gebúrt in unsern stetten oder slossen zû ligende, das man inen darinne herberge und stallunge geben sol und das sie redelichen veilen kouf vindent umbe ire pfenninge, also das die dienere und glefen iren eigen kosten darinne haben sollend, alles one geverde.

[*7*] [8] Und ouch also, wenne unser ein teil von dem andern ermanet wurt ime zû helfende als vor geschriben stat, das wir uns danne gegen denselben, wider die wir demme teile, der do manet, helfen sollend, mit widersagende bewaren môgen.

a) *CB* der. b) *om. B.* c) *om. B.*

---

[1] *Fehlt in Entwurf I; scheint hier aus Entwurf I [a] nr. 483 art. 1 [a] übernommen zu sein, auch der Wortlaut hat einige Ähnlichkeit, fortgefallen sind die Vorschriften über Zahl und Ausrüstung der Glefen, die in art. 8 nachfolgen; vgl. Ausfertigung art. 3 [a].*
[2] *S. art. 8.*
[3] *Fehlt in Entwurf I; hier wol aus Entwurf I [a] art. 2, auch im Wortlaut einige Ähnlichkeit; vgl. Ausfertigung art. 4.*
[4] *Fehlt in Entwurf I; hier wol aus Entwurf*

I [a] art. 1 [b], im Wortlaut nur geringe Ähnlichkeit; vgl. Ausfertigung art. 5.
[5] *Gleichlautend bis auf 2 Worte Entwurf I art. 3; fehlt in der Ausfertigung.*
[6] *Die Hinzufügung der beiden Worte herlichheit und briefe in II gegenüber I begegnet uns ebenfalls in art. 22.*
[7] *Gleichlautend Entwurf I art. 4; vgl. Ausfertigung art. 4 [a].*
[8] *Gleichlautend Entwurf I art. 5; vgl. Ausfertigung art. 5 [a].*

[8] [1] Wenne ouch unser ein teil das ander wurt manen zů eim tegelichen kriege [1405
und lantwer, darzů sollend lihen und senden wir marggrafe Bernhart sehs glefen, wir zw. Spt.
Eberhart grafe zu Wurtenberg ahte glefen, wir die burgermeister und rat der stette zů 10 u. 13]
Strazburg nún glefen, und wir die von Ulme und die andern vorgenanten richesstette
5 zů Swoben súbenzehen glefen erber wolerzúgeter lúte, ie die glefe mit drien pferden und
eim gwoffeten knehte.

[9] [2] Wer' es ouch das ieman, wer der were, unsere teile dheins sementlich oder
besunder oder die unsern besitzen anegriffen[a] oder uf sie ziehen oder dienen wolte oder
húlfe spise oder andern rat darzů dete oder gebe oder si husete hielte oder hofote, die
10 bi uns oder umbe uns gesessen weren und die wir sementlich oder besunder erreichen
oder erlangen mogent, das wir den- oder dieselben darumb ouch anegriffen und beschedigen sôllend an libe und an gůte nach allem unserme vermogende, sobalde wir
des gewar werden, es habe unser ein teil dem andern verkúndet oder nit, glicherwise
als das unser eime teil besunder widerfaren und bescheen were, durch das solich besesse
15 úberzúge und angriffe gewert und gewendet werden.   [9 a] [3] doch mag sich unser
ieglich teil gegen demme oder den, die man also schedigen solte, bewaren mit widersagende, als unser iegliches teils eren gezimet, alles ungeverlich, wand dise vereinunge
und búntnússe besunder und allermeist umbe des willen erdoht gemaht úberkomen
gelopt versigelt und verbriefet ist das wir denselben artikel und was dovor und hienach
20 geschriben stat getruwelich sôllend tůn halten und vollefůren und einander nit lazzen.
[9 b] [4] doch sol die erste manungen[b] allewegen vorgen.

[10] [5] Wenne ouch wir vier teile unsere glefen bi einander uf dem velde haben,
vingent die dheinen reisigen man, den sol das teil, das do gemanet het, in sinen gewalt
fůren und noch krieges reht halten.   doch sol das teil den gefangenen nit lidig lazzen,
25 es habe uns vier teile danne mit der urfehten glich versorget, das ein teil als wol versorget werde als das ander.

[11] [6] Es ist ouch beretd, wer' es das wir der vorgenante marggrafe Bernhart oder
wir grafe Eberhart von Wurtenberg in der zit diser vereinungen unser lande wolten
faren oder fůrent, das wir danne hinder uns bestellent und besorgent, wer' das der
30 ander vorgenanten teile dheins manende wurde, das danne unser amptlúte dem manen-
den teile detent als vor geschriben stat.   desglich were das wir bede marggrafe Bernhart
und Eberhart grave von Wurtenberg oder unser dheiner besunder von lande fůrent,
wer' es danne das uns oder den unsern dheine not angienge und wir bede oder unser
dheinre besunder notdurftig weren die andern teile ze manende, ist danne daz unser
35 deweders amptman den wir benennent die andern teile manet und derselbe amptman
mit sehssen unsers rates wes danne der amptman ist erkennt uf ire eide das si die
andern vorgenanten teile billich ze manende haben und die andern teile manet an die

a) CB anegriffe. b) C manunge mit Haken über u und Überstrich über der Hälfte des Wortes, B manunge.

---

[1] Nahezu gleichlautend Entwurf I art. 6; vgl.
10 Ausfertigung art. 7.
[2] Nahezu gleichlautend Entwurf I art. 8; ist
in der Ausfertigung fortgefallen, vgl. aber doch
art. 2 ex. dort.
[3] Fehlt in Entwurf I, vgl. aber nr. 486 Rand-
45 notiz zu Entwurf I art. 8; ist in der Ausfertigung
fortgefallen, vgl. aber dort art. 5 a.
[4] Gleichlautend Entwurf I art. 9 a; vgl. Ausfertigung art. 6. Dieser Artikel passt schon in
Entwurf I nicht recht zu dem was vorhergeht, s.
50 Anm. dort, da nun aber art. 9 des Entwurfes I
in Entwurf II ausgefallen, andererseits hier art.
9 a eingeschoben ist, so steht art. 9 b hier vollends
außer Zusammenhang.
[5] Fehlt in Entwurf I und auch in der Ausfertigung; vgl. aber Entwurf I art. 15 und auch
hier in Entwurf II art. 15; obiger art. 10 scheint
mit art. 15 nicht ganz in Einklang zu stehen.
[6] Gleichlautend Entwurf I art. 24, dort am
Schluß nach dem (nicht ausgeführten) Datum angefügt; vgl. Ausfertigung art. 2 med.

*[1405
zw. Spt.
10 u. 12]* stette als vor bescheiden ist: demme sóllend die andern teile beholfen sin glich als dise vereinunge unde búntnússe wiset one alle geverde.

[*12*] [1] Welhes teil under uns vorgenanten vier teilen die andern drú teil umbe hilfe manet und ime von uns den andern teilen die hilfe und dienere geschicket werden, der teil, der do gemanet het, der sol den dienern allen, die ime geschicket sind, einen houptman geben, demme die dienere sóllend gehorsam und getólgig[a] sin ze ritende anezegriffende und ze tûnde unverzogenlich was si der houptman heisset der vorgenanten parten ze nutze[b], one geverde.

[*13*] [2] Wer' es ouch das unser dheins teils dienere und gesinde in des andern teils slosse riten[c] wolte sine vigende daruz ze schedigende, das sol ein teil dem andern wol gúnnen und ime darzû geroten und beholfen sin one geverde.

[*14*] [3] Was krieges ouch in der vorgenanten zit der vereiniungen uferstúnde, diewile dise vereiniunge weret, und von eim der vorgenanten teile angefangen oder begriffen wurde, demme teile und dem herren oder stat sol man beholfen sin, als lange unz der krieg versûnet wurt. [*14ª*] [4] und sol sich under uns vorgenanten fûrsten herren und stetten der obgenanten teile dheinre noch dheine one den oder die andern, die in diser vereinunge sind, weder friden setzen sûnen oder vûrworten in dhein wise one der andern, die in diser vereiniunge sind, wissende und wille ungeverliche.

[*15*] [5] Gewunnen wir ouch, so ein teil dem andern hilfe geschicket, dhein sloß stat oder vestin, oder vingent etliche gefangen, oder wurde dheine nome genommen: do sol unser ieglichem teil von werden und bliben[d] nochdemme er hilfe uf die zit aldar geluhen oder geschicket hette, es were danne das wir einmûtiglich úberkemen das man solich sloß stette oder vestin brechen wolte, das sol man danne ouch tûn ungeverlich. [*15ª*] [6] gewúnne aber ein teil slosse stette oder vestin oder vinge dheinen gefangen oder neme dheine nome, so wir die andern teile ime nit beholfen werent, der teil mag domitte tûn das ime fûget ungeverlich, doch mit der bescheidenheit das der teil, der die slosse gewúnne oder die gefangenen vinge, bestelle und besorge das wir die andern teile in der zit diser vereinunge uß den slossen noch darin nit geschediget werden oder die gefangenen von diser vereinunge wegen niemer wider uns getôgent[e] ungeverlich. [*15ᵇ*] [7] wurden ouch slosse gewunnen und das die unser dheins herren eigen werent und die versetzet hettent, môhte danne der herre, der das sloß versetzet hette, die pfantlôsinge úber das sloß erobern und die zû siner gewalt bringen, so solte er das gelt, das dasselbe slozz gestanden hette, bezalen uns den vorgenanten vier teilen, und das gelt solten wir glich under uns teilen und das slozz dem herren bliben der es also versetzet hette; oder aber wir vier teil sollent das sloz gemeinlich innehaben, als lange unz der herre dasselbe gelt bezalt und gegeben het. môhte er aber die briefe zû siner gewalt also nit gebringen, so sollend wir vier teile die zit diser[f] vereinunge uß dasselbe sloß gemeinlich innehalten; und wenne dise vereinunge uzkumpt und vergangen ist, so sol

---

a) *C getôlgig? b) der vorgenanten — nutze in B nachträglich mit Verweisungszeichen zugefügt. c) C biten? im Sinn von beiten? B riten. d) und bliben om. B. e) C getâget. f) C dise.*

---

[1] *Gleichlautend Entwurf I art. 10; ist in der Ausfertigung fortgefallen.*

[2] *Gleichlautend Entwurf I art. 11; vgl. Ausfertigung art. 12.*

[3] *Gleichlautend Entwurf I art. 12; vgl. Ausfertigung art. 10ª.*

[4] *Gleichlautend Entwurf I art. 12ª; vgl. Ausfertigung art. 10.*

[5] *Gleichlautend Entwurf I art. 15; ist in der*

Ausfertigung fortgefallen; vgl. auch hier in Entwurf II art. 10.

[6] *Der Anfang fast gleichlautend Entwurf I art. 15ª, von doch mit der bescheidenheit an hier hinzugesetzt, vielleicht aus Entwurf Iª art. 12ª entnommen, obschon im Wortlaut keine Ähnlichkeit besteht; in der Ausfertigung fehlt der Artikel.*

[7] *Fehlt in Entwurf I und ebenfalls in Entwurf Iª und in der Ausfertigung.*

dasselbe slozz dem herren wider werden, der es versetzet hette und des es eigen ist; *[1405*
wer' aber das der, dem daz slozz von dem herren versetzet were, denselben herren *zw. Sept.*
manete noch sins briefes lute den er von ime innehette, und das danne derselbe herre *10 u. 12]*
ime sin gelt, das es stûnde, geben und bezalen mûste, so solte ouch demselben herren
5 das slozz bliben ungehindert[a] unser ander drier teile one geverde.

[*16*][1] Wûrbe ouch ieman, es werent fûrsten herren oder stette, an unser dheinen
teil, das man in zû uns in dise vereinunge solte lazzen kummen, das sol der teil, an
den das braht wurt, uns den andern teilen verkúnden und verschriben an die vorgenanten stette, dohin man die manungen tûn sol; und sollend wir danne alle vier teile
10 darumbe unsere erbern rete und frúnde, nemmeliche ieder teil zwene siner rete oder
frúnde, in den nehesten ahte tagen noch der verkúndigung gen [*leerer Raum, fehlt der
Name und* schicken], sich dovon zû underredende. und was die ehtwe, die also darumbe
zû einander geschicket werden, oder der merreteil under inen darumbe und dovon mit
einander zu rate werdent und überkomment, wie man sie oder die, die also in dise
15 vereinunge werbent, in dise einiunge nemmen und empfohen sol, und wie der oder die
in diser[b] vereinunge dienen sollent, und wie oder wie verre man in dienen sol: das
sol danne vúrgang haben ungeverlich.

[*17*][2] Ouch ist zu wissende: wer' es das wir Bernhart marggrafe ze Baden, wir
Eberhart grave zû Wurtenberg, oder wir die vorgenanten richesstette ze Swoben in der
20 zit diser vereinungen unser ein teil mit dem andern oder den sinen spennig oder missehellig wurden, welhes teils danne die anespruch were, do sol ein teil das ander
anesprechen und sollend das gegen einander halten tûn und vollefûren glicherwise, als
daz gegen uns dem vorgenanten grafe Eberhart und den obgenanten stetten zu Swoben
in der vereinunge[3], die wir bedersite mit einander hant, verschriben stat.

25 [*18*][4] Wer' aber das wir Bernhart marggrafe zû Baden, Eberhart grave zu Wurtenberg, wir der meister und der rat ze Strazburg, oder wir die stette zû Swoben in

---

a) *C ungehinder.* b) *C dise.*

---

[1] *Vgl. Entwurf I art. 14, im Wortlaut nur
geringe Ähnlichkeit; zu den Veränderungen die
30 der Artikel erfahren hat vgl. nr. 486 Randnotizen
zu Entwurf I art. 14; außerdem ist noch eine
Veränderung von großer Bedeutung vorgenommen,
daß nemlich Aufnahme neuer Mitglieder nur
Mehrheitsbeschluß nicht wie in I Einhelligkeit
35 erfordert. Vgl. Ausfertigung art. 11.*

[2] *Fehlt in Entwurf I, vgl. dort art. 16 und
16ª; vgl. Ausfertigung art. 16. Die Fassung
obigen Artikels läßt Zweifel darüber, ob es sich
in ihm nur um Streitigkeiten zwischen den zwei
40 Fürsten einerseits und den Schwäbischen Städten
andererseits oder auch um solche der beiden Fürsten untereinander handelt; doch ist erstere Interpretation vorzuziehen; denn es ist innerlich wenig
wahrscheinlich, daß man den Vertrag der Schwä-
45 bischen Städte mit Gf. Eberhard auf dessen Verhältnis zum Markgrafen hätte ausdehnen wollen
statt wie in der Ausfertigung art. 15 auf einen
früheren Vertrag der beiden zurückzugehen. Vgl.
weiter nächste Anm. Daß unsere Interpretation
50 sehr wol möglich ist, zeigt art. 14 der Ausfertigung,
der ganz entsprechend interpretiert werden muß.*

[3] *Es kann nur die Einung Gf. Eberhards mit
den Schwäbischen Städten (s. Anm. zur Ausfertigung art. 17) gemeint sein; denn Mf. Bernhard
war damals weder mit Gf. Eberhard noch mit
den Schwäbischen Städten in Einung, wie die
Ausnehmungen in der Urkunde sicher zeigen.
Dann ist aber der Satz die wir bedersite mit
einander hant sehr sonderbar und wol nur so zu
erklären, daß bei der Redaktion des Artikels allein
Gf. Eberhard und die Schwäbischen Städte betheiligt waren, und daß der Verfasser an dieser
Stelle vergaßen, daß sie auch den Markgrafen
erwähnt hatten, wenn nicht etwa gar, was vielleicht
noch wahrscheinlicher ist, der Markgraf erst nachträglich hier hineingesetzt wurde und der Artikel
in einer ursprünglicheren Fassung (etwa in Iª?)
sich nur auf Gf. Eberhard und die Schwäbischen
Städte bezog, vgl. Einl. p. 715 mit Anm. 3 und
p. 719 mit Anm. 6 und 9. Um so mehr ist dann
unsere Interpretation des Artikels (s. vorige Anm.)
berechtigt.*

[4] *Fast gleichlautend Entwurf I art. 16, doch
kleine Änderungen von sachlichem Interesse; vgl.
Ausfertigung art. 16.*

der zit diser vereiniung unser ein teil mit dem andern oder den sinen spennig oder missehellig wurde, welhes teils danne die anesprach were, das teil sol es dem andern teile verkúnden den es anesprechen wil, das es zwene manne sins rates zu ime zů tage schicke an diser nachgeschriben stette eine, die zů der sachen sitzent, zů den zweien die der anesprechender teil ouch darzů schicken und setzen sol. und sol das teil [1] einen gemeinen man uz des angesprochenen[a] teils rate darzů nemmen. den sol ouch derselbe teil darzů halten das er mit den zweien rite und darzů sitze und sich der sachen anneme. wer' aber das ein solicher versworen hette reht ze sprechende der es vor nit geton hêt und das bi sime eide behept das er ez versworen habe, so sol dasselbe teil einen andern biderman uz sime rate darzů geben an desselben stat der es versworen hette, den der anesprecher nennet; und sol der teil den genanten man solich haben das er es tůge. [18ᵃ] [2] mögen die fünfe die beden teil mit einander gerihten und entscheiden mit ir bedersite wissende und wille, dobi sol es bliben. möhte aber das nit gefolgen, so sollend si darumbe in den nehesten vierzehen tagen darnach ein reht sprechen, und, was danne also von den fünfen oder von dem merrenteil under in erkant und gesprochen wurt, dobi sol es bliben und von beden teilen gehalten werden. [18ᵇ] [3] und sollend ouch dieselben fünfe aller eide, domitte sie iren herren verbunden sind, lidig sin die zit als si danne sprechende werdent ungeverlich.

[19] [4] Es sol ouch mit namen ieglicher teil under uns vorgenanten vier teilen den, die ime zůgehorent und zů versprechende stant, nit verhengen noch gestatten demme oder den andern teilen under uns dheinen úbergrif ze tůnde unde sol ouch dasselb nit tůn in dheine wise one geverde. geschee es aber darúber, so sol aber derselbe teil, der den úbergriff geton het, dem úbergriffenen teil das unverzögenlich schaffen widerkert und widertan, und das man danne darnach zům rehten komme in aller wise als vor geschriben stat.

[20] [5] Item wer' es das ieman angegriffen wurde von verbriefeter schulden wegen oder unlökenber gúlte wegen oder von hůpgelte vogtrehte stúre oder zinse wegen, das sol nit röp heissen noch sin und sol ouch daruf nit gemanet werden; doch das die, die von solicher sachen wegen angriffent, mit denselben pfanden söllend pfentlichen gefaren one geverde.

[21] [6] Wir die vorgenanten fürsten und herren unde öch wir die obgenanten stette sollend bliben bi allen unsern herscheften landen lúten friheiten gewonheiten und harkommen und ouch bi unsern gerihten als wir die harbraht haben und gehapt hant, und sollend ouch einander darzů hanthaben und getruwelichen beraten und beholfen sin, one alle geverde, doch das alle obgenanten artikele dise obgenant zit uz gehalten sollend werden als vor geschriben stat one alle geverde.

[22] [7] Harinne nemmen wir alle semential und unser iegliches teil besunder uz den allerdurchluhtigisten hochgebornesten fürsten und herren herren Růprehten Römischen

a) C angesprochendan, B ebenso statt des ausgestrichenen anesprechenden.

[1] Nemlich das ansprechende Theil, das im vorhergehenden Hauptsatze das Subjekt ist.

[2] Fast gleichlautend Entwurf I art. 16ᵃ, die Frist ist hier anders bestimmt; vgl. Ausfertigung art. 16ᵃ.

[3] Fehlt in Entwurf I; vgl. Ausfertigung art. 16ᵇ.

[4] Fehlt in Entwurf I; vgl. Ausfertigung art. 20.

[5] Gleichlautend Entwurf I art. 17; vgl. Ausfertigung art. 20ᵃ.

[6] Gleichlautend bis auf einen dort fehlenden Satz (s. nächste Anm.) Entwurf I art. 18; vgl. Ausfertigung art. 2 in.

[7] Nahezu gleichlautend Entwurf I art. 21; vgl. Ausfertigung art. 1 und 2 in. Ein kleiner Zusatz, den der Artikel in Entwurf II gegenüber I erhalten hat, kehrt in der Ausfertigung wider. Der in I fehlende Schluß obigen Artikels läßt die Tendenz des Bündnisses besonders energisch hervortreten, und in demselben Sinne ist auch der vorhergehende art. 21 hier in II amendiert worden.

kúnig unsern gnedigen herren, als verre das unser herre der kúnig[a] uns die obgenanten [1405 sw. Spt. 10 u. 12] marggrafe Bernharten ze Baden grave Eberharten von Wurtenberg und uns die vorgenanten stette alle sementlich und besunder und die unsern[b] und unsere dienere, und die uns zů versprechende stant, bi dem iren und dem unsern und[c] bi[d] unsern herlicheiten[e] friheiten rehten briefen[f] gewonheiten slossen landen lúten und bi[g] unserme harkomen lasse bliben. wer' aber das er uns dobi nit wolte lassen bliben und uns darin griffe oder schúffe gegriffen werden, so sollend wir gegen ime, oder wer uns[h] darin griffet, einander beroten und beholfen sin, glich als dise einunge wiset und do vor[i] geschriben statt, one alle widerrede argliste und geverde. [*Leerer Raum.*]

[*23*][1] So nemen wir [*leerer Raum, fehlt Name und uz*].   [*23*a][2] ouch nemen wir die vorgenanten grave Eberhart von Wurtenberg und wir die egenanten richesstette Ulme etc. in diser vereiniunge mit namen uz die vereiniunge[3] die wir vor mit einander hant, also das uns beder site dise vereiniunge an der vorder unsere einungen nit schedelich sin sol noch die dheinsweges verseren, one alle geverde. [*Leerer Raum.*]   [*23*b][4] so nemen wir die von Strazburg harinne uz einen bischof und die stift ze[k] Strazburg und darzů unsere gůten fründe und eitgenoßen die stette Basel und Sarburg, zu den wir vereiniet sind[5], diewile dieselben vereiniungen werent; und wer' es das wir uns vúrbasser zu den vereinigen wurden oder die zile erlengende, das sol uns an diser vereiniunge nit schaden.   [*23*c][6] wer' ouch das ieman, der von uns vorgenanten teilen uzgenommen ist, dete wider den oder die, die in uzgenommen haben, und derselb uf den uzgenommen manende wurde, so sollend wir die[l] andern vorgenanten herren und stette demme, der do[m] manet, uf den oder die usgenommenen beholfen sin, glich als dise vereiniunge wiset und do vor[7] geschriben stat, als ob er nit uzgenommen were.

[*24*][8] Alle vorgeschriben stúcke [*bricht hier ab*].

a) *C* kúnig *wol verschrieben statt des sonstigen* kúnig. b) *om. C, add. B.* c) *om. B.* d) *om. C, add. B.* e) *om. B.* f) *om. B.* g) *om. C, add. B.* h) *om. C, add. B.* i) do *vor om. CB.* k) *om. C, add. B.* l) *om. C, add. B.* m) *B danne statt ausgestrichenem* do.

[1] *Es sind hier wol die seitens Bernhards und Eberhards zu machenden Ausnehmungen angedeutet; fehlt in Entwurf I; vgl. Ausfertigung art. 25*a *und 25*b.
[2] *Fehlt in Entwurf I; vgl. Ausfertigung art. 27.*
[3] *Vgl. Anm. zur Ausfertigung art. 17.*
[4] *Gleichlautend Entwurf I art. 22; vgl. Ausfertigung art. 26 und 28.*
[5] *Betr. Verhältnis Straßburgs zum Bischof von Straßburg vgl. Einleit. zu diesem Tage lit. F. — Bündnisse Straßburgs mit Basel und Saarburg s. Anm. zur Ausfertigung art. 28.*
[6] *Gleichlautend Entwurf I art. 22*a; *fehlt in der Ausfertigung, wo aber die Bedeutung der*

*Ausnehmungen zum Theil in weit höherem Grade beschränkt ist (vgl. art. 25*c *und 26*a *dort) und von allen Ausnehmungen Fremder nur die Basels und Saarburgs durch Straßburg ohne Einschränkung bleibt. — Was der obige art. 23*c *bestimmt, ist übrigens ziemlich selbstverständlich, wenn es nicht etwa seine versteckte Spitze gegen den allein von allen Verbündeten ausgenommenen König richtet. Die Erörterung eines ähnlichen Falles s. bei Quidde Der Rhein. Städtebund von 1381 (Westd. Zeitschr. 2, 236).*
[7] *S. art. 2 ff.*
[8] *Dieser Artikel ist offenbar zu ergänzen aus Entwurf I art. 23 und wol auch im Wortlaut unverändert zu denken; vgl. Ausfertigung art. 23.*

1405 **489.** *Bund des Erzb. Johann II von Mainz, des Mfn. Bernhard I von Baden, des*
Sept. 14   *Gfn. Eberhard des Milden von Wirtemberg, Straßburgs und 17 gen. Schwäbischer*
Städte bis Lichtmesse über 5 Jahre d. h. 2 Febr. 1411: gegen jeden Schädiger
oder Angreifer, auch wenn es K. Ruprecht selbst wäre, und zu gütlicher Beilegung
aller zwischen Bundesgliedern entstehenden Streitigkeiten [1]. *1405 Sept. 14 Marbach.*

> *A aus Straßb. St.A. G. U. P. lad. 45 fasc. X Bündnußen etc. nr. 94 or. mb. c. 21 sig.*
> *pend., wovon aber die drei fürstlichen und das der Stadt Gmünd abgefallen sind;*
> *unten auf dem Umschlag rechts Litera civitatis Argentinensis, Aufschrift auf der*
> *Rückseite* Als der bischoff von Mentz marggraff Bernhart von Baden graff Eberhart
> von Wurtenberg die stat Strasburg und die richsstette in Swaben sich zusammen
> verbunden hant.
> *B coll. Würzb. Kreisarchiv Mainz-Aschaff. Ingross.-B. 14 fol. 115. 115. 115, ohne Zweifel*
> *Abschrift des Kurmainzischen Originals.*
> *C coll. Stuttg. H. und St.A. Reichsstädte insgemein Bündel 7 or. mb. c. 21 sig. pend.,*
> *wovon aber die drei fürstlichen und die der Städte Reutlingen und Aalen abgefallen*
> *sind (nur an zweifelhaften Stellen kollationiert).*
> *D coll. München R.A. Bundesbriefe XV 5/4 inseriert in die Urkunde vom 27 Jan. 1407,*
> *durch die Hzg. Ludwig von Baiern in den Bund aufgenommen wird, s. Bd. 6 nr. 105.*
> *In Straßburg St.A. AA 131 erstes Stück cop. ch. coaev., fünf Folioseiten, geheftet.*
> *In Basel St.A. g. w. B. fol. 119*[a]*-121*[b]*. — Steht auch noch an mehreren Orten als In-*
> *sertion in Aufnahmeurkunden, s. Bd. 6 nr. 47. 103. 176. 178. 186.*
> *Gedruckt Lehmann Speyr. Chr. ed. Fuchs 776*[a]*-780*[b]*, eingeschaltet in die Aufnahme-*
> *urkunde für Speier vom 24 Okt. 1406; Lünig R.A. 7, 4, 37-42 ebenso eingeschaltet,*
> *Dumont corps universel 2, 1, 293-295 ebenso eingeschaltet, beide wol aus Lehmann;*
> *Sattler Gesch. von Würtemberg 3 Beilagen pag. 43-52 nr. 27 aus Lünig. — Regest*
> *Joannis ver. Mog. 1, 722-723 sehr ausführlich aus Lehmann, Georgisch 2, 883 nr. 35*
> *ebendaher, Chmel nr. 2067 aus Dumont, Regesta Boica 11, 369 wol aus D.*

Wir Johann von gotes gnaden des heilgen stůles ze Mentze ertzbischof des heilgen
Römischen riches in Dútschen landen ertzkantzeler an eim teil, wir Bernhart von denselben gnaden marggrafe zů Baden an dem andern teil, wir Eberhart grave zu Wurtenberg an dem dirten teil, wir der meister der rat und alle burgere gemeinlich der stette
zů Strazburg an dem vierden teil, und wir die burgermeistere rete und alle burgere
gemeinlich diser nachgenempten des heilgen Romischen riches steten mit namen Ulme
Rútlingen Überlingen Memmyngen Ravenspurg Byberach Gemúnde Dingkelsbuhel Koufbúren Phullendorff Isny Lútkirch Giengen Aulun Bopfingen Búchorn und Kempten an
dem fúnften teil [2], bekennen alle offenlich vůr uns und vůr alle die unsern und die uns

---

[1] *Das Verhältnis der Urkunde zu den Ent-*
würfen nr. 481. 483. 488 sowie überhaupt die
Entstehungsgeschichte des Bundes ist in der Ein-
leitung zu diesem Tage lit. A eingehend erörtert.

[2] *Diese 17 Städte bildeten damals, worauf schon*
Stälin 3, 385 nt. 1 aufmerksam gemacht hat, den
Schwäbischen Städtebund. Ein ausführliches Re-
gest der Erneuerung des Bundes vom 4 Februar
1402 haben wir in Anm. zu nr. 14 gegeben. Die
seitherige Entwicklung desselben stellt sich in fol-
genden Urkunden dar. Die Städte Konstanz
Überlingen Lindau Memmingen Ravensburg
St.-Gallen Kempten Isni Leutkirch Wangen und
Buchhorn verbünden sich, da aus Unvereinigung
der Reichsstädte etwieviel erbare Städte nicht in
viel vergangenen Zeiten von dem heil. Reich ent-

fremdet seien, wodurch dem Haupt des Reichs,
Kaiser oder König, dieser Städte Dienste Steuer
und auch ihre Nutzen Renten und Gefälle abgehn
und gemindert werden, mit den Städten Ulm Reut-
lingen Hall Gmünd Biberach Dinkelsbühl Pfullendorf
Kaufbeuren Aalen Giengen und Bopfingen eidlich
zu gegens. Hilfe bis auf Georgii über zwei Jahre
[1406 April 23] unter näher ausgeführten Be-
dingungen, von denen wir einige hervorheben: sie
wollen beiderseits dem Röm. König und dem heil.
Reich ihr Recht thun; wenn aber jemand eine
Städte (d. h. Ulm etc.) gemeinsam oder einzeln
vom Reich dringen oder sie über ihre gewöhnliche
Steuer beschatzen und sie dann jemand darum
mit Macht überziehen oder bekriegen wollte, so
sollen dieselben das nach Ravensburg in den Rath

ze versprechende stant mit disem briefe und tund kunt allen den die in sehen oder ¹⁴⁰⁵
hören lesen: wand wir mit gantzer begirde geneyget sind zu fride und gemeinem ^{Spt. 14}
nutz der lande, umb [a] das witwen und weysen rich und arme bylgerin kouflûte lant-
farer und koufmanschatz gotzhûser und alle ander erber unversprochen lûte, sy sin
5 geistlich oder weltlich, beschirmet werden sicher sien und dester baß by gemach bliben
môgen, so haben wir uns gar beratenlich mit wolbedahtem mûte, gotte und unser lieben
frowen ze lobe, dem heilgen Rômischen riche ze sterkung ze nutz und ze eren, uns
selbs und den unsern und gemeinem lande ze fride und ze gemach, zesamen fruntlich
und gûtlich vereynet und verbunden vereynen und verbinden uns ouch yetz mit rehter
10 wissende und mit craft dis briefes, hynnan bitz uf unser frowen tage liehtmeß genant
in latine purificacio Marie den nehesten und darnach fûnf gantz jar die nehesten noch ¹⁴¹¹
^{Fbr. 2}
einander, umb sach, die sich nu fûrbaz me von nuwem erlouffen und sich vor datum
dis briefes nit angefangen gesetzet oder bestellet sind, einander getruwelich bigestendig
beraten und beholfen ze sinde in aller der wise und forme als harnach geschriben stat.

15 [1] [1] Zu dem ersten setzen und nemen wir uz den allerdurchlûhtigisten fûrsten und
herren herren Rûpreht Romischen kûnig zu allen ziten merer des riches unsern gnedigen
herren, und dem heilgen riche sine reht ze tûnde als danne unser ieglicher vorgenanter
teil an dem riche in erberkeit und mit gûten gewonheiten harkomen ist.

[2] [2] Und doch also, ob das were das er oder yeman anders, wer der were, unser
20 der vorgenanten teile dheinen, es wer' von unser der egenanten herren oder der stette
teiln, oder unser diener oder die unsern, die uns ze versprechende stûnden, gemeinlich
oder einen teil oder me under uns besunder an unsern friheiten briefen rehten guten

a) D und.

verkündigen und die andere Partei (d. h. Kon-
25 stanz etc.) soll dann sofort eine Versammlung
halten und auf Eid sich einer Hilfe erkennen;
ebenso wird verfahren wenn noch mehr Hilfe erforderlich ist; wenn der König wegen dieser Artikel Forderungen stellt, soll man nur nach ge-
30 meinsamem Beschluß antworten; gemeinsame Versammlungen sollen in Biberach abgehalten werden,
außer wenn beide Theile es anders beschließen;
dat. Sa. vor letare [Merz 8] 1404; Stuttgart H.
und St.A. Reichsstädte insgemein Bündel 7 or.
35 mb. lit. pat. c. 11 sigg. pend. del.; Regest Stälin
Wirtemb. Gesch. 3, 384 nt. 3. — Dieselben 11
Städte versprechen den Städten Ulm Reutlingen
Hall Biberach Dinkelsbühl Pfullendorf Kaufbeuren
Giengen und Bopfingen, mit denen sie sich ver-
40 bündet haben, nicht von ihnen abzufallen, wenn
sie wegen der Artikel des Bundesbriefs von jemand
mit dem geistlichen Banne oder der weltlichen
Acht angegriffen würden; dat. 1404 Mo. n. letare
[Merz 10]; Stuttgart l. c. or. mb. lit. pat. c. 11
45 sigg. pend. (10 del.), die Namen der sechs zuletzt
genannten Städte von Biberach an stehen auf
Rasur; Regest Stälin l. c. — Die Reversurkunden
zu diesem Bündnis vom 8 bzw. 10 Merz 1404
kennen wir nicht. — Die Städte Ulm Reutlingen
50 Gmünd Biberach Dinkelsbühl Kaufbeuren Pfullendorf Bopfingen Giengen und Aalen verbünden

sich [genau wie 12 gen. Städte am 4 Febr. 1402,
auch mit Insertion derselben drei Urkunden, s.
Anm. zu nr. 14 dieses Bandes] aufs neue bis
Georgii über 4 Jahre [1409 April 23]; dat. Fr.
vor letare [Merz 27] 1405; Stuttgart l. c. or. mb.
lit. pat. c. 12 sigg. pend. (4 del.). — Genau ebenso
bis Georgii über 3 Jahre [1409 April 23] die
Städte Ulm Reutlingen Überlingen Memmingen
Biberach Ravensburg Gmünd Kempten Dinkelsbühl Kaufbeuren Pfullendorf Isni Leutkirch Aalen
Giengen Bopfingen und Buchhorn; dat. Sa. vor
Peter und Paul [Juni 27] 1405; Stuttgart l. c.
or. mb. c. 17 sigg. pend. (11 del.); Regest Stälin
l. c. — Es ist nicht zweifelhaft, obgleich die beiden Urkunden es nicht erwähnen, daß die 11
Städte die die Urkunden vom 8 und 10 Merz 1404
ausstellten damals den Bund der Bodenseestädte
bildeten, 7 von diesen weist die Urkunde vom
27 Juni 1405 als Mitglieder des Schwäbischen
Städtebundes auf. Hatte der Bund der Bodenseestädte sich nun inzwischen aufgelöst? Vgl.
Anm. zu art. 27 hier. Zur Entwicklung des
Städtebundes vgl. auch Einleitung zu diesem RT.
lit. A p. 713 f. und Einleitung zum Mainzer RT.
vom Dec. 1404 lit. B.
[1] Vgl. art. 22 in. des Entwurfes II nr. 488.
[2] Vgl. ibid. art. 22 med.- ex. und 2[a], sowie auch
art. 5. 9. 11. 21. 23[c].

gewonheiten oder an unsern herschaften landen lúten oder gúten beschedigete uf wasser oder uf lande oder uns dovon dringen triben oder trengen wolte oder der uns oder die unsern mit maht úberziehen oder belegern wolte [1], und uns derselb teil under uns, dem das also widerfúre und beschee, darumb bekante in solicher maz, ob das unser der obgenanten herren einem oder uns drien widerfúre und beschee, wenne sich dann der- 5 selb herre darumb, ob er in lande wer', mit sehs sinre reten, oder, ob er in lande nit wer' [2], sin obirster houptman, oder dem er sin land empfolhen hette, aber mit sehs sins herren reten, uf ir ere und eyde erkanten, oder, ob das uns vorgenanten stetten zu-gegangen wer', wann sich danne ieglicher derselben stette teil mit iren geswornen reten uf ir ere unde eyde erkanten, das in oder den iren an den obgenanten stúcken unreht 10 bescheen wer' oder beschee, das dann derselb beschedigete teil, welher under uns der wer' oder ist, uns den andern vorgenanten teiln das wol verkúnden und ze wissend tůn mag selb oder mit sinen gewissen botten oder briefen und ouch daruf umb hilff manen: so [3] sollen danne wir dieselben gemanten teile dem beschedigiten teile darumbe unvertzogenlich hilfflich sin gegen allen den die in solichem schaden zugezogen und 15 geton hetten oder die mit maht also uf sy gezogen weren oder belegert hetten oder die in stúre hilff oder rat darzů gebent oder deten, in solicher bescheidenheit das wir der-selben vigend ze stund darumbe werden sollen und ouch alle unsere dienere und die unsern ouch heissen tůn und die mit angriffen beschedigen und mit allen andern sachen die darzů gehörent vigentlich tůn als verre wir das erlangen und erreichen mögen ge- 20 truwelich und one alle geverde, glicherwise und in allem dem rehten als ob iglichen[a] teil under uns besunder das selbs angienge und yme selb oder den sinen widerfaren und bescheen were.

[3] [4] Und wann unser ertzbischof Johans obgenanten sloz lande und lúte den andern obgenanten vier teiln etwas wite entlegen und gesessen sien, darumbe, wer' es 25 das uns die sachen und der schade angienge und die sachen also gestalt wurden daz si zů tegelichem kriege kemend, so han wir uns von den vorgenanten vier partien in solicher maz hindangesetzet, also das si uns zů unserm tegelichem kriege, ob uns die sache angienge als vor geschriben stat, oder wir yn, ob sy die sache angienge, in unser oder ire slozz reisige lúte zu tegelichem kriege nicht dorffen[b] schicken wir deten es 30 danne gern.   [3a] [5] dann wir obgenanten andern[c] vier teile haben uns des vereynet,

---

a) *D* yeglichen; *A* iglichem.   b) *C* bedurffen, *D* bedorffen.   c) om. *C*.

.

[1] *Dieser Anfang des Artikels klingt außer an art. 22 l. c. auch zuerst an art. 21, dann an art. 5 ib. an, welche zwei Artikel sonst in der Urkunde fortgefallen sind; der folgende mittlere Theil ist mit Ausnahme eines Zwischensatzes (vgl. nächste Anm.) dem art. 2 ᵃ ib. entnommen, die Bestimmung der Orte, wohin gemahnt werden soll, ist freilich fortgefallen, sie folgt erst als art. 8, auch der Wortlaut ist gegenüber art. 2ᵃ l. c. stark verän-dert, erinnert einzeln an art. 5 l. c.*

[2] *Diese Bestimmung über Vertretung der ab-wesenden Fürsten bei der Mahnung ist dem art. 11 l. c. entnommen; dort ist auch der umgekehrte Fall vorgesehen, daß der abwesende Fürst gemahnt wird, vgl. hier art. 8.*

[3] *Zum Schluß des Artikels vgl. ebend. art. 9; es finden sich hier einige Anklänge an denselben,*

während er seinem wesentlichen Inhalt nach (Ver-pflichtung zur Schädigung der Feinde der Ver-bündeten auch ohne Mahnung) in der Urkunde 35 fortgefallen ist.

[4] *Fehlt im Entwurfe II nr. 488 naturgemäß, da Ersb. Johann von Mainz dort nicht als Theil-nehmer genannt ist; vgl. aber Entwurf Iᵃ nr. 483 art. 1ᵃ ff., wo nichts von einer solchen Beschrän- 40 kung der Hülfeleistung zwischen dem Erzbischof und den andern Mitgliedern des Bundes steht.*

[5] *Vgl. art. 3 des Entwurfes II nr. 488; die Angabe der Zahl und der Ausrüstung der Spieße fehlt dort und folgt erst in art. 8 (vgl. dagegen 45 Entwurf Iᵃ nr. 483 art. 1ᵃ); sonst ist die Über-einstimmung inhaltlich eine vollständige, der Wort-laut aber ist nur zum kleineren Theil (gegen Ende) derselbe geblieben.*

diewile wir einander gelegen und gesessen sind, mit namen also: ist das derselb besche- ₁₄₀₅
digete teil under uns des an uns die egenanten drú teil begert daz man ime zu der _{Spt. 14}
vorgenanten hilffe einen reisigen gezúg zu tegelichem kriege ouch lihe[a], so sollen wir
vorgenanten teile alle viere núnunddrissig spieß zu rosse erber und wol ertzúgeter lúte,
5 iglichen spieß mit drien pferden, darunder ein gewoppenter kneht sin sol, in ein sin
sloz, das danne dem kriege allerbeste gelegen ist und dohin er gemant het, zesamen
schicken und legen, und die ouch noch sinre manunge in viertzehen tagen den nehesten
von huse uzriten und ouch vúrderlich an dieselb stat vollriten sollend, one alle geverde,
also doch das zú dem mynsten[b] desselben teils spiesse, der do gemant het, als vil ime
10 danne an der vorgenanten summe spiesse zu anzal gebúren wurt ze schickende als harnach geschriben stat, an derselben stat drie tage vorhin sin sollen one geverde.

[4][1] Und sol ouch ieglicher vorgenanter teil dieselben spieß schicken und haben
uf sin selbs koste schaden und verlust one alle geverde; [4a][2] und doch also das
der manende teil demselben unserm volke, das in also zugeschicket wurde, by in rede-
15 lichen veilen kouf umb ir pfennige schaffen und geben sol one alle geverde.

[5][3] Und sollen ouch also wir die vorgenanten gemanten teile dem beschedigeten
teile under uns mit der hilffe in aller der wise so vor geschriben stat getruwelich und
ernstlich beraten und behofffen sin als lange untz das solicher schade widerkeret abegeleit oder versúnet und der belegert entschúttet wurt one alle geverde; [5a][4] und
20 doch aber also das sich yeglicher vorgenanter teil under uns fúnf teilen gegen dem
oder den, wider die er helffende wurt, vorhin mit widersagende erberlich bewaren
môge; [5b][5] uzgenomen alleine, ob út beschee das ein teil oder me under uns zu
frischer getot beheben môhte, darzú sol ieglicher teil under uns den andern teiln
schuldig und verbunden sin allen sinen ernst getruwelich ze bewenden und darzú ze
25 keren, das das behept werde uf reht noch diser eynunge sage zu glicher wise und in
allem dem rehten als ob es ime selb oder den sinen widerfaren und bescheen were,
one alle geverde. [5c][6] und sollent ouch das allen unsern vôgten amptlúten und
dienern empfelhen ouch ze tunde one alle geverde.

[6][7] Und wann das ist das wir vorgenanten vier teil die núnunddrissig spieß zú
30 der ersten manunge eim teile under uns also geschicket haben, so sollen wir von dheinem
andern teile under uns von derselben spieß wegen ze schickende nit me gemant werden,
untz das derselb krieg gentzlich verrihtet wurt, es were dann das wir vorgenanten teile
alle vier des vúrbaz mit einander einhelliklich úberkemen[c], doch das sus yederman
dannoch in demselben kriege dem oder den, die den schaden geton hant, vigentlich tûn
35 sol in aller der wise als vor geschriben stat.

---

a) A lihen, B liho.   b) D sie den mynsten statt zû dem mynsten.   c) A úberkemen oder úberkomen? B uber-
qwemen, C úberkâmen, D uberkemen.

---

[1] Vgl. art. 4 ebendort, nur im Wortlaut etwas
verändert.
40   [2] Vgl. art. 6 ib.; die Bestimmung, daß der
mahnende Theil den Glefen Herberge und Stallung verschaffen soll, ist fortgefallen, auch der
Wortlaut stark verändert.
[3] Vgl. art. 4a ibid., nur im Wortlaut stark
45 verändert.

[4] Vgl. art. 7 ibid., ebenso.
[5] Vgl. art. 1a ibid.; im Wortlaut kaum geringe
Anklänge.
[6] Dieser Artikel fehlt im Entwurf II nr. 488,
und so auch in den beiden andern Entwürfen
nr. 481. 483.
[7] Zu vergleichen ist in Entwurf II nr. 488
etwa art. 9b.

1405
Spt. 14

[7][1] Und an den vorgenanten núnunddrissig spiessen sollen wir vorgenanter marggrave Bernhart sehs spieß haben, wir grave Eberhart von Wurtenberg ahte spies, wir
die stat[a] Strazburg nún spieß, unde wir des riches stette in Swoben sehtzehen spieß.

[8][2] Und als dicke ouch von der vorgenanten sache wegen gemant wurt, so sol
uns vorgenantem marggrave Bernhart die manunge redelich verkúndet werden gen Baden 5
ob wir selb do sien, oder userme vogte oder schultheißen doselbs ob wir selb nit do
weren; und uns vorgenantem grave Eberharten von Wurtenberg zu glicher wise gen
Stúggarten in die stat; uns der stat[b] Strazburg dem meister doselbs zu Strazburg; und
uns des riches stetten[c] in Swoben gen Ulme dem burgermeyster doselbs, die sollend
es danne den andern stetten vúrbaz verkúnden. wurde man aber uns vorgenanten 10
Johann ertzbischof also manen die zu beschedigen und anezegriffende die uns gelegen
oder gesessen weren als vor geschriben stat, das sol man uns verkúnden gen Aschoffen-
burg userm vitztúm oder keller doselbs. und wenn ouch also die manunge an yeglich
vorgenante stat kuntlich und wissentlich geton wurt, domitte sol den manungen genûg
gescheen sin one alle geverde. 15

[9][3] Es sol ouch unser vorgenanten fúnf teil dheiner, weder der herren noch der
stette teil, der andern teile vigende in usern stetten vestinen slossen landen und gebieten wissentlich nit enthalten weder spisen ehssen noch drencken husen noch hofen
noch dheinen zegúg wider si lihen noch geben noch sus geverlich hanthaben noch hin-
schieben, alsbalde yeglich teil under uns des innen oder gewar wurt oder von dem oder 20
den andern teiln darumbe ermanet wurt, getruwelich und one alle geverde.

[10][4] Und was sache sich in diser vereynunge mit kriegen oder mit vigentschaft
gegen ieman anders anefohet oder verlouffent, darumbe sol sich dhein teil under uns
one die andern teile weder friden uzsúnen noch vúrworten in dheinen weg one der
andern teile willen und gunst one alle geverde; [10a][5] danne das wir vorgenanten 25
teile alle fúnfe umbe ieglich solich vigentschaft und kriege, die sich in diser vereynungen
angefangen und verlouffen hetten, noch uzgange diser vereynunge einander dannoch
getruwelich sollen beraten und beholffen sin, bitz soliche vigentschaft oder kriege gentzlich verrihtet und versúnet werden, one alle geverde.

[11][6] Wer' ouch ob yeman begerte zu uns in dise vereynunge ze komen, es weren 30
herren ritter knehte oder stette, die mögent das bringen an welhen teil under uns vorgenanten fúnf teiln sy wellen. und derselb teil under uns sol das danne den andern
teiln verkúnden, und in darumb einen gerumten tag an eine stat, die uns obgenanten
fúnf teilen allergelegenste ist[7], bescheiden. so sollen danne wir egenanten teil alle fúnfe,
mit namen unser yeglicher herre zwene sine rete, wir die stat[d] Strazburg drie users 35

---

a) D add. zu. b) D add. zu. c) BD stetten, A stette, C stoten. d) D add. zu.

---

[1] Vgl. l. c. art. 8; dort kommen auf die Schwäbischen Städte 17 Spieße, so daß es im ganzen
40 sind; auch enthält art. 8 dort die Vorschriften
über Ausrüstung der Glefen, vgl. hier in der Urkunde art. 3[a].

[2] Vgl. l. c. art. 2[a], dessen Inhalt aber nur zum
Theil hier in art. 8, zum Theil in art. 2 widergegeben ist; andererseits fehlt dort natürlich der
den Erzb. Johann betreffende Schluß unseres Artikels
sowie auch der die Vertretungsfrage berührende
Passus, für den l. c. art. 11 zu vergleichen ist.

[3] In Entwurf II nr. 488 und Entwurf I nr.

481 fehlt ein solcher Artikel, in Entwurf I[a] nr.
483 entspricht ihm ungefähr art. 8.

[4] Vgl. Entwurf II nr. 488 art. 14[a], nur im
Wortlaut stark verändert. 40

[5] Vgl. l. c. art. 14; ebenso.

[6] Vgl. l. c. art. 16, ebenfalls im Wortlaut stark
verändert, über sachliche Abweichungen s. die
nächsten Anmerkungen.

[7] Nach Entwurf II art. 16 sollte eine bestimmte 45
Stadt, deren Name dort freilich noch nicht genannt
war, als Versammlungsort festgesetzt werden.

rates, und wir die andern stette in Swoben ouch drie unsers rates [1] mit vollem gewalte *1405*
darumbe und dohin zesamen schicken und senden, die sach eigentlich inzenemmende und *Sept. 14*
zu verhorende und ouch daruf mit einander übereinzekomen ob die oder wie die inzenemmende sien oder nit. und wie sich danne do unser rete gemeinlich oder mit dem merren
5 teil vereynent was darynne ze lazzen oder ze tůnd sy, doby sol es danne bliben.

[*12*] [2] Es sol*a* yegliches vorgenant teil under uns den andern teiln sich selb und
alle ir slozz in disen*b* vorgeschriben sachen zu allen iren nöten offenhalten sich daruz
und darin ze behelffende, und in darzů getruwelich beraten und beholffen sin, one alle
geverde; [*12ª*] [3] doch das man sich vor gegen den mit widersagende bewaren möge,
10 als vor*c* geschriben stat.

[*13*] [5] Und wann wir vorgenanten teile alle fünfe einander in den und in allen
andern sachen mit gantzen truwen meinen sollen und wollen*c* das zu bestetigende und
ouch zů vúrkomende das zwuschent uns und den unsern in zit dieser vereynunge út
zweiunge oder unwille uferstande, so haben wir uns des mit einander und gegen ein-
15 ander ouch vereynet: welher teil under uns, oder der iglichem teil zugehöret oder zů
versprechende stat, nu vúrbaz mit dem oder den andern teiln, oder den iren und die
in zů versprechende stůnden, ze schickend oder ze tunde hetten oder gewúnnen, das
wir das mit fruntlichen rehten allewegen gegen einander gůtlich uztragen und verhandeln sollen in aller der wise so harnach geschriben stat.

20 [*14*] [6] Und ist dem also, wer'z ob wir obgenanter Johann ertzbischof wir marggrave Bernhart und grave Eberhart von Wurtenberg oder die unsern, sy weren edel
oder unedel burgere oder gebureslúte, út zů einander oder gegen einander ze vordernde
oder ze sprechende hetten oder gewúnnen, das sol zwuschent uns uzgetragen werden in
aller der maz als in der eynunge [7] die wir ertzbischof Johann und wir marggrafe Bern-
25 hart bedersit mit einander han verschriben ist und geschriben stat, und in solcher*d* maz
und wise sollend wir ertzbyschof Johann und wir Eberhart grave zu Wurtenberg das
ouch also halten, one alle geverde.

[*15*] [8] Wer' es aber ob wir vorgenanter marggrafe Bernhart und wir egenanter
grave Eberhart von Wurtenberg oder die unsern, sy weren edel oder unedel burgere
30 oder gebureslúte, út zu einander oder gegen einander ze vordernde oder ze sprechende
hetten oder gewunnen, das sol zwúschent uns und denselben den unsern uzgetragen
werden in aller der wise als wir uns des in unser vordern eynunge [9], die zehen ver-

a) *D add. ouch.* b) *A dise, B diesen, CD disen.* c) *A wollen? C wöllen, D wollen.* d) *C sůnlicher oder sim-*
licher; D semlicher.

35 [1] *Nach Entwurf II art. 16 sollte jede Partei*
2 Vertreter schicken, jetzt war aber der Erz-
bischof von Mainz hinzugekommen, und wol zur
Ausgleichung, damit das städtische und das fürst-
liche Element im Gleichgewicht blieben, erhielten
40 *Straßburg und der Schwäbische Städtebund je 3*
Vertreter.
[2] *Vgl. l. c. art. 13, im Wortlaut stark ab-*
weichend.
[3] *Mit besonderer Beziehung auf die Öffnung*
45 *der Schlösser, wie hier, findet sich ein solcher Ar-*
tikel in den Entwürfen nicht, vgl. aber sonst l. c.
art. 7.
[4] *S. oben art. 5ª.*
[5] *Ein solcher Artikel fehlt in den Entwürfen,*
50 *vgl. aber Entwurf II nr. 488 art. 17-18b.*

[6] *Fehlt in den Entwürfen; I und II zählen*
Erzb. Johann nicht zu den Theilnehmern, Iª hat
die Bestimmungen über den Austrag von Streitig-
keiten überhaupt nicht.
[7] *Vom 11 Sept. 1402, s. Anm. zu nr. 354.*
[8] *In Entwurf II fielen Streitigkeiten zwischen*
Mf. Bernhard und Gf. Eberhard wol unter art.
18-18b, vgl. Anm. zu art. 17 dort.
[9] *Vom November 1393, s. Sattler Gesch. des*
Hzgth. Würtemberg 3, 5-6. Über ein später zwi-
schen den beiden Fürsten abgeschlossenes Bündnis
s. Anm. zu nr. 354; dasselbe war beim Abschluß
des Marbacher Bundes schon abgelaufen.

gangen jare zwuschent uns gewert hat, gegen einander verschriben hattent, doch das darynne ouch aht bann und dotslege hindan sollend gesetzet sin als harnach [1] geschriben stat[a], one alle geverde.

[*16*] [2] Wer' es aber ob wir vorgenanter ertzbischof Johann wir marggrave Bernhart oder wir grave Eberhart von Wurtenberg oder unsere dienere, es werent herren [5]
ritter oder knehte oder ander die unsern die uns ze versprechend stúnden, út zu der
gemeinen stat[b] Strazburg ze vordernde oder ze sprechende hetten oder gewunnen,
darumb sollen wir und die unsern, als vor geschriben stat, einen gemeinen man nemen
uz dem rate ze Strazburg, welhen wir dann wellen, und mit demselben sollen sy danne
schaffen das sich der des annеme und das túge; es wer' danne das der das ungeverlich [10]
vorhin verlopt oder versworen hette und das gesagen und gesprechen móhte uf sinen
eyt, so sollen wir und die unsern aber einen andern uz iren reten an desselben stat
nemen in dem vorgeschriben rehten, mit dem sy danne aber schaffen sollen das sich
der des annemme; und derselb gemeine sol danne beden teiln darnach in viertzehen
tagen tage bescheiden ungeverlich an eine stat, die danne beden teiln allerbast gelegen [15]
ist; und uf dieselb zit mag danne yetweder teil zwene schidemanne zú dem gemeinen
manne setzen und geben.   [*16ᵃ*] [3] und die sollend dann do von einander nit komen
one alle geverde, e das sy die sache do uzrihten und entscheident, ob sy mógen, mit
mynne und mit fruntschaft mit beder teile willen und wissen, oder, ob das mit der
mynne nit gesin mohte, mit eim fruntlichen rehten noch beder teil clage rede und [20]
widerrede; es wer' danne ob ymme der gemeine oder die schidelúte umb die urteil
einen berat oder bedencken nemmen drige tage und sehs wochen, als sitte und gewonlich ist, das mogen sy wol tún, doch also das sy in derselben zit uzsprechen und ir
urteil den partien geschriben geben; und wie ouch sy darumbe zu dem rehten sprechen,
des sol bede teil wol benúgen und das einander tún und vollenden;   [*16ᵇ*] [4] also doch [25]
das der gemeine und ouch die schidelúte, die zú ime gesetzet werden, das reht darumbe
sprechen sollen uf ir eyde; und sollend sy die eyde, die sie vor der stat oder iren
herren gesworen hetten, uf die zit und in dem rehten nit binden;   [*16ᶜ*] [5] und sol
man ouch beden teiln, und wer mit ieglichem teil ritet vert oder get, zú denselben
tagen und in dieselben sloz fride und geleite geben dar und dannan on alle geverde; [30]
[*16ᵈ*] [6] und ouch aber also, ob der dheiner, den die sachen[c] angen oder anrúrende wurde,
in aht oder in bann weren oder dotslege geton hetten, das sol yn an dem rehten zú
keime schaden komen und nit vúrgezogen werden, also das der gemeine und ouch die
schidelúte uf aht noch uf bann noch uf dotslege nit urteilen sollen.   [*16ᵉ*] [7] und[d] also
glicherwise, gewunnen die obgenanten von Strazburg oder ir burger und die iren út [35]
mit unser vorgenanten[e] herren eime oder uns allen drien selb oder mit unsern dienern,
es werent herren ritter oder knehte, ze schickend oder ze túnde, darumb sollen sy einen
gemeinen man nemen uz des herren rat, dem oder des dienern si danne zusprechen

---

a) *A* stat[f] *DB* stat, *C* stat.   b) *D* add. zu.   c) *BD* sache, *C* dw sache.   d) *A* únd[f] *CD* und.   e) *A* vorgenanter[f]
abgekürzt.   40

---

[1] *S. oben art. 16ᵈ.*

[2] *Vgl. art. 18 des Entwurfes II nr. 488; die
dort für Streitigkeiten unter zum Theil anderen
Parteien gegebenen Bestimmungen sind inhaltlich
ganz dieselben wie hier, der Wortlaut aber ist
stark verändert.*

[3] *Vgl. l. c. art. 18ᵃ; statt einer Frist von 6
Wochen und 3 Tagen ist dort eine von 14 Tagen
bestimmt, der Wortlaut weicht stark ab.*

[4] *Vgl. l. c. art. 18ᵇ, ebenfalls, aber nur im
Wortlaut, sehr verändert.*

[5] *Fehlt in den Entwürfen.*

[6] *Desgleichen.*

[7] *Vgl. Entwurf II nr. 488 art. 18-18ᵇ; ähnliches Verhältnis wie bei art. 16.*

wolten; und sol derselb herre under uns mit demselben sime rate schaffen und bestellen,
das sich der des ouch annemme; es wer' dann der das* ouch vorhin verlopt und
versworen hette und das uf sinen eyt gesagen möhte als vor [1] geschriben stat, so sollend
sy einen andern nemen in demselben rehten, der in dann ouch darumb tage bescheiden
5 sol als vor begriffen ist; und sollen dann wir vorgenanten herren und unsere dienere,
welhem oder welhen sie danne zusprechen wellen, des rehten darumbe uf denselben gemeinen und glichen zûsatz verhengen und gestatten in allen den puncten und sachen
als das hie vor [2] mit worten eigentlich begriffen und underscheiden ist on alle geverde.
[*16.*] [3] welher teil aber oder welhes teils dienere burgere oder arme lûte zû des andern
10 teils dienern burgern oder[b] armen lûten nu vúrbazme út ze sprechen hette oder gewinnet, das eintzlich[c] personen antriffet, darumb sol ein teil dem andern nochvolgen in
die stette und gerihte do sy dann gesessen sind oder darin sie gehören, und sollen sich
ouch des rehten von einander vor iren amptlúten und rihtern noch derselben stette und
gerihte gewonheit und reht benûgen lazzen on alle geverde; also doch das ieglich teil
15 under uns mit sinen amptlúten und rihtern schicken und bestellen sol das dem cleger
vúrderlich geriht und reht nit verczogen werde one alle geverde.
[*17*] [4] So wellen[d] dann vúrbaz wir vorgenanter ertzbischof Johann marggrafe
Bernhart und wir grave Eberhart von Wirtenberg, und die unsern die uns ze versprechende stent, des rehten gegen den obgenanten richesstetten in Swoben und gegen
20 den iren bliben und zu uztrage komen in aller der mazz als die eynunge [5] uzwiset und
saget die wir egenanter graf Eberhart von Wurtenberg mit in haben; uzgenommen
alleine des, ob die vorgenanten richesstette oder die iren rehtes bedörffen wurden von
uns egenanten ertzbischof Johann oder marggrave Bernhart selb oder von unsern
dienern, es weren herren ritter oder knehte, darumb sollen sy dann einen gemeinen
25 man nemmen usser des herren rat under uns dem oder des dienern sie zûsprechen
wellen, welhen sy dann wellen, mit demme wir ouch das dann schaffen sollen sich des
ouch anzenemmende; es wer' dann das der daz ouch vorhin verlopt und versworen
hette als vor [6] geschriben stat, so mögen sie einen andern nemmen als das hievor [7] ouch
underscheiden ist; und sollen wir und unser dienere, welhem oder welhen sy danne also
30 zûsprechend wurden oder wolten, des rehten uf denselben gemeinen und einen glichen
zûsatz darumbe ouch verhengen und gestatten in aller der forme und maz als sich[e] der
egenant unser öheim von Wurtenberg des vúr sich und sine dienere gegen den obgenanten richesstetten uf sine rete verschriben hette one alle geverde.
[*18*] [8] Dann vúrbaz wellen wir die vorgenanten von Strazburg und wir die ege-
35 nanten richesstette des rehten gegen einander pflegen in solicher maz: was wir die von

---

a) B das sich der des. b) A vorgenanten *statt* d. b. o., BCD burgern oder *ohne* dienern. c) C einzöchtig; D
einzellig. d) A wollen? B wollen, C wöllen. e) D add. das.

---

[1] *S. oben art. 16.*
[2] *S. oben art. 16*a*-16*d*.
40 [3] *Fehlt in den Entwürfen; in Entwurf II art.
18-18*b* ist kein Unterschied gemacht zwischen
Streitigkeiten die einzelne Personen und solchen
die die Fürsten und Reichsstädte selbst anlangen.
Es bezieht sich dieser art. 16f offenbar noch wie
45 art. 16-16*e* auf Streitigkeiten zwischen Straßburg
einerseits und den 3 Fürsten andererseits, nicht
auf alle derartigen Streitigkeiten im Bunde überhaupt; der Wortlaut läßt zwar auch letztere Erklärung zu, vgl. aber art. 14. 15. 17. 18.*

[4] *Vgl. art. 17 des Entwurfes II nr. 488, die
ganze Klausel von uzgenommen an hier neu, auch
sonst im Wortlaut stark verändert.*
[5] *Vom 27 August 1395, s. Sattler Gesch. des
Hzgth. Würtenberg 3, 13, am 23 Juli 1400 auf
7 Jahre verlängert', s. ibid. Beilagen 35f. nr. 19;
vgl. auch Stälin Wirtemb. Gesch. 3, 361f. und
366, ferner den Brief vom 3 August 1405 nr.
482.*
[6] *S. art. 16.*
[7] *S. ibid.*
[8] *Fehlt in den Entwürfen; vgl. Anm. zu art. 16f.*

1405
Spt. 14

Strazburg oder unser burgere[a] oder die unsern zu der vorgenanten richesstetten burgern oder den iren, das eintzlich[b] personen antreffe, ze sprechend gewunnen oder sy oder die iren widerumb gegen den unsern, das ein teil dem andern nochvolgen sol in die stette oder gerihte do die gesessen sind oder darin si gehorent, und das ouch mit rehte erfordern und uztragen in aller der wise als es[c] vor [1] begriffen ist.   [18[a]] [2] gewúnnen   5 aber wir vorgenanten von Strazburg oder die unsern út zu der vorgenanten richesstetten einre oder me, das eine gemeine stat angienge, ze vordernde, oder ir dheine oder die iren widerumbe zu unser vorgenanten stat Strazburg, und das ouch unser gemeine stat angienge, ze sprechende, darumbe sol der clagende teil under uns einen gemeinen man nemen uz der stat rat der er zusprechen wil, und sol das dann uf denselben gemeinen   10 und uf einen glichen zusatz uštragen in aller der mazz als vor [3] geschriben stat one alle geverde.

    [19] [4] Aber in disen sachen allen ist sunderlich beretd umb angefallen gůt und die der teil dheiner in gewer gehapt hat, das die berehtiget[d] sollen werden an den stetten do sy[e] danne gelegen sind, es sie[f] in stetten oder uf dem lande; es wer' ouch   15 dann das dazselb gůt von yeman ze lehen gienge, so sol es darumb uzgetragen werden vor dem lehenherren von dem das zu lehen rúret one alle geverde.

    [20] [5] Und also sol mit namen ieglicher teil under uns vorgenanten fúnf teilen den, die ime zůgehorent und ze versprechend stent[g], nit verhengen noch gestatten, dem oder den andern teiln under uns dheinen úbergrif darúber ze tunde[h], und sol ouch das selb   20 nit tun, one alle geverde.   beschee es aber darúber, so sol aber derselbe teil, der den úbergrif geton hat, dem úbergriffenen teil das unvertzogenlich schaffen widerkert und widerton, und das man danne darnoch zů dem rehten darumbe kome in alle die wise so vor geschriben stat;   [20[a]] [6] doch uzgenommen aller verbriefeter schulde und un-louckenber gúlte und schulde und ouch hůpgelt vögtreht[i] stúre und zinse, darumb mag   25 ieglich teil under uns wol angriffen und pfenden noch lute und sage sinre briefe oder als das von alter harkomen ist one alle geverde; doch das man mit denselben pfanden pfentlich gefaren sol one alle geverde.

    [21] [7] Wer' es aber das yeman, der unser der vorgenanten teile eim oder me zů-gehorte oder ze versprechend stúnde, by disem rehten nit bliben oder den[k] vorgeschriben   30 stúcken und sachen nit[l] genůgtůn wolte, so sollen wir die andern teile demselben teil, ob er das an uns begert, mit gantzen truwen beholffen sin, bitz derselb ungehorsamy darzů braht wurt das er disen dingen ouch gnůgtů, one alle geverde.

    [22] [8] So haben wir dann[m] vorgenanter marggrave Bernhart und wir die egenanten richesstette in Swoben uns des umbe besunder fruntschaft vúr uns und die unsern gegen   35 einander ouch vereynet, das unser deweder[n] teil dem andern die sinen zů burgern nit innemen noch empfehon sol danne in der forme und maz als die eynunge [9] uzwiset und seit[o] die wir egenanter grave Eberhart von Wurtenberg und wir[p] obgenante richesstette

a) oder unser burgere om. C.   b) C einzächtig — antráffe; D einzellig.   c) om. D.   d) BCD berechtet.   e) C die.   f) B add. dann, C dosgl. denne.   g) A stet, B stent, C stand, D stant.   h) D tunt statt ze tunde.   i) A   40 vögtreht! DC vogtrecht.   k) D der.   l) om. D.   m) BD dann wir, C denne wir.   n) B entwedir, C entwederr, D entweder.   o) D sagte.   p) C add. die.

[1] S. art. 16 f.

[2] Vgl. Entwurf II nr. 488 art. 18-18[b]; ähn-liches Verhältnis wie oben bei art. 16.

[3] S. art. 16-16[d].

[4] Fehlt in den Entwürfen.

[5] Vgl. art. 19 des Entwurfes II nr. 488, auch im Wortlaut große Übereinstimmung.

[6] Vgl. l. c. art. 20, auch im Wortlaut einige Ähnlichkeit.

[7] Fehlt in den Entwürfen.

[8] Fehlt in den Entwürfen.

[9] S. Anm. zu art. 17.

vormals mit einander hant und zu glicher wise als ob dieselben artickele in disem briefe begriffen weren und verschriben stúnden one alle geverde.

[23] [1] Und also geloben wir vorgenante ertzbischof Johann Bernhart marggraf ze Baden Eberhart grave zu Wurtenberg burgermeystere rete und alle burgere gemeinlich der obgenanten stette Strazburg Ulme Rútlingen Überlingen Memmyngen Ravenspurg Byberach Gemúnde Kempten Dingkelsbúhel Koufbúren Pfullendorf Isny Lútkirch Giengen Aulun Botpfingen und Búchorn mit unsern gúten truwen und gesworen eyden, die wir darumbe alle liplich zú gotte und zu den heilgen mit gelerten worten, wir ertzbischof Johann mit unser hant uf unser hertze geleit, und wir die andern teile mit ufgebotten vingern, glopt und geswowen haben, dise vereynunge die obgeschriben zit und jare getruwelich ware und stete ze haltend ze leistend und[a] zú vollefúrende one alle arglist und geverde nach uzwisunge und dis briefes sage.

[24] [2] Doch nemen wir ertzbischof Johann und marggrave Bernhart vorgenante in diser vorgeschriben eynunge uzz solich buntnússe und eynunge[b] als wir gegen einander haben.

[25] [4] So nemen wir ertzbischof Johann sunderlich[b] uz dise nachgeschriben fúrsten herren und stat, mit namen die krone und das kúnigrich zu Beheim[5], die erwurdigen herren Johans byschof zu Wurtzeburg[6] und sinen[c] styft, hern Friderichen byschof zú Eystetten, und die hochgebornen fúrsten herren Johans und herren Friderichen burggrafen zú Núrenberg[7], herren Herman lantgrafen zú Hessen[8], Ludewig und Friderichen graven zú Oetingen[9], Symond grave zú Sponheim und zu Vyanden[10], und die ersamen burgermeyster[d] rat und burgere gemeinlich der stat zú Mentze[11] unser lieben getruwen, mit den allen wir vor date dis briefes verbunden sind;   [25a][12] so nemen wir marggrave Bernhart vorgenanter besunder uz die Pfaltze ame Ryne, und die hochgebornen fúrsten herren Ludewigen, herren Johansen, herren Stephan und herren Otten gebrúdere pfaltzgrafen by Ryne und hertzogen in Peyern, des so wir in verbunden sind[13];

a) B add. auch, C despl. och.   b) A súnderlich? C sunderlich, D sunderlichen.   c) BC sinen, A sine, D sinen abgekürst.   d) D add. und.

[1] In Entwurf II nr. 488 ist der entsprechende am Schluß stehende art. 24 nach den ersten Worten abgebrochen; gegenüber Entwurf I nr. 481 art. 23 ist der Wortlaut ziemlich verändert.

[2] Fehlt in den Entwürfen.

[3] S. Anm. zu art. 14.

[4] Fehlt in den Entwürfen.

[5] Bündnisse zwischen der Krone Böhmen und dem Erzstifte Mains s. RTA. 1, 6 nr. 1 mit Anm. 1 und ibid. 1, 287 nr. 166 mit Anm. 1. Ob und wann dasselbe Bündnisverhältnis ausdrücklich von Erzbischof Johann bestätigt worden ist, können wir nicht angeben; vgl. RTA. 4, 395 nt. 1 und lin. 6 f.

[6] Erzb. Johann von Mains gelobt das Bündnis, das einst Kaiser Karl König Wensel Erzb. Gerlach von Mains und Bisch. Albrecht von Wirsburg mit einander schloßen [s. RTA. 1 nr. 1], mit Bisch. Johann von Wirsburg treu und fest zu halten; dat. Dryffenstein fer. 2 p. Scolastice [Febr. 12] 1403; Wirsburg Kr.A. Mainz-Aschaff. Ingr.-B. 14 fol. 7[a] cop. ch. coaev.

[7] Bündnis Erzb. Johanns mit dem Bisch. von Eichstädt den beiden Burggrafen und den beiden Grafen von Öttingen s. Einleitung zum Nürnberger Tage von 1402 lit. M p. 371, 39.

[8] Bündnis Erzb. Johanns Ldgf. Hermanns und Hzg. Ottos von Braunschweig vom 20 Merz 1405 s. nr. 477.

[9] S. vorletzte Anm.

[10] Ein Bündnis Erzb. Johanns II mit Gf. Simon von Sponheim können wir nicht nachweisen. Aber auch im Bündnis des Erzbischofs mit der Stadt Mains von 1399 Nov. 30 (s. nächste Anm.) gehörte Gf. Simon von Sponheim zu den durch den Erzbischof ausgenommenen.

[11] Bündnis des Erzbischofs Johann mit Stadt Mains auf 10 Jahre vom 30 November 1399 s. Würdtwein nova subs. dipl. 2, 349-365 nr. 53.

[12] Fehlt in den Entwürfen; in Entwurf II nr. 488 aber deutet der nicht ausgeschriebene art. 23 wol Ausnehmungen seitens des Markgrafen von Baden und des Grafen von Wirtemberg an.

[13] Diesen Bund konnten wir nicht nachweisen.

1405
Spt. 14 [25^b] ^1 so nemen wir grave Eberhart von Wurtenberg vorgenanter uzz unsere lieben herren und ôhemen ^2 herren Karlen hertzoge zu Luthringen und marggrafen, und herren Friderichen von Luthringen herren zu Romanye zû Bone und grave zû Wydemûntd^a; [25^c] ^3 als verre das dieselben fûrsten herren stifte und stette, die wir also uzgenommen haben als vor bescheiden ist, uns obgenante drie herren die stat ze Strazburg und die richesstette in Swoben by unsern friheiten rehten und gewonheiten als vor geschriben stet bliben lassent.

[26] ^4 So nemmen wir obgenante meister rat und burgere der stat ze Strazburg in diser eynunge ouch^b uzz einen byschof und die stift ze Strazburg ^5; [26^a] ^6 ouch als verre das si die egenanten drie herren die stette in Swoben und uns by unsern friheiten rehten und gewonheiten bliben lazzent als vor ^7 geschriben stat.

[27] ^8 So nemen danne wir vorgenanter grave Eberhart von Wurtenberg und wir die egenanten richesstette in Swoben in diser vereynunge besunder mit namen uzz die vereynunge ^9 die wir vor mit einander und mit andern richesstetten haben.

[28] ^10 Darzû nemen wir die^c vorgenanten von Strazburg aber uz die vereynungen^d die wir haben mit unsern eytgenoßen den von Basel ^11 und von Sarburg^e ^12; also das

---

a) *C herre ze Romany und ze Bone und grafen ze Widemunt.* b) *om. D.* c) *om. C.* d) *B vereynunge, C veraynung, D vereynung.* e) *D Sarbruck.*

---

^1 *S. vorletzte Anm.*

^2 *Vermuthlich bestand doch ein Bündnis zwischen Gf. Eberhard und den beiden Genannten; näheres konnten wir nicht beibringen.*

^3 *Fehlt in den Entwürfen; die Beschränkung dieses Artikels gilt offenbar für die ganzen in art. 25-25^b vorhergehenden Ausnehmungen seitens der drei Fürsten. Darnach hat sich auch unsere Artikeleintheilung gerichtet. Vgl. art. 26^a.*

^4 *Vgl. Entwurf II nr. 488 art. 23^b.*

^5 *Über das Verhältnis der Stadt Straßburg zu Bischof und Kapitel vgl. Einleitung zu diesem Tage lit. F.*

^6 *Fehlt in Entwurf II nr. 488.*

^7 *S. art. 25^c.*

^8 *Vgl. Entwurf II art. 23^a; auch der Wortlaut ist ähnlich, der dortige (formelhafte) Schluß ist aber fortgelassen, und die Worte und mit andern richesstetten sind hier neu.*

^9 *Es ist hier doch wol nur das Bündnis des Gfn. Eberhard mit Schwäbischen Reichsstädten (s. Anm. zu art. 17) gemeint. Unter den Städten mit denen jener dasselbe im Jahre 1400 verlängert hatte waren mehrere die 1405 nicht mehr zum Schwäbischen Städtebunde und daher auch nicht zum Marbacher Bunde gehörten, und sie können mit den andern richesstetten sehr wol gemeint sein. An das Verhältnis des Schwäbischen Städtebundes zum Bunde der Bodenseestädte (s. Anm. zum Eingang dieser Urkunde) zu denken, ist wol nicht möglich; denn man kann obigen Artikel doch nicht dahin verstehen, daß zwei ganz verschiedene Vereinungen sollten ausgenommen sein. Wenn dieß gesagt werden sollte, so wäre es sicher ganz anders und deutlicher ausgedrückt. Unser*

Zweifel, ob der Bund der Bodenseestädte damals überhaupt noch existierte, wird vielmehr dadurch, daß derselbe hier nicht ausdrücklich erwähnt ist, noch verstärkt.

^10 *Vgl. Entwurf II nr. 488 art. 23^b.*

^11 *Das Bündnis Straßburgs und Basels war am 11 Nov. 1403 auf 5 Jahre verlängert, s. Anm. zu nr. 346. Zusatzverträge zu demselben vom 17 Februar 1405 s. Anm. zu nr. 463 art. 3; vgl. Einleitung zum Mainzer Tage vom December 1404 lit. D.*

^12 *Straßburg und Sarburg schließen ein Bündnis auf 3 Jahre unter folgenden Bedingungen: Saarburg soll den Straßburgern offen sein und denselben in allen künftigen Kriegen helfen, wogegen Straßburg dem Saarburger Schutz gegen Beschädigung aus dem Bisthum und Kriegshilfe bei etwaiger Belagerung der Stadt verspricht; kein Theil soll einen Frieden machen ohne Einschluß des andern; beide nehmen aus das heil. Reich, Straßburg seine nicht genannten gegenwärtigen Verbündeten, Saarburg Bischof und Stift von Metze oder wem diese ihre Rechte in Saarburg versetzen; auch behalten die von Saarburg sich die Neutralität vor, wenn Straßburg mit K. Ruprecht oder Hzg. Karl von Lothringen in Krieg geriethe; dat. Di. v. Veltins Tag [Febr. 10] 1405; dazu in einem angehefteten Briefe das Versprechen Saarburgs, nach des Hzgs. Karl von Lothringen etwaigem Tode dessen Nachfolger nicht für ausgenommen zu halten; dat. Mo. v. Veltins Tag [Febr. 9] 1405; Straßburg St.A. G. U. Pf. lad. 45/46 nr. 74 or. mb., mit zwei hangenden Sigeln, der Beibrief nur mit dem Saarburgs.*

unser ieglichem teile dise vereynunge an denselben vereynungen nit schedelich sin sol *1405 Spt 14*
noch die dheinsweges verseren on alle geverde.　und des alles zů worem und offem
urkúnde so haben wir vorgenante herren alle drie unsere eigen ingesigele und wir obgenante stette alle unser stetten ingesigele offenlich gehencket an disen brief, der geben
5 ist zu Martpach an des heilgen crútzes tage zů herbeste als es erhept[a] wart des jares[b] *1405 Spt. 14*
do man zalte von Cristi gebúrte viertzehenhundert jar darnach in dem fúnften jare.

490. *Drei gen. Fürsten an K. Ruprecht, zeigen den Abschluß des Marbacher Bundes* *1405 Spt. 16*
vom 14 Sept. 1405 an [1]. *1405 Sept. 16 Marbach.*

 S aus Straßb. St.A. G. U. P. lad. 50, 51 nr. 2, jetzt AA 131, cop. chart. coaev.
10 *U coll. Stuttg. St.A. Einungen mit Adel und Reichsstädten fasc. 5* [c²] *nr. 1 fol. 52* [b] *cop.*
  mb. coaev. (aus dem Ulmer Stadtarchiv).
 Gedruckt Wencker appar. et instruct. archiv. pag. 286 sub nr. 49, Sattler Gesch. von
  Würtenberg 3 Beilagen pag. 52 nr. 28 (das Datum hier falsch auf den 18 Sept. be-
  rechnet, was Stälin Wirt. Gesch. 3, 385 nt. 4 schon bemerkt hat) aus Wencker. —
15 *Regest Chmel pag. 183 Anhang I nr. 33 unterm 18 Sept. aus Wencker und Sattler.*

 Unsere undertenige schuldige willige dinste uwern kúniglichen gnaden allezit
zevor.　allerdurchluhtigister fúrste, gnediger lieber[c] herre.　wir lassen uwer gnade
wissen, daz wir mit der von Strazburg und etlicher stette in Swaben erbern frúnden
etlich tage hie zů Martpach bi einander gewesen, und doselbs[d], uwern gnaden und dem
20 heilgen riche zu lobe und[e] wirden und uns unsern stetten slossen landen und lúten, und
die uns und den egenanten stetten ze versprechende stent, zů nutz friden und gemach,
einer frúntlichen einunge úberkomen und die mit einander angegangen sind.　in derselben einunge und frúntschaft wir doch uwer kúnigliche gnade und ander unser herren
und frúnde ußgenommen haben, als das man uns bi unsern herlicheiten friheiten und
25 rehten bliben lasse, als das die briefe uzwisen[g] die wir under einander darúber geben
han.　und bitten[g] darumbe uwer kúniglich gnade mit ganz undertenikeit, das derselben
uwern gnaden solich unser und der obgenanten stette fruntlich vereinunge zů willen
behegelich und gefellich sie[f], uns und sie dobi hanthaben schúren schirmen und ouch[g]
nit tůn verhengen oder gestatten wellen das uns die von iman úberfaren oder geletzet
30 werde, das wir und die egenanten stette dester gerůwelicher bi solicher frúntschaft bliben
und uwern kúniglichen gnaden dester baz und flizlicher gedienen mögen.　das wellen
wir mit rehter undertenikeit allezit umbe uwer gnade gern verschulden[h].　datum *1405 Spt. 16*
Martpach feria quarta post exalt*acionis* sancte crucis anno etc. quadringentesimo quinto[i].

   Johann erzbischof zů Mentz Bernhart
35   marggraf ze Baden und Eberhart grave
      zu Wurtenberg.

---

a) *D* erhöhet.　b) d. j. *om. D.*　c) *om. U.*　d) *S* deselbs, *Wencker* daselbs.　e) *U add.* ze　f) *U* sin.　g) *om. U.*
h) *U* verdienen.　i) anno — quinto *om S, add. U.*

---

[1] *Auffallend ist, daß noch am 17 Sept. 1405*
40 *K. Ruprecht als Schiedsrichter zwischen Erzb.*
Johann von Mainz und Johann von Hohenlohe
auftritt, s. Scriba Hess. Regg. 1, 131 nr. 1417.
 [2] *S. nr. 489 art. 1 und 2.*
 [3] *Höfler (Ruprecht 341) und Andere behaupten*

offenbar im Hinblick auf diesen Brief und speziell
die hier oben folgende Stelle, der Bund habe noch
von Marbach aus den König um Bestätigung an-
gegangen. Aber das ist in diesen Worten doch
nicht gesagt.

B. Ausschreiben des Mainzer Reichstages auf 21 Okt. 1405 nr. 491.

1405
Spt. 23   **491.** *K. Ruprecht an Straßburg bzw. Frankfurt, lädt ein zum Reichstag nach Mainz*
         auf 21 Okt. 1405.   1405 Sept. 23 Heidelberg.

An Straßburg: A aus Straßb. St.A. an der Saul I partie ladula B fasc. XI [a] *nr. 27 or. ch. lit.*
clausa c. sig. in verso impr. — Eine Abschrift befand sich Straßburg St.-Bibl. Exc. Wenckeri 2, 5
405 [a], *jetzt verbrannt.*
    An Frankfurt: B coll. Frankf. St.A. Imperatores 1, 233 or. ch. lit. clausa c. sig. in verso impr.,
Adresse Unsern lieben getruwen burgermeistern und rade unser und des heiligen richs stad Francke-
furd; der Schlußsatz und wir han auch — geleiten ist hier weggelassen. — Gedruckt Janssen R.K. 1,
123 nr. 292 aus B.   10

Ruprecht von gots gnaden Romischer
kunig zu allen ziten merer des richs [a].
    Ersamen lieben getrûwen.   wir laßen uch wißen, das uns etliche unsere und
des heiligen richs fursten und graven geschriben und eigentlichen furbracht habent [1]
etliche handelunge leuffe und sachen uns und daz heilige riche großlichen antreffende, 15
daruff auch wir unsere und des heiligen richs kurfürsten fursten graven herren rittere
knechte stedte und alle die, die dem heiligen riche verbunden sint, billich bedacht sin
sollent den [b] zû widdersten.   und darumbe so begern und gesynnen wir an uch mit
ganczem ernste, das ir uwere erbere frûnde von hute mitwochen uber viere wochen mit
1405
Okt. 21 namen uff den mitwochen der eylfftusent megede tag zu uns gein Mencze wollent 20
schicken uff einen tag, darczû wir auch unsere und des heiligen richs kurfursten fursten
graven herren und andere stedte verbodt han zu uns zu komen, zu rade zu werden
wie man den obgenanten handelungen sachen und leuffen in der zijt widdersten moge.
wannt zu besorgende ist, wo denselben handelungen sachen und leuffen nit in der zijt
widderstanden werde, das uns dem heiligen riche und dem gemeynen lande solicher 25
schade davon uffersten werde, der hernachmals nit wol zu widderbringen sij, als wir
uwern frunden, die ir uff den obgenanten tag zu uns schicken werdent, wol eigentlichen
erczelen laßen wollen.   und wir han auch unsern amptluten bevolhen und sie geheißen,
ûwere frûnde, die ir also zu uns uff den obgenanten tag schicken werdent, durch unsere
lande und gepiete dar und dannen sicher zû geleiten [2].   datum Heidelberg feria quarta 30
1405
Spt. 23 post festum sancti Mathei apostoli anno domini millesimo quadringentesimo quinto regni
vero nostri anno sexto.
    [*in verso*] Den ersamen unsern lieben getrûwen   Ad mandatum domini regis
meister und rate der stad Straßpûrg.   Johannes Winheim.

a) Zeileneintheilung der Inscriptio nach B; in unserer Abschrift aus A war dieselbe nicht beachtet. b) B dem.   35

---

[1] *Das Schreiben Erzb. Johanns Mf. Bernhards   Exemplare fehlt, wurde für die Straßburger (und*
und Gf. Eberhards vom 16 September 1405 nr. 490   die andern Mitglieder des Marbacher Bundes?)
wird gemeint sein.   wol nur wegen ihrer gespannten Beziehungen zum
   [2] *Das Geleitsversprechen, das dem Frankfurter   Könige hinzugefügt.*

C. Vorversammlung des Marbacher Bundes zu Vaihingen auf 12 Okt. 1405 nr. 492-494.

492. *Mf. Bernhard I von Baden an Stadt Straßburg, antwortet auf ihre Mittheilung der Einladung des Königs zum Reichstag nach Mainz auf 21 Okt. 1405: die Mitglieder des Marbacher Bundes wollen sich wegen einer Antwort an den König in Verbindung setzen, eine Erwiderung vom König auf der Herren Schreiben wegen des Bundes ist noch nicht eingetroffen.* 1405 September 28 o. O.

1405 Spt. 28

Aus Straßburg St.-Arch. AA 87 nr. 49 or. ch. lit. claus. c. sig. in verso impresso. Ein Punkt über dem u wurde mit dem übergesetzten e widergegeben, außer in frunde wegen der in Variante b angegebenen Analogie.

Von uns Bernhard
marggraf zů Baden.

Unsern fruntlichen gruz voran. erbern wisen besundern guten frúnde ᵃ. als ir uns verschriben und ein abschriffte, als uch unser herre der konyg geschriben unde gebetten hat uwere frúnde ᵇ geen Meintz zu schickend uff der heiligen eylftusend megde tag, damit gesant habend etc.: das haben wir wol verstanden und laßen uch wißen, daz uns derselb unser herre der konyg glich in semlicher maßen auch geschriben und gebeten hat, uf den obgnanten tag zu yme geen Meintze zů komen. und wir habent von stund darumbe unserm herren von Meintze und unserm oheim von Wyrtemberg geschriben und sie gebeten, daz sie uns iren rate, wie sie důnck daz wir unserm obgnanten herren deme kunyg antwurten sollend, furderlichen verschriben und zu wißen tun ᶜ wollend, umb daz wir glich antwurten; wann wir uns versehen, daz ine von unserm obgnanten herren dem konyg auch also geschriben worden sy. und wann sie uns iren rat also verschriben und zu wißend tund, so wollen wir ůch daz furderlichen auch wißen laßen; als wir auch willen hattend zů tůnd und unser botschafft darumbe zu uch getan woltend hann, were uns joch uwer brief nit worden. auch als ir uns geschriben hand, uch ze wissen lassend, ob uns noch kein antwurte kumen sy von unserm herren dem konyg, als unser herre von Meintze unser oheim von Wirtemberg und wir yme schriebend ¹ von diser eynung wegen, also wißent, daz uns noch keyn antwurte davon kumen ist; keme uns aber ein antwurte, die wolten wir uch auch wißen lassen.   datum secunda feria ante Michahelis archangeli anno etc. 5.

1405 Spt. 28

[*in verso*] Den erbern wisen unsern besundern guten frunden meister unde rate der stette zu Straßburg.

1405 Spt. 28

1405 Okt. 21

ᵃ) frund *mit Schleife; Punkt über dem u.* ᵇ) *Schleife; halbbogenförmiger Strich über dem u.* ᶜ) *folgt* sol *ausgestrichen.*

¹ *S. nr. 490.*

1405
Okt. 2 **493.** *Graf Eberhard von Wirtemberg an Straßburg, empfiehlt eine noch vor dem bevorstehenden Mainzer Reichstag zu haltende Versammlung zu besuchen, meldet daß
der König auf die Anzeige von der Abschließung des Marbacher Bundes noch nicht
geantwortet habe.* `1405 Okt. 2 Urach.*

Aus Straßb. St.A. AA corresp. des souverains art. 120 nr. 9 or. ch. lit. cl. c. sig. in verso 5
impr.; wenig verletzt.

Eberhard*us* comes
de Wirtemberg.

Unsern frûntlichen grûs vor. lieben besûndern frûnde.   als ir uns verschriben
und ain abgeschrift gesannt hand als ûch myn herre der Romische kunige geschriben 10
hаut, und damit begerent das wir ûch laußen wissen ob uns solich briefe ouch geschickt
sien etc., haben wir wol verstannen. und laussen ûch wissen, das uns sôliche briefe
ouch worden sint. und haben unserm ôheim dem marggraven verschriben, das uns gût
dûnke das er und wir an[a] ain gelegen stat zûsamenkomen vor dem tag zû Mentze
und daz er ûch embiete daz ir ûwer frûnde ouch uf demselben tag habent; denselben 15
tag und stat ûch unser ôheim der marggrave wol nennen[b] und verkûnden wirt. so
wellen wir den Swebschen stetten ouch verschriben, das sie ir frûnde ouch uf denselben
tag by uns haben uns uf demselben tag zû underreden. darumb dûnkt uns gûte[c] das
ir ûwer frûnde also zu uns uf denselben tag schickent als ûch daz unser oheim der
marggrave ouch verschriben wirt.   ouch wissent, das uns noch kain botschaft von 20
unserm herren dem kûnig komen ist von der sach wegen als unser herre von Mentze
unser ôheim der marggrave und wir ym verschriben heten[1] von unser aynung wegen,
anders wir heten es ûch zû stund laußen wißen, und' daz wir noch tûn welten, wûrde[d]
uns darûber geantwurt.   geben zû[e] Urach an fritag nach sannt Michels tag anno do-

1405
Okt. 2 mini 1400 quinto. 25

[*in verso*] Den ersamen und wisen dem maister dem
ammanmaister[f] und dem raut gemainlich zû Straußburg
unsern besundern gûten frûnden.

1405
Okt. 4 **494.** *Mf. Bernhard 1 von Baden an Straßburg über seine Einladung zum Reichstag
und eine von Gf. Eberhard von Wirtemberg angeregte Besprechung zwischen den* 30
*beiden Herren und Straßburg und den Schwäbischen Städten zu Vaihingen wegen
ihres ferneren Verhaltens.* `1405 Okt. 4 Baden.*

*Aus Straßburg St.-Arch. AA 87 nr. 38 or. ch. lit. claus. c. sig. in vers. impr. Über dem
u ist im Druck e durchgeführt, auch da einige Male, wo nur ein Punkt in der Vorlage darüber stand.* 35

Von uns Bernhard
marggrafe zû Baden.

Unsern frûntlichen gruz voran. erbern wisen besondern guten frûnde.   als wir
uch nû zunechste geschriben und geantwurtet habend[g] von den sachen, darumb unser
herre der konig uns geschriben hat gen Meintz zû komen, daz wir darumbe unsers 40

---

a) *ein Zeichen über* a *wol ohne Bedeutung.* b) *or.* nemen. c) gûte? *wol* gûte. d) *Zeichen über* u; *wol ohne Zweifel* û. e) zû? *wol* zû. f) *or.* ammaister *mit Oberstrich über* mm.

¹ S. nr. 490.   ² S. nr. 492.

oheims von Wirtenberg bottschaffte wartende werend, und wann uns die keme, so *1405 Okt. 4* wölten wir uch daz auch wißen laßen: also wißend, daz uns derselbe unser oheim geschriben und uff hud sontag einen brief gesant hat und begeret, daz wir von morne *1405 Okt. 11* mentags über acht dage by ime zů Veyhingen sin[a] wellen und daz ir uwere frunde *Okt. 12* bis dann auch da habend, so wolle er die Swebschen stedte alsdann auch mit yme bringen. lieben frůnde, do dunckt uns gut sin und gefellt uns wol, daz ir uwere frůnde uff disen nehsten samstag zů nacht by uns hie zů Baden[b] habend, furbaßer mit uns zu *1405 Okt. 10* rytend gen Veyhingen, und daz man sich da underspreche, wie man die sache furbaßer verhandele. datum Baden dominica post Michahelis archangeli anno domini millesimo quadringentesimo quinto. *1405 Okt. 4*

[*in verso*] Den erbern wisen unsern besundern guten frunden meister und rate der statt zu Straßburg.

D. Protokolle vom Mainzer Reichstag, 1405 Okt. 23, nr. 495-496.

495. *Protokollarische Aufzeichnung vom Mainzer Reichstage: ausweichende Antwort der Wetterauischen und Elsäßischen Reichsstädte auf die durch Gf. Günther von Schwarzburg ihnen und andern gen. Reichsständen am 23 Oktober vorgetragene Werbung des Königs den Marbacher Bund betreffend.* [*1405 Okt. 23 Mainz*[1].] *[1405 Okt. 23]*

A aus Frankf. St.A. Imperatores 1, 214 *chart. coaev. Gleichzeitiger Kanzleibemerk auf der Rückseite* Unser herre der kunig Ruprecht fursten herren und steden bescheiden gein Mencze virbuntnisse *(das Wort* Ruprecht *mit dunklerer Tinte).*
B coll. ibidem nr. 216 *cop. chart. 17 saec., wol aus A copiert.*
Gedruckt Janssen R.K. 1, 124 f. nr. 293 aus A.

Nota. als unsers herren des koniges gnade kurfursten fursten graven herren stede ritter und knechte zů im und dem riche gehorig uf der eilftusent jungfrawen tage zu *1405 Okt. 21* im gein Mencze verbot hatte, und da der von Swartzburg uf den fritag darnach (in *Okt. 23* geinwertikeit des bischofes von Collin herzogen Ludewiges von Beiern und burggraven Friderichs von Nuremberg des bischofes rate von Trier[c] disser nachgeschriben graven und herren mit namen des von Falkinstein der graven von Kirberg des graven von Katzenelnbogen item von Solmß graven Adolffes von Nassauwe item von Veldencz von Hanauwe von Isenburg von Thonburg[d] von Runckel von Liechtinberg und derselbin fursten und herren rittern und knechten und der Wedereybschen stede frunden item funfen stede in Elsassin mit namen Colmar Wissinburg Sletzstad etc. und der stede frůnde von Nuremberg von Rotemburg Winßheim von Nordelingen von Dinckenspoel Heilprůn Winpen Winsperg etc.[2]) unsers obgnanten gnedigen herren meinunge irzalte, wie daz rede usgeschollen wer' daz unser herre der konig ein harter herre wer' und understunde fursten herren und stede von iren herlichkeiden gnaden friheiden und her-

a) *folgt* und *ausgestrichen.* b) *folgt ausgestrichen* findent. c) *A add.* rate, *om. B.* d) *A wol nicht* Chonburg; *B* Thanburg.

[1] *Die Aufzeichnung ist vermuthlich doch noch in Mainz auf dem Reichstage selbst und nicht erst später in Frankfurt (s. Stückbeschreibung) gemacht worden. Die Frankfurter Gesandten brachten sie wahrscheinlich nach Hause mit, waren aber nur vier Tage von dort abwesend (s. nr. 497), also schwerlich länger als bis zum 24 Oktober in Mainz. Janssen datiert Okt. 23 wol richtig, weil die folgende nr. vom 23 Oktober ist und die obige nicht später anzusetzen sein wird.*

[2] *Auffallend ist, daß, wie auch Huckert Politik der Stadt Mainz pag. 70 bemerkt hat, anscheinend keine Vertreter der Städte Mainz Worms und Speier bei dieser Gelegenheit zugegen waren. Vielleicht hängt dieß damit zusammen, daß sie bei den Verhandlungen über die Gründung des Marbacher Bundes betheiligt gewesen waren. Daß Worms und Speier den Reichstag nicht beschickt hätten, ist kaum anzunehmen.*

[1405
Okt. 22] kommen zu tringen, und verantworte daz, daz im unrecht daran geschee, und hette auch
des nit getan und wolde iz auch nodo tůn; und wart auch da irzalt, als sich der bischof
von Mencze der marggrave von Baden und der von Wirtemberg mit eczlichin Swebischen steden mit namen von Ulme etc. verbunden haben; und wart auch da ein brief
gelesin, als dieselbin dri fůrsten unserm herren dem konige geschriben hetten [1], in welchin s
fugen sie daz getan hetten, und hetten sin gnade ußgnommen, also daz sie bi iren herlichkeiden gnaden friheiden und herkommen bliben mochten, und getruweten auch sinen
gnaden sie dabi zu lassin und zů hanthaben etc.; und sagete auch der hofemeister, daz
die vorgnanten fůrsten nuwelingen zů Wormße in sim [2] rate und heimlichkeid gewest
weren [3] und hetten im nit gesaget obe in icht von den sachen brust wer' [a]; und bat 10
unser herre der konig im darzů zů raden etc.: daruf han die Wetereibachen stede und
die Elsasschen stede vorgnant mit gemeim rate geantwurt: „gnediger herre. als uwer
gnade und unser herre von Swarczburg von uwer gnade wegen irzalt und rat begert
hat, des ist unser meinunge, daz uwer gnade unser herren die kurfursten fursten und
herren in der wißheit sin solich sache zu versorgen; und geberte [b] uns icht darzů zů 15
tun, darzů hofftin wir zů tun als wir billich solden, wan wir uwern gnaden und dem
riche zugehoren, und tede imand daz uwern gnaden swer, wer' daz uns leit" etc.

1405
Okt. 23 **496.** *Sonderprotokoll der Mitglieder des Marbacher Bundes bei Gelegenheit des Mainzer
Reichstags vom 21 Okt. 1405: Verabredung, wegen des auf 6 Jan. 1406 bestimmten
neuen Mainzer Reichstags vorher am 29 Nov. 1405 zu Neckarsulm unter sich in* 20
Berathung zu treten. 1405 Okt. 23. Mainz.

*Aus Straßb. St.A. Gewölb unter der Pfalz lad. 50 fasc. 27 Missiven nr. 7 cop. chart.
coaev., offenbar von den Straßburger Gesandten des Mainzer Tags vom 21 Okt. 1405
nach Hause mitgebracht.*

Gedenke, das unser herren des erzbischofs zů Mencze, des marggraven von Baden, 25
gräfe Eberharts von Wirtemberg, der von Straussburg und der Swebischen stette frůnde [4]
1405 ains tags mit einander überkommen sind, also das die obgnanten herren und der
Nov. 29 egnanten stette frůnde bis sunntag nehstekompt über fünf wochen, daz ist mit namen
uf sante Endres aubend, bi einander sin sůllen zů Sulme [5], sich zů undersprechen von
1406 allen sachen, und mit namen von des tags wegen den unser herre der kůnig den vor- 30
Jan. 6 gnanten herren und stetten uf epiphania domini nehstekompt her gen Mencze bescheiden
1405 håt [6]. scriptum Maguntie in die sancti Severini confessoris anno etc. 400 quinto.
Okt. 23

a) und hetten — wer' om. B. b) A geborte? Janssen geburte.

---

[1] *Das ist der Brief vom 16 Sept. 1405 nr. 490.*
[2] *D. h. des Königs.*
[3] *Gemeint ist wahrscheinlich der in der Straßburger Angelegenheit abgehaltene Wormser Tag
vom 10 Mai 1405, auf dem die drei Fürsten des
Marbacher Bundes anwesend waren, s. Einleitung
zu diesem Reichstage lit. F.*

[4] *Stälin Wirtemb. Gesch. 3, 384 bemerkt ungenau, die Verbündeten seien auf dem Reichstage* 35
*nicht erschienen und deswegen sei der Tag auf
1406 Jan. 6 berufen; vgl. Einleitung lit. D.*
[5] *Vgl. in Bd. 6 beim nächsten Reichstage lit. B.*
[6] *S. Bd. 6 nr. 1.*
40

E. Städtische Kosten nr. 497.

497. *Kosten Frankfurts bei dem Reichstag zu Mainz vom Oktober 1405.* **1405 Okt. 31** *1405*
Frankfurt. *Okt. 31*

Aus Frankf. St.A. Rechnungsbücher *unter der Rubrik* ußgebin zerůnge.

5   In vigilia omnium sanctorum: 12 lb. virzertin Heinrich Wisse und Erwin Hartrad *1405*
selbseste vier tage gein Mencze, als unser herre der kunig fursten herren und steden *Okt. 31*
dar bescheiden hatte.

F. Anhang: Bund K. Ruprechts und Bisch. Wilhelms II von Straszburg 1405 Dec. 3-4 nr. 498-499.

10   **498.** *Bisch. Wilhelm II von Straßburg verbündet sich auf Lebenszeit mit K. Ruprecht,* *1405*
der ihm behilflich sein will die Straßburger nach Ablauf der bestehenden Stallung *Dec. 3*
vor dem Hofgericht zu verfolgen oder mit Gewalt zu übersiehen. *1405 Dec. 3 o. O.*

Aus Karlsr. G.L.A. Pfälz. Kop.-B. 98 fol. 134ᵃ-135ᵃ *cop. chart. saec. 15, mit der Über-*
schrift Wie sich bischove Wilhelm konige Ruprechten verbunden hatt.

15   Wir Wilhelm erwelter und bestetigter ᵃ bischove zu Straspurg bekennen und tun
kunt offenbare mit diesem brieve allen den die in sehen oder horen lesen: das wir uns
zu dem allerdurchluchtigisten hochgebornen fursten und herren hern Ruprecht Romischem
konig zu allen ziten merer des richs unserm lieben gnedigen herren verbunden han und
verbinden uns auch zu im in craft dieß brieves also: [*1*] das wir ime, als lang er
20 gelebet, getruwe holt gehorsam und verbunden sin sollen sinen schaden zu warnen sinen
fromen und bestes zu werben und ime als einem Romischen konige unserm rechten
herren allzit, als lang wir bischove zu Straspurg sin, mit allen und iglichen desselben
unsers stiftes Straspurg slossen und lande getruwelich bigestendig und beholfen zu sin
zu sinen sachen und gescheften nach unserm besten vermogen on all geverde.   [*2*] und
25 nemlichen als wir izůnt mit den von Straspůrg etwas in tedingen gewest sin und buntniß mit in gemacht und uns zu in ᵇ getan wolten han ¹: des sollen wir in dieselben
teding buntniß und begriffe genzlich und zumale abesagen.   [*3*] und wir sollen auch,
als lang wir bischove zu Straspurg sin, mit den vorgenanten von Straßpurg dheinerli
bůntniß nit machen oder angeen one wissen willen und verhengniß des vorgenanten
30 unsers gnedigen herren des Romischen konigs on all geverde ².   [*4*] auch sollen und

a) *cod.* bestetiger.   b) *cod.* ym.

¹ *Von diesen Verhandlungen des Bischofs mit*
der Stadt wissen wir nichts genaueres. Vgl. die
Straßburger Aufzeichnung beim nächsten Mainzer
35 *Reichstage vom Januar 1406 Bd. 6 nr. 6.*
² *Dieses Versprechen wurde vom Bischof nicht*
gehalten. — Bisch. Wilhelm von Straßburg be-
kennt, daß die Stadt Straßburg in Ansehung der
großen Schulden des Stifts, die großentheils der
40 *Stadt geschuldet würden, auf seine Bitte eine*
näher bezeichnete Zinsermäßigung für zehn Jahre
hat eintreten lassen; er macht dafür der Stadt
und dem Kapitel gewisse Zugeständnisse betr. die

Finanzverwaltung des Stifts, will darin nichts
ohne deren Zustimmung thun u. a. m.; dat. Sa.
v. annunc. i. d. vasten [Merz 20] 1406; Straß-
burg St.A. AA 1432 nr. 22 cop. mb. pene coaev.
am 27 April 1422 vidimiert, auch ibid. nr. 23
conc. ch. — K. Ruprecht erfuhr bald von diesem
Abkommen (der Bischof selbst mußte es eingestehen)
und war über den darin liegenden Vertragsbruch
natürlich unwillig. Er verlangte, der Bischof
solle nun sofort den in Aussicht genommenen Burg-
frieden (s. oben art. 4) mit ihm abschließen, und
ließ ihm, bis dieß geschehen, den Einlaß in das

1405
Dec. 3 wollen wir mit dem obgenanten unserm gnedigen herren dem Romischen konig oder
sinen erben pfalzgraven bi Rine in den sloßen Ortemberg Offenburg Gengenbach und
Celle [1] einen gutten vesten und getruwen burgfriden machen und den auch verbriefen
in der besten forme [2]. [5] [3] auch als wir ansprache an die von Straspurg haben,
darumb wir mit inn zu stallung komen sin [4], des sollen wir, alsbalde die stallunge uß-
gett, die von Straspurg fur unsers herren des koniges hoffgericht laden und furheischen
und sie doselbs mit dem rechten ansprechen und erfolgen, darzu uns auch unser herr
der konig getrûwelich beholfen sin soll.   [6] [5] und so wir sie doselbs erfolget und in
die acht bracht haben, so sol uns unser her der konig wider sie getruwelich
beholfen sin.   [7] [6] were es aber, so die stallung ußgangen ist, das wir die von Straspurg fur unsers herren des koniges hoffgericht nit furheischen noch sie domit bekomern
und umbtriben wolten und sust mit in kriegen wurden umb den gewalt und hoffart
die sie uns und den unsern dünt, daran sol uns unser herr der konig nit hindern und
unser gnediger herr sin.   [8] [7] und ob wir iemand der sinen und in sinem lande ge-

---

halb dem König halb dem Bischof gehörige Ortemberg verweigern. Korrespondenz darüber zwischen
dem König dem Bischof und dem Landvogt Reinhard von Sickingen aus den Monaten April und
Mai 1405 s. Straßburg St.A. AA 1432. Vgl. übernächste Anm. — Bisch. Wilhelm von Straßburg
gibt, um sein Stift schuldenfrei zu machen, dessen
Städte Schlösser Dörfer Lande und Leute etc. in
den Besitz des Dechanten und des Kapitels und
des Rathes der Stadt Straßburg, mit Ausnahme
von Zabern Barr und der Theile von Greifenstein
und Lützelburg, auf 10 Jahre; auch sein etwaiger
Nachfolger soll alles in den Händen der Stadt
lassen; dat. Osterabend [Merz 26] 1407; Straßburg St.-Bibl. Briefbuch C fol. 65 b-68 a, im Jahre
1870 verbrannt.

[1] Den halben Antheil an diesen Schlössern, welche
Reichspfandschaften im Besitz des Straßburger
Bisthums waren, hatte K. Ruprecht im Frühjahr
1405 von Bisch. Wilhelm erworben. Vgl. dazu
die Regesten bei Chmel nr. 1951-1954. 1960. 1961.
1968. 1970, weiterhin auch nr. 2560. 2790, außer-
dem die Drucke bei Hugo Mediatisierung d. D.
Reichsstädte 307-311 nr. 59. 60. Die bei Chmel
regestirten Stücke stehen außer in Wien H.H.
St.A. Registraturb. C auch in Karlsr. G.L.A.
Pfälz. Kop.-B. 4. Weiteres Material ist zu finden
Karlsr. l. c. Pfälz. Kop.-B. 98 und Straßburg
St.A. G. U. P. lad. 145 fasc. 2. Von besonderem
Interesse dürfte folgende Urkunde sein. Bisch.
Wilhelm von Straßburg quittiert K. Ruprecht
über 23500 fl., für welche derselbe die halbe Reichspfandschaft Ortemberg Offenburg Gengenbach und
Zell vom Stift Straßburg, dem sie von K. Karl IV
versetzt war, gelöst hat; die andere Hälfte sollen
der König oder seine Söhne nicht ohne Geneh-
migung des Bischofs lösen, dieselbe Hälfte soll
aber auch der Bischof nicht weiter versetzen außer
im Nothfalle wo er sie der Pfalz zuerst anbieten
soll; will nach Ruprechts Tode ein anderer Röm.
König gegen 47000 fl. die Pfandschaft ans Reich

lösen, so soll Pfalz seine Hälfte oder, falls es die
ganze Pfandschaft innehat, auch diese gegen die
halbe bzw. ganze Summe jeder Zeit herausgeben;
auf den gen. Schlössern soll ein Burgfriede bestehen, auf den die beiderseitigen Amtleute zu
vereidigen sind; die Einkünfte aus der Pfandschaft theilen die beiden Besitzer zu gleichen
Theilen; des Bischofs Nachfolger sollen gehalten
sein diese Abmachungen anzuerkennen und anzunehmen; dat. Germersheim Mi. v. Palmtag [April
8] 1405; Karlsr. G.L.A. Pfälz. Kop.-B. 98 fol.
86 a-88 b cop. ch. saec. 15. — Zur Auffassung
dieser Urkunde vgl. Einleitung zu diesem Tage
lit. F.

[2] K. Ruprecht und Bisch. Wilhelm von Straß-
burg schließen einen Burgfrieden für Ortemberg
Offenburg Gengenbach Zell und die zugehörigen
Gebiete, so daß sie ihres Leibes und Guts vor
einander sicher sind; jeder darf unter gewissen
Einschränkungen wen er will in seinen Theil der
Schlösser aufnehmen; die zugehörigen Burgmannen
Bürger und armen Leute sollen bei ihren Rechten
bleiben; für den Austrag von Streitigkeiten werden
den Bestimmungen getroffen, Gf. Friderich von
Leiningen soll Obmann sein; werden ihnen auf
irgend eine Weise die Schlösser und Gebiete weg-
genommen, so sollen sie gemeinsam dieselben wider-
zugewinnen trachten; Gf. Friderich von Leiningen
sigelt mit König und Bischof; dat. St.-Gallen Tag
[Okt. 16] 1406 [em., cod. irrthümlich 1306] o. O.;
Karlsr. G.L.A. Pfälz. Kop.-B. 98 fol. 103 b-107 a
cop. ch. saec. 15. — Vgl. vorige und vorletzte
Anm. beide gegen Ende. Vgl. auch Chmel nr.
2207.

[3] Entsprechend Gegenurkunde K. Ruprechts
nr. 499 art. 3.

[4] S. Anm. zu nr. 499 art. 2.

[5] Entsprechend Gegenurkunde K. Ruprechts
nr. 499 art. 4.

[6] Entsprechend ibid. art. 5.

[7] Vgl. ibid. art. 6.

sessen erwerben kunden uns zu demselben unserm kriege beholfen zu sin und zu dienen, darwider sol unser herr der konig nit sin noch denselben weren uns zu dem vorgenanten unserm kriege also zu helfen und zu dienen.   [9] [1] und unser herr der konig sol uns auch alsdann nit dringen frieden sune oder rachtung mit in ufzunemen in dhein wiß
5 one alle geverde.   alles das hievor geschriben stett versprechen gereden und globen wir Wilhelm erwelter und bestetigter bischove zu Strasburg obgenant bi unsern furstlichen truwen und eren und han das auch alles liplichen zu den heiligen gesworen getruwelichen veste und stett zu halten zu vollenfuren und zu tun und darwider nummer zu suchen noch zu tun heimlichen oder offenbare durch uns selbs oder iemand anders
10 in dhein wiß one all geverde.   und han des alles zu urkunde und vestem gezugniß unser eigen ingesiegel an diesen briefe tun henken, der geben ist uf den nechsten dornstag vor sant Barbaren tag der heiligen jungfrauwen nach Crist geburt vierzehen-hundert und darnach in dem funften jare.

1405 Dec. 3

1405 Dec. 3

15 **499.** *K. Ruprecht verspricht dem Bischof Wilhelm II von Straßburg, der sich mit ihm verbunden hat, bis nächste Lichtmess 1000 Gulden zu bezahlen sowie ihn bei seinen Streitigkeiten mit der Stadt Straßburg in jeder Weise zu unterstützen und zu begünstigen. 1405 December 4 Heidelberg.*

1405 Dec. 4

Aus Karlsr. G.L.A. Pfälz. Kop.-Buch 8¼ fol. 98ᵇ-99ᵃ cop. ch. coaev., mit der Überschrift
20 Als min herre dem bischof von Straßpurg etliche stücke versprochen hat zu follen-furen.

Wir Ruprecht von gots gnaden etc. bekennen und tun kunt offinbar mit diesem brief allen den die in sehent oder horent lesen: als der erwirdige Wilhelm erwelter und bestetigter bischof zu Straßpurg unser lieber furste und getruwer sich uns verbuntlich gemacht hat nach ußwisunge sins besigelten briefs den er uns doruber geben hat,
25 dorumbe so versprechen und gereden wir: [1] denselben bischof zu Straßpurg dusent guter Rinscher gulden hie zuschen und jetzer frauwentag lichtmes purificacio zu latine nehstkumpt zu bezalen und in dorumb genzliche ußzurichten ane alle geverde.   [2] auch als der vorgnant Wilhelm bischof zu Straßpurg ein stallunge mit den von Straßpurg hat biß of sand Georien tag nehstkumpt ², wer' es ᵃ das die von Straßpurg dieselbe

1406 Fbr. 2

1406 Apr. 23

30   a) *cod.* weres *mit Dächelchen über zweitem* e.

¹ *Vgl. ibid. art. 7.*
² *Diese Angabe ist, wie folgende Urkunde zeigt, nicht gans genau. Bisch. Eberhart von Ougspurg Mf. Bernhart von Baden Gf. Günther von Swartz-*
35 *burg Herr zu Raniß Hofmeister K. Ruprechts und Gesandte der Städte Mentze Wurmße und Spire Hagenôwe Colmar Wissemburg Sletzstat Keisersperg Oberenheim und Münster in Sant-Gregorientale erklären, daß sie zwischen Bisch.*
40 *Wilhelm von Straßburg einerseits und dem Kapitel des merern Stifts zu Straßburg und der Stadt Straßburg andererseits unter genannten Bedingungen eine freundliche Stallung bis auf nächsten Walpurgistag [1406 Mai 1] beredet haben; die*
45 *Parteien erklären, daß die Stallung mit ihrem Wissen und Willen vereinbart ist und sigeln; es sigeln außerdem von den Vermittlern Bisch. Eberhart Mf. Günther und für die*

Städtegesandten Henne Swalbach von Mentze Claus von Rinckenberg von Spire Hans Cleincûnes von Hagenôwe und Hanneman ame Graben von Colmar; dat. Hagenôwe Pfingstabend [Juni 6] 1405; Straßburg St.A. AA 1430 cop. ch. coaev., auf zwei Folioblättern, auch Mains St.-Bibl. Buntbriefe des grossen bundes lose einliegendes Oktavheft, das auf das Elsaß bezügliche Urkunden-kopien enthält, cop. ch. coaev. — Bisch. Eberhart von Augspurg Mf. Bernhart von Baden und genannte in Hagenau anwesende Gesandte der in voriger Urkunde gleichen Datums aufgeführten zehn Städte verpflichten sich, der Stadt Straßburg bis Martini [Nov. 11] 1000 fl. zu zahlen, um das Zustandekommen des durch sie zwischen Bisch. Wilhelm dem Domkapitel und der Stadt Straßburg errichteten Waffenstillstandes zu sichern; die beiden Fürsten sigeln; dat. Hagenauwe Pfingst-

1405
Dec. 4 stallûnge gein ime uberfuren und nit hielten und ime in derselben zit sine sloße und
lande understunden anzugewinnen, so sollen und wollen wir dem vorgenanten Wilhelm
bischof zu Straßpurg alsdann hundert gewapenter manne in sine sloß legen ime die helfen
Apr. 23 zů behuten biß uf sand Georien tag nehstkumpt als die stallunge zuschen ime und der
stad zu Straßpurg vorgenant ußgen wirdet ane geverde.   [3]¹ auch als der vorgenant   5
Wilhelm bischof zu Straßpurg ansprach an die von Straßpurg hat, dorumbe er mit in
zu stallunge komen ist, des sal er, alsbalde die stallunge ußgeet, die von Straßpurg vor
unser kuniglich hoffgericht laden und vorheischen und sal sie daselbst mit dem rechten
ansprechen und erfolgen, dorzu wir ime auch getrulich beholfen sin sollen.   [4]² und
so er sie daselbst erfolget und in die acht bracht hat, so sollen wir ime mit kriege   10
wieder sie getruliche beholfen sin.   [5]³ wer' es aber, so die stallunge ußgangen ist,
das der vorgenant Wilhelm bischof zu Straßpurg die von Straßpurg vor unser kuniglich
hoffgerichte nit furheischen noch sie damit bekummern und umbtriben wolte und sust
mit in kriegen worde umbe den gewalt und boffard die sie ime und den sinen dunt,
daran sollen wir in nit hindern und sin gnediger herre sin.   [6]⁴ und ob er imand   15
der unsern und in unserm lande gesessen erwerben kunde ime zu demselben sime kriege
beholfen zu sin und zu dienen, dorwieder sollen wir nit sin noch denselben weren ime
zu dem vorgenanten sime kriege also zu helfen und zu dienen.   [7]⁵ und wir sollen
in auch alsdann nit dringen frieden sune oder rachtunge mit den von Straßpurg ufzunemen in dheine wise ane alle geverde.   alles das hie vor geschrieben stet ver-   20
sprechen und gereden wir kunig Ruprecht obgenant in guten trûwen und rechter warheit
getrulich veste und stete zu halten zu vollenfuren und zu dun ane alle geverde.   und
han des zu urkunde und vestem gezugnis unser kunigliche ingesigel an diesen brief
dun henken, der geben ist zu Heidelberg uf sant Barbaren tag der heiligen jungfrauwen
in dem jare als man zalte nach Cristi gepurte vierzehenhundert und funf jare unsers   25
1405
Dec. 4 richs in dem sehsten jare.

                                   Ad mandatum domini regis
                                      Johannes Winheim.

---

abend [Juni 6] 1405; Straßburg St.A. AA 1430   ² Entsprechend ibid. art. 6.
or. mb. lit. pat. c. 2 sig. pend. — Vgl. Einleitung   ³ Entsprechend ibid. art. 7.   30
zu diesem Reichstage lit. F.   ⁴ Entsprechend ibid. art. 8.
  ¹ Entsprechend nr. 498 art. 5.   ⁵ Entsprechend ibid. art. 9.

Chronologisches Verzeichnis

der

Urkunden und Akten.

Die mit einem * bezeichneten Stücke sind nicht vollständig, sondern nur als Regest Auszug oder Bruchstück mitgetheilt.
Vgl. über dieses Chronologische Verzeichnis das Vorwort des 1. Bandes p. LXXXIII.

1384

Mai 10 Naumburg? Erzb. Ad. von Mainz überk. mit Friedr. von Hertingshausen wegen Wal-
deckischer Anspr. an Naumburg * . . . . p. 471, 46ᵃ

—— 11 ———— Derselbe verschreibt demselben Amt Naumburg * . . . . p. 471, 39ᵃ

1386

Jan. 19 Prag. K. Wenzel gibt u. bestät. Pfn. Ruprecht I und II d. Westf. Ldfr. *, sub nr. 417 p. 572, 37

1396

Okt. 24 Oppenheim. Gf. Joh. von Nassau verbündet sich mit den 3 Ruprechten von der Pfalz * p. 517, 44ᵃ

——————————— Ders. macht dens. Verspr. f. den Fall der Gew. des Mainzer Erzbisthums * p. 517, 30ᵇ

1400

Okt. 30 Mainz. K. Ruprecht an Frankfurt, bestellt d. bisher. Landfr. bis 3 April 1401, nr. 431   p. 624
Nov. 26 Weißenburg. K. Ruprecht ernennt Hammann von Sickingen zum Landvogt im Elsaß * p. 590, 45
Dec. 12 Heidelberg. K. Ruprecht bestät. Weinsberg gewisse Freiheiten * . . . . p. 43, 32ᵃ
vor Dec. 18 o. O. K. Wenzel an Hzg. Joh. Galeazzo, ersucht um Botschaft, beglaub. gen. * . p. 178, 48ᵃ
Dec. 18 Cusago. Hzg. Joh. Galeazzo an Erzb. W. von Prag, dankt für Förderung * . . . . p. 178, 41ᵃ

1401

in. — med. K. Ruprechts Schuldverschr. über Lieferungen und Dienste z. Böhm. Kriege * . . p. 15, 13
Jan. 9 Köln. K. Ruprecht und Pf. Ludwig bevollm. 3 gen. zu Eheverhdl. nach England * . . p. 12, 37
ad Jan. 9. Entwurf eines Ehevertrages zw. Pf. Ludwig und Blanka von England * . . . . . p. 12, 43
Jan. 22 Frankfurt. K. Ruprecht quittiert der Stadt über nächstfällige Reichssteuer * . . . . p. 15, 25
—— ———— Ders. desgl. derselben über 1402 Nov. 11 fällige Reichssteuer * . . . . . p. 15, 29
—— 29 bis 1402 Juli 8 Frankfurt. Städt. Kosten bei u. vor d. Mainzer Tag v. Juni 1402, nr. 259   p. 343
Febr. 7 Nürnberg. K. Ruprecht bevollm. 4 gen. zu Verhdl. über Anleihe mit Mfin. M. v. Baden * p. 15, 48
—— ———— Ders. desgl. dies. allgemein zur Aufnahme von Anleihen * . . . . p. 15, 33
—— ———— Ders. an 2 gen. einzeln, gibt Kenntnis von letztgen. Vollmacht * . . . . p. 15, 38
—— ———— Ders. bevollmächtigt 2 gen. zur Aufnahme von Anleihen bei 2 gen. * . . p. 15, 46
—— ———— Ders. desgl. dieselben 2 gen. allgemein ? * . . . . p. 15, 43
—— ———— Ders. an 3 gen. einzeln, gibt Kenntnis von dieser ‚Vollmacht * . . . . . . p. 15, 42
—— 8 bis Apr. 14. K. Ruprechts Quitt. über Anleihen, zum Theil zum Böhm. Kriege * . . p. 15, 20
—— 13 Westminster. K. Heinrich von England bevollm. 7 gen. zu Verhdl. mit K. Ruprecht * p. 14, 28
—— ———— Ders. desgl. dies. zu Heirathsverhandl. mit demselben * . . . . . . p. 13, 4
—— 22 Venedig. Rathsbeschluß: Antwort auf Gesuch gen. Boten K. Wenzels * . . . . . p. 179, 27ᵃ

1401

Merz 1 Nürnberg. K. Ruprecht ernennt Schwarz R. von Sickingen zum Landvogt im Elsaß *   p. 590, 47
vor Merz 7. Entwurf eines Ehevertrages zwischen Pf. Ludwig und Blanka von England * . .   p. 12, 43
Merz 7 London. Gen. Deutsche und Englische Bevollm. schließen Vertrag betr. diese Ehe * .   p. 13, 9
⸺ 11 Nürnberg. K. Ruprecht an gen. Wetter. Städte wegen Forterheb. von Landfriedens-
       zöllen, nr. 432 . . . .   p. 625
       ⸺⸺⸺ Ders. an Mainz Worms Speier desgl., sub nr. 432 . . . .   ⸺
       ⸺⸺⸺ K. Ruprechts Schuldverschr. an Klaus Parfuß * . . . .   p. 17, 32
⸺ 17 ⸺⸺⸺⸺⸺⸺⸺⸺ Erhard Schurstab * . . . .   ⸺
⸺ und April. K. Ruprechts Schuldverschr., wol veranlaßt durch den Böhm. Krieg * . .   p. 15, 18
April 28 Mainz. Vertreter gen. Städte an K. Ruprecht wegen der Landfriedenszölle * . . .   p. 625, 33ᵃ
Mai 5 Nürnberg. K. Ruprecht an gen. Städte wegen der Landfriedenszölle * . . . .   p. 625, 47ᵃ
⸺ 17 ⸺⸺⸺ K. Ruprechts Schuldverschr. an Heinrich Harßdorffer * . . . . . .   p. 17, 32
⸺ 19 ⸺⸺⸺ K. Ruprecht verkauft an H. Falzner Markt und Amt Altdorf * . . . .   p. 16, 10
⸺ 27 Aschaffenburg. Erzb. Joh. von Mainz an gen. Städte wegen der Landfriedenszölle * .   p. 625, 42ᵇ
Juni 7 Dortrecht. Gen. Deutsche u. Englische Bevollm. vereinb. Ergänz. z. Ehevertr. v. 7 Merz   p. 13, 18
⸺ 10 Prag. K. Wenzel an Getreue in Friaul, stellt baldige Ankunft in Aussicht * . . .   p. 179, 31ᵇ
⸺ 18 und Aug. 13 Frankfurt. Kosten der Stadt bei Verhdl. über Eins. eines Landvogts * . p. 590, 26; 33
c. Mitte des Jahres. K. Ruprechts Schuldbrief für Hans von Mittelburg * . . . .   p. 16, 14
       ⸺⸺⸺ Verzeichnis von Reichssteuern mehrerer Reichsstädte * . . . . . .   p. 17, 2
       ⸺⸺⸺ Aufzeichn. über Anweisung von Reichssteuern an 4 gen. Nürnberger *   p. 17, 11
Juli 2 Mainz. Gen. Fürsten u. Herren bürgen f. K. Ruprecht betr. Engl. Heirath Pf. Ludwigs *   p. 13, 30
⸺ 4 ⸺⸺⸺ K. Ruprecht übernimmt Schiedsspruch zw. Gfen. von Cleve u. Mörs * . . .   p. 284 nt. 6
       ⸺⸺⸺ Präliminarvertrag zw. K. Ruprecht und gen. Florent. Bevollm. * . . . . .   p. 73, 36
⸺ 6 ⸺⸺⸺ Die Stadt an Frankfurt: Städtetag in Mainz w. d. Koblenzer Münztages, nr. 215   p. 294
⸺ 11 Heidelberg. K. Ruprecht verspr. 3 gen. Elsäß. Reichsstädte nie zu verpfänden, nr. 10   p. 39
⸺ bis 1402 Mai 5. Einnahmen der kgl. Kammer zur Zeit des Italien. Zuges, nr. 168 .   p. 212
⸺ 18 ⸺⸺⸺ April. Erzähl. Pitti's von Verhdl. mit K. Ruprecht, nr. 27 . . . . .   p. 57
zw. Juli 19 und Aug. 8 Straßburg. Aufzeichn. über städt. Kontingent zum Romzug und ihm
       ertheilte Vorschriften, nr. 190 . . . .   p. 249
       ⸺⸺⸺⸺⸺⸺ Liste der Glefner u. Knechte d. Kontingents, nr. 191 .   p. 253
       ⸺⸺⸺⸺⸺⸺ Anw. für den Hauptmann des Kontingents, nr. 192 . .   p. 255
Juli 20 Heidelberg. K. Ruprecht quittiert Friedberg über 500 fl. zum Lombard. Zuge * . .   p. 18 nt. 1
       ⸺⸺⸺ Frankfurt über 1000 fl. Romzugsbeitrag * . . .   p. 213, 40ᵃ
       ⸺⸺⸺⸺⸺⸺ 3000 fl. Geschenk * . . . . .   p. 213, 50ᵃ
⸺ 21 ⸺⸺⸺⸺⸺⸺ 400 fl. von 1900 fl. * . . . . .   p. 213, 36ᵇ
⸺ 25 ⸺⸺⸺ Ders. übertr. H. v. Rodenstein Schutz v. Frankf. u. Friedberg auf 1 Jahr *   p. 590, 28
⸺ 29 ⸺⸺⸺ bevollmächtigt Vertreter zu Verhandl. mit Bisch. von Basel, Basel
       und Schweizern, nr. 11 . . . .   p. 40
⸺ 30 bis 1402 Mai 6 Frankfurt. Ausgaben für Romzugsbeitr. u. Geschenke an den König *   p. 212, 44ᵃ
⸺ 31. Erzähl. v. einem Tag d. Bodenseestädte m. 2 gen. Vertretern K. Ruprechts, sub nr. 12   p. 41
Aug. 1 Westminster. K. Heinrich bevollm. 2 gen. zu Vhdl. betr. Zahlung d. Mitgift f. Blanka *   p. 14, 2
       ⸺⸺⸺ London. Gen. Herren bürgen f. K. Heinrich betr. Deutsche Heirath Blankas *   p. 13, 44
       ⸺⸺⸺ Heidelberg. K. Ruprecht macht Versprech. betr. Englische Heirath Pf. Ludwigs *   p. 13, 34
       ⸺⸺⸺ bestätigt Verträge vom 7 Merz und 7 Juni * . . . .   p. 13, 39
⸺ 5 ⸺⸺⸺ u. Pf. Ludwig bevollm. 2 gen. zu Vhdl. betr. Engl. Mitgift *   p. 14, 6
       ⸺⸺⸺ u. Pf. Johann desgl. 4 gen. zu Heirathsverhdl. nach Frank-
       reich *, nr. 153 . . . .   p. 194
⸺ Eltville. Erzb. Joh. von Mainz an Ldgf. Hermann von Hessen, sagt Fehde an * . .   p. 273, 31
⸺ 6 ⸺⸺⸺ Derselbe an die Stadt Mainz, verlangt Hilfe gegen Hessen * . . . . . .   p. 273, 35
⸺ Sinsheim. K. Ruprecht quittiert Worms über 2500 fl. zum Lomb. Zuge * . . . .   p. 17, 44
⸺ 7 o. O. Derselbe desgl. über 1200 fl. von den 2500 fl. * . . . . .   p. 17, 48
⸺ Bönnigheim. K. Ruprecht weist Heilbronn an, zu huldigen *, sub nr. 13 . . . .   p. 41, 34
⸺ 8 bis 1402 Merz 13 Straßburg. Ausgaben der Stadt für Romzugskontingent, nr. 193 . .   p. 255
⸺ 10 Ulm. K. Ruprecht weist Reutlingen und Weil an, zu huldigen *, sub nr. 13 . . .   p. 42, 1
       ⸺⸺⸺ gewährt 18 Schwäb. Reichsstädten seine Huld und gewisse Frei-
       heiten, nr. 14 . . . .   p. 42
       ⸺⸺⸺ bestätigt denselben einzeln früher verliehene Freiheiten * . . . .   p. 42, 50ᵇ
       ⸺⸺⸺ gestattet Ulm gewisse Silbermünzprägung * . . . .   p. 273, 13

1401

Aug. 12 London. K. Heinrich bestätigt Vertrag vom 7 Mers *　. . . . .　p. 14, 10
————————————— 7 Juni *　. . . . .　p. 14, 13
———— Florenz. Die Signorie ernennt eine Finanscommission *　. . . . .　p. 8, 10
—— 14 Augsburg. K. Ruprecht verlängert Einung mit Gf. Eberhard von Wirtemberg auf
　　　2 Jahre *　. . . . .　p. 495, 43ᵇ
————————— K. Ruprecht weist 7 gen. Bodenseestädte an, zu huldigen *, sub nr. 13　p. 42, 4
————————— Derselbe deagl. 8 gen. Schwäb. Reichsstädte *, sub nr. 18　. . . .　p. 42, 9
———— Paris. K. Karls Instruktion für Gesandtschaft an Joh. Galeazzo *　. . . . .　p. 11, 39. 12, 2
—— 16 Venedig. Rathsbeschluß: Antwort an Gesandtschaft K. Ruprechts, nr. 37　. .　p. 81
——————————— Österr. und Baier. Gesandte, nr. 38　. . .　p. 83
———— Dortrecht. Gen. Deutsche und Englische Bevollmächtigte schließen Vertrag betr.
　　　Zahlung der Mitgift Blankas *　. . . . .　p. 14, 14
———— Augsburg. K. Ruprecht verleiht Aalen gewisse Freiheiten, nr. 15　. . . . .　p. 44
—— c. 17 Donauwörth. K. Ruprecht weist 5 gen. Schwäb. Reichsstädte an, zu huldigen *,
　　　sub nr. 13　. . . . .　p. 42, 14
—— 18 Nördlingen. Derselbe bevollm. 2 gen. zur Zahlung von 20000 fl. an Hzg. L. von
　　　Baiern *, sub nr. 169　. . . . .　p. 220, 25
wol Aug. 18 Nördlingen? Ders. dieselben deagl. zur Zahlung von 25000 fl. an Hzg. L. v.
　　　Österreich *, sub nr. 169　. . . . .　p. 221, 4
Aug. zw. 20 und 23 Neumarkt. K. Ruprecht weist K. von Friberg an zur Zahlung an
　　　Hzg. L. von Baiern *　. . . . .　p. 221, 31ᵃ
—— 23 Venedig. Rathsbeschluß: Antwort an Florent. Gesandte, nr. 39　. . . . .　p. 83
—— 24 Heidelberg. K. Ruprecht sichert das ihm v. Mfn. M. v. Baden gew. Darlehen *　p. 16, 5
——————— Mf. Bernh. von Baden erkl. Zustimmung zu dieser Verfügung *　. .　p. 16, 4
——————— K. Ruprecht quitt. gen. Johannitermeister über 2000 fl. z. Ital. Zuge *　p. 18, 14
—— 25 ff. Regensburg. Aufzeichn. über Anerkenn. K. Ruprechts durch die Stadt, nr. 16　p. 45
—— 26 o. O. K. Ruprecht quittiert Worms über 2500 fl. zum Lomb. Zuge *　. . . .　p. 17, 40
—— 27 Augsburg. Falsche Datierung der Urk. für Basel vom 28 August　. . . . . .　p. 48, 13
———— und nachher. Erzähl. von der Huldigung der Bodenseestädte, sub nr. 12　. . .　p. 41
—— 28 Amberg. K. Ruprecht bestät. Basel Privilegien, nr. 17　. . . . .　p. 48
————————————————— Zürich　*, sub nr. 17　. . . . .　
——————————————————— Solothurn deagl. *, ————————　. . . . .　————
————————————————— Bern deagl. *, sub nr. 17　. . . . .　————
——————————— Derselbe weist Basel Zürich Solothurn (und Bern?) an, zu huldigen *,
　　　sub nr. 18　. . . . .　p. 42, 18
—— 29 ———— Derselbe bestätigt Basel 2 gen. Privilegien *　. . . . .　p. 48, 47ᵃ
—— 30 Venedig. Rathsbeschluß: Antwort an Florent. Gesandte, sub nr. 39　. . . . .　p. 84, 24
—— 31 Amberg. K. Ruprecht bevollm. 2 gen. zur Zahl. v. 7500 fl. an Bf. F. v. Nürnberg,
　　　sub nr. 169　. . . . .　p. 220, 9
——————— 1500 fl. deagl. *, sub nr. 169　. . . . . . .　p. 220, 21
———— Köln. Die Stadt an Mainz, schlägt städt. Münztag zu Mainz vor, nr. 216 . . .　p. 295
c. Sept. in. o. O. K. Wenzel an K. Sigmund, will über Reichsangel. verhandeln, nr. 142　p. 177
—————— o. O. K. Wenzel an Hzg. Johann Galeazzo über seine Pläne, nr. 143 . .　p. 178
——————— K. Karl v. Frankreich, gibt Nachr., wünscht Unterstüts., nr. 144 . .　p. 180
——————————— ähnlich an Hzg. Albrecht von Baiern Holland, sub nr. 144　. .　————
Sept. 1 Amberg. K. Ruprecht bevollm. Pf. Ludwig zu Vhdl. mit K. Wenzel etc. *, nr. 141　p. 177
——— . —— Ders. weist 33 gen. Schwäb. Städte an, Judensteuer etc. Pf. Ludwig zu
　　　zahlen *　. . . . .　p. 226, 38ᵇ
———— und später Nördlingen. Kosten für Gesandtschaft nach Ulm und Augsburg　. .　p. 43, 32ᵇ
—— 2 Amberg. K. Ruprecht verspricht 2 gen. Ambergern Zahlung von 1202 fl. *　. . .　p. 214 nt. 1
———— Burglengenfeld. Ders. bevollm. 2 gen. zu Vhdl. mit Nürnberg über Darlehen *　p. 16, 18
—— 7 Mainz. Die Stadt an Frankfurt über Vorschl. Kölns betr. städt. Münztag, nr. 217　p. 296
—— 9 Frankfurt. Die Stadt an Mainz, ist zu städt. Münztag in Mainz bereit, nr. 218 . .　————
———— Augsburg. K. Ruprecht verbietet Schädigung d. Theilnehmer d. Ital. Zuges, nr. 1　p. 21
——————————————— Unterstützung Joh. Galeazzos, nr. 25　. . . . .　p. 55
———————————————— überträgt Pf. Ludwig Verwaltung der Erblande während
　　　des Italienischen Zuges *　. . . . .　p. 2, 43
————————————— Ders. bevollm. dens. zu Verschreib. für etw. Französ. Heirath Pf. Johanns *　p. 194, 39ᵇ

1401

Sept. 9 Augsburg. K. Ruprecht quittiert Wetzlar über 250 fl. zum Lomb. Zuge * . . . . p. 18 nt. 2

___11 _____ Straßb. Hauptmann an seine Stadt über Versamml. in Augsburg, nr. 194   p. 256

zw. Sept. 11 und Okt. 31 o. O. Ders. an dies.: Geldangelegenheiten, nr. 195 . . . . .   p. 257

Sept. 13 Augsburg. K. Ruprecht ernennt Pf. Ludwig zum Reichsvikar, nr. 2 . . . . .   p. 22

_____ und gen. Florent. Bevollm. schließen Vertrag, nr. 28 . .   p. 61

_____ bevollm. 2 gen. zur Gelderheb. in Florenz *, nr. 29 . . .   p. 64

___ ___ Florenz. Die Signorie erläßt ähnl. Verordnung wie am 2 August * . . . . . .   p. 8, 14

___ Brüssel. Hzg. Philipp von Burgund an K. Ruprecht, beglaub. 2 Gesandte, nr. 154   p. 195

nach Sept. 13. Einer von diesen erkl. des Herzogs Bereitw. zu Zusammenk. mit K. Ruprecht

u. a. m., nr. 155 . . . .   p. 196

___ K. Ruprechts Antwort an den Herzog durch dessen 2 Gesandte, nr. 156 .   p. 197

Sept. 14 Augsburg. K. Ruprecht verspricht der Stadt Zahlung v. 2000 Duk. Darlehen, nr. 170   p. 223

_____ Ders. bevollm. 2 gen. zur Zahlung von 13000 fl. an Hzg. L. von Öster-

reich, sub nr. 169 . . . .   p. 221, 9

_____ 8000 fl. an Bgf. F. v. Nürnberg *,

sub nr. 169 . . . .   p. 222, 4

_____ 3000 fl. an Bisch. R. v. Speier *,

sub nr. 169 . . . . . .   p. 222, 11

_____ 1400 fl. an einen Goldschmied in

Frankfurt *, sub nr. 169 . . .   p. 222, 14

_____ 10000 fl. an Hzg. K. von Loth-

ringen *, sub nr. 169 . . . .   p. 222, 8

_____ 9500 fl. an Hzg. L. von Baiern *,

sub nr. 169 . . . . . .   p. 221, 25

_____ 1100 fl. an Hzg. L.'s gen. Diener *,

sub nr. 169 . . . .   p. 222, 17

wol Sept. 14 Augsburg. Ders. desgl. zur Zahl. v. 1000 fl. an Hzg. L. von Baiern *, sub nr. 169   p. 222, 1

c. Sept. med. — ex. Ders. desgl. Joh. Winheim zur Zahlung von 400 fl. an einen Augsburger *,

sub nr. 169 . . . .   p. 222, 29

_____ dens. oder 2 gen. zur Zahl. von 1200 Duk. an 2 Amberger *,

sub nr. 169 . . . .   p. 222, 31

Sept. 15 Augsburg. Ders. vermittelt Heirath zw. Bgf. F. v. Nürnberg u. Elisabeth v. Baiern *   p. 37, 32ª

___ 16 Venedig. Rathsbeschluß; Instr. f. Gesandten an Franz v. Carrara *, nr. 85 . . .   p. 141

___ 17 _____ betr. Gesandtschaft an Franz von Carrara *, nr. 86 . . .   p. 142

___ o. O. K. Ruprecht Pf. Ludwig und 3 Baier. Herzöge urk. betr. Heirath Bgf. F.'s

von Nürnberg mit Elisabeth * . . . .   p. 37, 47ª

c. Sept. 18 Schongau. K. Ruprechts Anweis. an 4 Ges. betr. Heirathsverhdl. mit Frankreich,

nr. 157 . . . .   p. 198

Sept. 20 Venedig. Rathsbeschluß; Antwort an Gesandten Joh. Galeazzo, nr. 40 . . . .   p. 85

_____ Mitth. an Franz von Carrara und Florenz * . . . . . .   p. 88, 39ᵇ

___ 21 bis 1402 April 27 Nürnberg. Kosten der Stadt bei verschiedenen Gelegenheiten * .   p. 3, 11

___ 25 Innsbruck. Bisch. Raban von Speier an Joh. Galeazzo: will K. Ruprecht helfen;

wahrt seine Ehre * . . . .   p. 4, 34

_____ K. Ruprecht an denselben, fordert Herausgabe des Reichsgutes * . . .   p. 4, 24

_____ Franz v. Carrara, befiehlt Bekämpf. Joh. Galeazzos, nr. 88   p. 143

_____ Mf. Nikolaus v. Este, ermahnt zur Treue, nr. 90 . .   p. 146

_____ Franz von Gonzaga, verlangt drohend Anerkenn., nr. 91   p. 147

_____ bevollm. 2 gen. bei d. Reichsangehör. in Italien, nr. 87 .   p. 142

_____ beglaubigt dieselben bei Paul v. Guinigi, nr. 92 . . .   p. 147

c. Sept. 25 Innsbruck. K. Ruprechts Anw. für dies. zu Verhdl. mit Franz v. Carrara, nr. 89   p. 145

_____ Desgl. wol für dieselben zu Verhdl. mit Florenz, nr. 30 . . . . .   p. 64

Sept. 26 Innsbruck. Ders. bevollm. 2 gen. z. Anw. v. 8000 fl. f. Soldzahl. an gen. *, sub nr. 169   p. 222, 22

___ Basel. Die Stadt verspricht K. Ruprecht Gehorsam, nr. 18 . . . .   p. 49

___ o. O. Schwarz R. von Sickingen urk. über Abkommen mit Basel betr. Theilnahme

am Ital. Zuge, sub nr. 179 . . . .   p. 239, 20

___ 27 Venedig. Rathsbeschluß: Antwort auf Gesandtschaft K. Ruprechts, nr. 41 . . .   p. 89

_____ betr. Geleit dieser. Gesandtschaft * . . . .   p. 89 nt. 4

___ 28 Innsbruck. K. Rupr. bevollm. gen., Huld. zu empf. v. Schwyz Uri Unterwalden *, nr. 19   p. 50

1401

Sept. 28 Innsbruck. K. Ruprecht macht Erzb. Gregor v. Salzburg gew. Versprechungen, nr. 20   p. 50

— — — — — — — — — — bestätigt dem Erzbisthum Salzburg Privilegien besonders betr. Berchtesgaden * . . . . p. 50, 37ᵇ

— — — — — — — — leiht dem Erzb. G. v. S. bedingungsweise die Regalien * . p. 53, 37ᵃ

— — — — — — — — — befiehlt Pf. Ludwig u. andern event. Unterst. Erzb. G.'s, nr. 21 p. 51

—— 29 — — — — — — bevollm. Reinh. von Sickingen bei den Reichsangehörigen in Italien, nr. 93 . . . . p. 148

— — — — — — — — quittiert Überlingen über Steuer, an 2 gen. zu zahlen * . p. 17, 36

— — — — — — — — — — — Konstanz desgleichen * . . . .

— — — — — — — — — — verk. freien Markt f. d. Heer u. verb. Schädigungen, nr. 26   p. 56

— —— — München. Hzg. Ludwig v. Baiern setzt 3 Landesverweser ein * . . . . . p. 29 nt. 2

— — 30 Aleura. K. Martin v. Aragonien an K. Ruprecht, übers. Antw. auf s. Vorschläge, nr. 164   p. 205

c. Sept. 30 Aleura. Desselben Antwort auf die Vorschläge betr. Bündnis Heirath etc., nr. 165   p. 206

Sept. 30 bis 1402 Merz 9 Udine. Ausgaben der Stadt betr. Zug K. Ruprechts . . . . . p. 141, 35ᵃ

c. Okt. in. Straßburger Hauptmann an seine Stadt: Geldangelegenheiten, nr. 195 . . . p. 257

Okt. oder später. K. Ruprecht an Joh. Galeazzo, fordert d. Reichsgut, widersagt ihm event. als Rebellen * . . . . p. 4, 41

— — — — — — Letzterer an Ersteren, widers. ihm als Eindringlinge ins Reich und Feinde K. Wenzels * . . . . p. 4, 45

—— 1 Venedig. Rathsbeschluß: Antwort an Florentin. Gesandtschaft *, nr. 42 . . . . . p. 90

— — bis 22 Frankfurt. Kosten der Stadt zu Verhdl. wegen Landfriedens . . . . . . p. 26, 38ᵃ

—— 2 Brixen. K. Ruprecht leiht dem Bischof von Brixen die Regalien * . . . . . . p. 53, 39ᵇ

—— 6 Basel. Die Stadt an Straßburg, fragt nach Fortgang des Romzuges * . . . . . . p. 49, 41ᵃ

— —— 7 Botzen. K. Ruprecht nimmt Bisch. H. v. Chur z. Helfer wider Joh. Galeazzo an, nr. 171 p. 224

— — — — — — — — — — — leiht demselben die Regalien * . . . . p. 224 nt. 1

— — — — — — — — — — bevollm. 2 gen. bei den Reichsangehörigen in Italien, nr. 94 p. 149

— — — — — — — — — bevollm. Bisch. Hartmann von Chur bei denselben, nr. 95 . . p. 150

— — — Speier. Städt. Aufzeichnung betr. Beredung eines Landfriedens, nr. 3 . . . p. 26

—— 10 San-Angelo. Hzg. Joh. Galeazzo an den Venet. Dogen Michael Steno über Erhaltung der Ligue * . . . . p. 88, 44ᵇ

— — — — — — — — Bisch. von Novara an denselben über Ergebn. seiner Gesandtschaft * . p. 89, 36ᵃ

—— 11 Frankfurt. Die Stadt an K. Ruprecht, bittet um Nachricht vom Romzug * . . . p. 244, 34ᵃ

— — — — — — — — — — K. Elisabeth desgl. * . . . . p. 244, 39ᵃ

— — — — — — — — — Bisch. Raban von Speier desgl. etc. * . . . . p. 244, 43ᵃ

— — — — — — — — — Gf. Emicho von Leiningen desgl. * . . . . p. 244, 35ᵇ

—— 14 Botzen. Bisch. H. v. Chur wird Helfer K. Ruprechts gegen Joh. Galeazzo, nr. 172 p. 224

— —— Venedig. Rathsbeschlüsse: Antwort an K. Ruprecht u. Wahl von Gesandten, nr. 43 p. 90

—— 15 — — Rathsbeschluß betr. Gesandtschaft an K. Ruprecht, nr. 44 . . . . . p. 92

— — — — — — — — Rathsbeschlüsse betr. dieselbe Gesandtschaft . . . . p. 92, 32ᵃ

— — — Trient. K. Ruprecht adelt Buonn. Pitti dessen 4 Brüder und ihre Descendenten * . p. 58, 43ᵇ

— —— — Worms. Pf. Ludwig vereinb. Landfrieden mit Mainz Worms Speier Frankfurt, nr. 4 p. 27

—— 19-22. Briefe von Worms u. Mainz betr. Besold. d. Landfriedenshauptmanns * . . . p. 28, 43ᵃ

—— vor 21 Florenz. Instruktion für Gesandte der Stadt an K. Ruprecht, nr. 32 art. 1-5 p. 65

— — — Ferrara. Vortrag der Gesandten K. Ruprechts beim Markgrafen, sub nr. 96 . p. 152, 2

— — — — — — — — Antwort des Markgrafen an die Gesandten K. Ruprechts, sub nr. 96 . p. 152, 15

—— 21 Ferrara. Mf. Nik. v. Este an Venet. Dogen M. Steno über diese Verhdl., nr. 96 . p. 151

— —— Venedig. Rathsbeschluß betr. Gesandtschaft an K. Ruprecht * . . . . . . p. 92, 35ᵇ

—— zw. 21 und 24 o. O. Sohn Joh. Galeazzos an s. Bruder über Niederl. K. Ruprechts, nr. 31 p. 65

zw. Okt. 21 u. Nov. 3 Florenz. Nachtragsinstr. I f. Gesandte an K. Ruprecht, nr. 32 art. 6-15 p. 69

vor Okt. 27. Entwurf zur folgenden Urk. Bisch. v. Passau an nr. 22 . . . . p. 52, 26

Okt. 27 Passau. Bisch. Georg von Passau verspr. K. Ruprecht Gehorsam u. Huldigung, nr. 22 p. 52

— —— Venedig. Berathung des Raths über Antw. an Gesandtsch. K. Ruprechts, nr. 45 . p. 93

—— 28 —— Rathsbeschluß: Antwort an Gesandte K. Ruprechts, nr. 46 . . . . p. 95

— —— Worcester. K. Heinrich an K. Ruprecht, beglaubigt Joh. Colvile, nr. 158 . . . . p. 200

—— 30 Lucca. Paul v. Guinigi an D. Guarzano, bittet um Nachr. über K. Ruprecht * . . p. 147, 45ᵇ

—— 31 Trient. Straßb. Hauptmann an seine Stadt über Kriegsereignisse etc., nr. 196 . . p. 258

— ex. Florentiner Gesandte an ihre Stadt über den Rückzug K. Ruprechts * . . p. 70, 34

Nov. 3 Straßburg. Die Stadt an ihren gen. Hauptmann wegen Geldsendung etc., nr. 197 . p. 259

1401

Nov. 3 Cortona. Franz und Aloys v. Casale bevollm. 2 gen. bei K. Ruprecht * . . . p. 154, 14; nt. 2

—— zw. 3 u. 13 Florenz. Nachtragsinstr. II für Gesandte an K. Ruprecht, nr. 32 art. 16-23   p. 70

—— 4 Brixen. Ph. von Falkenstein an Frankfurt: Nachr. vom Romzug, nr. 182 . . . .   p. 244

—— 5 Lucca. Paul v. Guinigi an D. Guarzano, bittet um Nachr. über K. Ruprecht * . . p. 148, 36ᵃ

—— 6 Lienz. Gfn. H. u. J. v. Görz gestatten K. Ruprecht u. gen. Fürsten Durchzug * . .   p. 6, 15

——— Botzen. Aufzeichn. über Dienst- u. Soldvertrag K. Ruprechts mit N. Wispriger, nr. 173   p. 226

—— 7 ——— Straßb. Hauptmann an seine Stadt über Fortgang des Romzuges, nr. 198 . .   p. 259

——— Amberg. Pf. Ludwig an Nordhausen, fordert Huldigung u. Reichssteuer * . . . .   p. 4, 14

————————————— verbietet Handel mit Böhmen * . . . . p. 177 nt. 1

—— 8 Venedig. Rathsbeschluß: Antwort an Joh. Bentivoglio *, nr. 47 . . . .   p. 96

——— Lienz. K. Ruprecht an den Dogen M. Steno betr. Durchzug d. Venet. Gebiet, nr. 48   ——

————— Conegliano betr. Durchzug etc., nr. 49 . . . .   p. 97

—— 9 Mauthen. K. Ruprecht an Pf. Ludwig: Nachrichten vom Romzuge * . . . p. 33, 42. 245, 2; 27

——— Salzburg. Erzb. Gregors Vertr. mit K. Ruprecht w. Huldigung u. Belehnung , nr. 23   p. 53

—— 10 Lucca. Paul v. Guinigi an D. Guarzano, bittet um Nachr. über K. Ruprecht * . . p. 148, 33ᵇ

—— 11 Venzone. K. Ruprecht an Tolmezzo, fordert Durchzug für Theil des Heeres , nr. 97   p. 153

——— Venedig. Rathsbeschluß betr. Verpflegung des Heeres K. Ruprechts, nr. 50 . . .   p. 97

—— 12 ——— Rathsbeschlüsse betr. Durchzug K. Ruprechts, nr. 51 . . . . . .   p. 98

—— ———————— Rathsbeschluß: Instruktion für 3 gen. Gesandte an K. Ruprecht, nr. 52 .   p. 100

—— 13 ————————————— betr. Nachwahl eines Gesandten an K. Ruprecht, nr. 53 .   p. 102

—— ————————————— : Antwort an Podestà v. Noale betr. Aufn. K. Ruprechts * p. 99 nt. 2

——————————————————— Treviso betr. Verh. zu Franz von

——————————————————— Carrara *, nr. 98 . . . . . .   p. 153

—— 14 Straßburg. Die Stadt an ihren gen. Hauptmann wegen etwaiger Rückkehr u. Geld-

——————————— sendung, nr. 199 . . . .   p. 260

—— c. med. 2 gen. Bevollm. leisten K. Rupr. Treu- u. Lehnseid f. F. u. A. v. Casale, sub nr. 99   p. 154, 37

—— 16 Straßburg. Die Stadt an ihren gen. Hauptmann wegen Heimkehr, nr. 200 . . .   p. 261

——— Verona. Leonh. Therunda an K. Wensel, mahnt zum Zuge nach Italien, nr. 145 . .   p. 181

—— 17 Venedig. Rathsbeschluß: Antwort an den Pabst betr. K. Ruprecht, nr. 54 . . .   p. 103

zw. Nov. 18 u. Dec. 9 (oder 1402 Febr. in. — med.?) Padua. Hzg. L. von Baiern stellt gen.

——————————— Leuten einzeln Schuldbriefe aus *, nr. 175 . . . .   p. 229, 32

Nov. 19 Frankfurt. Die Stadt an K. Ruprecht, bittet um Nachricht * . . . .   p. 247, 38ᵇ

——— Venedig. Doge an L. Mauroceno: Aufheb. der Vorsichtsmaßregeln wegen Durchzuga

——————— K. Ruprechts, nr. 55 . . . .   p. 104

—— 20 ——— Rathsbeschluß: Anweis. an Podestà von Treviso u. Andere betr. Truppen-

——————————— durchzug * . . . .   p. 104, 39ᵃ

——— Padua. Begrüßungsrede des Petrus de Alvarotis an K. Ruprecht * . . . . . .   p. 74, 34ᵇ

—— 22 Venedig. Rathsbeschluß: Gesandtschaft an K. Ruprecht zu wählen, nr. 56 . . .   p. 105

—— 24 Padua. Entwurf zur Urk. K. Ruprechts für Bisch. Georg von Passau *, sub nr. 24 .   p. 54, 29

——————— K. Ruprecht macht Bisch. Georg von Passau Versprechungen, nr. 24 . . .   p 54

——— Venedig. Rathsbeschluß: Anw. an Podestà von Porto-Buffole u. Motta wegen Truppen-

——————————————————— durchzug * . . . .   p. 104, 36ᵇ

——————————————————— betr. Ausrüstung der Gesandtschaft an K. Ruprecht, nr. 57   p. 105

————————————— Vorschlag I zur Instruktion für gen. Gesandte an K. Ruprecht, nr. 58 .   p. 106

————————————— II ——————————————————— nr. 59 .   p. 109

————————————— Iᵃ ——————————————————— nr. 60 .   p. 111

—— 25 ————————————— Iᵇ ——————————————————— nr. 61 .   p. 113

————————————— Erneuerter Vorschlag II zu dieser Instruktion * . . . . p. 110 nt. 5

————————————— Vorschlag IIᵃ zu dieser Instruktion, nr. 62 . . . .   p. 115

—— 27 Padua. F. u. A. v. Casale bestät. den K. Ruprecht d. Gesandte geleist. Treueid, nr. 29   p. 154

—— 28 Venedig. Vorschlag III zur Instrukt. f. gen. Gesandte an K. Ruprecht, nr. 63 . .   p. 116

————————————— IIIᵃ ——————————————————— nr. 64 . .   p. 120

————————————— IIIᵇ ——————————————————— nr. 65 . .   p. 122

————————————— Rathsbeschluß: Instrukt. für 2 gen. Gesandte an K. Ruprecht, nr. 46 . .   p. 124

Dec. 4 o. O. Pf. Ludwig an Frankfurt über einen Brief K. Ruprechts, nr. 183 . . . .   p. 244

—— 5 Heidelberg. Ders. an Köln über d. Achener und einen Mailänder Kaufmann * . p. 5, 25. 323, 39ᵃ

—— 7 ————————————— wegen d. Achener * . . . . p. 323, 45ᵃ

————————————— über einen Brief K. Ruprechts betr. Romzug, nr. 184 . .   p. 245

1401

Dec. 7 Padua. K. Ruprecht bestätigt Privilegien des Franz von Carrara * . . . . p. 156, 38ᵃ
—— 9 Venedig. Rathsbeschluß: Antwort auf Gesandtschaft K. Ruprechts, nr. 67 . . . . p. 126
———————————— Mitth. darüber an Gesandten in Padua, nr. 68 . . . . . . p. 127
—— 12 Tyrnau. K. Sigmund an Venedig, warnt vor Unterstützung K. Ruprechts, nr. 146 . p. 185
—— 13 Venedig. Rathsbeschluß: Geschenke an K. Ruprecht und seine Umgebung, sub nr. 69, I p. 127, 31
——— 14 ——— K. Ruprecht bekennt 2 geu. 1200 Duk. zu schulden * . . . . p. 216 nt. 1
——— 16 ——————— an Hzg. Ernst von Baiern wegen Münchens, nr. 5 . . . . . . p. 29
——————————— Pf. Ludwig wegen Münchens, nr. 6 . . . . p. 30
——— 17 ——— Rathsbeschluß: Antwort auf Hilfegesuch K. Ruprechts, nr. 70 . . . . . p. 128
——— 18 ——— K. Ruprecht bekennt Ph. von Falkenstein 1500 Dukaten zu schulden * . . p. 216 nt. 3
——— 19 Heidelberg. Pf. Ludwig an Ulm, fordert Judensteuer durch Joh. Kircheim, quittiert
event., sub nr. 174 . . . . p. 226, 25
———————————— 32 Schwäb. Städte einzeln ebenso *, sub nr. 174 . . . p. 227, 13
——— 20 Venedig. Rathsbeschluß betr. Durchzug Deutscher Fürsten * . . . . p. 130, 35ᵃ
——— 22 ——————— Straßb. Hauptmann an seine Stadt über Auss. auf Fortg. d. Zuges u. Heimkehr, nr. 201 . . . . p. 262
——— 23 ——————— Rathsbeschluß: Antwort auf Hilfegesuch K. Ruprechts, nr. 71 . . . . . p. 129
——— 24 Frankfurt. Die Stadt an K. Ruprecht, bittet um Nachrichten * . . . . p. 247, 45ᵃ
——— 29 Venedig. Rathsbeschluß: Antwort an Gesandte Joh. Galeazzo's, nr. 72 . . p. 130
1401–1402. Verzeichnis von Grafen und Herren, Helfern Erzb. J.'s von Mainz wider Hessen * p. 273, 38
1401 oder 1402 Straßburg? Münzprobe über Rhein. Gulden . . . . p. 302 nt. 4
1401 ex. — 1403 in. Notizen über Schulden Hzg. L.'s v. Baiern v. Ital. Feldzuge her, nr. 175 p. 229

1402

Jan. 1 Kuttenberg. K. Wenzel an Bologna über Bekämpfung K. Ruprechts, nr. 147 . . . p. 186
——————— Ders. und K. Sigmund bevollm. Gf. H. v. Cilly bei Gfn. von Ortenberg
u. Görz, nr. 148 . . . . p. 188
——— 2 Venedig. Rathsbeschluß betr. Darlehen an K. Ruprecht u. Vermittl. bei Florenz, nr. 73 p. 130
——— 3 ——————— Vermittlung zwischen K. Ruprecht und Florenz, nr. 74 . p. 132
——— 5 ——————— Durchzug Hzg. Ludwigs von Baiern * . . . . . . p. 130, 45ᵃ
——— 7 ——————— Ablehnung der Florentin. Vorschläge, nr. 75 . . . . p. 132
————————————— angekünd. Heimkehr K. Ruprechts, nr. 76 . . . . p. 133
——————— K. Ruprecht verspricht 12 gen. Nürnbergern Rückzahl. von Darlehen * . . p. 217 nt. 6
——— 8 Padua. Franz v. Carrara an Bisch. G. v. Trient betr. Heimkehr K. Ruprechts, nr. 101 p. 157
——— 9 Goslar. Gen. Fürsten u. Herren an Erzb. J. v. Mainz wegen Fortdauer d. Landfriedens,
nr. 228 . . . . p. 310
————————— an d. Mainzer Domkapitel entsprechend, sub nr. 228 ———
——— 10 Venedig. Rathsbeschluß betr. Gesandtschaft an K. Ruprecht, nr. 77 . . . . . . p. 134
——————— Padua. Franz von Carrara an Joh. Bentivoglio wegen Truppensendung, nr. 102 . . p. 157
——— 11 Pordenone. Straßb. Hauptmann an seine Stadt über bevorsteh. Heimkehr, nr. 202 . p. 263
——— 12 Venedig. Rathsbeschluß betr. event. Heimkehr K. Ruprechts * . . . . p. 135, 44ᵇ
——— 14 Paris. Hzg. Ph. von Burgund und Hzg. L. von Orléans schließen Frieden * . . . p. 12, 22
——————— Venedig. K. Ruprecht an Frankfurt, berichtet günstig über seine Lage, nr. 185 . . p. 246
——————————— Köln desgl., sub nr. 185 . . . . ———
——————————— Straßburg desgl., sub nr. 185 . . . . ———
————— Padua. Franz von Carrara an gen. päbstlichen Gesandten, nr. 104 . . . . . p. 158
———————————— den Grafen von Carrara über dieses Schreiben, nr. 103 ———
———————————— dens. üb. Rückkehr K. Ruprechts n. Venedig, nr. 105 . p. 159
———————————— 4 Florentin. Gesandte über dasselbe *, nr. 106 . . . ———
——— 15 ——————— Bisch. Georg von Trient über dasselbe, nr. 107 . . . . ———
——————————— 4 Florentin. Gesandte, kündigt s. Ankunft in Venedig
an * . . . . p. 159, 39ᵇ
——— 16 Venzone. Straßb. Hauptmann an s. Stadt über seine Heimkehr, nr. 203 . . . . . p. 264
——— 20 Straßburg. Die Stadt an ihren gen. Hauptmann, tadelt s. Benehmen, nr. 204 . . ———
——————— Venedig. K. Rotawer quitt. über Soldzahlung durch Hzg. L. von Baiern * . . . p. 231 nt. 5
——— 22 Padua. Franz v. Carrara an Bisch. G. v. Trient üb. K. Ruprechts Aussichten, nr. 108 p. 160
——————— Petrus von Lodrone über dasselbe, nr. 109 . . . . ———
——————— 2 Brescianische Edle über dasselbe *, nr. 110 . . . . . p. 161

1402

Jan. 28 Venedig.	K. Ruprecht an Straßburg, verlangt Rückkehr d. städt. Kontingents, nr. 205	p. 266
_____	Ders. bek. Schuld [f. Sold] an gen., verspr. Zahl. [auf Erfordern]*, sub nr. 176	p. 236, 18
_____ _____	Rathsbeschlüsse betr. K. Ruprechts Romzug*, nr. 111	p. 161
_____	Rathsbeschluß: Instrukt. f. Gesandtschaft an Mf. N. v. Este*, nr. 112	_____
___ 25 Eltville.	Erzb. Johann von Mainz an gen. Fürsten und Herren über Fortdauer des
	Landfriedens, nr. 229	p. 311
___ 27 Padua.	Franz v. Carrara an K. Elisabeth v. Frankreich w. Pferdesendung*, sub nr. 113	p. 162
_____	Ders. an Marschall Boucicaut in Genua üb. dass. u. Abs. Ruprechts*, sub nr. 113	_____
_____ Venedig.	K. Ruprecht an Frankfurt, berichtet günstig über seine Lage, nr. 186	p. 247
___ 28 _____	Königin Elisabeth an Frankfurt, ähnlich, nr. 187	p. 248
_____	Gf. Emicho von Leiningen an Frankfurt, ähnlich, nr. 188	_____
c. Jan. 28 Venedig.	Ph. von Falkenstein an Frankfurt, ähnlich, nr. 189	p. 249
_____ bis Febr.	Aufzeichnung des Joh. Kircheim über die Judensteuererhebung in gen.
	Schwäb. Städten, sub nr. 174 II u. III	p. 228, 6
Febr. in. — med. (oder 1401 zw. Nov. 18 u. Dec. 9?) Padua.	Hzg. L. von Baiern stellt gen.
	Leuten einzeln Schuldbriefe aus*, sub nr. 175	p. 229, 32
___ 1 Padua.	K. Ruprecht gibt 2 gen. Vicegrafen von Mailand Geleitsbrief*	p. 162, 43ᵃ
___ 2 _____	an K. Heinrich von England, antw. auf Schr. v. 28 Okt., nr. 159	p. 201
___ 4 Königgrätz.	K. Wenzel macht K. Sigmund zum Statthalter in Böhmen und bestätigt
	ihn als Reichsvikar*	p. 189 nt. 1
__ .. o. O.	Zwölf gen. Schwäb. Reichsstädte verbünden sich bis 28 April 1405*	p. 42, 42ᵇ
_____ _____	H. Heydörffer tritt mit 15 Spießen unter gen. Bedingungen in K. Ruprechts
	Dienst*, nr. 177	p. 237
_____ _ _	Peter Busolt deasgleichen*, sub nr. 177	p. 237, 20
___ 5 Padua.	Fr. v. Carrara an Ugutio de Contrariis: soll den Mf. v. Este beeinflussen*	p. 162, 39ᵃ
_____	Ders. an Mf. Nik. v. Este: möge zu Kg. Ruprecht kommen*, nr. 114	p. 162
___ 6 Venedig.	K. Ruprecht bek. (in 25 Urkunden), 28 gen. Leuten einzeln oder zu mehreren
	gen. Beträge für Sold zu schulden u. verspr. Zahlung auf Erfordern*	p. 232, 31
___ 7 Königgrätz.	K. Sigmund beglaub. Jan v. Wartemberg bei Mf. Wilh. I v. Meißen*	p. 191, 42ᵇ
___ 8 _____	Ders. an Hzg. Joh. Galeazzo über Abmachungen mit K. Wenzel und
	Romzugsplan, nr. 149	p. 188
_____ Padua.	K. Ruprecht an Venet. Dogen M. Steno über Mfn. v. Ferrara etc., nr. 115	p. 162
_____ _____	K. Heinrich von England, beglaub. 2 gen. Gesandte, nr. 160	p. 202
c. Febr. 8 Padua.	K. Ruprechts Anweis. für Gesandtschaft nach England, nr. 161	_____
Febr. 9 Venedig.	Rathsbeschluß: Geschenk an K. Ruprecht, sub nr. 69, II	p. 128, 9
___ 11 Frankfurt.	Ausgabe der Stadt für Boten nach Venedig	p. 246 nt. 2
_____ Padua.	Fr. v. Carrara an s. Schwester Katharina über Lage K. Ruprechts, nr. 116	p. 163
_ _ 12 _____	K. Ruprecht bek., Bf. F. von Nürnberg 7000 Duk. zu schulden, verspricht
	Zahlung zum 4 Mai*	p. 218 nt. 5
___ 13 Florenz.	Bericht gen. Florent. Gesandten über Verhdl. mit K. Ruprecht, nr. 33	p. 73
___ 14 Venedig.	Rathsbeschluß: Antwort an Gesandten Joh. Galeazzo's betr. versch.*, nr. 78	p. 136
_____	Deasgleichen an Franz v. Carrara betr. Verh. zu Joh. Galeazzo*, nr. 117	p. 164
_ _ _ Padua.	K. Ruprecht an Kg. Martin von Aragonien über seinen Italienischen Zug und
	etwaigen Tag zu Avignon, nr. 166	p. 209
_ _ _ _	Ders. an dens. betr. Deutschordensprovincialen auf Sicilien*	p. 209 nt. 2
_____	Jakob v. Prades Adm. v. Sicilien: möge Bevollm. schicken, nr. 167	p. 211
___ 16 _____	Paul v. Guinigi, verl. Zusammenk. mit s. Gesandten in Florenz, nr. 118	p. 164
_ _ Venedig.	Rathsbeschluß: Antwort auf Brief Joh. Galeazzo's*, nr. 79	p. 136
___ 17 Florenz.	Die Signorie bevollm. Zehmerbeiei zu Bündnisabschl. mit genannten*	p. 80, 84ᵃ
___ vor 23.	Aufzeichn. über die Darlegungen der Ges. K. Ruprechts beim Mfn. v. Este,
	sub nr. 119	p. 165, 17
_____	der Antwort des Mfn. v. Este an den kgl. Gesandten, sub nr. 119	p. 165, 33
___ 23 Fossadalbero.	Mf. Nik. v. Este an Venet. Dogen M. Steno über diese Vhdl., nr. 119	p. 165
_____ Florenz.	Bericht des R. Gianfigliazzi üb. Gesandtsch. an K. Ruprecht, sub nr. 34	p. 75
___ 27 Venedig.	Rathsbeschluß: Antwort an den Mfn. v. Este*, nr. 120	p. 166
___ 28 Prag.	K. Sigmund an Joh. Galeazzo, kündigt Zug nach Italien an, nr. 150	p. 190
_____ Padua.	K. Ruprechts Anweis. zu Verhdl. mit Hzg. Ernst von Baiern, nr. 7	p. 31
_____	Deagl. f. d. Landschr. v. Amberg zu Gesandtsch. nach Deutschland, nr. 8	p. 33

1402

ad Febr. 28 Padua. Verzeichnis der Kleinodien der Gräfin Agnes von Cleve, nr. 9 . . . .　　p. 38

Merz 1 Padua. Fr. von Carrara an Mf. Nik. von Este, dankt f. Mitth. betr. sein Verh. zu
　　　　K. Ruprecht, nr. 121 . . . . 　p. 167

—— 6 —— Hzg. Erich von Braunschweig verb. sich mit Erzb. J. v. Mainz gegen Hessen * 　p. 311, 42ᵇ

nach Merz 6. K. Wenzel an Hzg. Joh. Galeazzo v. bevorsteh. Zug nach Italien, nr. 151 . . 　p. 192

Merz 8 Padua. K. Ruprecht an Köln betr. Gut eines Mailänd. Kaufmanns * . . . . . . 　p. 5, 28

—— 10 Pavia. Hzg. Joh. Galeazzo an Behörden von Mailand, übers. Brief K. Sigmunds . . 　p. 188, 35

—— 13 Mainz. Die Stadt an K. Ruprecht, lehnt weit. Kriegshilfe nach Italien ab, nr. 206 . 　p. 266

—— 14 Venedig. Rathsbeschluß über Schreiben an K. Sigmund, nr. 152 . . . . . . 　p. 193

—— Florenz. Notiz über Verpflicht. des Herrn von Cortona zum Romzug, nr. 122 . . . 　p. 167

—— 16 Klopp. Erzb. J. v. Mainz verb. sich mit Hzg. Erich v. Braunschweig gegen Hessen * 　p. 311, 46ᵇ

—— 20 Florenz. Bericht des Filippo Corsini über Gesandtsch. an K. Ruprecht, sub nr. 34 . 　p. 75

—————————— Zwei gen. Ges. K. Ruprechts an Paul v. Guinigi, sonden nr. 118, nr. 123 　p. 167

—— Erzb. W. von Prag an seine Geistlichkeit über Beitrag zum Romzug * . . . . . . 　p. 192, 43ᵃ

—— 21 Padua. K. Ruprecht an Köln betr. Gut eines Mailänder Kaufmanns * . . . . . . 　p. 5, 35

—— 25 —— Fr. v. Carrara an Bisch. G. v. Trient, berichtet über K. Ruprecht, nr. 124 . 　p. 168

—— 26 —————————— Brescian. Edle über Lage Ruprechts etc.*, nr. 125 . . 　p. 169

—— 29 Udine. Rathsbeschluß betr. Streitigkeiten zw. Bürgern u. Truppen K. Ruprechts * . 　p. 171, 26ᵇ

—— Florenz. Ausgaben der Zehnerbalei für Gesandtsch. an K. Ruprecht * . . . . . . 　p. 80, 84ᵇ

—— 30 —————————————————— nach Norditalien * . . . . . . 　p. 80, 40ᵇ

—— 31 Padua. Fr. v. Carrara an Petr. Pisani über Absichten K. Ruprechts, nr. 126 . . . 　p. 169

Apr. 2 —————————— Venet. Dogen M. Steno, kündigt Gesandtsch. K. Ruprechts
　　　　an *, nr. 80 . . . . 　p. 137

—— 4 Pavia. Hzg. Joh. Galeazzo an Behörden von Mailand, übers. Brief K. Sigmunds . 　p. 190, 18

—— 5 Florenz. Ausgaben der Zehnerbalei betr. Anleihe und Subs. K. Ruprechts, nr. 35 . 　p. 76

—————————— Die Zehnerbalei befiehlt Zahlungen an Gesandte zu K. Ruprecht etc.* . 　p. 74, 45ᵇ

—————————————————————————————————— . . . . 　p. 75, 31ᵇ

—— 6 Venedig. Rathsbeschluß: Antwort an Gesandtsch. K. Ruprechts, nr. 81 . . . . . 　p. 137

—— 8 Padua. Fr. von Carrara an seinen Gesandten P. de Leone *, nr. 127 . . . . . 　p. 169

—— 9 Venedig. Rathsbeschluß: Antwort an Gesandtsch. K. Ruprechts, nr. 82 . . . . . 　p. 138

—— 10 Padua. Fr. von Carrara an Petrus de Leone über die Lage *, nr. 128 . . . . . 　p. 170

—— Ders. an gen. Kaufmann in Lucca wegen Darlehen K. Ruprechts * . . . . . . 　p. 170, 29ᵃ

—— 12 Venedig. K. Ruprecht erklärt, Ph. von Falkenstein 2000 Duk. zu schulden * . . . 　p. 219 nt. 4

—— 13 —————————— Rathsbeschluß: Antwort an Gesandtsch. K. Ruprechts, nr. 83 . . . 　p. 139

—— Padua. Fr. von Carrara an Venet. Dogen M. Steno über versch. *, nr. 129 . . . . 　p. 170

—— 14 —————————— Bisch. G. v. Trient über Heimkehr K. Ruprechts, nr. 130 . . . 　p. 171

zw. Apr. 14 u. Mai 2 o. O. K. Ruprechts Anw. für Gesandten an die Kurfürsten, nr. 207 . . 　p. 282

—— geheime Anw. für dens. zu Verhdl. mit Kurköln,
　　　　nr. 208 . . . . 　p. 285

Apr. 15 Udine. Rathsbeschluß betr. Durchzug von Truppen K. Ruprechts * . . . . 　p. 171, 36ᵃ

—— Venedig. K. Ruprecht verpfändet Bisch. Raban von Speier für 3500 Duk. Zölle zu
　　　　Bacharach und Caub * . . . . 　p. 219 nt. 3

—— Mirandola. Franz von Gonzaga an Joh. Bentivoglio, kündigt Fehde an * . . . . . 　p. 194, 43ᵃ

—— Padua. Fr. v. Carrara an K. Ruprecht über Heimkehr K. Ruprechts, nr. 131 . . . 　p. 171

—————————— Joh. Galeazzo u. K. Ruprecht,
　　　　nr. 132 . . . . 　p. 172

—— 16 Prag. K. Sigmund an denselben, erfreut über gute Beziehungen * . . . . 　p. 194 nt. 2

—— bis Juni 21 Augsburg. Ausgaben der Stadt für Boten nach Nürnberg zum König . 　p. 293, 37ᵃ

—— 17 Padua. Franz v. Carrara an K. Ruprecht, dankt für Übersendung eines Nürnberger
　　　　Briefes, nr. 133 . . . . 　p. 172

—— 18 Bologna. Joh. v. Bentivoglio an Franz v. Gonzaga, weist Vorwürfe zurück * . . . 　p. 194, 49ᵃ

—— Venedig. Berathung d. Raths über Antw. an Franz v. Carrara betr. Ligue mit Florenz * 　p. 175 nt. 2

—— 19 San-Daniele. K. Ruprecht bevollm. U. v. Albeck zu Verhdl. mit Erzb. von Salzburg
　　　　um Darlehen * . . . . 　p. 286, 38ᵇ

c. Apr. 19 San-Daniele. K. Ruprechts Anw. für dens. Ges. an Erzb. G. v. Salzburg, nr. 209 　p. 286

Apr. 20 Schonfeld. Ders. bek. Schuld für Dienst an gen., verspr. Zahlung zu Weihnachten *,
　　　　sub nr. 176 . . . . 　p. 283, 26

—————————— Ders. desgl. einem Andern *, sub nr. 176 . . . . 　p. 283, 37

1402

Apr. 20 Padua. Franz von Carrara an N. de Robertis u. G. de Boiardis über K. Ruprechts
Pläne, nr. 134 . . . . p. 173
ähnlich an Rudolf von Camerino, nr. 185 . . . .
— 21 — Ders. an K. Ruprecht empfiehlt 1 bzw. 2 gen. Gesandte v. Röm. Herren, nr. 136   p. 174
— 22 Heidelberg. Pf. Ludwig an Köln betr. Empfangn. seiner Braut Blanka v. England * . p. 278, 24
— Tolmezzo. K. Ruprecht verspricht genanntem Zahlung für Dienste in Italien * . . p. 171, 36 b
— 23 Venedig. Rathsbeschluß: Geschenke an K. Ruprecht, sub nr. 69, III . . . . . . p. 123, 17
— 24 Brunneck. K. Ruprecht an Frankfurt über seine Rückkehr nach Deutschland, nr. 211   p. 291
— Köln desgleichen, sub nr. 211 . . . . —
— nicht gen. Städte desgleichen, sub nr. 211 . . . . . .
— Ders. an K. Heinrich v. England w. Rückberuf. Engl. Hilfstruppen, nr. 162   p. 204
— Hauptm. d. Engl. Hilfstruppen wegen Heimkehr, nr. 163 . . . p. 205
— 26 Padua. Fr. von Carrara an Hzg. Albr. von Österreich v. d. Lage in Italien, nr. 137   p. 175
— bis Juni 21 Nürnberg. Geschenke der Stadt bei Aufenth. K. Ruprechts dort, nr. 214   p. 293
— 27 Matrei. K. Ruprecht bekennt Schuld für Sold an gen., verspricht Zahlung auf Erfordern *, sub nr. 176 . . . . p. 234, 1
— Innsbruck. Ders. desgl. gen., verspr. Zahlung auf Weihnachten *, sub nr. 176 . . p. 234, 6
— Westminster. K. Heinrich bevollm. 3 Ges. zu Bündnisvhdl. mit K. Ruprecht *, nr. 256   p. 338
c. Apr. 27. Entwurf eines Deutsch-Englischen Bündnisses, nr. 257 . . . . —
Apr. 27 Padua. Franz von Carrara an Bisch. G. von Trient über Aussichten auf günstige
Wendung *, nr. 138 . . . . p. 176
— 28 — Pabst Bonifacius in demselben Sinne *, nr. 139 . . . . —
zw. Apr. 28 u. Juni 4 o. O. K. Ruprechts Anw. f. Gesandtsch. an Hzg. L. v. Österreich, nr. 210   p. 288
Apr. 29 Udine. Rathsbeschluß betr. Zahlung aus Anlaß des Durchzugs K. Ruprechts * . . p. 171, 44 a
— 30 Padua. Franz von Carrara an K. Ruprecht über Italienische Dinge * . . . p. 176 nt. 3
— bis Mai Augsburg. Ausgaben d. Stadt im Zusammenh. mit K. Ruprechts Rückk. aus Italien   p. 297, 43 a
— 80 bis Juni 18 Augsburg. Desgl. für Boten bei Gesandtschaft der Schwäb. Städte nach
Straßburg . . . . p. 299 nt. 2
Mai 1 Padua. Fr. v. Carrara an Bisch. G. v. Trient, hofft günstige Wendung *, nr. 140 . . p. 176
— 2 Heidelberg. Gen. Reichshofrichter verkündet Reichsacht Achens, nr. 237 . . . . . . p. 321
— Ders. an Frankfurt, gebietet Achener als Ächter zu behandeln, nr. 238 . . p. 322
— Ders. verkündet Verurth. Achens zur Zahlung v. 10000 M. Gold a. d. König *   p. 321, 39 a
— München. K. Ruprecht an gen. Fürsten einzeln, lädt auf 24 Mai nach Bamberg, nr. 212   p. 292
— Derselbe bekennt (in 4 Urkunden) Schuld für Sold an 4 gen. einzeln, ver-
spricht Zahlung auf Weihnachten *, sub nr. 176 . . . . p. 234, 8
— Ders. desgl. 1 gen., verspricht Zahlung auf Erfordern *, sub nr. 176 . . p. 234, 15
— Ders. desgl. (in 5 Urkk.) 5 gen. einzeln für ihren und der Ihren Dienst *,
sub nr. 176 . . . . p. 234, 17
— 3 Pfaffenhofen. Ders. desgl. [f. Sold] 1 gen., verspr. Zahl. [auf Erfordern] *, sub nr. 176   p. 234, 31
— zw. 2 u. 15. K. Ruprechts Anweis., wol besser Anfang Juni, nr. 249 . . . . . . p. 330
— 6 Frankfurt. Die Stadt an Mainz, wünscht Städtetag in Mainz, nr. 219 . . . . . p. 297
— Köln — sub nr. 219 . . . . —
— Padua. Franz von Carrara an K. Ruprecht über Kampf um Bologna * . . . . . . p. 177, 39 a
— 10 Prag. K. Sigmund gibt Mkn. Frid. IV und Wilh. II von Meißen Geleit * . . . p. 191, 48 b
c. Mai 10 Prag? Derselbe desgl. Mf. Wilhelm I von Meißen * . . . . p. 192, 31 a
— Erzb. W. von Prag und nicht gen. Böhmische Herren desgl. demselben * . —
— Die 3 Städte Prag desgl. demselben * . . . . —
Mai 10 Amberg. K. Ruprecht an Ldgf. H. von Hessen wegen Ausgleichs mit Erzb. Johann
von Mainz, nr. 230 . . . . p. 312
c. Mai 10 Amberg. K. Ruprechts Anw. für gen. Gesandten an Ldgf. H. von Hessen, nr. 231   p. 313
— Erzb. J. v. Mainz *, sub — —
Mai 11 Padua. Fr. v. Carrara an Behörden zu Cividale wegen Rückzahl. von Darlehen * . . p. 170, 41 a
— Amberg. K. Ruprecht bekennt (in 4 Urkunden) Schuld an 4 gen. einzeln [für Sold],
verspricht Zahlung [auf Erfordern] *, sub nr. 176 . . . . p. 234, 33
— Ders. desgl. H. Truchs. von Beldersheim *, sub nr. 176 . . . . p. 235, 6
— 12 — Ders. desgl. Albr. Nodhafft *, sub nr. 176 . . . . p. 235, 4
— 14 — Ders. an Straßburg über seine Rückkehr nach Deutschland, sub nr. 211 . p. 291
— 19 Padua. Franz von Carrara an gen. Venet. Hauptm. v. Negroponte über seine Lage *   p. 176, 34 b

1402

Mai 19 falsches Datum statt 1401 Mai 27 . . . . p. 625, 42 b
— Amberg. K. Ruprecht erklärt sich über Schuld an 2 gen. von Laber * . . . . . p. 214 nt. 4
— — — Ders. bef. s. Amtl. in Baiern, Schäd. d. Bischofs v. Eichstädt zu verhindern * p. 520 nt. 1
— 20 Venedig. Rathsbeschluß: Instruktion für 2 gen. Gesandte an Joh. Galeazzo, nr. 84 p. 140
— 22 Padua. Franz von Carrara an K. Ruprecht über Ital. Dinge * . . . . p. 176, 43 b
— — Amberg. K. Ruprecht bek. (in 2 Urkunden), 2 gen. einzeln, [für Sold] gen. Summen
    zu schulden, verspricht Zahlung [auf Erfordern] *, sub nr. 176 . . . . . p. 235, 8
— 24 Dortrecht. Zwei gen. Engl. Gesandte an J. Fry über ihre Reise nach Deutschland * p. 338, 40 a
— — Nürnberg. Geschenke der Stadt an den kgl. Hof, nr. 213 . . . . p. 293
— 28 — — K. Ruprecht bek. Schuld [für Sold] an gen , verspr. Zahl. [auf Erfordern] *,
    sub nr. 176 . . . . p. 235, 11
— — bis Aug. 1 Augsburg. Ausgaben der Stadt für Kundschafterdienst nach Böhmen . . p. 276, 25
— 31 Nürnberg. Die Stadt an Frankfurt, über Goldmünze u. Besuch d. Mainzer Tages, nr, 220 . p. 298
Juni in. Amberg. K. Ruprechts Anweis, zu Verhdl, mit Mf, Wilh. v. Meißon, nr. 249 . . p. 330
zw. Mai u. August. Desgl. mit dems. wegen Hzg. R 's. v. Sachsen (Nachtr. zu nr. 249), nr. 234 p. 317
— — — — Desgl. zu Verhdl. mit Gfn. von Cleve und Holland auf einem Tage zu
    Cleve, nr. 236 . . . . p. 318
Juni 1 Mainz. Die Stadt an Köln, über Tage zu Straßburg u. Mainz, wegon d. Münze, nr. 221 p. 299
— — — — Frankfurt, desgl., sub nr. 221 . . . .
— 3 Amberg. K. Ruprecht bek. Schuld f. Sold an gen., verspr. Zahl. auf Erford., sub nr. 176 p. 235, 13
— 6 Château de Beauté. Graf v. Salm verspr. d. Hzg. v. Orléans Dienst gegen Jahrgeld * p. 495, 31 a
— [Padua?] Franz von Carrara an Gf. von Carrara: Nachr. aus Deutschland, nr. 250 . p. 332
— 7 — — Ders. an Hugucio de Contrariis: Nachr. aus Deutschland etc., nr, 251 . p. 333
— — Amberg. K. Ruprecht weist A. Freudenberger mit gen. Summe auf Gefälle zu Auer-
    bach an * . . . . p. 236 nt. 3
— — — — Ders. bek. Schuld [f. Sold] an gen., verspr. Zahl. [auf Erford.] *, sub nr. 176 p. 235, 15
— 10 Padua. Fr. v. Carrara an Hzg. R. v. Sachsen, befürw. Anork. K.Ruprechts, nr. 235 p. 318
— — Ders. an s. Schwester Hzgin. von Sachsen über beiders. Wolbefinden * . . p. 318 nt. 1
— 11 Mergentheim. K. Ruprecht bek. Schuld [für Sold] an gen., verspricht Zahlung [auf
    Erfordern] *, sub nr. 176 . . . . p. 235, 17
— 15 Augsburg. Ausgabe der Stadt für eine Gesandtschaft nach Heidelberg . . . . . p. 343, 37 b
— 16 Heidelberg. K. Ruprecht an Kgin. Elisabeth v. Frankreich über seine Rückkehr aus
    Italien und Lage in Deutschland, nr. 255 . . . . p. 337
— — Ders. quittiert Basel über 3000 fl. zum Lombard. Zuge * . . . . p. 240 nt. 1
— — vor Donin. Mf. Wilh. v. Meißen an Erzb. Joh. von Mainz, sagt Fehde an * . . . p. 311, 46 a
— 17 Padua. Fr. v. Carrara an K. Ruprecht, stellt Nachrichten in Aussicht, nr. 240 . p. 324
— — — — — — beglaub. s. Kanzleibeamten Florius, nr. 241 . . . —
— 19 Mainz. K. Ruprecht bekennt Schuld [für Sold] an Eberhard von Hirschhorn, verspr.
    Zahlung [auf Erfordern] *, sub nr. 176 . . . . p. 235, 19
— — Merseburg. Mfn. Fr. u. Wilh. v. Meißen an Erzb. Joh. v. Mainz, sagen Fehde an * p. 311, 37 b
— — Padua. Fr. v. Carrara an Venet. Dogen M. Steno: Nachr. aus Deutschland *, nr. 242 p. 324
— — — — Fr. von Montepulciano: — — — — — — u. a. m. * p. 334 nt. 3
— 21 — — Gerardus de Boiardis: — — — — — — * . . p. 278, 29
— — — — Venet. Dogen M. Steno: — — — — — — * . . p. 277, 45. 278, 20
— — Mainz. K. Ruprecht bevollm. 3 gen. zum Empfang der ersten Engl. Mitgiftsrate * p. 279, 2
— — — — Pf. Ludwig — — — — — — — — * p. 279, 3
— 22 — Kurköln u. Kurtrier übertr. Entsch. ihrer Streit. an K. Rupr. u. Kurmainz * p. 269, 20
— vor 23? Straßburg. Aufz. üb. Gewicht u. Berechn. v. Feingeh. u. Werth d. Gulden, nr. 222 p. 300
— 23 Mainz. Rathsschlagen 1) d. kgl. u. kurf. Räthe, 2) d. Städteges. betr. Münze, nr. 223 p. 303
— — — — Verzeichn. der kgl. und kurf. Räthen dazu, nr. 224 . . . . p. 305
— — — — K. Ruprecht an gen. Stände einzeln oder in Gruppen: Münzgesetz, nr. 225 —
— 24 — — K. Ruprecht bekennt Schuld [für Sold] an gen., verspricht Zahlung [auf
    Erfordern] *, sub nr. 176 . . . . p. 235, 21
— — Frankfurt. Münzprobe, vorgelegt auf dem Mainzer Tage vom 13 Juli, nr. 264 . . p. 346
— nach 24. K. Ruprechts Anw. für Gesandtsch. an Hessen u. Braunschweig, nr. 232 . . p. 315
— 25 Alzei. K. Ruprecht bekennt (in 2 Urkunden) Schuld [für Sold] an 2 gen. einzeln,
    verspricht Zahlung [auf Erfordern] *, sub nr. 176 . . . . p. 235, 23
— 28 Padua. Fr. v. Carrara an K. Rupr. üb. Sieg u, droh. Übern. Joh. Galeazzos, nr. 243 p. 325

1402

Juni 28 Padua. Fr. von Carrara an Hzg. Stefan von Baiern über Sieg Joh. Galeazzos * . .   p. 325, 34ᵃ

———— Ders. an Hzg. L. von Baiern u. Bgf. F. v. Nürnberg einzeln über dasselbe *   p. 325, 34ᵇ

Juli 1 u. 8 Frankfurt. Städtische Kosten beim Mainzer Tage, sub nr. 259 . . . . . .   p. 343

—— 3 Padua. Fr. v. Carrara an K. Ruprecht über Verlust Bolognas u. a. m., nr. 244 . .   p. 326

—— 4 ———————— Bisch. G. v. Trient über dass. Ereignis u. a. m. * . . . .   p. 326, 32ᵃ

—— 6 ———————— Hzg. W. von Österreich, ähnlich * . . . .   p. 326, 33ᵃ

————————————Bisch. B. von Freising, ähnlich * . . . .   p. 326, 34ᵃ

—— 7 Simmern. K. Ruprecht an Frankfurt, ladet nach Bacherach wegen Goldmünze, nr. 260   p. 344

—— Nürnberg. Die Stadt an Mainz wegen bevorsteh. Mainzer Tages, nr. 263 . . .   p. 345

—— 8 falsches Datum des Fränk. Landfriedens vom 11 bzw. 12 Juli 1404, sub nr. 426 . .   p. 610, 1

wol vor Juli 13 Straßburg? Münzprobe über Rhein. Gulden . . . .   p. 302 nt. 4

Juli 13 Bacherach. K. Ruprecht über das Kurköln. Erbkämmereramt, nr. 261 . . .   p. 344

ad Juli 13 Mainz. Kölner Münzprobe, vorgelegt auf dem Mainzer Tage, nr. 265 . . .   p. 346

———————— Nürnberger desgleichen, nr. 266 . . . .   p. 348

—————————?? Straßburger desgl. nebst Rathschlagung betr. Goldmünzprüfung, nr. 267   ————

c. ————— Rathschläge der städtischen Gesandten betr. Goldmünze und etwaige kgl.

Steuerforderung, nr. 268 . . . .   p. 350

Juli 15 Heidelberg. K. Ruprecht entb. Franz von Carrara von Ausführung seines Vertrages

mit Joh. Galeazzo * . . . .   p. 326 nt. 3

—————— Frankfurt. Die Stadt an Erfurt über Mainzisch-Hessischen Streit, nr. 283 . . . .   p. 316

————— bis Aug. 5 Frankfurt. Kosten der Stadt zu den kgl. Tagen in Bacherach, nr. 262 .   p. 345

—— 19 Köln. Zwei gen. Kölner an Speier über Kurs v. Kurmainz. u. Kurtrier. fl., nr. 270   p. 352

—— 22 Heidelberg. K. Ruprecht an K. Heinrich von England: Ankunft Blankas; bevorsteh.

Gesandtschaft, nr. 258 . . . .   p. 342

———————— Derselbe bekennt Schuld [für Sold] an Gf. W. von Montfort, verspricht

Zahlung [auf Erfordern] *, sub nr. 176 . . . .   p. 235, 26

————————————— Ders. an Köln, lädt ein auf 27 Aug. nach Nürnberg, nr. 275 . . . .   p. 379

————————————— Basel ——————— sub nr. 275 . .   ————

————————————————— ungen. Fürsten desgl., nr. 276 . . . . . .   ————

ad Juli 22 Heidelberg. Verzeichnis von Adressen für nr. 275 und 276, nr. 277 . . . . .   p. 380

Juli 22-29 Frankfurt. Kosten der Stadt zum Mainzer Tage vom 13 Juli, nr. 269 . . . .   p 351

—— 24 Speier. Die Stadt an Straßburg über Kurs v. Kurmainz. u. Kurtrier. Gulden, nr. 271   p. 352

—— c. 25 Bacherach. K. Ruprechts Anw. für gen. Gesandte zu Verhdl. mit Erzb. v. Salzburg,

nr. 252 . . . .   p. 334

————————————————— Hzg. L. v. Öster-

reich, nr. 253 .   p. 335

Juli 26 Bacherach. K. Ruprecht an Köln, gibt Geleit zur Frankf. Messe, ausgenommen für

Achener Waaren, nr. 289 . . . .   p. 323

—— 29 Padua. Franz von Carrara an Gf. von Carrara über Aufgabe des Pabstes u. K. Ladis-

laus', nr. 245 . . . .   p. 326

—— 30 ————— Ders. an K. Ruprecht über den Fall Bolognas u. schlechte Aussichten, nr. 246   p. 328

————————— Hzg. Stefan von Baiern über Lage in Italien * . . . .   p. 329, 41ᵃ

—————— Udine. Rathsbeschluß wegen voraussichtlicher Ankunft K. Wenzels * . . . . . .   p. 336, 35ᵇ

—— 31 Heidelberg. K. Ruprecht beauftragt U. Stromer mit gewissen Ankäufen und gibt

Bürgschaft für Zahlung * . . . .   p. 387, 37ᵃ

———————————— Ders. u. Pf. Ludwig verspr. Kgin. Elisabeth Rückzahl. v. 3000 Duk., nr. 178   p. 238

Aug. 2 Padua. Franz v. Carrara an G. do Boiardis über Pläne des Luxemburger * . . .   p. 336, 36ᵃ

—— 3 Florenz. Ausgaben der Zehnerbalei für Geschenke an Gesandte K. Ruprechts * . .   p. 79, 37ᵃ

—— 4 Mainz. Die Stadt an Köln wegen städt. Vorber. des Nürnberger Tages, nr. 278 . .   p. 382

—————— Padua. Franz v. Carrara an K. Ruprecht: Projekt einer Ligue u. a. m., nr. 247 . .   p. 329

———————— Ders. an seine Gesandten in Venedig über K. Ruprechts versetzte Kleinodien *   p. 329 nt. 2

—— 5 ————————— K. Ruprecht, übers. auf Wunsch eine Geheimschrift, nr. 248 . . .   p. 330

—— 7 ———————— seine Schwester Hzgin. v. Sachsen über Lage in Italien * . . . .   p. 329, 42ᵃ

—————— Basel. Die Stadt an Straßburg, bittet um Auskunft betr. Ausführ. d. Münzgesetzes *   p. 272, 31

—— 9 Rom. Florentin. Gesandte an ihre Signorie v. Verhdl. zw. Pabst und Joh. Galeazzo *   p. 408, 33ᵃ

————————————————— über Aussichten einer Ligue * . . . .   p. 408, 42ᵃ

—— 12 Mainz. Die Stadt an Köln, lädt z. Städtetag n. Worms wegen Nürnb. Tages, nr. 279   p. 383

—————— Basel. Die Stadt an Straßburg wegen Besuch des Nürnberger Tages, nr. 280 . .   p. 384

1402

Aug. 12 Oppenheim. K. Ruprecht setzt Tag zu Hersfeld wegen Kurmainz.-Hess.-Braunschw.
Streites, nr. 327 . . . . p. 440
—— 13 bis 1404 Febr. 3 Augsburg. Städtische Kosten bei und nach dem Nürnberger Tage
von 1402, nr. 325 . . . . p. 435
—— 16 Wien. Vertrag zw. K. Sigmund u. 3 gen. Österr. Herzögen *, nr. 305 . . . . p. 413
——————Heidelberg. K. Ruprecht setzt Gf. H. v. Werdemberg zum Landvogt in Schwaben * p. 522, 38ª
—— bis 1404 Merz 26 Nürnberg. Geschenke der Stadt bei und nach dem Tage dort vom
August, nr. 324 . . . . p. 428
—— 18 Heidelberg. K. Ruprecht bekennt Schuld [für Sold] an gen., verspricht Zahlung
[auf Erfordern] *, sub nr. 176 . . . . p. 235, 28
—— 21 Worms. Rathsboten gen. Städte an Köln über Kurs Kurmainz. u. Kurtrier. fl., nr. 272 p. 353
—— 22 Padua. Fr. v. Carrara an G. de Boiardis üb. Verhdl. Neapol. Ges. u. a. m. * . . p. 408, 46ª
—— 23 Heidelberg. K. Ruprecht bevollm. 3 gen. zu Vhdl. mit Kg. K. v. Frankreich *, nr. 287 p. 390
——————Ders. u. Pf. Johann desgl. dies. zu Heirathsverhdl. *, nr. 288 . . . p. 391
——————Ders. verpfändet Pf. Ludwig gen. Reichsbesitzungen für 40000 Nob. * p. 402 nt. 1
—— 24 ——————Ders. bekennt Schuld [für Sold] an 2 gen. zus., verspricht Zahlung
[auf Erfordern] *, sub nr. 176 . . . . p. 235, 30
——————Mosbach. Ders. bekennt Hzg. L. v. Baiern noch 11648½ fl. zu schulden, verspricht
Zahlung auf Erfordern * . . . . p. 242 nt. 4
—— [Padua?] Fr. von Carrara an seine Gesandten in Venedig über bevorstehende Gesandtschaft K. Ruprechts * . . . . p. 406 nt. 1
——————Frankfurt. Die Stadt an Städtages. in Worms über Gulden-Kurs u. Gewicht, nr. 273 p. 354
—— bis 1403 Febr. 22. Einnahmen der kgl. Kammer zur Zeit des Nürnberger Tages
und nachher, nr. 283 . . . . p. 386
—— 26 Mainz. Die Stadt an Frankfurt, überschickt Guldengewicht, nr. 274 . . . . . . p. 355
—— 27 bis 1402 ex. Nürnberg. Geschenke der Stadt an den kgl. Hof, nr. 323 . . . . . . p. 428
nach Aug. 27 Nürnberg. K. Ruprechts Anw. für Gesandtschaft nach Frankreich, nr. 289 . p. 391
—— — Desgl. für dieselbe an die Königin von Frankreich, nr. 290 . . . p. 394
—————— Desgl. für Gesandtschaft an K. Heinrich von England, nr. 294 . p. 399
zw. Aug. 27 u. Sept. c. 3 Nürnberg. Städtische Aufzeich. über die päbstl. Zumuth. an
K. Ruprecht, nr. 282 . . . . p. 385
Aug. 29 Udine. Rathsbeschluß betr. Ital. Zug K. Sigmunds und K. Wenzels *, nr. 306 . . p. 414
——————Frankfurt. Die Stadt an K. Ruprecht wegen Bestell. d. Münzwechsels, nr. 226 . p. 308
—— 30 Nürnberg. K. Ruprecht bevollm. 2 gen. zu Verhdl. mit Mf. Jost, nr. 307 . . p. 414
c. Aug. 30 Nürnberg. K. Ruprechts Anw. für Gesandte zu Verhdl. mit Mf. Jost, nr. 308 * p. 415
Aug. 31 Venedig. Rathsbeschluß betr. Antwort an Gesandten K. Ruprechts, nr. 296 . . . p. 406
——————Padua. Fr. v. Carrara an Bisch. G. v. Trient, dankt für Nachr. u. gibt solche * . p. 414 nt. 1
Sept. 1 Udine. Rathsbeschluß betr. Erheb. außerordentl. Abgaben * . . . . p. 414, 46ª
—————— o. O.? Fr. v. Carrara an G. de Boiardis, sendet Abschr. eines aus Wien erh. Briefes * p. 407, 40ᵇ
—— 2 Padua. ——————M. de Rabatta, —————— . . . . p. 407, 41ᵇ
——————G. de Boiardis über K. Ruprechts Abs. u. a. m., nr. 297 . . p. 407
—— 3 Mailand. Zwei gen. Söhne Joh. Galeazzos an K. Wenzel, melden Tod ihres Vaters * p. 416 nt. 2
——————Dies. an dens.: Bitte um Beistand; Versich. der Treue *, nr. 309 . . . p. 416
—— 4 Udine. Rathsbeschluß wegen angebl. bevorsteh. Zuges K. Wenzels etc. * . . . . . p. 414, 38ᵇ
——————o. O.? Franz von Carrara an gen. Magister, dankt für Nachrichten * . . . . p. 407, 42ª
——————Nürnberg. K. Ruprecht bekennt (in 2 Urkunden) Schuld [für Sold] an 2 gen. einzeln,
verspricht Zahlung [auf Erfordern] *, sub nr. 176 . . . . p. 235, 32
—— 5 ——————Ders. desgl. (in 2 Urkunden) an 2 gen. einzeln *, sub nr. 176 . . . p. 235, 36
——————Ders. an Frankfurt wegen Bestell. d. Münzwechsels, nr. 227 . . . . . p. 309
—— 6 Rom. Florentin. Gesandte an ihre Signorie von Verhdl. mit Ruprecht *, nr. 298 . . p. 408
——————Padua. Franz von Carrara an 2 gen. über Aussichten auf eine Ligue * . . . p. 408, 89ᵇ
—— 7 o. O. Schw. R. v. Sickingen quittiert Hagenau über 1540 fl. außerord. Steuer an
K. Ruprecht * . . . . p. 389, 27ª
——————Nürnberg. K. Ruprecht schreibt Bf. Fr. von Nürnberg gen. Betrag an Pfandsumme
gewisser Schlösser ab * . . . . p. 217, 24ᵇ
—— 8 ——————K. Elisabeth gibt Zustimmung zu dieser Urkunde * . . . . p. 217, 33ᵇ
——————Padua. Franz von Carrara an K. Ruprecht über Tod Johann Galeazzos, günstige
Aussichten etc., nr. 299 . . . . p. 408

1402

Sept. 9 bis 1403 April 8 Frankfurt. Kosten der Stadt bei und nach dem Nürnberger Tage
vom Aug. 1402, nr. 326 . . . . p. 439

—— 10 Padua. Fr. v. Carrara an K. Rupr. über Tod Joh. Galeazzos, günst. Auss. etc., nr. 300   p. 409

—— K. Elis. _____ sub

nr. 300

—— K. Ladislaus von Neapel, meldet Tod Joh. Galeazzos * . p. 410, 40ᵃ

—— verschiedene Fürsten und Herren einzeln, desgl. * . . . p. 410, 42ᵃ

—— 11 Neckarsulm. Erzb. Joh. v. Mainz u. Mf. B. v. Baden schl. 5jähr. Bündnis * . . p. 495, 23ᵇ

—— 13 Speier. Die Stadt an Straßburg betr. projekt. Städtetag in Speier etc., nr. 342 .   p. 483

—— Nürnberg. K. Ruprecht bek. (in 2 Urkk.) Schuld [für Sold] an gen., verspr. Zahl.
eines Theils auf 1 Mai an gen., des Rests auf Erford. *, sub nr. 176 .   p. 235, 40

—— 14 —— K. Ruprecht gewährt Lomb. Kaufleuten freies Geleit, nr. 301 . . . .   p. 410

—— Pressburg. K. Sigmund verschreibt Ungarn event. Hzg. Albr. von Österreich * .   p. 417, 30ᵃ

—— 15 Padua. Fr. v. Carrara bevollmächtigt gen., gen. Summe von 2 gen. Nürnbergern zu
empfangen * . . . . p. 411 nt. 2

—— 17 —— an K. Ruprecht über Italien. Verhältnisse, nr. 302 . . .   p. 411

—— Ders. an gen. Deutsche Fürsten etc., meldet Tod Joh. Galeazzos als sicher *   p. 412, 24ᵃ

—— Straßburg. Verordnung betr. Münzwechsel * . . . . p. 272, 45

—— Pressburg. K. Sigmund verspr. Hzg. Albr. v. Österreich Residenz u. 12000 fl. (lat.) *   p. 417, 29ᵇ

—— Ders. ernennt dess. z. Statth. u. event. Regenten in Ungarn (lat.) * . p. 417, 40ᵃ

—— 18 —— Ders. dens. deagl. (deutsch) * . . . . p. 417, 48ᵃ

—— Ders. verspr. dems. Residenz u. 12000 fl. (deutsch) * . . . . p. 417, 34ᵇ

—— Padua. Fr. v. Carrara an Venedig, dankt für Übers. v. Nachr. aus Deutschland * . p. 412, 40ᵃ

—— 21 Pressburg. Stände Ungarns erkennen Verfüg. K. Ruprechts betr. Hzg. Albrecht von
Österreich an * . . . . p. 417, 36ᵇ

—— Mainz. Die Stadt an Köln über Forder. K. Ruprechts auf d. Nürnb. Tage, nr. 284   p. 388

—— 23 Pressburg. K. Sigmund befiehlt, Hzg. Albrecht von Österreich in Ungarn als seinem
Vikar zu gehorchen * . . . . p. 417, 44ᵇ

—— 25 Basel. Die Stadt an Straßburg, wünscht Nachr. vom Nürnb. Tag, nr. 281 . . .   p. 384

—— 26 Hersfeld. K. Ruprecht bestät. Landfr. in Sachsen Hessen Thüringen, nr. 328 . .   p. 441

—— Drei gen. Braunschw. Herzöge übertr. Entsch. in der Mordsache an K.
Ruprecht, nr. 329 . . . .   p. 442

—— 27 —— F. von Hertingshausen und K. Falkenberg desgleichen * . . . . p. 451 nt. 1

—— K. Rupr. beredet vorl. gütl. Bericht. zw. Kurmainz u. gen. Fürsten, nr. 330 .   p. 443

—— Speier. Protokoll eines dort. Rhein. Städtetages betr. Hilfe an den König, nr. 343   p. 484

—— 29 o. O. Schwarz R. von Sickingen quittiert Mülhausen über 500 fl. außerordentliche
Steuer an den König *, nr. 285 . . . .   p. 389

zw. 1402 Sept. u. 1403 Merz Paris. Verzeichnis von Gläubigern, denen Hzg. L. von Baiern
seine Schuld v. Ital. Zuge her bezahlt hat, sub nr. 175 . p. 231, 4

nach Okt. 4 Rom. Florentin. Gesandte an ihre Signorie über Verhdl. mit dem Pabst * . .   p. 408, 48ᵇ

Okt. 7 Frankfurt. Ausgabe der Stadt für Boten nach Venedig . . . .   p. 246, 41ᵇ

—— 11 Straßburg. Die Stadt an K. Ruprecht, lehnt Kriegshilfe ab, nr. 344 . . . . . .   p. 485

—— 14 Wertheim. Erzb. Joh. von Mainz und Bisch. Joh. von Wirzburg verbünden sich auf
3 Jahre * . . . . p. 580 nt. 1

—— 16 Florenz. Bericht gen. Gesandten über Gesandtschaft im April 1402, nr. 36 . . . .   p. 79

—— 17 Venedig. Rathsbeschluß: Antw. auf Gesandtsch. Hzg. Albr.'s v. Österreich, nr. 310   p. 417

—— Mainz. Die Stadt an Köln wegen Verhaltens gegen das geächtete Achen * . . . .   p. 274, 10

—— Frankfurt. _____ * . . . . p. 274, 14

—— 19 Rom. Entwurf einer Ligue zw. Pabst u. Florenz *, nr. 303 . . . .   p. 412

—— Nürnberg. K. Ruprecht bevollm. 2 gen. zu Verhdl. mit Hzg. A. v. Österreich, nr. 311 .   p. 418

c. Okt. 19 Nürnberg. Desselben Anw. für s. Gesandten zu Verhdl. mit dems., nr. 312 . .   p. 419

zw. —— u. 28. Bgf. Fr. von Nürnberg an ungen. Fürsten über K. Sigmund Hzg. A. von
Österreich etc., nr. 313 . . . .   p. 421

Okt. 20 Nürnberg. K. Ruprecht bek. Schuld [für Sold] an gen., verspricht Zahlung [auf
Erfordern] *, sub nr. 176 . . . .   p. 236, 1

—— 22 —— Ders. desgl. gen. *, sub nr. 176 . . . .   p. 236, 3

—— 25 —— Ders. desgl. gen. für Sold *, sub nr. 176 . . . .   p. 236, 5

—— 27 —— Ders. desgl. gen. *, sub nr. 176 . . . .   p. 236, 8

1402

Okt. 28 Florenz. Ausgaben der Zehnerbalei für Begleit. Hzg. Ludwigs von Baiern * . . . p. 79, 37 b
— 29 ——— Zehnerbalei an Paul von Guinigi über Bündnis mit dem Pabst * . . . . p. 412, 30 b
— 31 Riesenburg. Mf. Jost u. andere an Ldgf. B. v. Thüringen wegen Befreiung Wenzels * p. 416 nt. 1
c. Okt. ex. Florenz. Ausgaben der Zehnerbalei für Gesandtschaft zu K. Ruprecht und andern
         vom 5 Mai an * . . . . p. 275, 34
Nov. 6 Padua. Fr. v. Carrara an Hzg. L. v. Baiern über in Aussicht steh. Schuldzahl. * . p. 231, 37 a
— 7 Thionville. Mf. B. von Baden tritt in den Dienst des Herzogs von Orléans * . . . p. 498, 42 b
— 11 Nürnberg. K. Rupr. an Straßburg, lädt zu Städtetag nach Speier auf 13 Dec., nr. 345 p. 486
— 17 Padua. Fr. von Carrara an K. Ruprecht, empfiehlt gen. Boten oder Gesandten * . p. 413, 35 a
— 22 ——— Gottfr. von Leiningen macht K. Ruprecht Versprechungen für den Fall seiner
         Erhebung zum Trierer Erzbischof * . . . . p. 368, 12
— 24 Venedig. Rathsbeschluß: Antwort auf Gesandtsch. K. Wenzels wegen beabsichtigten
         Romzugs, nr. 314 . . . . p. 422
— 25 Dortmund. Die Stadt an K. Ruprecht, beglaubigt 2 Gesandte * . . . . p. 561, 6
——— Nürnberg. K. Ruprecht bef. H. v. Rodenstein Schutz Frankfurts auf 1 Jahr * . . p. 590, 36
— 26 ——— ——— überträgt Frankfurt dortige Goldmünze * . . . . p. 309, 41 a
c. Dec. K. Sigmund von Ungarn an seine Getreuen über beabsichtigten Italien. Zug * . . p. 363, 13
Dec. 2 Weilderstadt. Mf. B. v. Baden u. Gf. E. von Wirtemberg schließen 2jähr. Einung * . p. 495, 32 b
— 3 Nürnberg. K. Ruprecht bekennt, gen. [für Sold] 175 fl. zu schulden, verspricht Zahl.
         [auf Erfordern] *, sub nr. 176 . . . . p. 236, 13
— 5 Padua. Fr. v. Carrara bevollm. gen. zu Empfang einer Zahlung Hzg. L.'s v. Baiern * p. 231, 47 a
— 6 Straßburg. Die Stadt an Basel über Hzg. v. Orléans u. bevorsteh. Speierer Tag, nr. 346 p. 487
— 7 Padua. Franz von Carrara verkündet Friedensschluß mit Mailand * . . . . p. 413, 40 a
— 8 Mailand. Hzg. und Hzgin. an Behörden dort, desgl. mit Fr. von Carrara * . . . . p. 413, 43 a
— 13 Speier. Protokoll des königlichen Tages daselbst, nr. 347 . . . . p. 488
— 21 Nürnberg. K. Ruprecht quittiert Frankfurt über 1000 fl. außerordentl. Steuer * . . p. 389, 37 a
— 23 ——————— bek. Schuld für Sold an gen., verspr. Zahl. auf Erfordern * p. 236, 17
——————— Ders. desgl. [für Sold] an gen., verspr. Zahl. [auf Erfordern] * . p. 236, 15
——————— Padua. Fr. v. Carrara an Königin Elisabeth, beglaub. gen. Gesandten *, sub nr. 304 p. 413
——————— Bisch. R. v. Speier, ———————
——————— Bgf. F. v. Nürnberg, ———————
—— bis 1403 Merz 25 Frankfurt. Kosten der Stadt bei kgl. Städtetagen, nr. 352 . . . p. 492
1402 ex. oder 1403 in. K. Ruprechts Anweis. für nichtgen. Ges. an das Trierer Domkapitel * p. 368, 40
— ——— — Desgl. an Ph. von Falkenstein betr. Trierer Erzstift . . . . . . p. 369, 9

1403

1403 in. seit 1401 ex. Notizen über Schulden Hzg. Ludwigs von Baiern vom Italienischen
         Feldzuge her, nr. 175 . . . . p. 229
1403 c. in.-med. Aufzeichn. über Vergehungen des H. Kämmerer gegen K. Ruprecht * . . p. 488, 44 b
Jan. 1 Nürnberg. K. Ruprecht quittiert Eßlingen (in mehreren Urkunden) über verschiedene
         Theilbeträge der außerord. Steuer (zahlbar an verschiedene) *, sub nr. 286 p. 390, 5
c. Jan. 1 Nürnberg. Ders. quitt. Weißenburg i. N. über 175 fl. außerord. Steuer *, sub nr. 286 p. 390, 17
Jan. 3 Nürnberg. K. Ruprecht an Straßburg, beglaub. Schwarz Reinh. von Sickingen * . . p. 490 nt. 1
— 5 ——— Ders. an Köln wegen Lieferungen an K. Sigmund, nr. 315 . . . . . p. 422
— 7 ——— Kg. Heinrich von England, antwortet auf die durch seine zurück-
         gekommenen Gesandten überbrachten Briefe * . . . . p. 399 nt. 1
——————— K. Ruprecht bekennt Schuld [für Sold] an gen., verspricht Zahlung [auf
         Erfordern] *, sub nr. 176 . . . . p. 236, 20
— 9 ——— Ders. desgl. gen. *, sub nr. 176 . . . . p. 236, 22
——————— ——— Zahlung auf 23 April *, sub nr. 176 . . . . . . p. 236, 25
——————— K. Ruprecht setzt Verschreib. für U. Stromer vom 31 Juli 1402 in Kraft * p. 387, 47 a
— 10 ——— Derselbe bekennt Schuld [für Sold] an gen., verspricht Zahlung an gen.
         auf 1 Mai *, sub nr. 176 . . . . p. 236, 27
— 11 bis Febr. in. Nürnberg. Kosten der Stadt beim kgl. Tage dort, nr. 331 . . . . p. 448
— 12 Nürnberg. K. Ruprecht beauftr. 3 gen. mit Vollstr. der Reichsacht gegen Aachen * . p. 274, 18
— 16 ——— Ders. quitt. Weinsberg über 160 fl. außerord. Steuer *, sub nr. 286 . . p. 390, 18
— 17. Aufzeichn. über Versuch Rotenburgs, Privil. beim König in Nürnberg bestätigt zu
         erhalten, nr. 332 . . . . p. 449

1403

Jan. 22 Nürnberg. 3 gen. Fürsten an Erzb. Johann von Mainz, fordern Hilfe gegen K. Sig-
　　　　　mund, nr. 316 . . . . 　　　　　　p. 423
　　　　　　　　　　　　F. von Köln, desgl. *, sub nr. 316 . . . . . 　　——
　　　　　　　　　　　　W. von Trier, „ . . . . .
__ 23 ____ K. Ruprecht vermittelt i. Streit. zw. Gfn. v. Öttingen u. Dinkelsbühl * . p. 520 nt. 2
__ 24 ____ Ders. bezeugt 2 gen. Hzgn. von Teck ihre Rechtfertigung * . . . . . p. 35, 41 b
____ Kuttenberg. K. Sigmund an Fürst A. von Anhalt wegen Verhaltens Mf. Wilhelms
　　　　　von Meißen * . . . . p. 423 nt. 2
__ 25 Nürnberg. K. Ruprecht an Straßburg, lädt zum Speierer Städtetag auf 9 Febr., nr. 348　p. 490
__ 26 ____ Ders. bevollm. 3 gen. zur Verpfändung gen. Zölle * . . . . p. 360, 9
____ Padua. Jakob von Carrara an seinen Bruder Franz: Nachrichten über Baierische u.
　　　　　Französische Verhältnisse, nr. 291 . . . . p. 395
__ 29 Nürnberg. irrthüml. Datum statt 1403 Febr. 5 . . . . p. 480, 30 b
Febr. 2. Erzb. Joh. von Mainz, Bisch. F. von Eichstädt, Bgfn. F. und J. von Nürnberg und
　　　　　Gfn. F. und L. von Öttingen verbünden sich auf 5 Jahre * . . . . . . p. 371, 39. 580, 7
__ 3 Bern. Die Stadt an Basel über Rüstungen der Hzge. von Orléans u. Österreich * . p. 488 nt. 1
____ Nürnberg. K. Ruprecht entscheidet gütlich zwischen F. von Hertingshausen u. K. v.
　　　　　Falkenberg einer- u. Braunschw. Hzgn. andererseits, nr. 333 . . . . . p. 451
　　　　　　　　　　　　Ders. entsch. zw. Kurmainz und 3 gen. Braunschw. Hzgn., insbesondere
　　　　　die Klagen Letzterer, nr. 334 . . . . p. 453
　　　　　　　　　　　　Ders. desgl., insb. die Klagen des Ersteren, nr. 335 . . . . p. 457
　　　　　　　　　　　　Ders. desgl. zw. Kurmainz u. Hessen, insb. d. Klagen d. Letzteren, nr. 336 p. 459
　　　　　　　　　　　　Ders. desgl. insb. d. Klagen des Ersteren, nr. 337 . . . . p. 468
ad Febr. 3 Nürnberg. Verzeichn. d. Spruchrichter zw. Mainz Braunschweig Hessen, nr. 338　p. 479
Febr. 4 o. O. Hzg. B. von Braunschweig bestät. Huldigung etc. seines Bruders H., nr. 339　p. 480
__ 5 Nürnberg. K. Ruprecht bewill. den 2 Braunschw. Hzgn. Judensteuer in Sachsen * p. 480, 34 a; 40 a
__ 9 Speier. Protokoll des kgl. Städtetages daselbst, nr. 349 . . . . p. 490
__ 12 Triefenstein. Erzb. J. v. Mainz gelobt ält. Bündn. gegenüber Bisch. J. v. Wirzburg * p. 759 nt. 6
ad Febr. 12 Nürnberg. Notiz über Auslieferung der kgl. Krone . . . . p. 388 nt. 1
kurz vor Febr. 19 Straßburg. Anweis. für städt. Gesandte zum Speierer Städtetage, nr. 350　p. 491
c. Febr. 20 Nürnberg. K. Ruprechts Antwortsanw. an Hzg. K. v. Lothringen, nr. 353 . . p. 493
c. Merz (etwa Jan. bis Mai) Korresp. zw. K. Ruprecht und Mf. B. von Baden * . . . . p. 499 nt. 1
Merz 1 Nürnberg. K. Ruprecht an Straßburg, lädt zum Heidelb. Tage auf 18 Merz, nr. 351　p. 491
__ 2 ____ Ders. an Bodenseestädte, verbietet gewisse Ausbürger, nr. 377 . . . . p. 522
　　　　　　　　　　　　Schwäb. Bundesstädte, desgl. *, sub nr. 377 . . . . p. 522, 8
　　　　　　　　　　　　gen. Schwäb. Klöster betr. Verhältnis zum kgl. Landvogt * . . p. 522 nt. 2
　　　　　　　　　　　　bekennt Schuld zum Theil für Sold an gen., verspricht Zahlung [auf
　　　　　Erfordern] *, sub nr. 176 . . . . p. 236, 32
__ 3 o. O. Fr. von Sachsenhausen an Frankfurt über Umtriebe der Fürsten gegen K. Ru-
　　　　　precht, nr. 354 . . . . p. 495
__ 11 Nürnberg. K. Ruprecht verschr. seinen gen. Räthen für Darlehen zur Gesandtschaft
　　　　　nach Rom gen. Zolleinkünfte * . . . . p. 357, 43
__ 19 Baden. Mf. Bernhard an Straßburg, wünscht Gesandtschaft nach Speier, nr. 355 . p. 496
____ Heidelberg. K. Ruprecht bestätigt Abkommen mit Basel betr. Italienischen Zug vom
　　　　　26 Sept. 1401, nr. 179 . . . . p. 239
__ 22 ____ Ders. an Hzg. K. von Lothringen betr. Schuldentilgung, nr. 180 . . p. 240
zw. Merz 26 u. April ex. Straßburg. Die Stadt an Metz über Verhältnis des Mfn. von Baden
　　　　　zu K. Ruprecht, nr. 356 . . . . p. 497
Merz 28 Heidelberg. K. Ruprecht an Köln über Mf. B. von Baden, nr. 357 . . . . . . p. 498
__ 29 ____ Derselbe bevollmächtigt 2 gen. zu Verhdl. mit dem Bisch. von Utrecht
　　　　　und dem Hzg. von Geldern * . . . . p. 505 nt. 2
c. April oder 1406 in.? Notizen insb. über Verhalten Erzb. Johanns von Mainz * . . . . p. 496 nt. 3
vor April 2 Frankfurt. Die Stadt an K. Ruprecht über Erzb. von Mainz Mf. von Baden
　　　　　u. a. m., nr. 358 . . . . p. 499
April 2 Munichauweßheim. H. von Rodenstein an Frankfurt über Krieg gegen Mf. B. von
　　　　　Baden, nr. 359 . . . . p. 500
　　　　　　　　　　　　K. Ruprecht desgl. über Krieg u. Verhdl. mit dems., nr. 360 . p. 501
__ 3 o. O. W. van den Dijk an Köln über den Badischen Krieg etc., nr. 361 . . . . p. 502

1403

April 7 o. O. W. van den Dijk an Köln über den Badischen Krieg etc., nr. 362 . . . .   p. 503

——— 9 Frankfurt. S. v. Cherpen desgl. über Gesandtsch. K. Wenzels an K. Ruprecht, nr. 317   p. 424

——— 10 Straßburg. Die Stadt an Basel über den Badischen Krieg etc., nr. 363 . . . .   p. 503

——————— Heidelberg. K. Ruprecht schl. Vertrag mit Basel betr. Krieg geg. Mf. B. v. Baden *   p. 509 nt. 2

———————————— an Straßburg, beglaubigt Reinh. von Sickingen * . . . .   p. 504, 35ᵃ

———————————— Ders. verspr. gen. Zahlung für Lieferungen die dieser abgeschlossen * .   p. 504, 43ᵃ

——— 11 o. O. W. van den Dijck an Köln über Böhmische Angelegenheiten, nr. 318 . . .   p. 425

——— 14 Olmütz. Mf. Jost schließt Waffenstillstand mit K. Sigmund und Hzgn. W. und A. von Österreich * . . . .   p. 425 nt. 5

——————— bis Mai 19 Frankfurt. Ausgaben der Stadt zum Kriege K. Ruprechts gegen Baden   p. 500 nt. 3

——— 15 Heidelberg. K. Ruprecht an Straßburg, verlangt Fehdebrief gegen Mf. Bernh. von Baden, nr. 364 . . . .   p. 504

——— 16 ——— Ders. bek. Schuld von 2000 fl. für den Bischof von Straßburg * . . .   p. 498 nt. 2

——————— Ders. bevollm. 2 gen. zu Verhdl. mit Mf. Jost oder Mf. Wilhelm von Meißen, nr. 319 . . . .   p. 425

——— 22 Bacherach. Ders. an Frankfurt über sein Verh. zu versch. Fürsten u. bevorstehenden Wormser Tag, nr. 365 . . . .   p. 505

——— 25 Basel. Die Stadt an Frankfurt über Schadensersatzanspruch an Mf. B. v. Baden * .   p. 507, 29ᵃ

——— 28 Jena. Die Mfn. Balth. u. Wilh. II v. Thüringen vermitteln Frieden zw. K. Sigmund und Mf. Wilh. I * . . . .   p. 425, 31ᵇ

Mai 3 Herrenberg. Gf. E. von Wirtemberg an Gf. E. von Kirchberg über projektiertes Bündnis mit Straßburg* . . . .   p. 713, 8

— 5 Worms. Erzb. Fr. von Köln Bisch. F. von Utrecht u. Gf. S. v. Sponheim vergleichen K. Ruprecht mit Mf. B. von Baden, nr. 366 . . . .   p. 506

——————— Aufzeichnung über die Sühne zwischen denselben * . . . . . .   p. 507, 38ᵃ

——————— K. Ruprecht an Frankfurt, übers. diese Aufzeichn. * . . . .   p. 507, 35ᵇ

——————————— bewilligt Mf. B. von Baden Erbfolge für seine Töchter * . . .   p. 508 nt. 1

——————— Ders. gelobt dems. Erhaltung seiner Stellung und Rechte * . . . .   p. 508 nt. 2

——————— Dieser jenem desgl. Treue, insbesondere gegen Hzg. von Orléans Luxemburger Mailand, nr. 367 . . . .   p. 510

——————— Ders. gibt dems. Sicherheit wegen des Schlosses Stafforth * . . . .   p. 508 nt. 3

——————— Ph. von Falkenstein an Frankfurt über die Sühne zw. Kg. und Mf.* . . .   p. 507, 44ᵇ

— 6 Heidelberg. K. Ruprecht an Köln über seine Sühne mit Mf. B. von Baden, nr. 368 .   p. 511

— 10 Druckfehler statt 1384 Mai 10 . . . .   p. 471, 46ᵃ

— 17 Heidelberg. K. Ruprecht an K. M. von Aragonien: Beziehungen zu Frankreich und Kirchenfrage, nr. 292 . . . .   p. 395

— 19 Frankfurt. Ausgaben der Stadt bei Verhdl. über Wetterauisches Bündnis * . . . .   p. 591, 4

——————————— zu einer Gesandtschaft nach Worms . . . . .   p. 511, 39ᵇ

——————— bis Dec. 31 Frankfurt. Desgl. bei eigenen u. K. Ruprechts Tagen mit Kurmainz, nr. 369   p. 511

— 23 Heidelberg. K. Ruprecht bekennt Schuld [für Sold] an gen., verspricht Zahlung auf Sept. 29*, sub nr. 176 . . . .   p. 236, 30

— 29 Pilsen. K. Sigmund an Mf. W. von Meißen, beglaubigt Bisch. von Meißen* . . . .   p. 425, 39ᵇ

Juni 6 Heidelberg. K. Ruprecht gestattet Befestigung des Klosters Herrenalb * . . . . .   p. 509, 42ᵃ

——————— Derselbe bekennt Schuld an Hzg. Karl von Lothringen für Sold, überweist ihn gen. Einkünfte * . . . .   p. 241 nt. 1

— 7 Germersheim. Hzg. H. v. Braunschweig an Frankfurt über seinen Streit mit Kurmainz*   p. 366, 23

— 8 Heidelberg. K. Ruprecht an Ph. Bonifacius betr. Neubes. des Salzb. Erzbisthums * .   p. 556, 43ᵃ

——————— nichtgen. Kardinal betr. gleiche Angel. . . . . . .   p. 556, 43ᵃ

— 9 ——— Derselbe bekennt Schuld an gen. für Sold, verspricht Zahlung [auf Erfordern]*, sub nr. 176 . . . .   p. 237, 1

— 10 Paris. Nik. Becherer an gen. Straßb. Stadtschreiber über Französ. Verhältn., nr. 293 .   p. 396

— 18 Heidelberg. Aufz. v. kgl. Seite über Verhdl. mit Schwäb. Bundesstädten, nr. 378 .   p. 523

——————— Hemsbach. Erzb. Johann von Mainz beurkundet für sich und Frankfurter Klerus Vereinbarung mit Frankfurt, nr. 370 . . . .   p. 513

——————————— K. Ruprecht beurk. dieselbe Vereinbarung, nr. 371 . . . .   p. 514

— 19 Weinheim. Erzb. J. von Mainz verabredet sich mit K. Ruprecht wegen verschiedener Streitpunkte, nr. 372 . . . .   p. 515

——————— K. Ruprecht desgl. mit Erzb. Johann von Mainz *, sub nr. 372 . . .   p. 515, 23

1403

Juni 19 Weinheim. K. Ruprecht und Erzb. Johann von Mainz schließen Einung auf Lebens-
       zeit, nr. 373 . . . .   p. 517

—— 23 bis 1404 April 26 Frankfurt. Städtische Kosten bei kgl. Tagen dort zw. Kurmainz
       und Hessen, nr. 340 . . . .   p. 481

Juli Nürnberg. Übereinkunft Fränk. Fürsten u. Herren w. Friedens auf 3 Jahre etc., nr. 423   p. 598

—— 7 Heidelberg. K. Ruprecht bek. Schuld an Bgf. F. v. Nürnberg v. Lomb. Zuge her * . p. 217, 35ᵇ

—— 9 ——— Ders. desgl. an gen., verspr. Zahl. [auf Erfordern]*, sub nr. 176 . . .   p. 237, 3

vor Juli 11. Derselbe hebt unter gewissen Bedingungen die Zölle des Rheinisch-Wetterauischen
      Landfriedens auf (Entwurf I) * . . . .   p. 589, 41

——————— Desgleichen (Entwurf II) * . . . .

Juli 11 bis Aug. 8 Nürnberg. Kosten der Stadt beim kgl. Tage daselbst, nr. 424 . . . .   p. 602

—— 17 Alzei. K. Ruprecht bevollm. F. von der Huben, 16000 Nob. von der Mitgift Blankas
      zu empfangen * . . . .   p. 403, 35ᵃ

——————— Pf. Ludwig desgl. * . . . .   p. 403, 41ᵃ; 47ᵃ

—— 25 Heidelberg. K. Ruprecht an Trier, schickt auf Wunsch gen. Gesandte * . . . . . p. 368, 20

—— 30 Trier. Derselbe bestätigt Freiheiten Triers * . . . . p. 368, 30

Aug. 4 Frankfurt. Ausgaben der Stadt für kgl. Urkunden betr. die Münze . . . . p. 309, 46ᵇ

—— 10 Trier. K. Ruprechts Anweis. für Gesandtsch. nach England, betr. Mitgiftzahlung u.
      Hzg. von Orléans, nr. 295 . . . .   p. 403

—— 11 ——— Ders. an Frankfurt über seinen Aufenthalt in Trier * . . . . p. 368, 34

—— 17 Heidelberg. Ders. bevollm. 3 gen. zu Verhdl. mit Mf. Jost *, nr. 320 . . . . . . p. 426

—— 19 ——— Ders. an Fr. von Carrara wegen Betheil. am Kriege des Pabstes gegen
      Mailand, nr. 379 . . . .   p. 524

—— 26 Mergentheim. Kgl. Landfriede f. Franken auf 3 Jahre u. weiter auf Widerruf, nr. 425 p. 602

—— 29 Mailand. Hzg. u. Hzgin. an dort. Behörden, zeigen Frieden mit dem Pabst an * . p. 525, 39ᵃ

—— 31 Heidelberg. K. Ruprecht lädt Bisch. Humbert von Basel zum Lehnsempfang vor das
      Hofgericht * . . . .   p. 561, 15

————————— Ders. an gen., befiehlt diese Vorladung dem Bischof zu verkünden * . p. 561, 20

Sept. 13 Mailand. Hzg. u. Hzgin. an dortige Behörden über Einnahme Brescias etc. * . p. 525, 44ᵃ

—— 29 Alzei. K. Ruprecht bevollm. K. von Eglofstein_ zu Verhandl. mit Reichsangehörigen
      in Italien, nr. 380 . . . .   p. 525

—— 30 Bacherach. Ders. bef. Köln, s. gen. Diener (Reichsachtsvollstr. g. Achen) loszulassen * p. 274, 25

Okt. 14 Heidelberg. Ders. bek. Schuld für Sold an gen., verspricht Zahlung auf 30 Merz *,
      sub nr. 176 . . . .   p. 237, 5

—— 16 ——— Ders. an Fr. von der Huben: soll Theil der Englischen Mitgift an gen.
      Nürnberger zahlen * . . . .   p. 403, 35ᵇ

—— 17 Nordhausen. Gen. Thür. Braunschw. Hess. Fürsten verb. sich gegen Kurmainz * p. 367, 4

Nov. 7 Weißenburg. K. Ruprecht belohnt Bisch. H. von Basel durch Bevollm. * . . . . p. 561, 25

—— 11 Germersheim. Ders. und Mf. B. von Baden treffen Vergleich über Gemar * . . . p. 508 nt. 6

—— o. O. Basel und Straßburg verlängern Bündnis um 5 Jahre* . . . . p. 487 nt. 2

nach Nov. 11 Breslau. K. Wenzel erläßt ein Schreiben über sein Verhältnis zu K. Sigmund* p. 427 nt. 1

Nov. 12 Stuttgart. Gf. E. v. Wirtemberg an Ammann. zu Straßburg über proj. Bündnis * . p. 713, 16

—— 18 Heidelberg. K. Ruprecht an Köln über die in Frankfurt geschl. kgl. Gulden, nr. 408 p. 565

—— 21 Florenz. Zehnerbalei an Fr. von Carrara über Deutsche Gesandtschaft * . . . . p. 526 nt. 1

—— 22 Venedig. Rathsbeschluß: Antwort auf Ges. K. Ruprechts etc. wegen Romzuge, nr. 381 p. 526

—— 26 Nürnberg. Fr. Mager an Frankfurt über Nachr. v. Wenzels Befreiung, nr. 321 . . p. 426

—— 29 Heidelberg. K. Ruprecht bevollm. 3 gen. Räthe zu Abm. mit Hzg. F. v. Österreich,
      besonders betr. Italien *, nr. 382 . . . .   p. 527

——————————— Ders. desgl. dieselben zu Verhandl. mit demselben und Italienern in
      Innsbruck *, nr. 383 . . . .   p. 528

Dec. 10 Rom. P. Bonifacius bestät. dem F. von Gonzaga alle Privilegien K. Wenzels * . . p. 536, 34ᵇ

—— 19 Florenz. Instruktion für Florent. Gesandtschaft nach Padua *, nr. 384 . . . . . p. 528

—— 20 Heidelberg. Erzb. Johann von Mainz bestätigt K. Ruprecht u. seinen 2 gen. Söhnen
      Urkunde vom 24 Okt. 1396 * . . . .   p. 517, 30ᵃ

—— 23 ——— K. Ruprecht an Frankfurt, lädt zur Versammlung dort wegen Landfr.
      auf 21 Jan., nr. 433 . . . .   p. 626

—— 30 ——— Ders. verspricht Bisch. Raban von Speier Rückerstattung der von ihm
      aufzunehmenden Gelder * . . . .   p. 19, 26

1403

Dec. 30 Heidelberg. K. Ruprecht bevollmächtigt 3 gen. zu Verhdl. mit Mf. Jost oder anderen
    Räthen K. Wenzels *, nr. 322 . . . . p. 427
1403 ex. oder 1404 in. Frankfurt. Aufzeichn. zu Verhdl. über Errichtung eines Wetterauischen
    Landfriedens, nr. 434 . . . . p. 626

1404

1404 in. K. Ruprecht an P. Bonifacius, verwendet sich für Erzb. Eberh. von Salzburg * . . p. 556, 48ᵃ
—— . Nürnberg. Ausgabe der Stadt an den königl. Kanzler . . . . p. 358, 18
Jan. 12 Florenz. Zehnerbalei an Gesandten in Padua, gibt Instruktion betr. Ligue mit K. Ru-
    precht etc., nr. 385 . . . . p. 529
—— 20 Frankfurt. Die Stadt erth. Erzb. J. v. Mainz Geleit f. kgl. Tag daselbst, nr. 341 . p. 482
—————————————— Ldgf. H. v. Hessen _____ *, sub nr. 341 p. 482, 12
—— 26 _____ Kosten der Stadt bei einem andern kgl. Tage dort, nr. 435 . . . . . p. 628
—— 27 Florenz. Zehnerbalei an Gesandten in Padua betr. Anwerb. O. Terzo's * . . . . . p. 531, 46ᵃ
Febr. 9 Heidelberg. K. Ruprecht an Köln, beglaub. gen. zu mdl. Botsch. betr. Münze * . . p. 565, 40ᵃ
—— 18 Frankfurt. Ders. nimmt Fr. Mager dort in seinen Schutz * . . . . p. 482, 37ᵇ
—— 20 Bischofsheim. Gfn. L. und F. von Öttingen an 3 gen. Braunschw. Hzge., verkünden
    Fehde wegen Kurmainz * . . . . p. 367, 21
—— 23 Florenz. Instruktion der Zehnerbalei für Gesandten nach Bologna betr. Anwerbung
    O. Terzo's * . . . . p. 532, 23ᵃ
—— 25 Heidelberg. K. Ruprecht an Köln, lädt wegen Münze zum Kurfürstentag nach
    Boppard ein, nr. 409 . . . . p. 565
Merz 1 Frankfurt. Städtische Kosten bei Leichenfeier für die Gräfin von Cleve . . . . . p. 482 nt. 1
—— 2 Heidelberg. Bgfn. Joh. und Fr. von Nürnberg verkünden 2 gen. Braunschw. Hzgn.
    Fehde wegen Kurmainz * . . . . p. 367, 15
——————————— Dieselben deagl. Hzg. Otto von Braunschweig * . . . . p. 367, 20
——————————— Bisch. F. von Eichstädt deagl. 2 gen. Braunschw. Hzgn. * . . . . . p. 367, 16
——————————— Ders. deagl. Hzg. Otto von Braunschweig * . . . . p. 367, 20
ad c. Merz 5. Münzprobe (vielleicht Straßburgs), wol zum Bopparder Tag, nr. 410 . . . . p. 566
——————————— Münzprobe (viell. Basels oder Kolmars?), wol zum Bopparder Tag, nr. 411 . p. 567
——————————— Münzprobe (Straßburgs?), wol zum Bopparder Tag, nr. 412 . . . . . p. 568
——————————— Frankfurt. Münzprobe der Stadt, wol zum Bopparder Tag, nr. 413 . . . . ————
Merz 5 Boppard. Münzvertrag der 4 Rheinischen Kurfürsten für 10 Jahre, betr. Gold- und
    Silbermünze, nr. 414 . . . . p. 569
——————————— Erzb. Joh. von Mainz an Mf. Wilh. von Meißen verlangt Gehorsam für K.
    Ruprecht, nr. 415 . . . . p. 571
—— 8 o. O. Elf gen. Bodenseestädte verbünden sich mit 11 gen. Schwäb. Städten * . . . p. 750, 47ᵃ
—— 10 o. O. Dieselben versprechen 9 gen. Schwäb. Städten Hilfe auch gegen Bann u. Acht * p. 751, 36ᵃ
——————— Florenz. Zehnerbalei an Gesandte in Bologna wegen Haltung des Fr. von Carrara
    und Anwerb. O. Terzo's * . . . . p. 532, 35ᵃ
—— 12 _____ Bericht gen. Gesandten über Verhandl. in Padua wegen Ligue mit K. Ru-
    precht etc., nr. 386 . . . . p. 530
—— 15 Frankfurt. Kosten der Stadt beim Bopparder Tage, nr. 418 . . . . p. 573
—— 20 Florenz. Zehnerbalei an Gesandten in Bologna betr. Anwerb. O. Terzo's * . . . . p. 532, 27ᵇ
April 2 bis Aug. 20 Nürnberg. Kosten der Stadt zur Zeit der Errichtung des Fränkischen
    Landfriedens, nr. 427 . . . . p. 620
—— 12 Alzei. K. Ruprecht befiehlt Unterst. F. Hofmann's gegen das geächtete Metz * . . p. 560, 22
—— 23 Mantua. Fr. von Gonzaga bevollm. A. de Nerlis zu Treuerkl. Lehnsempfang Hul-
    digung etc. bei K. Ruprecht * . . . . p. 535, 25ᵃ
—— 26 Heidelberg. K. Ruprecht bevollm. 3 gen. zu Verhdl. mit Fr. von Gonzaga, nr. 387 . p. 532
Mai 7 ___ . ___ ___ Ders. an K. H. von England, beglaub. Fr. v. d. Huben * . . . . p. 405, 19ᵃ
——————————— Ders. bevollm. dens., 16000 Nob. v. d. Engl. Mitgift zu empf. * . . p. 405, 30ᵃ; 34ᵃ
—— ___ ___ . _____ Ders. deagl. dens., 24000 Nobel ebenso * . . . . p. 405, 28ᵃ; 34ᵃ
——————————— Pf. Ludwig deagl. dens. 16000 Nobel * . . . . p. 405, 30ᵃ; 39ᵃ
——————————— Ders. deagl. dens. 24000 Nobel * . . . . p. 405, 28ᵃ; 39ᵃ
——————————— K. Ruprecht quittiert über 16000 Nobel von der Mitgift * . . . p. 405, 31ᵃ; 34ᵃ
——————————— Ders. deagl. über 40000 Nobel Gesammtbetrag derselben * . . . . p. 405, 31ᵃ; 34ᵃ
——————————— Pf. Ludwig deagl. über 16000 Nobel von der Mitgift * . . . . p. 405, 31ᵃ; 40ᵃ

1404

Mai 7 Heidelberg. Pf. Ludwig quittiert über 40000 Nobel Gesammtbetrag derselben *   p. 405, 31ᵃ; 40ᵃ
—— 8 Florenz. Instruktion der Zehnerbalei für Gesandten nach Bologna betr. Anwerbung
    O. Terzo's * . . . .   p. 532, 30ᵇ
—— 12 Heidelberg. K. Ruprecht an Fr. von Carrara über Bekämpfung Mailands *, nr. 388 .   p. 532
—— 14 ——— Ders. bek. Schuld an gen. [für Sold], vorspricht Zahlung auf Febr. 2 *,
    sub nr. 176 . . . .   p. 237, 8
—— 18 Grats. Hzg. L. v. Österreich bevollm. Hzg. F. zu Verhdl. mit K. Ruprecht *, nr. 389   p. 533
—— 19 Leipzig. Die Stadt an Köln wegen Konfiskation des Gutes eines Leipziger Kaufmanns *   p. 274, 29
—— 25 Florenz. Instruktion der Zehnerbalei für Gesandten nach Bologna betr. vereit. Anwerb.
    O. Terzo's * . . . .   p. 532. 41ᵇ
—— 27 Heidelberg. K. Ruprecht quittiert Dekan und Stift zu Worms über 1000 fl. * . .   p. 547, 53ᵃ
—— 28 ——— Ders. nimmt Gf. Günther von Schwarzburg zu seinem Hofmeister * . .   p. 533 nt. 3
——————— Ders. übergibt Pf. Johann seine Besitzungen in Baiern * . . . . . .   p. 665 nt. 1
—— 30 ——— Ders. befiehlt, 2000 fl. vom Kirchenzehnten an Heidelberg zu überweisen *   p. 548, 35ᵃ
—— 31 ——— Ders. bevollm. 2 gen. zur Einn. Veronas u. Reichsverw. in Italien, nr. 390   p. 533
——————— K. Ruprecht quittiert Frankfurt über Reichssteuer für das Jahr 1404 * .   p. 650, 28
——————— Ders. desgl. über Reichssteuer für das Jahr 1405 * . . . . . .   —————
——————— Ders. desgl. über 172 lb. 7 sh. als Theil der Reichssteuer für 1406 * . .   —————
———— Frankfurt. Ausgabe der Stadt: Reichssteuervorschuß an K. Ruprecht * . . . .   p. 650, 30
c. Juni Genua. Die Stadt an Venedig, widerräth Krieg gegen Fr. von Carrara *   p. 533, 38ᵃ
Juni 1 Heidelberg. K. Ruprecht an Verona, fordert Gehorsam für seine 2 gen. Bevollm. *   p. 534, 42ᵃ
—— 5 ——— Gen. Bevollm. des Fr. v. Gonzaga verspr. für denselben Reichsvikarstreue,
    nr. 391 . . . .   p. 535
——————— Ders. desgl. für dens. Vasallentreue, nr. 392 . . . .   p. 538
——————— K. Ruprecht belehnt Fr. von Gonzaga * . . . .   p. 535, 49ᵇ
——————— Ders. ernennt dens. zum Reichsvikar in Mantua * . . . .   p. 535, 51ᵇ
——————— Ders. absolviert dens. vom Treueide gegen Joh. Galeazzo * . . . . .   p. 536, 30ᵃ
——————— Ders. an Mf. Nik. v. Este über Belehn. u. Huldig. des Fr. v. Gonzaga *   p. 536, 38ᵃ
—— 21 ——— Ders. verpfändet 28 gen. Räthen Caub (Burg und Zoll) für Darlehen zum
    Italienischen Zuge, nr. 393 . . . .   p. 539
—— 23 Padua. Franz von Carrara an Venedig, kündigt Freundschaft auf * . . . . .   p. 533, 23ᵃ
—— 25 Heidelberg. K. Ruprecht befiehlt seinen Beamten in Caub Huldigung an gen. Ver-
    treter seiner Räthe * . . . .   p. 540 nt. 2
——————— Ders. bevollm. 3 gen. zu Abmachungen betr. Bündnis etc. mit Gf. A.
    von Savoien * . . . .   p. 542, 40ᵃ
—— —— ——— Ders. und Pf. Johann desgl. dies. zu Abmach. mit dems. betr. Heirath *   p. 542, 35ᵇ
c. Juni 25 Heidelberg. K. Ruprechts Anweisung für diese Gesandtschaft betr. Ehe und
    Italienischen Zug, nr. 394 . . . .   p. 542
——————— Gesandtschaft an die Schweizer, nr. 395   p. 544
Juli 6 Heidelberg. wol irrthüml. Datum des Fränk. Landfr. vom 11 bzw. 12 Juli, sub nr. 426   p. 609, 28
——————— K. Ruprecht bevollm. 4 gen. zu Verhdl. mit Österreich in Füssen *, nr. 396   p. 545
——————— Ders. bek. Schuld an gen. [für Sold], verspr. Zahl. [auf Erford.] *, sub nr. 176   p. 237, 11
—— 10 ——— Ders. verspr. Erzb. Joh. von Riga Rückzahl. eines Darlehns auf Weihn. *   p. 539, 41ᵃ
—— 11 bzw. 12 Heidelberg. K. Ruprechts Fränk. Landfr. auf 3 Jahre u. ev. weiter, nr. 426   p. 609
—— 28 Heidelberg. K. Ruprecht bevollm. 4 gen. zu Verhandl. mit Ungarn und Österreich in
    Gratz *, nr. 397 . . . .   p. 545
——————— Ders. desgl. 3 gen. zu allen Verhdl. etc. in Italien *, sub nr. 398 . .   p. 546
——————— Ders. desgl. Bisch. R. von Speier *, sub nr. 398 . . . .   —————
——————— Ders. desgl. dens. z. Besitzergr. Veronas u. Reichsverw. in Italien *, nr. 399
——————— Ders. an Verona, fordert Gehorsam für Bisch. R. von Speier * . .   p. 546 nt. 3
—— 30 ——— Ders. an M. Steno Venet. Dogen, empfiehlt Bisch. R. v. Speier *   p. 546 nt. 2
Aug. 4 Rom. P. Bonif. an Bisch. von Worms und gen. Dekane wegen Unterwerfung Achens
    unter K. Ruprecht * . . . .   p. 274, 34
——————— Ders. an gen. Abt und 2 gen. Dekane, befiehlt Eintreibung von Zehnten für
    K. Ruprecht, nr. 400 . . . .   p. 547
——— Heidelberg. K. Ruprecht an H. von Rodenstein über Projekt wegen kgl. Münze in
    Frankfurt, nr. 419 . . . .   p. 573
—— zw. 4 u. 21 Frankfurt. Aufz. über Werbung eines Niederl. Münzers in dieser Sache, nr. 420   p. 574

1404

Aug. 13 Heidelberg. K. Ruprecht erläutert art. 31 des Fränk. Landfriedens, nr. 428 . . .   p. 622

——⸺——— Ders. quittiert Rottweil über 1000 fl. außerordentliche Steuer * . . . p. 389, 29ᵇ

—— 14 ⸺——— Ders. an Straßburg, begehrt Geleit für gen. Aragones. Gesandten * . . . p. 553, 46ᵃ

—— 15 ⸺——— Ders. an Kg. Martin von Aragonien, beglaubigt Joh. von Valterra * . . p. 553, 41ᵇ

—— 21 Frankfurt. Die Stadt an K. Ruprecht über Vorschlag betr. Münze im allgemeinen
ablehnend, nr. 421 . . . . p. 575

—— 23 Heidelberg. K. Ruprecht an Frankfurt, gibt das Münzprojekt auf, nr. 422 . . . . p. 576

Sept. 12 ⸺——— Ders. bevollm. 2 gen. z. Führung d. Reichsgeschäfte in Italien *, nr. 401 p. 550

——⸺——— Ders. desgl. dies. u. speciell zu Verhdl. mit Mailand *, nr. 402 . . . p. 551

——⸺⸺⸺——— Pavia *, nr. 404 . . . . p. 552

——⸺——— Ders. u. Pf. Stefan desgl. dies. zu Abmach. über Ehe mit Lucia von
Mailand *, nr. 403 . . . . p. 551

—— 23 Basel. Die Stadt an gen. in Straßburg über Pläne K. Ruprechts u. Hzg. F.'s von
Österreich * . . . . p. 672, 30ᵃ

—— 29 Baden. Abkommen zw. letztgen. 2 Fürsten betr. Heirath F.'s mit R.'s Tochter
Elisabeth, nr. 463 . . . . p. 671

——— o. O. K. Ruprecht befiehlt H. von Rodenstein Schutz Frankfurts bis auf Widerruf * p. 590, 42

Okt. o. O. Desselben Anw. für U. von Albeck zu Verhdl. mit Kardinälen und neuem Pabst
über Kirchenfrage, nr. 405 . . . . p. 552

—— 5 Heidelberg. K. Ruprecht an K. H. von England wegen Zahlung des Rests der Mitgift
Blankas * . . . . p. 405, 47ᵃ; 15ᵇ

—— 11 ⸺——— Ders. verschreibt Landfriedenshauptmann F. v. Limburg 2500 fl. jährl. * p. 613, 48ᵃ

—— 14. Notariatsinstr. über Erklär. der Kardinäle vor der Pabstwahl, betr. Kirchenunion * p. 553 nt. 2

—— 24 Ladenburg. Bisch. E. von Worms an die Bischöfe und Klerus von Köln und Lüttich,
bedroht im päbstlichen Auftrag Achen mit Interdict * . . . . . . p. 274, 37

—— 27 Straßburg. Die Stadt an Basel über städtefeindl. Pläne gewisser Herren * . . . . p. 672, 23ᵇ

Nov. 3 Budweis. Österr. Herzöge schließen Waffenstillstand mit K. Wenzel * . . . . . p. 653, 12

——⸺——— K. Wenzel Mf. Jost u. Mf. Prokop schließen Erbein. mit Österr. Hzgn. * . p. 653, 15

—— 12 Heidelberg. K. Ruprecht an Straßburg, verlangt Geleit für Metzer Gesandte * . . p. 560, 7

—— 15 ⸺——— Ders. bek. Schuld an gen. [für Sold], verspr. Zahl. auf 7 Juni *, sub nr. 176 p. 237, 13

—— 25 ⸺——— Ders. bevollm. 3 gen. Räthe zu Verhdl. mit erzb. Salzb. Räthen *, nr. 406 p. 555

c. Nov. 25 Heidelberg. Dess. Anweis. für seine Gesandtsch. zu Verhdl. mit denselben, nr. 407 p. 556

Nov. 26 Heidelberg. Ders. bestät. Aufheb. der Verurth. von Metzern w. F. Hofmanns * . . p. 560, 20

——⸺——— Ders. verspr. Metz, Privv. n. d. Kaiserkrön. unter gold. Bulle zu bestät. * p. 560, 15

vor Dec. 4 o. O. Aufz. der Bedingungen K. Ruprechts für Sühne mit Bisch. von Eichstädt
und Gfn. von Öttingen, nr. 374 . . . . p. 520

Dec. 4 Heidelberg. Bisch. F. v. Eichstädt gelobt K. Ruprecht Treue, insb. gegen Hzg. von
Orléans, Luxemburger, Mailand, nr. 375 . . . . p. 521

——⸺⸺⸺——— Gfn. L. u. F. von Öttingen desgleichen, nr. 376 . . . . ——

—— 13 Frankfurt. Kosten der Stadt beim Mainzer Reichstag, nr. 450 . . . . p. 655

——⸺——— Heidelberg. K. Ruprecht verbietet Beläst. F. Hofmanns wegen bisher. Verfolgung
von Metzern * . . . . p. 560, 21

—— 16 Metz. Die Stadt erkennt K. Ruprecht an, nr. 416 . . . . p. 572

—— 19 Heidelberg. K. Ruprecht bezeugt M. von Sobernheim Abrechn. über 17515 fl. * . . p. 540 nt. 1

1404 oder 1405? Adressenverzeichnis der kgl. Kanzlei für den Verkehr mit dem Ausland . p. 377, 40

1404-1405. Irrthüml. Datierung der Anweis. K. Ruprechts in der Kurtrier. Angelegenheit,
richtiger 1402 ex. oder 1403 in. * . . . . p. 368, 40. 369, 9

1405

Jan. 2 Nürnberg. Die Stadt an 4 gen. Fränk. Reichsstädte, ladt zur Versammlung dort auf
8 Jan. wegen K. Ruprechts Muthung, nr. 451 . . . . p. 656

—— 7 bis Sept. 9 Nürnberg. Geschenke der Stadt bei versch. Gelegenheiten, nr. 454 . . p. 658

—— 19 Heidelberg. K. Ruprecht quittiert Dekan und Kapitel zu Mainz über 3000 fl. * . . p. 547, 37ᵇ

—— 20 ⸺——— Ders. desgl. Klerus zu Konstanz über 1900 fl. * . . . . p. 547, 42ᵇ

—— 23 ⸺——— E. von Weinsberg an Regensburg, ladt vor das Hofgericht wegen Klage
3 gen. Rhein. Städte * . . . . p. 660, 33ᵃ

—— 24 Frankfurt. Ausg. der Stadt für Gesandtschaft zum König wegen heiml. Sache . . p. 593, 19

—— 30 Heidelberg. K. Ruprecht nimmt F. Hofmann zu seinem Diener und Hofgesinde an * p. 560, 29

1405

Jan. 31 Venedig. Rathsbeschluß: ablehnende Antwort auf Verwend. Hzg. W.'s von Österreich
　　　für Fr. von Carrara * . . . . p. 688, 27ª

Febr. Ansprache an Rückingen * . . . . p. 592, 32

　　　——————Höchst * . . . . p. 592, 34

　　　——————Karben * . . . . p. 592, 37

—— Erzählung von der Zerstörung des Schlosses Hauenstein * . . . . p. 592, 39

—— 1 Heidelberg. K. Ruprecht an Rotenburg wegen seiner Muthung, nr. 452 . . . . . p. 656

—— 3 ———— K. Ruprecht an Friedberg, fordert Hilfe gegen Friedensstörer * . . . p. 593, 25

—— —— —— Ders. bevollm. 3 gen. Räthe zu Vhdl. mit Räthen K. Wenzels in Eger *,
　　　nr. 467 . . . . p. 677

c. Febr. 3 Heidelberg. Desselben Anweis. zu Verhdl. mit K. Wenzel, nr. 468 . . . . . p. 678

Febr. 5 o. O.? G. von Leiningen macht Erzb. Joh. von Mainz Versprech. für Unterstützung
　　　bei Bewerb. um ein Bisthum * . . . . p. 728 nt. 3

—— 9 Straßburg. Die Stadt an verschiedene über ihren Streit mit dem Bischof * . . p. 728, 10; nt. 2

—— —— Saarburg. Die Stadt erläutert Ausnehm. des Hzgs. von Lothringen im Bündnis mit
　　　Straßburg * . . . . p. 760, 46ᵇ

—— bis nach Juli 25 Nürnberg. Geschenke der Stadt an den kgl. Hof, nr. 453 . . . p. 657

—— 10 Nürnberg. Die Stadt an 3 gen. Fränk. Städte einzeln, über aufgegebene Gesandt-
　　　schaft zum Könige * . . . . p. 657 nt. 2

—— —— o. O. Straßburg und Saarburg schließen Bündnis auf 3 Jahre * . . . . p. 760, 30ᵇ

—— 13 Mainz. Die Stadt an Frankfurt, bittet um Nachricht über Ziel des bevorstehenden
　　　Zuges u. a. m. * . . . . p. 593, 27

—— 14 Frankfurt. Die städt. Gleßner an Joh. von Rüdigheim, sagen Fehde an * . . . . p. 592, 28

—— ———————— Die städtischen Einspännigen desgl. an denselben * . . . . . p. 592, 29

—— 17. Basel und Straßburg vereinigen sich über Stellung zu Österreich * . . . . . . p. 672, 35ᵇ

—— ——————————————— gegen Beeinträcht. ihrer Freiheiten etc. * . p. 672, 45ᵇ

—— 18 o. O. Notariatsinstr. über Beitritt gen. Klosters z. Appell. des Trier. Klerus gegen
　　　Zehntenerhebung * . . . . p. 547, 27ª

—— 25 Frankfurt. Aufz. v. Berath. über Bündnis Wetter. Reichsstände bis 29 Sept., nr. 436 p. 629

—— 28 Augsburg. Die Stadt an Regensburg über Hofgerichtsladung auf Klage 3 gen.
　　　Rhein. Städten * . . . . p. 661 nt. 3

vor Merz 1 bis Okt. 18 Augsburg. Kosten der Stadt bei versch. Gelegenheiten, nr. 455 . . p. 660

Merz 6 Konstanz. Die Stadt verbündet sich mit den Hzgn. L. und F. von Österreich * . . p. 676, 24ª

—— ———————— Dies. macht dens. Versprech. betr. Verh. zu K. Ruprecht und zu verbünd.
　　　Städten * . . . . p. 676, 34ª

—— —— Schaffhausen. Hzg. F. von Österreich desgl. Konstanz betr. Verh. zu K. Ruprecht * p. 676, 40ª

—— 7 Germersheim. K. Ruprecht an P. Innocenz, kündigt Gesandtschaft an, bittet um Ver-
　　　dener Bisthum für U. von Albeck, nr. 469 . . . . p. 679

—— c. 7. K. Ruprechts Anweis. für Gesandtschaft an P. Innocenz, nr. 470 . . . . . . p. 680

—— 9 Straßburg. Kapitel und Stadt verbünden sich mit Oberkirch * . . . . . . p. 728, 23; nt. 4

—— 10 Heidelberg. K. Ruprecht an Friedberg: soll den kgl. Landvogt, nicht aber gen. Rit-
　　　ter und Knechte einlassen * . . . . p. 629 nt. 2

—— 12. Bisch. Rudolf von Halberstadt verbündet sich mit Erzb. Joh. von Mainz besonders
　　　gegen Meißen * . . . . p. 702, 37ª

—— 14 o. O. H. von Rodenstein an K. Ruprecht über drohende Bewegung unter Herren
　　　und Städten, nr. 456 . . . . p. 663

—— bis Mai 2 Frankfurt. Kosten, veranl. durch K. Ruprechts Muthung, nr. 457 . . p. 664

—— 16 Basel. Die Stadt an Straßburg, fragt nach Bündnisverhandl. mit den Schwäbischen
　　　Städten etc. * . . . . p. 713, 34

—— 18 Friedberg. Erzb. Johann von Mainz, erklärt Friedensschluß mit Braunschweig und
　　　Hessen, nr. 475 . . . . p. 689

—— 19 ———— Die Stadt an Frankfurt über Friedensschl. zw. Hessen u. Kurmainz etc.* p. 689 nt. 1

—— ——————Erzb. und Domkapitel von Mainz an B. und F. von Thüringen wegen
　　　Eschwege und Sontra * . . . . p. 691, 31ª

—— ——————Dieselben an Eschwege über Rückgabe der Stadt an Thüringen * . . . p. 691, 47ª

—— ——————Dieselben desgl. entsprechend an Sontra * . . . . p. 691, 38ᵇ

—— ——————Dieselben erklären Verzicht auf Eschwege und Sontra * . . . . . . p. 691, 39ᵇ

—— 20 ———— Landfr. zw. Kurmainz 3 Braunschw. Hzgn. u. Hessen auf 6 Jahre, nr. 476 p. 694

1405

Merz 20 Friedberg. Kurmainz Hessen und Hzg. Otto von Braunschweig verbünden sich, insb. gegen Meißen, nr. 477 . . . . p. 702

—— 23 Straßburg. Kapitel und Stadt verbünden sich gegen den Bischof * . . . . p. 728, 24; nt. 5

—— 27 o. O. 10 gen. Schwäb. Städte schließen Bündnis * . . . . p. 751, 49ᵃ

—— 29 Ofen. K. Sigmund verbündet sich mit Eberhard Erwähltem von Salzburg * . . . p. 653, 21

April 8 Germersheim. Straßb. Gesandte an ihre Stadt über Versammlung in G. * p. 727, 31. 729, 21; 31

—————————— Bisch. W. von Straßburg quittiert K. Ruprecht über 23500 fl. für Lösung gen. Reichspfandschaften * . . . . p. 768, 45ᵃ

—————————— Dieser macht jenem Zusicher. wegen eingelöster Hälfte gen. Schlösser * p. 730, 34; 37

—— c. 8-9 Heidelberg. D. Gast aus Frankfurt an dortigen Stadtschreiber über Vorgänge am kgl. Hofe * . . . . p. 274, 45

—— 19 Ulm. Die Stadt an Straßburg über Bündnisverhandlungen * . . . . p. 713, 42

—— 21 Straßburg. Die Stadt an Erzb. J. von Mainz über ihren Streit mit Bisch. u. König * p. 728, 46

—————————— F. von Köln —————————— * p. 728, 47

—— 23 o. O. 2 gen. von Büches verzichten auf Antheil an Höchst etc. * . . . . p. 592 nt. 2

—— 27 Heidelberg. Otto von Eglofstein verpflichtet sich gegen K. Ruprecht für den Fall seiner Erhebung zum Patriarchen von Aquileja, nr. 471 . . . . . p. 684

Mai 2 Frankfurt. Ausg. der Stadt beim Aufenthalt K. Ruprechts im Febr. 1405 . . . p. 629, 37ᵃ

—— 4 o. O. Joh. Stromeier quittiert Frankfurt über 1000 fl. (Schenk. an K. Ruprecht) * . p. 664 nt. 2

—— 7 Heidelberg. K. Ruprecht bevollm. 5 gen. zu Verhdl. mit Österreichischen Räthen in Wildberg, nr. 464 . . . . p. 673

c. Mai 7 Heidelberg. Desselben Anweis. zu Verhdl. auf einem Tage zu Wildberg, nr. 465 . p. 674

Mai 8 Fritzlar. Erzb. J. v. Mainz erläutert Bündnis mit Ldgf. H. von Hessen, nr. 478 . . p. 708

—————————— trifft Verfügung betr. Schöneberg * . . . . * p. 692 nt. 1

—————————— Beglaubigte Aufzeich. über Verabredung zw. Kurmainz und Hessen wegen Vollzugs der Sühne * . . . . p. 693 nt. 5

—— 11 Worms. Straßburger Gesandte an ihre Stadt über Versammlung in Worms * . . . p. 727, 35

—————————— Heidelberg. K. Ruprecht quittiert über 6000 Nob. der Engl. Mitgift * . . . . . . p. 405, 21ᵇ

—————————— Pf. Ludwig —————————— * . . . . . . p. 405, 25ᵇ

—— 15 Alzei. K. Ruprecht an versch. Städte einzeln, verb. Unterst. Straßburgs * . p. 728, 30; nt. 7

—— zw. 17 u. 26 Frankfurt. Entwurf eines kgl. Landfriedens für die Wetterau, nr. 437 . . p. 630

—— 18 Frankfurt. K. Ruprecht an Straßburg, sagt Feindschaft an * . . . . . p. 728, 32. 729 nt. 1

—— 19 Baden. Mf. Bernhard an Straßburg über Streit der Stadt mit König u. Bischof p. 729 nt. 3; 5

—— 21 Frankfurt. K. Ruprecht an Basel, verlangt Bekämpfung Straßburgs * . . . . p. 729, 1; nt. 2

—— 23 bis Aug. 15 Frankfurt. Kosten der Stadt beim kgl. Tage dort im Mai u. nachher, nr. 439 . . . . p. 634

—— 26 Straßburg. Die Stadt an Frankfurt über ihren Streit mit Bischof und König * . . . p. 729, 39

Juni 1. Joh. v. Rüdigheim erkl. Verzicht auf Ford. gegen K. Ruprecht u. gen. Wett. Städte * . p. 593, 5

—— 5 Heidelberg. K. Ruprecht bestätigt Mainz-Hess.-Braunschw. Landfr. v. 20 Merz, nr. 479 p. 709

—— 6 Hagenau. Gen. Fürsten und Herren und Städtegesandte vermitteln zw. Bischof und Stadt Straßburg * . . . . p. 769, 33ᵃ

—————————— Gen. Fürsten und Städtegesandte versp. Zahl. v. 1000 fl. an Straßburg * p. 769, 39ᵇ

—————————— Heidelberg. K. Ruprecht quittiert dem Trierer Klerus über 1500 fl. * . . . . p. 547, 50ᵇ

—— 11 —————————— Derselbe an Rotenburg wegen seiner Steuerforderung * . . . . . . p. 656 nt. 4

—— 16 —————————— Desselben 3jähr. Landfriede in der Wetterau, nr. 438 . . . . p. 631

—————————— Joh. v. Hirschhorn quittiert Nürnberg über 3000 fl. Geschenk an Kg. Ruprecht * . p. 658 nt. 1

—— 27 o. O. 17 gen. Schwäb. Reichsstädte schließen Bündnis * . . . . p. 751, 29ᵇ

—————————— Miltenberg. Erzb. Joh. von Mainz verbündet sich mit Bisch. Joh. von Wirzburg * . p. 702, 40ᵇ

—— 30 Gelnhausen. Bgf. H. Forstmeister u. K. v. Spiegelberg geloben Wetter. Ldfr. * . . p. 635 nt. 6

Juli Straßburg. Entwurf I zu einem Bund zwischen Baden Wirtemberg Straßburg u. Schwäb. Städten, nr. 481 . . . . p. 731

—— 5 Heidelberg. K. Ruprecht beauftr. gen. mit Verfolg. der geächteten Achener * . . . p. 275, 8

—— 6 —————————— Bisch. Raban von Speier u. Gf. G. von Schwarzburg beurk. Verschieb. d. Klage der Rhein. gegen die Schwäb. Städte * . . . . p. 662 nt. 6

—— 11 Friedberg. Baumeister des Reichs daselbst geloben den Wetter. Ldfr. * . . . . . p. 635 nt. 3

—————————— Gelnhausen. Burggraf und Baumeister der Reichsburg daselbst desgleichen * . . . p. 635 nt. 4

bald nach Juli 11 bis bald nach Sept. 2. Verzeichnis derer die den Wetterauischen Landfrieden beschworen haben, nr. 440 . . . . p. 635

1405

Juli 13 o. O. Henne v. Bunau d. j. gelobt den Wetter. Landfrieden * . . . . p. 635 nt. 7
___ 20 Eltville. Erzb. Joh. von Mainz an Bisch. Wilh. von Straßburg, lädt zum Prov.-Konzil
               nach Mainz, nr. 472 . . . . p. 685
___ 27 o. O. Henne v. Wasen gelobt den Wetterauischen Landfrieden * . . . . p. 635 nt. 8
_____ Henne von Schwalbach desgl. * . . . . p. 636 nt. 1
Aug. 1 ____ Georg von Sulzbach desgl. * . . . . p. 636 nt. 3
___ 3 Ulm. Zwei gen. Ulmer an 2 gen. Straßburger über Verhdl. mit Wirtemberg u. a. m.,
               nr. 482 . . . . p. 734
_____ Venedig. Rathsbeschluß: Antwort an Gesandten K. Sigmunds, nr. 473 . . . . . p. 687
___ 10 o. O. Johann von Linden gelobt den Wetterauischen Landfrieden * . . . . . . p. 636 nt. 4
_____ Hammann von Rinheim desgl. * . . . . p. 636 nt. 6
_____ Johann von Werla desgl. * . . . . p. 636 nt. 7
_____ Werner Krieg von Altheim desgl. * . . . . p. 636 nt. 13
_____ M. v. Dudelsheim d. alte u. R. Kelner desgl. * . . . . p. 636 nt. 14
_____ Adolf Rietesel desgl. * . . . . p. 637 nt. 1
_____ Konrad Pfeffersack desgl. * . . . . p. 637 nt. 3
_____ Hartmann von Drahe desgl. * . . . . p. 637 nt. 4
c. Aug. 11 Frankfurt. Aufz. über Beschlüsse der Vorsteher des Wett. Landfriedens, nr. 441 p. 637
. . _____ Stuttgart. Entwurf I* zu einem Bund zw. Baden Wirtemberg Straßburg Schwäb.
               Städten einer-, Kurmainz nichtgen. Herren Mainz Worms Speier ande-
               rerseits, nr. 483 . . . . p. 735
Aug. 15 Amberg. K. Ruprecht u. Pf. Johann erkl. sich über Abkommen mit Neumarkt betr.
               Steuer * . . . . p. 670, 28ᵃ
_____ desgl. mit Nabburg betr. Steuer * . . . . p. 670, 43ᵃ
_____ desgl. mit Amberg _____ * . . . . . .
___ 17 ____ K. Ruprechts Vorschr. für Pf. Johann betr. Verwalt. und Rechtspflege der
               Oberpfalz, nr. 458 . . . . p. 665
___ 24 Friedberg. Bgf. Eberh. Weise gelobt den Wetter. Landfr. * . . . . p. 635 nt. 5
_____ o. O. Hermann von Karben desgl. * . . . . p. 636 nt. 8
c. Sept. Frankfurt. Verzeichnis solcher die den Wetter. Landfr. beschworen haben . . . p. 635 nt. 2
Sept. 1 Heidelberg. K. Ruprecht beauftr. Hzg. K. v. Lothringen mit Belehn. Bisch. R.'s von
               Metz * . p. 561, 33
_____ Ph.'s v.
               Toul . p. 561, 37
_____ o. O. Fr. Forstmeister gelobt den Wetterauischen Landfrieden * . . . . . . p. 636 nt. 2
___ 2 ___ Eitel u. Gilbr. Weise, W. v. Vilmar u. H. v. Cleen desgl. * . . . . . . p. 636 nt. 9
_____ G. v. Stockheim K. v. Cleen u. H. v. Selbold desgl. * . . . . p. 636 nt. 10
_____ Joh. von Stockheim wegen des Keucher Gerichts desgl. * . . . . p. 636 nt. 11
_____ E. v. Hirschhorn an gen. Schreiber des Wett. Ldfr., übers. Briefe für Mitgl. * p. 638, 39ᵃ
___ 5 Baden. 3 gen. Straßburger an ihre Stadt: Verhdl. mit Mf. B. von Baden, Reise nach
               Marbach, nr. 484 . . . . p. 739
_____ Dieselben an Gesandte der Schwäb. Städte in Marbach über dasselbe, nr. 485 p. 740
___ zw. 5 u. 7 Baden. Randbemerk. zu Entwurf I nr. 481: Änderungsvorschl. Mf. B.'s von
               Baden, nr. 486 . . . . p. 741
_____ Iᵃ nr. 483, verwandten Inhalts, nr. 487 . p. 742
___ 8 Heidelberg. K. Ruprecht befiehlt gen. Städten und Dörfern Entrichtung der aus-
               geschriebenen Steuer, nr. 459 . . . . p. 666
c. Sept. 8 Heidelberg. K. Ruprechts Bestimmungen über Erhebung einer Steuer in seinen Erb-
               landen, nr. 460 . . . . p. 667
_____ Anweis. an ungen. Kommissare betr. Steuererheb., nr. 461 p. 668
Sept. zw. 10 u. 12 Marbach. Entwurf II zum Bund zw. Baden Wirtemberg Straßburg Schwäb.
               Städten, nr. 488 . . . . p. 742
___ 11 Heidelberg. K. Ruprecht u. 2 gen. Söhne bestimmen über Verwendung der Steuer
               der Oberpfalz, nr. 462 . . . . p. 670
___ 14 Marbach. Bund zw. Kurmainz Baden Wirtemberg Straßburg und 17 gen. Schwäb.
               Reichsstädten, nr. 489 . . . . p. 750
___ 16 ____ Drei gen. Fürsten an K. Ruprecht, zeigen Gründung des Marbacher Bun-
               des an, nr. 490 . . . . p. 761

1405

Sept. 23 Heidelberg. K. Ruprecht an Straßburg, lädt z. Mainzer RT. auf 21 Okt., nr. 491 . .   p. 762
           —————— Frankfurt, —————— sub nr. 491   ——
            Ders. bezeugt Hzg. L. von Baiern Lösung der Bürgschaft bei Bgf. F.
              von Nürnberg * . . . .   p. 37, 37ᵇ
—— 28 o. O. Mf. B. von Baden an Straßburg über Stellung des Marbacher Bundes zum
          Mainzer Reichstag, nr. 492   p. 763
Okt. 1 Heidelberg. K. Ruprecht bek. Schuld von 3945 fl. an Erzb. Joh. von Riga * . . . .   p. 539, 40ᵇ
—— 2 Urach. Gf. E. von Wirtemberg an Straßburg, wünscht Versammlung des Marbacher
          Bundes etc., nr. 493 . . . .   p. 764
—— 4 Baden. Mf. B. von Baden desgl. über Mainzer Reichstag und Versammlung des Mar-
          bacher Bundes zu Vaihingen, nr. 494
—— 17 Venedig. Rathsbeschluß: Ablehnung einer Ligue mit K. Sigmund * . . . . . .   p. 687 nt. 2
—— 23 Mainz. Protok. Aufz. vom Reichstag: Antwort der Elsäß. und Wetter. Städte an den
          König betr. Marbacher Bund, nr. 495 . . . .   p. 765
            Sonderprotokoll der Marbacher Verbündeten: Beschluß, Tag in Neckarsulm
          zu halten, nr. 496 . . . .   p. 766
—— 31 Frankfurt. Kosten der Stadt beim Mainzer Reichstag, nr. 497 . . . .   p. 767
Nov. 15 Heidelberg. K. Ruprecht quittiert dem Klerus zu Köln über 733 fl. * . . . .   p. 548, 30ᵃ
—— 22 —————— bevollm. 2 gen. Gesandte nach Italien *, nr. 474 . . . .   p. 688
Dec. 3 o. O. Bisch. Wilh. von Straßburg verbündet sich mit K. Ruprecht besonders gegen
          Straßburg, nr. 498 . . . .   p. 767
—— 4 Heidelberg. K. Ruprecht desgl. sich mit Bisch. Wilhelm von Straßburg, nr. 499 . .   p. 769
—— 8 —————— Ders. beauftr. Hzg. H. von Braunschweig mit Belehn. der Äbtissin von
          Gandersheim * . . . .   p. 561, 47
            Derselbe nimmt diese in seinen Schutz und weist sie zur Huldigung an
          jenen Herzog * . . . .   p. 562, 4
—— 9 —————— Ders. gestattet Bisch. R. von Metz Belehnung durch Bevollm. * . . .   p. 561, 40
            Ph. von Toul . . . .   p. 561, 44
—— 11? Gelnhausen. Die Stadt an E. von Hirschhorn: kann bevorstehenden Landfrds.-Tag
          nicht beschicken * . . . .   p. 596 nt. 1
kurz vor Dec. 21 Frankfurt. Aufz. zu bevorst. Versl. des Ldfr. betr. Handh. desselben, nr. 442   p. 640
Dec. 23 Frankfurt. Vorsteher des Ldfr. an H. von Wasen über Klage Gelnhausens gegen ihn *   p. 641 nt. 1
—— 27 Heidelberg. K. Ruprecht u. Pf. Joh. versetzen ihren Räthen etc. Hohenfels als Pfand
          für Bürgschaft * . . . .   p. 670, 27ᵇ
1405 ex. irrig die Gesandtschaftsanw. in der Kurtrier. Angeleg. datiert, richt. 1402 ex. oder
          1403 in. . . . . p. 368, 40. 369, 9
1405-1406. Verzeichn. von Einnahmen aus den Zöllen des Wetterauischen Landfriedens * . .   p. 638, 41ᵇ
            Ausgaben Heinrichs des Schreibers in demselben Landfrieden * .   p. 638, 46ᵃ

1406

1406 in. oder 1405 c. April Frankfurt. Aufzeichn. insb. über Haltung Erzb. J.'s v. Mainz *   p. 496 nt. 3
Jan. 13 Mainz. Eberh. v. Hirschhorn an R. von Hanau, lädt zur Landfriedens-Versammlung
          auf 9 Febr. nach Frankfurt, nr. 443 . . . .   p. 641
            Ders. desgl. an Joh. von Isenburg *, sub nr. 443 . . . .   ——
            Wetzlar *, sub nr. 443 . . . .   ——
—— 25 o. O. R. v. Hanau an Eb. von Hirschhorn über sein Verhältnis zum Landfrieden * .   p. 640, 31ᵇ
—— 26 —— Vorsteher des Landfriedens an R. von Hanau: soll Vertreter auf 9 Febr. nach
          Frankfurt schicken * . . . .   p. 640, 39ᵇ
            Dieselben desgl. an Friedberg * . . . .   p. 641, 33ᵃ
            Gelnhausen * . . . .   p. 641, 34ᵃ
Febr. 9 Frankfurt. Aufz. üb. Beschluß: Landfriedensversamml. auf 18 Merz n. Frankfurt, nr. 444   p. 642
—— 27 Heidelberg. K. Ruprecht lädt zu Versl. d. Ldfr. auf 25 April nach Oppenheim, nr. 445   p. 643
Merz 20 o. O. Bisch. W. von Straßburg macht der Stadt Zugeständn. betr. Finanzverw. *   p. 767, 37ᵃ
April 28 —— Eb. v. Hirschhorn an R. v. Hanau: soll Vertreter zu Landgerichten schicken *   p. 641, 36ᵃ
Mai 1 Frankfurt. Ausgabe der Stadt für Gesandtsch. zu Landfr.-Versal. nach Oppenheim . .   p. 643, 39ᵃ
Juni 5 o. O. R. v. Hanau an Eb. v. Hirschhorn: schickt Vertreter zum Landfrieden * . .   p. 641, 48ᵃ
Juli 6 Heidelberg. K. Ruprecht übertr. Hzg. H. v. Braunschweig Empf. der Huld. Bisch. O.'s
          von Minden * . . . .   p. 562, 12

1406

Juli 9 Heidelberg. K. Ruprecht an Bisch. Otto von Minden wegen Belehnung durch Hzg. H.
     von Braunschweig* . . . .   p. 562, 20

nach Aug. 16 Frankfurt. Notiz über Eberhards von Hirschhorn Erkrankung . . . . .   p. 644, 34*

Aug. 22 Heidelberg. K. Ruprecht bevollm. gen. zu Verhandl. mit Österr. Räthen in Wild-
     berg*, nr. 466 . . . .   p. 677

Sept. 9 o. O. E. v. Hirschhorn an E. Hartrad u. gen. Schreiber wegen Versamml. des Ldfr.
     auf 19 Sept. nach Frankfurt* . . . .   p. 644, 43*

——— 14 Welrßauwe. K. Ruprecht an Vorsteher des Wett. Ldfr.: sendet s. Unterhofmeister*   p. 644, 24*

——— 16 Frankfurt. Die Stadt an Eb. v. Hirschhorn, lehnt Berufung einer Versammlung des
     Landfriedens etc. ab* . . . .   p. 644, 25*

——— 17 Heidelberg. K. Ruprecht quittiert über 4000 Nobel der Engl. Mitgift* . . . .   p. 405, 31*

————————————————————* Pf. Ludwig ————

————— o. O. Aufzeichn. über Abkommen zwischen K. Ruprecht u. Hzg. L. von Baiern betr.
     Schuldverhältnisse* . . . .   p. 242, 11; nt. 5

——— 18 Heidelberg. K. Ruprecht macht Hzgn. E. und W. von Baiern Versprech. betr. das
     verpfändete Sulzbach* . . . .   p. 670, 38*

——— 19 ————— Ders. erkl., daß er Hzg. L. v. Baiern Rotenberg u. Schnaittach verkauft*   p. 243, 7; nt. 3

————————————————— Hzg. L. v. Baiern quittiert K. Ruprecht über Sold zum Italien. Zuge   p. 243, 4; nt. 2

————————————————— Ders. desgl. über 6000 fl. Gesandtschaftskosten* . . . .   p. 243, 2; nt. 1

——— 20 ————— Ders. verspricht dems. Widerkaufsrecht u. a. m. betr. Rotenberg* .   p. 243, 9; nt. 4

——— Frankfurt. Aufz. von einem Frankfurter Tage wegen Landfriedens, nr. 446 . . .   p. 644

Okt. 7 ————— Die Stadt an Eb. v. Hirschhorn über Aufsage v. Landfriedenszöllnern*.   p. 644, 45*

——— Heidelberg. K. Ruprecht und seine Söhne verspr. Joh. von Hirschhorn Schadloshaltung
     für Bürgschaft . . . .   p. 677, 31*

——— 10. Eb. v. Hirschhorn an Frankfurt über Angelegenh. des Landfriedens* . . . .   p. 644, 49*

——— 16. K. Ruprecht u. Bisch. W. v. Straßburg schließen Burgfrieden für gen. Orte* .   p. 768 nt. 2

——— 19 Frankfurt. Die Stadt an Gelnhausen über Aufsage der Landfriedenszöllner* . . .   p. 645, 44*

——— 27 Nürnberg. Die Stadt an F. v. Limburg w. Besuchs d. Ldfr.-Tages zu Schweinfurt*   p. 588, 34

——— Heidelberg. K. Ruprecht urk. über Abrechnung mit Nik. Burgmann wegen Erhebung
     d. Kirchenzehnten* . . . .   p. 548, 46*

————————————————— s. Proton. Mathias, desgl.* . .   p. 548, 36*

Nov. 5 Nürnberg. Die Stadt an gen., ordnet ihn und einen andern zum Landfriedenstage in
     Schweinfurt ab* . . . .   p. 588, 38

——— 19 Schweinfurt. K. Ruprecht weist gen. mit gen. Summe auf Steuer v. Reutlingen an*   p. 236, 43*

nach Dec. 20. Notiz über Verrechn. der Zolleinnahmen des Wetterauischen Landfriedens . .   p. 644 nt. 3

Dec. 22 Heidelberg. K. Ruprecht an die Herren in Brabant, verlangt Anerkennung* . . .   p. 562, 29

————————————————— Städte ————

1407

Merz 26 o. O. Bisch. W. v. Straßburg übergb. Besitz. seines Stifts an Kapitel u. Stadt* .   p. 768, 20*

Mai 10 o. O. Eberh. von Hirschhorn an gen. Schreiber in Landfriedensangel.* . . . . .   p. 645 nt. 1

——— 17 ——— Ders. an R. v. Hanau, lädt zur Besprechung über Landfr. nach Frankfurt auf
     23 Mai, nr. 447 . . . .   p. 645

————————————————— Ders. desgl. an gen. Herren und Städte einzeln*, sub nr. 447 . . . . . ————

——— 18 ——— Joh. v. Isenburg an Eb. v. Hirschhorn: will Ges. nach Frankfurt schicken* .   p. 646, 43*

——— Heidelberg. K. Ruprecht leiht Bisch. Joh. von Hildesheim die Regalien* . . .   p. 573, 40*

————————————————— Ders. bevollm. Gf. Joh. von Wunstorf zur Regalienverl. an dens.* . .   p. 572, 45*

——— 20 o. O. G. Rietesel an Eb. v. Hirschhorn: kann Frankf. Tag nicht besuchen* . .   p. 646, 48*

——— 23 Frankfurt. E. von Hirschhorn an die Stadt, lädt zur Versammlung dort wegen Land-
     frieden auf 31 Mai, nr. 448 . . . .   p. 646

————————————————— Ders. an R. von Hanau, desgl., sub nr. 448 . . . . ————

————————————————— Ders. an gen. Herren und Städte einzeln, desgl.*, sub nr. 448 . . .

——— 26 o. O. R. von Covern an E. von Hirschhorn: will Vertreter für Falkenstein nach
     Frankfurt schicken* . . . .   p. 646 nt. 2

——— 28 ——— G. v. Hirschhorn an Frankfurt w. bevorsteh. Veral. in Sachen des Ldfr.* .   p. 647, 43*

——— bzw. Juni 18 Frankfurt. Städtische Ausgaben bei Gesandtschaft zum König in Sache
     des Landfriedens . . . .   p. 648, 18*

——— 29 o. O. E. v. Hirschhorn an gen. Schreiber über Landfriedensangelegenheiten* . . .   p. 648, 17*

1407

Mai 31 Frankfurt. Herren und Städte des Landfriedens an Gf. H. v. Nassau über neue Versl.
u. Reise zum König in Sachen des Landfriedens, nr. 449 . . . . . .   p. 647
Dieselben an Gelnhausen und Wetzlar einzeln, desgl., sub nr. 449 . . .
Juni 5 Friedberg. Die Stadt an Frankfurt: kann Versl. auf 7 Juni nicht beschicken * . .   p. 648, 25 ͣ
—— 19 o. O. Bisch. Joh. von Hildesheim schwört K. Ruprecht Gehorsam etc., nr. 417 . .   p. 572
Juli 19 Heidelberg. K. Ruprechts erneuerter Fränk. Landfriede auf 3 Jahre, nr. 429 . . .   p. 623
—— 20 Nürnberg. Die Stadt an Schweinfurt, lädt zu Versl. Fränk. Städte w. Landfr., nr. 430
Dieselbe an Weißenburg, desgl. *, sub nr. 430 . . . .
Aug. 15 Heidelberg. K. Ruprecht an Dortmund über bevorsteh. Einritt in Achen, bittet Ge-
sandtschaft dorthin * . . . .   p. 275, 21
Sept. 19 Wiesloch. K. Ruprechts Schuldverschr. für Erzb. Joh. von Riga über 345 fl. * . .   p. 539, 43 ᵇ
—— 21 —— Ders. ermächt. Bisch. Joh. v. Hildesheim z. Belehn. Erzb. J.'s v. Bremen *   p. 562, 49
Ders. belehnt Erzb. Joh. v. Bremen durch Bisch. Joh. v. Hildesheim * .   p. 563, 3
Okt. 18 Alzei. K. Ruprecht an Frankfurt über Zahlungsanspr. E.'s von Hirschhorn * . . .   p. 597, 21
nach Okt. 18 Frankfurt. Aufz. eines Beschlusses über Antwort auf diesen Brief * . . . .   p. 597, 19
Okt. 23 Alzei. K. Ruprecht an Heidelberg, ford. Bürgschaft f. sich gegen 2 gen. v. Sickingen *   p. 677, 46 ͣ
Nov. 26 —— K. Ruprecht an die Herren in Brabant, fordert widerholz Anerkennung * .   p. 562, 87
Städte

1408

Mai 30 Heidelberg. Aufz. über Antw. mehr. gen. Freigrafen auf Fragen K. Ruprechts betr.
Femgericht * . . . .   p. 579, 5
Juli 4 Amöneburg. Erzb. J. v. Mainz u. Lgf. H. v. Hessen erläut. Sühnebrief v. 1405, nr. 480   p. 710

1409

Febr. 23 Frankfurt. Städt. Ausg. b. Vergleich mit E. v. Hirschhorn ehem. Ldfr.-Hptm. . . .   p. 597, 13
Aug. 24. Abt Joh. von Blaubeuren vidim. Urkunde vom 10 Aug. 1401 * . . . .   p. 42, 28
Dec. 13 Goslar. Die Stadt bevollm. Gesandtsch. zur Obedienzerkl. an K. Ruprecht * . . .   p. 560, 47

1410

1410. Korrespondenz Hzg. Ludwigs von Baiern mit Pf. Ludwig und Pf. Johann über Schuldforderung der Ersteren * . . . .   p. 242, 32 ͣ
Juli 13 Heidelberg. Pf. Ludwig bezeugt, Verzichtsbrief J.'s von Rüdigheim zu haben * . .   p. 593, 4

1411

Febr. 7. Pf. Ludwig bevollm. F. v. d. Huben, 10000 Nobel Restbetrag der Engl. Mitgift zu
empfangen * . . . .   p. 405, 40 ᵇ
—— 8. Ders. an Engl. Herren, mahnt an Zahlung des Restes der Mitgift * . . . . .   p. 405, 45 ᵇ

1415

Febr. 28 Konstanz. Hzg. R. v. Sachsen gibt seine Zustimmung zur Verpfändung gen. Reichsbesitzungen an Pf. Ludwig * . . . .   p. 402, 43 ᵇ

1420 ff.

142 . . . . . ? Straßburg. Städtische Aufzeichn. über Gewicht und Berechnung von Feingehalt
und Werth der Gulden, nr. 222 . . . .   p. 300
Goldmünzprobe nebst Rathschlagung betr. Goldmünzprüfung, nr. 267   p. 848

Alfabetisches Register

der

Orts- und Personen-Namen.

Vgl. zu diesem alfabetischen Register Band I Vorwort pag. LXXXIII.

A.

Aalen (Alun Aulun) in Wirtemberg östl. von Gmünd 42, 14; 22; 51ᵃ; 43ᵇ. 44, 1. 226, 38ᵇ. 228, 1; 8. 229, 24. 306, 23. 381, 16. 750, 2; 42ᵇ. 751, 51ᵃ; 33ᵇ. — Juden dort (nicht vorhanden!) 228, 1. 229, 24.

Abemberg, wol Abenberg s. s. w. von Nürnberg, s. Seckendorf.

Abensberg (Abemsperg) s. s. w. von Regensburg, der von —, und seine Gesellschaft 433, 43.

Abersdorffer, anscheinend Bote der Stadt Augsburg 437, 31; 33.

Abtsperg, wol Absberg n. n. w. von Weißenburg i. N., Hadmar von —, (Schenk in der Au?) 433, 6. — Hans von —, 433, 6. — Herr Stefan von —, 432, 21.

Abundi, Meister Johann 429, 10.

Achen (Aiche) 241, 27. 274. 275. 321, 2; 42ᵃ; 44ᵇ. 322, 17. 323, 14; 40ᵃ; 41ᵇ. 494, 16ff. 495, 12. 506, 2. 561, 2. — Schöffen s. Dorreczuhant Hochkirch Loufenberg Puncte.

Adelebsen (Adeleibessen Adeleyvissen) bei Göttingen, Bode von —, 692, 45ᵃ. 704, 25. 705, 16; 20.

Adelsheim n. n. ö. von Heilbronn bei Osterburken, Berynger von —, der junge, im Solddienst K. Ruprechts 236, 8.

Adilbergum s. Heidelberg.

Aecardus (Aycardus) im Dienst des Fr. von Carrara (ident. mit Ancellinus? vgl. dort) 175, 4. 406, 39ᵃ.

Aetingen s. Oettingen.

Affen (Affin), Herr Wilhelm zum —, in Nürnberg? 439, 20.

Aheimer, der, im Solddienst Hzg. L.'s von Baiern 231, 11.

Ahelfingen, wol Aholfing nordw. von Straubing, drei von —, 433, 14.

Aichach n. ö. v. Augsburg 437, 27.

Aisch (Eysch od. Eysche), Nebenfluß des Main 611, 13.

Albeck, Ulrich von —, licenciatus in decretis, decretorum doctor, in K. Ruprechts Kanzlei Protonotar, angeblich auch Kanzler, sein Gesandter bei der Kurie, später Bischof von Verden 25, 40. 41, 26. 142, 14. 145, 1. 147, 29; 32. 152. 156, 36ᵇ. 164, 42. 210, 41. 212, 4. 214, 14. 218, 13. 222, 23. 223, 34. 266, 27. 286, 1; 39ᵇ. 288, 25. 327, 42ᵃ; 33ᵇ. 335, 32. 379, 25. 388, 42ᵃ. 391, 7; 27. 399, 33ᵃ; 39ᵃ. 452, 37. 457, 13. 467, 33. 479, 10. 546, 11; 35. 551, 3; 20; 39. 552, 11. 577, 15. 579, 15; 46ᵇ. 680, 34. 688, 17ff. auch 64, 38. 65, 1. 90, 9. 93, 13. 106, 36. 151, 33; 37. vielleicht auch 399, 2.

Albertis, Antonius de —, ansch. in Venedig, Beauftragter Hzg. L.'s von Baiern 231, 42ᵃ; 50ᵃ. — Johannocius (Zanocius) de —, desgl. 231, 42ᵃ; 49ᵃ.

Albertus, Magister, Pfarrer zu St. Sebald in Nürnberg, Protonotar K. Ruprechts, sein Gesandter 81, 12; 27. 84, 9; 13; 16. 89, 15. 109, 37. 115, 22; 24. 125, 4. vielleicht auch 83, 11; 17. — Meister Albrecht, wol derselbe 387, 4.

Albiche, wol Albig nördl. von Alzei, Werner von —, Rath K. Ruprechts und sein Burggraf zu Stromberg 539, 10; (34). auch 540, 40ᵃ; 41ᵇ; 43ᵇ.

Albizzi (Albiçi), messer Maso degli —, Ritter, aus Florenz, städt. Gesandter 60, 10ff. 65, 22. 66, 46ᵃ. 75, 6; 17. wol auch 112, 33ff. 121, 34; 38. 129, 23. 132, 16; 35. 133, 20. 135. 160, 13; 37. vielleicht auch 75, 43ᵇ.

Albrecht, König, s. Habsburg. — Herzog, s. ebendort.

—, Graf, etwa von Hohenlohe? 431, 23.

—, Meister, s. Albertus.

Albricus, Graf (Albrigo da Barbiano), Mailändischer Hauptmann, Großkonstabel 88, 25. 136, 16. 166, 31; 45ᵃ.

Aldendorf (Allendorf), etwa Allendorf o. n. ö. von Marburg? 475, 9.

Aleura (in Spanien zu suchen) 206, 14; 20.

Allagonia, Graf Artalis von —, Podestà von Mailand 188, 37. 190, 20.

Allerberg, wol auf d. Eichsfelde (Ellerburg a. d. Eller?) 446, 6. 463, 6 ff. 691, 14 ff. 692, 23; 25.

Allgäu, Städte (Reichsstädte) im —, 41, 40 b. 376, 1. 522, 45 a. 676, 30 a; 37 a.

Alpen öfter mit der Wendung „uber berg" gemeint. — Hochalpen (Alpes superiores) 153, 34 a. — Karnische —, (Carneae Alpes) 153, 37 a. Vgl. Kreuzberg.

Altdorf o. s. ö. von Nürnberg, Markt und Amt zu —, 16, 11.

Altenburg wol in Thüringen?, Berthold von —, im Solddienst K. Ruprechts 233, 23. 234, 1.

Altenstädt (Altenstett) in Hessen n. ö. von Naumburg 475, 7.

Altheim wol zw. Aschaffenburg und Darmstadt s. Krieg.

Altsohl (Zolium) im nördl. Ungarn nördl. von Pesth nahe Kremnitz 185, 43 b.

Alvarotis, Petrus de —, aus Padua? 74, 35 b. 408, 40 b.

Alzei in der Baier. Pfalz 235, 24. 280, 2; 3. 506, 48 a. 519, 6. 526, 20. 560, 27. 562, 39. 594, 6. 677, 26 b. 728, 51. auch 677, 47 a. — Burggraf K. Ruprechts dort s. Landschade.

Amadi, Franciscus, in Venedig 216, 20; 34 a.

Amberg (Amberga) in der Oberpfalz 4, 17. 42, 19. 46, 15. 48, 48 a. 49, 14. 74, 19. 177, 17; 40 b. 214, 35 a; 51 a. 220, 19. 221, 39 a. 226, 42 b. 234, 33, 235. 236, 47 b. 271, 1. 276, 29. 277, 23. 291, 17. 312, 32. 313, 9; 31. 332, 39 a. 387, 43 a. 435, 27. 520, 37 a. 660, 20 a. 666, 24. 670, 40 a; 45 a. — Der Vitztum zu (von) —, 434, 41. 620, 19; 24. Vgl. Gewolff Landschade. — Der Landschreiber zu (von) —, 3, 35. 31, 12. 33, 26. 35, 17; 18. 36, 1. 293, 29. 387, 15. 602, 5. 620, 17. vielleicht auch 602, 8. Vgl. Kastner. — Der Rath zu —, 666, 6. — Bürger s. Kutterlin Schorlinger.
— Herzog Hans von —, s. Pfalzgraf.

Amöneburg östl. von Marburg 710, 39.

Ancellinus (Ancelinus) ab Arpa Bote des Franz von Carrara 325, 6; 27. 409, 23. 410, 42 b. Vgl. die folgenden.
— Aycardi, desgl. Bote des Franz, kaum derselbe? 408, 25. Vgl. Ascardus.
— (Anzelinus) de Polonia, desgl. Läufer, derselbe wie der vorvorige? 329, 20; 37. 330, 11. Vgl. den zweitnächsten.
— de Salzipurch, desgl. 410, 46 b.
— Bote des Franz, wol identisch mit dem vorvorigen 329, 23. 330, 13.

Andernach am Rhein 495, 12. 569, 39; 40.

Andlau (Andelo) im Elsaß südw. von Barr s. Erhard.

Andreas, Bruder, Custor zu den Barfüßern (in Nürnberg?) 429, 9.
— Vogt zu Königsberg in Franken 430, 30.

Angelach, Wilhelm von —, Schultheiß zu Heidelberg 213, 10. vgl. 386, 25.

Anguillara an der Etsch südl. von Padua, die Bastei von —, 533, 29 a.

Anhalt (Anchalt), Fürst Albrecht (IV) zu —, zu Zerbst 1382-1424: 423, 48 a. — Fürst Bernhard (V) zu —, 1374-1420: 310, 10. 311, 15. 702, 44 a. — Vgl. Halberstadt.

Anjou, Herzog Ludwig von —, Graf v. Provence König von Jerusalem und Sicilien Enkel K. Johanns III von Frankreich 1384-1417: 12, 23. 398, 3.

Annenberg (in Hessen?), Kloster 473, 43.

Annweiler (Anwilr) in der Baier. Pfalz westl. von Landau 666, 27.

Antiochia in Syrien, Patriarch Wenzel Kralik von Burenic, Kanzler K. Wenzels 187, 38. vielleicht auch 193, 5; 7; (43 a).

Antonius, ansch. in der Kanzlei des Franz v. Carrara 412, 27 a.

Appffentaler, Leopold, im Solddienst Hzg. L.'s von Baiern 231, 21.

Apulien (Puglia) 407, 23.

Aquileja (Agley) Patriarch Antonio II Panciera 1402-1408: 414, 9; 48 a; 47 b. 533, 2. etwa auch 193, 5; 7; (42 a)?
— Patriarch W. (fälschlich von —, statt von Antiochia) 187, 43.
— Patriarchat Kirche 141, 19. 684, 3. — Bewerber um das Patriarchat s. Eglofstein (Otto). — Vogt des Gotteshauses von —, s. Görz.

Aragonien (Arrogûn) König Martin III 1395-1410: 164, 11. 205, 21. 206, 17. 209, 13; 43 a. 211, 24. 377, 43. 395, 26; 46 a. 553, 29; 36 b; 42 b. 669, 11. — Seine Gemahlin (Maria) 206, 7. 207, 8. 396, 5. — Sein ältester Sohn Martin s. Sicilien. — Seine Schwester, wol Isabella (1402 mit dem Grafen von Urgel vermählt) 207, 42. 208, 39. 209, 6. 210, 10. — Seine Schwester Eleonore und deren Söhne s. Kastilien. — Sein königliches Haus 206, 5. 396, 5. — Seine Gesandtschaft, einer seiner Räthe und Kammerherren 208, 9; 19. 553, 28. 680, 35. Vgl. Valterra.
—, Fürsten (oder hervorragende Männer?) des Landes 686, 49 a.

Arçignano, Robertus de —, im Dienst des Fr. von Carrara 173, 15; 16.

Argonosis (oder Argenosis?), Bernhardus de —, Sekretär des Venet. Dogen 162, 28.

Arheiligen (Arheilgin) nördl. von Darmstadt, Landfriedenszoll dort 638, 28.

Aricoan, misser, ansch. im Dienst des Franz von Carrara 395, 23.

Arlostein s. Bechtold.

Armis, Berthinus ab —, Vertreter des Franz von Carrara 411, 43 a.

Arnoldi, Heinrich, von (d. i. aus) Gelnhausen,

Schreiber der Stadt Frankfurt 274, 45. Vgl. Heinrich.

Arpa s. Ancellinus.

Asberg (Aschberg) in Wirtemberg westl. von Ludwigsburg 740, 29.

Aschaffenburg am Main 500, 5. 631, 7. 654, 7. 754, 12. — Vitztum und Kellner (d. i. Verwalter) des Mainzer Erzbischofs dort 592, 40, 754, 13.

Aschūsen, wol Aschhausen s. w. von Mergentheim n. w. von Ingelfingen, Götz von —, Kurmainz. — Amtmann zu Ballenberg und Krautheim 518, 17.

Assenheim in der Wetterau n. w. von Friedberg, Amtleute dort s. Dudelsheim Kelner.

—, Wigand von —, Kurmainz. Landschreiber im Rheingau 303, 1. 305, 17.

Astoricha, d. i. Österreich, s. Habsburg.

Attendern (d. i. Attendorn in Westfalen?) Magister Dietmannus, lic. in decretis 63, 43.

Attice (d. i. Adige) s. Etsch.

Au oder Aue (Aw) in Schwaben?, der Schenk in der —, (Hadmar von Abtsperg?) 433, 6.

Auer, Friderich 448, 9. — Georg 448, 9.

Auerbach (Awrbach Urbach) in der Oberpfalz n. n. w. von Sulzbach 35, 35. — Das Landgericht, die Landschrannen dort 665, 27. 666, 10. — Der Landrichter, Pfleger K. Ruprechts dort s. Frewdemberger. — Das Landschreiberamt dort 236, 46ᵇ. — Der Landschreiber dort 430, 9. 431, 3. 620, 17. 621, 16. — Zwei von —, 434, 8.

— dasselbe?, Herr Burkhard von —, 448, 16.

Auerlein s. Urberg.

Aufseß (Aufsezz Uffseaße), Herr Friderich von —, wol in Bamb. Diensten? 479, 25. 602, 19; 43ᵃ. 620, 10. 621, 25. — Heinrich von —, 432, 39.

Augsburg (Ougesburg) Bischof Burkhard von Ellerbach 1373-1404: 53, 46ᵇ. 257, 1; 48ᵃ. 381, 5. 435, 36. 548, 26. 549.

— (Ougspurg) Bischof Eberhard H von Kirchberg 1404-1413, Kand. f. d. Straßb. Bisth. 728, 12; 14. 769, 33ᵃ; 47ᵃ; 39ᵇ; 48ᵇ. vgl. auch 548, 26. 549. vielleicht auch 713, 8; 18.

— Der Dompropst von —, 3, 23. 621, 14. wol auch 436, 11. — Ein Domherr von —, 429, 35.

— (Augusta Auspergo Oegspurch Usperco) Stadt 17, 28. 43, 35ᵇ. 46, 7. 58, 1; 6; 18. 74, 7; 18; 19. 82, 2. 89, 2. 213, 5; 11. 214, 15; 19; 20; 36ᵇ. 223, 1; 3. 226, 38ᵇ. 227, 15; 45ᵇ. 228, 8; 36. 229, 3. 256, 30; 38. 276, 25. 279, 28; 31. 293, 37ᵃ. 297, 28; 43ᵃ. 298, 45ᵃ; 37ᵇ. 299, 41ᵃ. 306, 26. 343, 48ᵃ. 382, 12. 388, 12. 435, 8. 555, 43ᵃ. 556, 6. 660, 7. 661, 30ᵃff. ferner als Ausstellungsort von Urkunden etc. 1401 Aug. bis Sept. s. chronol. Register. — Bürgermeister 297, 42ᵇ. 437, 23; 24. Vgl. Ege Radawer. — Baumeister s. Lieber. — Der Vogt 661, 15. — Gesandte der Stadt 3, 36. 429, 16. 434, 31; 36. 448, 41. Vgl. Hörnlin Kunzelman Langenmantel Lieber Mansperger Mūlin Radawer Röhlinger Scherer Tuchscherer Vend Wielant. — Boten der Stadt (von

den Gesandten nicht immer sicher zu unterscheiden) 276, 31. 298, 37ᵃ. 435, 24. 436, 14; 25ff. 437, 3ff. 438, 17; 33. 661, 4; 5; 8; 13. 662. Vgl. Abersdorffer Eberlin Frowendienst Henslin Jäcklin Knepser Lemlin Mansperger Plücker Singer Spät Spies Tyschinger Wölflin. — Ein Bürger 222, 30. Vgl. die gen. Gesandten, ferner Repphain Ulrich. — Juden 227, 15. 229, 3. vgl. 228, 36. — Knechte Wächter Söldner 298, 39ᵃ. 437, 12. 660, 17. 661, 6; 14.

Aulun s. Aalen.

Aurelianus dux s. Orléans.

Ausonia s. Italien.

Austria s. Österreich u. Habsburg. — Civitas Austrie s. Cividale.

Avignon 209, 9; 10. 210, 14; 25. — Vgl. Rom (Gegenpabst Benedikt XIII).

Aycardus s. Aecardus.

Aymo, ser Gabriel, Ritter, in Venedig, Gesandter der Republik 100, 1; (10). 161, 31; 32. auch 93, 15. 95, 9; 12. 96, 5ff. 103, 2. 105, 9. 106, 25; 31. 109, 1; 20; 25. 110, 12; 16. 113, 32. 115, 15; 20ff. 116, 25ff. 120, 16. 122, 10. 124, 31; 38. 153, 26; 28. 162, 36. — Ser Petrus, desgl., einer der Savj 93, 5. 95, 24. 97, 35. 98, 16. 100, 4; 6. 105, 4. 106, 1; 5. 109, 12. 111, 1; 6. 113, 24; 29. 115, 1. 116, 14. 120, 1. 122, 1. 124, 12. 127, 9ff.; 19. 128, 28; 34; 37. 131, 1. auch 105, 17; 29. 109, 19. 131, 47.

B vgl. P.

B., A oder J. de —, (wol Sigle?) Bevollm. K. Ruprechts 338, 29. 341, 12; 27.

Bacheim, wol Bachem am Niederrhein Burg 344, 17. — Werner von —, 344, 25; 31; 35.

Bacharach am Rhein zw. Bingen und Boppard 274, 27. 279, 42. 280, 4. 323, 31. 344, 10; 39. 345, 5; 9. 386, 25. 505, 20; 30; 34. 569, 39. 570, 21. — Zoll zu —, 219, 35ᵃ. 241, 50ᵃ; 44ᵇ. 358, 10. 360, 15. — Zollschreiber 358, 11. Vgl. Sure. — Gulden 303, 48ᵃ.

Baden Markgraf Bernhard I 1372-1431: 16, 4. 371, 35. 373. 375, 16. 380, 39. 437, 17; 18. 487, 18; 20; 33. 488, 18. 495, 3; 27ᵃ; 24ᵇ; 32ᵇ. 496, 16. 497, 8. 498, 15; 29ᵇ; 33ᵇff. 499, 37ᵃff. 500, 3; 47ᵃ; 37ᵇ. 501, 2; 10. 502, 18; 19. 503, 2; 19. 504, 18; 38ᵃ; 35ᵇ. 506, 8; 12; 22; 49ᵇ. 507, 26ᵃ; 30ᵃ; 40ᵃff. 508, 48ᵃ; 43ᵇ. 509, 50ᵃ; 40ᵇ. 510, 7. 511, 1; 42ᵇ. 669, 2. 707, 42. 727, 33; 40. 729, 3; 5; 37; 42; 43. 731, 2. 735, 20. 739, 19. 740, 34. 741, 5; 8; 22. 742, 12. 750, 1. 761, 34. 763, 3. 764, 13; 16; 22; 29. 766, 3; 5; 9; 25. 769, 34ᵃ; 48ᵃ; 40ᵇ; 48ᵇ. auch 898, 26. — Seine Mutter Markgräfin Mathilde (Mechtild) Gemahlin Mf. Rudolfs VI geb. Gräfin von Sponheim 16, 2; 6. — Seine Töchter 507, 16ff. — Sein Land seine Herrschaft etc. 497, 26. 498, 9; 11. 501, 27; 29. — Seine Räthe Gesandten Freunde

Amtleute 498, 1; 5. 729, 44. 739, 24. 745, 30; 35; 36. 754, 6. — Sein Gesinde, d. i. wol sein Kriegsvolk 438, 38.

Baden Markgrafen vgl. Hochberg.
— Stadt Veste, d. i. Baden-Baden 497, 3. 729, 37. 739, 25; 30. 740, 13; 32. 741, 14; 23. 742, 2. 743, 34. 754, 5. 765, 7; 9. — Vogt oder Schultheiß dort 754, 6.
— wol im Aargau 671, 35. 673, 12.

Bärnau s. Bernauwe.

Baiern (Bavaria Bayvera Beyern Pairn) Haus (stirps atque domus, casa) 61, 34; 35. 81, 22. 394, 34. — Die Herzöge (Herren des Hauses) von —, 164, 5; 8. 293, 42ᵇ. 395, 12; 14. 437, 30; 32. 438, 22.
— Herzog Albrecht I in Straubing 1347 (resp. 1353) bis 1404 Graf von Holland 1377: 180, 1; 52ᵃ. 318, 24. — Derselbe und seine 2 Söhne Wilhelm und Johann wol 893, 24. — Seine Räthe 319, 3 ff.
— Herzog Ernst (Hornest) in München 1397-1438: 4, 11. 29, 3. 30, 22. 31, 13. 37, 14 ff. 292, 1; (8). 380, 35. 395, 12. 434, 35. 437, 30. 438, 22. 502, 21. 661, 12. 670, 40ᵇ. — Seine Besitzungen etc. s. Hersbruck Landsberg München.
— Herzog Heinrich IV der Reiche in Landshut 1393-1450: 37, 6; 12; 35ᵃ ff. 292, 1; (8). 380, 34. — Seine Schwester Elisabeth s. Nürnberg (Bgf. Friderich). — Sein Vitztum 37, 6. — Seine Landschaft 37, 7. — Seine Besitzungen 37, 38ᵃ.
— Herzog Johann Graf von Holland s. Lüttich.
— Herzog Ludwig IV 1302-1347, Deutscher König 1314, Kaiser 1328: 46, 19. 47, 40ᵇ.
— Herzog Ludwig Sohn K. Ruprechts s. Pfalzgraf.
— (Baviera Beyrn) Herzog Ludwig VII der Bärtige in Ingolstadt Sohn Stefans H 1413-1447, Rath K. Ruprechts, angeblich Großconnétable von Frankreich 29, 4; 42ᵃ. 30, 23. 31, 14. 37, 16; 28; 49ᵃ ff. 46, 40. 60, 36. 71, 17. 75, 21. 76, 2. 79, 31; 40ᵃ; 39ᵇ. 83, 7. 121, 45. 129, 40ᵇ. 130, 36ᵃ. 134, 40. 162, 14. 164, 25. 165, 2. 166, 37. 167, 7; 21; 28. 169, 5. 172, 23; 28. 196, 30. 217, 9. 218, 6. 219, 5. 220, 26. 221, 1; 25; 34ᵃ. 222, 1. 229, 26. 231, 37ᵃ ff.; 45ᵇ. 242. 243. 256, 38. 257, 46ᵃ. 277, 47. 278, 33. 286, 24 ff. 293, 25; 26. 325, 35ᵇ. 327, 21; 35. 337, 37. 390, 22. 391, 9; 28. 393, 12. 395, 2; 27. 396, 43ᵃ. 410, 40ᵇ. 412, 37ᵃ. 434, 31; 35. 435, 33. 437, 27. 438, 16. 494, 5ᶠᶠ. 502, 22. 512, 19; 27. 513, 35. 514, 41. 662, 7. auch 169, 20. 401, 5. wol auch 6, 18. 394, 1. 765, 26. vielleicht 217, 2. kaum 386, 17. 388, 10. — Derselbe als Schwiegersohn K. Ruprechts bezeichnet, vielleicht mit Hzg. Karl von Lothringen verwechselt 130, 34ᵇ. — Sein Gesandter s. Albertus? — Seine Beauftragten (Bankiers in Venedig?) s. Albertis. — Seine Söldnerhauptleute in Italien s. Bonchiloh Cotignuola Gundelsheim Orto Rayneriis Recchenbach Valdo Venosa. Vgl. 230-232. — Sein Diener (fameglio) 335, 8 ff. Vgl. Hoppler. — Seine Besitzungen etc. s. Hersbruck Hirschau Lichtenstein München

Pessingen Regenstauf Rotenberg Schnaittach Sulzbach.

Baiern Herzog Ruprecht s. Pfalzgraf.
— (Pegern) Herzog Stefan H (senior zum Unterschied von Pfalzgraf Stefan) in Ingolstadt 1375-1413, Rath K. Ruprechts 3, 19. 37, 49ᵃ. 46, 39; 41. 196, 30. 197, 3; 9. 256, 37. 257, 46ᵃ. 293, 27. 325, 35ᵃ. 329, 42ᵃ. 380, 33. 410, 39ᵇ. 423, 9. 429, 29. 433, 33. 435, 20; 23. 448, 21. 460, 15; 39. 536, 42ᵃ. 651, 43. auch 13, 30; 35. — Seine Gemahlin 433, 38. viell. 431, 19. — Sein Sohn s. Herzog Ludwig (den vorigen). — Seine Tochter Elisabeth (Isabella) s. Frankreich. — Sein Diener (familiaria) 332, 30.
— Herzog Stefan junior s. Pfalzgraf.
— Herzog Wilhelm III in München Bruder Herzog Ernsts 1397-1435: 30, 38. 434, 31. 502, 22. 670, 40ᵇ.
— Herzog Wilhelm II in Straubing Graf von Holland 1404-1417 wol 393, 20.
— Land Herzogthum vorwiegend die (in K. Ruprechts Besitz befindliche) Oberpfalz bzw. deren Städte Dörfer Einwohner 26, 30. 28, 20. 35, 6; 16. 37, 43ᵃ. 190, 16. 312, 32. 313, 31. 319, 16. 332, 14. 334, 22; 43ᵃ. 393, 24. 401, 39. 402, 27ᵃ. 420, 39. 438, 31. 665, 4. 669, 30; 41. 670, 2; 15; 29ᵃ; 31ᵇ. auch 47, 16. 319, 22. 320, 26. — K. Ruprechts Amtleute dort 36, 11. 312, 33. 520, 32ᵃ. — Seine Landschreiber dort 665, 16; 30; 33. — Landgerichte Landschrannen dort 666, 1 ff. Vgl. Amberg Auerbach Lengenfeld Nabburg Neunburg Sulzbach Waldeck. — Vgl. unter Pfalzgraf Johann und Pfalzgraf Ruprecht III. — Landfriede in —, (auch in Franken und —) 610, 48ᶠᶠ. Vgl. Franken. — Gulden von —, d. i. Pfälzische Gulden, s. Heidelberg. Vgl. Bacherach.

Baldersheim wol in Unterfranken o. n. ö. von Mergentheim, F. Truchseß von —, 432, 4. — Hans Truchseß von —, der junge, Ritter, im Solddienst K. Ruprechts 235, 6. — Wolf Truchseß von —, 432, 4.

Balhorn in Hessen o. n. ö. von Naumburg 473, 23.

Ballenberg (Balnbûrg) w. s. w. von Mergentheim, Amtmann dort s. Aschûsen.

Balthasar, Herr, im Solddienst Hzg. L.s von Baiern 231, 34.
— (Walthasar), Herr, derer von Meißen Rath 658, 34. Vgl. folgenden.
— Herr, vielleicht derselbe 431, 14.

Bamberg Bischof Albrecht Graf von Wertheim 1398-1421: 3, 17. 292, 1; (9). 294, 7. 307, 43ᵃ. 381, 3. 429, 20. 430, 18. 431, 12. 580, 3. 619, 9. 658, 18. 659, 38. auch 581, 36. 598, 3. — Seine Räthe 448, 29. 598, 14. Vgl. Lichtenstein, auch Hörauf?
— Stift Domkapitel 429, 11. 619, 9. — Pfleger des Stifts s. Eglofstein Lichtenstein. — Gesandte s. Hörauf? — Der Dechant von —, (Otto von Milz? s. diesen) 448, 38. 602, 6; 44ᵃ; 45ᵃ. 620, 10. 621, 25. — Der Domprobst von —, 429, 11.

621, 21. 659, 21. 662, 20. 663, 2. — Fünf vom
Kapitel 428, 36. — Der Official von —, 428, 33.
620, 22. — Korherr s. Stieber. — Der Probst zu
St. Stefan dort 621, 27. 659, 36. Vgl. Hörauf. —
Vgl. auch Henneberg Zollner.

Bamberg (Babenberg) Stadt 292, 27: 31. 315, 28.
611, 13. 612, 2. 624, 6. — Vertreter der Stadt
und Bürger 429, 38. 430, 20. 431, 21.

Bar in Lothringen Herzog (Robert 1352-1411, auch
Mf. von Pont à Mousson) 495, 34ᵃ.

Bar, d. i. Baer in Geldern n. ö. von Arnheim, Friderich Herr von —, s. Saarwerden.

Barbavara, Franciscus, einer der Räthe Joh. Galeazzos
141, 1.

Barfüßerorden, ein Custor desselben s. Andreas.

Bargstein wol Parkstein in der Oberpfalz n. w. von
Weiden 679, 7. Vgl. Brackstein.

Barpfennig, Herr Rülin, in Straßburg, Mitgl. d. Neunerbehörde, Altammanmeister 1401: 250, 5; 42.

Barr im Elsaß nördl. von Schlettstadt 768, 25ᵃ.

Basel (Basell) Bischof Humbert von Neuenburg 1399-
1418: 40, 14. 381, 7. 561, 15; 22; 25.

— (Basel) Stadt 40, 15. 42, 18. 48, 1; 49ᵃ. 49,
19; 43ᵃ. 239, 2. 240, 42ᵃ. 272, 34. 306, 27.
379, 2; (6). 382, 23. 384, 6; 29. 436, 21. 487,
1; 42ᵃ. 488, 27ᵃff. 498, 13. 502, 19. 503, 19.
507, 29ᵃ. 509, 22ff.; 49ᵃ. 542, 19. 672, 30ᵃff.
673, 42ᵃ. 713, 35. 728, 50. 729, 34. 749, 16.
760, 16. wol auch 501, 29. vielleicht auch 567,
4. — Bürgermeister s. Berenfels Marschalk. —
Der oberste Zunftmeister 503, 29. — Gesandte
der Stadt 727, 35; 44. Vgl. Ehrenfels Marschalk. — Boten, laufende Boten 504, 7; 10. 713,
36. — Einwohner Kaufleute Münzmeister Wechsler Schiffsknechte 272, 40. 504, 11. 507, 30ᵃ.
Vgl. Zibollen.

Bassano (Bassianum) n. ö. von Vicenza 88, 1.

Bassaw s. Passau.

Batzperg s. Ratzperg.

Becherer, Nikolaus, aus Straßburg 396, 28.

Bochtold von (d. i. aus?) Arlostein, Knecht im Straßb.
Romzugskontingent 253, 18.

Begarden (Beckarter) s. Frankfurt.

Begenitze s. Pegnitz.

Beguinen (Beckinen) s. Frankfurt.

Beheim, Fritz, Bürger in Nürnberg 388, 39ᵃ.

— Konrad, aus Böhmen, Bote K. Wenzels 179,
29ᵃff.

Beheimschford 517, 41ᵇ.

Beheimstein Burg in Oberfranken bei Pegnitz 35, 31.
36, 4.

Beldersheim, wol Bellersheim in der Wetterau s. w.
von Hungen, Friderich von —, 645, 43ᵇ. — Hartmann von —, Hanauisch-Isenburg. Vertreter beim
Wetter. Landfrieden 641, 50ᵃ. — Henne von —,
Werners seligen Sohn Amtmann zu Bingenheim
636, 14; 26.

Belderßhusen, etwa Belterßhausen s. ö. von Marburg?
475, 10.

Belfi oder Bwelfi s. Guelfen.

Beltramini s. Crivellis.

Bembo, ser Bernardus, in Venedig, einer der Capita
de 40 und wol auch Consiliarius 91, 16. — D.
F., Venet. Hauptmann v. Negroponte 176, 35ᵇ. —
Ser Leonardus, in Venedig, einer der Savj 81, 7.
83, 25. 97, 36. 98, 17. 100, 5; 7. 105, 5. 106, 5.
111, 7. 113, 29. 122, 5. 126, 6. 128, 30. 131, 41.
132, 33. 133, 8. 134, 35. 135, 21. 193, 29. auch
109, 19. 133, 28.

Benedikt, Pabst s. Rom.

Benediktinerorden 683, 34. — Ein Abt s. Johannes.

Benevento, A. de —, ansch. Beamter der päbstlichen
Kanzlei 547, 15.

Bennfelt s. Heinzel.

Bentivoglio, Johann I von —, Herr zu Bologna 1401-
1402: 70, 24. 80, 39ᵃ. 84, 21; 23. 95, 2. 96, 1.
102, 6; 10. 131, 42. 140, 20. 145, 25. 157, 19. 175,
32; 33; 34. 176, 45ᵃ; 49ᵃ; 48ᵇ. 194, 45ᵃ; 49ᵃ.
326, 13. 328, 37. auch 176, 6. — Sein Gesandter
resp. seine Gesandten 102, 6. 176, 16; 47ᵃ. —
Seine Truppen 326, 16. 328, 28.

Bentschon, Bartholomäus, in Crema 378, 33. — Johann, deagl. 378, 33.

Berchtesgaden (Bertholsgaden) südl. von Salzburg,
Gotteshaus zu —, 50, 40ᵇ. 286, 25; 29.

Berenfels, Arnold von —, Ritter, in Basel, Bürgermeister 273, 33. 384, 26. 385, 8. 713, 34.

Berg Herzog (Wilhelm I, bis 1380 Graf, 1360-1408)
214, 8. 500, 11.

Bergamo (Pergamum) in der Lombardei, Stadt und
Behörden 378, 23.

Berlichingen an der Jagst nördl. von Öhringen, Engelhard von —, im Solddienst K. Ruprechts 236,
20. — Götz von —, deagl. 235, 34; 40ff.

Bern im Üchtland (Ochtelant) in der Schweiz 40, 15.
42, 21. 48, 1. 306, 27. 382, 24. 488, 26ᵃ. auch
728, 35. — Eidgenossen der Stadt s. Schweiz.

Bernardonus Bolognesischer Truppenführer 177, 42ᵃ.

Bernauwe, d. i. wol Bärnau in der Oberpfalz s. ö.
von Tirschenreut 420, 35.

Bernhard, Herzog, s. Braunschweig. — Markgraf s.
Baden.

Bornken, Bernhard, Hess.-Braunschw. Vertreter 704,
26. 705, 16; 20.

Bernsauwe, Jakob von —, in Köln, Rathsherr? 352,
24. auch 352, 31; 34. wol auch 353, 16.

Berri, Herzog Johann von —, Sohn K. Johanns II
von Frankreich 1360-1416: 12, 23. 199, 3.

Berwangen, wol in Baden n. ö. von Eppingen, Albrecht von —, Rath K. Ruprechts und sein Haushofmeister zu Heidelberg 41, 9; 20. 358, 5. 486,
32. 487, 28; 32. 673, 14. wol auch 674, 15.

Berwolff s. Werwolff.

Besigheim (Besckeim Besinkeim) am Neckar n. n. w.
von Ludwigsburg 740, 5; 7.

Besserer (Pesarer), Heinrich, in Ulm, Bürgermeister
375, 1; 4. 741, 17. — Der, wol ders. 431, 42.

Betendorffer (Bettendorffer), Dietrich, 59, 41ᵃ. Ohne

Vornamen, wol ders., ansch. in Diensten K. Ruprechts 212, 36.

Bettenberg, Nikolaus, Magister, Rath K. Ruprechts 546, 20.

Beyer, Konrad, von (d. i. aus?) Boppard, Ritter, Rath K. Ruprechts 532, 8.

Biagio (Blasii), Pieroço di —, delli Strozi (de Stroçis) Florentin. Gesandter 528, 21. 530, 4; 14. auch 531, 47ᵃ.

Biberach (Pibrach) im südöstl. Wirtemberg n. n. ö. von Ravensburg 42, 9; 22; 50ᵃ; 43ᵇ. 226, 38ᵇ. 227, 18. 228, 8. 229, 7. 306, 22. 375, 7. 382, 2. 436, 2; 7; 13. 651, 46. 750, 2; 41ᵇ. 751, 38ᵃ; 50ᵃ; 32ᵇ. Juden dort (nicht vorhanden!) 227, 18. 229, 7.

Biberbach zw. Augsburg und Donauwörth, Hans Marschalk von —, 433, 1.

Bicci s. Medici.

Bickenbach an der Bergstraße nördl. von Bensheim, Herr Dietrich von —, 479, 22. — Herr Konrad zu —, in Kurmainz. Diensten? 513, 39. 515, 5. — Vgl. Pickenbach.

Biebelnheim (Bibelnheim) in Rheinhessen s. s. ö. von Wörstadt 517, 35ᵇ.

Bietenheim, d. i. wol Bietigheim bei Rastatt oder am Neckar, s. Zander.

Bijlke (oder Vijlke), vielleicht Bilk bei Düsseldorf, Herr Schilling von —, Ritter, Kurköln. Vertreter 303, 1. 305, 18.

Bilstein, d. i. Beilstein w. n. w. von Wetzlar, Herr zu —, s. Nassau. — Amtmann dort s. Werle. — (Bylnstein) n. w. von Eschwege Schloß 477, 40.

Bingen am Rhein 519, 16. 569, 39. 570, 21. — Die Gulden von —, 347, 9; 24.

Bingenheim in Oberhessen w. s. w. von Nidda, Amtmann zu —, s. Beldersheim.

Bintznawer, Otto, im Solddienst K. Ruprechts 233, 4.

Birenstil, Knecht im Straßburger Romzugskontingent 253, 38.

Birgheiner, Kunz 390, 8.

Birheimer, Hans, aus Nürnberg 217, 47ᵇ. wol auch 217, 15.

Birkweiler (Birckwilre) in der Baier. Pfalz bei Landau 666, 27.

Bischofsgutern, jetzt Großen-Gottern zw. Mühlhausen und Langensalza 703, 30. 704, 3. 706, 32.

Bischofsheim, etwa Tauberbischofsheim? 367, 21.

Bischofstein auf dem Eichsfelde n. w. von Eschwege 690, 8; 20.

Bisconti (Bisconto) d. i. Visconti s. Mailand.

Bitsch (Bischz) Graf Hammann H von —, 1402-1422: 258, 17. 506, 3.

Bivilaqua, messer Giuglelmo, Rath Joh. Galeazzos 67, 22.

Blaubeuren, Abt Johann von —, 42, 28.

Blech, das, wol Plech in Oberfranken s. s. w. von Pegnitz 36, 18ff.

Bleichenbach in der Wetterau westl. von Staden, Rudolf von —, 629, 38ᵇ.

Bock, Johann, in Straßburg, Mitglied der Neunerbehörde 250, 4; 41. — Kunz Johann's (wol des vorigen) Sohn, ebendort, Glefenführer im Romzugskontingent 250, 30. 254, 28. 255, 30. — Ulrich, der jüngere, ebendort, 1405 Stadtmeister 720, 3. 735, 17. 740, 21. 741, 17.

—, Konrad, im Solddienst K. Ruprechts, wol außer Zusammenhang mit den vorigen 235, 25.

Bocksberg (Pocksperg), wol Boxberg westl. von Mergentheim, Wilhelm Marschalk von —, 433, 2.

Bodensee (der See, der Sew), Städte am —, Seestädte, auch Städte des Bundes um den See und im Allgäu 41, 1; 45ᵃ; 40ᵇ. 214, 14. 376, 1. 522, 3; 44ᵃ. 676, 9; 29ᵃ; 37ᵃ. 713, 46; 48. vgl. auch 227-229. — Deren Gesandte 41, 7; 21. Vgl. Schultheiß.

Böhmen (Behaym Beim Pebam) Land Reich Königreich Krone 3, 43. 15, 16; 20; 23. 17, 33. 18, 6. 45, 37. 46, 3. 177, 36ᵇ; 40ᵇ. 178, 11; 38ᵃ. 189, 17; 40ᵃ. 190, 14. 191, 27; 28; 44ᵃ; 48ᵃ. 214, 44ᵃ. 290, 1; 3; 18. 324, 34. 332, 21. 333, 1; 2; 32; 33. 334, 30; 45ᵃ; 47ᵃ. 336, 39ᵃ. 337, 28; 41. 363, 12ff. 364, 6. 402, 1; 32ᵃ; 37ᵃ. 404, 4. 413, 19; 21. 415, 30. 416, 6; 8; 15; 36ᵃ. 419, 19; 24. 420, 6; 9; 12; 20. 421, 22; 24. 425, 6; 10; 13; 34ᵇ. 427, 43ᵃ; 36ᵇ. 438, 10. 495, 28ᵇ. 496, 44ᵃ. 588, 30. 669, 16. 678, 32. 679, 9. 707, 40. 759, 17. — König Wenzel s. Luxemburg. — Reichsverweser s. Luxemburg (Sigmund). — Große des Reichs (principes) Landherren Prälaten Barone Herren 180, 23. 189, 18; 19. 190, 39. 191, 2. 192, 33ᵃ. 332, 34. 334, 46ᵃ. 337, 28. 338, 1. 427, 37ᵇ. — Mannen der Krone s. Donin. — Einwohner, die Böhmen (Beheim) 319, 17. 404, 18. Vgl. Beheim. — Besitzungen der Krone 427, 31ᵇ. — Städte und Burgen 191, 3; 33. — Mf. Josts Schlösser dort 416, 3; 12.

Bönnigheim s. w. von Heilbronn 41, 35.

Boiardis, Gerardus de —, (auch Gerardus Boiardia) im Dienste Balthasar Cossas 173, 6. 278, 30. 336, 37ᵃ. 407, 1; 41ᵇ. 408, 47ᵃ.

Bologna (Bononia) Stadt Gebiet Behörden, die Bologneser 60, 4. 61, 3. 68, 16; 43ᵃ; 45ᵃ. 69, 32. 70, 23. 79, 39ᵇ. 84, 37. 88, 25. 94, 37. 135, 22. 136, 15; 28. 140, 16; 17; 30. 165, 38. 166, 15. 176, 44ᵃ. 177, 36ᵃ. 182, 30; 38. 186, 1. 194, 31ᵇ. 325, 12. 327, 3. 328, 20; 37. 333, 4. 408, 39ᵃ. 409, 8; 33. 528, 27. 530, 18. 532, 25ᵃ; 37ᵃ; 32ᵇ; 43ᵇ. — Der Herr von —, s. Bentivoglio. — Der päbstl. Legat dort s. Cossa. — Nichtgen. Bürger 326, 12. — Truppenführer s. Bernardonus. — Truppen 325, 12.

—, Johannes von —, päbstl. Sekretär u. Gesandter 108, 33.

Bonames nördl. von Frankfurt, Burggraf dort s. Rietesel Sulzbach. — Schultheiß dort s. Brenner.

Bonchilch, Thomas von —, Söldnerhauptmann 76, 24. 77, 11.

Bone, d. i. etwa Bovines s. w. von Lille?, der Herr zu —, s. Lothringen.

Bonifacius, Pabst, s. Rom.

Bonn, Gulden von —, 347, 15; 30.

Bontherzo, Otto von —, (ident. mit Ottobon Terzo) in Parma u. Piacenza 378, 32.

Bopfingen (Popfingen) in Wirtemberg zw. Aalen und Nördlingen 42, 14; 22; 50ᵃ; 43ᵇ. 226, 88ᵇ. 228, 3; 8; 33. 229, 3. 306, 24. 381, 15. 750, 2; 43ᵇ. 751, 39ᵃ; 51ᵃ; 34ᵇ. — Gesandte (die von —) 602, 15. — Juden (resp. ein Jude) dort 228, 3; 33. 229, 3.

Boppard s. s. ö. von Koblenz 565, 36. 566, 1; 10. 567, 5. 568, 2; 15. 571, 11. 572, 3. 573, 16; 17. — Zoll dort 240, 36. 241, 9. — Vgl. Beyer.

Borne, Albrecht von dem —, Braunschweig. Kaufmann und Knecht 456, 22.

Bornheim bei Frankfurt, Schultheiß dort s. Hammann.

Botspach s. Butzbach.

Botzen (Botzhein Poiczen) in Tirol 150, 25. 151, 23. 215, 12; 24ᵃ; 49ᵇ. 224, 15. 225, 41. 226, 2. 259, 38. 260, 3; 25.

Boucicaut, Marschall, Franzöe. Statthalter in Genua 162, 10.

Bourbon (Burbonio), Herzog Ludwig II von —, Graf von Clermont Sohn der Isabella Schwester K. Philipps VI von Frankreich 1356-1410: 12, 24. 199, 3.

Brabant Herzog Anton (aus dem Burgund. Hause) 1406-1415: 275, 17. 562, 46. — Seine Gemahlin Elisabeth s. Luxemburg.

— Herzogin Johanna Gemahlin Hzg. Wenzels von Luxemburg 1355-1406: 562, 30; 45.

— (Bravant) Land 415, 18. 419, 16. 549, 26. 562, 30; 45. 670, 24. — Herren in —, 562, 29ff. — Städte in —, 439, 21. 562, 29ff.

Brackstein (etwa Parkstein in der Oberpfalz?) 420, 35.

Brandenburg, Markgrafschaft Land 413, 20; 21. 420, 13. 707, 40. — Der nichtgen. Markgraf von —, 495, 29ᵇ. Vgl. Luxemburg (Jost und Sigmund) Nürnberg (Bgf. Friderich).

Branthake, im Solddienst K. Ruprechts 232, 40.

Braunschweig (Brûnsweig Prawnsweig Prunswig), die Herzöge von — und von Lüneburg, die von —, 315, 6. 449, 8; 26. 451, 2; 42ᵇ. 475, 47ᵃ. 479, 15. 689, 46ᵃ. 702, 47ᵃ. — Deren Mannen s. Sigband Ylte. — Deren Knecht (und Kaufmann) s. Borne. — Des von — Pfeifer 435, 14.

— Herzog Bernhard I zu — und Lüneburg (Begründer des Hauses Mittel-Lüneburg) 1373-1434: 310, 10. 311, 15. 366, 25; 28; 29; 40. 367, 5; 17; 22. 440, 14. 442, 27. 443, 17; 23. 453, 2; 4. 457, 15; 17. 480, 1; 31ᵃ; 33ᵇ. 560, 42. 654, 42. 655, 14. 689, 8. 694, 9. 708, 1; 4. 709, 1. auch 310, 48ᵃ. 311, 40ᵃ. — Seine Vertreter (Freunde) 689, 30.

— Herzog Erich I zu —, (in Eimbeck) 1384-1427: 311, 42ᵇ.

Braunschweig Herzog Friderich I zu — und Lüneburg (in Braunschweig) 1373-1400: 311, 3, 366, 25; 26. 367, 43. 442, 39. 443, 2; 11. 445, 24; 28. 446, 13; 16. 451, 3; 46ᵃ. 455, 10; 21; 32. 458, 5; 10; 18. 459, 9. 461, 38. 693, 12. — Seine Mörder s. Falkenberg Hertingshausen.

— Herzog Friderich zu —, (in Osterode) 1361-1420: 310, 10. 311, 15. auch 311, 40ᵃ.

— Herzog Heinrich I zu — und Lüneburg Bruder Bernhards (Begründer des Hauses Mittel-Braunschweig) 1373-1416: 310, 10. 311, 15; 35ᵇ. 366, 23; 40. 367, 5; 18; 22. 440, 14. 442, 27. 443, 17; 23. 448, 18. 453, 2; 4. 457, 15; 17. 480, 2; 31ᵃ; 33ᵇ. 560, 42. 561, 47. 562, 6; 13; 20; 26. 654, 42. 655, 14. 689, 4. 694, 9. 708, 2; 4. 709, 1. auch 310, 48ᵃ. 311, 40ᵃ. — Seine Vertreter (Freunde) 689, 30.

— Herzog Otto II der Quade zu —, (in Göttingen) 1367-1394: 691, 18; 27. 692, 5.

— Herzog Otto III der Einäugige zu —, (in Göttingen) Sohn des vorigen 1394-1435, † 1463: 310, 10; 45ᵇ. 311, 15; 37ᵇ. 367, 7; 22. 440, 14. 443, 19. 448, 17. 463, 10; 15; 16. 478, 25; 28. 480, 38ᵇ. 654, 42. 655, 14. 689, 5. 692, 44ᵃ; 46ᵃ. 694, 9. 702, 1. 709, 1. auch 310, 48ᵃ. 311, 40ᵃ. — Seine Vertreter (Freunde) 689, 30. Vgl. Adelebsen Bernken Rode. — Seine Besitzungen s. Allerberg.

— Herzog Otto s. Bremen (Erzbischof).

Bregenz am Bodensee vgl. Hans.

Breidenbach an der Lahn w. n. w. von Marburg, Friderich von —, Baumeister (wol der Reichsburg Gelnhausen) 635, 46ᵃ. — Henne von —, Schultheiß zu Gelnhausen 635, 18. — Johannes von —, Kurmainz. Landfriedensrichter 698, 37ᵇ.

Breidenstein, etwa an der Lahn westl. von Biedenkopf?, Hermann von —, Ritter, im Solddienst K. Ruprechts 236, 13.

Breisach im Elsaß s. Wilhelm.

Bremen Erzbischof Otto II Herzog von Braunschweig 1395-1406: 442, 27. 443, 18; 23. 451, 41ᵇ. 453, 3; 4. 457, 16. 563, 8. auch 310, 48ᵃ. Vgl. Braunschweig (Herzöge).

— Erzbischof Johann II Schlamstorf 1406-1421: 562, 49. 563, 3; 7.

—, Dilch (oder Dilche?) von —, im Solddienst K. Ruprechts 233, 18.

Brenner, Eugel, Schultheiß zu Bonames 636, 9.

Brenta Fluß in Venetien 140, 15; 22. 170, 22.

Brescia (Brisia Brix Brixia Bryczen Pris) in der Lombardei 5, 12. 60, 7. 65, 18. 71, 1; 28; 30. 72, 6. 74, 21. 103, 40. 183, 16; 18. 244, 12. 245, 29. 258, 7. 525, 46ᵃ; 41ᵇ. — Brescianer (Brixienses) und Brescian. Edle (nobiles Brexani) 160, 21. 176, 26. 183, 25. Vgl. Lodrone Medici Montino Roçonibus.

Breslau (Wratislavia) 179, 12. 427, 41ᵇ.

Bretten (Bretheim) s. w. von Bruchsal 16, 7. auch 677, 47ᵃ. — Der Vogt u. Amtmann dort s. Helmstadt.

Brisechůch, Hans, Knecht im Straßb. Romzugskontingent 254, 31.

Brixen (Brichssen) in Tirol an der Eisach Bischof (Ulrich I aus Wien 1396-1417): 53, 39 b. 548, 26. 549. — Der Vogt des Gotteshauses zu —, s. Görz.

— (Bricsin Prixen) Stadt 53, 40 b. 214, 31; 49 b. 244, 18.

Brixia (Brisia etc.) s. Brescia und Brixen.

Bronn wol westl. von Bamberg bei Hollfeld 236, 44 a.

Bruchsal (Bruchssel) n. ö. von Karlsruhe 496, 44 b. 498, 2 ff. 499, 5. 502, 1; 30 a.

Brüssel (Bruxella) 196, 13.

Brüx in Böhmen am Riesengebirge 425, 37 b.

Brüningesheim, d. i. Preungesheim bei Frankfurt? s. Konrad.

Brunneck in Tirol im westl. Pusterthal 204, 35. 205, 16. 219, 12. 291, 39.

Brycsen s. Brescia.

Brymßer (wol fälschlich Kremser), Johann, Ritter, Kurmains. Vertreter 704, 23; 26. 705, 16; 20.

Buchart, Colbo de —, Ritter 59, 38 a.

Buchau (Buchow) im südöstl. Wirtemberg w. s. w. von Biberach 42, 9. 226, 38 b. 227, 30. 228, 8. 229, 16. 306, 23. 376, 6. 382, 11. — Juden daselbst (nicht vorhanden!) 227, 30. 229, 16.

Buchen wol n. n. w. von Hanau, Klaus von —, Burggraf zum Goldstein 636, 6.

Buchen, die, Landschaft im Gebiet der Fulda (Buchonia) 663, 17.

Buchhorn (Buchorn) jetzt Friedrichshafen am Bodensee 41, 29. 42, 4. 226, 38 b. 227, 28. 228, 8. 229, 14; 18. 306, 26. 381, 28. 750, 2; 51 a. 751, 36 a; 34 b. — Juden daselbst (nicht vorhanden!) 227, 28. 229, 14; 18.

Buchrein, Speierischer Amtmann dort s. Gemmingen.

Bucinatulus, Rencius, aus Rom, Gesandter Römischer Herren 174, 21 ff. 175, 4; 5.

Budenhusen, d. i. Bodenhausen (Hess.-Thüring. Geschlecht, Stammsitz zweifelhaft), Günther von —, 456, 21. — Heinrich Bott (oder Heinrich u. Bott?) von —, 456, 21. — Heinrich von —, 456, 21. Alle als der Gleichensteinischen bezeichnet.

Büches in der Wetterau zw. Büdingen und Dudelsheim, Konrad von —, der alte, zu Höchst in der Wetterau 592, 35. — Konrad von —, wol ders., desgl. 592, 45. — Konrad von —, wol ein anderer, desgl. 592, 36. — Ruprecht von —, Bruder des zweitgen., desgl. 592, 45. — Knechte des Wigand von —, zu Florstadt 592, 38.

Büdingen i. d. Wetterau, der Herr zu —, s. Isenburg (Johann).

Bulach, wol im Schwarzwald s. s. w. von Calw, s. Zorn.

Buman, Nikolaus, Protonotar in K. Ruprechts Kanzlei 31, 31. 40, 11. 41, 36. 42, 7. 43, 14. 45, 13. 50, 23. 51, 32. 52, 16. 57, 14. 59, 39 a. 143, 18. 144, 42. 147, 38; 43 b. 148, 28. 150, 28. 151, 26.

221, 24. 224, 19. 282, 2; 18; 23; 27. 283, 3; 5; 13. 285, 1. 287, 3; 10; 15. 289, 3; 8. 344, 43. 399, 27. 400, 7. 415, 4. auch 31, 26; 28. 98, 1. 95, 20. 104, 3. 106, 36. 110, 6; 10. 116, 1; 5; 26. 117, 1. 120, 15; 17. 122, 12; 30. 124, 39. 169, 20. 247, 3; 4; 6. 282, 16; 29. 291, 25; 27.

Buna (Bůna Bunauwe), wol Bauna s. w. von Kassel, Henne von —, der junge 635, 24; 43 b.

Buonaccorso (Bonacorso) s. Pitti.

Burggrafe, Gosse, in Straßburg, Glefenführer im Romzugskontingent, Stadtmeister 1405: 250, 23. 254, 4. 255, 32. 720, 4. 742, 21.

Burggrove, Hermann, in Frankfurt, wol Rathsherr 511, 34. 573, 15.

Burgheim wol in Baden bei Lahr? s. Hans.

Burgmann, Nikolaus, Magister und Lehrer im geistl. Recht, Pfarrer zu Heidelberg, in Diensten K. Ruprechts 13, 19. 14, 6; 14. 368, 43. 547, 34 b. 548, 36 a; 47 a. auch 279, 2.

Burgund Herzog Philipp der Kühne, Graf von Flandern Artois und Burgund, Sohn K. Johanns von Frankreich 1365-1404: 12, 9; 22. 195, 29. 196, 18. 197, 11. 199, 2. 203, 28. 393, 12. 493, 25. — Sein Sohn (d. i. Schwiegersohn) s. Habsburg (Hzg. L.) Seine Räthe und Gesandten 198, 16; 18. Vgl. Hue Pot. — Sein Land 203, 26.

Busch, Ulrich, im Solddienst K. Ruprechts 233, 7. 234, 31.

Buschendorf s. Venzone.

Busolt, Peter, Söldnerführer im Dienst K. Ruprechts 237, 16.

Buttlar (Butler) s. ö. von Hersfeld bei Geisa, die von —, 478, 16.

Butterich von Münchheim 214, 18.

Butzbach (Botspach) zw. Gießen u. Friedberg, Amtmann dort s. Rietesel. — Landfriedenszoll dort 638, 28. 645, 46 b.

C vgl. K.

Cambii s. Ceccherellus.

Camorcio, Paulus von —, Lombard. Kaufmann 504, 5.

Camerino s. w. von Ancona, Herren von —, s. Varano. — Ein Läufer aus —, 326, 28.

Cammerstein (Camerstein) s. s. w. von Nürnberg bei Schwabach 217, 28 b. 360, 28.

Canalis (oder Cavalis?), Georgius de —, Graf von St. Ursii Mailänd. Gesandter 178, 45 a; 30 b.

Cane (Canis), Facino (Facinus), Mailänd. Hauptmann 66, 16. 328, 31. 409, 32.

Canicer (Chanicer) Nürnberger Bürger 411, 35; 46 a.

Caorle (Caprole) o. n. ö. von Venedig an der Küste 128, 11.

Capocius, Paulus, aus Rom, Gesandter Röm. Herren 174, 25 ff.

Cappelle, Johann von —, im Solddienst K. Ruprechts 233, 18.

Capponi, Reccho di Filippo —, Podestà v. Modena? 70, 12.

Carben, heute Groß- u. Kleinkarben, zw. Frankfurt und Friedberg 592, 37. 593, 15. — Herr Hermann von —, Ritter 636, 17; 32 b.

Carneae Alpes s. Alpen (Karnische).

Carnica provincia, d. i. kaum Kärnthen sondern wol das Gebiet an der Grenze zwischen Kärnthen und Friaul südl. von den Karnischen Alpen 153, 40 a.

Carrara (Carraria Cararia), Franz II von —, Herr von Padua (der von Padua), Reichsvikar dort und in Verona, Rath K. Ruprechts 60, 8; 12. 64, 40. 70, 24. 72, 3 ff. 79, 25; 82. 80, 5 ff.; 19; 41 a. 85, 2. 88, 40 b. 92, 3. 101, 42; 44. 108, 25 ff. 110, 27; 35; 40. 112, 33 ff. 114, 38. 119, 33. 121, 28; 33; 38. 123, 45. 124, 4. 125, 23 ff. 129, 1; 6; 8. 130, 16; 22. 131, 42. 136, 11; 14; 32; 33. 137, 1. 138, 27; 42; 44. 140, 27 ff. 141, 2; 12. 142, 1; 15. 143, 19. 145, 2. 146, 34; 37. 147, 18. 149, 2. 152, 32. 156, 25; 39 a. 157, 8; 19. 158, 1; 19. 159, 1; 16; 25; 39 b. 160, 4; 28. 161, 15. 162, 9; 22; 39 a. 163, 15. 164, 15. 167, 1. 168, 11. 169, 1; 10; 26. 170, 5; 16; 29 a; 41 a. 171, 1; 16. 172, 7; 31. 173, 6; 34. 174, 10. 175, 12; 45 a. 176, 1; 12; 20; 35 a; 35 b; 44 b. 177, 40 a. 183, 15. 219, 2. 231, 37 b ff. 277, 46. 278, 20; 29. 283, 2; 7; 10. 318, 1; 34 b. 324, 2; 14; 25. 325, 1; 34 a. 326, 1; 22; 32 a; 32 b ff. 328, 8; 45 a. 329, 13; 41 a; 46 a. 330, 7. 332, 23. 333, 6. 334, 38 a. 336, 11; 36 a. 376, 26. 393, 1. 395, 5 ff. 406, 37 a. 407, 1; 42 a; 41 b. 408, 19; 32 a; 46 a; 39 b. 409, 17. 411, 1; 41 a. 412, 41 a. 413, 1; 35 a; 40 a; 39 b. 414, 31 a. 524, 3. 525, 46 a. 526, 41 a. 528, 27. 529, 3. 530, 7; 9. 531, 45 b. 532, 17; 33 a ff. 533, 23 a ff. 681, 13 ff. 682, 5. 687, 20; 31. 688, 25 a. — Seine Kinder, die Seinen, seine Familie 164, 9. 173, 39. 318, 10. — Seine Söhne 163, 22. Vgl. die folgenden. — Sein nichtgen. Sohn 164, 16. — Seine Schwester Katharina s. Veglia. — Seine Schwester Ciliola s. Sachsen. — Sein Rath (consiglio) 530, 40. — Seine Gesandten und Räthe 153, 23; 27. 263, 2. 329, 41 b. 336, 11. 406, 38 a. 411, 27. 528, 12. 530, 21. 532, 33 b. Vgl. Armis Florius Galeotti Ganbertis Linaroliis Lione Ognibene Rabatta; auch Aecardus Arçignano Aricoan Contrariis Mastino? — Seine Kanzleibeamten u. Schreiber i. d. Kanzlei s. Antonius Florius Johannes Henricus Lione Marcus Michael Zilius. — Sein Bote resp. Läufer 158, 13. 277, 47. 278, 31. 368, 37. 526, 45 a. Vgl. Ancellinus Camerino Deutschland Franch Gerardus Levigo Rodulphus Rossignolus; auch Aecardus? — Sein Reiter s. Gerardus. — Sein Diener 408, 41 b, 428, 29. Vgl. Aecardus Arçignano Hermann. — Seine Truppen 328, 29. 525, 39 b. 529, 10; 31 ff. — Sein Territorium 87, 37. — Seine Besitzungen s. Anguillara Castro-Baldo.

— Franz III von —, Sohn des vorigen, † 1406: 325, 15. 326, 36 a. 328, 29; 30; 44 a. 395, 1.

— Jakob von —, desgl., † 1406: 174, 22. 325, 15.

326, 36 a. 328, 30; 35. 395, 1. 414, 38 a. — Seine Gemahlin Bellafiore s. Varano.

Carrara Marsiglio von —, desgl., † 1435: 395, 7.

— Ubertino von —, desgl., † 1417: 395, 7.

—, der Graf von —, unbekannten Vornamens, natürlicher Bruder von Franz II: 158, 1. 159, 1. 326, 22. 332, 23. 408, 35 b.

Casale, Aloysius Baptista von —, (de Casalibus) Sohn des Nikolaus Johannes von —, etwa Neffe des folgenden? 154, 1. — Franz von —, Sohn des Franz von —, Reichsvikar in Cortona 114, 1. — Der Herr von Cortona wol derselbe 70, 14. 167, 12. — Dessen Gesandter 70, 15. — Gesandte des Alois und des Franz s. Cortona (Bischof) und Severino.

Casalecchio s. w. von Bologna 325, 13.

Castell auf dem Steigerwald o. s. ö. von Wirzburg, Graf Lyenhant von —, d. i. Leonhard I 1376-1426? 658, 22. — Die Gräfin von —, 432, 3.

Castello, Tomasius Nicolai de —, Söldnerhauptmann 78, 15.

Castro-Baldo (Castrum Baldum) s. w. von Este am linken Etschufer 86, 15; 19. 142, 10.

Caub (Cube) am Rhein nördl. von Bacherach Burg und Stadt 539, 12. 540, 43 b. — Zoll dort 219, 35 a. 241, 50 a; 44 b. 358, 11. 360, 13. 539, 12. 540, 42 b. — Amtleute Burggraf und Kellner K. Ruprechts dort 540, 17; 40 b. 541, 7. Vgl. Grans. — Burgmannen und Mannen dort 540, 34. 541, 7. — Zollschreiber K. Ruprechts dort 358, 11. 540, 18; 40 b. Vgl. Sure. — Seine Zöllner Knechte und Diener dort 540, 19.

Caulcabo, Andrea Gio. (wol Giovanni Cavalcabue?) vermuthl. Rath Joh. Galeazzos 67, 23.

Cavalcaboni, Ugolinus de — Vitaliane, Markgraf von Cremona 378, 45.

Cavalis etwa zu lesen statt Canalis? s. dort.

Ceccherellus (oder Ceccherello), Dominicus Cambii, genannt —, Kammerbote der Stadt Florenz 76, 8. 78, 2.

Celle, Kloster zu der —, etwa Zella auf dem Eichsfelde n. n. w. von Mühlhausen? 478, 15.

Ceneda in Friaul s. s. ö. von Belluno, Gebiet von —, (territorium Cenetense, terra Cenetensis) 98, 1. 100, 17. 109, 22. 115, 16. 124, 31. — Rectoren in demselben 98, 3. 126, 16.

Château de Beauté, d. i. Beauté sur Marne? 495, 34 a.

Chanatnik, Benesch von —, Rath K. Wenzels wol 178, 35 b.

Cherpen, d. i. wol Kerpen zw. Köln u. Düren, Seyfried von —, wol aus Köln 424, 12.

Cheyne, Johannes, Ritter, Engl. Gesandter 14, 29.

Chianciano, Cecchus Vannis de —, Söldnerhauptmann 79, 13. — Cristoforus Vannis de —, desgl. 79, 13.

Christoph (Kristoff), Graf (Titel oder Beiname?), im Solddienst Hzg. L.'s v. Baiern 231, 24.

Chrochow (Cracovia Crackauwe), Matthäus von —, Magister, Kanonikus zu Speier, 1405 Bischof zu

Worms, in Diensten K. Ruprechts 194, 17. 198, 25; 45ª. wol auch 662, 21.

Chuchler s. Kuchler.

Chûnzelman s. Künzelmann.

Chur (Curia Chore) Bischof Hartmann II Graf von Werdenberg-Sargans 1390-1416: 69, 30. 150, 30. 224, 1; 20; 42ª.

Chutten, der Berg zu den —, s. Kuttenberg.

Cilius s. Zilius.

Cilly (Cil Cziele Czili) in Steiermark, Graf Hermann von —, 188, 1. 334, 25; 27. 336, 18. 414, 13. 653, 27. — Ein Schloß desselben s. Santberch.

Cimis, Johannes de —, von Cingoli 378, 38.

Cingoli (Cingulum) s. w. von Ancona s. Cimis.

Cividale (Civitas Austrie) in Friaul östl. von Udine 141, 15 ff. 170, 42ª. auch 141, 41ª?. — Vgl. Ganbertis.

Civrano, ser Jacobus, in Venedig, Consiliarius 91, 15. 127, 16.

Cleen s. s. ö. von Wetzlar, Henne von —, 636, 21; 34ᵇ. — Herr Konrad von —, Ritter 636, 23; 87ᵇ.

Cleve, Graf Adolf IV (seit 1417 Herzog) von — und von der Mark 34, 22; 23. 36, 40. 284, 27; 42ᵇ. 318, 23. 360, 20. 669, 4. 689, 48ª. auch 13, 30. — Seine Gemahlin Agnes Tochter K. Ruprechts 34, 19; 25. 38, 1. 482, 5; 38ª. 669, 3. — Seine Räthe 319, 3 ff.
— Stadt 318, 22.

Cloppen, d. i. Burg Klopp bei Bingen 311, 47ᵇ.

Colvile, Johann, auch (wol fälschlich?) Johann von —, Ritter, in Diensten K. H.'s IV v. England, camere miles 200, 9. 201, 2. 203, 6 ff. 388, 38ᵇ. 400, 6.

Como s. Malatrea.

Conegliano (Kuniglan) nördl. von Treviso Stadt und Gebiet (terra Konigliani) 96, 23; 29; 30. 97, 1. 98, 13. 130, 42ª. — Dortige Beamte (Officiales Rectores der Podestà) 96, 26. 98, 3; 26. 99, 24; 33. 130, 43ª. auch 98, 30.

Contareno, ser Justus, in Venedig, einer der Savj 81, 7. 90, 15. 93, 6. 95, 25. 97, 36. 100, 6. 105, 6. 109, 18. 111, 9; 42ª. 124, 19. 126, 6. 127, 8. 128, 30. 131, 2. 132, 11; 33. 133, 9. 134, 36. 140, 8. 193, 29. auch 131, 47. 133, 28.

Contrariis, Ugutio (Huguntio) de —, ansch. Gesandter des Franz von Carrara 162, 40ª. 333, 6.

Corario (Corrario), ser Philippus, in Venedig, Consiliarius 91, 14. 127, 22.

Corbarium (in Italien zu suchen?), Graf Raynuccius von —, Herr zu Cytonium 378, 37.

Corbecke, wol Korbach in Waldeck 469, 24.

Cornario, ser Franciscus, in Venedig, einer der Capita de 40: 102. 24. 120, 5. wol auch 105, 9. 106, 25; 31. 109, 1; 20; 25. 110, 12; 16. 113, 32. 115, 15; 20 ff. 116, 25 ff. 120, 16. 122, 10. 124, 31; 38. 153, 26; 28. — Ser Petrus, desgl., Prokurator und einer der Savj 126, 4. 127, 6. 130, 33. 132, 31. 133, 7. 137, 16. 138, 13. 140, 6. 193, 28. auch 131, 47. 133, 28.

Corrigia, wol Corregio n. w. von Modena, Gallasius de —, Edelmann 409, 3. — Dessen Bruder 409, 4.

Corsini, messer Filippo de' —, auch Filippus domini Tome de Corsinis (Cursinis), Ritter, legum doctor, in Florenz, städt. Gesandter 60, 10 ff. 65, 22. 66, 46ª. 75, 6; 16; 37ᵇ. 159, 17; 39ᵇ. auch 158, 8. wol auch 75, 43ᵇ. 112, 33 ff. 121, 34; 38. 129, 23. 132, 16; 35. 133, 20. 135. 160, 13; 37.

Cortona (Corthûn) in Toskana n. w. von Perugia, die Herren von —, Reichsvikare daselbst s. Casale.
— Bischof Bartholomäus Simonis v. Troia, Gesandter der vorigen 154, 2; (14).
— Stadt 155, 6; 50. 156, 2. — Bürger s. Perusio.

Cossa, Balthasar, päbstl. Legat in Bologna 528, 26; 32. 530, 29; 36. 536, 41ª.

Costin s. Konstantin.

Cotignuola, Sforça Johannis de —, Söldnerhauptmann 76, 24. 77, 7. 79, 5.

Coucy (Conciacum) n. v. Soissons, Rudolf von —, s. Metz.

Coveren, d. i. Cobern s. w. von Koblenz, Romlean von —, Hauptmann d. Gft. Falkenstein 646, 43ᵇ.

Crema vgl. Bentschon.

Cremona 529, 34; 41. 532, 24ᵇ. — Der Markgraf von —, s. Cavalcaboni.

Cristalinus (oder Cristalmus?) Reiter (wol reitender Bote?) Joh. Galeazzos 190, 33.

Crivellis, Tomasius Beltramini de —, Söldnerhauptmann 78, 15.

Cronberg (Cronenberg) im Taunus n. w. von Frankfurt 663, 17. — Frank von —, Ritter, Kurmainz. Vertreter 704, 23; 26. 705, 16; 20. — Die von —, 663, 13; 16.

Crutheim s. Krautheim.

Curson, Johannes, Engl. Gesandter 14, 30.

Curte, Petrus de —, Gesandter Joh. Galeazzos 136, 22. 411, 23.

Cusago (Cusaghi wol Genitiv v. Cusagum) westl. von Mailand s. chronol. Register sub 1400 Dec. 18.

Cuthni montes s. Kuttenberg.

Cytonium, der Herr zu —, s. Corbarium.

D vgl. T.

Dachau (Tachaw) n. w. von München 437, 29; 33.

Dalberg (Dalburg Talburg) s. w. v. Bingen s. Kämmerer.

Dalmatien 408, 33ᵇ. 687, 19.

Damaskus, Tücher von —. 428, 9.

Dandulo, ser Leonardus, Ritter, in Venedig, Mitglied der Savj 90, 14. 93, 4. 95, 24.

Dannstad, wol Dannstadt s. w. v. Mannheim, Jäckel von —, Landschreiber K. Ruprechts zu Neustadt 666, 28; (42). wol auch 668, 27.

Dürchinger, Ludwig, im Solddienst Hzg. L.'s von Baiern 230, 18.

Dechani, fra Giovanni, geh. Mailänd. Geschäftsträger 59, 31. 60, 4.

Degemberg, wol Degenberg o. n. ö. v. Straubing, Herr Hans von —, Vitztum zu Amberg? 434, 41. — Ein Degemberger 432, 33.

Detzlin, die, in Nürnberg? 388, 88ᵃ.

Deutsche s. unter Deutschland (Land).

Deutschland K. Heinrich H der Heilige 1002-1024: 61, 33. — K. Konrad (IV 1250-1254?) 47, 39ᵇ. — K. Albrecht I 1298-1308: 47, 39ᵇ. — K. Heinrich VII 1308-1314: 47, 39ᵇ. — K. Ludwig der Baier 1314-1347: 46, 19. 47, 40ᵇ. — K. Karl IV 1346-1378 s. Luxemburg. — K. Wenzel 1378-1400 s. Luxemburg. — K. Ruprecht 1400-1410 s. Pfalzgraf. — K. Jost 1410-1411 s. Luxemburg. — K. Sigmund 1410-1437 s. Luxemburg.

— Land (Dutsche lande Alamagna Alemanea Almania Magna Germania) 23. 59, 7. 60, 19. 62, 40. 68, 5. 69, 28. 75, 42ᵇ. 80, 3. 81, 30; 36. 82, 11. 109, 32. 124, 47. 128, 11. 133, 15. 137, 31. 138, 22. 141, 44ᵃ. 148, 35ᵇ. 157, 27. 159, 33. 173, 20; 22; 23. 186, 33. 197, 2. 198, 1. 204, 31. 207, 12. 210, 19. 211, 30. 219, 41ᵃ; 35ᵇ. 243, 14ᵇ. 246, 32; 37. 247, 12; 35. 264, 12. 266, 10. 267, 4; 21. 277, 47. 284, 9. 287, 32. 289, 21. 291, 6; 34. 292, 22. 297, 28. 312, 32. 313, 31. 333, 19; 22. 337, 30; 33; 35. 338, 35ᵇ. 342, 26. 398, 22; 23. 400, 20. 406, 26. 407, 14; 28. 410, 22; 29. 412, 44ᵃ. 439, 16. 452, 15. 489, 19; 22. 525, 40ᵇ. 549, 26. 681, 3; 18. 682, 20. — Die Deutschen i. allg. (Alamanni Almanni) 70, 41. 184, 36. 398, 20; 29. — Deutsche (Theotonici) aus K. Ruprechts Heer 171, 30ᵇ. — Deutsche Zunge Sprache (lingua Tedesca lingua Alemanica) meton. für Deutschland 71, 23. 172, 21. — Niederdeutschland (l'Alemagna-Bassa) 333, 36. — Das Reich (imperium) passim. — Das Reichsvikariat 22, 1. Vgl. Luxemburg (Jost, Sigmund) und Pfalzgraf (Ludwig). — Die Kurfürsten (electores, elettori, quibus eligendi cesaris jus est) 21, 21. 48, 41ᵃ. 55, 35. 66, 40. 81, 36. 137, 31. 172, 2. 173, 20. 174, 5. 182, 8. 18), 4 ff. 272, 36. 282, 2. 283, 37. 287, 30; 33. 289, 19; 23. 291, 32; 35. 299, 7; 36. 303, 26 ff. 304, 2; 20. 306, 9; 17. 307, 1; 5. 308, 7; 36. 311, 2. 331, 5. 332, 15; 33. 336, 6. 337, 25. 338, 42ᵇ. 344, 33. 389, 5. 400, 18; 20; 22. 403, 1. 407, 15. 497, 37. 536, 40ᵇ. 543, 6. 571, 21; 33. 572, 17; 19. 575, 8. 672, 35ᵃ. 678, 19. 728, 26; 16; 21. Vgl. Rhein (Kurff.). Deren Räthe 303, 1. Deren Münzmeister 304, 10; 12. 307, 8 ff. — Die übrigen Reichsstände theils mit theils ohne Kurfürsten, Fürsten Grafen Herren Edle Getreue Städte (Reichsstädte Freistädte) etc. passim. — Fürsten und Herren die Goldmünze haben 303, 8 ff. 307, 5. 308, 8. Deren Münzmeister 307, 8 ff. — Die Kirchen Deutschlands 174, 7. Der Klerus dort 548, 39ᵇ. — Deutsche Kaufleute 62, 41; 42. 63, 6. 366, 26. — Juden s. Juden. — Ein Bote aus Deutschland 328, 15. — Besitzungen und Rechte des Reiches 21, 24. 55, 39. 56, 2; 18. 107, 31. 143, 34. 203, 22. 207,

19. 210, 2. 282, 15. 291, 24. 402, 9. 524, 22; 26; 37. 683, 13. Vgl. Boppard (Zoll) Gengenbach Höchst (Zoll) Ingelheim Nierstein Odernheim Offenburg Oppenheim Ortenberg Schwabsberg Winterheim Zell. — Die Reichsinsignien (Kleinodien, das Heiligthum) 333, 2; 26. 415, 17. 416, 11. 419, 14; 27; 37. 420, 20. 424, 23. 678, 22. — Das Reichsarchiv (Register und Briefe) 415, 18. 416 11. 419, 15; 27. 420, 20. 678, 23.

Deutschorden 592, 47. — Deutschmeister s. Eglofstein. Dessen Kaplan s. Jacobus. — Provincial auf Sicilien s. Kirchberg. — Komthure: zu Frankfurt s. Hane, zu Mergentheim s. Mergentheim, zu Straßburg s. Preußen (Johann).

Deutz bei Köln 274, 32.

Dietrich Schreiber d. Stadt Friedberg 689, 43ᵃ. — anscheinend Bote d. Stadt Frankfurt 439, 34.

Dijck, Wolter van dem (den) —, Kölner Bürger 425, 1. 502, 10. 503, 1.

Dilch (od. Dilche?) s. Bremen.

Dinkelsbühl (Dinckelspohel) n. n. w. v. Nördlingen s. s. w. v. Ansbach 17, 30. 42, 14; 22; 50ᵃ; 43ᵇ. 226, 38ᵇ. 227, 40. 228, 8. 229, 22. 306, 24. 375, 30. 381, 14. 387, 27. 437, 8. 520, 43ᵃ. 750, 2; 41ᵇ. 751, 38ᵃ; 50ᵃ; 32ᵇ. — Gesandte der Stadt 3, 21. 375, 15. 429, 32. 430, 6. 435, 2. 448, 26. 602, 14. 620, 16; 18. 621, 30. 658, 31. 765, 29. — Juden dort (nicht vorhanden!) 227, 40. 229, 22.

Donau (Danoya Tonaw) Fluß 336, 25. 426, 42.

Donauwörth (Werde Swobisch-Werd) 42, 15. 213, 14. — Gesandte 449, 12.

Donin, d. i. Dohna in Sachsen w. v. Pirna 311, 47ᵃ. 423, 35ᵇ. — Die von —, Mannen der Böhm. Krone 423, 34ᵇ.

Dorffmünd, Herr Walther von —, 431, 30.

Dorhüter (Turhuter), Henne, (oder nur Henne, und von Beruf Thürhüter?) anscheinend in Diensten K. Ruprechts 214, 17. 387, 24.

Dorroczuhant, Starz Wechsler, in Achen, Schöff 321, 13; 27. 322, 27.

Dortelweil (Durckelwyl) bei Frankfurt n. v. Vilbel, der Schultheiß dort s. Heilman.

Dortmund (Tremonia) in Westfalen 275, 21. 561, 6; 7; 10. — Gesandte der Stadt 561, 7; 10.

Dortrecht (Dordracum) in Holland an der Maas 13, 14; 28; 40. 14, 13; 17. 278, 43. 338, 32ᵇ. 404, 36; 38; 42.

Dosso-Majori, Azo de —, wol ein im Bisthum Trient angesessener Edler 176, 4.

Drahe, Hartmann von —, Amtmann zu Lich 637, 5; 33ᵃ.

Dramersheim, d. i. Dromersheim s. w. v. Bingen 517, 36ᵇ.

Dreieichenhain (Hayn) s. v. Frankfurt, Amtmann dort, s. Krieg.

Druckseß, Heinz, s. Hefingen.

Drutman, Idel, in Frankfurt, wol Rathsherr 492, 20; 25.

Dryffenstein, wol Triefenstein am Main w. v. Wirzburg 759, 48ª.

Duderstadt (Tuderstad) ö. v. Göttingen 458, 20.

Dudelsheim w. v. Büdingen, Mengoß von —, der alte, Amtmann zu Assenheim 636, 28; 47ᵇ.

Dütschmann (Dútscheman), Johann, der junge Hug D.'s Sohn, in Straßburg, Glefenführer im Romzugskontingent 250, 28. 254, 25. 255, 31.

Dürrenpuch, wol Dürrenbuch od. Dürrnbuch in Mittelfranken, zwei Wilhelm von —, 433, 11.

Dürrwank, wol Dürrwangen n. ö. v. Dinkelsbühl, Herr Heinrich von —, und sein Sohn 432, 16.

Dulcigno an der Küste des nördl. Albaniens, Michael von —, decretorum doctor, päbstl. Gesandter ist wol gemeint 104, 3.

Duntzenheim, Petermann (auch Peter) von —, in Straßburg, Glefenführer im Romzugskontingent 250, 18. 253, 39. 255, 28.

Durensteter, Konrad der —, in Regensburg, Rathsherr? 46, 12 ff.

Durlach, Berthold, Registrator in K. Ruprechts Kanzlei 51, 31. 238, 34. 240. 23. 388, 44ª. 452, 36. 457, 12. 520, 11. 608, 35. 623, 25. 709, 45.

E.

Ebener, der, aus Nürnberg, Vertreter K. Ruprechts 303, 1. 305, 15.

Eberbach wol im Rheingau bei Eltville, der Abt von —, 367, 30.

Eberhard Dekan des Mainzer Domkapitels 691, 31ª; 47ª; 40ᵇ. wol auch 547, 38ᵇ.

—, Graf, s. Wirtemberg.

Eberlin anscheinend Augsburger Bote 298, 42ª. 436, 27. 438, 5.

Eberstadt, Graf Wilhelm von —, (vielleicht Graf Wilhelm III von Eberstein 1414-1431 gemeint?) 659, 33.

Eberstein ö. v. Baden, Graf Bernhard von —, 1385-1440, im Solddienst K. Ruprechts 234, 24. — Der Graf, auch nur der (oder die?) von —, wol ders. 297, 39ᵇ. 434, 1. 448, 39. — Vgl. Eberstadt.

Ebichendorff, wol Ebsdorf s. s. ö. v. Marburg 471, 10.

Eborardus s. Franch.

Ebrach w. v. Schweinfurt s. ö. v. Bamberg, der Abt von —, 431, 42. 602, 17.

Ebser (Ebeär Oebsser) Konrad, im Solddienst Hzg. L.'s v. Baiern 230, 15. — Zacharias, desgl. 231, 10. Derselbe wol auch 432, 34.

Ecker s. Etker. — Vgl. Egker.

Eckeröwe s. Michel.

Edelman, Hans, von (d. i. aus?) Hechingen, Knecht im Straßb. Romzugskontingent 254, 2.

Ege (od. Egen od. Eg?), Lorenz, in Augsburg, Bürgermeister 438, 36. auch 439, 3.

Eger in Böhmen 420, 36. 427, 7. 678, 2. 679, 7. — Gesandte 430, 35. 659, 16.

Eghano, messer, aus Florenz? 57, 32.

Egker, der, im Solddienst Hzg. L.'s v. Baiern 231, 14. — Vgl. Etker?

Eglofstein (Eglolfstein) o. s. ö. v. Forchheim, Albrecht von —, Sohn Friderichs, bischöfl. Bamb. Rath, Pfleger des Stiftes Bamberg 432, 39. 619, 7. 621, 25. — Herr Albrecht von —, wol ders. 450, 9; 14. 479, 24. 602, 19. 620, 43. — Dietrich von —, 432, 44. — Friderich von —, 432, 38. — Hans von —, 432, 44. 659, 11. — Hartmann von —, der alte, wol Rath K. Ruprechts 243, 29ª. — Hartung von —, (Hartung Eglofsteiner) der alte, Ritter, Rath K. Ruprechts 36, 1; 10. 327, 29ᵇ. 330, 31. vielleicht auch 317, 19 ff. — Hartung von —, der junge, Ritter, K. Ruprechts Pfleger zu Waldeck 426, 18. — Herr Hartung von —, wol einer der beiden vorigen 432, 38. 433, 11. 602, 19. 620, 20; 30. — Herr Johann von —, s. Wirzburg (Bisch. J. I). — Herr Konrad von —, (auch Konrad Eglofsteiner) Deutschmeister des Deutschordens (magister ord. Theut. per Alamanniam et Italiam, magister fratrum Alemanorum de Prusia), Rath und Hauptmann (capitaneus) K. Ruprechts 46, 22; 30. 101, 43. 137, 5. 149, 2. 169, 29. 173, 26. 216, 1. 293. 20. 294, 27. 327, 41ª. 428, 34. 479, 19. 520, 32ᵇ. 525, 15. 533, 16. 534, 44ª. 658, 19. 659, 32. 685, 7; 9. auch 137, 20. 138, 19. 139, 16. 169, 21. wol auch 526, 24; 44ª. 528, 28. 529, 2. 530, 7. 532, 41ª. und als K. v. Potestain 410, 38ᵇ. 412, 35ª. etwa auch 139, 28? Sein Kaplan s. Jacobus. — Martin von —, 432, 18. — Herr Otto vom —, Domherr zu Wirzburg u. Kandidat f. d. Patriarchat v. Aquileja 684, 1.

Ehenheim, Zwölf von —, 432, 43. — s. Oberehenheim. — Vgl. Hans.

Ehinger, Hartmann, in Ulm, wol M. des Raths 375, 8. — Der, aus Ulm, wol ders. 659, 10.

Ehrenfels, Frömeler von —, Achtbürger in Basel 48. 49ᵇ.

Eichsfeld, das 631, 10.

Eichstädt (Aystet Eyestetten) n. w. v. Ingolstadt Bischof Friderich IV Graf von Öttingen 1383-1415: 3, 17; 23; 27; 37. 292, 1; (9). 294, 28. 367, 16; 20. 371, 30; 38I, 4. 429, 27. 430, 21. 434, 37. 448, 22. 449, 29. 520, 14; 33ª. 521, 3; 32; 34. 547, 35ᵇ. 580, 8. 621, 9; 20; 35. 658, 20; 32. 659, 1; 17. 759, 18. — Sein Schreiber 434, 17.

—, der Domprobst von —, 660, 3. — Der Klerus zu —, 547, 36ᵇ.

— (Aichstätt) Stadt 437, 27.

Eimberg (Einberg) in Hessen zu suchen, das Eimberger Gericht 477, 11; 12.

Eisemberg, Heinrich von —, 448, 16. — Einer von —, 432, 25.

Elb, Paulus von —, 433, 19; 27.

Elgershausen s. w. v. Kassel s. Heinrich.

Elheim, d. i. wol Ehlen w. v. Kassel 475, 22. — Der Vogt zu —, 475, 20.

Elian, d. i. Elias Jude aus Weinheim 237, 6.

Elighierius s. Renum.

Ellerbach (Elerbach Elrbach) n. w. v. Augsburg bei Dillingen, Herr Burkhard von —, 429, 35. 448, 14. 660, 15. — Herr Burkhard von —, s. Augsburg (Bischof). — Herr Pupulin von —, 448, 15. — Drei von —, 433, 16. -

Elsaß (Alsatia Eilsazz) 672, 17. 673, 9. — Die Reichslandvogtei im —, 40, 1. 241, 16; 20; 30. 415, 33. — Der Landvogt 241, 20. Vgl. Sickingen (Hammann und Schwarz Reinhard). — Reichsstädte im —, (zur Landvogtei gehörig) 382, 27. 387, 8. 389, 23. 498, 13. 672, 19. wol auch 501, 29. 507, 27ª. — Gesandte von 5 dieser Städte 765, 32. 766, 12. — Eine Stadt im —, wol Gemar 501, 30.

Eltville im Rheingau 273, 34; 37. 312, 17. 687, 7.

Elwanger, Selbold, aus Nürnberg 217, 51ᵇ. wol auch 217, 15. — Johann, Bürger in Nürnberg 388, 43ª.

Emerich (Emericus) s. Mocscheln.

Emering, Herr, Schreiber des Bischofs v. Speier 658, 21.

Empache, Johann de —, Kanoniker der Tridentiner Kirche 59, 39ª.

Enden, Georg von —, im Solddienst K. Ruprechts 232, 39.

Endingen, Johann Rudolf von —, in Straßburg, Glefenführer im Romzugskontingent 250, 27. 254, 15. 255, 31.

—, Thomas von —, Ritter, Rath K. Ruprechts 205, 22. auch 206, 25; 29. 208, 8. 210, 15.

Engenmund s. Henslin.

England (Anglia Hingiltera) König Heinrich IV (rex Anglie et Francie et dominus Hibernie) 1399–1413: 13. 14. 163, 10; 29ff. 199, 32. 200, 8. 201, 1. 202, 1; 32. 204, 12. 205, 11; 15. 278, 45. 333, 20; 23. 338, 8; 25. 342, 1; 37ª. 377, 42. 393, 6; 9; 19. 399, 2; 31ª; 37ª; 40ª. 402, 39ª; 46ᵇ. 403, 4; 40ᵇ. 405, 49ª; 48ᵇ; 52ᵇ. 669, 10. — Seine älteste Tochter Blanka (Blanchia) vermählt mit Pfalzgraf Ludwig 12, 40. 13. 14, 3; 16; 20; 21. 34, 40. 163, 34. 209, 1. 210, 11; 22. 278, 20ff. 279, 42. 324, 35. 333, 18. 384, 41ª. 338, 13; 38ª; 46ª. 339, 22. 342, 14ff.; 38ª. 399, 15. 403, 5; 39ª. 405, 43ᵇ. 428, 40. — Sein Rath (concilium) 338, 34ᵇ. Vgl. auch Fry. — Seine Gesandten und Bevollmächtigten (Freunde) 163, 29. 339, 2. 340, 42. 341, 11; 28. 401, 16. 404, 9. Vgl. Cheyne Colvile Curson Estarmy Hereford Kington Northumberland Polton Profes Rochester Sentlinger Somerset Water Waterton Westmoreland Worcester. — Sein scutifer s. Sentlinger. — Seine Hilfstruppen für K. Ruprecht 202, 33. 204, 13. 205, 1. vgl. 163, 31. Deren Hauptmann 205, 1.

— K. Richard's II Wittwe s. Frankreich (Isabella). — Land 35, 26. 199, 14; 28; 42. 200, 5. 204, 34. 334, 42ª. 403, 37ᵇ. — Die Engländer (Anglici

Engelsche) der Hof die Regierung das Volk 199, 17. 398, 13. 403, 1. — Gen. Englische Herren 13, 44. 405, 49ª.

Enikchel, Konrad der —, in Regensburg, Rathsherr? 46, 12ff.

Erbach (Erpach) im Odenwald n. ö. v. Weinheim, Schenk Eberhard der ältere Herr zu —, Rath K. Ruprechts 539, 10; (20). auch 540, 40ª; 41ᵇ; 43ᵇ. — Schenk Eberhard Herr zu —, wol ders. 195, 24. 216, 15. 450, 8; 19. 479, 23. — Der Schenk von —, wol ders. 429, 18. 432, 26. — Konrad Schenk zu —, Mainzer Domherr 517, 40ª. — Konrad Schenk zu —, Kurmainz. Burggraf zu Starkenburg, wol ders. 519, 4. — Ein Herr von —, im Dienste der Königin Elisabeth wol 248, 21.

Erfurt (Ertfürt) in Thüringen 316, 28. — Der Provisor von —, 448, 30.

Erhard von (d. i. aus?) Andlau, Knecht im Straßb. Romzugskontingent 254, 27.

Erkneht, Straßburger Bote 261, 19. 262, 26; 27; 32. 265, 34.

Erloch (Erlech), etwa Erlach im Schwarzwald zw. Oberkirch u. Renchen? s. Kunzlin.

Ernfoser (Ernfessor, zu emend. Ernfelsor?), Konrad, in Diensten K. Ruprechts 190, 2.

Ernst (Ernetz Hornest), Herzog s. Baiern, vgl. Habsburg.

Erwin, Johann, in Frankfurt, wol Rathsherr 26, 44ª; 38ᵇ. 343, 9; 25. 351, 29; 34; 37. 511, 35; 40ᵇ. 512, 14. 655, 21. 664, 11; 14.

Eschelweck, Hans, Knecht im Straßb. Romzugskontingent 254, 17.

Eschwege a. d. Werra o. s. ö. v. Kassel 460, 10ff. 461, 5ff. 468, 38. 690, 30ff. 691, 1ff.; 35ª; 48ªff. 703, 28; 30; 33. 704, 5. 706, 30. — Amtleute etc. dort 691, 9; 37ª; 44ᵇ.

Esium, d. i. Jesi w. s. w. v. Ancona, Brunorius Herr von —, 378, 30. — Jacobus desgl. 378, 30. — Luczinburgus desgl. 378, 30. — Reynerus, Ritter, desgl. 378, 31.

Eßlingen am Neckar nahe Stuttgart 42, 22; 49ª. 213, 1; 22. 226, 38ᵇ. 227, 31. 228, 8; 22; 25. 229, 2. 306, 25. 375, 18; 25; 33. 381, 27. 388, 17. 390, 1. 523, 2. — Gesandte 3, 21. 429, 3. — Juden dort 227, 31. 228, 22; 23. 229, 2.

Este, Markgraf Nikolaus III von — und Ferrara 1393-1441, Reichsvikar in Modena 70, 11; 24. 80, 9; 19; 40ª. 88, 23. 89, 40ª; 43ª. 93, 26. 94, 29; 31; 35; 37. 95, 2. 136, 17. 138, 27; 42: 44. 145, 20. 146, 14. 151, 27. 152. 161, 25; 33. 162, 22; 28; 41ª. 165, 1. 166, 27; 44ª. 167, 1. 378, 4. 528, 27. 536, 39ª; 50ª. wol auch 72, 27; 28. 131, 42. 135, 24. 326, 30. 327, 1.

Esturmy, Wilhelm, Ritter, Englischer Gesandter 13, 20. 14, 3; 14. 338, 8; 40ª. 402, 47ᵇ.

Etker (oder Ecker?), Ulrich 432, 35. Vgl. Egker.

Ettenheim wol s. s. w. v. Lahr s. Jakob.

Etsch (Attice) Fluß 86, 16; 20. 88, 10. 142, 11.

Eyb o. s. ö. v. Ansbach, Herr Lutz von —, 450, 10.
Eyche bei Hersfeld zu suchen 447, 2.
Eyeror, Hans, Gesandter Heilbronns 523, 24 ff.

F vgl. V.

F., nobilis F. de . . . . ., in Diensten K. Wenzels?
193, 4.
Fagano, ser Johannes de —, in Udine, Rathsherr?
414, 38 b.
Falkenberg in Niederhessen n. v. Homberg Schloß
462, 32. — Kunzmann von —, Ritter, 310, 35.
440, 12. 442, 29. 444, 11. 446, 12 ff. 451, 2; 44 a.
455, 9 ff.; 38. 458, 12. 461, 37; 44. 462, 2; 6.
693, 10. auch 366, 31. — Die von —, 462, 31.
Falkenstein im Taunus bei Cronberg, Philipp IX
(od. VII) Graf (seit 1397, früher Herr) von —,
und Herr zu Münzenberg 1349-1409 wol 765, 28.
vielleicht 495, 10; 15. 496, 6. 499, 35. Vgl. die
folgenden. — Philipp X (od. VIII) von —, Herr
zu Münzenberg 1373-1407: 13, 30; 36. 369, 10 ff.
513, 37. 515, 3. wol auch 507, 44 b. kaum
499, 35. 765, 28. Vgl. die folgenden. — Philipp
von —, etc. (auch nur der von —, der junge
von —), in K. Ruprechts Begleitung auf d. Italien.
Zuge u. damals sein Gesandter beim Pabst, wol
immer derselbe und, obschon einige male (vgl.
Bd. 4) Graf genannt, wol Philipp X: 31, 30.
216, 18; 24; 49 a. 219, 13; 16; 32 b. 244, 2; 31 a.
249, 6. 282, 18; 23; 27. 283, 3; 12. 287, 3; 10;
15. 289, 2; 8. 343, 15. 399, 26. auch 169, 20.
291, 25; 27. wol auch 297, 39 b. 400, 7. — Der
Herr von —, Gesandter K. Ruprechts, wol ders.
316, 43. vgl. 315, 5. — Philipp (auch der)
von —, etc., im Wetter. Ldfr. v. 1405, wol auch
Philipp X: 629, 12 ff. 630, 1 ff. 635, 9; 42 a.
637, 18. 642, 2 ff. 643, 9. — Amtleute die die
Herrschaft (Grafschaft) F. verwalten 645, 7. 646,
17. Vgl. Covern Rietesel. Sonstige Amtleute (in
Assenheim Butzbach Dreieichenhain Laubach Lich
Münzenberg) s. Drahe Dudelsheim Kelner Linden
Peffersack Rietesel.
Falzner, Herdegen, wol in Nürnberg 16, 11.
Feltre s. w. v. Belluno Bischof (Johannes 1398-1402),
Gesandter Joh. Galeazzos 87, 1; 6; 11. 136, 21.
Ferrara am Po Stadt und Gebiet 62, 32. 69, 32.
70, 11; 24. 151, 40. 152, 34. 161, 37. 182, 30.
528, 27. 530, 18. 532, 25 a; 38 a. — Markgraf s.
Este. — Vgl. Johann.
Filippinus anscheinend in der Kanzlei Joh. Galeazzos
189, 2. 190, 23.
Filtzhofen s. Vilshofen.
Firenze s. Florenz und Johanni.
Flandern 549, 27. — Graf Philipp von —, s. Bur-
gund.
Flodenitz, Herr Friderich von —, Hofmeister Hzg.
Leopolds von Österreich 289, 34; 36. 290, 13;
19.

Florenz (Firenze Florentia) Stadt Kommune (civitas
communitas commune) Volk die Florentiner (Florentzer Fiorentini) 8, 3; 13; 16. 34, 6; 12; 13.
35, 10. 57, 17. 61, 7. 64, 21; 30. 68, 43 a; 45 a;
39 b. 73, 31. 74. 75, 18; 44 a. 76, 1. 79, 27; 33;
45 a. 80. 83, 32 ff. 84, 5; 7; 31. 85, 2. 88, 42 b.
90, 5. 94, 15; 21 ff. 108, 25 ff. 112, 13. 117, 10.
120, 25; 31. 121, 33; 37. 128, 37; 42. 129, 6;
26; 47 a. 130, 1; 2; 15; 22. 131, 29 ff.; 42. 132,
18; 21; 36; 37. 133, 29. 134, 41; 45 b. 135. 136,
11; 14. 137, 22; 34; 36. 140, 27 ff. 142, 6. 145,
25; 29. 157, 15. 158, 26. 159, 6; 32. 160, 15;
39. 163, 28. 164, 33; 36. 167, 20; 24. 168, 5.
169, 5; 18; 20. 172, 17; 19 ff. 173, 19. 174, 4.
175, 32; 47 a. 176, 45 a; 49 b. 181, 1. 182. 183,
1 ff.; 15. 215, 3; 26 b ff. 216, 27. 218, 4. 219, 5.
220, 2. 222, 30. 223, 2. 230, 31. 237, 34. 245, 8.
246, 5; 17. 262, 28. 263, 7; 23; 27. 264, 8; 11.
283, 1; 7; 10. 327, 5. 328, 41. 329, 30. 378, 14.
408, 6; 10; 37 b; 42 b. 411, 13; 29; 31. 412, 7;
34 b; 36 b. 528, 21. 530, 3; 9; 17; 29. 531, 40 b ff.
532, 49 a; 25 b; 30 b; 40 b; 43 b. 688, 26 a. auch
gemeint 176, 5. — Signorie Signoren 8, 6; 10;
14. 57, 34; 35. 66, 31; 36. 67, 17. 69, 15; 35.
70, 13; 16. 73, 11. 79, 26. 80, 35 a. 408, 1; 48 b.
530, 22; 24; 26; 37. 531, 2; 4; 7; 12. etwa auch
408, 30 b? (vgl. Venedig). Die Prioren (priores
artium) 75, 7; 10; 12; 20. 76, 21. 378, 13.
531, 4. Der Gonfaloniere della giustizia (vexilli-
fer justicie) 76, 22. 378, 14. 531, 4. — Consiglio
di richesti 57, 34. — Die Zehnerbalei (dieci
della balia, auch nur i dieci) 57, 36. 70, 21. 73,
36. 74, 45 b. 75, 20; 31 b. 76, 1. 79, 26. 80, 4;
8; 10; 36 a; 33 b. 275, 35. 412, 20 b. 526, 40 a.
529, 1. 530, 24; 26. 531, 47 a. 532, 24 a; 36 a;
28 b; 31 b. Mitglied derselben s. Ridolfi. — Die
Kammer (Finanzverwaltung) 76, 17. Provisoren
derselben 76, 18. Kammerbote (nuncius camere)
s. Ceccherellus. — Finanzkommission 8, 10. —
Syndicus s. Pitti. — Geschäftsträger (commessario)
in Venedig s. Medici. — Gesandte der Stadt
(Signorie bzw. Zehnerbalei), auch der Stadt und
ihrer Verbündeten 85, 22. 176, 16; 46 a. 182, 8.
283, 2. 408, 1; 34 a; 43 a; 48 b. 526, 42 a. 528,
12. 532, 25 a; 36 a; 44 a; 32 b. 42 b. auch 117, 16.
120, 28. Vgl. Albizzi Biagio Corsini Fortini Gianfigliazi Giovanni Peri Pitti Ridolfi Sacchetti San-
Miniato Vettori; auch Guadagni Maghalotti? —
Schreiber einer Gesandtschaft 135, 3. — Boten
85, 23. — Truppen Söldner 8, 9. 72, 26; 32.
326, 10. 328, 28. 529, 37. Hauptleute derselben
8, 9. Vgl. Bonchilch Castello Chianciano Cotignuola Crivelli Loyliano Malvicinis Montepulciano
Orto Rayneriis Recchenbach Terzo Valdo Venosa. —
Verbündete der Stadt bzw. dieselben mit Einschluß
von Florenz 117, 10; 26; 30; 35. 120, 31. Vgl.
Italien (Ligue). — Vgl. auch Petrus.
Florius, Beamter in der Kanzlei des Franz von Carrara 171, 21. 324, 20. 409, 22. 410, 42 b. 412, 27 a.

Florstadt (Flanstat) bei Friedberg 592, 38.

Förtsche, der junge 659, 12.

Forbin, Mönch zu Germerode 474, 14; 17.

Forchheim s. ö. v. Bamberg 460, 19.

Forstmeister, Friderich 636, 2; 35ᵃ. — Henne, Burggraf zu Gelnhausen 635, 23; 46ᵃ; 39ᵇ.

Fortini, ser Paulus ser Landi —, Florentin. Geschäftsträger 75, 41ᵇ. 80, 40ᵇ; 46ᵇ.

Forum-Julii (Forojulium) s. Friaul.

Fossadalbero (Fossadalberg) unweit Ferrara 165, 13.

Franch, Eborardus de —, Bote od. Gesandter des Franz v. Carrara 413, 37ᵃ.

Francinus anscheinend Beamter der päbstl. Kanzlei 547, 11.

Francisci, Herr Azzo, 146, 8; 10.

Francolino n. v. Ferrara 57, 31.

Franken 488, 3; 7; 8. — Fürsten Städte etc. des Landes zu —, 610, 14. — Ritterschaft in —, 580, 6. — Reichsstädte 18, 5. 46, 6. — Landfriede in —, (auch in — und Baiern) 581, 38. 582, 19. 598, 3. 602, 24. 609, 3. 610, 9; 13; 48ᵃff. 617, 35. 622, 1. 623, 1; 38. 626, 30. 627, 37. — Hauptmann desselben s. Limburg. — Zehn bzw. 8 Vorsteher desselben, Landfriedensräthe 588, 31. 610, 47ᵃff. 611, 2ff. — Landfriedensstände 588, 30. — Schreiber und Boten des Ldfr. 612, 8. — Versammlungsorte desselben 611, 12; 13. — Zölle desselben 603, 44ᵃ. 612, 37. 613, 41ᵃ; 50ᵃ.

Frankenstein in Schlesien n. ö. v. Glatz 191, 46ᵃ.

Frankfurt am Main 15, 25; 29. 26, 17; 28; 38ᵃ. 27, 10. 212, 36; 45ᵃ. 213, 41ᵃ; 50ᵃ; 36ᵇ. 244, 2; 21; 31ᵃ; 34ᵃ; 43ᵃ. 246, 20; 45ᵃ. 247, 20; 45ᵃ; 38ᵇ; 248, 7; 24. 249, 6. 269, 26. 273, 1. 274, 14; 17. 291, 9. 294, 34. 296, 11; 32. 297, 7. 298, 9. 299, 21. 305, 38. 306, 2; 26. 308, 23; 25; 40ᵃ; 43ᵃ; 39ᵇ. 309, 22; 43ᵃff.; 46ᵇ. 312, 45. 314, 6; 27. 316, 28. 322, 16. 343, 2. 344, 2. 345, 1; 35. 346, 13. 351, 23. 354, 1. 355, 1. 366, 24. 368, 35. 381, 30. 387, 30. 389, 37ᵃ. 426, 31. 439, 6. 481, 1; 38ᵃ; 38ᵇ; 482, 9; 10; 37ᵇ. 483, 34. 484, 4. 492, 15. 495, 3. 499, 22. 500, 14; 42ᵃ. 501, 10. 502, 21. 505, 18. 507, 29ᵃ; 35ᵇ; 45ᵇ. 511, 26; 43ᵃ. 513, 2. 514, 2. 516, 5; 25. 565, 2. 568, 14. 573, 12; 21; 23. 574, 14. 575, 11; 12. 576, 29. 589, 43; 44; 45. 590, 27ff. 591, 48. 592, 30. 593, 9; 19; 27. 594, 7. 596, 47. 597, 13ff.; 40; 41. 624, 11. 625, 6. 626, 1; 2; 9; 29. 627, 21; 22; 26; 28. 628, 19. 629, 1; (13); 36ᵃ. 631, 7. 632, 10. 6²4, 19. 635, 14. 637, 21. 639, 28. 640, 1; 46ᵇ. 641, 17; 42ᵇ. 642, 8; 30; 38. 643, 9; 11; 39ᵃ. 644, 8; 15; 22; 47ᵃ. 26ᵇ; 45ᵇ. 645, 5; 7; 8; 39ᵃff. 46ᵇ. 646, 17; 18; 19; 45ᵃ. 647, 21; 23; 44ᵃ, 46ᵃ. 648, 27ᵃ; 30ᵃ. 650, 26. 663, 21. 664, 6; 32ᵃ. 689, 41ᵃ. 729, 39; 44. 762, 2. 767, 2. auch 296, 2. 728, 35. wol auch 488, 24ff. ferner als Ausstellungsort v. Urkk. etc. s. chron. Register. — Der Rath (Rathsfreunde) 343, 21; 22. 482, 7. 512, 2; 10. 628, 22; 23. 634, 40. — Die Bürgermeister 512,

2. 635, 47ᵃ. Vgl. Herdan. — Die Rechenmeister 439, 29. 634, 39. — Sonstige Mitglieder des Raths (Rathsfreunde) s. Burggreve Drutman Erwin Frosch Hartrad Herdan Holzhusen Weibe Wiße; auch Rietzesel? — Ein Rathmann (wol Hartrad) 644, 3. — Des Reichs Gericht zu —, 514, 24. — Der Schultheiß s. Sachsenhausen. — Gesandte der Stadt (Rathsfreunde) 26, 2. 294, 40. 296, 15. 350, 45ᵃ. 351, 26ff. 512, 46ᵃ; 42ᵇ. 513, 41. 515, 7. 625, 34ᵃ; 49ᵃ. 642, 2ff. auch 295, 33ff. 304, 23. 305, 12. 625, 41ᵇ. wol auch 488, 23. 489, 2ff. 490, 25ff. 491, 21; 30. Vgl. die gen. Rathsherren, ferner den Schultheißen den Prokurator die Stadtschreiber und Rodenstein. — Vertreter beim Landfrieden s. Hartrad. — Richter s. Gast. — Prokurator der Stadt s. Welder. — Stadtschreiber s. Arnoldi Heinrich Peter. — Beamte (Burggrafen Schultheißen Amtleute) in Frankfurt gehörigen Orten (Bonames Dortelweil Goldstein Niedererlenbach) s. Brenner Buchen Heilmann Selbold Snyder Sulzbach. — Boten der Stadt 439, 33. Vgl. Dietrich Heil Saccifer Uts. — Knochte des Raths Diener Pförtner Söldner (Gesellen Schützen Glefner Einspännige) Kundschafter (Heimliche) 481, 11: 34. 482, 3. 500, 23; 26; 45ᵃ; 35ᵇ. 512, 2; 9. 592, 29. 628, 38. 634, 22. — Der Klerus (die Pfaffheit) in —, 343, 23; 27. 481, 21. 512, 16; 22; 30; 34. 513, 2. 514, 2. 516, 13. — Das Bartholomäusstift (dessen Dekan und Kapitel, Pfaffen, Pfründe) 244, 32ᵇ. 515, 39; 40; 42. 516, 1. — Kurmof des Deutschen Hauses zu —, s. Hane. — Begarden und Beguinen dort 351, 30. — Bürger 481, 11. — Die Messe dort 45, 43ᵇ. 312. 345, 35. 489, 22. — Frankfurter Gulden (K. Ruprechts) 303, 45ᵃ. 348, 13. 350, 28; 43ᵇ. — Das Frankfurter Guldengewicht 355, 8; 26ᵃ. 568, 29. — K. Ruprechts Münzmeister dort 565, 16; 18. Vgl. Niederländer. — Münzprobierer s. Molner Slegil. — Der Landfriedenszoll dort 597, 27. 634, 40. 638, 26. Zöllner desselben 644, 20. 645, 1ff.; 46ᵃ; 39ᵇ. — Nicht gen. Goldschmied aus —, 222, 15. — Einwohner außer den genannten s. Hofmann Krauwel (?) Mager. — Die Straße zwischen — und Mainz 516, 20.

Frankreich König Karl VI 1380-1423: 11, 41. 137, 28. 138, 1. 163, 35. 164, 1ff. 173, 18. 174, 3. 180, 1. 194, 18. 198, 25. 285, 19; 22; 25; 31. 377, 40. 390, 22. 391, 10; 29. 394. 395, 19; 22; 29. 397, 5ff.; 42ᵃ; 38ᵇ. 398, 6. 401, 19; 24. 533, 41. — Seine Gemahlin Isabella (Elisabeth) Tochter Hzg. Stefans von Baiern 12, 23. 162, 9. 164, 6. 199, 2. 285, 17. 337, 2. 391, 38. 392, 22. 394, 2. — Seine (älteste) Tochter Isabella, Wittwe K. Richards v. England, später Hzgin. v. Orléans 195, 4. 199, 8; 10. 398, 1. wol auch 11, 41. vgl. 194, 41ᵇ. 198, 85. — Seine zweite Tochter (Johanna sp. Hzgin. v. Bretagne; viell. aber Michaela gemeint) 199, 8; 11. vgl. 194, 41ᵇ.

196, 35. — Seine (dritte) Tochter Michaela, sp. Hagin. v. Burgund 391, 21. vgl. 393, 25 ff. 494, 8.

Frankreich, das königliche Haus 181, 4. — Fürsten des königlichen Hauses, die Herzöge 137, 28. 138, 1. 397, 5. wol auch 285, 17. 395, 18. Vgl. Anjou Berri Bourbon Burgund Orléans. — Gesandter der Königin und nicht gen. Herren s. Smyeher.
— Land 172, 24. 182, 33. 189, 28. 190, 42. 197, 32ª. 200, 2; 5. 243, 36ª. 278, 34. 324, 30. 337, 19. 391, 41. 393, 28. 394, 26. 395, 8. 396, 18. 397, 4. 398, 17. 401, 6. 402, 14. 435, 33. 437, 28. 488, 3. 494, 4. — Die Franzosen (Francigenae Galli Gallici), d. i. die Regierung der Hof das Volk 172, 24. 181, 36. 199. 285, 26; 31. 392, 41. 394, 24. 396, 19; 20. 398, 14. 404, 12. — Prälaten Erzbischöfe Bischöfe etc. (ein Konzil) 397, 5; 8 ff. — Die Universitäten 397, 10. Vgl. Paris. — Der Großconnétable (Hzg. L. v. Baiern) 395, 17. — Der Statthalter in Genua s. Boucicaut.

Frantzosse (oder Frantzos), der, im Baier. Solddienst 231, 28.

Franz (Franciscus) s. Carrara.

Fraudenberg, Ruprecht 450, 10. vgl. 433. 8.

Frauenalb ö. v. Rastatt, Kloster 509, 9; 40ª; 44ª.

Frauenstein wol im Rheingau 472, 48ª.

Frawdenberger, der, wol i. Baier. Solddienst 230, 27. — Vgl. Frewdemberger.

Frawemberger (Frawnberger), Hans 294, 21. — Hans (ein anderer) 294, 21. — Sigmund 294, 21. 432, 33. — Wilhelm, i. Baier. Solddienst 231, 16. 431, 27. — Ein 432, 40. — Zwei 434, 3.

Frayshawser, Hans, i. Baier. Solddienst 230, 5.

Freiberg s. Freyberg und Friberg.

Freising Bischof Berthold von Vaihingen (Wahinger) 1381-1410, Kanzler Hzg. A.'s v. Oesterreich, Salzb. Prätendent 326, 35ª; 37ª. 557, 17. 653, 24. auch 556, 26; 36ᵇ; (45ᵇ).

Frewdemberger (Freudenberg), Albrecht Landrichter K. Ruprechts zu Auerbach 236, 33; 42ᵇ. 621, 13. wol ders. 219, 7. 602, 11. 620, 26. — Herr Ruprecht 433, 8. vgl. 450, 10. — Vgl. Frawdenberger.

Freyberg, Eberhard von —, 434, 3: 4. — Herr Friderich von —, 434, 4. — Georg von —, 434, 8. — Hermann von —, i. Baier. Solddienst 230, 1. — Kaspar von —, desgl. 230, 2. 433, 22. 448, 15. — Stoffel von —, 434, 5. — Drei von —, 433, 24. — Vgl. Friberg.

Friaul (Frigul Frioli Friule Forojulium Forum-Julii) 59, 26. 96, 23. 98, 24. 100, 29: 141, 32ª. 245, 8. 246, 4. — Einwohner 179, 31ᵇ. — Statthalter (Reichsvikar?) des Königs dort s. Ortenburg. — Vitztume zu —, 145, 24; 29. — Ligue in —, 141, 14 ff.

Friberg (Freiberg Friburg), Georg von —, im Solddienst K. Ruprechts 234, 9. — Konrad von —, Ritter, in Diensten K. Ruprechts 64, 28. 215, 1; 4; 6; 36ª; 42ª. 216, 50ᵇ. 217, 29ª;
45ª. 220. 221, 1 ff.; 32ª. 222. 335, 32. auch 58, 14. 81, 12. 84, 9; 13; 16. 89. 1: 46ᵇ. 90, 27; 37. 106, 36. 109, 37. 115, 22; 24. 125, 4. vielleicht auch 83, 11; 17. 215, 19ª.

Friderich, Herzog, s. Braunschweig u. Habsburg. — Burggraf, s. Nürnberg.
— Kaplan K. Ruprechts 219, 4.
— Kaplan Hzg. Karls von Lothringen s. Walderfingen.

Friedberg in der Wetterau Stadt 18, 44. 305, 38. 306, 2; 26. 312, 46. 314, 6; 27. 381, 31. 590, 30; 33. 593, 9. 625, 6. 629, 1; (13): 45ª. 631, 7. 632, 10. 635, 15. 637, 21. 641, 33ª. 643, 10. 645, 7. 646, 17. 648, 25ª. 689, 41ª. 691, 41ª: 35ᵇ; 46ᵇ. 694, 7. 701, 22. 708, 12. — Bürgermeister 635, 48ª. — Rathsmitglied s. Bassin. — Gesandte (Freunde) 294, 24. 431, 7. 448, 12. 625, 84ª; 49ª. 642, 2 ff. auch 625, 41ᵇ. Vgl. Wayser. — Schreiber s. Dietrich. — Landfriedenszoll dort 638, 28.
— Burg, die Burgmannen von —, 512, 4. 591, 5. 635, 12; 43ª. 643, 6. — Der Burggraf s. Weise (Eberhard). — Die Baumeister 635, 28ᵇ.

Fritzlar (Fritzschlar) in Hessen Stadt 473, 14. 692, 49ª. 700, 4; 17. 707, 29. 707, 5. 708, 34. — Bürger s. Homberg Wamsch.
— Stift 451, 33. — Klerus (Pfaffheit Domherren) 473. 692, 35. 693, 4. — Landsiedel auf dessen Gütern 473, 13; 33.

Fröschel, Andreas, im Solddienst Hzg. L.'s von Baiern 230, 17.

Frosch, Junge, in Frankfurt, wol Rathsherr 26, 43ª. 343, 7.

Frowendienst Augsburger Bote 436, 15.

Fry, J., wol im Englischen Rath 338, 41ª.

Fuchs, Herr Arnold 433, 7. — Heinrich 433, 37. — Wilhelm 433, 8. — Ein 432, 42.

Füchsenkeim, Peter 432, 26.

Füsichin, Jost, von (d. i. aus?) Ortenberg 593, 7. — Vgl. Fußchin.

Füssen a. Lech s. ö. v. Kempten 545, 2.

Fulda Abt Johann I 1395-1440: 294, 15. 448, 30. 619, 6. auch 581, 36.

Fußchin (Fußgin), Peter, Hanau.-Nass.-Isenb. Vertreter b. Landfr. 640, 16; 34ᵇ; 41ᵇ. — Vgl. Füsichin.

G.

Gabel, Eberhard, Pfälz. Vogt zu Obrigheim 15, 39.

Galeazzo, Johann, s. Mailand.
— s. Mantua.
—, Magister, de Santa Sofia 407, 43ª.

Gallis (Galis), Henricus de —, (Arrigo Galeotti) legum doctor, aus Padua, Rath des Franz v. Carrara 68, 44. 170, 8; 9; 10. 174, 32. auch 168, 34.

Ganbertis (Gumbertis), Dordeus de —, aus Cividale,

Schenk des Franz v. Carrara 63, 45. 413, 4. kaum
81, 12; 14.

Gandersheim s. v. Hildesheim, Äbtissin Sophie III
v. Braunschweig 1400-1412: 561, 48. 562, 5.

Gara, Johannes, Bruder des folgenden 178, 32ª. —
Nikolaus, Großgraf von Ungarn 178, 31ª.

Gast, Dilman, Richter in Frankfurt 274, 45.

Gebhard Landschreiber zu Sulzbach 665, 25.

Gebingen, Herr Konrad von —, 432, 27.

Gebsattel (Gebsetel) s. ö. v. Rotenburg a. T., Rap-
pold von —, 432, 9.

Geismar s. Hofgeismar.

Geldern (Gelre), Herzog Reinald von — und Jülich,
Graf von Zütphen 1402-1423: 36, 35. 274, 7.
275, 21; 23. 318, 24. 320, 34ª; 38ª. 333, 85.
402, 12; 48ᵇ. 439, 22. 505, 35; 46ª. 561, 2. —
Seine Räthe 505, 34; 47ª. Vgl. Ror.
— Herzog Wilhelm III Bruder des vorigen 1383-
1402: 36, 36. 333, 24.

Gelnhausen Stadt 305, 38. 306, 2; 27. 331, 32.
593, 9. 596, 46. 625, 6. 629, 1; (14). 632, 10.
635, 16. 637, 21. 641, 3; 34ª; 40ᵇ. 643, 10.
645, 7; 45ª. 646, 17. 647, 22; 32. — Schultheiß
und Bürgermeister 635, 49ª. Vgl. Breitenbach. —
Gesandte (Freunde) 431, 7. 642, 8 ff. — Landfriedenszoll dort 638, 28. 639, 4. — Vgl. Arnoldi.
— Burg, die Burgmannen von —, 512, 5. 591, 5.
635, 13; 45ª. — Burggraf und Baumeister der
Reichsburg 635, 33ᵇ. Vgl. Breitenbach· Forstmeister.

Gemar s. s. w. v. Schlettstadt Stadt und Burg 498,
14. 508, 19 ff.; 43ᵇ. wol auch 501, 30.

Gemmingen w. v. Heilbronn, Diether von —, Ritter,
Rath K. Ruprechts 539, 10; (22). auch 540, 40ª;
41ᵇ; 43ᵇ. — Eberhard von —, im kgl. Solddienst
232, 43. — Hans von —, bischöfl. Speier. Amtmann am Buchrein 219, 33ª; 38ª.

Gengenbach im Schwarzwald n. ö. v. Lahr 729, 25 ff.
730. 768, 2; 31ªff.; 31ᵇff.

Geno, ser Karolus, in Venedig, Prokurator der Markuskirche und einer der Savj 81, 6. 84, 12. 90,
14. 93, 5. 95, 30. 97, 36. 98, 17. 100, 5. 105, 5.
106, 1; (11). 109, 12; 17. 111, 1; 8; 42ª. 113,
24. 115, 1. 116, 14. 120, 1. 122, 1. 124, 12; 18.
126, 5. 128, 29; 34; 37. 131, 40. 132, 14; 32.
133, 8; 28. 134, 35. auch 105, 17; 29. 127, 18.
133, 28.

Genua Genuesen (Januenses civitas Januensis) Behörden 180, 35. 207, 14. 378, 16. 533, 39ª; 41ª;
44ª. — Französischer Statthalter s. Boucicaut.

Gerardus, Reiter im Dienst des Franz von Carrara
336, 14.

Gerhard von (d. i. aus?) Speier, Knecht i. Straßb.
Romzugskont. 254, 34.

Germerode (Germenrode) w. v. Eschwege, Kloster
472, 7; 8; 45ᵇ. 474, 15. — Mönch desselben s.
Forbin. — Dorf 472, 8; 9; 12.

Germersheim in der Baier. Pfalz 275, 2. 366, 36.

373, 7 ff. 508, 43ᵇ. 666, 27. 727, 31. 728, 27.
729, 22; 31; 39. 768, 24ᵇ. — Dörfer des Amtes —,
666, 27. — Vogt zu —, s. Werberg.

Gertenrade, wol Gerterode auf d. Eichsf. b. Worbis,
Ludolf von —, Kurmainz. Amtmann 465, 1.

Gewolff, Eberwein, im Solddienst Hzg. L.'s von Baiern
231, 16. — Der, Vitztum zu Amberg 448, 10. —
Der, 435, 35.

Ghibellinen politische Partei in Italien 150, 11. 151,
16. 182, 40. 682, 3.

Gianfigliazi (Ganfiglacii), messer Rinaldo (dominus
Raynaldus Jannocii de Gianfigliaçis), Ritter, aus
Florenz, städt. Gesandter 60, 10 ff. 65, 22. 66,
46ª. 75, 5; 17; 19; 33ᵇ. 158, 8. 159, 17; 39ᵇ.
wol auch 112, 33 ff. 121, 34; 38. 129, 23. 132,
16; 35. 133, 20. 185. 160, 18; 37. vielleicht auch
75, 43ᵇ.

Gieboldehausen o. n. ö. v. Göttingen 692, 34.

Giech o. n. ö. v. Bamberg bei Schesslitz, Albrecht
von —, zu Bronn gesessen, i. kgl. Solddienst 233,
1. 236, 32; 43ª.

Giener, Raban, ansch. Rath K. Ruprechts 665, 11.

Giengen n. ö. v. Ulm bei Heidenheim 42, 14; 22;
51ª; 43ᵇ. 226, 38ᵇ. 228, 2; 8. 229, 25. 306, 23.
382, 9. 750, 2; 42ᵇ. 751, 50ª; 51ª; 34ᵇ. — Juden dort (nicht vorhanden!) 228, 2. 229, 25.

Gießen in Hessen 594, 7.

Giessen, Hans, i. Baier. Solddienst 230, 21.

Gilbrecht s. Rietesel.

Giltlingen, Schimpf von —, i. kgl. Solddienst 233,
24.

Giovanni, Piero di — di Firenze (Pierus Johannis
Firençis), Florentin. Gesandter 528, 22. 530, 5;
14. auch 531, 47ª.

Glatz in Schlesien, Grafschaft 191, 46ª.

Gleichen (Glichen), die, wol s. ö. v. Göttingen (kaum
die Hessischen — bei Gudensberg) 478, 19. Vgl.
Uslar.

Gleichenstein, wol auf d. Eichsfelde s. v. Heiligenstadt, s. Budenhusen.

Glitz, Straßb. Bote 265, 1.

Gmünd (Gemunde) w. v. Stuttgart 42, 14; 22; 49ª;
43ᵇ. 226, 38ᵇ. 227, 36. 228, 8. 229, 20. 306, 23.
381, 12. 750, 2; 41ᵇ. 751, 50ª; 52ᵇ. — Gesandte
(die von —) 429, 3. 430, 6. 431, 20. 448, 26.
602, 12. 727, 44. Vgl. Hug. — Juden dort (nicht
vorhanden!) 227, 36. 229, 20.

Gobel, Rathsherr (oder Gobel vom Rade?) aus Köln
352, 24. auch 352, 31; 34. wol auch 353, 16.

Godramstein i. d. Pfalz n. w. v. Landau 666, 27.

Göppingen o. s. ö. v. Stuttgart 375, 4; 27.

Görz (Gorcze) n. n. w. v. Triest, Heinrich V Graf
zu — und Tirol Pfalzgraf zu Kärnthen Vogt der
Kirchen Aquileja Trient Brixen 1385-1454: 6, 16.
188, 3. — Johann Meinhard (Hans), desgl., wol
Sohn des vorigen 6, 16. 188, 3. — Die Grafen
(bzw. der Graf?) von —, wol dieselben 334, 27.
413, 10.
—, der Hauptmann von —, s. Rabatta.

Gold, Hermann vom —, 620, 36.
Goldstein s. w. von Frankfurt, der Burggraf zum —, s. Buchen.
Golerer, Albert, Ritter 59, 38 ᵃ.
Gonzaga, (Johann) Franz I von —, Herr und Reichsvikar zu Mantua bzw. auch in Reggio 1382-1407: 70, 9; 21; 22. 80, 41ᵃ. 88, 26. 93, 26; 37. 94, 1 ff.; 30. 119, 5. 136, 17. 145, 21. 147, 1. 152, 33. 176, 49ᵃ. 191, 43ᵃ. 328, 35; 36. 409, 7; 31. 532, 1. 535, 9; 25ᵃ ff. 536, 42ᵃ ff. 538, 2; 3. Derselbe unter dem falschen Namen Ludwig 535, 44ᵇ. — Seine Bevollmächtigten 532, 10. Vgl. Nerlis. — Sein Kastell s. Revere.
—, Johann (Franz) II, Sohn des vorigen 1407-1444: 378, 5.
Goslar 311, 10. 480, 36ᵃ. 560, 44; 48; 50.
Gosse, Herr Ulrich, in Straßburg, Altammanmeister Mitgl. der Neunerbehörde 250, 5; 42.
Gotardus (Gutardus), Bote v. Udine 141, 43ᵃ; 45ᵃ; 29ᵇ.
Graben, Hammann am —, Gesandter Kolmars 769, 33ᵇ.
Grâwl, Wolfhard, i. Baier. Solddienst 230, 18.
Grau (Graen) in Oberhessen bei Wolfhagen (jetzt Wüstung) 473, 20.
— in Ungarn Erzbischof Johann III Kanizsa 1387-1418: 185, 47ᵃ. — Seine Brüder 185, 47ᵃ.
Granetd, Jacob, aus Nürnberg 217, 49ᵇ. wol auch 217, 15.
Grans (od. Graus?), Simon, Rath K. Ruprechts u. Amtm. zu Caub 539, 10; (32). 540, 27. 565, 41ᵃ. auch 540, 40ᵃ; 41ᵇ; 43ᵇ.
Gratz (Gretze) in Steiermark 533, 15; 24ᵇ; 35ᵇ. 545, 24.
Graus s. Grans.
Grefenstein, wol Grebenstein s. s. ö. v. Hofgeismar, die (die Bürger) von —, 470, 29; 31; 33. — Die Amtleute von —, 475, 26; 31. — Der Pfarrer zu —, 472, 34.
Greifenstein i. Elsaß bei Zabern 768, 25ᵃ.
Greiz (Grewtz) in Thüringen s. Plauen.
Grez Reginalis, auch nur Gretz s. Königgrätz.
Grieche (Krieche) u. Griech. Reich s. Konstantinopel.
Grifte (Griffde) n. ö. v. Fritzlar, Eckebrecht von —, wol in Gudensberg 475, 40.
Grönland (Grunlant) Bischof Burkhard 472, 44ᵇ.
Grovenich, Abt Friderich von —, Mailänd. Gesandter 190, 5.
Grûbe s. Swan.
Grünberg (Grunenberg) ö. v. Gießen 474, 27.
Grunbach wol Grumbach n. ö. v. Wirzburg, Eberhard von —, 430, 31. — Herr Hans von —, 433, 18. — Herr Wilhelm von —, 433, 18. — Wiprecht von —, 433, 19. — Einer von —, 432, 43.
Guadagni, Vieri, aus Florenz? 530, 33. 531, 35.
Gualdo s. Valdo.
Gualterii s. Venosa.
Guarzano, D., Gesandter Pauls von Guinigi? 148, 32ᵃ; 37ᵃ; 33ᵇ.

Gudensberg (Gutensperg) zw. Kassel und Fritzlar 475, 40. — Amtleute von —, 470, 37.
Gudinburg, etwa Gudenberg w. n. w. v. Kassel bei Zierenberg?, Heinrich u. Werner von —, 444, 12.
Guelfen (Belfi Gwelphi) politische Partei in Italien 150, 11. 151, 16. 182, 2; 40. 183, 30. 682, 3.
Guernerii s. Venosa.
Guinigi (Guinisii), Paul von —, Herr von Lucca und Reichsvikar daselbst 147, 25. 148, 32ᵃ; 36ᵃ; 33ᵇ. 164, 24. 167, 29. 378, 26. 412, 31ᵇ. — Gesandter s. Guarzano?
Gumbertis s. Ganbertis.
Gumppenberger, Hans, i. Baier. Solddienst 231, 9. — Heinrich, desgl. 230, 10.
Gumprecht, Ulrich, aus Regensburg, Rathsherr? 46, 13 ff.
Gundelfingen zw. Ulm u. Donauwörth, Georg von —, im Solddienst Hzg. L.'s v. Baiern 231, 23. — Sweyker von —, 431, 11.
Gundelsheim in Schwaben oder Franken?, Friderich von —, Söldnerführer im kgl. und wol auch Baier. Dienste 222, 26.
Guaß (od. Gusße?), Herr Ortolff, Ritter, i. kgl. Solddienst 236, 25. 430, 46.
Gymnich (Gymmenich) zw. Köln u. Düren, Herr Dietrich von —, Ritter, Kurköln. Rentmeister 303, 1. 305, 19.

H.

Habelsheimer, Fritz, im Solddienst K. Ruprechts 235, 41; 44.
Habsburg, die Herzöge (das Haus, die Herrschaft) von Österreich 54, 11. 81, 34. 179, 33ᵃ. 191, 38. 290, 32. 375, 23. 377, 2. 414, 41ᵇ. 420, 25. 527, 15. 529, 35. 544, 20. 557, 18; 20. 653, 10; 13. 669, 11. 672, 38ᵇ. auch 286, 17. 290, 12; 27; 30. 335, 34. 336, 4; 8. 495, 29ᵇ. — Des von Österreich Rath Hofmeister Kammermeister Land s. unter Hzg. Leopold. — Österr. Landvogt in Schwaben 375, 24. — Vgl. Österreich.
— Herzog Albrecht I von Österreich 1282-1308, Deutscher König 1298: 47, 39ᵇ.
— Herzog Albrecht IV 1395-1404: 175, 12. 289, 38; 41. 290, 15. 336, 20; 25. 377, 3. 410, 45ᵃ. 413, 11. 414, 37ᵃ. 417, 2; 33ᵃ; 41ᵃ; 30ᵇ; 45ᵇ. 418, 12. 419, 2. 421, 19; 21; 29. 425, 40ᵃ. 672, 10. wol auch 422, 19. — Seine Gemahlin und Kinder 175, 20. — Sein Rath 336, 20. — Sein Gesandter s. Spilimbergo.
— Herzog Ernst 1386-1424, in Steiermark 1406: 377, 3. 413, 12. 674, 36; 40ᵇ. auch 672, 8. wol auch 422, 9. — Sein Hofmeister s. Tierberg.
— Herzog Friederich IV in Tirol 1386-1439: 81, 34. 82, 15. 526, 33. 527, 18; 24. 528, 1. 533, 12. 514, 22; 23. 545, 1; 25. 653, 20. 671, 25. 672, 33ᵃ; 45ᵃ. 673, 16; 24. 674, 16. 676, 25ᵃ; 34ᵃ; 41ᵃ. 677, 29ᵇ; 32ᵇ. auch 530, 9. wol auch 544,

27. 672, 23 b od. 25 b. — Seine Gemahlin Elisabeth (Else) Tochter K. Ruprechts 81, 33. 671, 26. 673, 16. 674, 17. 677, 28 b. 30 b; 33 b. — Seine 3 Brüder s. die Herzöge Ernst Leopold Wilhelm. — Seine Räthe bzw. Gesandten 526, 25; 44 a. 528, 28; 33. 530, 23; 32 ff. 533, 13. 545, 2; 26. 672, 2; 11. 673, 15. 674, 16. 677, 1. — Seine Pfeifer und Trompeter 660, 18.

Habsburg Herzog Leopold (Lupolt) IV 1386-1411: 70, 37. 71, 20; 26. 81, 35. 91, 11. 196, 32; 36. 197, 2; 8; 26. 198, 1. 221, 5; 13. 245, 35. 257, 47 a. 258, 14; 19. 261, 1; 5; 29. 286, 17. 288, 25. 334, 23. 335, 19. 381, 9. 393, 19. 406, 18. 410, 44 a. 421, 1. 533, 12; 34 b. 544, 22. 545, 25. 653, 18; 19; 27. 674, 35; 46 a. 676, 25 a; 34 a; 42 a. auch 672, 8. wol auch 203, 28. 488, 32 a; 35 a. kaum 544, 27. — Seine Brüder u. Vettern s. Habsburg Herzöge. — Seine Räthe bzw. Gesandten 83, 11. 533, 13. 545, 2; 26. vielleicht auch 431, 9. Vgl. Wilderich. — Sein Hofmeister wol 214, 29. — Sein Kammermeister wol 215, 13. — Seine Truppen (sein Volk) 104, 42 a; 46 a; 41 b. 245, 39; 40. — Sein Land wol 203, 27. — Herzog Wilhelm 1386-1406: 185, 43 b. 289, 37; 40. 290, 15. 326, 33 a; 37 a. 336, 21; 25. 410, 45 a. 413, 11. 414, 37 a. 425, 40 a. 653, 24. 674, 35; 46 a. 688, 27 a. auch 653, 10; 13. 672, 8. wol auch 422, 9. — Seine Gesandtschaft 688, 27 a.

Habsperger, der 435, 35.

Hadmersleben s. ö. v. Oschersleben, Kurt von —, 702, 45 a.

Hafener (od. Hofener od. Hufener?), Herr Diebold 258, 18.

Hagenau im Elsaß 241, 46 a. 306, 26. 389, 29 a. 672, 33 a; 44 a. 769. 34 b; 41 b; 48 b. — Gesandte 769, 37 a; 41 b. Vgl. Kleinkunz. — Schultheiß s. Wickersheim.

Hagenbûch, etwa Hagenbach i. d. Pfalz n. ö. v. Lauterburg? 666, 27.

Halberstadt Bischof Rudolf II Fürst von Anhalt 1399-1406: 310, 10; (26). 311, 15. 702, 37 a ff. — Kapitel 702, 37 b.

Haldesse (Haldesen), Hans und Hermann von —, 692, 16; 47 a.

Hall, d. i. Schwäbisch-Hall in Wirtemberg am Kocher 226, 38 b. 227, 38. 228, 8; 32. 229, 3. 306, 26. 382, 19. 750, 41 b. 751, 38 a. — Gesandte 3, 15; 22. 293, 22. 429, 12. 602, 14. 621, 23. — Juden dort 227, 33. 229, 3. vgl. 228, 32. — Vgl. Wilhelm.

Haller (Heller), Andreas, aus Nürnberg 217, 48 b. 218, 17. wol auch 217, 15. — Kunz, ebendaher 217, 48 b. wol auch 217, 15. — Peter, ebendaher, Rathsherr 623, 33; 37. 624, 4.

Hammann (Hanman) Schultheiß zu Weinheim, Rath K. Ruprechts 539, 10; (32). auch 540, 40 a; 41 b; 43 b.

— Schultheiß von Bornheim 236, 3.

Hanau bei Frankfurt, Junker Johann Herr zu —, etwa Neffe des folgenden? 629, 1; (13). — Herr Reinhard II zu (von) —, 1380-1451, im Solddienst K. Ruprechts, 234, 23. 293, 20. 629, 1; (13). 635, 11; 43 a. 637, 17. 640, 31 b; 40 b; 42 b. 641, 1; 16; 37 a; 48 a. 642, 34. 643, 2. 645, 7. 646, 17. Dessen Vertreter beim Landfrieden s. Beldersheim Fußchin. — Der Herr von —, wol Reinhard 765, 30. — Zwei von —, 482, 24.

Handschuchsheim (Hentschesheim), Diether von —, Ritter, Marschalk und Rath K. Ruprechts 15, 33; 40; 43; 47. 16, 1. 195, 26. 313, 15. 357, 45. 360, 11.

Hane, Johann vom —, Deutschordenskomthur zu Frankfurt 313, 6; 13.

Hans, Herzog s. Pfalzgraf. — Burggraf s. Nürnberg. — Münzmeister K. Ruprechts zu Neustadt 574, 6. — Knecht im Straßb. Romzugskont. 253, 25. — von (d. i. aus) Bregenz, desgl. 254, 14. — von (d. i. aus) Burgheim, desgl. 253, 17. — von (d. i. aus) Ehenheim, desgl. 253, 29. — von (d. i. aus) Heidelberg, desgl. 254, 6.

Hanstein (Hainstein) a. d. Werra n. v. Allendorf, Hans und Werner von —, 456, 18. — Die von —, 456, 12.

Harßdorffer, Heinrich, in Nürnberg, Schreiber 17, 33. 403, 42 b. 404, 48 a.

Hartenstein (Hertenstein) i. d. Oberpfalz w. n. w. v. Sulzbach 36, 20 ff.

Hartrad (Hartdryt), Erwin, in Frankfurt, Rathsherr, ansch. Vertreter b. Landfr. 343, 19; 25; 32. 511, 34. 512, 13. 573, 15. 643, 35 b. 644, 40 a; 44 a. 655, 20. 767, 5. wol auch 644, 3.

Haslannger, Georg, i. Baier. Solddienst 230, 9.

Hasslau (Hasela) bei Gelnhausen 639, 3. 640, 9.

Hassloch (Haseloch) n. w. v. Darmstadt bei Rüsselsheim 663, 20.

Hasungen zw. Kassel u. Arolsen, Kloster (Abt Mönche) 478, 36 ff.

Hatdstat, Herr Friderich von —, 487, 9.

Hauenstein n. v. Aschaffenburg 592, 40. 594, 32.

Hayde (od. Hayden?), Herr Friderich 428, 35.

Hayn s. Dreieichenhain.

Heckingen (Hechingen), doch wol Hechingen s. v. Rottenburg? s. Edelman.

Hefingen, d. i. Höfingen w. n. w. v. Stuttgart, Heinz Truchseß von —, 507, 25 b.

Heide, Otto, aus Nürnberg 17, 35.

Heideck (Haideck Haidegk) zw. Nürnberg u. Eichstädt, Herr Friderich von —, 294, 3. — Dessen Sohn 294, 4. — Der alte von —, wol Friderich 659, 16. 663, 2. — Der junge von —, wol dessen Sohn 429, 10. 602, 21. 620, 23; 37. 660, 3. — Der von — u. s. Sohn bzw. die zwei von —, wol dies. 448, 25. 662, 20. — Der von —, Dompropst, wol Johann, in Bamberg, später Bisch. v. Eichstädt? 3, 19. 294, 16. 448, 32. 602, 21. 660, 3. — Der von —, 432, 32. — Die von —, 662, 23. — Die Frau von —, wol Friderichs Gemahlin 620, 23.

Heidelberg (Adilbergum) 26, 45ª; 46ᵇ. 212, 80. 240, 38. 243, 14ª. 275, 1. 278, 26. 280, 3. 332, 41ª. 343, 7; 10; 20; 37ᵇ. 351, 34; 38. 375, 1; 3; 48. 386, 16. 437, 4. 481, 42ª. 491, 24. 492, 87. 493, 3. 501, 43ª; 37ᵇ. 512, 14. 523, 26. 545, 42ª. 548, 41ª. 560, 8; 14. 581, 28. 594, 7. 626, 15. 656, 24; 44ª. 657, 4. 658, 46ª. 660, 20ª; 19ᵇ. 661, 6 ff. 662, 29. 664, 11. 666, 18. 677, 46ª; 31ᵇ. wol auch 512, 2. ferner häufig als Aus-stellungsort von Urkunden und Briefen, s. chronol. Register. — Der Schultheiß von —, 386, 25. Vgl. Angelach. — Der Vogt zu —, s. Sickingen, kaum auch Rodenstein. — Der Landschreiber von —, 213, 21; 23. 228, 25. — K. Ruprechts Haushof-meister dort s. Berwangen Huban. — Pfandinhaber der Stadt s. Hirschhorn (Eb.) u. Sickingen (Rh.). — Die Universität (Schule) zu —, 360, 22. — Pfar-rer dort s. Burgmann. — Die Herberge d. Bischofs v. Speier dort 212, 30. — Heidelb. Gulden 348, 11. 349, 1; 24. — Vgl. Hans Neckerstain.
Heidenheim (Haidenheim) n. ö. v. Öttingen, der Abt von —, 432, 41.
Heil Bote Frankfurts 493, 2. Vgl. Uta.
Heilbronn am Neckar 41, 34. 42, 22; 43ᵇ. 226, 88ᵇ. 227, 85. 228, 8; 29. 229, 3. 306, 24. 381, 24. 650, 32. — Gesandte 765, 34. Vgl. Eyerer. — Juden dort 227, 35. 229, 3. vgl. 228, 29.
Heiligenberg wol in Hessen bei Gensungen 468, 43. 469, 2. 692, 29. 710, 18.
— n. n. ö. v. Konstanz, der Graf (od. die Grafen) von —, wol Gf. Albrecht IV, † 1414: 430, 4. 431, 40.
Heiligenstadt s. ö. v. Göttingen, Bürger zu —, 477, 40.
Heiligenstein, Herr Ber von, in Straßburg, Stadt-meister 1401, Mitgl. d. Neunerbehörde, z. Glefen-führer im Romzugskont. bestimmt 249, 34; 37. 250, 40.
Heilman, Heinz, Schultheiß zu Dortelweil 636, 10.
—, Johann, in Straßburg, Ammanmeister 1403: 503, 28.
—, Magister, Dekan zu Neuhausen, in K. Ruprechts Diensten 194, 17. 198, 25; 45ª.
Heilsbronn (Hailsprunn) zw. Ansbach und Nürnberg, der Abt von —, 602, 16.
Heimberg in der Oberpfalz bei Hemau, Pfleger da-selbst s. Raidenbucher.
Heimbüre, etwa Heimburg in der Oberpfalz zw. Am-berg u. Neumarkt?, Schloß und Zölle daselbst 214, 48ª; 50ª.
Heinrich, Kaiser s. Deutschland. — Herzog s. Baiern.
—, Domprobst s. Lese. — Probst s. Sticher.
— Schreiber Frankfurts u. d. Wetter. Landfr. (Land-schreiber), wol H. Arnoldi v. Gelnhausen 26, 44ª; 38ᵇ. 343, 6. 514, 36 ff. 638, 10; 39ª; 41ª; 47ª. 644, 44ª. 645, 43ᵇ. 648, 19ª; 19ᵇ; 27ᵇ. 664, 11. wol auch 274, 45.
— von (d. i. aus?) Elgershausen, Priester 474, 7.

Heinrich Knecht i. Straßb. Romzugskont. 253, 26.
— von (d. i. aus) Rottweil, desgl. 253, 34.
— von (d. i. aus) Saßbach, desgl. 254, 85.
Heinzel von (d. i. aus) Bennfelt, desgl. 254, 42.
Helfenstein wol n. n. w. v. Ulm bei Geißlingen, der vom —, 429, 43.
Heller s. Haller.
Hellpoldis, d. i. Helpoldessen n. n. w. v. Kassel bei Grebenstein, Wüstung 470, 12.
Helmstadt, wol zw. Wimpfen u. Neckarsteinach?, Hans von —, Ritter, Rath K. Ruprechts, Bruder Bischof R.'s v. Speier, doch wol überall ders.? 219, 32ª; 88ª. 358, 3. 433, 26. 539, 10; (26). auch 540, 40ª; 41ᵇ; 43ᵇ. wol auch 297, 40ᵇ. — Raban von —, Bevollm. u. ansch. Rath K. Ru-prechts 555, 38; 43ª. 556, 6. wol auch 59, 41ª. 665, 11. — Raban von —, s. Speier (Bischof). — Reinhard von —, Rath K. Ruprechts, in s. Sold-dienst 235, 36. 539, 10; (32). auch 540, 40ª; 41ᵇ; 43ᵇ. wol auch 665, 11. — Wiprecht d. ältere von —, Ritter, Rath K. Ruprechts 195, 25. 327, 27ᵇ. 357, 44. 539, 10; (22). auch 194, 42ᵇ. 540, 40ª; 41ᵇ; 43ᵇ. — Wiprecht von —, Bruder Bisch. R.'s v. Speier, wol ders. 659, 39. — Wi-precht d. junge von —, Ritter, in Diensten K. Ruprechts, Vogt (auch Amtmann) zu Bretten 15, 41. 227, 32ᵇ. 358, 2. 504, 44ª ff. 539, 10; (25). 673, 14. 677, 9. auch 540, 40ª; 41ᵇ; 43ᵇ. 674, 15. — Herr Wiprecht von —, einer der beiden vorigen 293, 31. 430, 38.
Hemsbach a. d. Bergstraße n. v. Weinheim 512, 15 ff. 513, 43. 515, 8.
Hengstberg, wol i. d. Grafschaft Mark, die (od. der) von —, 500, 12.
Henneberg (Hennemberg) s. s. w. v. Meiningen, Graf Berthold XIII von —, 1359-1416: 294, 8. 433, 42. 602, 10. — Graf Friderich von —, wol Fr. I 1403-1422: 294, 14. 429, 24. 430, 17. 431, 16. 433, 36. 448, 34. 598, 3. 602, 10. 621, 34. — Graf Heinrich von —, wol H. XI 1359-1405: 430, 26. 431, 10. 433, 41. 448, 40. 598, 3. 602, 9. — Dessen Wirthin (d. i. Gemahlin) 430, 19. — Graf Hermann von —, Domherr, wol H. VI Coadj. i. Bamberg 1376-1412? 659, 11. — Graf Hermann von —, ders. od. H. V 1352-1403? 429, 24. 431, 16. 435, 1. 620, 12. 660, 5. — Der von —, 3, 18.
— (Hennberg), am Niederrhein zu suchen, Phae von —, 344, 29; 36.
Henricus, dominus, in der Kanzlei des Franz von Carrara 157, 23. 158, 23. 159, 29. 160, 8; 33. 171, 21. 173, 13. 324, 5; 17. 332, 28. wol auch 172, 13.
Henslin mit dem engen Mund, Bote Augsburgs 276, 32. 436, 16. 437, 14; 21; 37. 438, 9; 38. — Henslin ohne weiteres, vielleicht ders. 438, 7.
Hentschesheim etc. s. Handschuohsheim.
Heppenheim a. d. Bergstraße s. v. Bensheim 518, 14; 31; 36; 42. 519, 21.

Herczog, Wynant, i. kgl. Solddienst 283, 18.

Herdan, Heinrich, in Frankfurt, Bürgermeister 1405: 343, 9; 19; 25. 345, 4; 8. 351, 33. 439, 13; 18. 492, 21; 26; 29; 33; 36. 493, 3. 511, 34. 512' 14. 593, 21. 643, 36 b. 655, 21. 664, 11; 13.

Hereford in England s. w. v. Worcester, Bisch. Johann Trevenant 1389-1404: 13, 5; 9. 14, 29.

Herford in Westfalen 480, 36 a. 560, 45.

Herfurt, etwa dasselbe?, Herr Haug von —, Kurköln. Rath 658, 25.

Hermann Diener des Franz von Carrara 158, 9.

— der Rothe, in Ulm? 276, 31.

Hermstat, Dietz von —, i. Baier. Solddienst 231, 30.

Herrenalb im Schwarzwald n. w. v. Wildbad, der Abt von —, 509, 44 a.

Herrenberg n. w. v. Tübingen 713, 14.

Hersbruck (Harspruck) o. n. ö. v. Nürnberg 37, 17. 242, 14; 45 b; 46 b; 243, 31 a. 387, 43 a. — Die von —, Gesandte? 659, 25.

Hersfeld (Herschfelden Hiersfelden) Stadt 356, 22. 364, 34. 386, 33. 440, 11. 442, 22. 443, 14. 447, 1: 41. 453, 26. 456, 19. 464, 35; 39. 465, 12; 25. 466, 17. 479, 5. 693, 25.

— Kloster, Abt u. Mönche 478, 2 ff.

Hert, Herr, viell. Hirt von Seinsheim? 294, 2.

Hertemberger, der 294, 23.

Hertenstein s. Hartenstein.

Hertingeßhusen (Hertingeßhusen Hertinshusen) s. s. w. v. Kassel, Friederich von —, Ritter 311, 1. 440, 13. 442, 28. 444, 11. 446, 11 ff. 451, 1; 44 a. 455, 9 ff.; 38. 458, 12. 461, 18 ff.; 37. 462, 9. 463, 37; 41. 466, 2. 469, 31; 34. 470, 18 ff. 471, 25; 49 a. 475, 10; 16; 46 a. 693, 11. auch 366, 31. 461, 45. 462, 2; 6.

Hesse, Hessemann, in Straßburg, Stadtmeister 1402: 485, 17. 487, 6.

Hessen Landgraf Hermann II 1376-1413: 273, 31; 39. 310, 10; 49 a; 45 b. 311, 15; 16; 41 a; 36 b; 45 b. 312, 19. 313, 14. 315, 6. 316, 36. 366, 41. 367, 6. 386, 33. 439, 39. 440, 13. 443, 19. 448, 17. 449, 9; 27. 459, 21; 22. 468, 2; 3. 479, 15. 480, 39 b; 40 b. 481, 16; 27; 32. 482, 12; 43 a. 496, 1. 654, 7; 43. 655, 14. 689, 4; 43 a. 693, 41 b; 47 b. 694, 10. 702, 1. 708, 15; 16. 709, 2. 710, 1. 759, 20. — Seine Gemahlin Margarethe 463, 38. 692, 37. — Seine Räthe Gesandten (Freunde) 294, 11. 469, 42. 470, 1. 689, 30. 710, 3. Vgl. Schöneberg, auch Adelebsen Bernken Rode. — Seine obersten Hauptleute 478, 32. — Seine Amtleute und Vögte 470, 11. 690, 16. 692, 37. Vgl. Elheim Grefenstein Immenhausen Kassel Kirchhain Wolfhagen. — Seine Mannen und Diener Unterthanen Bürger etc. 461, 29. 462, 42. 463, 3. Vgl. Grefenstein Grifte Hoemberg Lankknecht Rustenberg Schmalkalden Silß Wolfhagen. — Seine gen. Bürgen 693, 44 b; 47 b. — Sein Kirchenpatronat s. Rustenberg. — Seine Besitzungen s. außer den gen. Orten Allerberg Balhorn Bilstein Eschwege Germerode Gran Gudensberg Heiligenberg Langenstein Lone Meinhartshusen Melsungen Odolffßhusen Sontra Wetter Widdelberg Zapfenburg.

Hessen (Hassia) Land Fürstenthum 273, 37. 316, 43. 367, 32. 460, 11. 461, 19. 681, 10. 693, 4. 703, 34. — Landfriede in —, 310, 17. 441, 27. vgl. 694, 9. — Klerus (Pfaffheit) in —, 464, 8; 10. 474, 20; 21. Vgl. Fritzlar.

Hettenberg wol in Hessen 475, 8.

Heydörffer (Heydorff), Hans, Söldnerführer im Dienst K. Ruprechts 237, 15.

Heymersheim, Jakob, aus Alzei, Schreiber K. Ruprechts, s. St. Barthol.-Stift zu Frankfurt? 515, 38 ff.; 45 a. 516, 5.

Heynlini, N., wol in d. päpstl. Kanzlei 550, 19.

Hildesheim (Hildensem) Bischof Johann III (Bischof v. Paderborn 1394-1399) Graf v. Hoya 1398-1424: 310, 10; (26). 311, 15. 443, 19. 458, 25 ff. 562, 49. 563, 4. 572, 32; 44 b. 573, 41 a.

Himmelingen (Himlingen), Groß-, bei Aalen 44, 35.

Hirschau i. d. Oberpfalz n. n. ö. v. Sulzbach 243, 18 a.

Hirschhorn (Hirczhorn Hirßhorn), Herr Eberhard vom —, Ritter, Rath K. Ruprechts, sein Kammermeister Landvogt in Oberschwaben u. Hauptm. d. Wett. Landfr. v. 1405: 42, 1. 195, 26. 216, 7. 223, 19; 25. 235, 19. 327, 30 b. 358, 1. 368, 23. 532, 8. 548, 42 a. 596, 7; 46. 597. 631, 14. 632, 40 a. 637, 48 a; 43 b. 688, 40 a. 640, 31 b; 39 b. 641, 15; 36 a; 49 a. 642, 37; 41. 643, 2; 18. 644, 8; 27 a; 33 a ff. 645, 7; 50 a; 42 b. 646, 17; 44 a; 49 a; 45 b. 647, 35; 43 a. 648, 17 a. 658, 31; 32. 677, 22. vgl. 678, 7. — Johann (Hans) vom —, Ritter, Rath K. Ruprechts 41, 34. 194, 28. 199, 44 b. 202, 2; 31. 243, 30 a. 298, 30. 327, 27 b. 357, 45. 399, 32 a; 39 a. 448, 8. 505, 44 a. 518, 34. 527, 31. 528, 1. 539, 10; (22). 545, 10; 41 a. 658, 35 a. 659, 12; 17. 677, 82 a. auch 194, 42 b. 201, 26. 540, 40 a; 41 b; 43 b. viell. auch 399, 2. — Der von —, wol einer der beiden vorigen 297, 40 b. 435, 23.

Hirsperg, wol Hirschberg n. ö. v. Eichstädt, der Landrichter zu —, s. Pairstorffer.

Hobeherr, Wolprecht, in Kurmainz. Diensten 476, 29.

Hochberg i. Schwarzwald n. v. Freiburg, Markgraf Hesse von —, † 1410: 727, 42. — Mf. Rudolf III von —, zugleich Mf. v. Rötheln 1352-1428: 495, 29 b. 727, 40.

Hochkirch, Johann, in Achen, Schöff 321, 13; 28. 322, 27.

Höchst (Hoiste) a. Main zw. Frankfurt u. Mainz, der Amtmann dort 644, 22. — Zoll dort 16, 17. — Landfriedenszoll dort 343, 12; 29. 351, 28. 589, 44. 590, 4. — Gulden von —, 347, 7; 28. — (Hoeste bi Lintheim) n. w. v. Frankfurt bei Staden 592, 35; 46. 593, 15.

Hoemberg, wol Homberg a. ö. v. Fritzlar, Heinrich von —, 477, 30. Vgl. Homberg.

Hoemburg, wol das folgende?, die von —, 476, 22; 23; 25.

Hoenburg, wol Homberg a. d. Ohm w. s. w. v. Alsfeld 476, 40. Vgl. das vorige.

Höne, Konrad, Knecht i. Straßb. Romzugskont. 254, 29.

Hörauf, Herr Hans, Probst zu St. Stefan, wol in Bamberg? 294, 17. 602, 6. etwa auch 621, 27. 659, 36? — Paulus 432, 18.

Hörnlin, Ludwig, in Augsburg, wol Rathsherr 661, 9.

Hoffart, Johann, Mainzer Domherr 517, 41ᵃ.

Hofgeismar (Geismar) n. n. w. v. Kassel, Schloß 459, 3. 471, 30. 692, 13. 700, 40ᵃ. — Die von —, die Bürger der Stadt 456, 4; 7; 9. 461, 27 ff. 464, 14; 21. 469, 7; 10. 470, 30. 475, 20 ff. 478, 11. — Der Rath 456, 10. — Ein Bürger 475, 40.

Hofheim (Hoffheim) n. ö. v. Worms 514, 36.

Hofmann (Hofeman Hoffeman), Fritz, aus Nürnberg, in Frankfurt 560, 19 ff.

Hofwart, Herr Albrecht 294, 23.

Hohenberg ö. v. Rottweil, die Herrschaft zu —, 672, 15.

Hohenfels s. s. w. v. Amberg 670, 34ᵇ.

Hohenlohe (Hohenloch) n. n. w. v. Rotenburg, Herr Albrecht von — (-Weikersheim), † 1429: 55, 7. 430, 22. etwa auch 431, 23? — Herr Eberhard von — -Öhringen, wol ein Bruder des vorigen? 621, 30. — Herr Georg von —, s. Passau. — Herr Johann (Hans) von — (-Uffenheim), † 1412: 3, 17. 294, 19. 433, 44. 449, 2. 598, 3. 602, 22. 658, 20. 659, 27. 761, 41ᵃ. etwa auch 431, 22? — Herr Ulrich von —, † 1407: 658, 18. — Der von —, 431, 15. vgl. auch 660, 4.

Hohenstein (Hoenstein) wol im Elsaß bei Niederhaslach, Rudolf von —, Ritter 508, 29.

Hohentrüdingen n. ö. v. Oettingen, Vogt u. Pfleger dort s. Mittelburg.

Hohnstein (Hoenstein Honstein) n. n. ö. v. Nordhausen, Graf Heinrich VIII zu —, Herr zu Lare u. Klettenberg 1367-1408: 310, 10; (29). 311, 15. 446, 36; 38. 691, 20; 24; 25. 692, 7. — Der von —, wol ders. 463, 10; 12; 15. — Sein Sohn (od. s. Söhne?) 446, 37.

Holenberg, der, etwa Hollenberg s. w. v. Baireuth? 35, 31. 36, 4.

Holland, Graf Albrecht von —, s. Baiern. — Die drei von —, wol ders. u. s. Söhne Wilhelm u. Johann 393, 20.

Holnstein, wol s. ö. v. Nürnberg bei Beilngries, Herr C. Truchseß von — und dessen Sohn 432, 86.

Holzhusen, Johann von —, in Frankfurt, Rathsherr 345, 7. 439, 12; 17. 492, 28; 33. 493, 8.

Homberg, Eberhard, aus Fritzlar 470, 37.
— s. Hoemberg Hoenburg.

Homburg wol i. d. Pfalz n. v. Zweibrücken, Albrecht u. Heinrich von —, Brüder 17, 38.

Homburg wol zw. Eimbeck u. Hameln, Heinrich Herr zu —, 310, 10; (31). 311, 15.

Hoppler, Klaus, Diener Hzg. L.'s v. Baiern (od. Pf. Ludwigs?) 222, 18; 19.

Horenbecken, Christoph, i. kgl. Solddienst 235, 11.

Hornest, d. i. Ernst, s. Baiern.

Hornstein bei Sigmaringen, Ludwig von —, Ritter, i. kgl. Solddienst 235, 28. 433, 20.

Huben, Friderich von der — (de Mitra), in Diensten K. Ruprechts 360, 12. 403, 4; 35ᵃ ff. 404, 46ᵃ. 405, 17ᵃ ff. — Heinrich von der (zur) —, Küchenmeister K. Ruprechts, dann Unterhofmeister u. Haushofmeister zu Heidelberg 235, 23. 539, 10; (33). 548, 37ᵃ. 644, 7; 28ᵃ. auch 540, 40ᵃ; 41ᵇ; 43ᵇ. wol auch 645, 48ᵃ.

Huc, Johannes, Sekretär u. Rath Hzg. Philippa v. Burgund 195, 31. 197, 12. vielleicht auch 196, 17.

Hüffelin (Hüffel), Herr Reinbold, in Straßburg, Ritter, Glefenführer i. Romzugskont. 250, 12. 253, 20. 255, 27.

Hürnheim s. v. Nördlingen, Herr Herdegen von —, 432, 5. 621, 36. — Wilhelm von —, 432, 6. — Der von —, Wirtemb. Rath 429, 33. — Der von —, 294, 9.

Hütingen wol in Schwaben 438, 2. Vgl. Ütingen.

Huffental, d. i. wol Hübenthal o. n. ö. v. Kassel bei Witzenhausen 471, 1.

Hug, Hans, Gesandter Gmünd's 523, 24 ff.

Hugenhawsen, Erhard, i. Baier. Solddienst 230, 16.

Hugolt, Herr, Sächs. Gesandter 317, 20.

I vgl. Y.

Igelpekchen, Heinrich, i. Baier. Solddienst 231, 8.

Ilmenau Nebenfluß d. Elbe, Zoll auf der —, 480, 33ᵃ.

Immenhausen s. ö. v. Hofgeismar, Amtleute zu —, 475, 35.

Imola w. s. w. v. Ravenna, Bischof Nikolaus d'Assisi 1399-1402 wol gemeint 104, 3.

Ingelheim, Ober- u. Nieder-, zw. Mainz u. Bingen 402, 48ᵃ; 49ᵇ. vgl. 362, 8.

Ingolstadt 214, 12. 219, 18. 297, 42ᵃ. 437, 27; 31. 662, 7.

Innocenz, Pabst, s. Rom.

Innsbruck (Insprücke) in Tirol 214, 27. 289, 33; 47ᵇ. 528, 2. ferner als Ausstellungsort v. Urk. etc. s. chronol. Register 1401 Sept. 25-29.

Inprucker, Herr Ulrich 433, 31.

Iphofen (Ipshoven) o. s. ö. v. Wirzburg, die von —, 430, 24.

Isaak Jude (aus Oppenheim) 237, 6.

Isenburg v. Koblenz, Jungherr Johann H von —, Herr zu Büdingen 1384-1408: 635, 10; 43ᵃ. 637, 20. 640, 48ᵇ. 641, 16; 39ᵃ; 46ᵃ; 34ᵇ. 642, 15. 643, 9. 645, 7. 646, 17; 43ᵃ. — Der Herr von —, wol ders. 765, 30. — Sein Vertreter beim Landfrieden s. Beldersheim Fußchin.

Isni (Ysni Ysiny) im Allgäu 42, 9; 22. 226, 38ᵇ. 227, 27. 228, 8. 229, 18. 306, 23. 376, 6. 382, 7. 750, 2; 49ᵃ. 751, 36ᵃ; 33ᵇ. — Juden daselbst (nicht vorhanden!) 227, 27. 229, 13.

Italien (Ytallia, partes Italie, partes Italice, Ausonia, Welschland) Land, auch Herren und Communen etc. (Reichsangehörige) dort, Italiener 4, 25; 48. 8, 9; 12. 17, 42. 18, 15. 23, 1; 8. 32, 26; 36. 34, 14; 37. 53, 31. 56, 37. 60, 20. 61, 14. 62, 16. 63, 10. 68, 1; 8; 23. 69, 28. 70, 3. 73, 3; 7. 74, 6. 80, 13. 81, 37. 82, 3; 4; 25. 83, 31. 84. 85, 23. 86, 8. 87, 14; 15. 89, 11; 12; 17; 20; 29. 90, 30; 34. 91, 1; 4. 96, 22. 97, 11. 98, 24. 100, 30. 101, 10. 102, 11. 107, 7; 30; 43. 109, 32; 36; 39. 111, 14; 22; 23; 82. 114, 4; 20. 115, 25. 116, 41. 117, 36. 119, 4. 120, 26. 124, 48. 125, 3; 6. 130, 21; 23. 131, 25; 32; 43. 135, 11. 136, 17; 30. 138, 24. 142, 13. 143, 14. 145, 3. 147, 13. 148, 1. 149. 1; 83; 35. 150, 29. 152, 5; 17; 18. 157, 3. 166, 32; 33. 169, 18. 173, 17; 19; 23. 174, 2. 175, 31; 37. 176, 6; 41ᵇ. 181, 8. 186, 34. 189, 23; 28. 190, 41. 191, 30. 192, 21. 197, 27. 201, 23. 204, 31; 32. 210, 1; 16; 17. 211, 30; 39. 214, 46ᵃ. 229, 33. 231, 6. 245, 11. 246, 7; 30. 247, 2; 9; 28; 34. 256, 23. 266, 15. 282, 13. 289, 21; 33. 291, 5; 22; 34. 292, 22. 293, 36ᵇ. 312, 31. 313, 31; 39. 324, 8; 29; 34. 325, 3; 32ᵇ. 327, 7; 9; 36ᵃ. 328, 1; 3; 34; 38. 329, 2; 3; 28; 35. 333, 22. 334, 3; 38ᵇ. 336, 40ᵃ; 38ᵇ. 338, 35ᵇ. 342, 25. 343, 15; 21; 42ᵃ. 363, 15. 385, 32; 35. 400, 19. 402, 6; 7. 406, 30; 33. 408, 8; 33ᵇ. 409, 39. 414, 12. 416, 24. 439, 15. 525, 16. 526, 33. 527, 2; 6; 36. 528, 2; 15. 530, 8. 533, 4; 18. 536, 47ᵃ. 537, 23; 26; 35. 550, 21. 551, 14. 686, 49ᵃ. 688, 18. — Reichsvikare in —, 327, 22ᵃ. Vgl. Bentivoglio Carrara Casale Este Gonzaga. — Oberitalische (auch Lombardische) Ligue 84, 23. 117, 26 ff. 120, 31 ff. 130, 18. 136, 22. 176, 44ᵃ. 329, 34. 334, 4; 5; 6; 7. Deren Truppen 325, 2. 326, 10. — Der Deutschordensmeister in Deutschland und —, s. Eglofstein. — Ein nicht gen. Italiener 186, 40ᵃ. — Vgl. Predigerorden Pryntzen.

Ivois s. Ybische.

Iwan s. Yban.

J.

Jac[obus] Registrator in der päbstl. Kanzlei 547, 10.

Jacobus Schreiber in K. Ruprechts Kanzlei s. Heymersheim.

— Kaplan des Deutschordensmeisters 215, 15. 216, 2.

Jäcklin Bote der Stadt Augsburg 293, 43ᵃ. 435, 16. 436, 11. 438, 1.

— (Jeckelin) Knecht i. Straßb. Romzugskont. 254, 9.

Jakob (Jacop) von Ettenheim, desgl. 254, 3.

— (Jocop) von Stomdartzheim, desgl. 253, 40.

Jauer in Schlesien s. v. Liegnitz, Herzogthum 191, 46ᵃ.

Jeger, Johann, Knecht i. Straßb. Romzugskont. 254, 16.

Jena (Jhene) i. Thüringen 425, 38ᵇ.

Jerusalem, König Ludwig von —, s. Anjou. — Vgl. Neapel (K. Ladislaus). — Johannitermeister dort s. Naliak.

Jesi s. Esium.

Job, Meister s. Vener.

Johanellus, dominus, wol Gesandter des Franz v. Carrara 326, 30.

Johann (Giovanni Hans Johans), Herzog s. Mailand u. Pfalzgraf. — Burggraf s. Nürnberg. — Landgraf s. Leuchtenberg.

—, Graf, etwa v. Hohenlohe? 431, 22.

—, Herr, Pastor zu Unkel, Kurköln. Vertreter 303, 1. 305, 20.

—, Meister, Jurist (der Stadt Nürnberg?) 429, 15.

— bischöfl. Speier. Kaplan u. Zollschreiber zu Utenheim 219, 34ᵃ; 38ᵃ.

— von Ferrara, Diener des Mfn. v. Montferrat 376, 31.

Johannes Kammerschreiber (notarius camere) K. Ruprechts 212, 21 ff. 213-219. 242, 30ᵇ. 386, 16 ff. 387. 388.

—, Magister, i. d. Kanzlei des Franz v. Carrara 318, 4. 324, 17. 325, 6.

— Abt eines Benediktinerklosters in Piacenza, Bote Joh. Galeazzos 178, 40ᵇ.

— Bote Joh. Galeazzos, derselbe? 179, 2.

— wol in Diensten K. Wenzels 193, 7.

— Bote K. Sigmunds 178, 2.

Johanni (Johannis) s. Giovanni.

Johanniterorden, Großmeister s. Naliak. — Meister in Deutschen Landen s. Siegelholcz.

Jost (Jodocus), Markgraf s. Luxemburg.

Juden (Judei) 24, 2. 44, 45ᵃ. 226, 20. 516, 22; 28. 639, 12. — Vgl. Elias Isaak Mair Michel, ferner unter Augsburg Bopfingen Eßlingen Hall Kolmar Konstanz Lindau Memmingen Nördlingen Nürnberg Ravensburg Regensburg Rotenburg Sachsen Sankt-Gallen Schlettstadt Schweinfurt Überlingen Ulm Weil Weißenburg Windsheim. — Nur angeblich vorhandene Juden s. Aalen Biberach Buchau Buchhorn Dinkelsbühl Giengen Gmünd Isni Kaufbeuren Kempten Leutkirch Pfullendorf Reutlingen Rottweil Wangen Weinsberg Wimpfen Wyl.

Jülich s. Geldern.

Juliano, ser Franciscus, in Venedig, Consiliarius 91, 15. 102, 34.

K vgl. C.

Kämmerer (Kemerer Camerarius), Johann, gen. von Dalberg (Talburg), Ritter, Rath K. Ruprechts u. Schultheiß zu Oppenheim 12, 38. 13, 9. 194, 29. 198, 25; 45ᵃ; 48ᵃ; 42ᵇ. 200, 4. 390, 30. 391, 21; 29. 494, 6 ff. 539, 10; (23). 540, 48ᵃ. 542, 1; 27ᵃ; 39ᵃ ff. 673, 14. 677, 8. auch 194, 42ᵇ. 279, 2. 395, 38. 401, 5. 540, 40ᵃ; 41ᵇ; 43ᵇ. wol auch 327, 28ᵇ. 394, 1. 544, 5. 674, 15. — Vgl. Kemerer.

Kärnthen (Kernden) 413, 23. — Pfalzgrafen zu —, s. Görz. — Vgl. Carnica provincia.

Kagerer, Ulrich 36, 31. 430, 16. — Der, wol ders. 429, 37.

Kaisersberg (Keisersperg) im Elsaß bei Kolmar 39, 23. 212, 26. 241, 47ª. 306, 25. 415, 34. 672, 34ª; 44ª. — Gesandte 769, 36ª; 31ᵇ; 41ᵇ.

Kaiserslautern (Lutern) i. d. Pfalz 402, 51ª. vgl. 362, 8. — Die Lande zu —, 488, 49ᵇ.

Kaiserswerth n. n. w. v. Düsseldorf, Burg 360, 21. — Zoll zu —, 360, 12; 21.

Kalden n. w. v. Kassel bei Grebenstein 478, 23; 27.

Kamer, Arnold von —, 432, 34.

Kamerberger (Camerberger) 432, 28.

Kamerer (Kämmerer), Konrad, aus Nürnberg, Knecht i. Straßb. Romzugskont. 254, 33. — Ulrich, in Nürnberg 259, 9.

Kamm (jetzt Cham) i. d. Oberpfalz n. v. Straubing 670, 25ᵇ.

Karl, Kaiser s. Luxemburg.

Karlstein s. w. v. Prag 426, 43.

Kassel in Hessen 472, 34; 36. 704, 30. 707, 6. — Amtleute von —, 475, 35. — Altäre dort 474, 1.

Kastel s. Castell.

Kastilien (Castella) König Heinrich III 1390-1406: 208, 8ff. 211, 2ff. 377, 46. — Infant Ferdinand, später (1412) König v. Aragonien u. Sicilien, Bruder des vorigen 208, 8ff. 211, 3ff. — Die Mutter der beiden, Eleonore Schwester K. Martins III von Aragonien Cousine K. Ruprechts 208, 12. —, Fürsten (od. hervorragende Männer) d. Landes 686, 49ª.

Kastner, Konrad, Landschreiber zu Amberg, in Diensten K. Ruprechts 425, 26. 426, 6; 19. — Vgl. Amberg (Landschreiber).

Katzenellenbogen (Kaczinelnbogen), Graf Eberhard VI 1385-1403: 13, 30; 36. 495, 29ᵇ. — Graf Johann III (Sohn Gf. Diethers VI) 1402-1444: 635, 7. 637, 18. 642, 1ff. 643, 9. 644, 2. 645, 7. 646, 17. auch 495, 29ᵇ. wol auch 727, 39. — Der Graf von —, wol der vorige 765, 29.

Kaufbeuren (Kouffbüren) 42, 9; 22; 50ª; 43ᵇ. 226, 38ᵇ. 227, 23. 228, 8. 229, 9. 306, 23. 382, 6. 750, 2; 42ᵇ. 751, 38ª; 50ª; 33ᵇ. — Juden dort (nicht vorhanden!) 227, 23. 229, 9.

Kauma (etwa f. Cumae, Como?) s. Malatrea.

Keldorholz (Kelterholz), Gehölz in Hessen, wol s. v. Hofgeismar? 475, 14. 476, 7.

Kelner, Rucker, Amtmann zu Assenheim 636, 29; 47ᵇ.

Kemerer, Heinrich 488, 45ᵇff. — Ort, i. kgl. Solddienst 237, 3. — Vgl. Kämmerer.

Kemnater (Kempnater), Altmann, in Diensten K. Ruprechts 425, 26. — Eltel, wol ders. 602, 8.

Kempten (Kompte Kemptun) bei Memmingen 42, 9; 22. 226, 38ᵇ. 227, 22. 228, 8. 229, 8. 306, 23. 376, 6. 382, 5. 750, 2; 49ª. 751, 36ª; 32ᵇ. — Gesandte 429, 23. 431, 29. — Juden daselbst (nicht vorhanden!) 227, 22. 229, 8.

Kerpen s. Cherpen.

Keuchen, d. i. Kaichen i. d. Wetterau s. s. ö. v. Friedberg, das Freigericht dait 636, 41ᵇ. — Der Amtmann desselben s. Stockheim.

Kiensberg (Kyensperg), Fritz von —, 432, 18.

Kington (Kyngtoun), Johannes, Bacc. in leg., Engl. Gesandter 13, 20. 14, 3; 14. 338, 15; 40ª. 402, 47ᵇ.

Kirburg (Kirberg Kyrburg) a. d. Nahe, Graf (Wildgraf) Gerhard von —, 1358-1408: 727, 38. — Der Graf von —, wol ders. 765, 28.

Kirchberg s. v. Ulm, Graf Eberhard von —, Elekt, dann Bischof v. Augsburg s. Augsburg. — Graf Eberhard von —, etwa derselbe? 713, 8; 12; 18. —, Friderich von —, Deutschordensprovincial auf Sicilien, aus ders. Familie? 209, 42ᵇ.

Kirchdorf, d. i. wol Kirtorf in Hessen ö. v. Schweinsberg, das dortige Gericht 476, 35.

Kirchhain (Kirchan) ö. v. Marburg, Amtleute etc. dort 476, 10; 12.

Kirchheim (Kircheim) wol bei Heidelberg, Johann (Hans), auch Joh. von —, Hofgerichtsschreiber (Hofschreiber Protonotar) K. Ruprechts, Pf. Ludwigs Heimlicher 53, 23. 226, 34. 227, 4; 10. 228, 7ff. 321, 48ª. 322, 13. 323, 11. 388, 9. 450, 2. 620, 12. 659, 43.

Kirichhaimer, Wilhelm, i. Baier. Solddienst 230, 6.

Kirkel (Kirkele) w. n. w. v. Zweibrücken 240, 36. 241, 3; 7.

Klaus von Kolbotzheim, Knecht im Straßb. Romzugskontingent 254, 5. — von Marbach (Margbach), desgl. 253, 22. — von Speier, desgl. 254, 18.

Klausen in Tirol unterh. Brixen 214, 50ᵇ.

Kleinkunz (Cleincůnz), Hans, Gesandter Hagenaus 769, 32ᵇ.

Klettenberg (Clettinberg) w. n. w. v. Nordhausen, s. Hohnstein.

Klingenstein (Clinginstain) wol bei Blaubeuren, der von —, 297, 41ᵇ.

Klosner, der, i. Baier. Solddienst 231, 20.

Knebel (Knebil, einmal verschrieben Kleeben), Gerlach, Rath K. Ruprechts 539, 10; (30). auch 540, 40ª; 41ᵇ; 43ᵇ. — Otto, Ritter, Rath K. Ruprechts u. s. Burggraf zu Stahlberg 539, 10; (24). auch 540, 40ª; 41ᵇ; 43ᵇ. — Tham (Dam), Ritter, Rath K. Ruprechts u. s. Marschall 12, 38. 13, 9. 235, 32. 294, 1. 539, 10; (27). 545, 36. 555, 38; 43ª. 556, 6. auch 540, 40ª; 41ᵇ; 43ᵇ. — Werner, gen. Itelknebil, Rath K. Ruprechts 294, 1. 539, 10; (31). auch 540, 40ª; 41ᵇ; 43ᵇ.

Knepser, Ülin, Bote Augsburgs 438, 2.

Knöringen (Knoringen) wol i. d. Pfalz bei Edenkoben (od. das folgende?), Eglof (Eglolf) von —, licenc. in decretis, Dompropst zu Speier, Protonotar K. Ruprechts 327, 34ᵇ. 555, 37; 43ª. 556, 5. — wol östlich von Ulm bei Burgau, Hilpolt und Wilhelm von —, 433, 13. — Einer von —, 433, 7.

Koblenz (Cobelencz Covelencze) 294, 34. 295, 27.
296, 16; 39. 495, 11. 569, 39. — Das Stift
St. Florin dort 547, 30ᵃ. Probst desselben s.
Lynße. — Die Gulden von —, 347, 13; 28.

Kochersberg i. Elsaß bei Zabern 728, 23.

Köln (Cölle Collen Colln Cologna Kölne) Erzbischof
Friderich III Graf von Saarwerden 1370-1414: 2,
23. 36, 38. 58, 48ᵇ. 63, 41. 70, 37. 71, 20; 26.
186, 20. 245, 34; 37. 256, 36. 257, 4. 258, 20.
260, 42. 261, 5; 29. 269, 20. 274, 38. 284, 26.
285, 1. 292, 36. 305, 18. 320, 28. 344, 27; 38.
393, 20. 402, 40ᵇ. 405, 7; 11. 423, 11. 495, 13.
496, 7; 41ᵃ. 505, 30; 32. 506, 7; 12; 20. 508, 6.
511, 10. 565, 34; 38. 569, 2. 657, 30. 686, 42ᵃ.
727, 37. 728, 35; 47. 765, 26. auch 495, 29ᵇ.
Vgl. Deutschland (Kurfürsten) u. Rhein (Kurff.). —
Seine Räthe bzw. Gesandten (Freunde) s. Bijlke
Gymnich Herfurt Johann. — Sein Kanzler 431,
41. — Sein Rentmeister s. Gymnich. — Sein Volk
(d. i. Kriegsvolk) 245, 39; 40. — Seine (die
Kölnischen) Gulden 303, 46ᵇ. 346, 16. 348, 17.
349, 15. 350, 3; 34; 35. 351, 9. 566, 23; 34.
567, 17. 568, 8; 23; 24. Vgl. Bonn.

— Erzbisthum Kirchenprovinz 686, 42ᵃ. — Klerus
(Pfaffheit) zu —, 548, 30ᵃ. — Thesaurarius d.
Kirche u. Kustos d. Stifts s. Leiningen. — Erbkämmereramt 344, 17. Vgl. Bachem. — Geistliche,
Notare u. Tabellionen d. Stadt u. Diöcese 274,
38. — Probst zu St. Severin s. Sticher. — Dekan
zu St. Maria ad gradus s. Smalenburg.

— (Chöln) Stadt 5, 25 ff. 12, 40. 13, 24. 14, 16;
21. 17, 24. 46; 32. 203, 26. 213, 11. 245, 13.
246, 24. 274, 11; 15; 25; 30. 278, 23 ff. 291, 11.
295, 19; 27. 296, 11; 38. 297, 1; 7; 18; 21.
299, 21. 306, 27. 323, 12; 39ᵃ; 39ᵇ; 42ᵇ. 328,
22. 338, 39ᵃ. 347, 3. 353, 9. 360, 14. 379, 4.
382, 22; 29. 383, 15; 16. 388, 20. 403, 27; 30.
404, 9; 32 ff. 405, 43ᵇ. 422, 22. 424, 12. 425, 1.
498, 15. 502, 10. 503, 1. 511, 1. 565, 2; 25;
40ᵃ. — Die Herren vom Rath, Rathsfreunde, Gesandte 295, 32; 34. 352, 12; 14; 31; 34. 353,
16. wol auch 304, 23. 305, 12. Vgl. Bernsauwe
Gobel. — Bürger und Kaufleute 422, 31; 37.
Vgl. Cherpen Dijck, auch Moylsberch? Rutger? —
Graf Konstantin zu —, s. Konstantin.

Königgrätz (Grez-Reginalis, auch nur Gretz) in Böhmen 189, 47ᵃ. 190, 8; 32. 191, 47ᵇ. auch 189,
12; 18.

Königsbach n. w. v. Pforzheim 501, 36ᵇ.

Königsberg (Künigsperg) i. Franken ö. v. Schweinfurt, Vogt dort s. Andreas.

Kolbsheim (Kolbotzheim) bei Straßburg, Kuno von —,
in Straßburg, Glefenführer i. Romzugskont. 250,
16. 251, 31. 253, 36. 255, 28. 256, 6. 257, 32. —
Vgl. Klaus.

Kolmar im Elsaß 212, 34. 241, 46ᵃ. 306, 25. 672,
34ᵃ; 44ᵃ. etwa auch 567, 4? — Gesandte 765,
32. 769, 36ᵃ; 31ᵇ; 41ᵇ. Vgl. Graben. — Die
Juden dort viell. gemeint 212, 34.

Konrad von Brúningesheim (d. i. Preungesheim?),
Knecht i. Straßb. Romzugskont. 253, 43.
— von Pfettesheim, desgl. 254, 37.

Konstantin (Costin Costyn), Graf, zu Köln oder
Deutz 5, 27; 29; 37. 6, 2; 5. 274, 32. 323, 42ᵇ.

Konstantinopel Stadt 123, 8. — Reich von —, 118,
28. 131, 18. 139, 3; 6. — Kaiser Manuel II
Paläologus 1385 bzw. 1391-1425: 377, 49. — Ein
Grieche von —, 434, 25.

Konstanz (Costencz) Bischof (Marquard v. Randeck
1398-1407) 257, 48ᵃ. 381, 8. — Klerus (Pfaffheit)
zu —, 547, 43ᵇ; 49ᵇ.

— (Costnicze) Stadt 17, 29; 37. 41, 11; 24; 28.
42, 4. 226, 38ᵇ. 227, 16. 228, 8; 10. 229. 3;
31. 306, 24. 375, 50. 376, 5; 6. 381, 17. 436,
20. 522, 3. 676, 24ᵃff. 750, 47ᵃ. 751, 36ᵃ. —
Juden dort 227, 16. 229, 3. vgl. 228, 10. — Verbündete Städte s. Bodensee.

Kotzau wol in Oberfranken bei Hof, Eberhard von —,
432, 13.

Kra, Dietrich 620, 26.

Krain Land 413, 23.

Krakau, König von —, s. Polen.

Kranich, Herr Heinrich, in Straßburg, Altammann-
meister 1401, Mitgl. d. Neunerbehörde 250, 5; 42.

Krautheim (Crutheim) s. w. v. Mergentheim, Amtmann dort s. Aschúsen.

Krauwel, in Frankfurt? 439, 27,

Krebs Bürgermeister zu Salvelt (d. i. Saalfeld?)
621, 5.

Kreß, Hilpolt, aus Nürnberg 217, 46ᵇ. wol auch
217, 15.

Kreuzberg (Cruczeberg, mons Crucis), der, in den
Karnischen Alpen 33, 43. 153, 36ᵃ. 245, 6. 246, 11.

Krieg, Werner, von Altheim, Amtmann zu Dreieichenhain 636, 27; 44ᵇ.

Kröwel, Rudolf, aus Nördlingen, wol Rathsherr 375, 2.

Kropsberg (Cropsberg) i. d. Pfalz n. w. v. Edenkoben, Eberhard von —, Ritter, Rath K. Ruprechts
327, 32ᵇ. — Gerhard von —, Ritter 195, 27.

Krusschina, Jan, gen. v. Leuchtenberg 416, 30ᵃ.

Kuchenmeister, Herr L., 433, 10. — Der, im Baier.
Solddienst 231, 22.

Kuchler (Chuchler), Hans, desgl. 231, 38. — Der,
desgl. 231, 19. — Dessen Gesellen, desgl. 231, 31.

Külsheim, wol bei Weinsberg (od. s. v. Wertheim?),
Eberhard von —, 432, 20.

Künzelmann (Chúnczelman), Ulrich, in Augsburg,
wol Rathsherr 660, 11. 661, 9; 12.

Kufstein am Inn w. s. w. v. Salzburg 219, 16.

Kulmach, etwa Kulmbach n. n. w. v. Baireuth?, die
von —, 431, 9.

Kunzlin (Cúntzelin) von Erloch (Erlech), Knecht i.
Straßb. Romzugskont. 254, 23.
— von Wangen, desgl. 253, 30.

Kuttenberg (der berg zum Chutten, montes Chutni)
in Böhmen o. s. ö. v. Prag 187, 34. 188, 25. 423,
37ᵇ.

Kutterlin (Kotterlin), Hans, Amberger Bürger 214, 2; 33ᵃ. vgl. 222, 31.

L.

L..... Stadtschreiber in Regensburg 46, 13 ff.
Laber in der Oberpfalz w. n. w. v. Regensburg, Hadmar von —, Bürgermeister von Regensburg (1401) 46, 14 ff. — Hadmar Herr zu —, Rath u. Heimlicher K. Ruprechts, derselbe? 53, 20 ff.; 40ᵃ. 214, 6; 42ᵃ. 334, 10. 335, 19. 545, 9; 41ᵃ. — Dessen Sohn Ulrich 214, 45ᵃ. — Der von —, wol Hadmar 428, 31. 429, 42. — Der junge von —, i. kgl. Solddienst, wol Ulrich 234, 10. — Der von — (wol Hadmar) und dessen 2 Söhne 433, 25.
Ladenburg (opp. Laudenbergense) n. w. v. Heidelberg 274, 42.
— (Laudenburg), Jakob von —, Domherr zu Worms, Bevollm. K. Ruprechts 360, 11.
Ladislaus, König s. Neapel.
Ladronum s. Lodrone.
Lahnstein (Loinstein Lonstein) oberh. Koblenz 496, 9. — Nieder-, 495, 10. 496, 6.
Lamerden bei Hofgeismar, die von —, 478, 29.
Lamparten Lamperthen etc. s. Lombardei.
Landau (Landaw), etw. a. d. Isar?, Herr Eberhard von —, Ritter, i. kgl. Solddienst 231, 1. 431, 27.
— (Landauwen), etwa i. d. Baier. Pfalz?, Johannes de —, Registrator i. d. Kanzlei K. Ruprechts 21, 44. 25, 40. 43, 13. 49, 17. 56, 25.
Landeck im Hersfeldischen, das Gericht zu —, 478, 3.
Landgraf, der, s. Hessen Leuchtenberg.
Landsberg (Lanndsperg Lantsperg) am Lech s. v. Augsburg 230, 28. — Das Landgericht zu —, 29, 30; 37. 30, 36. 32, 8; 38.
— (Landesperg), Herr Heinrich von —, s. Müllenheim.
Landschade, Diether 15, 47. — Kunz, von Steinach, Rath K. Ruprechts, sein Vogt zu Trifels 15, 44; 47. 358, 4. 539, 10; (29). 666, 40. auch 540, 40ᵃ; 41ᵇ; 43ᵇ. wol auch 668, 27. — Herr C., wol ders. 659, 12; 17. — Ulrich, Ritter, Vitztum K. Ruprechts zu Amberg (1401), s. Burggraf zu Alzei (1404) 16, 19. 35, 17; 18. 36, 10. 358, 2. 428, 30. 539, 10; (26). auch 540, 40ᵃ; 41ᵇ; 43ᵇ.
Landshut (Landeshût Lantzhût) a. d. Isar, die von —, Gesandte? 659, 21. — Einer von —, 602, 11. — Vgl. Peter.
Landus s. Fortini Perusio.
Langenmantel, Johann (Hans), von Wertungen, in Augsburg, wol Rathsherr 435, 18; 38. 436, 22. 438, 21. 660, 11. 661, 9. — Ein Bote seines Tochtermanns 438, 6.
Langenstein in Hessen bei Kirchhain 471, 16.
Langensalza s. Salza.
Lankknecht, Eckhard, in Hess. Diensten 478, 11.
Lapide, Otto bzw. Syfridus de —, s. Stein.
Lare, d. i. Lohra s. w. v. Nordhausen s. Hohnstein.

Latisana ö. v. Portogruaro s. Tagliamento 128, 19. 133, 16. 135, 11. 176, 36ᵃ.
Laubach (Laupach) ö. v. Gießen, Amtmann dort, s. Peffersack.
Lauda (Luden) a. d. Tauber 386, 18; 38ᵃ. — Amtmann dort, s. Rosenberg.
Laudenburg s. Ladenburg.
Lauingen s. Logingen.
Lauredano, ser Ludovicus, in Venedig, Prokurator, einer der Savj 126, 4. 127, 7. 128, 28. 131, 40. 132, 31. 133, 27. 134, 34. 135, 21. 137, 16. 138, 13. 140, 6. 193, 28.
Lausanne a. Genfer See 542, 27ᵃ; 35ᵃ.
Lausitz (Lusitz), die Mark zu —, 707, 40. — Der nicht geno. Markgraf zur —, (d. i. K. Wenzel?) 495, 29ᵃ.
Lautern s. Kaiserslautern.
Layminger (Layninger), Hans, i. Baier. Solddienst 232, 1. — Konrad 432, 1. — Seiz, i. Baier. Solddienst 231, 13. — Urban, desgl. 231, 12. — Der 294, 13.
Legnano (Lignagum) w. s. w. v. Este s. d. Etsch 88, 1.
Leiningen (Leyning Lyningen), Graf Emicho (Emich) VI von —, † 1442, Hofmeister K. Ruprechts (1400-1404) 46, 22; 30. 58, 50ᵇ. 195, 23. 214, 24. 216, 22. 223, 19. 242, 28ᵇ. 244, 36ᵇ. 247, 24ᵇ. 248, 24. 263, 2; 5; 21. 293, 10. 327, 41ᵃ; 24ᵇ. 368, 19. 386, 16; 22. 387, 2; 34. 410, 41ᵇ. 428, 13. 449, 9. 479, 18. auch 18, 30; 36. 495, 29ᵇ. — Graf Friderich VIII von —, † 1487, Gesandter K. Ruprechts 198, 25; 45ᵃ; 48ᵃ; 42ᵇ. 199, 48ᵃ. 727, 34; 43. 768, 38; 42ᵇ. — Graf Gottfried (Joffrid) von —, Domherr zu Mainz, Kustor u. Thesaurarius der Kölner Kirche, Kandidat f. d. Straßb. Bisth. u. d. Trierer Erzbisth., Gesandter K. Ruprechts 13, 18. 195, 23. 368, 12. 728, 27. auch 71, 5. 73, 34. — Graf Johann von —, zu Rickingen, † vor 1430: 373, 6. 487, 38. 488, 1. auch 495, 29ᵇ. — Ein dortiger Kaufmann 274, 30.
Lemlin Augsburger Bote 437, 24; 25. 438, 11.
Lemberg a. d. i. Lengefeld auf d. Eichsfelde n. w. v. Mühlhausen, das Gericht zu —, 478, 18.
Lengenfelt wol Burglengenfeld s. d. Naab n. v. Regensburg 16, 22. 666, 9.
Leo, Peter, in Ulm, wol Rathsherr 735, 17.
Leone s. Lione.
Leopold (Leupolt Lupolt), Herzog s. Habsburg.
Leso, Heinrich, Dompropst zu Verden 311, 4. 458, 10. 459, 10.
Leuchtenberg (Lewhtemberg Lewtemberg) i. d. Oberpfalz n. u. ö. v. Nabburg, Landgraf Johann (I?) von —, Rath K. Ruprechts 46, 21; 30; 40. 420, 39. — Graf Hans der ältere von —, Landgraf Johann senior, wol ders. 294, 3. 430, 25. — Der Landgraf zum (von) —, wol ders. 331, 21; 26. 666, 20. — Der junge Landgraf (Johann) von —,

620, 34. 659, 9; 24. wol auch 621, 15. 658,
18. — Die alte Landgräfin vom —, wol des erst-
gen. Gemahlin 431, 24.
Leuchtenberg (Luchtemberg) s. Krusschina.
Leutkirch (Lutkirch Lukirch) zw. Memmingen u. Isni
42, 9; 22. 226, 38 b. 227, 24. 228, 8. 229, 10.
306, 23. 376, 6. 382, 8. 750, 2; 50 a. 751, 36 a;
33 b. — Juden dort (nicht vorhanden!) 227, 24.
229, 10.
Levante (partes Levantis) 131, 12. — Venet. Be-
sitzungen dort (loca Levantis) 131, 16; 18.
Levigo, Menatus de —, Bote (Läufer) des Fr. v.
Carrara 159, 29.
Lich (Lieche) s. ö. v. Gießen, Amtmann dort, s.
Drahe.
Lichtenau w. s. w. v. Baden 373, 47.
Lichtenberg (Liechtinberg) i. Elsaß s. v. Bitsch, Herr
Ludemann von —, wol ein Bruder Johanns VI?,
i. kgl. Solddienst 234, 26. — Der von —, etwa
Hofmeister der Königin? 297, 39 b. — Der Herr
von —, 765, 30. — Zwei Herren von —, 498, 8;
10. auch 503, 32.
Lichtenstein (Liehtenstein) wol n. n. w. v. Bamberg,
Herr Hans von —, Ritter, Rath des Bischofs von
Bamberg, Pfleger des Stifts 619, 8. 620, 31. 621,
24. — Herr Hans von —, Hofmeister, ders.? 620,
43. — Der von —, wol ders. 602, 45 a.
— wol in Oberbaiern zu suchen 230, 27.
— wol eines der beiden vorigen, Herr Georg (Görge)
von —, 433, 36. — Karl von —, 433, 37.
Lieber, in Augsburg, Rathsherr, Baumeister 1402:
435, 19. 438, 27. 439, 2.
Liechtenberger, Georg 390, 12.
Lienz (Lincz Luntze Luoncz) i. Tirol a. d. Drau 6,
24. 96, 32. 97, 27. 171, 42 b. 418, 13. wol auch
233, 31. — Einwohner dort s. Steinbeck.
Liesberg (Lyesperg) wol w. v. Bamberg, Herr Friderich von —, 659, 42.
Ligue s. Italien Lombardei.
Limburg (Lympurg) s. v. Schwäbisch-Hall, Herr
Friderich Schenk zu —, Rath K. Ruprechts Hauptmann i. Fränk. Landfr. 327, 26 b. 479, 21. 539,
10; (21). 578, 7. 582, 19. 588, 34; 44. 602, 7.
603, 27; 41 a. 610, 35; 47 a ff. 613, 49 a. 620, 13.
621, 26. 623, 2. 658, 20; 33. 659, 41. 663, 2.
auch 540, 40 a; 41 b; 43 b. — Der Schenk von —,
Rath K. Ruprechts, wol ders. 303, 15. 305, 15.
523, 11 ff. — Der Schenk von —, wol ders. 243,
13 a. 434, 28. 435, 1. 602, 7. 621, 26. 663, 2. —
Die Schenken von —, 430, 22.
Linaroliis, Donatus de —, Vertreter des Fr. v. Carrara 231, 48 a.
Lindau (Lindow Lyndaw) a. Bodensee 17, 30. 41, 28.
42, 4. 226, 38 b. 227, 20. 228, 8; 13. 229, 3.
306, 24. 376, 5. 381, 21. 750, 48 a. 751, 36 a. —
Gesandte 429, 5. — Juden dort 227, 20. 229, 3.
vgl. 228, 13.
Linden, Herr Johann von —, Ritter, Amtmann zu
Münzenberg 636, 12; 42 a. 637, 2.

Lindenfels i. Odenwald ö. v. Bensheim, Amt 517,
40 b. — Vgl. Wißkreiße.
Lione (Leone), Luca da (Lucas de) —, Gesandter
des Fr. v. Carrara 170, 8; 9; 10. auch 168, 34. —
Paulus de —, desgl., in s. Kanzlei 169, 26. 326,
28. 328, 15. 329, 19. 330, 11. 336, 14. 408, 25.
412, 27 a. wol auch 411, 8. — Sein Bote 411, 8.
Lodi i. d. Lombardei 532, 24 b.
Lodrone (Ladrone Ladronum) im Tridentinischen am
Chiese, Piero (Per Petrus) da (de) —, Brescian.
Edler 69, 30. 160, 20; 28. 170, 5. 176, 4. viell.
auch 169, 1. — Sein Läufer 171, 6.
Löselin (Lösel), Adam, in Straßburg, Mitgl. d. Neu-
nerbehörde 250, 3; 4. — Ulrich, ebend., Giesen-
führer i. Romzugskont. 250, 20. 254, 19. 255, 32.
256, 11.
Löw, Peter, Bürgermeister, wol in Ulm? 375, 2; 9.
Löwenstein (Lewenstein) o. s. ö. v. Heilbronn, Graf
Heinrich von —, 1380-1444, i. kgl. Solddienst
234, 29. — Der von —, wol ders. 430, 27.
— (Lewenstein) in Hessen a. d. Schwalm, die von —,
die Leuwensteinischen 466, 13; 16. 693, 15.
Logingen, etwa Lauingen n. w. v. Augsburg? 375, 2.
Lohne (Lone) bei Fritzlar w. v. Gudensberg 473,
22.
Lombardei (Lampartein Lamparthen Lamperten Lanpparten Lombardien Lugubardia) Land, auch Reichsangehörige Communen Herren u. Edle dort, Lom-
bardon (Lambardi) 6, 20. 17, 40; 45. 18, 44; 47.
21. 29, 17; 18; 33; 43 a. 32, 20. 35, 9; 43 b.
52, 43. 55, 38. 56, 32. 58, 17. 60, 38. 62, 16;
37. 63, 2. 68, 16. 74, 6. 80, 42 b. 93, 14. 117,
10. 142, 13. 145, 11. 148, 1. 149, 1. 150, 29.
182, 31. 183, 16. 188, 19. 203, 6. 207, 18. 212,
38. 213, 12; 34 a. 214, 9. 217, 54 a; 26 b; 37 b.
220, 15; 23. 221, 3; 7; 16; 27. 222, 26. 231,
46 b. 232, 30; 33. 233, 28. 234, 20. 235, 17. 236,
5; 9; 46 a; 44 b. 237, 1; 3; 6. 238, 16. 239, 27.
240, 35; 43 a. 241, 43 a. 242, 10; 13; 26 b. 243,
4; 13 b. 250, 1. 258, 21. 266, 9. 267, 1. 289, 39.
292, 24. 293, 6; 21; 34 b. 328, 30. 337,
23; 24; 34. 389, 24. 399, 23. 401, 41. 402, 29 a;
32 a. 409, 3; 9; 34. 410, 20; 21; 22; 27. 420, 4.
428, 8. 520, 28. 526, 35. 527, 7; 36. 528, 15;
34. 529, 38. 532, 24 b. 533, 18; 42 b. 536, 18.
539, 11. 540, 40 a. 543, 32; 35; 41. 544, 16.
546, 39 a. 550, 21. 551, 15. 557, 23. 669, 9. 681.
682. — Gesandte Lombardischer Herren 528, 29.
530, 23; 32; 38. — Ligue in der —, (liga Ytalie
et Lombardie) 181, 1. Vgl. Italien (Oberital.
Ligue). — Kaufleute von der —, (von Lamparten)
360, 13. 410, 7. 503, 34. 504, 5. Vgl. Camercio
Straßburg. — Landleute (terraçani) aus der —,
71, 34.
London 13, 15; 40; 45. 14, 11; 13. 278, 43. 338,
42 a. 404, 42; 43. — Vgl. Westminster.
Loredo, Herr de —, etwa der Herzog von Lothringen?,
sein Marschall 65, 19.
Loterpeck, Erhard 433, 9.

Lothringen, Herr Friderich von —, Herr zu Rumigny u. zu Bone (Bovines?) Graf zu Vaudemont 1390-1415: 760, 3.
— (Lothoringia Ludringen Luthringen Lutteringen) Herzog Karl I 1391-1431, Schwiegersohn K. Ruprechts 2, 42. 6, 18. 128, 5. 217, 11. 222, 8. 240, 25. 241, 39ᵃ. 258, 17. 264, 14. 373, 14; 17. 493, 7. 495, 26ᵃ; 34ᵃ. 561, 33; 37; 41; 45. 760, 2; 44ᵇ; 47ᵇ. — Wol ders., mit Hzg. L. v. Baiern verwechselt 130, 46ᵃ. — Sein Rath 431, 25. — Sein Kaplan u. Sekretär s. Walderfingen.
Loufenberg, Peter, in Achen, Schöff 321, 12; 27. 322, 27.
Loyliano, Nicholaus de —, Söldnerhauptmann 78, 24.
Lucca (Luca Lucke civitas Lucana) n. n. ö. v. Pisa 65, 2. 148, 36ᵃ; 32ᵇ. — Der Herr von —, und Reichsvikar dort s. Guinigi. — Dortiger Kaufmann s. Martini.
Luden s. Lauda.
Ludenbach, wol Laudenbach a. d. Bergstraße n. v. Weinheim, Hans von —, Kämmerer K. Ruprechts 212, 28. vgl. 387, 15.
Ludwig (Lodewich Ludweyg), Kaiser s. Baiern. — Herzog s. Baiern u. Pfalzgraf.
Lübeck (Lubecke) 317, 21. 480, 36ᵃ. 560, 45. auch 728, 35. — Ein Priester von —, 430, 36.
Lüttich (Lutich) Johann VI Herzog von Baiern-Holland Elekt 1389-1418, † 1425: 274, 38. 420, 38. wol auch 393, 20. — Sein Vitztum in Baiern 420, 38.
— Bisthum 728, 11. — Der Probst von —, 285, 33. — Geistliche, Notare u. Tabellionen d. Stadt u. Diöcese 274, 38.
— Stadt 208, 26.
Lützelburg i. Elsaß bei Barr 768, 26ᵃ.
Luoncz Lüntze (wol nicht Luincis a. Gartokanal) s. Lienz.
Lupfen (Lupphen) s. s. ö. v. Rottweil, Graf Johann I von —, Landgraf v. Stühlingen 1388-1436: 495, 29ᵇ.
Lusitanien, Fürsten (od. hervorr. Männer) d. Landes 686, 49ᵃ.
Lutern s. Kaiserslautern.
Luxemburg Haus (d. i. Familie) 185, 28.
— Elisabeth Tochter Hzg. Johanns v. Görlitz Gemahlin Hzg. Antons v. Burgund u. später Hzg. Johanns v. Baiern-Holland, Hzgin. v. Luxemburg 1411-1451: 420, 29ff. 679, 1; 7; 8.
— Heinrich (III bzw. VII) Graf von Luxemburg 1288-1313, Deutscher König 1308-1313: 47, 39ᵇ.
— Jost (Jodocus Jodacus) Sohn Mf. Joh. Heinrichs v. Mähren, geb. 1351, † 1411, Mf. v. Mähren 1375, Mf. v. Brandenburg 1395, Röm. König 1410-1411: 179, 10. 180, 3. 186, 47ᵃ. 191, 12. 377, 4. 413, 25; 26. 414, 18. 415, 5. 416, 28ᵃ; 35ᵃ. 422, 9. 425, 20; 35ᵃ. 426, 10. 427, 6. 653, 13; 27. auch 495, 29ᵇ. wol auch 687, 24. 688, 4; 6; 9. — Seine Besitzungen in Böhmen 416, 3; 12.
— Karl (Charel Karle) IV König v. Deutschland u.

Böhmen 1346, Röm. Kaiser 1355, † 1378: 42, 46ᵇ. 44, 13. 46, 20. 47, 40ᵇ. 609, 15. 759, 44ᵃ.
Luxemburg Prokop (Prochopius Procopp) Bruder Josts, Markgraf v. Mähren 1375-1405: 179, 10. 180, 3. 189, 13. 190, 14; 15. 191, 44ᵃ. 330, 22. 334, 26; 29. 336, 17. 338, 1. 377, 4. 421, 24. 653, 13. vgl. 422, 40ᵇ. kaum 687, 24. 688, 4; 6; 9.
— Sigmund (Sigismondus Sygismundus), Sohn Karls IV, geb. 1368, † 1437, Mf. v. Brandenburg 1378-1395 u. 1411-1415, König v. Ungarn 1387, Reichsvikar 1396, Röm. König 1410, König von Böhmen 1419, Kaiser 1433: 176, 39ᵃ. 177, 22; 44ᵇ. 178, 32ᵃ. 179, 6ff.; 35ᵃ. 180, 2. 185, 5. 186, 3. 188, 1; 29; 39. 189, 1; 39ᵃ; 49ᵇ. 190, 13; 21. 191, 42ᵇ. 192, 21; 32ᵃ; 35ᵃ; 39ᵃ; 40ᵇ. 193, 25. 194, 34ᵃ; 34ᵇ. 289, 37. 290, 3; 13. 329, 28. 331, 33. 332, 2; '35. 333, 26. 334, 11. 336, 16ff.; 39ᵃ; 31ᵇ; 38ᵇ. 337, 27; 31; 42. 338, 2. 363, 14ff. 374, 9. 377, 1; 3. 407, 20; 22; 39ᵇ. 413, 11. 414, 6; 34ᵃ; 40ᵇ. 415, 29. 417, 13; 14; 30ᵃ; 40ᵃff. 418, 30. 419, 3. 421, 17; 21; 27; 30. 422, 8; 31. 423, 13; 45ᵃ. 425, 39ᵃ; 33ᵇ; 40ᵇ. 427, 34ᵃff. 436, 6; 17. 510, 8. 557, 19. 653, 10ff. 678, 31. 687, 34ᵇ. — Sein Kanzler s. Meißen (Bischof). — Sein Sekretär s. Paulus. — Seine Räthe und Gesandten 289, 37. 545, 25. 687, 10; 29. Vgl. Meißen (Bischof). — Seine Boten s. Ernfeser Johannes.
— Wenzel (Wenczlaw Vencislaus Vincislaus) Sohn Karls IV, geb. 1361 † 1419, Mitregent u. König von Böhmen 1363 bzw. 1378-1419, Markgraf von Brandenburg 1373-1378, Röm. König 1376-1400: 4, 48. 5, 1. 35, 49ᵃ; 40ᵇ. 45, 34. 46, 8. 48, 50ᵃ. 53, 18; 19. 67, 1; 7. 138, 23. 175, 26. 176, 39ᵃ. 177, 4; 22; 36ᵇ. 178, 15; 49ᵃ. 179, 30ᵃff.; 31ᵇ. 180, 1. 181, 8. 185, 7. 186, 1; 40ᵃ. 188, 1; 30; 39. 189, 38ᵃ; 48ᵇ. 190, 15. 192, 20; 38ᵃ; 40ᵇ. 193, 39ᵇ; 42ᵇ. 194, 47ᵃ. 290, 13. 324, 34. 329, 28. 331, 35. 332, 3; 6; 9; 35. 333, 24; 27; 29. 334, 11. 336, 16ff.; 39ᵃ; 32ᵇ; 37ᵇ. 337, 27; 31; 42. 363, 13ff. 374, 9. 377, 1; 4. 393, 18. 401, 39. 402, 28ᵃ. 404, 4. 407, 20; 22; 39ᵇ. 413, 27; 29; 31. 414, 7; 34ᵃ; 40ᵇ. 415, 13; 20; 30. 416, 4; 20; 34ᵇ. 417, 24. 418, 3; 29. 419, 3. 421, 22. 422, 1. 424, 20. 425, 7; 42ᵃ. 426, 11; 32. 427, 8; 32ᵃff. 435, 30; 31. 436, 17. 437, 22. 450, 29. 489, 36ᵃ. 495, 28ᵇ. 496, 45ᵃ. 497, 15. 498, 35ᵇ. 510, 9. 536, 36ᵇ; 37ᵇ; 38ᵇ. 543, 6. 557, 19. 571, 23. 572, 15; 16; 37. 581, 37. 653, 9ff. 669, 16. 678, 7. 707, 40. 759, 44ᵇ. vielleicht auch 436, 4. — Sein (zweiter) Schwiegervater s. Baiern (Hzg. Johann). — Seine Fürsten etc. 180, 26. 181, 3. — Sein Kanzler s. Antiochia. — Seine Räthe Gesandten Freunde 141, 24. 177, 15. 178, 49ᵇ. 181, 4. 190, 39. 422, 6. 424, 19. 427, 7. 678, 1. Vgl. Chaustnik, auch F.? — Sein Bote s. Beheim. — Seine Besitzungen s. Bargstain Beheimstein Eger Wijden.
— (Lutzelnburg) Grafschaft 436, 11.

Luxemburg Stadt 487, 19. 498, 80 b. — Ein Straßburger Berichterstatter dort 487, 19 ff.

Luzern 728, 35.

Lynße, Herr Johann von —, Probst zu St. Florin in Koblenz, Kurtrier. Vertreter 803, 1. 305, 22.

M.

M., W. (od. L.?) de —, auch nur W. (wol Sigle?), Bevollm. K. Ruprechts 388, 80. 341, 14; 27.

Mähren (Merhen Merhenn Moravia) Markgrafschaft Land 190, 14. 191, 44 a. 413, 19. 420, 16; 17. — Markgrafen s. Luxemburg (Jost u. Prokop).

Magdeburg (Medeburg Meydeburg), Erzbischof Albrecht III von Querfurt 1382-1403: 810, 9. 311, 14; 45 a.

Mage (od. Magen) wol zum Straßb. Romzugekont. gehörig 257, 40.

Mager, Friderich, aus Frankfurt 426, 31. 482, 38 b. — Derselbe wol auch 428, 28.

Maghalotti, Filippo, aus Florenz? 530, 33. 531, 35.

Magna, d. i. Alamagna, s. Deutschland.

Maiental, Wilhelm von —, senior u. s. Sohn 432, 22.

Mailand Erzbischof (Petrus Filargo 1402-9) Gesandter Joh. Galeazzos 411, 23.

— Herzog Bernabo Visconti 1354-1385: 68, 14.

— (Magelon Meilan Meilon Melano), Herzog Johann Galeazzo (Galeaç Galleacius Galeacii) Visconti, Graf v. Pavia u. Vertus etc., häufig einfach Graf v. Vertus (comes Virtutum) oder der von Mailand (miles Mediolanensis) genannt, v. d. Florentinern als tiranno Milanese, el tyranno, el nimico bezeichnet, Neffe des vorigen 1378-1402: 4, 22 ff. 5, 10; 31; 40. 21, 24. 55, 16. 58, 20. 59, 1. 60, 4; 20; 38. 61, 6. 64, 39. 67. 68, 2; 13. 69. 70. 71. 72, 11 ff. 73, 4; 13; 17. 74, 6; 9. 80, 14 ff. 84, 22; 38 b. 85, 2. 88, 44 b. 89, 38 a; 41 a; 42 a. 90, 10. 93, 11; 27. 88. 94, 3. 95, 7. 107, 21; 23; 35; 41. 108, 4; 35; 38. 110, 7. 111, 25; 31; 36. 112, 19; 24. 114, 14. 116, 2. 117, 2; 8; 28 ff. 118, 2; 6; 16; 36. 119, 3. 120, 18 ff. 122, 32; 39. 123, 2; 16. 130, 20; 21; 25. 135, 23. 136, 12 ff.; 24. 138, 24; 26; 35; 38. 140, 1. 141, 16; 20. 142, 7 ff. 143, 20. 145, 16. 148, 35 a. 149, 4. 150, 31. 152, 9; 11; 25; 36. 155, 8. 157, 29. 159, 8. 163, 23; 26; 28. 164, 1 ff.; 19. 165, 25; 26; 31. 166, 12; 14. 170, 13; 22. 172, 8; 10. 175, 31. 176, 46 b; 47 b. 178, 15; 41 a; 49 a; 40 b. 179, 38 a. 180, 35. 182, 18 ff. 184, 5. 188, 29; 35. 190, 13; 18. 192, 20. 197, 5. 199, 36. 203, 43. 204, 2. 208, 15; 22. 224, 2; 21. 241, 26. 245, 29; 33. 258, 29. 285, 20; 21. 286, 34. 290, 16. 325, 1. 326, 2; 33 b ff. 328, 35; 41. 329, 28. 333, 3. 334, 28. 337, 19. 385, 33. 386, 4. 393, 7; 14; 15. 394, 3. 397, 28. 398, 1; 11. 408, 20; 36 a; 37 a. 409, 18. 410, 19; 26; 38 a. 411, 2. 412, 25 a. 414, 10. 416, 23; 25; 35 b. 498, 38 b.

531, 24. — Seine Gemahlin resp. Wittwe Herzogin Katharina 141, 1. 328, 36. 413, 44 a. 524, 14 ff. 525, 40 a; 45 a. 530, 30. 531, 9; 27; 28. 532, 47 a. 533, 1. — Seine bzw. seiner Gemahlin Söhne (die von Mailand) s. weiter unten Johannes Maria und Philipp Maria. — Seine Tochter Valentine s. Orléans. — Seine Gesandten 68, 28; 33. 117, 16. 118, 14; 16. 120, 28. 208, 16; 18; 21; 23. Vgl. Soardus, ferner Canalis Curte Dechani Feltre Grovenich Novara. — Seine Räthe s. Babavara und (angeblich v. ihm vergiftet) Bivilaqua Caulcabo Palavisino Rosso. — S. Großconstabel s. Albricus. — Seine Hauptleute 409, 8; 33. Vgl. Albricus Cane Gonzaga Malatesta Mantua Terzo Verme Vicenza. — S. Truppen 71, 10; 31. 104, 23; 26. 107, 35. 152, 36. 325, 11; 14. 326, 10; 11. 327, 5. 328, 20; 28; 41. — Sein Arzt s. Tosignano. — Ein Beamter seiner Kanzlei s. Filippinus. — Sein Bote bzw. Reiter s. Cristalinus Johannes. — Sein Territorium Gebiet, seine Besitzungen 62, 17; 37. 70, 35; 42. 71, 4; 6. 72, 3; 5; 18; 23. 170, 14. 224, 36. Vgl. Bassano Legnano Ostiglia Verona Vicenza.

Mailand Herzog Johann Maria Visconti, ältester Sohn des vorigen, auch il tirrano genannt, 1402-1412: 11, 40. 141, 1. 411, 26. 413, 43 a. 416, 19; 34 b. 524, 15 ff. 525, 40 a; 45 a. 529, 28. auch 65, 6. 531, 9. 533, 1. 688, 2. wol auch 493, 21. 510, 9. 528, 30. 530, 27. 682, 7. 683, 14. — Seine und seines Bruders Besitzungen s. Brescia.

— Karl, Lucia und Mastinus s. Visconti.

— Philipp Maria Visconti, jüngerer Bruder Johann Maria's, Graf von Pavia, Herzog 1412-1447: 416, 20; 34 b. 524, 16 ff. auch 65, 6. 531, 9. 533, 1. 688, 2. wol auch 493, 21. 510, 9. 682, 7. 683, 14.

— Herzogthum 498, 37 b. — Gebiet 529, 11; 31; 33. — Benachbarte Staaten 140, 18.

— Stadt Commune, auch die Mailänder (Meilanschen) 6, 10. 69, 31. 71, 1; 28; 30; 31. 72, 6. 228, 19. 378, 19. 416, 26. 493, 25. 531, 27. 532, 34 a. 551, 6. — Die von —, wol die Herzöge, s. diese. — Podestà s. Allagonia. — Genannte Behörden 188, 38; 45 b. 196, 20. 378, 17. 413, 45 a. 525, 41 a; 45 a. — Ein Mailänd. Kaufmann 5, 26; 29; 36. 323, 42 a.

Main (Mein Meyn) Fluß 576, 9. 638, 26. 644, 21; 22.

Mainz Erzbischof Gerlach Graf v. Nassau 1346-1371: 513, 28. 514, 30. 759, 44 a.

— Erzb. Adolf I Graf v. Nassau 1373 bzw. 1381-1390: 470, 39. 471, 11; 39 a; 46 a. 513, 29. 514, 30.

— Erzb. Konrad II v. Weinsberg 1390-1396: 310, 43 b. 471, 3; 11. 513, 31. 514, 32. 517, 37 b. — Seine oder Erzb. Adolfs Gulden 349, 4; 27.

— (Meintz Mentz) Erzb. Johann II Graf von Nassau 1397-1419: 16, 16. 28, 34. 186, 20. 269, 22. 273, 31; 35; 39. 284, 18. 292, 36. 297, 32 a.

104 *

305, 16. 306, 5; 8. 310, 10; 12; 47ᵃ. 311, 14; 43ᵃ; 34ᵇ; 44ᵇ; 46ᵇ. 312, 19. 313, 15. 315, 7. 316, 35; 40; 41. 317, 3. 343, 23; 27. 366, 29ff. 367. 371, 29; 39. 373, 43. 374, 8; 19. 402, 40ᵇ. 423, 10. 439, 33; 39. 440, 12. 443, 17. 449, 26. 453, 1; 4. 457, 14; 17. 459, 20; 22. 468, 1; 3. 472, 48ᵃ. 479, 15. 481, 15ff. 482, 9. 495, 15; 43ᵃ; 23ᵇ. 496, 1ff.; 39ᵃ; 42ᵃ; 43ᵃ. 500, 2; 5. 506, 16. 511, 27. 513, 1; 2. 514, 2; 44ᵇ. 515, 13. 517, 1; 31ᵃ; 30ᵇ. 565, 34; 38. 569, 2. 571, 15; 42ᵃ. 580, 7; 47. 594, 27ff. 625, 42ᵇ; 44ᵇ. 626, 14; 19. 628, 28; 35; 36. 631, 9; 12. 648, 20ᵇ. 654, 7; 43. 655, 14. 657, 30. 663, 19. 685, 17. 686, 45ᵃ. 689, 3; 5; 44ᵃ. 691, 31ᵃ; 47ᵃ; 39ᵇ. 692, 43ᵃ. 693, 41ᵇ. 694, 9. 698, 38ᵇ. 702, 1; 38ᵃ; 48ᵃ; 40ᵇ. 708, 14. 709, 1. 710, 1. 727, 37. 728, 38; 39; 46. 735, 22. 739, 31. 740, 2; 34. 741, 3. 750, 1. 759, 43ᵃ; 43ᵇ. 761, 34; 40ᵃ. 763, 19ff. 764, 21. 766, 2; 5; 9; 25; 31. Vgl. Deutschland (Kurff.) u. Rhein (Kurff.). — Sein Bruder s. oben Erzb. Adolf. — Sein Rath, seine Räthe u. Gesandten (Freunde) 448, 85. 463, 40. 465, 17. 513, 41. 515, 6. 518, 16. 519, 3. 689, 30. 690, 10. 710, 3. Vgl. Assenheim Brymßer Cronberg Scharfenstein Stein. — Seine Richter, geistl. Richter, geistl. Gericht 351, 31. 462, 41; 44. 463, 4. 472, 30; 40. 474, 5; 27. 514, 26. 516, 3. — Seine (bzw. des Erzstiftes) Amtleute etc. (auch Burggraf Vitztum Landschreiber) 366, 29. 461, 17ff.; 36. 464, 35. 465, 32. 466, 22; 24. 516, 20; 31. 690, 16. Vgl. Aschaffenburg Assenheim Aschüsen Erbach Falkenberg Gertenrade Hertingshausen Rustenberg Scharfenstein. — Sein oberster Hauptmann 465, 22. — Sein Landfriedens-richter s. Breitenbach. — Seine (bzw. des Stiftes) Mannen Burgmannen Diener Bürger Unterthanen (arme Leute) 366, 30. 458, 6. 462, 26. 513, 26. 514, 25. 518, 10ff. 519, 32. Vgl. Bickenbach Budenhusen Fritzlar Geismar Hanstein Heiligen-stadt Hobeherr Kalden Lammerden Malsburg Men-gelrode Stein Westerhane Ziegenhain. — Seine (bzw. des Stifts) Besitzungen etc. s. außer schon gen. Orten Aldendorf Allerberg Altenstädt Ballen-berg Beheimachford Belderßhusen Bibelnheim Bingen Dramersheim Duderstadt Ebichendorff Eschwege Geismar Hassloch Heiligenberg Heppenheim Het-tenberg Höchst Kelderholz Krautheim Langenstein Lindenfels Naumburg Rockenhausen Sontra Star-kenberg Wetter Wiedelberg Zapfenburg. — Seine (Mainzische) Gulden 303, 44ᵇ. 346, 21. 348, 21. 349, 10; 33. 350, 34. 351, 7ff. 352, 2; 25. 353, 9. 354, 2. 566, 22; 34. 567, 24. 568, 10; 26. Vgl. Bingen u. Höchst.

Mainz Stift Erzbisthum Kirche Stuhl 28; 35. 445, 14. 447, 12. 460, 21; 31. 461, 28. 462, 12. 468, 44. 471, 1; 4. 476, 22. 516, 19. 631, 9. 690, 12; 32; 37; 38. 691. 692, 10; 33. 693, 28. 703, 29. 704, 3; 16. 708, 23. — Domkapitel (Kapitel, Do-kan u. Kapitel) 310, 11. 547, 38ᵇ. 690, 39. 691,

82ᵃ; 48ᵃ; 41ᵇ. 708, 27. — Dekan desselben s. Eberhard. — Domprobst u. Domschulmeister s. Schonenburg. — Domherren s. Erbach Hoffart Nassau Stein Ziegenhain. — Domkirche 687, 1. — Probst der Peterskirche dort s. Rode. — Suffra-gane des Erzstifts, Prälaten, Klerus (Pfaffheit) 686, 25. 687, 1. 740, 2. 741, 3. Vgl. Fritzlar Grefenstein Hessen Rotenberg Witzenhausen. — Klöster 471, 36. 472, 17; 19. Vgl. Annenberg Celle Germerode.

Mainz Stadt (Magança Maguncia Meincze Mentz) 13, 32. 21, 22. 26, 15; 28. 27, 9. 28, 34; 43ᵃ. 55, 36. 62, 10. 73, 36. 235, 19; 21. 266, 28. 269, 14; 22; 25. 273, 36. 274, 10. 279, 2. 284, 11; 46ᵇ. 289, 22. 292, 38. 294, 34; 35; 36. 295, 27; 28. 296, 11; 32. 297, 7; 35ᵃ. 298, 11. 299, 21; 23. 300, 2ff. 303, 21; 23. 304, 31. 305, 12. 306, 27. 308, 18. 316, 13. 331, 5; 9. 332, 42ᵃ. 338, 41ᵇ. 343, 26. 345, 13; 14. 346, 29. 348, 2. 350, 23. 351, 27; 29; 36. 352, 31. 353, 1; 4; 15. 355, 1. 375, 42; 47. 382, 21; 29. 383, 15; 16. 388, 20; 22. 483, 25; 31; 34. 484, 2; 6; 8. 485, 22. 488, 19. 502, 21. 506, 10. 573, 17. 576, 8; 11. 589, 43; 44. 593, 9; 27; 30. 624, 27. 625, 1; 6; 35ᵃ; 48ᵃ; 41ᵇ. 631, 7. 641, 29. 642, 18; 33. 649, 34. 651, 31; 32. 655, 21. 656, 10; 43ᵃ. 657, 30. 660, 37ᵃ. 661, 39ᵃ. 686, 38. 728, 50. 734, 28. 735, 23. 740, 2. 741, 2. 759, 22; 44ᵇ. 762, 2. 763, 15; 18. 764, 14; 40. 765, 25; 41ᵇ. 766, 31; 32. 767, 6. auch 728, 35. wol auch 348, 24. 492, 22ff. — Gesandte der Stadt, Raths-freunde 26, 2; 36ᵇ; 40ᵇ. 294, 40. 295, 32. 296, 15. 299, 33. 300, 1; 11. 353, 8. 354, 1. 429, 13. 483, 22. 484, 17ff. 506, 10; 12. 511, 14. 513, 41. 515, 6. 727, 34; 43. 769, 36ᵃ; 31ᵇ; 41ᵇ. wol auch 304, 23. 305, 12. 352, 35. 488, 23. 489. 490, 25ff. 491, 21; 30. Vgl. Swalbach. — Das städt. Romzugskontingent 258, 23; 26. 259, 35; 38. 260, 8. 261, 2; 6. 264, 10; 15. 266, 36; 39. 267, 2ff. vgl. 261, 9; 34: 37; 38. 262, 8. — Das städt. Guldengewicht 255, 1; 26ᵃ. — Die Straße zw. Frankfurt und —, 516, 20.

Mair Jude (aus Kronberg) 662, 15.

Mairhofer, Ulrich, i. Baier. Solddienst 231, 7.

Malatesta, Karl von —, Vikar der Röm. Kirche 378, 10. 408, 36ᵃ. — Pandulf von —, dosgl., außerdem Mailänd. Hauptmann 378, 11. 409, 7; 32.

Malatrea (Malacrea), Rassonis od. Rasso?, in Kauma (etwa Rusconi in Como?) 378, 36.

Malsburg (Malspurgk) w. n. w. v. Kassel bei Volk-marsen, die von —, 469, 40. 470, 3.

Malvicinia, Johannes Francisci de —, Söldnerhaupt-mann 78, 15.

Mangolt aus Nördlingen 43, 35ᵇ.

Maninus in Udine, Steuerpächter (Daciarius) 171, 42ᵃ; 46ᵃ; 25ᵇ.

Mansfeld in Thüringen s. v. Aschersleben, Graf Al-brecht II von —, 1382-1414, i. kgl. Solddienst 233, 22. — Graf Günther (II? 1397-1413?) 310,

10; (30). 311, 15. — Der (od. die?) von —, 448, 28.

Mansperger, Peter, Bote Augsburgs 293, 45ᵃ. 436, 10. 437, 4; 8; 13; 26.

Mansse, Jakob, Örtel Manssen sel. Sohn, in Straßburg, Glefner i. Romzugskont. 250, 29. 254, 12. 255, 32. — Johann, Klaus Manssen Sohn, desgl. 249, 33. 250, 26. 254, 1. 255, 32.

Mantua (Mantoa Mantova) 147, 9. 182, 30; 32; 36. 535, 45ᵃ. — Reichsvikariat von —, 535, 32ᵇ. 536, 44ᵃ. 537, 15. — Reichsvikar bzw. Herr von —, s. Gonzaga. — Graf Ludwig von —, s. Gonzaga (Franz). — Abt des Andreasklostors dort s. Nerlis.

—, Galeazzo de —, ansch. Mailänd. Söldnerhauptmann 170, 20.

Marbach (Martpach) n. w. v. Ludwigsburg 739, 19. 740, 23; 24; 25. 742, 14. 761, 5; 19; 33. — Vgl. Klaus.

Marburg (Margpurg) in Hessen 317, 2.

Marcello, ser Fantinus, in Venedig, einer der Capita de 40: 91, 17.

Marcus i. d. Kanzlei des Fr. v. Carrara, Schreiber? 325, 6. 410, 46ᵃ. 413, 6.

Mark (Marg), der Graf von der —, s. Cleve.

Markgraf (marchese), der, s. Baden Este.

Markswarter, der 621, 1. — Herr Marx Warter, derselbe? 434, 2.

Marschalk, Dietz 429, 25. — Fritz 433, 2.

— Goswin, i. Baier. Solddienst 230, 22.

—, Günther, Ritter, Bürgermeister v. Basel 48, 48ᵇ. 49, 28; 42ᵃ.

—, Seitz, wie Goswin 232, 4.

—, Herr Ulrich, von Oberndorf und dessen 2 Söhne 294, 22.

— s. Bieberbach Bocksberg Pappenheim Walnroder.

Martini, Franciscus, Kaufmann in Lucca 170, 31ᵃ. wol auch 170, 3.

Mastino, misser, am Französ. Hofe, etwa Vortreter des Fr. v. Carrara? 395, 20.

Mathias (Mathis) K. Ruprechts Protonotar s. Sobernheim.

Matthaeus (Matheus), Meister, etwa von Chrochow? 662, 21. Vgl. Chrochow.

Matrei (Matrau) s. v. Innsbruck 234, 4.

Mauro, ser Antonius, in Venedig, einer der Savj 81, 7. 83, 25. — Ser Donatus, desgl. 90, 15. 126, 6. 127, 7. 128, 29. 131, 1. 132, 32. 133, 8. 137, 17. 138, 14. 140, 7. 193, 29. auch 131, 47. 133, 28.

— Johann, Reichshauptmann in Verona 378, 44.

Mauroceno, ser Andreas, in Venedig, einer der Capita de 40: 91, 16. — Ser Ludovicus, ebend., Consiliarius, wol auch Podestà v. Treviso 91, 14. 92, 48ᵃ. 104, 21 ff. 127, 16. 137, 17. 138, 14. 140, 7.

Mauthen (Müte unter oder bei dem Kreuzberge) in Kärnthen s. ö. v. Lienz 33, 43. 245, 6. 246, 11.

Mawttner, Hans, i. Baier. Solddienst 230, 13.

Medici, Franciscus de Medicis, Brescian. Edler 160, 20. 169, 1. auch 161, 4.

Medici, Giovanni di Bicci de' —, (Johannes Bicoii de Medicis), Florent. Geschäftsträger in Venedig 58, 3; 4. 78, 4.

Mediolanum Megelon Melano s. Mailand.

Meinhartzhusen, d. i. wol Meineringshausen in Waldeck bei Korbach 473, 28.

Meintz, Herr Eberhard von —, 433, 29.

— Bischof Thimo v. Colditz 1399-1410, Kanzler K. Sigmunds (für Böhmen?) 425, 44ᵇ.

Meliorati, Gentilis von —, Herr zu Solmona Rector in Orvieto 378, 40. — Ludwig von —, Herr in Todi 378, 39.

Melsungen n. v. Kassel 408, 35.

Membris (Memelriß) w. s. w. v. Hanau 593, 15.

Memmingen zw. Ulm u. Kempten 42, 9; 22. 226, 38ᵇ. 227, 17. 228, 37. 229, 3. 306, 22. 376, 6. 382, 4. 437, 7. 660, 48ᵃ. 750, 2; 48ᵃ. 751, 36ᵃ; 31ᵇ. vielleicht auch 228, 39; 40. — Gesandte 429, 23. — Juden dort 227, 17. 229, 3. vgl. 228, 37.

Menchingen, wol Manching s. ö. v. Ingolstadt 438, 30.

Mondel, Wilhelm, in Nürnberg, Rathsherr 588, 33; 41.

Mener, Eberlin, Knecht i. Straßb. Romzugskont. 254, 26. — Heinrich, desgl. 254, 40. — Kunzlin, desgl. 254, 41.

Mengelrode n. w. v. Heiligenstadt 478, 21.

Menzingen ö. v. Bruchsal, Herr Eberhard von —, Ritter, i. kgl. Solddienst 236, 22.

Mergentheim a. d. Tauber 235, 18. 581, 27; 35. 608, 32. 610, 8. 623, 34. — Deutschordenskomthur dort 658, 19.

Merkingen, etwa Merchingen s. w. v. Mergentheim?, Herr Eckhard von —, 479, 26. — Herr Erhard von —, 450, 9.

Merseburg w. v. Leipzig 811, 38ᵇ.

Mertin, Raban, i. kgl. Solddienst 237, 13.

Metz Bischof Rudolf v. Coucy 1387-1415: 561, 34; 40. 760, 40ᵇ.

— Stift Bisthum 760, 40ᵇ. kaum 760, 35ᵇ.

— Stadt 11, 42. 198, 44ᵇ. 487, 14; 15. 494, 28 ff. 497, 7. 560. 572, 7. — Gesandte (Freunde) der Stadt 560, 8. 727, 45.

Metziger, Herr Wilhelm, in Straßburg, Ammanmeister 1404, M. d. Neunerbehörde 250, 4; 42. 672, 30ᵃ. 735, 18. 740, 22. 741, 17.

Michael, dominus, i. d. Kanzlei des Fr. v. Carrara 156, 29. 163, 29. 167, 5. 168, 16. 169, 14. 171, 6.

Michel von Eckeröwe, Knecht i. Straßb. Romzugskontingent 253, 31.

— Jude in Ravensburg 228, 16. 229, 3.

Mildingenfelden, d. i. Mollenfelde s. s. w. v. Göttingen 471, 3.

Miltenberg a. Main 500, 2. 702, 43ᵇ.

Milz (Miltz) w. n. w. v. Koburg bei Römhild, Herr Otto von —, Dekan, wol in Bamberg? 620, 31. — Vgl. Bamberg (Dekan).

Minden Bischof Otto v. Rietberg (v. d. Retberge) 1402-1406: 562, 14: 20; 24.
— Bischof Wilbrand Graf v. Hallermund 1406-1436: 562, 25.

Minzenberg s. Falkenstein u. Münzenberg.

Mittelburg, wol bei Neckarsteinach, Johann von —, (Vogt u. Pfleger zu Hohentrüdingen) Bevollm. K. Ruprechts 16, 14. 142, 14. 145, 1. 147, 30. 220. 221, 1; 5. 222, 24. auch 64, 38. 65, 1. 81, 12. 84, 9; 13; 16. 89, 15. 90, 9. 93, 13. 106, 36. 109, 37. 115, 22; 24. 125, 4. 151, 33; 37. 152. vielleicht auch 83, 11; 17.

Mirandola s. ö. v. Mantua 194, 48ª.

Mocenigo, ser Leonardus, in Venedig, Consiliarius 91, 15. 100, 1; (10). auch 93, 15. 95, 9; 12. 96, 5 ff. 108, 2. 105, 9. 106, 25; 31. 109, 1; 20; 25. 110, 12; 16. 113, 32. 115, 15; 20 ff. 116; 25 ff. 120, 16. 122, 10. 124, 31; 38. 153, 26; 28. — Ser Thomas, in Venedig, einer der Savj 140, 1; (11). 417, 5.

Modena (Mutina) Stadt u. Gebiet 70, 12. 71, 1. 165, 38. 166, 15. — Reichsvikar s. Este. — Podesta? s. Capponi.

Mörs (Mörsch Mörse Morse) n. n. ö. v. Krefeld, Graf von —, s. Saarwerden.

Moiringen sicher fälschlich statt Memmingen 376, 6.

Molner, Hartmud, in Frankfurt, Münsprobierer 343, 16.

Mondsburg, wol Monsberg w. v. Ulm bei Erbstetten, s. Stein.

Monheim, etwa ö. v. Nördlingen?, Burkhard u. Wigaleis von —, 432, 11.

Montepulciano (Mons Politianus) in Toscana s. w. v. Cortona Florent. Besitzung 79, 15.
— (Montepolicano Poliçano), Herr Franciscus de —, (dominus Politianus) Kanzleibeamter u. Gesandter Pabst Bonifacius' IX: 137, 26. 158, 7; 19. 283, 5. 287, 4. 334, 39ª. 547, 15. auch 31, 28. 247, 5. 282, 29.
— (Montepolitiano), Francuccius Morozii de —, Söldnerhauptmann 79, 13.

Montferrat (Monferrato Montferrer) Markgraf Theodor II 1381-1418: 69, 29. 70, 18. 376, 28; 31. 378, 7. — Sein Diener (Bote) s. Johann.

Montfort in Vorarlberg, Graf Wilhelm von —, wol Wilhelm VI von Tettnang 1408-1433 (od. Wilhelm von Bregens † 1422?) 235, 26. 431, 26. 433, 15. 434, 29. 448, 14.

Montino, Bertholinus del —, wol Brescian. Edler 161, 4; 15. wol auch 169, 1. — Zaninus del —, Brescian. Edler, wol nur verschr. f. d. vorigen 160, 20.

Morozii s. Montepulciano.

Moroltinger, Jakob, i. Baier. Solddienst 231, 29. — Der, desgl. 232, 2.

Mosbach (Mosebach) o. s. ö. v. Heidelberg a. d. Elz 16, 7. 242, 35ᵇ.

Moscheln (Moscholn Mosselln) wol i. d. Pfalz ö. v. Kaiserslautern, Emericus de —, öffentl. Notar u.

in K. Ruprechts Kanzlei 63, 36. 64, 8; 15; 16. 291, 18. 310, 5. 368, 27. 410, 35. 556, 4. 560, 12. 565, 23. 620, 4. 643, 30. 678, 6.

Motta in Friaul w. v. Portogruaro 100, 19. — Der Podesta von —, (zugleich von Porto-Buffole) 104, 37ᵇ ff.

Moylsberch, Wolter van —, etwa aus Köln? 425, 16.

Muckensturm n. ö. v. Pforzheim bei Dürrmenz 508, 13.

Müge, Klaus, Knecht i. Straßb. Romzugskont. 254, 21.

Mühlhausen in Thüringen 457, 1. 467, 10; 21. 560, 45.

Mülhausen im Elsaß 241, 47ª. 306, 25. 389, 17. 672, 34ª; 44ª.

Müllin, der, in Augsburg, städt. Gesandter 436, 22. 661, 12.

Müllenheim (Mülnheim Mulnhein), Burkhard von —, gen. v. Rechberg Herrn Burkhards Sohn, in Straßburg, Glefner i. Romzugskont., Stadtmeister 1403: 250, 21. 254, 33. 255, 29. 503, 24. — Hans von —, von Werde, ebendort, auch Glefner 250, 22. 254, 39. 255, 30. — Herr Heinrich von —, i. d. Brandgasse, Ritter ebend., M. d. Neunerbehörde, Hauptmann d. Romzugskontigents 250, 3; 11; 36; 41. 251, 19 ff. 252. 253, 16. 255, 1; 25. 256, 2; 5; 24. 257, 10. 258, 1. 259, 1; 27. 260, 29. 261, 23. 262, 19. 263, 14. 264, 1: 25. — Herr Heinrich von —, von Landsberg, ebend., Ritter, auch Glefner 250, 18. 253, 28. 255, 26. — Heinrich von —, Ritter, ebend., einer der beiden vorigen? 740, 20. 741, 16. — Herr Leuthold (Lütolt) Hans von —, Ritter, ebend., Glefner 250, 14. 253, 32. 255, 27. — Reinbold Hildebrand von —, ebend., desgl. 250, 17. 254, 22. 255, 29.

München (Monchen Munichen) Stadt Bürger etc. 29, 3; 45ª; 48ª. 30, 22. 32. 33, 7; 22. 37, 16; 19; 26. 234, 13. 292, 33. 298, 38ª. 43ª; 40ᵇ. 332, 38ª. 435, 19. 502, 22. 661, 12. 662, 35. — Gesandte 434, 32; 36. — Ausgetriebene Bürger 29, 29; 36. 30, 35. 32, 7; 37.

Münchheim s. Butterich.

Müniche (Moniche Munich), Kunz, s. Rosenberg.

Münnerstadt (Münrstat) n. ö. v. Kissingen, die von —, 430, 28.

Münster (Munster) im St. Gregorienthal w. s. w. v. Kolmar 89, 23. 212, 26. 241, 47ª. 306, 22. 415, 34. — Gesandte 769, 36ª; 31ᵇ; 41ᵇ.

Münzenberg (Mintzenberg Monczenberg) i. d. Wetterau s. s. ö. v. Gießen, Herren von —, s. Falkenstein. — Amtmann dort s. Linden.

Müte s. Mauthen.

Mulargis, Nanius de —, Gesandter d. Stadt Udine 141, 40ª.

Munichauweßheim (Munichawsheim), zw. Heidelberg u. Baden zu suchen, kaum Mingolsheim od. Münzesheim? 501, 6. 502, 6.

Munichen s. München.

Murher, Konrad, i. kgl. Solddienst 235, 8.

N.

Nabburg (Nappurg) i. d. Oberpfalz ö. v. Amberg 666, 8. 670, 44ª; 46ª.

Naliack, Philibertus de —, Großmeister des Johanniterordens in Jerusalem 378, 8.

Nassau Graf Adolf II zu Wiesbaden 1361-1370: 517, 31ᵇ.

— Graf Adolf III ebend., Enkel des vorigen, 1893-1426: 273, 41. wol auch 495, 29ᵇ. 692, 30. 694, 3; 6. 704, 35. 705, 16; 20. 707, 44. 765, 29.

— Graf Adolf zu Dillenburg, Graf zu Dietz 1416-1420: 273, 41. kaum 495, 29ᵇ etc. (s. den vorigen).

— Graf (Jungherr) Heinrich, Herr zu Beilstein 1380-1412: 635, 8; 42ª. 637, 19. 640, 47ᵇ. 641, 39ª; 46ª; 34ᵇ. 642, 18; 34. 643, 2. 645, 7. 646, 17. 647, 22; 32. — Seine Vertreter b. Ldfr. s. Beldersheim Fußchin Werle.

— Graf Johann, Gf. Adolfs II Sohn, erst Domherr, dann Erzbischof zu Mainz s. Mainz.

— Graf Johann der junge, etwa Johann II aus d. Dillenburger Linie 1416-1443? 465, 15; 28.

— Graf Philipp I, Graf zu Saarbrücken 1371 bzw. 1381-1429, Hauptmann i. Rhein.-Wett. Ldfr. v. 1398: 273, 41. 448, 35. 463, 11; 13. 500, 11. 513, 36. 515, 3. 517, 42ᵇ. 624, 24. 625, 8. 707, 43. auch 13, 30; 35. 495, 29ᵇ. 589, 43. vielleicht auch 495, 10; 15; (41ª). 496, 6.

Naumburg (Nuwenburg) n. n. w. v. Fritzlar, Schloß Stadt u. Amt 459, 3; 43ª. 469, 20; 30. 471, 22; 24; 40ª; 49ª. — Ein Bürger 470, 5.

Navarra König (Karl III 1387-1425) 398, 4; 5.

Nare (Navj) i. d. Lombardei n. v. Brescia 74, 21.

Neapel König Ladislaus (Ladislao) 1386-1414: 69, 6; 27. 80, 38ª. 163, 27. 182, 29. 327, 4. 363, 12; 25. 378, 1. 407, 26; 29; 34. 408, 34ᵇ; 41ᵇ. 410, 40ª. 412, 14. 425, 9. 688, 26ª. — Seine Gesandten 408, 48ª.

Neckar (Necker) Fluß 492, 32.

Neckarsulm (Solmen Sulme) n. . v. Heilbronn 495, 29ᵇ. 766, 29.

Neckerstein, Hans, aus Heidelberg, in Diensten K. Ruprechts 275, 9.

Negroponte, d. i. Euböa, Venet. Hauptmann von —, s. Bembo.

Neipperg (Nypperg) s. w. v. Heilbronn, Herr Eberhard von —, Ritter, Rath K. Ruprechts 523, 12 ff. 539, 10; (23) auch 540, 40ª; 41ᵇ; 43ᵇ. — Eberhard von —, d. junge, i. kgl. Solddienst, ders.? 235, 33.

Neri s. Vettori.

Nerlis, Antonius de —, Abt zu St. Andreas in Mantua, Rath des Fr. v. Gonzaga 535, 8; 27ªff. 538, 1.

Nesel, Meister Heinrich 429, 46.

Neuburg s. Nuwenburg.

Neuhaus od. Neuhausen s. Nuwenhauser Nuwenhuse.

Neuhausen (Nuwehusen), etwa ö. v. Worms?, Dekan dort s. Heilmann.

Neumarkt (Nuwenmarkt) i. d. Oberpfalz 221, 35ª. 332, ?8ª. 387, 43ª. 658, 47ª. 670, 33ªff.

Neunburg s. Nuwenburg.

Neustadt a. d. Aisch (Nuwestat an der Eysche) w. v. Erlangen 611, 13. 612, 2.

— (die Nuwestad, Nova civitas) a. d. Hardt (i. d. Pfalz) 666, 27; (36). auch 677, 47ª. — Dörfer des Amtes 666, 27; (37). — Vitztum K. Ruprechts dort s. Sickingen. — Münzmeister K. R.'s dort s. Hans. — Dekan der Kirche dort 547, 1.

Neyffenland (?), der Bischof von —, 434, 27. 435, 7.

Niedenstein s. w. v. Kassel, ein Vorwerk zu e. dort. Altar gehörig 474, 8.

Niedererlenbach n. v. Frankfurt, Amtmann dort s. Selbold. — Schultheiß dort s. Snyder.

Niederländer (Nyderlender), ein Bewerber um d. kgl. Münzmeisteramt in Frankfurt 573, 21. 574, 14. auch 575, 30. 576, 39.

Niederlahnstein s. Lahnstein.

Nierstein n. n. w. von Oppenheim 402, 48ª. vgl. 362, 8.

Nikolaus (Niclaus), Kaplan, Gesandter des Trierer Kapitels 368, 44.

nimico, el, s. Mailand (Hzg. Joh. Galeazzo).

Noale (Anoale) zw. Treviso u. Padua 99, 48ᵇ. 100, 43ª. — Der Podesta (auch Rectoˀ) von —, 99, 45ᵇ. 100, 42ª.

Nördlingen w. v. Eichstädt im Rieß 42, 22; 49ª; 43ᵇ. 43, 29ᵇ. 44, 28. 213, 15; 46ᵇ. 220, 26. 226, 33ᵇ. 227, 37. 228, 8; 30. 229, 3. 279, 28. 306, 23. 375, 2. 381, 13. 437, 6. 438, 3. — Gesandte 3, 21. 431, 20. 434, 35. 448, 26. 602, 15. 621, 19. 659, 34. 663, 3. 765, 33. — Bürger s. Kröwel Mangold Töter Wilhelm. — Juden dort 213, 17. 227, 37. 229, 3. vgl. 228, 30.

Noet, Johannes, auch Johannes de —, Doctor, in Diensten K. Ruprechts 547, 34ᵇ. 548, 45ᵇ.

Nolt, Herr Hilpolt, von Seckendorf u. sein Sohn 432, 10.

Nordeck s. s. ö. v. Marburg, Gilbrecht von —, 476, 17; 19.

Nordhausen s. v. Harz 4, 15. 177, 49ª. 311, 42ª. 367, 11. 446, 37. 560, 45.

Normandie (Normania), eine Grafschaft in der —, 398, 5.

Northeim n. v. Göttingen 700, 4; 17.

Northumberland, Graf Heinrich von —, 13, 6; 9. 14, 29.

Nossdorffer, Wilhelm, i. kgl. Solddienst 234, 8. — Vgl. Nustorffer.

Nothaft (Nodhafft Nothafft), Albrecht, i. kgl. Solddienst 235, 4. — Herr Heinrich 620, 19; 24. — Werner, i. kgl. Solddienst 232, 42. Herr Werner, wol ders. 390, 11. 448, 14. — Der (od. die?) 430, 12. 433, 17. — Zwei 434, 8.

Novacivitas s. Neustadt.

Novadomus s. Nuwenhusen.

Novara w. v. Mailand, Bischof (Jacopo Rosai 1388-1406) Gesandter Joh. Galeazzos 85, 6. 86. 87, 11; 27; 33. 88, 17 ff.; 46 ᵇ. 89, 36 ᵃ. 130, 13. 136, 8; 25; 29; 31. 141, 26. 142, 6; 12.

Nürnberg (Nürenberg Nurimbergh Nurimburg) Burggraf Friderich VI (unterh. d. Gebirgs) 1398-1440, Mf. v. Brandenburg als Friderich I 1417-1440, Rath K. Ruprechts 6, 19. 16, 18. 18, 32. 37, 8; 12; 34ᵃ ff. 137, 5. 169, 28. 173, 26. 217; 1; 3; 6; 52ᵃ; 25 ᵇ; 36 ᵇ. 218, 40 ᵇ. 220, 12; 21. 222, 5. 243, 27ᵃ. 263, 21; 22; 33. 293, 21. 294, 5; 25. 307, 45ᵃ. 325, 36 ᵇ. 327, 40ᵃ; 22ᵇ. 360, 25 ff. 367, 15; 20. 371, 40. 380, 37. 410, 40 ᵇ. 412, 39ᵃ. 413, 9. 418, 25. 419, 1. 421, 5. 423, 9. 429, 28. 430, 43. 433, 34. 434, 28; 36. 435, 7. 448, 36. 450, 45ᵃ; 43 ᵇ. 479, 16. 512, 20; 28. 513, 36. 515, 1. 520, 47ᵃ. 580, 8. 581, 36. 598, 3. 602, 9. 619, 7. 620, 10; 32. 621, 22. 623, 34. 658, 22; 33. 660, 5. 677, 39ᵃ. 707, 42. 759, 19. 765, 27. auch 13, 30; 35. 137, 20. 138, 19. 139, 16. 169, 21. 495, 29 ᵇ. wol auch 450, 31. viell. auch 139, 28. — Seine Gemahlin Elisabeth Schwester Hzg. Heinrichs v. Baiern 37, 32ᵃ ff. 433, 40. — Sein Marschall 218, 14. — Seine Truppen 171, 38ᵃ. — Seine Besitzungen etc. 37, 38ᵃ; 35 ᵇ. Vgl. Cammerstein Schwabach Stauf Thann.

— Burggraf Johann (Hans) III Bruder des vorigen, (oberh. d. Gebirgs) 1398-1420: 3, 22. 35, 31; 36; 48ᵃ. 292, 1; (9). 294, 5. 307, 45ᵃ. 367, 15; 20. 371, 40. 380, 36. 429, 26. 431, 28. 433, 33. 434, 17; 37. 448, 37. 580, 4; 8. 598, 3. 602, 13. 620, 39. 621, 33. 707, 42. 759, 19. auch 495, 29ᵇ. — 8. Tochter 433, 39. — 8. Besitzungen s. Auerbach Blech Beheimstein Hollenberg Pegnitz.

—, der Burggraf von —, einer der beiden vorigen 437, 33.

— Stadt (Noerenbergh civitas Norimbergensis Nürnberkch Nureinberg) 3, 11. 16, 19. 17, 29; 30. 34, 20. 46, 5; 38. 172, 38. 228, 45ᵃ. 236, 47ᵃ. 240, 40. 259, 8. 261, 18; 21. 279, 24. 293, 1; 13; 32ᵃ; 41ᵃ; 43ᵃ; 45ᵃ; 44 ᵇ. 298, 1; 9. 305, 30; 34. 306, 21. 315, 28. 332, 40ᵃ. 345, ·13· 348, 1. 356, 22 ff. 358. 16. 379, 2. 380, 2. 382, 14; 29. 383, 17. 384, 6; 29. 385, 14. 386, 10; 27. 387, 17. 388, 20. 407, 15. 426, 39. 428, 2; 17; 23. 435, 16; 24; 28; 39. 436. 437, 4. 438, 4; 16; 21; 24. 439, 6. 44ⁱ, 45. 448, 1. 449, 12. 450, 46ᵃ. 453, 34. 479, 14. 483, 23. 484, 19. 485, 19. 493, 32. 581, 19; 36. 582, 17; 20; 32. 588, 24; 31 ff. 598, 11. 602, 1. 611, 13. 612, 2; 50 ᵇ. 619, 12. 620, 5. 623, 27; 28. 656, 3; 4; 34 ᵇ. 657, 2; 4; 17; 18; 38ᵃ. 658, 10; 11; 37ᵃ; 44ᵃ. 660, 21ᵃ. als Ausstellungsort v. Urkunden etc. s. chronol. Register. — Gesandte (Freunde) 619, 11. 657, 3; 43ᵃ. 663, 3. 765, 33. wol auch 304, 28. 305, 12. Vgl. Haller Mendel Zollner. — Stadtjurist (?) s. Johann. — Kaufleute 5, 43. 19, 28. 217, 15. Vgl. Birheimer Elwanger Granetd Haller

Kreaß Ortlieb Rommel Schorstab Semler Seyler Sterne. — Bürger u. Einwohner d. Stadt, Leute aus —, 424, 18. Vgl. außer den schon genannten Beheim Canicer Detzlin Ebener Falzner Harßdörffer Heide Hofmann Kamerer Parfuß Pfinzing Stromeier, auch Affen? Nesel? — Juden daselbst 228, 47ᵃ. 388, 18. auch 388, 15. — Klerus dort (einheimisch od. fremd? Frauenbrüder Grauorden St. Jakob St. Stefan) 429, 1; 44. 430, 1. Probst zu Unser-Frauen Kapelle 620, 27. Pfarrer zu St. Sebald s. Albertus. Vgl. auch Andreas.

Nurenberger, Richolf, in Rotenburg, wol Rathsherr 449, 19. 450.

Nustorffer, Wilhelm, aus Salzburg 482, 45. — Vgl. Nosßdorffer.

Nawenburg, d. i. wol Neunburg i. d. Oberpfalz s. ö. v. Nabburg? 666, 9.

—, d. i. wol Neuburg i. d. Pfalz. w. v. Weißenburg? 666, 27; (36).

—, wol eines der beiden vorigen 683, 33.

— s. Naumburg.

Nuwenhauser, Eberhard, s. Salzburg.

Nuwenhuse, Berthold vom —, i. kgl. Solddienst 235, 21. — Bertholdus de Novadomo, wol ders. 59, 40ᵃ. — Vgl. Neuhausen.

Nypperg s. Neipperg.

O.

Oberehenheim (Ebenheim) im Elsaß 241, 47ᵃ. 306, 22. — Gesandte 769, 36ᵃ; 31 ᵇ; 41 ᵇ.

Oberkirch i. Schwarzwald o. s. ö. v. Straßburg 728, 23; 25.

Oberndorf wol a. Lech bei Donauwörth s. Marschalk.

Oberpfalz s. Baiern (Land).

Oberwesel n. w. v. Bingen s. Wesel.

Obrigheim (Oberkeim) am Neckar nahe Mosbach 16, 7. — Der Vogt dort s. Gabel.

Odernheim zw. Worms u. Oppenheim, Burg u. Stadt 402, 47ᵃ. vgl. 362, 8. — Amtmann dort s. Stein.

Odolffßhusen, d. i. wahrsch. Odelsen (jetzt Philippinenthal) i. Hessen bei Wolfhagen, 473, 28.

Öbssor, Zacharias s. Ebser.

Österreich (Astoricha Austria Oesterich Osterriche Sterich Sterlich) Land 290, 30. 413, 22. vgl. 203, 27. — Herzöge s. Habsburg.

Öttingen (Aetingen Oitingen) n. n. ö. v. Nördlingen, Graf Friderich V von (zu) — 1370-1423, Hofmeister K. Ruprechts 1407-1410: 42, 15. 243, 24ᵃ. 367, 22. 371, 41. 434, 37. 448, 40. 520, 15; 42ᵃ. 521, 13; 16; 19. 580, 9. 621, 35. 707, 43. 759, 20. auch 495, 29 ᵇ. wol auch 371, 30. — Graf Friderich s. Eichstätt — Graf Ludwig von (zu) —, 367, 22. 371, 41. 431, 39. 4ᵃ4, 30. 520, 15; 43ᵃ. 521, 13; 16; 19. 580, 9. 707, 43. 759, 20. auch 495, 29ᵇ. wol auch 371, 30. — Die von —, (die 3 Grafen von —, zwei von —,) 228, 30. 292, 1; (10). 430, 8. 433,

45. 449, 29. — Der von —, 3, 19. 434, 36. —
Der von — und sein Sohn 429, 30.

Ofen in Ungarn 653, 28.

Offenbach (Ovenbach) a. Main bei Frankfurt 640, 10.

Offenburg i. Baden s. ö. v. Straßburg 729, 25 ff.
730. 768, 2; 31ᵃ ff.; 31ᵇ ff.

Ognibene, messer, Ges. des Fr. v. Carrara 530, 1.

Olmütz i. Mähren 425, 44ᵃ.

Oppenheim zw. Worms u. Mainz, Burg u. Stadt 213,
88ᵇ. 317, 21. 402, 47ᵃ. 440, 30. 441, 23. 512,
10; 24: 25. 517, 43ᵇ. 594, 6. 641, 41ᵃ. 643, 12;
37ᵇ. vgl. 362, 8. — Schultheiß dort s. Kämmerer. — Landschreiber dort 213, 39ᵇ. — Juden
dort s. Isaak.

Oriago (Oriacum) ö. v. Padua 171, 24.

Orlamünde (Orlemunde) s. s. ö. v. Weimar, Graf
Wilhelm von —, (wol Sohn Otto's X, 1408-1450),
i. kgl. Solddienst 233, 21.

Orléans (Orlens Orliente), Herzog Ludwig von —,
Bruder K. Karls VI, † 1407: 12, 8 ff. 163, 36.
164, 1 ff. 361, 10. 371, 31. 393, 12; 21. 395, 19;
20; 21. 397. 398. 405, 4; 12. 406, 3. 408, 9.
486, 10; 12. 487, 1. 488, 29ᵃ; 35ᵃ. 489, 19;
38ᵃ; 41ᵃ; 36ᵇ. 495, 27ᵃ; 32ᵃ. 497, 8. 498, 16;
29ᵇ; 33ᵇ ff. 499, 39ᵃ; 44ᵃ. 504, 19. 506, 4; 14.
510, 8. 511, 3. 547, 47ᵃ. — Seine Gemahlin
(Valentine Tochter Hzg. Joh. Galeazzos) 164, 1;
4. — Sein Schwiegervater s. Mailand (Joh. Galeazzo). — Sein Hof Hofgesinde etc. 487, 24. 488,
6; 7.

Orsini s. Ursini.

Ortenberg (Ortemberg) in Baden zw. Offenburg u.
Gengenbach 729, 25 ff. 730. 768, 2; 15ᵃ; 31ᵃ ff.;
30ᵇ ff. — Vgl. Füsichin.

Ortenburg (Ortemburg Ortenberg) in Kärnthen a. d.
Drau n. w. v. Villach, Graf Friderich II von —,
† 1420, Gubernator (Reichsvikar?) in Friaul 179,
33ᵇ. 188, 2. 334, 27. 414, 13; 14. 653, 28.

Ortlieb, Jakob, aus Nürnberg 217, 48ᵇ. wol auch
217, 15.

Orto, Bartolomeus Petri de —, Söldnerhauptmann
76, 24. 77, 22. 78, 30.

Ostiglia (Hostilia) o. s. ö. v. Mantua a. Po 88, 1.
119, 6.

Ougspurg (auch Oegspurg 48, 16) s. Augsburg.

P vgl. B.

Pabst (papa) s. Rom.

Pach (od. Pachen od. Pathe?), Peter, wol in Ulm
436, 27.

Paderborn Bischof Ruprecht (Herzog von Jülich)
1390-1394: 310, 43ᵇ.

Padua (Padaw Padauwe Padouwe Padova Padwa) 34,
6. 57, 26; 29. 60, 4; 8; 9; 34. 62, 32. 70, 24.
71. 72, 6. 74, 22; 49ᵃ; 34ᵇ. 75, 19; 39ᵃ. 79, 28.
80, 42ᵇ. 98, 1. 100, 17. 101, 34; 35. 104, 2;
41ᵃ; 47ᵃ. 106, 13; 16. 112, 34. 115, 9. 120, 9.

121, 27. 124, 23. 127, 9. 128, 19. 135, 48ᵃ. 141,
2; 31ᵇ. 156, 46ᵇ. 162, 19. 170, 31ᵇ. 173, 24.
182, 80; 37. 183, 29; 36. 203, 27. 215, 14; 33ᵇ.
216, 2; 5. 219, 41ᵇ. 222, 25. 226, 11; 12. 229,
32; 43ᵇ. 237, 27. 244, 15. 245, 8. 246, 4. 256,
13; 19. 258, 22. 260, 11. 261, 3; 10. 265, 12;
15. 266, 19. 286, 32. 326, 37ᵇ ff. 328, 32. 411,
27. 413, 42ᵃ. 526, 42ᵃ; 45ᵃ. 528, 27. 529, 1.
530, 7. 532, 45ᵃ. ferner als Ausstellungsort v.
Urkk. etc., s. chronol. Register. — Gebiet Territorium 162, 20. 414, 32ᵇ. — Der Herr von —,
(der von —, Franz von —,) s. Carrara. — Pa-
duaner s. Alvarotis Gallis Linaroliis.

Paicheldorf d. i. Peuschldorf s. Venzone.

Pairstorffer Landrichter zu Hirschberg 621, 29.

Palavisino, messer Nicholò, Rath Joh. Galeazzos
67, 23.

Pappenheim (Bappenheim) w. n. w. v. Eichstädt,
Herr Haupt (Heupt) Marschalk von —, der alte,
Ritter, i. kgl. Solddienst 233, 12. 234, 35. —
Haupt Marschalk von —, der junge, auch i. kgl.
Solddienst 233, 14. 234, 33. — Herr Wilhelm
Marschalk von —, desgl. 233, 16. 433, 1. wol
auch 406, 9; 42ᵃ; 39ᵇ. 407, 18.

Parfuß, Klaus, aus Nürnberg 17, 33.

Paris (Parisius) 231, 4. 396. 38. 398, 4; 32. —
Universität 397, 5; 7.

Parkstein i. d. Oberpfalz s. Bargstein.

Parma 328, 31. — Ein ungen. Bürger 328, 33. —
Vgl. auch Bontherzo Russe.

Parsberg (Parsperg) n. w. v. Regensburg, Hans
von —, 432, 17. — Der Parsperger 429, 4.

Passau (Bassaw Passauwe) Bischof Georg Gf. v.
Hohenlohe 1387-1423: 52, 17. 54, 20. 660, 4.
Sein Bruder s. Hohenlohe. — Stift 54, 41; 45.
55, 3. — Stadt 52, 44. 436, 16.

Pathe s. Pach.

Paulus (Paullus) Sekretär i. d. Kanzlei K. Sigmunds,
Mailänd. Unterthan 192, 17. 194, 5.
— in der Kanzlei des Franz v. Carrara 411, 8. Vgl.
Lione.

Pavia (Papia) 189, 2. 190, 23. 328, 35. 552, 2. —
Der Graf von —, s. Mailand (Johann Galeazzo u.
Philipp Maria).

Pfeffersack, Konrad, Amtmann zu Laubach 637, 4;
30ᵃ.

Pegnitz (Begenitze) s. v. Bairouth 35, 32.

Pergamum s. Bergamo.

Peri (Petri) s. San-Miniato.

Perl, Albrecht 430, 36.

Perugia (Perusia Perusium) 408, 38ᵃ. — Der Herr
von —, s. Mailand. — Vgl. Rayneriis.

Perusio, Ugucio olim Land quondam Popi Ugucionis
de —, Bürger v. Cortona, öffentl. Notar 154, 25.

Pesaro, Carosus de —, in Venedig, Consiliarius 95,
16.

Pessaingen bei Landsberg, otwa Benzing n. ö. v. L.?
230, 28.

Peßler, Heinrich, Gesandter Ulms, etwa ident. mit H. Besserer? 523, 23 ff.

Peter (Petrus) Schreiber d. Stadt Frankfurt 343, 20; 26. 345, 4. 439, 23; 27; 31. 511, 35. 514, 36 ff. 643, 36[b]. 655, 21.

— von Landshut, Knecht im Straß. Romzugskont. 253, 33.

— von Zabern, desgl. 254, 20.

Petri, ser Petrus s. San-Miniato.

Petrus von Florencie, d. i. wol aus Florenz 214, 26.

Peuschldorf s. Venzone.

Pewningen, der von —, Rath eines der Meißener Markgrafen 430, 2.

Pfaffenhofen (Pfaffenhofe) zw. München u. Ingolstadt 234, 31.

Pfaffenlape (Pfafenlap Pfaffenlabe Pafenlap), die, Straßb. Münzbeamte 349, 18. — Hensel, Hesse, Klein-Hensel u. Künzel 349, 48[a]; 49[a].

Pfalnheim, wol Pfahlheim s. s. w. v. Dinkelsbühl, C. von —, 432, 6.

Pfalz (Palcz), die 194, 44[b]. 369, 3. 517, 20. 540, 20. 541, 28; 29. 768, 53[a]; 15[b]. — Die Pfalz a. Rhein s. Rheinpfalz. — Die Oberpfalz s. Baiern.

Pfalzgräfin Agnes Tochter K. Ruprechts s. Cleve.

Pfalzgräfin Elisabeth desgl. s. Habsburg (Hzg. Friderich).

Pfalzgraf (Herzog) Johann (Hans) Sohn K. Ruprechts, mit der Verwaltung der Oberpfalz betraut 1404, Pfalzgraf zu Neumarkt 1410, † 1433: 33, 38. 194, 17; 40[b]. 198, 26. 209, 4; 6; 15. 210, 12; 21. 241, 46[b]. 245, 4. 293, 8. 307, 44[a]. 358, 14. 368, 17. 391, 9. 393, 23 ff. 493, 38. 494, 7. 504, 42[b]. 517, 36[a]. 533, 44[b]. 541, 30. 542, 4; 36[b]; 44[b]. 551, 36. 620, 39. 621, 31. 658, 23. 665, 3; 40[a]. 670, 14; 28[a] ff. 677, 28[a]; 32[a]. 759, 25. auch 207, 42. 245, 28. 256, 35. wol auch 206, 34. viell. 292, 23. 297, 31[b]; 46[b]. — Sein Hofmeister 658, 34. 659, 2. 665, 29; 34. — Seine Remchingen. — Seine Räthe 665, 20; 36. 666, 1; 12; 15; 20. — Seine Kastner 665, 29; 32. — Seine Landschaft 588, 30. Vgl. Baiern.

— (Herzog) Ludwig III Sohn K. Ruprechts, Reichsvikar für Deutschland 1401-1402, Kurfürst 1410, † 1436: 2, 14[a] 3, 18; 30. 4, 14. 5, 25. 12, 37; 39; 43. 13. 14, 6; 19. 22, 1. 27, 9. 30, 21. 33, 21; 27. 37, 48[a]; 32[b]. 51, 33. 177, 3; 48[a]. 194, 40[b]. 197, 36[a]. 198, 13. 200, 1. 208, 39; 40. 210, 11; 22. 226, 19; 42[b]. 238, 4. 241, 46[b]. 244, 21. 245, 13. 278, 24; 37. 279, 3; 4; 41. 284, 42[b]. 313, 39. 323, 39[a]; 45[a]. 338, 14. 339, 20. 342, 37[a]. 343, 10. 358, 13. 368, 17. 402, 40[a]; 42[a]; 43[a]. 403, 25; 29; 42[a]; 47[a]. 404. 405, 1; 2; 20[a] ff. 490, 11. 504, 42[b]. 512, 24. 517, 36[a]. 533, 43[b]. 541, 29. 557, 16. 593, 4. 670, 14. 677, 27[a]; 32[a]. 727, 33; 37. 730, 2; 11. 759, 25. auch 163, 34. 256, 35. 333, 19. wol auch 217, 2. 386, 17. 388, 10. kaum 6, 18. 765, 26. — Seine Gemahlin Blanka Tochter K. Heinrichs IV v. England s. England. — Seine zwei Brüder die in Italien sind s. Pfalzgraf Johann u. Pfalzgraf Otto. — Seine Räthe 3, 35. 36, 42. Vgl. Kirchheim. — Seine Amtleute 36, 3. — Sein Diener? s. Hoppler. — Seine Thürhüter 343, 13.

Pfalzgraf (Herzog) Otto Sohn K. Ruprechts, Pfalzgraf zu Mosbach 1410, zu Neumarkt 1448, † 1461: 33, 39. 245, 4. 428, 9. 541, 30. 677, 28[a]; 32[a]. 759, 25. auch 245, 28. 256, 35. viell. auch 292, 23. 297, 31[b]; 46[b].

— Ruprecht I Oheim des folgenden, Kurfürst 1353-1390: 488, 47[b]. 517, 34[b]. 572, 38.

— Ruprecht II Vater K. Ruprechts, Kurfürst 1390-1398: 61, 39. 488, 47[b]; 48[b]. 517, 31[a]; 34[b]. 572, 38.

— Ruprecht (Robertus Ropert Roprecht Rupertus Rupert) III der jüngste, genannt Clem, Kurfürst 1398, König 1400 Aug. 21, † 1410 Mai 12 (sehr oft l'omperadore und einzeln Kaiser Ruprecht genannt, andererseits auch nur Ruprecht von Baiern; verschiedene Bezeichnungen s. z. B. 2, 22; 24. 4, 47. 8, 8; 12. 59, 10. 61, 37. 181, 38. 183, 14. 185, 25. 186, 15. 196, 14.). — Seine Gemahlin Elisabeth (Helisabeth) Tochter Bgf. Friderichs V von Nürnberg 31, 24. 33, 38. 34, 2. 47, 13; 17; 21; 27. 67, 12. 68. 8, 98. 33. 99, 26. 100, 41[a]. 101, 18. 106, 27. 109, 23. 115, 17. 119, 31. 121, 44. 123, 39. 124, 34. 125, 32. 128, 1. 134, 23; 25. 206, 1; 2. 207, 9. 209, 38. 211, 37. 214, 11; 31. 216, 16. 217, 4 ff.; 28[b]; 34[b]. 218, 9; 19; 22. 222, 20; 21. 238, 1. 244, 40[a]; 41[a]. 245, 3; 27. 248, 7. 256, 35. 262, 33. 292, 23. 297, 31[b]; 38[b]; 44[b]; 45[b]. 298, 39[a]. 324, 33. 328, 23. 337, 17. 360, 26. 386, 30. 387, 14. 396, 10. 399, 14. 403, 20. 406, 44[a]. 409, 17. 411, 43[b]. 412, 3; 30[a]. 413, 7. 428, 7. 673, 8. Deren Hofmeister (wol kaum v. Lichtenberg?) 297, 38[b]. Herren in deren Diensten s. Erbach. Beamter in deren Kanzlei s. Trowßheimer. — Seine Familie, sein Haus, die Seinen, seine Kinder bzw. einige derselben, seine nicht gen. Söhne 31, 24. 33, 40. 47, 17; 22. 67, 12. 68, 9. 98, 33. 100, 41[a]. 101, 3; 21. 106, 27. 107, 8. 109, 23. 114, 4. 115, 17. 116, 41. 119, 32. 121, 45. 123, 40. 124, 34. 125, 32. 206, 1; 3. 207, 5; 7. 247, 30. 248, 16; 34. 337, 17. 396, 11. 403, 21. 420, 29 ff. 489, 6. 536, 18. 628, 37. 634, 31; 36; 38. 673, 3. 679, 2; 7; 8. 727, 37. 768, 50[a]. auch 495, 29[b]. Vgl. Pfalzgräfinnen Agnes u. Elisabeth und Pfalzgrafen Johann, Ludwig, Otto, Ruprecht (IV), Stefan. — Seine Vettern s. Baiern (Herzöge). — Seine Cousine Eleonore s. Kastilien. — Seine Mutter (Beatrix Tochter K. Peters II von Sicilien) u. deren Schwester (Eleonore Gemahlin Peters IV v. Aragonien) 208, 13. — Sein Beichtvater (Beichtiger) s. Probin. — Sein Kaplan s. Friderich. — Sein Hof (curia) 46, 11; 16; 18. 398, 24. Seine Umgebung, Fürsten und Herren seiner Umgebung, die Seinen, sein Gefolge (familia) 71, 18. 72, 5. 102, 2; 3. 106, 28. 109, 24. 112, 21; 26; 44;

47. 115, 18. 119, 32. 121, 45. 123, 40. 124, 34.
125, 33. 130, 41[a]. 132, 16. 133, 16. 134, 23;
25; 40. 135, 9;'30. 171, 47[a]. 213, 48[b]. 245, 4.
247, 30. 248, 16; 34. 629, 41[a]. — Sein Rath
(consilium) 46, 24; 39. 121, 18; 38. 518, 34.
519, 14. 574, 24; 32. 597, 34. 766, 9. — Seine
Räthe (consiliarii) bzw. einige nicht gen. derselben
26, 46[a]. 30, 42. 34, 5; 27; 34. 37; 1. 45, 29.
198, 14; 17. 243, 31[a]. 283, 36. 289, 18. 290, 29;
35; 43. 303, 1. 312, 33. 313, 32. 337, 28. 365,
6. 400, 17. 486, 16; 30. 490, 11; 24 ff. 491, 13;
31. 492, 2; 22; 26. 493, 31; 34. 494, 37. 498,
2; 5. 499, 6. 501, 33. 502, 2. 512, 20. 513, 41.
515, 5. 518, 20 ff. 533, 13. 626, 9. 656, 37[b];
40[b]. 661, 2. 662, 21. 665, 12. 669, 27. 670, 28[b].
675, 15. 678, 15. 681, 27; 32; 34. 682, 13. Vgl.
Albiche Baiern (Hzge. L. u. St.) Berwangen Bettenberg Beyer Carrara Chrochow Eglofstein Endingen
Erbach Gemmingen Giener Grans Hammann Handschuchsheim Heilmann Helmstadt Hirschhorn
Huben Kämmerer Knebel Kropsberg Laber Landschade Leiningen Leuchtenberg Limburg Neipperg
Nürnberg (Bgf. F.) Remchingen Rodenstein Rosenberg Salzkorn Smalenburg Schwarzburg Sickingen
Speier (Bisch. R.) Staufer Stein Vener Venningen
Waldeck Winheim Wißereiß Zeisigheim. — Seine
Gesandten u. Bevollmächtigten (Freunde oratores
ambassiatores Botschaft ambassiata etc.), u. zwar:
1) ungen. u. unbest. od. vorl. nicht zu identif. 26,
48[a]; 40[b]. 126, 9. 127, 10; 17. 134, 40. 139, 28.
146, 24. 210, 17; 25. 283, 6. 296, 17; 20. 303,
22. 318, 22. 494, 26. 560, 5; 6. 624, 28. 645,
48[a]. 661, 14. 672, 2. 679, 21; 27. 680, 11; 24.
vgl. B. u. M. 2) ungen. ab. identif., a) in Italien s.
Albeck Albertus Buman Eglofstein (K.) Falkenstein
Friberg Leiningen (G.) Mittelburg Nürnberg (Bgf.
F.) Rode Speier (Bisch. R.) Thanheim Verden Winheim, b) sonst s. Burgmann Ebener Endingen
Falkenstein Hirschhorn (J.) Kämmerer Limburg
Rodenstein Smalenburg Vener Zeisigheim; 3) ge-
nannte s. viele der vorher gen. Räthe u. der unten
gen. Beamten etc. ferner Chur (Bisch. H.) Kem-
nater Ladenburg Noet Preußen Rathsamshausen
Wickersheim. — Seine Reichsvikare in Italien s.
Bentivoglio Carrara Casale Este Gonzaga Guinigi.
Vgl. auch Friaul. — Sein Kanzler s. Speier
(Bischof Raban). — Seine Kanzlei und Kanzlei-
beamten (Kanzler Protonotare Notare Schreiber
Unterschreiber Registratoren) 47, 24; 28. 293, 11.
297, 36[b]. 310, 39[a]. 335. 481, 19. 662, 27.
Vgl. Albeck Albertus Buman Durlach Kirchheim
Knöringen Landau Moscheln Sobernheim Stein
Vener Winheim. — Sein Hofgericht 449, 7; 30.
23; 26. 561, 16. 660, 35[a]. 661, 40[a]. 768, 6; 11.
770, 8; 13. Hofrichter s. Weinsberg. Hofgerichtsschreiber (Hofschreiber) s. Kirchheim. — Sein Hofmeister s. Leiningen Öttingen Schwarzburg. Dessen
Knechte 449, 7; 10. — Sein Hofmeister zu Heidelberg (Unterhofmeister) s. Berwangen Huben. —

Sein Küchenmeister 659, 26. Vgl. Huben. — Sein
Marschalk s. Handschuchsheim Knebel Zeisig-
heim. — Seine Kammer (d. i. Finanzverwaltung)
216, 6. 386, 10. Sein Kammermeister s. Hirsch-
horn. Sein Kämmerer 387, 15. vgl. Ludenbach.
Sein Schatzmeister (tesoriere) s. Winheim. Sein
Kammerschreiber s. Johannes. — Seine Landvögte
und Landfriedenshauptleute (in Elsaß Franken
Schwaben Wetterau) s. Sickingen, Limburg, Hirsch-
horn Thalheim u. Werdenberg, Hirschhorn u.
Rodenstein, (capitanei) 26, 1.
537, 27. Vgl. Eglofstein Schwarzburg. — Seine
(Kurpfälz.) Vögte bzw. Landvögte u. Pfleger, auch
Landrichter 52, 1. Vgl. Eglofstein Frewdemberger
Gabel Helmstadt Landschade Mittelburg Raiden-
bucher Rosenberg Sickingen Werberg. — Seine
Amtleute 5, 47. 26, 23. 28, 11. 36, 3; 11. 47,
16. 52, 1. 237, 32. 241, 8. 312, 33. 313, 32.
516, 31. 520, 32[a]. 768, 19[b]. Vgl. Helmstadt
Rosenberg Sickingen Stein Zimmern. — Seine
Vitztume s. Gewolff Landschade Sickingen; auch
Degemberg? — Seine Burggrafen s. Albiche Knebel
Landschade Waldeck. — Seine Schultheißen s.
Hammann Kämmerer. — Seine Landschreiber 45,
29. 665, 16; 33. Vgl. Amberg Auerbach Dannstad Gebhard Heidelberg Kastner Oppenheim. —
Leute in s. Diensten unbestimmter Stellung s.
Betandorffer Dorhüter Neckerstein Smalhans Werwolff. — Seine Münzmeister 304, 8. 307, 12 ff.
Vgl. Frankfurt Hans Niederländer. Seine Gulden
(bzw. auch die s. Vorfahren?) 346, 14; 16. 347,
4; 6; 20. 348, 11. 349, 7; 30. 350, 33; 35. 351,
8. 566, 29. 567, 12. 568, 5; 8; 23. Vgl. Bacherach Frankfurt Heidelberg. — Seine Zollschreiber
zu Bacherach u. Caub s. Sure. — Sein Herold
436, 33. 482, 6. 660, 14. — Seine Boten (reitende
und laufende Boten, auch Läufer) 297, 49[b]. 343,
30. 435, 15; 26. 436, 2; 9; 14; 19; 26. 437, 17.
481, 23; 24. 660, 14. 661, 1. — Sein Späher 298,
41[a]. — Seine Thürhüter (zwei innerste bzw. einer
derselben, zwei mittlere, ein äußerster) und Pförtner (portener, auch sein innerster Pförtner) 293,
12. 343, 24; 31. 481, 8; 22; 23. 482, 6. 493, 2.
634, 32; 33. 655, 26. 658, 7; 8. 661, 17. —
Seine Spielleute (Pfeifer Posaunier Quinterner
Lautenschläger) 293, 12. 343, 30. 375, 4. 481, 24.
628, 33. — Sein Heer, seine Truppen auf d. Ital.
Feldzuge 58, 6; 19. 62, 17; 28. 63, 12. 65, 9 ff.
68, 1. 70, 35; 42. 71, 35; 39. 74, 20. 82, 2. 96,
2. 97, 10 ff. 98. 99. 100, 29. 103, 40. 104, 2;
25; 41[a] ff. 107, 34. 111, 24. 121, 31. 126, 12;
17; 20; 33. 129, 49[a]. 134, 12. 138, 29. 145, 37.
153, 1; 34[a]; 32[b]. 166, 12; 14. 171, 30[b]. 244,
11. 245, 5; 30. 246, 2; 4. 249, 13. 258. 263,
1. — Seine Söldner auf diesem Zuge 232-237.
Vgl. Busolt Gundelsheim Heydörffer Valdo Wispriger. — Seine Truppen, sein Volk (Schützen,
reisige Diener) bei andern Gelegenheiten 3, 23.
26, 23. 28, 11. 501, 29. 503, 38[b]. 527, 12. 537,

27. 681, 18; 20; 30. — Seine Mannen Burgmannen Vasallen Diener Unterthanen 26, 20. 28,
7. 52, 1. 339, 30; 32. 840, 21; 28; 84. 507, 7.
508, 14. 518, 10ff. 670, 28ᵇ. — Seine Besitzungen
Lande Schlösser Städte, seine Herrschaft 14, 20.
26, 20; 28. 28, 8; 11; 16. 47, 16. 203, 27. 339,
80; 32. 340, 17. 669, 20; 33. 676, 16; 17. 679,
9. 682, 21; 24. Vgl. oben unter den Land- u.
Zollschreibern, außerdem Altdorf Alzei Annweiler
Baiern (Land) Beheimstein Birkweiler Blech
Boppard Bretten Cammerstein Germersheim Go-
dramstein Hagenbūch Hartenstein Heimbūre Hersbruck Hirschau Hohenfels Holenberg Ingelheim
Kaiserslautern Kaiserswerth Kamm Kirkel Lauda
Lengenfeld Mosbach Nabburg Neumarkt Neustadt
Nierstein Nuwenburg Obrigheim Odernheim Peg-
nitz Pfalz Rheinpfalz Rotenburg Schnaittach
Schwabach Schwabsberg Siebeldingen Stahlberg
Staleck Stauf Steinsberg Stromberg Salzbach
Thann Trifels Weinheim Wiesloch Wildenstein
Winterzheim. — Seine Gläubiger (Schuldner) 35,
6; 13; 15; 20. 666, 16. 669, 25. 670, 29ᵇ; 33ᵇ.
671, 9ff. Vgl. die Schuldverschreibungen im
chronol. Register.

Pfalzgraf Ruprecht (IV) Pipan Sohn K. Ruprechts,
† 1398: 517, 32ᵃ.

Pfalzgraf Stefan (Herzog Steffan junior) Sohn K. Ruprechts, Pfalzgraf zu Simmern u. Zweibrücken
1410, † 1459: 3, 19. 541, 30. 551, 21; 22. 677,
28ᵃ; 32ᵃ. 759, 25. auch 256, 35.

Pfettesheim s. Konrad.

Pfileamyd, der, (Beruf od. Eigenname?) 390, 15.

Pfinzing (Pfinczig), Berthold, in Nürnberg 228, 48ᵃ.
388, 15. 479, 27.

Pflugynn, die 36, 31.

Pforzheim (Pforczheim) in Baden 436, 21. 438, 38.
740, 4; 11; 32.

Pfullendorf (Phullendorff) zw. Sigmaringen u. Überlingen 42, 22; 43ᵇ. 226, 38ᵇ. 227, 25. 228, 8.
229, 11. 306, 22. 382, 3. 750, 2; 41ᵇ. 751, 38ᵃ;
50ᵃ; 33ᵇ. — Juden dort (nicht vorh.!) 227, 25.
229, 11.

Philipp (Philips), Graf, entw. v. Falkenstein od. v.
Nassau? 495, 10; 15. 496, 6.

Philippsburg s. Utenheim.

Piacenza (Placentia) s. Po s. ö. v. Mailand, Abt des
dort. Benediktinerklosters s. Johannes. — Vgl.
auch Bontherzo Russe.

Piave (Plavis) Fluß in Venetien 126, 35.

Pickenbach, wol Bickenbach (vgl. dort), der von —,
431, 18.

Pilsen in Böhmen 425, 45ᵇ.

Pisa (Pisae Pissae civitas Pysana) Stadt Behörden
Pisaner 68, 15; 43ᵃ. 172, 19. 207, 38. 378, 22. —
Der Herr von —, s. Mailand (Joh. Galeazzo).

Pisani, ser Petrus, in Venedig 92, 42ᵃ. 161, 30; 32.
169, 10. auch 162, 36.

Pisinie (wol in Italien?), Jacobus de —, 378, 35.

Pitti, Buonaccorso, di Neri (Bonacursus Nerii de

Pictis) Florent. Syndikus u. Geschäftsträger 57,
16. 58, 43ᵇ. 61, 5. 69, 6. 72, 37. 78, 23. 74,
46ᵇ. 75, 27ᵃ; 80ᵃ. 76, 25. 79, 38ᵇ. 159, 17;
89ᵇ. 215, 19ᵃff. 220, 31ᵃ; 42ᵇ. auch 66, 28. 83,
27. 87, 5; 21. 88, 42ᵇ. 90, 1. 158, 8. 160, 13;
87. 246, 87. wol auch 112, 83ff. 121, 34; 38.
129, 23. 132, 16; 35. 138, 20. 135. — Seine vier
Brüder 58, 43ᵇ.

Pixa, etwa Pisa?, Meister (maistro) Andrea da —,
407, 23; 27.

Plankstetten n. ö. v. Eichstädt nahe Beilngries, der
Abt von —, 242, 11. 243, 1; 6.

Plauen (Plaben) i. Vogtland, der Reuß von —, zu
Greiz 434, 42.

Plech s. Blech.

Plöcker, der, Bote Augsburgs 438, 4; 19.

Plumacius, Johannes, Venet. Gesandter 141, 11.

Po (Padus Pò) Fluß 57, 31. 98, 24; 25; 33.
119, 5.

Poggio, etwa zw. Bologna u. Imola s. v. Medicina?
57, 32.

Polen (Polan) König Ladislaus (Wladislaw) 377, 47.
686, 48ᵃ. — Sein Diener 434, 20. Vgl. Yban.
— Land 46, 3. — Vgl. Ancellinus.

Polenta, d. i. Ravenna, Opizo von —, Vikar d. Kirche
zu Ravenna 378, 27. — Peter von —, Herr in
Ravenna 378, 25. wol auch 88, 23. 136, 18.

Policianus, dominus bzw. mons, s. Montepulciano.

Policinum, wol in Venetien zu suchen 142, 4.

Polton, Thomas, Bacc. in utroque jure, Archidiakon
in Taunton, Engl. Gesandter 388, 16; 37ᵃ. 402,
47ᵇ.

Pommersfelden s. s. w. v. Bamberg, C. Truchseß
von —, 620, 42.

Pordenone (Portenowe) in Friaul 263, 38.

Portener, Hans, Knecht im Straßb. Romzugskont.
254, 24.

Porto-Buffole (Portus Buffoleti) i. Friaul s. ö. v. Sacile 100, 19. — Der Podestà von —, (zugleich v.
Motta) 104, 37ᵇ.

Porto-Gruaro (Porto Ghruaro) zw. Venedig u. Udine
60, 2; 17.

Pot, Herr Reyner, Kammerherr (gambellanus) und
Rath Hzg. Ph.'s v. Burgund 195, 30. 197, 12.
viell. 196, 17.

Potestain s. Eglofstein.

Prades (Pratis) in Catalonien n. w. v. Tarragona,
Jakob von —, Admiral von Sicilien (u. K. Ruprechts)
211, 12. 395, 39ᵇ.

Prag Erzbischof Wolfram 1396-1402: 178, 42ᵃ. 192,
32ᵃ; 42ᵃ. 686, 46ᵃ.
—, die Geistlichkeit des Erzbisthums 192, 43ᵃ.
— (Praga Pragha Praug) Stadt (die 3 Städte) 179,
37ᵇ. 189, 20. 191, 1; 42ᵃ. 192, 15; 29ᵃ; 34ᵃ.
194, 40ᵃ. 276, 28; 33. 336, 82ᵇ. 375, 16; 32.
436, 3. 437, 24; 25; 85. 488, 11.

Pranperch wol in Friaul zu suchen, der Herr (signore) von —, 59, 31; 32.

Predigerorden, der General desselben 480, 89. 659,

8. — Zwei des Predigerordens von Walhen (d. i. aus Italien?) 434, 16.

Pressburg ö. v. Wien 863, 29. 417, 34ᵃ; 44ᵃ; 49ᵃ. 436, 6.

Preungesheim s. Brúningesheim.

Preußen (Prusia Prussia), der Deutschordensmeister von —, (il frate di —) s. Eglofstein (Konrad).
— (Prußen), Johann von —, Deutschordenskomthur zu Straßburg, Ges. K. Ruprechts 40, 13.

Prevobergge, wol a. d. Böhm.-Baier. Grenze zu suchen 425, 8.

Preysinger, Erhard, i. Baier. Solddienst 231, 25. — Herr Heinrich 432, 35. — Herr Rudolt 432, 35. — Ein 432, 17.

Probin, Meister Nikolaus, Beichtvater (Beichtiger) Kaplan u. Rathmeister K. Ruprechts 47, 2; 23.

Profes, Johannes, Magister, Ritter, Engl. Gesandter 14, 29.

Prokop s. Luxemburg.

Pryntzen, Herr Hans von —, von Welschen Landen 434, 16.

Puchperger, Heinrich, i. Baier. Solddienst 231, 35.

Puglia s. Apulien.

Puncte, Johann, in Achen, Schöff 321, 12; 27. 322, 27.

Purgawer, Jörg, i. Baier. Solddienst 230, 3. — Wilhelm, desgl. 230, 3.

Putendorffer, Hans 433, 24.

Putrich, Jakob, i. Baier. Solddienst 230, 23.

Q.

Querfurt (Quernfúrt) zw. Merseburg u. Sangerhausen, Herr Bosse von —, 1400-1448?, i. kgl. Soldd. 233, 22. — Der (od. die?) von —, ders.? 448, 28.

Quirino, ser Rambertus, in Venedig, einer der Savj 82, 46. 84, 16. 92, 9. 95, 4; 33. 98, 17. 100, 5. 105, 5. 111, 5. 115, 5. 126, 6. 128, 30. 132, 10; 33. 137, 17. 138, 15. 140, 7.

R.

Raban (Rabann u. Raben od. Rabe?), Johann, derer v. Meißen Diener, Ges. Mf. Wilhelms 331, 7. 430, 40. 448, 11.

Rabatta (Rabacta Rabatha Rebata), Johann von —, Kapitän von Görz 414, 47ᵃ. — Messer Michael (Michele) von —, Ritter, in Diensten des Fr. v. Carrara 63, 44. 159, 23. 164, 16. 168, 27. 219, 2. 327, 42ᵃ. 407, 42ᵇ. 408, 39ᵇ.

Radawer, Johann, in Augsburg, Rathsherr 436, 7. — Der, ebend., Bürgermeister, wol ders. 296, 41ᵃ. 299, 44ᵃ. 343, 37ᵇ. 438, 26. 439, 2.

Rade s. Gobel.

Radicofani in Toskana s. v. Montepulciano, Vikar dort s. Salimbene.

Raichelderf entstellt aus Paicheldorf, d. i. Peuschldorf, s. Venzone.

Raidenbucher (Raydempacher Reidenbuch), Ulrich, i. kgl. Soldd. 233, 5. — Herr Wilhelm, K. Ruprechts Pfleger zu Heimberg 219, 6. 426, 6; 10. 428, 29. 620, 35.

Ramelstainer, der, wol i. Baier. Soldd. 230, 25.

Ramsperger (od. Rainsperger od. Ranisperger?), Friderich 294, 30. — Johann 294, 30. — Drei 433, 17.

Ranis in Thüringen zw. Rudolstadt u. Zeitz, der Herr von —, s. Schwarsburg.

Rantinger (Rantingár), Matthäus, aus Regensburg, Rathsherr? 46, 12 ff. — Der Ranntinger, wol ders. 47, 20.

Rappoltstein (Rapelstein Ropelstein) im Elsaß, Herr Maximin von —, 498, 13. 508, 21; 22. wol auch 501, 29. 503, 32. — Vgl. Hohenstein.

Raße, Rüdiger zum —, in Speier? 352, 21.

Rasso (od. Rassonis?) s. Malatrea.

Raßheim s. Roßheim.

Rathsamshausen (Racsenhusen) bei Schlettstadt, Lützelmann von —, Bevollm. K. Ruprechts 561, 21.

Ratzperg (od. Batzsperg?), in Hessen nahe Schweinsberg, viell. Roßberg?, d. Gericht zu —, 476, 38.

Ravenna 170, 9. — Der Herr von —, s. Polenta. — Vikar der Kirche dort s. Polenta.

Ravensburg (Rafenspurg) n. v. Bodensee 41, 29. 42, 4. 226, 38ᵇ. 227, 19. 228, 8; 16. 229, 3. 306, 24. 376, 5. 750, 2; 48ᵃ; 52ᵇ. 751, 36ᵃ; 32ᵇ. — Gesandte 429, 5. 602, 14. — Ein dort ansäss. gerittener Mann 228, 39. 229, 37ᵇ. — Juden (resp. ein Jude) dort 227, 19. 228, 16. 229, 3.

Rayneriis, Rogerius de —, de Perusia, d. i. aus Perugia?, Söldnerhauptmann 76, 24. 77, 29.

Rebata Rebatha s. Rabatta.

Recchenbach, Anisius, Söldnerhauptmanns 76, 24. 77, 11.

Rechberg wol s. v. Gmünd, Herr Veit von —, 448, 15. — Die von —, 435, 36.
— s. Müllenheim (Burkhard).

Reden wol s. s. ö. v. Hannover, od. Rheden s. w. v. Hildesheim, das Geschlecht von —, 446, 43.

Regensburg Bischof (Johann I von Baiern 1384-1409) 431, 32. 659, 20.
— Stadt und Bürger 45, 15; 39ᵃ. 214, 4; 85ᵇ. 435, 30; 31. 437, 22. 438, 10. 439, 1. 660, 34ᵃ. 661, 3; 30ᵃff.; 29ᵇ; 32ᵇ. 662, 25. — Bürgermeister s. Laber. — Rathsherren s. Durenstetar Enikchel Gamprecht Rantingor. — Kämmerer d. Stadt s. Ulrich (Probst). — Stadtschreiber s. L . . . . — Gesandte 434, 31. 435, 2. 658, 32. 659, 2; 18; 25. Vgl. die eben gen. Personen. — Kaufleute daher 45, 44ᵇ. 46, 2. — Juden dort 47, 26; 35ᵇ. 214, 5; 6.

Regenstauf n. v. Regensburg 230, 25.

Regenstein (Reynstein) i. Harz nahe Blankenburg, Graf Ulrich (IX) zu —, (1353-1409?) 310, 10; (30). 311, 15.

Reggio (Regium) zw. Parma u. Modena, d. Reichs-

vikariat v. Mantua u. —, 537, 15. — Reichsvikar
s. Gonzaga.

Reidenbucher s. Raidenbucher.

Reinhard (Raynhart, auch Schwarz Reinhard) s.
Sickingen.

Reinhartsweyler, wol Renhartsweiler s. s. w. von
Buchau?, Albrecht von —, 433, 21.

Remchingen (Reinchingen Renchingen) etwa bei Durlach?, Reinhard von —, Rath K. Ruprechts und
Hofmeister Pf. Johanns 488, 16. 545, 10; 41ᵃ;
41ᵇ. 677, 23. wol auch 678, 7.

Renicheim, wol Renchen in Baden ö. v. Straßburg
s. Walter.

Renum, Elighierius de —, etwa v. Rhein?, Söldnerhauptmann 76, 24. 77, 17.

Repphain wol i. Augsburg 297, 47ᵃ.

Retberg, d. i. Rietberg w. n. w. v. Paderborn, Graf
Otto von —, s. Minden.

Rethemberg, Herr Albrecht von —, 433, 22. —
Herr Erkinger von —, 433, 26. — Herr Heinrich
von —, 433, 22. — Herr Veit von —, 433, 22.

Reuß (Rewss) s. Plauen.

Reutlingen (Rutlingen) s. v. Stuttgart 42, 1; 22;
49ᵃ; 43ᵇ. 226, 38ᵇ. 227, 32. 228, 8. 229, 17.
236, 49ᵃ. 306, 25. 381, 28. 750, 2; 40ᵇ. 751,
37ᵃ; 49ᵃ; 31ᵇ. — Gesandter s. Ungelter. —
Juden dort (nicht vorh.!) 227, 32. 229, 17.

Revere s. Po bei Ostiglia 119, 7.

Rewter, Friderich, i. Baier. Solddienst 230, 4.

Reynstein s. Regenstein.

Rhein (Reyn Rijn Rin Ryn) Fluß, auch meton. f.
Flußgebiet Rheinlande (das Land danieden) 3, 24.
26, 11. 27, 32. 203, 26. 241, 15. 290, 43. 301,
5; 6. 334, 22. 428, 6. 461, 19; 24. 486, 13. 489,
37ᵇ. 492, 4; 23; 32. 518, 14; 31. 519, 1; 13. —
Die 3 bzw. 4 Kurfürsten (Fürsten) am —, (uffme
Rine), Rheinische Kurfürsten 343, 17. 345, 10.
509, 4; 11; 26; 37. 672, 20. 676, 8; 11. wol auch
295, 35. 300, 18. Ihre Räthe und Freunde wol
296, 18. Ihre Münzbeamten (Münzmeister Pro-
bierer Wardeine) 569, 36 ff. 570. Ihre (Rheinische)
Gulden 346, 14. 348, 9; 15. 350, 29; 31. 566,
14 ff.; 27 ff. 567, 9 ff. — Rheinische Fürsten 316,
40. — Herren Ritter Knechte auf dem —, 672,
26ᵇ. — Städte (Reichsstädte u. Freistädte) dort
46, 6. 261, 21. 343, 11. 375, 10; 13. 435, 25;
41. 436, 15; 26 ff. 436, 3 ff. 438, 13; 32. 439, 4.
489, 28. 662, 40ᵇ. vgl. 507, 27ᵃ. Deren Gesandte
(Freunde) 486, 17. Vgl. unter Frankfurt Mainz
Speier Worms. — Landfriede dort 26, 3. 27, 11.
507, 31ᵃ. Vgl. Wetterau. Hauptmann i. Ldfr.
s. Streufe. — K. Ruprechts Herrschaft, die Pfalz
am —, s. Rheinpfalz. — Die Pfalzgrafen bei —,
s. Baiern u. Pfalzgraf.

Rheingau (Ringgauwe), Vitztum im —, s. Scharfenstein. — Landschreiber im —, s. Assenheim.

Rheinpfalz (die Pfalz bzw. Pfalzgrafschaft a. Rhein,
K. Ruprechts Herrschaft a. Rhein od. danieden,
Palatinatus Rheni) bzw. deren Einwohner Städte

Dörfer etc. 23, 7. 486, 12. 492, 4. 518, 9. 541,
23. 666, 27. 667, 11. 668, 35; 38. 669, 30. 670,
1. 759, 34. — Einzelne Orte etc. s. unter Pfalzgraf Ruprecht III.

Richen o. n. ö. v. Bruchsal nahe Eppingen 501, 41ᵃ.

Ridolfi, Lorenzo (Laurentius Antonii de Ridolfis od.
Rudolfis), decret. doctor, in Florenz, M. d. Zehnerbalei 79, 23. 80, 85ᵇ; 43ᵇ; 45ᵇ. 170, 23. 275,
37. auch 172, 15; 16. 173, 28. 175, 7.

Rieneck (Ryenneck) in Unterfranken unweit Gemün-
den, Graf Ludwig IX von —, 1382-1408: 3, 20. —
Graf Thomas III von —, 1408-1431: 430, 31. —
Der Graf von —, 433, 18.

Rienhofen, Herr Wilhelm von —, 432, 16.

Riesenburg, wol Riesenberg s. s. w. v. Pilsen 416,
37ᵃ.

Rietesel (Rietesil), Adolf, Amtmann zu Butzbach
637, 1; 26ᵃ. — Gilbrecht (Gylbracht), desgl. 645,
13. 646, 28; 49ᵃ; 45ᵇ. auch 647, 32. — Gilbrecht, in Frankfurt, Burggraf zu Bonames, derselbe? 343, 25. 345, 8.

Riga (Rig) Erzbischof Johann V 1395-1418: 434, 35.
539, 42ᵃff. 660, 5. 688, 16 ff.

Rigler, Ulrich, aus Weißenburg (i. N.) 293, 22.

Rinheim, wol Reinheim o. s. ö. v. Darmstadt?, Hammann von —, Amtmann zu Urberg 636, 15; 47ᵃ.

Rinkenberg, Klaus von —, aus Speier, städt. Gesandter 769, 32ᵇ.

Rintfleisch, wol in Rückingen? 592, 34.

Robertis (Rubertis), Nicolaus de —, in Ferrara 173, 6.

Rochester zw. London u. Canterbury, Bischof Johann
(episc. Roffensis) 13, 6; 9. 14, 29.

Rockenhausen n. v. Kaiserslautern 517, 40ᵇ.

Roçonibus, Johaninus (Zaninus) de —, Brescian.
Edler 160, 20. 161, 4; 15. 169, 1.

Rode, Dietrich, Ritter, Hessisch-Braunschw. Vertreter
704, 25; 30. 705, 16; 20.

—, Hermann, Probst der Peterskirche außerh. Mainz,
Gesandter K. Ruprechts (vgl. Bd. 4 p. 17 u. p.
26, 37) 71, 5. 73, 34.

Rodenberg s. Rotenberg.

Rodenstein (Rodinstein Rotenstein) i. Odenwald, Herr
Hermann von —, Ritter, Rath K. Ruprechts u.
Landvogt i. d. Wetterau (auch Vogt von Heidelberg? s. 512, 2 und) 15, 34; 40. 16, 1. 195, 25.
294, 24. 316, 43. 327, 30ᵇ. 357, 45. 431, 8. 432,
26. 433, 30. 439, 25; 27; 37. 440, 1; 6. 467, 17.
492, 24; 31. 500, 14. 511, 33. 512, 1; 13. 516,
4. 573, 20. 575, 26 ff. 576, 39. 590, 29 ff. 591, 2.
592, 30; 31. 593, 20. 597, 38; 39. 629, 14 ff.;
46ᵃ. 630, 3 ff. 663, 5. 664, 10. wol auch 315, 5.
fälschlich als Graf bezeichnet 273, 42. — Vgl.
Rotenstein.

Rodulphus eques (d. i. wol berittener Bote) des Fr.
v. Carrara 172, 13.

Röder, Herr Hans 430, 11.

Röhlinger, der, in Augsburg, städt. Gesandter 439, 4.

Rötheln n. n. ö. v. Basel, der Markgraf von —, s.
Hochberg.

Roffensis episcopus s. Rochester.

Rom Pabst Bonifacius (Bonifatio) IX 1389-1404:
8, 35. 31, 27 ff. 85, 10. 69, 2; 27. 80, 38ᵃ. 104,
6; 8; 10. 108, 15; 19. 113, 12; 15; 18. 117, 14.
131, 21; 49. 132, 1. 133, 34. 137, 25; 35; 36.
158, 15; 27. 159, 9; 13. 163, 25; 30. 168, 33;
35; 36. 169, 17. 173, 22. 174, 7; 33. 176, 12;
46ᵇ. 179, 13. 182, 29. 184, 28. 192, 45ᵃ. 203,
10. 247, 6; 8. 274, 35; 40. 282. 283. 284, 2; 5;
22. 285, 24; 27; 30. 287. 289. 291, 2. 321, 43ᵇ.
326, 23. 329, 30; 34. 358, 9. 363, 25 ff. 365, 4.
367, 30. 374, 9. 385, 12. 388, 21. 392, 44. 394,
22. 399, 24; 25; 27. 400, 3; 9; 18; 24. 407, 33.
408, 5 ff.; 35ᵃff. 409, 44ᵃ. 411, 31. 412, 7; 34ᵇ.
439, 16. 495, 27ᵇ. 496, 2. 524, 4. 525, 39ᵃ. 533,
2. 536, 40ᵃ; 34ᵇ. 547, 1; 36ᵃ; 42ᵃ. 548, 23;
38ᵃ; 48ᵃ; 38ᵇ. 552, 21; 25; 34. 554, 6; 29.
555, 15; 16. 556, 44ᵃ; 31ᵇ. 557, 1. 571, 26.
582, 22. 669, 10. 680, 31. 682, 25. wol auch
478, 38. — Seine Legaten s. Cossa Salzburg. —
Sein Sekretär s. Bologna. — Seine Gesandten (Botschaft) 117, 15. 283, 6. 400, 4. Vgl. Bologna
Montepulciano.

— Pabst Innocenz VII 1404-1406: 547, 35ᵃ. 679,
13. 680, 24. 686, 13; 16; 41ᵃ. 687, 3; 21; 28;
29. 702, 43ᵇ. 707, 38. vgl. 552, 14. — Seine Gesandten 679, 23. 686, 18; 20.

— Gegenpabst Benedikt XIII 1394-1409 bzw. 1417
bzw. 1423: 397, 3 ff.; 43ᵃ; 37ᵇ. 398, 9; 10. 553,
30; 33. 554, 2; 7; 17; 21. 555, 6; 12 ff.

— Die Römische Kurie, der Hof zu —, der (aposto-
lische) Stuhl zu —, 104, 5. 474, 22. 478, 6. 495,
27ᵇ. 543, 5. 547, 35ᵃ. 552, 18. 556, 26; 28.
557, 2; 3. 572, 20; 41. 686, 18; 24. 687, 6. 692,
37. — Die Kirche Römischer (Bonifazischer etc.)
Obedienz 553, 1. — Kardinäle ders. Obedienz 363,
33. 552, 12. 553, 40ᵃ. 681, 5. — Nicht gen.
Kardinal 556, 44ᵃ. — Vikare d. Kurie s. Malatesta Polenta Salimbene. — Hauptmann derselben
s. Orsini. — Beamte der päbstlichen Kanzlei s.
Benevento Francinus Heynlini Jacobus Montepulciano Rugis Stoter Zuccharus. — Gesandter K.
Ruprechts bei der Kurie s. Albeck. — Besitzungen
(Städte Länder Rechte) d. Kirche, d. Kirchenstaat
327, 6. 524, 17; 20; 26. Truppen derselben 524,
39; 42. Unterthanen derselben (censuales vel obligati) 108, 20. 113, 16.

— Stadt (Rôm Roma Rome, auch nur urbs) 2, 9;
24. 31, 27; 31; 36. 60, 38. 74, 3. 94, 13; 36.
158, 8. 162, 2. 163, 29. 165, 31. 167, 25. 168,
32. 169, 5; 20. 170, 8. 176, 42ᵃ. 183, 34. 184,
23. 185, 29. 194, 1. 203, 20. 213, 35ᵃ. 244, 15.
246, 45ᵇ. 247, 31. 256, 22. 260, 12. 261, 9. 266,
15; 20. 282, 19. 283, 14. 284, 2. 287. 289, 1;
3; 8. 327, 1. 329, 29. 334, 29. 336, 23. 358, 19.
398, 9. 399, 24; 25; 27. 400, 6; 7. 408, 17;
36ᵇ. 412, 13. 413, 30. 427, 35ᵃ. 537, 20. 556,
20. 557, 6. 679, 24; 28. 681, 9; 11. 682, 38.
684, 42. — Senator und Conservatoren 378, 2. —

Römische Herren 174, 25; 30; 32: 38. ¹Deren
Gesandte s. Bucinatulus Capocius. — Sankt Peter
in —, 536, 44ᵇ. 547, 41ᵃ. 550, 16. — Römisches
Reich und Römische Kaiser bzw. Könige s. Deutschland. — Oströmisches (Griechisches) Kaiserreich
s. Konstantinopel.

Romandiola, d. i. die Romagna 550, 22.

Romania, d. i. das Gebiet des Oströmischen Reichs?
123, 9. 139, 4. Vgl. Konstantinopel.

Romanye, d. i. Rumigny (deutsch Rümingen) in der
Champagne, s. Lothringen.

Rommel (Rûmel Rumel), Wilhelm, aus Nürnberg
216, 10; 20; 34ᵃ. 217, 46ᵇ. 218, 11; 17; 21. wo
auch 217, 15.

Ror, Herr Nikolaus von —, Rath d. Herzogs v. Geldern 621, 2.

Rosebecke, Konrad, Schütz, i. kgl. Solddienst 233, 8.

Rosenberg, wol w. s. w. v. Mergentheim?, Arnold
von —, d. ältere, Pfälz. Amtmann zu Lauda 15,
46. — Kunz (Conze) Müniche (Moniche Muniche)
von —, Rath K. Ruprechts u. Vogt zu Steinsberg
15, 34; 40. 16, 1. 358, 4. 523, 12 ff. 539, 10;
(27). auch 540, 40ᵃ; 41ᵇ; 43ᵇ.

—, dasselbe?, Herr Hans von —, 432, 7. — Herr
Konrad von —, 432, 7. — Einer von —, 432, 6.

Roßheim (Rasßheim) s. w. v. Straßburg 306, 22.

—, Berthold von —, in Straßburg, Stadtmeister
1401: 259, 5. 260, 40. 261, 27.

Rossignolus Läufer des Fr. v. Carrara 158, 23.

Rosso, messer Beltrando, Rath Joh. Galeazzos 67, 22.

Rotawer, Kaspar, i. Baier. Solddienst 231, 15;
44ᵇ ff. — Der, desgl. 232, 3.

Rotenberg (Rodenberg), wol Rotenburg i. Hessen
a. d. Fulda 478, 4. — Die Kirche zu —, 472,
26. — Ein Dekan dort 472, 24. — Ein Kanonikus
dort s. Streckwin.

— (Rotemperg Rotensperg, Rosenberg), der, die Veste
zum —, wol Rottenberg o. n. ö. v. Nürnberg bei
Schnaittach 242, 15; 47ᵇ. 243, 8; 10; 31ᵃ; 26ᵇ;
37ᵇ. — Der Pfleger von —, 293, 29.

Rotenburg a. d. Tauber 3, 39. 226, 38ᵇ. 228, 5;
8; 44ᵃ. 270, 17. 306, 26. 382, 18. 387, 34. 437,
6; 38. 438, 1; 5. 449, 11; 39ᵃ. 450, 44ᵇ. 581,
36. 619, 12. 623, 35. 624, 32ᵃ. 656, 3; 15; 42ᵃ;
38ᵇ; 40ᵇ. 657, 38ᵃ. 660, 47ᵃ. wol auch 228, 39;
40. — Bürgermeister s. Toppler. — Gesandte
(Rathsfreunde) 3, 17; 22; 36. 293, 30. 429, 12.
430, 7; 23. 431, 34. 432, 2. 434, 29. 435, 7.
448, 33. 450, 47ᵃ. 602, 13. 619, 11. 620, 11;
12; 17; 41. 621, 4; 17. 658, 17; 23. 659, 10 ff.;
35. 660, 5. 663, 3. 765, 33. Vgl. Nurenberger
Toppler. — Juden dort 228, 5. vgl. auch 228, 39;
40; 47ᵃ. 388, 15.

Rotenhan n. n. w. v. Bamberg bei Ebern, einer
von —, 432, 42. 433, 3.

Rotenstein, Ulrich von —, i. kgl. Solddienst 235,
2. — Vgl. Zollner. — Vgl. Rodenstein.

Rothe (Rote) s. Hermann.

Rottweil (Rotweyl Rotwile) s. w. v. Reutlingen 42,

10. 226, 38ᵇ. 227, 33. 228, 8. 229, 19. 306, 26.
381, 34. 389, 29ᵇ. auch 728, 35. — Gesandte
499, 6. 727, 44. — Juden dort (nicht vorh.!) 227.
33. 229, 19. — Vgl. Heinrich.

Rotzenhusen, Herr Egloff von —, i. kgl. Solddienst
233, 11.

Rovigo (Ruico) zw. Padua u. Ferrara 57, 30.

Rubertis s. Robertis.

Rudolf, Herr, der Schultheiß s. Sachsenhausen.

Rudolfis s. Ridolfi.

Rückingen (Ruckingen) n. w. v. Hanau a. d. Kinzig
592, 32; 43. 593, 8; 17. 629, 42ᵃ.

Rüde (Rude), Bopp, i. kgl. Solddienst 286, 1. —
Eberhard 433, 19.

Rüdigheim (Rudenckeim Rudikeim) a. n. w. v. Hanau,
Dietrich von —, zu Rückingen 592, 32. 629,
38ᵇ. — Johann von —, Ritter, desgl. 592, 32;
34. 593, 6; 8. 629, 86ᵇ. — Ulrich von —, wol
desgl. 629, 37ᵇ.

Rütschingen, d. i. Rixingen a. w. v. Saarburg? 373,
6. Vgl. Leiningen.

Rugia, N. de —, wol i. d. päbstl. Kanzlei 547, 16.

Rumel s. Rommel.

Runkel a. d. Lahn, der Herr von —, wol Dietrich IV
1402-1460: 765, 30.

Ruprecht, König s. Pfalzgraf.

Russe, Peter, in Parma u. Piacenza 378, 32.

Rustenberg auf d. Eichsfelde w. v. Heiligenstadt,
Amt 477, 35. — Amtleute dort 477, 36.

—, Heinrich von —, i. Hess. Diensten 464, 33; 36.

Rutger, Amtmeister, etwa aus Köln? 425, 14.

S.

Saarbrücken (Sarbrucke), Graf Philipp zu —, s.
Nassau.

Saarburg (Sarburg) w. v. Zabern 749, 16. 760, 16;
30ᵇ ff.

Saarwerden (Sarwerden), Friderich d. ältere IV Graf
(seit 1398, früher Herr) v. Mörs u. (durch Heirath)
Gf. v. —, seit 1380 Herr v. Baer, 1375-1419:
58, 51ᵇ. 284, 43ᵇ. auch 495, 29ᵇ. — Der Graf
v. Mörs, wol ders., od. s. Sohn F. V? 256, 37.
258, 20. 261, 1. 284, 27. 433, 32. 727, 42. — Gf.
Friderich von —, Oheim d. vorigen, s. Köln (Erzb.)

Sabia vallis s. Val-Sabbia.

Sacchetti, Tomaso, od. messer Tomaso de' —, (dns.
Tomasius dni. Jacobi de Sacchettis od. Sacetis),
Ritter, Florent. Gesandter 60, 11 ff. 65, 22. 66,
46ᵃ. 75, 7; 17. 79, 23. 80, 36ᵇ; 43ᵇ; 46ᵇ. 170,
24. auch 172, 15. 173, 28. 175, 7. 275, 36. wol
auch 112, 33 ff. 121, 34; 38. 129, 23. 132, 16;
35. 133, 20. 135. 160, 13; 37. viell. auch 75,
43ᵇ.

Sacciifer Bote Frankfurts 246, 43ᵇ. 439, 20.

Sachsen Herzog Rudolf III Kurfürst 1388-1419: 317,
11. 318, 1. 402, 43ᵇ. auch 571, 21: 33. — Sein
Gesandter s. Hugolt. — Sein Bote 318, 5; 8.

Sachsen Herzogin Ciliola Gem. Hzg. Wenzels (1370-
1388), Mutter des vorigen, Schwester des Fr. v.
Carrara 318, 4; 35ᵇ. 329, 43ᵃ.

— Land (Sahssen Saxonia) 631, 10. — Sächs. Fürsten 702, 46ᵃ. — Landfriede in —, 310, 17. 441,
27. — Juden in —, 480, 35ᵃ; 40ᵃ.

Sachsenhausen (Sassinhusen) bei Frankfurt a. M. 481,
18. 594, 6. 628, 30. 629, 35ᵃ. — Landfriedenszoll
dort 688, 25.

—, Herr Friderich von —, Ritter, Kurtrier. Vertreter (Amtmann zu Koblenz?) 303, 1. 305, 21.
343, 7. 495, 3. — Herr Rudolf von —, Schultheiß zu Frankfurt 511, 34. 512, 1; 13. 636, 4.

Sacile (Sacilum Sazilum) in Friaul a. ö. v. Bellano
100, 18. 141, 29ᵇ.

Saimzeller, Andreas, i. Baier. Solddienst 230, 11.

Salimbone, Cocchus, Herr von Siena, Vikar (der
Kirche?) in Radicofani 378, 42.

Salm, d. i. Niedersalm i. Hzgth. Luxemburg a. v.
Stablo od. Obersalm i. Elsaß a. w. v. Straßburg,
der Graf von —, wol Heinrich VI von Niedersalm
1370-1416: 495, 31ᵃ.

Salvelt, etwa Saalfeld a. v. Weimar?, der Bürgermeister zu —, s. Krebs.

Salza (Saltza), d. i. Langensalza w. n. w. v. Erfurt
703, 29. 704, 3. 706, 32.

Salzburg (Salcispurg Saltzpūrg) Erzbischof Gregor
Schenk v. Osterwitz 1396-1403, Legat d. Röm.
Stuhls 37, 3. 50, 25; 37ᵇ. 51, 34. 53, 1; 37ᵃ;
44ᵃ. 286, 1; 40ᵇ. 334, 10. 335, 39. 380, 38.
393, 20. 406, 18. 421, 2. 556, 32ᵇ. — Seine Gesandtschaft 286, 16. Vgl. Wachter; auch Turner?

— Erzbischof Eberhard von Neuhaus (Nuwenhuser)
1403-1427, vorher Probst der Salzburger Kirche
556, 8; 33ᵇ. 653, 20; 22. 686, 46ᵃ. — Dessen
Räthe 556, 1; 7.

— Stift 51, 8; 13. 52, 5. 556, 21. — Klerus (Prälaten) 50, 37ᵇ. 53, 28. 556, 30ᵇ. 557, 29. —
Probst s. Erzb. Eberhard. — Erzbisthumspräten-
dent s. Freising. — Mannen u. Diener etc. des
Stifts 51, 20. 53, 28. — Besitzungen desselben
s. Berchtesgaden. — Grafen und Herren in den
Landen um —, 335, 7; 11.

— Stadt 54, 17. 420, 45. 556, 30ᵇ. — Vgl. Ancellinus Nustorffer; auch Turner? Wispeck?

Salzkorn (Salczkern Saltzkorn), Ulrich, Rath K. Ruprechts 368, 23. 539, 10; (33). auch 540, 40ᵃ;
41ᵇ; 43ᵇ.

Saneso s. Siena.

Sancti-Angeli, castrum, i. d. Lombardei zu suchen
89, 35ᵃ; 44ᵃ.

Sanctus vom Grafenstein u. s. Gesellen 470, 29.

San-Daniele (Sant Daniel) in Friaul n. w. v. Udine
266, 6; 42ᵇ.

Sankt-Gallen (Santgalle) 41, 28. 42, 4. 226, 33ᵇ.
227, 21. 228, 8; 14. 229, 3. 306, 25. 376, 6.
381, 22. 436, 20. 651, 45. 660, 51ᵃ. 750, 49ᵃ.
751, 36ᵃ. — Juden (resp. ein Jude) dort 227, 21.
228, 14. 229, 3.

San-Miniato (Sannminiato) zw. Florenz u. Pisa, Pero da —, (Perus quondam ser Peri de sancto Miniate, auch nur Pero ser Peri od. ser Petrus Petri) in Florenz, judex ordinarius, Notar u. städt. Gesandter 59, 4. 61, 45. 63, 36. 64, 5; 8; 13. 69, 6. 72, 37. 73, 23. 74, 50ᵇ. 75, 27ᵃ; 30ᵃ. 88, 42ᵇ. 159, 18; 39ᵇ. auch 66, 28. 70, 34. 71, 7. 83, 27. 87, 5; 21. 90, 1. 158, 8. 160, 13; 37. 246, 37. wol auch 112, 33ff. 121, 34; 38. 129, 23. 132, 16; 35. 133, 20. 135.

Santa-Sofia s. Galeazzo.

Santberch wol in Steiermark zu suchen 336, 17; 18; 21. auch 336, 33ᵇ.

Sardinien Reich (regnum Sardinense) 207, 26. — König Martin s. Aragonien.

Saßbach (Sahßbach) wol o. n. ö. v. Straßburg bei Achern s. Heinrich.

Sassin, Eigel von —, in Friedberg, Rathsherr 648, 25ᵃ.

Satelpoger, Eberhard 433, 31. — Erhard 620, 25. 621, 1. — F. 448, 10. — Martin 621, 1. — Der 620, 20.

Sauwelnheim Sawnsheim s. Seinsheim.

Savoien (Soffoy Sophay Sophoye) Graf Amadeus VIII 1391-1434: 69, 29. 70, 18; 20. 493, 38. 494, 14. 542, 3; 29ᵃ; 40ᵃff. — Seine Schwester 542, 4; 37ᵇ. 551, 36. Dieselbe fälschlich als seine Tochter bezeichnet 494, 1. 543, 10; 15; 20. — Seine Räthe und Gesandten 293, 22. 542, 2; 41ᵃ; 47ᵃ. — Andere Grafen von —, 542, 22.

Sawr, Herr Konrad 432, 27.

Sayn (Seyne) n. v. Koblenz, der Graf von —, 500, 12.

Scala, Antonio della —, Herr von Verona 1381-1387, † 1388: 67, 31.

Schärding (Scherdingen) s. v. Passau 420, 44.

Schaffart, Herr Friderich, Probst wol i. d. Trier. Diöcese, Kurtrier. Vertreter 303, 1. 305, 23.

Schaffhausen a. Rhein 676, 23ᵇ.

Scharfenstein (Scharffenstein Scharpenstein) bei Eltville, Kuno von —, Kurmainz. Vitztum im Rheingau 463, 19. 704, 23; 30. 705, 16; 20.

Schauwenberg, d. i. wol Schaumburg s. ö. v. Passau bei Efferding 334, 25; 27. viell. auch 435, 20; 30. 436, 4; 18.

Schawemburg, Peter von —, 621, 12.

Schellenberg, etwa i. Lichtenstein n. n. ö. v. Vaduz?, Burkhard von —, i. Baier. Soldd. 230, 20. — Der von —, 429, 23.

Schelriß (Schelriiß), Henne 629, 38ᵇ. — Hermann 514, 36; 39.

Schenebergh s. Schöneberg.

Schenk s. Au Erbach Limburg Schweinsberg.

Scherer, Peter, in Augsburg, wol Rathsherr 436, 35. 437, 2; 29. 438, 15; 28. 661, 5; 8; 11; 16. 662, 1ff.; 28.

Schillichwacz, Parzival, i. Baier. Solddienst 230, 7.

Schilling, Herr Burkhard 433, 20.

Schleswig Bischof Johann s. Swinderlauff.

Schlettstadt (Sletstat Sliczstat) i. Elsaß 241, 46ᵃ. 306, 22. 672, 33ᵃ; 44ᵃ. — Gesandte 765, 32. 769, 36ᵃ; 31ᵇ; 41ᵇ. — Juden dort 212, 34.

Schmalkalden (Smalkalden) s. s. ö. v. Eisenach, Bürger von —, 465, 3.

Schnaittach (Snaitpach Snaytach) n. ö. v. Nürnberg, Markt (auch Hämmer) daselbst 243, 10; 32ᵃ; 26ᵇ.

Schober, Fritz 390, 14.

Schönau (Schonowe) o. n. ö. v. Heidelberg, der Abt von —, 547, 1. — Die (d. i. die Mönche?) von —, 683, 32.

Schöneberg (Schonenberg) i. Hessen o. n. ö. v. Hofgeismar, Schloß 475, 15; 48ᵃ; 46ᵇ. 692, 13; 22; 25; 45ᵃ.

— (Schenebergh Schönenborg Schonenberg) wol dass., Burkhard von —, in Hess. Diensten 464, 15; 23; 31. 704, 35. 705, 16; 20. — Der von —, wol ders. 478, 29.

Schonberg (Schowenberg, etwa ident. m. Schauwenberg?, s. dort) 435, 20; 30. 436, 4; 18.

Schonenberg (Schonnburg), wol Schönberg bei Oberwesel?, Johann von —, Domschulmeister, dann (erwählter) Dompropst zu Mainz 513, 38. 515, 4. 517, 39ᵇ. 691, 40ᵇ.

Schonfelt (Schonenfelt), d. i. Schönfeld, deutscher Name für Tolmezzo, s. dort.

Schongau s. Lech s. w. v. München 4, 12. 198, 27. 217, 4; 40ᵃ. 437, 13. 661, 6.

Schorlinger (Schirlinger), Hans, Bürger in Amberg 214, 2; 33ᵃ. 222, 31.

Schorstab (Schurstap), Erhard, aus Nürnberg 17, 34. — Fritz, ebendaher 217, 49ᵇ. wol auch 217, 15.

Schotten, die 399, 37ᵃ.

Schowenberg s. Schonberg.

Schrecker, der 387, 21.

Schrießheim w. v. Mannheim 358, 12.

Schubel, Walther 430, 37.

Schultheiß (Schulthaiss), Klaus, Ges. d. Bodenseestädte 41, 22. — Vgl. Zorn.

Schurstab s. Schorstab.

Schutzberg, d. i. Schützeberg i. Hessen zw. Wolfhagen u. Nothfelden, Heinrich von —, 473, 23.

Schwabach (Swabach) s. v. Nürnberg 217, 28ᵇ. 360, 28. — Die von —, städt. Gesandte? 294, 29.

Schwaben (Suovia Swaben Swoben) 498, 11. 672, 17. 673, 9. 741, 7. — Reichslandvogt in —, meist in Oberschwaben 522, 26; 41ᵇ. Vgl. Hirschhorn Werdenberg. Unterlandvogt s. Thalheim. — Klöster in —, 522, 38. vgl. 522, 15; 19. — Städte in —, meist die verbünd. Schwäb. (Sweyfschen) Reichsstädte, d. Schwäb. Städtebund, auch die Städte d. Landvogtei 5, 32. 18, 1; 5. 42, 43ᵃff. 46, 7. 275, 3. 343, 11. 374, 43; 48. 375. 502, 19; 32ᵇ. 522, 4. 523, 1. 651, 46. 658, 2. 662, 41ᵇ. 663, 22ff. 672, 19. 676, 9; 30ᵃ. 713, 37; 45. 729, 3. 731, 3. 734, 17. 735, 21. 740, 14. 742, 13. 761, 21. 764, 17. 765, 5. 766, 3; 31. auch 299, 45ᵃ. 436, 8; 13; 28. 437, 2. 660, 38ᵃ.

663, 25; 32 b. 713, 43. 728, 35. vgl. auch 227-
229. Deren Gesandte (Freunde Räthe) 523, 7;
10 ff. 727, 44. 740, 14; 23. 761, 18. 766, 26;
28. auch 299, 41 b; 43 b. Vgl. Eyerer Hug Peßler
Ungelter. Deren Söldner 3, 41. Kaufleute daher
5, 43. 663, 21.

Schwabsburg (Swabsberg) i. Rheinhessen w. n. w. v.
Oppenheim 402, 48 a. vgl. 362, 8.

Schwalbach (Swalbach u. wol verschr. Swabach), wol
Burgschwalbach i. Nassau s. v. Limburg, Erwin
von —, Ritter 629, 87 b. — Heinrich von —, 636,
1; 32 a.

Schwarzburg (Swarczpurg) in Thüringen, Graf Günther (XXIX) von —, Herr zu Ranis 1369-1416,
Hofmeister K. Ruprechts 1404-1407, auch s. Hauptmann (capitaneus) in Italien 330, 31. 418, 27.
419, 2. 479, 17. 527, 30. 528, 1. 533, 17; 38 b;
45 b. 534, 45 a. 545, 35. 550, 20; 48 a. 551, 5;
21. 552, 1. 657, 22; 40 a. 658, 6; 22; 23. 659,
5; 29; 45. 662, 89 b. 765, 25. 766, 8; 13. 769, 34 a;
48 a. viell. auch 317, 19 ff. Graf Günther von —,
i. kgl. Solddienst, wol ders. 233, 20. auch 217,
13. Graf Günther von —, wol auch ders. 3, 20.
58, 50 b. 293, 28. 294, 26. 430, 2; 42. 433, 35.
434, 37. 620, 16; 33. auch 13, 30; 36. Der (der
Graf) von —, desgl. 34, 20. 286, 27. 727, 43.
Comes de Varceburgo, sicher ders. 128, 5.

Schweidnitz s. w. v. Breslau, Herzogthum (ducatus
Suiducentum, etwa entstellt aus Suidnicium od.
Suidnicensis?) 191, 21; 25; 29; 45 a.

Schweinfurt (Sweynfurt Swinfurd) a. Main 226, 38 b.
228, 4; 8. 236, 49 a. 305, 30; 35. 306, 21. 382,
16. 386, 31; 32. 581, 36. 588, 32; 36; 40; 44.
619, 12. 623, 27. 656, 3; 39 b. 657, 38 a. wol
auch 228, 39; 40. — Gesandte 3, 16. 294, 18.
428, 32. 429, 21; 45. 430, 44. 431, 22. 434, 28.
602, 23. 619, 11. 620, 11; 18. 621, 3; 28. 658,
23. 659, 1. — Juden dort 228, 4. vgl. 228, 39;
40.

Schweinsberg (Swinsperg) n. ö. v. Gießen, Henne
Schenk von —, 592, 36. — Die Schenken von —,
462, 39. 476, 34 ff. 477, 4; 6; 10. 693, 15; 16.

Schweiz, die Schweizer Eidgenossen (von Switzen,
quelli di Suicer) 40, 15. 50, 38 a; 44 a. 69, 31.
544, 6. auch 728, 35. wol auch 488, 42 a. — Vgl.
Waldstädte.

Schwyz a. Vierwaldstädtersee 50, 9; 45 a.

Seckendorf w. n. w. v. Nürnberg, Apel von —, 432.
14. — Arnold von —, von Abemberg 433, 12. —
Arnold von —, ders.? 432, 14. 433, 10. — Herr
Burkhard von — zu Frankenberg 450, 8. —
Herr Burkhard von —, ders.? 432, 20; 23. —
Herr Leopold von —, 433, 9. — Otto von —,
432, 12. — Herrn Walters von — Frau 433,
27. — Wilhelm von —, 433, 10. — Vgl. Nolt
Stopfenheim.

See (Sew) s. Bodensee.

Seinsheim (Sauwelnheim Sawnsheim) s. ö. v. Wirzburg bei Marktbreit, Erkinger von —, 433, 10. —

Hermann Hirt von —, i. kgl. Solddienst 237, 5.
Vgl. Hert. — Martin von —, 432, 15.

Selbold zw. Hanau u. Gelnhausen, Landfriedenszoll
dort 638, 28; 30. 639, 1. 640, 9. — Zöllner dort
638, 31.

—, Diether von —, Amtmann zu Niedererlenbach
636, 7. — Henne von —, 636, 24; 37 b.

Selz (Selase) im Elsaß n. w. v. Rastatt 306, 26. —
Der Zoll zu —, 212, 29. 241, 14; 19; 29; 49 a;
42 b.

Semler, Ulrich, d. junge, aus Nürnberg 217, 45 b.
wol auch 217, 15.

Sena Senae s. Siena.

Sentlinger, Georius, i. Diensten (scutifer) K. H.'s v.
England 399, 35 a.

—, Hans, i. kgl. Solddienst 233, 2. 236, 18.

Severino, ser Matthäus Andreae de sancto —, Cancellarius d. Herren v. Cortona 154, 2; (16).

Seyler (Sohiler Soyler), Konrad, Nürnberger Bürger
217, 47 b. 411, 35; 46 a. wol auch 217, 15.

Sforza s. Cotignuola.

Sicilien Reich (regnum Sicilie) 207, 24; 25. — König
Martin I, Sohn K. Martins III v. Aragonien, 1386-
1409: 206, 7. 207, 1; 3; 8; 33. 208, 25. 209,
44 a. 396, 5. Seine Gemahlin, richtiger Verlobte
207, 33; 36. 210, 29. — König Ladislaus s. Neapel. — Titularkönig Ludwig s. Anjou. — Der
Admiral von —, s. Prades. — Der Deutschordensprovincial auf —, s. Kirchberg.

Sickingen in Baden o. s. ö. v. Bruchsal, Eberhard
von —, K. Ruprechts Amtmann zu Trifels 358, 5.
666, 28; (41). wol auch· 668, 27. — Hammann
von —, K. Ruprechts Rath u. Vitztum zu Neustadt (a. d. H.?), auch z. Landvogt i. Elsaß bestimmt 15, 45. 358, 3. 427, 18. 539, 10; (28).
545, 36. 590, 22. 677, 25 b. auch 540, 40 a; 41 b
43 b. wol auch 386, 19. 387, 10. 435, 3. — Hans
von —, 677, 25 b. — Reinhard der junge von —,
K. Ruprechts Rath u. Vogt zu Heidelberg 15, 42.
358, 6. 387, 6; 9; 21; 32. 539, 10; (31). 540,
44 b. auch 540, 40 a; 41 b. — Reinhard von —,
wol ders. od. d. folgende? 433, 30. 546, 20. 548,
43 a. 664, 19. — Schwarz Reinhard von —, Ritter, K. Ruprechts Rath u. Reichslandvogt (proses)
im Elsaß (1401-1408), dann Unterlandvogt Pf.
Ludwigs dort 40, 12. 42, 19. 50, 16. 148, 2. 212,
23; 32. 234, 28. 239, 1. 240, 44 a. 327, 31 b.
358, 1. 386, 25. 387, 7. 389, 16; 27 a. 490, 39 a.
498, 7; 10. 504, 3; 5; 27; 36 a. 539, 10; (25). 542,
1; 39 a ff. 561, 26. 590, 22. 768, 18 a. auch 503,
32. 540, 40 a; 41 b; 43 b. viell. auch 544, 5. Vgl.
den vorigen (Reinhard von —). — Der von —,
429, 36.

Siebeldingen i. d. Pfalz n. u. w. v. Landau 666, 27;
(38).

Siena (Senae) Stadt Behörden 378, 20. — Der Herr
von —, s. Mailand u. Salimbene. — Ein Sieneser
(Sanese) 59, 26.

Sigband, i. Braunschw. Diensten 456, 19.

Siglitz, Herr Hug von —, des von Meißen (wol Mf. Wilhelms I?) Rath 430, 41.
Sigmershawser, der, i. Baier. Solddienst 231, 32.
Sigmund, König s. Luxemburg.
Silß wol i. Hessen zu suchen, etwa Silges bei Hünfeld?, Wigand von —, 466, 11.
Simmern (Symern) auf d. Hunsrück 344, 13.
Singer, der, Bote Augsburgs 438, 36; 37. 661, 11.
Sinsheim s. ö. v. Heidelberg 17, 47.
Siegelholcz, Hesse, Meister des Johanniterordens in Deutschland 18, 14.
Siegil, Peter zum —, in Frankfurt, Münzprobierer 343, 16.
Smalenburg (Smalenborch), Thilmann von —, Dekan d. Kirche Maria ad gradus in Köln, Rath K. Ruprechts 12, 38. 13, 9; 19. 14, 7; 14. 202, 2; 31. auch 201, 26.
Smalhans (em. aus Swalhans) wol i. Dienste K. Ruprechts 213, 25.
Smeher, der, u. s. Weib 663, 4.
Smyeher, Herr Stefan, Französ. Gesandter 285, 17. 891, 39. 894, 12; 16.
Snarrebangk (Snarrebach) Knecht im Straßb. Romzugskontingent 254, 13.
Snyder, Kunz, Schultheiß zu Niedererlenbach 636, 8.
Soardus, Petrus, Mailänd. Gesandter 87, 2.
Sobernheim a. d. Nahe, Mathias, auch Mathias von —, i. d. Kanzlei K. Ruprechts, Protonotar (oberster Schreiber) 15, 27; 31. 40, 39. 43, 19ᵇ. 502, 9. 540, 37ᵃ; 41ᵃ. Derselbe nur mit d. Vornamen 15, 34; 40. 16, 1. 214, 7. 343, 34. 434, 42. 548, 37ᵃ; 37ᵇ.
Sohiler (Soyler) s. Seyler.
Solmon s. Neckarsulm.
Solms w. v. Wetzlar, Junker Johann von —, wol Joh. III 1405-1415: 500, 1. — Der Graf von —, 765, 29.
Solothurn (Salottern Solothern) i. d. Schweiz 40, 15. 42, 18. 48, 1. 306, 27. 382, 26. 542, 3. auch 728, 35.
Soltau i. d. Lüneburger Haide w. v. Ülzen, Konrad von —, s. Verden.
Somerset (Somersetia), Graf Johann von —, Engl. Gesandter 338, 14. 402, 47ᵇ.
Sontra (Suentra Suntra) s. ö. v. Kassel, Stadt Bürger 460, 10ff. 461, 5ff. 468, 38. 477, 30; 31; 32. 690, 31ff. 691, 1ff.; 36ᵃ; 52ᵃff. 703, 29; 30; 33. 704, 6. 706, 30. — Amtleute etc. dort 691, 9; 37ᵃ; 44ᵇ.
Soperancio (Superancio), ser Benedictus, in Venedig, Prokurator d. Markuskirche, einer der Savj 81, 6. 83, 24. 90, 15. 93, 5. 95, 25. 97, 35. 98, 16. 100, 4; 7. 105, 4. 109, 17. 111, 8; 41ᵃ. 124, 18. 126, 5. 127, 7. 128, 29. 131, 1; 47. 132, 32. 133, 7; 28. 134, 34. 137, 16. 138, 14. 140, 1; (10). 193, 28.
Spät (od. Späte), der, Bote Augsburgs 276, 27; 28; 33. 299, 40ᵇ. 436, 3; 4; 6; 20; 21. 437, 11; 35; 38. 438, 35. 439, 3. 661, 3. 662, 4; 24; 35.

Spanien (Hispania), Könige in —, 208, 28; 29. — Vgl. Aragonien Kastilien.
Sparneck (Sparrneck) n. n. ö. v. Bairouth, Herr Hans von —, 432, 23.
Spatzinger, Werner, Stadtschreiber (Protonotar) in Straßburg 396, 28.
Speier (Spira Spire) Bischof Raban von Helmstadt 1396-1438, Kanzler K. Ruprechts 1400-1410: 4, 35. 19, 27. 25, 39. 55, 7. 58, 35; 48ᵇ. 63, 42. 75, 21. 76, 2. 79, 41ᵃ. 101, 43. 156, 36ᵇ. 164, 25. 165, 2. 166, 38. 167, 8; 21; 28. 212, 31. 214, 16; 22. 216, 1; 4; 12; 25. 219, 5ff.; 31ᵃ. 222, 11. 223, 18; 24; 33. 233, 35. 243, 28ᵃ. 244, 44ᵃ. 247, 41ᵇ. 257, 1. 264, 10. 291, 17. 293, 10. 327, 23ᵇ. 358, 8; 19. 386, 20. 387, 20; 25. 388, 11; 14. 390, 9. 410, 34; 42ᵇ. 412, 32ᵃ. 413, 8. 424, 19. 427, 17. 428, 11. 437, 13; 20. 442, 25. 490, 24ff. 540, 48ᵃ. 546, 19; 20; 32; 40ᵃ; 40ᵇ. 620, 28; 30. 658, 6. 659, 30. 662, 38ᵇ. 681, 9. 727, 33; 39. auch 169, 20. 490, 11. 491, 13; 31. — Sein Bruder 297, 40ᵇ. 433, 28. Vgl. Helmstadt. — Sein Probst 620, 16. — Sein Amtmann s. Gemmingen. — Sein Kaplan und Zollschreiber s. Johann. — Sein Schreiber s. Emering.
— Bisthum 498, 2. 548, 40ᵃ.
— Stadt (Spier Spiere Spir) 26, 9; 16; 28; 48ᵃ. 27, 9. 269, 26. 296, 26. 297, 21. 306, 27. 343, 41ᵃ. 352, 25. 375, 42; 47. 381, 35. 382, 32. 383, 15. 388, 22. 483, 10; 12. 484, 8; 10; 42ᵇ. 485, 22. 486, 16; 30. 487, 2. 488, 14; 19. 490, 1; 19; 26; 34. 491, 3; 4; 6; 13; 31. 492, 15; 16. 496, 17; 44ᵇ. 506, 10. 593, 9. 625, 6. 651, 32. 660, 37ᵃ. 661, 39ᵃ. 734, 28. 735, 23. 765, 42ᵇ. auch 295, 6ff. 296, 2. 300, 2ff. 728, 35. wol auch 488, 24ff. 492, 22ff. fälschlich statt der dort anw. Städtegesandten 352, 2. — Gesandte (Freunde) der Stadt 26, 2; 36ᵇ; 40ᵇ. 295, 5; 8; 14. 299, 33. 300, 1. 343, 42ᵃ. 350, 45ᵃ. 353, 8. 354, 2. 429, 13. 483, 22. 484, 17ff. 506, 10; 12. 511, 14. 513, 41. 515, 7. 625, 34ᵃ; 49ᵃ. 727, 35; 44. 769, 36ᵃ; 31ᵇ; 41ᵇ. auch 625, 41ᵇ. wol auch 295, 33ff. 296, 15. 304, 23. 305, 12. 488, 23. 489. 490, 25ff. 491, 21; 30. Vgl. Klaus Rinkenberg. — Romzugskontingent 258, 22; 26. 259, 35; 39. 260, 8. 261, 2; 6; 9; 34; 37; 38. 262, 8. 264, 16. — Vgl. Gerhard Raße.
Spiegelberg (Spiegilberg) wol Spielberg n. ö. v. Gelnhausen, Konrad von —, 593, 6. 635, 22; 39ᵇ.
Spies (od. Spiese?), Henslin, Bote Augsburgs? 437, 23. 438, 30.
Spilimbergo in Friaul w. n. w. v. Udine, Wenzel von —, Ges. Hzg. A.'s v. Österreich 417, 9.
Sponheim (Spainheim Spanheim) w. v. Kreuznach, Graf Johann d. ältere (IV) von —, 1399-1413: 501, 30. auch 495, 29ᵇ. — Graf Johann d. jüngere (V) von —, 1413-1437: 495, 29ᵇ. — Graf Simon IV von (zu) — u. zu Vianden 1380-1414: 405, 8; 11. 506, 21. 511, 11. 759, 21; 41ᵇ. auch 495, 29ᵇ. — Der Graf von —, 278, 24;

27. — Gräfin Mathilde (Mechtild) von —, s. Baden.

Stafforth s. w. v. Bruchsal, Schloß 508, 6.

Stahlberg (Stalberg) i. d. Baier. Pfalz bei Rockenhausen, Burggraf dort s. Knebel.

Staleck bei Bacherach, jetzt Ruine, Bgf. dort s. Waldeck.

Stamensdorff, Johann de —, Kanonikus der Tridentiner Kirche 59, 39ª.

Stanpech s. Steinbeck.

Starkenburg (Starckenberg) a. d. Bergstraße, Amt 517, 40ᵇ. — Burggraf dort s. Erbach.

Stauf (Stauff) wol i. d. Oberpfalz s. w. v. Neumarkt, oder in Mittelfranken zw. Heideck u. Groding? 217, 28ᵇ. 360, 28.

Staufer (Stauff Stawffer), Dietrich 432, 29. 434, 41. 621, 21. — Heinrich, i. kgl. Solddienst 233, 25. — Ulrich, Ritter, Rath K. Ruprechts 45, 40ª. 53, 40ª.

Stauffenberg, Burkhard Hummel von —, i. kgl. Solddienst 233, 10. — Herr Wilhelm von —, desgl. 233, 9.

Stefan (Steffan), Herzog s. Baiern u. Pfalzgraf. — Herrn Stefans (viell. Hzg. St.'s v. Baiern?) Gemahlin 431, 19.

—, St., wol in Bamberg, Probst zu —, s. Hörauf.

Steier Land 413, 22.

Stein i. Gerichte Lengenfeld wol auf d. Eichsfelde w. s. w. v. Heiligenstadt, arme Leute zum —, 478, 17.

— (Steyn) in Schwaben, etwa Rechtenstein s. w. v. Ulm bei Marchthal?, sechs vom —, 433, 14.

— wol ders., Herr Wolfram von —, 434, 30.

— wol ders.?, Konrad vom —, wol s. Mondsburg, i. Diensten K. Ruprechts 41, 8; 20; 25.

— ders.? od. etwa n. n. w. v. Pforzheim?, Konrad vom —, ders.? 507, 26ᵇ.

— kaum ders., wol i. östl. Franken zu suchen, Herr Hans vom —, 433, 37.

— etwa bei Worms od. d. Rheingrafenstein s. w. v. Kreuznach?, Herr Klaus (Claiß) vom —, Domherr zu Mainz, Kurmainz. Vertreter 303, 1. 305, 16.

— ders.?, Otto vom —, (de Lapide), i. d. Kanzlei K. Ruprechts 442, 26. 447, 45.

— ders.?, Herr Sigfried vom —, (de Lapide), Ritter, i. Solddienst K. Ruprechts, s. Rath u. Amtmann zu Odernheim 195, 26. 235, 30. 327, 29ᵇ. 519, 15. Dessen nicht gen. Sohn 235, 30.

Steinach, d. i. Neckarsteinach ö. v. Heidelberg, s. Landschade.

Steinau (Steyna) zw. Gelnhausen u. Fulda, Landfriedenszoll dort 638, 28; 30. 639, 1. — Zöllner dort 638, 31.

Steinbeck (Stanpech) Wirth (hospes) in Lienz (od. Luincis?) 171, 43ᵇ. 233, 31.

Steiner, Friderich, Knecht i. Straßb. Romzugsk. 253, 44.

Steinsberg (Steinßperg) w. n. w. v. Heilbronn 501, 42ª. — Der Vogt dort s. Rosenberg.

Stelzheim (Steltzheim), Eitel von —, 433, 22.

Steno (Stieno), Michael, Venet. Doge (duca, dux, dominus) 1400-1413: 60, 16; 18; 27; 29. 75, 34ᵇ; 39ᵇ. 88, 45ᵇ. 89, 37ª. 91, 14. 92, 19. 95, 16. 96, 10. 97, 12; 21; 24. 100, 13. 103, 26. 104, 21. 106, 14. 115, 6. 116, 18; 21. 120, 7. 122, 7. 124, 21. 127, 16. 129, 7; 22. 132, 21. 133, 19; 41. 135, 13. 137, 1. 139, 18. 140, 13. 151, 27. 156, 25. 161, 28. 162, 27. 165, 1. 170, 16. 171, 16; 19. 172, 6. 185, 16ff. 194, 37ª. 277, 46. 324, 25. 378, 3. 533, 2. 546, 39ª. — Sein Sekretär s. Argonesis.

Stephänlin wol in Ulm 375, 5.

Sterlich (Storich), d. i. Österreich, s. Habsburg.

Sterne, Ecke vom —, aus Nürnberg 217, 47ᵇ. wol auch 217, 15.

Stetten, Zorch (Zurich) von —, i. kgl. Solddienst 236, 5.

Sticher, Heinrich, Probst zu St. Severin in Köln 59, 37ª. 63, 42.

Stieber, der, Korherr zu Bamberg 659, 37. — Drei, aus Bamberg? 448, 38.

Stieno, Michael s. Steno.

Stockheim in Hessen bei Büdingen, Herr Gottfried von —, Ritter 636, 22; 37ᵇ. — Herr Johann von —, Ritter, Amtmann (?) des Keucher Gerichts 636, 25; 40ᵇ.

— in Franken zu suchen, etwa o. n. ö. v. Koburg?, zwei von —, 432, 25.

Stöcklin, Hans, wol in Ulm, Rathsherr? 375, 8.

Stomdartzheim s. Jakob.

Stopfenheim n. w. v. Weißenburg i. N., Herr Walter von —, gen. v. Seckendorff 450, 9; 19. — Seine Frau? 433, 27.

Stoter, G., wol i. d. päpstl. Kanzlei 547, 14. 550, 18.

Strahlenberg, Burg, zw. Heidelberg u. Schriesheim 358, 12.

Straßburg (Strazburg) Bischof Wilhelm II von Diest 1394-1439: 373, 5; 15; 18; 48. 381, 6. 405, 7; 11. 487, 37. 498, 7; 10; 31ª. 504, 2; 4. 662, 11. 685, 17. 727, 33; 39. 728, 8ff. 729. 730, 14ff.; 36. 749, 15. 760, 10. 767, 10; 37ªff. 768, 17ª; 20ª; 34ªff.; 29ᵇff. 769, 14; 40ª; 45ª; 45ᵇ. auch 503, 32. — Seine Amtleute 768, 19ᵇ.

— Bisthum Stift 548, 40ª. 713, 39. 728, 11ff.; 38; 39. 730, 22. 749, 15. 760, 9. 767, 23; 39ª; 32ᵇ. 768, 21ª; 48ª. — Kapitel bzw. Dekan u. Kapitel 728, 17; 22; 27. 767, 43ª. 768, 23ª. 769, 40ª. — Prälaten 686, 38. — Bisthumskandidat s. Augsburg (Bisch. Ebh.) u. Leiningen. — Besitzungen d. Stifts 728, 18. 768, 22ª. Vgl. Barr Gengenbach Greifenstein Kochersberg Lützelburg Oberkirch Offenburg Ortenberg Zabern Zell.

— Stadt Bürger (Stracsborch Straißburg Strausburg Stroßburg civitas Argentinensis Argentinenses) 49, 45ª. 246, 22. 252, 19; 31. 255, 1; 14. 256, 24; 33. 257, 10. 258, 1. 259, 1; 27. 260, 29. 261, 23. 262, 19. 263, 14. 264, 1; 25. 266, 1. 272,

35; 42; 45. 275, 2. 291, 15. 296, 27. 297, 21.
299, 34; 46ᵃ; 42ᵇ; 43ᵇ. 305, 26. 306, 27. 348,
38. 352, 9; 15; 25. 373, 4; 8. 375, 9; 13; 40ff.
376, 1; 29. 382, 20; 32. 383, 15. 384, 6; 29.
388, 21. 398, 24; 25. 410, 29. 436, 29; 30. 437,
9; 12; 13; 15. 438, 15; 19; 34. 439, 4. 483, 10.
484, 8. 485, 4. 486, 1. 487, 1; 42ᵃ. 490, 1; 38ᵃ.
491, 24. 496, 16. 497, 7. 502, 19; 39ᵃ. 503, 7;
19. 504, 17; 35ᵃ. 506, 9. 553, 46ᵃ. 560, 8. 651,
33. 662, 4; 9; 10. 672, 37ᵃff. 713, 9; 11; 16;
85ff. 728, 8ff.; 46. 729. 731, 3; 4. 734, 28; 29.
735, 1; 13; 21. 739, 18. 750, 2. 760, 30ᵇff. 761,
21. 762, 2. 763, 3. 764, 1; 29. 766, 31. 767, 11;
38ᵃff. 768, 24ᵃ; 27ᵃ. 769, 16; 42ᵃff. auch 295,
6ff. 296, 2. 300, 2ff. 488, 17; 19. wol auch 488,
24ff. 492, 22ff. 566, 9. 568, 1. — Stadtmeister
(Meister) 754, 8. Vgl. Bock Burggrafe Heiligenstein Hesse Müllenheim Roßheim Zorn. — Ammanmeister 256, 15. 713, 16. Vgl. Heilman Metziger
Summer. — Altammanmeister, d. i. gewesene
Ammanmeister s. Barpfennig Gosse Kranich
Metziger. — Der Rath (Meister u. Rath, Rath u.
Schöffen) 249, 38. 250, 2. 252, 31; 32. 486, 23. —
Die Neuner, eine Behörde f. d. Krieg 249, 22.
Vgl. Barpfennig Bock Gosse Heiligenstein Kranich
Löselin Metziger Müllenheim Summer. — Gesandte
der Stadt (Rathsfreunde) 295, 5; 8; 14. 299, 35.
300, 1. 348, 23. 353, 8. 354, 1. 429, 14. 483,
21. 484, 17ff. 485, 1; 18. 491, 6; 30. 492, 2.
496, 17. 506, 10; 12. 511, 14. 713, 37. 727, 31;
35. 735, 4; 10; 11. 761, 18. 766, 26; 28. wol
auch 295, 33ff. 304, 23. 305, 12. 488, 23. 489. 490,
25ff. — Hausgenossen Münzbeamte s. Pfaffenlape. — Stadtschreiber (Protonotar) s. Spatzinger. —
Boten d. Stadt (die Botschaft, d. i. deren Ge-
sammtheit, u. einzelne Boten) 264, 18. 437, 10.
438, 12; 18; 31; 32. 488, 2; 6. 504, 8. 662, 13.
Vgl. Erknecht Glitz Swebelin. — Ungen. Freund
(Kundschafter?) d. Stadt 487, 19ff. — Städt.
Kontingent z. Romzuge 249-266. Hauptmann d.
Kontingents s. Müllenheim (Heinrich). Glefner (d.
i. Glefenführer) s. Bock Burggrafe Dütschmann
Duntzenheim Endingen Hüffelin Kolbotzheim Löse-
lin Mansse Müllenheim Trübel Zorn, vgl. auch
Heiligenstein. Zu Rittern geschlagene v. diesen
256, 15; 16. 258, 11. Knechte d. Kontingents
256, 13. Deren Namen 253-254. Pfeifer i. Kontin-
gent 256, 13; 17. 257, 33; 39. 265, 10. Schmied
darin 256, 18. 265, 12; 18. Vgl. auch Mage. —
Deutschordenskomthur in —, s. Preußen. —
Wechsler 272, 47. Lombarden (Lamparter) dort
261, 18. Münze (d. i. Münzstätte) dort 272, 46. —
Trinkstuben 255, 34-36. — Vgl. Becherer.
Straubing (Strawbingen Strubingen) o. s. ö. v. Regens-
burg 420, 44. 435, 27. — Der Vitztum von —,
431, 23.
Streckwin Kanonikus zu Rotenberg 474, 39.
Streufe (Streuffe), Hennel, Hauptmann i. Rhein.
   Landfr. 1401/2; 28, 40ᵃ; 45ᵃ. vgl. 26, 18, 28, 5.

Strölin, Hans, in Ulm, wol Rathsherr 735, 18.
Stromberg n. n. w. v. Kreuznach 280, 2. — Burg-
graf dort s. Albiche.
Stromeier (Stromeyor), Georg (Jörge), aus Nürnberg
664, 20; 30ᵃ. — Ulman, d. alte, in Nürnberg, G.'s
Vater 386, 22. 387, 2; 11; 38ᵃ; 47ᵃ. 664, 28ᵇ. —
Die Stromeyerin, wol des vorigen Ehefrau 386, 30.
Strozi s. Biagio.
Stühlingen (Stulingen) w. v. Schaffhausen, der Land-
graf von —, s. Lupfen.
Stuttgart (Stůggarten) 375, 5; 28. 713, 19. 735, 7;
24. 736, 12. 743, 29. 754, 8.
Styer, Heinrich, i. kgl. Solddienst 234, 6.
Süllman, Heinrich, desgl. 235, 13.
Suiçer s. Schweiz.
Suiducentum, ducatus s. Schweidnitz.
Sulczperger, Georg, i. Baier. Solddienst 230, 12.
Sulme s. Neckarsulm.
Sulmo, d. i. Solmona i. d. Abruzzen o. n. ö. v. Rom
s. Meliorati.
Sulzbach (Sulczbach) w. n. w. v. Frankfurt, Georg
von —, Burggraf zu Bonames 636, 5; 38ᵃ.
— in der Oberpfalz n. w. v. Amberg 242, 44ᵇ. 387,
43ᵃ. 670, 41ᵇ. — Landschreiber dort s. Geb-
hard. — Das Landgericht (die Landschrannen)
dort 242, 16; 50ᵇ. 665, 26. 666, 10; 13.
Sumerstorffer, der, i. Baier. Solddienst 231, 17.
Summer (Sumer), Herr Peter, in Straßburg, Amman-
meister 1401, M. d. Neunerbehörde 250, 4; 40.
Suntra s. Sontra.
Superancio s. Soperancio.
Sure (Sůre) Zollschreiber K. Ruprechts zu Bacherach
219, 36ᵃ. — Johannes, desgl. zu Caub 219, 37ᵃ.
wol auch 540, 18; 40ᵇ. — Beide wol auch 858,
11.
Swabach s. Schwabach u. Schwalbach.
Swalbach, Henne, aus Mainz, städt. Gesandter 769,
31ᵇ.
Swalhans s. Smalhans.
Swan (od. Swartz?), Ulrich, von Grůbe, Knecht im
Straßb. Romzugskont. 253, 41.
Swetelin Straßburger Bote 259, 22.
Swebisch-Werd s. Donauwörth.
Sweicker (Sweykker), der 620, 34. 621, 13. 659,
40. — Zwei, 432, 40.
Swinderlauff, Bischof, etwa Bisch. Johann von Schles-
wig? 472, 7.

T vgl. D.

Tärchinger, Friderich, i. Baier. Solddienst 230, 14.
Tagliacozzo (Taliacocium) o. n. ö. v. Rom, der Graf
von —, s. Ursini.
Taldo, Bartolomeo di Nicholo di —, 70, 8.
Tanheim s. Thanheim.
Tannenberg wol i. Odenwald n. ö. v. Zwingenberg
669, 1.
Tarvisium s. Treviso.

Taunton in d. Gft. Somerset s. w. v. Bristol, Archidiakon dort v. Polton.

Taunus (die Höhe), die Überhöhischen Herren 663, 12.

Teck (Deck Tegg) s. ö. v. Eßlingen, Herzog Friderich III zu —, † 1413: 35, 42ᵇ. — Hzg. Ulrich zu —, † 1432: 35, 42ᵇ. — Der Herzog von —, der ältere, Hzg. Friderich? 449, 5. — Der Herzog von —, ders.? 431, 33. 433, 23. 435, 36. 448, 31. 662, 21. — Die Herzogin von —, 449, 3.

Tervisanum s. Treviso u. Trivisano.

Terzo (Tercius), Herr Ottobon (Otto, auch Otto de Bontherzo), Söldnerführer, zeitw. Mail. Hauptm., dann in Parma u. Piacenza 65, 16. 88, 25. 378, 32. 409, 5; 32. 531, 39ᵇ. 532, 26ᵃff. Vgl. Bontherzo.

Tetschen i. Böhmen a. d. Elbe nahe d. Grenze, Jan von —, s. Wartenberg.

Thalheim (Talheim) wol i. Schwaben, etwa s. v. Heilbronn?, Gerhard von —, Unterlandvogt K. Ruprechts, wol i. Oberschwaben 228, 18; 19.

Thanheim (Tanheim) wol bei Hechingen, Albrecht von —, i. kgl. Solddienst 234, 15. — Wol derselbe, Bevollm. K. Ruprechts auch 81, 14; 16. 101, 1.

Thann wol s. ö. v. Nürnberg 217, 28ᵇ. 360, 28.

Therunda, Leonardus, aus Verona (Weronensis) 181, 7.

Thionville n. v. Metz 498, 42ᵇ.

Thonburg s. Tomberg.

Thorne s. Torn.

Thüngen (Tüngen) n. n. w. v. Wirzburg, Fritz von —, 434, 6.) — Hildebrand u. Wilhelm von —, Brüder 434, 6.

Thüringen (Doringen Thuringia), die Landgrafen zu — u. Markgrafen zu Meißen (marchiones Missinenses, die von Meißen) 191, 35. 331, 24. 367, 39. 420, 38. 708, 5. Ein Rath derselben 429, 17. Vgl. Balthasar. — Die jungen v. Meißen (Mf. Fr. IV n. Mf. W. II) 448, 19. 449, 28. Ein Rath ders. 431, 14. — Des jungen v. Meißen (viell. Mf. W.'s II?) Rath 429, 30. — Des von Meißen (wol Mf. W.'s I?) Rath 294, 10. 434, 15. Vgl. Pewningen Raban Siglitz Witzleben. — Markgräfische Gefangene 690, 7; 19.

— Balthasar Landgraf von — u. Mf. von Meißen 1349-1406: 292, 1; (7). 310, 9; (27); 44ᵇ. 311, 15. 367, 4. 380, 30. 416, 31ᵃ. 425, 31ᵇ. 460, 13ff. 461, 7; 13. 690, 22. 691, 1; 8; 32ᵃ; 52ᵃ. 702, 3; 39ᵃ; 42ᵇ. 708, 24. auch 311, 41ᵃ. — Sein Rath? s. Witzleben. — Seine und seines Sohnes Besitzungen s. Bischofsgutern Eschwege Salza Sontra.

— Balthasar junior, wol irrth. Bezeichn. f. B.'s Sohn Friderich. Dessen Rath 430, 43.

— Friderich IV (d. ältere) d. Streitbare, Neffe Balthasars, 1381 (u. als F. I Kurf. v. Sachsen 1423)- 1428: 191, 49ᵇ. 292, 1; (7). 311, 39ᵇ. 366, 39. 367, 6. 380, 31. 689, 47ᵃ. 693, 20. auch 311,

41ᵃ. 449, 28. wol auch 448, 19. — Sein Rath wohl 431, 14. viell. auch 429, 30.

Thüringen Friderich (d. jüngere), Sohn Balthasars, 1406-1440: 367, 7. 689, 47ᵃ. 690, 32. 691, 2; 8; 32ᵃ; 31ᵇ. 693, 20. 702, 3; 39ᵃ. 708, 24. 311, 41ᵃ. — Sein Rath wol 430, 44. viell. auch 429, 30.

— Wilhelm I. (d. ältere), Bruder Balthasars 1349- 1407: 192, 35ᵃ. 292, 1; (7). 311, 48ᵃ. 317, 10. 330, 22. 366, 39. 367, 4. 374, 7. 380, 29. 423, 48ᵃ. 425, 21; 35ᵇ. 448, 20. 449, 28. 571, 15; 41ᵃ. 689, 47ᵃ. 693, 19. auch 311, 41ᵃ. wol auch 191, 46ᵇ. 423, 9. 425, 44ᵇ. — Sein Rath 429, 19. wol auch 294, 10. 434, 15. Vgl. Raban Witzleben, wol auch Pewningen Siglitz.

— Wilhelm II (d. jüngere) der Reiche, Bruder F.'s IV. 1393-1425: 191, 50ᵇ. 292, 1; (8). 311, 39ᵇ. 366, 39. 367, 6. 380, 32. 425, 32ᵇ. auch 311, 41ᵃ. 449, 28. wohl auch 448, 19. 449, 28. kaum 191, 46ᵇ. 423, 9. 425, 44ᵇ. — Sein Rath wol 431, 14. viell. auch 429, 30.

—, Landfriede in —, 310, 17. 441, 27.

Tierberg, der von —, Hofmeister Hzg. Ernsts v. Österreich 435, 33.

Tirol Land 413, 23. — Grafen zu —, s. Görz. — Vgl. Habsburg (Hzg. Friderich).

Tobesche s. Waldawer.

Tölz (Tollz) a. d. Isar s. v. München 29, 25.

Törringer, Oswald 432, 31.

Töter, der, aus Nördlingen 3, 20. 429, 31. 430, 7.

Tolmezzo (Tulmecium, deutsch: Schönfeld) i. Friaul n. n. w. v. Udine 153, 1. 171, 36ᵇ. 233, 32. 245, 7. — Einwohner (Tulmentini) 153, 35ᵃ; 40ᵃ.

Tomberg (Thonburg) s. w. v. Bonn, der Herr von —, 765, 30.

Toppler (Topller), Heinrich, i. Rotenburg, Bürgerm. 1408: 375, 14; 30. 449, 18. 450, 1.

Torn (Thorne), d. i. Thurm?, Jakob vom —, Ritter, i. kgl. Solddienst 237, 1. — Nikolaus (Nickel) vom —, desgl. 233, 37. — Phlebus (od. Phebus) vom (von) —, desgl. 233, 27; 30.

Tosiguano, Meister Piero da —, Arzt Joh. Galeazzos 67, 30. wol auch 67, 21.

Toskana (Thuscia Tuscien Tussia) Land, auch Herren u. Städte etc. (Reichsangehörige) dort 68, 15. 72, 18; 23. 117, 11. 142, 13. 148, 1. 550, 21. 551, 15. 688, 18. auch 145, 32.

Toul Bischof Philipp 1399-1409: 561, 38, 45.

Trawner, der 432, 28.

Treviso (Tarvisium Tervis) n. v. Venedig, Stadt u. Gebiet (territ. Tarvisinum, terra, partes) 96, 24; 29; 30. 97, 41. 98, 14. 100, 17; 28; 30. 103, 22. 109, 22. 110, 13. 115, 16. 124, 31. 126, 20. 130, 37ᵃ; 35ᵇ. 139, 35. 414, 33ᵇ. — Der Podestà von —, auch Rector genannt, wol L. Mauroceno 90, 42ᵃ. 98, 28; 30. 99, 25. 100, 28. 104, 40ᵃff. 126, 24. 130, 37ᵃ; 37ᵇ. 153, 19. Vgl. Mauroceno. — Der Podestà u. Hauptmann (potestas et capitaneus), ders.? 98, 30ff. 99, 5; 37; 39. 101,

26. 126, 15; 31. 139, 84. — Dortige Beamte (officiales rectores) 96, 26. 98, 26. 126, 16. 139, 30. — Bischofspalast dort (locus episcopatus) 99, 25. — Die burgi der Stadt 126, 26. 130, 38 ª; 39 ᵇ. — Regierungsbehörde i. Venedig (Tervisana) 92, 22. — Vgl. Trivisano.

Trewchtlinger, Jobs 432, 37.

Trewßheimer, Heinrich, i. d. Kanzlei d. Königin Elisabeth 248, 22.

Triefenstein in Unterfranken zw. Wertheim u. Lohr, der Probst von —, 431, 18. — Vgl. Dryffenstein.

Trient (Triendt Trento) in Tirol a. d. Etsch, Bischof Georg 4, 10. 69, 30. 157, 8. 159, 25. 160, 4. 168, 11. 171, 1. 176, 1; 20. 326, 33ª. 328, 45ª. 410, 43ª. 414, 32ª. — Seine Gesandten 168, 21. — Sein Bote 168, 25.

— Kanoniker d. Kirche zu —, s. Empache Stamensdorff. — Vogt d. Gotteshauses zu —, s. Görz.

— (Drient Tridentum Trint Tryente) Stadt 5, 12. 58, 12; 16. 59, 3; 10; 42ª. 60, 7. 67, 19. 70, 34; 36. 74, 20. 90, 24. 141, 27ᵇ. 145, 38. 146, 5. 148, 34ᵇ. 183, 23. 215, 8; 10; 21ª; 43ᵇ; 47ᵇ. 258, 14; 31. 259, 40.

Trier Erzbischof Werner von Falkenstein 1388-1418: 186, 20. 269, 21. 292, 37. 305, 21. 306, 13. 367, 47. 369, 17. 402, 41ᵇ. 423, 11. 496, 10. 547, 47ª. 565, 34; 38. 622, 2. 686, 45ª. auch 495, 29ᵇ. Vgl. Deutschland (Kurff.) u. Rhein (Kurff.). — Seine Gesandten (Freunde Räthe) 658, 1. 727, 38. 765, 27. Vgl. Katzenellenbogen (Gf. D.'s Sohn) Lynße Sachsenhausen Schaffart Wildgraf. — Seine (die Trierischen) Gulden 303, 47ᵇ. 346, 19. 348, 19. 349, 13. 350, 1: 35. 351, 7ff. 352, 3; 25. 353, 9. 354, 8. 566, 24; 32. 567, 21. 568, 9; 26; 27. Vgl. Koblenz Wesel.

— Erzbisthum Stift 368, 15; 36. 369. — Kandidat f. dass. s. Leiningen. — Kapitel 368, 41. Gesandter dess. s. Nikolaus. — Klerus d. Erzdiöcese od. Diöcese, Klerus zu —, 547, 32ª; 51ᵇ. Vgl. Florin.

— Stadt 368, 21ff. 403, 13.

Trifels (Triefels Trivels) i. d. Pfalz bei Annweiler, Amtmann dort s. Sickingen. — Vogt dort s. Landschade.

Trinavia s. Tyrnau.

Trivisano, ser Zacharia, Ritter, aus Venedig 92, 35ª. 100, 1; (11). 103, 3ff. 137, 17. 140, 8. auch 93, 15. 95, 9; 12. 96, 5ff. — Zacharias Tervisani, Podestà von Verona, wol ders. 378, 43.

Troia i. Süditalien s. w. v. Foggia, Bartholomeus Simonis de —, s. Cortona.

Truchseß, Dietz 433, 37.

— (Trugsäzz), der, i. Baier. Solddienst 231, 27.

— (Truchsezz Truchsäzz), ein 432, 32. 662, 20.

— (Druchseß) vgl. Baldersheim Hefingen Holnstein Pommersfelden.

Trübel, Reinbold zum —, in Straßburg, Glefner i. Romzugskont. 250, 24. 253, 42. 255, 31.

Trutlinger, Wirich, i. kgl. Solddienst 232, 41.

Tuchscherer, Peter, in Augsburg, städt. Gesandter 438, 23.

Tudertum, d. i. Todi s. v. Perugia, s. Meliorati.

Tüngen s. Thüngen.

Türken (Turchi) 118, 29; 32. 123, 11. 131, 12; 15. 139, 5; 10.

Türkheim (Dorenkeym Dorinkeim) i. Elsaß w. v. Kolmar 39, 24. 306, 25. 415, 34.

Turhuter s. Dorhüter.

Turiegel, Georg, i. kgl. Solddienst 237, 8.

Turner, Jakob, aus Salzburg? 432, 45. — Ohne Vornamen, viell. Rath d. Erzbischofs v. Salzburg, wol ders. 429, 7.

Turri, Nikolaus (Niculinus) de la —, in Diensten K. Ruprechts 171, 39ᵇ. 378, 35.

Tuscia s. Toskana.

Tyerstein (?), Graf Hermann von —, 429, 34.

Tyrann, der (il tiranno) s. Mailand (Joh. Galeazzo u. Joh. Maria).

Tyrnau (Trinaria) in Ungarn o. n. ö. v. Pressburg 185, 39.

Tyschinger, Stefan, in Augsburg, städt. Bote? 662, 34.

U.

Udine (Utinum) in Friaul n. ö. v. Venedig 141, 15ff.; 37ª. 171, 47ª. — Der Rath 171, 37ª; 45ª; 27ᵇ; 336, 35ᵇ. 414, 6; 46ª. Vgl. Fagano. — Deputati 336, 37ᵇ. 414, 15. — Camerarius 171, 49ª. — Daciarius s. Maninus. — Gesandter s. Mulargis. — Bote (od. Gesandter?) s. Gotardus. — Einwohner (terrigene do burgo superiori) 171, 29ᵇ.

Überlingen (Uberlingen) am Bodensee 17, 29; 37. 41, 29. 42, 4. 226, 38ᵇ. 227, 46ª. 228, 12. 229, 3. 306, 24. 376, 5. 381, 18. 750, 2; 48ª. 751, 36ª; 31ᵇ. — Gesandte 429, 5. — Juden dort 229, 3. vgl. 228, 12.

Ütenhofer, Philipp 432, 21.

Ütingen, etwa Jettingen zw. Ulm u. Augsburg?, 438, 27. 439, 2. 660, 16. auch 438, 2?

Uffseße s. Aufseß.

Ulm (Ulme) in Wirtemberg a. d. Donau 17, 29. 41, 23. 42, 2; 22; 49ª; 43ᵇ; 51ᵇ. 43, 10; 34ᵇ. 46, 7. 213, 3. 226, 26ff.; 38ᵇ. 228, 7; 20. 229, 3. 273, 13; 14. 276, 31. 299, 45ª; 41ᵇ; 43ᵇ. 306, 22. 374, 43. 375. 382, 1. 435, 17; 25; 26. 436, 15; 25; 27; 32. 437, 2; 7; 11; 23. 438, 14ff. 439, 2. 522, 3. 523, 8. 651, 33. 660, 11. 661, 5; 9; 13; 30ᵇ; 32ᵇ. 662. 713, 42. 731, 28. 734, 9; 13; 29; 33. 735, 11; 35. 736, 12. 742, 23. 743, 30ff. 744, 1. 745, 4. 749, 12. 750, 2; 40ᵇ. 751, 37ª; 49ª; 31ᵇ. 754, 9. 766, 4. auch 728, 35. — Bürgermeister 754, 9. Vgl. Löw. — Der Rath 731, 25; 29. 736, 12. — Gesandte 375, 47. 429, 3. 431, 20. 435, 36. 448, 26. 663, 3. 727, 44. 734, 31. 735, 5; 11. Vgl. Besserer Ehinger Peßler Stephanlin Stöcklin. — Stadtschreiber 375, 8; 9. — Kundschafter 375, 17. — Bote 435, 40.

436, 1; 28. — Bürger Einwohner s. Leo Strölin;
auch Hermann? Pach? — Juden dort 213, 7. 226,
30; 31. 227, 6; 9. 229, 3. vgl. 228, 20. — Verbündete Städte s. Schwaben.

Ulrich (Ulricus) in K. Ruprechts Kanzlei s. Albeck.
— (Ulreich), Probst, Stadtkämmerer zu Regensburg
46, 11 ff.
— (Uelrich) Knecht i. Straßb. Romzugskont. 253, 27.
— von Augsburg, desgl. 253, 35.

Ungarn (Hungaria Ungaria Ungeren Ungern) Land
Königreich 191, 28. 290, 18. 363, 12; 19. 407,
29. 413, 18. 417, 17; 33ᵃ; 42ᵃ; 31ᵇ. 421, 25.
436, 17. — König Karl II 1385-1386: 407, 33. —
König Ladislaus s. Neapel. — König Sigmund s.
Luxemburg. — Reichsvikar s. Habsburg (Hzg.
Albrecht). — Fürsten Prälaten Barone Stände des
Reichs 179, 6. 407, 29; 31. 417, 13; 36ᵇ. 421,
18; 19. — Nicht gen. Städte in —, 425, 10. —
Die Ungarn (Unger), d. i. ein Ungar. Heer 425, 10.

Ungelter, Werner, Gesandter Reutlingens 523, 24 ff.

Unkel zw. Bonn u. Neuwied, der Pastor dort s.
Johann.

Unterwalden a. Vierwaldstädtersee 50, 9.

Urach ö. v. Reutlingen 764, 24.

Urbach s. Auerbach.

Urberg, d. i. Auerberg n. w. v. Fulda od. bei Auerbach a. d. Bergstraße?, Amtmann dort s. Rinheim.

Urbetanensis civitas, wol Orvieto n. v. Viterbo, s.
Meliorati.

Urbs s. Rom.

Urgeler, Peter 390, 16.

Uri (Urn) a. Vierwaldstädtersee 50, 9.

Ursii, St., Graf Georg von —, s. Canalis.

Ursini, d. i. wol Orsini, Jakob von —, Graf von
Tagliacozzo 378, 37. — Paul von —, Hauptmann
der Röm. Kirche 378, 12.

Usingen (Usüngen Usungen) n. n. w. v. Frankfurt
710, 3.

Uslar (Ußler) n. w. v. Göttingen, Ernst von —, auf
d. neuen Hause (wol Neuen-Gleichen) 446, 41. —
Hans von —, desgl. 446, 41. — Hermann von —,
auf d. alten Hause (wol Alten-Gleichen) 446, 42. —
Werner von —, auf d. neuen Hause 446, 41.

Uspero, Usperco s. Augsburg.

Ussinkeim, Reinhard, i. kgl. Solddienst 235, 17.

Ute (od. Uten?), Heil, Bote Frankfurts 246, 43ᵇ.
vielL auch 493, 2.

Utenheim, jetzt Philippsburg in Baden s. v. Speier,
Zollschreiber dort s. Johann.

Utrecht (Uetricht Uitrich Utricht) Bischof Friderich
256, 37. 429, 25. 505, 46ᵃ. 506, 20. 511, 11. —
Seine Räthe 505, 47ᵃ.

V vgl. F.

Vaihingen (Veyhingen) wol o. n. ö. v. Pforzheim
765, 4; 8.

Valdo (Gualdo), Balthasar von —, (Baldassar domini

Johannis de —, Theutonicus, od. de Valdo Theutonico?) Söldnerhauptmann 76, 24; 29. 222, 26.

Val-Sabtia (vallis Sabia) Gegend im Thal des Chiese
n. v. Gardasee 183, 16.

Valterra, Johann von —, Lehrer i. weltl. Recht,
Aragones. Gesandter 208, 32. 553, 47ᵃ; 44ᵇ.
wol auch 553, 28.

Vannis s. Chianciano.

Varano, Berardus von —, Herr zu Camerino, Sohn
Rudolfs, † 1434: 378, 29. — Pandolfus von —,
desgl., † 1434: 378, 29. — Rudolf von —, Herr
zu Camerino 1399-1424: 173, 34. Dessen Tochter
Bellafiore Gemahlin Jakobs v. Carrara 173, 41.

Varceburgum s. Schwarzburg.

Vaudemont (Wydemûnd) s. v. Toul, der Herr zu —,
s. Lothringen.

Veglia (Vegla) a. d. Damaltin. Küste, Gräfin Katharina Gemahl. d. Grafen Stefan von —, 163, 15.
410, 45ᵃ. — Deren Tochter 163, 22. 164, 10.

Veherknecht, Hans, Knecht i. Straßb. Romzugskont.
254, 11.

Veispriger s. Wispriger.

Veldenz (Veldentze) n. ö. v. Trier, Graf Friderich
von —, † 1444: 13, 30; 36. 495, 29ᵇ. — Der
Graf von —, wol ders. 727, 42. 765, 29.

Velkirchen, der Stadtschreiber von —, 431, 1.

Vend, Johann, in Augsburg, städt. Gesandter 435,
17; 39. 436, 7; 12.

Venedig (Vendige Veneciae Venedie Venedy Venesia
Venexia Vinegia) Stadt Commune (communitas)
Rath Signorie Regierung (dominatio ducalis, dominium) die Venetianer (Venediger Veneti Vinitiani Viniziani) 16, 20. 19, 29. 30, 16; 24. 31, 29.
35, 10. 58. 60. 62, 32; 43. 63, 7. 70, 2; 24.
73, 10 ff. 75, 42ᵇ. 78, 4; 9. 79, 25. 80, 9 ff.;
42ᵇ. 81-140. 141, 5; 11. 142, 1. 145, 25. 152,
30. 153, 19. 158, 9; 11; 12; 25. 159, 6; 21;
23; 33; 41ᵇ. 160, 2; 12; 13; 35; 38. 161, 20;
32. 162, 19. 164, 15. 166, 27. 169, 21; 29; 30;
31. 174, 26; 27. 175, 8: 44ᵃ. 176, 16; 45ᵃ;
48ᵃ. 179, 25ᵃ ff. 183, 33; 37. 185, 5. 193, 25.
194, 39ᵃ. 215, 2; 33ᵇ. 216, 42ᵃ; 51ᵃ. 217, 16;
52ᵇ. 218. 219, 9; 39ᵃ; 42ᵃ; 37ᵇ. 220, 1. 222,
20; 31. 223, 13; 14. 231, 51ᵃ; 48ᵇ. 232, 35.
236, 18. 245, 8. 246, 5; 17; 33; 38; 48ᵃ; 44ᵇ.
247, 4; 15. 248, 1; 19. 249, 2; 16. 256, 19.
259, 10. 262, 28 ff. 264, 12; 13; 17. 265, 9; 12.
266, 11; 13; 23. 282, 13. 283, 1; 4; 7; 10.
286, 32. 291, 21. 329, 30; 45ᵇ. 336, 26. 406,
9; 41ᵃ; 38ᵇ. 407, 10; 19; 27. 408, 43ᵇ. 411,
13; 24; 38. 412, 42ᵃ. 417, 1. 422, 1. 438, 35.
439, 3. 526, 24. 532, 48ᵃ; 46ᵇ. 533, 25ᵃ ff.; 40ᵃ.
682, 6. 683, 9. 687, 10; 41ᵃ. 688, 28ᵃ. auch
176, 5. wol auch 408, 30ᵇ. (vgl. aber Florenz). —
Der Doge (duca dux dominus) s. Steno. Dessen
curia 102, 27. — Verschiedene Räthe (consilium
majus, d. i. d. große Rath?, consilia rogatorum et
additionis, d. i. d. Senat der Pregadi, etc.) 89, 21.
104, 27. 128, 15. 129, 21. 132, 21. 133, 17; 25.

135, 12. — Das Collegium domini consiliariorum capitum et sapientum consilii 103, 26. 129, 7. 132, 21. 133, 19; 29; 41. 134, 3; 11; 24. 135, 13. 139, 18. — Die Consiliarii (d. i. Mitglieder d. kl. Rathes d. Dogen) bezw. einige ders. 92, 19; 41ᵃ; 47ᵃ; 34ᵇ. 95, 16. 102, 33. 127, 35. 128, 14; 22. 163, 6. Vgl. Bembo Civrano Corario Juliano Mauroceno Mocenigo Pesaro. — Die Capita de 40 bezw. einige ders. 92, 19. 102, 34. 127, 17; 35. 128, 14; 22. Vgl. Bembo Cornario Marcello Mauroceno. Die 40 bezw. die 30 de 40: 127, 35. 128, 14; 22. — Die Savj (sapientes consilii) bezw. einige ders. 83, 25. 85, 5. 89, 5. 91, 32. 98, 18. 102, 33. 103, 12; 31. 129, 18. 132, 10. 406, 13. 417, 5. 422, 4. Vgl. Aymo Bembo Contareno Cornario Dandulo Geno Lauredano Mauro Mocenigo Quirino Soperancio Trivisano. — Prokuratoren s. Cornario Geno Lauredano Soperancio. — Versch. andere Kollegien u. Korporationen (judicatus peticionum, auditores sententiarum, Gradus ad caput aggeris, Tervisana, corpus Rivoalti, corpus Venetiarum 91, 22; 23. 92, 21; 22. 103, 11. 105, 18. 135, 4; 5. 136, 19. 161, 26; 29. — Nobili (nobiles) 89, 21. 133, 17. 134, 8; 13. 135, 5; 17; 29 ff. — Gesandte der Commune (ambassiatores ambassiata oratores) 85, 9. 90, 11. 92, 16; 37ᵇ. 117, 12; 34. 118, 7; 13. 120, 26. 246, 34. 283, 2. Vgl. Aymo (Gabriel u. Petrus) Cornario Geno Mocenigo, auch Mauroceno Pisani Plunacius Trivisano. — Besitzungen Venedigs, sein Gebiet, ihm gehör. Orte 93, 25. 100, 22. 130, 35ᵇ. 153, 25. 527, 11. Vgl. Ceneda Conegliano Levante Motta Negroponte Noale Porto-Buffole Treviso. — Die burgi solcher Orte 130, 39ᵇ. — Venet. Beamte (Podestà Officiales Rectores etc.) in solchen Orten 98, 3; 30. 99. 101, 26. 104, 33ᵇ. 126, 11; 32. 130, 37ᵇ. 134, 16. 139, 37. Vgl. die sämmtlichen gen. Orte. — Ein Schiffshauptmann 134, 2; 13. 135, 18; 45ᵇ. — Truppen 118, 44. 119, 2. 126, 28. 131, 17. 139, 9; 11. — Ein Bote (caballarius) 102, 36. — Kaufleute Bankiers Banken 84, 28. 219, 40ᵃ; 34ᵇ. 535, 47ᵇ. Vgl. Amadi, auch Albertis? — Der (ständige?) Florent. Geschäftsträger dort s. Medici. — Die Gesandten des Franz von Carrara dort 329, 41ᵇ. 336, 11. 406, 38ᵃ. 411, 27. — Ein Hafen circa 50 Meilen von Venedig 60, 26.

Vener (Wener), Job, Magister u. Doctor (früher Licenc.) utr. juris, i. K. Ruprechts Kanzlei (Protonotar) u. s. Rath 204, 36. 205, 19; 22. 210, 5. 211, 22. 275, 4. 327, 46ᵇ. 342, 31. 376, 35. 390, 31. 391, 21; 29. 494. 6 ff. 512. 32. 515, 12. 525, 14. 527, 32. 528, 1. 532, 9. 542, 2; 27ᵃ; 39ᵃ ff. 562, 40. 673, 14. 677, 9. auch 206, 25; 29. 208, 8. 210, 15. 395, 28. 401, 5. 533, 24ᵇ. wol auch 394, 1. 544, 5. 674, 15.

Venningen (Venyngen) i. d. Pfalz bei Edenkoben, Herr Hans von —, der alte, Rath K. Ruprechts 432, 8. 539, 10; (30). 673, 32. auch 540, 40ᵃ;

41ᵇ; 43ᵇ. wol auch 674, 15. — Herr Konrad von —, 432, 8.

Venosa, Grassus Guernerii (Gualterii) de —, Söldnerhauptmann 76, 24. 77, 22. 78, 30.

Venzóno (Vençonum, zu deutsch Peuschldorf) in Friaul i. n. n. w. v. Udine 59, 7; 26. 60, 9. 102, 37. 153, 17. wol auch als Büschendorf 264, 9; 21.

Verden (Verren) s. ö. v. Bremen, Bischof Konrad von Soltau, Magister der Theologie, 1400-1407: 58, 49ᵇ. 282, 19; 23; 27. 283, 3; 14; 39. 287, 1; 10; 15. 289, 1; 8. 357, 37. 365, 5. 399, 24. 548, 27. 549. 679, 15; 34ᵃ. auch 31, 26; 31. 71, 5. 73, 34. 93, 1. 95, 20. 104, 3. 106, 36. 110, 6. 116, 1; 5; 26. 117, 1. 120, 15; 17. 122, 12; 30. 124, 39. 282, 16. 291, 25. 400, 7. wol auch 431, 31.

— Bischof Ulrich von Albeck 1407-1417 s. Albeck.

— Bischof Konrad II. Gegenbischof 1398 ff.: 416, 29ᵃ.

— Bisthum 679, 16. — Domprobst s. Lesc.

Verme, Jakob von —, wol Mailänd. Söldnerhauptmann 170, 21.

Verona 58, 24. 88, 1. 185, 2. 532, 21. 533, 5; 17. 534, 44ˣ; 46ᵃ. 546, 40ᵇ. 682, 43ᵃ. — Herren von —, s. Scala. — Reichshauptmann dort s. Mauro. — Podestà dort s. Trivisano. — Veroneser s. Therunda. — Zwei zum dort. Reichsvikariat gehörige Schlösser 536, 45ᵃ.

Verren, der Bischof von —, s. Verden.

Vertus (Virtù) w. s. w. v. Châlons sur Marne, Graf Joh. Galeazzo von —, s. Mailand.

Vestenberg o. n. ö. v. Ansbach, Herr Hans von —, 432, 41. — Hermann von —, 433, 26.

Vettori (Vectorj.), Andrea di Neri —, auch Andrea de' —, Florentin. Gesandter 57, 36. 59, 4. 60, 11 ff. 72, 36. auch 66, 28. 70, 34. 71, 7. wol auch 83, 20. 87, 5; 21. 88, 42ᵇ. 112, 33 ff. 121, 34; 38. 129, 23. 132, 16; 35. 133, 20. 135. 160, 13; 37.

Vianden (Vyanden) w. n. w. v. Trier, der Graf zu —, s. Sponheim.

Vicenza (Vicentia Vincenza) o. n. ö. von Verona 88, 1. 170, 21. 533, 1. 682, 42ᵃ.

—, Jacobus a —, Mailänd. Hauptmann 409, 32.

Viderboltz, Hans, Knecht i. Straßb. Romzugskont. 253, 23.

Vienhart, Konrad (Corradus), Söldnerhauptmann 76, 24. 77. 16.

Vilbel (Filwil Vilwil) n. w. v. Frankfurt, Bertram (Bechtram) von —, 592, 33. 629, 39ᵇ.

Vilmar a. d. Lahn ö. v. Limburg, Winther von —, 635, 44ᵃ. 636, 20; 34ᵇ.

Vilshofen (Filtzhofen) w. n. w. v. Passau 420, 44.

Visconti (Bisconti, Vicecomites de Mediolano), Bernabo, Johann Galeazzo, Johann Maria s. Mailand. — Karl, Sohn Bernabos, Herr v. Parma, † 1404: 162, 44ᵃ. auch 230, 30? — Lucia, eine Schwester dess., sp. Gfin. v. Kent, † 1424: 551, 22. — Mastinus, ein Bruder Karls 162, 44ᵃ. auch

107

230, 30? — Philipp Maria s. Mailand. — Die Visconti 80, 23. 529, 32. 531, 43 b.
Vitaliana s. Cavalcaboni.
Völtzel Knecht i. Straßb. Romzugskont. 254, 30.

W.

W. (oder W. de M.) s. M.
Wachter, der, erzbischöfl. Salzb. Rath 429, 8.
Wahinger, Berthold, s. Freising.
Waldawer, Herr Heinrich 620, 19; 25. — Der Tobesche 430, 12. — Der 434, 42.
Waldburg o. s. ö. v. Ravensburg, Truchseß Johann von —, 376, 7.
Waldeck (Waldecke) w. s. w. v. Kassel, Graf Heinrich V zu —, 1397-1442: 310, 35; 46 ª. 366, 4. 466, 16. 475, 44 b. 692, 29. 694, 2; 6. 704, 85. 705, 16; 20. vgl. 471, 47 ª.
— (Waldecke) i. d. Oberpfalz o. s. ö. v. Baireuth 331, 3; 8; 12. — Das Landgericht dort 665, 27. — Der Pfleger dort s. Egloffstein.
— wol dass., od. auf d. Hunsrück? 669, 1.
— etwa n. ö. v. Heidelberg?, Wilhelm von —, Rath K. Ruprechts u. s. Burggraf zu Staleck 589, 10; (29). auch 540, 40 ª; 41 b; 43 b.
Walderfingen, Friderich von —, Kaplan und Sekretär Hzg. Karls v. Lothringen 240, 84; 40. 493, 8; 39 ª. wol auch 432, 1.
Waldsassen (Waldsachsen) s. w. v. Eger, der Abt von —, 420, 39. 429. 88.
Waldstädte, die Schweizer 676, 27 ª.
Walmroder, Marschalk 432, 24. — Vgl. Wolnrude.
Walter (Walther) von Renchen, Knecht im Straßb. Romzugskont. 253, 21.
Walthasar s. Balthasar.
Waltman, Hartmann, zu Carben 592, 37.
Wambold, Henne, i. kgl. Solddienst 236, 15. — Sigfried, desgl. 236, 17.
Wamsch, Konrad, aus Fritzlar 470, 38.
Wangen n. n. ö. v. Lindau 41, 29. 42, 5. 226. 38 b. 227, 26. 228, 8. 229, 12. 306, 25. 876, 6. 381, 20. 750, 49 ª. 751, 36 ª. — Juden dort (nicht vorh.) 227, 26. 229, 12. — Vgl. Kunzlin.
Wartenberg in Böhmen w. s. w. v. Reichenberg, Jan von —|, auch zu Tetschen, Bevollm. K. Sigmunds 191, 45 b.
Warter, Herr Markx 434, 2. Vgl. Markxwarter.
Wasen, Heinrich vom —, 641, 8; 39 b. — Henne vom —, Herrn Johanns Sohn 635, 25; 46 b.
Water, Walter Fitz, Engl. Gesandter 338, 15; 37 ª. 402, 47 b.
Waterton, Robert, Engl. Gesandter 13, 20.
Wayser, der, aus Friedberg 659, 28,
Wechinger (besser Wahinger), Berthold, s. Freising.
Wechsler s. Dorreczuhant.
Wedelberg s. Wiedelberg.
Weibe. Jakob, in Frankfurt, wol Rathsherr 343, 24. 512, 13.

Weiden s. Wijden.
Weil (Wile), d. i. Weilderstadt w. v. Stuttgart 42. 1; 22; 50 ª. 226, 38 b. 227, 34. 228, 8; 27. 229, 2. 306, 25. 375, 15. 381, 29. 495, 34 b. 650, 36. kaum 306, 23. 382, 10. — Juden (bezw. ein Jude) dort 227, 34. 228, 27. 229, 2.
— im Thurgau s. Wyl.
Weinheim (Winheim, Wynnheim) a. d. Bergstraße 511, 35. 512. 516, 39. 518, 14; 19; 25; 31. 519, 11. 520, 8. auch 677, 47 ª. — Schultheiß dort s. Hammann. — Juden dort s. Elias. — Vgl. Winheim.
Weinsberg (Winsperg) o. n. ö. v. Heilbronn, Herr Engelhard von (zu) —, 1367-1413, Hofrichter K. Ruprechts 195, 24. 321, 1; 39 ª. 322, 16. 327, 25 b. 448, 13. 450, 7. 479, 20. 660, 33 ª; 47 ª. 677, 8. auch 13, 30; 36. — Herr Konrad (der junge) von —, E.'s Sohn, 1413-1448: 294, 29. 598, 3; (15). 602, 17. 659, 5. — Der von —, einer der beiden vorigen 429, 18. 658, 18. 659, 32. 660, 4. — Die Frau von —, wol Gemahlin Engelhards? 293, 22.
— Stadt 17, 31. 43, 32 ª. 226, 38 b. 227, 41. 228, 8. 229, 23. 306, 24. 381, 26. 390, 1. — Gesandte 765, 34. — Juden dort (nicht vorh.!) 227, 41. 229, 23.
Weise, Herr Eberhard, Ritter, Burggraf zu Friedberg 635, 19; 37 b. — Eitel (Ydel), Ritter 636, 18; 34 b. — Herr Gilbrecht, Ritter 635, 44 ª. 636, 19; 34 b.
Weissemberger, Ulrich 430, 10.
Weissenach, die von —, 430, 17.
Weißenburg (Wißenburg) im Elsaß 306, 26. 373, 19. 561, 27. schwerlich 213, 19. — Gesandte 765, 32. 769, 30 ª. 31 b; 41 b.
— dasselbe, Abt Johann von —, 495, 29 b. — Der Abt von —, wol ders. 727, 40.
— im Nordgau n. ö. v. Nördlingen 221, 38 ª. 228, 45 ª. 305, 30; 35. 306, 21. 382, 17. 388, 6. 390, 1. 438, 4. 581, 36. 619, 12. 623, 27. 656, 3; 38 b. 657, 2; 4; 39 ª. wol auch 213, 19. — Gesandte 3, 16; 35. 294, 6. 428, 33. 429, 5; 46. 430, 29; 45. 431, 2. 433, 33. 434, 15; 29. 448, 27. 602, 18. 619, 11. 620, 11; 18; 40. 621, 18. 657, 3. 658, 17; 27. 659, 2; 6; 10; 23; 36. Vgl. auch Rigler. — Juden dort 228, 47 ª.
Welder, Meister Heinrich, Prokurator der Stadt Frankfurt 26, 44 ª. 343, 26.
Welnrude, etwa Wallenrode?, Kunz von —, 390, 13.
Welrßauwe, d. i. Wersau ehemals s. s. w. v. Heidelberg bei Reilingen 644, 29 ª.
Welschland (Welsche, Walische Lande) s. Italien.
Wenzel, König s. Luxemburg.
Werberg, Henne, Vogt K. Ruprechts zu Germersheim 358, 7. 666, 41. wol auch 668, 27.
Werde, Hans von —, s. Müllenheim.
— s. Donauwörth.
Werdenberg (Werdemberg) s. v. Bodensee s. Rhein, Graf Hugo (Hug) von —, wol Hugo X, † 1428,

Reichslandvogt in Oberschwaben 41, 42ᵇ. 522, 38ᵃ; 44ᵃ.

Werle (Werla), d. i. Werlau bei St. Goar? Johann, oder Joh. von —, Amtmann zu Beilstein, Nass. Vertreter b. Ldfr. 636, 16; 49ᵃ. 643, 10.

Wernauw, Volmar von —, i. kgl. Solddienst 237, 11.

Wernigerode (Werningerode) im Harz, Graf Heinrich IV zu —, 1375-1429: 310, 10; (30). 311, 15. — Graf Konrad V zu —, Bruder H.'s, 1358-1407: 310, 10; (29). 311, 15.

Wertheim a. Einfluß d. Tauber i. d. Main, Graf Eberhard von —, 293, 19. 430, 5. 448, 23. — Graf Johann von —, wol Joh. I 1373-1407: 294, 7; 11. auch 13, 30; 36. — Dessen Sohn, wol Gf. Johann II 1407-1444: 294, 12. — Gf. Johann (Hans) von —, auch i. kgl. Solddienst, einer der beiden vorigen 234, 18. 293, 19. — Zwei von —, 3, 18. 659, 38. — Der (od. die) von —, 433, 45.

Wertungen, wol Wertingen n. n. w. v. Augsburg 298, 40ᵃ. — Vgl. Langenmantel.

Werwolff (Berwolff), Johann, in Diensten K. Ruprechts 274, 18. ders. wol 274, 26. — Johann, der junge, desgl. 274, 19. — Peter, Bruder des erstgenannten, desgl. 274, 19; 26.

Wesel, d. i. Oberwesel n. w. v. Bacherach, die Gulden von —, 347, 11; 26.

Westerhan in Hessen bei Witzenhausen zu suchen, die von —, 470, 44. 471, 5.

Westerstetten wol n. v. Ulm, einer von —, 433, 15.

Westerwald, der, zw. Sieg u. Lahn 663, 14. — Die Westerwäldischen (Westerweldischen), näml. Ritter 500, 1.

Westfalen (Westfalia Westfolhen) 634, 36. — Landfriede in —, 310, 17. 572, 38. — Gen. Freigrafen der Feme 579, 8.

Westminster in London 13, 8. 14, 4; 34. 338, 22.

Westmoreland (Westmerlandia) i. nordw. England, Graf Radolph von —, † 1425: 13, 6; 9. 14, 29.

Westreich, das, d. i. das Land westl. v. d. Vogesen, die Westreichischen Herren 487, 16.

Wetter n. n. w. v. Marburg 463, 20.

Wetterau (Wederauwe Wedreibe Wedreûbe Wetereyb), die 576, 9. 629, 11. 631, 37. — Städte in der —, (Wedreubsche stede) 512, 5. 590, 28. 591, 5. Deren Gesandte (Freunde) 765, 31. 766, 11. —. Der Reichslandvogt in der —, s. Rodenstein, vgl. Hirschhorn. — Landfriede a. Rhein u. i. d. — v. 1398: 624, 11. 625, 7. Herren u. Städte desselben 589, 48. vgl. 625, 6. Hauptmann desselben s. Nassau (Gf. Philipp). Zölle desselben 589, 48. 625, 9; 37ᵃ. Vgl. Castel Höchst. — Landfriede dort 1401-1402: 26, 3. 27, 11. — Landfriede in der —, projekt. 1403 u. 1404: 626, 10; 30. 630, 21. — Landfriede in der —, v. 1405: 596. 597, 40. 631, 13. 634, 29. 640, 2. 642, 4. Mitglieder desselben (Herren u. Städte od. auch Grafen Herren u. Städte) bzw. deren Vertreter 642, 5; 30; 36; 40. 643, 20. 644, 14; 17. 646, 12. 647, 2; 12; 21. 648, 20ᵃ; 23ᵇ. Der Hauptmann dess.

(Landvogt) 638, 1; 20. 639, 20; 27. 640, 6; 12; 14. 641, 6; 9. vgl. Hirschhorn. Dessen Diener 641, 11; 13. Die 6 bzw. 7 Vorsteher dess. 632, 42ᵃ. 637, 6; 45ᵃ. 638, 5; 12. 639, 8; 22. 640, 16; 40ᵇ. 641, 39ᵇ. 644, 10; 19; 24ᵃ; 46ᵃ; 41ᵇ. 646, 6. Schreiber dess. (Landschreiber) 638, 10. 639, 28. vgl. Heinrich. Zölle dess. 597, 28. 633, 2. 634, 40. 638, 24ff. 639. 640, 8. vgl. Arheiligen Butzbach Frankfurt Friedberg Gelnhausen Sachsenhausen Selbold Steinau Wetzlar, auch Hasslau. Zöllner dess. 638, 43ᵇ. 639, 21; 24. vgl. Frankfurt Selbold Steinau. Boten dess. 638, 14.

Wetzlar (Wetflar Weczflar) a. d. Lahn 18, 47. 305, 38. 306, 2; 27. 381, 33. 593, 10. 625, 7. 635, 17. 637, 21. 640, 9. 641, 17. 642, 16; 35. 643, 4. 645, 7. 646, 17. 647, 22; 32. 650, 37. — Bürgermeister 635, 49ᵃ. — Landfriedenszoll dort 638, 28.

Weysse, der, i. Baier. Solddienst 231, 18.

Weytas, Asin (?), desgl. 230, 8.

Wickersheim wol i. Elsaß bei Straßburg, Volmar von —, Schultheiß zu Hagenau, Ges. K. Ruprechts 40, 13.

Wiedelberg (Wedelberg Widdelberg Wydelberg) w. s. w. v. Kassel bei Naumburg, 462, 10; 11; 15. 466, 2. 469, 21; 23. 475, 9. 692, 28. 710, 18. —, Konrad, Subdiakon 475, 2; 4.

Wielant, Hans, in Augsburg, Rathsherr? 662, 28; 29.

Wien (Viona Wein Wyene) 336, 16. 375, 17; 32. 407, 22; 43ᵇ. 414, 5. 422, 32. 425, 6. 426, 40; 42. 427, 37ᵃ. 436, 6; 17. 437, 38.

Wiesbaden (Wysebaden) 648, 20ᵇ; 21ᵇ; 28ᵇ.

Wiesentauwer, Hans, i. kgl. Solddienst 235, 15.

Wiesloch (Wissenloch Wißenloch) s. v. Heidelberg 16, 8. 539, 44ᵇ. 562, 50. auch 563, 4.

Wijden, die, wol Weiden i. d. Oberpfalz a. d. Naab 420, 35. 679, 7.

Wil (Wile) s. Weil und Wyl.

Wildberg (Wilperg Wiltperg) wol s. w. v. Stuttgart 672, 3. 673, 19. 674, 15. 677, 10.

Wildenstein wol a. d. Donau w. v. Sigmaringen, Amtmann dort s. Zimmern.

Wildensteiner, Rudolf 433, 4.

Wildericus, Magister, Rath Hzg. L.'s v. Österreich 196, 33.

Wildgraf Gerhard von Kirburg (Kyrburg), Kurtrier. Ges. 727, 38. viell. auch 765, 26.

Wildungen s. w. v. Kassel, Ludwig von —, 473, 22.

Wilhelm, Herzog s. Baiern u. Habsburg.

— von Breisach, Knecht i. Straßb. Romzugskont. 254, 7.

— (Wilhalm) von Hall, in Nördlingen 43, 33ᵇ; 34ᵇ. 434, 32.

Wimpfen (Wimphen Winpen Wympfen) a. Neckar 17, 31. 226, 38ᵇ. 227, 39. 228, 8. 229, 21. 306, 24. 381, 25. 650, 32. — Gesandte 765, 34. — Juden dort (nicht vorh.!) 227, 39. 229, 21.

Windeck o. s. ö. v. Köln a. d. Sieg 663, 26.

Windsheim (Winsheim) a. d. Aisch n. ö. v. Roten-